METHODEN DER
ORGANISCHEN CHEMIE

METHODEN DER ORGANISCHEN CHEMIE

(HOUBEN-WEYL)

VIERTE, VÖLLIG NEU GESTALTETE AUFLAGE

HERAUSGEGEBEN VON

EUGEN MÜLLER

TÜBINGEN

UNTER BESONDERER MITWIRKUNG VON

O. BAYER · H. MEERWEIN † · K. ZIEGLER

LEVERKUSEN · MÜLHEIM/RUHR

BAND IV/3

CARBOCYCLISCHE DREIRING-VERBINDUNGEN

1971

GEORG THIEME VERLAG · STUTTGART

CARBOCYCLISCHE DREIRING-VERBINDUNGEN

BEARBEITET VON

D. WENDISCH

LEVERKUSEN

MIT 113 TABELLEN
UND 21 ABBILDUNGEN

19 GTV 71

GEORG THIEME VERLAG · STUTTGART

In diesem Handbuch sind zahlreiche Gebrauchs- und Handelsnamen, Warenzeichen u. dgl. (auch ohne besondere Kennzeichnung), BIOS- und FIAT-Reports, Patente, Herstellungs- und Anwendungsverfahren aufgeführt. Herausgeber und Verlag machen ausdrücklich darauf aufmerksam, daß vor deren gewerblicher Nutzung in jedem Falle die Rechtslage sorgfältig geprüft werden muß. Industriell hergestellte Apparaturen und Geräte sind nur in Auswahl angeführt. Ein Werturteil über Fabrikate, die in diesem Band nicht erwähnt sind, ist damit nicht verbunden.

Erscheinungstermin 26. 8. 1971

Satz und Druck: Druckhaus Sellier OHG Freising vormals Dr. F. P. Datterer & Cie.

ISBN 313 2013 04 8

Vorwort

Die von TH. WEYL begründeten und von J. HOUBEN fortgeführten Methoden der organischen Chemie sind zu einem wichtigen Standardwerk von internationaler Bedeutung für das gesamte chemische Schrifttum geworden. Seit dem Erscheinen der letzten vierbändigen dritten Auflage sind zum Teil schon über 20 Jahre vergangen, so daß eine Neubearbeitung bereits seit Jahren dringend geboten schien. Verständlicherweise hat sich die Verwirklichung dieser Absicht, durch die Kriegs- und Nachkriegsverhältnisse bedingt, lange hinausgezögert.

Vor allem der Initiative von Herrn Prof. Dr. Dres. h. c. Dres. E. h. OTTO BAYER, Leverkusen, ist es zu verdanken, daß das Werk heute in einer völlig neuen und weitaus umfassenderen Form wieder erscheint.

Diese neue Form wird in einer großen Gemeinschaftsarbeit von Hochschul- und Industrieforschern gestaltet. Ursprünglich planten wir, das neue Werk mit etwa 16 Bänden im Laufe von 4 Jahren abzuschließen. Inzwischen hat sich gezeigt, daß infolge der stark anwachsenden Literatur die einzelnen Bände z. T. mehrfach unterteilt werden mußten. Besonders durch die Mitwirkung von Fachkollegen aus der chemischen Industrie wird es zum ersten Male möglich sein, die große Fülle von Erfahrungen, die in der Patentliteratur und in den Archiven der Fabriken niedergelegt ist, nunmehr kritisch gewürdigt der internationalen Chemieforschung bekanntzugeben.

Der Unterzeichnete hat es als eine besondere Auszeichnung und Ehre empfunden, von maßgebenden Persönlichkeiten der deutschen Chemie und dem Georg Thieme Verlag mit der Herausgabe des Gesamtwerkes betraut worden zu sein.

Mein Dank gilt dem engeren Herausgeber-Kollegium, den Herren

Prof. Dr. Dres. h. c. Dres. E. h. OTTO BAYER, Leverkusen,

Prof. Dr. Dres. h. c. Dr. E. h. HANS MEERWEIN, Marburg,

Prof. Dr. Dres. h. c. Dr. E. h. KARL ZIEGLER, Mülheim-Ruhr,

die durch ihre intensive Mitarbeit und ihre reichen Erfahrungen die Gewähr bieten, daß für das neue Werk ein möglichst hohes Niveau erreicht wird.

Ganz besonderer Dank aber gebührt unseren Autoren, die in unermüdlicher Arbeit neben ihren beruflichen Belastungen der Fachwelt ihre großen Erfahrungen bekanntgeben. Im Namen der Herren Mitherausgeber und in meinem eigenen darf ich unserer besonderen Freude Ausdruck geben, daß gerade die Herren, die als hervorragende Sachkenner ihres Faches bekannt sind, uns ihre Mitarbeit zugesagt haben.

Das Erscheinen der Neuauflage wurde nur dadurch ermöglicht, daß der Inhaber des Georg Thieme Verlags, Stuttgart, Herr Dr. med. h. c. Dr. med. h. c. BRUNO HAUFF, durchdrungen von der Bedeutung der organischen Chemie, das neue Projekt bewußt in den Vordergrund seines Unternehmens stellte und seine Tatkraft und seine großen Erfahrungen diesem Werk widmete. Es stellt ein verlegerisches Wagnis dar, das Werk in dieser Ausstattung mit der großen Zahl von übersichtlichen Formeln, Abbildungen und Tabellen zu einem verhältnismäßig niedrigen Preis dem Chemiker in die Hand zu geben.

In den nun zur Herausgabe gelangenden „Methoden der organischen Chemie" wird ebensowenig eine Vollständigkeit angestrebt wie in den älteren Auflagen. Die Autoren sind vielmehr bemüht, auf Grund ihrer eigenen Erfahrungen die wirklich brauchbaren Methoden in den Vordergrund der Behandlung zu stellen und überholte Arbeitsvorschriften oder sogenannte Bildungsweisen nur knapp abzuhandeln.

Es ist unmöglich, eine Gewähr für jede der angegebenen Vorschriften zu übernehmen. Wir glauben aber, dadurch das Möglichste getan zu haben, daß alle Manuskripte von mehreren Fachkollegen überprüft wurden und die Literatur bis zum Stande von etwa einem bis einem halben Jahr vor Erscheinen jedes Bandes berücksichtigt ist.

An dieser Stelle sei noch einiges zur Anlage des Gesamtwerkes gesagt. Wir haben uns bemüht, beim Aufbau des Werkes und bei der Darstellung des Stoffes noch strenger nach methodischen Gesichtspunkten vorzugehen, als dies in den früheren Auflagen der Fall war.

Der erste Band wird allgemeine Hinweise zur Laboratoriumspraxis enthalten und die gebräuchlichen Arbeitsmethoden in einem organisch-chemischen Laboratorium, wie beispielsweise Anreichern, Trennen, Reinigen, Arbeiten unter Überdruck und Unterdruck, beschreiben.

In Band II fassen wir die Analytik der organischen Chemie zusammen, die früher verstreut in den einzelnen Kapiteln behandelt wurde. Wir hoffen, dadurch eine wesentliche Erleichterung für den Benutzer des Handbuchs geschaffen zu haben.

Hieran schließt sich die Darstellung der physikalischen Forschungsmethoden in der organischen Chemie. Dort sollen die Grundlagen der Methodik, das erforderliche apparative Rüstzeug, der Anwendungsbereich auf dem Gebiet der organischen Chemie und die Grenzen der betreffenden Methoden kurz wiedergegeben werden. In vielen Fällen wird es hier nicht möglich sein, eine ausführliche Darstellung zu geben, die das Nachschlagen der Originalliteratur unnötig macht, wie bei den Bänden präparativen Inhalts. Unser Ziel ist es, dem präparativ arbeitenden Organiker die Anwendbarkeit der betreffenden physikalischen Methode auf Probleme der organischen Chemie und ihre Grenzen zu zeigen.

Der Hauptteil des Werkes befaßt sich mit den chemisch-präparativen Methoden. In einem gesonderten Band werden allgemeine Methoden behandelt, die Geltung haben für die in den weiteren Bänden behandelten speziellen Methoden, wie etwa Oxidation, Reduktion, Katalyse, photochemische Reaktionen, Herstellung isotopenhaltiger Verbindungen und ähnliches mehr.

Der spezielle Teil befaßt sich mit den Methoden zur Herstellung und Umwandlung organischer Stoffklassen. Auf die Methoden zur Herstellung und Umwandlung von Kohlenwasserstoffen folgen – in der Anordnung des langen Periodensystems von rechts nach links betrachtet – die entsprechenden Verbindungen des Kohlenstoffs mit den Halogenen, den Chalkogenen, den Elementen der Stickstoffgruppe, mit Silicium, Bor, und mit den Metallen. Abschließend behandeln wir die Methoden zur Herstellung und Umwandlung hochmolekularer Stoffe sowie die besonderen organisch-präparativen und analytischen Methoden der Chemie der Naturstoffe.

Im Vordergrund der Darstellung der speziellen chemischen Methoden, die den Hauptteil des Handbuches bilden, wird nicht die Beschreibung der einzelnen Stoffe selbst stehen – dies ist Aufgabe des „Beilstein" –, sondern die Methoden zur Herstellung und Umwandlung bestimmter Verbindungsklassen, erläutert an ausgewählten Beispielen. Dabei wird besonderer Wert auf die Vollständigkeit und kritische Darstellung der Methoden zur Herstellung bestimmter Verbindungsklassen gelegt, die als Schwerpunkt des betreffenden Kapitels angesehen werden können. Die darauf folgende Umwandlung ist so kurz wie möglich behandelt, da sie mit ihren Umwandlungsstoffen in die Kapitel übergreift, die sich mit der Herstellung eben dieser Verbindungstypen befassen. Die Besprechung der Umwandlung der verschiedenen Stoffklassen ist daher nur unter dem Gesichtspunkt aufgenommen worden, jeweils selbständige Kapitel inhaltlich abzurunden und Hinweise zu geben auf die Stellen des Handbuches, an denen der Benutzer die durch Umwandlung entstehenden neuen Stofftypen in ihrer Herstellung auffinden kann.

Es ist selbstverständlich, daß kein Werk der chemischen Sammelliteratur so dem Wandel unterworfen ist wie gerade die „Methoden der organischen Chemie"; beruht doch der Fortschritt der chemischen Wissenschaft darin, stets neue synthetische Wege zu erschließen. Ich darf daher alle Fachkollegen um rege und stete Mitarbeit bitten, sei es in Form von sachlichen Kritiken oder wertvollen Hinweisen.

Nicht zuletzt danke ich der deutschen chemischen Industrie, die unter beträchtlichen Opfern ihre besten Fachkollegen für die Mitarbeit an diesem Werk freigestellt hat und mit Literaturbeschaffung und Auskünften in reichem Maße stets behilflich war.

Auch der Druckerei möchte ich meine Anerkennung für die rasche und gewissenhafte Ausführung der oft schwierigen Arbeit aussprechen.

Eugen Müller

Vorwort zu Band IV/3

Wir sind uns darüber im klaren, daß es etwas Besonderes ist, im Rahmen des präparativ methodisch ausgerichteten Houben-Weyl einen Band wie den vorliegenden herauszugeben.

Die moderne Cyclopropanchemie ist in noch größerem Maße als die Chemie der Cyclobutane ein Musterbeispiel für die Anwendung neuer physikalischer Methoden wie etwa der kernmagnetischen Resonanz in der organischen Chemie und neuester theoretischer Vorstellungen zur Erforschung des Bindungszustandes des Kohlenstoffatoms. Dies führt zwangsläufig zu einer stärkeren theoretischen Behandlung der Stoffe als dies seither üblich war. Daher haben wir nicht nur das Kapitel über Vierringe, sondern erst recht das über Dreiringe in den Gesamtband IV des Houben-Weyl hereingenommen, in dem der Anlage unseres Houben-Weyl entsprechend mehr allgemeinere Methoden wie Oxidation, Reduktion oder Herstellung und Umwandlung größerer Ringsysteme bzw. carbocyclischer Vierring-Systeme sowie die Photochemie organischer Stoffe abgehandelt werden.

Im Rahmen der präparativ methodischen Abhandlung von Dreiringen kann man daher an eingehenderen theoretischen Erläuterungen des Bindungszustands kleiner Ringsysteme oder an der besonderen Beteiligung von Dreiringen in Systemen mit fluktuierenden Bindungen wie dem Bullvalen und seinen Derivaten nicht vorbeigehen, auch wenn solche Verbindungen zur Zeit nicht immer eine unmittelbare präparative Bedeutung besitzen. Das große allgemeine Interesse, das man diesen Bindungssystemen heute zuwendet, rechtfertigt nach unserer Meinung unser Vorgehen.

Aus rein präparativer Sicht betrachtet, stellt man umgekehrt eine interessante stimulierende Rückwirkung auf neue theoretische Vorstellungen fest, wie sie sich in der in vollem Fluß befindlichen Chemie instabiler Zwischenprodukte, hier der Carbene und der Carbenoide, manifestiert. Daher wird in dem vorliegenden Band der Carbenchemie besondere Aufmerksamkeit geschenkt, stellen doch Carbene und Carbenoide wichtige methodische Hilfsmittel zur Herstellung von Cyclopropanen und Cyclopropenen dar. Auch im reaktionsmechanistischen Verhalten gibt es in der Chemie der Dreiringe wie z. B. bei den Homoallyl-Umlagerungen oder dem reaktiven Verhalten der Bicyclobutonium-Kationen geradezu klassische Beispiele für „nicht klassische" Carbeniumionen.

Eine extreme Steigerung der Bindungsverhältnisse von Kohlenstoffatomen kommt in der Existenz der Cyclopropenverbindungen zum Ausdruck, insbesondere in Cyclopropenverbindungen mit delokalisierten π-Elektronensystemen wie den Cyclopropenonen, den Methylen-cyclopropenen (Calicene) und schließlich den Cyclo-propenylium-Verbindungen. Gerade die letzten Verbindungstypen sind ein groß-artiges Beispiel für die Richtigkeit der Voraussagen der E. Hückel'schen MO-Theorie. Johannes Thiele hat einmal gesagt: „Nichts ist praktischer als eine gute Theorie!"

Der vorliegende Band stellt daher neben seinem präparativen Inhalt auch einen vorzüglich geschriebenen Überblick über die Anwendung modernster theoretischer Vorstellungen in der neueren organischen Chemie schlechthin dar.

Das Interesse des Chemikers an Dreiringverbindungen ist aber keineswegs mit dem Hinweis auf die theoretische Bedeutung der kleinen Ringsysteme erschöpft. Zahlreiche Verbindungen mit Cyclopropan- sowie Cyclopropenstruktur kommen in meist komplizierten Naturstoffen vor. Daher ist die Kenntnis der präparativen Möglichkeiten der Chemie der Dreiringe auch die Voraussetzung zur Synthese mancher Naturstoffe sowie z. B. zur Herstellung cyclopropanisierter Steroide mit pharmazeutischem oder medizinischem Interesse.

Die Gesamtanlage des vorliegenden Bandes ergibt sich zwangsläufig aus dem Thema und seiner methodischen Gliederung. Dem großen Kapitel über Cyclopropan-derivate und dem kleineren Abschnitt über Cyclopropenverbindungen sind die für das Verständnis des reaktiven Verhaltens dieser Dreiringe notwendigen theoretischen Erläuterungen vorgeschaltet. Es folgt in jedem dieser beiden Kapitel die metho-dische Einteilung zur Herstellung der verschiedenen Cyclopropansysteme, wobei des inneren Zusammenhangs wegen das Herstellungskapitel über Cyclopropane unterteilt wurde in Methoden zur Herstellung von Cyclopropanen allgemein, dann durch Homoallyl-Umlagerungen und schließlich in Cyclopropane in valenzisomeren Systemen (fluktuierende Bindungen). In ähnlicher Weise wurde das Kapitel über Herstellung von Cyclopropen-Verbindungen in einen allgemeinen Abschnitt über die Herstellung von Cyclopropenen und einen zweiten Teil „Cyclopropen-Verbindungen mit delokalisierten π-Elektronensystemen" unterteilt. Nur so läßt sich der innere Zusammenhang der verschiedenen Herstellungsmethoden ohne überflüssige Wieder-holungen klar wiedergeben. Im Anschluß an jeden Herstellungsteil folgt wie immer der meist kurz gehaltene Umwandlungsteil.

Die Anlage des Registers ist wegen der oft schwer verständlichen Benennung der komplizierteren Dreiringsysteme analog dem Register des Vierringbandes IV/4 gehalten. Eine tabellarische Anordnung der Grundstoffe mittels des Formelsymbols, ein Trivialnamenregister und die übliche Registrierung der präparativen Vorschriften sollen dem Benutzer das Auffinden der gesuchten Verbindungen erleichtern.

Dem Autor dieses Bandes, Herrn Dr. DETLEF WENDISCH, Farbenfabriken Bayer AG, Leverkusen, in dem wir wiederum einen besonderen Sachkenner dieses Arbeitsgebietes gewonnen haben, sind wir zu großem Dank verpflichtet. Der Autor und die Herausgeber danken Herrn Professor Dr. EMANUEL VOGEL, Köln, für an-regende Diskussionen und wertvolle Hinweise.

Für die Anfertigung des Sachregisters danken wir Frau Dr. ILSE MÜLLER-RODLOFF, Tübingen, sowie Frau Dr. HANNA SÖLL, Leverkusen, für wertvolle Hinweise.

Der Direktion der Farbenfabriken Bayer AG, Leverkusen, sind wir ebenfalls zu großem Dank verpflichtet.

Dem Georg Thieme Verlag, insbesondere den Herren Dr. med. h. c. GÜNTHER HAUFF und Dr. jur. ALBRECHT GREUNER, danken wir sehr für ihre Hilfsbereitschaft und tatkräftige Förderung zur Herausgabe der noch anstehenden Bände unserer Houben-Weyl-Serie in dieser schnellen Folge.

Tübingen, den 1. Juli 1971   OTTO BAYER
                                                        EUGEN MÜLLER
                                                        KARL ZIEGLER

Carbocyclische Dreiring-Verbindungen

Cyclopropan und seine Derivate 5

Cyclopropen und seine Derivate 679

Autorenregister 785

Sachregister 820

Zeitschriftenliste

A.	LIEBIGS Annalen der Chemie, Weinheim/Bergstr.
Abh. Kenntnis Kohle	Gesammelte Abhandlungen zur Kenntnis der Kohle (bis 1937), Berlin
Abstr. Kagaku-Kenkyū-Jo Hōkoku	Abstracts from Kagaku-Kenkyū-Jo Hokoku (Reports of the Scientific Research Institute, seit 1950), Tokyo
A. ch.	Annales de Chimie, Paris
Acta Acad Åbo	Acta Academiae Aboensis, Finnland Turku
Acta. chem. scand.	Acta Chemica Scandinavica, Copenhagen (Dänemark)
Acta chim. Acad. Sci. hung.	Acta Chimica Academiae Scientiarum Hungaricae, Budapest
Acta Chim. Sinica	Acta Chimica (Ha Hsüeh Hsüeh Pao; seit 1957), Peking
Acta crystallogr.	Acta Crystallographica [Copenhagen] (bis 1951): [London]
Acta latviens. Chem.	Acta Universitatis Latviensis, Chemiecorum Ordinis Series. Riga
Acta pharmac. int. [Copenhagen]	Acta Pharmaceutica Internationalia [Copenhagen]
Acta pharmacol. toxicol.	Acta Pharmacologica et Toxicologica. Kopenhagen
Acta physicoch. URSS	Acta Physicochimica URSS, Moskau
Acta physiol. scand.	Acta Physiologica Scandinavica, Stockholm
Acta phytoch.	Acta Phytochimica. Tokyo
Acta polon. pharmac.	Acta Poloniae Pharmaceutica (bis 1939 und seit 1947), Warschau
Adv. Carbohydrate Chem.	Advances in Carbohydrate Chemistry, New York
Adv. Enzymol.	Advances in Enzymology and Related Subjects of Biochemistry, New York
Adv. Fluorine Chem.	Advances in Fluorine Chemistry, London
Adv. Free Radical Chem.	Advances in Free Radical Chemistry, London
Adv. Heterocyclic Chem.	Advances in Heterocyclic Chemistry, New York
Adv. Org. Chem.	Advances in Organic Chemistry: Methods and Results, New York, London
Adv. Organometallic Chem.	Advances in Organometallic Chemistry, New York
Adv. Photochem.	Advances in Photochemistry, New York, London
Adv. Protein Chem.	Advances in Protein Chemistry, New York
Adv. Ser.	Advances in Chemistry Series, Washington
Afinidad	Afinidad [Barcelona]
Agr. Chem.	Agricultural Chemicals, Baltimore
Am.	American Chemical Journal, Washington
A. M. A. Arch. Ind. Health	A. M. A. Archives of Industrial Health (seit 1955), Chicago
Am. Dyest. Rep.	American Dyestuff Reporter, New York
Amer. ind. Hyg. Assoc. Quart.	American Industrial Hygiene Association Quarterly, Chicago
Amer. J. Physics	American Journal of Physics, New York
Amer. Petroleum Inst. Quart.	American Petroleum Institute Quarterly, New York
Amer. Soc. Testing Mater.	American Society for Testing Materials, Philadelphia, Pa.
Am. Inst. Chem. Engrs.	American Institute od Chemical Engineers, New York
Am. J. Pharm.	American Journal of Pharmacy (bis 1936), Philadelphia, Pa.
Am. J. Physiol.	American Journal of Physiology, Washington
Am. J. Sci.	American Journal of Science, New Haven, Conn.
Am. Perfumer	Americ. Perfumer and Essential Oil Reviews (1936–1939: American Perfumer, Cosmetics, Toilet Preparations), New York
Am. Soc.	Journal of the American Chemical Society, Washington
Anal. Chem.	Analytical Chemistry (seit 1947), Washington
Anal. chim. Acta	Analytica Chimica Acta, Amsterdam
Analyst	The Analyst, Cambridge
An. Asoc. quím. arg.	Anales de la Asociación Química Argentina, Buenos Aires
An. Farm. Bioquím, Buenos Aires	Anales de Farmacia y Bioquímica. Buenos Aires

Ang. Ch.	Angewandte Chemie (bis 1931: Zeitschrift für angewandte Chemie), Weinheim/Bergst.
Anilinfarben-Ind.	Анилинокрасочная Промышленность (Anilinfarben-Industrie), Moskau
Ann. Acad. Sci. fenn.	Annales Academiae Scientiarum Fennicae, Helsinki
Ann. Chim. anal.	Annales de Chimie Analytique (1942–1946), Paris
Ann. Chim. anal. appl.	Annales de Chimie Analytique et de Chimie Appliquée (bis 1941), Paris
Ann. Chim. applic.	Annali di Chimica Applicata (bis 1950), Rom
Ann. chim. et phys.	Annales de chimie et de physique (bis 1914), Paris
Ann. Chimica	Annali di Chimica (seit 1950), Rom
Ann. chim. farm.	Annali di chimica farmaceutica (1938–1940), Rom
Ann. Fermentat.	Annales des Fermentations, Paris
Ann. Inst. Pasteur	Annales de l'Institut Pasteur, Paris
Ann. N.Y. Acad. Sci.	Annals of the New York Academy of Sciences, New York
Ann. pharm. Franç.	Annales Pharmaceutiques Françaises (seit 1943), Paris
Ann. Physik	Annalen der Physik (bis 1943 und seit 1947), Leipzig
Ann. Physique	Annales de Physique, Paris
Ann. Rep. Progr. Chem.	Annual Reports on the Progress of Chemistry, London
Ann. Rev. Biochem.	Annual Review of Biochemistry, Stanford, Calif.
Ann. Rev. phys. Chem.	Annual Review of Physical Chemistry, Palo Alto, Calif.
Ann. Soc. scient. Bruxelles	Annales de la Société Scientifique de Bruxelles, Brüssel
Annu. Rep. Progr. Rubber Technol.	Annual Report on the Progress of Rubber Technology, London
Annu. Rep. Shionogi Res. Lab. [Osaka]	Annual Reports of Shionogi Research Laboratory [Osaka]
An. Soc. españ. [A] bzw. [B]	Anales de la Real Sociedad Española de Física y Química (1940–1947 Anales de Física y Química). Seit 1948 geteilt in: Serie A – Física. Serie B – Química, Madrid
An. Soc. cient. arg.	Anales de la Sociedad Científica Argentina, Santa Fé (Argentinien)
Appl. scient. Res.	Applied Scientific Research, Den Haag
Ar.	Archiv der Pharmazie (und Berichte der Deutschen Pharmazeutischen Gesellschaft), Weinheim/Bergstr.
Arch. Biochem.	Archives of Biochemistry and Biophysics (bis 1951: Archives of Biochemistry), New York
Arch. des Sci.	Archives des Sciences (seit 1948), Genf
Arch. Math. Naturvid.	Archiv for Mathematik og Naturvidenskab, Oslo
Arch. Mikrobiol.	Archiv für Mikrobiologie (bis 1943 und seit 1948), Berlin
Arch. Pharm. Chemi	Archiv for Pharmaci og Chemi. Kopenhagen
Arch. Sci. phys. nat.	Archives des Sciences Physiques et Naturelles. Genf (bis 1947)
Arch. techn. Messen	Archiv für Technisches Messen (bis 1943 und seit 1947), München
Arh. Kemiju	Arhiv za Kemiju, Zagreb (Archives de Chimie) (seit 1946)
Ark. Kemi	Arkiv för Kemi, Mineralogie och Geologi, seit 1949 Arkiv för Kemi (Stockholm)
Ar. Pth.	(Nᴜᴜɴʏɴ-Sᴄʜᴍɪᴇᴅᴇʙᴇʀɢs) Archiv für Experimentelle Pathologie und Pharmakologie, Berlin-W
Arzneimittel-Forsch.	Arzneimittel-Forschung, Aulendorf/Württ.
ASTM Bull.	ASTM (American Society for Testing Materials) Bulletin, Philadelphia
Atompraxis	Atompraxis, Internationale Monatsschrift, Karlsruhe
Atti Accad. naz. Lincei, Mem., Cl. Sci. fisiche, mat. natur., Sez. I, II bzw. III	Atti della Accademia Nazionale dei Lincei. Memorie. Classe di Scienze Fisiche, Matematiche e Naturali. Sezione I (Matematica, Meccanica, Astronomia, Geodesia e Geofisica). Sezione II (Fisica, Chimica, Geologia, Palaeontologia e Mineralogia). Sezione III (Scienze Biologiche) (seit 1946), Turin
Atti Accad. naz. Lincei, Rend., Cl. Sci. fisiche, mat. natur	Atti della Accademia Nazionale dei Lincei. Rendiconti. Classe di Scienze Fisiche, Matematiche e Naturali (seit 1946), Rom
Austral. J. Chem.	Australian Journal of Chemistry (seit 1952), Melbourne
Austral. J. Sci.	Australian Journal of Science, Sydney

Austral. J. scient. Res., [A] bzw. [B]	Australian Journal of Scientific Research. Series A. Physical Sciences. Series B. Biological Sciences, Melbourne
Austral. P.	Australisches Patent, Canberra

B.	Berichte der Deutschen Chemischen Gesellschaft; seit 1947 Chemische Berichte, Weinheim/Bergstr.
Belg. P.	Belgisches Patent, Brüssel
Ber. chem. Ges. Belgrad	Berichte der Chemischen Gesellschaft Belgrad (Glassnik Chemisskog Druschtwa Beograd, seit 1940), Belgrad
Biochem. Biophys. Research Commun.	Biochemical and Biophysical Research Communications, New York
Biochem. J.	Biochemical Journal, Kiew (Ukraine)
Biochem. Prepar.	Biochemical Preparations, New York
Biochem. biophys. Acta	Biochimica et biophysica Acta, Amsterdam
Biochimiya	Биохимия (Biochimia), Moskau, Leningrad
BIOS Final Rep.	British Intellegence Objectives Subcommittee. Final Report, London
Bio. Z.	Biochemische Zeitschrift (bis 1944 und seit 1947), Berlin
Bitumen, Teere, Asphalte, Peche	Bitumen, Teere, Asphalte, Peche und verwandte Stoffe, Heidelberg
Bl.	Bulletin de la Société Chimique de France, Paris
Bl. Acad. Belgique	Académie Royale de Belgique: Bulletins de la Classe des Sciences, Brüssel
Bl. Acad. polon.	Bulletin International de l'Académie Polonaise des Sciences et des Lettres, Classe des Sciences Mathématiques et Naturelles, Krakau
Bl. agric. chem. Soc. Japan	Bulletin of the Agricultural Chemical Society of Japan, Tokio
Bl. am. phys. Soc.	Bulletin of the American Physical Society, Lancaster, Pa.
Bl. chem. Soc. Japan	Bulletin of the Chemical Society of Japan, Tokio
Bl. Soc. chim. Belg.	Bulletin de la Société Chimique de Belgique (bis 1944), Brüssel
Bl. Soc. Chim. biol.	Bulletin de la Société de Chimie Biologique, Paris
Bl. Soc. Chim. ind.	Bulletin de la Société de Chimie Industrielle (bis 1934), Paris
Bol. inst. quím univ. nal. auton. Mé.	Boletin del instituto de química de la universidad nacional autonoma de México, Mexiko
Boll. chim. farm.	Bolletino chimico farmaceutico, Mailand
Bol. Soc. quím. Perú	Boletin de la Sociedad Química del Perú, Lima (Peru)
Botyu Kagaku	Bulletin of the Institute of Insect Control (Kyoto), (Scientific Insect Control)
Brennstoffch.	Brennstoff-Chemie (bis 1943 und seit 1949), Essen
Brit. Chem. Eng.	British Chemical Engineering, London
Brit. J. appl. Physics.	British Journal of Applied Physics, London
Brit. P.	Britisches Patent, London
Brit. Plastics	British Plastics (seit 1945), London
Bul. inst. politeh. Jasi	Buletinul institutuluí politehnic din Jasi (ab 1955 mit Zusatz [NF]), Jasi
Bul. Laboratoarelor	Buletinul Laboratoarelor, Bukarest
Bull. Acad. Polon. Sci., Ser. Sci. Chim. Geol. Geograph. bzw. Ser. Sci. Chim.	Bulletin de l'Academie Polonaise des Sciences, Serie des Sciences, Chimiques, Geologiques et Géographiques (seit 1960 geteilt in ... Serie des Sciences Chimiques und ... Serie des Sciences Geologiques et Geographiques), Warschau
Bull. Inst. Chem. Research, Kyoto Univ.	Bulletin of the Institute for Chemical Research, Kyoto University (Kyoto Daigaku Kagaku Kenkyûsho Hôkoku), Takatsoki, Osaka
Bull. Research Council Israel	Bulletin of the Research Council of Israel, Jerusalem
Bull. Research Inst. Food Sci., Kyoto Univ.	Bulletin of the Research Institute for Food Science, Kyoto University (Kyoto Daigaku Shokuryô-Kagaku Kenkyujo Hôkoku), Fukuoka, Japan
Bull. Soc. chim. belges	Bulletin des Sociétés Chimiques Belges (seit 1945), Brüssel
Bull. Soc. Chim. biol.	Bulletin de la Société de Chimie Biologique, Paris
Bull. Soc. roy, Sci. Liège	Bulletin de la Société Royale des Sciences de Liège, Brüssel

C.	Chemisches Zentralblatt, Weinheim/Bergstr.
C. A.	Chemical Abstracts, Washington
Canad. chem. Processing	Canadian Chemical Processing, Toronto, Canada
Canad. J. Chem.	Canadian Journal of Chemistry, Ottawa, Canada
Canad. J. Physics	Canadian Journal of Physics, Ottawa, Canada
Canad. J. Res.	Canadian Journal of Research (bis 1950), Ottawa
Canad. J. Technol.	Canadian Journal of Technology, Ottawa
Canad. P.	Canadisches Patent
Cereal Chem	Cereal Chemistry, St. Paul, Minnesota
Ch. Apparatur	Chemische Apparatur (bis 1943), Berlin
Chem. Age India	Chemical Age of India
Chem. Age London	Chemical Age, London
Chem. Age N. Y.	Chemical Age, New York
Chem. Anal.	Organ Komisjii Analitycznej Komitetu Nauk Chemicznych PAN, Warschau
Chem. & Ind.	Chemistry & Industry, London
Chem. Commun.	Chemical Communications, London
Chem. Eng.	Chemical Engineering with Chemical and Metallurgical Engineering (seit 1946), New York
Chem. eng. News	Chemical and Engineering News (seit 1943), Washington
Chem. Eng. Progr.	Chemical Engineering Progress, Philadelphia, Pa.
Chem. Eng. Progr., Monograph Ser.	Chemical Engineering Progress. Monograph Series, New York
Chem. Eng. Progr., Symposium Ser.	Chemical Engineering Progress. Symposium Series, New York
Chem. eng. Sci.	Chemical Engineering Science, London
Chem. High Polymers (Tokyo)	Chemistry of High Polymers (Tokyo) (Kobunshi Kagaku), Tokio
Chemical Ind. (China]	Chemical Industry [China], Peking
Chemie-Ing.-Techn.	Chemie-Ingenieur-Technik (seit 1949), Weinheim/Bergstr.
Chemie Lab. Betr.	Chemie für Labor und Betrieb, Frankfurt
Chem. Industrie	Chemische Industrie, Düsseldorf
Chem. Industries	Chemical Industries, New York
Chemist-Analyst	Chemist-Analyst, Philipsburg, New York Jersey
Chem. Listy	Chemické Listy pro Vĕdu a Prŭmysl. Prag (Chemische Blätter für Wissenschaft und Industrie); seit 1951 Chemické Listy, Prag
Chem. met. Eng.	Chemical and Metallurgical Engineering (bis 1946), New York
Chem. N.	Chemical News and Journal of Industrial Science (1921–1932), London
Chem. pharmac. Techniek	Chemische en Pharmaceutische Techniek, Dordrecht
Chem. Pharm. Bull (Tokyo)	Chemical & Pharmaceutical Bulletin (Tokyo)
Chem. Process Engng.	Chemical and Process Engineering, London
Chem. Processing	Chemical Processing, London
Chem. Products chem. News	Chemical Products and the Chemical News, London
Chem. Prŭmysl	Chemický Prŭmysl, Prag (Chemische Industrie, seit 1951), Prag
Chem. Rdsch. [Solothurn]	Chemische Rundschau [Solothurn]
Chem. Reviews	Chemical Reviews, Baltimore
Chem. Techn.	Chemische Technik, Berlin
Chem. Trade J.	Chemical Trade Journal and Chemical Engineer, London
Chem. Week	Chemical Week, New York
Chem. Weekb.	Chemisch Weekblad, Amsterdam
Chem. Zvesti	Chemické Zvesti (tschech.). Chemische Nachrichten, Bratislawa
Chim. anal.	Chimie analytique (seit 1947), Paris
Chim. Chronika	Chimika Chronika, Athen
Chim. et Ind.	Chimie et Industrie, Paris
Chim. geterocikl. Soed.	Химия гетероциклических соединений (Die Chemie der heterocyclischen Verbindungen)
Chimia	Chimia, Zürich
Chimicae Ind.	Chimica e L'Industria, Mailand (seit 1935)
Ch. Z.	Chemiker-Zeitung, Heidelberg

Collect. czech. chem. Commun.	Collection of Czechoslovak Chemical Communications (seit 1951), Prag
Collect. Pap. Fac. Sci., Osaka Univ. [C]	Collect Papers from the Faculty of Science, Osaka University, Osaka, Series C, Chemistry (seit 1943)
Collect. pharmac. suecica	Collectanea Pharmaceutica Suecica, Stockholm
Collect. Trav. chim. Tchécosl.	Collection des Travaux Chimiques de Tchécoslovaquie (bis 1939 und 1947–1951; 1939: . . . Tschèques), Prag
Colloid Chem.	Colloid Chemistry, New York
C. r. Acad. Bulg. Sci.	Доклады Болгарской Академин Наук (Comptes rendus de l'académie bulgare des sciences), Sofia
C. r.	Comptes Rendus Hebdomadaires des Séances de l'Académie des Sciences, Paris
Croat. Chem. Acta	Croatica Chemica Acta, Zagreb
Curr. Sci.	Current Science, Bangalore
Dän. P., Kopenhagen	Dänisches Patent
Dansk Tidsskr. Farm.	Dansk Tidsskrift for Farmaci, Kopenhagen
DAS.	Deutsche Auslegeschrift = noch nicht erteiltes DBP. (seit 1. 1. 1947). Die Nummer der DAS. und des später darauf erteilten DBP. sind identisch
DBP.	Deutsches Bundespatent (München, nach 1945, ab Nr. 800000)
DDRP., Ostberlin	Patent der Deutschen Demokratischen Republik (vom Ostberliner Patentamt erteilt)
Dechema Monogr.	Dechema Monographien, Weinheim/Bergstr.
Die Nahrung	Die Nahrung (Chemie, Physiologie, Technologie), Berlin
Discuss. Faraday Soc.	Discussions of the Faraday Society, London
Dissertation Abstr.	Dissertation Abstracts, Ann Arbor (Michigan)
Doklady Akad. SSSR	Доклады Академии Наук СССР (Comptes Rendus de l'Académie des Sciences de l'URSS), Moskau
DRP., Berlin	Deutsches Reichspatent (bis 1945)
Drug Cosmet. Ind.	Drug and Cosmetic Industry, New York
Dtsch. Apoth. Ztg.	Deutsche Apotheker-Zeitung (1934–1945), seit 1950: vereinigt mit Süddeutsche Apotheker-Zeitung, Stuttgart
Dtsch. Farben-Z.	Deutsche Farben-Zeitschrift (seit 1951), Stuttgart
Dtsch. Lebensmittel-Rdsch.	Deutsche Lebensmittel-Rundschau, Stuttgart
Dyer Textile Printer	Dyer, Textile Printer, Bleacher and Finisher (seit 1934; bis 1934: Dyer and Calico Printer, Bleacher, Finisher and Textile Review), London
Endeavour	Endeavour, London
Enzymol.	Enzymologia [Holland] Den Haag
Erdöl Kohle	Erdöl und Kohle (seit 1948), Hamburg
Ergebn. Enzymf.	Ergebnisse der Enzymforschung, Leipzig
Ergebn. exakt. Naturwiss.	Ergebnisse der exakten Naturwissenschaften, Berlin
Ergebn. Physiol.	Ergebnisse der Physiologie, Biologischen Chemie und Experimentellen Pharmakologie, Berlin
Europ. J. Biochem.	European Journal of Biochemistry, Berlin, New York
Experientia	Experientia [Basel]
Farbe Lack	Farbe und Lack (bis 1943 und seit 1947), Hannover
Farmac. Glasnik	Farmaceutski Glasnik, Zagreb (Pharmazeutische Berichte)
Farmaco (Pavia), Ed. sci.	Il Farmaco (Pavia), Edizione scientifica
Farmac. Revy	Farmacevtisk Revy, Stockholm
Farm. sci. tec. (Pavia)	Il Farmaco, scienza e tecnica (bis 1952), Pavia
Faserforsch. u. Textiltechn.	Faserforschung und Textiltechnik, Berlin
Federation Proc.	Federation Proceedings, Washington, D. C.
Fette, Seifen, Anstrichmittel	Fette, Seifen, Anstrichmittel (verbunden mit „Die Ernährungsindustrie") (früher häufige Änderung des Titels), Hamburg
FIAT Final Rep.	Field Information Agency, Technical, United States Group Control Council for Germany. Final Report

Finn. P.	Finnisches Patent
Finska Kemistsamf. Medd.	Finska Kemistsamfundets Meddelanden (Suomen Kemistiseuran Tiedonantoja), Helsingfors
Food	Food, London
Food Engng.	Food Engineering (seit 1951), New York
Food Manuf.	Food Manufacture (seit 1939 Food Manufacture, Incorporating Food Industries Weekly), London
Food Packer	Food Packer (seit 1944), Chicago
Food Res.	Food Research, Champaign, Ill.
Formosan Sci.	Formosan Science, Taipeh
Fortschr. chem. Forsch.	Fortschritte der Chemischen Forschung, New York, Berlin
Fortschr. Ch. org. Naturst.	Fortschritte der Chemie Organischer Naturstoffe, Wien
Fortschr. Hochpolymeren-Forsch.	Fortschritte der Hochpolymeren-Forschung, Berlin
Fr. P.	Französisches Patent
Fr.	Zeitschrift für Analytische Chemie (von C. R. FRESENIUS), Berlin
Frdl.	Fortschritte der Teerfarbenfabrikation und verwandter Industriezweige. Begonnen von P. FRIEDLÄNDER, fortgeführt von H. E. FIERZ-DAVID, Berlin
Fuel	Fuel in Science and Practice; ab 1948: Fuel, London
G.	Gazzetta Chimica Italiana, Rom
Génie chim.	Génie chimique, Paris
Helv.	Helvetica Chimica Acta, Basel
Helv. phys. Acta	Helvetica Physica Acta, Basel
Helv. physiol. pharmacol. Acta	Helvetica Physiologica et Pharmacologica Acta, Basel
Holl. P.	Holländisches Patent
Hoppe-Seyler	HOPPE-SEYLERS Zeitschrift für Physiologische Chemie, Berlin
Hung. P.	Ungarisches Patent
Ind. Chemist	Industrial Chemist and Chemical Manufacturer, London
Ind. chim. belge	Industrie Chimique Belge, Brüssel
Ind. chimique	L'Industrie Chimique, Paris
Ind. Corps gras	Industries des Corps Gras, Paris
Ind. eng. Chem.	Industrial and Engineering Chemistry. Industrial Edition, seit 1948 Industrial and Engineering Chemistry, Washington
Ind. eng. Chem. Anal.	Industrial and Engineering Chemistry. Analytical Edition (bis 1946), Washington
Ind. eng. Chem. News	Industrial and Engineering Chemistry. News Edition (bis 1939), Washington
Indian Forest Rec., Chem.	Indian Forest Records. Chemistry, Dehli
Indian J. Appl. Chem.	Indian Journal of Applied Chemistry (seit 1958), Calcutta
Indian J. Chem.	Indian Journal of Chemistry
Indian J. Physics	Indian Journal of Physics and Proceedings of the Indian Association for the Cultivation of Science, Calcutta
Ind. P.	Indisches Patent
Ind. Plast. mod.	Industrie des Plastiques Modernes (seit 1949; bis 1848: Industrie des Plastiques), Paris
Inorg. Chem.	Inorganic Chemistry
Inorg. Synth.	Inorganic Syntheses, New York
Interchem. Rev.	Interchemical Review, New York
Intern. J. Appl. Radiation Isotopes	International Journal of Applied Radiation and Isotopes, New York
Int. Sugar J.	International Sugar Journal, London
Ion	Ion [Madrid]
Iowa Coll. J.	Iowa State College Journal of Science, Ames, Iowa
Israel J. Chem.	Israel Journal of Chemistry, Tel Aviv
Ital. P.	Italienisches Patent

Izv. Akad. SSR	Известия Академии Наук Армянской ССР, Химические Науки (Bulletin of the Academy of Science of the Amenian SSR), Erevan
Izv. Akad. SSSR	Известия Академии Наук СССР, Серия Химическая (Bulletin de l'Académie des Sciences de l'URSS, Classe des Sciences Chimiques, Moskau, Leningrad
Izv. Sibirsk. Otd. Akad. Nauk SSSR	Известия Сибирского Отделения Академии Наук СССР, Серия химических Наук (Bulletin of the Sibirian Branch of the Academy of Sciences of the USSR), Nowosibirsk
Izv. Vyss. Uch. Zav., Chim. i chim. Techn.	Известия высших Учебных заведений [Иваново], Химия и химическая технология (Bulletin of the Institution of Higher Education, Chemistry and Chemical Technology), Swerdlowsk
J. Agr. Food Chem.	Journal of Agricultural and Food Chemistry, Washington
J. agric. chem. Soc. Japan	Journal of the Agricultural Chemical Society of Japan. Abstracts (seit 1935) (Nippon Nogeikagaku Kaishi), Tokio
J. agric. Sci.	Journal of Agricultural Science, Cambridge
J. Am. Leather Chemist's Assoc.	Journal of the American Leather Chemist's Association, Cincinnati (Ohio)
J. Am. Oil Chemist's Soc.	Journal of the American Oil Chemist's Society, Chicago
J. Am. Pharm. Assoc.	Journal of the American Pharmaceutical Association, seit 1940 Practical Edition und Scientific Edition; Practical Edition seit 1961 J. Am. Pharm. Assoc.; Scientific Edition seit 1961 J. Pharm. Sci., Easton (Pa.)
J. Antibiotics (Japan)	Journal of Antibiotics (Japan), Tokio
Japan Analyst	Japan Analyst (Bunseki Kagaku)
Jap. A. S.	Japanische Patent-Auslegeschrift
Jap. P.	Japanisches Patent
J. appl. Chem.	Journal of Applied Chemistry, London
J. appl. Physics	Journal of Applied Physics, New York
J. Appl. Polymer Sci.	Journal of Applied Polymer Science, New York
J. Assoc. Agric. Chemists	Journal of the Association of Official Agricultural Chemists, Washington
J. Biochem. [Tokyo]	Journal of Biochemistry, Japan, Tokio
J. Biol. Chem.	Journal of Biological Chemistry, Baltimore
J. Catalysis	Journal of Catalysis, London, New York
J. cellular compar. Physiol.	Journal of Cellular and Comparative Physiology, Philadelphia, Pa.
J. Chem. Educ.	Journal of Chemical Education, Easton, Pa.
J. chem. Eng. China	Journal of Chemical Engineering, China, Omei/Szechuan
J. Chem. Eng. Data	Journal of Chemical and Engineering Data, Washington
J. Chem. Physics	Journal of Chemical Physics, New York
J. chem. Soc. Japan	Journal of the Chemical Society of Japan (bis 1948; Nippon Kwagaku Kwaishi), Tokio
J. chem. Soc. Japan, ind. Chem. Sect.	Journal of the Chemical Society of Japan, Industrial Chemistry Section (seit 1948; Kōgyō Kagaku Zasshi), Tokio
J. chem. Soc. Japan, pure Chem. Sect.	Journal of the Chemical Society of Japan, Pure Chemistry Section (seit 1948; Nippon Kagaku Zasshi) Tokio
J. Chem. U.A.R.	Journal of Chemistry of the U.A.R., Kairo
J. Chim. physique Physico-Chim. biol.	Journal de Chimie Physique et de Physico-Chimie Biologique (seit 1939), Paris
J. chin. chem. Soc.	Journal of the Chinese Chemical Society, Peking
J. Chromatog.	Journal of Chromatograph, Amsterdam
J. Colloid Sci.	Journal of Colloid Science, New York
J. electroch. Assoc. Japan	Journal of the Electrochemical Association of Japan (Denkikwagaku Kyookwai-shi), Tokio
J. Electrochem. Soc.	Journal of the Electrochemical Society (seit 1948), New York
J. Fac. Sci. Univ. Tokyo	Journal of the Faculty of Science, Imperial University of Tokyo, Tokio
J. Heterocyclic Chem.	Journal of Heterocyclic Chemistry, New Mexico
J. Imp. Coll. Chem. Eng. Soc.	Journal of the Imperial College, Chemical Engineering Society

J. Ind. Hyg.	Journal of Industrial Hygiene and Toxicology (1936 bis 1949), Baltimore
J. indian chem. Soc.	Journal of the Indian Chemical Society (seit 1928), Calcutta
J. indian. chem. Soc. News	Journal of the Indian Chemical Society; Industrial and News Edition (1940–1947), Calcutta
J. indian Inst. Sci.	Journal of the Indian Institute of Science, bis 1951 Section A und Section B, Bangalore
J. Inorg. & Nuclear Chem.	Journal of Inorganic & Nuclear Chemistry, Oxford
J. Inst. Petr.	Journal of the Institute of Petroleum, London
J. Inst. Polytech. Osaka City Univ.	Journal of the Institute of Polytechnics, Osaka City University
J. Med. Chem.	Journal of Medicinal Chemistry, New York
J. Med. Pharm. Chem.	Journal of Medicinal and Pharmaceutical Chemistry, New York
J. Mol. Spektry	Journal of Molecular Spektroskopy, New York
J. New Zealand Inst. Chem.	Journal of the New Zealand Institute of Chemistry, Wellington
J. Nippon Oil Technologists Soc.	Journal of the Nippon Oil Technologists Society (Nippon Yushi Gijitsu Kyo Laishi), Tokio
J. Oil Colour Chemists' Assoc.	Journal of the Oil and Colour Chemists' Association, London
J. Org. Chem.	Journal of Organic Chemistry, Baltimore
J. Organometal. Chem.	Journal of Organometallic Chemistry, Amsterdam
J. Petr. Technol.	Journal of Petroleum Technology (seit 1949), New York
J. Pharmacol. exp. Therap.	Journal of Pharmacology and Experimental Therapeutics, Baltimore
J. Pharm. Belg.	Journal de Pharmacie de Belgique, Brüssel
J. Pharm. Pharmacol.	Journal of Pharmacy and Pharmacology, London
J. Pharm. Sci.	Journal of Pharmaceutical Sciences (Washington)
J. pharm. Soc. Japan	Journal of the Pharmaceutical Society of Japan (Yakuga-kuzasshi), Tokio
J. phys. Chem.	Journal of Physical Chemistry, Baltimore
J. phys. Soc. Japan	Journal of the Physical Society of Japan, Tokio
J. Polymer Sci.	Journal of Polymer Science, New York
J. pr.	Journal für Praktische Chemie, Leipzig
J. Pr. Inst. Chemists India	Journal and Proceedings of the Institution of Chemists, India, Calcutta
J. Pr. Soc. N.S. Wales	Journal and Proceedings of the Royal Society of New South Wales, Sidney
J. Rech. Centre nat. Rech. sci.	Journal des Recherches du Centre National de la Recherche Scientifique, Paris
J. Res. Bur. Stand.	Journal of Research of the National Bureau of Standards, Washington
J. S. African Chem. Inst.	Journal of the South African Chemical Institute, Johannesburg
J. Scient. Instruments	Journal of Scientific Instruments (bis 1947 und seit 1950), London
J. scient. Res. Inst. Tokyo	Journal of the Scientific Research Institute, Tokyo
J. Sci. Food Agric.	Journal of the Science of Food and Agriculture, London
J. sci. Ind. Research (India)	Journal of Scientific and Industrial Research (India), New Dehli
J. Soc. chem. Ind.	Journal of the Society of Chemical Industry (bis 1922 und seit 1947), London
J. Soc. chem. Ind., Chem. and Ind.	Journal of the Society of Chemical Industry. Chemistry and Industry (1923–1936), London
J. Soc. chem. Ind. Japan Spl.	Journal of the Society of Chemical Industry, Japan. Supplemental Binding (Kōgyō Kwagaku Zasshi, bis 1943) Tokio
J. Soc. Cosmetics Chemists	Journal of the Society of Cosmetic Chemists, London
J. Soc. Dyers Col.	Journal of the Society of Dyers and Colourists, Bradford/Yorkshire
J. Soc. Leather Trades' Chemists	Journal of the Society of Leather Trades' Chemists, Croydon/Surrey, England
J. Soc. West. Australia	Journal of the Royal Society of Western Australia, Perth
J. Taiwan Pharm. Assoc.	Journal of the Taiwan Pharmaceutical Association, Taiwan
J. Univ. Bombay	Journal of the University of Bombay, Bombay

J. Vitaminol.	Journal of Vitaminology [Kyoto]
J. Washington Acad.	Journal of the Washington Academy of Sciences, Washington
Kautschuk u. Gummi	Kautschuk und Gummi, Berlin (Zusatz WT für den Teil: Wissenschaft und Technik)
Kgl. norske Vidensk. Selsk., Skr.	Kgl. Norske Videnskabers Selskab. Skrifter
Khim. Nauka i Prom.	Химическая Наука и Промыщленность (Chemical Science and Industry)
Kinetika i Kataliz	Кинетика и Катализ (Kinetik und Katalyse), Moskau
Koll. Beih.	Kolloid-Beihefte (Ergänzungshefte zur Kolloid-Zeitschrift, 1931–1943), Dresden, Leipzig
Kolloidchem. Beih.	Kolloidchemische Beihefte (bis 1931), Dresden u. Leipzig
Kolloid-Z.	Kolloid-Zeitschrift, seit 1943 vereinigt mit Kolloid-Beiheften
Koll. Žurnal	Коллоидный Журнал (Colloid-Journal), Moskau
Kungl. svenska Vetenskaps-akad. Handl.	Kungliga Svenska Vetenskapsakademiens Handlingar, Stockholm
Labor. Delo	Лабораторное Дело (Laboratoriumswesen), Moskau
Lab. Practice	Laboratory Practice
Lack- u. Farben-Chem.	Lack- und Farben-Chemie [Däniken]/Schweiz
Lancet	Lancet, London
M.	Monatshefte für Chemie (Wien)
Magyar chem. Folyóirat	Magyar Chemiai Folyóirat, seit 1949: Magyar Kemiai Folyóirat (Ungarische Zeitschrift für Chemie), Budapest
Magyar kem. Lapja	Magyar kemikusok Lapja (Zeitschrift des Vereins Ungarischer Chemiker), Budapest
Makromol. Ch.	Makromolekulare Chemie, Heidelberg
Manuf. Chemist	Manufacturing Chemist and Pharmaceutical and Fine Chemical Trade Journal, London
Materie plast.	Materi Plastiche, Milano
Mat. grasses	Les Matières Grasses.-Le Pétrole et es Dérivés, Paris
Med. Ch. I. G.	Medizin und Chemie. Abhandlungen aus dem Medizinisch-chemischen Forschungsstätten der I. G. Farbenindustrie AG (bis 1942), Leverkusen
Meded. vlaamse chem. Veren.	Mededelingen van de Vlaamse Chemische Vereniging, Antwerpen
Mém. Acad. Inst. France	Mémoires de l'Académie des Sciences de l'Insitut de France, Paris
Mem. Coll. Sci. Kyoto	Memoirs of the College of Science, Kyoto Imperial University, Tokio
Mem. Inst. Sci. and Ind. Research, Osaka Univ.	Memoirs of the Institute of Scientific and Industrial Research, Osaka University, Osaka
Mém. Poudres	Mémoirial des Poudres (bis 1939 und seit 1948), Paris
Mém. Services chim.	Mémoirial des Services Chimiques de l'État, Paris
Mercks Jber.	E. Mercks Jahresbericht über Neuerungen auf den Gebieten der Pharmakotherapie und Pharmazie, Weinheim
Microchem. J.	Microchemical Journal, New York
Microfilm Abst.	Microfilm Abstracts, Ann Arbor (Michigan)
Mikrochem. verein. Mikrochim. Acta	Mikrochemie vereinigt mit Mikrochimica Acta (seit 1938), Wien
Mod. Plastics	Modern Plastics (seit 1934), New York
Mol. Phys.	Molecular Physics, London
Nat. Bur. Standards (U.S.), Ann. Rept. Circ.	National Bureau of Standards (U.S.), Annual Report, Circular, Washington
Nat. Bur. Standards (U.S.), Tech. News Bull.	National Bureau of Standards (U.S.), Technical News Bulletin, Washington
Nation. Petr. News	National Petroleum News, Cleveland/Ohio
Natl. Nuclear Energy Ser., Div. I–IX	National Nuclear Energy Series, Division I–IX, New York

Nature	Nature, London
Naturf. Med. Dtschl. 1939–1946	Naturforschung und Medizin in Deutschland 1939–1946 (für Deutschland bestimmte Ausgabe des FIAT Review of German Science), Wiesbaden
Naturwiss.	Naturwissenschaften, Berlin, Göttingen
Natuurw. Tijdschr.	Natuurwetenschappelijk Tijdschrift, Vennoofschap
Neftechimiya	Нефтехимия (Petroleum Chemistry)
Niederl. P.	Niederländisches Patent
Nitrocell.	Nitrocellulose (bis 1943 und sei 1952), Berlin
Norske Vid. Selsk. Forh.	Kongelige Norske Videnskabers Selskab. Forhandlinger, Trondheim
Norw. P.	Norwegisches Patent
Nuclear Sci. Abstr. Oak Ridge	U.S. Atomic Energy Commission, Nuclear Science Abstracts
Nuovo Cimento	Nuovo Cimento, Bologna
Öl Kohle	Öl und Kohle (bis 1934 und 1941–1945); in Gemeinschaft mit Brennstoff-Chemie von 1943–1945, Hamburg
Öst. Chemiker-Ztg.	Österreichische Chemiker-Zeitung (bis 1942 und seit 1947), Wien
Österr. P., Wien	Österreichisches Patent
Offic. Gaz., U.S. Pat. Office	Official Gyzette, United States Patent Office
Ohio J. Sci.	Ohio Journal of Science, Columbus/Ohio
Oil Gas J.	Oil and Gas Journal, Tulsa/Oklahoma
Org. Chem. Bull.	Organic Chemical Bulletin (Eastman Kodak), Rochester
Org. Reactions	Organic Reactions, New York
Org. Synth.	Organic Syntheses, New York
Org. Synth., Coll. Vol.	Organic Syntheses, Collective Volume, New York
Paint Manuf.	Paint incorporating Paint Manufacture (seit 1939), London
Paint Oil chem. Rev.	Paint, Oil and Chemical Review, Chicago
Paint, Oil Colour J.	Paint, Oil and Colour Journal (seit 1950), London
Paint Varnish Product.	Paint and Varnish Production (seit 1949; bis 1949: Paint and Varnish Production Manager), Washington
Paper Ind.	Paper Industry (1938–1949: . . . and Paper World), Chicago
P. C. H.	Pharmazeutische Zentralhalle für Deutschland, Dresden
Perfum. essent. Oil Rec.	Perfumery and Essential Oil Record, London
Periodica Polytechn.	Periodica Polytechnica, Budapest
Petr. Eng.	Petroleum Engineer Dallas/Texas
Petr. Processing	Petroleum Processing, New York
Petr. Refiner	Petroleum Refiner, Houston/Texas
Pharmacol. Rev.	Pharmacological Reviews, Baltimore
Pharm. Acta Helv.	Pharmaceutica Acta Helvetiae, Zürich
Pharmaz. Ztg. – Nachr.	Pharmazeutische Zeitung – Nachrichten, Hamburg
Pharm. Bull. (Tokyo)	Pharmaceutical Bulletin (Tokyo) (bis 1958)
Pharm. Ind.	Die Pharmazeutische Industrie, Berlin
Pharm. J.	Pharmaceutical Journal, London
Pharm. Weekb.	Pharmaceutisch Weekblad, Amsterdam
Phillips Res. Rep.	Philips Research Reports, Eindhoven/Holland
Phil. Trans.	Philosophical Transactions of the Royal Society of London
Photochem. and Photobiol.	Photochemistry and Photobiology, New York
Physica	Physica. Nederlandsch Tijdschrift voor Natuurkunde, Utrecht
Physik. Bl.	Physikalische Blätter, Mosbach/Baden
Phys. Rev.	Physical Review, New York
Phys. Z.	Physikalische Zeitschrift [Leipzig]
Plant Physiol.	Plant Physiology, Lancaster, Pa.
Plaste u. Kautschuk	Plaste und Kautschuk (seit 1957), Leipzig
Plasticheskie Massy	Пластические Массы (Soviet Plastics), Moskau
Plastics	Plastics [London]
Plastics Inst., Trans. and J.	The (London) Plastics Institute, Transactions and Journal
Plastics Technol.	Plastics Technology

Poln. P.	Polnisches Patent
Polytechn. Tijdschr. [A]	Polytechnisch Tijdschrift, Uitgave A (seit 1946), Haarlem
Pr. Acad. Tokyo	Proceedings of the Imperial Academy. Tokyo
Pr. Akad. Amsterdam	Proceedings, Koninklijke Nederlandsche Akademie van Weten-schappen (1938–1940 und seit 1943), Amsterdam
Pr. chem. Soc.	Proceedings of the Chemical Society, London
Pr. Indiana Acad.	Proceedings of the Indiana Academy of Science, Indianapolis/Indiana
Pr. indian Acad.	Proceedings of the Indian Academy of Sciences, Bangalore/Indien
Pr. Iowa Acad.	Proceedings of the Iowa Academy of Science, Des Moines/Iowa (USA)
Pr. irish Acad.	Proceedings of the Royal Irish Academy, Dublin
Pr. Nation. Acad. India	Proceedings of the National Academy of Sciences, India (seit 1936), Allahabad/Indien
Pr. Nation. Acad. USA	Proceedings of the National Academy of Sciences of the United States of America, Washington
Proc. Amer. Soc. Testing Mater.	Proceedings of the American Society für Testing Materials, Philadelphia, Pa.
Proc. Egypt. Acad. Sci.	Proceedings of the Egyptian Academy of Sciences Kairo
Proc. Japan Acad.	Proceedings of the Japan Academy (seit 1945), Tokio
Proc. Roy. Austral. chem. Inst.	Proceedings of the Royal Australian Chemical Institute, Melbourne
Produits pharmac.	Produits Pharmaceutiques, Paris
Progr. Physical. Org. Chem.	Progress in Physical Organic Chemistry, New York, London
Promyšl. org. Chim.	Промышленность Органической Химии (bis 1941: Журнал Химической Промышленности) (Industrie der Organischen Chemie, Organic Chemical Industry, bis 1940), Moskau
Pr. phys. Soc. London	Proceedings of the Physical Society. London
Pr. roy. Soc.	Proceedings of the Royal Society. London
Pr. roy. Soc. Edinburgh	Proceedings of the Royal Society of Edinburgh, Edinburgh
Przem. chem.	Przemyśl Chemiczny (Chemische Industrie), Warschau
Publ. Am. Assoc. Advan. Sci.	Publication of the American Association for the Advancement of Science, Washington
Pure Appl. Chem.	Pure and Applied Chemistry (The Official Journal of the International Union of Pure and Applied Chemistry), London
Quart. J. indian Inst. Sci.	Quaterly Journal of the Indian Institute of Science, Bangalore
Quart. J. Pharm. Pharmacol.	Quaterly Journal of Pharmacy and Pharmacology (bis 1948), London
Quart. Rev.	Quaterly Reviews. London
Quím. e Ind.	Química e Industria. São Paulo (bis 1938 Chimica e Industria)
R.	Recueil des Travaux Chimiques des Pays-Bas, Amsterdam
R. A. L.	Atti della Reale Academia Nazionale dei Lincei, Classe di Scienze Fisiche, Matematiche e Naturali: Rendiconti (bis 1940), Rom
Rasayanam	Journal for the Progress of Chemical Science, Poona, India
Rend. Ist. lomb.	Rendiconti dell'Instituto Lombardo di Scienze e Lettere. Classe di Scienze Matematiche e Naturali (seit 1944), Mailand
Rep. Government chem. ind. Res. Inst., Tokyo	Reports of the Government Chemical Industrial Research Institute, Tokyo
Rep. Progr. appl. Chem.	Reports on the Progress of Applied Chemistry (seit 1949), London
Rep. sci. Res. Inst.	Reports of Scientific Research Institute (japan). Kagaku-Kenkyujo-Hokoku, Tokio
Research	Research, London
Rev. Asoc. bioquím. arg.	Revista de la Asociación Bioquímica Argentina, Buenos Aires
Rev. Fac. Cienc. quím.	Revista de la Facultad de Ciencias Químicas, Universidad Nacional de La Plata, La Plata

Rev. Fac. Sci. Instanbul	Revue de la Faculté des Sciences de l'Université d'Istanbul, Istanbul
Rev. gén. Matières plast.	Revue Générale des Matières Plastiques, Paris
Rev. gén. Sci.	Revue Générale des Sciences pures et appliquées, Paris
Rev. Inst. franç. Pétr.	Revue de l'Institut Français du Pétrole et Annales des Combustibles Liquides, Paris
Rev. Prod. chim.	Revue des Produits Chimiques, Paris
Rev. Pure Appl. Chem.	Reviews of Pure and Applied Chemistry, Melbourne
Rev. Quím. Farm.	Revista de Química e Farmácia, Rio de Janeiro
Rev. Roumaine Chim.	Revue Roumaine de Chimie (bis 1963: Revue de Chimie, Académie de la République Populaire Roumaine), Bukarest
Rev. sci.	Revue Scientifique, Paris
Rev. scient. Instruments	Review of Scientific Instruments, New York
Ricerca sci., Parte I	Ricerca Scientifica, Parte I: Rivista, Rom
Ricerca sci., Parte II	Ricerca Scientifica, Parte II: Rendiconti, Rom
Roczniki Chem.	Roczniki Chemii (Annales Societatis Chimicae Polonorum), Warschau
Rubber Age N. Y.	The Rubber Age, New York
Rubber Chem. Technol.	Rubber Chemistry and Technology, Easton, Pa.
Rubber J.	Rubber Journal (seit 1955), London
Rubber & Plastics Age	The Rubber & Plastics Age, London
Rubber World	Rubber World (seit 1945) New York
Sbornik Stateĭ Obshcheĭ Khim.	Сборник Статей по Общей Химии (Sammlung von Aufsätzen über die allgemeine Chemie), Moskau u. Leningrad
Schwed. P.	Schwedisches Patent
Schweiz. P.	Schweizerisches Patent
Sci.	Science, New York, seit 1951 Washington
Sci. American	Scientific American, New York
Sci. Culture	Science and Culture, Calcutta
Scient. Pap. Bur. Stand.	Scientific Papers of the Bureau of Standards [Washington]
Scient. Pr. roy. Dublin Soc.	Scientific Proceedings of the Royal Dublin Society, Dublin
Sci. Ind. phot.	Science et Industries photographiques, Paris
Sci. Progr.	Science Progress, London
Sci. Rep. Tôhoku Univ.	Science Reports of the Tôhoku Imperial University, Tokio
Sci. Repts. Research.Insts. Tohoku Univ., [A], [B], [C] bzw. [D]	The Science Reports of the Research Institutes, Tohoku University, Series A, B, C bzw. D, Sendai/Japan
Seifen-Oele-Fette-Wachse	Seifen-Oele-Fette-Wachse. Neue Folge der Seifensieder-Zeitung, Augsburg
Soc.	Journal of the Chemical Society. London
Soil Sci.	Soil Science, Baltimore
South African Ind. Chemist	South African Industrial Chemist, Johannesburg
Spectrochim. Acta	Spectrochimica Acta, Berlin ab 1947 Rom
Steroids	Steroids an International Journal, San Francisco
Studii Cercetări Chim.	Studii și Cercetări de Chimie [Bucuresti]
Suomen Kem.	Suomen Kemistilehti (Acta Chemica Fennica), Helsinki
Suppl. nuovo Cimento	Supplemento del Nuovo Cimento (seit 1949), Bologna
Svensk farm. Tidskr.	Svensk Farmaceutisk Tidskrift, Stockholm
Svensk kem. Tidskr.	Svensk Kemisk Tidskrift, Stockholm
Talanta	Talanta, International Journal of Analytical Chemistry, London
Tetrahedron	Tetrahedron, Oxford
Tetrahedron Letters	Tetrahedron Letters, Oxford
Textile Res. J.	Textile Research Journal (seit 1945), New York
Tiba	Revue Générale de Teinture, Impression, Blanchiment, Apprêt et de Chimie Textile et Tinctoriale (bis 1940 und seit 1948) Paris
Tidsskr. Kjemi Bergv.	Tidsskrift för Kjemi og Bergvesen (bis 1940), Oslo
Tidsskr. Kjemi, Bergv. Met.	Tidsskrift för Kjemi, Bergvesen og Metallurgi (seit 1941), Oslo

Trans. electroch. Soc.	Transcations of the Electrochemical Society. New York (bis 1949)
Trans. Faraday Soc.	Transactions of the Faraday Society, Aberdeen
Trans. Inst. chem. Eng.	Transactions of the Institution of Chemical Engineers, London
Trans. Instn. Rubber Ind.	Transactions of the Institution of the Rubber Industry, London
Trans. Kirov's Inst. chem. Technol. Kazan	Труды Казанского Химико-Технологического Института им. Кирова (Transactions of the Kirov's Institute for Chemical Technology of Kazan), Moskau
Trans. Pr. roy. Soc. New Zealand	Transactions and Proceedings of the Royal Society of New Zealand (seit 1952 Transactions of the Royal Society of New Zealand) Wellington
Trans. roy. Soc. Canada	Transactions of the Royal Society of Canada, Ottawa
Trans. Roy. Soc. Edinburgh	Transactions of the Royal Society of Edinburgh, Edinburgh
Trudy Mosk. Chim. Techn. Inst.	Труды Московского Химико-Технологического Института им. Д. И. Менделеева (Transactions of the Moscow Chemical-Technological Institut named für Dr. I. Mendeleev), Moskau
Tschechosl. P.	Tschechoslowakisches Patent
Uchenye Zapiski Kazan.	Ученые Записки Казанского Государственного Университета (Wissenschaftliche Berichte der Kasaner staatlichen Universität), Kasan
Ukr. chim. Ž.	Украинский Химический Журнал (bis 1938: Українськній, Charkau bis 1938, Хемічний Журнал) Ukrainisches Chemisches Journal), Kiew
Umschau Wiss. Techn.	Umschau in Wissenschaft und Technik, Frankfurt
U.S. Govt. Res. Rept.	U.S. Government Research Reports
US. P.	Patent der USA
Uspechi Chim.	Успехи Химии (Fortschritte der Chemie), Moskau, Leningrad
USSR. P.	Sowjetisches Patent
Vakuum-Techn.	Vakuum-Technik (seit 1954), Berlin
Vestn. Akad. Nauk SSSR	Вестник Академии Наук СССР (Mitteilungen der Akademie der Wissenschaften der UdSSR), Moskau
Vestn. Mosk. Univ., Ser II Chim.	Вестник Московского Университета, Серия II Химия (Nachrichten der Moskauer Universität, Serie II Chemie), Moskau
Vysokomolek. Soed.	Высокомолекулярные Соединения (High Molecular Weight Compounds)
Werkstoffe u. Korrosion	Werkstoffe und Korrosion (seit 1950), Weinheim/Bergstr.
Yuki Gosei Kagaku Kyokai Shi	Journal of the Society of Organic Synthetic Chemistry, Japan, Tokio
Z.	Zeitschrift für Chemie, Leipzig
Z. anal. Chemie	Zeitschrift für analytische Chemie (von C. R. FRESENIUS), Berlin, Göttingen
Ž. anal. Chim.	Журнал Аналитической Химии (Journal of Analytical Chemistry), Moskau
Z. ang. Physik	Zeitschrift für angewandte Physik
Z. anorg. Ch.	Zeitschrift für Anorganische und Allgemeine Chemie (1943–1950 Zeitschrift für Anorganische Chemie), Berlin
Zavod. Labor.	Заводская Лаборатория (Industral Laboratory), Moskau
Zbl. Arbeitsmed. Arbeitsschutz	Zentralblatt für Arbeitsmedizin und Arbeitsschutz (seit 1951), Darmstadt
Ž. éksp. teor. Fiz.	Журнал экспериментальной и теоретической физики ([Physikalisches Journal, Serie A] Journal für experimentelle und theoretische Physik), Moskau, Leningrad
Z. El. Ch.	Zeitschrift für Elektrochemie und Angewandte Physikalische Chemie (seit 1952 Zeitschrift für Elektrochemie, Berichte der Bunsengesellschaft für Physikalische Chemie). Weinheim/Bergstr.

Ž. fiz. Chim.	Журнал Физической Химии (Journal of Physical Chemistry), Moskau/Leningrad
Z. Lebensm.-Unters.	Zeitschrift für Lebensmittel-Untersuchung und -Forschung (seit 1943), München, Berlin
Z. Naturf.	Zeitschrift für Naturforschung, Tübingen
Ž. neorg. Chim.	Журнал Неорганической Химии (Journal of Inorganic Chemistry)
Ž. obšč. Chim.	Журнал Общей Химии (Journal of General Chemistry), London
Ž. Org. Chim.	Журнал Органической Химии (Journal of Organic Chemistry), Baltimore
Z. Pflanzenernähr., Düng., Bodenkunde	Zeitschrift für Pflanzenernährung, Düngung, Bodenkunde (bis 1936 und seit 1946), Weinheim/Bergstr., Berlin
Z. Phys.	Zeitschrift für Physik, Berlin, Göttingen
Z physik. Chem.	Zeitschrift für Physikalische Chemie, Frankfurt (seit 1945 mit Zusatz N.F.)
Z. physik. Chem. (Leipzig)	Zeitschrift für Physikalische Chemie (Leipzig)
Ž. prikl. Chim.	Журнал Прикладной Химии (Journal of Applied Chemistry),
Ž. prikl. Fiz.	Журнал Прикладной Спектроскопии (Journal of Applied Spectroskopy), Moskau, Leningrad
Ž. strukt. Chim.	Журнал Структурной Химии (Journal of Structural Chemistry), Moskau
Ž tech. Fiz.	Журнал Технической Физики ([Physikalisches Journal, Serie B] Journal für technische Physik), Moskau-Leningrad
Z. Vitamin-, Hormon- u. Fermentforsch [Wien]	Zeitschrift für Vitamin-, Hormon- und Fermentforschung [Wien] (seit 1947)
Ž. vses. Chim. obšč.	Журнал Всесоюзного Химического Общества им. Д. И. Менделеева (Journal of the All-Union-Chemical Society named for D. I. Mendeleev), Moskau
Z. wiss. Phot.	Zeitschrift für Wissenschaftliche Photographie, Photophysik und Photochemie, Leipzig
Ж.	Журнал Русского Физико-Химического Общества (Journal der Russischen Physikalisch-Chemischen Gesellschaft. Chemischer Teil; bis 1930)

Abkürzungen
für den Text der präparativen Vorschriften
und der Fußnoten[1]

Abb.	Abbildung
absol.	absolut
Amp.	Ampere
Anm.	Anmerkung
Anm.	Anmeldung (nur in Verbindung mit der Patentzugehörigkeit)
API	American Petroleum Institute
ASTM	American Society for Testing Materials
asymm.	asymmetrisch
at	technische Atmosphäre
At.-Gew.	Atomgewicht
atm	physikalische Atmosphäre
BASF	Badische Anilin- & Sodafabrik AG, Ludwigshafen/Rhein (bis 1925 und wieder ab 1953)
Bataafsche (Shell)	N. V. Bataafsche Petroleum Mij., s'Gravenhage (Holland)
Shell Develop.	Shell Development Co., San Francisco, Corporation of Delaware
ber.	berechnet
bez.	bezogen
bzw.	beziehungsweise
cal	Calorien
CIBA	Chemische Industrie Basel, AG
cm^3	Kubikzentimeter
cycl.	cyclisch
D, bzw. D^{20}	Dichte, bzw. Dichte bei 20° bezogen auf Wasser von 4°
DAB	Deutsches Arznei-Buch
Degussa	Deutsche Gold- und Silberscheideanstalt, Frankfurt a.M.
d.h.	das heißt
DK	Dielektrizitäts-Konstante
d.Th.	der Theorie
DuPont	E. I. DuPont de Nemours & Co., Wilmington 98 (USA)
E	Erstarrungspunkt
EMK	Elektromotorische Kraft
F	Schmelzpunkt
Farbf. Bayer	Farbenfabriken Bayer AG, vormals Friedrich Bayer & Co., Leverkusen-Elberfeld (bis 1925), Farbenfabriken Bayer AG, Leverkusen, Elberfeld, Domagen und Uerdingen (ab 1953)
Farbw. Hoechst	Farbwerke Hoechst AG, vormals Meister Lucius & Brüning, Frankfurt/M.-Höchst (bis 1925 und wieder ab 1953)
g	Gramm
gem.	geminal
ges.	gesättigt
Gew., Gew.-%, Gew.-Tl.	Gewicht, Gewichtsprozent, Gewichtsteil
I.C.I.	Imperial Chemicals Industries Ltd., Manchester
I.G. Farb.	I. G. Farbenindustrie AG, Frankfurt a.M. (1925–1945)
IUPAC	International Union of Pure and Applied Chemistry
i.Vak.	im Vakuum
k (k_s, k_b)	elektrolytische Dissoziationskonstanten, bei Ampholyten, Dissoziationskonstanten nach der klassischen Theorie

---

[1] Alle Temperaturangaben beziehen sich auf Grad Celsius, falls nicht anders vermerkt.

K (K_s, K_b) .... elektrolytische Dissoziationskonstanten von Ampholyten nach der Zwitterionentheorie
kcal .... Kilokalorie
kg .... Kilogramm
konz. .... konzentriert
korr. .... korrigiert
Kp, bzw. Kp_{750} .... Siedepunkt, bzw. Siedepunkt unter 750 Torr Druck
kW, kWh .... Kilowatt, Kilowattstunde
l .... Liter
m (als Konzentrationsangabe) . molar
M .... Metall (in Formeln)
$[M]_\lambda^t$ .... molekulares Drehungsvermögen oder Molekularrotation
mg .... Milligramm
Min. .... Minute
mm .... Millimeter
ml .... Milliliter
Mol.-Gew., Mol.-%, Mol.-Refr. . Molekulargewicht, Molprozent, Molekularrefraktion
n_λ^t .... Brechungsindex
n (als Konzentrationsangabe) . normal
nm .... Nanometer
p_H .... negativer, dekadischer Logarithmus der Wasserstoffionen-Aktivität
prim. .... primär
quart. .... quartär
racem. .... racemisch
s. .... siehe
S. .... Seite
s. a. .... siehe auch
sek. .... sekundär
Sek. .... Sekunde
s. o. .... siehe oben
spez. .... spezifisch
Stde., Stdn., stdg. .... Stunde, Stunden, stündig
s. u. .... siehe unten
Subl. p. .... Sublimationspunkt
symm..................... symmetrisch
Tab. .... Tabelle
techn. .... technisch
Temp. .... Temperatur
tert. .... tertiär
theor. .... theoretisch
Tl., Tle., Tln. .... Teil, Teile, Teilen
u. a. .... und andere
usw. .... und so weiter
u. U. .... unter Umständen
V .... Volt
VDE .... Verein Deutscher Elektroingenieure
VDI .... Verein Deutscher Ingenieure
verd. .... verdünnt
vgl. .... vergleiche
vic. .... vicinal
Vol., Vol.-%, Vol.-Tl. .... Volumen, Volumenprozent, Volumenanteil
W .... Watt
Zers. .... Zersetzung
∇ .... Erhitzung
$[a]_\lambda^t$ .... spezifische Drehung
$\varnothing$ .... Durchmesser
$\sim$ .... etwa, ungefähr
μ .... Mikron

Methoden
zur Herstellung und Umwandlung
carbocyclischer Dreiring-Systeme

bearbeitet von

Dr. Detlef Wendisch

Farbenfabriken Bayer AG., Leverkusen

Mit 113 Tabellen
und 21 Abbildungen

Literatur berücksichtigt bis Anfang 1968, teilweise erweitert bis 1970.

Cyclopropan und seine Derivate

Inhalt

Carbocyclische Dreiringsysteme 15

Cyclopropan-Derivate 17

   Bindungsverhältnisse 17

      a) Das trigonal hybridisierte Modell 17

      b) Das „Bent-Bond"-Modell 18

      c) Das Molecular-Orbital-Modell 19

      d) Diskussion nach der vereinheitlichten Theorie nach BERNETT 20

          1. „Bent-Bond"-Pseudo"-Konjugation 20

          2. Ringspannung 22

          3. Der Effekt der Hybridisierung auf die „Pseudo-Konjugation" 23

      e) „Twist-Bent-Bonds" in Polycyclen, die Cyclopropane enthalten 25

   Spektroskopische Identifizierungsmöglichkeiten 28

A. Herstellung von Cyclopropan und seine Derivate 32

A_1. Cyclopropane 32

   I. aus 1,3-Dihalogen-Verbindungen durch intramolekulare Wurtz-Synthese 32

   II. über Pyrazoline (4,5-Dihydro-3 H-pyrazole) 42

      a) Pyrazoline durch Diazoalkan-Addition an α, β-ungesättigte Verbindungen . . 43

      b) Pyrazoline durch anomale Wolff-Kishner-Reduktion α, β-ungesättigter Carbonyl-Verbindungen 71

      c) Pyrazoline durch Oxidation von Pyrazolidinen 74

      d) Reaktionsmechanistische Untersuchungen zur Cyclopropanierung über Pyrazoline 75

   III. durch Cyclisierung von γ-substituierten Ketonen, Estern bzw. Nitrilen 89

      a) unter Eliminierung 89

      b) durch Ester-Kondensationen 94

   IV. Cyclopropanierungen durch Carben-Übertragungen auf Olefine 98

a) Entwicklung und Bedeutung der Carben-Chemie 98

b) Methylen-Übertragungen 100

   1. Methylen-Übertragung durch Diazomethan 101

      α) Pyrolyse und Photolyse 101

      β) Katalytische Zersetzung 105

   2. Cyclopropane nach der SIMMONS-SMITH-Reaktion 115

   3. Methylenierte Metallhalogenide als metallorganische Methylen-Übertragungs-
      reagentien 126

      α) Cyclopropanierung von Olefinen mit Bis-[jodmethyl]-zink 129

      β) Cyclopropanierung von Olefinen mit (Benzoyloxymethyl)-zink-Verbin-
      dungen 134

   4. Methylen-Übertragungen durch Ylide und analoge Reaktionen 138

      α) Reaktionen von Phosphonium-Yliden mit Epoxiden 138

      β) Methylen-Übertragungen mit Schwefel-Yliden 139

      γ) Polysubstituierte Cyclopropane aus substituierten Vinylsulfoniumsalzen
      und CH-aciden Verbindungen 148

c) Halogen-carben-Übertragungen 150

   1. Dihalogen-carbene-Übertragung 150

      α) Zur Bildung von Dihalogen-carbenen 150

      β) Herstellung von Dihalogen-cyclopropanen 159

         β_1) Dihalogen-carben-Übertragung auf Olefine 160

            $\beta\beta_1$) Übertragung 160

            $\beta\beta_2$) Konkurrenz Übertragung/Insertion 168

            $\beta\beta_3$) Stereochemie und Reaktivität 170

         β_2) Dihalogen-carben-Übertragung auf En-ine 172

            $\beta\beta_1$) konjugierte En-ine 172

            $\beta\beta_2$) Konkurrenzreaktion mit Alkinen und Olefinen 174

         β_3) Dihalogen-carben-Übertragung mit Hilfe von Trihalogenmethyl-phenyl-
         quecksilber-Verbindungen 175

            $\beta\beta_1$) auf Äthylen, Trichlor- und Tetrachlor-äthylen 176

            $\beta\beta_2$) auf α, β- ungesättigte Carbonsäuren und deren Derivate, bzw.
            Acetoxy-äthylen 177

            $\beta\beta_3$) auf Allylamine 180

            $\beta\beta_4$) auf ungesättigte Äther 180

            $\beta\beta_5$) auf Diene 182

            $\beta\beta_6$) Zum Reaktionsmechanismus 183

β_4) Dihalogen-carben-Übertragung mit Hilfe von halogenierten Organo-zinn-Verbindungen 184

γ) Dihalogen-carben-Übertragungen unter Umlagerung 189

δ) Cyclopropane aus Dihalogen-cyclopropanen 202

δ_1) Reduktion 203

δ_2) Umlagerung mit Basen 207

2. Monohalogen-carbene-Übertragung 216

α) Reaktionen mit Chlor- und Brom-carben 216

β) Reaktionen mit Alkyl- und Aryl-halogen-carbenen 228

d) Reaktionen mit Carbenen, die α-Heteroatome enthalten 234

1. Zu Cyclopropyläthern und Cyclopropanolen durch Alkoxy- und Aryloxy-carben-Übertragungen 234

α) Phenoxy-cyclopropane 234

β) 1-Chlor-1-phenoxy-cyclopropane 238

γ) Alkoxy-cyclopropane 238

δ) Cyclopropanole über Cyclopropyläther 244

2. Übertragungen von Alkylmercapto- und Arylmercapto-carbenen 248

α) Phenylmercapto-cyclopropane 248

β) 1-Chlor-1-phenylmercapto-cyclopropane 252

γ) Andere Mercapto-carbene bzw. -carbenoide 254

3. Phenylseleno-carben-Übertragungen 255

e) Cyclopropan-Synthesen mit Alkyl- und Dialkyl-carbenen 255

f) Cyclopropanierungen mit Aryl- und Diaryl-carbenen 256

1. Bildung von Aryl- bzw. Diaryl-carbenen und ihre Reaktionen mit Doppel-bindungen 257

2. Aryl- und Diaryl-carbenoide 264

3. Zur syn-Stereoselektivität 266

g) Alkoxycarbonyl-carbene bzw. -carbenoide in der Cyclopropan-Synthese. . . . 269

h) Übertragungen von Keto- carbenen bzw. -carbenoiden 289

i) Sonstige Carben-Übertragungen 292

1. Cyclopropan-⟨spiro-5⟩-cyclopentadiene 292

α) durch Addition von Fluorenyliden an Olefine in Gegenwart von Hexafluor-benzol 292

β) Reaktionen des 1,2,3,4-Tetrachlor-5-carbena-cyclopentadiens-(1,3) mit Ole-finen 297

γ) Reaktion des 1,2,3,4-Tetraphenyl-5-carbena-cyclopentadiens-(1,3) mit Olefinen 299

δ) Addition von Cyclopentadienyliden an Olefine 301

2. Cyclopropan-⟨spiro-7⟩-cycloheptatriene 301

α) Additionen des Cycloheptatrienylidens an Olefine 301

β) Addition von Dibenzo-[a;e]-cycloheptatrienyliden und Tribenzo-[a; c; e]-
cycloheptatrienyliden an Olefine 303

3. Sulfon-carben-Übertragungen 305

4. Dicyan-carben-Übertragung 305

5. Alkin-(1)-yl-carbene-Übertragung 308

6. Olefinische Carbenoide und Carbene in der Cylopropan-Synthese 309

k) Singulett und Triplett-Carbene 325

1. Theoretische Ansätze 325

2. Spektroskopische Untersuchungen 326

α) in der Gasphase 326

β) im eingefrorenen Zustand 327

α₁) Elektronenspinresonanz-Untersuchungen von Triplett-Carbenen . . 327

α₂) Elektronen- und Schwingungsspektren von Carbenen 330

3. Spin-Zustand reagierender Carbene 331

V. Intramolekulare Reaktionen von Carbenen und Carbenoiden unter Cyclopropan-
Bildung 333

a) Intramolekulare Einschiebungsreaktionen von Alkyl-carbenen und Analoga . . 333

1. Alkalisch-thermische Spaltung von Tosylhydrazonen 333

2. Zum Vergleich der katalytischen, thermischen und photolytischen Zersetzung
von Diazoalkanen 340

α) Metallsalz-Katalyse 341

β) Säure-Katalyse 344

γ) Thermolyse 344

δ) Photolyse 347

3. Cyclische Carbene und Cyclopropan-Bildung 347

4. α-Eliminierungen an verzweigten Halogen- und Dihalogen-alkanen 352

α) α-Eliminierung von Chlorwasserstoff aus 1-Chlor-alkanen 353

β) Eliminierung von Jod aus 1,1-Dijod-alkanen 355

γ) Struktur der Zwischenstufen 356

b) Cyclobutyliden-Methylencyclopropan-Umlagerung 357

c) Intramolekulare Additionen von Carbenen und Carbenoiden 359

   1. von Vinyl-carbenen 359

   2. von Alken-(1)-yl-carbenen 359

   3. von Aryl-carbenen mit ungesättigter Seitenkette 362

   4. von Allyloxycarbonyl-carbenen 362

   5. von ungesättigten Ketocarbenen 363

VI. Spezielle Methoden zur Herstellung von Cyclopropan-Derivaten

  a) durch Einwirkung von Brom-malonsäure-dinitril 367

   1. auf Carbonyl-Verbindungen (WIDEQUIST-Reaktion) 367

   2. auf Alkene mit anschließender γ-Eliminierung von Bromwasserstoff 369

  b) 1,1-Dihalogen-cyclopropane aus Olefinen, Äthylenoxid und Haloformen . . . 374

   1. 1,1-Dichlor-cyclopropane 376

   2. 1-Fluor-1-chlor-cyclopropane 377

   3. 1,1-Difluor-cyclopropane 380

   4. Katalysator-Einfluß 380

  c) Methyl-cyclopropane 381

  d) 3-Oxo-1,1,2,2-tetramethyl-cyclopropan aus 2,4-Dioxo-1,1,3,3-tetramethyl-cyclobutan durch Photolyse 387

  e) Bildung des alicyclischen Dreiringes durch photochemische [2 + 2]-Cyclo-additionen bei den Cyclohexadienonen und Cyclohexenonen 390

VII. Metallorganische Verbindungen der Cyclopropane 399

VIII. Cyclopropan-Derivate aus anderen Cyclopropanen 406

  a) Additionsreaktionen an der Carbonyl-Gruppe des Cyclopropanons 406

  b) Metallkomplexe von Vinyl-cyclopropanen 410

   1. mit Palladium(II)-chlorid 410

   2. mit Eisenpentacarbonyl 412

  c) Reaktionen zwischen 1,1-Dichlor-cyclopropanen und Alkyl-lithium-Verbindungen unter Beobachtung chemisch induzierter dynamischer Kernpolarisation . . . 413

  d) Spezielle Solvolyse-Beispiele 414

A₂. Cyclopropane im Zuge von Homoallyl-Umlagerungen 415

  I. Einfache substituierte Cyclopropyl- und Cyclobutylmethyl-Verbindungen 416

  II. Aliphatische Homoallyl-Verbindungen 419

III. Thermodynamisch kontrollierte Homoallyl-Umlagerungen 424

IV. Cyclische Homoallyl-Verbindungen 429

    a) Cycloalken-(3)-yl-Verbindungen 429

    b) Cycloalken-(2)-yl-methyl-Verbindungen 431

    c) Cycloalken-(1)-yl-äthyl-Verbindungen 436

    d) Homoallyl-Umlagerungen bei Pyrolysen 438

V. Bicyclische Homoallyl-Verbindungen 439

VI. Cyclen mit Cyclopropylmethyl- und Cyclobutyl-Systemen 446

VII. Homoallyl-Umlagerungen bei Steroiden 458

VIII. Cyclisierungen von Allen- und Acetylen-Derivaten unter solvolytischen Bedingungen, Analogiereaktionen zur Homoallyl-Umlagerung 466

    a) Allen-Verbindungen 466

    b) Acetylen-Verbindungen 470

    c) Vinyl-Kationen als Zwischenstufen 474

IX. Zwischenstufen bei der Homoallyl-Umlagerung 477

    a) Bicyclobutonium-Ionen 477

    b) Homoallyl-Resonanz und isomere Ionen 480

    c) Untersuchungsergebnisse an „freien" Cyclopropylmethyl-Kationen. 483

        1. Struktur 486

        2. Thermodynamische Stabilitäten. 487

        3. UV-Spektren 487

        4. NMR-Spektren 488

        5. Chemische Reaktivität 489

        6. Stabilitäten in der Gasphase 490

        7. Stabile Salze 491

X. Nichtkationische Umlagerungen 491

    a) Anionen 491

    b) Radikale 493

    c) Carbene 494

XI. Zusammenfassende Bemerkungen zur Stereochemie der Ringöffnung bei Homoallyl-Umlagerungen sekundärer und tertiärer Cyclopropylalkohole unter dem Einfluß elektrophiler Reagentien sowie stereochemische Aspekte anderer Homoallyl-Umlagerungstypen 495

    a) Säurekatalysierte Homoallyl-Umlagerungen sekundärer Cyclopropylalkohole . 497

b) Homoallyl-Umlagerungen tertiärer Cyclopropylalkohole 502

c) Homoallyl-Umlagerungen von Cyclopropylmethoxy-magnesium-halogeniden . 504

d) Additionen von Carbonsäuren an Vinyl-cyclopropane 505

A_3. **Cyclopropane in valenzisomeren Systemen (einschl. Moleküle mit fluktuierenden Bindungen)** 509

I. Das valenzisomere System Cycloheptatrien/Norcaradien 509

II. Moleküle mit fluktuierenden Bindungen; Bicyclo[5.1.0]octadien-(2,5)-Systeme . . 527

a) Bicyclo[5.1.0]octadien-(2,5)-Systeme 527

b) Bullvalen und seine Derivate 532

1. Bullvalen 532

A. Herstellung 534

B. Umwandlung 543

2. Substituierte Bullvalene 545

α) monosubstituierte 545

β) disubstituierte 552

γ) anelierte Bullvalene, Benzobullvalene 555

δ) dimeres und trimeres Didehydro-bullvalen 557

c) Bullvalen-Analoga 560

1. Semibullvalene {Tricyclo[3.3.0.0^{4,6}]octadiene-(2,7)} 560

2. Homosemibullvalene {Tricyclo[3.3.1.0^{4,6}]nonadiene-(2,7)} 562

3. Azabullvalen-Systeme 564

d) Andere Verbindungen mit Homotropiliden-Struktur 567

e) Reversible und irreversible thermische Umlagerungen in Molekülen mit Homotropiliden-Struktur 573

B. **Umwandlung** 575

Reaktivität der Cyclopropane-Verbindungen 575

a) von Cyclopropanen 575

b) von Bicyclo[1.1.0]butanen 586

c) von Cyclopropanonen 592

d) Konformation der Vinyl-cyclopropane 593

I. Umlagerungen von Cyclopropanen 594

a) Thermische Umlagerungen einfacher Cyclopropane 594

b) Umlagerungen von Vinyl-cyclopropanen 597

1. Vinyl-cyclopropan/Cyclopenten-Umlagerung 597

2. Thermische Umlagerungen von substituierten Vinyl-cylopropanen vom Typ
   der Vinyl-cyclopropan/Cyclopenten-Umlagerung. 600

3. Sonstige Umlagerungen von Vinyl-cyclopropan-Derivaten 604

4. Umlagerungen von 1,2-Divinyl-cyclopropanen 613

   α) von *cis*-1,2-Divinyl-cyclopropan 613

   β) von *trans*-1,2-Divinyl-cyclopropan 614

c) Cyclopropyl-Allyl-Umlagerungen 615

   1. Acetolyse von Tosyloxy-cyclopropanen. 616

      α) monocyclische Tosyloxy-2,3-dimethyl-cyclopropane 618

      β) *endo-* und *exo*-Tosyloxy-bicyclo[n.1.0]alkane 621

         β₁) *endo*-Systeme 621

         β₂) *exo*-Systeme 622

   2. Geminale Dihalogen-cyclopropane. 625

      α) Bicyclo[3.1.0]hexane 626

      β) Bicyclo[4.1.0]heptane. 629

      γ) Carben-Addukte von Enol-äthern und -estern 630

      δ) Carben-Addukte von Enaminen und Azomethinen 632

d) Cyclopropyliden-Allen-Umlagerung 633

   1. Zersetzung von Diazo-cyclopropanen 633

   2. Reaktionen von Olefinen mit atomarem Kohlenstoff. 635

   3. Photolyse von Kohlensuboxid in Gegenwart von Olefinen 636

   4. Carbenoide Reaktionen von 1,1-Dihalogen-cyclopropanen. 637

e) Cyclopropylcarben-Cyclobuten-Umlagerung. 646

II. Ringöffnungsreaktionen ohne Umlagerungen. 650

a) ohne Verlust von Kohlenstoff. 650

   1. Ringöffnungsreaktionen über Cyclopropylcarbonium-Ionen 650

   2. Säurekatalysierte Ringöffnungen 651

   3. Basenkatalysierte Ringöffnungen 654

   4. Reduktive Ringöffnungen 656

   5. Oxidative Ringöffnungen. 660

b) Spaltung von Cyclopropanen unter Abspaltung von Carbenen. 660

III. Spezielle Reaktionen von Cyclopropanen 663

a) von 1,1-Dibrom-cyclopropanen in Gegenwart von Aromaten 663

b) Hunsdiecker Reaktion 664

c) Umlagerungen von Cyclopropanen über freie Radikale 664

d) von Cyclopropanonen 665

    1. unter Ringspaltung und Cycloadditionen 665

    2. unter Ringerweiterung 671

C. Bibliographie 672

Carbocyclische Dreiringe

Bedeutung

Unter den Ringverbindungen des Kohlenstoffs nimmt der carbocyclische Dreiring bezüglich seiner physikalischen und chemischen Eigenschaften eine Sonderstellung ein.

Adolf von BAEYER (1885) gab durch die nach ihm später benannte Spannungstheorie eine Erklärung für die auffallenden Unterschiede in der Stabilität und Reaktivität von Verbindungen mit verschiedener Ringgliederzahl. Das in dieser Theorie enthaltene Postulat vom ebenen Aufbau der Carbocyclen schien zunächst durch die Erfahrung bestätigt, da zur damaligen Zeit von den Cycloaliphaten nur hydroaromatische Verbindungen sowie das Cyclopropan und einige wenige Cyclobutan-Derivate bekannt waren. Die Voraussage von A. v. BAEYER, daß große Ringe eine negative Spannung aufweisen sollten, wurde später durch die von H. SACHSE (1890) und E. MOHR (1918) eingeführten Erkenntnisse bezüglich der nicht ebenen Anordnung der Kohlenstoffatome der Carbocyclen mit 6 und mehr Gliedern falsifiziert. Für eine qualitative Beschreibung der Eigenschaften der kleinen carbocyclischen Ringe hat die BAEYER-Spannungstheorie jedoch wertvolle Beiträge geliefert.

Die durch die Abbeugung des Tetraederwinkels offenbar hervorgerufenen besonderen Bindungsverhältnisse in den kleinen Ringen haben zur Folge, daß eine Vielzahl chemischer Reaktionen, die bei den 5-, 6- und 7-gliedrigen in üblicher Weise verlaufen, im Cyclopropan- und auch Cyclobutan-System mit Strukturveränderungen verknüpft sind. So erklärt sich auch, daß manche Derivate des Cyclopropans und des Cyclobutans nur auf sonst recht ungebräuchlichem Wege zugänglich wurden.

Die erheblich erweiterte Kenntnis der Cyclopropane hat man vornehmlich der Auffindung bzw. dem Ausbau sehr einfacher und vor allem variationsfähiger Herstellungsmethoden zu verdanken.

Andererseits wirkten sich die mehr und mehr Anklang findenden modernen Auffassungen zur Beschreibung der Bindungsphänomene und des reaktionsmechanistischen Geschehens als äußerst wirksame Stimulantien für die Chemie der Cyclopropane aus.

Betrachtet man die Chemie des carbocyclischen Dreiringes aus rein präparativer Sicht, so stellt man ein eindeutiges Wechselspiel zwischen ihr und der Chemie der Carbene und der Carbenoide fest.

Im reaktionsmechanistischen Geschehen findet die Cyclopropan-Chemie ihre Anknüpfung an die Chemie des alicyclischen Vierringes. Sie gehört darüber hinaus als wichtiger Teil zur Chemie der „nicht-klassischen" Carbeniumionen.

Das schnelle Wechselspiel zwischen theoretischen Vorstellungen und präparativen Konsequenzen findet sein Paradebeispiel in der Chemie der Cyclopropene mit delokalisierten π-Elektronensystemen.

Waren es zunächst die besonderen physikalischen und chemischen Eigenschaften des carbocyclischen Dreiringes, die dieses Ringsystem dem Chemiker reizvoll erschienen ließen, so kamen später auch durch die Auffindung neuartiger Cyclopropan-Verbindungen in der Natur weitere Impulse hinzu. Zuvor schien das Vorkommen von natürlichen Cyclopropan-Verbindungen mit einem einfachen Ring auf die durch hohe insektizide Wirksamkeit ausgezeichneten Pyrethrine[1] weitgehend beschränkt zu sein. Durch die Entdeckung von Cyclopropan-fettsäuren und von einer Aminosäure mit Cyclopropanstruktur büßten jedoch die Pyrethrine schnell ihre Sonderstellung ein. Im Rahmen dieses Beitrages werden die natürlich vorkommenden Verbindungen mit carbocyclischen Dreiringen nicht besprochen, da sie in einem gesonderten Beitrag in ds. Handb., Bd.IV/4, S. 445ff. abgehandelt werden. Lediglich die Synthesen dieser Verbindungen werden soweit sinnvoll gebracht.

Abschließend seien die Photoisomerisierungen von Naturstoffen erwähnt, bei denen es zur Bildung von Cyclopropanringen kommt: z.B. *Suprasterin II*, ein Bestrahlungsprodukt[2] von Vitamin D_2; *Photo-dehydro-ergosterin-acetat*[3]; *Lumi-santonin*[4]; *Lumi-prednison-acetat*[5].

Produkte der Cyclopropanierung von Steroiden beanspruchen in jüngster Zeit pharmazeutisches und medizinisches Interesse. Gelegentlich sind Cyclopropanierungen auch im Bereich der Polymerchemie von Interesse gewesen.

Seit Beginn der sechziger Jahre sind die meisten Cyclopropanierungen von Cyclo-olefinen durchgeführt worden, um durch Valenzisomerisierungen zu größeren Ringen zu gelangen. Dieser Trend – die Benutzung von Cyclopropanen als Zwischenprodukte – setzt sich allgemein fort.

---

[1] Vgl. z.B.: L. CROMBIE u. M. ELLIOT in: L. ZECHMEISTER, *Fortschritte der Chemie Organischer Naturstoffe*, Bd. 19, S. 120–164, Springer Verlag, Wien 1961.
   S.a.: M. SMITH in: S. COFFEY, *Rodd's Chemistry of Carbon Compounds*, 2. Ed.,Bd. II, Part A, Chapt. 2, S. 65ff., Elsevier Publ. Co., Amsterdam 1967.
[2] W. G. DAUBEN et al., Am. Soc. **80**, 4116 (1958).
[3] D. H. R. BARTON u. A. S. KENDE, Soc. **1958**, 688.
[4] O. JEGER et al., Helv. **40**, 1732 (1957).
   D. H. R. BARTON et al., Soc. **1958**, 140.
[5] D. H. R. BARTON u. W. C. TAYLOR, Am. Soc. **80**, 244 (1958).

Methoden zur Herstellung und Umwandlung von Cyclopropan-Derivaten

Die Bindungsverhältnisse des carbocyclischen Dreiringes[1]

a) Das trigonal hybridisierte Cyclopropan-Modell

Zur Erklärung der ungewöhnlichen Eigenschaften und Reaktivität von Cyclopropan-Verbindungen im Vergleich zu anderen gesättigten Verbindungen wurde ein Bindungsmodell für das Cyclopropan konstruiert[2], das sp^2-Hybridisierung an jedem Kohlenstoffatom beinhaltet (s. Abb. 1). Die C—C-Bindungen des carbocyclischen Dreiringes werden danach einmal durch Überlappung der drei p-Orbitale und zum anderen durch Überlappung eines der sp^2-hybridisierten Orbitale jedes C-Atoms, die in Richtung zum Ringzentrum hin wirksam wird, gebildet. Die mit Abb. 1 dargestellte Struktur (zur Vereinfachung sind hier die C—H-Bindungen weggelassen) ist in Wirklichkeit nur eine von drei Resonanzstrukturen, die hervorgerufen werden durch die Tatsache, daß eine der drei Überlappungen zwischen den p-Orbitalen anti-bindend ist. Die Bindungen, die durch Überlappung der atomaren p-Orbitale entstanden sind, bzw. die molekularen Orbitale werden von 4 Elektronen besetzt. Die zentralen Hybridorbitale werden von zwei Elektronen besetzt. Für die Bildung der C—H-Bindungen werden sp^2-hybridisierte Orbitale verantwortlich gemacht.

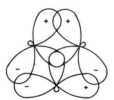

Abb. 1. Bindungsmodell für das Cyclopropan nach A. D. WALSH[2]

Dieses Modell gestattet die Erklärung der chemischen Reaktivität der C—C-Bindungen, die in vielen Fällen eher Additions- als Substitutionsreaktionen eingehen, im Lichte des gegenüber gesättigten Verbindungen erhöhten p-Charakters dieser Bindungen[3]. Experimentelle Hinweise für den erhöhten p-Charakter ergaben sich aus den Dipolmoment-Untersuchungen und Kernquadrupol-Resonanzstudien an Cyclopropylchloriden[4, 5].

[1] An dieser Stelle werden nur die Bindungsverhältnisse des Cyclopropan-Ringes beschrieben. Die Bindungsvorstellungen zu den einfachen Cyclopropenen und den Cyclopropenen mit delokalisierten π-Elektronensystemen werden aus Gründen ihrer Wichtigkeit direkt im Rahmen des Kapitels Cyclopropene besprochen, s. S. 679–684; 729–730; 749; 764. In analoger Weise wird im Fall der spektroskopischen Identifizierungsmöglichkeiten verfahren, s. S. 684–688 u. 749–751 bzw. 764–766; s.a. S. 731–733.

[2] A. D. WALSH, Trans. Faraday Soc. **45**, 179 (1949).

[3] M. Y. LUKINA, Uspechi Chim. **31**, 901 (1962); C. A. **58**, 2375^d (1963).

[4] M. T. ROGERS u. J. D. ROBERTS, Am. Soc. **68**, 843 (1946).

[5] J. E. TODD, M. A. WHITEHEAD u. K. E. WEBER, J. Chem. Physics **39**, 404 (1963).

Das Modell von Walsh gestattet außerdem eine Erklärung für die folgenden Beobachtungen an Cyclopropan-Verbindungen und Strukturparameter:

① die Fähigkeit von Cyclopropyl-Gruppen, mit π-Elektronensystemen in eine „Pseudo"-Konjugation zu treten[1-3]

② die Befähigung von Cyclopropyl-Gruppen bei geeigneter Orientierung zur Stabilisierung von benachbarten Carboniumionen[4,5]

③ das Postulat eines „Ringstromes" in Cyclopropanen[6] (s. S. 20, 28)

④ die Verkürzung der C—C-Bindungslänge im Vergleich zu gesättigten Verbindungen[7].

Hinweise für eine nahezu sp^2-artige Hybridisierung der C—H-Bindungen können aus dem nachfolgenden Tatsachenmaterial entnommen werden:

① chemische Reaktivität der C—H-Bindungen[8]

② C—H-Bindungslänge und HCH-Bindungswinkel[7]

③ Frequenz der CH-Valenzschwingung (Kraftkonstante)[9] (s. a. S. 30)

④ ^{13}C—^1H-Spin-Spin-Kopplungskonstante in den Kernresonanzspektren von Cyclopropanen[10,11] (s. a. S. 29f.; s. a. Tab. 1, S. 680).

b) Das „Bent-Bond"-Modell für das Cyclopropan

Das entwickelte Modell[12] für die Bindungsverhältnisse im Cyclopropan auf der Basis von Valence-Bond-Betrachtungen (VB-,,Perfect-Pairing"-Approximation[13] und Energieminimisierung, d.h. Verwendung der Variationsmethode[14]), charakterisiert den Bindungszustand durch Hybridorbitale, die außerhalb der direkten Kernverbindungslinie liegen. Abb. 2 zeigt das „Bent-Bond"-Modell. Die Orbitale für die C—C-Bindungen werden als $sp^{4,12}$-hybridisiert berechnet, während die entsprechenden Orbitale für die C—H-Bindungen als $sp^{2,28}$-hybridisiert errechnet wer-

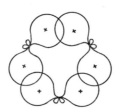

Abb. 2. „Bent-Bond"-Modell nach Coulson und Moffitt[12] („Bananenbindung")

[1] S. Winstein u. R. Baird, Am. Soc. **79**, 756 (1957).

[2] M. F. Hawthorne, J. Org. Chem. **21**, 1523 (1956).

[3] G. L. Closs u. H. B. Klinger, Am. Soc. **87**, 3265 (1965).

[4] C. U. Pittman u. G. A. Olah, Am. Soc. **87**, 5123 (1965).

[5] N. C. Deno et al., Am. Soc. **87**, 4533 (1965).

[6] D. J. Patel, M. E. H. Howden u. J. D. Roberts, Am. Soc. **85**, 3218 (1963).

[7] E. Goldish, J. Chem. Educ. **36**, 408 (1959).

[8] M. Y. Lukina, Uspechi Chim. **31**, 901 (1962); C. A. **58**, 2375^d (1963).

[9] K. B. Wiberg u. B. J. Nist, Am. Soc. **83**, 1226 (1961).

[10] N. Muller u. D. E. Pritchard, J. Chem. Physics **31**, 768, 1471 (1959).

[11] J. J. Burke u. P. C. Lauterbur, Am. Soc. **86**, 1870 (1964).

[12] C. A. Coulson u. W. E. Moffitt, The Philosophical Magazine **40**, 1 (1949); C. A. **43**, 4059^i (1949).

[13] Vgl. etwa: K. B. Wiberg, *Physical Organic Chemistry*, S. 123—129, John Wiley & Sons, Inc., New York-London-Sydney, 1964.

[14] Vgl. etwa: A. Streitwieser, *Molecular Orbital Theory for Organic Chemists*, S. 22, 33, John Wiley & Sons, Inc., New York-London 1961.

den[1]. Der Winkel, der die Abweichung der Orbitalrichtung von der direkten Kernverbindungslinie angibt, beträgt nach diesen Berechnungen 22°. Später wurde das
Prinzip der „maximalen Überlappung der Orbitale"[2] zur Bestimmung der Form
der Hybride benutzt[3]. Ein Konfigurationsoptimum wurde nach diesem Verfahren für einen Winkel von 21° 26′ erhalten. Diese Berechnungen wurden verbessert[4]. Die Einführung eines scale factors in die Wellenfunktionen trägt der
Tatsache Rechnung, daß C—C- und C—H-Bindungen nicht die gleiche Energie
besitzen. Ein Konfigurationsoptimum wurde danach erhalten, wenn etwa sp^5-
hybridisierte Orbitale die C—C-Bindungen bilden und wenn die C—H-Bindungen
etwa sp^2-hybridisierte Orbitale beinhalten. Der Winkel zwischen den Achsen von
zwei sp^5-hybridisierten Orbitalen an jedem Kohlenstoff beträgt dann 101° 32′; das
führt zu einem Wert von 20° 46′ für den Winkel zwischen Orbitalrichtung und
Kernverbindungslinie. Das geschilderte Verfahren gestattete dann auch die Ausdehnung der Untersuchungen auf kompliziertere Moleküle wie *Methyl-cyclopropan,
1,1-Dimethyl-, 1,1,2-Trimethyl-, 1,1,2,2-Tetramethyl-cyclopropan, Spiro-[2,2]-pentan
(Cyclopropan-⟨spiro⟩-cyclopropan)* und *Nortricyclen (Tricyclo[2.2.1.0²,⁶]heptan)*[5].

Das Modell des trigonal hybridisierten Cyclopropans kann in einfacher Weise in
das „Bent-Bond"-Modell transformiert werden[6], so daß sie äquivalent werden. Die
Modelle beinhalten lediglich verschiedene Interpretationen der gleichen totalen
Wellenfunktion.

c) Zum Molecular-Orbital-Modell des Cyclopropans[6]

Wegen der Symmetrie des Cyclopropans können die drei lokalisierten Orbitale,
die zu den drei „bent C—C bonds" (jede entsteht durch eine Linearkombination
zweier sp^5-hybridisierter Orbitale) gehören, in delokalisierte Symmetrie-Orbitale
transformiert werden. Hierzu kann die Matrixtransformation nach der Methode
von HALL und LENNARD-JONES[7] durchgeführt werden. Danach erhält man drei
Symmetrie-Orbitale (SO), die zur Ringebene (x, y) gehören. Zwei von diesen Symme-
trie-Orbitalen – ein degeneriertes Paar – sind nahezu nur aus p-Orbitalen ($2 p_x$ und
$2 p_y$) zusammengesetzt (92% p-Charakter), während das dritte SO mehr s-Charakter
trägt (33%). Diese Ergebnisse kann man mit denen vergleichen[8], die durch eine erweiterte HÜCKEL-MO-Berechnung für das Cyclopropan erhalten wurden. Die zwei
besetzten MOs höchster Energie (ein degeneriertes Paar) werden hier fast ausschließlich von Kohlenstoff-2p-orbitalen (p_x und p_y) in der Ringebene gebildet (93%

[1] Vgl. etwa: L. L. INGRAM in M. S. NEWMAN, *Steric Effects in Organic Cemistry*, S. 479, John
    Wiley & Sons, Inc., New York 1956.
[2] J. C. SLATER, Phys. Rev. **37**, 481 (1931); **38**, 325, 1109 (1931).
    R. S. MULLIKEN, Phys. Rev. **41**, 67 (1932).
    L. C. PAULING, Am. Soc. **53**, 1367 (1937).
    M. RANDIČ, J. Chem. Physics **36**, 3278 (1962).
[3] C. A. COULSON u. T. H. GOODWIN, Soc. **1962**, 1285; **1963**, 3161.
[4] M. RANDIČ, u. Z. MAKSIČ, Theoretica Chimica Acta 3, 59 (1965); C. A. **63**, 6830 (1965).
[5] N. TRINAJSTIČ u. M. RANDIČ, Soc. **1965**, 5621.
[6] W. A. BERNETT, J. Chem. Educ. **44**, 17 (1967).
[7] G. G. HALL u. J. LENNARD-JONES, Pr. roy. Soc. [A] **205**, 357 (1951).
[8] R. HOFFMANN, J. Chem. Physics **40**, 2480 (1964).

p-Charakter). Diese MOs zeigen keinen p_z-Charakter. Die Kohlenstoff-$2p_z$-orbitale sind mit den C—H-Bindungen verbunden, die oberhalb und unterhalb der Ringebene liegen. Die Wasserstoff-1s-orbitale liefern geringe Anteile zu diesen beiden MOs. Das MO geringster Energie wird nahezu ausschließlich von Kohlenstoff-2s-orbitalen (91% s-Charakter) gebildet. Es erhält allerdings geringe Anteile auch von Kohlenstoff-$2p_x$- und -$2p_y$-orbitalen und Wasserstoff-1s-orbitalen. Die anderen sechs besetzen MOs sind fast völlig mit den C—H-Bindungen in Einklang zu bringen.

d) Diskussion der Bildungsverhältnisse in Cyclopropanen im Lichte der vereinheitlichten Theorie von Bernett[1]

Obwohl die Realität von „bent-bonds" teilweise in Frage gestellt wird[2], gibt es in den Röntgenbeugungs-Untersuchungen[3] am *2,5-Dimethyl-7,7-dicyan-norcaradien-(2,4)* (I) gewisse experimentelle Hinweise für die Existenz solcher Bindungstypen. Die experimentell ermittelte Elektronendichte wird danach am besten unter Annahme eines „bending"-Winkels von $\sim$ 20° wiedergegeben. In I bildet der alicyclische Dreiring mit der Ebene des nahezu planaren Sechsringes einen Winkel von $\sim$ 73°.

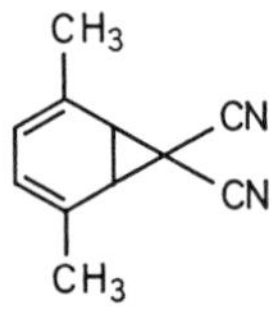

I

1. „Bent-Bond"-„Pseudo"-Konjugation

Für die Existenz eines Ringstromes im Cyclopropan liefert das „Bent-Bond"-Modell keine einfache Erklärung. Um das Modell einer Ringstrom-Vorstellung anzupassen, muß man einen gewissen Anteil von Nicht-Orthogonalität der sp^5-Hybridorbitale postulieren. Der Gedanke, daß im Cyclopropan „unverbogene", aber nicht-orthogonale Bindungen vorliegen könnten, ist bereits 1958 geäußert worden[4]. Auf der anderen Seite sind viele spektrale Eigenschaften von Molekeln leichter aus der Sicht der MO-Theorie als aus einem Modell mit lokalisierten Orbitalen ableitbar.

Das „Bent-Bond"-Modell und auch das trigonal hybridisierte Modell nehmen für die C—C-Bindungen den gleich hohen p-Charakter an, um die physikalischen Eigenschaften und die chemische Reaktivität der Cyclopropane, wie z. B. auch die Fähigkeit zur Bildung eines Charge-Transfer-Komplexes mit Jod[5], zu erklären. Die diffusere Natur von sp^5-Orbitalen im Vergleich zu sp^3-Orbitalen ist dergestalt, daß sie bei geeigneter Anordnung zur Überlappung mit benachbarten p-Orbitalen befähigt sein sollten. Diese Tatsache böte eine Erklärung für die beobachtete Tendenz von Cyclopropan-Ringen, sich mit π-Elektronensystemen in eine „pseudo"-konjugative Wechselwirkung zu begeben (vgl. Abb. 3; S. 21).

[1] W. A. BERNETT, J. Chem. Educ. **44**, 17 (1967).
[2] W. H. FLYGARE, Sci. **140**, 1179 (1963).
[3] C. J. FRITCHIE, Acta crystallogr. **20**, 27 (1966).
[4] G. S. HANDLER u. J. A. ANDERSON, Tetrahedron **2**, 345 (1958).
[5] S. FREED u. K. M. SANCIER, Am Soc. **74**, 1273 (1952).

Experimentell wurde gezeigt, daß bei Parallelität von Ringebene und Achse des p-Orbitals die optimale geometrische Anordnung zur Wechselwirkung eines Cyclopropanringes mit einem benachbarten Kohlenstoffatom gegeben ist[1-5]. Erweiterte HÜCKEL-MO-Berechnungen lieferten das gleiche Ergebnis [6,7].

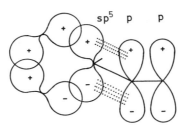

Abb. 3. „Pseudo"-konjugative Überlappung eines Cyclopropan-Ringes mit einer Doppelbindung[8]

Interessante Verhältnisse ergeben sich, wenn man die Überlappung eines Cyclopropan-Ringes mit einem benachbarten p-Orbital als Funktion des Diederwinkels betrachtet[8]. Wenn zwei p-Orbitale an benachbarten Kohlenstoffatomen parallele Achsen besitzen, ist die Bedingung für maximale Überlappung erfüllt. Im Fall der Überlappung von zwei sp^5-hybridisierten Orbitalen mit einem p-Orbital am benachbarten C-Atom sind die Verhältnisse jedoch verschieden. Die geometrische An-

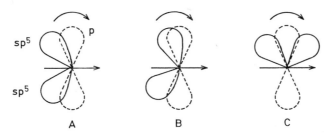

Abb. 4. Die Überlappung benachbarter sp^5- und p-Orbitale als Funktion des Diederwinkels[8]

ordnung für maximale Überlappung ist hier mit Abb. 4 A dargestellt. Obgleich die Überlappung zwischen dem einen Paar von „lobes" verringert wird, wenn der Cyclopropan-Ring im Uhrzeigersinn rotiert (s. Abb. 4 B, C), wird die Überlappung zwischen dem anderen Paar vergrößert und passiert ein Maximum (39° später) bevor sie ebenfalls kleiner wird.

Aus diesen Betrachtungen lassen sich zwei Konsequenzen auf der Basis des „bent-bond"-Modell ableiten[8]:

① die Überlappung zwischen einem Cyclopropan-Ring und benachbarten p-Orbitalen ist geringer als diejenige zwischen zwei p-Orbitalen;

[1] G. L. CLOSS u. H. B. KLINGER, Am. Soc. **87**, 3265 (1965).
[2] C. U. PITTMAN u. G. A. OLAH, Am. Soc. **87**, 5123 (1965).
[3] N. C. DENO et al., Am. Soc. **87**, 4533 (1965).
[4] L. S. BARTELL u. J. P. GUILLORY, J. Chem. Physics **43**, 647 (1965).
[5] L. S. BARTELL, J. P. GUILLORY u. A. T. PARKS, J. phys. Chem. **69**, 3043 (1965).
[6] R. HOFFMANN, J. Chem. Physics **40**, 2480 (1964).
[7] R. HOFFMANN, Tetrahedron Letters **1965**, 3819.
[8] W. A. BERNETT, J. Chem. Educ. **44**, 17 (1967).

② die Überlappung zwischen einem Cyclopropan-Ring und einem benachbarten p-Orbital ist verhältnismäßig gering beeinflußbar durch Wechsel des Diederwinkels in einem weiten Bereich als diejenige zwischen zwei benachbarten p-Orbitalen.

Daraus kann man u.a. eine partielle Erklärung für die Tatsache finden, daß das UV-Maximum für die Verbindungen I und II sehr ähnlich und für die Cyclopropan-Derivate III und IV nahezu identisch ist[1,2].

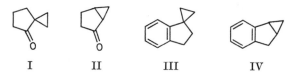

I   II   III   IV

I; *Cyclopropan-⟨spiro-1-⟩-2-oxo-cyclopentan (1-Oxo--spiro[4.2]heptan)*
II; *2-Oxo-bicyclo[3.1.0]hexan*
III; *Cyclopropan-⟨spiro-1⟩-indan*
IV; *Benzo-bicyclo[3.1.0]hexen-(2)(1,1a,6,6a-Tetrahydro-⟨cyclopropa-[a]-inden⟩)*

Im letzteren Fall wurde dieses Ergebnis nur so erklärt, daß keine Pseudokonjugation mit den π-Elektronensystemen vorhanden ist und daß nur ein induktiver Effekt wirksam wird[1].

Für die genannten Ergebnisse kann jedoch auch eine alternative Erklärung gegeben werden[3]:

① Wenn der alicyclische Fünfring in III gefaltet ist, dann wird sich der Cyclopropan-Ring nicht so orientieren können, daß eine maximale Überlappung mit dem π-System möglich wird.
② In Verbindung IV wird der alicyclische Dreiring mit der Ebene des aromatischen Ringes einen so großen Winkel bilden, daß eines der sp⁵-Orbitale am α-Kohlenstoff mit dem π-Elektronensystem eine gewisse Überlappung erreichen kann.
③ Die totale Überlappung sollte in jedem der Fälle ähnlich sein.
④ Benzolringe sind bezüglich ihrer UV-Absorption weniger als Ketone durch Substituenten-effekte beeinflußbar[4].

Ein Vergleich der UV-Absorptionsmaxima der Verbindungen V (242 mμ) und VI (274 mμ) macht den Einfluß des alicylischen Dreiringes auf die Ultraviolettabsorption deutlich[5] (s. a. S. 24).

V   VI

V; *Cyclopentan-⟨spiro-3⟩-6-oxo-cyclohexadien*
VI; *Cyclopropan-⟨spiro-3⟩-6-oxo-cyclohexadien*

2. Ringspannung im Cyclopropan

Die KILPATRIK/SPITZER-Kriterien[6] können auf das „bent-bond"-Modell des Cyclopropans angewandt werden, um eine Abschätzung der Spannungsenergie im Molekül durchzuführen. Bei diesen Kriterien wird die Proportionalität zwischen

[1] E. M. KOSOWER u. M. ITO, Pr. chem. Soc. **1962**, 25.
[2] A. C. GOODMAN u. R. H. EASTMAN, Am. Soc. **86**, 908 (1964).
[3] W. A. BERNETT, J. Chem. Educ. **44**, 17 (1967).
[4] Vgl. etwa: H. H. JAFFÉ u. M. ORCHIN, *Theory and Applications of Ultraviolet Spectroscopy*, John Wiley & Sons, Inc., New York 1962.
[5] S. WINSTEIN u. R. BAIRD, Am. Soc. **79**, 756 (1957).
[6] J. E. KILPATRICK u. R. SPITZER, J. Chem. Physics **14**, 463 (1946).

der Bindungsstärke einer C—C-Bindung und dem Produkt des Winkelteiles der Bindungsorbitale in Richtung der Kernverbindungslinie angenommen[1,2]. Die Bindungsstärke wird als zur Bindungsenergie proportional angesehen, wobei ein sp^3-hybridisiertes Orbital die relative maximale Bindungsstärke 2,00 besitzen soll. Damit wird die gesamte Spannung in die C—C-Bindungen des Cyclopropans plaziert.

Es muß angenommen werden, daß die sp^2-hybridisierten C—H-Bindungen praktisch die gleiche Energie wie die sp^3-hybridisierten C—H-Bindungen in einen normalen nicht-gespannten Kohlenwasserstoff besitzen. Obgleich sp^2-hybridisierte C—H-Bindungen stärker als sp^3-hybridisierte sind, kann dieser Effekt mathematisch durch ekliptische Anordnung der C—H-Bindungen im Cyclopropan (Reduzierung der Bindungsenergien) beseitigt werden. Abb. 5 zeigt die Beziehung zwischen kartesischen und Polar-Koordinaten im Hinblick auf die Orientierung des Cyclopropans.

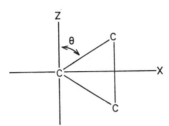

Abb. 5. Beziehungen zwischen kartesischen und Polar-Koordinaten im Hinblick auf die Orientierung des Cyclopropans

Die nachfolgenden Beziehungen können dann abgeleitet werden:

$$\varnothing_{2S} = 1$$

$$\varnothing_{2P_X} = \sqrt{3} \; \sin\theta \cos\varnothing$$

$$\varnothing_{2P_Z} = \sqrt{3} \; \cos\theta$$

$$\chi_1 = \sqrt{1/6} + \sin\theta \cos\varnothing + \sqrt{3/2} \; \cos\theta$$

Für χ_1 – hier als Bindungsstärke entlang der Kernverbindungslinie benutzt – ergibt sich ein Wert von 1,887. Bei Verwendung von 78,82 Kcal/Mol für die Bindungsenergie der sp^3-hybridisierten C—C-Bindung im Äthan[3] kann dann die C—C-Bindungsenergie im Cyclopropan abgeschätzt werden:

$$E_{C—C} = \left(\frac{1,887}{2,000}\right)^2 (78,82) = 70,14 \; \text{Kcal/Mol}$$

Damit ist nun jede Bindung „gepannt" um 8,68 Kcal/Mol; die gesamte Energie der Ringspannung beträgt danach für das Cyclopropan 26,04 Kcal/Mol. Der experimentell ermittelte Wert liegt bei 27,15 Kcal/Mol[4].

3. Der Effekt der Hybridisierung auf die „Pseudo-Konjugation"

Vergleicht man die „bent bond"-Modelle des *Cyclopropans* und des *Cyclopropan-⟨spiro⟩-cyclopropans* (*Spiro[2.2]pentan*), so wird deutlich, wie diese Modelle in der Lage sind, einen kontinuierlichen Wechsel in den Zuständen der Hybridisierung

[1] J. E. KILPATRICK u. R. SPITZER, J. Chem. Physics **14**, 463 (1946).
[2] Dabei muß das Maximum dieser Orbitale nicht notwendigerweise in dieser Richtung liegen.
[3] Vgl. die Quellenangabe bei W. A. BERNETT, J. Chem. Educ. **44**, 17 (1967).
[4] R. B. TURNER et al., Tetrahedron Letters **1965**, 997; vgl. a. Zitat 5 auf S. 577.

des Kohlenstoffs sichtbar zu machen. Insbesondere Änderungen des Bindungswinkels und ihre Konsequenzen sind gut zu verfolgen.

In dem Maße wie der Winkel zwischen den zuvor sp^2-hybridisierten Orbitalen im *Cyclopropan* beim Übergang zum *Cyclopropan-⟨spiro⟩-cyclopropan* verkleinert wird (s. Abb. 6), wird auch das Paar der sp^5-hybridisierten Orbitale in seiner Hybridisierung geändert und strebt einer sp^3-Hybridisierung zu.

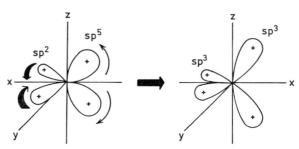

Abb. 6. Der Effekt des „bond bending" auf die Hybridisierung von Cyclopropan-Derivaten[1]

Daraus läßt sich ableiten, daß man in Systemen, die Cyclopropan-Ringe mit gespannten Zentren enthalten, eine nicht so effektive Pseudokonjugation zwischen dem alicyclischen Dreiring und dem π-Elektronensystem erwarten sollte. Die Überlappung zwischen einem sp^5-hybridisierten Orbital und einem benachbarten p-Orbital sollte größer sein als diejenige zwischen einem sp^3-hybridisierten Orbital und einem benachbarten p-Orbital. Solch ein Effekt – Verringerung der Cyclopropan-Pseudokonjugation mit fallender Ringgröße – sollte sich in den UV-Spektren nachfolgender Modellsubstanzen sichtbar machen lassen[1]:

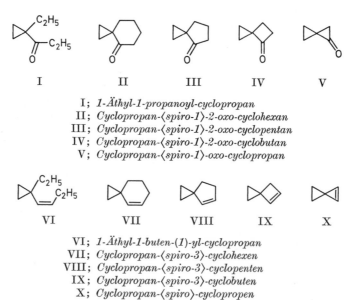

I; *1-Äthyl-1-propanoyl-cyclopropan*
II; *Cyclopropan-⟨spiro-1⟩-2-oxo-cyclohexan*
III; *Cyclopropan-⟨spiro-1⟩-2-oxo-cyclopentan*
IV; *Cyclopropan-⟨spiro-1⟩-2-oxo-cyclobutan*
V; *Cyclopropan-⟨spiro-1⟩-oxo-cyclopropan*

VI; *1-Äthyl-1-buten-(1)-yl-cyclopropan*
VII; *Cyclopropan-⟨spiro-3⟩-cyclohexen*
VIII; *Cyclopropan-⟨spiro-3⟩-cyclopenten*
IX; *Cyclopropan-⟨spiro-3⟩-cyclobuten*
X; *Cyclopropan-⟨spiro⟩-cyclopropen*

Das trigonal hybridisierte Modell des *Cyclopropans* und des *Cyclopropan-⟨spiro⟩-cyclopropans* läßt keine Differenzierung bezüglich der konjugativen Befähigung von Cyclopropan-Ringen in derartigen spirocyclischen Verbindungen zu.

---

[1] A. W. Bernett, J. Chem. Educ. **44**, 17 (1967).

e) „Twist Bent Bonds" in Polycylen, die Cyclopropane enthalten

Ausgehend von der mit I veranschaulichten Struktur des *Cyclopropans*[1–3] wurden Betrachtungen über polycyclische Systeme angestellt, die hochgespannte Ringe wie das Cyclopropan enthalten[4]. Nach neueren Auffassungen[4] unterscheidet man zwischen „symmetrically bent"- und „twist bent"-Bindungen.

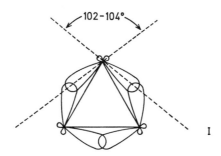

I

Moleküle wie *Bicyclo[2.1.0]pentan* und *Bicyclo[1.1.0]butan*[5] würden danach „symmetrically bent"-Bindungen enthalten, die bezüglich der Orbitalüberlappung dem Cyclopropan ähnlich aber größenordnungsmäßig geringer sind. Im Gegensatz dazu würde man für Verbindungen vom Typ III oder IV „twist bent"-Bindungen annehmen. In III würde die Verdrillung des Cyclopropans durch die *trans*-verknüpfte Brücke in einer entgegengesetzen horizontalen Anordnung der Orbitale

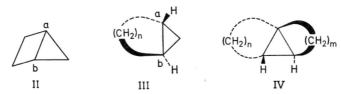

II   III   IV

bestehen, die die a–b-Bindung bilden. Von der Seitenansicht (s. Schema A, S. 26) ähneln sich die Orbitalprojektionen für die a—b-Bindung in II und III durchaus; in der Draufsicht werden jedoch die Unterschiede sichtbar.

Das am meisten gepannte *trans*-verknüpfte Bicyclo[n.1.0]alkan ist nach derzeitiger Kenntnis das *trans-Bicyclo[6.1.0]nonan*[6,7]. Dieses System besitzt offenbar noch

[1] C. A. COULSON u. W. E. MOFFITT, The Philosophical Magazine **40**, 1 (1949); C. A. **43**, 4059 (1949).
[2] C. A. COULSON u. T. H. GOODWIN, Soc. **1962**, 1285; **1963**, 3161.
[3] M. RANDIČ u. Z. MAKSIČ, Theoretica Chimica Acta **3**, 59 (1965); C. A. **63**, 6830 (1965).
[4] P. G. GASSMAN, Chem. Commun. **1967**, 793.
[5] Vgl. a. S. 586 ff.; dort werden zwei Bindungsmodelle für das *Bicyclo[1.1.0]butan* beschrieben.
[6] A. C. COPE u. J. K. HECHT, Am. Soc. **85**, 1780 (1963).
[7] *trans*-verknüpfte Bicyclo[4.2.0]octane und Bicyclo[3.2.0]heptane sind ebenfalls synthetisiert worden:
    M. P. CAVA u. E. MOROZ, Am. Soc. **84**, 115 (1962).
    J. MEINWALD, G. G. CURTIS u. P. G. GASSMAN, Am. Soc. **84**, 116 (1962).
    J. L. MATEOS, O. CHAO u. H. FLORES, Tetrahedron **19**, 1051 (1963).
    G. MULLER, C. HUYNH u. J. MATHIEU, Bl. **1962**, 296.
    A. HASSNER, A. W. COULTER u. W. S. SEESE, Tetrahedron Letters **1962**, 759.
    P. DEMAYO et al., Pr. chem. Soc. **1963**, 54.
    E. J. COREY et al., Am. Soc. **85**, 362 (1963).
    N. L. ALLINGER et al., Am. Soc. **81**, 4074 (1959).

(Fortsetzung s. S. 26)

Schema A: Orbitalüberlappung von Cyclopropanbindungen in Polycyclen[1]

Zum Vergleich	Draufsicht	Seitenansicht

normale
C—C-Bindung in Alkanen

a—b-Bindung in (II)

„symmetrically bent"-Bindungen

a—b-Bindung in (III) oder (IV)
(n und m klein)

„twist bent"-Bindungen

nicht die genügende Spannung, um die postulierte Verdrillung zu erzeugen, Wenn n von sechs auf 5 oder 4 vermindert wird, sollten sich das „twisting" der Bindungen in einer erhöhten chemischen Reaktivität niederschlagen. Obgleich *trans*-verknüpfte Bicyclo[n.1.0]alkane mit ausreichender Spannung derzeit nicht bekannt sind, um den Effekt des „bond twisting" zu demonstrieren, gibt es Beispiele von di-*cis*-verknüpften Cyclopropanen, wie z.B. IV (S. 25), die in einer ungewöhnlich stark gespannten Form existieren.

Die Primärprodukte, die durch Bestrahlung von heteroannularen Dienen entstehen, sind Beispiele einer solchen Verbindungsklasse. Derartige photolytisch zugängliche Zwischenstufen sind für verschiedene Reaktionen isoliert[2] oder wahrscheinlich gemacht[3] worden. An dieser Stelle soll nur die Umwandlung von Verbindungen des Typs V in solche des Typs VI erwähnt werden:

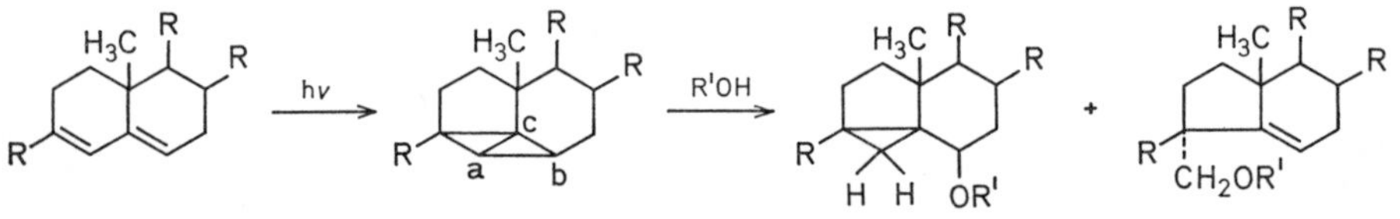

| V | VI | VII | VIII |

Die a—b-Bindung von VI besitzt außergewöhnlich hohe Reaktivität für eine σ-Bindung. Aus verschiedenen Daten lag zunächst die Vermutung nahe, daß die a—c-Bindung die reaktivste

---

[1] P. G. GASSMAN, Chem. Commun. **1967**, 793.

[2] W. G. DAUBEN u. F. G. WILLEY, Tetrahedron Letters **1962**, 893.
  W. G. DAUBEN u. W. T. WIPKE, Pure Appl. Chem. **9**, 539 (1964).
  W. G. DAUBEN, Chem. Weekb. **60**, 381 (1964).
  W. G. DAUBEN, Abstracts 19th National Organic Chemistry Symposium of the American Chemical Society, S. 22–34, Tempe, Arizona **1965**.
  G. JUST u. V. DITULLIO, Canad. J. Chem. **42**, 2153 (1964).

[3] G. JUST u. C. C. LEZNOFF, Canad. J. Chem. **42**, 79 (1964).
  P. G. GASSMAN u. W. E. HYMANS, Chem. Commun. **1967**, 795.
  C. C. LEZNOFF u. G. JUST, Canad. J. Chem. **42**, 2919 (1964).

(Fortsetzung v. S. 25)

  J. MEINWALD et al., Am. Soc. **88**, 1301 (1966); J. Org. Chem. **29**, 2914 (1964).
  Die konformative Flexibilität des Cyclobutanringes sollte jedoch drastisch den Effekt der *trans*-Verknüpfung auf die „Symmetrie" der Orbitalüberlappung reduzieren.

Bindung wäre. Die verdrillte a—b-Bindung sollte jedoch eine geringere Orbitalüberlappung als die a—c-Bindung zeigen und damit auch die reaktivere Bindung darstellen. Diese Hypothese wird gestützt durch experimentelle Befunde:

z.B. die Produktbildung bei der Reaktion von VI mit protonenhaltigen Solventien bei Raumtemp. im Sinne einer „Dunkelreaktion"[1]. Zunächst wurde der a–b-Bindung von VI ein „gewisser Ionenpaarcharakter" zugeschrieben[1]. Als Alternative kann man sich vorstellen, daß das Äthanol an jedem Ende der „twist bent"-Bindung a—b angreifen kann[2]:

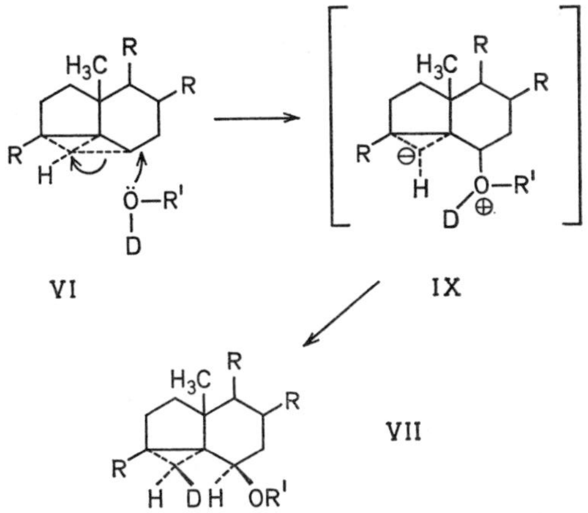

VI   IX

VII

Die Addition des Solvents an C_b würde zur Bildung eines Cyclopropylcarbanions IX führen, das dann durch Protonenübertragung in VII übergehen würde. Da ein solches Cyclopropylcarbanion nicht direkt und vollständig invertieren würde, sollte man bei Zugabe von ROD ein β-Deuterium am alicyclischen Dreiring entstehen sehen. Das konnte in der Tat experimentell bestätigt werden.

Eine Addition des Alkohols an C_a würde zunächst zum Carbanion X führen, das seinerseits durch Elektronen-Verschiebung in das Carbanion XI umgewandelt werden könnte. Eine konzertiert oder auch stufenweise erfolgende Protonen-Übertragung würde dann schließlich zum Produkt VIII führen. Das beobachtete[3] 4 : 1-Verhältnis für VII/VIII ist dann zu erwarten, wenn es im Übergangszustand für die Addition von ROH zu einer beträchtlichen Lösung der a—b-Bindung gekommen ist.

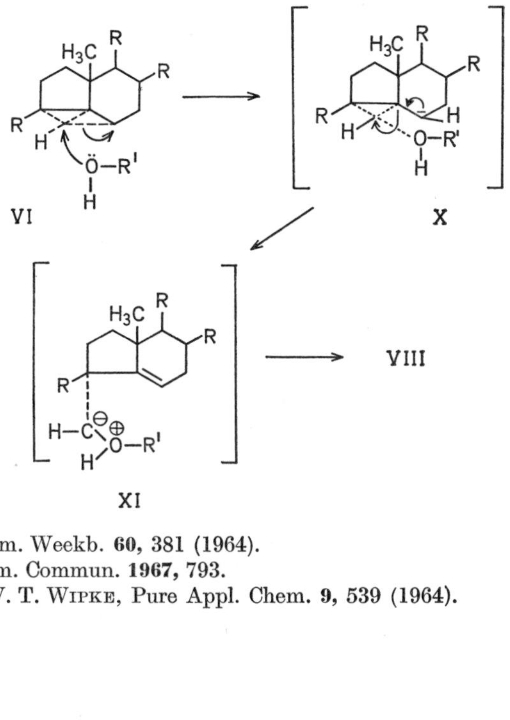

VI   X

XI   →   VIII

[1] W. G. Dauben, Chem. Weekb. 60, 381 (1964).
[2] P. G. Gassman, Chem. Commun. 1967, 793.
[3] W. G. Dauben u. W. T. Wipke, Pure Appl. Chem. 9, 539 (1964).

Spektroskopische Identifizierungsmöglichkeiten an carbocyclischen Dreiring-Verbindungen[1]

Insbesondere spektroskopische Methoden haben wesentlich zur Aufklärung von Cyclopropanierungs-Reaktionen und zur strukturellen Charakterisierung von carbocyclischen Dreiring-Verbindungen beigetragen. Dabei erwies sich vor allem die Kernmagnetische Resonanz als wichtigste spektroskopische Methode. Wegen der besonderen Bindungsverhältnisse des alicyclischen Dreiringes nimmt dieser auch im Hinblick auf die Kernresonanzspektroskopie eine signifikante Sonderstellung ein. Geht man von den Bindungsvorstellungen[2-4] aus, sollte man die Absorptionsstellen cyclopropanischer Protonen im Kernresonanzspektrum in der Nähe derjeniger äthylenischer Protonen erwarten. Die Tatsache, daß aber die Signale der Cyclopropanprotonen bei wesentlich höheren τ-Werten[5] (zwischen $\sim 8,5$ und $10\ \tau$)[6] erscheinen, zeigt, daß außer der besonderen Kohlenstoffhybridisierung noch andere Faktoren für die chemische Verschiebung der Protonen des carbocyclischen Dreiringes mitbestimmend sein müssen. Einer der Faktoren, die für die ungewöhnliche chemische Verschiebung der Cyclopropanprotonen verantwortlich zu machen sind, ist in der beobachteten hohen molaren diamagnetischen Suszeptibilität des Cyclopropans zu suchen[7]. Nach der Methode von McConnell[8] ist der Beitrag der magnetischen Anisotropie zur chemischen Verschiebung für Cyclopropane zu 0,25 ppm abgeschätzt worden[9]. Die gegenüber gewöhnlichen gesättigten Ringverbindungen theoretisch abgeleitete höhere Beweglichkeit der Elektronen im Cyclopropan erschließt die Möglichkeit, daß ein großer Teil des anomalen diamagnetischen Effekts auf die Existenz eines Ringstromes zurückgeführt werden kann. Nachdem eine Berechnungsmethode[10] für Ringstrom-Effekte und dadurch bedingte Änderungen der chemischen Verschiebungen aromatischer Systeme angegeben wurde, führte man analoge Abschätzungen an *Cyclopropanen* aus[11].

Die ermittelten Werte zeigen in qualitativer Übereinstimmung mit den experimentellen Daten die Berechtigung für die Annahme eines Ringstromes in Cyclopropanen.

Die Verhältnisse werden wie folgt gedeutet[12]: Der Ringstrom im *Cyclopropan* wird durch die Präzessionsbewegung von durchschnittlich 3,5 Elektronen auf einer Kreisbahn mit einem

---

[1] S. die Bemerkung a. S. 17.

[2] A. D. Walsh, Trans. Faraday Soc. **45**, 179 (1949).

[3] C. A. Coulson u. W. E. Moffitt, The Philosophical Magazine **40**, 1 (1949); C. A. **43**, 4059i (1949).

[4] C. A. Coulson u. T. H. Goodwin, Soc. **1962**, 2851; **1963**, 3161.
A. Veillard u. G. del Re, Theoretica Chimica Acta **2**, 55 (1964); C. A. **60**, 8657 (1964).
M. Randič u. Z. Maksič, Theoretica Chimica Acta **3**, 59 (1965); C. A. **63**, 6830 (1965).

[5] τ-Skala bezieht sich auf Tetramethylsilan; TMS $= 10\ \tau = 0$ ppm.

[6] Vgl. etwa: H. Suhr, *Anwendungen der Kernmagnetischen Resonanz in der Organischen Chemie* in: H. Bredereck u. Eu. Müller, *Organische Chemie in Einzeldarstellungen*, Bd. 8, Tab. 20, S. 90, Springer-Verlag, Berlin 1965.

[7] J. R. Lacher, J. W. Pollock u. J. D. Park, J. Chem. Physics **20**, 1047 (1952).

[8] H. M. McConnell, J. Chem. Physics **27**, 226 (1957).

[9] K. B. Wiberg u. B. J. Nist, Am. Soc. **83**, 1226 (1961).

[10] C. E. Johnson u. F. A. Bovey, J. Chem. Physics **29**, 1012 (1958).

[11] D. J. Patel, M. E. H. Howden u. J. D. Roberts, Am. Soc. **85**, 3218 (1963).

[12] J. J. Burke u. P. C. Lauterbur, Am. Soc. **86**, 1870 (1964).

Radius von 1,1 Å und der Larmor-Frequenz hervorgerufen. Dieses Ergebnis stimmt recht gut mit den beobachteten chemischen Verschiebungen in den Protonen- und ^{13}C-Resonanzspektren von Cyclopropanen überein[1] und erklärt mit analoger Genauigkeit auch die überschüssige isotrope Suszeptibilität von etwa $-6 \cdot 10^{-6}$ cm³/Mol². Ein derartiges Ringstrom-Modell läßt nun folgende magnetische Verhältnisse erwarten, die für die Kernresonanzspektroskopie an Cyclopropan-Verbindungen von Interesse sind:

① Ein nahe der äquatorialen Ebene des carbocyclischen Dreiringes gelegenes Proton sollte einem paramagnetischen Effekt bezüglich seiner Resonanzlage unterworfen sein, d. h. Signalverschiebung nach kleineren τ-Werten.

② Protonen innerhalb des Ringes oder an irgendeiner Stelle über diesem in der Nähe der dreizähligen Achse des Cyclopropans sollten diamagnetisch beeinflußt werden, d. h. Signalverschiebung nach höheren τ-Werten.

Diese Aussagen sind inzwischen an einer Reihe von Cyclopropan-Verbindungen überzeugend gesichert worden[3-5]. Paramagnetische und diamagnetische Effekte als Beiträge zur chemischen Verschiebung konnten somit mit Erfolg zur Klärung von Konfigurations- und Konformationsfragen an Cyclopropan-Derivaten herangezogen werden.

Als sehr wertvoll erwies sich auch die Tatsache, daß es in den meisten Fällen möglich ist, geminale Spin-Spin-Kopplungen, vicinale *cis*-Kopplungen und vicinale *trans*-Kopplungen an Cyclopropanen sicher zu unterscheiden. Dadurch konnte die Kernresonanzspektroskopie über die Ermittlung der Spin-Spin-Kopplungskonstanten oft eindeutige Isomerenzuordnungen ermöglichen. Geminale H—H-Kopplungen in Cyclopropan-Derivaten sind ihrem absoluten Betrag nach im allgemeinen wesentlich geringer als geminale Kopplungskonstanten in offenkettigen Verbindungen oder in anderen carbocyclischen Ringen. Die hohe Ringspannung des Dreiringes muß auch hierfür verantwortlich gemacht werden. Nach einer Vielzahl von experimentellen Arbeiten muß man geminale Cyclopropan-Kopplungen in einem Bereich von etwa $-3,0$ bis $-6,0$ Hz suchen[6]. Nach theoretischen Arbeiten[7,8], die das Phänomen der geminalen Kopplung mittels einer Molecular-Orbital-Behandlung zu erklären versuchten, kann man nunmehr auch den Substituenteneinfluß durch induktiven und Hyperkonjugationseffekt auf die geminale Kopplung recht gut voraussagen. In Übereinstimmung mit der Theorie[9] sind die vicinalen *cis*-Kopplungskonstanten in carbocyclischen Dreiring-Verbindungen im allgemeinen wesentlich größer als die entsprechenden *trans*-Kopplungen. Vicinale *cis*-Kopplungen sind etwa in einem Bereich von 7–11 Hz zu erwarten[10]. An substituierten Dichlor-cyclopropanen

[1] J.J. BURKE u. P. C. LAUTERBUR, Am. Soc. **86**, 1870 (1964), und die dort angegebenen Literaturstellen sowie Daten über NMR-^{1}H- und ^{13}C-Messungen.
 Vgl. a. H. SUHR in: H. BREDERECK u. EU. MÜLLER, *Organische Chemie in Einzeldarstellungen*, Bd. 8: *Anwendungen der Kernmagnetischen Resonanz in der Organischen Chemie*, S. 90, Springer Verlag, Berlin, 1965.
[2] J. J. BURKE u. P. C. LAUTERBUR, Am. Soc. **86**, 1870 (1964),
[3] S. FORSÉN u. T. NORIN, Acta chem. scand. **15**, 592 (1961); Tetrahedron Letters **1964**, 2845.
[4] J. TADANIER u. W.J. COLE, J. Org. Chem. **27**, 4610 (1962).
[5] R. R. SAUERS u. P. E. SONNET, Chem. & Ind. **1963**, 786.
[6] D. J. PATEL, M.E. H. HOWDEN u. J. D. ROBERTS, Am. Soc. **85**, 3218 (1963).
[7] J. A. POPLE u. D. P. SANTRY, Mol. Phys. **8**, 1 (1964).
[8] J. A. POPLE u. A. A. BOTHNER-BY, J. Chem. Physics **42**, 1339 (1965).
[9] Valence-Bond-Betrachtungen: M. KARPLUS, J. Chem. Physics **30**, 11 (1959).
 Molecular-Orbital-Betrachtungen: H. CONROY in: *Advances in Organic Chemistry*, Bd. 2, S. 265, Interscience Publishers, New York 1960.
[10] D. J. PATEL, M. E. H. HOWDEN u. J. D. ROBERTS, Am. Soc. **85**, 3218 (1963).
 J. D. GRAHAM u. M. T. ROGERS, Am. Soc. **84**, 2249 (1962).
 H. M. HUTTON u. T. SCHAEFER, Canad. J. Chem. **41**, 684, 1623, 2429 (1963).
 K. B. WIBERG u. B. J. NIST, Am. Soc. **85**, 2788 (1963).

wurde mit steigender Elektronegativität des Substituenten ein **linearer Abfall**
aller Kopplungskonstanten beobachtet[1,2]. Für das Cyclopropan selbst wurden
kürzlich die nachfolgenden Werte für die Kopplungskonstanten ermittelt[3]:

$$J^{gem} = -4{,}34 \pm 0{,}03 \text{ Hz}$$
$$J^{cis} = 8{,}97 \pm 0{,}01 \text{ Hz}$$
$$J^{trans} = 5{,}58 \pm 0{,}01 \text{ Hz.}$$

Die Kernresonanzspektroskopie liefert damit nicht nur als analytisches Hilfsmittel
wertvolle Informationen über Cyclopropane, sondern ist auch in der Lage, über die
Protonen- und ^{13}C-Resonanz wichtige Beiträge zur Problematik der Bindungsverhältnisse in alicyclischen Dreiringen zu leisten. Die Interpretation und numerische
Auswertung des Kernresonanzspektrums des Cyclopropans in einem **nematischen
Solvens** (4,4'-Dihexyloxy-azoxybenzol) kann zur präzisen Bestimmung der molekularen Strukturparameter herangezogen werden[4].

Während mittels der Kernresonanzspektroskopie ein carbocyclischer Dreiring
relativ sicher zu erkennen ist, gelingt dessen Identifizierung durch alleinige Anwendung
der **Infrarotspektroskopie** wesentlich schwieriger. Für den infrarotspektroskopischen Nachweis des Cyclopropan-Ringes sind hauptsächlich Banden in drei
Spektralbereichen benutzt worden:

im Bereich von 3000 bis 3100 cm^{-1}
im Bereich von 1000 bis 1030 cm^{-1}
im Bereich von   850 bis   870 cm^{-1}.

Bei Verwendung eines **Lithiumfluorid-Prismas** konnte gezeigt werden, daß
die **C—H-Valenz**schwingungen des alicyclischen Dreiringes bei 3100 (asymmetrisch)
und bei 3012 cm^{-1} (symmetrisch) liegen[5]. Untersuchungen an 60 monosubstituierten
Cyclopropanen zeigten charakteristische C—H-Valenzschwingungen[6] im Bereich von
2995–3033 cm^{-1} und 3072–3099 cm^{-1}. Bei Benutzung eines **Natriumchlorid-
Prismas** sind die den C—H-Valenzschwingungen zuzuordnenden Banden im Bereich
von 3000 bis 3100 cm^{-1}, besonders wenn die Molekel noch zusätzlich eine Doppelbindung enthält, nicht eindeutig zu erkennen. Mehrere Arbeiten[7] haben gezeigt, daß
Banden in dem erwähnten Bereich **keine** sichere Identifizierung des carbocyclischen
Dreiringes gestatten.

Andere infrarotspektroskopische Arbeiten an einer größeren Anzahl von Cyclopropanen haben ergeben, daß sehr oft eine Bande im Bereich von 1000 bis 1030 cm^{-1}
auftreten kann[8–11]. Diese Bande wurde als charakteristisch für einen Cyclopropanring angesehen und der **Ringdeformations**schwingung zugeordnet[12,13].

[1] K. L. WILLIAMSON, C. A. LANFORD u. C. R. NICHOLSON, Am. Soc. **86**, 762 (1964).
[2] T. SCHAEFER, F. HRUSKA u. G. KOTOWITZ, Canad. J. Chem. **43**, 75 (1965).
[3] V. S. WATTS u. J. H. GOLDSTEIN, J. Chem. Physics **46**, 4165 (1967).
[4] L. C. SNYDER u. S. MEIBOOM, J. Chem. Physics. **47**, 1480 (1967).
[5] S. E. WIBERLEY u. S. C. BUNCE, Anal. Chem. **24**, 623 (1952).
[6] S. E. WIBERLEY, S. C. BUNCE u. W. H. BAUER, Anal. Chem. **32**, 217 (1960).
[7] Vgl. etwa: C. F. H. ALLEN et al., J. Org. Chem. **22**, 1291 (1957).
    H. WEITKAMP, U. HASSERODT u. F. KORTE, B. **95**, 2280 (1962).
[8] J. M. DERFER, E. E. PICKETT u. C. E. BOORD, Am. Soc. **71**, 2428 (1949).
[9] V. A. SLABEY, Am. Soc. **74**, 4928 (1952); **76**, 3604 (1954).
[10] R. J. MOHRBACHER u. N. H .CROMWELL, Am. Soc. **79**, 401 (1957).
[11] S. A. LIEBMANN u. B. J. GUDZINOWICS, Anal. Chem. **33**, 931 (1961).
[12] Vgl. etwa: C. BRECHER et al., J. Chem. Physics **35**, 1097 (1961).
[13] Vgl. etwa: L. J. BELLAMY, *The Infrared-Spectra of Complex Molecules*, S. 29, Methum & Co.,
    London 1959.

Hingegen kommen andere Autoren auf Grund ihrer Untersuchungen zur Ansicht, daß auch diese Banden keine absolut sichere Charakterisierung des carbocyclischen Dreiringes erlauben, da sie von Substituenten bezüglich ihrer Lage und Intensität zu stark beeinflußt werden können. Auch die Banden um 860 cm^{-1} (CH-Wagging-Schwingungen) sind wenig charakteristisch.

An 43 Cyclopropan-Verbindungen wurden die folgenden infrarotspektroskopischen Ergebnisse erhalten[1]:

① alle Verbindungen zeigen zwischen 1000 und 1030 cm^{-1} starke Absorptionen; enthält das untersuchte Cyclopropan-Derivat noch eine Hydroxy-Gruppe, so läßt sich die Ringdeformationsschwingung nicht mehr mit Sicherheit erkennen

② 13 Verbindungen zeigen im Gebiet zwischen 850 und 870 cm^{-1} überhaupt keine Absorption; bei den übrigen Verbindungen erscheint nur eine Bande geringer Intensität

③ alle Verbindungen weisen hingegen Banden im Bereich von 810–825 cm^{-1} auf, die bei Abwesenheit einer asymmetrisch trisubstituierten Doppelbindung mit zur Identifizierung der carbocyclischen Dreiring-Verbindung herangezogen werden können

④ befindet sich in α-Stellung zum alicyclischen Dreiring eine Keto-Gruppe, so wird in Übereinstimmung zu früheren Beobachtungen[2–4] die Carbonylfrequenz im Vergleich zu aliphatischen Ketonen herabgesetzt; bei Anwesenheit von elektronegativen Substituenten in Nachbarschaft zur Keto-Gruppe wird die Carbonylfrequenz hingegen erhöht.

Spektroskopische Untersuchungen im nahen Infrarot (NIR) haben gezeigt, daß hier zwei spezifische Absorptionsbanden bei etwa 1650 mμ (6060 cm^{-1}) (1. Oberton der CH-Valenzschwingung) und um 2230 mμ (4484 cm^{-1}) (Kombinationsschwingung) auftreten[5–7]. An einer größeren Anzahl verschieden substituierter Cyclopropane sind sowohl die Bandenlagen als auch die molaren Extinktionskoeffizienten bestimmt worden[8]:

① Absorptionsmaximum zwischen 1624 mμ und 1640 mμ
   $\varepsilon = 0{,}28$ –1,10 cm^2/Mol
② Absorptionsmaximum zwischen 2216 mμ und 2231 mμ
   $\varepsilon = 1{,}09$–5,18 cm^2/Mol.

Das NIR-Spektrum kann zur Identifizierung der Cyclopropanstruktur dienen, wenn wenigstens eine CH$_2$-Gruppe im Ring enthalten ist, auch dann, wenn im gleichen Molekül noch Phenyl-Gruppen oder mittelständige Doppelbindungen vorhanden sind. Zwischen einem endständigen Olefin und einem Cyclopropan kann im NIR jedoch nicht unterschieden werden.

Auch die Elektronenspektren von Cyclopropan-Derivaten beanspruchen gewisses Interesse. Gesättigte aliphatische Kohlenwasserstoffe absorbieren in einem Bereich von $\sim$ 1250–1750 Å, d. h. zur elektronischen Anregung werden relativ hohe Energien beansprucht. Bei Anwesenheit von olefinischen Doppelbindungen in einer Molekel erscheinen für diese wegen der energetisch leichteren Anregung der π-Elektronen ein oder mehrere zusätzliche Maxima bei Wellenlängen um

[1] M. HANACK, H. EGGENSPERGER u. S. KANG, B. 96, 2532 (1963).
[2] R. J. MOHRBACHER u. N. H. CROMWELL, Am. Soc. 79, 401 (1957).
[3] M. L. JOSIEN, N. FUSON u. A. S. CARY, Am. Soc. 73, 4445 (1951).
   N. FUSON, M. L. JOSIEN u. E. M. SHELTON, Am. Soc. 76, 2526 (1954).
[4] G. W. CANNON, A. A. SANTILLI u. P. SHENIAN, Am. Soc. 81, 1660 (1959).
[5] R. T. I. O'CONNOR, J. Am. Oil Chemists Soc. 38, 641 (1961).
[6] P. G. GASSMAN, Chem. & Ind. 1962, 740.
[7] L. W. H. WASHBURN u. M. J. MALONEY, Am. Soc. 80, 504 (1954).
[8] H. WEITKAMP u. F. KORTE, Tetrahedron 20, 2125 (1964).

2000 Å. *Cyclopropan* zeigt ein Maximum bei 1900 Å. Wegen der hohen Spannung des dreigliedrigen Ringes können die Bindungselektronen hier etwas leichter angeregt werden als diejenigen der Paraffine.

Untersuchungen der Elektronenspektren sind im wesentlichen nur an konjugierten Cyclopropanen von Interesse; einige davon sind bereits in Hinblick auf die Bindungsvorstellungen am Cyclopropan erwähnt worden (s. S. 22, 24), andere werden in Zusammenhang mit den Eigenschaften entsprechender Cyclopropane behandelt (s. S. 579–580, 584–585).

A₁. Herstellung von Cyclopropanen

I. aus 1,3-Dihalogen-Verbindungen durch intramolekulare Wurtz-Synthese

Als Dihalogen-Verbindungen verwendet man meistens die Dibromide, seltener die weniger reaktiven Dichloride; auf die ohnehin nur beschränkt zugänglichen Dijodide wird kaum zurückgegriffen. *Cyclopropan*, das allerdings durch Propan verunreinigt war, wurde erstmals durch Behandlung von 1,3-Dibrom-propan mit Natrium in alkoholischer Lösung[1] synthetisiert. Um die Reduktion zum Propan zu unterdrücken, wurden später nichtprototrope Lösungsmittel, besonders Toluol und Xylol, eingesetzt. Der Halogenentzug mit Natrium, obwohl gelegentlich angewandt[2], hat keine praktische Bedeutung erlangt. Wegen der bequemen Handhabung wird Zink[3] allgemein der Vorzug gegeben. Durch Einwirkung von Zinkstaub auf entsprechende Dibrom-Verbindungen in Äthanol, höheren Alkoholen, geschmolzenem Acetamid und anderen Solventien wurde im Laufe der Jahre eine größere Anzahl an Cyclopropanen hergestellt. Einige repräsentative Beispiele sind in Tab. 1 zusammengetragen (s. S. 34).

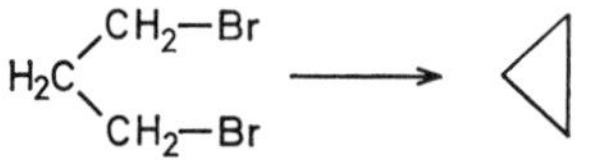

Cyclopropan

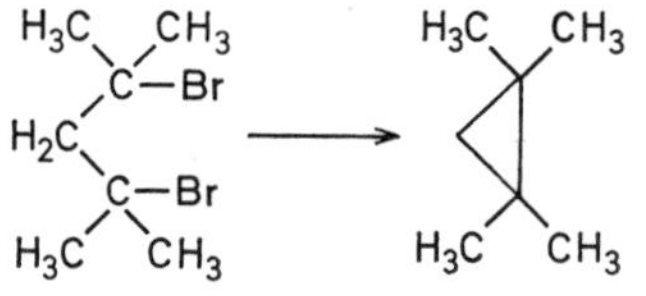

1,1,2,2-Tetramethyl-cyclopropan

Cyclopropane; allgemeine Arbeitsvorschrift: Zu einem Überschuß von oxidfreiem Zinkstaub und ~ 70–80%igem Äthanol wird das Dibromid unter Rühren und gelindem Erwärmen zugetropft und unter fortgesetztem Rühren noch einige Stunden erwärmt. Die notwendigen Reaktionszeiten schwanken zwischen 15 Min. und 48 Stunden.

---

[1] A. FREUND, M. **3**, 625 (1882).
    Vgl. auch: J. SIRKS, R. **62**, 193 (1943).
[2] Vgl. etwa:
    G. KOMPPA, B. **62**, 1366 (1929).
    N. D. ZELINSKY, S. E. MICHLINA u. M. S. EVENTOWA, B. **66**, 1422 (1933).
    F. C. WHITMORE et al., Am. Soc. **61**, 1616 (1939); **63**, 124, 2633 (1941).
[3] G. GUSTAVSON, J. pr. [2] **36**, 300 (1887); **58**, 548 (1898); **59**, 302 (1899).

Als Solventien können auch andere Alkohole, wie Methanol, Propanol, Pentanol sowie geschmolzenes, reines Acetamid und gelegentlich Aceton verwendet werden.

Die erhaltenen Cyclopropane können durch Olefine und seltener durch Paraffine verunreinigt sein. Erstere werden durch Schütteln mit kalter Kaliumpermanganat-Lösung, von der die Cyclopropane nicht angegriffen werden, oder durch Ausschütteln mit konz. wäßr. Silbernitrat- oder Silberperchlorat-Lösungen[1] als leicht lösliche Komplex-Verbindungen entfernt. Im übrigen wird durch sorgfältige Destillation über wirksame Kolonnen gereinigt.

1,1-Dimethyl-cyclopropan:

Methode (a)[2]: Ein Dreihalskolben wird mit Tropftrichter, Rührer und Rückflußkühler, der mit einer Trockeneis-Aceton-Kühlfalle verbunden ist, versehen. In den Kolben bringt man 900 ml 95%iges Äthanol, 90 ml Wasser und 628 g oxidfreien Zinkstaub, erwärmt bis zum gelinden Sieden und läßt unter kräftigem Rühren 562 g 1,3-Dibrom-2,2-dimethyl-propan zutropfen. Erwärmen und Rühren wird 24 Stdn. fortgesetzt. Die Hauptmenge des gebildeten Dimethyl-cyclopropans befindet sich in der Kühlfalle, der restliche Anteil wird mit etwas Äthanol aus dem Reaktionsgefäß abdestilliert. Das so erhaltene Rohprodukt wird mit Eiswasser gewaschen, getrocknet und über eine wirksame Kolonne destilliert; Ausbeute: 96% d. Th.; Kp: 20,6°.

Methode (b)[3]: In einem 1-l-Dreihalskolben mit Tropftrichter, Rückflußkühler und Rührer bringt man 130 g Zinkstaub, 14 g Natriumjodid, 43 g Natriumcarbonat und 250 g trockenes, reines Acetamid. Der Rückflußkühler wird mit einer Trockeneis-Aceton-Kühlfalle verbunden. Es wird auf 150–165° erwärmt und unter Rühren 380 g 1,3-Dibrom-2,2-dimethyl-propan tropfenweise im Verlauf von 5 Stdn. zugegeben. Das Dimethyl-cyclopropan wird durch Überleiten über Kaliumhydroxid und Phosphor(V)-oxid getrocknet und anschließend über eine Tieftemperaturkolonne destilliert; Kp: 19,9°.

Die besten Ausbeuten erhält man bei Dibromiden, deren Bromatome an primäre C-Atome gebunden sind. Geht man zu sekundären und tertiäten Dibromiden über, so tritt die mit dem Ringschluß konkurrierende Bromwasserstoff-Abspaltung unter Olefin-Bildung mehr und mehr in den Vordergrund. Mit tertiären Dibromiden erhält man gute Ausbeuten an Cyclopropanen, wenn bei niedrigen Temperaturen (0—10°) und bei entsprechend längerer Reaktionszeit gearbeitet wird[4]. Die Entfernung olefinischer Beimengungen kann dadurch erfolgen, daß der rohe Kohlenwasserstoff in der Kälte mit Brom oder Ozon behandelt wird; weniger effektvoll scheint dagegen Kaliumpermanganat zu sein.

1,1,2-Trimethyl-cyclopropan[4,5]:
In einem mit Eis gekühlten und mit Rückflußkühler, Tropftrichter und Rührer versehenen Dreihalskolben bringt man 100 ml Wasser, 300 ml Propanol und 196 g oxidfreien Zinkstaub. Im Laufe von 90 Min. werden dann unter kräftigem Rühren 244 g frisch destilliertes 2,4-Dibrom-2-methyl-pentan zugetropft. Nach beendeter Zugabe wird noch 32 Stdn. bei Raumtemp. gerührt und Trimethyl-cyclopropan abdestilliert; Rohausbeute: 86% d. Th.; Kp: 49–51°. Zur Reinigung wird mit Wasser gewaschen, das Wasser ausgefroren, der Kohlenwasserstoff dekantiert und nochmals destilliert; Kp_{736}:52,1°.

Trotz der Entwicklung neuer Verfahren bleibt die Enthalogenierung von Dibromiden auch heute noch die zweckmäßigste Herstellungsmethode einfacher Cyclopropane.

Da Cyclopropan wertvolle anästhetische Eigenschaften besitzt[6], versuchte man den Stammkohlenwasserstoff in technischem Maßstab leichter zugänglich zu machen.

[1] M. J. MURRAY u. E. STEVENSON, Am. Soc. **66**, 812 (1944).

[2] R. W. SHORTRIDGE et al., Am. Soc. **70**, 946 (1948).

[3] F. C. WHITHMORE et al., Am. Soc. **63**, 124 (1941).

[4] J. D. BARTELSON, R. E. BURK u. H. P. LANKELMA, Am. Soc. **68**, 2513 (1946).

[5] R. KELSO et al., Am. Soc. **74**, 187 (1952).

[6] J. SABOURIN, L'Anesthesie au Cyclopropane, Vigot, Paris 1937.

C. L. HEWER, Recent Advances in Anaestesia, S. 48, J. u. A. Churchill Ltd., London 1948.

F. LAVOINE, L'Anesthetic au Cyclopropane, Vigot, Paris 1948.

H. KILLIAN u. H. WEESE, Die Narkose, S. 896–912, Georg Thieme Verlag, Stuttgart 1954.

H. KLOSE u. G. WITTIG, Narkose und Anästhesie, S. 29, Verlag de Gruyter & Co., Berlin 1954.

B. H. ROBBINS, Cyclopropane Anaesthesia, Will. and Wilk. Co., Baltimore 1960.

Tab. 1. Cyclopropane aus 1,3-Dihalogen-alkanen durch Halogen-Abspaltung
mit Zinkstaub

Dibrom-alkan	Lösungsmittel	Reaktionsprodukt	Ausbeute [% d. Th.]	Literatur
1,3-Dibrom-propan	Äthanol	*Cyclopropan*	90	1–3
3-Chlor-1-brom-propan	Äthanol	*Cyclopropan*	~ 90	4
1,3-Dibrom-butan	Äthanol Formamid 4-Methyl-pentansäure-nitril	*Methyl-cyclopropan*	—*	5–8
1,3-Dibrom-2,2-di-methyl-propan	Äthanol	*1,1-Dimethyl-cyclopropan*	96	9–11
2,4-Dibrom-pentan	Äthanol	*1,2-Dimethyl-cyclopropan*	71	12,13
2,4-Dibrom-2-methyl-pentan	Propanol	*1,1,2-Trimethyl-cyclopropan*	61–86	14–18
2,4-Dibrom-2,4-dimethyl-pentan	Äthanol	*1,1,2,2-Tetramethyl-cyclopropan*	60	19
1,3-Dibrom-pentan	Äthanol	*Äthyl-cyclopropan*	—*	18
3,3-Bis-[brommethyl]-pentan	Äthanol	*1,1-Diäthyl-cyclopropan*	92	10
7,9-Dibrom-pentadecan	absol. Aceton (übersch. NaJ)	*1,2-Dihexyl-cyclopropan*	—*	20
1,3-Dibrom-1-phenyl-propan	Äthanol	*Phenyl-cyclopropan*	—*	21
2-Brom-1-brommethyl-cyclopentan	Äthanol	*Bicyclo[3.1.0]hexan* 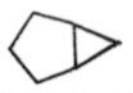	—*	22
3,5-Dibrom-1,1-di-methyl-cyclohexan	Äthanol	*3,3-Dimethyl-bicyclo[3.1.0]hexan* 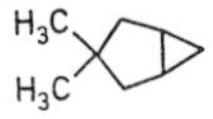	90	23

[1] G. Gustavson, J. pr. [2] **36**, 300 (1887); **60**, 302 (1899).
[2] M. Trautz u. K. Winkler, J. pr. [2] **104**, 37 (1922).
[3] W. A. Lott u. E. G. Christiansen, J. Am. Pharm. Assoc. **19**, 431 (1930).
[4] US. P. 2219260 (1938), Air Reduction Co., Erf.: A. G. Morney; C. **1941** I, 1607.
[5] W. J. Demjanow, B. **28**, 22 (1895).
[6] W. A. Lott, E. G. Christiansen u. E. Shackell, J. Am. Pharm. Assoc. **27**, 125 (1938).
[7] Techn. Verfahren der I. G. Farben (1938).
[8] Techn. Verfahren der Winthrop Chem. Co. (1939).
[9] F. Whitmore et al., Am. Soc. **63**, 124 (1941).
[10] R. W. Shortridge et al., Am. Soc. **70**, 946, 948 (1948).
[11] Vgl. auch: J. C. Prudhomme u. F. G. Gault, Bl. **1966**, 827.
[12] N. D. Zelinsky u. M. N. Ujedinow, J. pr. [2] **84**, 547 (1911).
[13] R. Lespieau, Bl. [4] **47**, 847 (1930).
[14] N. D. Zelinsky u. J. Zelikow, B. **34**, 2856 (1901).
[15] J. D. Bartelson, R. E. Burk u. H. P. Lankelma, Am. Soc. **68**, 2513 (1946).
[16] R. J. Lewina u. B. M. Gladstein, Ž. obšč. Chim. **22**, 585 (1952); C. A. **47**, 2680 (1953).
[17] R. G. Kelso et al., Am. Soc. **74**, 287 (1952).
[18] Vgl. auch: J. C. Prudhomme u. F. G. Gault, Bl. **1966**, 832.
[19] R. J. Lewina, B. M. Gladstein u. P. A. Akischin, Ž. obšč. Chim. **19**, 1077, 1679 (1949); C. A. **44**, 1037 (1950).

(Fortsetzung s. S. 35)

Tab. 1. (Fortsetzung)

Dibrom-alkan	Lösungsmittel	Reaktionsprodukt	Ausbeute [% d.Th.]	Literatur
2,6-Dibrom-bicyclo [2.2.1]heptan	Äthanol	*Tricyclo[2.2.1.0²,⁶] heptan* 	—*	1
1,1-Bis-[brommethyl]-cyclohexan	Äthanol	*Cyclopropan-⟨spiro⟩ cyclohexan* 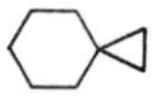	91	2
2-Methyl-1,1-bis-[brommethyl]-cyclohexan	Äthanol	*Cyclopropan-⟨spiro-1⟩-2-methyl-cyclohexan* 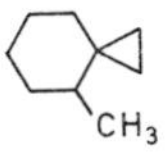	89	2
3,3-Bis-[chlormethyl]-oxetan	Acetamid (NaJ)	*Cyclopropan-⟨spiro-3⟩-oxetan* 	25	3
2,2-Bis-[brommethyl]-propansäure-methylester	absol. Methanol	*1-Methyl-cyclopropan-1-carbonsäure-methylester*	—*	4
Bis-[brommethyl]-malonsäure-diäthylester	absol. Äthanol	*Cyclopropan-carbonsäure-äthylester*	22	5

* Ausbeuteangaben fehlen.

Natriumjodid wirkt katalytisch auf den Ringschluß von 1,3-Dichlor-propan[6]. Die Wirkungsweise des Jodids beruht offenbar auf der intermediären Bildung von leicht enthalogenierbarem 1,3-Dijod-propan. Als Lösungsmittel dient z.B. geschmolzenes Acetamid. Die Enthalogenierung gelingt jedoch auch in Gegenwart anderer Sol-

[1] J. GODLEWSKI u. G. WAGNER, B. **29**, 121 (1896).
[2] R. W. SHORTRIDGE et al., Am. Soc. **70**, 946, 948 (1948).
[3] S. SCARES u. E. F. LUTZ, Am. Soc. **81**, 3674 (1959).
[4] M. KOHN u. A. MENDELEWITSCH, M. **42**, 240 (1921).
[5] A. F. FERRIS, J. Org. Chem. **20**, 780 (1955).
[6] H. B. HASS et al., Ind. Eng. Chem. **28**, 1178 (1936).
  Brit. P. 498225 (1937), Purdue Research Found., Erf.: H. B. HASS, G. E. HINDS u. E. W. GLUESENKAMP, C. **1939** II, 685.
  US. P. 2235679 (1936), Purdue Research Found., Erf.: H. B. HASS u. G. E. HINDS; C. **1940** II, 2614.

(Fortsetzung v. S. 34)

[20] D. G. BROOKE u. J. C. SMITH, Soc. **1957**, 2732.
[21] R. LESPIEAU, C. r. **190**, 1129 (1930); Bl. [4] **47**, 847, 854 (1930).
[22] N. D. ZELINSKY u. M. USCHAKOW, Bl. [4] **35**, 484 (1924).
[23] N. D. ZELINSKY u. A. E. USPENSKY, B. **46**, 1468 (1913).

3*

ventien, die mit Zinkchlorid und Zinkbromid Komplexe bilden, wie Benzolsulfamid, 2-Methyl-pentansäure-nitril, Oxalsäure-diäthylester, Äthyl-urethan u.a.[1].

Cyclopropan: 1 Mol 1,3-Dichlor-propan (Kp: 120,4°; hergestellt durch direkte Chlorierung des Propans und fraktionierte Destillation des anfallenden Isomerengemisches), 1 Mol Natrium-carbonat, ein 100%iger Überschuß an Zinkstaub, $^1/_6$ Mol Natriumjodid und ein Gemisch von 75% Äthanol und 25% Wasser werden 12 Stdn. unter leichtem Sieden am Rückfluß gehalten. Der Rückflußkühler ist mit einem Trockeneiskühler gekoppelt; das eingesetzte Natriumcarbonat dient zur Regeneration des unter Bildung von Zinkjodid verbrauchten Natriumjodids und kann auch durch Verwendung von geschmolzenem Acetamid als Solvens ersetzt werden. Das gebildete leichtflüchtige Cyclopropan wird in einer mit Trockeneis-Kältemischung gekühlten Vorlage auf-gefangen; Ausbeute: 95% d.Th.; Kp: 32,9°.

Cyclopropan entsteht ferner in Ausbeuten bis zu 97%, wenn man 1,3-Dibrom-propan oder 3-Chlor-1-brom-propan mit Zink oder Magnesium in niederen ali-phatischen Alkoholen bei Zusatz von anorganischen Basen (z.B. 5–15% Natrium-hydroxid, Natriumcarbonat, Calcium- oder Magnesiumhydroxid) und katalytischen Mengen von Silber-, Gold-, Platin- oder Kupfer-Salzen zur Reaktion bringt[2]. Der Ringschluß von 1,3-Dihalogen-propan mit Zink oder Magnesium wird auch durch Salze nicht amphoterer Metalle wie Eisen, Kupfer, Kobalt, Nickel, Vanadium, Chrom und Mangan sowie bei 1,3-Dichlor-propan durch wasserlösliche Metallbromide günstig beeinflußt. Man erhält mit dieser Variante ebenfalls bis zu 97% d. Th. an *Cyclopropan*[3].

Schließlich gelingt die Herstellung von *Cyclopropan* durch Überleiten von gas-förmigem 1,3-Dihalogen-propan über auf 200–300° erhitzten Zinkstaub[4], oder durch Umsetzung von 1,3-Dihalogen-propan mit flüssigem Zink-, Natrium- oder Magnesiumamalgam bei 200–300°[5]. Aus 1,3-Dijod-propan erhält man ebenfalls durch radikalisch eingeleitete γ-Eliminierung *Cyclopropan* (90–100% d.Th.)[6]. Die besten Ergebnisse werden bei Verwendung von Dibenzoyl-peroxid und Di-tert.-butyl-peroxid erzielt.

Vermutlich liegt der Gasphasenpyrolyse von 1,3-Dijod-propan (20% d.Th.)[7], der Reaktion von 1,3-Dibrom-propan in der Natriumflamme (zwischen 57 und 87% d.Th.)[8] oder den Reaktionen eines Phenyl-magnesiumbromid/Eisen(III)-chlorid-Gemisches mit 1,3-Dibrom-propan (81% d.Th.)[9], mit 3-Chlor-1-brom-propan (76% d.Th.)[9] und 3-Brom-1-phenoxy-propan (26% d.Th.)[9] ein ähnlicher Mechanismus zugrunde[6].

Beim 1,1,1-Tris-[halogenmethyl]-äthan [R—C(CH$_2$—X)$_3$] bzw. Tetrakis-[halogenmethyl]-methan [C(CH$_2$—X)$_3$] ist die Abspaltung des 1,3-ständigen Halogens mit Zink oder Natrium gewöhnlich von Umlagerungs- und Folge-

---

[1] DRP. 732173 (1938), I. G. Farb., Erf.: W. Schmidt, F. J. Pohl u. O. Nicodemus; C. **1943** I, 2446.
Fr. P. 851516 (1939), I.G. Farb.; C. **1940** II, 1360.

[2] US.P. 2206877 (1938); 2206878, 2206917, 2240513 (1939), E.R.Squibb a. Sons, Erf.: J. M. Ort u. E. G. Christiansen; C. **1940** II, 1093; **1942** I, 1939.

[3] US.P. 2211787 (1939); 2261168 (1941), E. R. Squibb a. Sons, Erf.: W. A. Lott; C. **1941** I, 1475; **1945** I, 1534.

[4] US.P. 2325591 (1941), E. R. Squibb a. Sons, Erf.: E. G. Christiansen u. J. M. Ort; C. A. **38**, 380 (1944).

[5] US.P. 2325628 (1941), E. R. Squibb a. Sons, Erf.: J. M. Ort; C. A. **38**, 380 (1944).

[6] L. Kaplan, Am. Soc. **89**, 1753 (1967).

[7] R. A. Ogg u. W. J. Priest, J. Chem. Physics **7**, 736 (1939).

[8] C. E. Bawn u. R. Hunter, Trans. Faraday Soc. **34**, 608 (1938).

[9] M. S. Kharasch et al., Am. Soc. **83**, 3232 (1961).

Reaktionen begleitet[1]. Die Enthalogenierung derartiger Verbindungen wird eingeleitet durch eine normale 1,3-Eliminierung, die zu den sehr reaktiven und daher
unter den Reaktionsbedingungen nicht faßbaren 1-Alkyl-1-halogenmethyl- und
1,1-Bis-[halogenmethyl]-cyclopropanen führt. In Analogie zu den einfachen Cyclo-
propyl-methylhalogeniden erfahren diese Zwischenprodukte solvolytisch oder in
Gegenwart von Lewis-Säuren wie den Zinkhalogeniden leicht Carboniumionen-
Umlagerungen, wobei offensichtlich vorwiegend Ringerweiterung zum Cyclobutan-System eintritt.

In der Tat wird die Zusammensetzung der Enthalogenierungsprodukte nicht wesentlich verändert, wenn man statt von Tetrakis-[halogenmethyl]-methan von auf
anderem Weg zugänglichen 1,1-Bis-[halogenmethyl]-cyclopropanen ausgeht[2].

Wohl im Hinblick auf das interessante *Cyclopropan-⟨spiro⟩-cyclopropan*, das man
schon 1896 synthetisiert zu haben glaubte[3], ist die Enthalogenierung der Tetrakis-
[halogenmethyl]-methane (insbesondere des Tetrabrom-Derivats) Gegenstand eingehender Untersuchungen gewesen[4]:

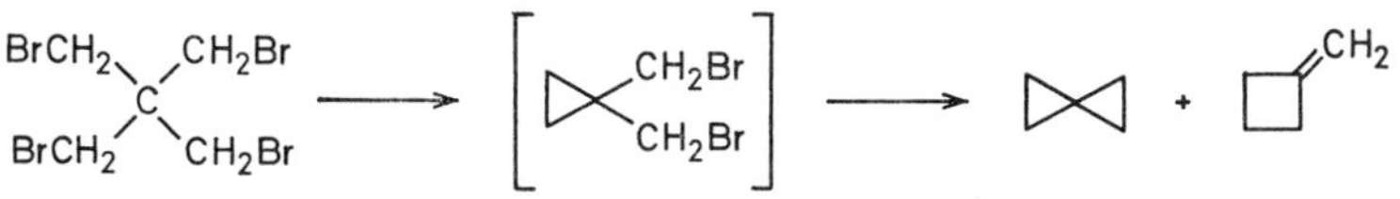

Während Tetrakis-[brommethyl]-methan mit Zinkstaub in Äthanol oder Methanol
ein hauptsächlich aus Methylen-cyclobutan bestehendes Kohlenwasserstoff-Gemisch
liefert[5], dominiert bei der Umsetzung in geschmolzenem Acetamid *Cyclopropan-*
⟨spiro⟩-cyclopropan[6]; allerdings ist in diesem Falle die Gesamtausbeute an Kohlenwasserstoff niedriger. Der Austausch des Zinks durch Natrium bringt keinen Vorteil,
da entgegen der Erwartung die Bildung von Methylen-cyclobutan hierdurch nicht
wesentlich zurückgedrängt wird. Mit Hilfe des Kunstgriffs, das die Carboniumionen-
Umlagerung fördernde Zinkbromid durch Überführung der Zink(II)-Ionen in ein
Chelat mit Tetranatrium-äthylendiamin-tetraacetat dem Reaktionsmedium zu entziehen, gelangt man neuerdings unmittelbar zu *Cyclopropan-⟨spiro⟩-cyclopropan* mit
einem Reinheitsgrad von 94%[7].

Cyclopropan-⟨spiro⟩-cyclopropan[7]: In einem 5-*l*-Dreihalskolben, versehen mit einem hoch-
tourigen Rührer, einem Spiral-Kühler (für die Destillation) und 2 Trockeneis-Fallen, werden
825 g (2,57 Mol) Dinatrium-dihydrogenäthylendiaminotetraacetat, 297 g (7,43 Mol) Natrium-
hydroxid (gelöst in 510 *ml* Wasser), 1470 *ml* 95%iges Äthanol und 20,7 g (0,138 Mol) Natrium-

[1] Vgl. etwa: H. O. House, R. C. Lord u. H. S. Rao, J. Org. Chem. **21**, 1487 (1956).
[2] Vgl. etwa: W. M. Schubert u. S. M. Leahy, Am. Soc. **79**, 381 (1957).
[3] G. Gustavson, J. pr. [2] **54**, 106 (1896).
   N. D. Zelinsky u. W. Krawetz, Ж. **44**, 1877 (1912); B. **46**, 166 (1913).
[4] M. J. Murray u. E. H. Stevenson, Am. Soc. **66**, 314, 812 (1944).
   V. A. Slabey, Am. Soc. **68**, 1335 (1946).
   S. F. Marrian, Chem. Reviews **43**, 195 (1948).
   Y. M. Slobodin u. I. N. Shokhor, Ž. obšč. Chim **21**, 2005 (1951); **23**, 42 (1953); C. A. **46**,
     6598 (1952); **48**, 543 (1954).
   Y. M. Slobodin, V. I. Grigoreva u. Y. E. Shmulyakovskii, Ž. obšč. Chim. **23**, 1480 (1953);
     C. A. **48**, 11358 (1954).
   A. I. D'Yachenko u. M. J. Lukina, Izv. Akad. SSSR, **1966**, 2237; C. A. **66**, 75713 (1967).
[5] M. J. Murray u. E. Stevenson, Am. Soc. **66**, 812 (1944).
[6] V. A. Slabey, Am. Soc. **68**, 1335 (1946).
[7] D. E. Applequist, G. F. Fanta u. B. W. Henrikson, J. Org. Chem. **23**, 1715 (1958).

jodid gemischt. Die Mischung wird bis zum Kochen unter Rückfluß erhitzt und 214,5 g (3,28 g-Atome) Zinkstaub werden zugesetzt. Ein leichter Stickstoffstrom wird durch das System geleitet, um die flüchtigen Bestandteile in die Kühlfalle zu treiben. Dann werden 321 g (0,828 Mol) Tetrakis-[brommethyl]-methan langsam zu der gerührten und unter Rückfluß kochenden Mischung gegeben. Nach vollständiger Zugabe wird die Mischung noch 1 Stde. unter Rückfluß gekocht und gerührt. Das Kondensat in den Kühlfallen wird mit zwei 150-*ml*-Portionen einer kaltges. Lösung von Natriumchlorid in Wasser gewaschen und anschließend über Drierite® getrocknet; Rohausbeute: 45,5 g (81%d.Th.).

Zur Reinigung des Cyclopropan-⟨spiro⟩-cyclopropans von ungesättigten Verunreinigungen [u. a. 2-Methyl-buten-(1), 1,1-Dimethyl-cyclopropan und Methylen-cyclobutan] wird eine 20%ige (Vol.%) Lösung des Kohlenwasserstoffes in 1,2-Dibrom-äthan mit Brom titriert und anschließend durch eine gut trennende Kolonne destilliert (Kp$_4$: 36,5–37,5°); IR-Spektrum stimmt mit dem der Literatur überein[1].

Analog erhält man aus 1,1-Bis-[jodmethyl]-cyclobutan *Cyclopropan-⟨spiro⟩-cyclobutan*[2]:

und aus 1,1-Bis-[jod-dideutero-methyl]-tetradeutero-cyclopropan mit Natrium in Dioxan *Tetradeutero-cyclopropan-⟨spiro⟩-tetradeutero-cyclopropan*[3].

1,3-Dihalogen-Verbindungen, die in 2-Stellung eine Acetal- oder Alkoxycarbonyl-Gruppe tragen, können ebenfalls zu Cyclopropan-Verbindungen enthalogeniert werden. So erhält man aus 2,2-Bis-[brommethyl]-1,3-dioxolan mit Lithium-amalgam in Äther *Cyclopropan-⟨spiro-2⟩-1,3-dioxolan* (IV); mit Zink tritt dagegen keine Reaktion ein[4]:

III   IV

Versuche, 3-Chlor-2-chlormethyl-propen-(1) (V) durch Einwirkung von Magnesium in Tetrahydrofuran in *Methylen-cyclopropan* zu überführen, hatten bescheidenen Erfolg[5]:

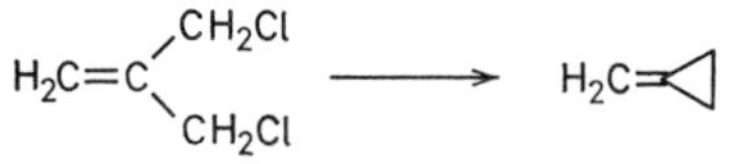

V   VI

Durch Reduktion von 2-Oxo-1,1-bis-[brommethyl]-cyclanen mit Zink[6,7] erhält man Cyclopropan-⟨spiro-1⟩-2-oxo-cycloalkane. Die Ausgangsverbindungen, z. B. IV (s. S. 39), werden durch Umsetzung der entsprechenden Cyclanone I mit Form-

[1] F. F. CLEVELAND, M. J. MURRAY u. W. S. GALLAWAY, J. Chem. Physics 15, 742 (1947).

[2] D. E. McGREER, Canad. J. Chem. 38, 1638 (1960).
Vgl. a.: D. E. APPLEQUIST u. D. E. McGREER, Am. Soc. 82, 1965 (1960).

[3] H. O. HOUSE, R. C. LORD u. H. S. RAO, J. Org. Chem. 21, 1487 (1956).

[4] E. VOGEL u. E. GANTNER, unveröffentlicht.
Vgl. a.: E. VOGEL, Ang. Ch. 72, 4 (1960).

[5] J. T. GRAGSON et al., Am. Soc. 75, 3344 (1953).

[6] P. LERIVEREND u. J. M. CONIA, Bl. 1966, 116.

[7] P. LERIVEREND u. J. M. CONIA, Bl. 1966, 121.

aldehyd und anschließende Reaktion des aus II gewonnenen Tosylats III mit Lithiumbromid erhalten. Die Reduktion mit Zink führt in Abhängigkeit von den Solventien zu verschiedenen Produkten. So erhält man aus IV mit Zink in wäßrigem Methanol *Cyclopropan-⟨spiro-1⟩-2-oxo-cyclopentan* (90% d. Th.; V), während in Acetanhydrid/Äther quantitativ unter Ringerweiterung 3-Oxo-1-methyl-cyclohexen (VI) entsteht:

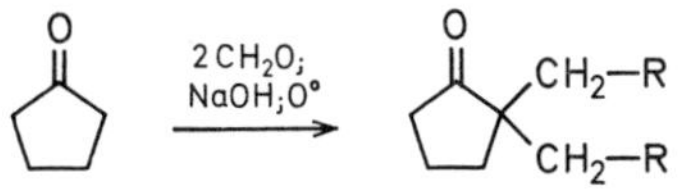

I

II: R = OH
III: R = OTs
IV: R = Br

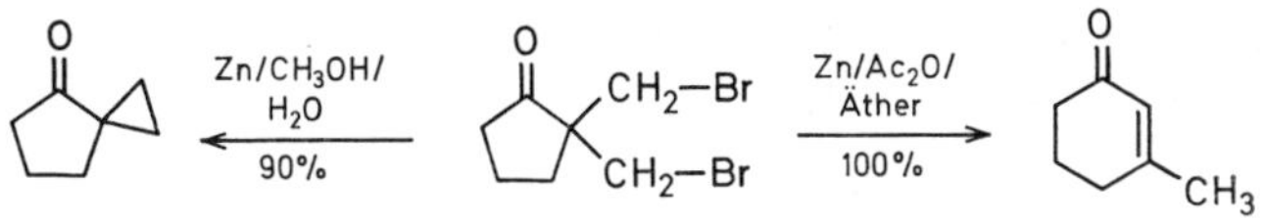

V IV VI

2-Oxo-1,1,3,3-tetrakis-[brommethyl]-cyclopentan (VIII) liefert bei Behandlung mit Zink in wäßrigem Methanol fast gleiche Ausbeuten an IX und X, während die Reaktion in Acetanhydrid/Äther zum 3-Oxo-1,4,4-trimethyl-cyclohexen-(1) (10% d. Th.; XI) führt:

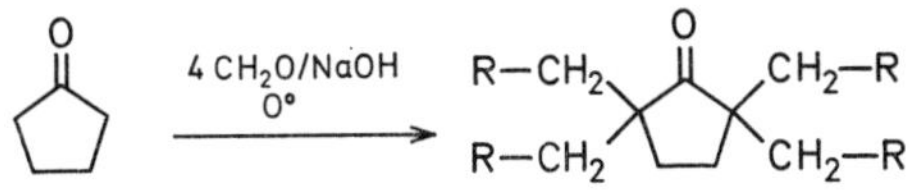

I

VII: R = OH
VIII: R = Br

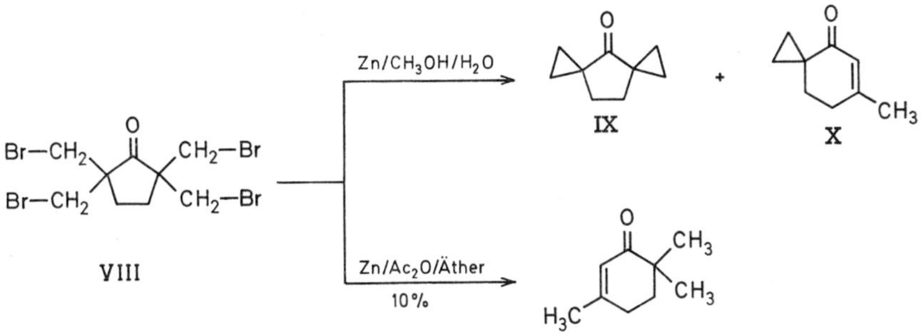

VIII

XI

IX; *Cyclopropan-⟨spiro-3⟩-2-oxo-cyclopentan-⟨1-spiro⟩-cyclopropan*
X; *Cyclopropan-⟨spiro-4⟩-3-oxo-1-methyl-cyclohexen-(1)*

Die Reduktion des Cyclopropan-⟨spiro-1⟩-2-oxo-3,3-bis-[brommethyl]-cyclopentans (XII; S. 40) liefert ausschließlich IX und kein Ringerweiterungsprodukt. Ebenso erhält man aus XIII nur die entsprechende Spiroverbindung XIV (*Cyclopropan-⟨spiro-1⟩-2-oxo-cylohexan*):

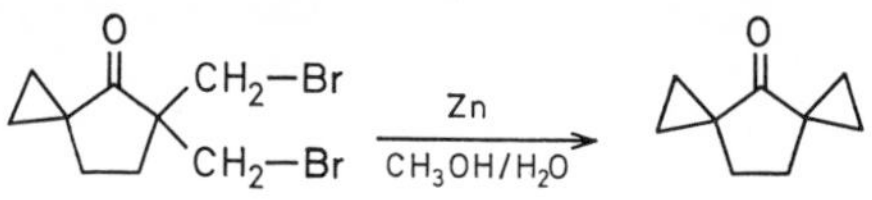

$$\text{XII} \xrightarrow[\text{CH}_3\text{OH/H}_2\text{O}]{\text{Zn}} \text{IX}$$

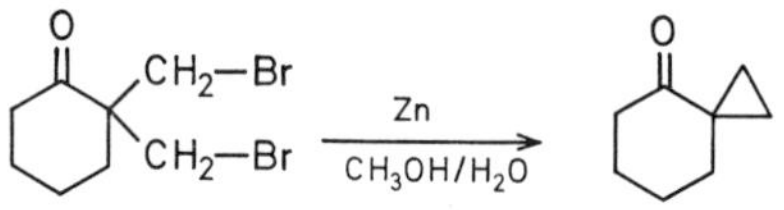

$$\text{XIII} \xrightarrow[\text{CH}_3\text{OH/H}_2\text{O}]{\text{Zn}} \text{XIV}$$

2-Oxo-1,1-bis-[brommethyl]-cycloheptan (**XVI**) wird durch Zink in wäßrigem Methanol zum spirocyclischen Keton XV (*Cyclopropan-⟨spiro-1⟩-2-oxo-cycloheptan*) reduktiv cyclisiert, während in Acetanhydrid/Äther ein Gemisch aus XV und XVII gebildet wird.

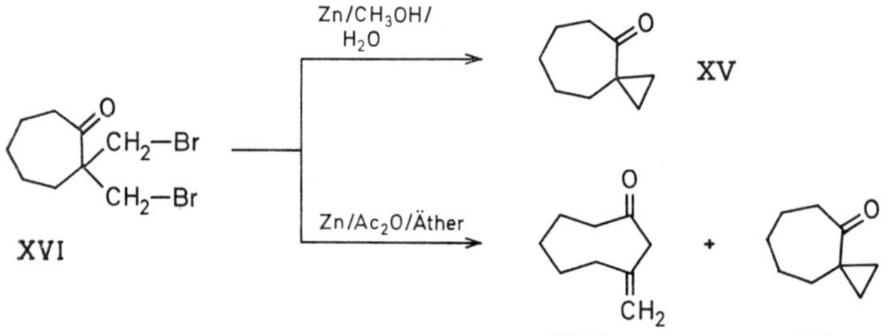

Die Zinkbehandlung von 2-Oxo-bis-[brommethyl]-cyclooctan (**XX**) liefert in wäßrigem Methanol ein Gemisch des Spiroketons XVIII (*Cylopropan-⟨spiro-1⟩-2-oxo-cyclooctan*) und des Ringerweiterungsproduktes XIX; dagegen erhält man in wäßrig-methanolischer Äthylendiamintetraessigsäure-Lösung ausschließlich XVIII, während in Acetanhydrid/Äther nur XIX gebildet wird:

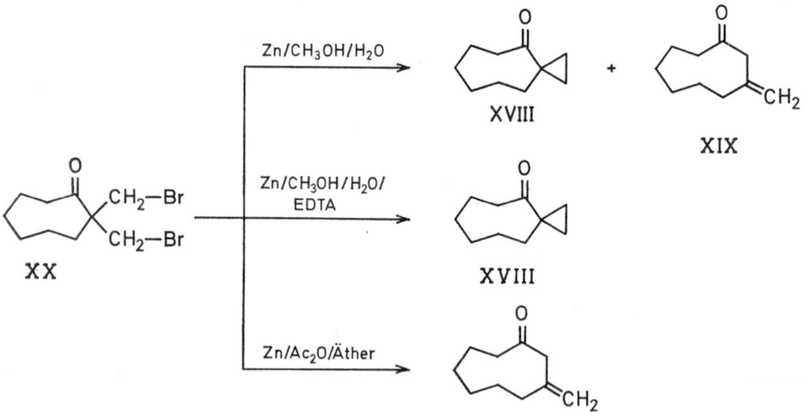

Auch bei der Synthese von Bicyclo[1.1.0]butanen hat sich die Dehaloge-
nierung 1,3-dihalogensubstituierter Cyclobutane bewährt[1]. *Bicyclo[1.1.0]butan* selbst
erhält man aus 3-Chlor-1-brom-cyclobutan bei Verwendung von Natrium als Halo-
genentzugsmittel[1]:

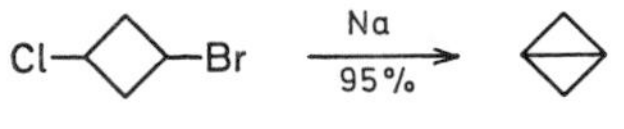

1,3-Dimethyl-bicyclo[1.1.0]butan[2], das allgemein nur in relativ schlechten Ausbeuten[3]
zugänglich ist, erhält man in 85%iger Ausbeute, wenn man ein Gemisch von *cis-* und
*trans-*1,3-Dibrom-1,3-dimethyl-cyclobutan[4] mit einer Suspension von 2% Lithium-
amalgam in 1,4-Dioxan 48 Stdn. bei Raumtemperatur rührt[2]:

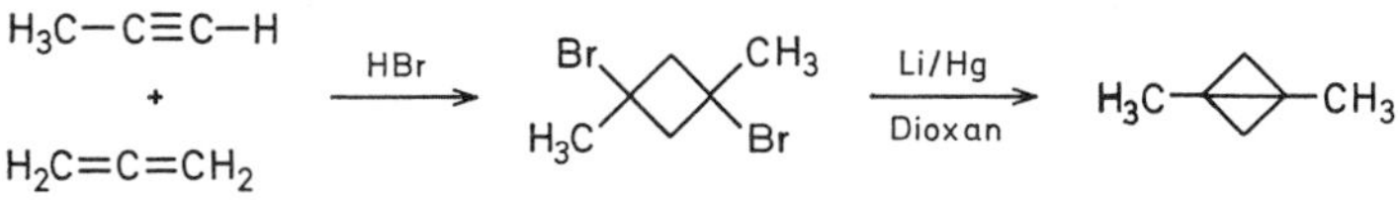

Bicyclobutane und andere gespannte Cycloalkane sind ebenfalls durch elektro-
chemische Verfahren[5] aus geeigenten 1,3-dihalogensubstituierten Verbindungen herzustellen. So liefert die Elektrolyse von 3-Chlor-1-brom-cyclobutan (I)[1] in Dimethylformamid, das mit Lithiumbromid gesättigt ist, 60% *Bicyclo[1.1.0]butan* (II), 20%
Cyclobuten und 10% Cyclobutan. Analog wird aus 1,3-Dibrom-1,3-dimethyl-cyclobu-
tan (V)[6] *1,3-Dimethyl-bicyclo[1.1.0]butan* (VI; 54 und 94% abhängig von den Elek-
trolysebedingungen) erhalten[5]:

Durch Kontrolle des Elektrodenpotentials lassen sich auch höher halogenierte
Cyclobutane selektiv zu Bicyclobutanen reduzieren. So liefert die Elektrolyse von
2,2,4,4-Tetrachlor-1,1,3,3-tetramethyl-cyclobutan bei definiertem Potential *1,3-Di-
chlor-2,2,4,4-tetramethyl-bicyclo[1.1.0]butan*[5]:

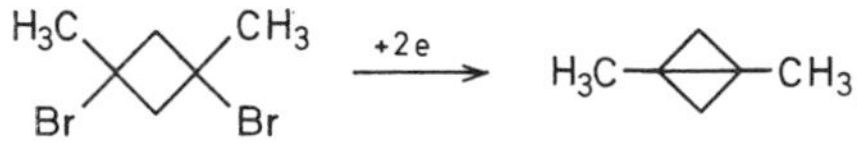

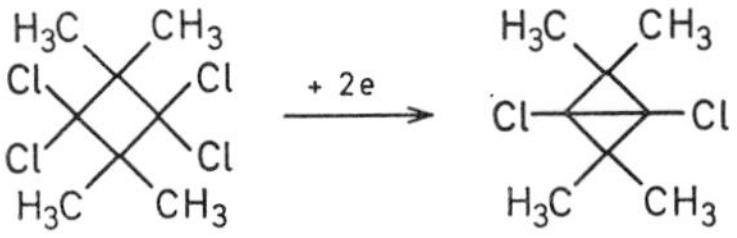

[1] K. B. Wiberg u. G. M. Lampman, Tetrahedron Letters **1963**, 2173.
[2] K. Griesbaum u. P. E. Butler, Ang. Ch. **79**, 467 (1967).
[3] W. v. E. Doering u. J. F. Coburn, Tetrahedron Letters **1965**, 991.
J. F. Coburn, Dissertation, Yale University, 1963; Dissertation Abstr. 64–7137.
[4] K. Griesbaum, Am. Soc. **86**, 2301 (1964); Ang. Ch. **76**, 782 (1964).
K. Griesbaum, W. Naegele u. G. G. Wanless, Am. Soc. **87**, 3151 (1965).
[5] M. R. Rifi, Am. Soc. **89**, 4442 (1967).
[6] K. Griesbaum, W. Naegele u. G. G. Wanless, Am. Soc. **87**, 3151 (1965).

Die Elektrolyse des Tetrabromids IX ergibt selektiv *Cyclopropan-⟨spiro⟩-cyclopropan* (X). Aus 1,3-Dibrom-propan (XI) wird als einziges isolierbares Produkt *Cyclopropan* (XII) gewonnen[1]:

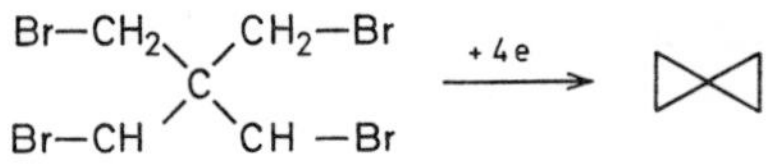

Vermutlich wird bei allen diesen elektrochemischen Verfahren u. a. eine anionische Zwischenstufe durchlaufen[1]:

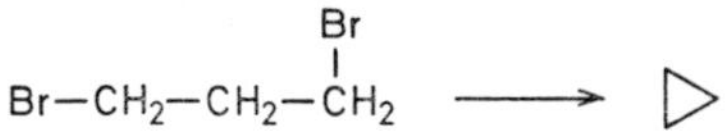

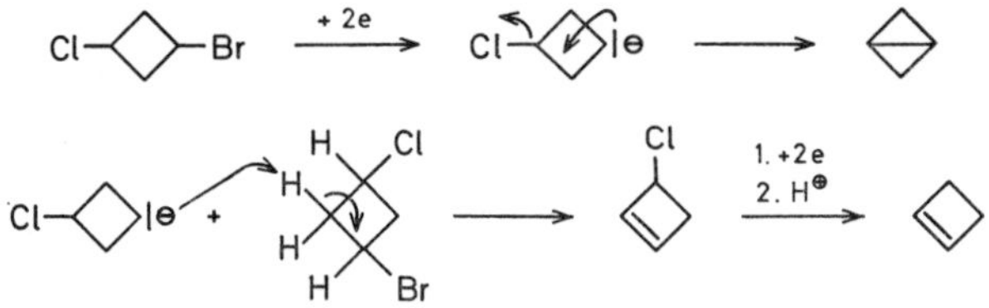

Ein gewisser Hinweis für eine Anionbildung ist auch aus der Elektrolyse des Triäthyl-(3-brom-propyl)-ammonium-bromids bei $-2,0 \pm 0,1$ V(SCE)[2] zu entnehmen, bei der nur *Cyclopropan* und Triäthylamin erhalten werden:

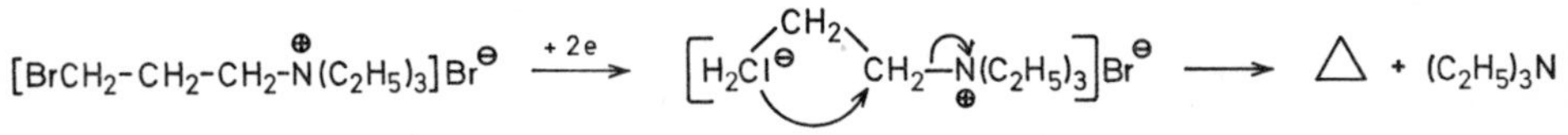

II. Cyclopropanierungen über Pyrazoline (4,5-Dihydro-3H-pyrazole)

Pyrazoline haben sich als wichtige Zwischenprodukte für die Synthese von Cyclopropanen erwiesen. Sie gestatten insbesondere die Herstellung von Cyclopropan-Derivaten aus entsprechenden Olefinen. Zu 4,5-Dihydro-3H-pyrazolen (Pyrazolinen) aus α,β-ungesättigten Verbindungen gelangt man prinzipiell auf den folgenden Wegen:

① durch Diazoalkan-Addition an Olefine
② durch anomale WOLFF-KISHNER-Reduktion von α,β-ungesättigten Carbonyl-Verbindungen.

Daneben besitzt die Herstellung aus entsprechenden Pyrazolidinen (Oxidation) nur geringe Bedeutung.

Der Schwerpunkt der Pyrazolin-Herstellung zum Zwecke der Cyclopropanierung von α,β-ungesättigten Verbindungen liegt eindeutig bei der Diazoalkan-Addition.

---

[1] M. R. RIFI, Am. Soc. **89**, 4442 (1967).
[2] △ Standard-Kalomel-Elektrode.

Die Anlagerung von Diazo-Verbindungen an olefinische Doppelbindungen kann im wesentlichen nach zwei verschiedenen Wegen zu den entsprechenden Cyclopropanen führen:

① entweder tritt zunächst Addition des Diazoalkans ein, wobei dann das entstehende 4,5-Dihydro-3H-pyrazol-Derivat thermisch oder photolytisch zersetzt wird; Gleichung ⓐ
② oder das Diazoalkan spaltet zunächst unter Carben-Bildung Stickstoff ab, wobei das Olefin das Carben abfängt; Gleichung ⓑ

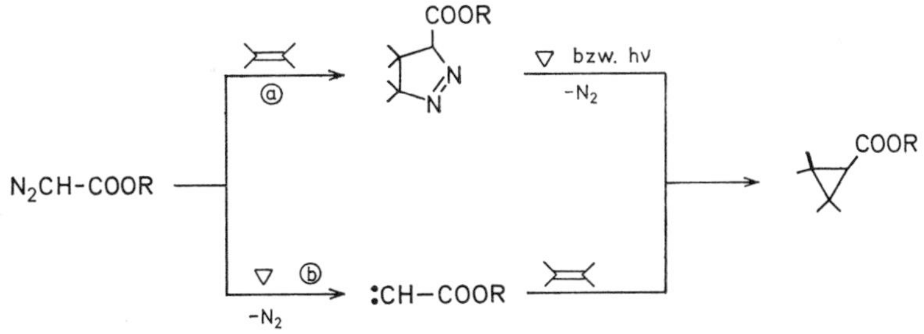

Die Bildung von 4,5-Dihydro-3H-pyrazolen wird vor allem bei thermischen Reaktionen von Diazo-Verbindungen, insbesondere Diazoessigsäureester, mit polaren Doppelbindungen (wie sie in α,β-ungesättigten Estern, Ketonen und Nitrilen vorliegen) beobachtet.

Im folgenden soll zuerst die Diazoalkan-Addition behandelt werden, die über 4,5-Dihydro-3H-pyrazole zu den Cyclopropanen führt. Die Cyclopropanierung nach einem Carben- oder „carbenoiden"-Mechanismus wird anschließend gesondert abgehandelt (s. S. 98 ff.).

Die Übergänge zwischen diesen Mechanismen scheinen, wie insbesondere kinetische Untersuchungen gezeigt haben, fließend zu sein.

a) 4,5-Dihydro-3H-pyrazole durch Diazoalkan-Addition an α, β-ungesättigte Verbindungen

Diazoalkane, insbesondere Diazomethan, Diphenyl-diazomethan und Diazoessigsäure-äthylester, addieren sich an α,β-ungesättigte Carbonsäureester und andere olefinische Verbindungen unter Bildung von 4,5-Dihydro-3H-pyrazolen, die thermisch mehr oder weniger leicht Stickstoff abspalten und hierbei in vielen Fällen in Cyclopropan-Derivate übergehen. Konkurrenzprodukte sind die mit letzteren isomeren Olefine. Dieses Verfahren[1] macht zahlreiche, meist mehrfach substituierte Cyclopropan-Verbindungen bequem zugänglich[2], doch haftet ihm methodisch der Mangel an, daß sich weder die Bildungstendenz der 4,5-Dihydro-3H-pyrazole noch der Verlauf der anschließenden Pyrolyse mit wünschenswerter Zuverlässigkeit voraussagen lassen.

Die Addition der Diazoverbindungen an α,β-ungesättigte Carbonsäureester führt primär zu 4,5-Dihydro-3H-pyrazolen, die sich meist rasch in die tautomeren carbonylkonjugierten 4,5-Dihydro-1H-pyrazole umwandeln. Fehlt der acide α-Wasserstoff der Estergruppierung, so sind die 4,5-Dihydro-3H-pyrazole gewöhnlich isolierbar.

[1] E. BUCHNER, B. **21**, 2640 (1888); **23**, 703 (1890).
[2] Vgl. die Zusammenfassungen bei: B. EISTERT, in: *Neuere Methoden der präparativen organischen Chemie*, S. 388–392, Verlag Chemie, Berlin 1945.
  Vgl. ds. Handb., Bd. X/4, Kap. Diazoalkane, S. 473 ff.
  T. L. JACOBS in: R. ELDERFIELDS, *Heterocyclic Compounds*, Bd. 5, S. 45, John Wiley & Sons, New York 1957.

In den meisten Fällen ist die Möglichkeit der Bildung geometrisch isomerer Cyclopropane gegeben, weshalb es zweckmäßig erscheint, zunächst einige der sterischen
Aspekte der Synthese zu erläutern[1].

Diazomethan vereinigt sich mit Angelicasäure-methylester (I) in stereospezifischer cis-Addition, wobei trans-3,4-Dimethyl-4,5-dihydro-3H-pyrazol-3-carbon-
säure-methylester (III) entsteht. Mit dem isomeren Tiglinsäure-methylester (II) wird
entsprechend das cis-Derivat IV erhalten[2]:

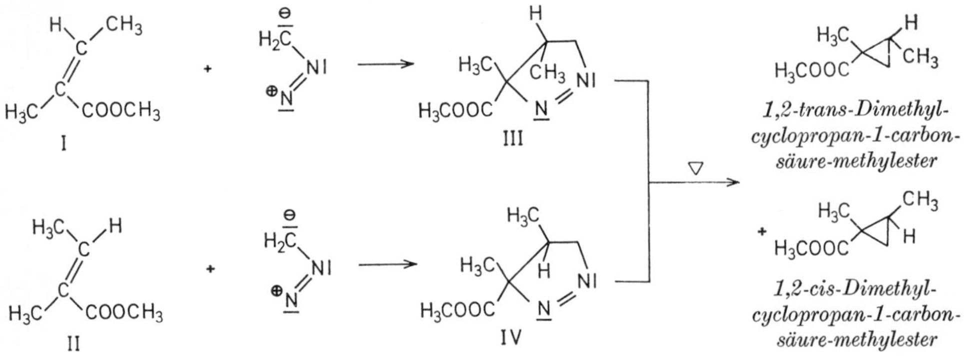

In gleicher Weise verläuft die Diazoalkan-Addition bei den meisten der anderen
bisher geprüften Paare von cis-trans-isomeren Alkenen, so daß es gerechtfertigt
erscheint, diese Reaktion als stereospezifisch zu bezeichnen. Die sterischen Befunde lassen sich am besten mit einem Mehrzentrenmechanismus, einer 1,3-dipolaren
Addition, vereinbaren[3]. Neuere kinetische Untersuchungen sprechen ebenfalls für
die Annahme einer 1,3-dipolaren Addition des Diazomethans an das Olefin[4].

Für die Pyrolyse von 4,5-Dihydro-3H-pyrazolen, die wie V und VI (S. 45) keinen
Carbonsäureester-α-wasserstoff besitzen, galt aufgrund der Untersuchungen an den
Diazomethan-Addukten[5] der Isomerenpaare Dimethyl-maleinsäure-dimethylester
(zu *1,2-cis-Dimethyl-cyclopropan-1,2-cis-dicarbonsäure-dimethylester*) und Dimethyl-
fumarsäure-dimethylester (zu *1,2-trans-Dimethyl-cyclopropan-1,2-trans-dicarbonsäure-
dimethylester*) sowie Citraconsäure-dimethylester (zu *1-Methyl-cyclopropan-1,2-cis-
dicarbonsäure-dimethylester*) und Mesaconsäure-dimethylester (zu *1-Methyl-cyclo-
propan-1,2-trans-dicarbonsäure-dimethylester*) als gesichert, daß die Konfiguration des
Ausgangsolefins im Cyclopropan-Derivat erhalten bleibt.

Analytische Fehler widerlegen die Annahme[6], die in manchen Fällen wohl durchaus
zutreffende hohe Stereoselektivität bei der Pyrolyse sei allgemeiner Natur. So ist
die Pyrolyse[6,7] von cis-bzw. trans-3,4,-Dimethyl-4,5-dihydro-3H-pyrazol-3-carbon-

---

[1] Die Vielfältigkeit der präparativen Gesichtspunkte der über 4.5-Dihydro-3H-pyrazole (Pyrazoline) verlaufenden Synthesen von Cyclopropanen sowie die Fülle des Untersuchungsmate-
rials machen es notwendig, die für die Synthesen erforderlichen reaktionsmechanistischen
Betrachtungen zur Stereochemie und zur Art der Produktbildung in einem gesonderten Abschnitt abzuhandeln (s. S. 75–89).

[2] T. V. van Auken u. K. L. Rinehart, Am. Soc. **84**, 3736 (1962).

[3] R. Huisgen et al., Ang. Ch. **73**, 170 (1961).

[4] A. Ledwith u. D. Parry, Soc. [C] **1966**, 1408.

[5] K. v. Auwers u. F. König, A. **496**, 27, 252 (1932).

[6] D. E. McGreer, J. Org. Chem. **25**, 852 (1960).
   D. E. McGreer, W. Wai u. G. Carmichael, Canad. J. Chem. **38**, 2410 (1960).

[7] K L. Rinehart u. T. V. van Auken, Am. Soc. **84**, 3736 (1962).

säure-methylester (IV bzw. III, s. S. 44). mit einem weitgehenden Verlust der ursprünglichen Geometrie verbunden und führt zu Gemischen von *trans/cis*-isomeren Cyclopropanen im Verhältnis von 1,22 : 1,00 bzw. 1,00 : 0,70 (s. S. 46).

Ähnliche Erfahrungen werden bei den 4,5-Dihydro-3H-pyrazolen V und VI gemacht, die beide ein- und dasselbe Cyclopropan-Derivat VII (*3,3-Diphenyl-1-methyl-cyclo-propan-1,2-trans-dicarbonsäure-dimethylester*) liefern[1].

$$V \qquad\qquad VII \qquad\qquad VI$$

Die Stereochemie des Zerfalls der 4,5-Dihydro-3H-pyrazole fordert das Auftreten rotationsfähiger Zwischenstufen, über deren ionischen oder radikalischen Charakter noch Unklarheit besteht. Sind mehrere oder größere Substituenten vorhanden, erhöht sich, offenbar als Folge behinderter Rotation, die Selektivität. Andererseits scheint eine Stabilisierung der Intermediärprodukte durch resonanzbefähigte Gruppen eine dem thermodynamischen Gleichgewicht sich annähernde Isomerenverteilung zu begünstigen.

Bei der Zersetzung von 4,5-Dihydro-1H-pyrazolen, die wenn nicht allgemein, so doch in vielen Fällen über die 3H-Verbindungen erfolgt, entstehen teils Gemische der möglichen Cyclopropane, teils einheitliche Isomere[2]. Da hier der stereochemische Verlauf der Pyrolyse durch einen weiteren Reaktionsschritt, eine Prototropie, mitbestimmt wird, sind die Verhältnisse noch schwieriger zu übersehen als bei den isomeren 3H-Verbindungen.

Interessanterweise gelingt es 4,5-Dihydro-3H-pyrazole mit hoher Stereoselektivität und in offenbar guten Ausbeuten in Cyclopropane umzuwandeln, wenn die Zersetzung mit UV-Licht induziert wird[3].

Die Photoreaktion wurde eingehend untersucht am Beispiel der 4,5-Dihydro-3H-pyrazole von Angelicasäure- und Tiglinsäure-methylester, die in hoher stereochemischer Reinheit *trans-* bzw. *cis-1,2-Dimethyl-cyclopropan-1-carbonsäure-methylester* liefern. Hauptsächliches Nebenprodukt ist das jeweilige Äthylenderviat, aus dem die betreffenden Pyrazoline bereitet werden.

trans-1,2-Dimethyl-cyclopropan-1-carbonsäure-methylester (S. 44)[4]:

trans-3,4-Dimethyl-4,5-dihydro-3H-pyrazol-3-carbonsäure-methylester: Eine Lösung von 11 g (0,26 Mol) Diazomethan und 3,3 g (0,029 Mol) Angelicasäure-methylester[5] in 400 *ml* Äther wird 4 Tage stehen gelassen. Danach wird der Überschuß an Diazomethan mit Ameisensäure zerstört, die Lösung mit Natriumhydrogencarbonat-Lösung und Wasser gewaschen und über Magnesiumsulfat getrocknet. Nach Entfernen des Lösungsmittels i. Vak. erhält man 3,6 g rohes Pyrazolin, das fraktioniert destilliert wird; Ausbeute: 2,0 g (47% d. Th.) $Kp_{0,5}$: 54–55°; $n_D^{25} = 1,4509$.

---

[1] W. M. JONES u. WUN-TEN TAI, J. Org. Chem. **27**, 1030 (1962).

[2] Vgl. W. M. JONES, Am. Soc. **81**, 3776, 5153 (1959); **80**, 6687 (1958); **82**, 3136 (1960).

[3] K. L. RINEHART u. T. V. VAN AUKEN, Am. Soc. **82**, 5251 (1960).

[4] T. V. VAN AUKEN u. K. L. RINEHART, Am. Soc. **84**, 3742 (1962).

[5] Der Angelicasäure-methylester kann nach der Vorschrift von A. S. DREIDING u. R. J. PRATT, Am. Soc. **76**, 1902 (1954), hergestellt werden.

trans-1,2-Dimethyl-cyclopropan-1-carbonsäure-methylester:

ⓐ in Pentan: In einer Quarzapparatur, die mit einem Intensivkühler in Form eines Kühlfingers versehen ist, werden 98,2 mg (0,629 m Mol) *trans*-3,4-Dimethyl-4,5-dihydro-3H-pyrazol-3-carbonsäure-methylester in 5 *ml* Pentan 31 Stdn. mit einer General-Electric/UV-Lampe bestrahlt. Die gaschromatographische Analyse (an einer Didecylphthalat-Säule) zeigt danach folgende Produktverteilung:

Angelicasäure-methylester	1,00
trans-1,2-Dimethyl-cyclopropan-1-carbonsäure-methylester . .	8,77
Tiglinsäure-methylester	0,24
cis-1,2-Dimethyl-cyclopropan-1-carbonsäure-methylester . . .	0,18
2,3-Dimethyl-buten-(2)-säure-methylester	1,15

Der gewünschte *trans*-Ester bildet somit 78% des Estergemisches. Gelegentlich wird also auch noch etwas 2,3-Dimethyl-buten-(2)-säure-methylester gebildet.

ⓑ in Substanz: In der gleichen Apparatur werden während einer Dauer von 43 Stdn. 984 mg (6, 30 m Mol) *trans*-3,4-Dimethyl-4,5-dihydro-3H-pyrazol-3-carbonsäure-methylester bestrahlt. Die gaschromatographische Analyse der erhaltenen Mischung (652 mg; 81% d.Th.) ergibt das folgende Produktverhältnis:

Angelicasäure-methylester	1,00
trans-1,2-Dimethyl-cyclopropan-1-carbonsäure-methylester . .	21,3
Tiglinsäure-methylester	0,4
cis-1,2-Dimethyl-cyclopropan-1-carbonsäure-methylester . . .	1,7

Das Reaktionsprodukt enthält also 87% an dem gewünschten *trans*-Ester. Die Reinigung der Produktgemische kann jeweils durch präparative Gaschromatographie erfolgen.

Die bei der photochemischen Arbeitsweise festgestellte Selektivität ist vermutlich auf einen Wechsel im Reaktionsmechanismus zurückzuführen; die Annahme eines Mehrzentrenprozesses böte hier eine Erklärung.

Die photolytische Zersetzung von 4,5-Dihydro-3H-pyrazolen wird erfolgreich bei der Synthese verschiedenartiger Steroid-Cyclopropane angewendet, darunter auch solchen, die nach dem thermischen Verfahren nur mit unbefriedigenden Ausbeuten zugänglich sind[1,2]. So kann beispielsweise die Ausbeute an II aus dem Pyrazolin-Derivat I durch Photolyse erheblich gesteigert werden[3]; bei der Pyrolyse[4] entsteht als Hauptprodukt das entsprechende methylsubstituierte Pregnadien (vgl. a. S. 52):

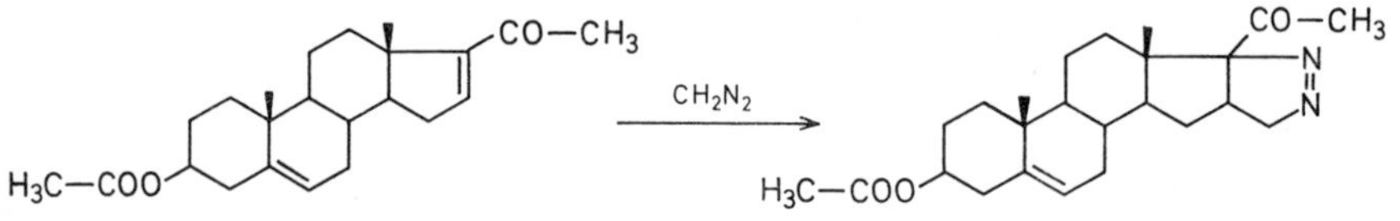

I

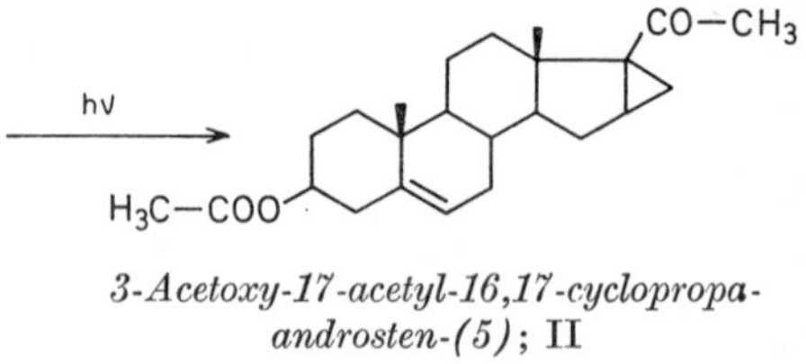

3-Acetoxy-17-acetyl-16,17-cyclopropa-androsten-(5); II

---

[1] H. Slates u. N. L. Wendler, Am. Soc. **81**, 5472 (1959).

[2] A. Wettstein, Helv. **27**, 1803 (1944).

Vgl. a.: A. Sandoval, G. Rosenkranz u. C. Djerassi, Am. Soc. **73**, 2383 (1951).

[3] K. Kocsis et al., Helv. **43/2**, 2178 (1960).

[4] T. V. van Auken u. K. L. Rinehart, Am. Soc. **84**, 3742 (1962).

Die Bereitschaft der Diazoalkane, sich an Äthylen-Derivate zu 4,5-Dihydro-3H-pyrazolen zu addieren, nimmt ab in der Reihenfolge:

Diazomethan – Diphenyl-diazomethan – Diazoessigsäure-äthylester – Diazoketone.

Unter den olefinischen Partnern vermögen vor allem α,β-ungesättigte Carbonyl-Verbindungen (Ester, Anhydride, Ketone, und Chinone) Nitrile, Nitro-olefine und gelegentlich Vinylsulfone leicht Diazoalkane aufzunehmen. Konjugierte Kohlenwasserstoffe zeigen sich im allgemeinen ebenfalls reaktionsfähig. Bei einfachen Olefinen findet, wenn überhaupt, nur langsam Anlagerung statt.

Nur ein Teil der so erhältlichen Pyrazoline ist durch Pyrolyse oder Photolyse in Cyclopropan-Verbindungen überführbar. Obwohl ein umfangreiches Beobachtungsmaterial vorliegt, sind Zusammenhänge zwischen Pyrazolin-Struktur und Cyclopropan-Bildung nur in groben Zügen erkennbar. Aussicht auf Erfolg gewähren am ehesten die von α,β-ungesättigten Carbonyl-Verbindungen abgeleiteten Pyrazoline.

Hingegen liefern die Diazomethan-Addukte an konjugierte und einfache Olefine im allgemeinen keine Cyclopropane. Für die Herstellung von Cyclopropanen besitzt die Pyrazolin-Methode in diesem Fall daher nur geringe Bedeutung.

Da die Eigenschaften der über Pyrazoline zugänglichen Cyclopropan-Verbindungen mehr durch die Natur der Olefin- als der Diazoalkan-Komponente geprägt werden, ist die folgende Übersicht mehr oder minder nach dem olefinischen Ausgangsmaterial bzw. den resultierenden Cyclopropanen gegliedert.

Im Hinblick auf die Synthese von Cyclopropan-carbonsäuren beansprucht vor allem die Anlagerung von Diazoalkanen an α,β-ungesättigte Carbonsäureester und Nitrile Interesse.

Die Umsetzung mit Diazomethan[1] wird in der Weise durchgeführt, daß die Komponenten in ätherischer Lösung vereinigt werden, wobei die Addition entweder spontan unter Erwärmen erfolgt oder durch längeres Stehenlassen erreicht wird. Bei an der Doppelbindung stärker substituierten Estern muß damit gerechnet werden, daß wie im Falle von 3-Methyl-buten-(2)-säureester[2] und Cyclohexen-(1)-1,2-dicarbonsäure-dimethylester wegen sterischer Hinderung die Reaktion unterbleibt.

1-Methyl-cyelopropan-1-carbonsäure-methylester[3]:

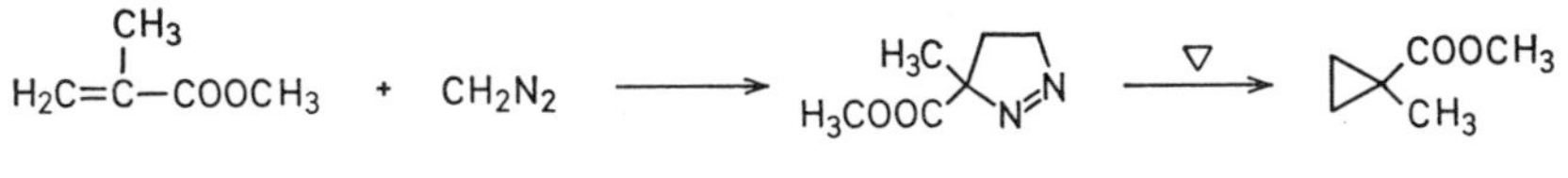

Eine ätherische Lösung von Diazomethan, hergestellt aus 25 g N-Nitroso-N-methyl-harnstoff, 72 ml 50%iger Kalilauge und 200 ml Äther, wird zu 20 g frisch destilliertem α-Methyl-acrylsäuremethylester gegeben. Dabei wird kurz gekühlt; dann läßt man 2 Stdn. stehen, wobei sich die Lösung entfärbt. Der Äther wird abdestilliert und die entstandene Pyrazolin-Verbindung mit aufgesetztem Kühler zersetzt und schließlich zur Vervollständigung der Pyrolyse 1 Stde. gekocht. Man destilliert danach über eine wirksame Kolonne; Ausbeute: 63% d.Th.; Kp: 123–126°. Als Nebenprodukt entsteht *Tiglinsäure-methylester*.

3-Chlor-buten-(2)-säureester ist ebenfalls inert gegenüber Diazomethan, doch liefert andererseits α-Methylmercapto-acrylsäureester (I; S. 40) glatt 3-Methyl-

---

[1] Genaue Vorschriften zur Bereitung von Diazomethan s.:
 ds. Handb., Bd. X/4, Kap. Herstellung von aliphatischen Diazoverbindungen, S. 473.
 F. ARNDT, Org. Synth. **15**, 3 (1935).
 B. EISTERT, Ang. Ch. **54**, 129 (1941).
 S. KAARSEMAKER u. J. COOPS, R. **70**, 1033 (1951).
[2] K. v. AUWERS u. E. CAUER, A. **470**, 284 (1929).
[3] S. SIEGEL u. C. G. BERGSTRÖM, Am. Soc. **72**, 3815 (1950).

mercapto-4,5-dihydro-3H-pyrazol-3-carbonsäure-methylester (II), der sich oberhalb 50° zu *1-Methylmercapto-cyclopropan-1-carbonsäure-methylester* (III) zersetzt[1]:

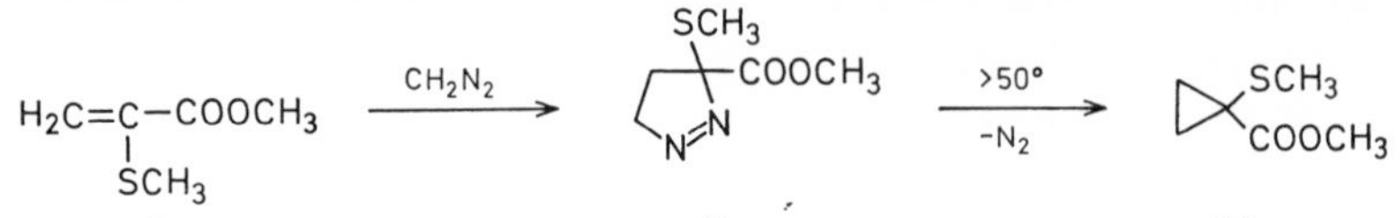

Gelegentlich eingesetzte ungesättigte Carbonsäuren dürften zunächst verestert werden, ehe Addition einsetzt. Bei der drei Hydroxy-Gruppen enthaltenden Shikimi-säure (IV) ermöglicht es der Schutz der Hydroxy-Gruppen durch Acetylierung, über das Pyrazolin-Derivat V zum *3,4,5,-Trihydroxy-bicyclo[4.1.0]heptan-1-carbonsäure-methylester* (VII) zu gelangen[2]:

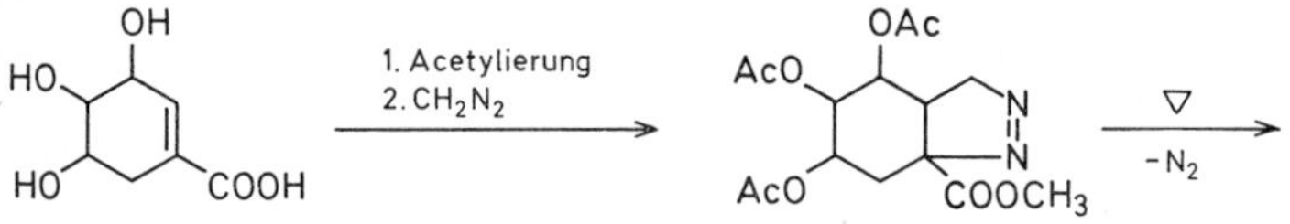

α-Methyl-acrylnitril läßt sich mit Diazomethan über 3-Methyl-3-cyan-4,5-dihydro-3H-pyrazol (VIII) in *1-Methyl-1-cyan-cyclopropan* (IX) umwandeln[3]:

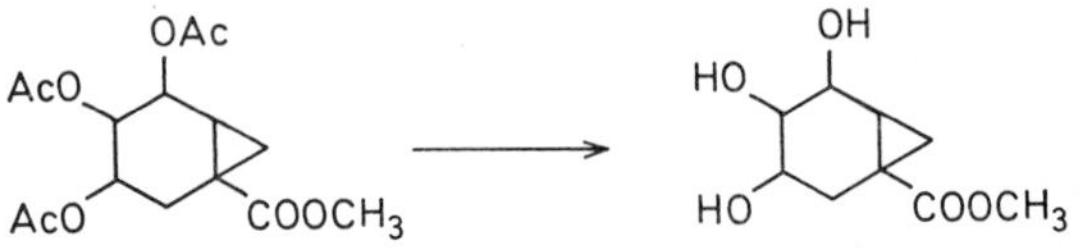

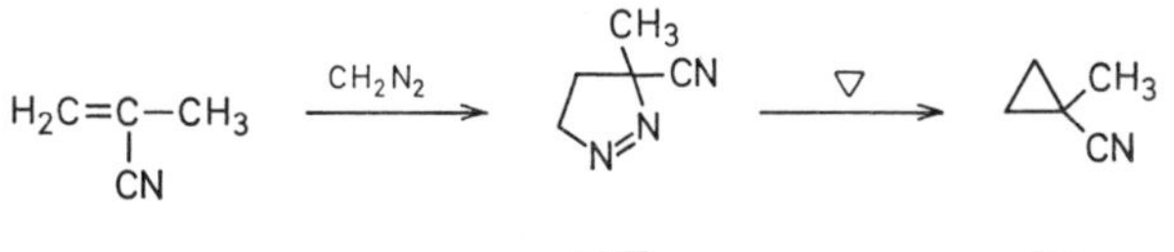

1-Methy-1-cyan-cyclopropan (IX)[3]:

3-Methyl-3-cyan-4,5-dihydro-3H-pyrazol (VIII): Eine eiskalte ätherische Lösung von Diazomethan, hergestellt aus 33,8 g N-Nitroso-N-methyl-harnstoff, 66 ml 70%iger Kalilauge und 165 ml Äther, wird langsam innerhalb von 2 Stdn. zu einer Lösung von 16,75 g α-Methyl-acryl-nitril in gleichem Vol. wasserfreiem Äther gegeben. Bei der Zugabe wird so verfahren, daß erst jeweils nach Verschwinden der Diazomethan-Farbe eine neue Menge zugetropft wird. Nach erfolgter Diazomethan-Zugabe wird der Äther durch Destillation i. Vak. entfernt; Ausbeute: 21 g.

1-Methyl-1-cyan-cyclopropan (IX): Zur Vermeidung einer allzu heftigen und unkon-trollierten Pyrolyse ist es empfehlenswert, diese in Anteilen durchzuführen. Es können etwa 15 g-II in einem 0,5-l-Rundkolben mit langem Rückflußkühler noch ohne Schwierigkei-ten pyrolisiert werden. Das entstandene Pyrolyseprodukt (rötliche Farbe) wird danach bei 761 Torr der fraktionierten Destillation unterworfen. Die Hauptfraktion (Kp$_{761}$: 126,5–127,5°) enthält noch ~ 4% olefinische Beimengungen. Zur Reinigung werden beispielsweise 19 g mit

[1] K. D. GUNDERMANN u. R. THOMAS, B. **93**, 883 (1960).
[2] R. GREWE u. A. BOKRANZ, B. **88**, 49 (1955).
[3] D. GOTKIS u. J. B. CLOKE, Am. Soc. **56**, 2710 (1934).

2 *ml* einer 10%igen Natriumcarbonat-Lösung und 50 *ml* Wasser gemischt und diese Mischung solange mit wäßriger Kaliumpermanganat-Lösung geschüttelt bis die Permanganatfärbung nicht mehr verschwindet; dazu sind hier ∼ 7,3 g Kaliumpermanganat erforderlich. Die wäßrige Mischung wird dann mehrmals mit niedrigsiedendem Petroläther extrahiert. Nach Trocknen über wasserfreiem Natriumsulfat und Entfernen des Petroläthers liefert die fraktionierte Destillation ∼ 10 g des Cyclopropanderivats; $Kp_{761,5}$: 127–127,5°; $n_D^{20} = 1,41407$.

Unter ähnlichen Bedingungen wie Diazomethan selbst werden alkyl- und aryl-substituierte Diazomethane[1] mit α,β-ungesättigten Carbonsäureestern umgesetzt.

2-Diazo-propan kann zur Synthese von *Chrysanthemsäure [2-Methyl-3-(3,3-di-methyl-2-carboxy-cyclopropyl)-propensäure*; I] und verwandten Verbindungen[2], von *Caran-1-carbonsäure (3,7,7-Trimethyl-bicyclo[4.1.0]heptan-1-carbonsäure)* und von Methylen-cyclopropan-Verbindungen wie II und III,

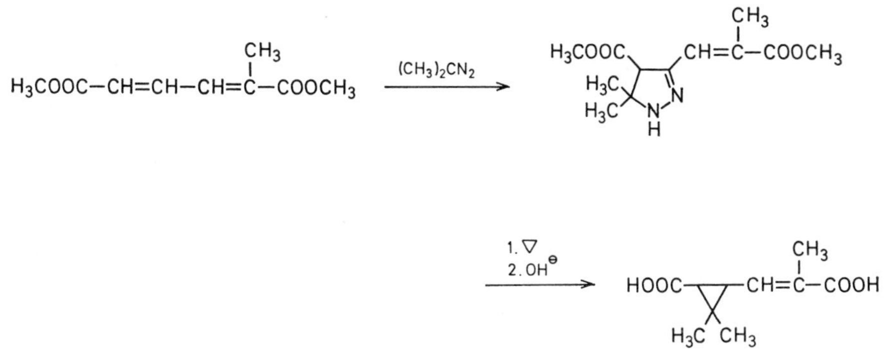

die im Zusammenhang mit der Strukturaufklärung des Sexuallockstoffes der amerikanischen Schabe (Periplaneta americana L.) von Interesse waren, herangezogen werden[3]:

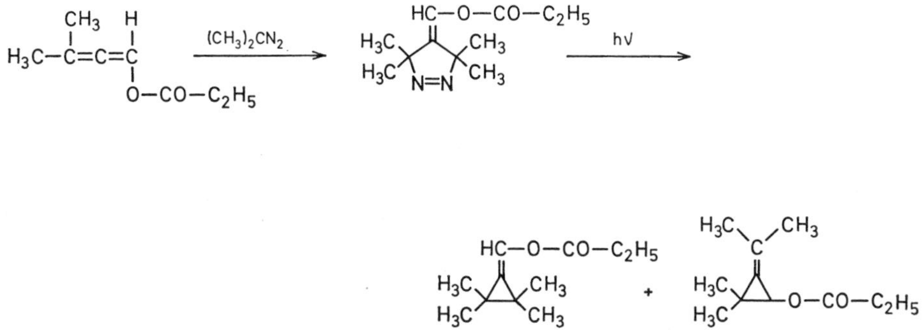

II; *Tetramethyl-propanoyloxymethylen-cyclopropan*
III; *3-Propanoyloxy-2,2-dimethyl-1-isopropyliden-cyclopropan*

---

[1] Über die Herstellung von substituierten Diazomethanen s. ds. Handb., Bd. X/4, Kap. Herstellung von aliphatischen Diazoverbindungen. S. 473.
[2] Vgl. etwa: S. TAKEI, T. SUGITA u. Y. INHOUYE, A. **618**, 105 (1958).
[3] A. C. DAY u. M. C. WHITING, Pr. chem. Soc. **1964**, 368.
    Vgl. damit: M. JAKOBSON, M. BEROZA u. R. T. YAMAMOTO, Sci. **139**, 48 (1963).

Diphenyl-diazomethan addiert sich bereits in der Kälte an Maleinsäure- und Fumarsäure-dimethylester; die anschließende Pyrazolin-Pyrolyse liefert in beiden Fällen *3,3-Diphenyl-cyclopropan-trans-1,2-dicarbonsäure-dimethylester*[1] wie analog bereits auf S. 45 für die Pyrazoline V und VI erwähnt wurde. *3,3-Diphenyl-cyclopropan-cis-1,2-dicarbonsäure-anhydrid* (I) wird erhalten, indem man Diphenyl-diazomethan auf Maleinsäureanhydrid einwirken läßt; die Pyrazolin-Zwischenstufe zerfällt hier bereits bei 50° [1,2]:

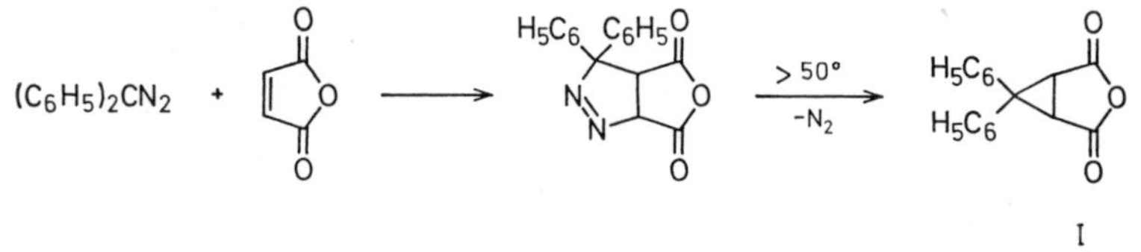

I

Von Zimtsäure-äthylester wird Diphenyl-diazomethan erst in der Wärme aufgenommen, wobei *2,2,3-Triphenyl-cyclopropan-1-carbonsäure-äthylester* unmittelbar anfällt[3].

Eine große Anzahl substituierter Diphenyl-diazomethane setzen sich mit den Anhydriden und Imiden von Maleinsäure bzw. Citraconsäure um und man erhält in guten Ausbeuten die entsprechenden Cyclopropan-Verbindungen[4].

Mit derartigen Umsetzungen gelangt man auf relativ einfachem Wege zu cyclopropylsubstituierten *cis*-Aminosäuren bzw. -alkoholen. Zum anderen wurde es möglich, auf zwei verschiedenen Wegen das 3-Aza-bicyclo[3.1.0]hexan-System und seine Azaspiroquartären Salze (vgl. S. 51) zu erhalten[4]:

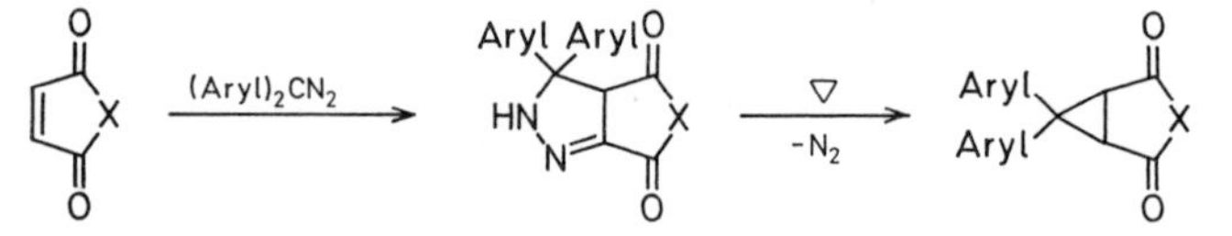

X = O; NH

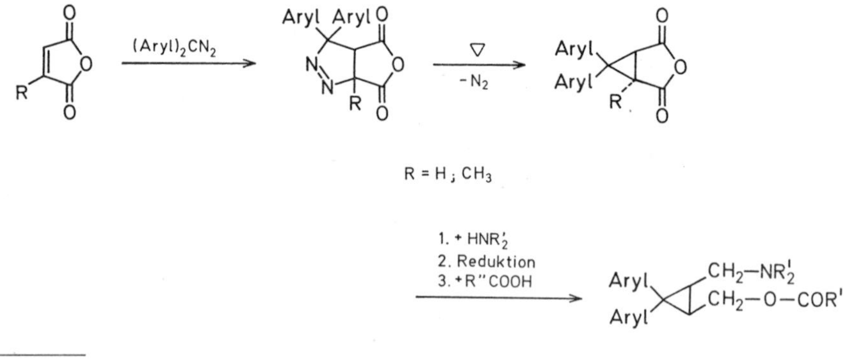

R = H; CH$_3$

---

[1] J. van ALPHEN, R. **62**, 210 (1943).

[2] In siedendem Benzol kann die Stickstoffabspaltung beschleunigt werden.

[3] Vgl. H. STAUDINGER et al., B. **49**, 1938 (1916).

s. a. G. P. HAGER u. C. I. SMITH, J. Am. Pharm. Assoc. **41**, 193 (1952).

[4] R. BALTZLY et al., J. Org. Chem. **26**, 3669 (1961); **27**, 213 (1962).

Diazoessigsäureester liefert mit α,β-ungesättigten Carbonestern wie Acryl-säureester, Zimtsäureester, Itaconsäureester und Aconitsäureester bei Raumtem-peratur oder beim Erwärmen Pyrazoline, die bei anschließender Pyrolyse in Cyclo-propan-Derivate übergehen (s. Tab. 2, S. 53). Zweckmäßigerweise wird jedoch so verfahren, daß man den Diazoessigsäureester nach Maßgabe des Pyrazolin-Zerfalls in die erhitzte bzw. siedende olefinische Komponente einträgt.

trans-Cyclopropan-1,2-dicarbonsäure[1]:

trans-Cyclopropan-1,2-dicarbonsäure-diäthylester: In 600 g (6,0 Mol) Acrylsäure-äthylester werden unter Rühren 950 g (5,1 Mol) Diazoessigsäure-äthylester in einer Geschwindig-keit zugetropft, daß eine schnelle Stickstoff-Entwicklung aufrechterhalten wird. Nur leichtes Erwärmen ist während der Addition erforderlich. Nach erfolgter Zugabe wird das Gemisch 3 Stdn. zum Kochen unter Rückfluß erhitzt. Der überschüssige Acrylsäure-äthylester wird dann durch Destillation bei Normaldruck entfernt und der erhaltene Rückstand i. Vak. destilliert; Rohaus-beute: 630 g; Kp:$_{11}$: 110–118°; n$_D^{25}$ = 1,4415.

Diese rohe Estermischung wird der fraktionierten Destillation unterworfen. Von den auf-gefangenen Fraktionen werden lediglich die zwischen 107 und 111° siedenden zur Weiterver-arbeitung vereinigt (342 g).

trans-Cyclopropan-1,2-dicarbonsäure: 342 g redestillierter *trans*-Cyclopropan-1,2-di-carbonsäure-diäthylester werden mit 415 g (7,4 Mol) Kaliumhydroxid in 2,5 l Methanol verseift. Nachdem die anfängliche Reaktionswärme abgeklungen ist, wird die Lösung 4 Stdn. zum Kochen unter Rückfluß erhitzt. Danach wird das Lösungsmittel bei 20 Torr entfernt und nach Zugabe von Wasser die Konzentrierung der Lösung fortgesetzt. Der Rückstand wird mit Wasser aufge-nommen, auf p$_H$ = 3 angesäuert und 7mal mit 200 ml Äther extrahiert. Eindampfen der äthe-rischen Lösung liefert 140 g der rohen *trans*-Dicarbonsäure; eine fortgesetzte Ätherextraktion ergibt weitere 95,6 g an allerdings weniger reiner *trans*-Dicarbonsäure. Die getrennte Umkristalli-sation beider Kristallfraktionen aus Acetonitril liefert insgesamt 156,6 g (23,5% d.Th., bez. auf Diazoessigsäure-äthylester); F: 176–177°.

Die Aufarbeitung der Mutterlaugen der vorangegangenen Umkristallisation ergibt 33,5 g einer Mischung von *cis*- und *trans*-Dicarbonsäure, die mit Glutaconsäure (die höhersiedenden Rohester-fraktionen enthalten hauptsächlich Glutaconsäure-äthylester) verunreinigt ist. Nach Umkristalli-sation aus Nitromethan erhält man daraus reine *cis-Cyclopropan-1,2-dicarbonsäure*; Ausbeute: 5% d.Th.; F: 138,5–139,8°.

Im allgemeinen werden Cyclopropan-Synthesen mit Diazoessigsäureester heute häufig unter Reaktionsbedingungen durchgeführt, bei denen nicht die Diazoverbindung selbst, sondern das aus ihr erzeugte Alkyloxycarbonyl-carben[2] auf die olefinische Komponente übertragen wird. In Grenzfällen, namentlich bei thermischen Reaktio-nen, läßt sich oft nur sehr schwer entscheiden, auf welchem der beiden möglichen Wege das entsprechende Cyclopropan entstanden ist.

---

[1] K. B. WIBERG, R. K. BARNES u. J. ALBIN, Am. Soc. **79**, 4997 (1957).
[2] Vgl. hierzu das Carbenkapitel auf S. 269ff.

Die Zersetzung der Pyrazoline wird in ihrem Verlauf sowie hinsichtlich der erforderlichen Temperaturen weitgehend von der Natur der vorhandenen Substituenten bestimmt. Bei Pyrazolin-carbonsäureestern sind Temperaturen von 150–200° die Regel, doch wird in manchen Fällen die Abspaltung von Stickstoff schon bei Raumtemperatur beobachtet. Mitunter ist es vorteilhaft, die Zersetzung in Gegenwart eines Katalysators wie fein verteiltem Platin oder Kupferpulver vorzunehmen. Während Pyrazolin-carbonsäureester bei der Pyrolyse nur in relativ bescheidener Ausbeute Cyclopropan-carbonsäureester ergeben, steigert sich die Tendenz zur Cyclopropan-Bildung, wenn das Pyrazolin zwei oder drei Estergruppen enthält. Zunehmende Substitution der Pyrazolin-carbonsäureester durch Methyl- und Phenyl-Gruppen ist der Cyclopropan-Ausbeute besonders förderlich, wie die aufgeführten Beispiele erkennen lassen (s. Tab. 2, S. 53).

Die günstigen Ergebnisse, die bei der photolytischen Zersetzung von Pyrazolinen erzielt werden (vgl. S. 45f.), rechtfertigen die Erwartung, daß die schlechten pyrolytischen Cyclopropan-Ausbeuten durch Photolyse in vielen Fällen verbessert werden können. Dies trifft vor allem dann zu, wenn die Pyrolyse bei durch funktionelle Gruppen bedingter thermischer Empfindlichkeit der Substanz, etwa bei Naturstoffen, kaum in Frage kommt.

Aufmerksamkeit verdient außerdem die Zersetzung von Pyrazolinen unter sauren Bedingungen, die durch katalytische Mengen Bortrifluorid oder Perchlorsäure bei Raumtemperatur in inerten Lösungsmitteln bewirkt wird[1,2]. Bei manchen Steroid-Pyrazolinen erwies sich diese Methode der Pyrolyse überlegen. So gelingt es beispielsweise das Pyrazolin-Derivat des 3β-Acetoxy-17β-acetyl-androstadiens-(5,16) (I, s. S. 46) in *3β-Acetoxy-17-acetyl-16,17-cyclopropano-androsten-(5)* (39% d.Th.) überzuführen[2], während bei der reinen Pyrolyse dieses nur mit 5% d.Th. als Nebenprodukt anfällt[3].

Ähnlich den α,β-ungesättigten Carbonsäureestern, wenn auch in bescheidenerem Umfang, können α,β-ungesättigte Ketone z.B. 1,4-Dioxo-1,4-diphenyl-*trans*-buten-(2)[4] oder Tetraphenyl-cyclopentadienon (Tetracyclon; I)[5] mittels Diazoalkan-Verbindungen über Pyrazoline in Cyclopropane umgewandelt werden:

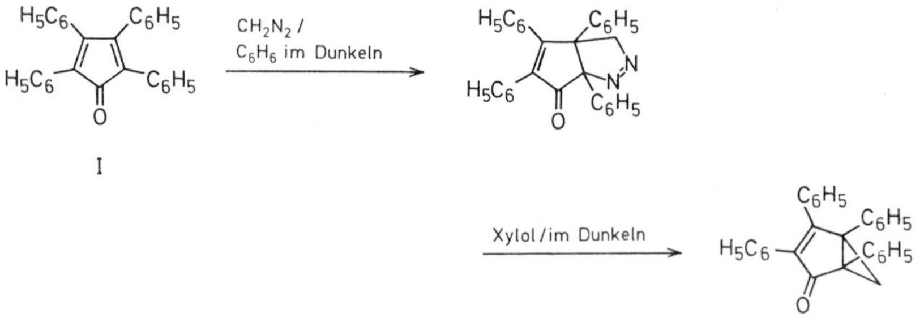

4-Oxo-1,2,3,5-tetraphenyl-
bicyclo[3.1.0]hexen-(2)

[1] G. Nominé u. D. Bertin, Bl. **1960**, 550.
[2] R. Wiechert u. E. Kaspar, B. **93**, 1710 (1960).
[3] A. Wettstein, Helv. **27**, 1803 (1944).
[4] L. I. Smith u. K. L. Howard, Am. Soc. **65**, 159 (1943).
[5] B. Eistert u. A. Langbein, A. **678**, 78 (1964).

Tab. 2. Umwandlung einiger α,β-ungesättigter Carbonsäureester über Pyrazoline in Cyclopropan-Derivate

Diazoverbindung	α,β-ungesättigter Carbonsäureester	isoliertes Cyclopropan-Derivat	Literatur
Diazomethan	α-Methyl-acrylsäure-methylester	*1-Methyl-cyclopropan-1-carbonsäure*	1
	α-Methyl-acrylsäure-vinylester	*1-Methyl-cyclopropan-1-carbonsäure-vinylester*	1
	α-Methyl-acrylsäure-allylester	*1-Methyl-cyclopropan-1-carbonsäure-allylester*	1
	Isopropyl-fumarsäure-diäthylester	*1-Isopropyl-cyclopropan-1,2-dicarbonsäure-diäthylester*	2
	4-Phthalimido-buten-(2)-säure-methylester	*2-Methylen-cyclopropan-1-carbonsäure-methylester*	3
	2-Methylen-hexandi-säure-dimethylester	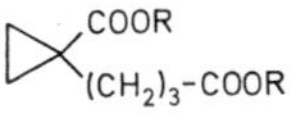 COOR (CH$_2$)$_3$-COOR	
		R=H; *1-(3-Carboxy-propyl)-cyclopropan-1-carbonsäure*	4
		R=CH$_3$; *1-(3-Methoxycarbonyl-propyl)-cyclopropan-1-carbonsäure-methylester*	
	2-Methylen-heptandi-säure-dimethylester	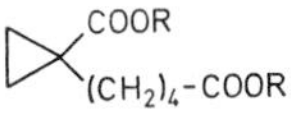 COOR (CH$_2$)$_4$-COOR	
		R=H; *1-(4-Carboxy-butyl)-cyclopropan-1-carbonsäure*	4
		R=CH$_3$; *1-(4-Methoxycarbonyl-butyl)-cyclopropan-1-carbonsäure-methylester*	
Diphenyl-diazo-methan	Fumarsäure-diäthylester	*3,3-Diphenyl-cyclopropan-1,2-dicarbonsäure-diäthylester*	5
	Zimtsäure-äthylester	*2,2,3-Triphenyl-cyclopropan-1-carbonsäure-äthylester*	6,7
Diazoessig-säure-methylester	Aconitsäure-methylester	*1-Methoxycarbonyl-cyclopropan-1,2,3-tricarbonsäure*	8

1 W. R. BROWNE u. J. P. MASON, J. Chem. Eng. Data 11, **1966**, 265.
2 H. N. RYDON, Soc. **1936**, 829.
3 J. MICHALSKY, M. HOLCK u. A. PODPEROVA, M. **90**, 814 (1959).
4 N. E. GHANDOUR, R. JACQUIER u. J. SOULIER, Bl. **1962**, 1761.
5 H. STAUDINGER, E. ANTHES u. F. PFENNIGER, B. **49**, 1932 (1916) .
6 H. STAUDINGER, E. ANTHES u. F. PFENNIGER, B. **49**, 1938 (1916).
7 G. P. HAGER u. C. I. SMITH, J. Am. Pharm. Assoc. **41**, 193 (1952).
8 E. BUCHNER u. H. WITTER, B. **27**, 875 (1894).

Tab. 2. (Fortsetzung)

Diazoverbindung	α,β-ungesättigter Carbonsäureester	isoliertes Cyclopropan-Derivat	Literatur
Diazoessigsäureäthylester	Fumarsäure-di-äthylester	*Cyclopropan-1,2,3-tricarbonsäure*	1
	Zimtsäure-äthylester	*3-Phenyl-cyclopropan-1,2-dicarbonsäure*	2
	Itaconsäure-ester	*1-Carboxymethyl-cyclopropan-1,2-dicarbon-säure*	3
	Essigsäure-vinylester	*2-Acetoxy-cyclopropan-1-carbonsäure-äthylester*	4
	2-Methyl-penten-(2)-säureester	*2,2-Dimethyl-1-carboxymethyl-cyclo-propan-1-carbonsäure*	5

Mesityloxid [4-Oxo-2-methyl-penten-(2)] und Diazoäthan liefern *2,2,3-Trimethyl-1-acetyl-cyclopropan* in nur schlechter Ausbeute[6].

Auch 5-Oxo-1,4-diphenyl-2,3-dipyridyl-(2)-cyclopentadien addiert wie Oxo-tetra-phenyl-cyclopentan[7] nur 1 Mol Diazomethan[8] oder Diazoäthan[8] unter Bildung des entsprechenden 4,5-Dihydro-3H-pyrazolins, das sich zum 1H-Pyrazolin isomerisieren, zum *4-Oxo-3,5-diphenyl-1,2-dipyridyl-(2)-bicyclo[3.1.0]hexen-(2)* (R=H) bzw. *4-Oxo-6-methyl-3,5-diphenyl-1,2-dipyridyl-(2)-bicyclo[3.1.0]hexen-(2)* (R=CH₃) cyclopropa-nieren und zum 4-Hydroxy-3,5-diphenyl-1,2-dipyridyl-(2)-benzol ringerweitern läßt[8]:

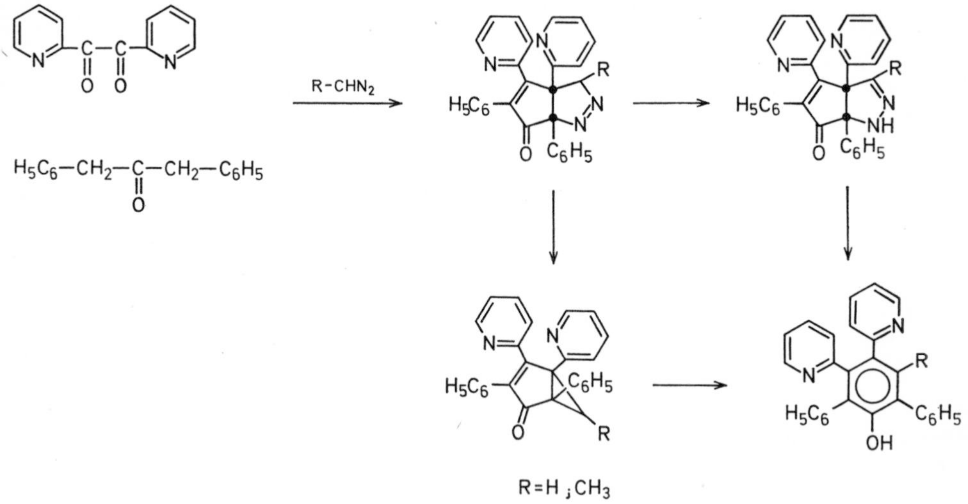

R=H ; CH₃

[1] E. Buchner, B. **21**, 2640 (1888).
E. Buchner u. H. Witter, A. **273**, 241 (1893).
[2] E. Buchner et al., B. **21**, 2643 (1888); **36**, 3774 (1903); **26**, 258 (1893); **35**, 31 (1902).
[3] E. Buchner u. H. Dessauer, B. **27**, 879 (1894).
[4] I. A. Djakonov, Ž. obšč. Chim. **20**, 2289 (1950); C. A. **45**, 7023 (1951).
[5] J. Owen u. J. L. Simonsen, Soc. **1933**, 1225.
[6] D. W. Adamson u. J. Kenner, Soc. **1937**, 1551.
[7] B. Eistert u. A. Langbein, A. **678**, 78 (1964).
[8] B. Eistert, G. Fink u. M. El-Chahawi, A. **703**, 104 (1967).

Am Beispiel des 1-Oxo-2,3-diphenyl-indens(II) soll an dieser Stelle über die präparativen Aspekte einer derartigen Cyclopropanierung gesprochen werden. Im Gegensatz zu früheren Beobachtungen[1] reagiert auch das 1-Oxo-2,3-diphenyl-inden (II) mit Diazomethan[2]. Hier ist, wie beim Oxo-tetraphenyl-cyclopentadien[3], ebenfalls das Reaktionsmedium von großem Einfluß auf die Art der entstehenden Produkte. Fügt man eine absol.-ätherische Diazomethan-Lösung, bereitet aus reinem, aus Methanol umkristallisiertem, getrockneten N-Nitroso-N-methyl-harnstoff, zur roten Lösung von II in absol. Benzol und läßt verschlossen bei Raumtemperatur stehen, so scheiden sich im Laufe mehrerer Tage aus der hell gewordenen Lösung farblose Kristalle aus, deren Menge beim Einengen noch zunimmt. Hierbei handelt es sich um 4-Oxo-3a,8b-diphenyl-3,3a,4,8b-tetrahydro-⟨indeno-[1,2-c]-pyrazol⟩(III), das sich durch Säuren oder Alkalien zu IV isomerisieren läßt. Sowohl aus III wie aus IV erhält man mit Essigsäureanhydrid oder Acetylchlorid die N-Acetoxy-Verbindung XVI[4]. III und IV zersetzen sich beim Erhitzen unter Stickstoff-Entwicklung. Trägt man III in siedendes o-Xylol ein (144°), so entsteht als Hauptprodukt *6-Oxo-1a,6a-diphenyl-1,1a,6,6a-tetrahydro-⟨cyclopropa-[a]-inden⟩* (V). Aus der Mutterlauge von V werden kleine Mengen einer isomeren Verbindung isoliert, die als das bis dahin noch unbekannte 1-Hydroxy-2,4-diphenyl-naphthalin (VI) charakterisiert werden konnte[1]. VI entsteht in größerer Menge, wenn man V oder III im Ölbad auf 180° oder IV auf 220° erhitzt. Bei der Umsetzung von II mit ätherischer Diazomethan-Lösung in Gegenwart großer Mengen Methanol wird hingegen nur das Epoxid VII isoliert[1].

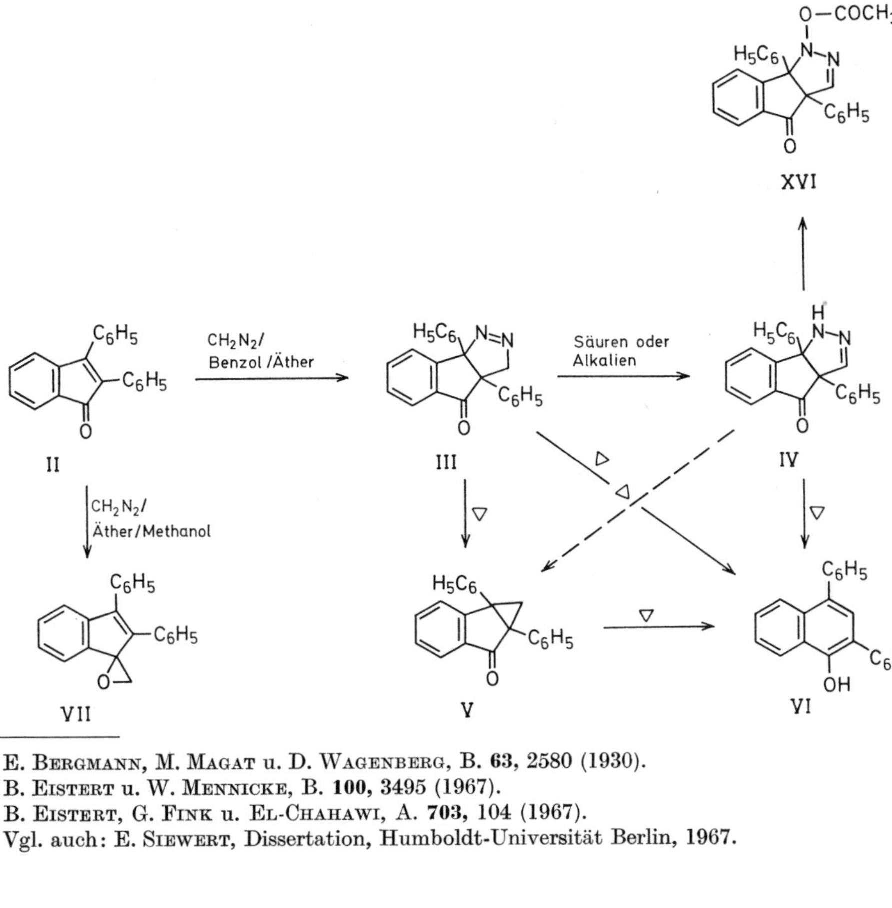

[1] E. BERGMANN, M. MAGAT u. D. WAGENBERG, B. **63**, 2580 (1930).
[2] B. EISTERT u. W. MENNICKE, B. **100**, 3495 (1967).
[3] B. EISTERT, G. FINK u. EL-CHAHAWI, A. **703**, 104 (1967).
[4] Vgl. auch: E. SIEWERT, Dissertation, Humboldt-Universität Berlin, 1967.

Bei der Einwirkung destillierter, trockener, aus umkristallisiertem N-Nitroso-N-äthyl-harnstoff bereiteter Diazoäthan-Lösung auf absol.-benzolische Lösungen von II entstehen in wechselnden Mengenverhältnissen drei farblose Produkte vom F: 136° bzw. 148° bzw. 218°[1]. Die beiden ersteren konnten als die zwei isomeren 4,5-Dihydro-3H-pyrazole VIII und IX charakterisiert werden. Beide lassen sich wiederum zu den entsprechenden 4,5-Dihydro-1H-pyrazole X und XI isomeri-sieren, die verschiedene N-Acetyl-Derivate liefern. VIII und IX geben beim trockenen Erhitzen auf 160° oder beim Kochen mit o-Xylol das gleiche tricyclische Keton *6-Oxo-1-methyl-1a,6a-diphenyl-1,1a,6,6a-tetrahydro-⟨cyclopropa-[a]-inden⟩* (XII), das sich, im Gegensatz zu V, bis 230° nicht verändert. Es läßt sich durch konz. Schwefelsäure bei 60° erst zum 1-Hydroxy-3-methyl-2,4-diphenyl-naphthalin (XIII) isomerisieren. Dem dritten, aus II und Diazoäthan in Benzol/Äther erhaltenen Produkt wurde die Formel XIV eines cyclischen Äthylidenacetals XV zugesprochen[1]:

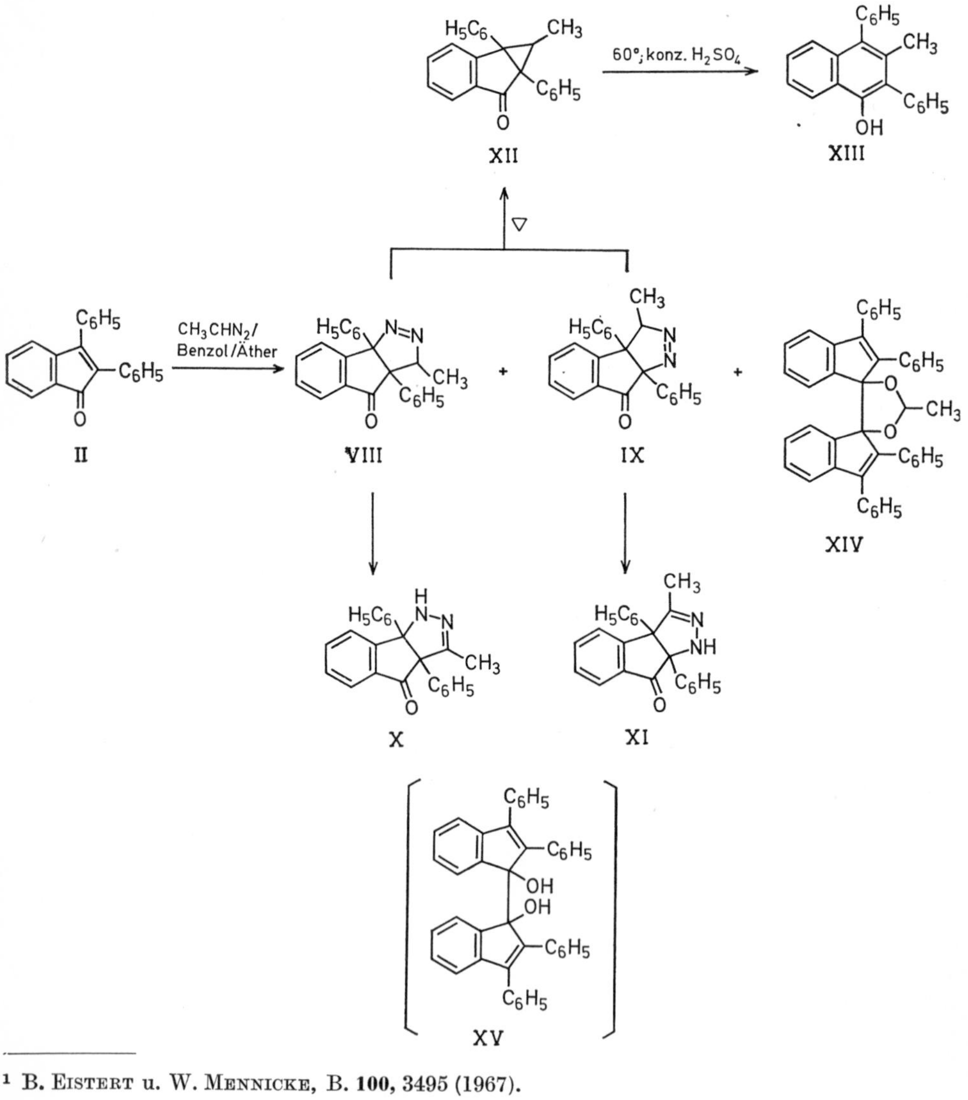

---

[1] B. Eistert u. W. Mennicke, B. **100**, 3495 (1967).

Die Umsetzungen methanolischer Suspensionen von II (S. 56) mit ätherischer Diazo-äthan-Lösung liefert lediglich ein Gemisch der Äthyläther zweier isomerer Naphthole (XIII; s. S. 56).

Insbesondere lassen sich bei α,β-ungesättigten Steroidketonen zufrieden-stellende Resultate erzielen[1].

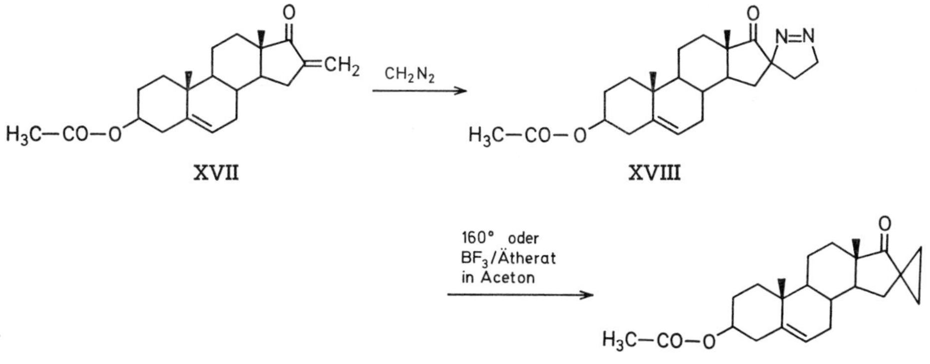

So gelingt es Spirocyclopropyl-testosterone[2] herzustellen. Ausgehend vom 3β-Ace-toxy-17-oxo-16-methylen-androsten-(5) (XVII) erhält man mit Diazomethan das 4,5-Dihydro-3H-pyrazol-Derivat (XVIII)[3], dessen Pyrolyse bei 160° zum gewünschten *Cyclopropan-⟨spiro-16⟩-3β-acetoxy-17-oxo-androsten-(5)* (XIX) führt, das dann in die entsprechenden Testosteron-Verbindungen umgewandelt werden kann. Bei der kata-lytischen Zersetzung mit Bortrifluorid-Ätherat in Aceton bei Raumtemperatur läßt sich die Ausbeute an XIX noch steigern[2].

4-Chlor-17α-acetoxy-3,20-dioxo-pregnatrien-(1,4,6) (XX, S. 58) addiert dagegen zwei Mole Diazomethan[5]. Die Spaltung des labilen rohen Bispyrazolins mit katalytischen Mengen Perchlorsäure in Aceton bei Raumtemperatur führt zum *4-Chlor-17α-acetoxy-3-oxo-17β-acetyl-1α,2α;6β,7β-bis-cyclopropano-androsten-(4)* (16% d.Th.; XXI), das im Tierversuch eine außerordentlich starke gestagene und ovulationshemmende Wirkung zeigt. Einfache 3-Oxo-$\Delta^{1,4,6}$-steroide addieren hingegen Diazomethan im Überschuß nur zu 1α,2α-Pyrazolino-Verbindungen.

---

[1] R. WIECHERT u. E. KASPAR, B. **93,** 1710 (1960).
DBP 1023764 (1957), Schering AG, Erf.: A. POPPER; C. **1958,** 12482.
A. WETTSTEIN, Helv. **27,** 1803 (1944).
A. SANDOVAL, G. ROSENKRANZ u. C. DJERASSI, Am. Soc. **73,** 2383 (1951).
K. KOCSIS et al., Helv. **43,** 2178 (1960).
H. J. MANNHARDT et. al., Tetrahedron Letters **1960,** 21.
J. FREI et al., Helv. **49,** 1049 (1966).
G. W. KRAKOWER u. H. ANN VAN DINE, J. Org. Chem. **31,** 3467 (1966).
[2] V. GEORGIAN u. N. KUNDU, Chem. & Ind. **1962,** 1755.
[3] K. BRÜCKNER et. al., B. **94,** 2897 (1961).
[4] G. NOMINÉ u. D. BERTIN, Bl. **1960,** 550.
Vgl. a. G. NOMINÉ, D. BERTIN u. A. PIERDET, Tetrahedron **8,** 217 (1960).
[5] R. WIECHERT, Ang. Ch. **79,** 815 (1967).

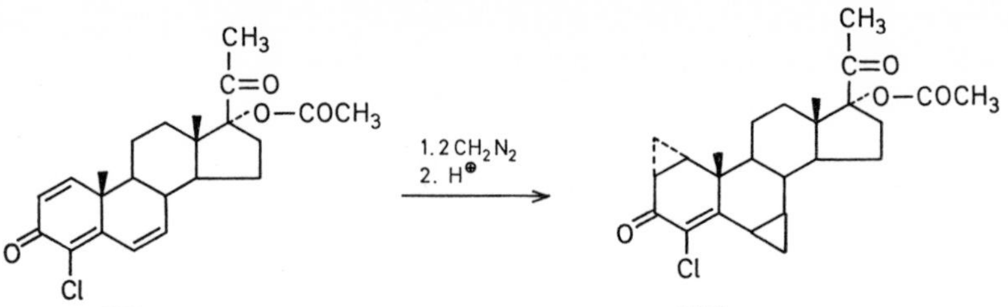

XX → XXI

1. 2 CH$_2$N$_2$
2. H$^\oplus$

p-Chinone müssen nach den bisherigen Untersuchungen an beiden Doppelbindungen zumindest einen Alkyl- oder Aryl-Substituenten besitzen, um für Cyclopropan-Synthesen in Frage kommende Pyrazoline bilden zu können[1,2]. Ist ein derartiger Substituent nicht vorhanden, so unterliegt das primär entstandene Pyrazolin
spontan der Tautomerisierung zu Hydrochinonen. Tetramethyl-p-benzochinon
(I) ergibt mit Diazomethan sowohl Mono- als auch Bis-pyrazoline, deren thermische
bzw. photochemische Zersetzung in guten Ausbeuten zu den Cyclopropan-Verbindungen IV und V führt[1]. Die Addition des zweiten Diazomethan-Moleküls erfolgt von
der gleichen Seite, woraus für V eine *cis*-Anordnung der Cyclopropanringe resultiert.
Das gegenüber thermischer Zersetzung sehr resistente 4,5-Dihydro-1H-pyrazol VI
ist bemerkenswerterweise durch Kochen mit 20%iger Salzsäure in IV überführbar:

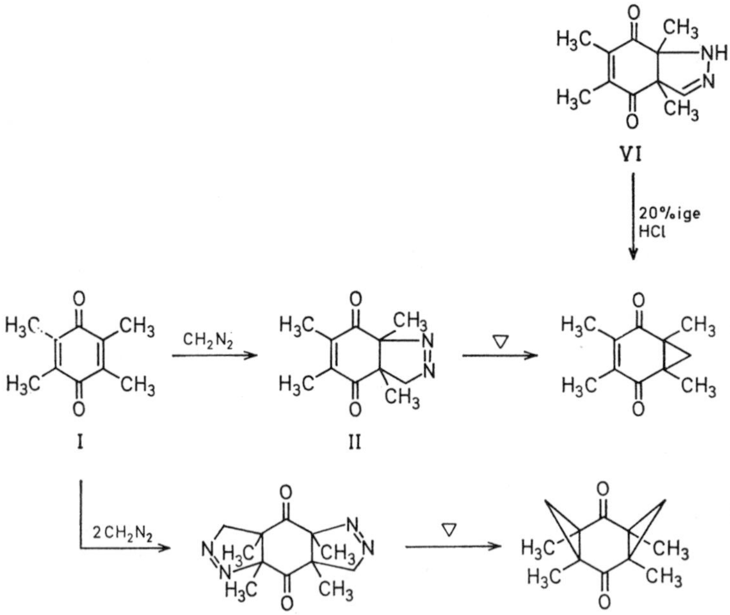

VI

20%ige HCl

I II 2,5-Dioxo-1,3,4,6-tetra-
methyl-bicyclo[4.1.0]
hepten-(3); IV

III 2,6-Dioxo-1,3,5,7-tetra-
methyl-tricyclo
[5.1.0.0^{3,5}]octan; V

2,6-Di-tert.-butyl-p-benzochinon (VII) hingegen reagiert nur mit einem Mol Diazomethan zu dem 4,5-Dihydro-3H-pyrazol VIII, das bei vorsichtiger Zersetzung in
Dekalin 2,5-Dioxo-1,3-di-tert.-butyl-bicyclo[4.1.0]hepten-(3) (60% d.Th.; IX) neben
4-Hydroxy-2,7-di-tert.-butyl-tropon (35% d.Th.; X) liefert[3]:

[1] W. C. HAVELL, M. KTENAS u. J. M. MACDONALD, Tetrahedron Letters 1964, 1719.
[2] F. M. DEAN, P. G. JONES u. P. SIDESUNTHORN, Soc. 1962, 5186.
[3] W. RUNDELL u. P. KÄSTNER, Tetrahedron Letters 1965, 3947.

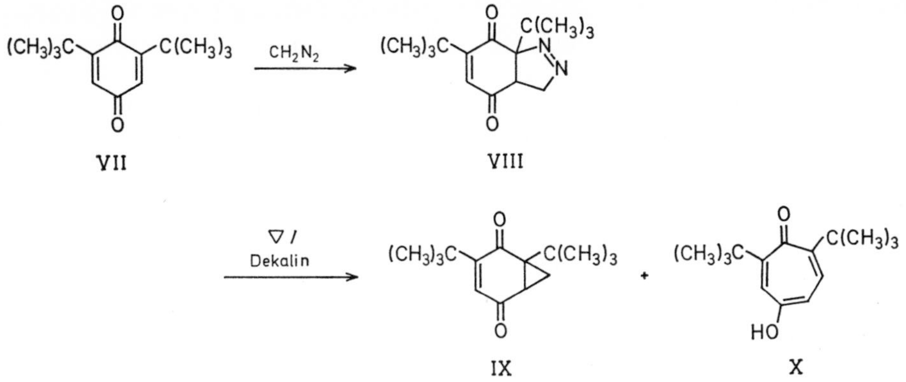

(CH$_3$)$_3$C—⟨⟩—C(CH$_3$)$_3$ $\xrightarrow{\text{CH}_2\text{N}_2}$ (CH$_3$)$_3$C—... C(CH$_3$)$_3$

VII   VIII

$\xrightarrow[\text{Dekalin}]{\triangledown\ /}$ (CH$_3$)$_3$C ... C(CH$_3$)$_3$ + (CH$_3$)$_3$C ... C(CH$_3$)$_3$

IX   X

Auch bei Nitro-olefinen können einige Cyclopropanierungen über Pyrazoline realisiert werden.

So setzt sich z.B. Nitro-äthylen (R = H in I) mit Diphenyl-diazomethan zu einem Pyrazolin II um, das bereits bei 0° zu *2-Nitro-1,1-diphenyl-cyclopropan* (III) zerfällt. Bei R = Alkyl (Methyl- u. Äthyl-) gelangt man über isolierbare 4,5-Dihydro-3H-pyrazole ebenfalls zu Cyclopropanen: *3-Nitro-2-methyl-* (bzw. *-äthyl)-1,1-diphenyl-cyclopropan*; nicht hingegen bei ω-Nitro-styrol (R = Phenyl)[1]:

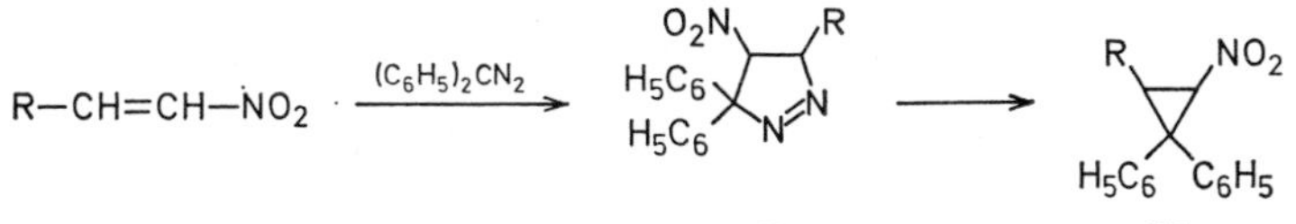

R—CH=CH—NO$_2$ $\xrightarrow{\text{(C}_6\text{H}_5)_2\text{CN}_2}$ II $\longrightarrow$ III

I   II   III

Auch an 2,5-Dinitro-1,6-diaryl-hexadienen-(1,5) sind Cyclopropanierungen über Pyrazoline durchgeführt worden[2]. So reagiert 2,5-Dinitro-1,6-diphenyl-hexadien-(1,5) (IV) mit Diazomethan nach mehreren Wochen zu einem Gemisch aus 80% 1,2-Bis-[3-nitro-4-phenyl-4,5-dihydro-3H-pyrazolyl-(3)]-äthan (V) und 12% 1,2-Bis-[4-

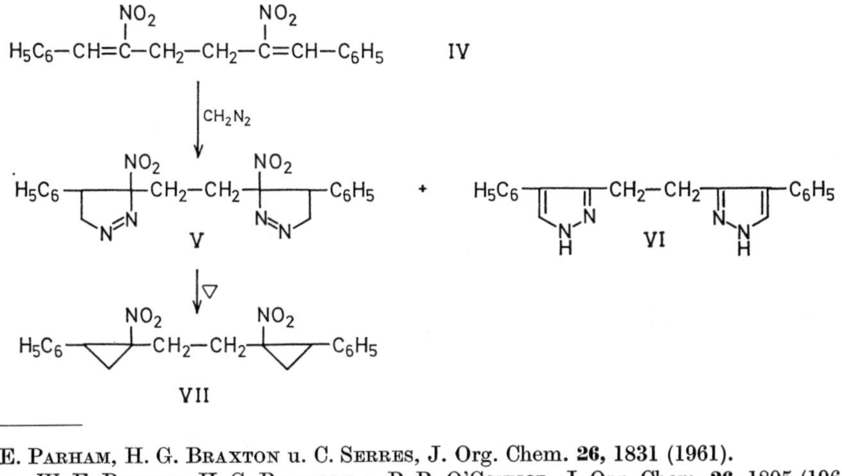

H$_5$C$_6$—CH=C(NO$_2$)—CH$_2$—CH$_2$—C(NO$_2$)=CH—C$_6$H$_5$ IV

$\downarrow$ CH$_2$N$_2$

V   +   VI

$\downarrow \triangledown$

VII

[1] W. E. PARHAM, H. G. BRAXTON u. C. SERRES, J. Org. Chem. **26**, 1831 (1961).
  Vgl. a. W. E. PARHAM, H. G. BRAXTON u. P. R. O'CONNOR, J. Org. Chem, **26**, 1805 (1961).
[2] G. REMBARZ u. V. ERNST, Z. **7**, 421 (1967).

phenyl-1-H-pyrazolyl-(3)]-äthan (VI, S. 59). Durch Erhitzen von V in Chlorbenzol entsteht unter Stickstoff-Abspaltung *1,2-Bis-[1-nitro-2-phenyl-cyclopropyl]*-äthan (VII, S. 59). Enthalten die Phenylkerne von IV (S. 59) in p-Stellung eine Chlor-, Brom-, Methoxy- oder Hydroxy-Gruppe sowie in m-Stellung eine Methoxy-Gruppe, so reagieren die betreffenden Verbindungen mit Diazomethan in analoger Weise, während bei 4-Nitro-, 2-Nitro- bzw. 4-Dimethylamino-Gruppen keine Umsetzung erfolgt.

ω-Diazo-fettsäureester addieren sich ebenfalls an die Doppelbindungen von Acrylsäure-äthylester, Zimtsäure-methylester, Fumarsäure-dimethylester, Maleinsäure-dimethylester, N-Phenyl-maleinsäureimid, Mesaconsäure-dimethylester, Benzo- und Naphthochinon-(1,4)[1].

Acrylsäure-äthylester addiert die in Äther gelösten ω-Diazo-fettsäureester Ia—d momentan. Da die nicht isolierbaren 4,5-Dihydro-3H-pyrazole II in die carbonylkonjugierten 4,5-Dihydro-1H-pyrazole III übergehen, konnten bei der Zersetzung keine Cyclopropane isoliert werden. Auch die aus Zimtsäure-methylester und ω-Diazo-fettsäureester Ib—d erhaltenen 4,5-Dihydro-1H-pyrazole V sowie die mit recht guten Ausbeuten verlaufende Cycloaddition von N-Phenyl-maleinsäureimid mit ω-Diazo-fettsäureresten Ia—d liefern keine isolierbaren Cyclopropane[1]:

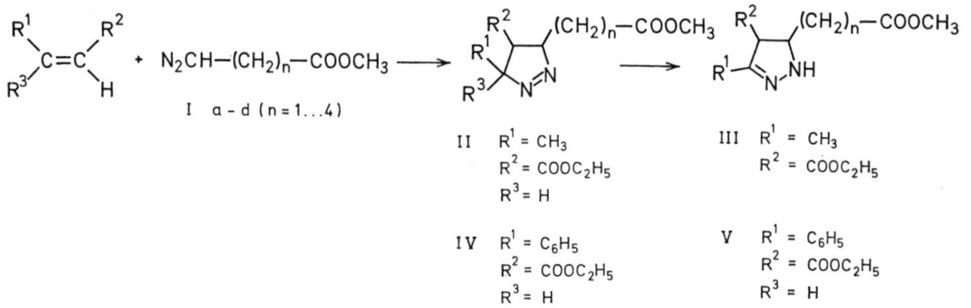

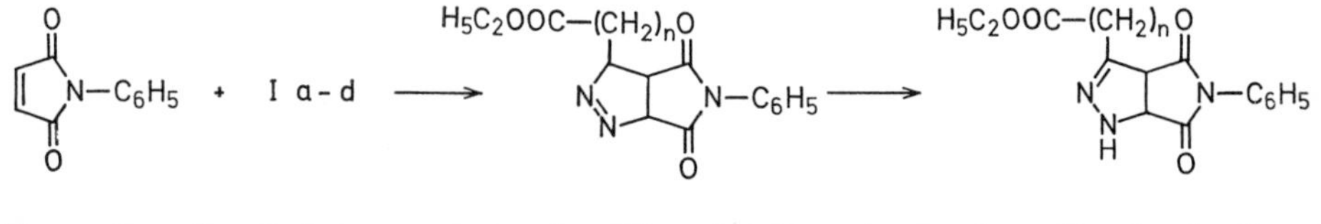

Fumarsäure-dimethylester reagiert mit ω-Diazo-fettsäureester Ia—d ~ 50 mal schneller als Maleinsäure-dimethylester. Während die Addukte von Fumarsäure-dimethylester und Ia, b und d in kristalliner Form isoliert werden können, werden aus Maleinsäure-dimethylester und Ia—d nur zähviskose Flüssigkeiten erhalten. Die 4,5-Dihydro-3H-pyrazole VI liefern ein Pyrolysegemisch das nach gaschromatographischer Analyse Cyclopropan-Verbindungen und Olefine im Verhältnis 3 : 2 enthält.

Da die Ester VII und VIII durch fraktionierte Destillation nicht getrennt werden konnten, wurde das Pyrolysegemisch mit Kaliumpermanganat oxidiert. Die nachfolgende Verseifung führt z. B.zur reinen *3-(4-Carboxy-butyl)-cyclopropan-trans-1,2-dicarbonsäure* (VII; n = 4); s. S. 61.

Citraconsäure-dimethylester (IX, S. 61) reagiert mit ω-Diazo-fettsäureestern Ib—d wesentlich langsamer als Fumarsäure-diester. Das Stickstoffatom der Diazoverbindung verbindet sich dabei mit dem quartären C-Atom des Esters zu den öligen Additionsprodukten X, die Umlagerung in die 4,5-Dihydro-1H-pyrazole ist damit blockiert. Diese nichtkristallinen 4,5-Dihydro-3H-pyrazole liefern bei der Pyrolyse

---

[1] S. Hauptmann u. K. Hirschberg, J. pr. [4], **36, 73** (1967).

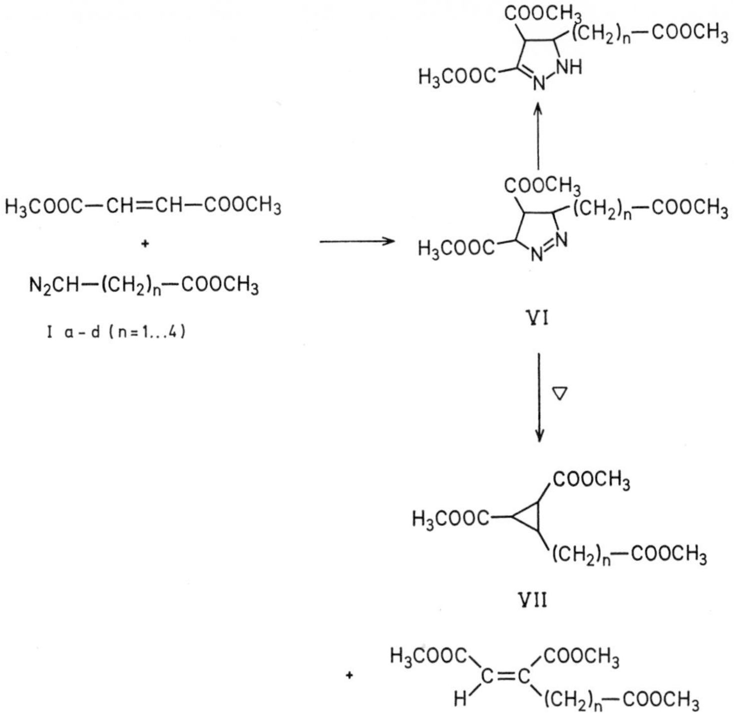

$$H_3COOC-CH=CH-COOCH_3$$
$$+$$
$$N_2CH-(CH_2)_n-COOCH_3$$

I a – d (n = 1...4)

$\longrightarrow$

VI

∇

VII

$+$

VIII

Cyclopropan-Derivate[1]. Die Stickstoff-Abspaltung beginnt bereits bei 150°. Das Pyrolysegemisch enthält nur wenig olefinische Verunreinigungen. Nach deren Abtrennung durch Oxidation mit Kaliumpermanganat und anschließende Verseifung werden die reinen ω-[1-Methyl-1,2-dicarboxy-cyclopropyl-(3)]-fettsäuren XI erhalten. Auch hierbei handelt es sich um die *trans*-Verbindungen[2]:

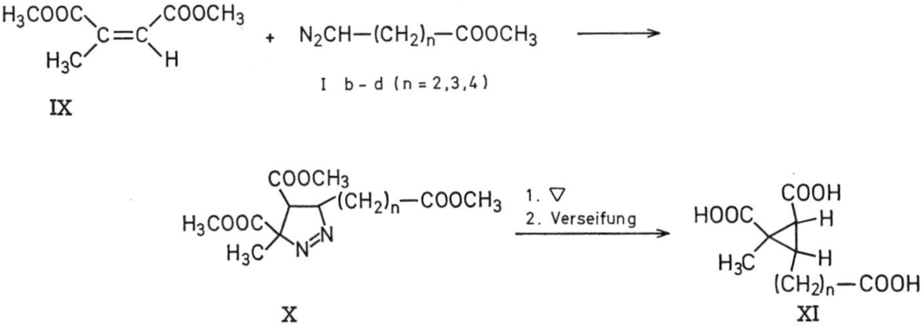

IX

$+$ $N_2CH-(CH_2)_n-COOCH_3$ $\longrightarrow$

I b – d (n = 2,3,4)

X

1. ∇
2. Verseifung

XI

XI; n = 2; *3-[1-Methyl-1,2-dicarboxy-cyclopropyl-(3)]-propansäure*
n = 3; *4-[1-Methyl-1,2-dicarboxy-cyclopropyl-(3)]-butansäure*
n = 4; *5-[1-Methyl-1,2-dicarboxy-cyclopropyl-(3)]-pentansäure*

[1] K. v. AUWERS u. F. KÖNIG, A. **496**, 27 (1932).
[2] S. HAUPTMANN u. K. HIRSCHBERG, J. pr. [4], **36**, 73 (1967).

Naphthochinon-(1,4) addiert die Diazoester Ia—d (S. 60) glatt. Da sich jedoch die zuerst aus der ätherischen Lösung abscheidenden gelben Kristalle XI durch überschüssiges Chinon oder durch Luftsauerstoff zu den farblosen {4,9-Dioxo-4,9-dihydro-1H-⟨benzo-[f]-indazol⟩-yl-(3)}-fettsäure-methylestern XII oxidieren sind sie einer Cyclopropanierung so nicht zugänglich. Benzochinon-(1,4) kann ein oder zwei Mole Diazoverbindung addieren. Bei Anwendung eines Chinon-Überschusses erhält man nur im Falle der Addition von 3-Diazo-propansäure-methylester ein Monoaddukt XIII, mit Ib—d dagegen Bis-Addukte XIV die sich nicht zu Cyclopropanen zersetzen lassen:

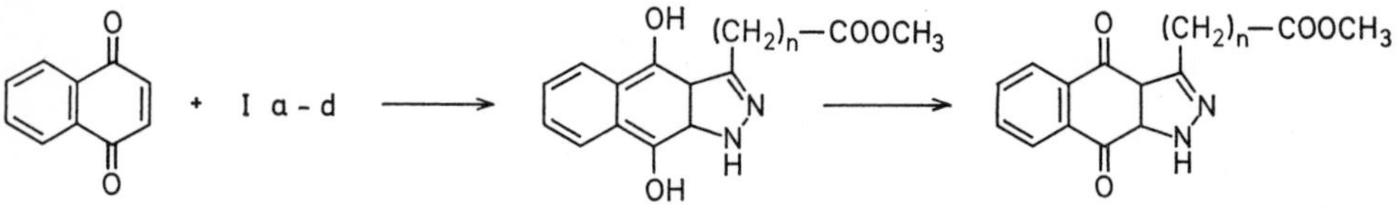

XI XII

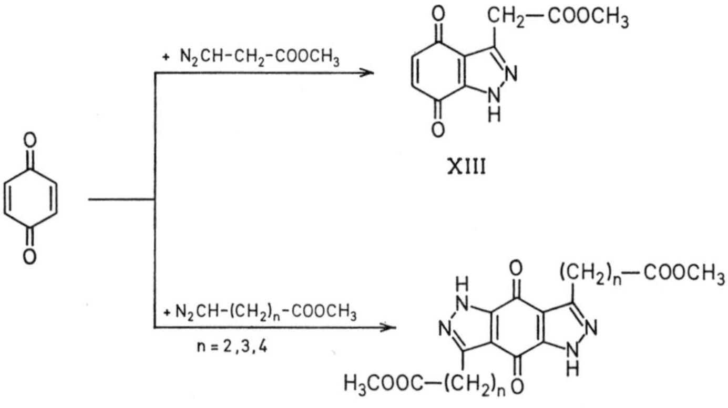

XIII

XIV

Die Umsetzung von 1,3,5-Trinitro-benzol mit Diazomethan liefert als erstes faßbares Produkt *1,4,6-Trinitro-tricyclo*[*6.1.0.0*^{2,4}]*nonen-*(*5*) (XVI), das mit überschüssigem Diazomethan schließlich in das beständige *2,5,9-Trinitro-10,11-diaza-tetracyclo*[*7.3.0.0*^{2,4}.*0*^{5,7}]*dodecen-*(*10*) (XVII) übergeht[1]:

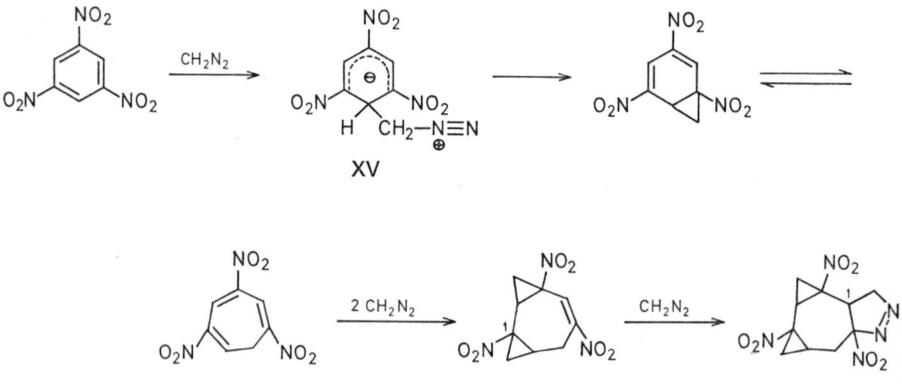

XV

XVI XVII

[1] T. J. de Boer u. J. C. van Velzen, R. 78, 947 (1959).

Es liegen Anhaltspunkte dafür vor, daß die Umsetzung mit dem ersten Diazomethan-Molekül über eine resonanzstabilisierte dipolare Zwischenstufe XV verläuft.

Ähnliche reaktionsmechanistische Vorstellungen existieren auch für die Reaktionen von Malonsäure-isopropylidenester-Derivaten[1] mit Diazomethan. So wird z.B. für die Reaktion von Benzyliden-malonsäure-isopropylidenester (XVIII) mit Diazomethan, bei der es nicht zum Pyrazolin-Ringschluß kommt, eine nucleophile Addition des Diazomethans unter Bildung der leicht Stickstoff abspaltenden betainartigen Zwischenstufe XIX angenommen[2,3]:

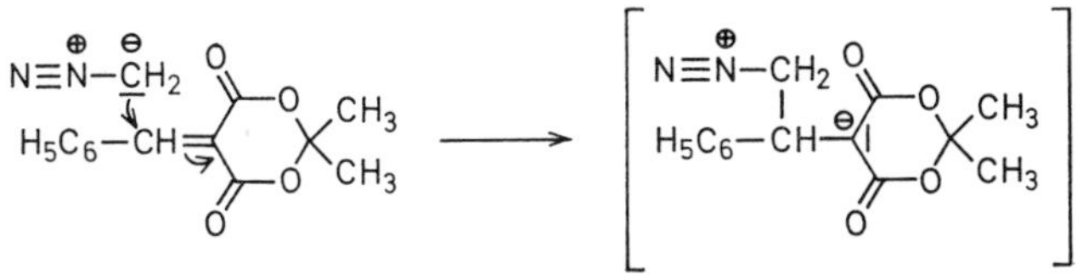

XVIII   XIX

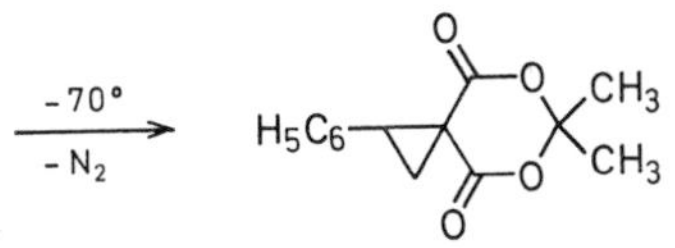

2-Phenyl-cyclopropan-⟨1-spiro-5⟩-
4,6-dioxo-2,2-dimethyl-1,3-dioxan
(2-Phenyl-cyclopropan-1,1-dicarbon-
säure-isopropylidenester; XX)

Eine Vielzahl ähnlicher cyclischer Acylale reagieren ebenfalls mit Diazoverbindungen direkt zu den entsprechenden Cyclopropan-Derivaten[4-10].

Die Möglichkeit für einen derartigen Wechsel im Reaktionsmechanismus der Diazoalkan-Anlagerung ist offenbar dann gegeben, wenn das potentielle Betain durch hohe Resonanzstabilisierung ausgezeichnet ist. An dieser Stelle soll zur Erläuterung der Umsetzungen mit Diazoalkanen in der Verbindungsklasse der cyclischen Acylale noch die Reaktion von 2-Methyl-propyliden-malonsäure-isopropylidenester (I, s. S. 64) mit Diazoessigsäure-äthylester (II) in Lösungsmitteln wie Äther oder Alkoholen[8] besprochen werden. Durch Reaktion von je einem Molekül I und II entstehen die Olefine V und XIII sowie die zwei stereoisomeren *spiro*-Derivate[8] III und IV. Aus einem Molekül I und zwei Molekülen II bilden sich das Olefin VIII sowie die drei isomeren spirocyclischen Verbindungen IX, X und XI, denen aufgrund ihrer Kernresonanzspektren die Konfigurationen *trans-erythro*, *trans-threo* bzw. *ciserythro* zugeordnet werden konnte[8]:

[1] Meldrumsäure = Malonsäure-isopropylidenester; A. N. MELDRUM, Soc. **93**, 598 (1908).

[2] G. ADAMETZ, J. SWOBODA u. F. WESSELY, M. **93**, 1453 (1962).

[3] G. ADAMETZ et al., M. **94**, 334 (1963).

[4] P. SCHUSTER, O. E. POLANSKY u. F. WESSELY, M. **95**, 53 (1964).

[5] G. SWOBODA et al., M. **95**, 1355 (1964).

[6] G. BILLEK, O. SAIKO u. F. WESSELY, M. **95**, 1376 (1964).

[7] G. BILLEK et al., M. **97**, 633 (1966).

[8] H. PEHAM, O. E. POLANSKY u. F. WESSELY, M. **98**, 1665 (1967).

[9] P. SCHUSTER, F. WESSELY u. A. STEPHAN, M. **98**, 1772 (1967).

[10] P. SCHUSTER, O. E. POLANSKY u. F. WESSELY, Tetrahedron **1966**, Suppl. 8, II, 463 (1966).

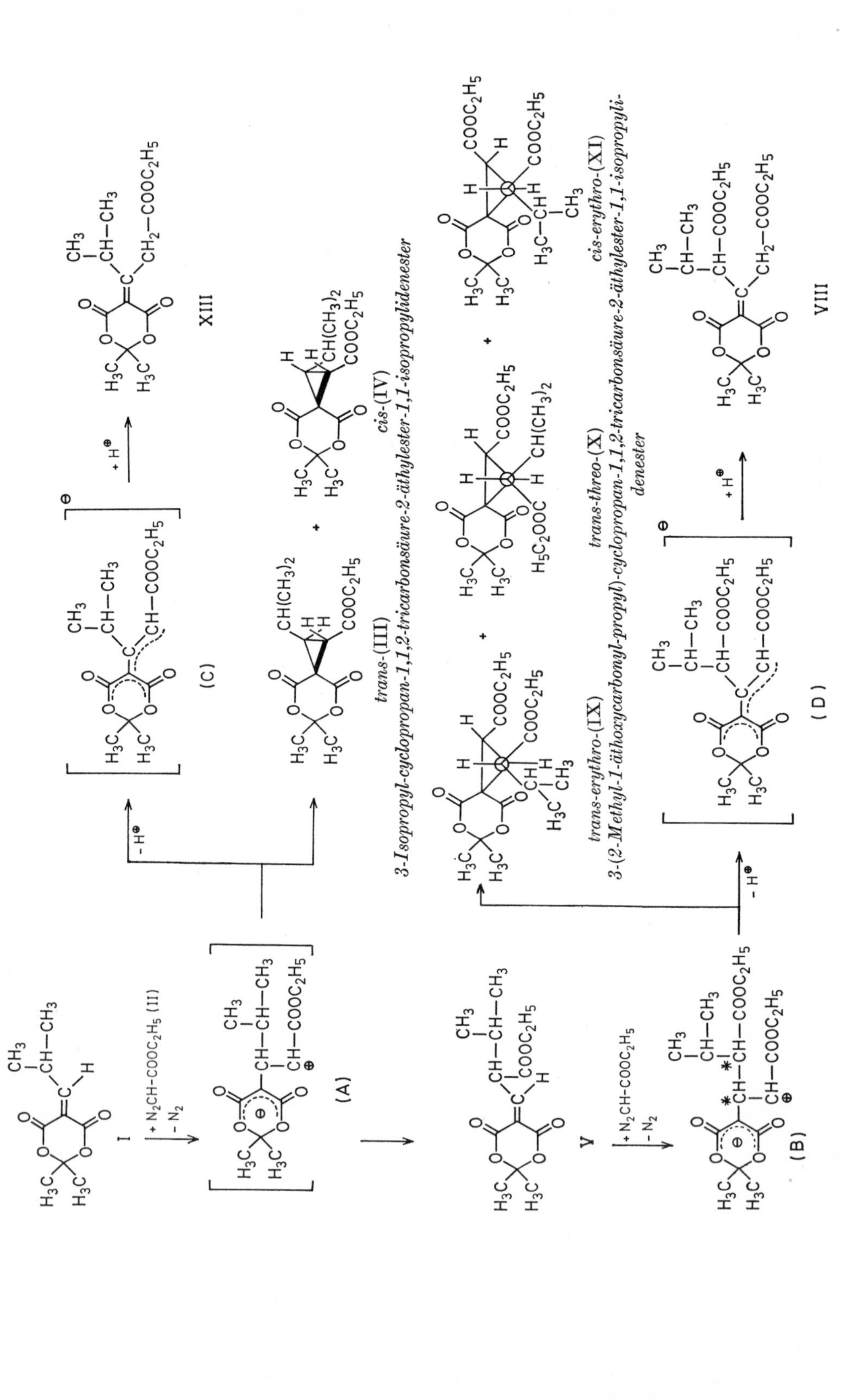

trans-(III) *cis*-(IV)

3-Isopropyl-cyclopropan-1,1,2-tricarbonsäure-2-äthylester-1,1-isopropylidenester

trans-erythro-(IX) *trans-threo*-(X) *cis-erythro*-(XI)

3-(2-Methyl-1-äthoxycarbonyl-propyl)-cyclopropan-1,1,2-tricarbonsäure-2-äthylester-1,1-isopropylidenester

Sowohl in Äther als auch in Alkoholen besteht der erste Reaktionsschritt[1,2] in einem **n u c l e o -
p h i l e n A n g r i f f** des Diazoessigsäure-äthylesters (II, S. 64) am Alkyliden-Kohlenstoffatom von I.
Unter Stickstoff-Eliminierung wird ein intermediäres **Zwitterion A** gebildet, das sich durch **R i n g -
s c h l u ß** zu den Cyclopropan-Derivaten III oder IV, oder durch **W a n d e r u n g** der Isopropyl-Gruppe
zu dem Olefin V, oder durch **P r o t o n i e r u n g / D e p r o t o n i e r u n g**[3] zu dem Olefin XIII stabilisieren
kann. Eine Umsetzung des Olefins V mit einem weiteren Molekül Diazoessigsäure-äthylester (II)
führt dann möglicherweise über ein diasteromeres Zwitterionenpaar B zu den drei stereoisomeren
Cyclopropanen IX, X und XI bzw. dem Olefin VIII. Interessanterweise wird das Olefin XIII
in protonenhaltigen Lösungsmitteln bevorzugt gebildet. Infolge der Eigendissoziation der
Alkohole sollte die effektive Basizität der Alkohole größer als die der Äther sein. Da die Bildung
von XIII über das Anion C durch Basen katalysiert wird, ist seine bevorzugte Bildung in
alkoholischen Lösungen verständlich. Außerdem könnte die in Äther vergleichsweise schlechtere
Solvatisierung der Anionen für den Reaktionsweg von A zu XIII begünstigend wirken. In
ätherischer Lösung dürfte die Bildung von XIII durch die damit konkurrierende Bildung von
III, IV und V unterdrückt werden. Die über B verlaufende Bildung von VIII kommt offensichtlich erst dann zum Zuge, wenn die mit ihr konkurrierenden Cyclopropan-Ringschlüsse zu IX,
X und XI infolge der sterischen Hinderung durch die großen Substituenten von B relativ langsam ablaufen.

An dieser Stelle muß auch die unter spontaner Freisetzung von Stickstoff erfolgende
Umsetzung von überschüssigem Keten mit Diazomethan zum *Cyclopropanon* ge-
nannt werden[4,5]. Das stark zur Polymerisation neigende Keton ließ sich jedoch als
H y d r a t oder **H a l b a c e t a l** gewinnen:

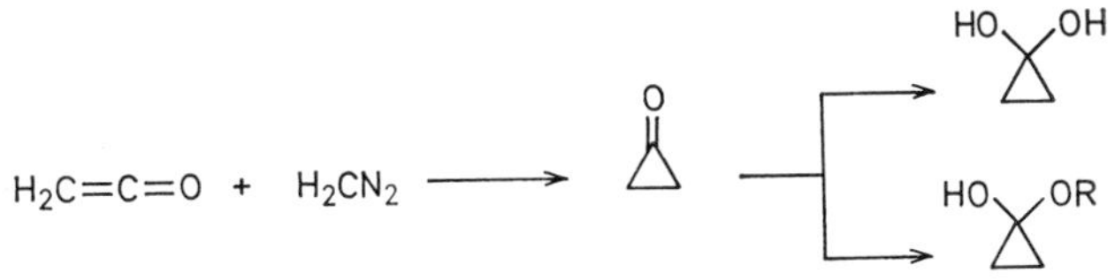

1,1-Dihydroxy-cyclopropan (Cyclopropanon-hydrat)[5]: Durch 2 stdgs. Einleiten eines kräftigen
Ketenstromes in 200 *ml* Äther bei 0° unter Feuchtigkeitsausschluß wird eine 5 g Keten enthaltende Lösung hergestellt. Dazu wird 1 g Diazomethan in 40 *ml* Äther unter Eiskühlung eingetropft. Die Reaktionslösung entfärbt sich momentan und es tritt Stickstoff-Entwicklung ein. Die
ätherische Lösung wird in einer flachen Schale in schwachem Luftstrom 30—45 Min. zur Aufnahme der nötigen Wassermenge stehen gelassen und dann der Äther i. Vak. rasch abgedunstet.
Das Cyclopropanonhydrat hinterbleibt als strahlig kristalline Masse weiße Masse; Ausbeute: 2 g,
bez. auf 10 *ml* N-Nitro-N-methyl-urethan; F: 71° (aus Benzol).

Das 1,1-Dihydroxy-cyclopropan erleidet schon nach einigen Tagen, rascher in Gegenwart
von Alkali, Isomerisierung zu Propionsäure.

Nach Synthese des *Oxo-tetramethyl-cyclopropans* durch Photolyse von 2,4-Dioxo-
1,1,3,3-tetramethyl-cyclobutan[6] und des *2-Oxo-1,1-dimethyl-cyclopropans* durch
Diazomethan-Addition an Dimethylketen[7] gelang auch die Herstellung des unsubstituierten *Cyclopropanons* in Lösung[8] durch Diazomethan-Anlagerung an Keten
bei —78° in Dichlormethan.

[1] H. PEHAM, O. E. POLANSKY u. F. WESSELY, M. **98**, 1665 (1967).
[2] O. E. POLANSKY, Ang. Ch. **78**, 1024 (1966).
[3] A. EITEL, Dissertation, Universität Wien, 1963.
[4] P. LIPP u. R. KÖSTER, B. **64**, 2823 (1931).
[5] P. LIPP, J. BUCHKREMER u. H. SEELES, A. **499**, 1 (1932).
[6] N. J. TURRO u. W. B. HAMMOND, Am. Soc. **87**, 2774, 3258 (1965).
   Vgl. a.: N. J. TURRO u. W. B. HAMMOND, Abstracts of the 150th National Meeting of the American Chemical Society S. 85, Atlantic City, N. J., Sept. 1965.
[7] W. B. HAMMOND u. N. J. TURRO, Am. Soc. **88**, 2880 (1966).
[8] N. J. TURRO u. W. B. HAMMOND, Am. Soc. **88**, 3672 (1966).

Cyclopropanon[1]: Zu 5 *ml* einer Dichlormethan-Lösung von 45 m Mol Keten[2] werden 10 *ml* einer Dichlormethan-Lösung von 10 m Mol Diazomethan[3], die auf −78° abgekühlt worden ist, langsam zugegeben. Die Entfernung des Keten-Überschusses durch Vakuumdestillation bei −78° führt zu reinen Lösungen von Cyclopropanon; Gesamtausbeute: 50—60% d. Th. (bez. auf Diazomethan).

In ähnlicher Weise läßt sich *Cyclopropanon* auch in flüssigem Propan, Fluortrichlormethan oder Chloroform bei −78° herstellen[4]. Temperaturen um 0° oder Spuren von Wasser verursachen unter stark exothermer Reaktion schnelle Polymerisation unter Bildung eines stabilen Produkts in Form eines farblosen Festkörpers (F: 166,5–169,5°). Das Polymere ist in Benzol und Chloroform löslich, in Äther und Aceton jedoch unlöslich und besitzt ein Molekulargewicht von etwa 9500. IR- und NIR-spektroskopische Untersuchungen an diesem Produkt sowie das Kernresonanzspektrum haben gezeigt, daß dem *Poly-cyclopropanon* die folgende Struktur zuzuschreiben ist[4]:

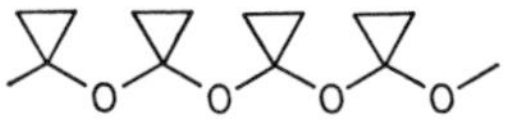

Cyclopropanon[4]: 50 mMol gasförmiges Diazomethan werden in eine gerührte Mischung von sorgfältig fraktioniertem Keten (350 mMol) und 25 *ml* flüssigem Propan bei −78° eingeleitet. Solvens und überschüssiges Keten werden danach abgedampft und der Rückstand i. Vak. destilliert; Ausbeute: 20% d. Th., verunreinigt mit geringen Mengen Cyclobutanon.

Die Lösungen in flüssigem Propan lassen sich einige Tage bei Temp. des flüssigen Stickstoffs nahezu unzersetzt aufbewahren; Gesamtausbeute: ∼ 50% d. Th.

Poly-cyclopropanon[4]: Die auf −78° abgekühlte Lösung von Cyclopropanon in Dichlormethan oder anderen Solventien wird langsam aufgewärmt bis die Polymerisation einsetzt. Da die Reaktion stark exotherm verläuft, wird Kühlen (−40°) notwendig. Die Reinigung des Polymeren erfolgt durch Lösen in Chloroform und anschließendem Ausfällen mit Petroläther (Kp: 40—60°); F: 166,5—169,5° (Kofler); Molekulargewicht: ∼9500 (nach Bestimmung in der Ultrazentrifuge). IR(CHCl₃): 1450, 1310, 1130, 1010, 975 und 950 cm⁻¹. Im NIR werden zwei für das Cyclopropyl-System charakteristische Absorptionsbanden[5] gefunden: 6320 cm⁻¹ (1. Oberton) und 4515 cm⁻¹ (Kombinationsbande); das NMR-Spektrum (CDCl₃) zeigt ein Singulett bei 1,0 ppm.

Cyclopropanon ist außerdem als Produkt der Photolyse eines Gemisches von Keten und Diazomethan in einer Stickstoffmatrix spektroskopisch nachgewiesen worden[6].

2-Oxo-1,1-dimethyl-cyclopropan[7]: Zu einer Lösung von 30 mMol Dimethylketen[8] in 5 *ml* Dichlormethan werden langsam 20 *ml* einer auf −78° abgekühlten Lösung von 16 mMol Diazomethan in Dichlormethan[9] zugetropft. Selbst bei dieser tiefen Temp. wird eine heftige Stickstoff-Entwicklung beobachtet. Das überschüssige Dimethylketen wird durch Destillation bei −60° entfernt; Ausbeute: 93% d. Th. (bez. auf Diazomethan).

IR(CH₂Cl₂): 3050 cm⁻¹ (CH-Streckschwingung des Cyclopropans), 1815 cm⁻¹ (CO-Streckschwingung; gespanntes System) und 1380—1387 cm⁻¹ (Dublett, geminale CH₃-Gruppen). NMR(CH₂Cl₂): Singuletts bei 1.40 ppm (zwei Cyclopropanprotonen) und 1,20 ppm (CH₃-Gruppen). UV(CH₂Cl₂): λmax bei 3400 Å (ε ∼40).

1 N. J. Turro u. W. B. Hammond, Am. Soc. **88**, 3672 (1966).
2 Vgl.: W. E. Hanford u. J. C. Sauer, Org. Reactions **3**, 136 (1946).
3 Vgl.: G. L. Closs u. J. J. Coyle, Am. Soc. **87**, 4270 (1965).
4 S. E. Schaafsma, H. Steinberg u. T. J. de Boer, R. **85**, 1170 (1966).
5 H. E. Simmons, E. P. Blanchard u. H. D. Hartzler, J. Org. Chem. **31**, 295 (1966).
6 W. B. de More, H. O. Pritchard u. N. Davidson, Am. Soc. **81**, 5874 (1959).
7 W. B. Hammond u. N. J. Turro, Am. Soc. **88**, 2880 (1966).
8 W. E. Hanford u. J. C. Sauer, Org. Reactions **3**, 136 (1946).
   S. ds. Handb., Bd. VII/4, S. 83, 92.
9 G. L. Closs u. J. J. Coyle, Am. Soc. **87**, 4270 (1965).

Die durch Kondensation von 2-Fluor-benzol-1,3,5-tricarbonsäure-trimethylester (I) mit Aminosäuren[1] zugänglichen Lactone II können mit überschüssiger ätherischer Diazomethan-Lösung in Methanol in 4,5-Dihydro-3H-pyrazole IV übergeführt werden, die in siedendem Methanol unter Stickstoff-Abspaltung in die Cyclopropan-Derivate V [*1-(2,4,6-Trimethoxycarbonyl-anilino)-cyclopropan-1-carbonsäuremethylester*] übergehen[2,3]:

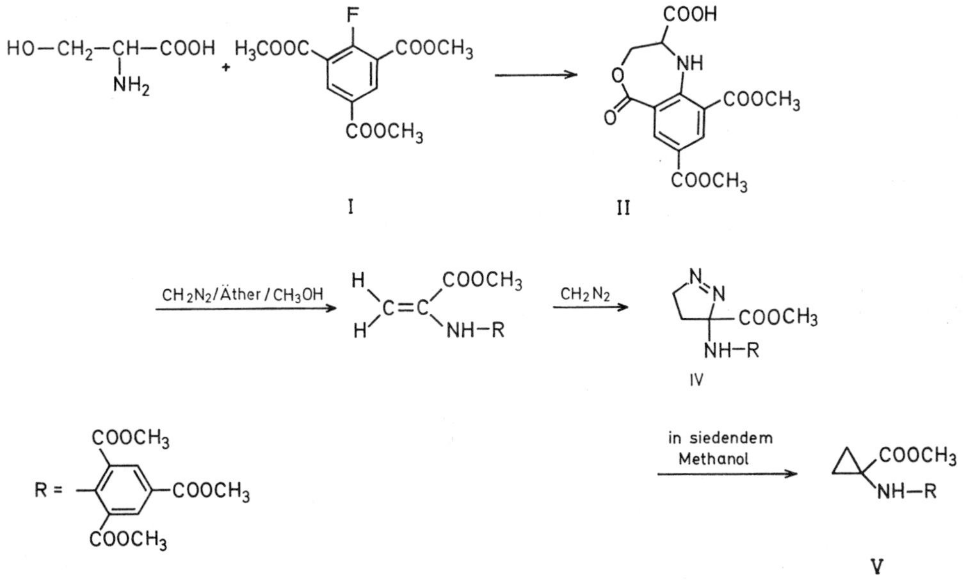

Das nucleophile Diazomethan löst vom Lacton den zur Carbonsäureester-Gruppe α-ständigen aciden Wasserstoff ab, während am β-Kohlenstoffatom gleichzeitig der anionische Substituent austritt und methyliert wird[3]. Das entstehende Olefin III addiert dann Diazomethan zu IV:

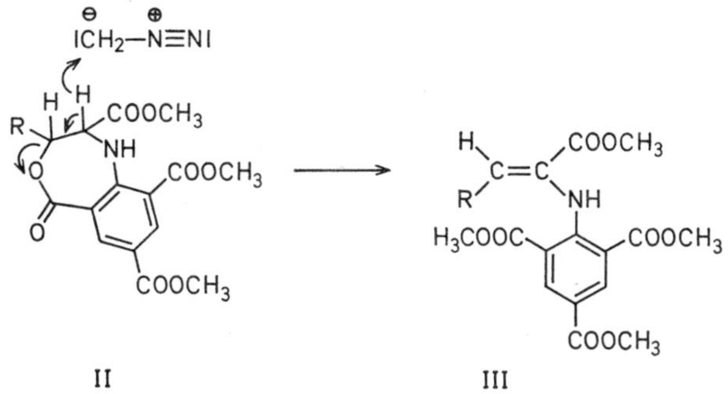

Bei R = H (aus DL-Serin) addiert III rasch Diazomethan, bei R = Methyl (aus DL-Threonin) und R = Phenyl (aus β-Phenyl-DL-Serin) wird Diazomethan sehr viel langsamer addiert.

[1] F. MICHEEL u. W. BUSSE, B. **90**, 2049 (1957); B. **91**, 985 (1958).
[2] F. MICHEEL, O. EICKENSCHEIDT u. I. ZEIDLER, B. **98**, 3520 (1965).
[3] F. MICHEEL u. W. DAMMERT, B. **100**, 2410 (1967).

Dagegen ist das vom Äthanolamin abgeleitete Derivat X wegen des Fehlens von acidem Wasserstoff einer β-Eliminierung nicht mehr zugänglich.

X

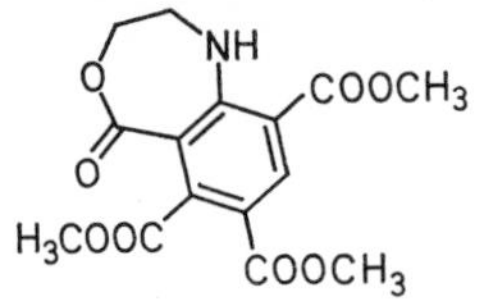

Das sehr reaktive 2-Diazo-propan (I) addiert sich auch an 2-Oxo-2,5-dihydro-furane (Butenolide)[1]. Im Fall des 2-Oxo-4-methyl-dihydrofurans (II) wird ein stabiles 4,5-Dihydro-3H-pyrazol III erhalten. Dagegen zerfallen die aus den Lactonen IVa und IVb mit 2-Diazo-propan erhaltenen 4,5-Dihydro-3H-pyrazole Va und Vb thermo- oder photolytisch zu VI (*2-Oxo-6,6-dimethyl-3-oxa-bicyclo[3.1.0] hexan*) und VII bzw. VIII, IX und IVb in je nach Reaktionsbedingungen wechselnden Mengenverhältnissen. Die Photolyse in Gegenwart von Benzophenon als Sensibilisator ergibt jedoch vorwiegend VI (88% d.Th.) bzw. VIII (99% d.Th.; *2-Oxo-1,6,6-trimethyl-3-oxa-bicyclo[3.1.0]hexan*)[1]:

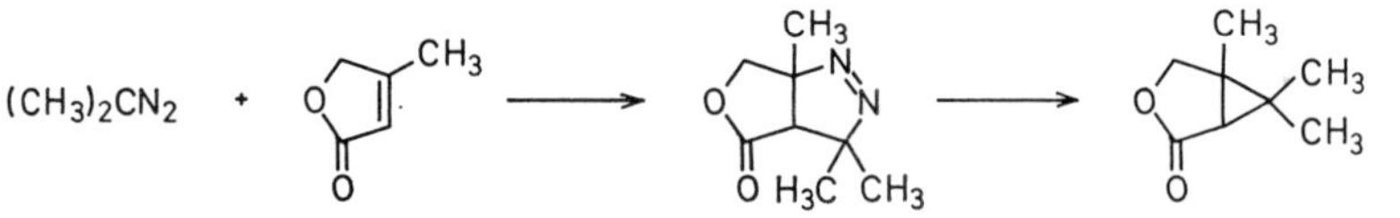

I II III *4-Oxo-1,6,6-trimethyl-3-oxa-bicyclo [3.1.0]hexan*

IVa Va VI VII

IVb Vb VIII IX

IVb

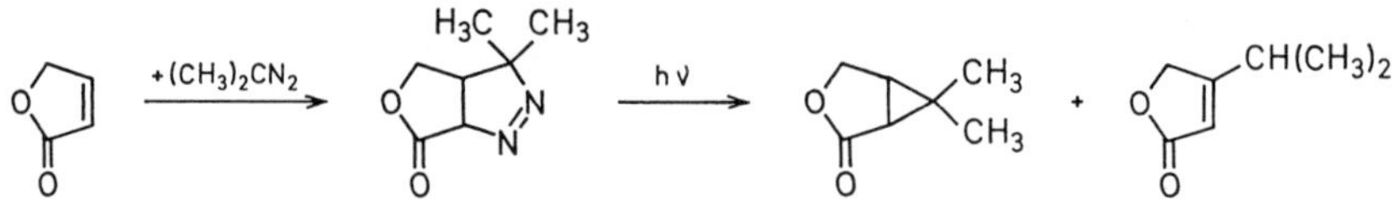

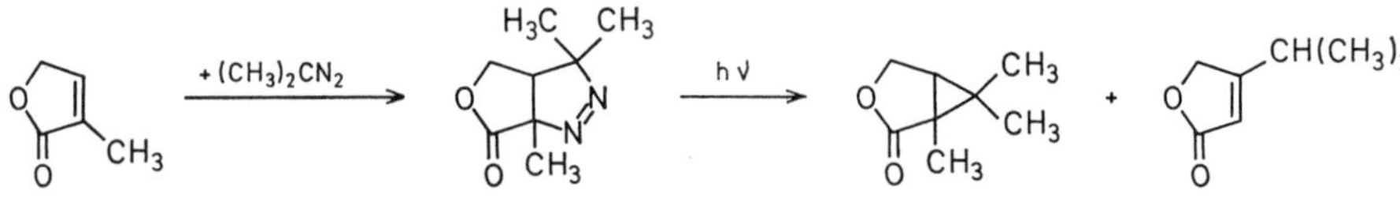

Styrol addiert Phenyl-diazomethan unter Bildung von 3,5-Diphenyl-4,5-dihydro-3H-pyrazol (XI), das sich trotz acider α-Wasserstoffatome erst in Gegenwart verdünnter Säuren in das stabilere 3,5-Diphenyl-4,5-dihydro-1H-pyrazol (XIII) um-

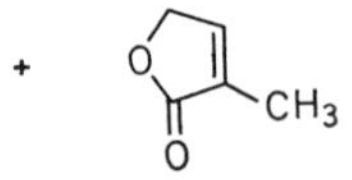

[1] M. Franck-Neumann, Ang. Ch. **80**, 42 (1968).

lagert[1]. Während sowohl die thermische als auch die photolytische Zersetzung von XI reines *trans-1,2-Diphenyl-cyclopropan* (XII) liefert, geht bei der Pyrolyse von XIII die Stereoselektivität verloren, und es bilden sich die *cis-* und *trans-*Isomeren in etwa gleichem Verhältnis[1,2]:

Im Fall der 1,2-Diphenyl-cyclopropane ist hierbei insbesondere auf die unter den Herstellungsbedingungen mögliche thermische *cis/trans*-Isomerisierung hinzuweisen[2-5]. Auch im Falle von Styrol-Derivaten ist mit Phenyl-diazomethan und Abkömmlingen eine Cyclopropanierung über Pyrazoline realisiert worden. Diese Untersuchungen sind jedoch nur in Hinblick auf reaktionsmechanistische Studien durchgeführt worden[6].

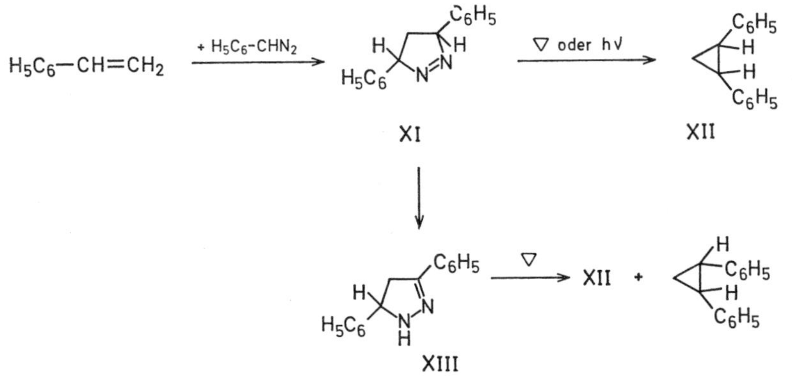

Butadien vereinigt sich mit Diazoessigsäure-äthylester bei 100° zu einem kristallinen Bis-pyrazolin, bei dessen Pyrolyse in bescheidener Ausbeute der *Bi-cyclopropyl-1,1'-dicarbonsäure-diäthylester* anfällt[7]. Mit Diazomethan reagiert Butadien[7] unter Bildung von 3-Vinyl-4,5-dihydro-3H-pyrazol (I)[8], dessen thermische Zersetzung bei 135° zu einem Gemisch von 99% *Vinyl-cyclopropan* (II) und 1% Cyclopenten (III) führt[8]. Analog entsteht aus *2,3-Dimethyl-butadien-(1,3)* 3-Methyl-3-isopropenyl-4,5-dihydro-3H-pyrazol (IV; S. 70). Die Pyrolyse von IV führt ebenfalls zu einem Gemisch aus *1-Methyl-1-isopropenyl-cyclopropan* (V) und 1,2-Dimethyl-cyclopenten (VI):

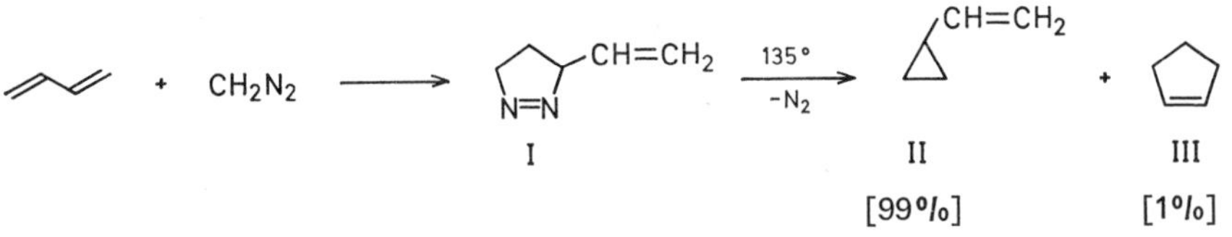

[1] C. G. Overberger u. J. P. Anselme, Am. Soc. **84**, 871 (1962); **86**, 658 (1964).
[2] D. Y. Curtin et al., Am. Soc. **83**, 4838 (1961).
[3] B. A. Kazanskii et al., Izv. Akad. SSSR **1958**, 1280; C. A. **53**, 4158[d] (1959).
[4] B. A. Kazanskii et al., Doklady Akad. SSSR **130**, 322 (1960).
[5] L. B. Rodewald u. C. H. de Puy, Tetrahedron Letters **1964**, 2951.
[6] C. G. Overberger et al., Am. Soc. **86**, 658, 2752 (1964); **85**, 2752 (1963); **87**, 4119 (1965).
[7] E. Müller u. E. Roser, J. pr. [2] **133**, 291 (1932).
[8] R. J. Crawford u. D. M. Cameron, Canad. J. Chem. **45**, 691 (1967).

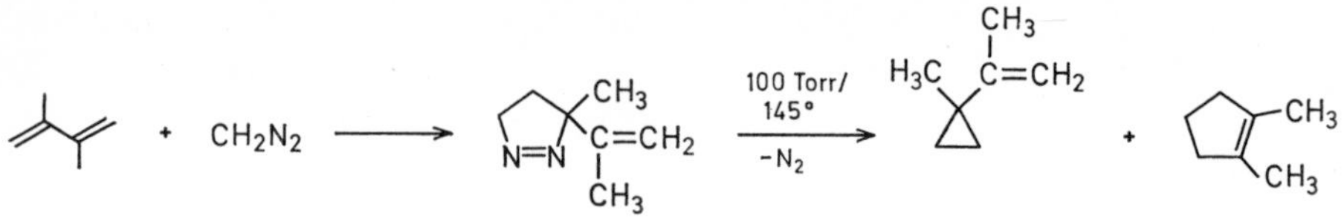

IV

V
[97%]

VI
[3%]

Diese Ergebnisse zeigen, daß bereits unter den Herstellungsbedingungen die bekannte Vinylcyclopropan/Cyclopenten-Umlagerung[1–4] (s. S. 597 ff.) ins Spiel kommt. Es konnte bewiesen werden, daß im Pyrolyseschritt eine ähnliche Zwischenstufe durchlaufen wird wie sie auch für die genannte Umlagerung angenommen wird[5]. Erst bei Temperaturen oberhalb 170° tritt ein dramatischer Wechsel in der Produktverteilung auf.

Vinyl-cyclopropan[5]: Zu einer Lösung von 6 g (0,14 Mol) Diazomethan bei −78° in 300 ml Äther werden 15 g (0,28 Mol) Butadien gegeben und die Mischung durch Stehenlassen auf Zimmertemp. gebracht. Nach eintägigem Aufbewahren in einer Druckflasche bei 25°, wobei allmählich die gelbe Farbe des Diazomethans verschwindet, wird der Äther und das überschüssige Butadien abgedampft. Der Rückstand wird über eine kurze Vigreux-Kolonne destilliert; Ausbeute: 11 g (80% d. Th.); Kp$_{40}$: 72—75°; n$_D^{25}$=1.4665.

Die vorsichtige Zersetzung des 3-Vinyl-4,5-dihydro-3H-pyrazols bei 135° führt zu einem Gemisch von 99% *Vinyl-cyclopropan* und 1% Cyclopenten.

Normalerweise liefern Acetylene mit sekundären Diazoalkanen 3H-Pyrazole[6], die photochemisch zu Cyclopropenen umgewandelt werden können[7]. Bei der Addition des sehr reaktiven 2-Diazo-propans[8] an Acetylendicarbonsäure-dimethylester[9] erhält man neben dem 3H-Pyrazol-Derivat I auch ein Tetraaza-bicyclo-Derivat II:

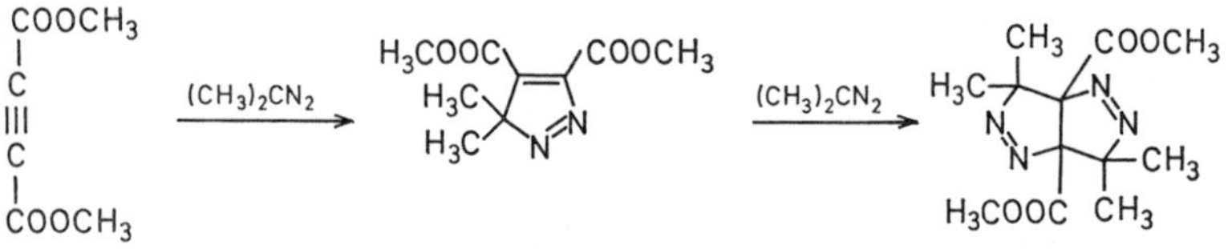

I

II

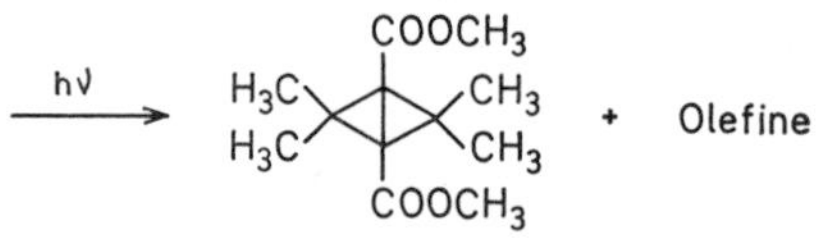

+ Olefine

2,2,4,4-Tetramethyl-1,3-dimeth-oxycarbonyl-bicyclo[1.1.0]butan; III

Arbeitet man mit einem Überschuß an Diazoalkan, so gelangt man zu II in 85%-iger Ausbeute, das photochemisch zu III zersetzt wird.

[1] E. VOGEL, Ang. Ch. **72,** 4 (1960).
[2] C. G. OVERBERGER u. A. E. BOSCHERT, Am. Soc. **82,** 4891 (1960).
[3] M. C. FLOWERS u. H. M. FREY, Soc. **1961,** 3547.
[4] C. A. WELLINGTON, J. phys. Chem. **66,** 1671 (1962).
[5] R. J. CRAWFORD u. D. M. CAMERON, Canad. J. Chem. **45,** 691 (1967).
[6] R. HUISGEN, Ang. Ch. **75,** 604 (1963).
[7] G. EGE, Tetrahedron Letters **1963,** 1667.
  A. C. DAY u. M. C. WHITING, Chem. Commun. **1965,** 292.
[8] H. STAUDINGER u. A. GAULE, B. **49,** 1897 (1916).
[9] M. FRANCK-NEUMANN, Ang. Ch. **79,** 98 (1967).

b) Über Pyrazoline durch anomale Wolff-Kishner-Reduktion
α, β-ungesättigter Carbonyl-Verbindungen

Zahlreiche α,β-ungesättigte Carbonyl-Verbindungen verhalten sich bei der Reduktion mit Hydrazin nach Wolff-Kishner anomal, da ihre Hydrazone zu Pyrazolin-Verbindungen cyclisieren. Die auf diese Weise zugänglichen Pyrazoline, gewöhnlich die 4,5-Dihydro-1H-pyrazole werden mit festem Alkalimetallhydroxid und einem Katalysator wie Platinasbest oder platiniertem Ton pyrolisiert[1], wobei unter Abspaltung von Stickstoff Cyclopropane entstehen. Ausgehend von 4-Oxo-2-methyl-penten-(2) oder Pulegon (2-Oxo-4-methyl-1-isopropenyl-cyclohexan) gelangt man so in guten Ausbeuten zu *1,1,2-Trimethyl-cyclopropan*, bzw. *Caran (3,7,7-Trimethyl-bicyclo[4.1.0]heptan)*:

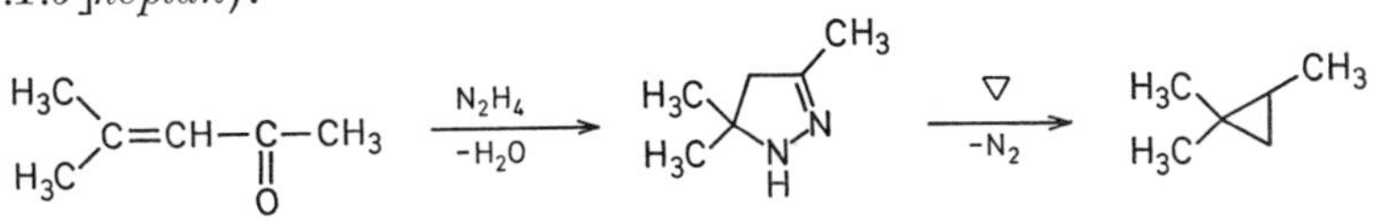

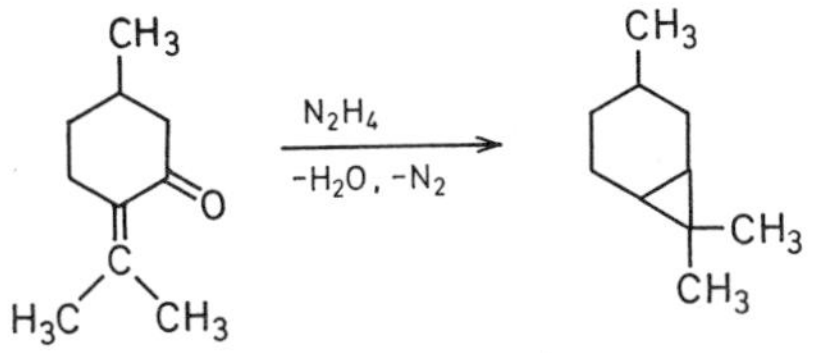

Weitere Beispiele sind in Tab. 3 (S. 73) zusammengetragen.

Wie im vorherigen Abschnitt bereits erwähnt, fallen bei der Pyrazolin-Pyrolyse sehr häufig unerwünschte olefinische Nebenprodukte an, so daß die Mehrzahl der nach Kishner gewonnenen Cyclopropane noch der Reinigung, sei es durch fraktionierte Destillation oder auf chemischem Wege, bedarf. Es ist damit zu rechnen, daß bei manchen der in älterer Literatur beschriebenen Cyclopropane olefinische Beimengen mangels geeigneter analytischer Methoden übersehen wurden.

Kishner nahm die Zersetzung der Pyrazoline meist im Einschlußrohr bei 230–240° vor, doch kann ohne Minderung der Ausbeuten in offenen Reaktionsgefäßen gearbeitet werden. Die Gegenwart einer Base, der die Funktion zugeschrieben wird, die Isomerisierung der 4,5-Dihydro-1H-pyrazole zu den -3H-pyrazolen zu katalysieren (s. S. 75ff.), scheint nicht generell erforderlich; denn das vom 3-Oxo-1-phenyl-buten-(1) abgeleitete 3-Methyl-5-phenyl-4,5-dihydro-1H-pyrazol liefert mit und ohne Kaliumhydroxid bzw. Natriumalkoholat-Zusatz pyrolysiert, jeweils reines *2-Methyl-1-phenyl-cyclopropan*. Wird hingegen 3-Oxo-1-phenyl-buten-(1) nach der Methode von Wolff mit Hydrazin und Natriumalkoholat erhitzt, so entsteht neben dem *2-Methyl-1-phenyl-cyclopropan* eine beträchtliche Menge 1-Phenyl-buten-(1) (vermutlich war unter diesen Reaktionsbedingungen der Pyrazolin-Ringschluß nicht vollständig, so daß teilweise normale Reduktion eintreten konnte):

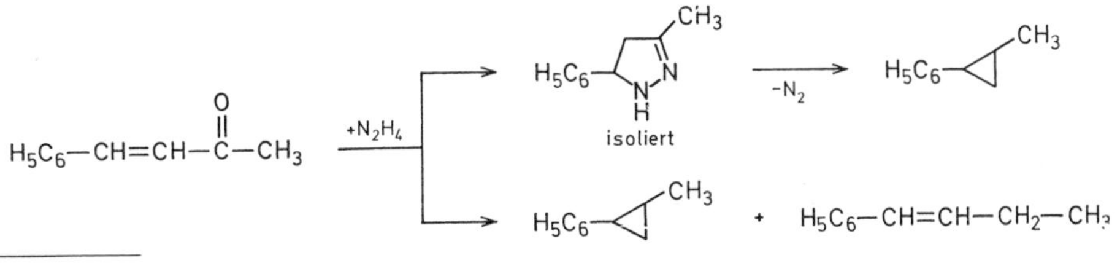

[1] s. die Literaturzitate in Tab. 3 auf S. 73.

Bei der Zersetzung des aus 3-Oxo-1,3-diphenyl-propens zugänglichen 3,5-Diphenyl-4,5-dihydro-1H-pyrazols in Gegenwart verschiedener Zusätze wurde gefunden, daß mit Kaliumhydroxid auch bei Verwendung von Glykol als Lösungsmittel die höchsten Ausbeuten (77–92% d. Th.) an *1,2-Diphenyl-cyclopropan*[1] erzielt werden. Katalytische Mengen von Kaliumhydroxid sind ausreichend.

Natriumcarbonat, Natriumacetat und Basen wie Chinolin, Tributylamin sind deutlich unterlegen; lediglich Tris-[2-hydroxy-äthyl]-amin reicht an die Wirksamkeit von Kaliumhydroxid heran. Bemerkenswerterweise entfaltet auch Dikaliumphosphat hohe Aktivität; hingegen sind saure Agentien wie Kaliumhydrogensulfat und Phosphorsäure nur wenig aktiv. Durch Platinfolie, Platinschwarz, Kupferbronze und Bestrahlung mit ultraviolettem Licht wird die Zersetzung dieses Pyrazolins nicht katalysiert.

Bei der Herstellung von *3,7,7-Trimethyl-bicyclo[4.1.0]hepten-(2)* aus 1-Methyl-4-isopropyliden-cyclohexen kann statt Platin auch Kupfer(II)-sulfat verwendet werden[2]. Nach dem Kishner-Verfahren wurden eine Reihe von 2-Alkyl-1-phenyl-cyclopropane[3] hergestellt (75–80% d. Th.). Die als Ausgangsmaterial benötigten α,β-ungesättigten Ketone werden durch Kondensation von Benzaldehyd mit Alkyl-methyl-ketonen gewonnen[4].

Während Versuche, Acryloyl-cyclopropan auf obigem Wege in Bi-cyclopropyl überzuführen, keinen Erfolg hatten[5], läßt sich Cinnamoyl-cyclopropan glatt zu *2-Phenyl-bi-cyclopropyl* umsetzen[6]:

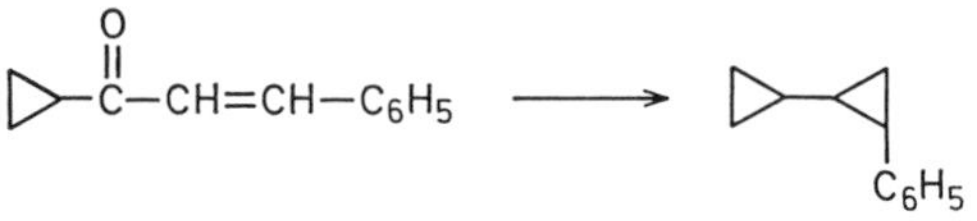

2-Phenyl-bi-cyclopropyl[6]:

3-Cyclopropyl-5-phenyl-4,5-dihydro-1H-pyrazol: 42 g Cinnamoyl-cyclopropan werden zu 25 *ml* einer wäßrigen Lösung von 0,42 Mol Hydrazin-hydrat in 70 *ml* 95%igem Äthanol gegeben. Es tritt Erwärmung und Grünfärbung ein. Man läßt 45 Min. stehen und erwärmt dann noch ~ 1 Stde. auf dem Wasserbad; anschließend wird i.Vak. destilliert; Ausbeute: 37,8 g (86% d.Th.); Kp$_1$: 164°.

2-Phenyl-bi-cyclopropyl: 7,2 g gepulvertes Kaliumhydroxid und 3,2 g Platinasbest werden in einem 100 *ml* Claisen-Kolben in einem Metallbad auf 220° Badtemp. erhitzt. Dazu werden 37,8 g des erhaltenen Pyrazolins langsam zugegeben. Nach Beendigung der stürmischen Stickstoff-Entwicklung wird 2 mal i. Hochvak. destilliert; Ausbeute: 74% d.Th.; Kp$_{0,12}$: 57°.

Das aus dem Azin des Acetyl-cyclopropans zugängliche 5-Methyl-3,5-dicyclopropyl-4,5-dihydro-1H-pyrazol[7] läßt sich unter Zusatz von Kaliumhydroxid bei 230° zu *1'-Methyl-2-cyclopropyl-bi-cyclopropyl* zersetzen:

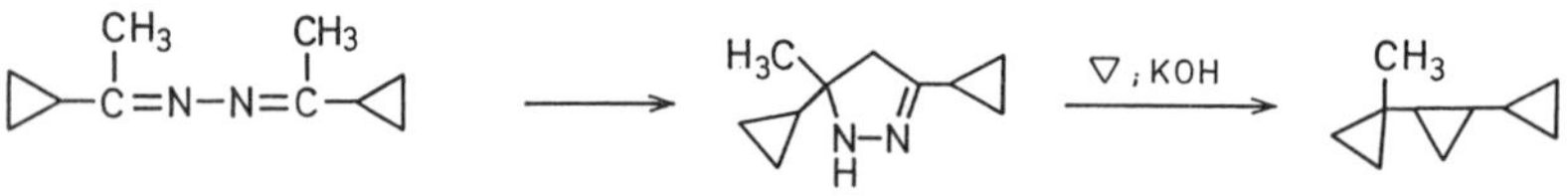

[1] S. G. BEECH, J. H. TURNBULL u. W. WILSON, Soc. **1952**, 4686.
[2] Y. R. NAVES u. G. PAPAZIAN, Helv. **25**, 744, 948 (1942).
[3] D. DAVIDSON u. J. FELDMAN, Am. Soc. **66**, 488 (1944).
[4] R. K. HARRIES u. O. MÜLLER, B. **35**, 966 (1902).
[5] L. J. SMITH u. J. S. SHOWELL, J. Org. Chem. **17**, 839 (1952).
[6] P. I. SMITH u. R. E. ROGIER, Am. Soc. **73**, 3840 (1951).
[7] A. P. MESHCHERYAKOV, V. G. GLUKHOVTSEV u. A. D. PETROV, Doklady Akad. SSSR **130**, 779 (1960); C. A. **54**, 10883 (1960).

Bei α,β-ungesättigten 5- und 6-Ringketonen wie 3-Oxo-cyclopenten, 6-Oxo-1-methyl-4-isopropenyl-cyclohexen-(1), 3-Oxo-4-methyl-1-isopropyl-cyclohexen-(1) sowie auch bei 1-Acetyl-cyclohexen und verwandten Steroid-ketonen und Aldehyden wird nur Reduktion zu Olefinen – oft mit charakteristischer Wanderung der Doppelbindung verbunden – beobachtet, was offenbar darauf zurückzuführen ist, daß der Ringschluß der Hydrazone zu den Pyrazolinen aus sterischen Gründen nicht möglich bzw. erschwert ist. Manche offenkettigen α,β-ungesättigten Carbonyl-Verbindungen wie z.B. Zimtaldehyd bilden Hydrazone, die nur sehr langsam zu Pyrazolinen cyclisieren. Es ist daher in jedem Falle angezeigt, die Pyrazoline vor der Pyrolyse zu isolieren, will man die normale Reduktion vermeiden.

Acetoxy-cyclopropane sind nach dem Pyrazolinweg[1] dadurch leicht zugänglich geworden, daß man die aus α,β-ungesättigten Ketonen und Hydrazin gewonnenen 4,5-Dihydro-1H-pyrazole mit Blei(IV)-acetat in 3-Acetoxy-4,5-dihydro-3H-pyrazole überführt und diese durch Kochen unter Rückfluß zersetzt:

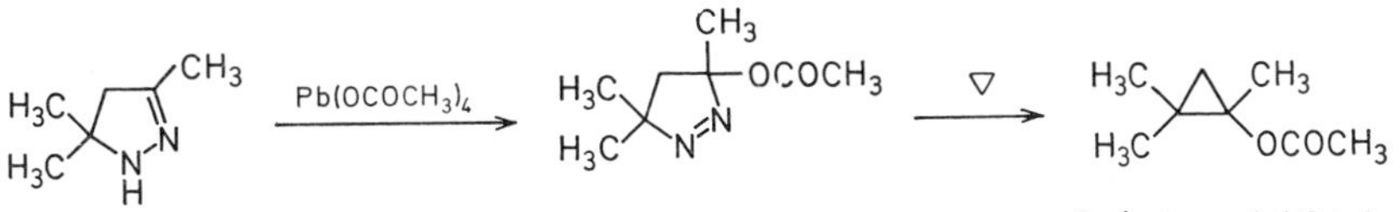

2-Acetoxy-1,1,2-trime-
thyl-cyclopropan

Die Pyrolysereaktion verläuft am besten, wenn sich in der 3- und 5-Position des 4,5-Dihydro-3H-pyrazols kein Wasserstoff befindet. Bisher konnten auf diese Weise 2-Acetoxy-1,1,2-trialkyl-, verschiedene Acetoxy-alkyl-phenyl-, *cis-1-Acetoxy-1,2-diphenyl-* und die drei isomeren Acetoxy-phenyl-cyclopropane

Tab. 3. Cyclopropane über 4,5-Dihydro-1H-pyrazole

α,β-ungesättigte Carbonyl-Verbindung	Cyclopropandrivat	Ausbeute [% d.Th.]	Kp		Literatur
			[°C]	[Torr]	
5-Oxo-2-methyl-hexen-(3)	*2-Methyl-1-isopropyl-cyclopropan*	75	80–81	748	[2]
Phoron [4-Oxo-2,6-dimethyl-hepta-dien-(2,5)]	*2,2-Dimethyl-1-(2-methyl-propenyl)-cyclopropan*	75	132	758	[3]
Zimtaldehyd	*Phenyl-cyclopropan*	75	173,6	758	[4]
3-Oxo-1-phenyl-buten-(1)	*2-Methyl-1-phenyl-cyclopropan*	75	186	743	[5]
Citral[3,7-Dimethyl-octadien-(2,6)-al]	*1-Methyl-1-[4-methyl-penten-(3)-yl]-cyclopropan*	75	160–160,5	735	[6]
3-Oxo-1-furyl-(2)-buten-(1)	*2-Methyl-1-furyl-(2)-cyclopropan*	75	144,2	743	[7]

[1] J. P. FREEMAN, J. Org. Chem. **29**, 1379 (1964).
[2] N. KISHNER, Ж. **45**, 989 (1913); C. **1913** II, 2133.
[3] N. KISHNER, Ж. **45**, 959 (1913); C. **1913** II, 2130.
[4] N. KISHNER, Ж. **45**, 950 (1913); C. **1913** II, 2129.
[5] N. KISHNER, Ж. **44**, 862 (1912); C. **1912** II, 1925.
[6] N. KISHNER, Ж. **50**, 1 (1918); C. **1923** III, 669.
[7] N. KISHNER, Bl. [4] **45**, 767 (1929).

hergestellt werden (Ausbeuten in den beiden ersten Gruppen meist um 60%, dann abfallend). Versuche, zu Mono- und Dialkyl-Derivaten zu gelangen, schlugen im Pyrolyseschritt fehl.

c) 4,5-Dihydro-3H-pyrazole durch Oxidation von Tetrahydropyrazolen

Die Oxidation von Tetrahydropyrazolen zu 4,5-Dihydro-3H-pyrazolen diente hauptsächlich den reaktionsmechanistischen Betrachtungen der Cyclopropan-Synthese[1,2]. In manchen Fällen dürfte jedoch auch dieser Weg der Herstellung von Cyclopropanen wegen seines relativ glatten Verlaufs von präparativem Interesse sein. Ausgangspunkt für die Bereitung entsprechender Tetrahydropyrazole ist die Reaktion von 1,3-Dibrom-propan mit Hydrazin[3]:

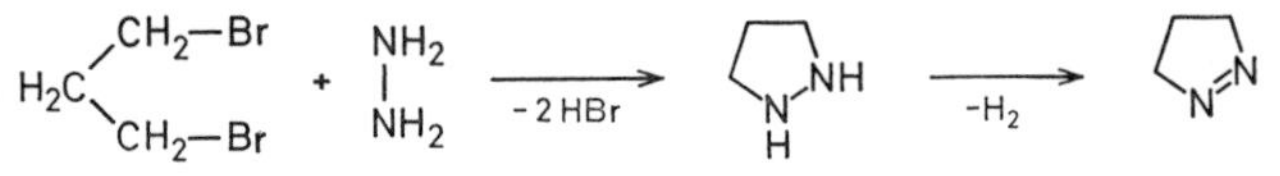

Tab. 4. Cyclopropane durch Pyrolyse von 4,5-Dihydro-3H-pyrazolen[2]

...-4,5-dihydro-3H-pyrazol	Pyrolyse-temperatur [°C]	Cyclopropan-Derivat	Ausbeute [% d. Th.]	Olefine	Ausbeute [% d. Th.]
4,5-Dihydro-3H-pyrazol	223	*Cyclopropan*	89	Propen	11
3-Methyl-...	202	*Methyl-cyclopropan*	93	Buten-(1) Buten-(2)	4 *trans* 1 *cis* 2
4-Methyl-...	223	*Methyl-cyclopropan*	52	2-Methyl-propen	48
4,4-Dimethyl-...	249	*1,1-Dimethyl-cyclo-propan*	98	2-Methyl-propen 2-Methyl-buten-(1)	1 Spur
3,3-Dimethyl-...	202	*1,1-Dimethyl-cyclopropan*	97	2-Methyl-buten-(2) 3-Methyl-buten-(1)	2 1,5
cis-3,5-Dimethyl-...		*1,2-Dimethyl-cyclopropan*	*cis* 33	Penten-(2)	*cis* — *trans* 0,7
trans-3,5-Dimethyl-....		*1,2-Dimethyl-cyclopropan*	*cis* 73 *trans* 25	Penten-(2)	*cis* 1 *trans* 1
3,3,5-Trimethyl-...	202	*1,1,2-Trimethyl-cyclopropan*	99	2-Methyl-penten-(2) 4-Methyl-penten-(2)	0,2 *cis* 0,06 *trans* 0,34
3,3,5,5-Tetra-methyl-...	202	*1,1,2,2-Tetramethyl-cyclopropan*	100	2,4-Dime-thyl-pen-ten-(2)	0,25
2,3-Diaza-bicyclo[2.2.1]hepten-(2)	202	*Bicyclo[2.1.0]pentan*	100	Cyclopenten	Spur

[1] R. J. CRAWFORD, R. J. DUMMEL u. A. MISHRA, Am. Soc. **87**, 3023 (1965).
[2] R. J. CRAWFORD, A. MISHRA u. R. J. DUMMEL, Am. Soc. **88**, 3959 (1966).
[3] E. L. BUHLE, A. M. MOORE u. F. Y. WISELOGLE, Am. Soc. **65**, 29 (1943).

Als geeignete Methode zur Oxidation erwies sich die Behandlung mit Quecksilber(II)- oder Silberoxid in Pentan[1]. Andererseits sind Tetrahydropyrazole auch über die entsprechenden 4,5-Dihydro-1H-pyrazole zugänglich. Die Überführung der 4,5-Dihydro-1H-pyrazole in die Tetrahydropyrazole kann entweder durch katalytische Reduktion mit Platinkatalysatoren oder Reduktion mit Natrium in Alkohol erfolgen[1].

Tab. 4 (S. 74) enthält die Ergebnisse der Pyrolyse einiger 4,5-Dihydro-3H-pyrazole.

4,5-Dihydro-3H-pyrazole durch Oxidation; allgemeine Herstellungsvorschrift:

Mit Quecksilber(II)-oxid[1]: 0,05 Mol des zu oxidierenden Tetrahydropyrazols werden in 10 *ml* Pentan gelöst. Diese Lösung wird langsam zu einer gut gerührten Aufschlämmung von 22 g (0,1 Mol) Quecksilber(II)-oxid und wasserfreiem Natriumsulfat in 100 *ml* auf 0° abgekühltem Pentan gegeben. Nach erfolgter Zugabe läßt man unter Fortsetzen des Rührens langsam auf Raumtemp. aufwärmen. Die Oxidation erfordert Zeiten zwischen 1 und 3 Stdn. Die Pentanphase wird vom Rückstand abdekantiert und der Rückstand mit Pentan extrahiert. Die 4,5-Dihydro-3H-pyrazole werden dann durch fraktionierte Destillation der vereinigten Pentanextrakte isoliert.

Mit Silberoxid[1]: Im wesentlichen ähnelt das Verfahren der Methode mit Quecksilber(II)-oxid, nur daß hier Silberoxid in Methanol zur Oxidation verwendet wird. Bezüglich der Ausbeute sind beide Methoden vergleichbar. Bei der Silberoxid-Methode ist jedoch die erforderliche Oxidationszeit kürzer. Tetrahydropyrazol und sein 4-Methyl-Derivat werden am zweckmäßigsten nach diesem Verfahren wegen der begrenzten Löslichkeit beider Verbindungen in Pentan oxidiert.

Mit molekularem Sauerstoff in Gegenwart von Kupfer(II)-acetat[1]: 0,5 g Kupfer(II)-acetat werden zu einer methanolischen Lösung des zu oxidierenden Tetrahydropyrazols (0,4 Mol) gegeben. Die Lösung wird dann 90 Min. unter Sauerstoff bei Raumtemp. gerührt. Danach wird die Reaktionsmischung mit Äther verdünnt und über wasserfreiem Natriumsulfat getrocknet und destilliert; Ausbeute: 71% d.Th. im Fall des Tetrahydropyrazols selbst.

d) Reaktionsmechanistische Untersuchungen zur Cyclopropanierung über 4,5-Dihydro-3H-pyrazole

Das zunächst bei der Umsetzung von Styrol mit Phenyl-diazomethan entstehende 2,5-Diphenyl-4,5-dihydro-3H-pyrazol(I) schmilzt unter Zersetzung und man erhält *trans-1,2-Diphenyl-cyclopropan*[2]. Die Struktur von I konnte durch Isomerisierung zu III und dessen Acetylierung zu IV gesichert werden:

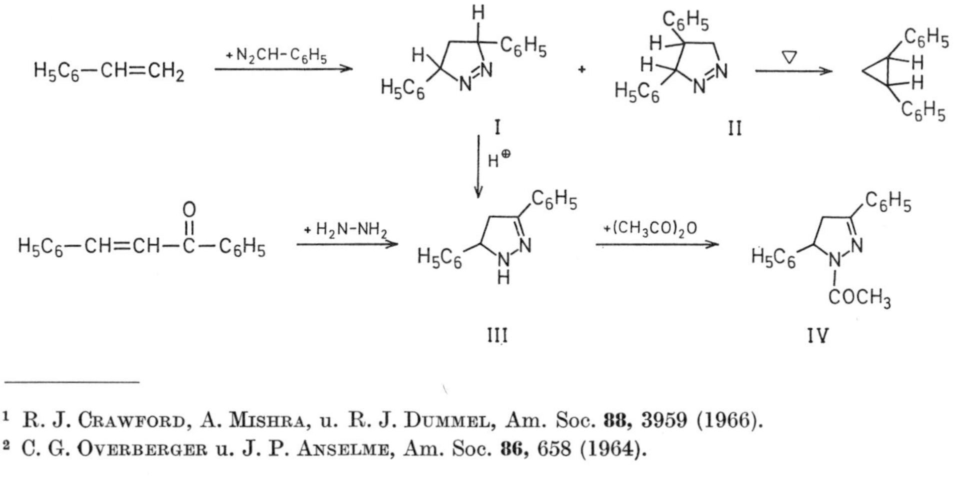

---

[1] R. J. CRAWFORD, A. MISHRA, u. R. J. DUMMEL, Am. Soc. **88**, 3959 (1966).
[2] C. G. OVERBERGER u. J. P. ANSELME, Am. Soc. **86**, 658 (1964).

Das zeigt, daß in der Tat eine β-Addition[1] von Phenyl-diazomethan an Styrol unter Bildung von 3,5-Diphenyl-4,5-dihydro-3H-pyrazol (I; S. 75) stattgefunden hat. Geringe Mengen eines möglichen 3,4-Isomeren II wurden ebenfalls isoliert. Einen analogen Reaktionsweg kann für die Reaktion von (4-Chlor-phenyl)-diazomethan und 4-Chlor-styrol zu *trans-1,2-Bis-[4-chlor-phenyl]-cyclopropan* angenommen werden[2]. Die *trans*-ständige Anordnung der Substituenten in Position 3 und 5 konnte gesichert werden[2-4]. Das steht in Einklang mit früheren Auffassungen, daß die Reaktion von Diazoalkanen eine *cis*-Addition[5] ist und daß sie eine stereoselektive Reaktion[1] ist.

Die hier beobachtete stereospezifische Zersetzung des 3,5-Diphenyl- und des 3,5-Bis-[4-chlor-phenyl]-4,5-dihydro-3H-pyrazols zu *1,2-Diphenyl-* bzw. *1,2-Bis-[4-chlor-phenyl]-cyclopropan* ist andererseits konträr zu den Produktgemischen, die bei der thermischen Zersetzung von 3,7-Diphenyl-1,2-diaza-cyclohepten-(1)[6] und von 3,8-Diphenyl-1,2-diaza-cycloocten-(1)[7] erhalten wurden. Die basenkatalysierte Zersetzung von 4,5-Dihydro-1H-pyrazolen bei höheren Temperaturen, die recht häufig auch zur Synthese von Cyclopropanen benutzt wird, führt sehr oft zu Gemischen aus *cis*- und *trans*-Isomeren sowie aus Olefinen[8]. Zum anderen konnte gezeigt werden, daß bei tiefen Temperaturen die *cis/trans*-isomeren 3,4-Dimethyl-4,5-dihydro-3H-pyrazol-3-carbonsäure-methylester die korrespondierenden *1,2-Dimethyl-cyclopropan-1-carbonsäure-methylester* in hoher Ausbeute[1,9] liefern, während nur sehr geringe Mengen entsprechender Olefine anfallen. Ähnliche Resultate wurden auch von anderer Seite berichtet[10].

Die Gültigkeit der Annahme eines freien Radikalmechanismus[1] für die thermische Zersetzung der 4,5-Dihydro-3H-pyrazole wurde bezweifelt[11], jedoch konnten durch Elektronenspinresonanz-Untersuchungen der photolytischen Zersetzung von 3,5-Diphenyl-4,5-dihydro-3H-pyrazol bei 77° K in einer Nujol- oder Fluorolube-Matrix in jedem Fall freie Radikale[2] nachgewiesen werden. Die photolytische Zersetzung bei 15° gab ebenfalls nur *trans-1,2-Diphenyl-cyclopropan*.

Für diese 3,5-Diaryl-4,5-dihydro-3H-pyrazole dürfte daher die thermische Zersetzung unter Bildung freier Radikale als gesichert gelten.

Folgender Reaktionsmechanismus wurde vorgeschlagen[2] (s. S. 77).

Die stereochemische Integrität in den Schritten B → C bzw. B' → C' wird nicht verletzt. Da nachgewiesen wurde, daß unter den Zersetzungsbedingungen die gebildeten Cyclopropane stabil sind, kann man dann die Bildung von Gemischen aus den *cis/trans*-isomeren Cyclopropanen auf eine nicht-stereospezifische Isomerisierung der 4,5-Dihydro-3H-pyrazole zu -1H-pyrazole (A → B u. B') zurückführen[2,12]. Eine solche Verallgemeinerung ist jedoch gerade im Lichte anderer Untersuchungsergebnisse[9] (s. oben) nicht zwingend[2].

Molekülmodelle der 4,5-Dihydro-3H-pyrazole haben gezeigt, daß die planare Anordnung des fünfgliedrigen Azoringes einen beträchtlichen Betrag an Winkelspannung induziert. Das würde eine Schwächung der C—N-Bindungen als Konsequenz haben. Darüber hinaus würde die

---

[1] T. V. van Auken u. K. L. Rinehart, Am. Soc. **84**, 3736 (1962).

[2] C. G. Overberger u. J. P. Anselme, Am. Soc. **86**, 658 (1964).

[3] C. G. Overberger u. J. P. Anselme, Am. Soc. **84**, 869 (1962).

[4] C. G. Overberger, J. P. Anselme u. J. R. Hall, Am. Soc. **85**, 2752 (1963).

[5] R. Huisgen et al., Ang. Ch. **73**, 170 (1961).

[6] C. G. Overberger u. J. G. Lombardino, Am. Soc. **80**, 2317 (1958).

[7] C. G. Overberger u. I. Taslick, Am. Soc. **81**, 217 (1959).

[8] Vgl. T. L. Jacobs in: R. Elderfields *Heterocyclic Compounds*, Bd. 5, S. 72, John Wiley & Sons, Inc., New York 1957.

[9] K. L. Rinehart u. T. V. van Auken, Am. Soc. **82**, 525 (1960).

[10] K. Kocsis et al., Helv. **43**, 2178 (1960).

[11] H. M. Walborsky u. C. G. Pitt, Am. Soc. **84**, 4831 (1962).

[12] W. M. Jones, Am. Soc. **82**, 3136 (1960), zog eine ähnlich allgemeine Schlußfolgerung, wie C. G. Overberger u. J. P. Anselme, Am. Soc. **86**, 658 (1964).

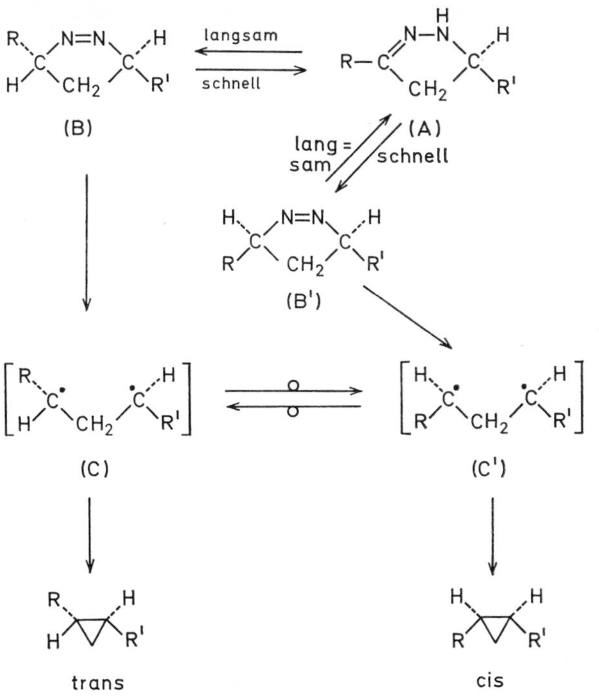

Planarität des C—N=N—C-Systems im Grundzustand die Zersetzung stark begünstigen. Bestätigt wird diese Argumentation durch die bemerkenswert kleine Aktivierungsenergie für die Zersetzung der 4,5-Dihydro-3H-pyrazole (für 3,5-Diphenyl-4,5-dihydro-3H-pyrazol 11,6 Kcal/Mol für die entsprechenden Verbindungen des sieben- und achtgliedrigen Azoringes 29,7 und 36,7 Kcal/Mol)[1].

Die basenkatalysierte Zersetzung von 3,5-Bis-[4-chlor-phenyl]-4,5-dihydro-1H-pyrazol bei 200° sollte nach früheren Untersuchungen nur zum *trans-1,2-Bis-[4-chlor-phenyl]-cyclopropan* (F: 83–83,5°) führen[2,3]. Neuere Untersuchungen[1] haben jedoch gezeigt, daß auch hier ein *cis*-Isomeres (F: 50–52°) neben der *trans*-Verbindung isoliert werden kann.

Da bislang nur die *trans*-4,5-Dihydro-3H-pyrazole in dieser Reihe zugänglich waren, versuchte man die entsprechenden *cis*-3,5-Diaryl-4,5-dihydro-3H-pyrazole zu synthetisieren[4,5]. Das gelang zunächst für die 3,5-Bis-[4-methoxy-phenyl]-4,5-dihydro-3H-pyrazole[4,5]. Hierzu wurde (4-Methoxy-phenyl)-diazomethan[6] an 4-Methoxy-styrol addiert.

---

[1] C. G. OVERBERGER u. J. P. ANSELME, Am. Soc. **86**, 658 (1964).

[2] M. HAMADA, Botyu Kagaku **21**, 22 (1956).

[3] V. BIRO, W. VOEGTLI u. P. LAUGER, Helv. **37**, 2230 (1954).

[4] C. G. OVERBERGER, N. WEINSHENKER u. J. P. ANSELME, Am. Soc. **86**, 5364 (1964).

[5] C. G. OVERBERGER, N. WEINSHENKER u. J. P. ANSELME, Am. Soc. **87**, 4119 (1965).

[6] Herstellung: R. L. HINMAN, J. Org. Chem. **25**, 1775 (1960).
   C. G. OVERBERGER, N. WEINSCHENKER u. J. P. ANSELME, Am. Soc. **87**, 4119 (1965).
   Vgl. a. ds. Handb., Bd. X/4, Herstellung von aliphatischen Diazoverbindungen, S. 570.
   Als Methode der Wahl zur Bereitung von (4-Methoxy-phenyl)-diazomethan erwies sich die Tieftemperaturoxidation von 4-Methoxy-benzaldehyd-hydrazon, da die BAMFORD-STEVENS-Reaktion des Tosylhydrazons von 4-Methoxy-benzaldehyd[7] hauptsächlich zu Zersetzungsprodukten führte[5].

[7] Vgl. D. G. FARNUM, J. Org. Chem. **28**, 870 (1963).
   G. L. CLOSS u. R. A. MOSS, Am. Soc. **86**, 4042 (1964).

Bei Zugabe von 4-Methoxy-styrol zu der kalten Diazoalkan-Lösung werden nach ~ 10 Tagen nahezu 35% an Additionsprodukt erhalten[1]. Neben *trans*- bildet sich auch *cis*-3,5-Bis-[4-methoxy-phenyl]-4,5-dihydro-3H-pyrazol. Die Bildung des *cis*-Isomeren war bis dahin ohne Präzedenz. Bei allen anderen Reaktionen von Diaryl-diazomethanen mit den korrespondierenden Styrolen wird stets nur das *trans*-Produkt gefunden. Auffallend war auch, daß hier beide Isomere in nahezu gleicher Menge gebildet wurden.

Offenbar sind die 4-Methoxy-Gruppen für diesen anderen reaktionsmechanistischen Verlauf verantwortlich zu machen,; da die 4-Methoxy-Gruppe[2] an den Grenzstrukturen mit beteiligt ist:

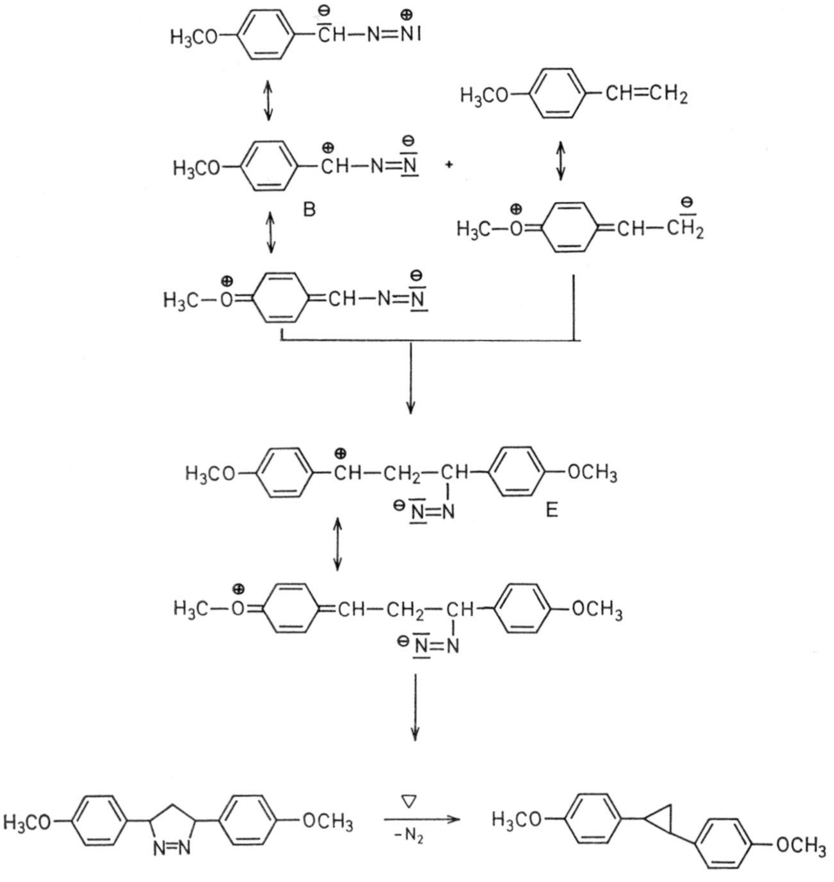

cis/trans-1,2-Bis-[4-methoxy-phenyl]-cyclopropan; cis: trans=1:1

Bei Angriff der elektronenreichen Doppelbindung des Olefins am positiven Zentrum des (4-Methoxy-phenyl)-diazomethans (B) sollte eine resonanzstabilisierte Spezies vom Typ E erhalten werden[1]. E kann in interner S_{N1}-Reaktion dann beide Isomeren liefern. Die Natur dieser Spezies E, ob Zwischenstufe, oder Übergangszustand oder auch Ionenpaar, wäre für diesen Vorschlag zunächst irrelevant. Auch die in letzter Zeit berichtete Bedeutsamkeit der elektronischen Reaktionskontrolle (z. T. Überkompensierung bzw. Unterdrückung sterischer Effekte) bei der Addition von Arylaziden an Enamine[3] deutet an, daß verschiedene Reaktionsschritte möglich sind, und daß letztlich die speziellen Reaktanten bestimmen, welcher Reaktionsmechanismus abläuft.

[1] C. G. OVERBERGER, N. WEINSHENKER u. J. P. ANSELME, Am. Soc. **87**, 4119 (1965).

[2] Vgl. F. L. SCOTT u. A. D. CONIN, Tetrahedron Letters **1963**, 715.

[3] M. MUNK u. Y. K. KIM, Am. Soc. **86**, 2213 (1964).

Wie bereits erwähnt (s. S. 76), führt die thermische Zersetzung der der *trans*-3,5-Diphenyl- und 3,5-Bis-[4-chlor-phenyl]-4,5-dihydro-3H-pyrazole in stereospezifischer Weise zu den korrespondierenden *trans*-1,2-Diaryl-cyclopropanen. *trans*-3,5-Bis-[4-methoxy-phenyl]-4,5-dihydro-3H-pyrazol unterliegt in Toluol bei 100° der Zersetzung unter Bildung von 93,3% *trans-1,2-Bis-[4-methoxy-phenyl]-cyclopropan* und 6,7% des entsprechenden *cis*-Isomeren[1]. Die photolytische Zersetzung dieses *trans*-4,5-Dihydro-3H-pyrazole in Tetrahydrofuran und Benzol bei 13° liefert zu 99,3% das *trans*-Derivat. Im Gegensatz dazu wird bei der Thermolyse des *cis*-3,5-Bis-[4-methoxy-phenyl]-4,5-dihydro-3H-pyrozols ein Isomerengemisch erhalten, bei dem das *trans*-Isomere überraschenderweise überwiegt (57%). Bei der photochemischen Zersetzung des *cis*-4,5-Dihydro-3H-pyrazols überwiegt das *cis*-Cyclopropan-Derivat. Offensichtlich führt der Anstieg der Rotationsgeschwindigkeit um die C—C-Bindungen bei Erhöhung der Temperatur dazu, daß die Rotation jetzt mit der Kopplung des Biradikals erfolgreich konkurrieren kann.

Freie Radikale sind bekanntermaßen wenig empfindlich gegenüber Substituenteneffekten. Sowohl als Elektronendonatoren wirkende Gruppen als auch als Elektronenacceptoren wirkende Substituenten tragen zur Stabilisierung freier Radikale vom Benzyl-Typ bei[2]. Der Einfluß elektronischer Faktoren sollte daher hier gering sein. Die kinetischen Daten der thermischen Zersetzung zeigen, daß *cis*-3,5-Bis-[4-methoxy-phenyl]-4,5-dihydro-3H-pyrazol schneller zersetzt wird und daß hierzu eine geringere Aktivierungsenergie als bei den *trans*-Verbindungen notwendig ist. Innerhalb der Fehlergrenze sind für die bisher untersuchten *trans*-Verbindungen nahezu analoge Werte für die Aktivierungsenergie ermittelt worden.

Tab. 5. 1,2-Bis-[4-methoxy-phenyl]-cyclopropane (I) durch Zersetzung von *cis*- und *trans*-3,5-Bis-[4-methoxy-phenyl]-4,5-dihydro-3H-pyrazol (II)

II	Zersetzung [% d. Th. an I][a]			
	thermisch		photolytisch	
	cis	*trans*	*cis*	*trans*
cis	43,0	57,0	57,2	42,8
trans . . .	6,7	93,3	0,7	99,3

[a] Fehler: ± 1,5%.

Tab. 6. Kinetische Daten der thermischen Zersetzung einiger 3,5-Diaryl-4,5-dihydro-3H-pyrazole (III)

III; . . . . -4,5-dihydro-3H-pyrazol	$k(80°)$ [sec^{-1}]	E_a [Kcal/Mol]
trans-3,5-Diphenyl-	1,25	17,9
trans-3,5-Bis-[4-chlor-phenyl]-	1,65	15,6
trans-3,5-Bis-[4-methoxy-phenyl]- .	2,55	16,3
cis-3,5-Bis-[4-methoxy-phenyl]- . .	4,25	11,8

[1] C. G. OVERSBERGER, N. WEINSHENKER u. J. P. ANSELME, Am. Soc. **87**, 4119, (1965).
[2] Vgl. J. HINE, *Physical Organic Chemistry*, S. 380, McGRAW-HILL Book Co., Inc., New York 1956.

Die größere Geschwindigkeitskonstante und die geringere Aktivierungsenergie der thermischen Zersetzung von *cis*-3,5-Bis-[4-methoxy-phenyl]-4,5-dihydro-3H-pyrazol steht in Einklang mit der größeren Spannung der C—N-Bindungen und der erhöhten sterischen Behinderung der beiden Arylsubstituenten in diesem Isomeren. Die CH_2-Gruppe ist stark von der C—N=N—C-Ebene des Ringes abgefaltet, wie kernresonanzspektroskopische Untersuchungen gezeigt haben. Dadurch kommt es zu einer beträchtlichen Dehnung der C—N- Bindungen und die beiden zueinander *cis*-ständigen 4-Methoxy-phenyl-Gruppen kommen noch näher zusammen. Auf der anderen Seite wird diesem Effekt durch die Dipol-Dipol-Abstoßung der π-Elektronensysteme der aromatischen Ringe wirksam entgegengetreten. Es resultiert schließlich eine verminderte Stabilität des Ringes. Faßt man diese Argumente mit der Tatsache zusammen, daß das entstehende *cis*-Cyclopropan-Derivat das weniger stabilere Isomer ist, so sollte man erwarten dürfen, daß das aus dem *cis*-4,5-Dihydro-3H-pyrazol erzeugte Biradikal genügend Energie besitzen sollte zur freien Rotation um die C—C-Bindung bevor es zur Kopplung kommt.

Für die zunächst nicht verallgemeinerungsfähigen Aussagen[1,2], daß die Reaktion über 1,3-Diradikale verläuft, wurden dann kinetische Beweise erbracht[3].

Tab. 7 enthält die kinetischen Daten von 4,5-Dihydro-3H-pyrazolen, die durch Verfolgung des Druckanstiegs im Bereich von 100–200 Torr bei 170–290° erhalten wurden[3]. Die Daten deuten einen kontinuierlichen Abfall der Aktivierungsenergie mit zunehmender Zahl der Methyl-Gruppen an den C-Atomen, die den Stickstoff gebunden halten, an. Der Vergleich von II mit V und VI sowie von IV mit VII und VIII läßt vermuten, daß beide C—N-Bindungen im Übergangszustand aufgebrochen werden. Die ΔS^*-Terme werden kleiner, wenn man von einem Pyrazolin, das zwei primäre Radikale produzieren kann (I und III), zu einem Pyrazolin übergeht, das zwei tertiäre Radikale erzeugt (VIII).

Tab. 7. Kinetische Daten einiger einfacher 4,5-Dihydro-3H-pyrazole für die thermische Umwandlung in Cyclopropane[3]

... -4,5-dihydro-3 H-pyrazol	E_a (Kcal/Mol)	ΔS^* (250°) (e. u.)
I, unsubstituiert	$42,4 \pm 0,3$	$11,2 \pm 0,6$
II, 3-Methyl	$41,0 \pm 0,3$	$10,5 \pm 0,7$
III, 4-Methyl	$42,2 \pm 0,2$	$10,8 \pm 0,5$
IV, 3,3-Dimethyl	$40,0 \pm 0,2$	$10,8 \pm 0,4$
V, 3,5-Dimethyl (*cis*)	$40,3 \pm 0,3$	$9,4 \pm 0,5$
VI, 3,5-Dimethyl (*trans*)	$40,2 \pm 0,3$	$10,0 \pm 0,5$
VII, 3,3,5-Trimethyl	$38,9 \pm 0,4$	$8,9 \pm 0,6$
VIII, 3,3,5,5-Tetramethyl	$37,7 \pm 0,4$	$4,6 \pm 0,7$

Von großem Interesse waren auch die Untersuchungen der Zersetzung des 2,3-Diaza-bicyclo[2.2.1]heptens-(2) (I, S. 81), das bei Temperaturen um 150° in *Bicyclo-[2.1.0]pentan* (III) und Stickstoff zerfällt[4]. Die Reaktion erwies sich als eine nicht-katalysierte, homogene Gasphasenreaktion 1. Ordnung[5], die über ein intermediäres 1,3-Diradikal II formuliert werden kann[3,5]. Als Test auf einen solchen Reaktionsverlauf wurde die Stereochemie des thermischen und photochemischen Zerfalls von I untersucht[6]:

[1] D. W. SETSER u. B. S. RABINOVITCH, Am. Soc. **86**, 565 (1964).
   S. W. BENSON, J. Chem. Physics **34**, 521 (1961).
   W. B. DE MORE u. S. W. BENSON, Adv. Photochem. **2**, 255 (1964).
[2] S. G. COHEN, R. ZAND u. C. STEEL, Am. Soc. **83**, 2895 (1961).
   C. G. OVERBERGER, N. WEINSHENKER u. J. P. ANSELME, Am. Soc. **86**, 5364 (1964).
[3] R. J. CRAWFORD, R. J. DUMMEL u. A. MISHRA, Am. Soc. **87**, 3023 (1965).
[4] R. CRIEGEE u. A. RIMMELIN, B. **90**, 414 (1957).
[5] S. G. COHEN, R. ZAND u. C. STEEL, Am. Soc. **83**, 2895 (1961).
[6] W. R. ROTH u. M. MARTIN, A. **702**, 1 (1967).

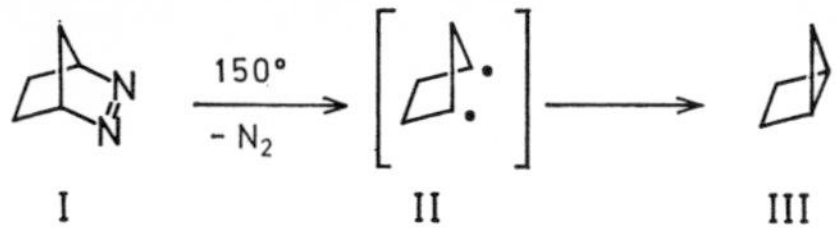

I   II   III

exo-5,6-Dideutero-2,3-diaza-bicyclo[2.2.1]hepten-(2) (IV) zerfällt in der Gasphase bei 180° in ein (3 : 1)-Gemisch von *trans*- und *cis-2,3-Dideutero-bicyclo[2.1.0]pentan* (Va bzw. Vb) und Stickstoff. Bei der Photolyse von IV in Lösung oder auch bei höheren Gasdrucken wird eine gleichgerichtete, aber geringere Stereospezifität beobachtet; umgekehrt entsteht bei Bestrahlung im kristallinen Zustand bevorzugt Va:

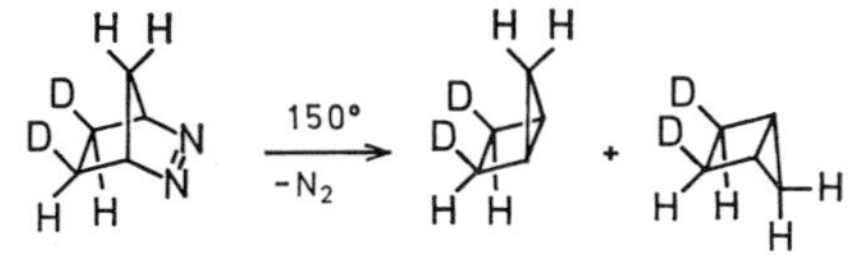

IV   Va   Vb

endo-5-Methyl-2,3-diaza-bicyclo[2.2.1]hepten-(2) verhält sich stereochemisch analog IV (es entstehen *trans*- und *cis-2-Methyl-bicyclo[2.1.0]pentan* im Verhältnis 1,3 : 1)[1].

Dieser überraschende Befund wird so gedeutet[1], daß die Bildung von III beim thermischen Zerfall von I bevorzugt unter Inversion an den Kohlenstoffen C-1 und C-4 erfolgt, zunächst durch Annahme der Beteiligung des austretenden Stickstoffs am produktbestimmenden Übergangszustand, wobei offen blieb, ob es sich um eine synchrone oder stufenweise erfolgende Reaktion handelt.

Die beobachtete Stereochemie könnte jedoch auch durch die Tatsache bedingt sein, daß bei der Abspaltung des Stickstoffs dem Kohlenstoff C-5 durch die frei werdende Ringspannung ein Impuls verliehen wird, der ein Durchschwingen durch die Ringebene des Cyclopentan-(1,3)-Diradikals ermöglichen würde. Bimolekulare Desaktivierung würde dann gleichfalls zu der bevorzugten Bildung der invertierten Molekel führen. Am produktbestimmenden Schritt wäre in einem solchen Fall der Stickstoff nicht beteiligt[2]. Um nun zwischen diesen Wegen echt zu unterscheiden, wurde die Stereochemie der Rückreaktion[3] untersucht, d.h. die 1,2-Cycloaddition an das Bicyclo[2.1.0]pentan-System. Nach dem Prinzip der mikroskopischen Reversibilität sollte die Addition – als Umkehr der Zerfallsreaktion – ebenfalls unter Inversion an den Kohlenstoffatomen C-1 und C-4 erfolgen, wenn der Stickstoff im produktbestimmenden Schritt der Zersetzung abgelöst wird. Die 1,2-Cycloaddition wurde an einem Gemisch aus 79% *endo*, *endo*- und 21% *exo,exo*-2,3-Dideutero-bicyclo[2.1.0]pentan-⟨5-spiro⟩-cyclopropan[4] (VIa, b) mit 3,5-Dioxo-4-phenyl-4,5-dihydro-3H-1,2,4-triazol (VII) in Aceton bei 20° durchgeführt. Nach Verseifung, Decarboxylierung und Oxidation mit Kupfer(II)-chlorid wurde innerhalb der Analysengenauigkeit ein Gemisch aus 79% *endo,endo*- und 21% *exo,exo- 4,5-Dideutero-2,3-diaza-bicyclo[2.2.1]hepten-(2)-⟨7-spiro⟩-cyclopropan* (IXa, b) erhalten[3]:

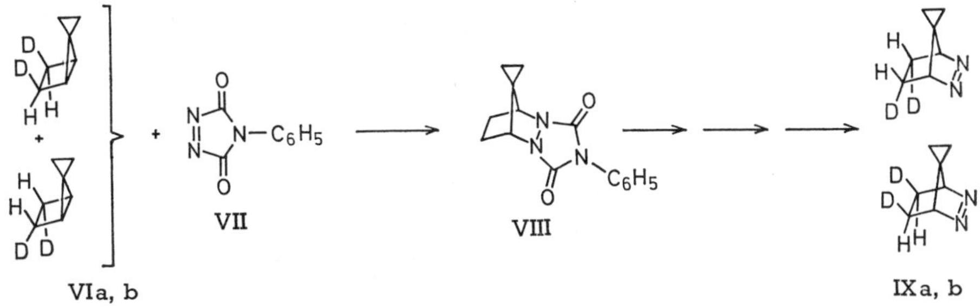

VIa, b   +   VII   →   VIII   →   →   IXa, b

[1] W. R. Roth u. M. Martin, A. **702**, 1 (1967).
[2] W. v. E. Doering, Bürgenstockkonferenz 1967.
[3] W. R. Roth u. M. Martin, Tetrahedron Letters **1967**, 4695.
[4] W. R. Roth u. K. Enderer, A. **733**, 44 (1970).

Die Addition ist also in den Grenzen der Analysengenauigkeit stereospezifisch erfolgt, und zwar unter Inversion an den Brückenkopfatomen C-1 und C-4. Das *endo*-ständig markierte Produkt VI a ging in das *endo,endo*-markierte Addukt IX a über, und das *exo*-ständig markierte Produkt VI b gab Ablaß zum dem *exo,exo*-Addukt IX b (s. S. 81). Die Stereochemie erwies sich somit identisch mit derjenigen der Zerfallsreaktion und legt damit auch den gleichen produktbestimmenden Übergangszustand in beiden Reaktionen nahe. Die Zwischenstufe eines Cyclopentan-(1,3)-Diradikals beim Zerfall 2,3-Diaza-bicyclo[2.2.1]hepten-(2) wird damit höchst unwahrscheinlich.

Als primäres Reaktionsprodukt wird ein Diradikal vom Typ X angenommen, dessen Konfiguration[1] nur eine Cyclisierung zu dem Produkt der beobachteten Stereochemie erlauben würde:

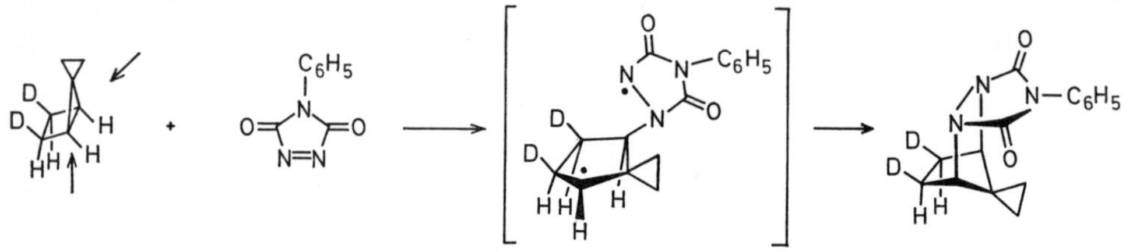

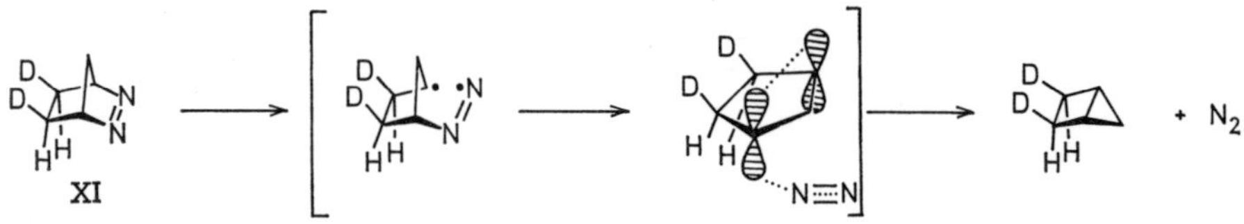

Umgekehrt sollte dann natürlich auch der Zerfall von XI in zwei Schritten erfolgen. Hier ist es die im zweiten Reaktionsschritt mit der Ablösung des Stickstoffs verbundene Inversion, die die Stereochemie determiniert, und die in der nucleophilen aliphatischen Substitution eine gewisse Parallele findet[2].

Für 4-Methylen-4,5-dihydro-3H-pyrazol (I), das aus Allen und Diazomethan hergestellt werden kann[3], konnte nachgewiesen werden, daß seine thermische und seine photolytische Zersetzung über das theoretisch interessante Trimethylenmethan[4] als Zwischenstufe zum *Methylen-cyclopropan* führt[5,6]:

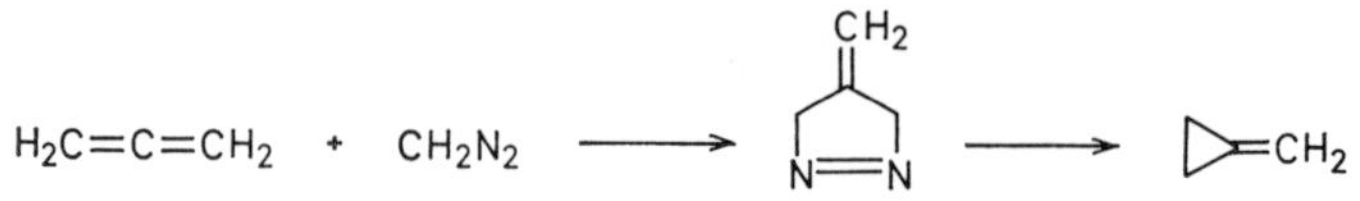

[1] W. R. Roth u. M. Martin, Tetrahedron Letters **1967**, 4695.
[2] Als Homo-1,2-cycloaddition steht eine zweistufig erfolgende Addition bzw. Abspaltung auch in Einklang mit den Erwartungen, die sich aus der Betrachtung der Orbitalsymmetrie ergeben: R. B. Woodward u. R. Hoffman, Am. Soc. **87**, 2046 (1965).
[3] I. A. D'Yakonov, Ž. obšč. Chim. **15**, 473 (1945); C. A. **40**, 4718 (1946).
[4] W. Moffitt, Trans. Faraday Soc. **45**, 373 (1949).
    J. D. Roberts, A. Streitwieser u. C. M. Regan, Am. Soc. **74**, 4579 (1952).
    H. H. Greenwood, Trans. Faraday Soc. **48**, 677 (1952).
    J. D. Roberts, *Notes on Molecular Orbital Calculations*, S. 51, W. A. Benjamin, Inc., New York 1961.
    A. Streitwieser, *Molecular Orbital Theory for Organic Chemists*, S. 43, 57, J. Wiley & Sons, Inc., New York 1961.
    H. M. McConnell, J. Chem. Physics **35**, 1520 (1961).
    A. D. Mc Lachlan, Mol. Phys. **5**, 51 (1962).
    D. P. Chong u. J. W. Linnett, Mol. Phys. **8**, 541 (1964).
[5] R. J. Crawford u. D. M. Cameron, Am. Soc. **88**, 2589 (1966).
[6] P. Dowd, Am. Soc. **88**, 2587 (1966).

Die Umsetzung von Dideutero-diazomethan mit Allen bzw. Diazomethan mit Tetradeuteroallen und die anschließende Pyrolyse zu *2-Methylen-1,1-dideutero-cyclopropan* (IVa) und *1-Dideuteromethylen-cyclopropan* (IVb) bzw. *Methylen-tetra-deutero-cyclopropan* (Vb) und *2-Dideuteromethylen-1,1-dideutero-cyclopropan* (Va) laufen wie folgt ab[1]:

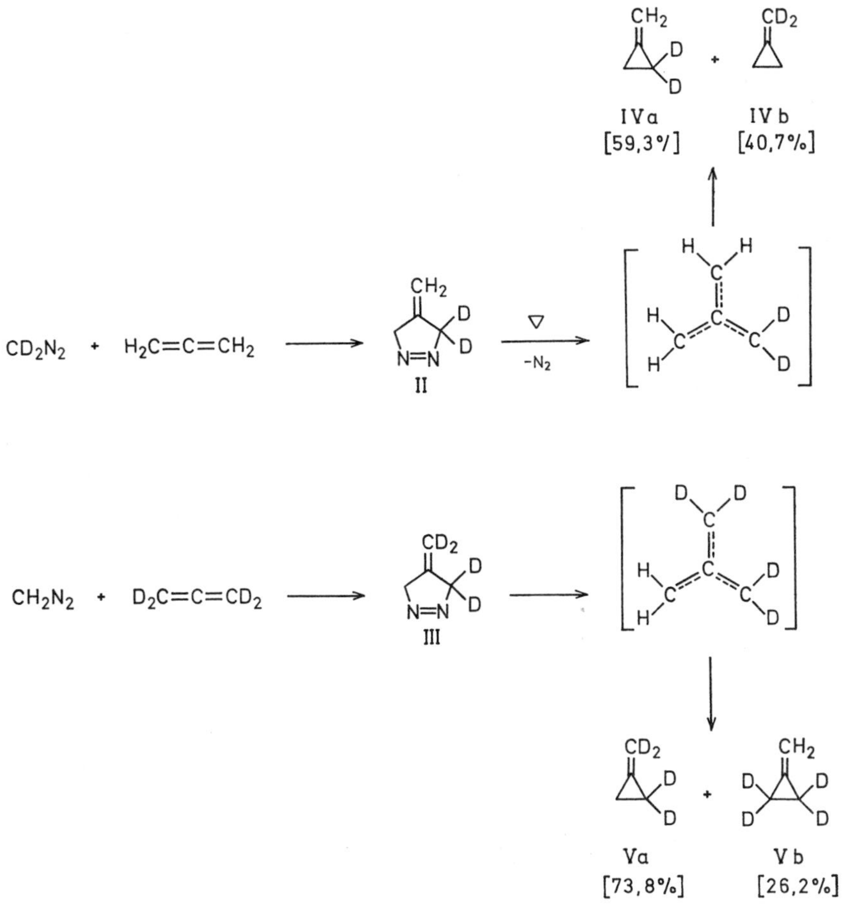

IVa
[59,3%]

IVb
[40,7%]

CD₂N₂ + H₂C=C=CH₂ ⟶ II ⟶ −N₂

CH₂N₂ + D₂C=C=CD₂ ⟶ III ⟶

Va
[73,8%]

Vb
[26,2%]

Untersuchungen an geeigneten 4,5-Dihydro-3H-pyrazolen wie *cis-* und *trans*-3,5-Dimethyl-4,5-dihydro-3H-pyrazol[2], *cis-* und *trans*-4-Deutero-3-methyl-4,5-dihydro-3H-pyrazol[3] und *cis-* und *trans*-3,4-Dimethyl-4,5-dihydro-3H-pyrazol[4] haben weiterhin gezeigt, daß bei der Pyrolyse 1,3-Diradikale als Zwischenstufen durchlaufen werden; man erhält *cis-* und *trans-1,2-Dimethyl-*, *cis-* und *trans-2-Methyl-1-deutero-* bzw. *cis-* und *trans-1,2-Dimethyl-cyclopropan*.

Für manche Fälle konnte gezeigt werden, daß die gleichen Zwischenstufen, die bei der Pyrolyse von 4,5-Dihydro-3H-pyrazolen durchlaufen werden, auch bei der Isomerisierung der gebildeten Cyclopropane in die entsprechenden Olefine eine ähnliche Bedeutung haben[5].

[1] R. J. CRAWFORD u. D. M. CAMERON, Am. Soc. **88**, 2589 (1966).
[2] R. J. CRAWFORD u. A. MISHRA, Am. Soc. **87**, 3768 (1965).
[3] R. J. CRAWFORD u. G. L. ERICKSON, Am. Soc. **89**, 3907 (1967).
[4] R. J. CRAWFORD u. L. H. ALI, Am. Soc. **89**, 3909 (1967).
[5] R. J. CRAWFORD u. A. MISHRA, Am. Soc. **88**, 3963 (1966).

Auch die Stereochemie insbesondere im Hinblick auf die Konfiguration an C_3 und C_5 der 3,3,5-trisubstituierten 4,5-Dihydro-3H-pyrazole wurden untersucht[1]. Hierzu wurden u. a. *cis*- und *trans*-3,5-Dimethyl-4,5-dihydro-3H-pyrazol-3-carbonsäure-methylester[1,2] (I; II) und die analogen 3-Acetyl-Derivate[3] pyrolisiert. Aus I und II werden die Olefine III und IV stereospezifisch gebildet[1]:

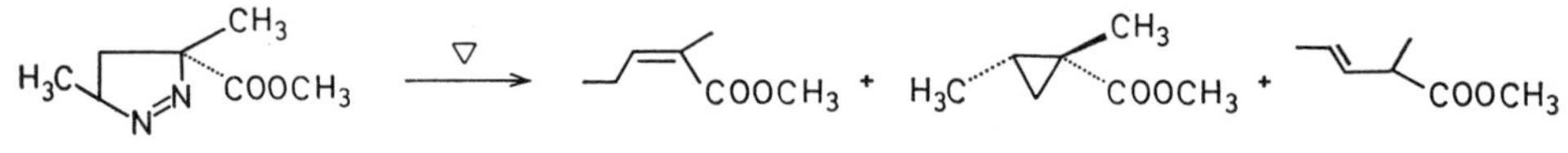

Im Gegensatz dazu werden die Cyclopropan-Derivate V und VI (*cis*- bzw. *trans*-*1,2-Dimethyl-cyclopropan-1-carbonsäure-methylester*) nicht mit gleich großer Stereospezifität wie die der Olefine gebildet. Mit anderen Worten: an C_3 oder C_5 ist während der Cyclopropan-Bildung Inversion erfolgt[1].

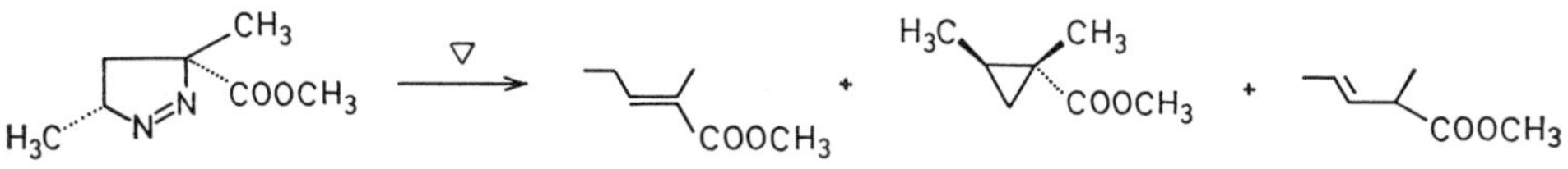

Mit steigender Dielektrizitätskonstanten des Solvens wird der Anteil der Olefine im Pyrolysegemisch größer. Es findet dabei auch ein geringer Wechsel in der Stereospezifität statt. Die Geschwindigkeit der Pyrolyse der 4,4-Dialkyl-3-cyan-4,5-dihydro-3H-pyrazol-3-carbonsäure-methylester ist in polaren Lösungsmitteln größer als in unpolaren Solventien[4]. Dieser Befund deutet darauf hin, daß der Übergangszustand bei der Pyrolyse einen gewissen ionischen Charakter besitzt. Außerdem werden bei der pyrolytischen Zersetzung dieser 4,5-Dihydro-3H-pyrazole olefinische Produkte erhalten, die durch Umlagerung einer Alkyl-Gruppe von C_4 nach C_5 des Ringsystems im Zuge der Reaktion entstanden sind.

Für die genannten Pyrazoline I und II gibt es jedoch kaum Hinweise, daß bei der Pyrolyse die Polarität des Übergangszustandes eine große Rolle spielt, wie kinetische Untersuchungen gezeigt haben[1]. Zunächst muß man annehmen[5], daß der Primärschritt der Reaktion die Aufbrechung der Reaktion der N_2—C_3-Bindung beinhaltet:

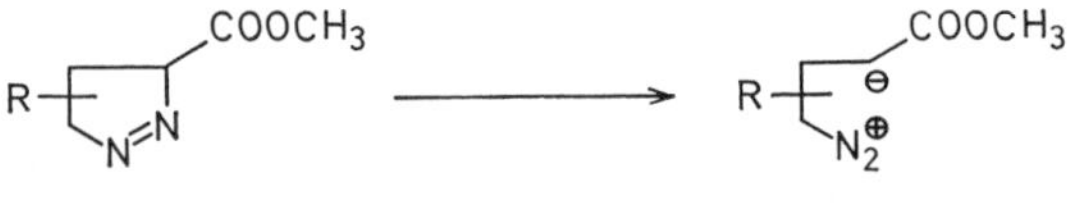

Sofort würde man dann freie Rotation um die Einfachbindungen von VII erwarten. Bei genügend großer Lebensdauer von VII sollte man daher mit zwei Möglichkeiten rechnen:

[1] D. E. McGreer, N. W. K. Chiu, M. G. Vinje u. K. C. K. Wong, Canad. J. Chem. **43**, 1407 (1965).

[2] D. E. McGreer, P. Morris u. G. Carmichael, Canad. J. Chem. **41**, 726 (1963).

[3] D. E. McGreer, N. W. K. Chiu u. M. G. Vinje, Canad. J. Chem. **43**, 1398 (1965).

[4] D. E. McGreer, R. S. McDaniel u. M. G. Vinje, Canad. J. Chem. **43**, 1389 (1965).

[5] T. V. Van Auken u. K. L. Rinehart, Am. Soc. **84**, 3736 (1962).

(a) bei Umkehrung von Schritt 1 würde man 4,5-Dihydro-3H-pyrazole erhalten, bei denen bis zu einem gewissen Grade Inversion an C_3 stattgefunden hat;

(b) jedes an C_3 isomere 4,5-Dihydro-3H-pyrazol-Paar sollte zu vom Ausgangsmaterial unabhängigen Pyrolyseprodukten führen, da wegen schneller Inversion von C_3 in VII oder wegen dessen planarer Natur[1] die Zwischenstufen beider 4,5-Dihydro-3H-pyrazol-Isomeren identisch sein würden.

Diese Bedingungen sind für die 4,5-Dihydro-3H-pyrazole I und II (S. 84) nicht gegeben[2]. Das gilt auch für die Pyrolyseprodukte der entsprechenden 3,5-Dimethyl-3-acetyl-4,5-dihydro-3H-pyrazole[3].

Hier können die Produkte keinesfalls durch Annahme einer zu VII analogen Zwischenstufe erklärt werden. So wird aus dem *cis*-3,5-Dimethyl-3-acetyl-4,5-dihydro-3H-pyrazol (VIIIa) 2,3,5-Trimethyl-4,5-dihydro-furan (IX) u.a. gebildet, während man bei der Pyrolyse des *trans*-Isomeren (VIIIb) kein Dihydrofuran-Derivat erhält:

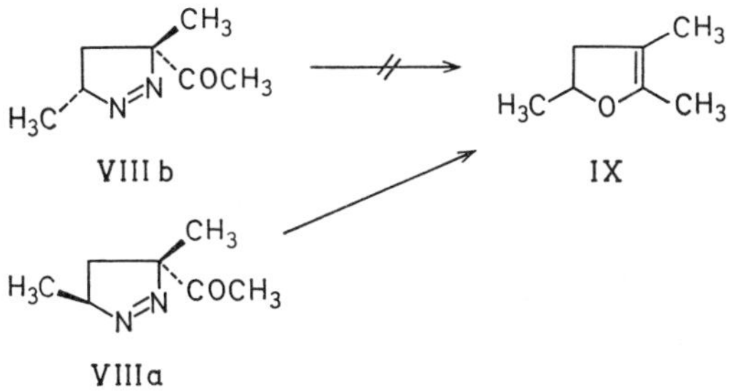

Für die Frage des Aufbrechens der Bindungen im Übergangszustand bei 4,5-Dihydro-3H-pyrazolen können z.T. auch die Ergebnisse an nicht-cyclischen Azoverbindungen herangezogen werden. Danach zeigt sich, daß bei der Pyrolyse[4] von X beide C-N-Bindungen im Übergangszustand gleichartig aufgebrochen werden, für XI mit unterschiedlichem Aufbruch[5] der beiden Bindungen gerechnet werden muß und daß bei XII im Übergangszustand[6] nur diejenige C—N-Bindung gelöst wird, die in α-Stellung die Phenyl-Gruppe trägt:

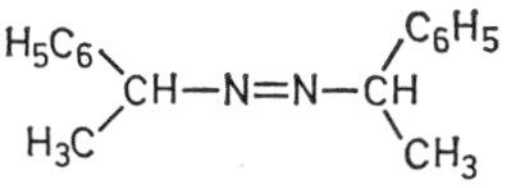

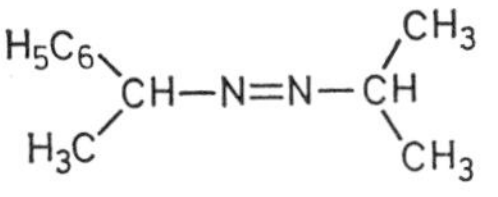

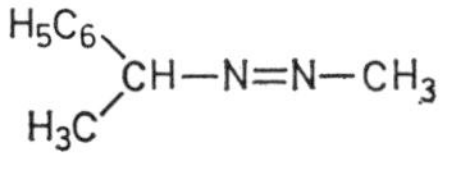

[1] D. J. CRAM, C. A. KINGSBURY u. B. RICKBORN, Am. Soc. **83**, 3688 (1961).
[2] D. E. McGREER et al., Canad. J. Chem. **43**, 1407 (1965).
[3] D. E. McGREER et al., Canad. J. Chem. **43**, 1398 (1965).
[4] S. SELTZER, Am. Soc. **83**, 2625 (1961).
[5] S. SELTZER, Am. Soc. **85**, 14 (1963).
[6] S. SELTZER, Abstracts, 146th Meeting of the American Chemical Society, S. 4c, Jan. 1964.

Überträgt man diese Ergebnisse auf die untersuchten 3,5-Dimethyl- bzw. 3,4-Dimethyl-4,5-dihydro-3H-pyrazol-3-carbonsäure-methylester, so würde man erwarten, daß hier beide C—N-Bindungen nicht gleichartig aufgebrochen werden und daß keine vollständige Lösung der Bindungen im Übergangszustand der Pyrolysereaktion vorhanden sein muß. Kinetische Messungen an einer größeren Anzahl ähnlicher Verbindungen haben gezeigt, daß der Ersatz eines Wasserstoffes an C_5 durch eine Methyl-Gruppe die Geschwindigkeit der Pyrolyse um den Faktor 7 ansteigen läßt[1]. Dieser Effekt und ähnliche Substitutionseinflüsse an C_3 lassen schließlich vermuten, daß beide C—N-Bindungen im Übergangszustand gelöst werden.

Im Falle der cis/trans-isomeren 3,5-Dimethyl-4,5-dihydro-3H-pyrazol-3-carbonsäure-methylester wird die Konformation der Pyrazoline durch die vorhandenen großen Substituenten kontrolliert, denn die gauche-Wechselwirkungen der Wasserstoffe haben nur einen geringen Einfluß, um einen Cyclopentenring in eine spezifische Konformation zu zwingen[2].

Wie bereits erwähnt, werden die olefinischen Nebenprodukte bei der Pyrolyse der isomeren 3,5-Dimethyl-4,5-dihydro-3H-pyrazol-3-carbonsäure-methylester in hoher Stereospezifität gebildet[3]. Diesen stereochemischen Befund kann man erklären, wenn man annimmt, daß die Wasserstoff-Verschiebung und die Stickstoff-Eliminierung in einem konzertierten Prozeß erfolgen. Bereits für andere Pyrolysereaktionen ist ein konzertierter Prozeß für Wasserstoff-Verschiebung und Bindungslösung diskutiert worden[4,5]. Die nichtplanare Konformation des Pyrazolinringes in I und II deutet an, daß die Wasserstoffe an C_4 sich in ihrer Wanderungstendenz unterscheiden sollten:

I   II

So befindet sich das zum Stickstoff trans-ständige Wasserstoffatom (der in I zur Methoxycarbonyl-Gruppe cis-ständige Wasserstoff bzw. der in II zur Methoxycarbonyl-Gruppe trans-ständige Wasserstoff an C_4) an C_4 in günstigerer Position, um an das Kohlenstoffatom C_5 zu wandern, als der entsprechende cis-Wasserstoff. Damit wäre die experimentell beobachtete Geometrie der gebildeten α,β-ungesättigten Ester erklärt. In ganz ähnlicher Weise muß der gleiche Wasserstoff an C_3 wandern, wobei in beiden Fällen ein β,γ-ungesättigtes System mit trans-Struktur entstehen sollte. Experimentell wird in der Tat nur der trans-β,γ-ungesättigte Ester bei der Pyrolyse beider 4,5-Dihydro-3H-pyrazol-Isomeren gefunden[3]. Danach sollten auch die relativen Verhältnisse von α,β- und β,γ-ungesättigten Estern ein Maß für die relative Wanderungstendenz des Wasserstoffs als Hydridion oder als Proton darstellen.

Ebenso erfolgt bei der Pyrolyse der geometrisch isomeren cis- und trans-3-Methyl-4-äthyl-4,5-dihydro-3H-pyrazol-3-carbonsäure-methylester die Bildung der α,β-ungesättigten Ester stereospezifisch[6]. Wiederum werden Cyclopropane (cis- und trans-1-Methyl-2-äthyl-cyclopropan-1-carbonsäure-methylester) gemischter Stereochemie er-

[1] H. R. SNYDER, Dissertation Abstr. 19, 2481 (1959).
[2] E. L. JAMES, Dissertation, University of Pennsylvania, 1963.
[3] D. E. McGREER et al., Canad. J. Chem. 43, 1407 (1965).
[4] C. STEEL et al., Am. Soc. 86, 679 (1964).
[5] D. W. SETSER u. B. S. RABINOVITCH, Am. Soc. 86, 564 (1964) (in dieser Arbeit sind weitere Zitate aufgeführt).
[6] D. E. McGREER u. W. S. WU, Canad. J. Chem. 45, 461 (1967).

halten, wobei hauptsächlich diejenigen gebildet werden, bei denen die ursprüngliche Konfiguration des 4,5-Dihydro-3H-pyrazols erhalten geblieben ist.

Das läßt vermuten, daß die Cyclopropane über einen geringfügig verschiedenen Übergangszustand als den der Olefine entstehen. Dieser Übergangszustand könnte sowohl ein Diradikal sein als auch ein solcher mit dipolarer Struktur. Um weitgehende Inversion an C_3 oder C_5 zu erhalten, könnte man in etwas vereinfachender Weise eine stufenweise Stickstoff-Ablösung[1] annehmen und den zweiten Schritt als rückseitige Verdrängungsreaktion ansprechen. Die ringoffene Zwischenstufe I sollte wesentlich polarer und von ganz verschiedenem Energieinhalt sein als der Übergangszustand, der für die Stufe der Olefinbildung diskutiert wird. Aus diesen

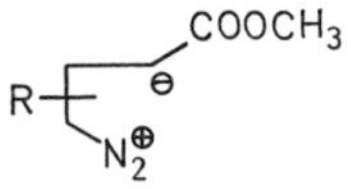

I

Gründen und wegen der Tatache, daß bei der Pyrolyse kein α-Methyl-acrylsäure-methylester, ein Produkt, das im Sinne eines „low-energy"-Prozesses aus dem ringoffenen Zwischenprodukt gebildet werden sollte, erhalten wird, wird ein konzertierter Vorgang als reaktionsmechanistische Alternative[2] bevorzugt. Um die Inversion im Sinne eines solchen konzertierten Prozesses zu erklären, kann man zwei extreme Typen der Stickstoff-Eliminierung in Betracht ziehen:

ⓐ durch eine Streckschwingung in der Ebene der Atome C_3, C_4 und C_5 mit dem Ergebnis der gleichzeitigen Bildung zweier p-Orbitale an C_3 und C_5, deren Kopplung zu einem Produkt unter Konfigurationserhalt führen sollte;

ⓑ durch eine Streckschwingung senkrecht zur Ebene der Kohlenstoffatome 3, 4 und 5 mit dem Ergebnis der gleichzeitigen Bildung zweier parallel angeordneter p-Orbitale an C_3 und C_5. Wegen der sehr engen Anordnung der Substituenten an C_3 und C_5 wird die parallele Orientierung dieser beiden p-Orbitale nur approximativ erreicht. Dieser sterische Effekt könnte dann möglicherweise durch eine größere Schwingung einer C—N-Bindung im Übergangszustand ausgeglichen werden, wobei es unter „twisting" des Moleküls zu einer Anordnung kommt, bei der es an einem der beiden Zentren zur Inversion Anlaß geben könnte.

Die tatsächlichen Verhältnisse dürften jedoch einem Geschehen entsprechen, das irgendwo zwischen den Extrema ⓐ und ⓑ liegt. Die Stereochemie an C_3 und C_5 relativ zu einem unabhängigen Zentrum (C_4) wurde ebenfalls geprüft[2]. Bei der Addition von Diazoäthan an Tiglinsäure-methylester erhielt man eine 90 : 10-Mischung von II und III. Die Zuordnung erfolgte unter der Annahme, daß die Geometrie an C_3 und C_4 für beide Isomeren die des Tiglinsäure-methylesters ist[3]:

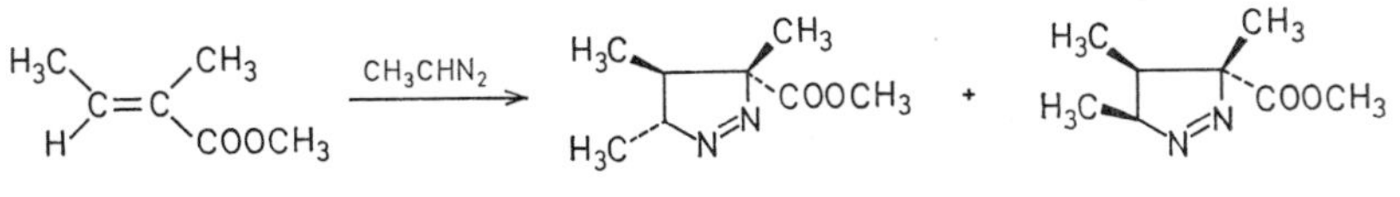

Bei der Pyrolyse von II und III werden drei Verbindungen erhalten, die als *cis,trans-* bzw. *cis,cis-1,2,3-Trimethyl-cyclopropan-1-carbonsäure-methylester* (IV bzw. V) und *2,3-Dimethyl-penten-(2)-säure-methylester* (VI) identifiziert werden konnten (S. 88)[4]:

[1] H. M. WALBORSKY u. C. G. PITT, Am. Soc. **84**, 4831 (1962).

[2] D. E. McGREER et al., Canad. J. Chem. **43**, 1407 (1965).

[3] T. V. VAN AUKEN u. K. L. RINEHART, Am. Soc. **84**, 3736 (1962).

[4] D. E. McGREER et al., Canad. J. Chem. **43**, 1407 (1965).
    s. dagegen K. VON AUWERS u. F. KÖNIG, A. **496**, 252 (1932).

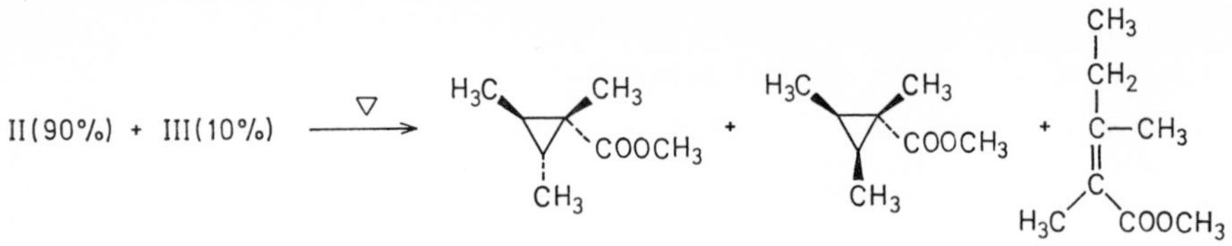

II(90%) + III(10%) $\xrightarrow{\triangledown}$

IV
61%

V
32%

VI
6%

Die Bildung des Cyclopropans IV spricht für einen 55%igen Konfigurationserhalt an C_5 von II (S. 87) während die Bildung des Cyclopropan-Derivats V eine zu 25% stattgefundene Inversion an C_5 von II bei der Pyrolysereaktion beinhaltet. Dieses experimentelle Beispiel zeigt, daß eine totale Inversion an C_5 keine notwendige reaktionsmechanistische Forderung für die Pyrolyse zu sein braucht.

Bei der Photolyse des obigen Gemisches werden 88% IV und 10% V beobachtet[1,2].

Während bisher lediglich die stereochemischen Aspekte der 4,5-Dihydro-3H-pyrazol-Pyrolyse behandelt wurden, sollen hier abschließend auch noch einige Worte zur photolytischen 4,5-Dihydro-3H-pyrazol-Zersetzung gesagt werden.

Als Beispiel sei die Photolyse der cis/trans-isomeren 3,5-Dimethyl-4,5-dihydro-3H-pyrazol-3-carbonsäure-methylester[1,2] angeführt. Tab. 8 zeigt eine Übersicht über die Zusammensetzung der Photolysegemische. Vergleicht man die Photolyseprodukte mit den entsprechenden der Pyrolyse (s.o.), so fällt zunächst auf, daß der Anteil an Cyclopropanen höher ist und daß es hierbei außerdem zur Bildung eines zusätzlichen Produktes durch Spaltung des 4,5-Dihydro-3H-pyrazols an den N_2—C_3- und C_4—C_5-Bindungen kommt.

Auch die stereochemischen Aspekte sind verschieden. Diese genannten Unterschiede bleiben auch bestehen, wenn man die Photolyse bei gleicher Temperatur und gleichem Lösungsmittel wie die Pyrolyse durchführt.

Tab. 8. Zusammensetzung der Photolysegemische von cis- und trans-3,5-Dimethyl-4,5-dihydro-3H-pyrazol-3-carbonsäure-methylester[1] (I bzw. II)

A	Reaktionsbedingungen	Ausbeute [% d. Th.]					
		(a)	(b)	(c)	(d)	(e)	(f)
(I) cis	81°; in Cyclohexan	42	46	1	6	1	4
	35°; in Äther	61	23	2	6	2	6
	23°; in Formamid	53	21	6	9	1	10
(II) trans	81°; in Cyclohexan	45	46	3	1	1	4
	35°; in Äther	22	65	5	0	2	6
	—55°; in Äther	25	53	10	1	4	7
	23°; in Formamid	15	58	16	2	3	6

(a): cis-1,2-Dimethyl-cyclopropan-1-carbonsäure-methylester
(b): trans-1,2-Dimethyl-cyclopropan-1-carbonsäure-methylester
(c): entsprechender trans-α,β-ungesättigter Carbonsäureester;
(d): entsprechender cis-α,β-ungesättigter Carbonsäureester;
(e): entsprechender β,γ-ungesättigter Carbonsäureester;
(f): α-Methyl-acrylsäure-methylester.

[1] D. E. McGreer et al., Canad. J. Chem. 43, 1407 (1965).
[2] s. dagegen K. von Auwers u. F. König, A. 496, 252 (1932).

Es erscheint unwahrscheinlich, daß das elektronisch angeregte Molekül sich begünstigter als das Molekül im Grundzustand zersetzen sollte. Möglicherweise wird bei der photolytischen Zersetzung ein Molekül im Grundzustand regeneriert, wobei dieses dann mit überschüssiger Schwingungs- oder Rotationsenergie versehen wäre. Diese Überschußenergie ist dann vermutlich schon zur Einleitung der Zersetzung ausreichend, wie man aus der Bildung von α-Methyl-acrylsäuremethylester schließen könnte. Dabei sollten dann auch geringe Faktoren wie etwa konformative Bevorzugungen wenig zur Reaktionskontrolle beitragen. Der höhere Energieinhalt der reagierenden Moleküle könnte außerdem zu einer mehr ebenen Struktur des Übergangszustandes führen.

III. Cyclopropane durch Cyclisierung von γ-substituierten Ketonen, Estern und Nitrilen sowie durch Ester-Kondensationen unter Cyclisierung

a) von γ-substituierten Ketonen, Estern und Nitrilen unter Eliminierung

Eine weitere sehr allgemeine Bildungsweise von Cyclopropanen besteht in der durch Basen bewirkten Cyclisierung von Verbindungen, die in β-Stellung zu einer aktivierten Methylen- oder Methin-Gruppe einen als Anion eliminierbaren Substituenten, vorzugsweise ein Halogenatom oder einen p-Tosyloxy-Rest besitzen (VII):

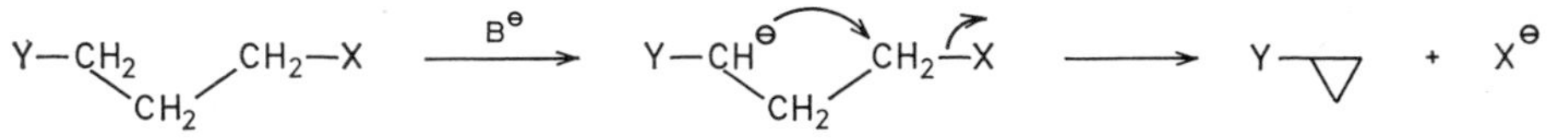

Bei allen diesen Ringschlußreaktionen handelt es sich um intramolekulare Substitutionen der Gruppe X durch das intermediär gebildete Carbanion VIII. Nachdem 1945 nach diesem Verfahren *2-Methyl-1-cyan-cyclopropan* (X) und *2-Naphthyl-(1)-1-cyan-cyclopropan* hergestellt wurden[1,2],

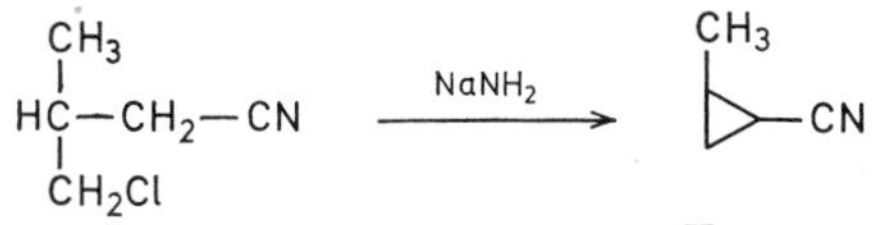

fand die Methode in den letzten Jahren eine recht weitgehende Anwendung.

Die strukturelle Mannigfaltigkeit der hierdurch zugänglichen Cyclopropan-Verbindungen kann durch die Synthesen von *Dicyclopropyl-keton* (I; S. 90)[3], *2-Oxo-bicyclo[3.1.0]hexan* (II)[4], einer Reihe von 5-Oxo-3,5-cyclo-steroiden (III)[5] und *Cyclopropan-⟨spiro-1⟩-2-oxo-cyclopentan* (IV)[6] veranschaulicht werden:

[1] J. B. CLOKE, E. STEHR, T. R. STEADMAN u. L. C. WESTCOTT, Am. Soc. **67**, 1587 (1945).
[2] J. B. CLOKE u. T. S. LEARY, Am. Soc. **67**, 1249 (1945).
[3] H. HART u. O. E. CURTIS jr., Am. Soc. **78**, 112 (1956).
    Vgl. auch die Arbeitsvorschrift von H. HART et al., Vol. IV, S. 278, J. Wiley & Sons, Inc., New York · London 1963.
[4] N. A. NELSON u. G. A. MORTIMER, J. Org. Chem. **22**, 1146 (1957).
[5] H. Q. SMITH u. E. S. WALLIS, J. Org. Chem. **19**, 1628 (1954).
[6] R. MAYER u. H. J. SCHUBERT, B. **91**, 768 (1958).

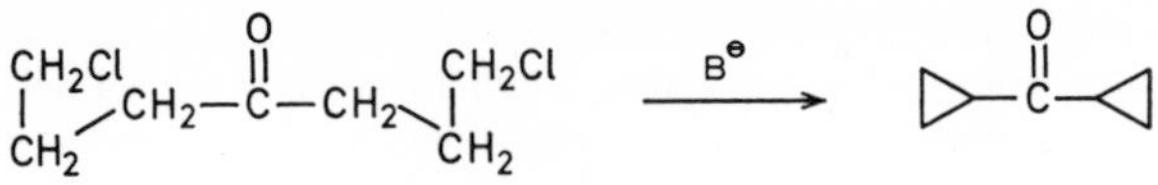

In den meisten Fällen fungieren Chlor-[1], Brom-[1], p-Tosyloxy-[2] und Alkanoyloxy[3]-Reste als anionisch eliminierbare Gruppen. Im Falle der α- und ε-Di-eucarvelon-diepoxide (V) erfolgt bei Behandlung mit wäßriger Kalilauge transannulare Öffnung der beiden Epoxid-Ringe unter Cyclopropan-Bildung (VI)[4]:

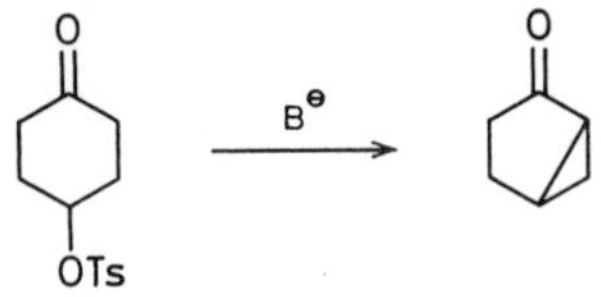

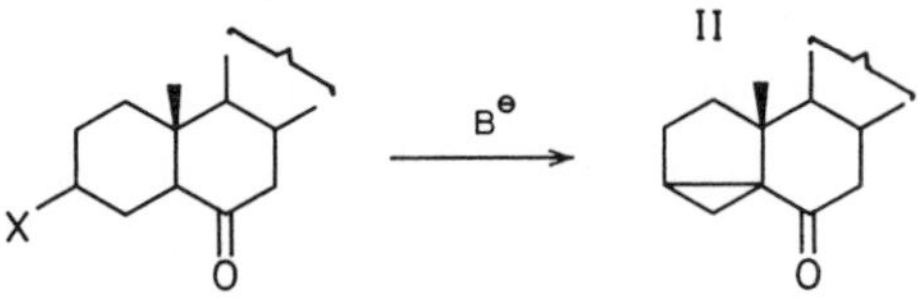

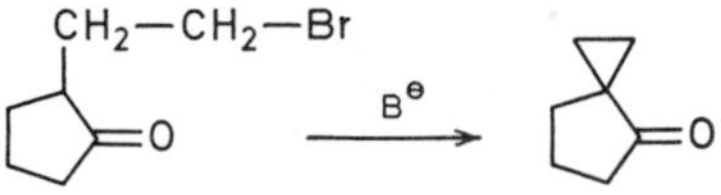

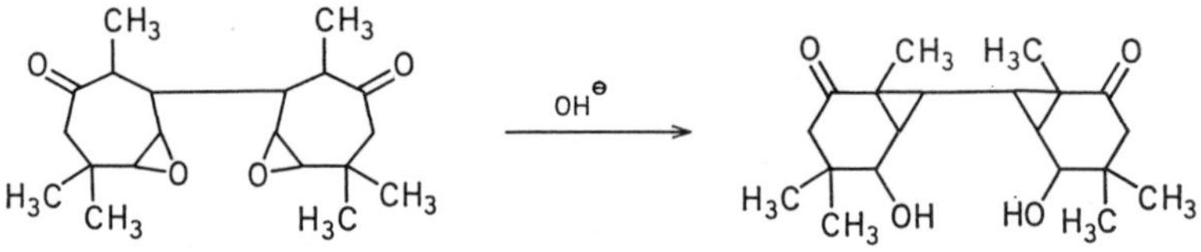

VI; *5,5'-Dihydroxy-2,2'-dioxo-1,1',4,4,4',4'*
-hexamethyl-bi-⟨bicyclo[4.1.0]heptyl-(7)⟩

[1] J. B. CLOKE, E. STEHR, T. R. STEADMAN u. L. C. WESTCOTT, Am. Soc. **67**, 1587 (1945).
   J. B. CLOKE u. T. S. LEARY, Am. Soc. **67**, 1249 (1945).
   V. PRELOG, W. BAUER, G. H. COOKSON u. G. WESTÖÖ, Helv. **34**, 736 (1951).
   G. W. CANNON, R. C. ELLIS u. J. R. LEAL, Org. Synth. **31**, 74 (1951).
   Vgl. auch die Standardvorschrift für *Acetyl-cyclopropan* von G. W. CANNON et al., in Org. Synth. Coll. Vol. IV, S. 597, J. Wiley & Sons, Inc., New York und London 1963.
   R. H. EASTMAN, Am. Soc. **76**, 4115 (1954).
   H. Q. SMITH u. E. S. WALLIS, J. Org. Chem. **19**, 1628 (1954).
   G. L. BUCHANAN u. J. K. SUTHERLAND, Soc. **1956**, 2620.
   H. HART u. O. E. CURTIS, Am. Soc. **78**, 112 (1956).
   W. J. CLOSE, Am. Soc. **79**, 1455 (1957).
   R. P. MARIELLA u. A. J. ROTH, J. Org. Chem. **22**, 1130 (1957).
   R. RAMBAUD, M. BRINI-FRITZ u. S. DURIF, Bl. **1957**, 681.
   M. JULIA, S. JULIA u. B. BEMONT, C. r. **245**, 2304 (1957).
   R. MAYER u. H. J. SCHUBERT, B. **91**, 768 (1958).
   R. MAYER, G. WENSCHUH u. W. TÖPELMANN, B. **91**, 1616 (1958).
   S. JULIA, M. JULIA u. L. BRASSEUR, Bl. **1962**, 1634.
[2] E. R. NELSON, M. MAIENTHAL, L. A. LANE u. A. A. BENDERLY, Am. Soc. **79**, 3467 (1957).
   N. A. NELSON u. G. A. MORTIMER, J. Org. Chem. **22**, 1146 (1957).

(Fortsetzung s. S. 91)

Bei Steroiden gelang es, auch am Ring B oder C nach dieser Methode den alicyclischen Dreiring einzubauen. So konnte z.B. aus 18-Halogen-3,11,17-trioxo-androstadien-(1,4) (VII) *3,11,17-Trioxo-12,18-cyclo-androstadien-(1,4)* (VIII) erhalten werden[1]:

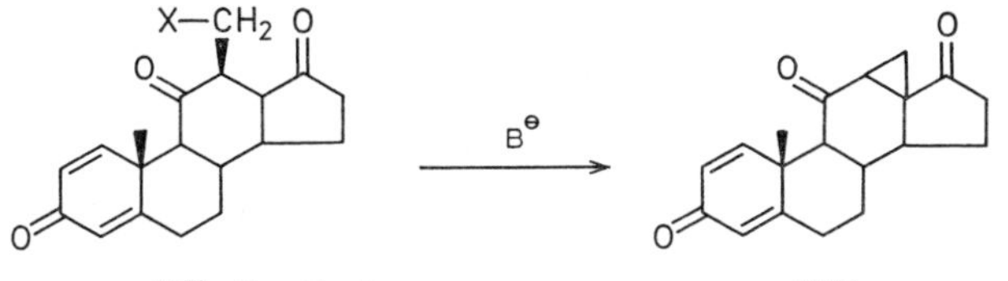

VII; X = Br, J   VIII

Analog erhält man aus IX *4-Oxo-5,7-cyclo-cholestan* (X)[2]:

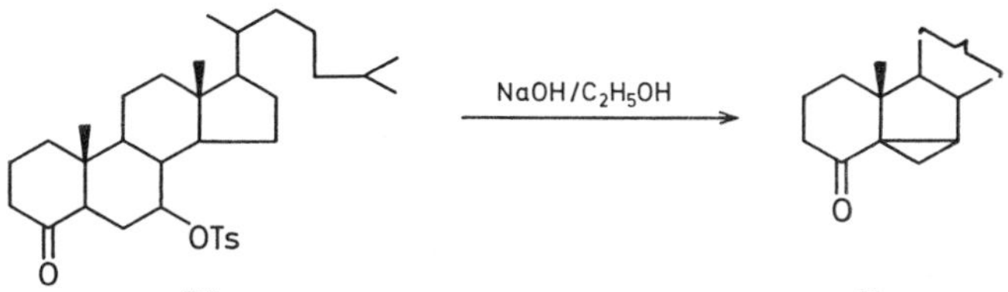

IX   X

Dem obigen Reaktionsschema entspricht auch die Alkylierung des Cyclopentadiens (XI) in einer Lösung von Natrium in flüssigem Ammoniak mit 1,2-Dibromäthan, die zur Bildung von *Cyclopropan-⟨spiro-5⟩-cyclopentadien* (XII)[3] führt. Analoges gilt für die Solvolyse von 4-Hydroxy-1-(2-brom-äthyl)-benzol (XIII) in alkalischem Medium[4]. Man erhält das Spiro-Derivat XIV:

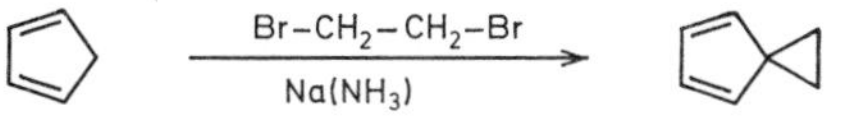

XI   XII

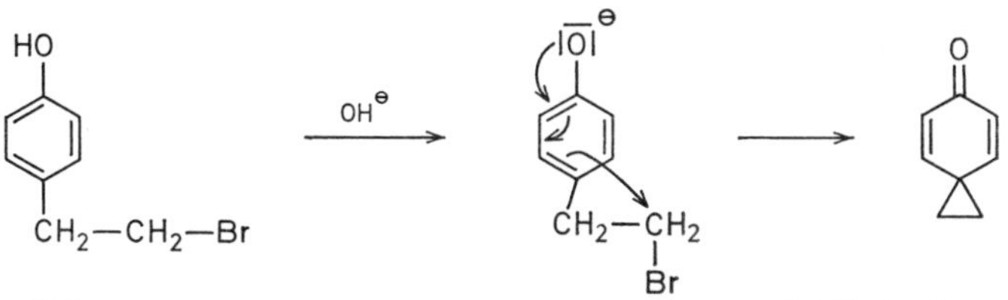

XIII   XIV; *Cyclopropan-⟨spiro-3⟩-
6-oxo-cyclohexadien-(1,4)*

---

[1] M. Akhtar, D. M. Barton u. P. G. Sammes, Am. Soc. **87**, 4601 (1965).
[2] A. R. Davies u. G. H. R. Summers, Soc. C. **1967**, 909.
[3] R. J. Levina, N. N. Mezencova u. O. V. Lebedev, Ж. **25**, 1907 (1955); C. A. **50**, 3257 (1956).
   G. Chiurdoglu u. B. Tursch, Bull. Soc. Chim. Belges **66**, 600 (1957).
   B. F. Hallam u. P. L. Davson, Soc. **1958**, 646.
[4] S. Winstein u. R. Baird, Am. Soc. **79**, 756, 4238 (1957).
   Vgl. a. R. Baird u. S. Winstein, Am. Soc. **85**, 567 (1963).

(Fortsetzung v. S. 90)

[3] P. Yates u. C. B. Anderson, Am. Soc. **80**, 1264 (1958).
   R. L. Clarke u. W. T. Hunter, Am. Soc. **80**, 5304 (1958).
[4] G. Büchi u. W. S. Saari, Am. Soc. **79**, 3519 (1957).

Auch bei der Umsetzung der vicinalen Dihalogen-Verbindung XV mit zwei Mol Natrium-malonsäure-diäthylester entsteht das Zwischenprodukt XVI, das als γ-substituierter Halogenester in analogem Sinne zum Cyclopropan-Derivat XVII cyclisiert:

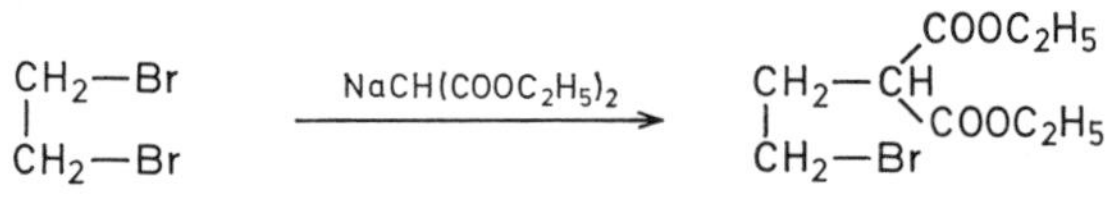

XV

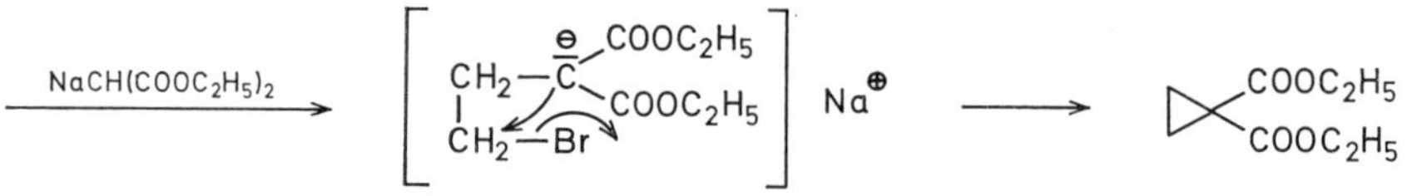

XVI   XVII; *Cyclopropan-1,1-dicarbonsäure-diäthylester*

Andere Verbindungen, die eine aktive Methylen-Gruppe enthalten, wie Acetessigsäureester, Cyanessigsäureester, Phenylacetonitril u.a., können ebenfalls verwendet werden.

Auch die Synthese des *Phenylsulfon-cyclopropans* (XVIII) zeigt im letzten Syntheseschritt eine ähnliche Cyclisierung unter Eliminierung[1]:

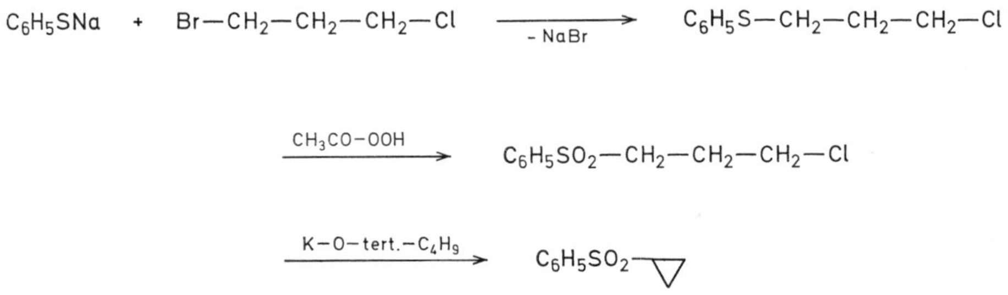

XVIII

Bei einigen Synthesen von Chrysanthemsäure und Derivaten erfolgte der Aufbau des Cyclopropan-Ringes in einer analogen Cyclisierung unter Eliminierung. So erhält man[2] durch Kondensation von 2-Methyl-propanal (I, S. 93) mit 3-Methyl-2-cyanbuten-(2)-säure-äthylester (II) in Gegenwart von Dibenzoylperoxid[3] die Verbindung III. Das Mesylat und auch das Tosylat des nach partieller Verseifung von III und anschließender Reduktion entstandenen Hydroxy-nitrils (Va,b) konnten in basischem Medium (Natriumamid in 1,4-Dioxan) in guten Ausbeuten (70–80% d.Th.) zum entsprechenden Cyclopropan-Derivat VI cyclisiert werden, dessen Verseifung zur (±) *trans-Dihydrochrysanthemsäure* [VII; *3,3-Dimethyl-2-(2-methyl-propyl)-cyclopropan-1-carbonsäure*] führte:

[1] H. E. ZIMMERMAN u. B. S. THYAGARAJAN, Am. Soc. **82**, 2502 (1960).
[2] M. JULIA, S. JULIA u. C. JEANMART, Bl. **1961**, 1854.
[3] S. M. KHARASH, W. A. URRY u. B. M. KUDENA, J. Org. Chem. **14**, 248 (1949).

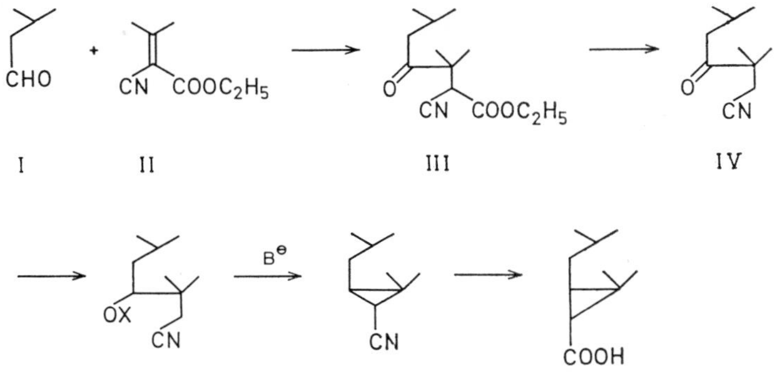

I II III IV

V; X = H
Va; X = Ms
Vb; X = Ts
VI
VII

In ganz ähnlicher Weise konnten ausgehend vom 3-Äthoxy-2-methyl-propanal bzw. 3-Äthoxy-butanal (±) *trans-Chrysanthemsäure* [*3,3-Dimethyl-2-(2-methyl-propenyl)-cyclopropan-1-carbonsäure*] und (±) *nor-trans-Chrysanthemsäure* synthetisiert werden[1,2]. Auch bei der Cyclisierung des Acetats und Benzoats des Hydroxy-nitrils VIII wird nach der Verseifung (±) *trans-Chrysanthemsäure* (IX) erhalten, jedoch entstehen ebenfalls beträchtliche Mengen an 4-Hydroxy-3,3,6-trimethyl-hepten-(5)-säure-lacton (X)[3]:

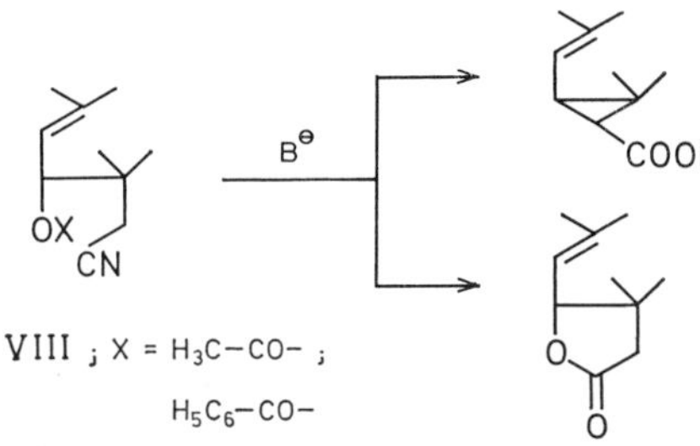

IX

X

VIII; X = H_3C-CO-; H_5C_6-CO-

Die Cyclisierung des Dichlor-carbonsäureesters XI führt zu einem Gemisch aus *Chrysanthemsäure-äthylester* [*3,3-Dimethyl-2-(2-methyl-propenyl)-cyclopropan-1-carbonsäure-äthylester*; XII] und *3,3-Dimethyl-2-(2-chlor-2-methyl-propyl)-cyclopropan-1-carbonsäure-äthylester* (XIII)[3]:

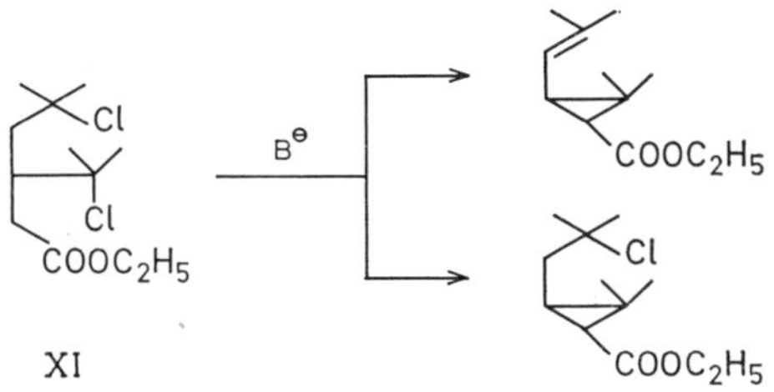

XI

XII

XIII

---

[1] M. JULIA, S. JULIA u. B. COCHET, Bl. **1962**, 448.
[2] M. JULIA, S. JULIA u. B. COCHET, Bl. **1964**, 1476.
[3] M. JULIA, S. JULIA u. B. COCHET, Bl. **1964**, 1487.

b) durch Ester-Kondensationen

Gelegentlich macht man bei der Herstellung gewisser Cyclopropan-Derivate auch von Ester-Kondensationen Gebrauch, bei denen Cyclisierung eintritt. Hierzu gehört vor allem die bereits auf S. 92 besprochene Kondensation von vicinalen Dihalogen-Verbindungen mit Natrium-malonsäure-diester.

Drei Mole Cyanessigsäure-äthylester erleiden z.B. Selbstkondensation unter Bildung von *1,2,3-Tricyan-1,2,3-triäthoxycarbonyl-cyclopropan* (III), wenn man auf Natrium-cyanessigsäure-äthylester (I) Brom oder Jod oder besser noch Brom-cyan-essigsäure-äthylester (II) einwirken läßt[1]:

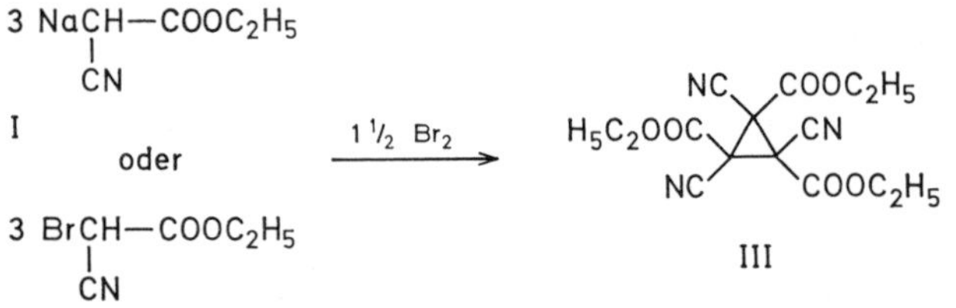

$$3\ NaCH-COOC_2H_5$$
$$|$$
$$CN$$

I

oder

$$\xrightarrow{\ 1\,{}^1\!/_2\ \ Br_2\ }$$

$$3\ BrCH-COOC_2H_5$$
$$|$$
$$CN$$

II

III

Auch Diazoessigsäure-ester[2] zeigt eine analoge Reaktion; jedoch dürfte diese Reaktion nicht als eine eigentliche Ester-Kondensation zu betrachten sein, da es sich hier unter den Reaktionsbedingungen sicherlich um eine Cyclisierung von Äthoxycarbonyl-carbenen (s. S. 269 ff.) handelt.

Ein neuartiger Weg[3] zu Cyclopropan-Derivaten besteht z. B. in der Umsetzung von 1,4-Dibrom-buten-(2) (IV)[4] mit Natrium-malonsäure-diäthylester. Als Hauptprodukt dieser Reaktion entsteht *2-Vinyl-cyclopropan-1,1-dicarbonsäure-diäthyl-ester* (VII). Zunächst tritt wohl eine normale Substitution des ersten Brom-Atoms von IV ein, wobei das Zwischenprodukt V gebildet wird, dessen Natrium-Derivat VI schließlich durch eine sterisch begünstigte intramolekulare γ-Substitution des zweiten Brom-Atoms unter Ringschluß zum Dreiring VII führt:

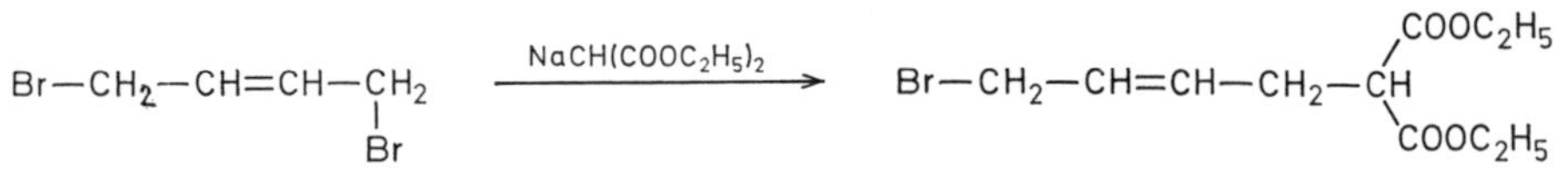

$$Br-CH_2-CH=CH-CH_2 \quad \xrightarrow{\ NaCH(COOC_2H_5)_2\ } \quad Br-CH_2-CH=CH-CH_2-CH \overset{COOC_2H_5}{\underset{COOC_2H_5}{<}}$$
$$|$$
$$Br$$

IV   V

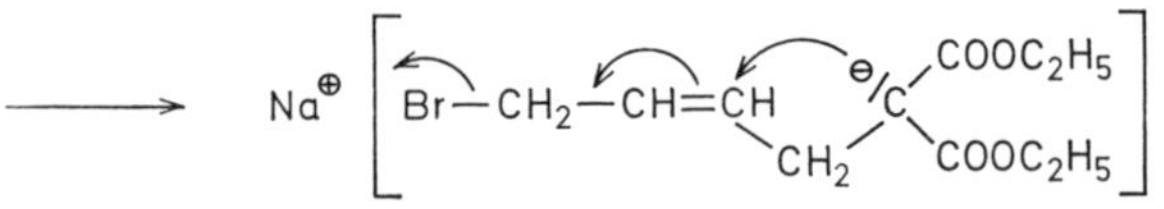

$$\longrightarrow \quad Na^{\oplus}\ \left[\ Br-CH_2-CH=CH \overset{}{\underset{CH_2}{\diagdown}} \overset{\ominus}{C} \overset{COOC_2H_5}{\underset{COOC_2H_5}{<}}\ \right]$$

VI

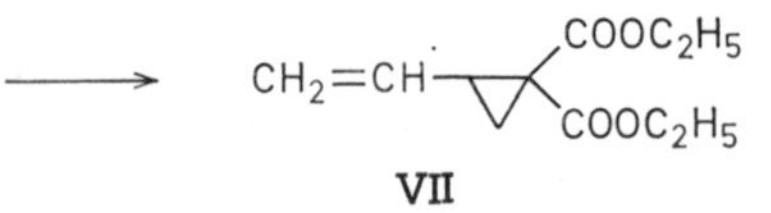

$$\longrightarrow \quad CH_2=CH-\triangle \overset{COOC_2H_5}{\underset{COOC_2H_5}{}}$$

VII

---

[1] G. Errera u. F. Perciabosco, B. **33**, 2976 (1900); **34**, 3704 (1901).

[2] A. Darapsky, B. **43**, 1121 (1910).

[3] R. P. Linstead, R. W. Kierstead u. B. C. L. Weedon, Soc. **1952**, 3610, 3616; **1953**, 1799, 1803.

[4] Vorsicht, der Umgang mit IV kann zu unangenehmen und sehr hartnäckigen *Allergien* führen.

Der Anwendungsbereich dieser neuartigen Dreiring-Synthese wird durch die Möglichkeit, sowohl die Halogenid- als auch die Ester-Komponente zu variieren, noch beträchtlich erweitert. Natrium-cyan-essigsäureester und Natrium-acetessigsäureester reagieren mit *trans*-1,4-Dibrom-buten-(2) in analoger Weise wie Natrium-malonsäure-diester. Bei Reaktion von 3,5-Dibrom-cyclopenten-(1) (VIII) mit Natrium-malonsäure-diester erhält man z.B. *6,6-Diäthoxycarbonyl-bicyclo[3.1.0]hexen-(2)* (IX)[1]:

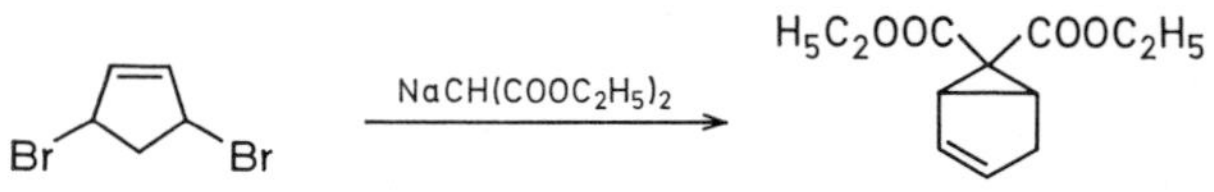

Auch α-Halogen-carbonsäureester lassen sich mit α,β-ungesättigten Carbonsäureestern unter Einfluß starker Basen wie Natrium-methanolat oder Natriumhydrid cyclisieren[2]. Diese Methode stellt eine sehr einfache neue Synthese-möglichkeit von *Cyclopropan-1,2-dicarbonsäure-diestern* dar:

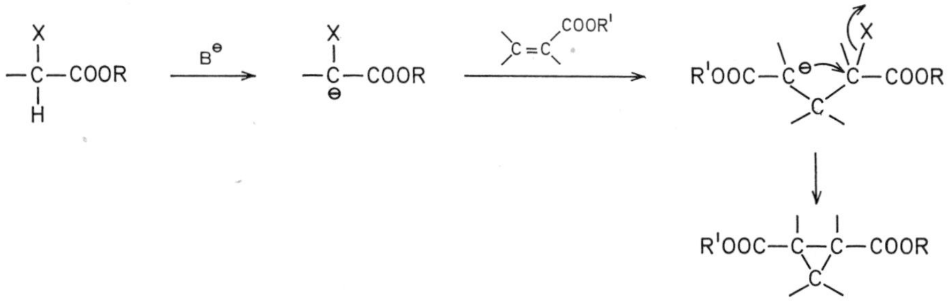

Die Kondensation führt zu einem Gemisch der beiden stereoisomeren Formen der Cyclopropan-1,2-dicarbonsäure-diester. In mehreren Fällen wurde dabei bemerkenswerterweise das weniger stabile *cis*-Isomere bevorzugt gebildet.

Eine Vielzahl von Publikationen auf diesem Gebiet[3,4] zeigten, daß diese Kondensationsreaktion von α-Halogen-carbonsäureestern mit α,β-ungesättigten Carbonsäureestern weitgehend verallgemeinerungsfähig ist und daß Nitrile und Ketone in analoger Weise zur Cyclisation unter Cyclopropan-Bildung befähigt sind. Durch weiterführende Untersuchungen konnten auch die stereochemischen Aspekte dieser Methode weitgehend erhellt werden[5]. In allen untersuchten Fällen entsteht als Hauptprodukt oder ausschließliches Produkt dasjenige Isomer, bei dem die aktivierenden Gruppen – also Ester-, Nitril- oder Carbonyl-Gruppen – zueinander *cis*-ständig sind. Außerdem scheint bei diesen Reaktionstypen eine solvens-kontrollierte Stereoselektivität vorzuliegen.

[1] R. P. Linstead et al., Soc. **1952**, 3610, 3616; **1953**, 1799, 1803.
[2] L. L. McCoy, Am. Soc. **80**, 6568 (1958).
[3] L. L. McCoy, J. Org. Chem. **25**, 2078 (1960); Am. Soc. **82**, 6416 (1960).
[4] R. Fraisse u. R. Jacquier, Bl. **1957**, 986.
M. Mousseron u. R. Fraisse, C. r. **248**, 887 (1959).
M. Mousseron, R. Fraisse, R. Jacquier u. G. Bonavent, C. r. **248**, 1465, 2840 (1959).
G. Bonavent, M. Cousse, M. Guitard u. R. Fraisse-Jullien, Bl. **1964**, 2693.
[5] L. L. McCoy, Am. Soc. **84**, 2246 (1962).

In Lösungsmitteln niedriger Dielektrizitätskonstanten wird das *cis*-Isomere überwiegend gebildet; Medien hoher DK begünstigen die Bildung des entsprechenden *trans*-Isomeren[1].

Nachträglich sind manche älteren Arbeiten als Varianten der McCoy-Methode erkannt worden. So z.B. die Umsetzung von Acrolein und Brom-malonsäure-diäthylester in basischem Medium[2]. Dem Produkt dieser Umsetzung wurde ursprünglich nicht eine Cyclopropan-Struktur zugeschrieben. Die Reaktion kann auch auf Buten-(2)-al und 3-Oxo-buten-(2) übertragen werden[3]:

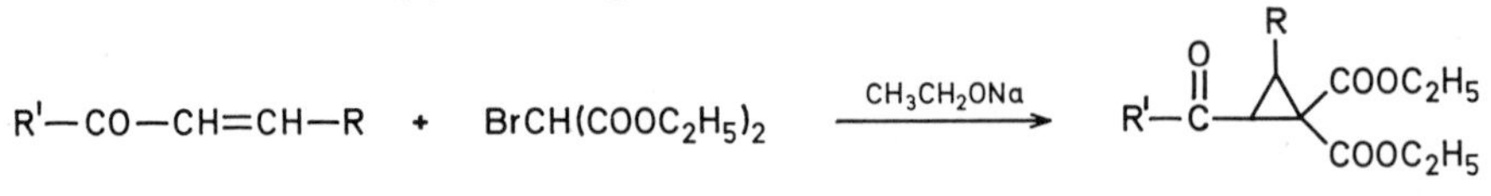

$$R'-CO-CH=CH-R \ + \ BrCH(COOC_2H_5)_2 \xrightarrow{CH_3CH_2ONa} \ R'-\overset{\overset{O}{\|}}{C}-\underset{}{\triangle}\overset{\textstyle R}{\underset{COOC_2H_5}{\overset{COOC_2H_5}{}}}$$

I   II   III

III; R = R' = H; *2-Formyl-cyclopropan-1,1-dicarbonsäure-diäthylester*
R = H; R' = CH$_3$; *2-Acetyl-1,1-diäthoxycarbonyl-cyclopropan*
R = CH$_3$; R' = H; *3-Methyl-2-formyl-1,1-diäthoxycarbonyl-cyclopropan*

Auch die Bildung des *2-Oxo-1a-acetyl-1-benzoyl-1,1a,2,7b-tetrahydro-⟨cyclopropa-[c]-chromens⟩*[4] (VI) aus 3-Acetyl-cumarin (IV) ist eine Analogreaktion der McCoy-Methode[4,5]:

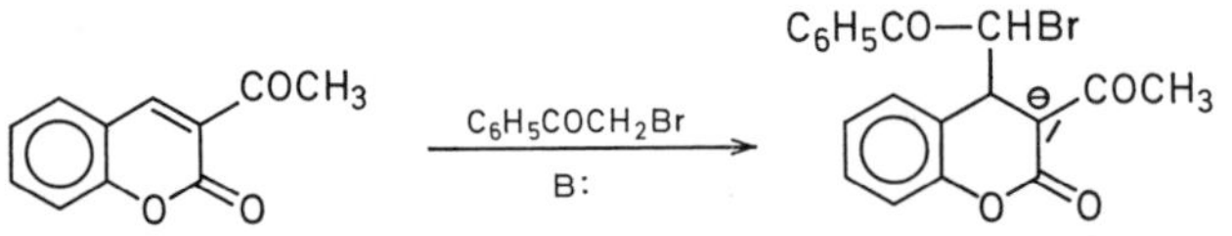

IV   V

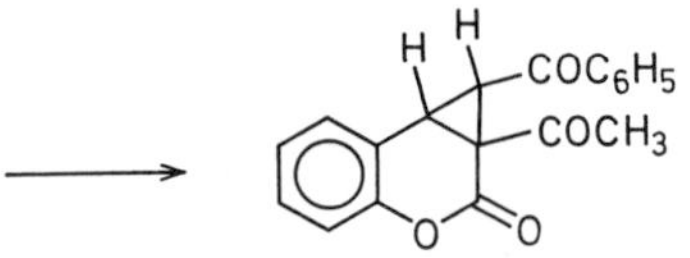

VI

VI kann auch aus IV nach der Pyrazolin-Methode hergestellt werden (s. S. 42 ff.).

Tab. 9 (S. 97) zeigt eine Zusammenstellung von Ergebnissen, die mit der McCoy-Cyclisierungsreaktion erzielt wurden. Drei verschiedene Methoden (A, B und C) wurden zur Kontrolle der Reaktionstemperaturverhältnisse benutzt[6].

Methode A: Die Reaktionsmischung wird in einem Wasserbad (Badtemp. zwischen 20 und 30°) gekühlt. In ~ 20 Stdn. ist die Umsetzung vollständig.

Methode B: Die Reaktion wird durch Erhitzen der Mischung zum Kochen unter Rückfluß (Temp. um 115°) in nur 1 Stde. abgeschlossen.

Methode C: Die Reaktionsmischung wird auf Temp. zwischen 30 und 60° gehalten.

[1] L. L. McCoy, Am. Soc. **84**, 2246 (1962); J. Org. Chem. **29**, 240 (1964).
   L. L. McCoy u. G. W. Nachtigall, J. Org. Chem. **27**, 4312 (1962).
[2] D. T. Warner u. O. A. Moe, Am. Soc. **70**, 3470 (1948).
   US. P. 2540054 (1951), General Mills, Inc., Erf.: O. A. Moe u. D. T. Warner; C. A. **45**, 5720 (1951).
[3] D. T. Warner, J. Org. Chem. **24**, 1536 (1959).
[4] O. Widman, B. **51**, 553, 907 (1918).
[5] S. Wawzonek u. C. E. Morreal, Am. Soc. **82**, 439 (1960).
[6] L. L. McCoy, J. Org. Chem. **25**, 2078 (1960).

Tab. 9. Anwendungsbeispiele für die Cyclisierungsreaktion nach McCoy[1]:

$$H_2C=\underset{CH_3}{\overset{|}{C}}-Y \;+\; H-\underset{R}{\overset{X}{\overset{|}{\underset{|}{C}}}}-Z \;\xrightarrow{NaH}\; \underset{Z}{\overset{R}{\triangle}}\underset{Y}{\overset{CH_3}{}} \;+\; H_2 \;+\; NaX$$

Y	Z	R	X	Methode	Cyclopropan-Derivat	Ausbeute [% d.Th.]	Isomeren-verteilung cis (%), trans (%)	
COOCH$_3$	COOCH$_3$	CH$_3$	Cl	A	*1,2-Dimethyl-1,2-dimethoxy-carbonyl-cyclopropan*	71	93	7
				B		69	85	15
		Br		B		32	68	32
		J		B		21	50	50
		Cl	Cl	C	*2-Chlor-1-methyl-1,2-di-methoxycarbonyl-cyclopropan*	74	100	0
CN	COOCH$_3$	CH$_3$	Cl	A	*1,2-Dimethyl-2-cyan-1-methoxycarbonyl-cyclopropan*	59	75	25
				B		61	73	27
		Br		B		33	53	47
		Cl	Cl	C	*2-Chlor-1-methyl-2-cyan-1-methoxycarbonyl-cyclopropan*	64	80	20
		CH$_3$	Cl	B	*1,2-Dimethyl-1,2-dicyan-cyclopropan*	2	—	—
CN	CN	Cl	Cl	C	*2-Chlor-1-methyl-1,2-dicyan-cyclopropan*	0	—	—

2-Chlor-1-methyl-1,2-dimethoxycarbonyl-cyclopropan[1]: 20 g (0,2 Mol) α-Methyl-acrylsäure-methylester, 28,6 g (0,2 Mol) Dichlor-essigsäure-methylester und 9,4 g (0,2 Mol) Natriumhydrid werden in 60 *ml* Benzol zur Reaktion gebracht. Gelegentliches Kühlen der Reaktionsmischung ist angebracht, wenn die Reaktion zu heftig fortschreiten sollte. Die Temp. während der Reaktion bewegen sich im allgemeinen zwischen 30 und 60°. Nach der Aufarbeitung beträgt die Ausbeute 30,5 g (74% d.Th.); Kp$_{12}$: 106–109°; $n_D^{26} = 1,4581$.

Bei der Verseifung erhält man *2-Chlor-1-methyl-1,2-dicarboxy-cyclopropan*; 90% d.Th.; F: 131–133,5°; 133–134° (aus Nitromethan). In glatter Reaktion läßt sich die Dicarbonsäure durch Erhitzen mit Essigsäureanhydrid in das *Anhydrid* überführen. Nach Umkristallisation aus Cyclohexan und anschließender Sublimation; F: 55–56,5°.

Für die Kondensation von α-Halogen-carbonsäureestern mit Acrylsäure-äthyl-ester oder anderen aktivierten Olefinen wie ungesättigten Ketonen und Nitrilen wurden u.a. vier verschiedene Methoden zum Zwecke der Synthese polyfunktioneller Cyclopropane ausgearbeitet[2], die im wesentlichen Variationen bezüglich der Wahl der Base darstellen; z.B. Natrium-äthanolat/Äthanol, Kalium-tert.-butanolat/tert.-Butanol, Natriumhydrid bzw. Kalium-tert.-butanolat in Benzol- oder Toluol-Suspension. So erhält man die Cyclopropane in Ausbeuten bis zu 90%; z.B.:

$$H_2C=CH-COOC_2H_5 \;+\; Cl-CH_2-COOC(CH_3)_3 \;\xrightarrow[\text{Toluol}]{K-O-tert.-C_4H_9}\; \triangle\!\!\begin{array}{l}-COOC_2H_5\\ COOC(CH_3)_3\end{array}$$

2-Äthoxycarbonyl-1-tert.-butyloxycarbonyl-cyclopropan; 75% d.Th.

---

[1] L. L. McCoy, J. Org. Chem. **25**, 2078 (1960).
[2] G. Bonavent, M. Cousse, M. Guitard u. R. Fraisse-Jullien, Bl. **1964**, 2462.

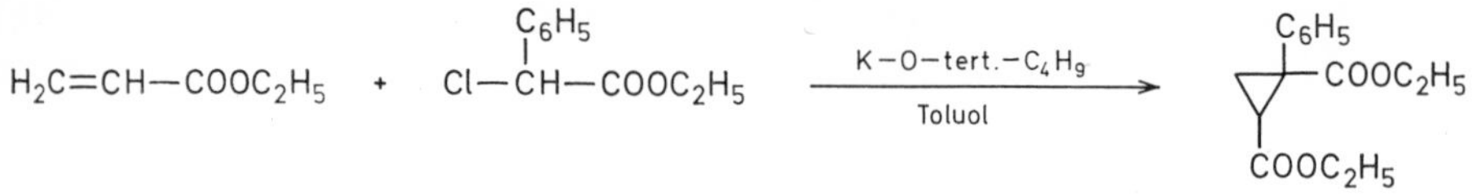

$H_2C=CH-COOC_2H_5$ + $\overset{C_6H_5}{\underset{|}{Cl-CH-COOC_2H_5}}$ $\xrightarrow[\text{Toluol}]{K-O-tert.-C_4H_9}$

1-Phenyl-1,2-
diäthoxycarbonyl-
cyclopropan;
82% d. Th.

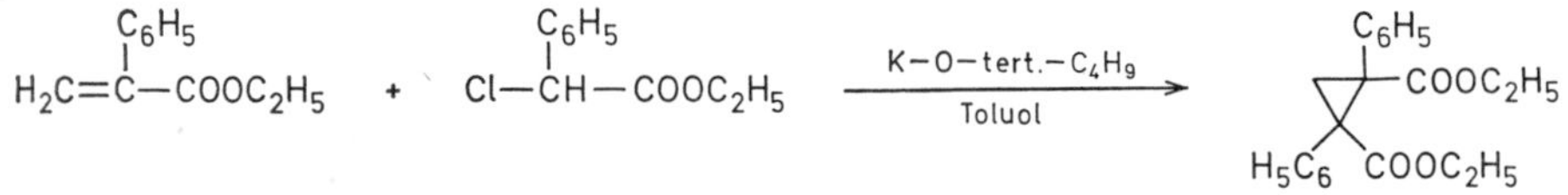

$\overset{C_6H_5}{\underset{|}{H_2C=C-COOC_2H_5}}$ + $\overset{C_6H_5}{\underset{|}{Cl-CH-COOC_2H_5}}$ $\xrightarrow[\text{Toluol}]{K-O-tert.-C_4H_9}$

1,2-Diphenyl-1,2-
diäthoxycarbonyl-
cyclopropan;
93% d. Th.

IV. Cyclopropanierungen durch Carben-Übertragungen auf Olefine

a) Zur Entwicklung und Bedeutung der Carben-Chemie

Die ersten Versuche zur Erzeugung von Methylen gehen in eine Zeit zurück, in der die Vierwertigkeit des Kohlenstoffs noch nicht gesichert war. So wurden Versuche zur Dehydratisierung des Methanols mit Phosphor(V)-oxid oder konzentrierter Schwefelsäure[1,2] sowie zur Pyrolyse von Methylchlorid[3] durchgeführt, um zum Methylen zu gelangen. Bei der Behandlung von Dijod-methan mit Kupferpulver im abgeschlossenen Rohr wurde lediglich Äthylen gefunden[4].

Eine zweite Epoche der Carben-Forschung wurde durch die Entdeckung der Isonitrile und von Knallsäure-Derivaten eingeleitet. Stimuliert durch eigene Untersuchungen auf diesem Gebiet[5] wurde von Nef eine „allgemeine Methylen-Theorie" konzipiert[6], die viele der Substitutionsreaktionen als eine Folge von α-Eliminierungen und Additionen erklärte. Diese Auffassungen wurden jedoch nur von wenigen der zeitgenössischen Chemiker geteilt.

Die Pionierarbeiten von Staudinger et al. in den Jahren von 1912 bis 1916[7–10] auf dem Gebiete der Zersetzung von Diazoverbindungen und Ketenen brachten dann neue Impulse.

Als Radikale in den folgenden Dezennien als Zwischenstufen in Mode kamen, wurden die Carbene allgemein als Diradikale angesprochen. Die Methoden der Ra-

[1] J. B. Dumas, Ann. chim. phys. [2] 58, 28 (1835).
[2] H. V. Regnault, Ann. chim. phys. [2] 71, 427 (1839).
[3] A. Perrot, A. 101, 375 (1857).
[4] A. M. Butlerow, A. 120, 356 (1861).
[5] J. U. Nef, A. 270, 267 (1892); 280, 291 (1894); 287, 265 (1895).
[6] J. U. Nef, A. 298, 202 (1897).
[7] H. Staudinger u. O. Kupfer, B. 44, 2197 (1911); 45, 501 (1912).
[8] H. Staudinger u. R. Endle, B. 46, 1437 (1913).
[9] H. Staudinger, u. J. Goldstein, B. 49, 1923 (1916).
[10] H. Staudinger, E. Anthes u. F. Pfenninger, B. 49, 1928 (1916).

dikalchemie wie etwa die Paneth-[1,2] oder die Polanyi[3-5]-Technik wurden zur Erzeugung bzw. Identifizierung von Carbenen eingesetzt.

Schließlich kam dann die Carben-Chemie durch zwei verschiedene Entwicklungstendenzen in Bewegung. Einmal wurde durch die Beobachtung der Befähigung von Methylen und anderen Carbenen zur Einschiebung in C—H-Bindungen[6,7] klar, daß Carbene einen einzigartigen Typ von Zwischenstufen darstellen und charakteristische Reaktionen eingehen, die nicht auf Radikale zurückgeführt werden können. Zum anderen führten die kinetischen Studien Hine's[8-22] über den Reaktionsmechanismus der basischen Hydrolyse von Haloformen zur Erwägung der α-Eliminierung als potentiellen Weg zur Erzeugung von Carbenen.

Mit der Beobachtung, daß *Dichlor-cyclopropane* (I) glatt durch Behandlung von Olefinen mit Chloroform und Kalium-tert.-butanolat zugänglich sind[23], wurde der eigentliche Startschuß zur stürmischen Entwicklung der Carben-Chemie gegeben:

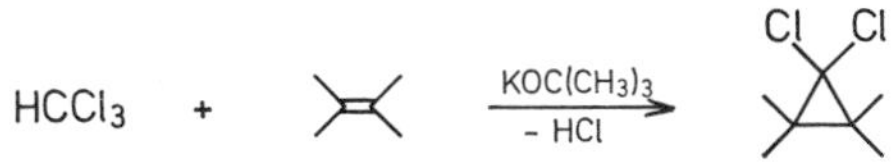

Zugleich war damit ein mannigfaltig abwandelbares Syntheseprinzip erschlossen, die „Carben-Übertragung", die einen relativ einfachen Zugang zu zahlreichen Cyclopropanen und Cyclopropenen öffnete und damit der Forschung auf dem Gebiet der kleinen Alicyclen entscheidende Impulse verlieh[24].

---

[1] F. O. Rice u. A. L. Glasebrook, Am. Soc. **55**, 4329 (1933); **56**, 2381 (1934).

[2] T. G. Pearson, R. H. Purcell u. G. S. Saigh, Soc. **1938**, 409.

[3] C. E. H. Bawn u. W. J. Dunning, Trans. Faraday Soc. **35**, 185 (1939).

[4] C. E. H. Bawn u. J. Milsted, Trans. Faraday Soc. **35**, 889 (1939).

[5] C. E. H. Bawn u. C. F. H. Tipper, Discussions Faraday Soc. **2**, 107 (1947).

[6] H. Meerwein, H. Rathjen u. H. Werner, B. **75**, 1610 (1942).

[7] W. v. E. Doering, R. G. Buttery, R. G. Laughlin u. N. Chaudhuri, Am. Soc. **78**, 3224 (1956).

[8] J. Hine, Am. Soc. **72**, 2438 (1950).

[9] J. Hine u. A. M. Dowell, Am. Soc. **76**, 2688 (1954).

[10] J. Hine, A. M. Dowell u. J. E. Singley, Am. Soc. **78**, 479 (1956).

[11] J. Hine, C. H. Thomas u. S. J. Ehrenson, Am. Soc. **77**, 3886 (1955).

[12] J. Hine, R. C. Peek u. B. D. Oakes, Am. Soc. **76**, 827 (1954).

[13] J. Hine u. N. W. Burske, Am. Soc. **78**, 3337 (1956),

[14] J. Hine, N. W. Burske, M. Hine u. P. B. Langford, Am. Soc. **79**, 1406 (1957).

[15] J. Hine u. P. B. Langford, Am. Soc. **79**, 5497 (1957).

[16] J. Hine, R. Butterworth u. P. B. Langford, Am. Soc. **80**, 819 (1958).

[17] J. Hine u. S. J. Ehrenson, Am. Soc. **80**, 824 (1958).

[18] J. Hine u. F. P. Prosser, Am. Soc. **80**, 4282 (1958).

[19] J. Hine, S. J. Ehrenson u. W. H. Brader, Am. Soc. **78**, 2282 (1956).

[20] J. Hine u. J. J. Porter, Am. Soc. **79**, 5493 (1957).

[21] J. Hine u. J. J. Porter, Am. Soc. **82**, 6178 (1960).

[22] J. Hine u. A. D. Ketley, J. Org. Chem. **25**, 606 (1960).

[23] W. v. E. Doering u. A. K. Hoffmann, Am. Soc. **76**, 6162 (1954).

[24] Vgl. hierzu die nachfolgenden Zusammenfassungen:

B. Jerosch-Herold u. P. P. Gaspar, Fortschr. chem. Forsch. **5**, 89 (1965).

E. Chinoporos, Chem. Reviews **63**, 235 (1963).

W. Kirmse, Ang. Ch. **71**, 537 (1959); **73**, 161 (1961).

H. Kloosterziel, Chem. Weekbl. **59**, 77 (1963).

W. E. Parham u. E. E. Schweizer, Org. Reactions **13**, 55 (1963).

7*   (Fortsetzung s. S. 100)

Im folgenden soll für diese Verfahren zunächst weitgehend unverbindlich die Arbeitsbezeichnung „Carben-Übertragung"[1] deshalb benutzt werden, weil in vielen Fällen nicht eindeutig klar ist, wie sich der alicyclische Dreiring bildet. Zwar steht für bestimmte Arten des Verfahrens fest, daß es zur intermediären Bildung von α-Metall-α-halogen-Verbindungen kommt, doch ist häufig noch umstritten, ob diese Spezies unmittelbar, d.h. carbenoid[2], mit der Doppelbindung reagieren oder mittelbar über ein Carben[3].

b) Cyclopropane durch Methylen-Übertragungen

Während sich C—C-Einfachbindungen gegenüber Methylen als inert erweisen, was selbst noch bei kleinen Ringen mit extrem hoher Spannung wie z.B. beim Spiropentan der Fall ist, wird Methylen leicht an Doppelbindungen unter Bildung von Cyclopropanen addiert:

$$>\!C\!=\!C\!< \quad + \quad :CH_2 \quad \longrightarrow \quad \triangleright\!\!\!<$$

Die meisten derartiger Additionen verlaufen als stereospezifische *cis*-Additionen[4-7]. Die Stereospezifität der Reaktion bleibt jedoch nicht stets gewahrt, da sie häufig von der Art der Erzeugung des Methylens und den Reaktionsbedingungen abhängig ist.

Im folgenden sollen durchweg nur diejenigen Methoden der Methylen-Erzeugung und -Übertragung detailliert besprochen werden, die in Hinblick auf Cyclopropanierungen von Bedeutung geworden sind.

---

[1] Vgl. hierzu etwa: U. Schöllkopf, Ang. Ch. **80**, 603 (1968).

[2] Zur Definition vgl.:
  G. L. Closs u. R. A. Moss, Am. Soc. **86**, 4042 (1964).
  W. Kirmse, Ang. Ch. **77**, 1 (1965).
  G. Köbrich, Ang. Ch. **79**, 15 (1967).

[3] Der Ausdruck Carben wurde gemeinsam von Doering, Winstein und Woodward gewählt und 1951 erstmalig auf dem 119th Meeting of the American Chemical Society vorgestellt [vgl. W. v. E. Doering u. L. H. Knox, Am. Soc. **78**, 4947 (1956)].
  Carbene können als divalente Kohlenstoff-Zwischenstufen definiert werden. Der Carbenkohlenstoff betätigt mit zwei benachbarten Gruppen kovalente Bindungen und besitzt daneben zwei nicht-bindende Elektronen, die entweder antiparallele Spins (Singulett-Zustand) oder parallele Spins (Triplett-Zustand) haben können. Triplett-Carbene können formal als Diradikale bezeichnet werden, obgleich die Anordnung von zwei ungepaarten Elektronen am selben C-Atom zu einigen Eigentümlichkeiten Anlaß gibt. Singulett-carbene, Spezies mit Elektronenmangel vergleichbar zu den Carbeniumionen, besitzen andererseits ein nicht-bindendes Paar von Elektronen ähnlich zu dem der Carbanionen. Der elektrophile oder nucleophile Charakter von Singulett-carbenen wird daher stark von den Elektronenacceptor- bzw. Elektronendonator-Eigenschaften der benachbarten Gruppen abhängen. Zum Spin-Zustand der Carbene s. a. S. 103 u. 325 ff.

[4] H. M. Frey, Am. Soc. **80**, 5005 (1958).

[5] W. v. E. Doering u. P. La Flamme, Am. Soc. **78**, 5447 (1956).

[6] P. S. Skell u. R. C. Woodworth, Am. Soc. **78**, 4496 (1956).

[7] P. S. Skell u. R. C. Woodworth, Am. Soc. **81**, 3383 (1959).

(Fortsetzung v. S. 99)

  W. Kirmse, *Carbene Chemistry*, Academic Press, London · New York 1964.
  A. W. Krebs, Ang. Ch. **77**, 10 (1965).
  G. L. Closs in H. Hart u. G. J. Karabatsos, *Advances in Alicyclic Chemistry*, Bd. 1, S. 53, Academic Press, London · New York 1966.

Hierzu gehören vor allem die Methylen-Übertragungen durch Diazomethan, die Simmons-Smith-Reaktion, die methylenierten Metallhalogenide als metallorganische Übertragungsspezies sowie die Cyclopropanierungen mit Yliden, die in übersichtlicher Reaktion aus den entsprechenden Olefinen die gewünschten Cylopropan-Derivate zugänglich machen.

Methylen selbst ist Gegenstand der verschiedensten Untersuchungen geworden, die quantenmechanische Berechnungen, spektroskopische Studien, präparative Reaktionen (z.B. auch die Reaktionen mit Kohlenstoff-Sauerstoff-Bindungen, mit C-Hal-Bindungen sowie mit metallorganischen Verbindungen) und kinetische Arbeiten einschließen[1].

1. Cyclopropane durch Methylen-Übertragung mittels Diazomethan

a) Pyrolyse und Photolyse von Diazomethan

Die Pyrolyse von Diazomethan ist schon lange als Möglichkeit zur Erzeugung von Methylen erkannt worden. Bereits Staudinger[2] pyrolysierte Diazomethan in Gegenwart von Kohlenmonoxid und erhielt dabei in geringen Mengen Keten, das wahrscheinlich aus Methylen und Kohlenmonoxid gebildet worden ist:

$$H_2CN_2 \longrightarrow N_2 + :CH_2 \xrightarrow{\text{CO}} H_2C=C=O$$

Auf das Diazomethan ist auch von einigen Arbeitskreisen[3-5] die Paneth-Technik (s. oben) angewendet worden. Es zeigte sich, daß die Zersetzungsprodukte des Diazomethans in der Lage waren, die Selen-, Tellur-, Antimon- und Arsen-Spiegel zu entfernen, während die Spiegel von Zink, Cadmium, Thallium, Blei, Wismut und Quecksilber unverändert blieben (alle diese Metalle reagieren mit Methyl-Radikalen). Die nach dieser Methode bestimmte Lebensdauer des Methylens erweist sich als zu lang im Lichte der gegenwärtigen Kenntnis der Geschwindigkeiten von Methylen-Reaktionen. Es muß daher angenommen werden, daß die Entfernung der Metallspiegel nicht auf freies Methylen zurückzuführen ist.

Bei der Pyrolyse von Diazomethan in Gegenwart von Kohlenwasserstoffen wurden die gleichen Produkte beobachtet, die auch bei der Photolyse ähnlicher Mischungen bei Raumtemperatur erhalten wurden[6]. Oberhalb 250° nimmt die Zersetzung homogenen Charakter an und folgt der 1. Ordnung: $k = 1,2 \times 10^{12} \exp(-34000/RT) \sec^{-1}$. Das Studium der Zersetzung von Diazomethan in Gegenwart von Stickstoff in einer Strömungsapparatur[7] liefert für k einen Wert von $8 \times 10^{10} \exp(-31750/RT) \sec^{-1}$.

Im ersten Jahrzehnt dieses Jahrhunderts wurde auch die photochemische Zersetzung von Diazomethan beobachtet[8,9]. Bei Verwendung von Licht der Wellenlängen 4360 und 3650 Å wurde eine Quantenausbeute von annähernd 4 ermittelt[10].

[1] Vgl. hierzu als Übersicht bei W. KIRMSE, *Carbene Chemistry*, Kap. 2, Academic Press, Inc., New York · London 1964.
[2] H. STAUDINGER u. O. KUPFER, B. **45**, 501 (1912).
[3] T. G. PEARSON, R. H. PURCELL u. G. S. SAIGH, Soc. **1938**, 409.
[4] R. G. W. NORRISH u. G. B. PORTER, Discussions Faraday Soc. **2**, 97 (1947).
[5] F. O. RICE u. A. L. GLASEBROOK, Am. Soc. **55**, 4329 (1933); **55**, 2381 (1934).
[6] B. S. RABINOVITCH u. D. W. SETSER, Am. Soc. **83**, 750 (1961).
[7] P. S. SHANTAROVITCH, Doklady Akad. Nauk SSSR **116**, 255 (1957); C. A. **52**, 12527 (1958).
[8] A. HANTZSCH u. M. LEHMANN, B. **34**, 2522 (1901).
[9] T. CURTIUS, A. DARAPSKY u. E. MÜLLER, B. **41**, 3168 (1908).
[10] F. W. KIRKBRIDGE u. R. G. W. NORRISH, Soc. **1933**, 119.

Gl. ① dürfte die Primärreaktion darstellen. G.l ② könnte die Bildung von Äthylen als Hauptprodukt bei der Diazomethan-Photolyse erklären:

$$CH_2N_2 \longrightarrow {:}CH_2 + N_2 \qquad ①$$
$$CH_2N_2 + {:}CH_2 \longrightarrow H_2C{=}CH_2 + N_2 \quad ②$$

Tab. 10 zeigt eine Aufstellung derjenigen gasförmigen Kohlenwasserstoffe, die bei der Photolyse von Diazomethan in Gegenwart eines Inertgases gebildet und identifiziert worden sind[1]. Die hohen Ausbeuten sind möglicherweise auf Reaktionen von schwingungsangeregten Molekeln mit Diazomethan zurückzuführen[2]:

$$C_2H_4^* + CH_2N_2 \longrightarrow C_3H_6^* + N_2$$
$$C_3H_6^* + CH_2N_2 \longrightarrow C_4H_8^* + N_2 \quad etc.$$
$$C_nH_{2n}^* + M \longrightarrow C_nH_{2n} + M^*$$

Tab. 10. Produkte der Photolyse von Diazomethan in Gegenwart eines Inertgases[1] [% d.Th.]

Äthylen	63,5	Buten-(1)	9,0
Äthan	2,7	trans-Buten-(2)	1,0
Acetylen	2,6	cis-Buten-(2)	0,9
Propen	7,0	Penten-(1)	3,8
Propan	2,0	trans-Penten-(2)	1,1
Cyclopropan	1,4	cis-Penten-(2)	0,8

Methylen, das durch Photolyse von Diazomethan oder auch Keten erzeugt wird[3], trägt einen gewissen Betrag an überschüssiger Energie. Cyclopropane, die durch Addition von derartigem Methylen an Doppelbindungen gebildet werden, befinden sich primär in einem angeregten Zustand. In der flüssigen Phase sowie unter hohen Drucken in der Gasphase werden die angeregten Molekeln sofort durch Kollision stabilisiert und die Geometrie bleibt gewahrt. Bei geringen Drucken in der Gasphase können jedoch die angeregten Moleküle eine cis/trans-Isomerisierung eingehen[4,5]. Die im Endergebnis „erscheinende Nicht-Stereospezifität" unter diesen Bedingungen ist offensichtlich auf die nachfolgenden Reaktionen der ursprünglich in stereospezifischer Weise gebildeten Produkte zurückzuführen. Die Druckgrenze für eine stereospezifische Addition des Methylens fällt mit steigendem Molekulargewicht des Olefins, d.h. mit der steigenden Möglichkeit der inneren Verteilung der überschüssigen Energie. Es konnte gezeigt werden, daß die Aktivierungsenergie für die geometrische Isomerisierung viel kleiner als für die strukturelle Isomerisierung ist[4,5]. Offenbar wird bei dem ersteren Prozeß nicht notwendigerweise eine komplette Spaltung einer C—C-Bindung vollzogen. Es sind also konsequenterweise höhere Drucke zur Unterdrückung einer geometrischen als einer strukturellen Isomerisierung notwendig.

[1] H. M. Frey, Am. Soc. **82**, 5947 (1960).

[2] H. M. Frey in *Progress in Reaction Kinetics*, Bd. II, Pergamon Press, New York, im Druck.

[3] Zur Photolyse von Diazomethan oder Keten in flüssiger oder gasförmiger Phase s. T. G. Pearson, R. H. Purcell u. G. S. Saigh, Soc. **1938**, 409.

[4] B. S. Rabinovitch, E. Tschuikow-Roux u. E. W. Schlag, Am. Soc. **81**, 1081 (1959).

[5] H. M. Frey, Proc. Roy. Soc. [A] **251**, 575 (1959).

In der Gasphasen-Reaktion von photolytisch erzeugtem Methylen mit einfachen Alkenen wie Äthylen hat das primär gebildete *Cyclopropan* so viel überschüssige Energie, daß es zu einer unimolekularen Isomerisierung zum *Propen* kommt[1].

Im Gegensatz zu der oben beschriebenen „scheinbaren Nicht-Stereospezifität“ kann der Additionsprozeß selbst nicht-stereospezifisch verlaufen, wenn das Methylen aus seinem Triplett-Zustand (parallele Spins; s. Abb. 7; s. u.) heraus reagiert[2].

Das Methylen wird normalerweise bei der Photolyse von Diazomethan im Singulett-Zustand (antiparallele Spins; s. Abb. 7) erzeugt[2] und kann nachfolgend in den Triplett-Zustand umgewandelt werden[3-5]. So können in der Gasphase unter hohen Inertgasdrucken die Methylen-Radikale viele Male kollidieren und in den Triplett-Zustand überführt werden ehe sie mit dem Olefin reagieren. Während Singulett-Methylen stereospezifisch *cis* an ein Olefin addiert wird, wurde für das unter den genannten Bedingungen nach Kollision entstandene Triplett-Methylen z.B. an *cis*- und *trans*-Buten-(2) eine nicht-stereospezifische Weise der Addition beobachtet[6,7].

Durch sensibilisierte Photolyse kann Methylen unmittelbar im Triplett-Zustand erzeugt werden. Dieses Verfahren beinhaltet eine Energieüberführung aus dem Triplett-Zustand des Sensibilisators auf das Diazomethan, wobei dieses Anregung in den Triplett-Zustand erfährt. Benzophenon in der flüssigen Phase[8] und Quecksilber in der Gasphase[9] sind hierzu als Sensibilisatoren benutzt worden.

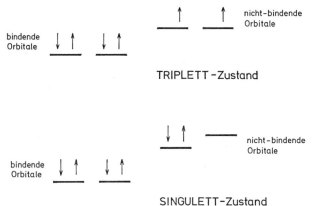

Abb. 7: Spin-Zustände des Methylens

Es sei in diesem Zusammenhang erwähnt, daß die Addition von Triplett-Methylen an *cis*-Buten-(2) neben *cis*- auch beträchtliche Mengen an *trans-1,2-Dimethyl-cyclopropan* entstehen läßt, während im Fall des *trans*-Buten-(2) hauptsächlich *trans-*

[1] H. M. FREY et al., Am. Soc. **79**, 1259, 6373 (1957).
  Vgl. a.: H. M. FREY, „*Excess Energy in Carbene Reactions*“ in W. KIRMSE, „*Carbene Chemistry*“, Kap. 11, Academic Press, New York · London 1964.
[2] Vgl. P. P. GASPAR u. G. S. HAMMOND, „*The Spin States of Carbenes*“ in W. KIRMSE, „*Carbene Chemistry*“, Kap. 12, Academic Press, New York · London 1964.
[3] G. HERZBERG u. J. SHOOSMITH, Nature **183**, 180 (1959).
[4] G. W. ROBINSON u. M. McCARTY, Am. Soc. **82**, 1859 (1960).
[5] T. D. GOLDFARB u. G. C. PIMENTEL, Am. Soc. **82**, 1865 (1960).
[6] F. A. L. ANET, R. F. W. BADER u. A. M. v. d. AUWERA, Am. Soc. **82**, 3217 (1960).
[7] H. M. FREY, Am. Soc. **82**, 5947 (1960).
[8] K. R. KOPECKY, G. S. HAMMOND u. P. LEERMAKERS, Am. Soc. **83**, 2397 (1961); **84**, 1015 (1962).
[9] F. J. DUNCAN u. R. J. CVETANOVIC, Am. Soc. **84**, 3539 (1962).

1,2-Dimethyl-cyclopropan gebildet wird, das nur von Spuren des *cis*-Isomeren begleitet ist. Diese Beobachtung läßt erkennen, daß die Geschwindigkeit der Spin-Inversion in den Diradikalen von vergleichbarer Größenordnung ist wie die Geschwindigkeit der Rotation um die C—C-Einfachbindungen.

Die Addition von photolytisch erzeugtem Methylen an Olefine wird stets von einer Insertion in die verschiedenen C—H-Bindungen begleitet[1]. Die relativen Geschwindigkeiten dieser Reaktionen sind für einige Olefine in Tab. 11 aufgeführt. Dabei beziehen sich die entsprechenden Daten auf Drucke, die eine komplette Desaktivierung durch Kollision garantieren; darüber hinaus sind die Daten für das jeweilige statistische Gewicht jedes Bindungstyps korrigiert. Alle Daten der Tab. 11 gelten hier für Singulett-Methylen.

Tab. 11: Relative Geschwindigkeiten von Addition- und Insertionsreaktionen von photochemisch erzeugtem Methylen nach H. M. FREY[2]

Olefin	Methylen-Quelle (Photolyse)	Addition an C=C-Bindung	Cyclopropan-Derivat	Insertion		Lit.
				Vinyl-H	Allyl-H	
Äthylen	CH₂N₂; 4358 Å	1,00	} Cyclopropan	0,079		3
	CH₂CO; 3130Å	1,00		0,036		4
Propen	CH₂N₂; ungefilt.	1,00		0,091	0,110	5
	CH₂CO; 3130 Å	1,00	} Methyl-cyclopropan	0,030	0,060	5
	CH₂CO; 2600 Å	1,00		0,064	0,091	5,6
2-Methyl-	CH₂N₂; ungefilt.	1,00	} 1,1-Dimethyl-cyclo-	0,091	0,110	7
propen	CH₂CO; 3130 Å	1,00	} propan	0,063	0,053	5
trans-Buten-	CH₂N₂; 4358 Å	1,00	1,2-Dimethyl-cyclo-propan	0,110	0,150	8,9
(2)						
Allen	CH₂N₂; 4358 Å	1,00	Methylen-cyclo-propan	0,110		10
Butadien-	CH₂N₂; 4358 Å	1,00	} Vinyl-cyclopropan	0,085*		11
(1,3)	CH₂CO; 3130 Å	1,00		0,048*		11

* Werte für beide C—H-Bindungen.

Triplett-Methylen, das entweder durch Spin-Inversion infolge vieler Kollisionen erzeugt worden ist oder durch sensibilisierte Photolyse direkt entstanden ist, liefert hingegen nur geringe Mengen von Einschiebungsprodukten bei der Reaktion mit Alkenen.

Durch Photolyse von Keten erzeugtes Methylen reagiert mit Tetrafluor-äthylen unter ausschließlicher Addition an die Doppelbindung zum *1,1,2,2-Tetrafluor-cyclopropan*.

---

[1] Vgl. hierzu: W. KIRMSE, „*Carbene-Chemistry*", S. 21–26, Academic Press, Inc., New York · London 1964.

[2] H. M. FREY in „*Progress in Reaction Kinetics*", Bd. II, Pergamon Press, New York, im Druck.

[3] B. S. RABINOVITCH, private Mitteilung an H. M. FREY[2].

[4] B. S. RABINOVITCH, E. TSCHUIKOW-ROUX u. E. W. SCHLAG, Am. Soc. **81**, 1081 (1959).

[5] J. N. BUTLER u. G. B. KISTIAKOWSKY, Am. Soc. **82**, 759 (1960); **83**, 1324 (1961).

[6] F. H. DORER u. B. S. RABINOVITCH, J. phys. Chem. **69**, 1964 (1965).

[7] H. M. FREY, Proc. Roy. Soc. [A] **250**, 409 (1959).

[8] H. M. FREY, Proc. Roy. Soc. [A] **251**, 575 (1959).

[9] Bei Photolyse von Keten wurden Werte von 0,088 bzw. 0,13 für die Vinyl-H- bzw. Allyl-H-Einschiebung gefunden, vgl.: R. W. CARR u. G. B. KISTIAKOWSKY, J. phys. Chem. **70**, 118 (1966).

[10] H. M. FREY, Trans. Faraday Soc. **57**, 951 (1961).

[11] H. M. FREY, Trans. Faraday Soc. **58**, 516 (1962).

Ein Tetrafluor-propen, vermutlich 1,1,3,3-Tetrafluor-propen, das in der Gasphasen-Reaktion gefunden wurde, konnte auf die Isomerisierung von energetisch angeregtem *Tetrafluor-cyclopropan* zurückgeführt werden[1].

Bei der Umsetzung von photochemisch erzeugtem Methylen mit Cyclohexen bei −75° werden neben *Norcaran* (*Bicyclo[4.1.0]heptan*) auch die drei isomeren Methyl-cyclohexene erhalten[2]:

40 %   10 %   25 %   25 %

Zur Information über weitere Studien der **Insertion** und **Abstraktion** als Reaktionen des Methylens mit C—H-Bindungen sei auf die Literatur verwiesen[3].

β) Katalytische Zersetzung von Diazomethan

Die Zersetzung von Diazomethan wird von vielen Substanzen katalysiert.

So wurde u. a. die Katalysefähigkeit von einer Anzahl von **Bor-Verbindungen** bekannt[4-10]. Es zeigte sich, daß die Trialkylborate weniger effektiv als Bortrifluorid sind und daß die Trialkylborane am stärksten die Zersetzung von Diazomethan katalysieren[4]. Die meisten dieser Reaktionen führen jedoch zu kristallinem **Polymethylen** hohen Molekulargewichts und völlig linearer Struktur und sind im allgemeinen zum Zwecke der Cyclopropanierung von Olefinen durch Methylen-Übertragung ungeeignet.

Bei der Reaktion von Diazomethan mit einem großen Überschuß an Bortrifluorid wird Fluormethyl-bor-difluorid erhalten[11].

Bei tiefen Temp. werden aus Diazomethan und Dialkyl-aluminium-halogeniden mit Leichtigkeit Verbindungen des Typs R_2Al—CH_2X gebildet[12].

Eine zweite Art von Katalysatoren wurde in den **Metallen Kupfer**[13-15], **Iridium**[16] und **Vanadium**[16] sowie in den **Metall-Salzen** Kupfer(II)-sulfat[14], -stearat[7,8], Kupfer(I)-cyanid[14], -jodid + Amine)[16], -chlorid und -bromid[17-19], Gold(III)-chlorid[20], Iridium(III)-chlorid, Vanadium-(III)-chlorid, Platin(IV)-chlorid[16], Zinkjodid[21] und Zinkchlorid[22] aufgefunden. Als Produkte bzw.

[1] B. Grzybowska, J. H. Knox u. A. F. Trotman-Dickenson, Soc. **1963**, 746.
[2] W. v. E. Doering et al., Am. Soc. **78**, 3224 (1956).
[3] Vgl. hierzu: W. Kirmse, „*Carbene-Chemistry*", S. 21—26, Academic Press, Inc., New York · London 1964.
Vgl. ds. Handb., Bd. X/4, Kap. Aliphatische Diazoverbindungen, S. 804ff.
[4] H. Meerwein, Ang. Ch. **60** [A], 78 (1948).
[5] G. D. Buckley u. N. H. Ray, Soc. **1952**, 3701.
[6] S. W. Cantor u. R. C. Osthoff, Am. Soc. **75**, 931 (1953).
[7] C. E. H. Bawn u. T. B. Rhodes, Trans. Faraday Soc. **50**, 934 (1954).
[8] J. Feltzin et al., Am. Soc. **77**, 206 (1955).
[9] A. G. Davies et al., Proc. Chem. Soc. **1961**, 172.
[10] Eu. Müller, H. Kessler u. B. Zeeh, Fortschr. chem. Forsch. **7**, 128 (1966).
[11] J. Goubeau u. K. H. Rohwedder, A. **604**, 168 (1957).
[12] H. Hoberg, Ang. Ch. **73**, 114 (1961); A. **656**, 1 (1962).
[13] L. C. Leitch, E. Cagnon u. E. Cambron, Canad. J. Research **28** [b], 256 (1950).
[14] G. D. Buckley, L. H. Cross u. N. H. Ray, Soc. **1950**, 2714.
[15] P. P. Gaspar, Dissertation, Yale University, New Haven, 1961.
[16] C. E. H. Bawn u. A. Ledwith, Chem. & Ind. **1957**, 1180.
[17] M. F. Dull u. P. G. Abend, Am. Soc. **81**, 2588 (1959).
[18] Eu. Müller, H. Fricke u. W. Rundel, Z. Naturforsch. [b] **15**, 753 (1960); A. **661**, 38 (1963).
[19] W. v. E. Doering u. W. R. Roth, Tetrahedron **19**, 715 (1963).
[20] A. Ledwith, Chem. & Ind. **1956**, 1310.
[21] G. Wittig u. K. Schwarzenbach, Ang. Ch. **71**, 652 (1959).
[22] U. Schöllkopf u. A. Lerch, Ang. Ch. **73**, 27 (1961).

Zwischenstufen, die aus der Reaktion von Diazomethan mit diesen anorganischen Verbindungen resultieren, werden je nach Art des Katalysators und des Substrates Methylen, Polymethylen, Äthylen oder metallorganische Spezies vom Typ $M(CH_2X)_n$ gebildet.

Im folgenden sollen in diesem Abschnitt nur diejenigen Methylen-Übertragungen zum Zwecke der Cyclopropanierung besprochen werden, die höchstwahrscheinlich direkt über ein „freies" Methylen erfolgen. Auf S. 114 ff. wird die spezielle Dijodmethan/Zink(Kupfer)-Reaktion als metallorganische „methylene-transfer-reaction" gesondert beschrieben, während auf S. 126 ff. eine Übersicht über die Rolle der methylenierten Metallhalogenide als metallorganische Carben-Übertragungsreagentien allgemein gegeben wird.

Da bei der Synthese von Cyclopropanen die Bildung von komplexen Produktgemischen als Folge einer Konkurrenz von Addition und Insertion des Methylens stets unerwünscht ist, kommt der echten katalytischen Zersetzung von Diazomethan – insbesondere durch Kupfer und Kupfer(I)-chlorid –, die zur Unterdrückung der Insertionsreaktionen führt, eine wichtige Rolle zu. Die Reaktion verläuft stereospezifisch: aus *cis*- bzw. *trans*-Buten-(2) erhält man *cis*- bzw. *trans-1,2-Dimethylcyclopropan*[1].

Butadien-(1,3) reagiert mit Methylen im wesentlichen im Sinne einer 1,2-Addition. *Vinyl-cyclopropan* wurde als Hauptprodukt gefunden[2]. Die Bildung von geringen Mengen an Cyclopenten wurde verschieden interpretiert: Annahme einer 1,4-Addition[3] bzw. Isomerisierung von aktiviertem Vinyl-cyclopropan[4]:

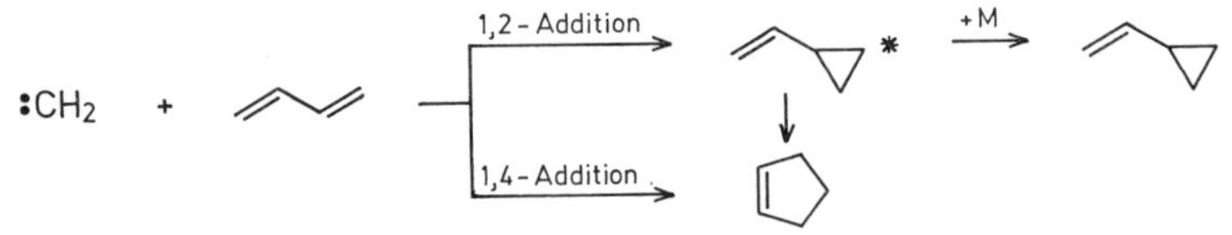

Sorgfältige Studien der thermischen Isomerisierung von *Vinyl-cyclopropan*[5] (s. hierzu die thermischen Umlagerungen von Vinyl-cyclopropanen, S. 597 ff.) ergaben, daß mindestens zwei Mechanismen ablaufen können. Eine Reaktionsfolge mit besonders geringer Aktivierungsenergie führt danach zur Bildung von Cyclopenten. Ein anderer Reaktionsablauf ist vergleichbar mit der Isomerisierung von Alkyl-cyclopropanen und hat die Bildung von Pentadien-Gemischen zur Folge.

Die katalysierte Reaktion von Diazomethan mit den verschiedensten Polyenen, besonders mit Alicyclen, ist in den letzten Jahren eingehend studiert worden. Hierbei hat sich vor allem die bewährt, das gasförmiges Diazomethan mittels eines Stickstoffstromes in eine Suspension von Kupfer(I)-chlorid bzw. -bromid und dem entsprechenden Olefin einzuleiten[1,6-8]. Nach dieser Methode erhält man z.B. mit *cis*-Hexatrien-(1,3,5) alle formulierbaren Cyclopropanprodukte außer *cis-1,2-Divinylcyclopropan* (III), das unter den Reaktionsbedingungen spontan eine COPE-Umlagerung (s. a. S. 613) zum Cycloheptadien-(1,4) (IV) eingeht[7,9]:

[1] Eu. Müller, H. Kessler u. B. Zeeh, Fortschr. chem. Forsch. 7, 155 (1966).
   Vgl. a. Eu. Müller u. H. Kessler, A. 692, 58 (1966).
   Vgl. a. W. Kirmse, Ang. Ch. 77, 1 (1965).
[2] B. A. Grzybowska, J. H. Knox u. A. F. Trotman-Dickenson, Soc. 1961, 4402; 1962, 3826.
[3] V. Franzen, B. 95, 571 (1962).
[4] H. M. Frey, Trans. Faraday Soc. 58, 516 (1962).
[5] M. C. Flowers u. H. M. Frey, Soc. 1961, 3547.
[6] Eu. Müller, H. Fricke u. W. Rundel, Z. Naturforsch. [b] 15, 753 (1960).
[7] W. v. E. Doering u. W. R. Roth, Tetrahedron 19, 715 (1963).
[8] P. P. Gaspar, Dissertation, Yale University, New Haven, 1961.
[9] W. v. E. Doering u. W. R. Roth, Ang. Ch. 75, 27 (1963).

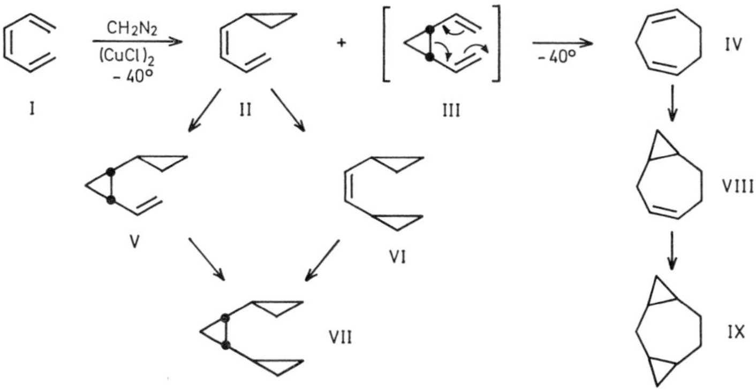

II; Butadien-(1,3)-yl-cyclopropan
V; cis-2-Cyclopropyl-1-vinyl-cyclopropan
VI; cis-1,2-Dicyclopropyl-äthylen
VII; cis-1,2-Dicyclopropyl-cyclopropan
VIII; Bicylo[5.1.0]octen-(3)
IX; Tricyclo[6.1.0.0^{3,5}]nonan

trans-1,2-Divinyl-cyclopropan (s.a. S. 614) wurde neben anderen Produkten bei Anwendung der analogen Methode auf *trans*-Hexatrien-(1,3,5) erhalten[1].

Cyclopropanierungen von alicyclischen C=C-Doppelbindungen spielten vor allem in Hinblick auf das Studium thermischer Umlagerungen von Cyclopropanen und auf deren präparative Bedeutung in der Synthese homologer Alicyclen eine wichtige Rolle.

Das Schema auf S. 107/108 zeigt mehrere *cis*- und *trans*-Dicyclopropyl-Derivate, die durch erschöpfende Cyclopropanierung cyclischer 1,3-Diene hergestellt wurden. Unter dem begünstigenden Einfluß der Cyclopropan-Ringspannung gehen diese tricyclischen Verbindungen in glatter Reaktion thermische Umlagerungen ein.

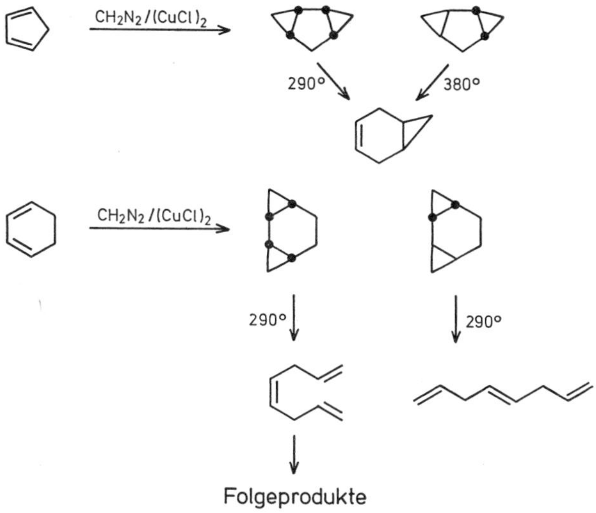

Tricyclo[4.1.0.0^{2,4}]heptan

Bicyclo[4.1.0]hepten-(3)

Tricyclo[5.1.0.0^{2,4}]octan

Folgeprodukte

---

[1] W. v. E. DOERING u. W. R. ROTH, Tetrahedron **19**, 715 (1963).

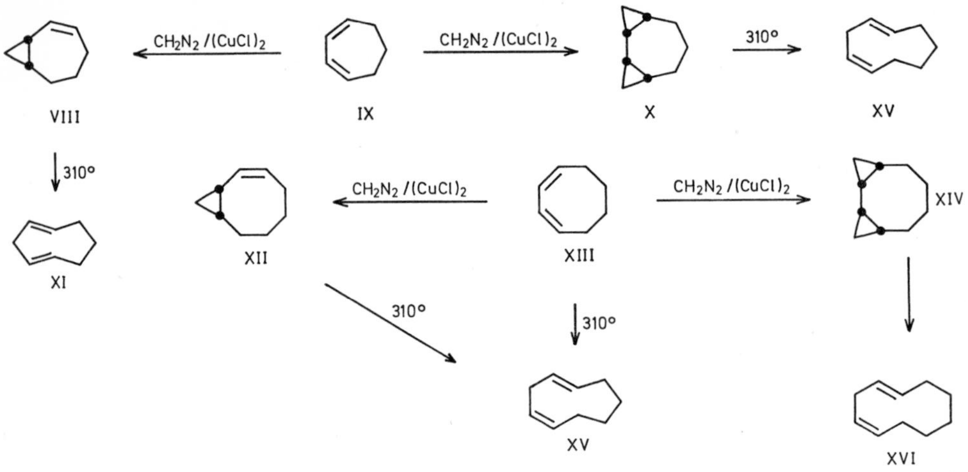

$\mathrm{X} = Tricyclo[6.1.0.0^{2,4}]nonan$
$\mathrm{XIV} = Tricyclo[7.1.0.0^{2,4}]decan$
$\mathrm{XII} = Bicyclo[6.1.0]nonen-(2)$

Hält man die Cyclopropanierung im Falle des Cycloheptadiens-(1,3) und des Cyclooctadiens-(1,3) (IX und XIII) auf der Stufe der Monomethylen-Additionsprodukte, dann gehen diese bei Temp. um 310° Vinyl-cylopropan-Umlagerungen (s. hierzu S. 597 ff.) ein, die eine *trans*-annulare 1,5-Wasserstoff-Verschiebung einschließen. Aus Bicyclo[5.1.0]octen-(2) (VIII) entsteht *Cyclooctadien-(1,4)* (X1) und aus Bicyclo[6.1.0]nonen-(2)-(XII) das *Cyclononadien-(1,4)* (XV)[1,2].

Die Cyclopropanierung von Cycloheptatrien (XVII) mit Diazomethan liefert ein Gemisch von *Bicyclo[5.1.0]octadien-(2,4)* (XVIII) und *Bicyclo[5.1.0]octadien-(2,5)* (XIX). Beide Verbindungen lassen sich katalytisch zu Cyclooctan (XXI) und *Bicyclo[5.1.0]* *octan* (XX) hydrieren; ihre Pyrolyseprodukte und ihr allgemeines thermisches Verhalten sind jedoch verschieden[1,2]:

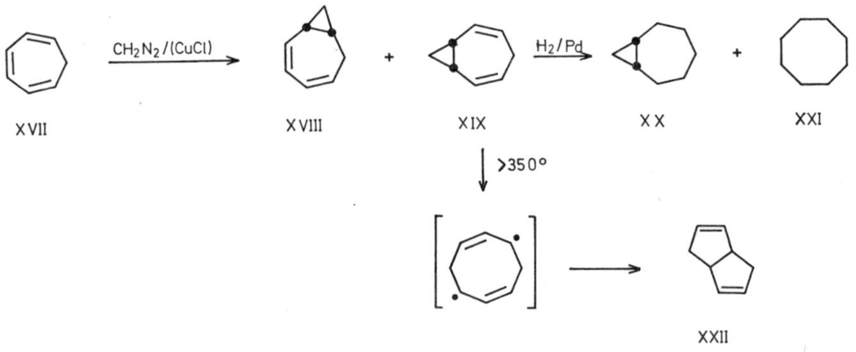

Bicyclo[5.1.0]octadien-(2,5) (XIX), das sogenannte 3,4-Homotropiliden, zeigt eine reversible, degenerierte COPE-Umlagerung (s. S. 527). Erst oberhalb 305° erfolgt eine Umlagerung zum Bicyclo[3.3.0]octadien-(2,6) (XXII). Im Gegensatz dazu erleidet 1,2-Homotropiliden (XVIII) bereits bei 225° thermische Umlagerung:

[1] E. Vogel, Ang. Ch. **74**, 829 (1962).
   E. Vogel et al., Tetrahedron Letters **1963**, 673.
[2] W. W. Frey, Dissertation, Universität Köln, 1966.

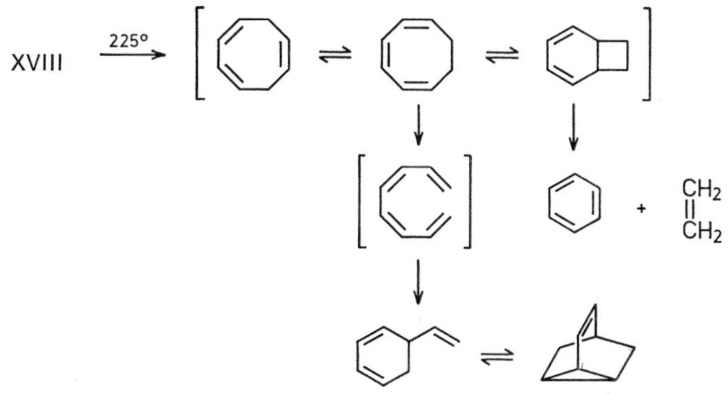

$Tricyclo[2.2.2.0^{2,6}]octen\text{-}(7)$

In ganz ähnlicher Weise reagiert Cyclooctatetraen unter Bildung von *Bicyclo [6.1.0]nonatrien-(2,4,6)* (I)[1]. Dieser thermolabile kristalline Kohlenwasserstoff wandelt sich bereits bei 90° in ein flüssiges Isomeres um, bei dem es sich jedoch nicht um Cyclononatetraen, sondern um das bereits bekannte *8,9-Dihydro-inden*[2] {*cis-Bicyclo[4.3.0] nonatrien-(2,4,7)*; II} handelt[1].

Durch geringe Modifikationen in den Reaktionsbedingungen wurden bei der Einwirkung von gasförmigem Diazomethan auf eine Suspension von Kupfer(I)-chlorid in Cyclooctatetraen bei Raumtemperatur nach Destillation des Reaktionsgemisches neben dem erwähnten Monomethylen-Addukt I auch die Diaddukte III und IV {*Tricyclo[7.1.0.0⁴,⁶]decadien-(2,7)* (III); *Tricyclo[7.1.0.0²,⁴]decadien-(5,7)* (IV)} sowie das bicyclische Decatrien V gefunden[3]. III konnte aus dem Isomerengemisch als Silbernitrat-Komplex entfernt werden. Während für IV keine konfigurative Zuordnung möglich war, wurde für das Diaddukt III (S. 109) die *cis*-Konfiguration

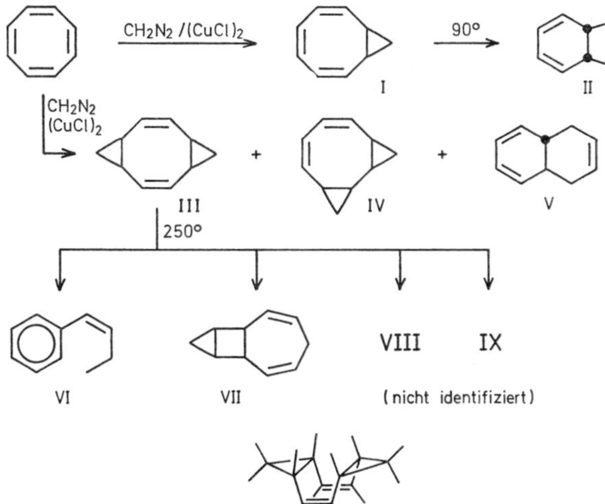

[1] E. VOGEL, Ang. Ch. **74**, 829 (1962).
   E. VOGEL et al., Tetrahedron Letters **1963**, 673.
[2] K. ALDER u. F. H. FLOCK, B. **87**, 1916 (1954).
[3] W. W. FREY, Dissertation, Universität Köln, 1966.

wahrscheinlich gemacht (s. IIIa)[1]. Bei der Gasphasenpyrolyse von III (50–75 Min. bei 250°; s. S. 109) entstehen vier Produkte, von denen zwei als *cis-1-Phenyl-buten-(1)* (VI) bzw. *Tricyclo[5.3.0.0^{8,10}]decadien-(2,5)* (VII) identifiziert werden konnten[1]. Ob unter diesen Bedingungen auch Isomerisierungen von III und IV zu den entsprechenden Cyclodecatetraenen stattfinden, bedarf einer weiteren Aufklärung.

Cyclopropanierung von Olefinen[2,3]: Das trockene Olefin wird entweder in Substanz oder gelöst in Pentan in Mengen zwischen 0,5 und 15 g mit gasförmigem Diazomethan unter Stickstoff behandelt. Aus einer getrennten Apparatur zur Erzeugung des Diazomethans wird vermittels eines Stickstoffstromes das gasförmige Diazomethan unter die Oberfläche der magnetisch gerührten Flüssigkeit geblasen. Das Reaktionsgefäß, ein entsprechend veränderter Erlenmeyerkolben, wird mit einem Rückflußkühler versehen, der nach Maßgabe der jeweiligen Reaktion die Kühlung auch bis auf −70° gestattet. Die Apparatur zur Erzeugung des Diazomethans besteht zweckmäßigerweise aus einem 0,5-*l*-Dreihalskolben, der mit einem Einlaß- und einem Auslaßrohr versehen ist. Der durch das Einlaßrohr eintretende Stickstoff wirkt gleichzeitig als pneumatischer Rührer und als Trägergas für das erzeugte Diazomethan. Das durch das Auslaßrohr austretende Stickstoff-Diazomethan-Gasgemisch wird vor Eintritt in das Reaktionsgefäß am besten durch mit Kaliumhydroxid-Pillen gefüllte Trockentürme geleitet. Durch die mit einem Gummistopfen versehene dritte Öffnung des Dreihalskolbens werden in 10 Min.-Intervallen jeweils 1 g-Portionen von N-Nitroso-N-methyl-harnstoff eingetragen. Der Kolben ist üblicherweise mit 100 *ml* 50%iger Kalilauge und 25 *ml* Dekalin gefüllt. Im Reaktionsgefäß werden außer dem Olefin etwa 100 *mg* wasserfreies Kupfer(I)-chlorid als Katalysator vorgelegt. Aus Sicherheitsgründen sollte die Diazomethan-Erzeugungsapparatur nicht ungeschützt betrieben werden. Zu schnelles Eintragen von N-Nitroso-N-methyl-harnstoff, zu geringer Stickstoffstrom oder auch zu schnelles Einleiten des gasförmigen Diazomethans (80–100 *ml*/Min. dürften eine allgemein befriedigende Geschwindigkeit sein) können zu *Explosionen* führen! Bei Anwesenheit des Katalysators kann man stets um ∼ −50° arbeiten. Unterhalb dieser Temp. wird das Diazomethan nicht mehr zersetzt, setzt sich also nicht mehr mit dem Olefin in Reaktion und sammelt sich schließlich mehr und mehr im Reaktionsgefäß an. Hierbei kann es zu *extrem heftigen Explosionen* kommen! *Explosionen* können auch durch Versagen des Katalysators hervorgerufen werden. Da der Katalysator durch Feuchtigkeit desaktiviert wird, ist besonders auf die Wasserfreiheit aller im Reaktionsgefäß befindlichen Materialien zu achten. Während der Reaktion wird der Katalysator mehr und mehr dunkel gefärbt, verliert seine Aktivität und scheint schließlich verbraucht zu sein. Ansammlungen von Diazomethan werden dann durch die gelbe Farbe der Tropfen am unteren Teil des Rückflußkühlers angezeigt. *Vorsicht!*

Die Produkte, die in Ausbeuten zwischen 50 und 70% d.Th. (bez. auf eingesetzten N-Nitroso-N-methyl-harnstoff) erhalten werden, werden gewöhnlich durch fraktionierte Destillation oder durch präparative Gaschromatographie isoliert.

Cyclopropanierung von *cis*-Hexatrien-(1,3,5)[3]: Die oben angegebene Vorschrift wird auf 5 *ml* reines *cis*-Hexatrien-(1,3,5) angewendet. Die Reaktion wird bei 0° und unter Benutzung von 100 mg Kupfer(I)-chlorid durchgeführt, wobei der Rückflußkühler auf −30° gebracht wird.

Die gaschromatographische Analyse (Silicon A; 20 lb He; 90°) liefert für zwei verschiedene Experimente (a: 20 g; b: 50 g N-Nitroso-N-methyl-harnstoff) die auf S. 111 oben angegebene Zusammensetzung der Gemische.

Die Addition von Methylen, erzeugt durch katalytische Zersetzung von Diazomethan mit Kupfer(I)-chlorid, an 7-Acetoxy-norbornadien (I, S. 111) erfolgt hauptsächlich in *exo*-Stellung an die der Acetoxy-Gruppe benachbarte Doppelbindung[4]. Es ent-

[1] W. W. Frey, Dissertation, Universität Köln, 1966.
[2] Eu. Müller, H. Kessler u. B. Zeeh, Fortschr. chem. Forsch. **7**, 156 (1966).
[3] P. P. Gaspar, Dissertation, Yale University, New Haven, 1961.
   W. v. E. Doering u. W. R. Roth, Tetrahedron **19**, 715 (1963).
[4] J. Haywood-Farmer, R. E. Pinkock u. J. I. Wells, Tetrahedron **22**, 2007 (1966). Diese Arbeit ist nicht nur aus präparativen Gründen von Interesse, sondern auch von theoretischem Wert, da hier die Acetolyse der 4-Brom-benzolsulfonsäureester des *exo-syn*- bzw. *exo-anti*-Alkohols IX bzw. X sowie des 7-Hydroxy-norbornans (XIV) bei 206° kinetisch untersucht und die Ergebnisse vergleichend diskutiert werden.

Produkt Formelschema S. 107	Retentions- zeit [Min.]	Menge [%]	
		Versuch a	Versuch b
cis-Hexatrien-(1,3,5)	—	40	6
cis-1-Cyclopropyl-butadien-(1,3); II	2,4	31	8
Cycloheptadien-(1,4); IV	2,9	6	3
cis-2-Cyclopropyl-1-vinyl-cyclopropan; V	3,6	8	12
cis-1,2-Dicyclopropyl-äthylen; VI	5,0	8	12
Bicyclo[5.1.0]octen-(3); VIII	5,8	2	5
cis-1,2-Dicyclopropyl-cyclopropan; VII	7,5	4	48
cis-Tricyclo[6.1.0.0^{3,5}]nonan; IX	10,5	0,5	3
trans-Tricyclo[6.1.0.0^{3,5}]nonan; IX	12,0	0,5	3

stehen *exo-* und *endo-syn-8-Acetoxy-tricyclo[3.2.1.0^{2,4}]octen-(6)* II und III im Verhältnis 5 : 1 neben dem Diaddukt IV (*9-Acetoxy-tetracyclo[3.3.1.0^{2,4}.0^{6,8}]nonan*). Die
Acetoxy-Reste lassen sich mit Lithiumalanat in Äther abspalten, und man erhält
neben dem Alkohol V (*9-Hydroxy-tetracyclo[3.3.1.0^{2,4}.0^{6,8}]nonan*) die ungesättigten *exo-
syn-* und *endo-syn-8-Hydroxy-tricyclo[3.2.1.0^{2,4}]octene-(6)* (VII, VIII), die getrennt und
katalytisch zu den entsprechenden *8-Hydroxy-tricyclo[3.2.1.0^{2,4}]octanen* VI und IX
hydriert werden können[1]. Die analoge Addition von Methylen an 7,7-Dimethoxy-
norbornen (XI) verläuft sterisch einheitlich zum *exo*-Ketal XII (*8,8-Dimethoxy-
tricyclo[3.2.1.0^{2,4}]octan*), dessen Hydrolyse in Eisessig bei 70° das *exo*-Keton XIII
(*8-Oxo-tricyclo[3.2.1.0^{2,4}]octan*) ergibt, das sich mit Lithiumalanat zum *exo-syn-
8-Hydroxy-tri-cyclo[3.2.1.0^{2,4}]octan* reduzieren läßt[1]:

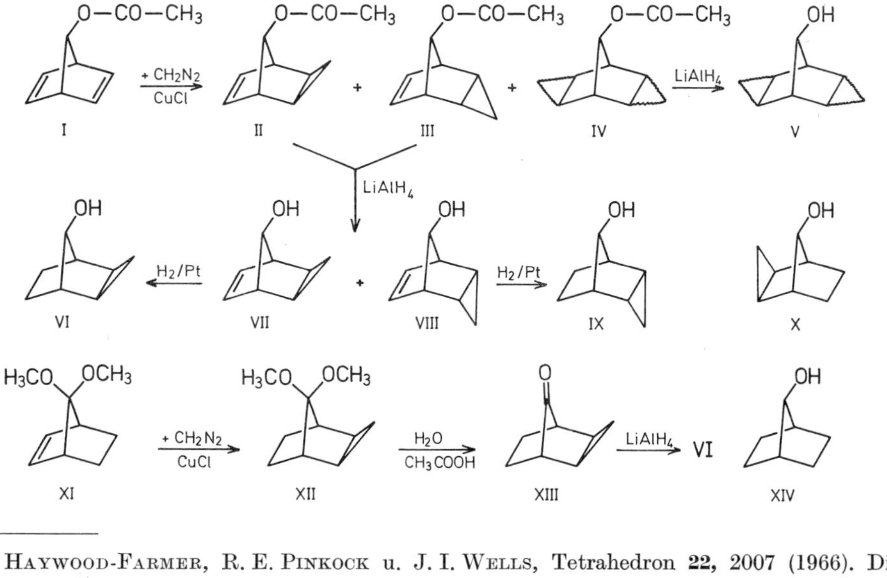

[1] J. HAYWOOD-FARMER, R. E. PINKOCK u. J. I. WELLS, Tetrahedron 22, 2007 (1966). Diese
Arbeit ist nicht nur aus präparativen Gründen von Interesse, sondern auch von theoretischem Wert, da hier die Acetolyse der 4-Brom-benzolsulfonsäureester des *exo-syn-* bzw.
exo-anti-Alkohols IX bzw. X sowie des 7-Hydroxy-norbornans (XIV) bei 206° kinetisch
untersucht und die Ergebnisse vergleichend diskutiert werden.

Wird *anti*-9-Hydroxy-⟨benzo-bicyclo[2.2.1]heptadien⟩ (XV) in Gegenwart von Kupfer(I)-bromid mit überschüssigem Diazomethan behandelt, so wird mit nahezu quantitativer Ausbeute *exo-anti-10-Hydroxy-⟨benzo-tricyclo[3.2.1.0²,⁴]octen-(6)⟩* (XVI) erhalten[1]. Die Oxidation von II mit Chromschwefelsäure in Aceton führt zum entsprechenden Keton XVII {*10-Oxo-⟨benzo-tricyclo[3.2.1.0²,⁴]octen-(6)⟩*}, das mit Lithiumalanat wieder zu XVI reduziert werden kann:

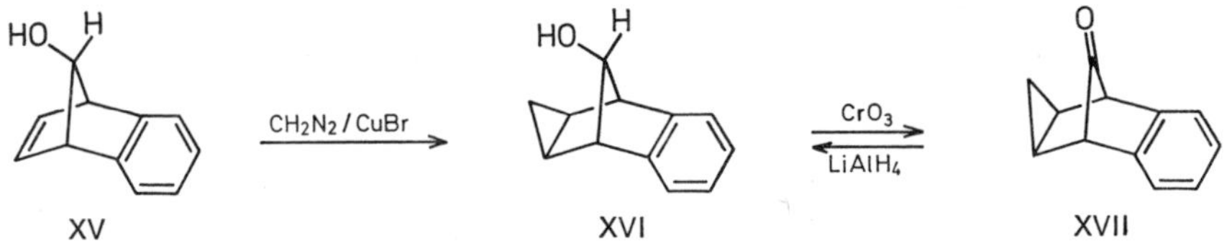

Die Umsetzung von Allylhalogeniden mit Diazomethan unter Kupfer(I)-salz-Katalyse ist recht eingehend studiert worden[2].

So führt die Kupfer(I)-salz-katalysierte Reaktion von Diazomethan mit den Allylhalogeniden des Typs I nach Auftrennung der Reaktionsgemische durch präparative Gaschromatographie zu den Halogenmethyl-cyclopropanen (II) (*1-Chlor-1-chlormethyl-*; *1-Chlor-1-brommethyl-*; *1-Methyl-1-chlormethyl-*; *1-Methyl-1-brommethyl-cyclopropan*), 4-Halogen-butenen-(1) (III) und in geringen Mengen durch sekundäre Umwandlung wahrscheinlich zu den Cyclobutan-Derivaten IV (Gesamtausbeute: 17–30% d. Th.)[2]. Es zeigte sich, daß die Produktverteilung von der Art des Halogens, von den Substituenten an der C=C-Doppelbindung, vom Katalysator und auch vom Lösungsmittel abhängig ist. Die Cyclopropan-Bildung verläuft stereospezifisch, wie aus der Reaktion von *cis*- und *trans*-1,4-Dichlor-buten-(2) (V) mit Diazomethan in Gegenwart von Kupfer(I)-chlorid hervorgeht. Dabei entstehen die sterisch reinen *cis*- und *trans*-1,2-Bis-[chlormethyl]-cyclopropane (VI), deren Konstitution durch Vergleichssynthese aus *cis*- bzw. *trans-Cyclopropan-1,2-dicarbonsäure* (VII) durch Reduktion mit Lithiumalanat und nachfolgende Chlorierung gesichert werden konnte[2]. Der Mechanismus der Cyclopropan-Bildung wird im Sinne einer Einstufenreaktion gedeutet. Die Verbindung des Typs III entstehen als Folge einer Allyl-Umlagerung, wie an methyl-substituierten und deuterierten Verbindungen gezeigt werden konnte:

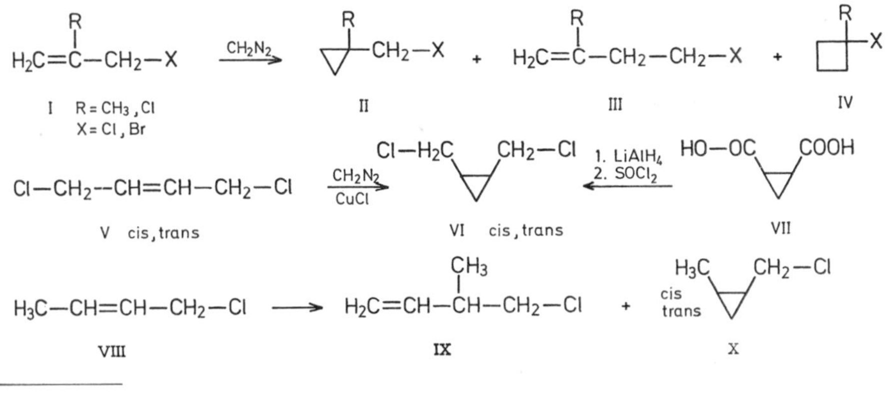

[1] M. A. Battiste u. M. E. Brennan, Tetrahedron Letters 1966, 5857.
[2] W. Kirmse, M. Kapps u. R. B. Hager, B. 99, 2855 (1966).

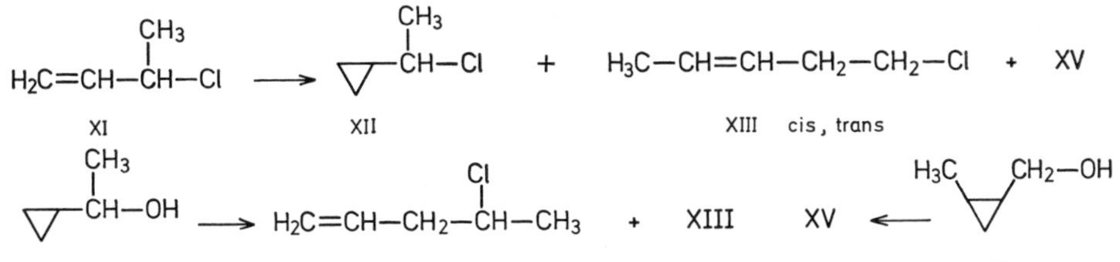

$$\underset{\text{XI}}{H_2C=CH-\overset{\overset{\displaystyle CH_3}{|}}{CH}-Cl} \longrightarrow \underset{\text{XII}}{\triangle\overset{\overset{\displaystyle CH_3}{|}}{CH}-Cl} \; + \; \underset{\text{XIII \quad cis, trans}}{H_3C-CH=CH-CH_2-CH_2-Cl} \; + \; XV$$

$$\underset{\text{XIV}}{\triangle\overset{\overset{\displaystyle CH_3}{|}}{CH}-OH} \longrightarrow \underset{\text{XV}}{H_2C=CH-CH_2-\overset{\overset{\displaystyle Cl}{|}}{CH}-CH_3} \; + \; XIII \quad XV \longleftarrow \underset{\text{XVI}}{\triangle\overset{H_3C\quad CH_2-OH}{}}$$

So reagiert 1-Chlor-buten-(2) (VIII) (S. 113) mit Diazomethan unter Bildung von *4-Chlor-3-methyl-buten-(1)* (IX) und *cis-, trans-2-Methyl-1-chlormethyl-cyclopropan* (X), während aus 3-Chlor-buten-(1) (XI) (*1-Chlor-äthyl*)-cyclopropan (XII) sowie *cis-* und *trans-5-Chlor-penten-(2)* (XIII) entstehen[1]. Durch nachträgliche Umlagerung kommt es noch zur geringen Bildung von XV, das neben XIII auch aus (*1-Hydroxy-äthyl*)-cyclopropan (XIV) und *2-Methyl-1-hydroxymethyl-cyclopropan* (XVI) entsteht, wenn man dieses mit Zinkchlorid und konz. Salzsäure behandelt.

Als Mechanismus der katalytischen Diazomethan-Zersetzung wird ein zwitterionisches Zwischenprodukt angenommen, das entweder nach vorheriger Umlagerung in das Methylenhalogenid oder direkt die Doppelbindung elektrophil angreift[1-3].

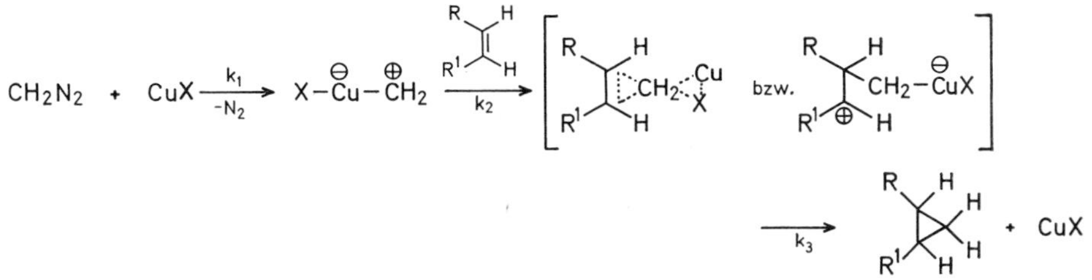

$$CH_2N_2 \; + \; CuX \underset{-N_2}{\overset{k_1}{\longrightarrow}} X-\overset{\ominus}{Cu}-\overset{\oplus}{CH_2} \overset{k_2}{\longrightarrow} \left[\cdots \right] \overset{k_3}{\longrightarrow} \cdots \; + \; CuX$$

Bei direktem Angriff muß die Weiterreaktion schneller erfolgen, als die Rotation um die Äthylenbindung, denn die Reaktion ist *stereospezifisch*[1-3].

Die Reaktion von Methylen mit aromatischen Verbindungen liefert als Primärprodukte Norcaradiene, die sich häufig im schnellen valenztautomeren Gleichgewicht mit den entsprechenden Cycloheptatrienen (s. S. 509ff. und ds. Handb., Bd. V/1d) befinden. Die thermodynamisch stabilste Verbindung dieses Gleichgewichtes ist das Reaktionsprodukt.

Bei der photochemischen Umsetzung von Diazomethan mit Aromaten entstehen durch Einschiebungsreaktion des Methylens stets Methylierungs-produkte neben den gewünschten Cyclopropanierungsreaktionen[4,5]. Die Reaktionsgemische sind z. T. schwierig auftrennbar.

Als präparativ wertvolle Methode hat sich jedoch die Kupfer(I)-salz-katalysierte Reaktion des Diazomethans in Aromaten oder deren Lösungen erwiesen, da hierbei keine Einschiebungsreaktionen auftreten und zudem die Ausbeuten auch höher sind[2,6,7].

Norcaradien-Derivate werden vor allem bei kondensierten Aromaten erhalten, in denen eine valenztautomere Umwandlung nur unter Überführung von Benzolringen zu o-chinoiden Ringen möglich ist (vgl. a. ds. Handb., Bd. V/1d); z. B.:

[1] W. KIRMSE, M. KAPPS u. R. B. HAGER, B. **99**, 2855 (1966).
[2] H. KESSLER, Dissertation, Tübingen 1966.
[3] EU. MÜLLER, H. KESSLER u. B. ZEEH, Fortschr. chem. Forsch. **7**, 164 (1966).
[4] W. v. E. DOERING u. L. H. KNOX, Am. Soc. **72**, 2305 (1950); **75**, 297 (1953).
   H. MEERWEIN et al., A. **604**, 151 (1957).
[5] A. P. WOLF et al., Abstr. of Papers 131 st. Meeting Am. Chem. Soc. **1957**, p. 12-0.
[6] EU. MÜLLER, H. FRICKE u. W. RUNDEL, Z. Naturforsch. [b] **15**, 753 (1960).
   EU. MÜLLER u. H. FRICKE, A. **661**, 38 (1963).
[7] EU. MÜLLER, H. KESSLER, H. FRICKE u. W. KIEDAISCH, A. **675**, 163 (1964).

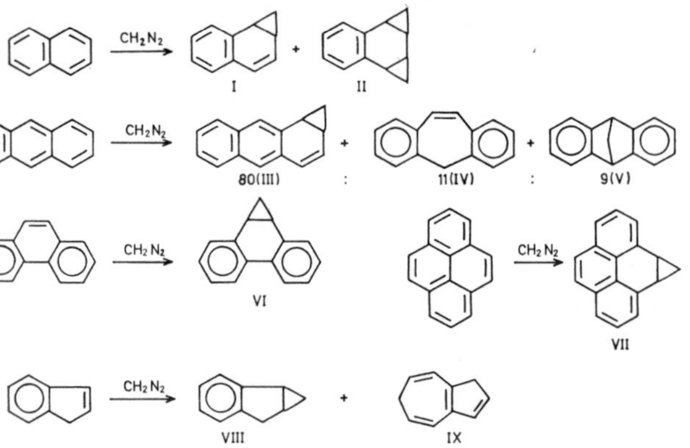

I;   *1a,7b-Dihydro-1H-⟨cyclopropa-[a]-naphthalin⟩*[1,2]
II;   *Benzo-tricyclo[5.1.0.0²,⁴]octen-(5)*[1,2]
III;   *1a,9b-Dihydro-1H-⟨cyclopropa-[a]-anthracen⟩*[3]
IV;   *5H-⟨Dibenzo-[a;e]-cycloheptatrien⟩*[3]
V;   *Dibenzo-bicyclo[2.2.1]heptadien-(2,5)*[3]
VI;   *1a,9b-Dihydro-1H-⟨cyclopropa-[l]-phenanthren⟩*[4]
VII;   *8b,9a-Dihydro-9H-⟨cyclopropa-[e]-pyren⟩*[5]
VIII; *1a,6a-Dihydro-1H-⟨cyclopropa-[a]-inden⟩*[6]
IX;   *3,6-Dihydro-azulen*[6]

Ringerweiterung unter Bildung eines A-Homo-Steroids konnte bei Behandlung von 3,17β-Dimethoxy-östran mit Diazomethan und Kupfer(I)-salzen erreicht werden[7].

Die rohen Produktgemische, die aus verschiedenen Indanen und Diazomethan erhalten wurden, sind unter Bildung von Azulenen dehydriert worden ohne zuvor die Methylen-Addukte zu isolieren[7–10]. Dabei soll sich die Erzeugung von Diazomethan in situ (aus N-Nitroso-N-methyl-harnstoff) als besonders günstig erweisen[10]. Eine ganze Anzahl von Azulenen ist nach dieser Technik synthetisiert worden[11]. Aus Indan erhält man zu 0,5–1% mit Diazomethan/Kupfer(I)-chlorid *Tricyclo[4.3.1.0¹,⁶]decadien-(2,4)*[12]:

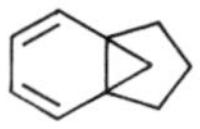

Furan reagiert je nach Reaktionsdauer mit einem oder zwei Mol Diazomethan unter Kupfer(I)-salz-Katalyse in glatter Reaktion zu *2-Oxa-bicyclo[3.1.0]hexen-(3)* (X) bzw. *2-Oxa-tricyclo-[4.1.0.0³,⁵]heptan* (XI)[13]:

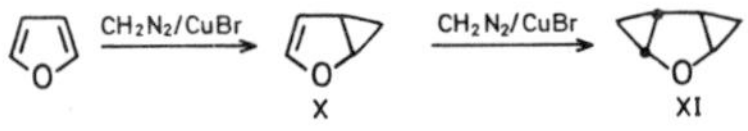

Beim Thiophen konnte jedoch nur das Monoaddukt {*2-Thia-bicyclo[3.1.0]hexen-(3)*} isoliert werden[13].

[1] Eu. Müller, H. Kessler u. B. Zeeh, Fortschr. Chem. Forsch. **7**, 128 (1966).
[2] Eu. Müller, H. Fricke u. H. Kessler, Tetrahedron Letters **1964**, 1525.
[3] Eu. Müller u. H. Kessler, A. **692**, 58 (1966).
[4] Eu. Müller, H. Kessler u. H. Suhr, Tetrahedron Letters **1965**, 423.
[5] Eu. Müller u. H. Kessler, Tetrahedron Letters **1965**, 2673.
[6] W. v. E. Doering et al., Am. Soc. **75**, 2386 (1953).
[7] Eu. Müller et al., A. **662**, 38 (1963).
[8] S. Dev, J. Indian Chem. Soc. **30**, 729 (1953).
[9] K. Alder u. P. Schmitz, B. **86**, 1539 (1953).
[10] W. Treibs et al., Ang. Ch. **67**, 76 (1955); A. **603**, 145 (1957); **598**, 32 (1956).
[11] Vgl. die Literaturzusammenstellung bei K. Hafner, Ang. Ch. **70**, 419 (1958).
[12] E. Vogel, Ang. Ch. **74**, 829 (1962).
     E. Vogel et al., Tetrahedron Letters **1963**, 673.
[13] Eu. Müller et al., Tetrahedron Letters **1963**, 1047.

2. Cyclopropane nach der Simmons-Smith-Reaktion

H. E. Simmons und R. D. Smith entdeckten, daß Olefine mit Dijodmethan und einem Zink/Kupfer-Paar in siedendem Äther in einem weitgehend einheitlichen Reaktionsverlauf in guten Ausbeuten in Cyclopropan-Derivate überführt werden können[1,2]:

$$\text{>C=C<} \quad + \quad CH_2J_2 \quad + \quad Zn(Cu) \quad \xrightarrow[35°]{(C_2H_5)_2O} \quad \triangle \quad + \quad ZnJ_2 \quad + \quad Cu$$

In dieser als ,,methylene-transfer''-Reaktion bezeichneten Synthese von Cyclopropanen bilden nach neueren Untersuchungen Dijodmethan und das Zink/ Kupfer-Paar in ätherischen Lösungen zunächst eine stabile Organo-zink-Zwischenstufe, vermutlich (Bis-[jodmethyl]-zink)-Zinkjodid($(JCH_2)_2Zn \cdot ZnJ_2$) als Hauptprodukt[3]. Diese Zwischenstufe reagiert mit Olefinen in einem bimolekularen Prozeß unter Bildung von Cyclopropanen und Zinkjodid[3]:

$$2\ CH_2J_2 \quad + \quad 2\ Zn \quad \longrightarrow \quad (JCH_2)_2Zn \cdot ZnJ_2 \quad \xrightarrow{2\ \text{>C=C<}} \quad 2 \quad \triangle \quad + \quad 2\ ZnJ_2$$

Carben- oder Methylen-Zwischenstufen sollen bei diesem Prozeß keine Rolle spielen. Eine derartige reaktionsmechanistische Deutung erklärt auch die Bildung von Äthyl-isopropyl-äther, Methyl-äthyl-äther, Propen, Methyljodid und Äthanolat als Nebenprodukte bei der Cyclopropan-Synthese. Sowohl elektronische als auch sterische Faktoren spielen bei der Methylen-Übertragung eine große Rolle[3,4].

Nach allen bisherigen Befunden darf man die Simmons-Smith-Reaktion als eine ,,carbenoide'' Reaktion betrachten.

Optimale Ausbeuten an Cyclopropanen bei Anwendung der Simmons-Smith-Reaktion können erzielt werden, wenn das entsprechende Olefin. Dichlormethan, das Zink/Kupfer-Paar und Diäthyläther im Molverhältnis 1:1:1:3 zur Reaktion gebracht werden[5-7]. Unter diesen Bedingungen erhält man aus Cyclohexen *Norcaran* (*Bicyclo[4.1.0]heptan*) in 65%iger Ausbeute. Die Verwendung relativ konzentrierter Lösungen garantiert die schnelle Bildung der aktiven Zwischenstufe und senkt die Tendenz zur Entstehung von Nebenprodukten[6]. Auch in Tetrahydrofuran, 1,2-Dimethoxy-äthan, Essigsäure-äthylester und anderen Solventien gelingt die Methylen-Übertragung, jedoch werden mit Diäthyläther im allgemeinen doppelt so hohe Ausbeuten erzielt.

Die übliche Methode muß dann abgewandelt werden, wenn das resultierende Cyclopropan-Derivat anfällig gegenüber Lewis-Säuren[8] wie etwa Zinkjodid ist. Die entsprechende Variante beinhaltet den Zusatz von 1 Äquivalent 1,2-Dimethoxy-äthan zum Diäthyläther. Dadurch wird das Zinkjodid schnell und quantitativ aus

[1] H. E. Simmons u. R. D. Smith, Am. Soc. **80**, 5323 (1958).

[2] H. E. Simmons u. R. D. Smith, Am. Soc. **81**, 4256 (1959).

[3] E. P. Blanchard u. H. E. Simmons, Am. Soc. **86**, 1337 (1964).

[4] H. E. Simmons, E. P. Blanchard u. R. D. Smith, Am. Soc. **86**, 1347 (1964).

[5] R. D. Smith u. H. E. Simmons, Org. Synth. **41**, 72 (1961).

[6] E. P. Blanchard u. H. E. Simmons, Am. Soc. **86**, 1337 (1964).

[7] H. E. Simmons, E. P. Blanchard u. R. D. Smith, Am. Soc. **86**, 1347 (1964).

[8] Die Empfindlichkeit des Cyclopropanringes gegenüber Angriffen von Lewis-Säuren ist genügend bekannt; so wird z. B. *Bicyclo[3.1.0]hexan* (*Northujan*) sehr schnell durch wäßriges Quecksilberacetat unter Bildung von *2-Hydroxy-1-(acetoxy-mercurimethyl)-cyclopentan* angegriffen, vgl.: R. Y. Levina, V. N. Kostin u. T. K. Ustynyuk, Ž. obšč. Chim. **30**, 383 (1960); engl.: 359.

der Reaktionsmischung durch Bildung eines unlöslichen 1:1-Komplexes mit 1,2-Dimethoxy-äthan entfernt. Die Bereitung des Zink/Kupfer-Paars für die Verwendung in der Synthese von Cyclopropanen wird am besten nach der Vorschrift von R. S. Shank und H. Shechter[1] vorgenommen (s. u.). Inzwischen ist auch eine schnellere Bereitungsmethode des Simmons-Smith-Reagens beschrieben worden[2] (s. u.).

Hexyl-cyclopropan[1]:

Zink/Kupfer-Paar: 32,8 g (0,5) Mol Zink-Staub werden hintereinander mit 4mal 25 ml 3%iger Salzsäure, 4mal mit 30 ml destilliertem Wasser, 2mal 50 ml 2%iger wäßriger Kupfer(II)-sulfat-Lösung, 4mal mit je 30 ml destilliertem Wasser, mit 4 Portionen von je 30 ml absol. Äthanol und anschließend 5mal mit je 25 ml absol. Äther gewaschen. Der Waschvorgang mit der Salzsäure muß möglichst schnell durchgeführt werden, da sonst die Absorption von Wasserstoffblasen auf der Zinkoberfläche die weiteren Waschoperationen erschweren würde. Ferner sollten alle Waschvorgänge unter gutem Rühren stattfinden. Die äthanolischen und ätherischen Waschflüssigkeiten werden vorteilhaft direkt auf einen Büchnertrichter dekantiert, um Verlust an Zink/Kupfer zu vermeiden.

Hexyl-cyclopropan: 53,6 g (0,2 Mol) Dijodmethan und 0,15 g (0,0006 Mol) Jod werden zu einer Mischung von Zink/Kupfer (16,3 g an Zink = 0,25 Mol) und 165 ml trockenem Äther gegeben. Die Mischung wird hierzu in einem Kolben mit Rührer, wirksamem Rückflußkühler und Calciumchlorid-Trockenrohr vorgelegt. Die Jodfarbe verschwindet sofort nach der Zugabe und die Reaktionsmischung erhält eine graue Färbung. Während halbstündigem Kochens unter Rückfluß wird die Mischung wesentlich dunkler; der Farbwechsel ist von leichter Wärmetönung begleitet. Nach dem Abbrechen der äußeren Erwärmung wird eine Lösung von 44,8 g (0,4 Mol) Octen-(1) in 25 ml trockenem Äther innerhalb von 30 Min. tropfenweise zugesetzt. Während der Zugabe gelangt die Reaktionsmischung zum Kochen unter Rückfluß.

Nach beendeter Zugabe wird die Mischung 30 Stdn. unter Rückfluß gekocht[3]. Die abgekühlte Reaktionsmischung wird mit einem Büchner-Trichter filtriert. Der Filtrationsrückstand wird gründlich mit Äther ausgewaschen. Anschließend wird die ätherische Lösung mit 3mal 50 ml 5%iger Salzsäure (zur Beseitigung von gelöstem Zinkjodid), wäßriger Natriumhydrogencarbonat-Lösung (3 × 50 ml) und anschließend mit ges. Kochsalz-Lösung extrahiert. Die vereinigten Waschwasser werden danach mit Äther extrahiert und die ätherischen Extrakte über wasserfreiem Magnesiumsulfat getrocknet. Nach Entfernung des Äthers über eine Füllkörperkolonne, verbleibt eine Mischung von 47,7 g, die nichtumgesetztes Octen-(1) und Hexyl-cyclopropan enthält[4].

Die gaschromatographische Analyse (40%-Polyäthylenglykol-Säule; T = 50°; Stickstoff als Trägergas) zeigt eine 48%ige Bildung von Hexyl-cyclopropan an.

Die Abtrennung vom Ausgangsolefin gelingt mit einer Drehbandkolonne; Kp$_{760}$: 148–150°; n_D^{25} = 1,4173.

Zink/Kupfer[5]:

granuliert: Zu einer heißen Lösung von 0,5 g Kupfer(II)-acetat (Monohydrat) in 50 ml Eisessig werden 30–35 g (∼ 0,5 Mol) granuliertes Zink gegeben. Die Mischung wird 1–3 Min. geschüttelt, wobei sie heiß gehalten werden muß, um eine Fällung von Zinkacetat zu vermeiden. Die Essigsäure wird dann dekantiert und das Zink/Kupfer mit 50 ml-Portionen Eisessig ein- bis zweimal gewaschen. Unter Kühlen wird das Zink-Kupfer-Paar 3mal mit je 50 ml Äther durch kurzes Schütteln gewaschen. Das noch ätherfeuchte Zink/Kupfer kann danach direkt zur Cyclopropan-Synthese benutzt werden.

Staub: 35 g Zinkstaub werden zu einer heißen und gut gerührten Lösung von 2,0 g Kupfer(II)-acetat-Monohydrat in 50 ml Eisessig gegeben. Bereits nach ∼ 30 Sek. hat sich das gesamte Kupfer auf dem Zink niedergeschlagen. Die Mischung wird dann 1 Min. stehengelassen und danach soviel

---

[1] R. S. Shank u. H. Shechter, J. Org. Chem. **24**, 1825 (1959).

[2] E. LeGoff, J. Org. Chem. **29**, 2048 (1964).

[3] Die Reaktion ist im wesentlichen bereits nach 4–6 Stdn. beendet. Zu diesem Zeitpunkt zeigt die Mischung eine dunkel-rotbraune Farbe und die begonnene Fällung von weißem Zinkjodid wird sichtbar. Die Anwesenheit von aktivem Reagenz kann durch Entnahme einer aliquoten Menge nach Zugabe von Wasser und Messung des entwickelten Gasvolumens bestimmt werden.

[4] Das IR-Spektrum der Mischung zeigt, daß kein Dijodmethan mehr vorhanden ist.

[5] E. LeGoff, J. Org. Chem. **29**, 2048 (1964).

wie möglich von der Essigsäure durch Dekantieren entfernt. Beim Dekantieren ist darauf zu achten, daß möglichst nichts von dem schlammähnlichen Produkt verlorengeht. Das dunkelrotgraue Zink/Kupfer wird dann mit 50 ml Eisessig und anschließend 3mal mit je 100 ml Äther unter Kühlen gewaschen. Der ätherfeuchte Zink-Kupfer-Staub ist damit gebrauchsfertig für die Cyclopropan-Herstellung. Bei Verwendung unreaktiver Polyhalogenmethane ist der Zink-Kupfer-Staub dem granulierten Zink/Kupfer vorzuziehen. Das granulierte Zink-Kupfer-Paar gestattet die Durchführung einer leichter kontrollierbaren Reaktion.

Bei der Anwendung der Simmons-Smith-Reaktion sind vor allem drei wesentliche Faktoren zu beachten:

① Substituenten mit Elektronendonatoreigenschaften am Olefin bewirken im allgemeinen höhere Ausbeuten an Cyclopropanen. Diesen elektronischen Einfluß wiesen Simmons und Smith[1] auf Grund der folgenden Verbindungen nach:

4-Methoxy-styrol	→	*(4-Methoxy-phenyl)-cyclopropan*	70% d. Th.
Styrol	→	*Phenyl-cyclopropan*	32% d. Th.
Essigsäure-vinylester	→	*Acetoxy-cyclopropan*	31% d. Th.
Buten-(2)-säure-methyl-ester	→	*2-Methyl-cyclopropan-1-carbon-säure-methylester*	9% d. Th.

② **Doppelte Addition an Diene** erfolgt auch dann leicht, wenn ein Dien-Überschuß verwendet wird.

③ Bei Dienen wird im allgemeinen diejenige Doppelbindung bevorzugt angegriffen, die die höhere Anzahl von Alkyl-Gruppen trägt.

Diese Faktoren werden am Beispiel der Produktverhältnisse bei der Simmons-Smith-Reaktion von 4-Vinyl-cyclohexen-(1)[2] (I) und 2-Methyl-butadien-(1,3)[3] (II) sichtbar:

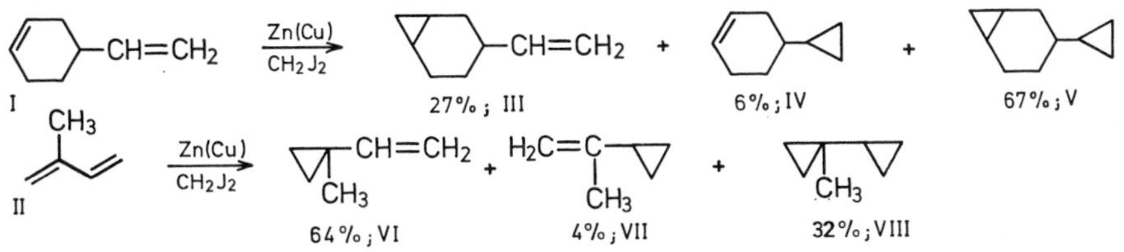

III; *3-Vinyl-bicyclo[4.1.0]heptan*   VI; *1-Methyl-1-vinyl-cyclopropan*
IV; *4-Cyclopropyl-cyclohexen-(1)*   VII; *1-Isopropenyl-cyclopropan*
V; *3-Cyclopropyl-bicyclo[4.1.0]heptan*   VIII; *1-Methyl-bi-cyclopropyl*

In den letzten Jahren ist die Simmons-Smith-Reaktion vor allem wegen ihres glatten Reaktionsverlaufs und wegen der in manchen Systemen beobachteten hohen Stereoselektivität sehr häufig zur Cyclopropanierung herangezogen worden.

Mono-, di-, tri-, sowie tetrasubstituierte olefinische Kohlenwasserstoffe liefern die entsprechenden Cyclopropane in Ausbeuten zwischen 45 und 70% der Theorie[4,5]. Dideuterierte Methyl-cyclopropane erhält man aus Mono-deutero-dijod-methan und cis- bzw. trans-1-Deutero-propen; cis- und trans-Dideutero-cyclopropan aus cis- und trans-1,2-Dideutero-äthylen[6].

[1] H. E. SIMMONS u. R. D. SMITH, Am. Soc. **80**, 5323 (1958).
[2] S. D. KOCH, R. M. KUSS, D. V. LOPIEKES u. R. J. WINEMAN, J. Org. Chem. **26**, 3122 (1961).
[3] L. A. NACHAPETJAN, I. L. SAFONOVA u. B. KAZANSKIJ, Izv. Akad. SSSR **1962**, 902; C. A. **57**, 12333 (1962).
[4] H. E. SIMMONS, E. P. BLANCHARD u. R. D. SMITH, Am. Soc. **86**, 1347 (1964).
[5] Vgl. auch:
  H. E. SIMMONS u. R. D. SMITH, Am. Soc. **81**, 4256 (1959).
  K. L. ERICKSON u. J. WOLINSKY, Am. Soc. **87**, 1143 (1965).
  L. VOQUANG u. P. CADIOT, Bl. **1965**, 1525.
[6] D. W. SETSER u. B. S. RABINOVITCH, J. Org. Chem. **26**, 2985 (1961).

Auch auf Allene ist die Simmons-Smith-Reaktion angewandt worden[1-3]. So erhält man aus dem Allen (I) als Monoaddukt[1] (*2-Methylen-cyclopropyl)-essigsäure-methylester*(II), als Diaddukt *Cyclopropan-⟨spiro-1⟩-2-methoxycarbonylmethyl-cyclopropan* (III):

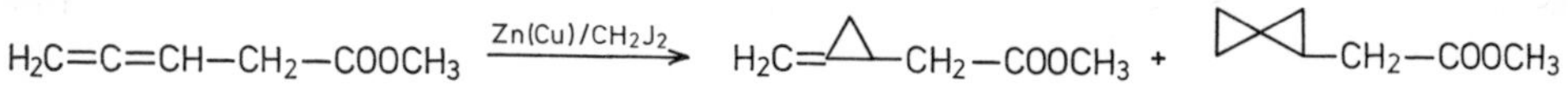

$$H_2C=C=CH-CH_2-COOCH_3 \xrightarrow{Zn(Cu)/CH_2J_2} H_2C=\triangle-CH_2-COOCH_3 + \bowtie-CH_2-COOCH_3$$

$$\text{I} \qquad\qquad\qquad\qquad \text{II} \qquad\qquad\qquad \text{III}$$

Das Verfahren von Simmons-Smith kann auch zur Herstellung von *Hypoglycin A* (VI)[4] benutzt werden, das zuvor nur durch eine sechsstufige Synthese zugänglich war. Ausgehend vom 1-Brom-butadien-(2,3) wird durch Kondensation mit Formylamino-malonsäure-äthylester in Gegenwart von Natriumhydrid der Allenester IV erhalten, der mit Dijodmethan und Zink/Kupfer zu *Formylamino-[(2-methylen-cyclopropyl)-methyl]-malonsäure-diäthylester* (V) cyclopropaniert wird. Hydrolyse und Decarboxylierung führen schließlich zum *Hypoglycin A* (VI; *2-(2-Amino-2-carboxy-äthyl)-1-methylen-cyclopropan*):

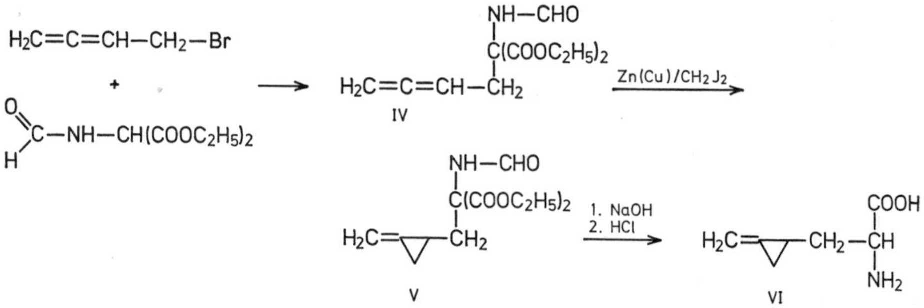

Besonders zur Synthese von Spiropentanen aus Allenen hat sich die Methylen-Übertragungsreaktion von Simmons und Smith erfolgreich einsetzen lassen[2]. Eine Vielzahl von α-Allenalkoholen sind in ähnlicher Weise cyclopropaniert worden[3].

Die zunächst berichtete vermeintliche Totalsynthese eines natürlich vorkommenden Cyclopropens (*Stercula-Säure*)[5] beinhaltete die Anwendung der Simmons-Smith-Reaktion auf ein Acetylen-Derivat, die Stearol-Säure. Nach neueren Untersuchungen war bei dieser Reaktion kein Cyclopropen-Ring entstanden[6]. Um die Reaktivität der C≡C-Dreifachbindung unter den Bedingungen der Simmons-Smith-Reaktion zu untersuchen, wurde von den genannten Autoren Hexin-(3) mit Dijodmethan und Zink/Kupfer umgesetzt. Auch hierbei wurde kein Cyclopropen-Derivat erhalten; es entstehen die beiden *cis/trans*-isomeren Cyclopropane II und III [*cis*-(bzw. *trans*)-2-Äthyl-1-propenyl-cyclopropan] neben dem Dien IV:

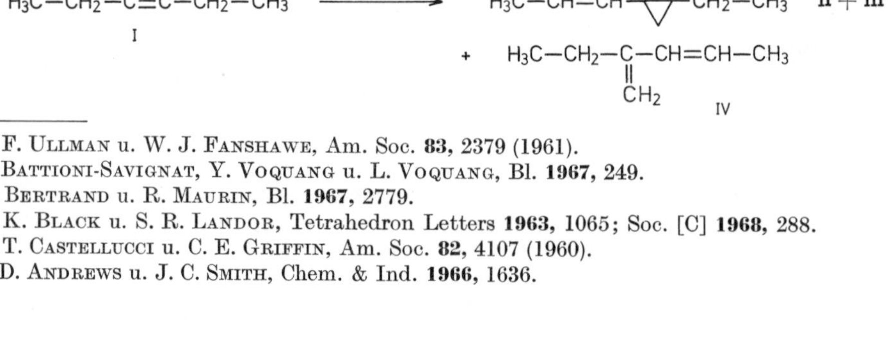

[1] E. F. Ullman u. W. J. Fanshawe, Am. Soc. **83**, 2379 (1961).
[2] P. Battioni-Savignat, Y. Voquang u. L. Voquang, Bl. **1967**, 249.
[3] M. Bertrand u. R. Maurin, Bl. **1967**, 2779.
[4] D. K. Black u. S. R. Landor, Tetrahedron Letters **1963**, 1065; Soc. [C] **1968**, 288.
[5] N. T. Castellucci u. C. E. Griffin, Am. Soc. **82**, 4107 (1960).
[6] S. D. Andrews u. J. C. Smith, Chem. & Ind. **1966**, 1636.

Besonders bewährt sich die Simmons-Smith-Reaktion bei Anwendung auf Cycloolefine und ihre Derivate[1]. Von großem theoretischem und praktischem Interesse war vor allem die Beobachtung, daß das Reagens in hoher Stereoselektivität mit cyclischen Olefin-alkoholen zur Umsetzung gebracht werden kann. Aus Cyclopenten-(1)-ol-(4) (V) erhält man in hoher Ausbeute ausschließlich *endo-3-Hydroxy-bicyclo[3.1.0]hexan* (VI)[2,3]. Im allgemeinen findet die Methylen-Übertragung auf cyclische Allyl- und Homoallyl-alkohole stereospezifisch *cis* zu der Hydroxy-Gruppe statt; bei Acetylierung der entsprechenden Alkohole geht die stereochemische Kontrolle verloren[3–7]:

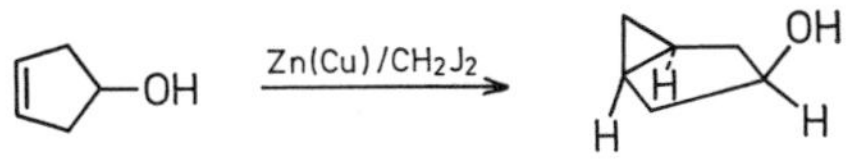

Für die Reaktion wird ein Reaktionsmechanismus vorgeschlagen, bei dem eine Zwischenstufe durchlaufen wird, die eine direkte Wechselwirkung der Sauerstoff-Funktion mit dem Reagens darstellt (VII)[8]:

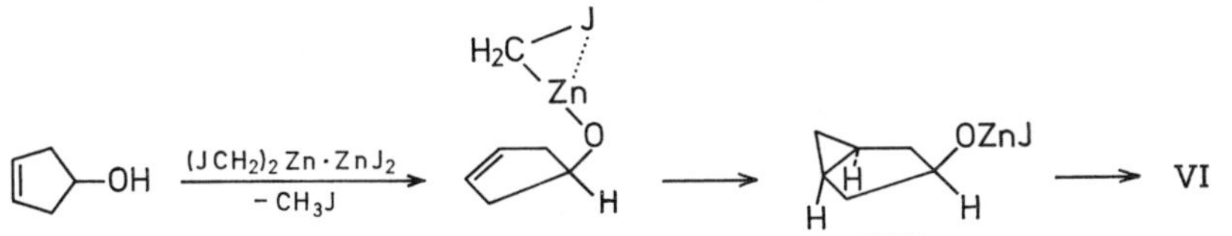

Der beschleunigende und dirigierende Effekt von Hydroxy-Gruppen wurde auch für die Synthese der bicyclischen Alkohole I (*2-Hydroxy-bicyclo[3.1.0]hexan*)[4] und II (*3-Hydroxy-1,5-diphenyl-bicyclo[3.1.0]hexan*)[9] benutzt, die im Zuge von Studien zur Homoaromatizität von Interesse wurden:

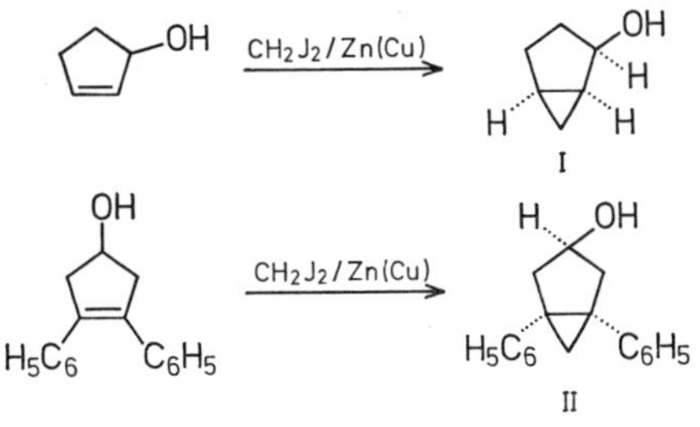

[1] Vgl. etwa:
   S. D. KOCH, R. M. KUSS, D. V. LOPIEKES u. R. J. WINEMAN, J. Org. Chem. **26**, 3122 (1961).
   H. E. SIMMONS, E. P. BLANCHARD u. R. D. SMITH, Am. Soc. **86**, 1347 (1964).
   E. P. BLANCHARD u. H. E. SIMMONS, Am. Soc. **86**, 1337 (1964).
[2] S. WINSTEIN u. J. SONNENBERG, Am. Soc. **83**, 3235 (1961).
[3] S. WINSTEIN, J. SONNENBERG u. L. DE VRIES, Am. Soc. **81**, 6524 (1959).
[4] E. J. COREY u. R. L. DAWSON, Am. Soc. **85**, 1782 (1963).
[5] W. G. DAUBEN u. G. H. BEREZIN, Am. Soc. **85**, 468 (1963).
[6] W. G. DAUBEN u. A. C. ASHCRAFT, Am. Soc. **85**, 3673 (1963).
[7] P. RADLICK u. S. WINSTEIN, Am. Soc. **86**, 1866 (1964).
[8] H. E. SIMMONS et al., Am. Soc **86**, 1337, 1347 (1964).
[9] E. J. COREY u. H. UDA, Am. Soc. **85**, 1788 (1963).

In ganz ähnlicher Weise gelang die Totalsynthese des tricyclischen Sesquiterpens (±)*Thujopsen* {*4,7,11,11-Tetramethyl-tricyclo[5.4.0.0^{1,3}]undecen-(4)*; III}[1]:

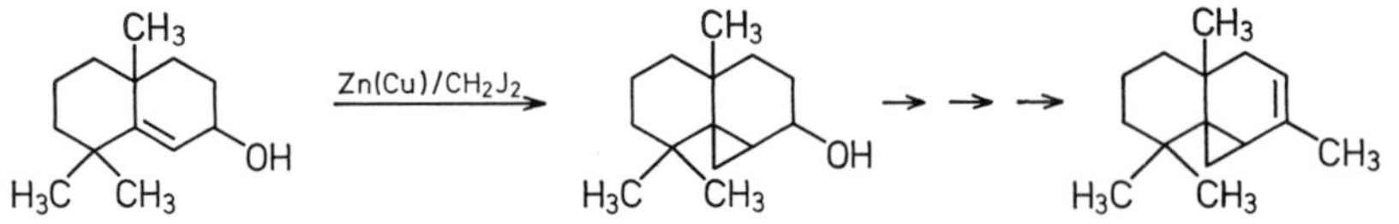

Zur Bereicherung der Chemie bi- und tricyclischer Kohlenwasserstoffe und ihrer Derivate hat die Simmons-Smith-Reaktion viele Beiträge liefern können. Einige Beispiele werden im folgenden beschrieben:

① Die stufenweise Zugabe des Simmons-Smith-Reagens zu Cyclohexadien-(1,4) (IV) führt zu *Bicyclo[4.1.0]hepten-(3)* (V) und einem Gemisch der *endo-* und *exo-*Isomeren des *Tricyclo-[5.1.0.0^{3,5}]octans* (VI a und b)[2]:

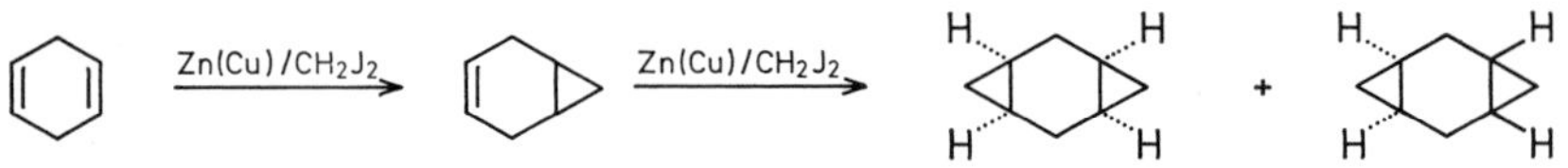

② *cis-cis-cis*-Cyclononatrien-(1,4,7) reagiert mit einem Überschuß des Simmon-Smith-Reagens in Ausbeuten zwischen 80 und 90% d. Th. zum *cis-Tetracyclo[9.1.0.0.^{3,5}0^{7,9}]dodecan*[3].

③ Bei der Reaktion des Dien-ols VII mit 3 Molen Dijodmethan und einem Überschuß an Zink/Kupfer werden in stereospezifischer Weise zwei Cyclopropanringe eingeführt, die zueinander und auch zur Hydroxy-Gruppe *cis*-ständig sind. In 90%iger Ausbeute wird *8-Hydroxy-tricyclo[7.1.0.0^{3,5}]decan* (VIII) gewonnen[4]:

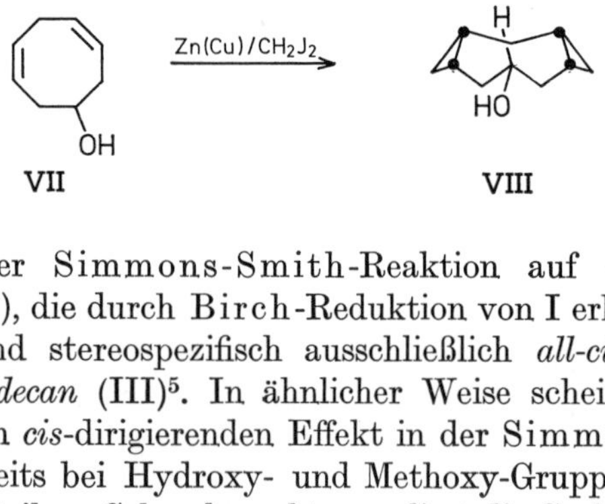

Bei Anwendung der Simmons-Smith-Reaktion auf den Methylester der Carbonsäure II (S. 121), die durch Birch-Reduktion von I erhalten wurde, entsteht in guter Ausbeute und stereospezifisch ausschließlich *all-cis-2-Carboxy-pentacyclo [7.3.1.1^{3,7}.0^{1,9}.0^{3,7}]tetradecan* (III)[5]. In ähnlicher Weise scheint hier die Methoxy-carbonyl-Gruppe einen *cis*-dirigierenden Effekt in der Simmons-Smith-Reaktion auszuüben, wie er bereits bei Hydroxy- und Methoxy-Gruppen bekannt geworden ist (s. S. 119). Oberhalb ihres Schmelzpunktes verliert die Carbonsäure III Kohlendioxid. Unter Öffnung eines Cyclopropanringes erfolgt Einführung einer angularen Methyl-Gruppe {IV; *7-Methyl-tetracyclo[7.3.1.0^{1,9}.0^{3,7}]tridecen-(2)*}. Durch Säure-katalyse bildet sich als Sekundärprodukt das Diolefin VI {*7,9-Dimethyl-tricyclo*

[1] W. G. Dauben u. A. C. Ashcraft, Am. Soc. **85**, 3673 (1963).
[2] H. E. Simmons, E. P. Blanchard u. R. D. Smith, Am. Soc. **86**, 1347 (1964).
[3] R. S. Boikess u. S. Winstein, Am. Soc. **85**, 343 (1963).
[4] P. Radlick u. S. Winstein, Am. Soc. **86**, 1866 (1964).

$[7.3.0.0^{3.7}]dodecadien-(1^{12},2)\}^1$. Diese Decarboxylierungsreaktion[1] wurde gleichzeitig und unabhängig auch an einem analogen Cyclopropan-Derivat[2] beobachtet.

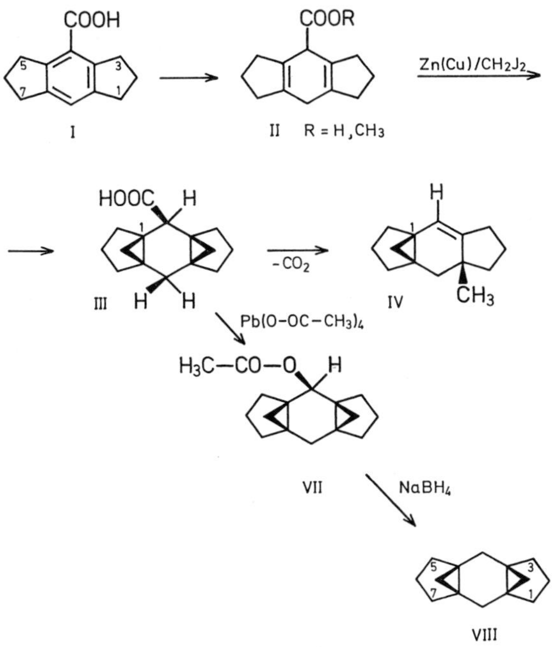

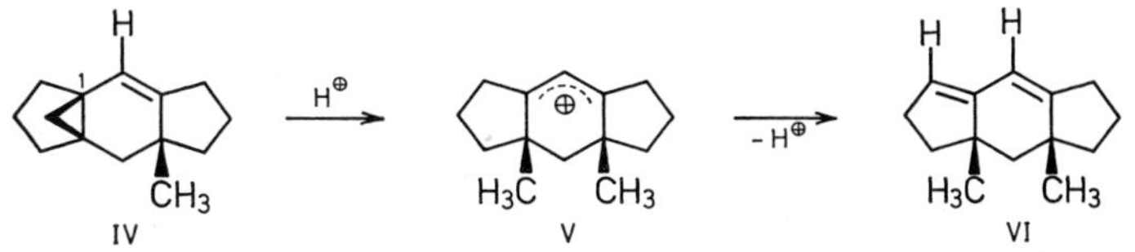

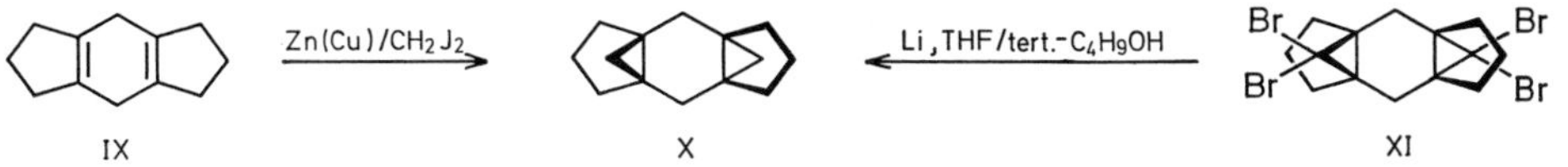

III reagiert mit Blei(IV)-acetat in Pyridin/Benzol[3] stereospezifisch zu *2-Acetoxy-pentacyclo[7.3.1.1^{3.7}.0^{1.9}.0^{3.7}]tetradecan* (VII)[4], das mit Natriumboranat in *Pentacyclo-[7.3.1.1^{3.7}.0^{1.9}.0^{3.7}]tetradecan* (VIII) übergeführt werden kann. Aus Tricyclo[7.3.0.0^{3.7}] dodecadien-(1^9,3^7) (IX) hingegen wird bei Anwendung der Simmons-Smith-Reaktion der entsprechende *trans*-Kohlenwasserstoff (X; *Pentacyclo[7.3.1.1^{3.7}.0^{1.9}.0^{3.7}]tetradecan*) erhalten[4], der auch aus dem Bis-[dibromcarben]-Addukt XI (*13,13,14,14-Tetrabrom-pentacyclo[7.3.1.1^{3.7}.0^{1.9}.0^{3.7}]tetradecan*) zugänglich ist.

[1] T. HANAFUSA, L. BIRLADEANU u. S. WINSTEIN, Am. Soc. **87**, 3510 (1965).
[2] J. J. SIMS, Am. Soc. **87**, 3511 (1965).
[3] Vgl. etwa:
   E. J. COREY u. J. CASANOVA, Am. Soc. **85**, 165 (1963).
   J. K. KOCHI, Am. Soc. **87**, 1811, 2500 (1965).
[4] L. BIRLADEANAU, T. HANAFUSA u. S. WINSTEIN, Am. Soc. **88**, 2315 (1966).

In einer ganz ähnlichen Reaktion gelang auch die Einführung einer angularen Methyl-Gruppe in ein bicyclisches System[1]. 2-Hydroxy-tetralin (I) wurde dabei zunächst nach Birch zu II hydriert und dann der Simmons-Smith-Reaktion unterworfen. Man erhält *8-Hydroxy-tricyclo[4.4.1.0¹,⁶]undecen-(3)* (III), das zu *8-Oxo-tricyclo[4.4.1.0¹,⁶]undecen-(3)* (IV) oxidiert werden kann. Bei der anschließenden Behandlung mit Salzsäure/Eisessig wurden die beiden isomeren Ketone V und VI in von den Reaktionsbedingungen abhängigen Anteilen erhalten. In analoger Reaktion wurde das gleichfalls vermittels einer Simmons-Smith-Reaktion zugängliche *8-Oxotricyclo[4.3.1.0¹,⁶]decen-(3)* (VII) zu VIII umgewandelt[1].

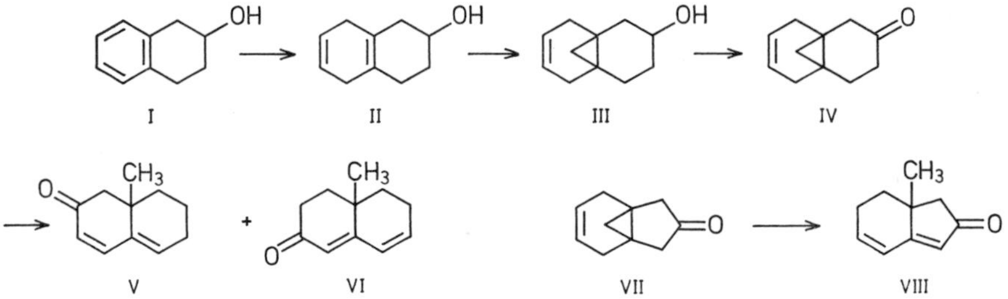

Auch bei der Synthese eines stabilen 10π-Elektronen-Anions (*1,5-Methano-cyclononatetraenyl-Anions*; XIV) ist die Simmons-Smith-Reaktion erfolgreich angewendet worden[2]. Bei Behandlung von 8-Hydroxy-bicyclo[4.3.0]nonadien-(1⁶,3) (IX) mit Dijodmethan und überschüssigem Zink/Kupfer erhält man gemäß der bekannten *cis*-dirigierenden Wirkung der Hydroxy-Gruppe *8-Hydroxy-tricyclo[4.3.1.0¹,⁶]decen-(3)* (X; 60% d. Th.), das mit Thionylchlorid in Äther in Gegenwart von Tributylamin[3] in das epimere Chlorid XI {*8-Chlor-tricyclo[4.3.1.0¹,⁶]decen-(3)*} übergeht. Bei −78° erhält man daraus mit Brom das entsprechende Dibromid. Die Bromwasserstoff-Abspaltung mit Kalium-tert.-butanolat in Butanol liefert *8-Chlor-tricyclo[4.3.1.0¹,⁶] decadien-(2,4)* (XII), aus dem man *Tricyclo[4.3.1.0¹,⁶]decatrien-(2,4,7)* (XIII) erhält. Das Anion XIV wurde aus XIII durch Behandlung mit einer Lösung des Methylsulfinmethyl-natrium[4] in Dimethylsulfoxid bei Raumtemperatur unter Stickstoffatmosphäre hergestellt:

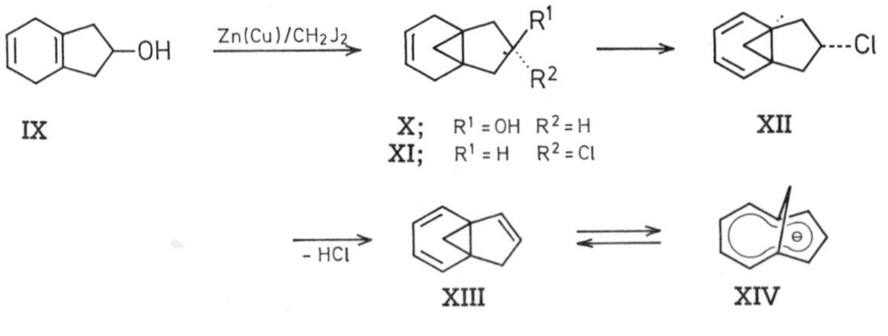

Im Bereich der Steroidchemie ist die Simmons-Smith-Reaktion ebenfalls häufig zu Methylenierungsreaktionen herangezogen worden. So sind z. B. Cyclopro-

[1] J. J. Sims, J. Org. Chem. **32**, 1751 (1967).
[2] P. Radlick u. W. Rosen, Am. Soc. **88**, 3461 (1966).
[3] W. G. Young, F. Caserio, jr. u. D. Brandon, Am. Soc. **82**, 6163 (1960).
[4] E. J. Corey u. M. Chaykovsky, Am. Soc. **87**, 1345 (1965).

panierungsreaktionen an Steroid-Allylalkoholen durchgeführt worden[1], auch wurden u.a. durch Verwendung des Simmons-Smith-Reagens eine Anzahl von spirocyclischen Steroidcyclopropanen synthetisiert[2].

An den Steroiden vom Typ I und III sind ebenfalls Cyclopropanierungen nach der Simmons-Smith-Reaktion vorgenommen worden[3]:

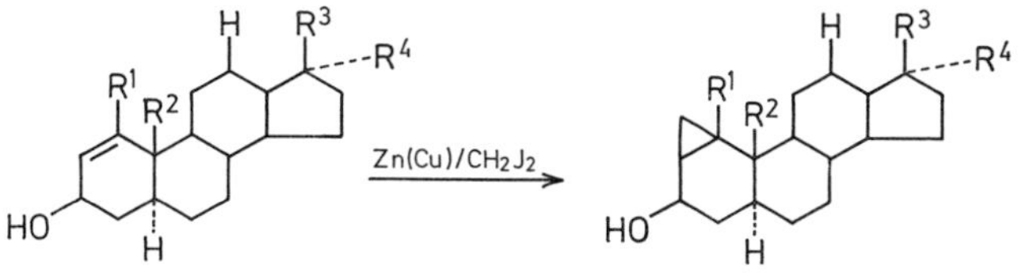

1,2-Cyclopropa-steroide; allgemeine Arbeitsvorschrift[4]: 0,1 Mol 3β-Hydroxy-Δ^1-steroid werden in 600 *ml* Äther, der 10–50% 1,2-Dimethoxy-äthan enthält, mit 0,6 Mol Dijodmethan und 0,9 Mol Zink-Kupfer-Paar[5] 5–20 Stdn. unter Rückfluß erhitzt. Die durch Filtrieren und Auswaschen des anorganischen Rückstandes erhaltene ätherische Lösung wird mit gesättigter Ammoniumchlorid-Lösung und Wasser gewaschen. Nach Trocknen und Abdampfen des Lösungsmittels wird der Rückstand durch Chromatographie und/oder Umkristallisieren gereinigt.

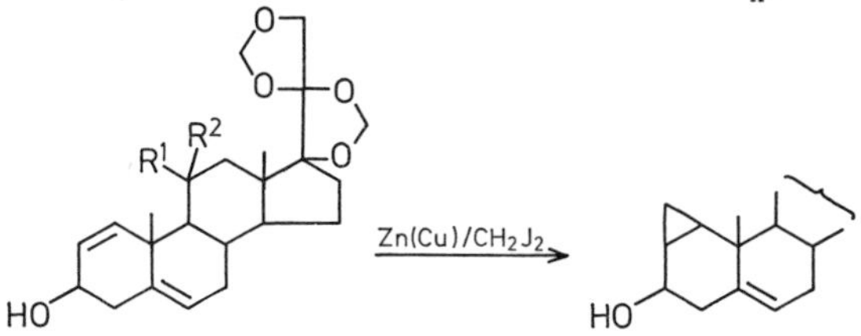

II; a: R^1, R^4 = H; R^2 = CH_3; R^3 = O—CO—CH_3; *3β-Hydroxy-17β-acetoxy-1β,2β-cyclopropano-18-nor-5β-androstan*; 60% d. Th.; F: 173–174°

   b: R^1, R^2, R^4 = H; R^3 = O—CO—CH_3; *3β-Hydroxy-17β-acetoxy-1β,2β-cyclopropano-18,19-dinor-5β-androstan*; 43% d. Th.; F: 162–163°

   c: R^1 = H; R^2 = CH_3; R^3 + R^4 = O; *3β-Hydroxy-17-oxo-1β,2β-cyclopropano-18-nor-5β-androstan*; 39% d. Th.; F: 180–181°

   d: R^1, R^2 = CH_3; R^3 = O—CO—CH_3; R^4 = H; *3β-Hydroxy-17β-acetoxy-1α-methyl-1β,2β-cyclopropano-18-nor-5β-androstan*; 35% d. Th.; 162–165°

IV; a: R^1, R^2 = H; *3β-Hydroxy-17,20; 20,21-bis-[methylendioxy]-1β,2β-cyclopropano-pregnen-(5)*; 36% d. Th.; F: 205–211°

   b: R^1 + R^2 = O; *3β-Hydroxy-17,20; 20,21-bis-[methylendioxy]-11-oxo-1β,2β-cyclopropano-pregnen-(5)*; 25% d. Th.; F: 216–220°

   c: R^1 = OH; R^2 = H; *3β,11β-Dihydroxy-17,20; 20,21-bis-[methylendioxy]-1β,2β-cyclopropano-pregnen-(5)*; 49% d. Th.; F: 244–250°

Bei der Verbindungsklasse III zeigte es sich, daß hier eine selektive Methylenierung an der 1-Doppelbindung stattfindet[6]. In beiden Verbindungsklassen liegen die Ausbeuten zwischen 25 und 60 % der Theorie. Einige methylenierte Pregnan-Derivate

[1] W. G. Dauben u. G. H. Berezin, Am. Soc. **85**, 468 (1963).
  W. G. Dauben u. A. C. Ashcraft, Am. Soc. **85**, 3673 (1963).
[2] R. Wiechert, U. Kerb u. P. E. Schulze, Naturwiss. **51**, 86 (1964).
[3] R. Wiechert et al., B. **99**, 1118, 1128 (1966).
[4] R. S. Shank u. H. Shechter, J. Org. Chem. **24**, 1825 (1959).
[5] Herstellung s. S. 116.
[6] Vgl. a.: M. Tanabe u. D. F. Crowe, Tetrahedron **23**, 2115 (1967).

und Spirocyclopropyl-pregnane sind nach der Methode von Simmons und Smith hergestellt worden[1]; z.B.:

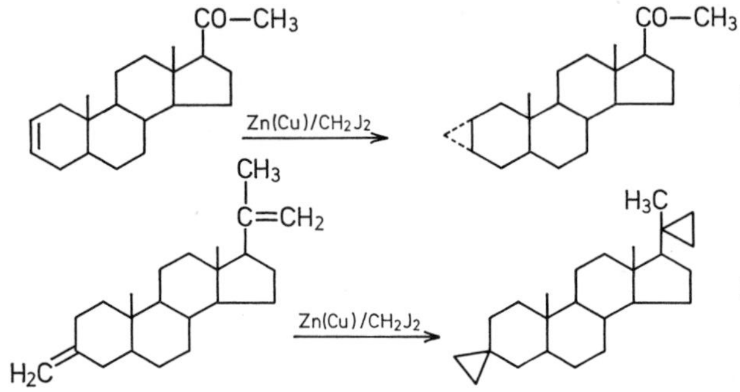

I; *17β-Acetyl-2α, 3α-cyclopropano-androstan*
II; *Cyclopropan-⟨spiro-3⟩-17β-(1-methyl-cyclopropyl)-androstan*
III; *17β-Isopropenyl-2α, 3α-cyclopropano-androstan*
IV; *17β-(1-Methyl-cyclopropyl)-2α, 3α-cyclopropano-androstan*

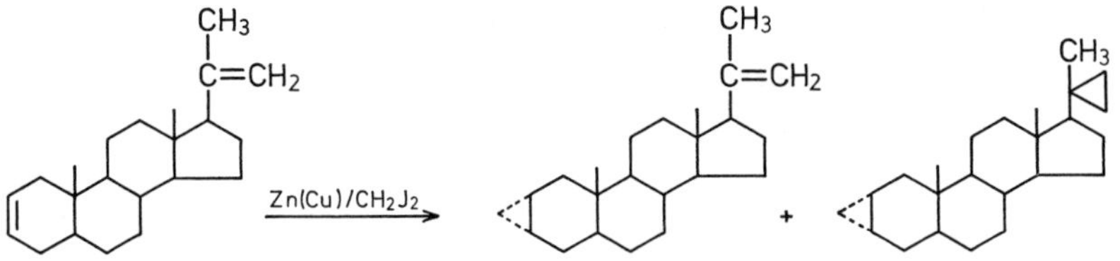

Bei der Umsetzung des 3β-Hydroxy-cholestens-(4) (V) mit Dijodmethan und Zink/Kupfer erhält man *3β-Hydroxy-4β,5β-cyclopropano-cholestan* (VI; 62% d.Th.). Aus II wird mit Chrom(VI)-oxid *3-Oxo-4β,5β-cyclopropano-cholestan* (61% d.Th.) und mit Jod / Dichlormethan (12 Stdn. bei 0°) *Bis-[4β,5β-cyclopropano-cholestyl-(3β)]-äther* (VII; 64% d.Th.) erhalten:

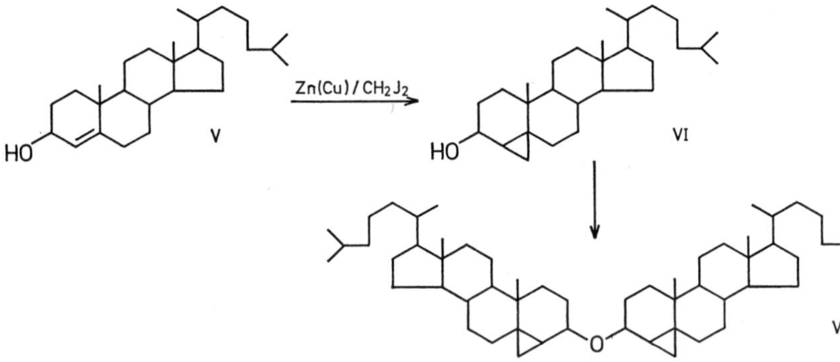

Für die 3α-Ausgangsverbindung konnte ein ähnlicher Umsatz durchgeführt werden[2].

Bei Anwendung des Simmons-Smith-Reagens auf das Steroid I (S. 125) unter den normalen Reaktionsbedingungen erwies sich hier die $\Delta^{5(10)}$-Doppelbindung als inaktiv[3], obwohl nach den Arbeiten anderer Autoren die höher substituierten C=C-Doppelbin-

[1] M. E. WOLFF, W. HONJOH u. M. HONJOH, J. med. Chem. **9**, 682 (1966).
[2] W. G. DAUBEN, P. LAUG u. G. H. BEREZIN, J. Org. Chem. **31**, 3869 (1966).
[3] R. GINSIG u. A. D. CROSS, Am. Soc. **87**, 4629 (1965).

dungen[1] schneller reagieren sollten. Es konnte jedoch durch Modifikation der Methode eine Methylenierung erreicht werden[2]. Durch Eindampfen der Reaktionsmischung, bestehend aus dem homoallylischen Diol I, einem Überschuß an Dijodmethan, Zink/ Kupfer und Äther, auf das $^1/_2$ Volumen und anschließendes Erhitzen bei 92° in einer verschlossenen Stahlröhre konnte das gewünschte *3α, 17β-Dihydroxy-5α, 19-cyclo-10α-androstan* (II; R[1] = H; R[2] = OH; 85% d.Th.) erhalten werden. Über entsprechende 5α,19-cyclo-Derivate gelang dann ein neuer Weg zur Synthese von *10α-Testosteron*, der hier nur schematisch mit den Formelbildern III–VI angedeutet ist:

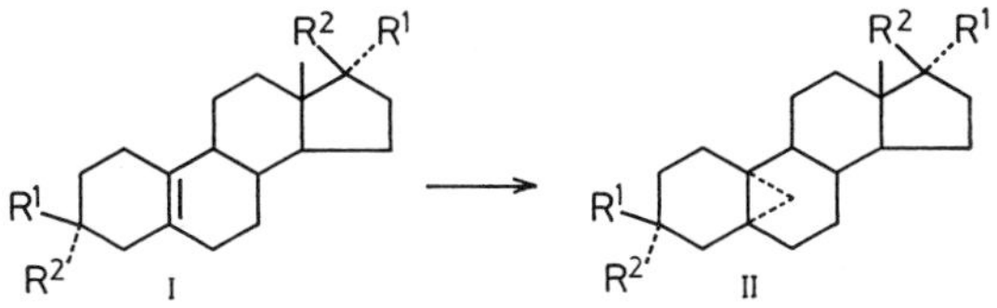

3α,17β-Dihydroxy-   17β-Hydroxy-3-oxo-
5α,19-cyclo-androstan   5α,19-cyclo-androstan

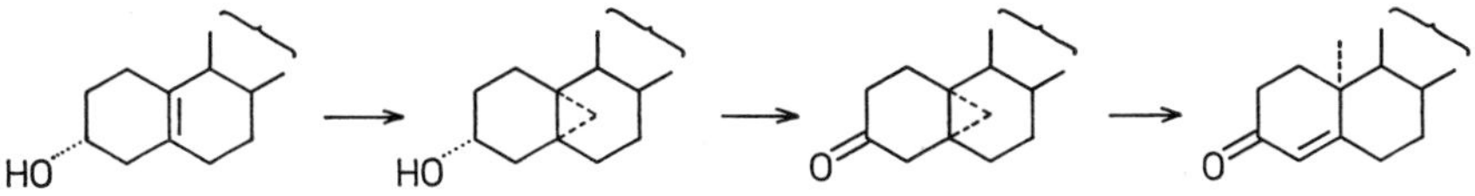

Inzwischen ist diese Variante der Simmons-Smith-Reaktion auch bei der Synthese weiterer Steroide benutzt worden[3], da damit ebenfalls für Homoallyl-alkohole geringer Reaktivität die Möglichkeit einer stereochemisch kontrollierten Methylenierung geschaffen wurde.

Die Simmons-Smith-Reaktion läßt sich auch auf α,β-ungesättigte Ketone übertragen. So liefert Butenon *Acetyl-cyclopropan* (II; 50% d.Th.), 3-Oxo-1-phenyl-buten-(1) (III) *trans-2-Phenyl-1-acetyl-cyclopropan* (IV) und 4-Oxo-2,6-dimethyl-heptadien-(2,5) (Phoron; V, S. 126) reagiert selbst mit überschüssigem Reagens ausschließlich zu *2,2-Dimethyl-1-[3-methyl-buten-(2)-oyl]-cyclopropan* (VI), das erst bei weiterer Umsetzung *Bis-[2,2-dimethyl-cyclopropyl]-keton* (VII) liefert[4]:

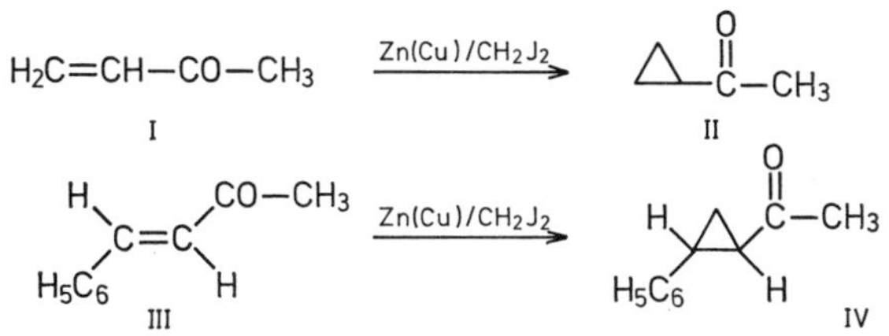

[1] E. P. BLANCHARD u. H. E. SIMMONS, Am. Soc. **86**, 1337 (1964).
    H. E. SIMMONS, E. P. BLANCHARD u. R. D. SMITH, Am. Soc. **86**, 1347 (1964).
    Vgl. a.: G. WITTIG u. F. WINGLER, B. **97**, 2146 (1964).
[2] R. GINSIG u. A. D. CROSS, Am. Soc. **87**, 4629 (1965).
[3] A. J. BIRCH, G. S. R. SUBBA RAO, Soc. **1965**, 5139.
    R. GINSIG u. A. D. CROSS, J. Org. Chem. **31**, 1761 (1966).
    R. REES, D. P. STRIKE u. H. SMITH, J. med. Chem. **10**, 783 (1967).
[4] J. M. CONIA u. J. C. LIMASSET, Tetrahedron Letters **1965**, 3151.

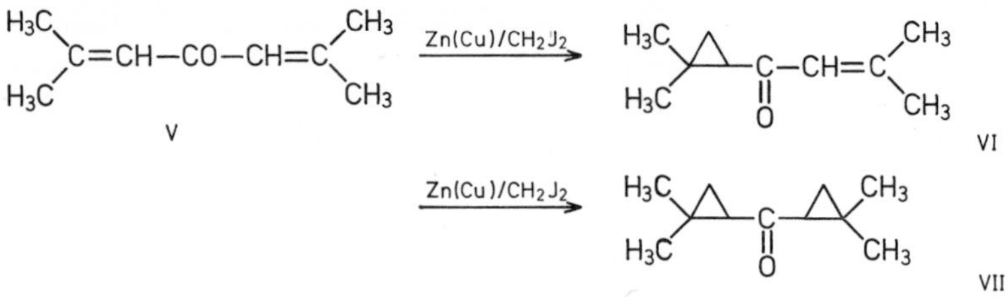

Bei der Reaktion von Dijodmethan und Zink/Kupfer mit sekundären α-Acetylen-alkoholen (VIIIa–VIIIc) in Äther/1,2-Dimethoxy-äthan (1:1) entstehen jedoch Gemische von β-Cyclopropyl-ketonen (IXa–IXc) (20–30% d.Th.) und α,β-ungesättigten Ketonen (Xa–Xc) (6–15% d.Th.)[1]:

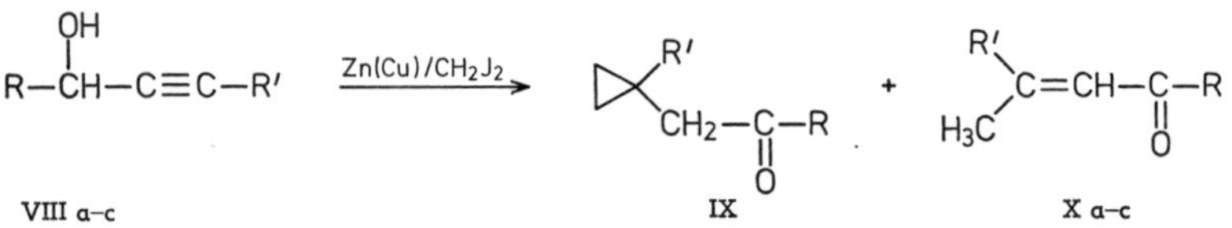

IXa; R=R′=CH$_3$; *1-Methyl-1-(2-oxo-propyl)-cyclopropan*
b; R′=CH$_3$; R=C$_2$H$_5$; *1-Methyl-1-(2-oxo-butyl)-cyclopropan*
c; R=CH$_3$; R′=C$_2$H$_5$; *1-Äthyl-1-(2-oxo-propyl)-cyclopropan*

Gelegentlich ist die Simmons-Smith-Reaktion auch zur Herstellung von Cyclopropyl-aryl-äthern aus Vinyl-aryl-äthern benutzt worden[2]. Die Ausbeuten wurden hier limitiert durch relativ hohe Polymerisationsneigung der Substanzen.

Die Simmons-Smith-Reaktion konnte auch zur Synthese optisch aktiver Cyclopropan-carbonsäuren mit Erfolg herangezogen werden. So wurden bei der Reaktion der (–)-Menthylester I, III, V und VII mit Dijodmethan und Zink/Kupfer in Äther nach anschließender Verseifung die optisch aktiven Carbonsäuren *2-Methyl-* (II), *2,2-Dimethyl-* (IV), *trans-2-Phenyl-cyclopropan-1-carbonsäure* (VIII) bzw. *Cyclopropan-trans-1,2-dicarbonsäure* (VI) erhalten[3]:

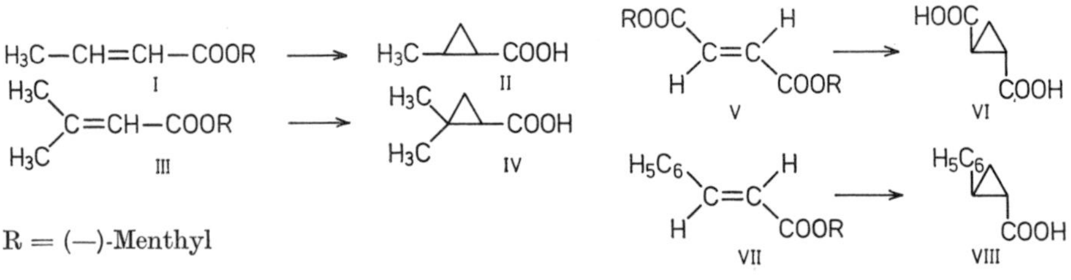

R = (—)-Menthyl

3. Methylenierte Metallhalogenide als metallorganische Methylen-Übertragungsreagentien in der Cyclopropan-Synthese

Angeregt durch die Untersuchungen von SIMMONS und SMITH (s. S. 114ff.) zur Cyclopropanierung von Olefinen[4,5], beschäftigte man sich speziell mit der Rolle der methyle-

[1] M. VIDAL, C. DUMONT u. P. ARNAND, Tetrahedron Letters **1966**, 5081.
[2] S. M. SOSTAKOVSKIJ, A. I. L'VOV u. J. M. KIMELFELD, Izv. Akad. SSSR **1966**, 1754.
[3] Y. INOUYE, K. TAKEHANA, S. SAWADA u. H. OHNO, Bull. Inst. Chem. Research, Kyoto Univ. **44**, 203 (1966).
[4] H. E. SIMMONS u. R. D. SMITH, Am. Soc. **80**, 5323 (1958).
[5] H. E. SIMMONS u. R. D. SMITH, Am. Soc. **81**, 4256 (1959).

nierten Metallhalogenide bei derartigen Cyclopropan-Synthesen[1]. Dabei wurde die Bildung von Jodmethyl-zinkjodid (I) bei der Umsetzung von Zinkjodid mit Diazomethan beobachtet; mit Cyclohexen wird *Bicyclo[4.1.0]heptan (Norcaran)*[2] erhalten.

Beim Zutropfen einer Lösung von Diazomethan zu einer konzentrierten ätherischen Zinkjodid-Lösung beobachtet man eine lebhafte Stickstoff-Entwicklung; die Lösung entfärbt sich und bleibt nahezu klar[1]. Gleichzeitig wurde bemerkt, daß mit kleinen Mengen Zinkjodid beliebige Mengen Diazomethan zersetzt werden konnten, ohne daß Polymethylen auftrat, wie das bei der Verwendung von Borhalogeniden der Fall ist[3,4]. Nach genauen titrimetrischen Untersuchungen der Reaktionslösung konnte schließlich angenommen werden, daß gemäß den Gleichungen

$$ZnJ_2 + CH_2N_2 \xrightarrow[-N_2]{} \underset{I}{JCH_2-ZnJ}$$

$$I + CH_2N_2 \xrightarrow[-N_2]{} \underset{II}{JCH_2-Zn-CH_2J}$$

zunächst Jodmethyl-zinkjodid (I) entsteht, das zuerst aus Dijodmethan und Zink erhalten wurde[5]. I geht dann bei weiterer Einwirkung von Diazomethan in Bis-[jodmethyl]-zink(II) über. Überschüssiges Diazomethan wird katalytisch hier zu Stickstoff und Äthylen zersetzt.

Sowohl I als auch II reagieren in der beschriebenen Weise bei längerem Kochen mit Olefinen[6,7] zu den entsprechenden Cyclopropan-Derivaten[1].

Das in Tetrahydrofuran lösliche Cadmiumjodid reagiert mit Diazomethan wesentlich träger als Zinkhalogenide. Daß hierbei Bis-[jodmethyl]-cadmium gebildet wird, folgt aus der Umsetzung mit Jod, die zu 73% isolierbarem Dijodmethan führt[1]. Während mit Acenaphthylen keine Cyclopropan-Bildung beobachtet wurde, gelang die Herstellung von *Phenyl-cyclopropan* (23% d.Th.) aus Styrol. Bis-[jodmethyl]-cadmium nimmt hinsichtlich seiner Befähigung zur Cyclopropanierung eine Mittelstellung zwischen Bis-[halogenmethyl]-zink und den Bis-[halogenmethyl]-quecksilber-Derivaten[8] ein, die mit Alkenen und Diazomethan nicht mehr reagieren. Bis-[chlormethyl]-quecksilber ließ sich erst bei Einwirkung von Lithium mit Cyclohexen in Reaktion bringen, wobei *Bicyclo[4.1.0] heptan (Norcaran)* gaschromatographisch nachgewiesen werden konnte[1]. Hierbei wurden keine Methyl-cyclohexene gebildet, wie dies beim intermediären Auftreten von Carbenen zu erwarten gewesen wäre[9]. Möglicherweise erfolgt diese Cyclopropanierung über das kurzlebige Chlormethyl-lithium[10]:

$$(ClCH_2)_2Hg + 2 Li \longrightarrow 2 ClCH_2-Li + Hg$$

Lithiumchlorid selbst reagiert nicht mit Diazomethan.

[1] G. Wittig u. K. Schwarzenbach, A. **650**, 1 (1961).

[2] G. Wittig u. K. Schwarzenbach, Ang. Ch. **71**, 652 (1959).

[3] H. Meerwein, Ang. Ch. **60**, 78 (1958).

[4] A. Y. Jakubovich u. V. A. Ginsburg, Doklady Akad. SSSR **73**, 957 (1950); C. A. **45**, 2857 (1951).

[5] G. Emschwiller, C. r. **183**, 665 (1926).

[6] H. E. Simons u. R. D. Smith, Am. Soc. **80**, 5323 (1958).

[7] H. E. Simons u. R. D. Smith, Am. Soc. **81**, 4256 (1959).

[8] Vgl.:
L. Hellerman u. M. D. Newman, Am. Soc. **54**, 2859 (1932).
R. C. Freidlina, A. N. Nesmeyanov u. F. A. Tokareva, B. **69**, 2019 (1936).

[9] W. v. E. Doering et al., Am. Soc. **78**, 3224 (1956).

[10] Vgl.: L. Friedman u. J. G. Berger, Am. Soc. **82**, 5758 (1960).

Das in Äther lösliche Berylliumchlorid sowie Magnesiumjodid-diätherat in benzolischer Lösung zersetzten Diazomethan zu Äthylen und Polymethylen (35–40% d. Th.), ohne sich selbst zu verändern, da Jod mit den Reaktionslösungen keine Reaktion zeigte[1]. Ähnliche katalytische Zersetzungseffekte wurden bereits bei den Borhalogeniden beobachtet, die ausschließlich Polymethylen liefern, während Aluminiumhalogenide neben wenig Polymethylen (4%) überwiegend Äthylen und schließlich Galliumjodid nur Äthylen bilden.

Bei Einwirkung von Diazomethan auf Indiumjodid in Äther entsteht dagegen das Tris-[jodmethyl]-indium, das überschüssiges Diazomethan zu Äthylen zersetzt und mit Jod Dijodmethan (85% d. Th.) bildet[1]. Umsetzungen mit Cyclohexen und Styrol liefern jedoch *Bicyclo[4.1.0]heptan* bzw. *Phenyl-cyclopropan* nur in sehr bescheidenen Ausbeuten.

Im Gegensatz dazu erwies sich Bis-[chlormethyl]-thalliumchlorid[2] analog den methylenierten Quecksilberhalogeniden als völlig indifferent gegenüber Olefinen[1]. Wenig zufriedenstellend verliefen Versuche, Alkene in die entsprechenden Cyclopropane mit Diazomethan und solchen Metallhalogeniden umzuwandeln[1], die wie Aluminiumchlorid und Galliumjodid die Zersetzung zu Äthylen begünstigen.

Hingegen eignet sich Kupfer(I)-chlorid für die katalytische Addition von Methylen an Olefine[1]. Bereits bekannt war die Umsetzung von Diazomethan mit Keten-diäthylacetal in Gegenwart von Kupfer(I)-bromid zu *1,1-Diäthoxy-cyclopropan* (gute Ausbeute)[3].

Das vorstehend beschriebene unterschiedliche Verhalten der Metallhalogenide gegenüber Diazomethan kann im Sinne folgender schematischer Übersicht zusammengefaßt werden[1]:

Normalpotentiale	-2,4	-1,7	-1,5	-0,5	-0,76	-0,4	-0,34	+0,72	+0,86
	Mg	Be	Al	Ga	Zn	Cd	In	Tl	Hg

$$\underbrace{\text{Mg} \quad \text{Be} \quad \text{Al}}_{\text{Polymethylen}}$$

$$\underbrace{\hspace{6cm}}_{\text{Äthylen}}$$

$$\underbrace{\hspace{4cm}}_{\text{M(CH}_2\text{Hal)}_n}$$

Die Halogenide der links stehenden Elemente der II. und III. Hauptgruppe – darunter auch das hier nicht aufgeführte Bor – bilden mit Diazomethan überwiegend *Polymethylen*, das nach rechts hin von der *Äthylen*-Bildung überspielt wird. Die mit dem Zink beginnende Reihe liefert die entsprechenden methylenierten Metallhalogenide, deren Stabilitäten von links nach rechts hin zunehmen, wie ihre sinkende Tendenz zur Bildung von *Bicyclo[4.1.0]heptan (Norcaran)* aus Cyclohexen dokumentiert. Diese Reihe wechselnder Reaktivitäten deckt sich weitgehend mit der Spannungsreihe der entsprechenden Metalle, deren elektropositiver Charakter nach rechts hin abnimmt.

Im folgenden Teil sollen insbesondere diejenigen methylenierten Metallhalogenide beschrieben werden, die sich zur präparativen Umwandlung von Olefinen in Cyclopropan-Verbindungen bewährt haben. Bei diesen wird dann auch auf den Reaktionsmechanismus der Cyclopropanierung eingegangen.

---

[1] G. WITTIG u. K. SCHWARZENBACH, A. **650**, 1 (1961).

[2] A. Y. JAKUBOVICH u. V. A. GINSBURG, Doklady Akad. SSSR **73**, 957 (1950); C. A. **45**, 2857 (1951).

[3] Vgl.:
M. F. DULL u. P. G. ABEND, Am. Soc. **81**, 2588 (1959).
C. E. H. BAWN, A. LEDWITH u. J. WHITTLESTON, Ang. Ch. **72**, 115 (1960).

Nach vergeblichen Versuchen, Jodmethyl-lithium als Reagens zur Überführung von Olefinen in Cyclopropan-Derivate zu bereiten, wandte sich man dem Jodmethyl-magnesiumjodid (I)[1] zu, von dem eine größere Stabilität zu erwarten
war. Hierfür sprachen u. a. Beobachtungen im Zusammenhang mit Metallhalogenid-
Eliminierungen an o-metallierten Halogen-benzolen zu Dehydrobenzol[2].

Es gelang schließlich I aus Bis-[jodmethyl]-zink herzustellen[1]. Beim Rühren einer
auf 0° gehaltenen ätherischen Lösung von Bis-[jodmethyl-]-zink mit Magnesium
wird Zink elementar durch Magnesium verdrängt. Die nachfolgende Jodtitration
zeigte, daß am Magnesium bis zu 60% Jodmethyl-Gruppen gebunden waren – ein
Hinweis dafür, daß außer I auch Bis-[jodmethyl]-magnesium gebildet wurde:

$$(JCH_2)_2Zn \ + \ Mg \ \longrightarrow \ (JCH_2)_2Mg \ + \ Zn$$
$$(JCH_2)_2Mg \ \longrightarrow \ JCH_2MgJ \ + \ 1/2 \ H_2C{=}CH_2$$
$$\text{I}$$

Die Hydrolyse liefert 90% Methyljodid. Beim kurzen Aufkochen der Reaktionslösung entstehen 48% *Äthylen* neben geringe Mengen *Cyclopropan* und *Propen*, das
bekannterweise auch bei der Herstellung von *Cyclopropan* aus 1,3-Dibrom-propan
mit Zink gebildet wird[3]. Möglicherweise sind die Umsetzungen wie folgt zu formulieren:

$$2 \ JCH_2MgJ \ \xrightarrow[-MgJ_2]{} \ J{-}CH_2{-}CH_2{-}MgJ \ \xrightarrow[-MgJ_2]{+I} \ J{-}CH_2{-}CH_2{-}CH_2{-}MgJ$$
$$\text{I} \qquad\qquad \downarrow {-MgJ_2} \qquad\qquad\qquad \downarrow {-MgJ_2}$$
$$H_2C{=}CH_2 \ \xrightarrow[-MgJ_2]{+I} \ \triangle$$

Während eine verdünnte Bis-[jodmethyl]-zink-Lösung Cyclohexen erst nach längerem Kochen in *Norcaran* überführt, liefert Bis-[jodmethyl]-zink bei Umsetzung
mit Magnesium und Cyclohexen schon in der Kälte 21% *Norcaran* (*Bicyclo[4.1.0]*
heptan). Die Reaktivitäten des höchst instabilen Jodmethyl-lithiums, des nur unterhalb von 0° beständigen Jodmethyl-magnesiumjodids und des Bis-[jodmethyl]-
zinks sind durch den elektropositiven Charakter der Metalle entsprechend ihrer
Stellung in der Spannungsreihe vorgezeichnet.

a) Cyclopropanierung von Olefinen mit Bis-[jodmethyl]-zink

Eine Reihe von Untersuchungen[4] wurden unternommen, um das modifizierte Verfahren[5] der Simmons/Smith-Reaktion[6,7] präparativ zu verbessern und den Reaktionsmechanismus der Cyclopropan-Bildung aufzuklären. Wie bereits beschrieben
(s. S. 127)[5], wurden die aus Zinkhalogenid und Diazomethan in Äther[8] bereiteten
und zwangsläufig in relativ geringer Konzentration erhaltenen Bis-[halogenmethyl]-

---

[1] G. WITTIG u. F. WINGLER, B. **97**, 2139 (1964).
[2] G. WITTIG, Ang. Ch. **69**, 245 (1957).
[3] Vgl.: G. GUSTAVSON, J. pr. [2] **59**, 302 (1899).
[4] G. WITTIG u. F. WINGLER, B. **97**, 2146 (1964).
[5] G. WITTIG u. K. SCHWARZENBACH, A. **650**, 1 (1961).
[6] H. E. SIMMONS u. R. D. SMITH, Am. Soc. **80**, 5323 (1958).
[7] H. E. SIMMONS u. R. D. SMITH, Am. Soc. **81**, 4256 (1959).
[8] Die Umsetzung des Cyclohexens in Pentan mit Methyl-zinkjodid und Diazomethan lieferte nur
  ∼ 25% d. Th. *Bicyclo[4.1.0]heptan* (*Norcaran*).

zink-Lösungen direkt mit den entsprechenden Olefinen umgesetzt, wobei sich wegen der erforderlichen längeren Kochdauer z. B. die Bildung von *Bicyclo[4.1.0] heptan* (*Norcaran*) aus Cyclohexen nicht über 30% d. Th. steigern ließ. Offensichtlich treten unter diesen Reaktionsbedingungen bereits Zersetzungen ein, wie durch einen Kontrollansatz mit Bis-[jodmethyl]-zink (I) in Äther gezeigt werden konnte. Nach 20stdgm. Kochen einer ätherischen Lösung von I in Abwesenheit von Alkenen konnten gaschromatographisch

33% Äthylen, 18% Cyclopropan und 5% Propen

nachgewiesen werden; Polymethylen wurde nicht gebildet[1]. Der Reaktionsablauf dürfte dem für das Jodmethyl-magnesiumjodid formulierten[2] analog sein:

$$2 \, (JCH_2)_2 Zn \quad \xrightarrow[-JCH_2-ZnJ]{} \quad J-CH_2-CH_2-ZnCH_2J \quad \xrightarrow[-ZnJ_2]{+JCH_2-ZnJ} \quad J(CH_2)_3-ZnCH_2J$$

I   II

$$\downarrow -JCH_2-ZnJ \qquad\qquad\qquad\qquad \downarrow -JCH_2-ZnJ$$

$$H_2C=CH_2 \qquad\qquad\qquad\qquad H_2C=CH-CH_3$$

Die Bildung von Propen weist auf das intermediäre Auftreten von II hin; das *Cyclopropan* muß entweder unmittelbar aus II oder mittelbar über Äthylen entstanden sein.

Bei höherer Konzentration der Lösungen von I setzt die Reaktion mit dem Olefin bereits bei Raumtemperatur ein und kann durch 2- bis 5-stündiges Erwärmen auf 30–40° vervollständigt werden. Tab. 12 zeigt eine Zusammenstellung von Cyclopropanen, die nunmehr in recht guten Ausbeuten aus Olefinen und I nach einer verbesserten Standardvorschrift (s. S. 131) zugänglich sind[1,3].

Tab. 12. Cyclopropane aus Olefinen und Bis-[jodmethyl]-zink (I)[3,4]

Olefin	Molverhältnis (I)/Olefin	Cyclopropan-Derivat	Ausbeute[a] [% d. Th.]	Kp_{760} [°C]
2,3-Dimethyl-buten-(2)	1:0,75	*1,1,2,2-Tetramethyl-cyclopropan*	86	72
cis-Hexen-(3)	1:0,7	*cis-1,2-Diäthyl-cyclopropan*	73[b]	93,5
trans-Hexen-(3)	1:0,7	*trans-1,2-Diäthyl-cyclopropan*	20[b]	86,5
3-Methyl-penten-(1)	1:0,7	*Butyl-(2)-cyclopropan*	82	89,5
Butadien-(1,3)	1:4	*Vinyl-cyclopropan*	8	40
		+ Bi-cyclopropyl	40	76
Cyclobuten	1:1	*Bicyclo[2.1.0]pentan*	47	45,5
Cyclopenten	1:2,2	*Bicyclo[3.1.0]hexan*	65	81
Cyclohexen	1:2,4	*Bicyclo[4.1.0]heptan(Norcaran)*	73	116
Cyclooocten	1:2,7	*Bicyclo[6.1.0]nonan*	88	168
Cyclopentadien	1:4	*Bicyclo[3.1.0]hexen-(2)*	48	74
		+ Tricyclo[4.1.0.0²,⁴]heptan	45	103
Cyclohexadien	1:3	*Bicyclo[4.1.0]hepten(Norcaren)*	64	115
		+ Tricyclo[5.1.0.0²,⁴]octan	29	143
Furan	1:2	*5-Oxa-tricyclo[4.1.0.0²,⁴]heptan*	19	123

[a]) die hier angegebenen Ausbeuten sind auf den unterschüssig eingesetzten Partner bezogen und wurden in den Rohfraktionen gaschromatographisch bestimmt.

[b]) die Reaktion wurde an einem *cis/trans*-Gemisch des Hexens-(3) durchgeführt.

---

[1] G. Wittig u. F. Wingler, A. **656**, 18 (1962).
[2] G. Wittig u. F. Wingler, B. **97**, 2139 (1964).
[3] G. Wittig u. F. Wingler, B. **97**, 2146 (1964).
[4] Die Tab. informiert über die erzielten Ausbeuten, die durchweg die bei der Simmons-Smith-Reaktion erhaltenen übersteigen.

Bicyclo[4.1.0]heptan(Norcaran)[1]:

Bis-[jodmethyl]-zink (Standardvorschrift)[1]: In einem 0,5-l-Schliffkolben mit Rührer, Tropftrichter und Hahn zum Austritt der Reaktionsgase werden 24 g (75 mMol) Zinkjodid in 50 ml absol. Äther unter Stickstoff gelöst. Dann tropft man unter intensivem Rühren und Kühlen mit Eiswasser innerhalb von 30 Min. 320 ml 0,5 m absol. ätherisches Diazomethan[2] zu. Zur Gehaltsbestimmung der leicht trüben Lösung wird 1 ml zu 5 ml absol. ätherischem 0,2 n Jod gegeben und der Jod-Überschuß mit 0,1 n Natriumthiosulfat zurücktitriert. Die Lösung enthält 0,16 mMol *Bis-[jodmethyl]-zink/ml* (80% d.Th.; bez. auf Zinkjodid). Diese Lösung ist unter Stickstoff bei −20° ∼ 2 Tage lang haltbar.

Norcaran(Standardvorschrift)[1]: 25 mMol Bis-[jodmethyl]-zink in 155 ml Äther werden unter Stickstoff über einen graduierten Tropftrichter in einen 250-ml-Dreihalskolben mit Magnetrührer eingefüllt, der an einen mit Stickstoff gefüllten Rotationsverdampfer angeschlossen ist. Der Kolben rotiert in einem Bad bei −5 bis −10°, wobei der Äther über einen 30-cm-Trockenturm (Blaugel) i. Wasserstrahlvak. abgezogen wird. Die nun auf 30 ml eingeengte und jetzt klare Lösung wird unter Stickstoff mit 5 g (60 mMole) Cyclohexen versetzt und allmählich auf 20° erwärmt. Die Temp. bei der sofort einsetzenden Reaktion hält man auf 20–30°. Nach 20 Min. erwärmt man noch 2–3 Stdn. auf 50°. Nach Zugabe von Wasser entfernt man das Zinksalz mit verd. Ammoniak und wäscht mit Wasser neutral. Die getrocknete Ätherphase wird über eine Mikrodrehbandkolonne fraktioniert (10 cm Bandlänge, 5 mm ∅, 3000 U/Min.); Ausbeute: 3,5 g (73% d.Th.); Kp$_{760}$: 116°; n$_D^{25}$ = 1,4547.

Auch bei der Bestimmung der absoluten Konfiguration des *Thujans* (*4-Methyl-1-isopropyl-bicyclo[3.1.0]hexan*) wurde mit Erfolg die Methylen-Übertragung mit Jodmethyl-zinkjodid eingesetzt[3]. (+)-*trans*-Pulegensäure (V, *trans*-3-Methyl-1-isopropyliden-cyclopentan-2-carbonsäure; s. S. 132), die man leicht durch Favorski-Umlagerung aus IV erhält, wurde in Form des Methylesters mit Lithiumalanat zum entsprechenden Alkohol VI reduziert, der bei der Pyrolyse (480°/40 Torr) ausschließlich (+)-Pulegen [VII; 90% d.Th.; 3-Methyl-1-isopropyl-cyclopenten-(1)] liefert. Die Methylen-Übertragung mit Jodmethyl-zinkjodid auf VII führt zu einem Gemisch der beiden Thujane mit den absoluten und relativen Konfiigurationen VIII und IX. IX bildet sich auch zusammen mit XII, wenn man das natürlich vorkommende Gemisch der beiden Thujone X und XI (3-Oxo-4-methyl-1-isopropyl-bicyclo[3.1.0]hexan) nach Wolff-Kishner reduziert. (−)-α-Thujen {XIII; 2-Methyl-5-isopropyl-bicyclo[3.1.0]hexen-(2)} liefert nach der Hydroborierung und Oxidation mit Wasserstoffperoxid fast ausschließlich (+)-*3-Hydroxy-isothujan* (XIV; *3-Hydroxy-4-methyl-1-isopropyl-bicyclo[3.1.0]hexan*), das mit Jones-Reagens zu reinem (+)-Isothujon(X) oxidiert wird. (+)-*cis*- und (+)-*trans*-*Thujan* (VIII) und (IX) sind damit über (+)-Pulegen(VII) mit dem (+)-Pulegon(IV) verknüpft und die Kohlenwasserstoffe der Thujan-Reihe mit ihren sauerstoffhaltigen Vertretern verbunden[3] (s. S. 132).

Zum Reaktionsmechanismus

Carbene als kurzlebige Zwischenstufen dürften hier nicht in Betracht kommen.

Im Vergleich zum Bis-[jodmethyl]-zink vermag auch das reaktionsträgere Bis-[brommethyl]-quecksilber Cyclohexen in guter Ausbeute in *Bicyclo[4.1.0]heptan* (*Norcaran*) umzuwandeln[4], wenn man die benzolische Lösung lange genug kocht. Völlig anders verläuft dagegen die Reaktion des Bis-[jodmethyl]-quecksilbers bei der Photolyse seiner Lösung in Cyclohexen. Im Gaschromatogramm konnten außer Cyclohexen und 0,5% Norcaran noch 0,3% 1-Methyl-cyclohexen und zusammen 0,7% 3- und 4-Methyl-cyclohexen nachgewiesen

---

[1] G. Wittig u. F. Wingler, A. **656**, 18 (1962).

[2] Diazomethan sollte nicht aus Diactin® bereitet werden, da beim Trocknen über Natrium *Explosionen* erfolgen können!

[3] G. Ohloff et al., Tetrahedron **22**, 309 (1966).

[4] D. Seyferth u. M. Eisert, Am. Soc. **86**, 121 (1964).

9*

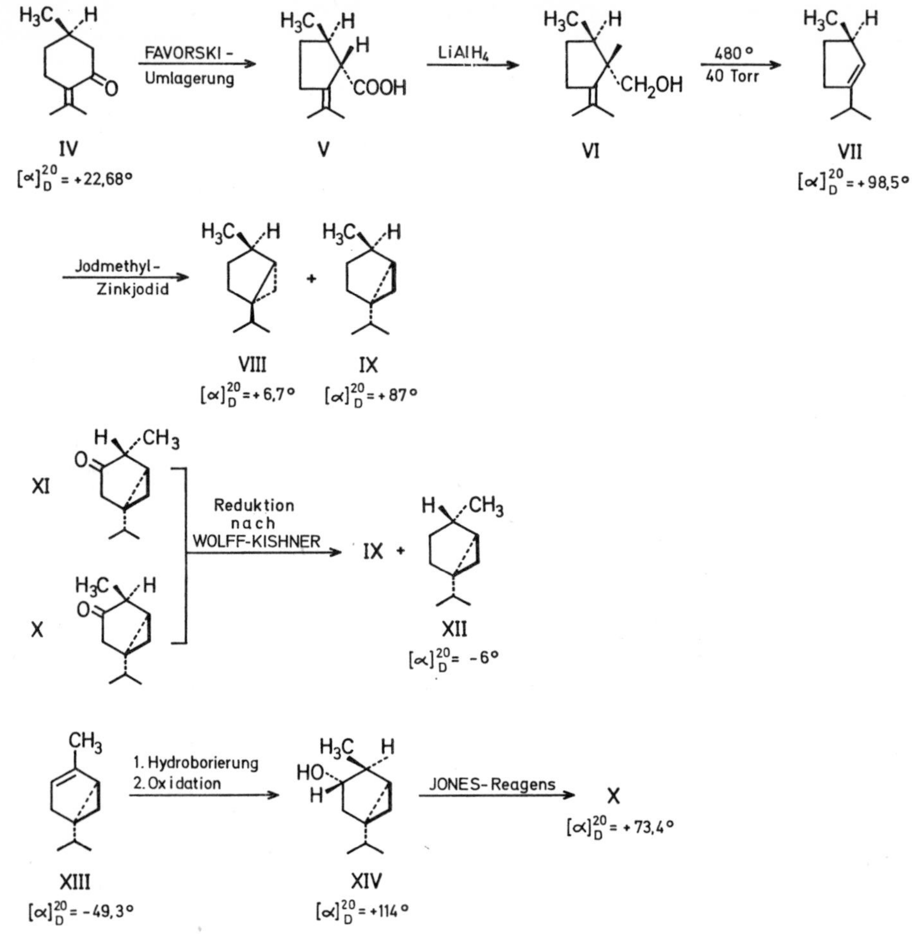

H₃C, H

FAVORSKI –
Umlagerung

LiAlH₄

480°
40 Torr

IV
$[\alpha]_D^{20} = +22{,}68°$

V
COOH

VI
CH₂OH

VII
$[\alpha]_D^{20} = +98{,}5°$

Jodmethyl –
Zinkjodid

VIII
$[\alpha]_D^{20} = +6{,}7°$

IX
$[\alpha]_D^{20} = +87°$

XI

Reduktion
nach
WOLFF-KISHNER

IX +

XII
$[\alpha]_D^{20} = -6°$

X

XIII
$[\alpha]_D^{20} = -49{,}3°$

1. Hydroborierung
2. Oxidation

XIV
$[\alpha]_D^{20} = +114°$

JONES-Reagens

X
$[\alpha]_D^{20} = +73{,}4°$

werden[1]. Annähernd analoge Verteilungsverhältnisse der Kohlenwasserstoffe (1 : 0,6 : 1,4) erhält man bei der photolytischen Zersetzung des Diazomethans in Cyclohexen[2]. Diese Einschiebungsreaktionen zeigen, daß bei der Photolyse Methylene mitwirken[3]. Hingegen spricht der glatte Verlauf der Bildung des alicyclischen Dreiringes aus 1-Morpholino-1-phenyl-äthylen unterhalb der Zersetzungstemperatur des Bis-[jodmethyl]-zinks[1] gegen eine der Dreiringbildung vorausgehende α-Eliminierung zum Carben[4].

Um die Entstehung der Cyclopropane aus Bis-[halogenmethyl]-zink zu interpretieren, geht man zweckmäßigerweise von der experimentell gesicherten Tatsache aus, daß unsubstituierte Olefine nur mit elektrophilen Partnern in Reaktion treten. Im hiesigen Fall sind zunächst zwei Alternativen der elektrophilen Anlagerung des Agens an die olefinische Doppelbindung zu berücksichtigen. Entweder greift das π-Elektronenpaar der C=C-Bindung das Zink an, wobei durch Abwanderung des Halogenmethyl-Anions I gebildet werden könnte (Gl. ①):

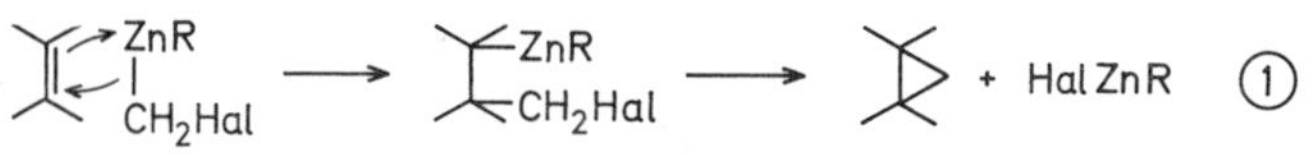

ZnR
CH₂Hal

ZnR
CH₂Hal

+ HalZnR   ①

I

[1] Vgl. G. WITTIG u. F. WINGLER, B. **97**, 2146 (1964).

[2] K. R. KOPECKY, G. S. HAMMOND u. P. A. LEERMAKERS, Am. Soc. **83**, 2397 (1961).

[3] Vgl. W. v. E. DOERING et al., Am. Soc. **78**, 3224 (1956).

[4] W. KIRMSE u. B. v. WEDEL, A. **666**, 1 (1963).

Dieser elektrophilen Addition würde eine Abspaltung von Alkyl-zinkhalogenid zum alicy-
clischen Dreiring folgen. Oder der nucleophile Verdrängungsakt würde sich primär gegen das
C-Atom der Methylen-Gruppe richten unter Abwanderung des Halogens, dessen große anionische
Beweglichkeit Substitutionen im Bis-[halogenmethyl]-zink mit Trimethylamin und schwächeren
Basen[1] deutlich machen (Gl. ②):

$$\underset{\text{II}}{\chemfig{Hal}\quad CH_2ZnR} \longrightarrow CH_2ZnR\quad Hal \longrightarrow + \; Hal\,ZnR \quad ②$$

Aus II würde dann der Dreiring geschlossen werden.

Der der Cyclopropan-Bildung vorausgehende Anlagerungsprozeß zu II könnte sich seinerseits
in zwei Schritten über das entsprechende kurzlebige Carbenium-Ion vollziehen. Zur Entscheidung
dieser Alternative wurden einige konjugierte Diene mit Bis-[jodmethyl]-zink umgesetzt[2]. Würde
man neben einer 1,2- auch eine 1,4-Addition beobachten, so wäre mit Sicherheit ein einstufiger
Mechanismus der elektrophilen Addition des Bis-[jodmethyl]-zinks an die C=C-Bindung auszuschließen[3], denn die Bildung von *Bicyclo[2.1.1]hexen* aus Cyclopentadien z.B. wäre nur mit
einem folgenden Zweistufenprozeß vereinbar:

$$(JCH_2)_2Zn \; + \; \chemfig \xrightarrow{②} \left[\overset{\oplus}{\chemfig}{CH_2ZnR} \longleftrightarrow \oplus \chemfig{CH_2ZnR} \right] J^\ominus \xrightarrow[-JZnR]{} \chemfig$$

Tatsächlich jedoch konnten bei den Umsetzungen mit Cyclopentadien, Cyclohexadien, Furan
und Butadien nur die Verbindungen mit einem oder zwei Cyclopropanringen (s. Tab. 12, S. 130) als
Produkte einer 1,2-Addition, aber keine Produkte einer 1,4-Addition isoliert oder gaschromatographisch nachgewiesen werden[2]. Diese Ergebnisse machen es außerdem unwahrscheinlich, daß
eine im Sinne von Gl. ① erfolgte Addition die Bildung des Cyclopropanringes einleitet, da das
bei der Einwirkung von Bis-[jodmethyl]-zink auf Cyclopentadien zu erwartende Addukt über
die zu formulierende Allyl-Mesomerie

$$(JCH_2)_2Zn \; + \; \chemfig \xrightarrow{①} \left[\overset{\ominus}{\chemfig}{CH_2J} \longleftrightarrow \ominus \chemfig{CH_2J} \right] \overset{\oplus}{ZnR} \xrightarrow[-JZnR]{} \chemfig$$

eine 1,4-Anlagerung nicht unterdrücken sollte.

Wie die höhere Ausbeute an *Bi-cyclopropyl* bei der Reaktion von Bis-[jodmethyl]-zink mit
überschüssigem Butadien zeigt (s.S. 130), wird die C=C-Doppelbindung des primär gebildeten
Vinyl-cyclopropans schneller als die konjugierte des Butadiens überbrückt[4]. Offenbar ist die
Nucleophilie des Butadiens geringer als die einer isolierten C=C-Anordnung. Durch Diazomethan-Photolyse erzeugtes Methylen lagert sich an die 1,4-C-Atome des Butadiens unter Bildung
von *Cyclopenten* an[5].

Aus verschiedenen Umsetzungen des Bis-[halogenmethyl]-zinks mit 1,6-Dihalogen-hexenen-(3)[2]
ging schließlich hervor, daß der Cyclopropan-Bildung k e i n e metallorganische Addition im Sinne
von Gl. ① (s.S. 132) vorausgeht. In Hinblick auf die nachweislich sehr große Halogenanion-Be-
weglichkeit im Bis-[halogenmethyl]-zink und auf die Nucleophilie des Olefins wurde die dann
somit näherliegende Alternativmöglichkeit nach Gl. ② (s. oben) überprüft. Eine Vielzahl von
Reaktionen, auf die hier im Detail jedoch nicht eingegangen werden kann, wurden zur Klärung
dieser Frage durchgeführt[2]. Auch für Gl. ② ergaben sich keine eindeutigen Anhaltspunkte.

---

[1] G. WITTIG u. K. SCHWARZENBACH, A. **650**, 1 (1961).

[2] G. WITTIG u. F. WINGLER, B. **97**, 2146 (1964).

[3] K. MISLOW u. H. M. HELLMANN, Am. Soc. **73**, 244 (1951), zeigten, daß die 1,4-Anlagerung von
    Chlor an Butadien mehrstufig verläuft.

[4] D i c h l o r c a r b e n dagegen lagert sich bevorzugt an eine der konjugierten C=C-Bindungen an;
    s. M. ORCHIN u. E. C. HERRICK, J. Org. Chem. **24**, 139 (1959).

[5] V. FRANZEN, B. **95**, 571 (1962).

Da mit den gebrachten Befunden und Überlegungen der elektrophile Charakter der Einwirkung von Bis-[halogenmethyl]-zink auf olefinische Doppelbindungen gesichert werden konnte und die einer Bildung des carbocyclischen Dreiringes vorausgehenden Anlagerungsstufen im Sinne von Gl. ① und ② (S. 133–134), wenn überhaupt, nur eine Nebenrolle spielen können, verbleibt eine als allen Tatsachen weitgehend gerecht werdende Erklärungsbasis die folgende Auffassung, die insbesondere die Zinkhalogenid-Katalyse verständlich macht:

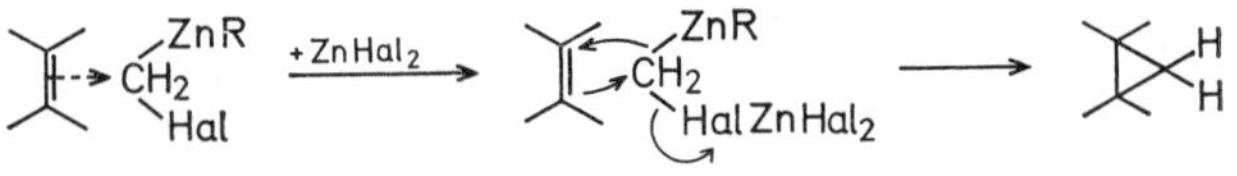

Hiernach setzt die Reaktion mit einem nucleophilen Angriff der C=C-π-Elektronen auf den Methylenkohlenstoff ein und wird durch Halogenanion-Eliminierung mittels des Zinkhalogenids gefördert. Die von diesen elektronischen Umorganisierungen begleiteten Knüpfungen und Lösungen von Bindungen zum Cyclopropanring hin erfolgen stufenlos in einer gleitenden Umsetzung aller an der Reaktion beteiligten Partner.

β) Cyclopropanierungen von Olefinen mit (Benzoyloxymethyl)-zink-Verbindungen

Das in modifizierter Weise dargestellte Simmons-Smith-Reagens[1–3] (Bis-[halogenmethyl]-zink) ist auf seine präparative Verwendung zur Cyclopropanierung von Olefinen näher untersucht worden[4,5]. In diesem Zusammenhang schien es von Interesse[6], durch Variation des anionischen Restes substituierte Methyl-zink-Verbindungen zu synthetisieren und auf ihre Befähigung zur Dreiringbildung mit Alkenen zu prüfen. Da der Benzoyloxy-Rest in seiner Abspaltungstendenz bei S_N1-Reaktionen den Halogenen vergleichbar ist[7], konnte man vom Bis-[benzoyloxymethyl]-zink (I) ein dem Bis-[halogenmethyl]-zink analoges Verhalten gegenüber Olefinen[8] erwarten; I wird in befriedigenden Ausbeuten (zwischen 50 und 60% d. Th.) aus Zinkbenzoat erhalten[6]:

$$(C_6H_5COO)_2Zn \ + \ 2 \ CH_2N_2 \ \xrightarrow{-2 \ N_2} \ (C_6H_5CO-O-CH_2)_2Zn$$

I

Das IR-Spektrum steht mit einer Chelatstruktur von I in Einklang. Die Carbonylbande bei 1645 cm^{-1} ist so weit nach kleineren Frequenzen verschoben, daß eine geschwächte π-Bindung vorliegen muß, die mit der Koordination des Carbonylsauerstoffs mit dem Zink zwanglos gedeutet werden kann[9]:

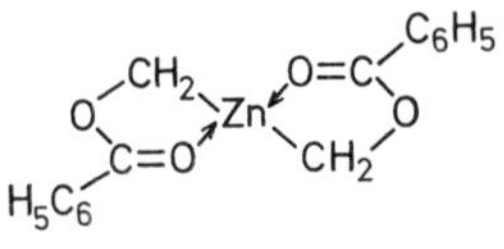

[1] H. E. Simmons u. R. D. Smith, Am. Soc. **80**, 5323 (1958); **81**, 4256 (1959).
[2] E. P. Blanchard u. H. E. Simmons, Am. Soc. **86**, 1337 (1964).
[3] H. E. Simmons, E. P. Blanchard u. R. D. Smith, Am. Soc. **86**, 1347 (1964).
[4] G. Wittig u. F. Wingler. A. **656**, 18 (1962).
[5] G. Wittig u. F. Wingler, B. **97**, 2139, 2146 (1964).
[6] G. Wittig u. M. Jautelat, A. **702**, 24 (1967).
[7] Vgl. E. S. Gould, *Mechanismus und Struktur in der organischen Chemie*, S. 310, Verlag Chemie GmbH, Weinheim 1962.

(Fortsetzung s. S. 135)

Eine Methylen-Übertragung von Bis-[benzoyloxymethyl]-zink (I, S. 134) auf Olefine erfolgt nur in Gegenwart von Metallhalogeniden. Zinkjodid erwies sich als besonders geeignet[1].

Die Zinkchlorid-Katalyse der Cyclopropanierung mit Bis-[halogenmethyl]-zink wurde bereits früher beobachtet[2] und als anionische Lockerung des Halogens durch das Zinkhalogenid gedeutet (Gl. ①). Im Fall des Bis-[benzoyloxymethyl]-zinks sollte das Zinkjodid als Lewis-Säure am Estersauerstoff angreifen, den Methylenkohlenstoff im entstehenden Onium-Komplex kationisch lockern und schließlich einen nucleophilen Angriff der olefinischen π-Elektronen erleichtern (Gl. ②):

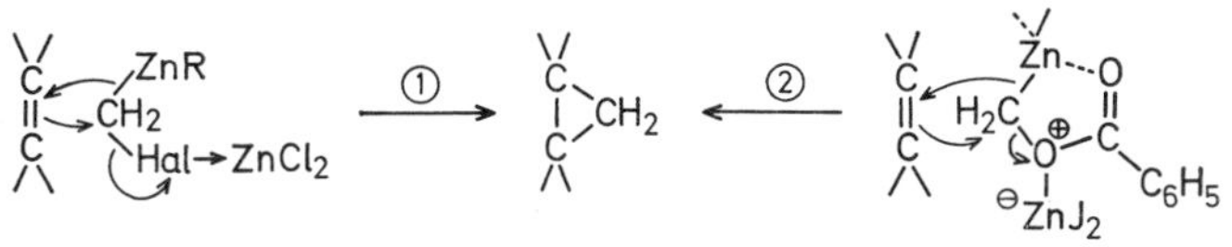

Zur experimentellen Überprüfung wurden auch andere Lewis-Säuren eingesetzt[1]. Bei Erhitzen von Bis-[benzoyloxymethyl]-zink in siedendem Cyclohexen in Gegenwart von Bortrifluorid fiel *Bicyclo[4.1.0]heptan* (*Norcaran*) jedoch nur in 10%iger Ausbeute an. Einen wirksameren Katalysator fand man im Magnesiumjodid, das die Cyclopropanierung des Cyclohexens auf 78% steigerte. Da sich außerdem zeigte, daß selbst Lithiumjodid als schwache Lewis-Säure die Dreiringbildung zu 48% ermöglichte, muß man die Katalyse im Falle der Methylen-Übertragung durch I (S. 134) hier anders zu erklären versuchen. Den markanten Einfluß des Halogens auf die Cyclopropanierung demonstriert eine durchgeführte Versuchsreihe[1], in der Zinkfluorid, -chlorid, -bromid und -jodid unter analogen Bedingungen in ätherischen Lösungen auf I (S. 134) und Cyclohexen einwirkten. Man fand in obiger Reihenfolge 0, 12, 36 und 91% *Bicyclo[4.1.0]heptan* (*Norcaran*). Da Zinkfluorid im Gegensatz zu den drei anderen Zinkhalogeniden in Äther unlöslich ist – man also in einem heterogenen System arbeitete –, kann das erste Resultat nur mit gewissem Vorbehalt in die Reihe eingeordnet werden. Die anderen Ergebnisse lassen jedoch die differenzierte Wirksamkeit der Halogenide erkennen[3].

Schließlich konnte wahrscheinlich gemacht werden[1], daß die Katalyse der Cyclopropanierung mit Bis-[benzoyloxymethyl]-zink (I; S. 134) durch Metalljodide, besonders durch Zinkjodid, wohl so zu deuten ist, daß aus I, das durch die Chelatstruktur stabilisiert ist, das monomere Benzoyloxymethyl-zinkjodid (III; S. 136) gebildet wird und dieses mit den Jodiden aktivierte Zinkkomplexe aufbaut, aus denen dann das anionisch gelockerte Methylen auf das Alken übertragen werden kann:

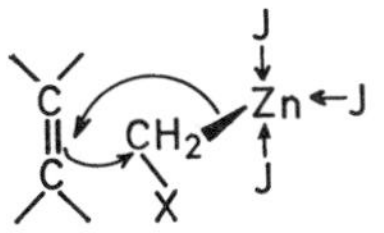

[1] G. WITTIG u. M. JAUTELAT, A. **702**, 24 (1967).
[2] G. WITTIG u. F. WINGLER, A. **656**, 18 (1962); B. **97**, 2139, 2146 (1964).
[3] D. SEYFERTH, J. YICK-PUI MUI, M. E. GORDON u. J. M. BURLITCH, Am. Soc. **87**, 681 (1965).

(Fortsetzung v. S. 134)

[8] Verbindungen des Typs $(X-CH_2)_2Zn$, mit $X=C_6H_5O, C_6H_5S$ u. $C_6H_5SO_2$, erwiesen sich als ungeeignet zur Cyclopropanierung; s. G. WITTIG u. M. JAUTELAUT, A. **702**, 24 (1967).
[9] Vgl. analoge Effekte bei 2-Hydroxy-benzoesäureestern (1670–1690 cm^{-1}) und bei enolischen β-Oxo-carbonsäureestern (1635–1655 cm^{-1}); s. hierzu: A. D. CROSS, *Introduction to Practical IR-Spectroscopy*, Butterworth, London 1960.

Die Synthese von III gelang durch einstündige Umsetzung von Benzoesäure-jod-methylester (II) mit dem Zink-Kupfer-Paar in siedendem Äther (90% d. Th.)[1]:

$$H_5C_6-CO-O-CH_2J \quad + \quad Zn/Cu \longrightarrow H_5C_6-CO\cdots O-CH_2-ZnJ$$

II   III

Erhitzt man Benzoyloxymethyl-zinkjodid (III) in Cyclohexen 5 Stunden unter Rück-fluß so erhält man *Bicyclo[4.1.0]heptan (Norcaran)* (72% d. Th.)[2].

Das Cyclopropanierungsreagens III gestattet es, elektronenarme Alkene, die mit Bis-[halogenmethyl]-zink nicht reagieren, unter verschärften Bedingungen in die entsprechenden Cyclopropane umzuwandeln. So konnte Vinyl-phenyl-sulfon (IV) durch Bis-[jodmethyl]-zink nicht cyclopropaniert werden[3], während eine ent-sprechende Umsetzung mit Benzoyloxymethyl-zinkjodid (III) in 18%iger Ausbeute zum *Cyclopropyl-phenyl-sulfon* (V) führte (s. a. S. 92)[1]:

$$H_5C_6-SO_2-CH=CH_2 \quad + \quad H_5C_6-CO-O-CH_2-ZnJ \longrightarrow H_5C_6-SO_2-\triangle$$

IV   III   V

Phenylsulfon-cyclopropan (Cyclopropyl-phenyl-sulfon)[1]: Eine konz. ätherische Lösung von 15,5 mMol Benzoyloxymethyl-zinkjodid wird mit 10 mMol Vinyl-phenyl-sulfon[4] 2 Stdn. auf 80° und 2 Stdn. auf 110° erhitzt. Nach Zusatz von 100 *ml* Dichlormethan wird in üblicher Weise aufgearbeitet und über 200 g Aluminiumoxid (neutral) chromatographiert. Neben 47% Aus-gangsprodukt und 30% Harzen eluiert man mit Benzol/Dichlormethan 1,84 mMol (18% d. Th.) *Phenylsulfon-cyclopropan*; F: 35—36° (aus Petroläther; Kp: 40°)[5].

Nachdem sich das Benzoyloxymethyl-zinkjodid als brauchbares Methylen-Über-tragungsreagens erwiesen hatte, versuchte man, dieses Verfahren auf die Herstellung substituierter Cyclopropane auszudehnen, d.h. Substituenten über das Cyclo-propanierungsagens einzuführen, zumal die Simmons-Smith-Reaktion hier keine Möglichkeit bot[6].

Hierzu wurde zunächst 1-Benzoyloxy-äthyl-zinkjodid (VII) aus Benzoe-säure-(1-jod-äthylester) und Zink-Kupfer-Paar in siedender ätherischer Lösung her-gestellt[1]:

$$H_5C_6-CO-O-\overset{\overset{\displaystyle CH_3}{|}}{CH}-J \quad + \quad Zn/Cu \longrightarrow H_5C_6-CO-O-\overset{\overset{\displaystyle CH_3}{|}}{CH}-ZnJ$$

VI   VII

Mit Cyclohexen erhält man allerdings nur in bescheidenen Ausbeuten[7] *exo*- und *endo*-7-*Methyl-norcaran* (VIII und IX; 7-*Methyl-bicyclo[4.1.0]heptan)*[1]:

---

[1] G. WITTIG u. M. JAUTELAT, A. **702**, 24 (1967).

[2] Auch mit Acetoxymethyl-zinkjodid, das analog zu III synthetisiert wurde, erhält man aus Cyclohexen *Bicyclo[4.1.0]heptan (Norcaran)* (84% d. Th.); s. G. WITTIG u. M. JAUTELAT, A. **702**, 24 (1967).

[3] G. WITTIG u. F. WINGLER, A. **656**, 18 (1962); B. **97**, 2139, 2146 (1964).

[4] H. BÖHME u. H. BENTLER, B. **89**, 1464 (1956).

[5] H. E. ZIMMERMAN u. B. S. THYAGARAJAN, Am. Soc. **82**, 2505 (1960).

[6] E. P. BLANCHARD u. H. E. SIMMONS, Am. Soc. **86**, 1337 (1964).

[7] Versuche, die Ausbeuten an 7-*Methyl-norcaran* durch längere Reaktionszeit und höhere Temp. zu steigern, brachten keinen Erfolg. Man fand stattdessen neben den erwünschten Cyclopro-panen 1-Äthyl-cyclohexen (8% d. Th.). Isomerisierungsexperimente zeigten, daß es sich nicht um ein Produkt der Einschiebung eines Äthylidens in eine C—H-Bindung handelt. Während

(Fortsetzung s. S. 137)

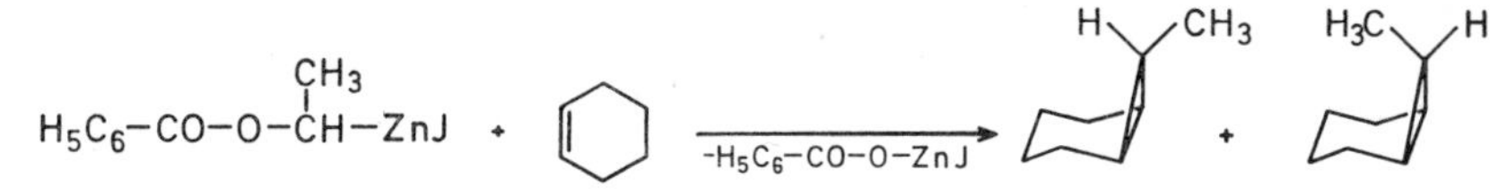

$$H_5C_6-CO-O-\overset{\overset{\displaystyle CH_3}{|}}{CH}-ZnJ \quad + \quad \bigcirc \quad \xrightarrow[-H_5C_6-CO-O-ZnJ]{} \quad$$

VII   VIII   IX

Betrachtet man das Produktverhältnis der Cyclopropanierung, so fällt sofort auf, daß *exo-* und *endo*-Isomeres im statistischen Verhältnis 1 : 1 gebildet werden, obwohl IX infolge sterischer Wechselwirkung der Methyl-Gruppe mit den Wasserstoffen des Cyclohexans thermodynamisch instabiler als die *exo*-Verbindung VIII ist. Daraus ist auf einen sehr energiereichen Übergangszustand der Reaktion zu schließen.

Versuche zur Herstellung von 2-Benzoyloxy-propyl-(2)-zinkjodid aus Benzoesäure-[2-jod-propyl-(2)-ester] und Zink/Kupfer scheiterten an der Instabilität des tertiären Jodesters, der zwar aus der Umsetzung von Benzoesäure-isopropenylester mit Jodwasserstoff bei −40° zugänglich war, doch sehr rasch in Aceton und Benzoyljodid zerfiel[1].

Bicyclo[4.1.0]heptan (Norcaran)[2]:

Bis-[benzoyloxymethyl]-zink: 10 mMol wasserfreies Zinkbenzoat[3] in 100 *ml* Äther werden mit 30 mMol Diazomethan[4] 2 Stdn. unter Rückfluß (Kühlung mit Methanol/Trockeneis) erhitzt. Nach Entfernen des Lösungsmittels i.Vak. und erneutem Lösen in 100 *ml* Äther (alle Operationen werden unter Stickstoff durchgeführt) wird der Gehalt der Lösung durch jodometrische Titration[5] eines aliquoten Teiles bestimmt (5–6 mMol).

Das Bis-[benzoyloxymethyl]-zink wird in einem Doppel-Schlenk-Rohr aus Äther umkristallisiert und in Ampullen, die sich an einem Rechen des Doppel-Schlenk-Rohres befinden, eingeschmolzen. Eine Probe beginnt beim Erhitzen auf 107° zu sintern und schmilzt bis 112° durch (danach Rotbraunfärbung unter Zers.).

Norcaran: Auf 4 m Mol trockenes Zinkjodid[6] werden 90 *ml* (4 mMol) einer ätherischen Lösung von Bis-[benzoyloxymethyl]-zink filtriert; unter Rühren löst sich das Zinkjodid auf, während farblose Flocken ausfallen. Dann wird i.Vak. auf ∼ 10 *ml* konzentriert und 100 mMol Cyclohexen zugesetzt. Die Reaktionsmischung wird im Ölbad 3 Stdn. unter Rückfluß gekocht und hydrolysiert; Ausbeute: 66% der Theorie.

Benzoyloxymethyl-zinkjodid: 2 g Zink-Kupfer-Paar[7] werden in 25 *ml* Äther mit einer Spur Jod aktiviert und in siedender Lösung mit 10 mMol Benzoesäure-jodmethylester[8] unter Rühren umgesetzt. Nach 2 Stdn. können 91% Benzoyloxymethyl-zinkjodid jodometrisch nachgewiesen werden. Vor Gebrauch ist die ätherische Lösung vom Zink/Kupfer-Paar durch sorgfältiges Dekantieren abzutrennen.

Norcaran: Nach Abziehen des Äthers i.Vak. werden 67,5 mMol Benzoyloxymethyl-zinkjodid in 100 mMol Cyclohexen unter Erwärmen gelöst und 5 Stdn. gekocht. Dann setzt man 100 *ml* Äther zu, hydrolysiert, schüttelt mit einer Pufferlösung ($p_H = 10$)[9] aus und trocknet über Magnesiumsulfat. Der Äther wird über eine 30-cm-Kolonne mit Dephlegmator abdestilliert, und der Rückstand, dem man 2 *ml* Anisol als Schlepper zusetzt, wird an einer 30-cm-Drehbandkolonne fraktioniert; Ausbeute: 72% d.Th.; Kp: 115°; $n_D^{25} = 1,4545$.

---

[1] G. Wittig u. M. Jautelat, A. **702**, 24 (1967).

[2] G. Wittig u. M. Jautelat, A. **702**, 24 (1967).

  Vgl. a.: M. Jautelat, Dissertation, Universität Heidelberg, 1965.

[3] Das nach F. Ephraim u. A. Pfister, Helv. **8**, 374 (1925), hergestellte Zinkbenzoat wurde über P_4O_{10} bei 120° i. Hochvak. getrocknet.

[4] Vgl.: G. Wittig u. F. Wingler, A. **656**, 18 (1962); B. **97**, 2139,2146 (1964).

[5] G. Wittig u. K. Schwarzenbach, A. **650**, 1 (1961).

[6] G. Brauer, *Handbuch der präparativen anorganischen Chemie*, S. 940, F. Enke-Verlag, Stuttgart 1962.

[7] Vgl.: S. Winstein u. J. Sonnenberg, Am. Soc. **83**, 3242 (1961).

[8] aus Benzoesäure-chlormethylester mit Natriumjodid zugänglich.

[9] s. G. Schwarzenbach, *Die komplexometrische Titration*, S. 49, F. Enke-Verlag, Stuttgart 1955.

(Fortsetzung v. S. 136)

eine thermische Isomerisierung unter den gegebenen Bedingungen nicht erfolgte, katalysierte Zinkjodid als Lewis-Säure die Umwandlung der 7-Methyl-norcarane in 1-Äthyl-cyclohexen, und zwar wurde das *endo*-Produkt IX wesentlich rascher in dieses Olefin überführt als das *exo*-Isomere VIII.

4. Cyclopropane durch Methylen-Übertragungen von Yliden
bzw. analogen Reaktionen

a) Reaktionen von Phosphonium-Yliden
mit Epoxiden

Von verschiedenen Arbeitsgruppen[1-3] ist die Reaktion von stabilisierten Phosphonium-Yliden mit Epoxiden untersucht worden. Die Vielfältigkeit der Reaktion kann reaktionsmechanistisch durch nachfolgendes Schema wiedergegeben werden[4]:

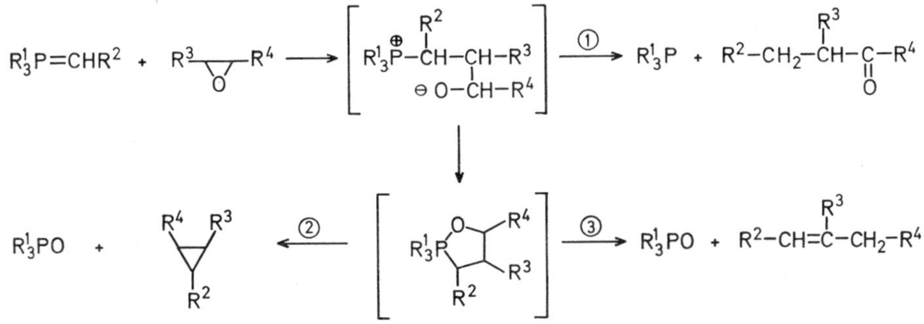

Das Ester-Ylid I reagiert mit Hexyl-, Phenyl-oxiran bzw. 1,2-Epoxy-cyclohexan unter Bildung der entsprechenden Cyclopropan-Verbindungen und Triphenylphosphinoxid[7]. Bei Verwendung von $l(-)$-Styroloxid [$l(-)$-Phenyl-oxiran] wurde das entsprechende optisch aktive *trans*-Cyclopropan-Derivat (*trans-2-Phenyl-cyclopropan-1-carbonsäure-äthylester*) in nur geringer Ausbeute erhalten. Später wurde gezeigt, daß diese Reaktion unter Konfigurationsumkehr verläuft[5,6]. Diese Tatsache steht in Einklang mit der Erwartung, die aus dem obigen Reaktionsschritt ② abzuleiten ist:

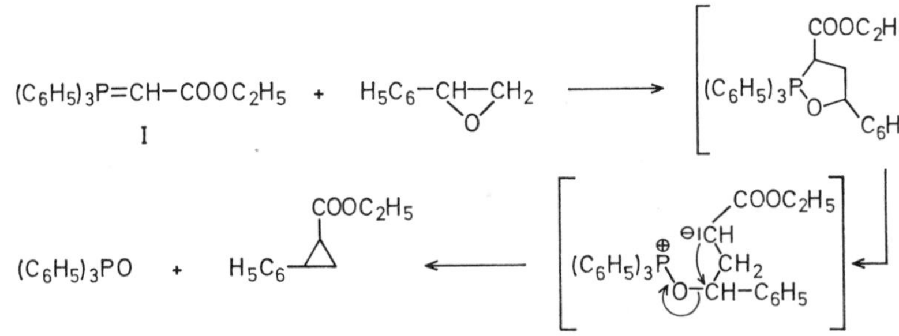

[1] D. B. Denney, J. J. Vill u. M. J. Boskin, Am. Soc. **84**, 3944 (1962).

[2] W. E. McEwen u. A. P. Wolf, Am. Soc. **84**, 676 (1962).
     W. E. McEwen, A. Bladé-Font u. C. A. van der Werf, Am. Soc. **84**, 677 (1962).

[3] E. Zbiral, M. **94**, 78 (1963).

[4] S. Trippett, Quart. Rev. **17**, 406 (1963).

[5] Y. Inouye, T. Sugita u. H. M. Walborsky, Tetrahedron **20**, 1695 (1964).

[6] Vgl.a. I. Tomoskozi, Tetrahedron **19**, 1969 (1963).

[7] Auch die Reaktion von Phosphonat-Carbanionen mit Epoxiden kann zur Cyclopropan-Synthese herangezogen werden; W. S. Wadsworth u. W. D. Emmons, Am. Soc. **83**, 1733 (1961).

β) Methylen-Übertragungen mit Schwefel-Yliden

Für Dimethylsulfoxonium-methylid (I)[1] (Dimethyloxosulfonium-methylid) und Dimethylsulfonium-methylid (II)[2,3] konnte eine Methylen-Übertragung auf polare Doppelbindungen unter nucleophilem Angriff nachgewiesen werden.

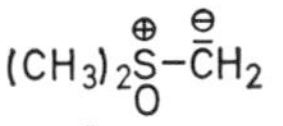

$$(CH_3)_2\overset{\oplus}{\underset{O}{S}}-\overset{\ominus}{C}H_2 \qquad\qquad (CH_3)_2\overset{\oplus}{S}-\overset{\ominus}{C}H_2$$

$$\qquad I \qquad\qquad\qquad\qquad\qquad II$$

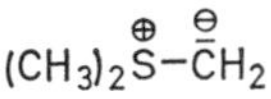

Vor allem Dimethylsulfoxonium-methylid (I) wurde als wirksames Reagens[1,3,4] zur Herstellung von Cyclopropanen erkannt. So erfolgt bei der Umsetzung von α,β-ungesättigten Ketonen mit einem Äquivalent I eine selektive Methylen-Übertragung auf die α,β-Doppelbindung unter Bildung von Cyclopropyl-ketonen statt. Aus Chalkon erhält man *2-Phenyl-1-benzoyl-cyclopropan* (95% d. Th.) (s. S. 140, 142, 143)[4]. Aus Carvon [6-Oxo-1-methyl-4-isopropenyl-cyclohexen-(1); III], Eucar von [7-Oxo-1,5,5-trimethyl-cycloheptadien-(1,3); IV] und 1-Acetyl-cyclohexen (V) erhält man mit I in Dimethylsulfoxid *2-Oxo-1-methyl-4-isopropenyl-bicyclo[4.1.0]heptan* (VI), *6-Oxo-4,4,7-trimethyl-bicyclo[5.1.0]octen-(2)* (VII) bzw. *1-Acetyl-bicyclo[4.1.0]heptan* (VIII) in hohen Ausbeuten[4]:

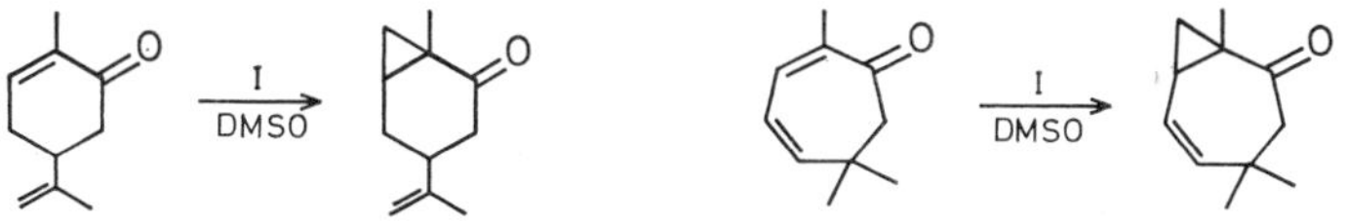

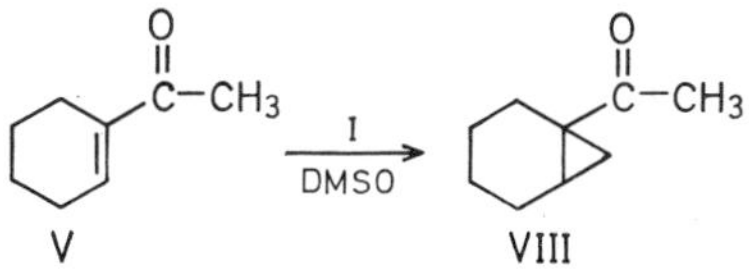

Dimethylsulfonium-methylid (II) hingegen reagiert mit den genannten Ketonen unter Oxiran-Bildung[4]. Jedoch ist II bei Anwendung auf 1,1-Diphenyl-äthylen erfolgreich (*1,1-Diphenyl-cyclopropan*; 60% d. Th.), während hier mit I keine Cyclopropanierung erfolgt[4].

Die relativ gute Zugänglichkeit von Dimethyloxosulfonium-methylid (I) hat dazu geführt, daß inzwischen eine Vielzahl von Cyclopropanierungen mit diesem Reagens durchgeführt wurden. So erhält man mit *trans*-Zimtsäure-äthylester (IX) *2-Phenyl-cyclopropan-1-carbonsäure-äthylester* (X) praktisch in der reinen *trans*-Form[5]:

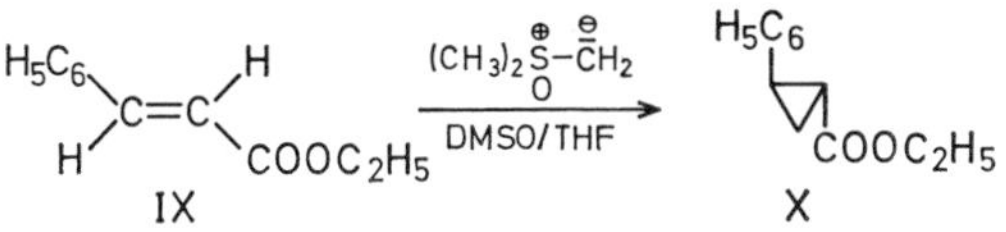

[1] E. J. COREY u. M. CHAYKOVSKY, Am. Soc. **84**, 867 (1962).
[2] V. FRANZEN u. H. E. DRIESSEN, Tetrahedron Letters **1962**, 661; B. **96**, 1881 (1963).
[3] E. J. COREY u. M. CHAYKOVSKY, Am. Soc. **84**, 3782 (1962); Tetrahedron Letters **1963**, 169.
[4] E. J. COREY u. M. CHAYKOVSKY, Am. Soc. **87**, 1353 (1965).
[5] C. KAISER, B. M. TROST, J. BEESON u. J. WEINSTOCK, J. Org. Chem. **30**, 3972 (1965).

Mit Zimtsäure-nitril wurden ganz analoge Umsetzungen durchgeführt[1,2]. Cyclo-propancarbonsäure-amide wurden nach dieser Reaktion in guten Ausbeuten aus Acrylsäure-amiden zugänglich[2,3].

Die Bildung von *2-Phenyl-1-benzoyl-cyclopropan* aus Chalkon mit Dimethylsulfoxonium-methylid[4] kann über das Zwitterion XI formuliert werden:

XI   XII   XIII

Über ein analoges Zwitterion kann auch die erwähnte Bildung von Cyclopropancarbon-säure-amiden aus Acrylsäure-amiden[2,3] erklärt werden[5]. Auf dieser Zwischenstufe können aber gleichfalls Reaktionsverzweigungen eintreten. So wird in vielen Fällen das Pyrrolidon XII zum Hauptprodukt der Reaktion mit Acrylsäure-amiden[2]. Vermutlich wandert ein Proton vom Amidstickstoff zum carbanionischen Kohlenstoff der Zwitterions und der nunmehr nucleophile Stickstoff in XIII verdrängt unter Cyclisierung das Dimethylsulfoxid[5]. Die Bildung von größeren Ringen (mehr als 5 Ringglieder) wurde bislang nicht beobachtet[5]. Sorbinsäure-anilid[Hexadien-(2,4)-säure-anilid] bildet nicht das 7-Ring-Lactam XIV, sondern die beiden Cyclopropan-Deri-vate XV und XVI [*5-Oxo-3-(2-methyl-cyclopropyl)-1-phenyl-tetrahydropyrrol; 2'-Methyl-bi-cyclo-propyl-2-carbonsäure-anilid*][2]. Wahrscheinlich ist die sterische Beanspruchung in dem zu XIV führenden Übergangszustand für dieses Ausweichen verantwortlich[5].

XIV   XV; 76%   XVI; 13%

Die Ausbeuten an den oben genannten Cyclopropan-carbonsäureestern sind jedoch aufgrund einer Wechselwirkung des Dimethylsulfoxonium-methylids mit der Estergruppe des Zimtsäureesters gering. Mit entsprechenden tert.-Butyl-estern und Pentyl-(2)-estern konnten wesentlich höhere Ausbeuten an Cyclopropan-Derivaten erhalten werden. Aus dem Zimtsäure-dimethylamid erhält man selektiv *trans-2-Phenyl-cyclopropan-1-carbonsäure-dimethylamid*. Beim Zimtsäure-nitril führt die Reaktion zu einem Gemisch, das zu 78% aus *trans-2-Phenyl-1-cyan-cyclopropan* besteht[6]. Auch α,β-Diphenyl-acrylsäure-äthylester und α,β-Diphenyl-acrylsäure-nitril sind mit Dimethylsulfoxonium-methylid in hohen Ausbeuten in *1,2-Diphenyl-cyclopropan-1-carbonsäure-äthylester* bzw. *1,2-Diphenyl-1-cyan-cyclopropan* umge-wandelt worden[7].

Einfach substituierte und auch disubstituierte Acyl-cyclopropane können durch Reaktion von Vinyl-ketonen mit Dimethylsulfoxonium-methylid erhalten werden[8].

[1] H. König et al., Z. Naturforsch. **18** [b], 976 (1963).

[2] H. König et al., B. **98**, 3721 (1965).

[3] H. König et al., Ang. Ch. **75**, 919 (1963).

[4] E. J. Corey u. M. Chaykovsky, Am. Soc. **87**, 1353 (1965)

[5] Vgl. a. H. König, *Zur Chemie der Schwefelylide*, Fortschr. chem. Forsch. **9**, 487 (1967/68).

[6] C. Kaiser, B. M. Trost, J. Beeson u. J. Weinstock, J. Org. Chem. **30**, 3972 (1965).

[7] A. R. Patel, Acta chem. scand. **20**, 1424 (1966).

[8] C. Agami, Bl. **1967**, 1391;
   C. Agami, C. Prevost u. J. Prevost, Bl. **1967**, 2299.

Die Umsetzung mit Dimethylsulfoxonium-methylid wurde auch zur Herstellung von α,α-Äthylen-ketonen der Steroidreihe ausgenutzt[1]. Ausgehend von γ-Oxo-ammonium-salzen entsprechender Steroide wurden durch Umsetzung mit Trimethyl-sulfoxoniumjodid in basischem Medium die gewünschten Cyclopropyl-steroide in Ausbeuten zwischen 30 und 60% d. Th. erhalten. Das Formelschema zeigt den allgemeinen Ablauf der Reaktion:

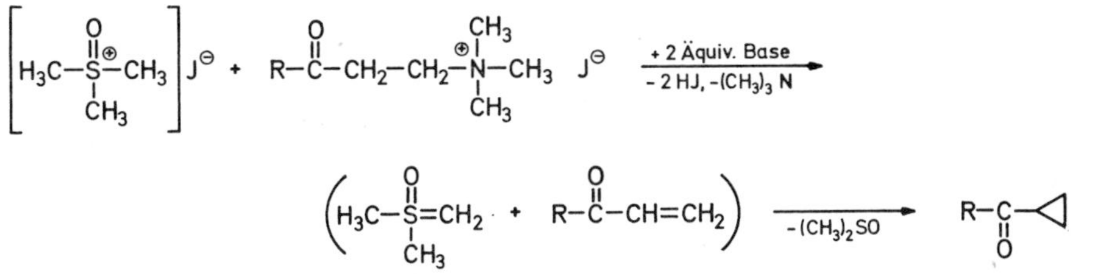

Es wird ersichtlich, daß hier die alkalische Bildung der eigentlichen Methylenierungs-quelle – des Dimethysulfoxonium-methylids – mit den ebenfalls alkalischen Bedingungen des Hofmann-Abbaues quartärer Mannich-Basen kombiniert ist. Die „in situ" entstehenden Reaktionspartner reagieren dann direkt unter Cyclopropan-Bildung. Im Falle des Testosterons führt diese Mannich-Reaktion nicht zu einheitlichen Produkten. Aus diesem Grunde setzt man 2-Methylen-testosteron bzw. dessen O-Acetyl-Derivat direkt mit Dimethylsulfoxonium-methylid um:

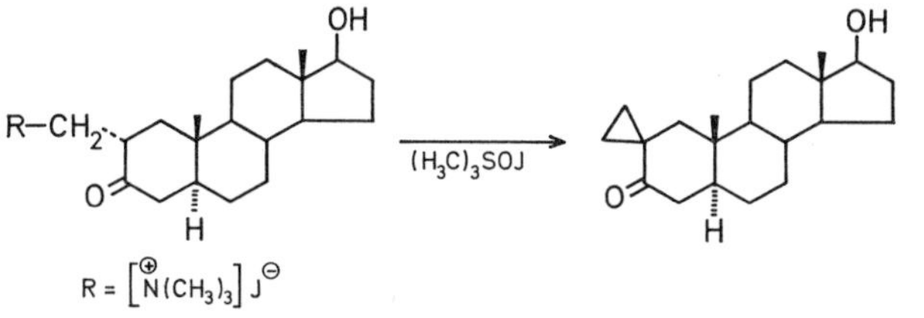

Cyclopropan-⟨spiro-2⟩-17β-hydroxy-3-oxo-5α-androstan

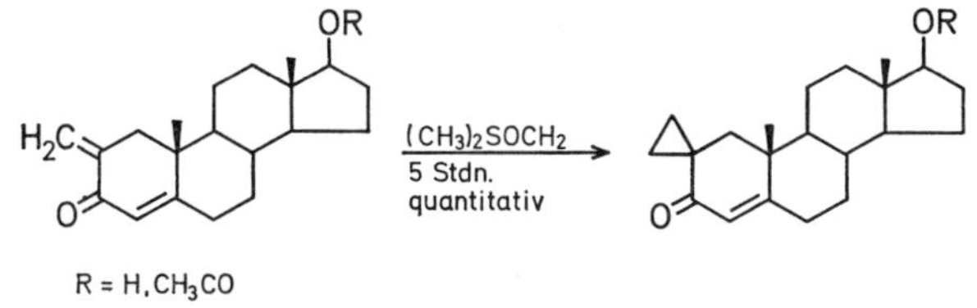

Cyclopropan-⟨spiro-2⟩-17β-acetoxy-(bzw. -hydroxy)-3-oxo-androsten-(4)

Bemerkenswert ist die Selektivität des Dimethylsulfoxonium-methylids, das hier nur die exocyclische C=C-Doppelbindung angreift[1,2].

Bei Oxo-pregnadienen[3,4] und Androstan-Derivaten[3,4] kann ebenfalls Dimethyl-sulfoxonium-methylid zum Zwecke der Cyclopropanierung verwendet werden, jedoch muß mit längeren Reaktionszeiten gerechnet werden[3]. Für entsprechende 6-chlor-substituierte Steroide (I–III; S. 142) ist die Reaktion schon nach einer $^1/_2$ Stde. vollständig[3]:

---

[1] H. G. Lehmann, H. Müller u. R. Wiechert, B. 98, 1470 (1965).
[2] G. W. Moersch, D. E. Evans u. G. S. Lewis, J. med. Chem. 10, 254 (1967).
[3] H. van Kamp, P. Nissen u. E. van Vliet, Tetrahedron Letters 1967, 1457.
[4] N. H. Dyson, J. A. Edwards u. J. H. Fried, Tetrahedron Letters 1966, 1841.

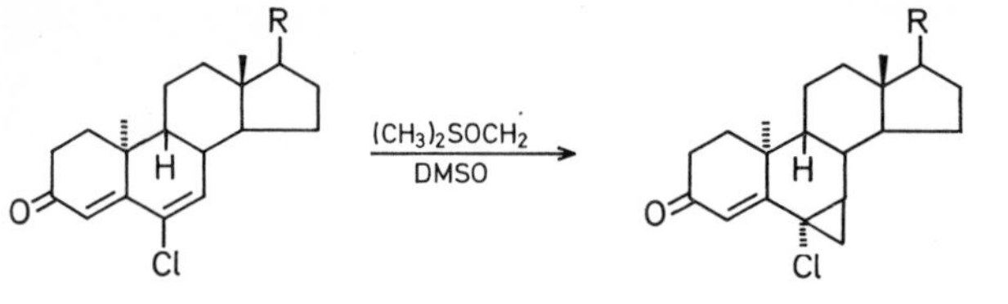

IV; R = OH: 6α-
Chlor-17β-
hydroxy-3-
oxo-

V; R = COCH₃:
6α-Chlor-3-oxo-
17β-acetyl-

6β,7β-cyclo-
propano-
10α-andro-
sten-(4)

$\dfrac{(CH_3)_2SOCH_2}{DMSO}$

I: R = O—COCH₃
II: R = CO—CH₃

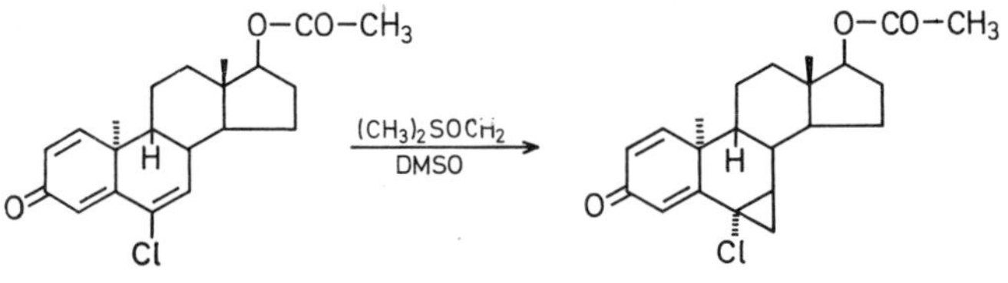

O—CO—CH₃   O—CO—CH₃

$\dfrac{(CH_3)_2SOCH_2}{DMSO}$

VI; 6α-Chlor-17β-acetoxy-
3-oxo-6β,7β-cyclopro-
pano-10α-androstadien-
(1,4)

III

Auch die Herstellung des *17α-Acetoxy-3-oxo-17β-acetyl-1α,2α-cyclopropano-19-nor-androstens-(4)* (IX) aus VII sowie *17α-Acetoxy-3-oxo-17β-acetyl-1β,2β-cyclopropano-19-nor-androstens-(4)* (XII) aus X unter Verwendung von Dimethylsulfoxonium-methylid als Cyclopropanierungsreagens gelingt in guten Ausbeuten[1]:

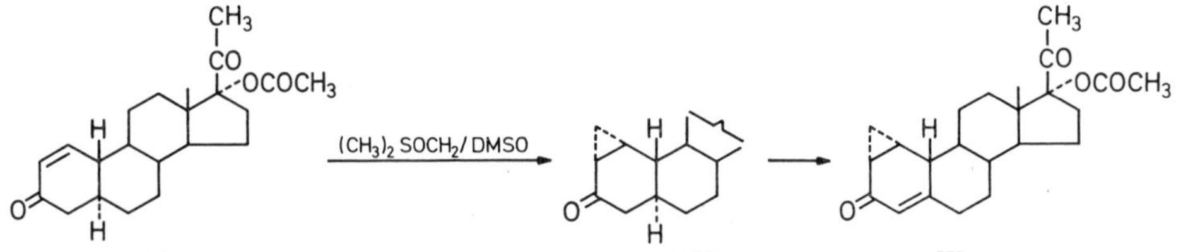

CH₃
CO
·OCOCH₃

$\dfrac{(CH_3)_2\,SOCH_2}{DMSO}$

VII   VIII   IX

CH₃
CO
·OCOCH₃

$\dfrac{(CH_3)_2SOCH_2}{DMSO}$

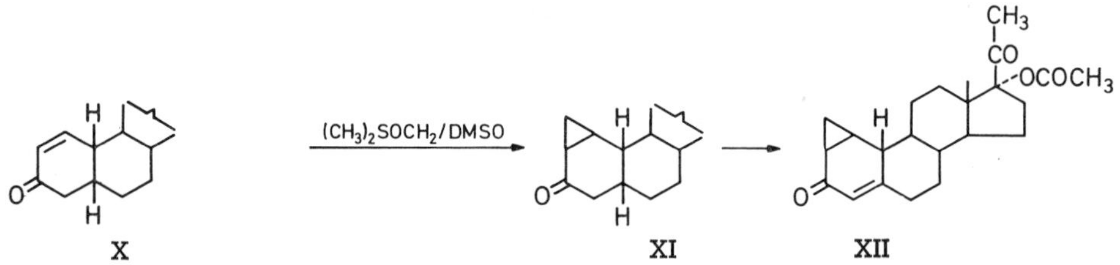

X   XI   XII

2-Phenyl-1-benzoyl-cyclopropan:

Trimethylsulfoxonium-jodid[2,3]: Eine Lösung von 96 g (1,23 Mol) Dimethylsulfoxid und 180 ml Methyljodid wird unter Stickstoff 3 Tage unter Rückfluß gekocht. Der gebildete Niederschlag wird abfiltriert, mit Chloroform gewaschen und getrocknet. Ausbeute: 145 g (53,6% d. Th.). Bei Umkristallisation aus Wasser werden farblose Prismen erhalten, die anschließend im Vakuumexsikkator über Phosphor(V)-oxid getrocknet werden.

Trimethylsulfoxonium-chlorid[2-4]: 30 g (0,136 Mol) Trimethylsulfoxonium-jodid werden durch Rühren und Erhitzen auf 50° in 300 ml destilliertem Wasser gelöst. Gasförmiges Chlor wird solange in die Lösung eingeleitet, bis kein Jod mehr abgeschieden wird. Die Mischung wird abgekühlt, die wäßrige Phase vom Jod dekantiert und das Jod 2 mal mit je 50 ml destilliertem Wasser gewaschen. Die vereinigten wäßrigen Lösungen werden bis zur Farblosigkeit mit Äther gewaschen. Nach dem Eindampfen verbleibt ein weißer kristalliner Rückstand. Der Rück-

[1] R. Wiechert, Experientia 23, 794 (1967).
[2] R. Kuhn u. H. Trischmann, A. 611, 117 (1958).
[3] E. J. Corey u. M. Chaykovsky, Am. Soc. 87, 1353 (1965).
[4] R. T. Major u. H. J. Hess, J. Org. Chem. 23, 1563 (1958).

stand wird in 45 *ml* heißem Methanol gelöst; 45 *ml* Benzol werden dann zugefügt und die Lösung auf Raumtemp. abgekühlt. In der Kälte kristallisieren dann 12 g des Chlorids in Form von farblosen Nadeln. Aus der Mutterlauge lassen sich weitere 2 g gewinnen (Gesamtausbeute: 80% d.Th.). Vor Benutzung wird das Chlorid i.Vak. bei 85° für 5 Stdn. getrocknet; F: 220–222° (Zers.).

Dimethylsulfoxonium-methylid in Dimethylsulfoxid[1]: Eine gewogene Menge Natriumhydrid (50%ige Mineralöl-Dispersion) wird in einen Dreihals-Rundkolben gebracht und 3mal mit Petroläther zur Beseitigung des Mineralöls gewaschen. Der Kolben wird sofort mit einem Rührer, einem Rückflußkühler und einem Gummiverschluß (Zugabe der Reagentien erfolgt mit einer Spritze) versehen. Ein Dreiwegehahn wird auf den Rückflußkühler gesetzt und mit einem Wasserabscheider und der Stickstoffzuführung verbunden. Das System wird evakuiert, bis die letzten Spuren des Petroläthers vom Natriumhydrid entfernt sind. Danach wird wieder Druckausgleich vorgenommen und 1 Äquivalent Trimethylsulfoxonium-jodid oder -chlorid zugegeben. Das System wird wiederum evakuiert und danach mehrere Male mit Stickstoff gefüllt. Der Schlauch vom Wasserabscheider wird nun entfernt und anstelle dieses ein mit Quecksilber gefülltes U-Rohr an den entsprechenden Zugang zum Dreiwegehahn gebracht. Dimethylsulfoxid (destilliert über Calciumhydrid, Kp_4: 64°) wird nun langsam mittels einer Spritze durch den Gummiverschluß hindurch zugetropft. Nach Inbetriebnahme des Rührers beginnt eine heftige Wasserstoffentwicklung, die nach 15–20 Min. abklingt. Man erhält eine milchig-weiße Mischung des Reagens.

2-Phenyl-1-benzoyl-cyclopropan[1]: Eine Lösung von Dimethylsulfoxonium-methylid wird unter Stickstoffatmosphäre aus 0,032 Mol Natriumhydrid, 7,05 g (0,032 Mol) Trimethylsulfoxonium-jodid und 35 *ml* Dimethylsulfoxid wie vorstehend beschrieben hergestellt. Die Reaktionsmischung wird in einem kalten Wasserbad (∼ 10°) gekühlt und eine Lösung von 6,24 g (0,03 Mol) Chalcon in 15 *ml* Dimethylsulfoxid wird unter schnellem Rühren zugegeben. Nach 5 Min. wird das Wasserbad entfernt und die Mischung 2 Stdn. bei Raumtemp. und anschließend 1 Stde. bei 50° gerührt. Danach wird die Reaktionsmischung in 100 *ml* kaltes Wasser gegossen und die wäßrige Phase mit Äther extrahiert. Nach 2maligem Waschen mit Wasser und einmaligem Ausschütteln mit konz. Natriumchlorid-Lösung wird über wasserfreiem Natriumsulfat getrocknet. Nach Abdampfen des Äthers werden 6,7 g eines gelblichen Öls erhalten, das nach einigen Stdn. kristallisiert. Nach Säulenchromatographie (75 g Merck-Aluminiumoxid; 15% Benzol in Pentan) werden 6,3 g (94,6% d.Th.) farbloses Öl gewonnen, das anschließend kristallisiert. Die farblosen Kristalle F: 35–41°, werden 2mal aus Petroläther (Kp: 66–75°) umkristallisiert; F: 45–50 (farblose Nadeln); offenbar ein Isomerengemisch.

4-Oxo-3-benzyliden-chroman (Chromindogenid; I), 4-Oxo-2-phenyl-3-benzyliden-chroman (Flavindogenid; II) und 3-Oxo-2-benzyliden-2,3-dihydro-⟨benzo-[b]-furan⟩ (Auron; V) ergaben bei der Umsetzung mit Dimethylsulfoxonium-methylid die entsprechenden Spirocyclopropyl-ketone (III, IV u. VI; *2-Phenyl-cyclopropan-⟨1-spiro-3⟩-4-oxo-chroman*; *2-Phenyl-cyclopropan-⟨1-spiro-3⟩-4-oxo-2-phenyl-chroman* bzw. *2-Phenyl-cyclopropan-⟨1-spiro-2⟩-3-oxo-2,3-dihydro-⟨benzo-[b]-furan⟩*) in der *trans-trans*-Konfiguration[2]. Nur im Falle von II wurde neben dem *trans-trans*-Produkt auch eine geringe Menge des *cis-cis*-Derivates erhalten:

I : R = H
II: R = C₆H₅

III: R = H
IV: R = C₆H₅

V

VI

[1] E. J. Corey u. M. Chaykovsky, Am. Soc. **87**, 1353 (1965).

[2] J. A. Donnelly, D. D. Keane, K. G. Marathe, D. C. Meaney u. E. M. Philbin, Chem. & Ind. **1967**, 1402.

Isoflavone vom Typ VII reagieren mit Dimethylsulfoxonium-methylid über eine betain-artig formulierte Zwischenstufe VIII zu einem Cyclopropan-Derivat {IX; *4-Methoxy-7-oxo-7a-phenyl-[bzw.-7a-(2-methoxy-phenyl)]-1,1a,7,7a-tetrahydro-⟨cyclopropa-[b]-chromen⟩*}[1]. Daneben entstehen jedoch noch Vinyl-cumarone X:|

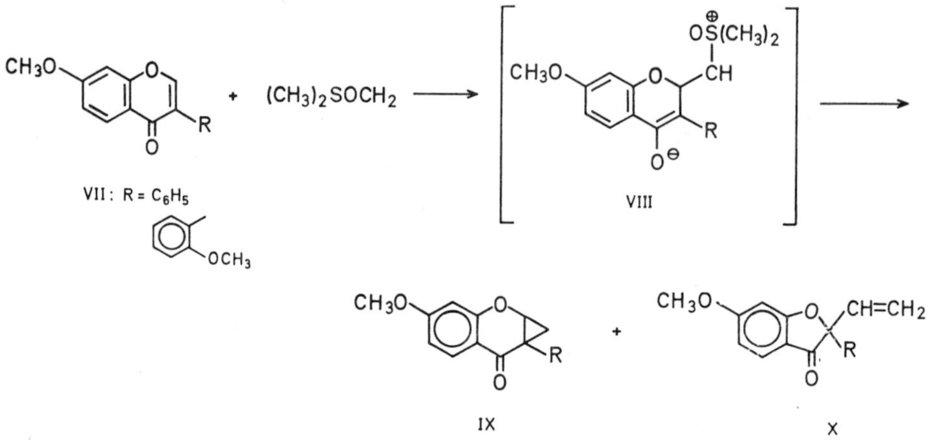

Demgegenüber liefern Flavone keine Cyclopropane, sondern in guten Ausbeuten Diketone.

Auch bei der Herstellung **optisch aktiver 2-Aryl-cyclopropan-carbonsäuren** hat sich die Verwendung von Dimethylsulfoxonium-methylid bewährt[2]. β-Aryl-acrylsäure-(−)-menthylester bzw. -(+)-bornylester (I a–I d) werden hierzu mit Dimethylsulfoxonium-methylid in Dimethylsulfoxid oder Tetrahydrofuran umgesetzt und anschließend mit überschüssiger Kalilauge in 90% Äthanol bei Raumtemperatur hydrolisiert [Dimethylsulfoxonium-methylid kann auch hier aus Trimethylsulfoxoniumjodid (II) mit Natriumhydrid oder Kalium-tert.-butanolat erzeugt werden]. Zimtsäureester (I a–I c) liefern vorwiegend linksdrehende und β-Naphthyl-(1)-acrylsäureester (I d) rechtsdrehende Cyclopropan-carbonsäuren (III):

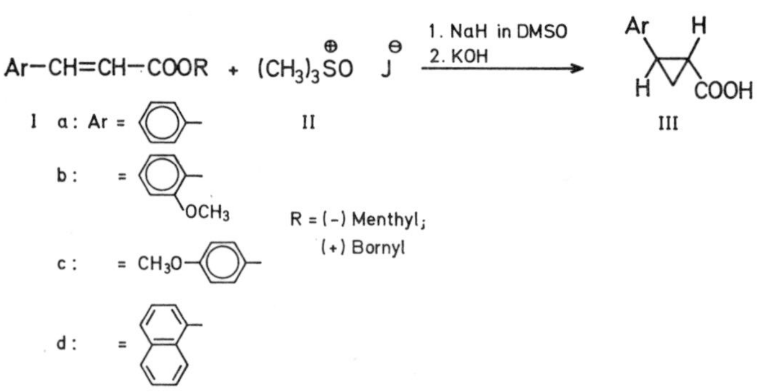

III a; *trans-2-Phenyl-cyclopropan-1-carbonsäure*
    b; *trans-2-(2-Methoxy-phenyl)-cyclopropan-1-carbonsäure*
    c; *trans-2-(4-Methoxy-phenyl)-cyclopropan-1-carbonsäure*
    d; *trans-2-Naphtyl-(1)-cyclopropan-1-carbonsäure*

[1] G. A. Caplin, W. D. Ollis u. I. O. Sutherland, Chem. Commun. **1967**, 575.
[2] H. Nozaki, H. Ito, D. Tunemoto u. K. Kondo, Tetrahedron **22**, 441 (1966).

Dimethylsulfonium-methylid (IV) reagiert auch mit Butadien in Dimethylsulf-oxid/Tetrahydrofuran bei 0° zu *Vinyl-cyclopropan* (V; 30% d.Th.) und Dimethyl-sulfid[1]:

Unter stereoselektivem Ringschluß verläuft auch die Bildung von Cyclo-propylsulfonen im Zuge der Reaktion von Vinylsulfonen mit den genannten beiden Schwefel-Yliden[2].

Diphenylsulfonium-isopropylid (VI) wird zur Synthese von 1,1-dimethyl-substituierter Cyclopropane eingesetzt[3] (dieses höchst reaktive Schwefel-Ylid wurde zunächst zur Herstellung von Oxiranen aus nicht-konjugierten Aldehyden und Ketonen verwendet)[4]. Die Reaktion von VI mit konjugierten Carbonyl-Verbindungen führt jedoch zur Bildung geminaler Dimethyl-cyclopropane VIII:

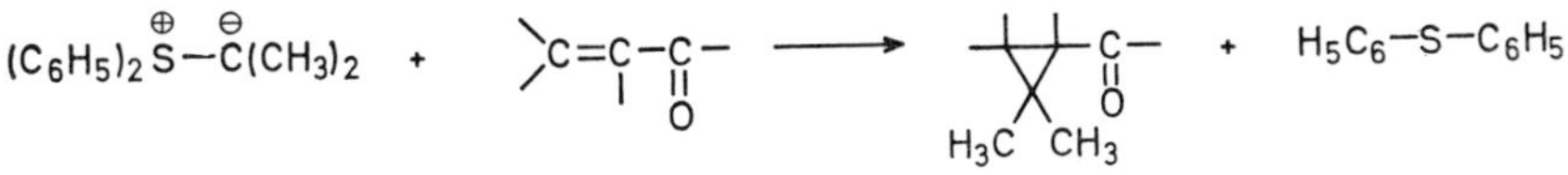

Diese Isopropyliden-Übertragungsreaktion kann allgemein durch Verwendung äqui-valenter Mengen des Ylids VI und der Carbonyl-Verbindung VII bei Temperaturen zwischen −70 und −20° unter Stickstoffatmosphäre vorgenommen werden. In z.T. guten Ausbeuten konnten so die folgenden Cyclopropan-Derivate gewonnen werden[3]:

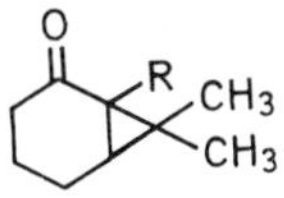

R = H;   *2-Oxo-7,7-dimethyl-bicyclo[4.1.0]heptan*   74% d.Th.
R = CH$_3$;   *2-Oxo-1,7,7-trimethyl-bicyclo[4.1.0]heptan*   86% d.Th.

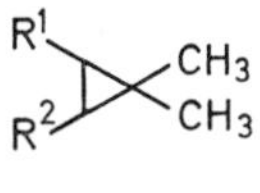

R^1 = H; R^2 = COOCH$_3$;   *2,2-Dimethyl-cyclopropan-1-carbonsäure-methylester*   71% d.Th.

R^1 = R^2 = COOCH$_3$;   *3,3-Dimethyl-cyclopropan-1,2-di-carbonsäure-dimethylester*

trans (aus Fumarsäure; bei −70°)   82% d.Th.
cis (aus Maleinsäure;   bei −70°)   75% d.Th.

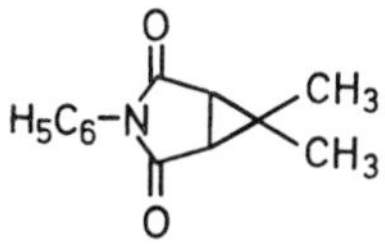

3,3-Dimethyl-cyclopropan-1,2-dicarbonsäure-phenylimid   84% d.Th.

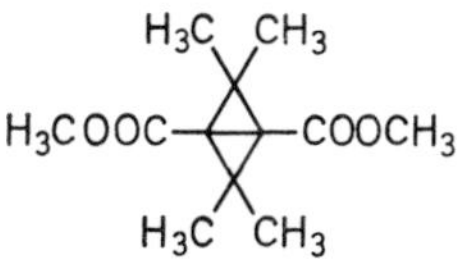

2,2,4,4-Tetramethyl-1,3-dimethoxycarbonyl-bicyclo[1.1.0]butan   16% d.Th.

---

[1] J. KIJI u. M. IWAMOTO, Tetrahedron Letters **1966**, 2749.
[2] W. E. TRUCE u. V. V. BADIGER, J. Org. Chem. **29**, 3277 (1966).
[3] E. J. COREY u. M. JAUTELAT, Am. Soc. **89**, 3912 (1967).
[4] E. J. COREY, M. JAUTELAT u. W. OPPOLZER, Tetrahedron Letters **1967**, 2325.

(±)-3,3-Dimethyl-*trans*-2-(2-methyl-propenyl)-cyclopropan-1-carbonsäure-methylester [(±)
trans-Chrysanthemsäure-methylester][1]: Eine Lösung von 3,0 g (0,01 Mol) 2,2-Diphenyl-äthylsulfo-
nium-tetrafluoroborat[2] und 0,85 g (0,01 Mol) Dichlormethan in 100 *ml* trockenem 1,2-Dimethoxy-
äthan (destilliert über Lithiumalanat) wird unter Stickstoffatmosphäre auf —70° abgekühlt
und mit 0,011 Mol einer kalten Lithium-diisopropylamid-Lösung (frisch bereitet durch Zugabe
von 7 *ml* einer 1,6 n Lösung von Butyl-lithium in Cyclohexan zu 1,12 g Diisopropylamin in
10 *ml* Dimethoxy-äthan bei —70°) behandelt. Die erhaltene gelbgrüne Reaktionsmischung wird
nach 10 Min. trüb. Nach Stehenlassen der Lösung für 30 Min. bei —70° setzt man mit 1,50 g
(0,0105 Mol) Methyljodid um. Die Reaktionsmischung wird danach 2 Stdn. auf Temp. zwischen
—70° und —50° gehalten. Nach Ablaufen dieser Zeit werden erneut 0,011 Mol Lithium-diisopropylamid bei —70° zugegeben. Es ergibt sich sofort eine orangefarbene Mischung. Nach Verlauf
einer weiteren Stde. bei —70° werden 1,40 g (0,01 Mol) 1-Methyl-*trans*-hexadien-(1,3)-5-carbon-
säure-methylester[3] hinzugefügt. Im Verlaufe von 3 Stdn. wird allmählich auf —20° aufgewärmt
und anschließend wird die orangefarbene Mischung 12 Stdn. bei dieser Temp. gehalten. Zugabe
von Wasser, Extraktion mit Pentan und nachfolgende Destillation liefern 1,32 g (72,5% d. Th.);
Kp$_{12}$: 90–92°.

Bei alkalischer Verseifung wird (±)-*3,3-Dimethyl-trans-2-(2-methyl-propenyl)-cyclopropan-1-
carbonsäure* [(±)-*trans-Chrysanthemsäure*] erhalten (F: 46–47°).

Ein weiteres Schwefel-Ylid, das Dimethylsulfonium-phenacylid (II)[4], konnte
ebenfalls zu Cyclopropanierungsreaktionen herangezogen werden; II wird durch
Behandlung von Dimethylphenacyl-sulfoniumbromid (I) mit 10%iger Natronlauge
bei Temperaturen zwischen 0 und 5° erhalten (79% d. Th.)[5]. Das Ylid existiert nach
IR- und kernresonanzspektroskopischen Befunden als Gleichgewicht zwischen zwei
Enolat-Ionen, die geometrische Isomere darstellen (IIa und IIb). Die Delokalisierung der negativen Ladung mindert hier die Nucleophilie im Vergleich zu nicht-
stabilisierten Sulfonium-Yliden[5]. Aus diesem Grunde reagiert II nicht wie andere
Sulfonium-Ylide mit Aldehyden oder Ketonen unter Epoxid-Bildung[6], aber ist in
der Lage mit geeigneten Michael-Acceptoren Cyclopropan-Derivate zu bilden. So
reagiert II mit Chalkon (III; S. 147) bei Raumtemperatur zu einem Gemisch der
beiden stereoisomeren Cyclopropane IV und V (*3-Phenyl-1,2-dibenzoyl-cyclopropan*)
im Verhältnis 1:2:

[1] E. J. COREY u. M. JAUTELAT, Am. Soc. **89**, 3912 (1967).

[2] Erhältlich aus Diphenylsulfid und Triäthyloxonium-tetrafluoroborat; vgl. H. MEERWEIN, Org.
    Synth. **46**, 113 (1966).

[3] G. P. CHIUSOLI u. L. CASSAR, Ang. Ch. **79**, 177 (1967).

[4] B. M. TROST, Am. Soc. **88**, 1587 (1966).

[5] B. M. TROST, Am. Soc. **89**, 138 (1967).

[6] E. J. COREY u. M. CHAYKOVSKY, Am. Soc. **87**, 1353 (1965).

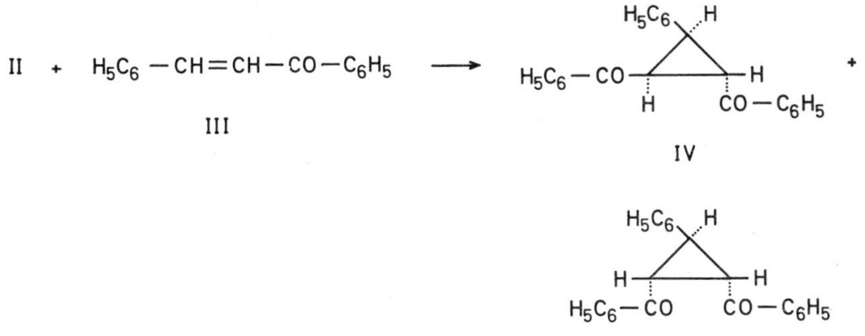

II + $H_5C_6 - CH = CH - CO - C_6H_5$ $\longrightarrow$

III

IV

V

In hoher Ausbeute (97% d. Th.) kann aus 1,4-Dioxo-1,4-diphenyl-buten-(2) (VI) mit II
trans-1,2,3-Tribenzoyl-cyclopropan (VII) im Sinne einer Michael-Reaktion erhalten
werden:

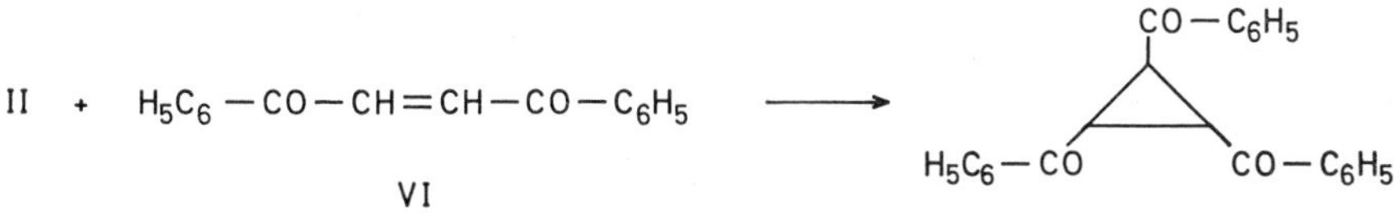

II + $H_5C_6 - CO - CH = CH - CO - C_6H_5$ $\longrightarrow$

VI

VII

Das thermische und photochemische Verhalten des Dimethylsulfonium-phen-
acylids ähnelt sehr dem des Diazoacetophenons. Vermutlich wird hier in beiden
Fällen Benzoyl-carben als Zwischenstufe gebildet. Die thermische Zersetzung von
II in Gegenwart von Kupfersalzen liefert in 90–95%iger Ausbeute VII. Die photochemische Zersetzung von II in inerten Solventien führt über das Carben VIII
und 1,4-Dioxo-1,4-diphenyl-buten-(2) (VI) ebenfalls in fast quantitativer Ausbeute zu
VII. Wird die photochemische Umwandlung von II in Gegenwart von Cyclohexen
durchgeführt, so ergibt sich *7-Benzoyl-bicyclo[4.1.0]heptan* (*7-Benzoyl-norcaran*;
IX)[1]:

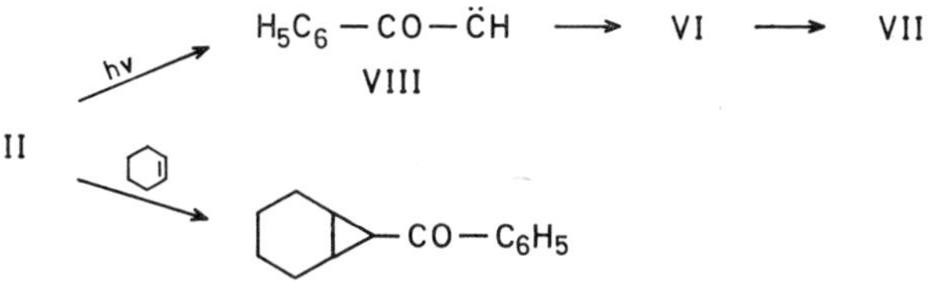

$H_5C_6 - CO - \overset{..}{C}H$ $\longrightarrow$ VI $\longrightarrow$ VII

VIII

II

IX

Die Schwefel-Ylide Diphenylsulfonium-benzylid[2], Dimethylsulfonium-phenacylid[3,4], Methyl-phenyl-sulfonium-phenacylid[5] sowie Sulfonium- und Sulfoxonium-
alkoxycarbonyl-methylide[6] sind in analogen Reaktionen zur Synthese von Cyclopropanen
herangezogen worden.

---

[1] B. M. Trost, Am. Soc. **89**, 138 (1967).
[2] V. J. Hruby u. A. W. Johnson, Am. Soc. **84**, 3586 (1962).
[3] A. W. Johnson u. R. T. Amel, Tetrahedron Letters **1966**, 819.
[4] K. W. Ratts u. A. N. Jao, J. Org. Chem. **31**, 1689 (1966).
[5] H. Nozaki, K. Kondo u. M. Takaku, Tetrahedron Letters **1965**, 251;
    H. Nozaki, M. Takaku u. K. Kondo, Tetrahedron **22**, 2145 (1966).
[6] H. Nozaki, D. Tunemoto, S. Matubara u. K. Kondo, Tetrahedron **23**, 545 (1967).

γ) Polysubstituierte Cyclopropane aus substituierten Vinylsulfoniumsalzen und CH-aciden Verbindungen

Am Vinyl-Rest mono- oder disubstituierte Dimethyl-vinyl-sulfonium-methylsulfate (III) reagieren in Äthanol mit den Natriumsalzen CH-acider Verbindungen IV schon bei 0° unter Abspaltung von Dimethylsulfid und Natriummethylsulfat zu polysubstituierten Cyclopropan-Verbindungen V[1]. Man isoliert die Cyclopropane, indem man das Reaktionsgemisch auf Eis/verdünnte Schwefelsäure gießt und nach dem anschließenden Ausäthern rektifiziert oder umkristallisiert. Die Ausgangsverbindungen vom Typ III können entweder durch Methylierung entsprechender Methyl-vinyl-sulfide (I) mit äquivalenten Mengen Dimethylsulfat oder beim Erwärmen von Dimethylmercaptalen (II) mit überschüssigem Dimethylsulfat erhalten werden[2]. Die nach diesem Verfahren hergestellten Cyclopropane vom Typ V zeigen alle *trans*-Konfiguration[3]:

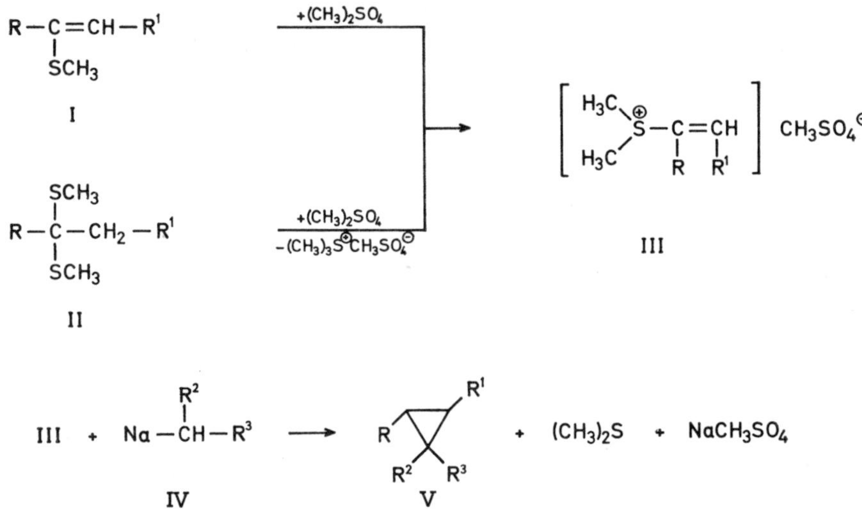

In wäßrig-alkoholischem Medium verläuft die basen-katalysierte Addition nucleophiler Agentien[4] an Dimethyl-vinyl-sulfoniumsalze im Sinne des nachfolgenden Schemas:

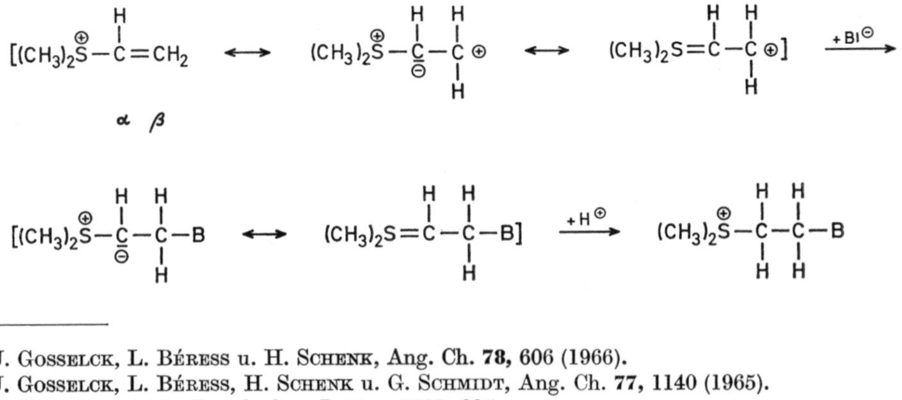

[1] J. GOSSELCK, L. BÉRESS u. H. SCHENK, Ang. Ch. **78**, 606 (1966).
[2] J. GOSSELCK, L. BÉRESS, H. SCHENK u. G. SCHMIDT, Ang. Ch. **77**, 1140 (1965).
[3] J. GOSSELCK et al., Tetrahedron Letters **1968**, 995.
[4] W. v. E. DOERING u. K. C. SCHREIBER, Am. Soc. **77**, 514 (1955).

Tab. 13. Polysubstituierte Cyclopropane aus substituierten Vinylsulfonium-Salzen und CH-aciden Verbindungen[1]

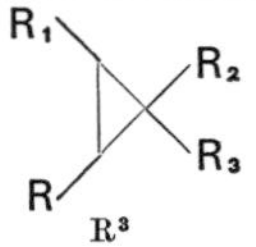

R	R^1	R^2	R^3		Ausbeute [% d.Th.]
H	C_6H_5	CN	CN	2-Phenyl-1,1-dicyan-cyclopropan	30
H	C_6H_5	CN	$COOC_2H_5$	2-Phenyl-1-cyan-cyclopropan-1-carbonsäure-äthylester	60
H	C_6H_5	$COOC_2H_5$	$COOC_2H_5$	2-Phenyl-cyclopropan-1,1-dicarbonsäure-diäthylester	60
H	C_6H_5	C_6H_5	CN	1,2-Diphenyl-1-cyan-cyclopropan	40
H	C_6H_5	$4-O_2N-C_6H_4$	CN	2-Phenyl-1-(4-nitro-phenyl)-1-cyan-cyclopropan	30
C_6H_5	C_6H_5	CN	CN	2,3-Diphenyl-1,1-dicyan-cyclopropan	30
C_6H_5	C_6H_5	CN	$COOC_2H_5$	2,3-Diphenyl-1-cyan-cyclopropan-1-carbonsäure-äthyl-ester	40
C_6H_5	$COOC_2H_5$	CN	CN	3-Phenyl-2,2-dicyan-cyclopropan-1-carbonsäure-äthyl-ester	25
$4-Cl-C_6H_4$	$COOC_2H_5$	CN	CN	3-(4-Chlor-phenyl)-2,2-dicyan-cyclopropan-1-carbon-säure-äthylester	20
$4-Cl-C_6H_4$	$COOC_2H_5$	CN	$COOC_2H_5$	3-(4-Chlor-phenyl)-2-cyan-cyclopropan-1,2-dicarbon-säure-diäthylester	44
H	$COOC_2H_5$	CN	$COOC_2H_5$	1-Cyan-cyclopropan-1,2-dicarbonsäure-diäthylester	33
H	$COOC_2H_5$	$COOC_2H_5$	$COOC_2H_5$	Cyclopropan-1,1,2-tricarbonsäure-triäthylester	30
C_3H_7	$COOC_2H_5$	CN	$COOC_2H_5$	3-Propyl-2-cyan-cyclopropan-1,2-dicarbonsäure-diäthylester	50
C_3H_7	$COOC_2H_5$	$COOC_2H_5$	$COOC_2H_5$	3-Propyl-cyclopropan-1,1,2-tricarbonsäure-triäthylester	45
H	$CH_2-C_6H_5$	$COOC_2H_5$	$COOC_2H_5$	2-Benzyl-cyclopropan-1,1-dicarbonsäure-diäthylester	45

[1] J. GOSSELCK, L. BÉRESS u. H. SCHENK, Ang. Ch. **78**, 606 (1966).

In Analogie dazu wird als Primärschritt der Cyclopropan-Synthese eine Anlagerung des nucleophilen Agens am C_β-Atom unter Bildung von I angenommen[1]. Die für den Ringschluß zum Cyclopropan (III) günstige Konformation II wird entweder unmittelbar erreicht (I → II → III), oder bildet sich im Rahmen des mit Racemisierung am C_α-Atom verbundenen Gleichgewichts IV ⇌ I ⇌ II. Aus II findet dann durch S_Ni-Reaktion unter Abspaltung von Diphenylsulfid der Ringschluß zu III statt:

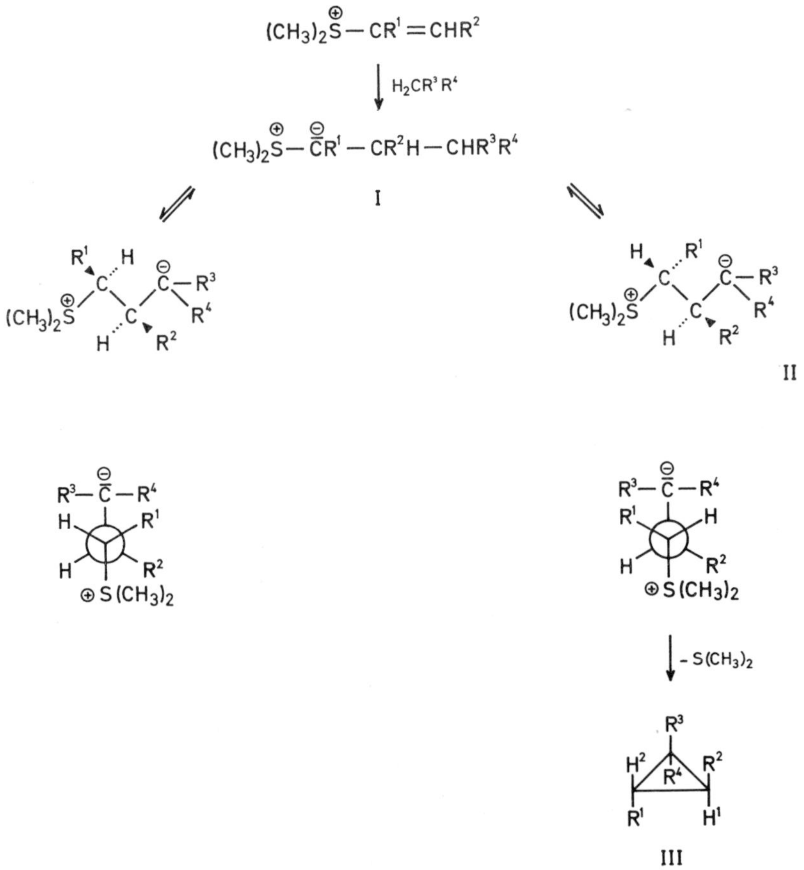

$$(CH_3)_2 \overset{\oplus}{S} - CR^1 = CHR^2$$

$$\downarrow H_2CR^3R^4$$

$$(CH_3)_2\overset{\oplus}{S} - \overset{\ominus}{C}R^1 - CR^2H - CHR^3R^4$$

I

IV   II

$$\downarrow -S(CH_3)_2$$

III

c) Cyclopropane durch Halogencarben-Übertragungen

1. Dihalogen-carbene

α) Zur Bildung von Dihalogen-carbenen

Schon 1862 sprach Geuther[2] den Gedanken aus, daß Dichlor-carben als Zwischenstufe der basischen Hydrolyse von Chloroform anzunehmen ist. Die Bildung von Kohlenmonoxid neben Formiat-Ionen wurde hierfür als Beweis angesehen[2,3].

[1] J. Gosselck et al., Tetrahedron Letters 1968, 995.
[2] A. Geuther, A. 123, 121 (1862).
[3] s.d. entsprechenden Literaturzitate bei J. Hine, Am. Soc. 72, 2438 (1950).

Jedoch erst die systematischen kinetischen Studien über den Reaktionsmechanismus der basischen Hydrolyse von Haloformen führten zur Erwägung der α-Eliminierung als potentiellen Weg zur Erzeugung von Dihalogen-carbenen zum Zwecke der Cyclopropanierung[1–15].

Während die basische Hydrolyse von Haloformen sich in ganz eleganter Weise für reaktionsmechanistische Studien bewährt hat, zeigte sich, daß man für die Realisierung von Reaktionen der Dihalogen-carbene mit nucleophilen Reaktionspartnern, z.B. Olefinen, zweckmäßigerweise in aprotischen Medien arbeitet. Kalium-tert.-butanolat erwies sich als geeignete Base[16]. Auch Natriummethanolat[17–20] und Natriumisopropanolat[21] wurden gelegentlich als Basen verwendet. Jedes inerte Lösungsmittel, wie z.B. Benzol, kann bei der Durchführung der Reaktion benutzt werden. Oft konnten die Ausbeuten an Dichlor-carben-Addukten dadurch erhöht werden, wenn man das zu cyclopropanierende Olefin gleichfalls als Solvens im Überschuß einsetzt.

$$CHCl_3 + RO^\ominus \rightarrow CCl_3^\ominus + ROH$$

$$CCl_3^\ominus \rightarrow :CCl_2 + Cl^\ominus$$

Die Gegenwart von tert.-Butanol kann in einigen Fällen toleriert werden[22], in anderen Fällen erwies sie sich als schädlich[23].

Zum anderen lag der Gedanke nahe, den Vorläufer des Dichlor-carbens, das Trichlormethyl-Anion (s. obige Gleichung), aus Chloroform mit Hilfe einer metallorganischen Verbindung zu erzeugen, denn die entsprechende konjugierte Säure – ein Kohlenwasserstoff – wird im allgemeinen nicht mit dem Carben in der Art eines Alkohols reagieren. Es existieren jedoch nur wenige Berichte über die Ausnutzung einer derartigen Möglichkeit. Man erhielt z.B. Folgeprodukte des Dichlor-carbens bei der Reaktion von Indenyl-(1)-natrium mit Chloroform[24]:

[1] J. Hine, Am. Soc. **72**, 2438 (1950).
[2] J. Hine, R. C. Peek u. B. D. Oakes, Am. Soc. **76**, 827 (1954).
[3] J. Hine u. A. M. Dowell, Am. Soc. **76**, 2688 (1954).
[4] J. Hine et al., Am. Soc. **77**, 3886 (1955).
[5] J. Hine et al., Am. Soc. **78**, 479 (1956).
[6] J. Hine u. N. W. Burske, Am. Soc. **78**, 3337 (1956).
[7] J. Hine et al., Am. Soc. **78**, 2282 (1956).
[8] J. Hine et al., Am. Soc. **79**, 1406 (1957).
[9] J. Hine u. J. J. Porter, Am. Soc. **79**, 5493 (1957).
[10] J. Hine u. P. B. Langford, Am. Soc. **79**, 5497 (1957).
[11] J. Hine et al., Am. Soc. **80**, 819 (1958).
[12] J. Hine u. S. J. Ehrenson, Am. Soc. **80**, 824 (1958).
[13] J. Hine u. E. P. Prosser, Am. Soc. **80**, 4282 (1958).
[14] J. Hine u. J. J. Porter, Am. Soc. **82**, 6178 (1960).
[15] J. Hine u. A. D. Ketley, J. Org. Chem. **25**, 606 (1960).
[16] W. v. E. Doering u. A. K. Hoffmann, Am. Soc. **76**, 6162 (1954).
[17] A. P. ter Borg u. A. F. Bickel, Pr. chem. Soc. **1958**, 283.
[18] H. E. Winberg, J. Org. Chem. **24**, 264 (1959).
[19] E. K. Fields u. J. M. Sandri, Chem. & Ind. **1959**, 1216.
[20] W. Walter u. G. Maerten, Ang. Ch. **73**, 755 (1961).
[21] O. M. Nefedov et al., Izv. Akad. Nauk SSSR **1962**, 1242; C. A. **58**, 5528 (1963).
[22] J. Sonnenberg u. S. Winstein, J. Org. Chem. **27**, 748 (1962).
[23] A. J. Speziale u. K. W. Ratts, Am. Soc. **84**, 854 (1962).
[24] W. E. Parham u. H. E. Reiff, Am. Soc. **77**, 1177 (1955).

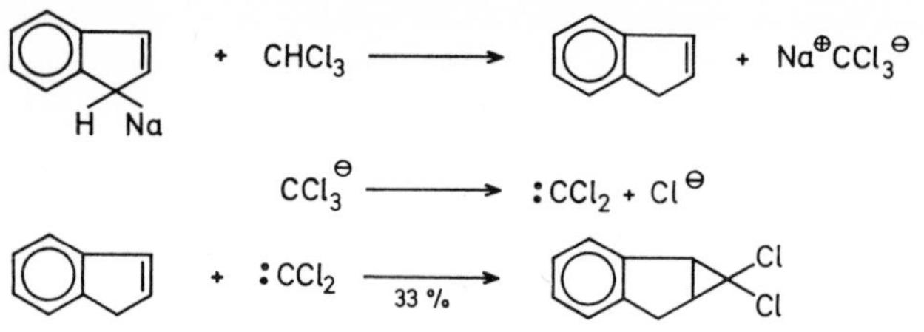

1,1-Dichlor-1,1a,2,6b-tetra-
hydro-⟨cyclopropa-[a]-inden⟩

Mit Bromoform wurde nur das Ringerweiterungsprodukt des Primäraddukts gefunden. Bei der Erzeugung von Dichlor-carben aus Chloroform mit Diphenylkalium
in Gegenwart von Cyclohexen wurde *7,7-Dichlor-bicyclo[4.1.0]heptan (7,7-Dichlor-*
norcaran) nur in 11–15%iger Ausbeute erhalten[1].

Anstelle einer metallorganischen Verbindung lassen sich als Base auch Natrium-
oder Kaliumamid verwenden. Die Reaktion wurde mit Chloro- und Bromoform
durchgeführt. Die entstehenden Trichlormethyl- bzw. Tribrommethyl-Anionen wurden mit geeigneten elektrophilen Partnern (Carbonyl-Verbindungen) abgefangen[2]. In
Abwesenheit solcher Reaktionspartner reagierten die entsprechenden Carbene mit
dem Medium – flüssiger Ammoniak – weiter[2,3].

Bereits 1884 wurde zum anderen beobachtet, daß Trichloressigsäure beim Erhitzen mit Basen
Chloroform und Kohlendioxid liefert[4]. Detaillierte kinetische Studien der Decarboxylierung
von verschiedenen Trihalogen-essigsäuren[5–9] ergaben schließlich, daß das Carboxylat-Anion
in einer Reaktion nach 1. Ordnung Kohlendioxid und ein Trihalogenmethyl-Anion liefert. Die
nachfolgende Protonierung dieses Trihalogen-Carbanions in protonenhaltigen Lösungsmitteln
führt dann zu dem entsprechenden Haloform:

$$X_3C-COO^{\ominus} \longrightarrow CO_2 + X_3Cl^{\ominus}$$

$$X_3Cl^{\ominus} + HB \xrightarrow{(k_{-1})} HCX_3 + Bl^{\ominus}$$

$$X_3Cl^{\ominus} \xrightarrow{(k_2)} :CX_2 + X^{\ominus}$$

Außerdem konnte sichergestellt werden, daß eine lineare Korrelation zwischen den log k-Werten
der Carbanionen-Bildung bei der Decarboxylierung und denen der Carbanionen-Bildung
aus Haloformen und Alkali (s. oben) existiert[10].

Offensichtlich stellt die Stabilisierung des Trihalogen-Carbanions den entscheidenden Faktor für die Größe der Aktivierungsenergie in beiden Reaktionen
dar. In wäßriger Lösung sollte dann das entsprechende Haloform das einzige
Produkt der Decarboxylierung sein, wenn die Protonierung des Trihalogen-Carbanions gegenüber der Abspaltung des Halogenidions sehr schnell verläuft. Sollten jedoch die beiden Geschwindigkeitskonstanten vergleichbar groß werden, so könnte

[1] C. R. Hauser et al., J. Org. Chem. 26, 2627 (1961).
[2] H. G. Viehe u. P. Valange, B. 96, 420, 426 (1963).
[3] C. R. Hauser et al., J. Org. Chem. 28, 873 (1963).
[4] H. Silberstein, B. 17, 2664 (1884).
[5] H. Verhoek et al., Am. Soc. 56, 571 (1934); 67, 1062 (1945); 69, 613, 2987 (1947); 72,
    299 (1950).
[6] R. A. Fairclough, Soc. 1938, 1186.
[7] L. H. Sutherland u. J. G. Aston, Am. Soc. 61, 241 (1939).
[8] J. Bigeleisen u. T. L. Allen, J. Chem. Physics 19, 760 (1951).
[9] L. W. Clark, J. phys. Chem. 63, 99 (1959); 64, 917, 1758 (1960).
[10] J. Hine et al., Am. Soc. 79, 1406 (1957).

man annehmen, daß zumindest ein Teil der Trihalogen-Carbanionen über ein Dihalogen-carben hydrolysiert. Im Fall der Decarboxylierung des Fluor-dichlor-acetats konnten diese Voraussagen voll verifiziert werden[1].

Die Decarboxylierung von Salzen der Trichloressigsäure in einem aprotischen Solvens stellt eine geeignete Methode zur Erzeugung von Trichlormethyl-Anionen und Dichlor-carben unter neutralen Reaktionsbedingungen dar[2,3]. Dabei erwies sich 1,2-Dimethoxy-äthan als ein zweckmäßiges Lösungsmittel. In Tetrahydrofuran und in Essigsäure-äthylester verlaufen die Zersetzungen langsamer als in 1,2-Dimethoxy-äthan. Die Decarboxylierungs-Geschwindigkeiten der Alkalimetall-trichloracetate nehmen in der Reihenfolge

$$K > Na > Li$$

ab; jedoch läßt sich das Natriumsalz besser im trockenen Zustand präparieren. Difluor-carben konnte durch thermische Zersetzung von Natrium-difluor-chloracetat in Diglyme erzeugt und mit Cyclohexen zu *7,7-Difluor-bicyclo[4.1.0]heptan* (*7,7-Difluor-norcaran*) abgefangen werden[4].

Auch die Reaktion der Ester der Trichloressigsäure mit Alkoholaten eignet sich zur Erzeugung von Dichlor-carben[5,6]:

$$Cl_3C-\overset{O}{\overset{\|}{C}}-OR + R'O^{\ominus} \longrightarrow Cl_3C-\overset{\overset{\ominus}{\overset{|\overline{O}|}{}}}{\underset{\overset{|}{OR'}}{C}}-OR \longrightarrow Cl_3C^{\ominus} + RO-\overset{O}{\overset{\|}{C}}-OR'$$

$$Cl_3Cl^{\ominus} \longrightarrow :CCl_2 + Cl^{\ominus}$$

In Gegenwart von Olefinen werden gute Ausbeuten an den entsprechenden Dichlorcyclopropanen erhalten. Als Basen eignen sich Kalium-tert.-butanolat, Natriummethanolat und -äthanolat. Überschüssiges Olefin oder auch Pentan können als Lösungsmittel benutzt werden. Dichlor-carben wird andererseits in viel geringerer Ausbeute auch aus Dichlor-essigsäure-tert.-butylester unter ähnlichen Bedingungen erhalten[5,7]; z.B. erhält man 13% d.Th. *2,2-Dichlor-1,1-dimethyl-cyclopropan* in Gegenwart von 2-Methyl-propen im Vergleich zu 86% d.Th., wenn von einem Trichloracetat ausgegangen wird.

Es wird angenommen[7], daß Dichlor-essigsäure-tert.-butylester in Gegenwart von Kalium-tert.-butanolat in einer Disproportionierung unter Bildung einer Mischung aus Chlor- und Trichlor-essigsäure-tert.-butylester reagiert, wobei letzteres zum Dichlor-carben und Kohlensäure-di-tert.-butylester (s. o.) führt.

Eine ähnliche Disproportionierung ist auch für das Dichlor-acetonitril beobachtet worden.

Wie in den Trichlor-essigsäure-alkylestern ist ebenfalls die Carbonyl-Gruppe des Hexachlor-acetons gegenüber Nucleophilen sehr reaktiv. Hexachlor-aceton liefert

[1] J. HINE u. D. C. DUFFEY, Am. Soc. **81**, 1129 (1959).
  Zur Decarboxylierung des Difluor-chlor-acetats s. J. HINE u. D. C. DUFFEY, Am. Soc. **81**, 1131 (1959).
[2] W. M. WAGNER, Pr. chem. Soc. **1959**, 229.
[3] W. M. WAGNER, H. KLOOSTERZIEL u. S. van der VEN, R. **80**, 740 (1961).
  Vgl. auch: W. M. WAGNER, H. KLOOSTERZIEL u. A. F. BICKEL, R. **81**, 925, 933 (1962).
[4] J. M. BIRCHALL, G. W. CROSS u. R. N. HASZELDINE, Pr. chem. Soc. **1960**, 81.
[5] W. E. PARHAM u. F. C. LOEW, J. Org. Chem. **23**, 1705 (1958).
[6] W. E. PARHAM u. E. E. SCHWEIZER, J. Org. Chem. **24**, 1733 (1959).
[7] W. E. PARHAM, F. C. LOEW u. E. E. SCHWEIZER, J. Org. Chem. **24**, 1900 (1959).

so bei Behandlung mit Basen in aprotischen Medien – z. B. mit Natriummethanolat[1,2] – Dichlor-carben:

$$Cl_3C-CO-CCl_3 + CH_3O^\ominus \longrightarrow Cl_3C-CO-OCH_3 + Cl_3Cl^\ominus$$

$$Cl_3Cl^\ominus \longrightarrow \;:CCl_2 + Cl^\ominus$$

Der hierbei primär gebildete Trichlor-essigsäure-methylester kann erneut mit der Base unter Bildung von weiterem Dichlor-carben reagieren. Bei Gegenwart von Olefinen muß jedoch damit gerechnet werden, daß das Hexachlor-aceton teilweise unter Entstehung von Hexachlor-isopropanol reduziert wird[1].

1,1'-Difluor-tetrachlor-aceton und Kalium-tert.-butanolat sind als geeignete Quelle für Fluor-chlor-carben benutzt worden[3].

Die Reaktionen von Trichlormethansulfinsäure-methylester und von Trichlormethansulfonsäure-chlorid mit Alkoholaten stellen eine weitgehend ähnliche reaktionsmechanistische Situation dar[4]:

$$Cl_3C-SO-OCH_3 + RO^\ominus \longrightarrow RO-SO-OCH_3 + Cl_3\overset{\ominus}{Cl} \longrightarrow \;:CCl_2 + Cl^\ominus$$

$$Cl_3C-SO_2Cl + 2 RO^\ominus \longrightarrow RO-SO_2OR + Cl_3\overset{\ominus}{Cl} \longrightarrow \;:CCl_2 + Cl^\ominus$$

Die Ausbeuten an Dichlor-carben-Addukten sind hier jedoch geringer als bei der basischen Spaltung von Trichlor-essigsäure-alkylestern und von Hexachlor-aceton.

Auch Halogen-Metall-Austauschreaktionen von Tetrahalogenmethanen sind mit Erfolg zur Erzeugung von Dihalogen-carbenen herangezogen worden. Für die Reaktion von Tetrachlormethan bzw. Trichlor-brom-methan mit Kalium-tert.-butanolat konnte eindeutig die Bildung des Trichlor-Carbanions und des Dichlor-carbens nachgewiesen werden[5]:

$$t-C_4H_9O^\ominus + X-CCl_3 \longrightarrow t-C_4H_9OX + \overset{\ominus}{I}CCl_3$$

$$\overset{\ominus}{I}CCl_3 \longrightarrow \;:CCl_2 + Cl^\ominus$$

Insbesondere die Verwendung von Alkyl-lithium-Verbindungen brachte wesentliche Erfolge für den Halogen-Metall-Austausch von Tetrahalogenmethanen[6]. So konnte z. B. nach diesem Verfahren 7,7-Dichlor-bicyclo[4.1.0]heptan (7,7-Dichlor-norcaran) in 91%iger Ausbeute aus Trichlor-brom-methan und überschüssigem Cyclohexen erhalten werden[6].

$$RLi + BrCCl_3 \longrightarrow RBr + LiCCl_3$$

$$LiCCl_3 \longrightarrow \;:CCl_2 + LiCl$$

Tetrachlormethan gibt hier jedoch nur geringe Ausbeuten, während Trichlor-brom-methan und Trichlor-jod-methan gut zur Erzeugung von Dichlor-carben geeignet sind. Die Versuche zur Erzeugung von Dibrom-carben aus Tetrabrommethan

[1] P. K. Kadaba u. J. O. Edwards, J. Org. Chem. **25**, 1431 (1960).
[2] F. W. Grant u. W. B. Cassic, J. Org. Chem. **25**, 1433 (1960).
[3] B. Farah u. S. Horensky, J. Org. Chem. **28**, 2494 (1963).
[4] U. Schöllkopf u. P. Hilbert, Ang. Ch. **74**, 431 (1962).
[5] W. G. Kofron, F. B. Kirby u. C. R. Hauser, J. Org. Chem. **28**, 873 (1963).
[6] W. Miller u. C. S. Y. Kim, Am. Soc. **81**, 5008 (1959).

waren wenig erfolgreich. Die Gegenwart von Trichlormethyl-lithium[1] (s. obige
Gleichung) in den Reaktionsgemischen konnte jedoch nicht durch Hydrolyse bei
−60° nachgewiesen werden[2]. Auch der Nachweis der intermediären Bildung von Dichlor-carben unter Benutzung einer Strömungsapparatur war nicht positiv[3].

Versuche zur Erzeugung von Difluor-carben aus Difluor-dibrom-methan nach
dem Halogen-Metall-Austauschverfahren sind ebenfalls beschrieben worden[4].

Die Hauptbedeutung derartiger Alkyl-lithium-Reaktionen dürfte jedoch in der
Bereitung von Monohalogen-carbenen zu suchen sein (s. S. 216ff.).

Die Behandlung von Tetrahalogenmethanen mit metallischem Lithium[5] unterscheidet sich reaktionsmechanistisch von den oben beschriebenen Reaktionen zunächst dadurch, daß hier zwei Halogenatome als Halogenid-Ionen eliminiert werden.
Sowohl aus Tetrachlormethan als auch aus Chloroform, wo der Wasserstoff zusätzlich zum Chlor durch Lithium ersetzt wird, konnte Dichlor-carben erzeugt
werden. Während Dichlor- und Monochlor-carben im Verhältnis 2:1 aus Chloroform gebildet werden, entsteht aus Bromoform nur Brom-carben (s. S. 216ff.).

Auch die elektrolytische Reduktion von Tetrahalogenmethanen ist zum Zwecke
der Erzeugung von Dichlor- bzw. Dibrom-carben studiert worden, wobei die Polarographie als
Untersuchungsmethode herangezogen wurde[6]. Die Messungen wurden in Dimethylformamid
und Acetonitril durchgeführt, die gleichermaßen gute Solventien für Salze und unpolare Verbindungen sind. Als Elektrolyt diente Tetrabutyl-ammoniumbromid. Die erhaltenen Polaro-
gramme ließen die Hypothese zu, daß sich folgende Reaktionen abspielen:

$$CX_4 + 2\,e^{\ominus} \longrightarrow \overset{\ominus}{|}CX_3 + X^{\ominus}$$
$$\overset{\ominus}{|}CX_3 \longrightarrow {:}CX_2 + X^{\ominus}$$

Außerdem wurde die Reduktion von Tetrachlormethan in größerem Maßstab in Gegenwart von
2,3-Dimethyl-buten-(2) durchgeführt und das zu erwartende Cyclopropan-Derivat (*3,3-Dichlor-
1,1,2,2-tetramethyl-cyclopropan*) gaschromatographisch identifiziert.

Dihalogen-carbene wurden auch durch gewisse thermische und photochemische Reaktionen zugänglich.

So zersetzt sich Trichlor-trichlormethyl-silan (I) bei Temperaturen um
250° unter Bildung von Tetrachlorsilan und Dichlor-carben, das auf Cyclohexen
(*7,7-Dichlor-norcaran*) übertragen werden konnte[7]:

$$Cl_3C{-}SiCl_3 \xrightarrow{\ 250°\ } SiCl_4 + {:}CCl_2$$
$$\text{I}$$

[1] Herstellung s.ds.Handb., Bd. XIII/1, S. 113; Trichlormethyl-lithium – obwohl bei −100° in
ätherischer Lösung stabil – setzt sich bei dieser Temp. rasch mit Cyclohexen zu *7,7-Dichlor-
bicyclo[4.1.0]heptan* (*7,7-Dichlor-norcaran*) und Lithiumchlorid um. Trichlormethyl-lithium
erweist sich damit überraschenderweise als elektrophiles Agens, und es zeigt sich auch, daß
bei −100° das Dichlor-carben nicht als Zwischenstufe auftritt. Dieses Ergebnis muß nicht notwendigerweise so interpretiert werden, daß die Reaktion von Trichlor-brom-methan, Butyl-
lithium und Cyclohexen nicht doch über das Carben verläuft, denn es kann nicht a priori
ausgeschlossen werden, daß bei höheren Temp. die Lithium-chlorid-Abspaltung von Trichlormethyl-lithium schneller als der Angriff von Trichlormethyl-lithium auf Cyclohexen
verläuft; W. T. MILLER u. D. M. WHALEN, Am. Soc. **86**, 2089 (1964).
[2] W. MILLER u. C. S. Y. KIM, Am. Soc. **81**, 5008 (1959).
[3] V. FRANZEN, B. **95**, 1964 (1962).
[4] V. FRANZEN, Ang. Ch. **72**, 566 (1960).
[5] O. M. NEFEDOV u. A. A. IVASHENKO, Doklady Akad. SSSR **156**, 884 (1964); C. A. **61**, 6936 (1964).
[6] S. WAWZONEK u. R. C. DUTY, J. electrochem. Soc. **108**, 1135 (1961).
[7] W. I. BEVAN, R. N. HASZELDINE u. J. YOUNG, Chem. & Ind. **1961**, 789.

Im Gegensatz dazu erfordert die Zersetzung von Tribrommethyl-phenyl-quecksilber (II) weniger drastische Bedingungen; *7,7-Dibrom-bicyclo[4.1.0]heptan* (*7,7-Dibrom-norcaran*) konnte so in excellenter Ausbeute aus Cyclohexen in unter Rückfluß kochendem Benzol hergestellt werden[1]:

$$H_5C_6-Hg-CX_3 \xrightarrow{80°} H_5C_6-Hg-X + :CX_2$$

II

Ganz allgemein haben sich die Umsetzungen von Trihalogenmethyl-aryl-quecksilber-Verbindungen mit Olefinen zur Herstellung von gem.-Dihalogen-cyclopropanen bewährt (s. S. 175 ff.).

Bei der thermischen Zersetzung von Tris-[trifluormethyl]-arsin und -stibin zwischen 180 und 220° wurde etwas Tetrafluor-äthylen und *Hexafluor-cyclopropan* gefunden[2].

In nahezu quantitativer Ausbeute wurde *Hexafluor-cyclopropan* bei der Pyrolyse von Trimethyl-trifluormethyl-zinn (III) bei 150° erhalten[3]:

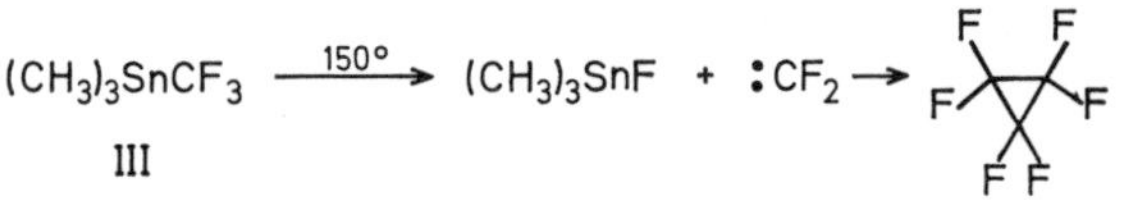

$$(CH_3)_3SnCF_3 \xrightarrow{150°} (CH_3)_3SnF + :CF_2 \rightarrow$$

III

Dichlor-carben aus Trichlormethyl-lithium[4]

Trotz zahlreicher Bemühungen ist noch ungeklärt[5-13], ob bei elektrophilen Folgereaktionen des Trichlormethyl-lithiums freies Dichlor-carben auftritt. Im Vergleich zu anderen Carbenoiden[12] weist das Thermolyseverhalten von Trichlormethyl-lithium auf eine Spezies mit besonders großer Elektrophilie hin (geringere thermische Stabilität als das Dichlormethyl-lithium[11,13], Dichlor-carben-Insertion in die -CH-Bindung des Solvens Tetrahydrofuran sowie hohe Cyclopropan-Ausbeuten mit Olefinen[5,7,8,11]). Bei dieser Spezies könnte sich a priori um Trichlormethyl-lithium

[1] D. SEYFERTH, J. M. BURLITCH u. J. K. HEEREN, J. Org. Chem. **27**, 1491 (1962).

[2] P. B. AYSCOUGH u. H. J. EMELEUS, Soc. **1954**, 3381.

[3] H. C. CLARK u. C. J. WILLIS, Am. Soc. **28**, 1888 (1960).

[4] Die metallorganische Verbindung Trichlormethyl-lithium wurde von W. T. MILLER u. D. M. WHALEN, Am. Soc. **86**, 2089 (1964), durch Reaktion von Trichlor-brom-methan mit Butyl-lithium bei −115° hergestellt.
   G. KÖBRICH et al., Ang. Ch. **76**, 536 (1964), B. **99**, 1793 (1966), erhielten diese Verbindung auch durch Metallieren von Chloroform bei −110° mit Butyl-lithium.
   Vgl. ds. Handb., Bd. XIII/1, S. 96, 113 u. 201.

[5] W. T. MILLER u. C. S. Y. KIM, Am. Soc. **81**, 5008 (1959).

[6] G. KÖBRICH et al., Ang. Ch. **76**, 536 (1964).

[7] W. T. MILLER u. D. M. WHALEN, Am. Soc. **86**, 2089 (1964).
   D. HOEG et al., Am. Soc. **87**, 4147 (1965).

[8] G. KÖBRICH et al., Tetrahedron Letters **1965**, 973.

[9] G. KÖBRICH et al., Ang. Ch. **77**, 730 (1965).

[10] G. L. CLOSS u. J. J. COYLE, Am. Soc. **87**, 4270 (1965).

[11] G. KÖBRICH et al., B. **99**, 1793 (1966).

[12] Übersicht: G. KÖBRICH et al., Ang. Ch. **79**, 15 (1967).

[13] G. KÖBRICH u. R. H. FISCHER, Tetrahedron **24**, 4343 (1968).

[14] G. KÖBRICH et al., Ang. Ch. **82**, 177 (1970).

selbst, um einen Carben-Komplex mit ionisierter Kohlenstoff-Chlor-Bindung oder um Dichlor-carben handeln[14].

Zur Unterscheidung boten sich Konkurrenzversuche an[1], wie sie zum Beispiel zur Erkennung instabiler Zwischenstufen gebräuchlich sind, zumal für Dichlorcarben-Übertragungen auf Olefine aus anderen Substraten wie Chloroform/Kaliumtert.-butanolat[2], Natrium-trichloracetat[3] und Trihalogenmethyl-phenyl-quecksilber[4] bereits entsprechende Zahlenwerte vorliegen[5].

Hierzu wurden nun sechs Mischungen aus Cyclohexen und einem zweiten Olefin zur Konkurrenz um sich zersetzendes Trichlormethyl-lithium (−73° in Tetrahydrofuran) gebracht[1]. Die resultierenden Verbindungen *7,7-Dichlor-norcaran (7,7-Dichlor-bicyclo[4.1.0]heptan*; B) und *Dichlor-cyclopropan* (A) wurden durch Vergleich mit authentischen Proben identifiziert und gaschromatographisch analysiert. Der Trichlormethyl-lithium-Zerfall wurde durch Chlorid-Titration verfolgt[6,7] (s. Tab. 14, S. 158)[1]. Trotz der in Doppelversuchen oft differierenden Gesamtausbeuten waren die Ausbeute-Quotienten, die den Geschwindigkeitsquotienten k_a/k_b entsprechen, sehr genau reproduzierbar[1].

Die gute Übereinstimmung dieser hier ermittelten Quotienten mit anderen aus der Literatur (s. Tab. 14, S. 158) läßt kaum einen Zweifel an einer gemeinsamen Zwischenstufe für alle Cyclopropanierungen.

Die geringen Abweichungen könnten auf unterschiedliche Überschußenergien bei der Freisetzung[8] und auf Solvatationseffekte zurückzuführen sein.

Bei den Carben-Übertragungen aus Trichlormethyl-lithium zeigte sich insbesondere kein erhöhtes Selektionsvermögen, wie es für ein „moderiertes·· Carben (auch wegen der sehr milden Bedingungen) denkbar und an stärker von Trichlormethyl-lithium wegstrebenden Quotienten erkennbar gewesen wäre[1].

Die Quotienten der Tab. 14 (S. 158) spiegeln vor allem die Nucleophilie der Zwischenstufe wieder. Sterische Faktoren der Dichlor-carben-Übertragung lassen sich neuesten Ergebnissen durch Konkurrenzversuche an Vinyl-alkan-Gemischen verdeutlichen[9]. Im System Chloroform/Kalium-tert.-butanolat beträgt der Geschwindigkeitsquotient für Buten-(1) + 3-Methyl-buten-(1) 2,34[9]; mit Trichlormethyl-lithium wurde ein Wert von 2,44 (Gesamtausbeute: 34% d.Th.) ermittelt. Auch diese Übereinstimmung stützt den Schluß auf freies Dichlor-carben als gemeinsame Zwischenstufe.

In Zusammenhang mit den genannten Untersuchungen wurde auch erneut die Frage geprüft, ob Olefine den Trichlormethyl-lithium-Zerfall beschleunigen[1]. Die diesbezüglichen Untersuchungen boten[6,7,10,11] und bieten große experimentelle Schwierigkeiten, da Trichlormethyl-lithium

[1] G. KÖBRICH et al., Ang. Ch. **82**, 177 (1970).

[2] W. v. E. DOERING u. A. K. HOFFMANN, Am. Soc. **76**, 6162 (1954).

[3] H. KLOOSTERZIEL et al., R. **80**, 740 (1961).

[4] D. SEYFERTH et al., Am. Soc. **87**, 4259 (1965).

[5] W. v. E. DOERING u. W. A. HENDERSON, Am. Soc. **80**, 5274 (1958).
   D. SEYFERTH u. J. M. BURLITCH, Am. Soc. **86**, 2730 (1964).
   D. SEYFERTH et al., Am. Soc. **89**, 959 (1967).

[6] G. KÖBRICH et al., Tetrahedron Letters **1965**, 973.

[7] G. KÖBRICH et al., B. **99**, 1793 (1966).

[8] M. SCHLOSSER u. G. HEINZ, Ang. Ch. **81**, 781 (1969).

[9] R. A. MOSS u. A. MAMANTOV, Tetrahedron Letters **1968**, 3425.

[10] W. T. MILLER u. D. M. WHALEN, Am. Soc. **86**, 2089 (1964).
   D. HOEG et al., Am. Soc. **87**, 4147 (1965).

[11] G. KÖBRICH et al., Ang. Ch. **77**, 730 (1965).

Tab. 14. 1,1-Dichlor-cyclopropane aus Trichlormethyl-lithium (Konkurrenzversuche in den Molverhältnissen 5 Olefin + 5 Cyclohexen + 1 Trichlormethyl-lithium; jeweils Doppelversuche)[1]

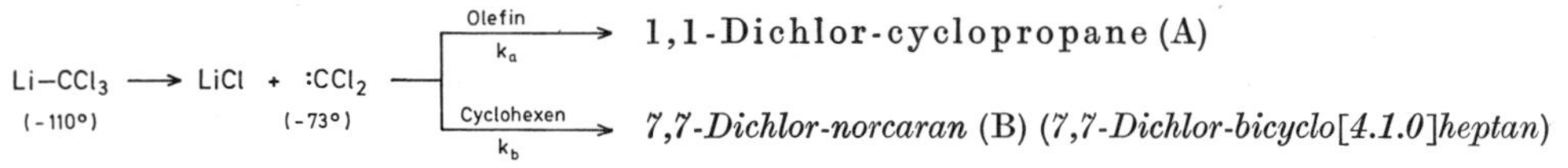

$$Li-CCl_3 \xrightarrow{(-110°)} LiCl + :CCl_2 \quad (-73°)$$

$$\text{Olefin} \xrightarrow{k_a} \text{1,1-Dichlor-cyclopropane (A)}$$

$$\text{Cyclohexen} \xrightarrow{k_b} \text{7,7-Dichlor-norcaran (B)} \ (\textit{7,7-Dichlor-bicyclo[4.1.0]heptan})$$

Olefin	Produkt-Ausbeuten [%, bez. auf LiCCl₃]				k_a/k_b	k_a/k_b-Vergleichswerte aus anderen Substraten					
	A	B	A+B	$Cl^{\ominus}$		$C_6H_5HgCCl_2Br$ [80°][2]	CCl_3COONa [80°][2]	$C_6H_5HgCCl_3$ [NaJ; 80°][3]	$C_6H_5HgCCl_2Br$ [NaJ; –15°][3]	$CHCl_3/KOC(CH_3)_3$ [–15°] a)[3]	b)[4]
2,3-Dimethyl-penten-(2)[a]	85,6	3,7	89,3	—	23,1	22,5	24,8	23,2	22,7	—	—
	82,8	3,5	86,3	97	23,8	—	—	—	—	—	—
2-Äthyl-hexen-(1)[b]	67,9	21,6	89,5	93	3,14	2,31	—	2,30	—	—	—
	53,7	17,0	70,7	87	3,15	—	—	—	—	—	—
cis-Penten-(2)[c]	44,8	33,7	78,5	97	1,33	—	—	—	1,44	1,52	1,62
	44,0	32,8	76,8	97	1,34	—	—	—	—	—	—
trans-Penten-(2)[d]	40,4	51,0	91,4	102	0,79	—	—	—	0,834	0,86	2,14
	40,3	50,6	90,9	99	0,79	—	—	—	—	—	(?)
trans-Hepten-(3)[e]	24,0	59,8	83,8	91	0,40	0,52	0,52	0,537	0,435	0,435	—
	18,4	46,7	65,1	84	0,39	—	—	—	—	—	—
Hepten-(1)[f]	9,6	77,5	87,1	95	0,12	0,24	0,22	0,218	0,11	—	—
	8,6	70,2	78,8	95	0,12	—	—	—	—	—	—

a: 3,3-Dichlor-1,2,2-trimethyl-1-äthyl-cyclopropan
b: 2,2-Dichlor-1-äthyl-1-butyl-cyclopropan
c: 3,3-Dichlor-cis-2-methyl-1-äthyl-cyclopropan
d: 3,3-Dichlor-trans-2-methyl-1-äthyl-cyclopropan
e: 3,3-Dichlor-trans-2-äthyl-1-propyl-cyclopropan
f: 2,2-Dichlor-1-pentyl-cyclopropan

1 G. KÖBRICH, H. BÜTTNER u. E. WAGNER, Ang. Ch. 82, 177 (1970).
2 D. SEYFERTH u. J. M. BURLITCH, Am. Soc. 86, 2730 (1964).
3 D. SEYFERTH et al., Am. Soc. 89, 959 (1967).
4 W. v. E. DOERING et al., Am. Soc. 80, 5274 (1958).

quantitativ und stabil nur bei −110° in Tetrahydrofuran erhältlich ist[1-3], aber bei dieser Temp. zum größten Teil unlöslich ist und sich beim Erwärmen auf die Zersetzungstemp. (−73°) nur allmählich löst. Unvermeidbare Schwankungen in Menge und Beschaffenheit des Bodenkörpers führten zu stärker streuenden Ergebnissen (s. Tab. 14, S. 158).

Die aus Tab. 14 (S. 158)[4] ersichtlichen Mittelwerte aus mehreren unabhängigen Experimenten (die gleichbleibende Gesamtmolzahl dient hierbei konstanter Solvenspolarität) lassen jedoch die starke Beschleunigung des Trichlormethyl-lithium-Zerfalls zweifelsfrei und besser als frühere Versuche[5-8] erkennen[4].

Dieses Ergebnis – per se auch mit der unmittelbaren Reaktion zwischen Trichlormethyl-lithium und Olefin vereinbar – weist zusammen mit den oben besprochenen Resultaten die Carben-Übertragung auf Cyclohexen als geschwindigkeitsbestimmenden Reaktionsschritt aus[4]:

Auf 20 mMol Li-CCl₃ zugesetzt:	Zerfall (LiCl)	*7,7-Dichlor-norcaran*
200 mMol Methyl-cyclohexan (MCH)	36%	—
50 mMol Cyclohexen + 150 mMol MCH	86%	56%
190 mMol Cyclohexen + 10 mMol MCH	91%	72%

Die Lithiumchlorid-Bestimmung zeigt, daß das Dichlor-carben nicht in der Lösung angereichert wird. Es folgt, daß sich Trichlormethyl-lithium bei −73° in Tetrahydrofuran rasch ins Gleichgewicht mit Dichlor-carben und Lithiumchlorid setzt, aus dem Dichlor-carben in langsamen, aber irreversiblen Folgeschritten (den nur teilweise bekannten Thermolysereaktionen[8] und der Reaktion mit Alkenen zu Cyclopropanen) herausgefangen wird[4]:

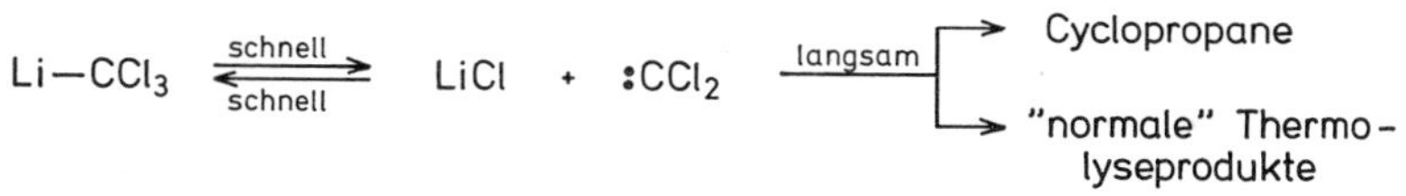

$$Li{-}CCl_3 \underset{schnell}{\overset{schnell}{\rightleftharpoons}} LiCl \ + \ {:}CCl_2 \xrightarrow{langsam} \begin{cases} \text{Cyclopropane} \\ \text{"normale" Thermo-lyseprodukte} \end{cases}$$

Carbenoid/Carben-Gleichgewichte sind auch beim Trichlormethyl-Anion in wäßrigem Medium[9] und beim Triphenylmercapto-methyl-lithium[10] bekannt geworden.

β) Herstellung von 1,1-Dihalogen-cyclopropanen

Die Anwendung der Dihalogen-carben-Übertragung auf Olefine zum Zwecke der Herstellung von 1,1-Dihalogen-cyclopropanen soll vor allem mit den Tab. 15, 16

[1] G. Köbrich et al., Tetrahedron Letters **1965**, 973.
[2] G. Köbrich et al., B. **99**, 1793 (1966).
[3] G. Köbrich et al., Ang. Ch. **76**, 536 (1964).
[4] G. Köbrich et al., Ang. Ch, **82**, 177 (1970).
[5] W. T. Miller u. D. M. Whalen, Am. Soc. **86**, 2089 (1964). D. Hoeg et al., Am. Soc. **87**, 4147 (1965).
[6] G. Köbrich et al., Tetrahedron Letters **1965**, 973.
[7] G. Köbrich et al., Ang. Ch. **77**, 730 (1965).
[8] G. Köbrich et al., B. **99**, 1739 (1966).
[9] Vgl. J. Hine, „*Divalent Carbon*", S. 36, Roland Press, New York 1964.
[10] D. Seebach u. A. K. Beck, Am. Soc. **91**, 1540 (1969).

(S. 163, 166) dokumentiert werden, wobei wegen der schwer zu überschauenden Fülle des experimentellen Materials im wesentlichen nur eine Auswahl von einfachen Olefinen bzw. Cycloolefinen aufgenommen werden konnte. Mit den Arbeitsvorschriften auf den Seiten 160 bis 162 sollen die inzwischen üblichen Verfahren der Dihalogen-carben-Erzeugung und -Übertragung summarisch abgehandelt werden.

Nach kurzen Bemerkungen zur Insertion, Stereochemie und Reaktivität der Dihalogen-carbene werden die Reaktionen mit Eninen etwas ausführlicher beschrieben.

Die neueren Verfahren zur Dihalogen-carben-Übertragung aus Trihalogenmethyl-phenyl-quecksilber- und halogenierten Organo-zinn-Verbindungen werden dann detaillierter besprochen.

Die Herstellung von 1,1-Dihalogen-cyclopropanen aus Olefinen mit Haloform und Äthylenoxid wird als spezielle Einzelmethode auf S. 374 ff. ausführlich abgehandelt, da hier gewisse technische Möglichkeiten ins Spiel kommen.

Aus Gründen der Übersichtlichkeit werden die Dihalogen-carben-Übertragungen auf Olefine oder andere Substrate, die von einer Umlagerung begleitet werden oder bei denen sich eine Umlagerung anbietet, gesondert auf S. 189 ff. beschrieben. Auf den S. 203–213 (vgl. auch S. 625–632 u. 637–645) findet man eine Übersicht über einige präparative interessante Umwandlungen von 1,1-Dihalogen-cyclopropanen, die zunächst durch Dihalogen-carben-Übertragungen hergestellt wurden.

β_1) Dihalogen-carben-Übertragung auf Olefine
(s. a. Tab. 15, 16; S. 163, 166)

$\beta\beta_1$) Übertragung

Liegen wenig reaktive Olefine vor, so eignen sich quecksilberorganische Dihalogen-carben-Überträger am besten zur Herstellung der entsprechenden 1,1-Dihalogen-cyclopropane (s. S. 175 ff.), während die üblichen Verfahren nur zu geringen Ausbeuten führen. Wird z. B. Tetrachlor-äthylen mit Chloroform und Base behandelt oder wird die Dihalogen-carben-Übertragung mit Natriumtrichloracetat vorgenommen, so werden lediglich Ausbeuten zwischen 0,2 und 10% an *Hexachlor-cyclopropan* erzielt[1–3]. Trichlor-äthylen liefert mit Natrium-trichloracetat *Pentachlor-cyclopropan* nur in Ausbeuten zwischen 20 bis 25%[4,5].

Pentachlor-cyclopropan[5]: 2500 *ml* (27,7 Mol) Trichlor-äthylen und 1600 g (8,1 Mol) gepulvertes Natrium-trichloracetat werden in einen 5-*l*-Dreihalskolben, der mit einem Heizpilz, einem Rührer und einem Wasserabscheider versehen ist, gebracht. Auf dem Wasserabscheider wird ein Rückflußkühler gesetzt, der mit einem mit Mineralöl gefüllten Blasenzähler verbunden ist. 2 Stdn. wird gerührt und unter Rückfluß gekocht, bis alles Wasser vom siedenden Trichloräthylen entfernt ist. Dann werden 750 *ml* trockenes 1,2-Dimethoxy-äthan zugefügt. Kohlendioxid-Entwicklung beginnt meist sofort, wie man am Blasenzähler sehen kann. Die Lösung nimmt allmählich eine dunkle Farbe an. Nach Kochen am Rückfluß während $2^1/_2$ Tagen wird die Mischung abgekühlt und stehen gelassen. Die gebildete obere ölige Schicht wird vorsichtig

[1] W. R. Moore et al., J. Org. Chem. **28**, 1404 (1963).
[2] E. K. Fields u. S. Meyerson, J. Org. Chem. **28**, 1915 (1963).
[3] S. W. Tobey u. R. West, Am. Soc. **86**, 56 (1964).
[4] S. W. Tobey u. R. West, Tetrahedron Letters **1963**, 1179.
[5] S. W. Tobey u. R. West, Am. Soc. **88**, 2478 (1966).

dekantiert. Die untere Schicht wird mit 4 l Wasser ausgeschüttelt. Die vereinigten Öle werden über Calciumchlorid getrocknet, eingedampft und i. Vak. destilliert; Ausbeute: 390 g (22,4% d. Th., bez. auf Natrium-trichloracetat); Kp_{20}: 75° (farbloses, nach Pfefferminz riechendes Öl).

Die verschiedenartigsten Olefine mit funktionellen Gruppen konnten mit Dihalogencarbenen cyclopropaniert werden.

Allylchlorid als basenempfindlicher Akzeptor konnte mit einer Ausbeute von 59% in *2,2-Dichlor-1-chlormethyl-cyclopropan* überführt werden, sofern das Dichlor-carben durch Decarboxylierung von Natrium-trichloracetat in 1,2-Dimethoxyäthan erzeugt wird[1].

2,2-Dichlor-1-chlormethyl-cyclopropan[1]: Eine Mischung von 40 g (0,22 Mol) wasserfreiem Natrium-trichloracetat, 26 g (3,37 Mol) Allylchlorid und 25 ml wasserfreiem 1,2-Dimethoxy-äthan wird 8 Stdn. in einem Rührautoklaven auf 120° erhitzt. Die gekühlte Mischung wird filtriert und anschließend fraktioniert destilliert; Ausbeute: 21 g (59% d. Th.); Kp_{17}: 56°; $n_D^{20} = 1,4861$.

Aus Acetoxy-äthylen werden unter analogen Bedingungen *2,2-Dichlor-1-acetoxy-cyclopropan* und *1,1,1-Trichlor-2-acetoxy-propan* erhalten[1].

Verschiedene x-Acetoxy-x,x'-(dichlor-methylen)-steroide konnten nach der gleichen Methode aus den entsprechenden Acetoxy-äthylenen synthetisiert werden[2].

Cyclische Vinyläther wie Dihydropyran[3], 2H- bzw. 4H-⟨benzo-[b]-pyran⟩[4] wurden in guten Ausbeuten in *1,1-Dichlor-1,1a,2,8b-tetrahydro-⟨cyclopropa-[c]-chromen⟩* bzw. *1,1-Dichlor-1,1a,7,7a-tetrahydro-⟨cyclopropa-[b]-chromen⟩* überführt, wenn Trichloressigsäure-äthylester und Natriummethanolat verwendet wurden.

Vinylsulfide können gleichfalls in die 2,2-Dichlor-cyclopropyl-sulfide umgewandelt werden[5].

Dichlor- und Difluor-carben – erzeugt aus Natrium-trichloracetat bzw. Natrium-difluor-chlor-acetat – konnten an Steroide mit Δ^2-, Δ^3- und Δ^5-Doppelbindungen addiert werden[6]. Dichlor-carben konnte jedoch nicht an die Δ^5-Doppelbindung von I und ähnlichen Strukturen addiert werden, während Difluor-carben weniger selektiv war. Diese Diskriminierung durch Dichlor-carben dürfte auf sterische Phänomene zurückzuführen sein: Die Seite, von der her der Angriff des Dichlorcarbens erfolgt, wechselt von der Δ^3-Doppelbindung in II mit R = CH_3 zu der Δ^5-Doppelbindung in II mit R = H. Beide Doppelbindungen reagieren hingegen mit Difluorcarben.

[1] H. KLOOSTERZIEL et al., R. **80**, 740 (1961).
[2] C. E. COOK u. M. E. WALL, Chem. & Ind. **1963**, 1927.
[3] E. E. SCHWEIZER u. W. E. PARHAM, Am. Soc. **82**, 4085 (1960).
[4] W. E. PARHAM u. L. D. HUESTIS, Am. Soc. **84**, 813 (1962).
[5] E. P. PRILEZAEVA et al., Doklady Akad. Nauk SSSR **144**, 1059 (1962); C. A. **57**, 13 632 (1962).
[6] L. H. KNOX et al., Chem. & Ind. **1962**, 860; Am. Soc. **85**, 1851 (1963).

2,2-Dibrom-1-alkyliden-cyclopropane konnten in guten Ausbeuten durch Addition von Dibrom-carben (aus Bromoform und Kalium-tert.-butanolat) an Allene erhalten werden[1]. Die Dibrom-Verbindungen ließen sich sukzessive über die Monobromide zu den Kohlenwasserstoffen reduzieren.

7,7-Dichlor-bicyclo[4.1.0]heptan (7,7-Dichlor-norcaran):

Methode A: (Chloroform als Dichlor-carben-Quelle)[2]: Eine kräftig gerührte Mischung von 1,5 l trockenem tert.-Butanol (von Aluminium-tri-tert.-butanolat abdestilliert) und 60 g (1,5 g-Atom) Kalium werden am Siedepunkt des Alkohols zur Reaktion gebracht. Danach wird tert.-Butanol durch Destillation entfernt und der Rückstand 2 Stdn. bei 150–160° (1–2 Torr) getrocknet. Der völlig trockene Festkörper wird pulverisiert und mit 1,5 l Cyclohexen versetzt. Dieser Mischung, die durch ein Eisbad gekühlt wird, werden 120 ml (1,5 Mol) Chloroform tropfenweise unter intensivem Rühren zugesetzt. Nach erfolgter Chloroform-Zugabe wird die Reaktionsmischung noch ~ 30 Min. bei Raumtemp. gerührt und dann in Wasser gegossen. Die Cyclohexenschicht wird abgenommen und die wäßrige Phase mit Pentan extrahiert. Die vereinigten organischen Lösungen werden über wasserfreiem Magnesiumsulfat getrocknet. Der nach Konzentrierung der organischen Phasen verbleibende Rückstand wird fraktioniert destilliert; Ausbeute: 143 g (59% d.Th.); Kp_{15}: 78–79°; $n_D^{23} = 1,5014$.

Methode B: (Trichloressigsäure-äthylester als Dichlor-carben-Quelle)[3]: 47,9 g (0,25 Mol) redestillierter, kommerziell erhältlicher Trichloressigsäure-äthylester wird auf einmal zu einer kalten Mischung (Eisbad) von trockenem 17,3 g Natriummethanolat und 250 ml trockenem Cyclohexen gegeben. Die kalte Reaktionsmischung wird 8 Stdn. unter einer Stickstoffatmosphäre gerührt. Nach Zugabe von Wasser wird in Analogie zu der unter Methode A beschriebenen Weise aufgearbeitet; Ausbeute: 33 g (79% d.Th.).

Methode C: (Natriumtrichloracetat als Dichlor-carben-Quelle)[4]: Wasserfreies Natriumtrichloracetat wird durch Neutralisation von äthanolischem Natriumäthanolat mit Trichloressigsäure und anschließender Ausfällung des Salzes mit einem Überschuß an Chloroform bereitet. Das Produkt wird i. Vak. bei 100° ~ 20 Stdn. getrocknet. Eine Mischung von 40 g (0,216 Mol) so bereitetem Natriumtrichloracetat, 105 g (1,28 Mol) trockenem Cyclohexen und 70 ml 1,2-Dimethoxy-äthan (über Kalium destilliert) wird ~ 22 Stdn. unter Rückfluß erhitzt. Nach Abfiltrieren des gebildeten Natriumchlorids wird anschließend destilliert; Ausbeute: 23 g (65% d.Th.).

7,7-Dibrom-bicyclo[4.1.0]heptan (7,7-Dibrom-norcaran)[2]:

1,2 l trockenes tert.-Butanol werden mit 40 g (1 g-Atom) Kalium wie üblich umgesetzt, danach werden 950 ml wasserfreies Cyclohexen hinzugegeben und die Mischung mit einem Eisbad gekühlt. Zu der gekühlten Mischung werden langsam 304 g (1,2 Mol) Bromoform getropft. Nach erfolgter Bromoform-Zugabe wird noch ~ 15 Min. gerührt und schließlich die Mischung in Wasser gegossen. Nach Abtrennung der Cyclohexen-Schicht wird die wäßrige Phase mit Pentan extrahiert. Die Pentanextrakte und die Cyclohexenphase werden vereinigt, mit 6 l kaltem Wasser gewaschen und dann über wasserfreiem Magnesiumsulfat getrocknet. Nach Entfernen des Solvens wird der Rückstand destilliert; Ausbeute: 189 g (75% d.Th.); Kp_8: 100°; $n_D^{22} = 1,5578$.

3-Fluor-3-chlor-1,1,2,2-tetramethyl-cyclopropan[5]:

In einem 100-ml-Dreihalskolben, der mit einem Tieftemperatur-Thermometer, einem Tropftrichter, einem Trockeneiskühler (mit Stickstoff-Einleitungsrohr) und einem Magnetrührer versehen ist, werden 5,7 g (0,05 Mol) Kalium-tert.-butanolat und 17 g (0,2 Mol) 2,3-Dimethyl-buten-(2) vorgelegt. Die gerührte Mischung wird auf −10° abgekühlt und 6,9 g 1,3-Difluor-tetrachlor-aceton langsam zugeführt, wobei Temp. um −5 bis −10° eingehalten werden sollten. Nach erfolgter Zugabe wird noch 2 Stdn. bei −10° gerührt. Danach wird die Reaktionsmischung mit Wasser verdünnt und auf Raumtemp. gebracht. Die organische Phase wird 5 mal mit Wasser (je 30 ml) gewaschen und anschließend über wasserfreiem Magnesiumsulfat getrocknet. Nach Entfernen des überschüssigen Olefins wird der Rückstand destilliert; Ausbeute: ~ 60% d.Th.; Kp_{60}: 55–60°.

---

[1] W. Rahman u. H. G. Kuivila, J. Org. Chem. **31**, 772 (1966).

[2] W. v. E. Doering u. A. K. Hoffmann, Am. Soc. **76**, 6162 (1954).

[3] W. E. Parham u. E. E. Schweizer, J. Org. Chem. **24**, 1733 (1959).

[4] H. Kloosterziel et al., R. **80**, 740 (1961).

[5] R. A. Moss u. R. Gerstl, Tetrahedron **23**, 2549 (1967).

Tab. 15. Dichlor-cyclopropane durch Umsetzung von Dichlor-carben mit Alkenen, Alkinen und Cycloalkenen (Übersicht)

Carben-Akzeptor	Erzeugung des Dichlor-carbens	Reaktionsprodukt(e)	Ausbeute [% d. Th.]	Literatur
2-Methyl-propen-(1)	a) $CHCl_3$ + tert.-C_4H_9OK	2,2-Dichlor-1,1-dimethyl-cyclopropan (Kohlensäure-di-tert.-butylester)	65	1–3
	b) $Cl_3CCOOC_2H_5$ + $NaOCH_3$		76	4
	c) Cl_3CCOO-tert.-C_4H_9 + tert.-C_4H_9OK		86 (89)	4,2
	d) Cl_3CCOOK (▽ u. Rückfluß)		60	5
	e) Cl_2CHCOO-tert.C_4H_9 + tert.-C_4H_9OK	2,2-Dichlor-1,1-dimethyl-cyclopropan, (Kohlensäure-di-tert.butylester)	13	
			16–20	2
		Benzol-hexacarbonsäure-hexa-tert.-butylester	3	
	f) Cl_2CHCOO-tert.-C_4H_9 + $(CH_3)_3COCl$ + tert.-C_4H_9OK	2,2-Dichlor-1,1-dimethyl-cyclopropan, Trichlor-essigsäure-tert.-butyl-ester	55	6
			5	
	g) $Cl_3CSO_2CH_3$ + tert.-C_4H_9OK	2,2-Dichlor-1,1-dimethyl-cyclopropan	15	7
Butadien-(1,3)	a) $CHCl_3$ + tert.-C_4H_9OK	2,2-Dichlor-1-vinyl-cyclo-propan (und Spuren von 2,2-Dichlor-1,1-dimethyl-cyclopropan u. 2,2,2',2'-Tetrachlor-bi-cyclopropyl)	51	8,9
	b) $Cl_3CCOONa$ (▽)	2,2-Dichlor-1-vinyl-cyclo-propan	70	5
Penten-(1)	a) $CHCl_3$ + tert.-C_4H_9OK	2,2-Dichlor-1-propyl-cyclo-propan	—*	3
cis-Penten-(2)	a) $CHCl_3$ + tert.-C_4H_9OK	cis-3,3-Dichlor-2-methyl-1-äthyl-cyclopropan	—*	3
2-Methyl-buten-(1)	a) $CHCl_3$ + tert.-C_4H_9OK	3,3-Dichlor-2-methyl-1-äthyl-cyclopropan	—*	3
2-Methyl-buten-(2)	a) $CHCl_3$ + tert.-C_4H_9OK	3,3-Dichlor-1,1,2-trimethyl-cyclopropan	66	1,3
	b) $(Cl_3C)_2CO$ + $NaOCH_3$	3,3-Dichlor-1,1,2-trimethyl-cyclopropan, (Nebenpro-dukt: 1,1,1,3,3,3-Hexa-chlor-2-hydroxy-propan)	23	10

* Ausbeuteangaben fehlen.

[1] W. v. E. DOERING u. A. K. HOFFMANN, Am. Soc. 76, 6162 (1954).
[2] W. E. PARHAM u. F. C. LOEW, J. Org. Chem. 23, 1705 (1958).
[3] W. v. E. DOERING u. W. A. HENDERSON, Am. Soc. 80, 5274 (1958).
[4] W. E. PARHAM u. E. E. SCHWEIZER, J. Org. Chem. 24, 1733 (1959).
[5] H. KLOOSTERZIEL et al., R. 80, 740 (1961).
[6] M. E. VOLPIN et al., Tetrahedron 8, 33 (1960).
[7] U. SCHÖLLKOPF et al., Ang. Ch. 74, 431 (1962).
[8] R. C. WOODWORTH u. P. S. SKELL, Am. Soc. 79, 2542 (1957).
[9] E. C. HERRICK u. M. ORCHIN, J. Org. Chem. 24, 139 (1959).
[10] P. K. KADABA u. J. O. EDWARDS, J. Org. Chem. 25, 1431 (1960).

11*

Tab. 15. (1. Fortsetzung)

Carben-Akzeptor	Erzeugung des Dichlor-carbens	Reaktionsprodukt(e)	Ausbeute [% d. Th.]	Litera-tur
2-Methyl-bu-tadien-(1,3)	a) $CHCl_3$ + tert.-C_4H_9OK	*2,2-Dichlor-1-methyl-1-vinyl-cyclopropan*	37	1,2,3
3-Methyl-bu-ten-(3)-in-(1)	a) $CHCl_3$ + tert.-C_4H_9OK	*2,2-Dichlor-1-methyl-1-äthinyl-cyclopropan*	65	4
Hexen-(1)	a) $CHCl_3$ + tert.-C_4H_9OK b) $CHCl_3$ + $KOC(CH_3)_2C_2H_5$	*2,2-Dichlor-1-butyl-cyclo-propan*	—* 16	5 6
Hexadien-(1,5)	a) $Cl_3CCOONa$ (▽ u. Rückfluß)	*2,2-Dichlor-1-[buten-(3)-yl]-cyclopropan*	23	7
2,3-Dimethyl-buten-(2)	a) $CHCl_3$ + tert.-C_4H_9OK b) $Cl_3CCOONa$ (▽ u. Rückfluß) c) Elektrolyse von CCl_4 in Acetonitril bei −20°	*3,3-Dichlor-1,1,2,2-tetra-methyl-cyclopropan*	—* 87 —*	5 7 8
2,3-Dimethyl-butadien-(1,3)	a) $CHCl_3$ + tert.-C_4H_9OK	*2,2-Dichlor-1-methyl-1-iso-propenyl-cyclopropan*	—*	3
2-Methyl-penten-(1)-in-(3)	a) $Cl_3CCOONa$ (▽ u. Rückfluß)	*2,2-Dichlor-1-methyl-1-[propin-(1)-yl]-cyclopro-pan*	20	9
Cyclohexen	a) $CBrCl_3$ + C_4H_9Li	*7,7-Dichlor-bicyclo[4.1.0] heptan*	91	10
	b) $Cl_3CCOOC_2H_5$ + $NaOCH_3$	*(7,7-Dichlor-norcaran)*	79–88	11
	c) $C_6H_5HgCCl_3$ (▽ u. Rückfluß im Benzol)		88	12
	d) Cl_3CJ + CH_3Li		71	10
	e) $CBrCl_3$ + CH_3Li		67	10

* Ausbeuteangaben fehlen.

[1] E. C. Herrick u. M. Orchin, J. Org. Chem. **24**, 139 (1959).
[2] A. Ledwith u. R. M. Bell, Chem. & Ind. **1959**, 459.
[3] T. Shono u. R. Oda, J. Chem. Soc. Japan **80**, 1200 (1959); C. A. **55**, 4381 (1961).
[4] L. Vo-Quang u. P. Cadiot, C. r. **252**, 3827 (1961).
[5] W. v. E. Doering u. W. A. Henderson, Am. Soc. **80**, 5274 (1958).
[6] W. v. E. Doering u. A. K. Hoffmann, Am. Soc. **76**, 6162 (1954).
[7] H. Kloosterziel et al., R. **80**, 740 (1961).
[8] S. Wawzonek u. R. C. Duty, J. Electrochem. Soc. **108**, 1135 (1961).
[9] I. A. Dyakonov et al., Ž. obšč. chim. **30**, 3475 (1960); C. A. **55**, 19814 (1961).
[10] W. Miller u. C. S. Y. Kim, Am. Soc. **81**, 5008 (1959).
[11] W. E. Parham u. E. E. Schweizer, J. Org. Chem. **24**, 1733 (1959).
[12] D. Seyferth et al., J. Org. Chem. **27**, 1491 (1962).

Tab. 15. (2. Fortsetzung)

Carben-Akzeptor	Erzeugung des Dichlor-carbens	Reaktionsprodukt(e)	Ausbeute [% d. Th.]	Literatur
Cyclohexen	f) $Cl_3CCOONa$ ($\triangledown$ unter Rückfluß)	7,7-Dichlor-bicyclo[4.1.0] heptan (7,7-Dichlor-norcaran)	65	1,2
	g) Cl_3SiCCl_3 ($\triangledown$ auf 250°)		60	3
	h) $CHCl_3$ + tert.-C_4H_9OK		59	4,5
	i) $(CCl_3)_2CO$ + $NaOCH_3$		59	6,7
	j) CCl_4 + C_4H_9Li		50	8
	k) $CHCl_3$ + $NaOCH_3$		38	9
	l) CCl_4 + $KCH(C_6H_5)_2$		26	10
	m) $CHCl_3$ + C_4H_9Li		19	11
	n) $CBrCl_3$ + $KCH(C_6H_5)_2$		17	10
	o) $CHCl_3$ + $KCH(C_6H_5)_2$		15	10
	p) CCl_4 + CH_3Li		8	8
	q) $Cl_3CCOOAg$		10	12,13
	r) $Cl_3CSO_2CH_3$ + tert.-C_4H_9OK		48	14
	s) Cl_3CSO_2Cl + tert.-C_4H_9OK		35	14
3-Äthyl-penten-(3)-in-(1)	a) $CHCl_3$ + tert.-C_4H_9OK	2,2-Dichlor-2-methyl-1-äthyl-1-äthinyl-1-cyclopropan	40	15
1-Äthinyl-cyclopenten	a) $CHCl_3$ + tert.-C_4H_9OK	6,6-Dichlor-1-äthinyl-bicyclo[3.1.0]hexan	35	15
Cycloheptatrien	a) $CHCl_3$ + $NaOCH_3$	8,8-Dichlor-bicyclo[5.1.0] octadien-(2,4)	20	16
	b) $Cl_3CCOONa$ ($\triangledown$ unter Rückfluß)		46	1,2
Cyclooctatetraen	a) $CHCl_3$ + tert.-C_4H_9OK	9,9-Dichlor-bicyclo[6.1.0] nonatrien-(2,4,6)	—*	17

* Ausbeuteangaben fehlen

[1] H. KLOOSTERZIEL et al., R. **80,** 740 (1961).

[2] W. M. WAGNER, Proc. Chem. Soc. **1959,** 229.

[3] W. I. BEVAN, R. N. HASZELDINE u. J. C. YOUNG, Chem. & Ind. **1961,** 789.

[4] W. v. E. DOERING u. A. K. HOFFMANN, Am. Soc. **76,** 6162 (1954).

[5] W. v. E. DOERING u. W. A. HENDERSON, Am. Soc. **80,** 5274 (1958).

[6] P. K. KADABA u. J. O. EDWARDS, J. Org. Chem. **25,** 1431 (1960).

[7] F. W. GRANT u. W. B. CASSIC, J. Org. Chem. **25,** 1433 (1960).

[8] W. MILLER u. C. S. Y. KIM, Am. Soc. **81,** 5008 (1959).

[9] H. E. WINBERG, J. Org. Chem. **24,** 264 (1959).

[10] C. R. HAUSER et al., J. Org. Chem. **26,** 2627 (1961).

[11] G. L. CLOSS u. L. E. CLOSS, Am. Soc. **82,** 5723 (1960).

[12] C. D. NENITZESCU et al., Ang. Ch. **72,** 416 (1960).

[13] F. BADEA u. C. D. NENITZESCU, Ang. Ch. **72,** 415 (1960).

[14] U. SCHÖLLKOPF et al., Ang. Ch. **74,** 431 (1962).

[15] L. VO-QUANG u. P. CADIOT, C. r. **252,** 3827 (1961).

[16] A. P. TERBORG u. A. F. BICKEL, R. **80,** 1217 (1961); Proc. Chem. Soc. **1958,** 283.

[17] E. VOGEL, Ang. Ch. **73,** 548 (1961).

Tab. 16. Dibrom- bzw. Difluor-cyclopropane durch Umsetzung von Dibrom-carben und Difluor-carben mit Alkenen, Alkinen und Cycloalkenen (Übersicht)

Carben-Akzeptor	Erzeugung des Carbens	Reaktionsprodukt(e)	Ausbeute [% d.Th.]	Literatur
Acetylen	CHBr$_3$ + tert.-C$_4$H$_9$OK	nicht identifiziert	—*	1
cis-Buten-(2)	CHBr$_3$ + tert.-C$_4$H$_9$OK	cis-3,3-Dibrom-1,2-di-methyl-cyclopropan	80	2,3
trans-Buten-(2)	CHBr$_3$ + tert.-C$_4$H$_9$OK	trans-3,3-Dibrom-1,2-dimethyl-cyclopropan	68	2,3
Butadien-(1,3)	CHBr$_3$ + tert.-C$_4$H$_9$OK	2,2-Dibrom-1-vinyl-cyclopropan	72	4,5
2-Methyl-pro-pen-(1)	CHBr$_3$ + tert.-C$_4$H$_9$OK	2,2-Dibrom-1,1-dimethyl-cyclopropan	72	2,4,6
Penten-(1)	CHBr$_3$ + tert.-C$_4$H$_9$OK	2,2-Dibrom-1-propyl-cyclopropan	55	6,7
2-Methyl-buten-(2)	CHBr$_3$ + tert.-C$_4$H$_9$OK	3,3-Dibrom-1,1,2-tri-methyl-cyclopropan	66	4,7
3-Methyl-buta-dien-(1,2)	CHBr$_3$ + tert.-C$_4$H$_9$OK	3,3-Dibrom-2,2-dimethyl-1-methylen-cyclopro-pan	40–60	8
2,3-Dimethyl-buten-(2)	CHBr$_3$ + tert.-C$_4$H$_9$OK	3,3-Dibrom-1,1,2,2-tetra-methyl-cyclopropan	54	4,6,9
3-Methyl-buten-(3)-in-(1)	CHBr$_3$ + tert.-C$_4$H$_9$OK	2,2-Dibrom-1-methyl-1-äthinyl-cyclopropan	35	10
Hexen-(1)	CHBr$_3$ + tert.-C$_4$H$_9$OK	2,2-Dibrom-1-butyl-cyclopropan	14	4
Hexadien-(1,2)	CHBr$_3$ + tert.-C$_4$H$_9$OK	3,3-Dibrom-2-propyl-1-methylen-cyclopropan	40–60	8
Hexadien-(1,5)	CHBr$_3$ + tert.-C$_4$H$_9$OK	2,2-Dibrom-1-[buten-(3)-yl]-cyclopropan	—*	9
3-Methyl-penta-dien-(1,2)	CHBr$_3$ + tert.-C$_4$H$_9$OK	3,3-Dibrom-2-methyl-2-äthyl-1-methylen-cyclopropan	40–60	8
4-Methyl-penta-dien-(2,3)	CHBr$_3$ + tert.-C$_4$H$_9$OK	3,3-Dibrom-2,2-dimethyl-1-äthyliden-cyclopropan	40–60	8

[1] N. D. Kursanov et al., Ž. obšč. chim. **30**, 2855 (1960); C. A. **55**, 16473 (1961).
[2] P. S. Skell u. A. Y. Garner, Am. Soc. **78**, 3409 (1956).
[3] W. v. E. Doering u. P. La Flamme, Am. Soc. **78**, 5447 (1956).
[4] P. S. Skell u. A. Y. Garner, Am. Soc. **78**, 5430 (1956).
[5] R. C. Woodworth u. P. S. Skell, Am. Soc. **79**, 2542 (1957).
[6] W. v. E. Doering u. W. A. Henderson, Am. Soc. **80**, 5274 (1958).
[7] W. v. E. Doering u. P. La Flamme, Tetrahedron **2**, 75 (1958).
[8] W. J. Ball u. S. R. Landor, Proc. chem. Soc. **1961**, 1246.
[9] L. Skattebøl, Tetrahedron Letters **1961**, 167.
[10] L. Vo-Quang u. P. Cadiot, C. r. **252**, 3827 (1961).

Tab. 16. (1. Fortsetzung)

Carben-Akzeptor	Erzeugung des Carbens	Reaktionsprodukt(e)	Ausbeute [% d.Th.]	Literatur
Cyclopenten	$CHBr_3$ + tert.-C_4H_9OK	6,6-Dibrom-bicyclo [3.1.0]hexan	40	1,2
Cyclohexen	a) $CHBr_3$+tert.-C_4H_9OK	7,7-Dibrom-bicyclo [4.1.0]heptan	75	1,3,4
	b) CBr_4 + C_4H_9Li		11	5
	c) $C_6H_5HgCBr_3$ ($\triangledown$ in Benzol unter Rückfluß)		88	6
	d) $CHCl_2F$+tert.-C_4H_9OK	7-Fluor-7-chlor-bicyclo [4.1.0]heptan	24	7
	e) $CF_2ClCOONa$ (Pyrolyse)	7,7-Difluor-bicyclo [4.1.0]heptan (Kohlendioxid)	22	8
	f) $CHClF_2$+tert.-C_4H_9OK	nicht identifiziert	—*	7
	g) CBr_2F_2 + C_4H_9Li	7,7-Difluor-bicyclo [4.1.0]heptan	?	9,10
Cyclohexadien-(1,4)	$CHBr_3$ + tert.-C_4H_9OK	7,7-Dibrom-bicyclo [4.1.0]hepten-(3)	70	11,12
		(4,4,8,8-Tetrabrom-tricyclo[5.1.0.0^{3,5}]octan) 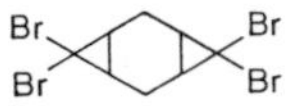	1	13
Cyclohepten	$CHBr_3$ + tert.-C_4H_9OK	8,8-Dibrom-bicyclo [5.1.0]octan	—*	14
Cycloocten	$CHBr_3$ + tert.-C_4H_9OK	9,9-Dibrom-bicyclo [6.1.0]nonan	33	14—16
Cyclooctadien-(1,5)	$CHBr_3$ + tert.-C_4H_9OK	5,5,10,10-Tetrabrom-tricyclo[7.1.0.0^{4,6}]decan {daneben: 9,9-Dibrom-bicyclo[6.1.0]nonen-(4)}	34	15

[1] P. S. SKELL u. A. Y. GARNER, Am. Soc. 78, 5430 (1956).

[2] J. SONNENBERG u. S. WINSTEIN, J. Org. Chem. 27, 748 (1962).

[3] W. v. E. DOERING u. A. K. HOFFMANN, Am. Soc. 76, 6162 (1954).

[4] W. v. E. DOERING u. W. A. HENDERSON, Am. Soc. 80, 5274 (1958).

[5] W. MILLER u. C. S. Y. KIM, Am. Soc. 81, 5008 (1959).

[6] D. SEYFERTH et al., J. Org. Chem. 27, 1491 (1962).

[7] W. E. PARHAM u. R. E. TWELVES, J. Org. Chem. 22, 730 (1957).

[8] R. N. HASZELDINE et al., Proc. chem. Soc. 1960, 81.

[9] V. FRANZEN, Ang. Ch. 72, 566 (1960).

[10] V. FRANZEN, B. 95, 1964 (1962).

[11] K. HOFFMANN et al., Am. Soc. 81, 992 (1959).

[12] K. HOFFMANN et al., Am. Soc. 79, 3608 (1957).

[13] E. VOGEL et al., A. 664, 172 (1961).

[14] W. J. BALL u. S. R. LANDOR, Proc. chem. Soc. 1961, 143.

[15] L. SKATTEBØL, Tetrahedron Letters 1961, 167.

[16] P. D. GARDNER u. M. NARAYANA, J. Org. Chem. 26, 3518 (1961).

Tab. 16. (2. Fortsetzung)

Carben-Akzeptor	Erzeugung des Carbens	Reaktionsprodukt(e)	Ausbeute [% d.Th.]	Litera- tur
Cyclooctatetraen	$CHBr_3$ + tert.-C_4H_9OK	*9,9-Dibrom-bicyclo[6.1.0] nonatrien-(2,4,6)*	—*	1
Cyclononen	$CHBr_3$ + tert.-C_4H_9OK	*10,10-Dibrom-bicyclo [7.1.0]decan*	—*	2
Cyclotetradeca- dien-(1,7)	$CHBr_3$ + tert.-C_4H_9OK	*7,7,16,16-Tetrabrom- tricyclo[$13.1.0.0^{6,8}$] hexadecan*	22	3
Styrol	$CHBr_3$ + tert.-C_4H_9OK	*2,2-Dibrom-1-phenyl- cyclopropan*	72	3—5
2-Phenyl-pro- pen-(1)	$CHBr_3$ + tert.-C_4H_9OK	*2,2-Dibrom-1-methyl-1- phenyl-cyclopropan*	81	5
3-Phenyl-pro- pen-(1)	$CHBr_3$ + tert.-C_4H_9OK	*2,2-Dibrom-1-benzyl- cyclopropan*	13	4
1-(4-Methoxy- phenyl)-pro- pen-(1)	$CHBr_3$ + tert.-C_4H_9OK	*3,3-Dibrom-2-methyl-1- (4-methoxy-phenyl)- cyclopropan*	47	4

* Ausbeuteangaben fehlen

$\beta\beta_2$) Konkurrenz Übertragung/Insertion

Im Zusammenhang mit der Synthese von 1,1-Dihalogen-cyclopropanen aus Ole-finen und Dihalogen-carbenen muß erwähnt werden, daß Dihalogen-carbene ebenfalls Einschiebungsreaktionen in Einfachbindungen hervorrufen können.

So wurden z.B. bei der Reaktion von Dichlor-carben, erzeugt aus Trichloressig-säure-äthylester und Natriummethanolat, mit 2H-⟨Benzo-[b]-thiopyran⟩ (I) zwei Produkte im Verhältnis 2,4:1 erhalten: 2-Dichlormethyl-2H-(bzw. -4H)-⟨benzo-[b]-thiopyran⟩ (III; IV)[6]. Mit aus Natrium-trichloracetat auf thermischem Wege erzeugtem Dichlor-carben geht dieses Produktverhältnis auf etwa 1:1 zurück. Im Fall des 4H-⟨Benzo-[b]-thiopyrans⟩ (V; S.169) wird unter gleichen Be-dingungen nur ein Monoaddukt mit Dichlorcyclopropan-Struktur (VI; *1,1-Dichlor-1,1a-7,7a-tetrahydro-⟨benzo-[b]-thiopyran⟩*) gebildet:

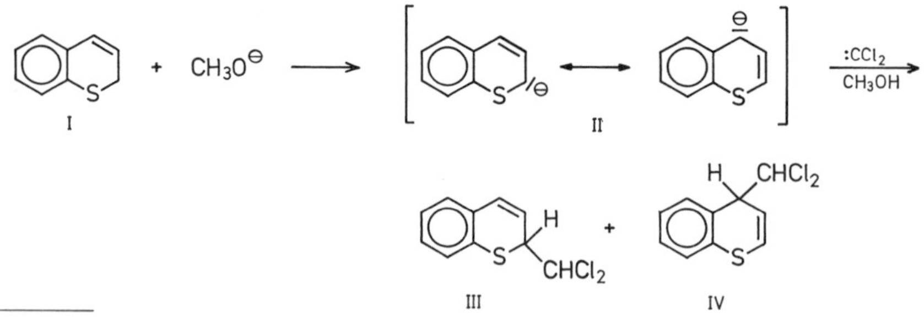

[1] E. VOGEL, Ang. Ch. **73**, 548 (1961).
[2] W. J. BALL u. S. R. LANDOR, Proc. chem. Soc. **1961**, 143.
[3] L. SKATTEBØL, Tetrahedron Letters **1961**, 167.
[4] P. S. SKELL u. A. Y. GARNER, Am. Soc. **78**, 5430 (1956).
[5] W. J. DALE u. P. E. SCHWARTZENTRUBER, J. Org. Chem. **24**, 955 (1959).
[6] W. E. PARHAM u. E. KONCOS, Am. Soc. **83**, 4034 (1961).

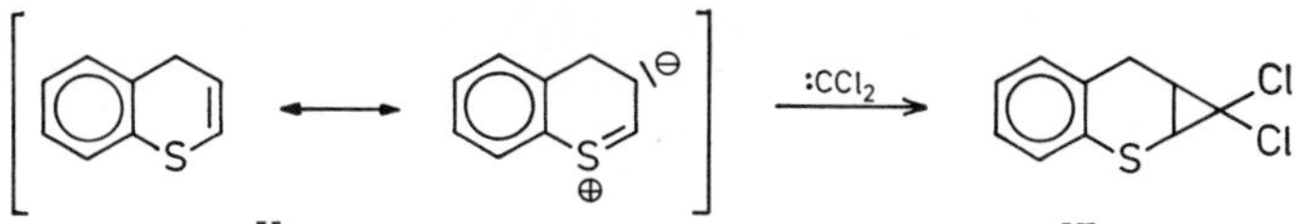

Beim **2,5-Dihydro-furan** (VII) wurden sowohl Additions- wie Einschiebungsreaktion des Dichlor-carbens unter Bildung von *6,6-Dichlor-3-oxa-bicyclo[3.1.0]hexan*
(VIII) und *2-Dichlormethyl-2,5-dihydro-furan* (IX) beobachtet[1] (aus Trichloressigsäure-äthylester und Natrium-methanolat: VIII/IX = 1,88; aus Natrium-trichloracetat: VIII/IX = 1,12)[2]:

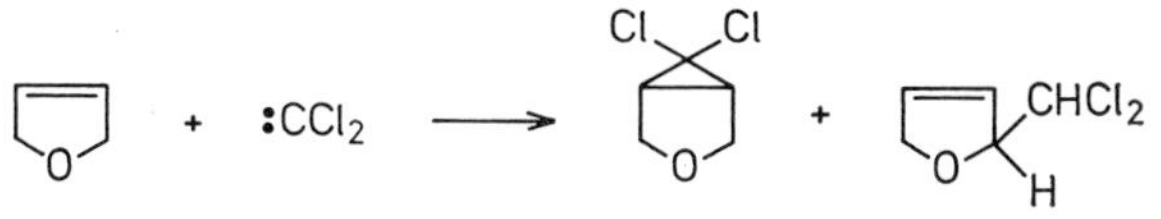

Es konnte zum anderen auch gezeigt werden, daß Dichlor-carben gleichfalls mit **alkyl-substituierten aromatischen Kohlenwasserstoffen** reagiert, wobei es zu einer Einschiebung
in die benzylischen C—H-Bindungen kommt[3]. Aus Isopropyl-benzol wird so in 33%iger Ausbeute
1,3-Dichlor-2-methyl-2-phenyl-propan erhalten. Bei 1,4-Diisopropyl-benzol, Tetralin und Di-
phenylmethan sind ähnliche Reaktionen beobachtet worden. Die Ausbeute an Einschiebungsprodukt geht sofort auf 0,5–5% herunter, wenn statt der thermischen Zersetzung von Natrium-
trichloracetat als Dihalogen-carben-Erzeugungsmethode zu Verfahren übergegangen wird, die
alkalische Medien benutzen. Aus diesem Grunde wurde angenommen, daß zur Einschiebungsreaktion allgemein zusätzliche thermische Energie notwendig sei[3].

Zum anderen könnten auch bei dem Verfahren mit Natrium-trichloracetat geeignete Akzep-
toren fehlen, die mit der C—H-Bindung in Konkurrenz um das Carben treten würden.

Von einem recht formalen Standpunkt aus kann man auch die Reimer-Tiemann-Aldehyd-
synthese als eine Reaktion mit Einschiebung eines Carbens in eine C—H-Bindung betrachten.

1963 wurde über die Herstellung von Dihalogenmethyl-Derivaten des Kohlenstoffs, Siliciums und des Germaniums durch Einwirkung von (Dichlor-brom-
methyl)-phenyl-quecksilber bzw. Tribrommethyl-phenyl-quecksilber auf
C—H-, Si—H- und Ge—H-Bindungen berichtet[4]. Ob nun bei diesen Reaktionen in
der Tat Dichlor- und Dibrom-carben echt intermediär auftreten, sei hier zunächst
dahingestellt. Es ist jedenfalls möglich, diejenigen Verbindungen, die durch
Einschiebung der Dihalogen-carbene in eine C—H-, Si—H- und Ge—H-Bindung
entstehen würden, zu erhalten. Eine Einschiebung gelingt sogar bei C—H-Bindungen,
die nicht wie am Benzylkohlenstoff durch benachbarte Phenylkerne aktiviert sind,
z. B. bei der C—H-Bindung des Cyclohexans. Eine solche Reaktion mit Cyclohexan
ist jedoch schwer anders als über ein freies Carben zu interpretieren.

Auch die Synthese von Trihalogenmethyl-aryl-quecksilber-Verbindungen durch Reaktion
eines Aryl-quecksilberhalogenids mit Chloroform oder Bromoform und Kalium-tert.-butanolat
wurde zunächst als Einschiebungsreaktion eines Dihalogen-carbens in eine Quecksilber-Halogen-
Bindung betrachtet[5]. Später konnte jedoch eindeutig bewiesen werden, daß die Reaktion als eine

---

[1] J. C. ANDERSON u. C. B. REESE, Chem. & Ind. **1963**, 575.
   Vgl. a. J. C. ANDERSON, D. G. LINDSAY u. C. B. REESE, Soc. **1964**, 4874.
[2] Auch beide Reaktionen sind bei der Umsetzung von 2,5-Dihydro-furan mit (Dichlor-brom-
   methyl)-phenyl-quecksilber beobachtet worden (s. S. 181).
[3] E. K. FIELDS, Am. Soc. **84**, 1744 (1962).
[4] D. SEYFERTH u. J. M. BURLITCH, Am. Soc. **85**, 2667 (1963).
[5] O. A. REUTOV u. A. N. LOVTSOVA, Izv. Akad. Nauk SSSR **1960**, 1716; Doklady Akad. Nauk
   SSSR **139**, 622 (1961); C. A. **55**, 9319 (1961); **56**, 1469 (1962).

einfache nucleophile Verdrängung eines Halogenid-Ions durch ein Trihalogenmethyl-Anion aufzufassen ist[1]. So liefert Phenyl-quecksilberbromid mit Chloroform und Kalium-tert.-butanolat nur Trichlormethyl-phenyl-quecksilber, während aus Dichlor-brom-methan (Dichlor-brommethyl)-phenyl-quecksilber erhalten wird. In ganz ähnlicher Weise reagiert Quecksilber(II)-bromid mit Chloroform und Kalium-tert.-butanolat unter Bildung von Trichlormethyl-quecksilberbromid (1,2%) als der einzigen Organo-quecksilber-Verbindung. Bei Umsetzung von Quecksilber(II)-bromid mit Natrium-trichloracetat konnte die Ausbeute an der genannten Verbindung auf 44% d. Th. erhöht werden[2]. Zum anderen sind auch Einschiebungen in die C—Hg-Bindungen von Dialkyl-quecksilber-Verbindungen berichtet worden[3].

Eine Einschiebung von Dichlor-carben in C—Al-Bindungen wird innerhalb eines komplexen Reaktionsschemas auch in der Literatur postuliert[4].

Sofern Einschiebungsreaktionen von Dihalogen-carbenen für die Synthese von gewissen 1,1-Dihalogen-cyclopropanen eine Bedeutung erlangt haben, so werden sie an diesen Stellen noch gesondert behandelt.

$\beta\beta_3$) Stereochemie und Reaktivität

Die Dihalogen-carbene werden **stereospezifisch** *cis* an Olefine addiert. So liefern *cis*- und *trans*-Buten-(2) je ein sterisch einheitliches *3,3-Dibrom-1,2-dimethyl-cyclopropan*[5], dessen *cis*- bzw. *trans*-Konfiguration sowohl spektroskopisch[5] als auch durch die Überführung in die entsprechenden stereoisomeren *1,2-Dimethyl-cyclopropane* durch Reduktion mit Natrium in Alkohol gesichert werden konnte[6]:

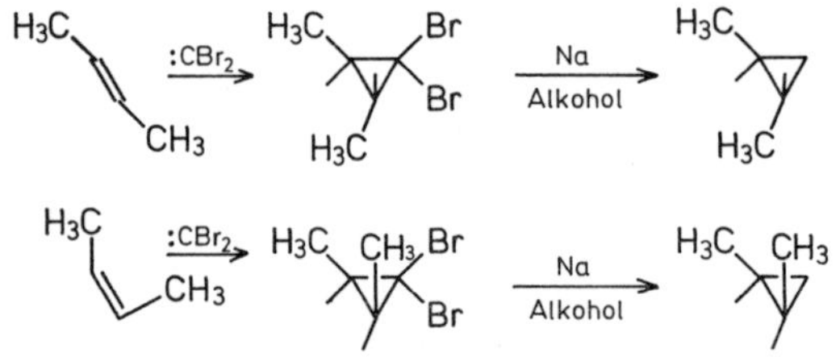

Die Dihalogen-carbene besitzen **elektrophilen Charakter**, der eine bevorzugte Addition an die jeweils nucleophilere C=C-Doppelbindung erwarten läßt. Die Reaktivität gegenüber Olefinen wurde sowohl beim Dibrom-carben[7,8] als auch beim Dichlor-carben[8] sorgfältig untersucht. In Gegenwart einer Reihe von Olefinen wurde die Haloform-Reaktion durchgeführt und an Hand der Ausbeuten eine **Reaktivitätsskala** ermittel (s. hierzu Tab. 17, S. 171)[9]:

mono- < sym. di- < unsym. di- < tri- < tetra-substituierte Olefine.

Die Zunahme der Reaktivität mit wachsender Zahl an elektronenspendenden Alkyl-Substituenten spricht eindeutig für die Elektrophilie der Dihalogen-carbene. Damit steht in Einklang, daß diese Reaktivitätsskala der Olefine gegenüber den Dihalogen-carbenen ähnlich derjenigen

---

[1] D. Seyferth u. J. M. Burlitch, Am. Soc. **84**, 1757 (1962).

[2] T. J. Logan, J. Org. Chem. **28**, 1129 (1963).

[3] J. A. Landgrebe u. R. D. Mathis, Am. Soc. **86**, 524 (1964).

[4] J. W. Collette, J. Org. Chem. **28**, 2489 (1963).

[5] P. S. Skell u. A. Y. Garner, Am. Soc. **78**, 3409 (1956).

[6] W. v. E. Doering u. P. La Flamme, Am. Soc. **78**, 5447 (1956).

[7] P. S. Skell u. A. Y. Garner, Am. Soc. **78**, 5430 (1956).

[8] W. v. E. Doering u. W. A. Henderson, Am. Soc. **80**, 5274 (1958).

[9] Vgl. auch die Dihalogencarben-Addition an Dehydroaromaten auf S. 214—216.

gegenüber anderen Elektrophilen ist, wie sie z. B. für die ionische Anlagerung von Brom[1] oder für die Epoxidierung mit Persäuren[2] beobachtet worden ist (vgl. Tab. 17). Völlig andere Verhältnisse zeigen sich im Gegensatz dazu für den Angriff von Trichlormethyl-Radikalen[3] auf die entsprechenden Olefine.

Dibrom-carben zeigt eine etwas geringere Selektivität als Dichlor-carben. Dieses Ergebnis ist durchaus konsistent mit den beobachteten relativen Stabilitäten der Dihalogen-carbene[4].

Bei der Dihalogen-carben-Addition an Olefine spielen auch sterische Effekte eine Rolle. Aus Konkurrenzreaktionen mit in 1-Stellung substituierten Cyclohexenen wurden die nachfolgenden Geschwindigkeitskonstanten (relativ zu Cyclohexen) ermittelt[5]:

1-Methyl-cyclohexen: 6   1-Cyclohexyl-cyclohexen: 1
1-Phenyl-cyclohexen: 6   1-Naphthyl-(2)-cyclohexen: 0,5

Tab. 17. Relative Reaktivitäten (log k) von Olefinen

Olefin \ Carben	Lit.	: CCl_2 6	: CBr_2 7	: CBr_2 6	$Br^{\oplus}$ 1	$HO^{\oplus}$ 2	· CCl_2 3
2,3-Dimethyl-buten-(2)		1,73	0,94	0,84	1,15	—	—
2-Methyl-buten-(2)		1,37	0,90	0,87	1,02	0,98	0,58
2-Methyl-propen		0,92 [8]	0,40	0,57	0,74	0,15	1,35
2-Methyl-buten-(1)		0,74	—	—	—	—	—
1,1-Diphenyl-äthylen		—	0,30	—	—	—	—
trans-Penten-(2)		0,33	—	—	—	—	—
Äthyl-vinyl-äther		0,27	—	—	—	—	—
cis-Penten-(2)		0,21	—	—	—	—	—
Butadien-(1,3)		—	0,09	—	—	—	2,90
Cyclohexen		0,00	0,00	0,00	0,00	0,00	0,00
Styrol		—	0,00	—	—	—	2,60
Hexen-(1)		—0,73	—0,76	—0,71	0,31	—1,42	0,62
Penten-(1)		—0,86	—	—0,78	—	—1,48	—
3-Phenyl-propen-(1)		—	—1,30	—	—	—	0,46

Bezüglich ihrer Reaktivität gegenüber Olefinen lassen sich die Dihalogen-carbene etwa in die folgende Reihe einordnen[6,7,9-13]:

$$: CH_2 \; > \; : CHCl \; > \; : CCl_2 \; > \; : CBr_2 \; > \; : CF_2$$

---

[1] Vgl. S. V. ANANTAKRISHNAN u. R. VENKATARAMAN, Chem. Reviews, **33**, 27 (1943).
[2] Vgl. D. SWERN, Chem. Reviews, **45**, 1 (1949).
[3] Vgl. M. S. KHARASCH et al., J. Org. Chem. **14**, 239, 537 (1949); **18**, 328 (1953).
[4] Vgl. hierzu: W. KIRMSE in ,,*Carbene Chemistry*", S. 145–150, Academic Press, New York und London 1964.
[5] Vgl. z.B. O. M. NEFEDOV et al., Izv. Akad. Nauk SSSR **1962**, 1242; C. A. **58**, 5528 (1963).
[6] W. v. E. DOERING u. W. A. HENDERSON, Am. Soc. **80**, 5274 (1958).
[7] P. S. SKELL u. A. Y. GARNER, Am. Soc. **78**, 5430 (1956).

(Fortsetzung s. S. 172)

Eine solche Reihenfolge ist durchaus konsistent mit der zusätzlichen Stabilisierung, die durch Überlappung der ungepaarten p-Elektronen des Halogens mit dem unbesetzten p-Orbital des Carbens hervorgerufen wird.

Weitere Untersuchungen zur Stereoselektivität von Dichlor-carben[1] und Fluorchlor-carben[1,2] s. Literatur. Auch die relativen Reaktivitäten von freiem Dichlorcarben, das durch Hochtemperaturpyrolyse von Chloroform in einem Hochvakuum-System erzeugt wurde, wurden ermittelt[3], wobei die Spezies nach einem freien Flug von 10^{-5} Sec. in die kalten, gerührten Lösungen der konkurrierenden Olefine in paraffinischen Kohlenwasserstoffen eintraten.

β_2) Dihalogen-carben-Übertragungen auf En-ine

Verschiedene Literaturangaben[4-6] haben eine gewisse Zeit lang zu der allgemein akzeptierten Annahme geführt, daß die Addition von Dichlor-carben – oder seinem Äquivalent – an En-ine nur an der C=C-Doppelbindung erfolgt. Später wurde jedoch gezeigt, daß bei manchen Verbindungen dieses Typs auch Anlagerung an die C≡C-Dreifachbindung erfolgen kann[7]. Die Hauptrichtung der Dichlorcarben-Addition hängt jedoch von der Struktur des En-ins ab[8,9]. Die Anlagerung von Dichlorcarben an konjugierte En-ine erfolgt je nach Substitution überwiegend an der C=C-Doppelbindung (Bildung von 1,1-Dichlor-cyclopropanen) oder an der C≡C-Dreifachbindung (Cyclopropenone als Hydrolyseprodukte; s. auch S. 734)[9]. Bei der letztgenannten Reaktion sind die Ausbeuten niedrig. Additionen an nicht-konjugierte En-ine zeigen, daß die Reaktivität der Acetylene gegenüber Dichlor-carben in derselben Größenordnung wie die endständiger Olefine liegt. An einigen Beispielen sollen hier die Besonderheiten der Dichlor-carben-Addition an En-ine erläutert werden[9].

$\beta\beta_1$) Umsetzungen mit konjugierten En-inen

Bei den Umsetzungen von *trans*-2,2,7,7-Tetramethyl-octen-(3)-in-(5), *trans*-1,4-Diphenyl-butenin und Decen-(4)-in-(6) mit Kalium-tert.-butanolat und Chloroform wurden nur die Verbindungen I a, I b und II isoliert:

[1] R. A. Moss u. R. Gerstl, J. Org. Chem. **32**, 2268 (1967).
[2] R. A. Moss u. R. Gerstl, Tetrahedron **23**, 2549 (1967).
[3] P. S. Skell u. M. S. Cholod, Am. Soc. **91**, 6035 (1969).
[4] L. Vo-Quang u. P. Cadiot, C. r. **252**, 3827 (1961); Bl. **1956**, 1518.
[5] I. A. Dyakonov et al., Ž. obšč. chim. **32**, 1008 (1962); C. A. **58**, 6703$^\text{d}$ (1963); Ž obšž Chim. **34**, 738 (1964); C. A. **60**, 15745$^\text{a}$ (1964).
[6] I. A. Dyakonov et al., Ž. organ. chim. **1**, 465 (1965); C. A. **63**, 1688$^\text{c}$ (1965); Ž. obšč. chim. **30**, 3503 (1960); C. A. **55**, 19814$^\text{h}$ (1961).
[7] E. V. Dehmlow, Tetrahedron Letters **1965**, 2317.
[8] E. V. Dehmlow, Tetrahedron Letters **1966**, 3763.
[9] E. V. Dehmlow, B. **101**, 427 (1968).

(Fortsetzung v. S. 171)

[8] R. A. Moss u. R. Gerstl, J. Org. Chem. **32**, 2268 (1967), bestimmten die relativen Geschwindigkeiten der Addition von Dichlor-carben an die isomeren Butene:
2-Methyl-propen (1,0), *cis*-Buten-(2)(0,23), *trans*-Buten-(2)(0,15) und Buten-(1) (0,011).
[9] M. E. Volpin, N. D. Kursanov u. V. G. Dulova, Tetrahedron **8**, 33 (1960).
[10] G. L. Closs u. L. E. Closs, Am. Soc. **82**, 5723 (1960).
[11] W. v. E. Doering et al., Am. Soc. **78**, 3224 (1956).
[12] A. Ledwith u. R. M. Bell, Chem. & Ind. **1959**, 459.
[13] G. L. Closs u. G. M. Schwartz, Am. Soc. **82**, 5729 (1960).

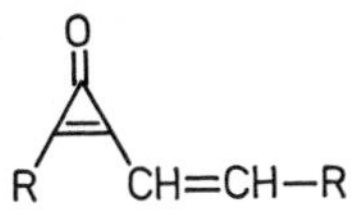

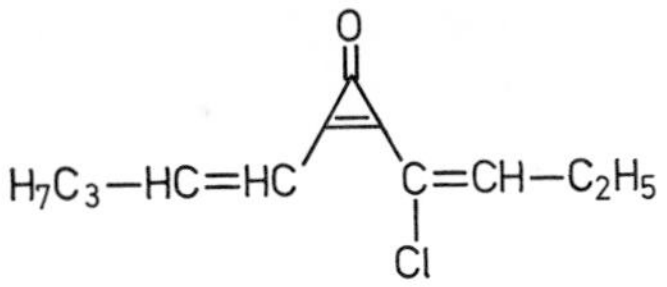

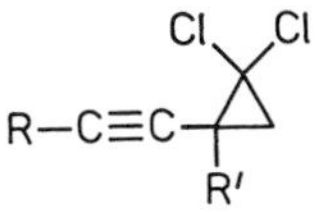

Ia; R = C(CH₃)₃;
2-tert.-Butyl-1-(3,3-di-
methyl-butenyl)-cyclo-
propenon

Ib; R = C₆H₅;
2-(2-Phenyl-vinyl)-1-
phenyl-cyclopropenon

II; 2-[1-Chlor-buten-(1)-yl]-
1-[penten-(1)-yl]-cyclo-
propenon

IIIa; R = R′ = CH₃;
2,2-Dichlor-1-methyl-1-[pro-
pin-(1)-yl]-cyclopropan

IIIb; R = C₆H₅, R′ = CH₃;
2,2-Dichlor-1-methyl-1-
phenyläthinyl-cyclopropan

IIIc; R = C₆H₅; R′ = H;
2,2-Dichlor-1-phenyläthinyl-
cyclopropan

Die Überprüfung der Addition an 2,4-substituierten En-inen erbrachte in Übereinstimmung mit der Literatur[1] auch unter den hier gewählten Reaktionsbedingungen aus 4-Methyl-penten-(2)-in-(4) lediglich 70% IIIa und nur Spuren (1%) des entsprechenden Cyclopropenons. Aus 3-Methyl-1-phenyl-buten-(3)-in-(1) wurde in über 50%iger Ausbeute ein Gemisch von IIIb und zwei isomeren Chlorwasserstoff-Anlagerungsprodukten an die C≡C-Dreifachbindung von IIIb erhalten. Die starke Strukturabhängigkeit der Angriffsrichtung zeigt sich, wenn man gegenüber dem zuletzt erwähnten Fall die Methyl-Gruppe fortläßt. Aus dem mit 1-Phenyl-buten-(3)-in-(1) und dem Dichlor-carben entstandenen Reaktionsgemisch läßt sich kein 1,1-Dichlorcyclopropan-Derivat IIIc isolieren. Dafür können jedoch mehrere Cyclopropenone nachgewiesen werden, die aber wegen ihrer Polymerisationsneigung und Sauerstoffempfindlichkeit nicht abzutrennen waren.

Das 1,2,4-substituierte En-in 1-Phenyläthinyl-cyclohexen-(1) liefert unter den gleichen Bedingungen 64% 7,7-Dichlor-1-phenyläthinyl-bicyclo[4.1.0]heptan (IV) (Anlagerung an die C=C-Doppelbindung) und 11% 2-Phenyl-1-{7,7-dichlor-bicyclo [4.1.0]heptyl-(1)}-cyclopropenon (V) (beide Mehrfachbindungen sind zur Reaktion gelangt). Es konnte dabei gezeigt werden, daß V aus IV entstanden ist.

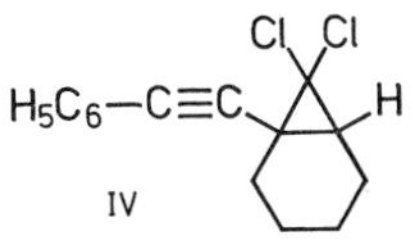

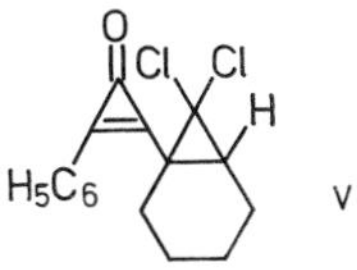

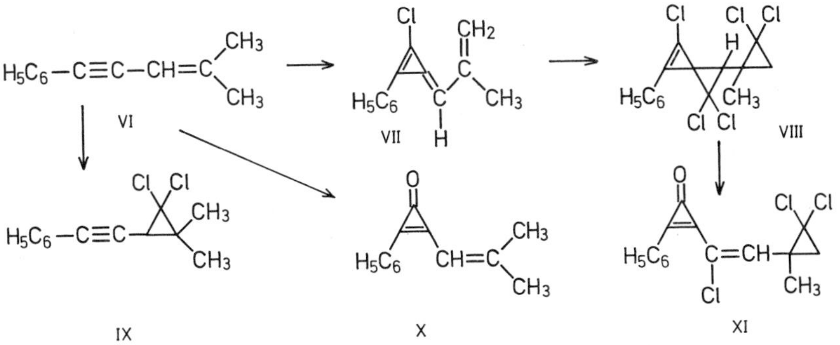

[1] I. A. Dyakonov et al., Ž. obšč. chim. **32**, 1008 (1962); C. A. **58**, 6703[d] (1963); Ž. obšč. Chim. **34**, 738 (1964); C. A. **60**, 15745[a] (1964).

Die Umsetzung von 4-Methyl-1-phenyl-penten-(3)-in-(1) (VI, S. 173) schließlich testet die letzte noch verbleibende Substitutionsart. Hierbei entstehen die Verbindungen *3,3-Dichlor-2,2-dimethyl-1-phenyläthinyl-cyclopropan* (IX; 33% d. Th.), *2-[2-Methyl-propen-(1)-yl]-1-phenyl-cyclopropenon* (X; 3,5% d. Th.) und *2-[1-Chlor-2-(2,2-dichlor-1-methyl-cyclopropyl)-vinyl]-1-phenyl-cyclopropenon* (XI; 2,5% d. Th.). Die Verbindungen VII und VIII werden als Zwischenstufen für die Bildung von XI angenommen. Im vorliegenden Zusammenhang ist wichtig, daß X offensichtlich aus einer primären Addition am Acetylenteil von VI hervorgegeangen ist. Bei VI treten somit also beide Anlagerungsrichtungen nebeneinander auf, und zwar überwiegt zumindest bei den isolierten Produkten der Angriff an der Doppelbindung. Diese Ergebnisse lassen sich wie folgt zusammenfassen[1]:

① Bei konjugierten En-inen mit einem Rest in 2-Stellung, zwei oder drei Resten an der C=C-Doppelbindung oder freiem acetylenischem Wasserstoff überwiegt Anlagerung an der Doppelbindung. Bei diesen Reaktionen kann im allgemeinen mit guten Ausbeuten gerechnet werden.

② En-ine mit keinem oder nur einem Rest in 1-Stellung und substituiertem Alkin sind hingegen gegenüber einem Dichlor-carben-Angriff desaktiviert. Erfolgt dennoch eine Addition, so vornehmlich bis ausschließlich an der C≡C-Dreifachbindung. Die Ausbeuten an bei der Aufarbeitung entstehenden Cyclopropenonen sind nur mäßig.

Diese auf den ersten Blick verblüffende Richtungsspezifität bei nur relativ kleinen Strukturänderungen entspricht jedoch anderen elektrophilen Additionen an En-ine. So besteht z. B. die Dibromid-Fraktion der elektrophilen Bromierung von Buten-in aus 55% 1,2-Dibrom-butadien-(1,3), 40% 1,4-Dibrom-butadien-(1,2) und nur aus 5% 3,4-Dibrom-butin-(1)[2]. 3-Methyl-buten-(3)-in-(1) dagegen liefert ebenso wie Penten-(4)-in-(2) fast ausschließlich das Produkt der Anlagerung an die C=C-Doppelbindung[3,4], während Alken-(3)-ine-(1) neben zu Allenen führender 1,4-Addition praktisch nur am Acetylenteil Brom aufnehmen[3]. Nichtkonjugierte En-ine zeigen erwartungsgemäß unter gleichen Bedingungen nur Addition am olefinischen Teil[3].

$\beta\beta_2$) Konkurrenzreaktionen mit Alkinen und Olefinen

Das aus Kalium-tert.-butanolat und Chloroform erzeugte Dichlor-carben addiert sich nicht an **elektronenarme Acetylene** wie Triine und Oxo-alkine[5]. Daher darf man also auch gegenüber Alkinen mit einem elektrophilen Charakter dieser Spezies rechnen. Im allgemeinen folgt das Dichlor-carben bezüglich seiner Reaktivität der anderer Elektrophiler (s. hierzu S. 171), jedoch ist die Reaktivitätsskala etwas verschoben:

Cyclohexen z. B. reagiert mit Dichlor-carben sechs- bis achtmal schneller als endständige Olefine, mit Persäure aber 23mal so schnell.

Mittelständige Acetylene reagieren mit Persäuren lt. Literaturangaben[6] etwa tausendmal langsamer als Alkene ähnlicher Struktur. Die Geschwindigkeiten der elektrophilen Halogen-Additionen von Ölsäure und Stearolsäure verhalten sich wie 50000:1, die von Stilben und Tolan aber nur noch wie 250:1. Bei Fumarsäure-diester/Acetylendicarbonsäure-diester sind die Reak-

[1] E. V. DEHMLOW, B. **101**, 427 (1968).
[2] A. A. PETROV, G. I. SEMENOV u. N. P. SOPOV, Ž. obšč. chim. **27**, 928 (1957); C. A. **52**, 3661 (1958); C. **1958**, 1149.
[3] A. A. PETROV u. Y. I. PORFIREVA, Doklady Akad. Nauk SSSR **111**, 839 (1956); C. A. **51**, 9469 (1957); C. **1958**, 2399.
[4] A. A. PETROV u. Y. I. PORFIREVA, Doklady Akad. Nauk SSSR **89**, 873 (1953); C. A. **48**, 6373 (1954); C. **1956**, 8600.
[5] E. V. DEHMLOW, B. **101**, 410 (1968).
[6] Vgl. R. A. RAPHAEL, *„Acetylenic Compounds in Organic Synthesis"*, S. 33, Butterworths Scientific Publ., London 1955.

tivitäten sogar vertauscht; das Verhältnis ist hier $\sim 1:60^1$. Man hat versucht, diese Ergebnisse mit einer Umkehr von elektrophiler zu nucleophiler Addition zu erklären[2].

Die Reaktivität des Dichlor-carbens aus Kalium-tert.-butanolat und Chloroform gegenüber Acetylenen ist ebenfalls größer als man es bei Kenntnis der Geschwindigkeitsunterschiede der Persäurereaktionen erwarten sollte. 2,2-Dimethyl-nonen-(8)-in-(3), eine Verbindung mit isolierten Mehrfachbindungen, liefert mit Dichlorcarben zwei *cis/trans*-isomere Cyclopropenon-Additionsprodukte XIIa {*2-tert.-Butyl-1-[1-chlor-hexadien-(1,5)-yl]-cyclopropenon*} mit 0,7- bzw. 9,5%iger Ausbeute, bei denen Addition an die C≡C-Dreifachbindung stattgefunden hat[3]. Das Produkt der Anlagerung an die C=C-Doppelbindung XIII {*2,2-Dichlor-1-[6,6-dimethyl-heptin-(4)-yl]-cyclopropan*} wird zu 6,5% gefunden. 1-Phenyl-hepten-(6)-in-(1) liefert zwei isomere Verbindungen vom Typ XIIb {*2-[1-Chlor-hexadien-(1,5)-yl]-1-phenyl-cyclopropenon*} mit 4- und 7%iger Ausbeute.

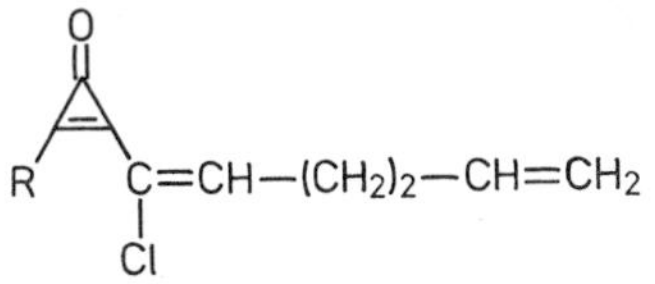

XII a: R = C(CH₃)₃
b: R = C₆H₅

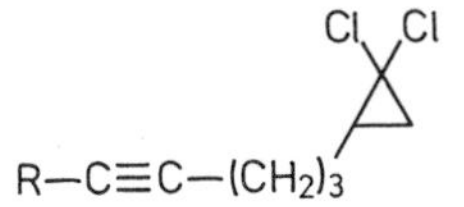

XIII   R = C(CH₃)₃

Zusammenfassend kann gesagt werden[3]:
Die Reaktivität eines nicht-konjugierten Alkins gegenüber Dichlor-carben liegt in der Größenordnung, jedoch ein wenig höher als die eines 1-Olefins.

β_3) *Dihalogen-carben-Übertragung mit Hilfe von (Trihalogenmethyl)-phenyl-quecksilber-Verbindungen*

(Trihalogenmethyl)-phenyl-quecksilber-Verbindungen bilden mit Olefinen in hohen Ausbeuten 1,1-Dihalogen-cyclopropane[4–9]. Diese Methode beinhaltet nicht die Bildung von $CX_3^\ominus$-Ionen als Zwischenstufen und erfordert auch keine basischen Bedingungen für den Reaktionsablauf. Sie gestattet somit die Bereitung von geminalen Dihalogen-cyclopropanen auch aus denjenigen Olefinen, die basenempfindliche funktionelle Gruppen tragen, die mit $CX_3^\ominus$-Ionen reagieren oder die nur sehr schwache nucleophile Reaktionspartner darstellen. Die Umwandlung von *cis*- und *trans*-Olefinen in die entsprechenden Cyclopropan-Derivate erfolgt unter Konfigurationserhaltung:

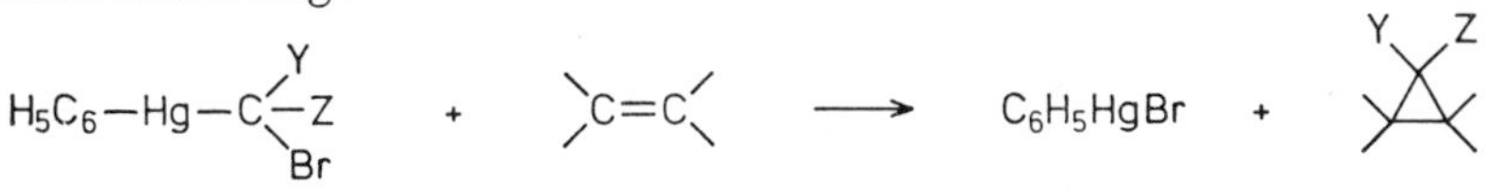

Y = Z = Cl
Y = Z = Br
Y = Cl, Z = Br

[1] Vgl. P. W. Robertson et al., Soc. **1950**, 1628.
[2] Vgl. z. B. ds. Handb., Bd. V/4, Kap. Herstellung von Brom-Verbindungen, S. 92.
[3] E. V. Dehmlow, B. **101**, 427 (1968).
[4] D. Seyferth, J. M. Burlitch u. J. K. Heeren, J. Org. Chem. **27**, 1491 (1962).
[5] D. Seyferth et al., J. Org. Chem. **28**, 1163 (1963).
[6] D. Seyferth et al., Am. Soc. **87**, 4259 (1965).
[7] US. P. 3265745 (1966), Ethyl Corporation, Erf.: D. Seyferth u. J. M. Burlitch; C. A. **65**, 13577 (1966).
[8] D. Seyferth u. J. M. Burlitch, Am. Soc. **86**, 2730 (1964).
[9] D. Seyferth, „*Proceedings of the Robert A. Welch Foundation Conferences on Chemical Research. IX. Organometallic Compounds*", S. 89–135 R. A. Welch Foundation, Houston 1966.

Tab. 18 (S. 179) enthält einige Beispiele von geminalen Dihalogen-cyclopropanen, die nach der Methode von Seyferth erhalten wurden. Im folgenden werden Einzelheiten des Verfahrens in Hinblick auf bestimmte Olefinkomponenten besprochen, sowie Untersuchungen bezüglich der Aufklärung des Reaktionsmechanismus beschrieben.

$\beta\beta_1$) auf Äthylen, Trichlor- und Tetrachlor-äthylen

Das durch Reaktion von Chloroform mit Kalium-tert.-butanolat erzeugte Dichlorcarben reagiert wegen der offensichtlich größeren Reaktionsgeschwindigkeiten der Konkurrenzreaktionen des Carbens mit den tert.-Butanolat-Ionen und dem tert.-Butanol nicht mit Äthylen[1]. Im Gegensatz dazu gestattet die Reaktion von Äthylen mit (Trihalogenmethyl)-phenyl-quecksilber-Verbindungen die Herstellung von *1,1-Dibrom-* und *1,1-Dichlor-cyclopropan* (53 bzw. 65% d.Th.)[2]. Die Umsetzung wird im Autoklaven bei Temperaturen zwischen 80 und 100° unter 50 Atm. Äthylendruck in benzolischer Lösung durchgeführt[2].

In Hinblick auf das *Pentachlor-* und *Hexachlor-cyclopropan* (s. S. 177), war auch das quecksilberorganische Verfahren von Interesse[3]. Die Reaktionen des schwach nucleophilen Tetrachlor- und Trichlor-äthylens mit Dichlor-carben, erzeugt aus Chloroform und Kaliumhydroxid[3] bzw. Kalium-tert.-butanolat[4] oder durch Decarboxylierung von Natrium-trichloracetat[3-5], lieferten nur geringe Ausbeuten ($\sim 10\%$ für *Hexachlor-cyclopropan* und $\sim 25\%$ für *Pentachlor-cyclopropan*). Hingegen wird bei der Reaktion von 0,1 Mol (Brom-dichlor-methyl)-phenyl-quecksilber mit 1 Mol Tetrachlor-äthylen bei 90° (1 Stde.) nach dem Aufarbeiten das *Hexachlor-cyclopropan* in 83%iger Ausbeute erhalten[2]. *Pentachlor-cyclopropan* konnte als Produkt einer ähnlichen Reaktion in 89%iger Ausbeute isoliert werden. Tetrachlor-äthylen läßt sich mit quecksilberorganischen Reagentien mit Ausbeuten zwischen 26 und 30% in *2,2,3,3-Tetrachlor-1,1-dibrom-cyclopropan* überführen, während man nach dem Bromoform/Kaliumhydroxid-Verfahren nur 0,3% d.Th. erhält.

(Dichlor-brom-methyl)-phenyl-quecksilber[6,7]: In einen trockenen 2-*l*-Kolben, der mit einem intensiven Rührer versehen ist, werden unter gereinigtem Stickstoff 89,4 g (0,25 Mol) Phenylquecksilberbromid, 163,8 g (1,0 Mol) frisch destilliertes Dichlor-brom-methan und 1,2 *l* trockenes Benzol (frisch über Molekularsiebe getrocknet oder von Calciumhydrid abdestilliert) gebracht. Festes Kalium-tert.-butanolat (aus 19,5 g Kalium erhalten) wird unter intensivem Rühren und Kühlen (Eisbad) in einer Zeit von ~ 35 Min. eingetragen. Danach wird die Mischung eine weitere Stde. bei 0° gerührt und anschließend in 1,5 *l* destilliertes Wasser gegossen. Nach 90 Min. Stehen wird die Mischung filtriert und der Rückstand mit 60 *ml* warmem Benzol gewaschen. Die benzolische Phase des Filtrats wird mit zwei 250-*ml*-Portionen dest. Wasser gewaschen, während die wäßrige Phase mit zwei 150-*ml*-Portionen Benzol extrahiert wird. Die gesamten benzolischen Lösungen werden vereinigt und 4 Stdn. über wasserfreiem Magnesiumsulfat getrocknet und schließlich bei 25°/30 Torr eingedampft. Es verbleiben 88,5 g (81% Rohausbeute) eines cremeweißen Festkörpers (F: 80–95°). Dieses Rohprodukt wird aus einer Mischung von 600 *ml* Hexan

---

[1] W. v. E. Doering u. W. A. Henderson, Am. Soc. **80**, 5274 (1958).

[2] D. Seyferth et al., Am. Soc. **87**, 4259 (1965).

[3] S. W. Tobey u. R. West, Am. Soc. **86**, 56, 4215 (1964); Tetrahedron Letters **1963**, 1179.

[4] W. R. Moore, S. E. Krikorian u. J. E. La Prade, J. Org. Chem. **28**, 1404 (1963).

[5] E. K. Fields u. S. Meyerson, J. Org. Chem. **28**, 1915 (1963).

[6] D. Seyferth u. J. M. Burlitch, J. organometal. Chem. **4**, 127 (1965).

[7] (Dichlor-brom-methyl)-phenyl-quecksilber kann in ähnlicher Weise auch aus Phenyl-quecksilberchlorid mit 81% Rohausbeute hergestellt werden.

und 150 *ml* Chloroform bei 50° umkristallisiert. Kräftiges Rühren ist hierbei erforderlich, um eine möglichst rasche Lösung des Festkörpers zu gewährleisten und um lokale Überhitzungen zu vermeiden; Ausbeute: 64,7 g (59% d. Th.); F: 108–110° (Zers.).

Hexachlor-cyclopropan[1]: Eine Lösung von 0,10 Mol (Dichlor-brom-methyl)-phenyl-quecksilber (s. S. 176) in 1,0 Mol Tetrachlor-äthylen in einem 300-*ml*-Dreihalskolben, der mit einem Rückflußkühler versehen ist, wird langsam unter Rühren auf 90° erhitzt. Bereits nach ~ 3 Min. beginnt die Abscheidung von hellgrauen Flocken. Die Mischung wird dann 1 Stde. bei dieser Temp. gehalten. Danach wird die Reaktionsmischung abgekühlt und filtriert. Der Filtrationsrückstand wird mit 25 *ml* Tetrachlor-äthylen gewaschen und anschließend i. Vak. getrocknet; Ausbeute: 33,4 g (93% d. Th.) *Phenyl-quecksilberbromid*; F: 285–287°.

Das Filtrat wird bei 170–180 Torr eingeengt. Nach Abkühlen auf 0° fällt das *Hexachlor-cyclopropan* als farbloser Festkörper aus. Nach dem Waschen mit 11 *ml* Tetrachloräthylen werden 20,6 g (83% d. Th.) erhalten (F: 100–104°), die bei 40°/0,1 Torr sublimiert werden; Ausbeute: 18,3 g (74% d. Th.).; farblose Kristalle; F: 103–104°.

2,2-Dichlor-1-vinyl-cyclopropan[1]: Eine Lösung von 0,02 Mol (Dichlor-brom-methyl)-phenyl-quecksilber (S. 176) in 60 *ml* Benzol wird in einem mit Thermometer, Gaseinleitungsrohr, Magnetrührer und einem Rückflußkühler, der in einen Dewar-Kühler (gefüllt mit Aceton/Trockeneis) endet, versehenen Dreihalskolben auf 70° erhitzt. Die Apparatur wird mit Stickstoff gespült und dann gasförmiges Butadien-(1,3) während 30 Min. bei Temp. um 80° eingeleitet. Phenyl-quecksilberbromid fällt aus und die Mischung nimmt eine tiefgelbe Färbung an. Nach Abkühlen werden 5,7 g (81% d. Th.) *Phenyl-quecksilberbromid* durch Filtration entfernt. Nach gaschromatographischer Analyse enthält das Filtrat hauptsächlich *2,2-Dichlor-1-vinyl-cyclopropan* (58% d. Th.) und geringe Mengen an *2,2,2′,2′-Tetrachlor-bi-cyclopropyl* (10% d. Th.).

Zu einem Teil der obigen Reaktionsmischung (~ 5 mMol 2,2-Dichlor-1-vinyl-cyclopropan) werden 10 mMol Phenyl-quecksilberreagens zugesetzt. Die Mischung wird 8 Stdn. auf 80° erhitzt und dann wird erneut gebildetes Phenyl-quecksilberbromid (87,5%) abgetrennt. Die gaschromatographische Untersuchung zeigt, daß *2,2,2′,2′-Tetrachlor-bi-cyclopropyl* in 91%iger Ausbeute gebildet wurde. Die *dl-* und die *meso*-Form werden im Verhältnis 1:1 gebildet; an einer SE-30-Silicongummi-Säule zeigt die höher schmelzende Form eine kürzere Retentionszeit als die Form mit tieferem Schmelzpunkt.

$\beta\beta_2$) auf α,β-ungesättigte Carbonsäuren und deren Derivate,
bzw. Acetoxy-äthylen

Wegen der bekannten nucleophilen Addition von $CX_3^{\ominus}$-Ionen an Acrylsäure-nitril bereitet jede Umwandlung von Acrylsäure-nitril, die die genannten Ionen als Zwischenstufen bildet, in ein 2,2-Dihalogen-1-cyan-cyclopropan sehr große Schwierigkeiten[2,3]. Auch solche Basen wie Kalium-tert.-butanolat oder Natriummethanolat können nicht benutzt werden, da diese sofort mit Acrylsäure-nitril reagieren[4]. Nach dem quecksilberorganischen Verfahren kann hingegen das Acrylsäure-nitril mit einer Ausbeute von 78% in *2,2-Dichlor-1-cyan-cyclopropan* überführt werden[1]. Nur ein geringer Anteil des überschüssigen Acrylsäure-nitrils polymerisiert unter den Reaktionsbedingungen.

Die Decarboxylierung von Natrium-trichloracetat in 1,2-Dimethoxy-äthan-Lösung[5] in Gegenwart von Acetoxy-äthylen liefert sowohl das zu erwartende *2,2-Dichlor-1-acetoxy-cyclopropan* (10% d. Th.) als auch 3,3,3-Trichlor-1-acetoxy-propan (10% d. Th.), das Additionsprodukt mit $CCl_3^{\ominus}$-Ionen. Im Gegensatz dazu führt die Re-

---

[1] S. SEYFERTH et al., Am. Soc. **87**, 4259 (1965).
[2] H. A. BRUSON, W. NIEDERHAUSER, T. RIENER u. W. F. HESTER, Am. Soc. **67**, 601 (1945).
[3] D. SEYFERTH et al., Am. Soc. **87**, 681 (1965).
[4] Vgl.: American Cyanamid Co., „*The Chemistry of Acrylonitrile*", Beacon Press, Inc., New York 1951.
[5] W. M. WAGNER, H. KLOOSTERZIEL u. S. VAN DER VEN, R. **80**, 740 (1961).

aktion von Acetoxy-äthylen mit (Dichlor-brom-methyl)-phenyl-quecksilber in 1,2-Dimethoxy-äthan bei 80° ausschließlich zum *2,2-Dichlor-1-acetoxy-cyclopropan* in 80%iger Ausbeute[1]. Dabei wurde kein $CCl_2Br^{\ominus}$-Additionsprodukt beobachtet. Führt man die Reaktion in Benzol aus, so läßt sich die Ausbeute noch auf 85% steigern.

Wird die Reaktion von (Dichlor-brom-methyl)-phenyl-quecksilber in 1,2-Dimethoxy-äthan durchgeführt, kommt es nicht zur Bildung eines Additionsproduktes vom Michael-Typ. Erzeugt man hingegen $CCl_2Br^{\ominus}$-Ionen in dem genannten Solvens in Gegenwart von Acrylsäure-nitril, so beobachtet man die Entstehung von 3,3-Dichlor-3-brom-propansäure-nitril[2]. Bereits diese Ergebnisse zeigen, daß das $CCl_2Br^{\ominus}$-Anion nicht bei dem quecksilberorganischen Verfahren als Zwischenstufe gebildet werden kann.

Andere Olefine, die basenempfindliche **funktionelle** Gruppen tragen, wie z.B. Allylbromid, Allylisocyanat, 4-Oxo-2-methyl-penten-(2), Acrylsäure-methylester, Acrylsäure-dichlormethylester, *trans*-Buten-(2)-säure-dichlormethylester und Buten-(3)-säure-dichlormethylester wurden gleichfalls nach diesem metallorganischen Verfahren in guten Ausbeuten in die korrespondierenden geminalen Dihalogen-cyclopropane [*2,2-Dichlor-1-chlormethyl-*, *2,2-Dichlor-1-isocyanatmethyl-*, *3,3-Dichlor-2,2-dimethyl-1-acetyl-cyclopropan* sowie *2,2-Dichlor-cyclopropan-1-carbonsäure-methylester* bzw. *-dichlormethylester*, *3,3-Dichlor-2-methyl-cyclopropan-1-carbonsäure-dichlormethylester* und *2,2-Dichlor-1-(dichlormethoxycarbonylmethyl)-cyclopropan*] überführt[1].

Bezüglich der Reaktionen von (Dichlor-brom-methyl)-phenyl-quecksilber mit ungesättigten Carbonsäuren wie Acrylsäure, *trans*-Buten-(2)-säure oder Buten-(3)-säure sind einige Bemerkungen notwendig. Werden diese Umsetzungen im 1:1-Molverhältnis durchgeführt, so wird nur die Dichlormethylenierung der O—H-Bindungen beobachtet:

$$R-CH=CH-COOH + C_6H_5HgCCl_2Br \longrightarrow R-CH=CH-COOCHCl_2 + C_6H_5HgBr$$

$$R = H, CH_3$$

Das steht in Übereinstimmung mit den Ergebnissen von Konkurrenzreaktionen von Essigsäure und Cyclohexen mit dem quecksilberorganischen Reagens[3]. Die Reaktion an der C=C-Doppelbindung findet erst nach erfolgter Bildung der Dichlormethylester statt:

$$R-CH=CH-COOCHCl_2 + C_6H_5HgCCl_2Br \longrightarrow \underset{Cl \quad Cl}{\overset{R \quad\quad COOCHCl_2}{\triangle}} + C_6H_5HgBr$$

Die Hydrolyse der Dichlormethylester der Dichlor-cyclopropan-carbonsäuren zu den korrespondierenden Carbonsäuren gelang nicht.

Bei den Umsetzungen von Acrylsäure-nitril, verschiedenen Acrylsäureestern, Acetoxy-äthylen, Styrol[4] und Butadien mit (Dichlor-brom-methyl)-phenyl-quecksilber kam es nicht zu Polymerisationen in nennenswerter Weise, so daß man annehmen darf, daß keine freien Radikale, wie etwa ·CCl_2Br oder $C_6H_5Hg\dot{C}Cl_2$, als reaktive Spezies während der Reaktion gebildet werden.

---

[1] D. Seyferth et al., Am. Soc. **87**, 4259 (1965).

[2] D. Seyferth et al., Am. Soc. **87**, 681 (1965).

[3] D. Seyferth, J. Y.-P. Mui u. L. J. Todd, Am. Soc. **86**, 2961 (1964).

[4] D. Seyferth u. J. M. Burlitch, Am. Soc. **86**, 2730 (1964).

Tab. 18. Geminale Dihalogen-cyclopropane aus Olefinen und Trihalogenmethyl-phenyl-quecksilber-Verbindungen[1]

Olefin (a)	Quecksilber-Verbindungen (b)	Verhältnis (a)/(b)	Cyclopropan-Derivat	Ausbeute [% d. Th.]
Äthylen	$C_6H_5HgCCl_2Br$	50 Atm. C_2H_4	*1,1-Dichlor-cyclopropan*	65
	$C_6H_5HgCBr_3$	50 Atm. C_2H_4	*1,1-Dibrom-cyclopropan*	53
Trichlor-äthylen	$C_6H_5HgCCl_2Br$	10*	*Pentachlor-cyclopropan*	89
Tetrachlor-äthylen	$C_6H_5HgCCl_2Br$	10*	*Hexachlor-cyclopropan*	83
Trimethyl-vinyl-silan	$C_6H_5HgCCl_2Br$	3	*2,2-Dichlor-1-trimethyl-silyl-cyclopropan*	78
cis-1-Trimethyl-silyl-propen-(1)	$C_6H_5HgCCl_2Br$	3	*cis-3,3-Dichlor-2-methyl-1-trimethylsilyl-cyclo-propan*	78
Acrylsäure-nitril	$C_6H_5HgCCl_2Br$	3	*2,2-Dichlor-1-cyan-cyclopropan*	78
Acetoxy-äthylen	$C_6H_5HgCCl_2Br$	3	*2,2-Dichlor-1-acetoxy-cyclopropan*	80–85
Allylbromid	$C_6H_5HgCCl_2Br$	3	*2,2-Dichlor-1-bromme-thyl-cyclopropan*	76
Allylisocyanat	$C_6H_5HgCCl_2Br$	3	*2,2-Dichlor-1-isocyan-atmethyl-cyclopropan*	60
cis-Buten-(2)	$C_6H_5HgCBr_3$	**	*cis-3.3-Dibrom-1,2-di-methyl-cyclopropan*	69
trans-Buten-(2)	$C_6H_5HgCBr_3$	**	*trans-3.3-Dibrom-1,2-di-methyl-cyclopropan*	71
Cyclohexen	$C_6H_5HgCCl_3$	3	*7,7-Dichlor-bicyclo[4.1.0] heptan*	89
	$C_6H_5HgCCl_2Br$	3	*7,7-Dichlor-bicyclo [4.1.0]heptan*	88
	$C_6H_5HgCClBr_2$	3	*7-Chlor-7-brom-bicyclo [4.1.0]heptan*	85
	$C_6H_5HgCBr_3$	3	*7,7-Dibrom-bicyclo [4.1.0]heptan*	88

* Das Olefin wurde hier als Solvens benutzt.
** Gasförmiges Olefin perlte durch siedende Benzol-Lösung; Olefin-Überschuß.

Bei den 2:1-Reaktionen von (Dichlor-brom-methyl)-phenyl-quecksilber mit den oben erwähnten ungesättigten Carbonsäuren wird stets Tetrachlor-äthylen als Nebenprodukt in geringen Mengen gebildet (4–7%). Außerdem wurde festgestellt, daß auch immer dann mit der Nebenproduktbildung von Tetrachlor-äthylen zu rechnen ist, wenn das Substrat wenig Reaktivität gegenüber dem quecksilberorga-

---

[1] D. SEYFERTH et al., Am. **87**, 4259 (1965).

nischen Reagens zeigt[1]. Tetrachlor-äthylen, begleitet von Spuren Trichlor-brom-
äthylen, ist das flüchtige Produkt, das sich bei der Pyrolyse von (Dichlor-brom-
methyl)-phenyl-quecksilber bildet, wenn kein Substrat vorhanden ist, wie bereits
früher angenommen wurde[2].

$\beta\beta_3$) auf Allylamine

Die Ergebnisse[3] der Reaktion der Allylamine I (1 Mol.-Äquiv.) mit Trichlor-
methyl-phenyl-quecksilber (2 Mol.-Äquiv.) in siedendem Benzol sind weiter unten
zusammengestellt. Aus den Daten ist ersichtlich, daß die Ausbeute an Cyclopropanen
steigt mit dem Absinken des nucleophilen Charakters bzw. der Basizität des Allyl-
amin-Stickstoffs und daß die Ausbeute an den entsprechenden Trichlorvinyl-aminen
III invers zur Cyclopropan-Bildung variiert. Der Stickstoff des Allylamins und die
olefinische π-Bindung konkurrieren bezüglich der Reaktion mit dem elektrophilen
quecksilberorganischen Agens:

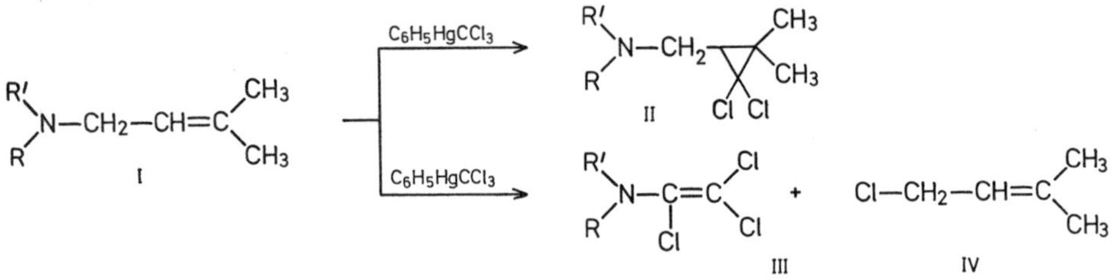

R	R′	[%] II	[%] III
C_2H_5	C_2H_5	—	44
C_6H_5	CH_3	1,3	36
C_6H_5	C_6H_5	56; *3,3-Dichlor-2,2-dime-thyl-1-(diphenylamino-methyl)-cyclopropan*	< 1
CH_3	H_3C-CO-	60; *3,3-Dichlor-2,2-dime-thyl-1-(N-methyl-N-ace-tyl-aminomethyl)-cyclo-propan*	—

$\beta\beta_4$) auf ungesättigte Äther

In Analogie zu den üblichen Dichlor-carben-Reaktionen an ungesättigten Äthern[4-5]
wird auch bei dem quecksilberorganischen Verfahren sowohl C—H-Einschiebung als
auch Addition an die Doppelbindung beobachtet. So erhält man bei der Reaktion
von 2,5-Dihydro-furan (V, S. 181) mit (Dichlor-brom-methyl)-phenyl-quecksilber bei
80° 44% *6,6-Dichlor-3-oxa-bicyclo[3.1.0]hexan* (VI) und 52% 2-Dichlormethyl-2,5-di-
hydro-furan (VII)[6]:

[1] D. Seyferth, Am. Soc. **87**, 4259 (1965).
[2] O. A. Reutov u. A. N. Lovtsova, Izv. Akad. SSSR **1960**, 1716; Doklady Akad. SSSR **139**, 622 (1961); C. A. **55**, 9319 (1961); **56**, 1469 (1962).
[3] W. E. Parham u. J. R. Potoski, J. Org. Chem. **32**, 278 (1967).
[4] J. C. Anderson u. C. B. Reese, Chem. & Ind. **1963**, 575.
[5] J. C. Anderson, D. G. Lindsay u. C. B. Reese, Soc. **1964**, 4874.
[6] D. Seyferh et al., Am. Soc. **87**, 4259 (1965).

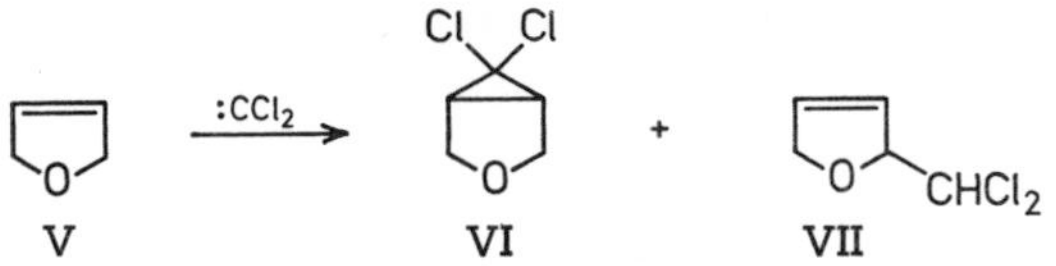

Bei der Reaktion von 3-Äthoxy-propen mit (Dichlor-brom-methyl)-phenyl-quecksilber wird vorwiegend *2,2-Dichlor-1-äthoxymethyl-cyclopropan* gebildet[1]:

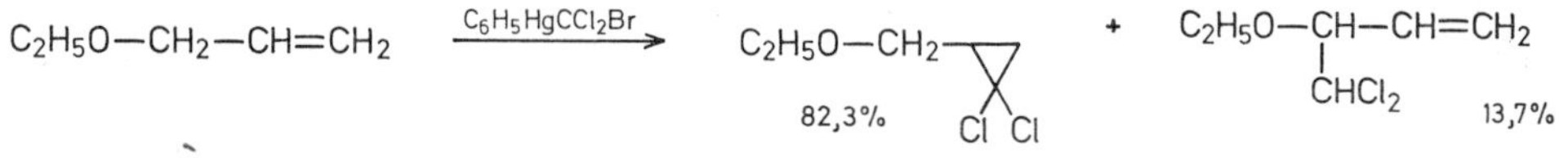

Fluor-chlor-carben-Übertragungen[2] auf Olefine gelingen ebenfalls vermittels quecksilberorganischer Verbindungen. Aus Phenyl-quecksilberchlorid (I), Fluor-di-

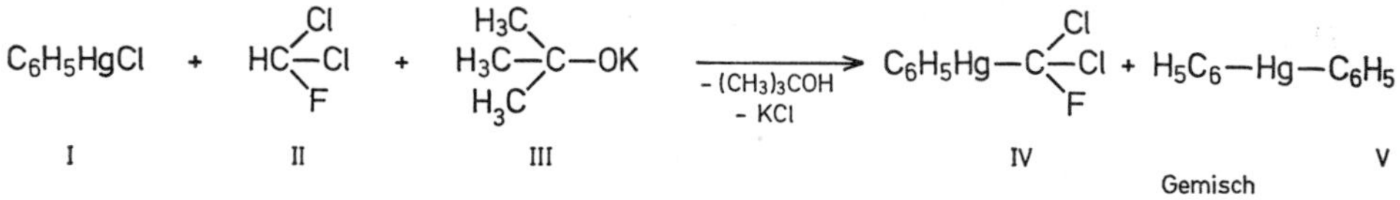

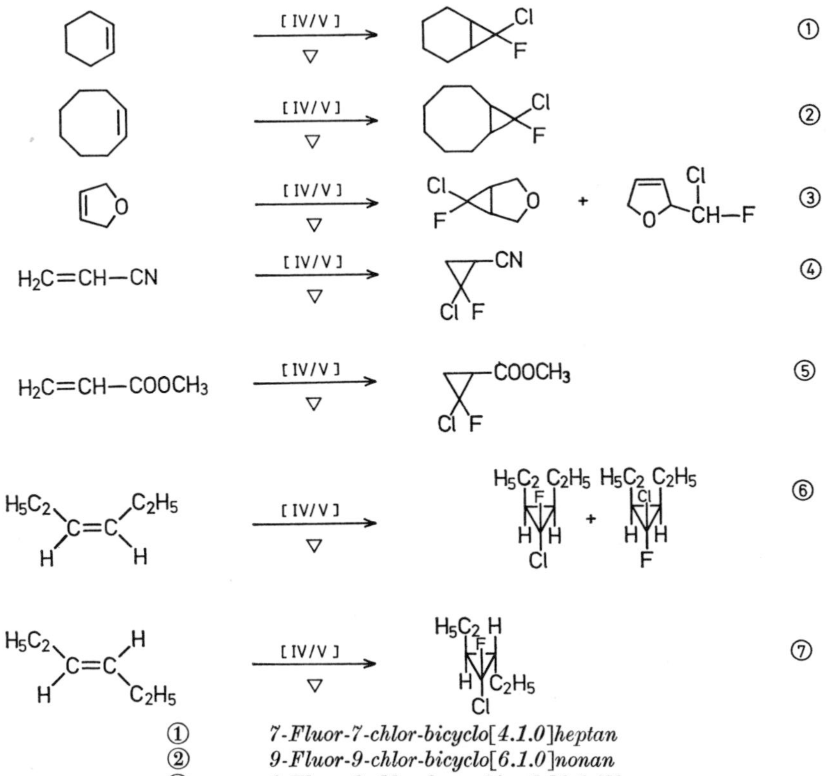

<table>
<tr><td>①</td><td>*7-Fluor-7-chlor-bicyclo[4.1.0]heptan*</td></tr>
<tr><td>②</td><td>*9-Fluor-9-chlor-bicyclo[6.1.0]nonan*</td></tr>
<tr><td>③</td><td>*6-Fluor-6-chlor-3-oxa-bicyclo[3.1.0]hexan*</td></tr>
<tr><td>④</td><td>*2-Fluor-2-chlor-1-cyan-cyclopropan*</td></tr>
<tr><td>⑤</td><td>*2-Fluor-2-chlor-cyclopropan-1-carbonsäure-methylester*</td></tr>
<tr><td>⑥, ⑦</td><td>*3-Fluor-3-chlor-1,2-diäthyl-cyclopropan*</td></tr>
</table>

[1] D. SEYFERTH et al., Am. Soc. **87**, 4259 (1965).
[2] D. SEYFERTH u. K. V. DARRAGH, J. organometal. Chem. **11**, S. P9 (1968).

chlor-methan (II, S. 181) und Kalium-tert.-butanolat (III) im Molverhältnis 1:6,5:2 wird in trockenem Äther bei $-30°$ in Ausbeuten zwischen 40 und 50% ein nichttrennbares 4:1-Gemisch aus (Fluor-dichlor-methyl)-phenyl-quecksilber (IV) und Diphenyl-quecksilber (V) erhalten, das beim Erhitzen in Benzol Fluor-chlor-carben liefert. Bei Zusatz von Natriumjodid wird die Carben-Bildung beschleunigt. Anwendungsbeispiele für derartige Übertragungen von Fluor-chlor-carben zeigen die Reaktionen ① bis ⑦ (S. 181). Reaktion ③ verdeutlicht, daß hierbei auch das Fluor-chlor-carben in reaktive Einfachbindungen eingeschoben werden kann; jedoch scheint im Vergleich zu Dichlor-carben das Fluor-chlor-carben selektiver die Addition anzustreben (s. S. 181).

$\beta\beta_5$) auf Diene

Beim Einleiten von Butadien-(1,3) in die benzolische Lösung von (Dichlor-brom-methyl)-phenyl-quecksilber wird nach dem Aufarbeiten in 58%iger Ausbeute *2,2-Dichlor-1-vinyl-cyclopropan* (VII) neben *2,2,2′,2′-Tetrachlor-bi-cyclopropyl* (VIII) (10%) erhalten[1]:

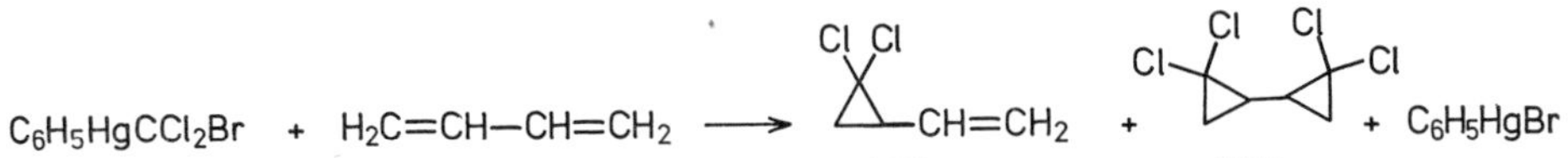

Wendet man das Verfahren auf Allen an, so ergeben sich 64% *2,2-Dichlor-1-methylen-cyclopropan* (IX) und 10% *2,2-Dichlor-cyclopropan-⟨1-spiro-1⟩-2,2-dichlor-cyclopropan* (X)[1]:

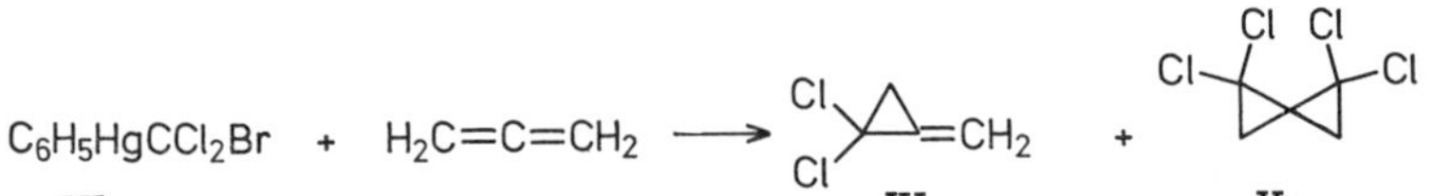

Setzt man 2,2-Dichlor-1-vinyl-cyclopropan (VII) in getrennter Reaktion mit VI um, dann läßt sich VIII in 91%iger Ausbeute erhalten (VIII wird in Form eines 1:1-Gemisches der *dl*- und *meso*-Verbindung gewonnen)[1].

2,2-Dichlor-1-methylen-cyclopropan (IX) reagiert mit VI in 60%iger Ausbeute zu X weiter[1,2].

Die Reaktion von (Trihalogen-methyl)-phenyl-quecksilber-Verbindungen mit Allenen stellt somit einen wertvollen Syntheseweg zur Herstellung von Alkyliden-cyclopropanen und substituierten Spiropentanen dar.

Die Umsetzung von 4-Vinyl-cyclohexen (XI) mit (Dichlor-brom-methyl)-phenyl-quecksilber ergibt folgende Produktverteilung[1]:

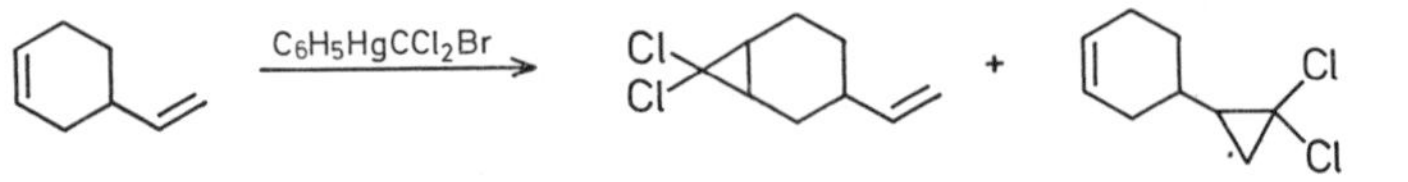

XI

7,7-Dichlor-3-vinyl-   2,2-Dichlor-1-[cyclo-
bicyclo[4.1.0]heptan;   hexen-(3)-yl]-cyclo-
82,5% d. Th.   propan; 9,4% d. Th.

---

[1] D. SEYFERTH et al., Am. Soc. **87**, 4259 (1965).

[2] Über die Dihalogen-carben-Addition an Methylen-cyclobutan, -cyclopentan und -cyclohexan berichteten E. FUNAKUBO et al., Tetrahedron Letters **1962**, 539.

Das Verhältnis der Addition an die C=C-Doppelbindung des Alicyclus zu der Addition an die Vinyl-Gruppe beträgt damit 8,77. Behandelt man Cyclohexen mit Natrium-trichloracetat in unter Rückfluß kochendem 1,2-Dimethoxy-äthan, so ergibt sich der auffallend ähnliche Wert von 8,5 für das Verhältnis; die Gesamtausbeute beträgt allerdings hier nur 42%. Die relative Reaktivität von Cyclohexen gegenüber (Dichlor-brom-methyl)-phenyl-quecksilber ist ~ 4,2 mal größer als die des Hepten-(1)[1]. Im vorliegenden Fall einer intramolekularen Konkurrenzreaktion am 4-Vinyl-cyclohexen dürfte noch ein zusätzlicher sterischer Effekt seitens des Cyclohexen-Ringsystems die Reaktivität der Vinyl-Gruppe verkleinern. Gaschromatographische Untersuchungen haben wahrscheinlich gemacht, daß bei der genannten Reaktion ein Gemisch der *cis/trans*-isomeren Vinyl-bicyclo[4.1.0]-heptane (Ia und Ib) sowie der *threo*-(IIa) und *erythro*(IIb)-Form des Cyclopropyl-cyclohexen-Derivats gebildet wird[2]:

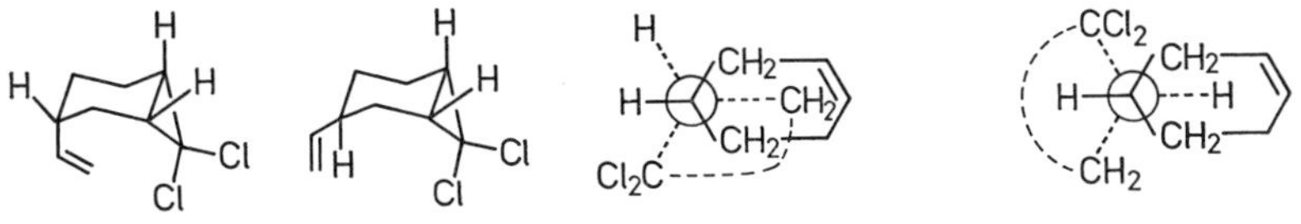

Ia   Ib   IIa   IIb

$\beta\beta_6$) Zum Reaktionsmechanismus

Nach Untersuchungen[1–3], insbesondere kinetischen Studien der Reaktionen von (Dichlor-brom-methyl)-phenyl-quecksilber mit Cycloocten, 2,3-Dimethyl-penten-(1) und Hepten-(1) in benzolischer Lösung[3] bei 39°, herrscht im Gegensatz zu älteren Betrachtungen[4–6] weitgehende Klarheit über den Reaktionsmechanismus.

Zunächst zersetzt sich (Dichlor-brom-methyl)-phenyl-quecksilber in Phenylquecksilberbromid und Dichlor-carben; dieser geschwindigkeitsbestimmende Schritt ist reversibel (Gl. ①). Das Dichlor-carben reagiert dann mit dem Olefin rasch unter Bildung des entsprechenden geminalen Dichlor-cyclopropan-Derivats (Gl. ②):

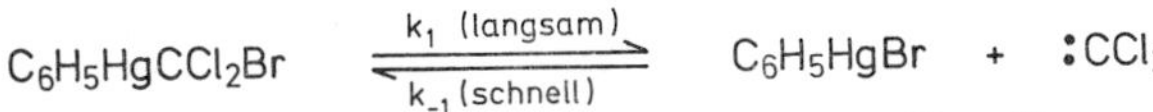

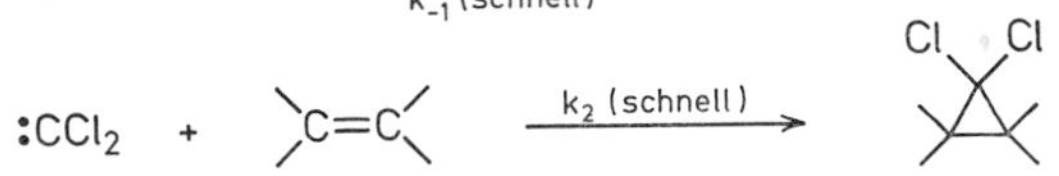

Der Wert von k_2 wird dabei von elektronischen und sterischen Faktoren des Olefins abhängen. Die Änderung im k_{-1}/k_2-Verhältnis erklärt die beobachtete Änderung der Reaktionsgeschwindigkeit, wenn man von dem relativ inaktiven Hepten-(1) zu dem sehr reaktiven 2,3-Dimethyl-penten-(2) übergeht (Ansteigen von k_2 um den Faktor 100). Aus den Gl. ① und ② ergibt sich der Ausdruck für die Reaktionsgeschwindigkeit zu

$$dx/dt = \frac{k_1\,[\text{C}_6\text{H}_5\text{HgCCl}_2\text{Br}]}{1 + \dfrac{k_{-1}\,[\text{C}_6\text{H}_5\text{HgBr}]}{k_2\,[\text{Olefin}]}} \qquad ③$$

[1] D. Seyferth u. J. M. Burlitch, Am. Soc. **86**, 2730 (1964).
[2] D. Seyferth et al., Am. Soc. **87**, 4259 (1965).
[3] D. Seyferth, J. Yick-Pui Mui u. J. M. Burlitch, Am. Soc. **89**, 4953 (1967).
[4] S. W. Tobey u. R. West, Am. Soc. **86**, 56 (1964), s. dort Fußnote 16b.
[5] J. Hine, „*Divalent Carbon*", S. 54, Ronald Press Co., New York 1964.
[6] J. A. Landgrebe u. R. D. Mathis, Am. Soc. **86**, 524 (1964).

Zu Beginn der Reaktion, d.h. wenn [Olefin] ≫ [C_6H_5HgBr] (und $k_2 \gg k_{-1}$), kann man die vereinfachte Gl. ④ zur Beschreibung der Reaktionsgeschwindigkeit verwenden:

$$dx/dt = k_1 [C_6H_5HgCCl_2Br] \qquad ④$$

β_4) Dihalogen-carben-Übertragung mit Hilfe von halogenierten Organo-zinn-Verbindungen

Trimethyl-(trifluormethyl)-zinn wird aus Hexamethyl-dizinn und Trifluor-jod-methan hergestellt[1,2]. Interessant ist vor allem die Beobachtung, daß Trimethyl-(trifluormethyl)-zinn bei Temperaturen um 150° allmählich in Trimethyl-zinnfluorid und *Hexafluor-cyclopropan* umgewandelt wird:

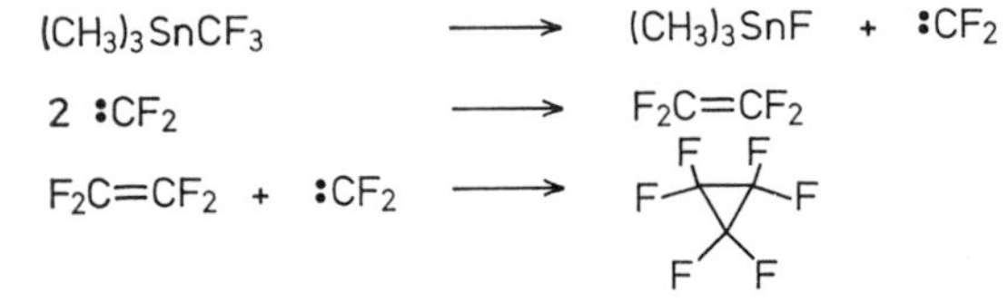

Angeregt durch diese Beobachtung wurden die präparativen Möglichkeiten halo-nierter Organo-zinn-Verbindungen als Dihalogen-carben-Überträger zum Zwecke der Synthese geminaler Dihalogen-cyclopropane näher untersucht (z.B. 1,1-Difluor-cyclopropane)[3,4]. In Analogie zu den durchgeführten Umsetzungen mit Trichlor-methyl-phenyl-quecksilber (s.S. 175ff.)[3,5] wurden auch im Fall des Trimethyl-(trifluor-methyl)-zinn, 1,2-Dimethoxy-äthan und Natriumjodid für die Reaktion benutzt. Möglicherweise übernimmt hier das Jodid-Ion die Aufgabe, die Bildung eines Tri-fluormethyl-Anions aus Trimethyl-trifluormethyl-zinn einzuleiten[6]. Bei einer Re-aktion von 12 mMol Trimethyl-(trifluormethyl)-zinn und 15 mMol Natriumjodid in 1,2-Dimethoxy-äthan und in Gegenwart überschüssigen Cyclohexens werden nach 12 Stdn. Kochen unter Rückfluß Trimethyl-zinnjodid (90% d.Th.) und *7,7-Difluor-bicyclo[4.1.0]heptan* (73% d.Th.) erhalten. Nach Optimierung der Reaktionsbedin-gungen konnten so eine ganze Reihe neuer geminaler Difluor-cyclopropane her-gestellt werden (s.Tab. 19, S. 187)[4], zu denen auch Difluor-cyclopropyl-Derivate des Siliciums, Germaniums und Zinns gehören.

Die zinnorganische Difluorcarben-Übertragung verläuft im Sinne[4] der Gleichungen ①–③:

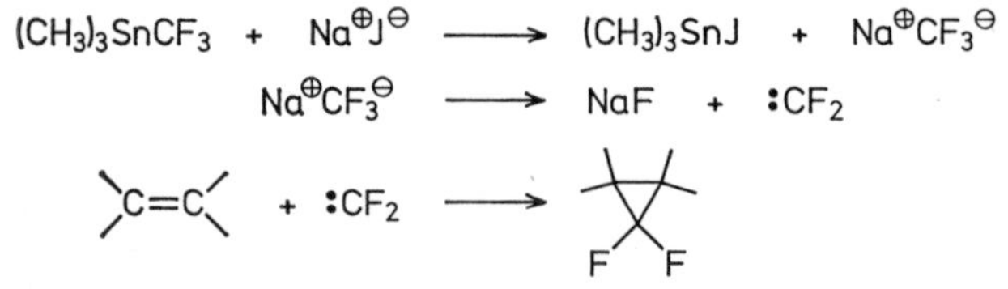

---

[1] H. D. Kaesz, J. R. Phillips u. F. G. A. Stone, Am. Soc. **82**, 6228 (1960).
[2] H. C. Clark u. C. J. Willis, Am. Soc. **82**, 1888 (1960).
[3] D. Seyferth et al., Am. Soc. **87**, 681 (1965).
[4] D. Seyferth et al., J. Org. Chem. **32**, 2980 (1967).
[5] D. Seyferth et al., Am. Soc. **89**, 959 (1967).
[6] H. J. Emeleus u. R. N. Haszeldine, Soc. **1949**, 2953; Jod-Ionen setzen in wäßriger Lösung aus Trifluormethyl-quecksilberjodid Fluoroform frei.

Einen Hinweis, daß das Trifluormethyl-Anion als Zwischenstufe durchlaufen wird, gibt die Durchführung der Reaktion von Trimethyl-(trifluormethyl)-zinn/Natrium-jodid in Aceton. Hierbei wird das Protonierungsprodukt des Trifluormethyl-Anions – das Fluoroform – in 23%iger Ausbeute erhalten; die Bildung von 2-Hydroxy-2-trifluormethyl-propan wurde nicht beobachtet[1].

Die Ausbeuten an Difluor-cyclopropanen nach dem Seyferth-Verfahren sind vergleichbar mit denen, die erhalten werden, wenn Difluor-diazirin als Difluor-carben-Erzeuger[2] verwendet wird. Das zinnorganische Verfahren liefert sogar mit einigen sehr wenig reaktiven Olefinen wie Vinyl-silanen, Acetoxy-äthylen, Pentafluor-styrol und 2,2-Dichlor-1-vinyl-cyclopropan gute Ergebnisse (s. Tab. 19, S. 187). Von besonderem Interesse ist die Reaktion von Acetoxy-äthylen mit Trimethyl-trifluor-methyl-zinn/Natriumjodid. Bei Umsetzung von Acetoxy-äthylen mit Trichlor-methyl-phenyl-quecksilber/Natriumjodid[3] und auch mit Natrium-trichloracetat[4] wird stets neben dem zu erwartenden *2,2-Dichlor-1-acetoxy-cyclopropan* noch 1,1,1-Trichlor-2-acetoxy-propan – das Derivat der Trichlormethyl-Anion-Addition an die olefinische Doppelbindung – beobachtet (s. S. 161). Bei der zinnorganischen Difluorcarben-Übertragung wird ausschließlich das entsprechende Cyclopropan-Derivat erhalten[1]. Offensichtlich ist die ausbleibende Bildung von 1,1,1-Trifluor-2-acetoxy-propan eine Folge der schnellen Umwandlung des Trifluormethyl-Anions in das Difluor-carben, das das stabilste Dihalogen-carben darstellt[5].

Desgleichen weicht auch die zinnorganische Reaktion mit 2,5-Dihydro-furan deutlich von korrespondierenden Reaktionen dieses Olefins mit verschiedenen Dichlor-carben-Erzeugern zu *6,6-Dichlor-3-oxa-bicyclo[3.1.0]hexan* (I) neben 2-Dichlor-methyl-2,5-dihydro-furan ab[6,7]:

6,6-Difluor-3-oxa-bicyclo[3.1.0]hexan

Trimethyl-(2-methyl-propyl)-zinn erleidet bei der Reaktion mit Trimethyl-(trifluormethyl)-zinn und Natriumjodid keine Difluor-carben-Einschiebung in eine C—H-Bindung; mit (Dichlor-brom-methyl)-phenyl-quecksilber reagiert es jedoch bei 80° in hoher Ausbeute zu 3,3-Dichlor-2,2-dimethyl-1-trimethylsilyl-propan[8].

Am Beispiel der *cis/trans*-isomeren Heptene-(3) wurde die Stereospezifität der zinnorganischen Difluor-carben-Übertragung geprüft.

2,2-Dichlor-1-vinyl-cyclopropan reagiert mit Trimethyl-(trifluormethyl)-zinn und Natriumjodid unter Bildung von zwei isomeren Produkten. In diesem Fall sind wegen

[1] D. SEYFERTH et al., J. Org. Chem. **32**, 2980 (1967).
[2] R. A. MITSCH, Am. Soc. **87**, 758 (1965).
[3] D. SEYFERTH et al., Am. Soc. **89**, 959 (1967).
[4] W. M. WAGNER, H. KLOOSTERZIEL u. S. VAN DER VEN, R. **80**, 740 (1961).
[5] Vgl. J. HINE, ,,*Divalent Carbon*", Kap. 3, Ronald Press Co., New York 1964.
[6] J. C. ANDERSON, D. G. LINDSAY u. C. B. REESE, Soc. **1964**, 4874.
[7] D. SEYFERTH et al., Am. Soc. **87**, 4259 (1965).
[8] Vgl. etwa: D. SEYFERTH u. S. S. WASHBURNE, J. organometal. Chem. **5**, 389 (1966).

des Vorliegens zweier asymmetrischer C-Atome im Addukt vier isomere Difluor-carben-Additionsprodukte zu erwarten: die *threo-* und *erythro*-Formen jeweils als Enantiomerenpaare:

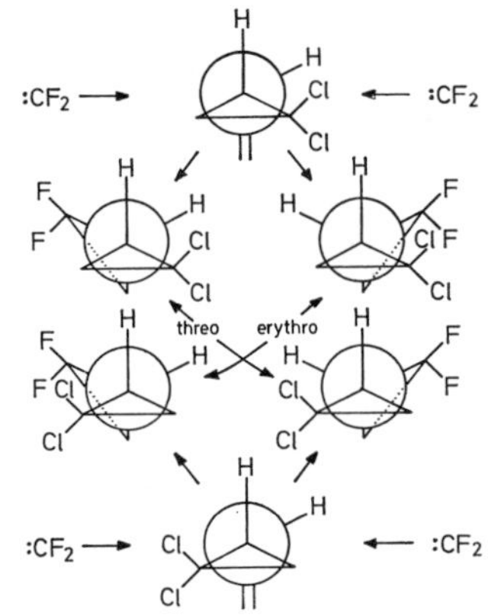

Abb. 8. Bildung der *threo-* und *erythro*-Formen des *2',2'-Difluor-2,2-dichlor-bi-cyclopropyls.*

Die gaschromatographische Trennung ergab, daß die *threo-* und *erythro*-Formen in nahezu gleichen Anteilen gebildet wurden. Offenbar erfolgt die Difluor-carben-Addition gleich gut von beiden Seiten der C=C-Doppelbindung her.

Im Gegensatz zur quecksilberorganischen Dichlor-carben-Übertragung [aus (Dichlor-brom-methyl)-phenyl-quecksilber][1] oder zur Difluor-diazirin-Methode der Difluor-carben-Übertragung[2] wird bei der zinnorganischen Variante[3] keine Einschiebung von Difluor-carben in die O—H-Bindungen von Carbonsäuren beobachtet.

Bei der Pyrolyse von Trimethyl-(trifluormethyl)-zinn in Gegenwart von Benzoesäure im abgeschlossenen Rohr bei 155° wird jedoch *Benzoesäure-difluormethylester* in 50%iger Ausbeute erhalten.

Geminale Difluor-cyclopropane; allgemeine Arbeitsvorschrift[3]: Eine Mischung von 25 mMol Olefin, 20 mMol Trimethyl-(trifluormethyl)-zinn[4] und 20 mMol Natriumjodid[5] in 12 *ml* 1,2-Dimethoxy-äthan[6] wird in einem 50-*ml*-Dreihalskolben, der mit Rückflußkühler, Stickstoffeinleitungsrohr und Magnetrührer versehen ist, 16 Stdn. unter Rückfluß gekocht. Danach wird die Reaktionsmischung abgekühlt und langsam wasserfreies Ammoniak eingeleitet, um das Trimethylzinnjodid als unlösliche Ammoniak-Verbindung abzuscheiden. Das Filtrat wird bei 0,05–0,1 Torr in eine auf —78° gekühlte Vorlage destilliert. Alle Reaktionen werden unter einer Stickstoffatmosphäre durchgeführt.

Das zinnorganische Dihalogen-carben-Übertragungsverfahren ist nicht nur auf das Difluor-carben beschränkt geblieben. So wurde auch die Eignung von Trimethyl-(trichlormethyl)- und Trimethyl-(dichlor-brom-methyl)-zinn zur Di-

---

[1] D. Seyferth u. J. Y.-P. Mui, Am. Soc. **88**, 4672 (1966).

[2] R. A. Mitsch u. J. E. Robertson, J. heterocyclic Chem. 2, 152 (1965).

[3] D. Seyferth et al., J. Org. Chem. **32**, 2980 (1967).

[4] Trimethyl-(trifluormethyl)-zinn ist in guter Ausbeute aus Hexamethyl-dizinn [s. C. A. Kraus u. W. V. Sessions, Am. Soc. **47**, 2361 (1925)] und Trifluormethyljodid durch Bestrahlung nach dem Verfahren von H. D. Kaesz, J. R. Phillipps u. F. G. A. Stone, Am. Soc. **82**, 6228 (1960), zugänglich.

[5] Zweckmäßigerweise wird reines Natriumjodid gepulvert und 24 Stdn. vor Gebrauch auf 110° (0,01 Torr) erhitzt.

[6] Das 1,2-Dimethoxy-äthan ist direkt vor dem Gebrauch von Kalium abzudestillieren.

Tab. 19. Geminale Difluor-cyclopropane aus Olefinen durch zinnorganische Difluor-carben-Übertragung[1]

Olefin	Difluor-cyclopropan-Derivat	Ausbeute [% d. Th.]
 (Cyclohexen)	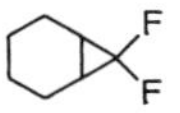 7,7-Difluor-bicyclo [4.1.0]heptan	89
$(CH_3)_2C=C(CH_3)_2$	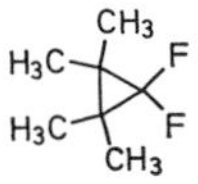 3,3-Difluor-1,1,2,2-tetra-methyl-cyclopropan	77
$H_9C_4-C=CH_2$ / C_2H_5	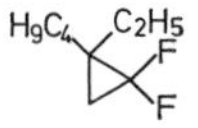 2,2-Difluor-1-äthyl-1-butyl-cyclopropan	92
$(CH_3)_2C=C(C_2H_5)_2$	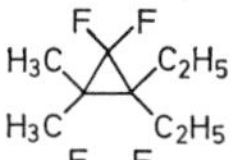 3,3-Difluor-2,2-dimethyl-1,1-diäthyl-cyclopropan	68
$H_3C-CH=C(C_2H_5)_2$	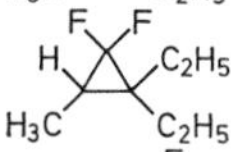 3,3-Difluor-2-methyl-1,1-diäthyl-cyclopropan	37
$H_{11}C_5-CH=CH_2$	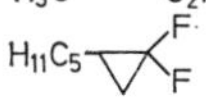 2,2-Difluor-1-pentyl-cyclo-propan	71
$H_7C_3-CH=CH-C_2H_5$ cis	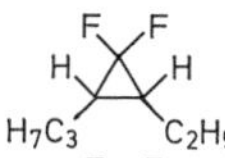 3,3-Difluor-2-äthyl-1-propyl-cyclopropan	55 (cis)
$H_7C_3-CH=CH-C_2H_5$ trans	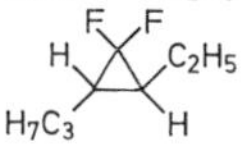	74 (trans)
$H_5C_2-\overset{CH_3}{\underset{CH_3}{C}}-CH=CH_2$	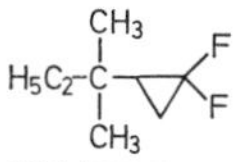 2,2-Difluor-1-[2-methyl-butyl-(2)]-cyclopropan (zwei Isomere)	36
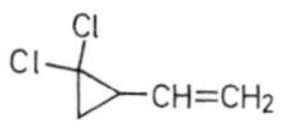 (Cl, Cl-cyclopropyl)-CH=CH_2	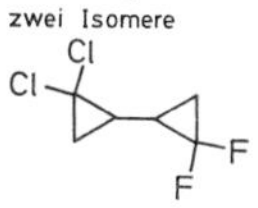 2',2'-Difluor-2,2-dichlor-bi-cyclopropyl	36 bzw. 42
$H_5C_6-CH=CH_2$	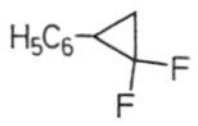 2,2-Difluor-1-phenyl-cyclopropan	67
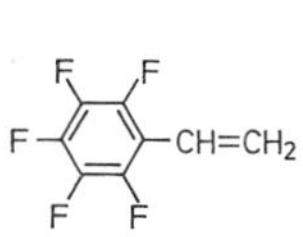 (Pentafluorphenyl)-CH=CH_2	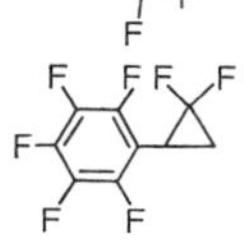 2,2-Difluor-1-(pentafluor-phenyl)-cyclopropan	61
$CH_3COO-CH=CH_2$	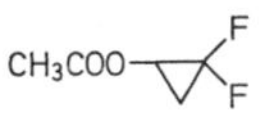 2,2-Difluor-1-acetoxy-cyclopropan	53
$C_2H_5(CH_3)_2Si-CH=CH_2$	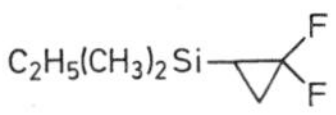 2,2-Difluor-1-(dimethyl-äthyl-silyl)-cyclopropan	45
$(C_2H_5)_3Si-CH=CH_2$	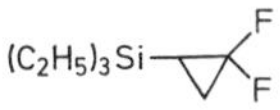 2,2-Difluor-1-triäthylsilyl-cyclopropan	22
$(C_2H_5)_3Ge-CH=CH_2$	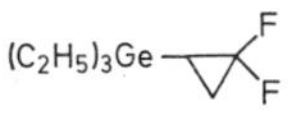 2,2-Difluor-1-triäthylger-manyl-cyclopropan	39
$(C_2H_5)_3Sn-CH=CH_2$	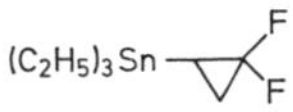 2,2-Difluor-1-triäthylstan-nyl-cyclopropan	52
$(CH_3)_3Si-CH_2-CH=CH_2$	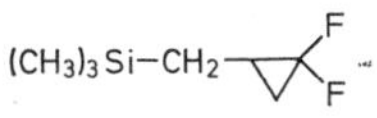 2,2-Difluor-1-(trimethyl-silylmethyl)-cyclopropan	80
$(CH_3)_3Sn-CH_2-CH=CH_2$	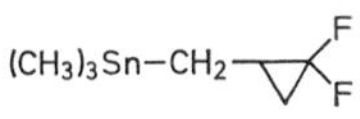 2,2-Difluor-1-(trimethyl-stannyl-methyl)-cyclopropan	54
 (2,5-Dihydrofuran)	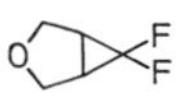 6,6-Difluor-3-oxa-bicyclo [3.1.0]hexan	56 * / 66 **

* In 1,2-Dimethoxy-äthan.   ** In Bis-[2-methoxy-äthyl]-äther (Diglyme).

[1] D. SEYFERTH et al., J. Org. Chem. **32**, 2980 (1967).

halogen-carben-Übertragung auf Olefine untersucht[1]. Die Herstellung von Trimethyl-(trichlormethyl)-zinn gelang in 62%iger Ausbeute durch Reaktion von Trimethyl-zinn-chlorid mit Trichlormethyl-lithium[2-4]. Trimethyl-(dichlor-brom-methyl)-zinn ist u.a. durch quecksilberorganische Dichlor-carben-Einschiebung in die Zinn-Halogen-Bindung zugänglich.

Beide Organo-zinn-Verbindungen erwiesen sich als wirksame Dihalogen-carben-Überträger. Bei der Umsetzung von 0,65 m Mol Trimethyl-(dichlor-brom-methyl)-zinn mit 3 *ml* Cyclohexen wurden nach 92 Stdn. Kochen unter Rückfluß ($\sim 80°$) die folgenden Produkte in der Reaktionsmischung nachgewiesen:

7,7-Dichlor-bicyclo[4.1.0]heptan (42% d.Th.), Trimethyl-zinnbromid, Ausgangs-zinn-Verbindung (8%), sowie sehr geringe Anteile von *7-Chlor-7-brom-bicyclo[4.1.0] heptan* und Trimethyl-zinnchlorid.

In 94%iger Ausbeute bildet sich *9,9-Dichlor-bicyclo[6.1.0]nonan* bei 140° durch Kochen unter Rückfluß einer Lösung von 7,7 mMol Trimethyl-(trichlormethyl)-zinn in 20 *ml* Cyclooeten nach 3 Stdn. Bei der Reaktion von Cyclooeten mit Trimethyl-(dichlor-brom-methyl)-zinn wurde eine Mischung des *9,9-Dichlor-* und des *9-Chlor-9-brom-bicyclo[6.1.0]nonan* erhalten:

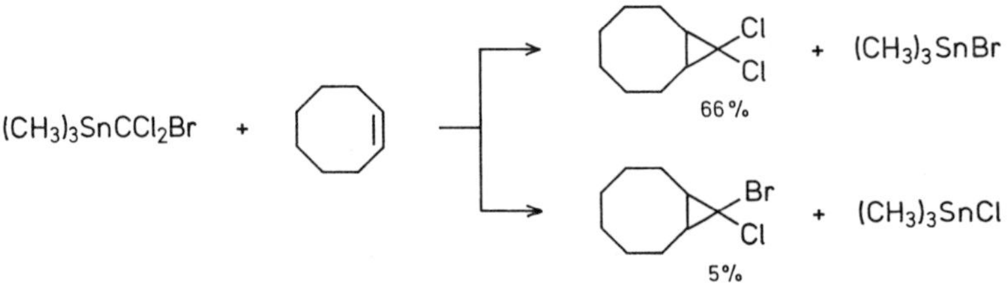

Diese Reaktion ist bemerkenswert, da man andererseits aus Cyclooeten mit (Dichlor-brom-methyl)-phenyl-quecksilber *9-Chlor-9-brom-bicyclo[6.1.0]nonan*, wenn über-haupt, nur in Spuren erhalten kann[5; s. a. 1].

Die etwas schwierige Reinigung der beiden genannten Organo-zinn-Verbindungen sowie deren relativ große Hydrolyseempfindlichkeit wurde zum Anlaß genommen[1], zinnorganische Tri-halogenacetate auf ihre mögliche Verwendung als Dihalogen-carben-Überträger hin zu unter-suchen, da die thermische Decarboxylierung einiger Organozinnester bereits bekannt war[6]. Ein solcher Weg zu geminalen Dihalogen-cyclopropanen konnte realisiert werden, jedoch waren die erzielten Ausbeuten wegen Konkurrenzreaktionen nur mäßig. So ergab die Reaktion von Tri-phenyl-zinn-trichloracetat mit Cyclooeten bei 140° unter Stickstoffatmosphäre *9,9-Dichlor-bicyclo[6.1.0]nonan* in 56%iger Ausbeute:

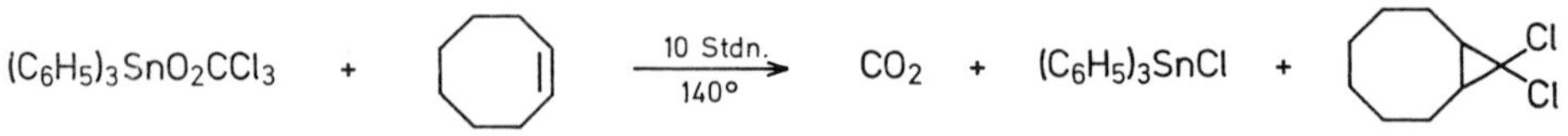

[1] D. SEYFERTH et al., J. organometal. Chem. **6**, 573 (1966).
[2] W. T. MILLER u. D. M. WHALEN, Am. Soc. **86**, 2089 (1964).
[3] G. KÖBRICH, K. FLORY u. W. DRISCHEL, Ang. Ch. **76**, 536 (1964).
[4] D. F. HOEG, D. I. LUSK u. A. L. CRUMBLISS, Am. Soc. **87**, 4147 (1965).
[5] D. SEYFERTH u. J. Y.-P. MUI, unveröffentlichte Ergebnisse.
[6] Als Beispiele seien hier erwähnt:
$(C_4H_9)_3SnO_2CCH_2CN \rightarrow (C_4H_9)_3SnCH_2CN$
s. G. J. M. van der KERK u. J. G. A. LUITJEN, J. appl. Chem. **6**, 93 (1956).
$(C_4H_9)_3SnO_2CH \rightarrow (C_4H_9)_3SnH$
s. M. OHARA u. R. OKAWARA, J. organometal. Chem. **3**, 484 (1965).

Abschließend muß festgestellt werden, daß die zinnorganischen Dihalogen-carben-Übertragungsreaktionen mit Ausnahme der Difluor-carben-Übertragung nicht eine analog breite Anwendung finden werden wie die quecksilberorganischen Verfahren zur Herstellung geminaler Dihalogen-cyclopropane, da die Organo-quecksilber-Reagentien im allgemeinen leichter herstellbar und einfacher zu reinigen sind.

γ) Cyclopropane durch Dihalogen-carben-Übertragungen unter Umlagerungen

Manche der durch Dihalogen-carben-Übertragungen leicht zugänglichen 1,1-Dihalogen-cyclopropane erwiesen sich jedoch als so instabil, daß sie sich bereits unter ihren Bildungsbedingungen umlagerten.

So wird z. B. bei der Umsetzung von Cyclopentadien-natrium mit Chloroform anstelle des erwarteten Adduktes I [*6,6-Dichlor-bicyclo[3.1.0]hexen-(2)*] unter Ringerweiterung *Chlorbenzol* erhalten[1]:

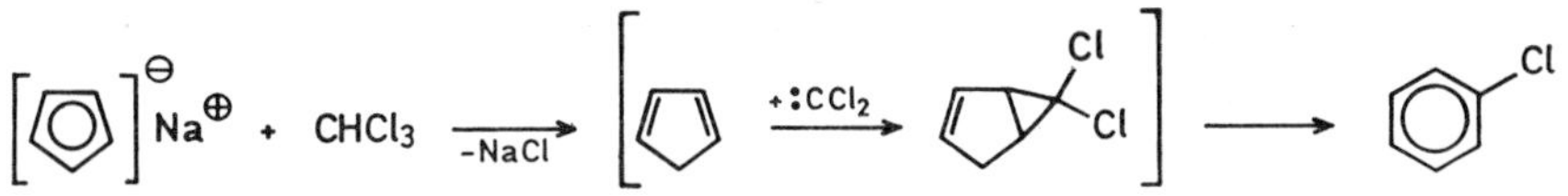

In ganz ähnlicher Weise wird Pyrrol in *3-Chlor-pyridin*[2-4] und Indol in *3-Chlorchinolin*[5,6] überführt.

Auch die Herstellung von *2-* und *3-Chlor-pyridin* in hohen Ausbeuten (86% d. Th.) gelingt durch Reaktion von Pyrrol mit Dichlor-carben, das aus Chloroform in der Gasphase erzeugt wurde[7]. Unter ähnlichen Bedingungen wird aus Imidazol eine 10:1-Mischung von *5-Chlor-pyrimidin* und *Chlor-pyrazin* erhalten[8]:

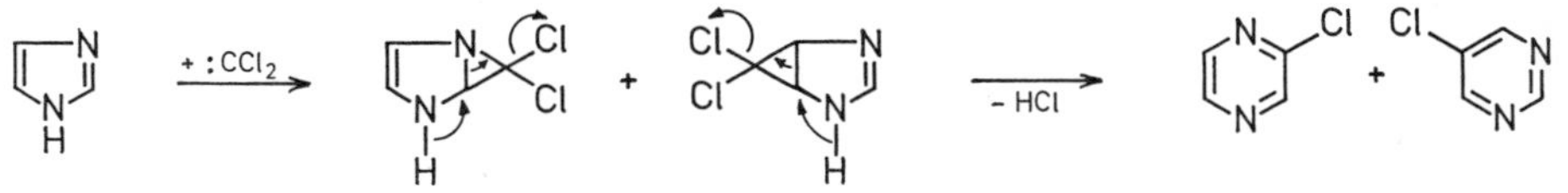

6,6-Dichlor-1,4-diaza-bicyclo [3.1.0]hexen-(2)   *6,6-Dichlor-2,4-diaza-bicyclo [3.1.0]hexen-(2)*

Offensichtlich wird also die C=C-Doppelbindung eher als C=N-Doppelbindung angegriffen. Im Fall des 2,4,5-Trimethyl-imidazols wurde bei der Reaktion mit Dichlorcarben, das entweder unter neutralen Bedingungen durch die thermische Decarboxylierung von Natrium-trichloracetat oder unter basischen Bedingungen aus Chloro-

[1] A. P. ter BORG u. A. F. BICKEL, Pr. chem. Soc. **1958**, 283.
[2] Vgl. G. L. CIAMICIAN u. M. DENNSTEDT, B. **14**, 1153 (1881); **15**, 1172 (1882).
[3] Vgl. O. BOCCHI, G. **30** I, 89 (1900).
[4] Vgl. G. PLANCHER u. U. PONTI, Atti accad. nazl. Lincei [5] **18** II, 473 (1909).
[5] Vgl. G. MAGNANINI, G. **17**, 249 (1887).
[6] Vgl. G. PLANCHER u. O. CARRASCO, Atti accad. nazl. Lincei [5] **13** I, 575 (1904).
[7] C. J. G. SHAW et al., Chem. & Ind. **1969**, 1344.
[8] C. J. G. SHAW et al., Chem. Commun. **1969**, 1344.

form und Natriumäthanolat erzeugt wurde, nur ein einziges Ringerweiterungsprodukt, das *5-Chlor-2,4,6-trimethyl-pyrimidin* (12% d. Th.) erhalten[1]. Es wurde kein Derivat erhalten, daß auf einen primären Angriff des Dichlor-carbens auf die entsprechende 2,3-C=N-Doppelbindung zurückzuführen wäre.

Wird aus Chloroform und Base erzeugtes Dichlor-carben mit Inden (I) zur Reaktion gebracht, so wird zwar das entsprechende Addukt mit 1,1-Dichlor-cyclopropan-Struktur II (*1,1-Dichlor-1,1a,6,6a-tetrahydro-⟨cyclopropa-[a]-inden⟩*) noch isoliert; II spaltet jedoch sehr leicht 1 Mol Chlorwasserstoff ab und geht dabei unter Ring-erweiterung in *2-Chlor-naphthalin* über[2-4]. Die Isolierung von II gelingt nur, wenn bei der Aufarbeitung keine polaren Lösungsmittel verwendet werden. Bei der Über-tragung von Dibrom-carben[3] und Chlor-brom-carben[4] wurden überhaupt keine Cyclopropan-Zwischenstufen erhalten. Als Reaktionsprodukt der Chlor-brom-carben-Übertragung auf Inden entsteht ein Gemisch von *2-Chlor-* und *2-Brom-naphthalin*[4]:

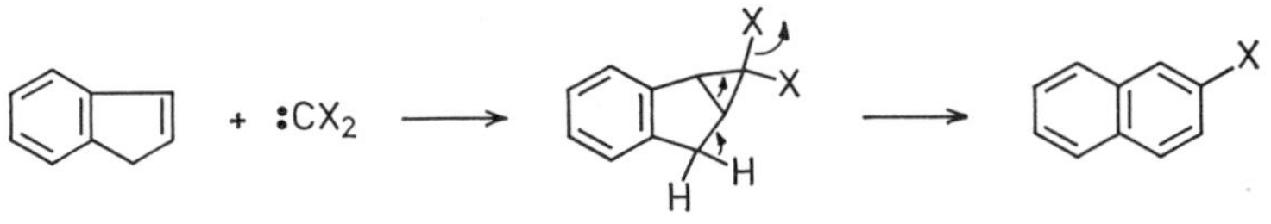

Bei der Reaktion von 1- und 2-Alkyl-indenen werden entsprechende 2-Halogen-1-alkyl- bzw. 2-Halogen-3-alkyl-naphthaline erhalten[3,5].

Neben dem bereits erwähnten 2-Chlor-naphthalin wurde bei der Umsetzung von Indenyl-natrium mit Chloroform in geringer Menge noch eine blaue Halogen-Ver-bindung gefunden, deren Eigenschaften auf das Vorliegen eines *Chlor-azulens* (III) hindeuten[6], das sich vermutlich in der nachfolgenden Weise

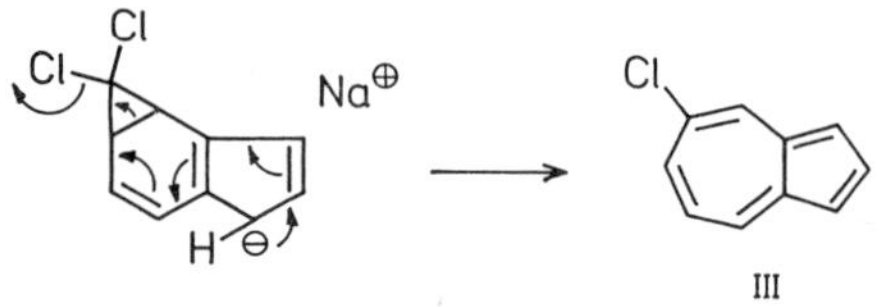

gebildet haben könnte. Im Gegensatz dazu ist das bei der Reaktion von Cyclohep-tatrien mit Chloroform und Natriummethanolat erhaltene Addukt IV {*8,8-Dichlor-bicyclo[5.1.0]octadien-(2,4)*} bemerkenswert stabil[7]. Erst bei Temperaturen um 140° spaltet sich aus IV ein Mol Chlorwasserstoff unter Bildung von *2-Chlor-benzocyclo-buten* (V) ab:

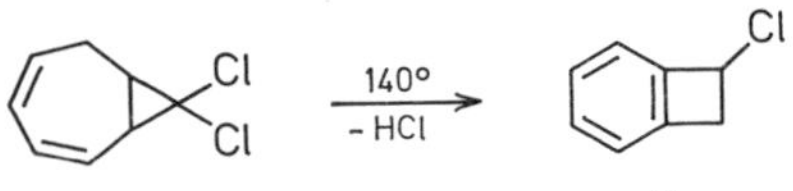

[1] R. L. JONES u. C. W. REES, Soc. [C] **1969**, 2251.
[2] W. E. PARHAM u. H. E. REIFF, Am. Soc. **77**, 1177 (1955).
[3] W. E. PARHAM et al., Am. Soc. **78**, 1437 (1956).
[4] W. E. PARHAM u. R. E. TWELVES, J. Org. Chem. **22**, 730 (1957).
[5] W. E. PARHAM u. C. D. WRIGHT, J. Org. Chem. **22**, 1473 (1957).
[6] W. E. PARHAM et al., Am. Soc. **77**, 1177 (1955).
[7] A. P. ter BORG u. A. F. BICKEL, Pr. chem. Soc. **1958**, 283.

Benzofuran reagiert mit Dichlor-carben in Hexan nach Hydrolyse mit Wasser unter Bildung des *Bis-[3-chlor-2H-chromenyl-(2)]-äthers* (VIII)[1]:

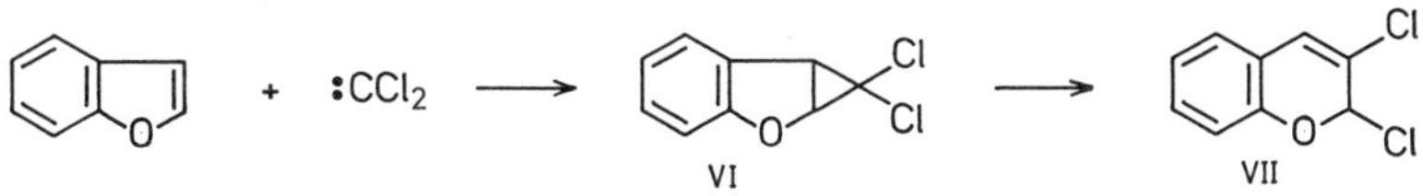

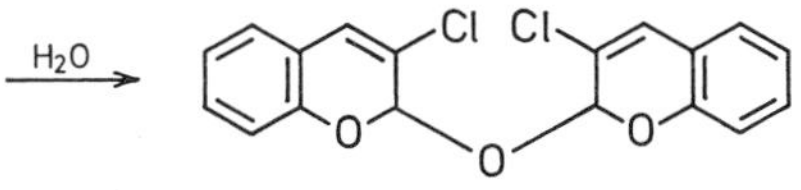

VI; *1,1-Dichlor-1a,6b-dihydro-1H-⟨cyclopropa-[d]-benzo-[b]-furan⟩*

1,1-Dichlor-cyclopropane, die durch Addition von Dichlor-carben an aliphatische Keten-acetale erhalten wurden, lagern sich bei Temperaturen um 100° unter Eliminierung von Alkylchlorid in die Ester von *α*-Chlor-acrylsäuren um[2]. *α-Brom-acrylsäure-äthylester* wurde als einziges Produkt der Reaktion von Dibrom-carben und Keten-diäthylacetal isoliert[3]. Die hypothetische Cyclopropan-Zwischenstufe der Umsetzung von Phenyl-ketenacetal und Dichlor-carben eliminiert Salzsäure und bildet mit dem von der Carbenerzeugung noch vorhandenen Kalium-tert.-butanolat schließlich einen ortho-Ester der Phenyl-propiolsäure[2] (IX):

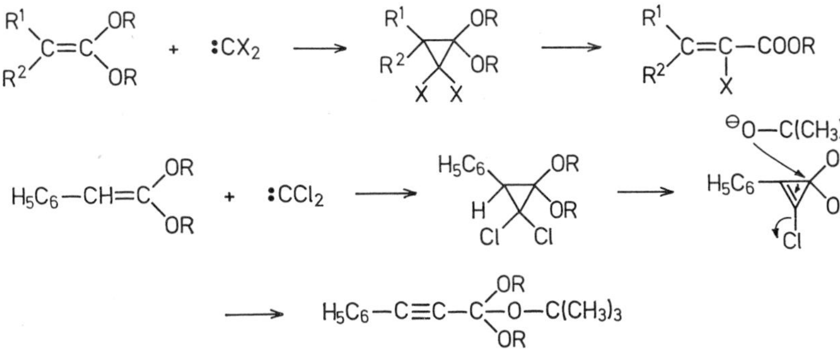

IX

Das Dichlor-carben-Addukt von Cyclooctatetraen ⟨X; *9,9-Dichlor-bicyclo[6.1.0]nonatrien-(2,4,6)*⟩ lagert sich schon bei Temperaturen um 80–90° um[4,5]. Für das nahezu quantitativ entstehende Isomere konnte die 3a,7a-Dihydro-inden-Struktur XII {*8,9-Dichlor-bicyclo[4.3.0]nonatrien-(2,4,7)*} mit den Chloratomen in Nachbarstellung bewiesen werden. Das allylständige Chloratom dürfte dabei die *trans*-Stellung zum Cyclohexadien-Ring einnehmen[5]. Das entsprechende Dibrom-carben-Addukt von Cyclooctatetraen zeigt eine analoge Umlagerung[5].

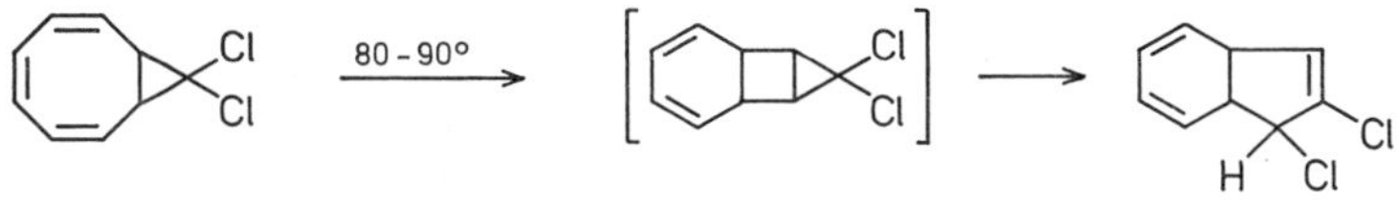

X   XI   XII

[1] W. E. Parham et al., J. Org. Chem. **28**, 577 (1963).
[2] S. M. McElvain u. P. L. Weyna, Am. Soc. **81**, 2579 (1959).
[3] M. F. Dull u. P. G. Abend, Am. Soc. **81**, 2588 (1959).
[4] E. Vogel u. H. Kiefer, Ang. Ch. **73**, 548 (1961).
[5] E. Vogel, Ang. Ch. **74**, 829 (1962).

Das Produkt der Addition von Dibrom-carben an Cyclopenten (*6,6-Dibrom-bicyclo [3.1.0]hexan*; XIII), ist nur bei tiefen Temperaturen isolierbar; schon bei der Destillation kommt es zur Bildung von *2,3-Dibrom-cyclohexen* (XIV)[1]:

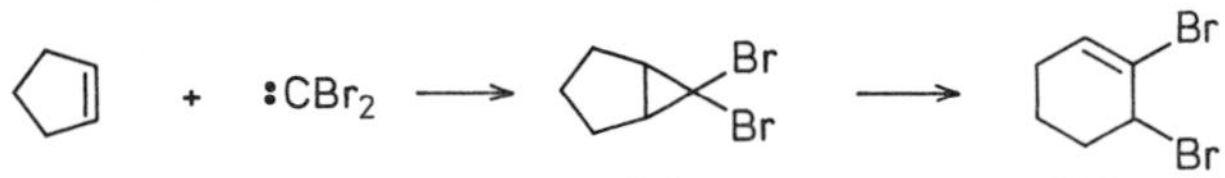

Das vermeintlich durch Behandlung von XIII mit Methyl-lithium entstandene *2-Brom-3-methyl-cyclohexen*[2], dürfte im Lichte der genannten Umlagerung eher aus dem Umlagerungsprodukt XIV gebildet worden sein.

Das aus Dichlor-carben und Cyclobuten gebildete *5,5-Dichlor-bicyclo[2.1.0]pentan* (XV) lagert sich offenbar bereits im Entstehungszustand bei 0° in *2,3-Dichlor-cyclopenten* (XVI) um[3]:

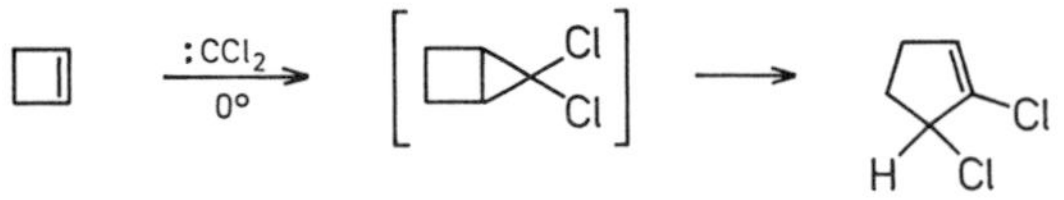

Erwähnenswert ist in diesem Zusammenhang auch die Tatsache, daß die gegen Solvolyse sehr beständigen 1,1-Dihalogen-cyclopropane überraschend leicht mit Silbernitrat in wäßrigem oder alkoholischem Medium reagieren, wobei unter Abdissoziation eines Halogen-Ions Ringspaltung eintritt[4]. *6,6-Dichlor-* oder *6,6-Dibrom-bicyclo[3.1.0]hexan* sowie andere Dihalogen-bicyclo[3.1.0]hexane lassen sich auf diesem Wege unter Ringerweiterung sehr glatt in die 2-Halogen-3-hydroxy-cyclohexene umwandeln[4]:

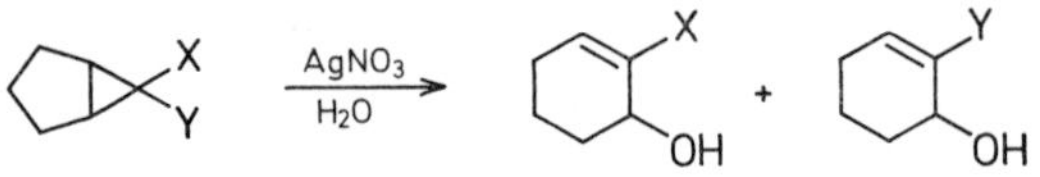

Bei Gegenwart von Alkohol werden außerdem die entsprechenden Halogenäther isoliert. Als treibende Kraft dieser Umlagerung dürfte die Entspannung des alicyclischen Dreirings und die damit verbundene Ausbildung eines Allyl-Kations anzusprechen sein.

In der Addition von Dihalogen-carbenen an Olefine zu 1,1-Dihalogen-cyclopropanen und deren nachfolgende Umsetzung mit Silbernitrat steht somit eine Methode zur Verfügung, die es ermöglicht, eine Kohlenstoff-Kette durch Einführung eines neuen C-Atoms zwischen die Atome der Doppelbindung zu erweitern.

Zu dem gleichen strukturellen Ergebnis führt eine von anderen Autoren aufgezeigte Reaktionsfolge, mit deren Hilfe sich Olefine über 1,1-Dibrom-cyclopropane in Allene umwandeln lassen[5]. Danach erhält man bei Einwirkung von Natrium oder auch Magnesium auf 1,1-Dibrom-cyclopropane Allene in wechselnden Ausbeuten. Die sehr reaktionsträgen 1,1-Dichlor-cyclopropane erwiesen sich dagegen noch bei hoher Temperatur gegenüber Natrium als resistent:

[1] J. Sonnenberg u. S. Winstein, J. Org. Chem. **27**, 748 (1962).
[2] W. R. Moore u. H. R. Ward, Chem. & Ind. **1961**, 594.
[3] E. Vogel, Ang. Ch. **74**, 829 (1962).
[4] P. S. Skell u. S. R. Sandler, Am. Soc. **80**, 2024 (1958).
[5] W. v. E. Doering u. P. M. La Flamme, Tetrahedron **2**, 75 (1958).

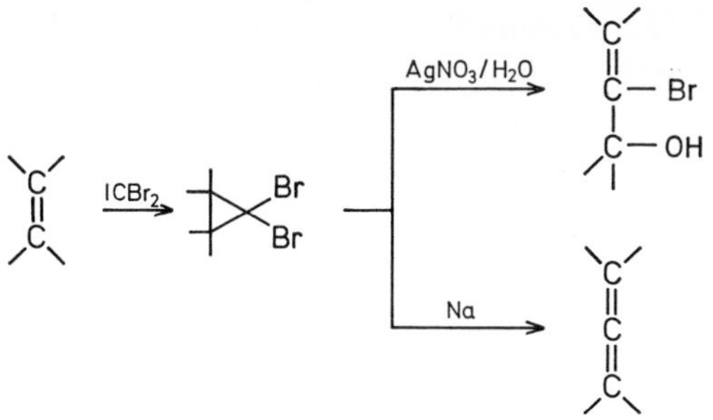

Eine weitgehend ähnliche Umlagerung ist auch bei Enaminen, die sich von cyclischen Ketonen ableiten, beobachtet worden. So reagiert 1-Morpholino-cyclopenten mit Dichlor-carben nach wäßrigem Aufarbeiten unter Bildung von *2-Chlor-3-oxo-cyclohexen-(1)*[1]:

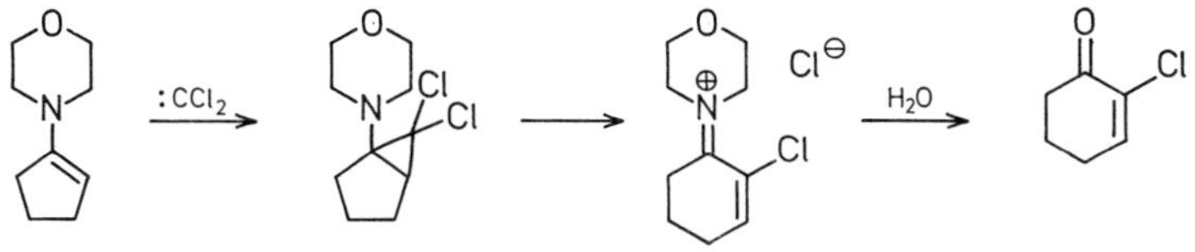

6,6-Dichlor-1-morpholino-bicyclo[3.1.0]hexan

1-Morpholino-cyclohexen liefert hingegen ein stabiles Addukt (*7,7-Dichlor-1-morpholino-bicyclo[4.1.0]heptan*).

Auch die Addition von Dihalogen-carbenen an Norbornene (Bicyclo[2.2.1]heptene) und 7-Oxa-norbornene ist sehr eingehend studiert worden[2-12]. In einigen Fällen gelang die Isolierung des tricyclischen Dichlor-carben-Adduktes (I; *exo*-Konfiguration; *3,3-Dichlor-tricyclo[3.2.1.0²,⁴]octan*)[4,5], in anderen Fällen wurde direkt das Umlagerungsprodukt *3,4-Dichlor-bicyclo[3.2.1]octen-(2)* erhalten[3,6].

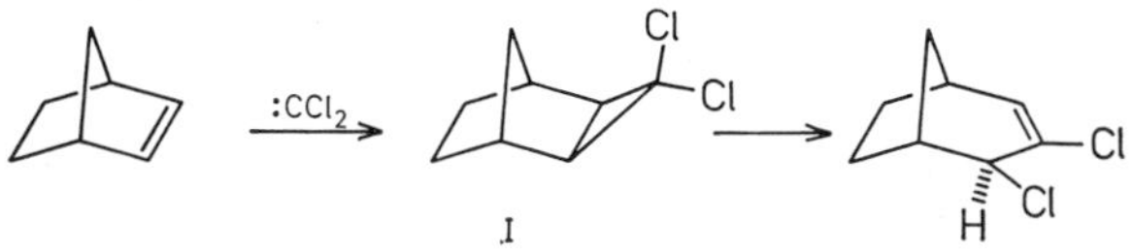

Bei der Umsetzung eines zweifachen Überschusses von Dibrom-carben mit Norbornen in Pentan bei Raumtemperatur wurde direkt die umgelagerte Verbindung

[1] M. OHNO, Tetrahedron Letters **1963**, 1753.
[2] C. W. JEFFORD, Pr. chem. Soc. **1963**, 64.
[3] L. GHOSEZ u. P. LAROCHE, Pr. chem. Soc. **1963**, 90.
[4] W. R. MOORE et al., J. Org. Chem. **28**, 2200 (1963).
[5] R. C. DeSELMS u. C. M. COMBS, J. Org. Chem. **28**, 2206 (1963).
[6] E. BERGMAN, J. Org. Chem. **28**, 2210 (1963).
[7] C. W. JEFFORD et al., Am. Soc. **87**, 2183 (1965).
[8] L. GHOSEZ et al., Tetrahedron Letters **1967**, 2767.
[9] S. J. CRISTOL, R. M. SEQUERA u. C. H. DePUY, Am. Soc. **87**, 4007 (1965).
[10] L. SKATTEBØL, J. Org. Chem. **31**, 1554 (1966),
[11] C. W. JEFFORD et al., Tetrahedron Letters **1966**, 6317.
[12] L. GHOSEZ et al., Tetrahedron Letters **1967**, 2773.

II {*3,4-Dibrom-bicyclo[3.2.1]octen-(2)*} erhalten, wobei die Ausbeuten zwischen 25 und 40% d.Th. schwanken können[1-3]. Durch Reduktion mit Lithiumalanat und nachfolgender saurer Hydrolyse wurde *3-Oxo-bicyclo[3.2.1]octan* (IV)[1,2] zugänglich:

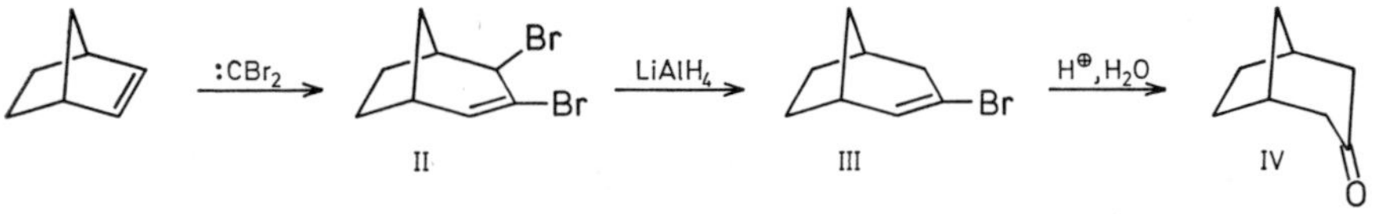

II III IV

Bicyclo[2.2.2]octen-(2) (V) liefert mit einem zweifachen Überschuß an Dibrom-carben zwei isomere Produkte in 2,57 bzw. 6,58%iger Ausbeute, für die die Strukturen VI und VII gesichert werden konnten[3]:

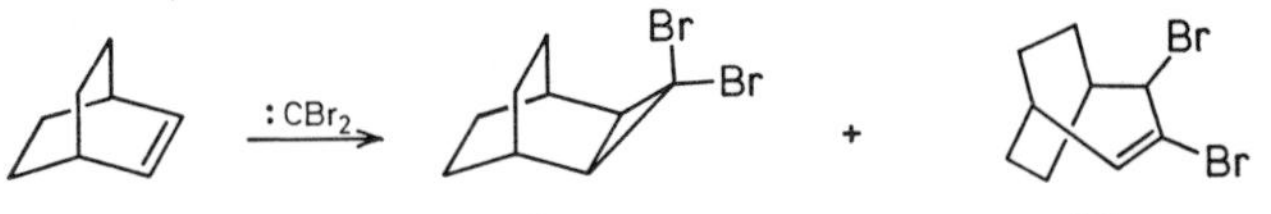

V VI VII

exo-3,3-Dibrom-tricyclo[3.2.2.0^{2,4}]nonan (VI) kann nicht durch Erhitzen in *3,4-Dibrom-bicyclo[3.2.2]nonen-(2)* (VII) übergeführt werden. Wird VII mit wäßriger Silbernitrat-Lösung behandelt, so erfolgt sofortige Fällung von Silberbromid und Bildung von *3-Brom-4-hydroxy-bicyclo[3.2.2]nonen-(2)* (VIII). VII kann auch in zu II analoger Weise zu *3-Oxo-bicyclo[3.2.2]nonan* (X) umgewandelt werden[3]:

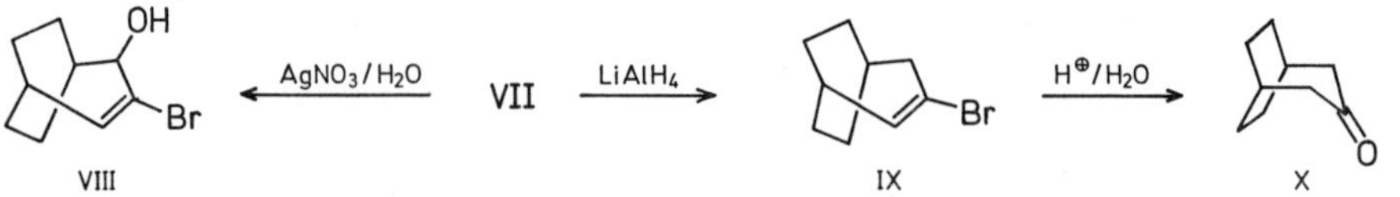

VIII IX X

Die Ergebnisse der Dihalogen-carben-Addition an 1-Methyl-bicyclo[2.2.1]hepten-(2) sind mit den Formeln XII bis XV wiedergegeben[3]:

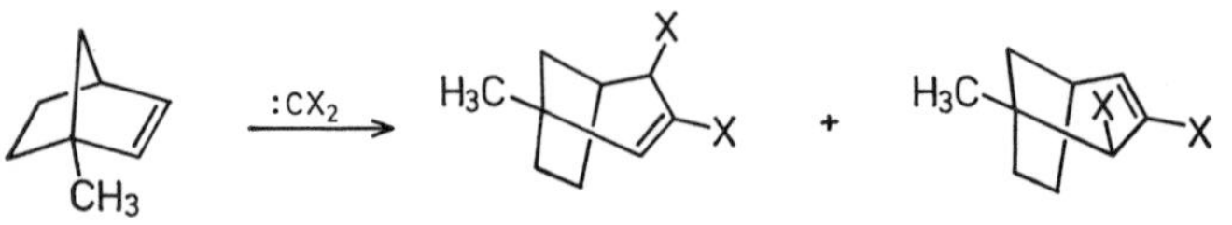

XI XII, XIV XIII, XV

XII;	X = Br;	*3,4-Dibrom-1-methyl-bicyclo[3.2.1]octen-(2)*	80% d.Th.
XIV;	X = Cl;	*3,4-Dichlor-1-methyl-bicyclo[3.2.1]octen-(2)*	47% d.Th.
XIII;	X = Br;	*3,4-Dibrom-5-methyl-bicyclo[3.2.1]octen-(2)*	20% d.Th.
XV;	X = Cl;	*3,4-Dichlor-5-methyl-bicyclo[3.2.1]octen-(2)*	53% d.Th.

Bei der Umsetzung von überschüssigem Dibrom-carben mit 2-Methyl-bicyclo[2.2.1]hepten-(2) werden zwei Produkte erhalten, die beide nach Stehenlassen oder Erhitzen polymerisieren. Für die labilere Verbindung wurde die Struktur eines 1:1-Adduktes XVI aus 2-Methyl-bicyclo[2.2.1]hepten-(2) und Dibrom-carben wahr-

[1] C. W. Jefford, Pr. chem. Soc. **1963**, 64.
Vgl. a. B. Waegell u. C. W. Jefford, Bl. **1964**, 844.
[2] W. R. Moore et al., J. Org. Chem. **28**, 2200 (1963).
[3] C. W. Jefford et al., Am. Soc. **87**, 2183 (1965).

scheinlich gemacht. XVI (*3,3-Dibrom-2-methyl-tricyclo[3.2.1.0²·⁴]octan*) zersetzt sich
sehr leicht zu einer Verbindung der Bruttoformel $C_9H_{11}Br$. Offensichtlich findet
hier zunächst eine Addition einer äquimolaren Menge Dibrom-carben statt, der eine
Eliminierung einer äquimolaren Menge Bromwasserstoff folgt. Für das $C_9H_{11}Br$-
Produkt konnte aufgrund von IR-, UV- und NMR-Spektren die Struktur eines
3-Brom-4-methylen-bicyclo[3.2.1]octen-(2) (XVII) zugeordnet werden[1]:

durch diese genannten Umsetzungen unter Umlagerungen können gängige bicyclische Olefine in bis dahin weniger gut zugängliche Homologe in stereospezifischer Weise umgewandelt werden.

Primär dürfte hier in jedem Fall das Dihalogen-carben mit dem bicyclischen Olefin
unter Bildung eines gem.-Dihalogen-cyclopropan-Derivates reagieren, das ganz
offensichtlich in der *exo*-Konfiguration zu formulieren ist[2⁻⁴].

Das Addukt XVIII besitzt z.B. eine beträchtliche Spannung[1]: Winkelspannung, die
durch den vorhandenen Cyclopropanring hervorgerufen wird; starke „flagpole"-Wechsel-
wirkung, hervorgerufen durch starke van der Waals-Abstoßung; Torsionsspannung, die
mit der regulären Boot-Konformation verbunden ist[5].

Diese Spannung kann u.a. durch Ausbildung des postulierten „intimate ion pair" XIX ge-
mindert werden[6], aus dem die Wanderung des Halogenid-Ions und schließlich die Umlagerung
erfolgen kann. Die ausschließliche Bildung der *exo*-Verbindung läßt darauf schließen, daß sich
das Halogenid-Ion eher oberhalb des Cyclohexenyl- als oberhalb des Cycloheptenyl-Kation-
Teiles befindet.

In z.T. ähnlicher Weise wurden auch die Reaktionen der unsymmetrischen bicyclischen
Olefine wie 1- und 2-Methyl-bicyclo[2.2.1]hepten-(2) diskutiert, wobei insbesondere auf die unter-
schiedlichen Produktverhältnisse bei der Umsetzung von 1-Methyl-bicyclo[2.2.1]hepten-(2) mit
Dibrom- bzw. Dichlor-carben eingegangen wurde[1].

Weitere Untersuchungen haben die Bedeutung von stereoelektronischen Faktoren
insbesondere für die thermischen Umlagerungen von Fluor-chlor-carben-Bi-
cyclo[2.2.1]hepten-Addukten (*3-Fluor-3-chlor-tricyclo[3.2.1.0²·⁴]octan*) heraus-
gestellt[7].

[1] C. W. JEFFORD et al., Am. Soc. **87**, 2183 (1965).
    Vgl. a. B. WAEGELL u. C. W. JEFFORD, Bl. **1964**, 844.
[2] W. R. MOORE et al., J. Org. Chem. **28**, 2200 (1963).
[3] R. C. DeSELMS u. C. M.COMBS, J. Org. Chem. **28**, 2206 (1963).
[4] Vgl. auch: R. R. SAUERS u. P. E. SONNET, Tetrahedron **20**, 1029 (1964).
[5] Die Äthanbrücke verhindert die Annahme der „twist boat"-Konformation und demzufolge
    enthält XVIII vermutlich eine auf eine „eclipsed boat"-Konformation zurückzuführende
    Spannungsenergie von 7,5 kcal/Mol.
[6] Das Kation XIX kann etwa als starres Homocyclopropenyl-Ion aufgefaßt werden: vgl. hierzu
    E. F. KIEFER u. J. D. ROBERTS, Am. Soc. **84**, 784 (1962).
[7] L. GHOSEZ et al., Tetrahedron Letters **1967**, 2773.

Bei der Reaktion von 1,1-Difluor-tetrachlor-aceton mit Natriummethanolat[1] in Gegenwart von überschüssigem Bicyclo[2.2.1]hepten (Norbornen; I; S. 197) in Pentan wurden in 12% Ausbeute zwei isomere Addukte $C_8H_{10}ClF$ im Verhältnis 1,1:1 erhalten[2]. Beide Isomeren konnten durch fraktionierte Destillation in reiner Form isoliert werden. Für die in etwas größerer Menge gebildete Komponente ($n_D^{25} = 1,4800$) konnte aufgrund der spektroskopischen Eigenschaften Struktur II (S. 197) gesichert werden[3-5]. Für die zweite Komponente ($n_D^{25} = 1,4962$) wurde Struktur IV (über III) durch spektroskopische Argumente wahrscheinlich gemacht[4].

Das tricyclische Isomere III (S. 197), das nicht isoliert werden konnte, scheint offensichtlich die Vorstufe für die Verbindung IV {*3-Fluor-4-chlor-bicyclo[3.2.1]octen-(2)*} zu sein. Die unterschiedliche thermische Stabilität von II und III läßt sich zwanglos als Folge von stereoelektronischen Faktoren erklären. Ein konzertierter disrotatorischer Prozeß, der zu einer *cis*-allylischen Konfiguration führt, würde die Wanderung eines *syn*-ständigen Halogens beinhalten[6]. Daher wird erklärbar, daß III, das die am besten austretende Gruppe in der geeigneten Konfiguration besitzt, viel schneller einer Umlagerung als II unterliegt. Zum anderen beinhaltet die Umlagerung von II die heterolytische Spaltung einer C—F – anstelle einer C—Cl-Bindung.

---

[1] B. Farah u. S. Horensky, J. Org. Chem. **28**, 2494 (1963).

[2] L. Ghosez et al., Tetrahedron Letters **1967**, 2773.

[3] Das IR-Spektrum zeigt keine Banden im 1600 cm⁻¹-Bereich; es werden jedoch Banden bei 3040 und 1015 cm⁻¹ gefunden, die dem alicyclischen Dreiring zugeordnet werden können (s. a. S. 30). Der Vergleich des NMR-Spektrums mit dem des Dichlor-carben-Adduktes bestätigt die Struktur II gleichfalls: Das Signal von H_8-anti in II erscheint als breites Dublett bei 9,17 τ (A-Teil eines AB-Systems mit $J_{gem} = 10$ Hz), während das entsprechende Proton des Dichlor-carben-Adduktes bei 9,24 τ ($J_{gem} = 11$ Hz) absorbiert. Zum anderen deutet die höhere chemische Verschiebung von H_8-syn in II ($\sim 8,45$ τ gegenüber 7,66 τ in der Vergleichssubstanz) die durch den Austausch eines Chloratoms gegen Fluor veränderte räumliche Umgebung an.

[4] Die Verbindung IV zeigt eine IR-Bande bei 1683 cm⁻¹, die einer C=C-Bindung mit einem Fluorsubstituenten zugeordnet werden kann. Im Kernresonanzspektrum werden vier verschiedene Signalgruppen beobachtet. Im Bereich zwischen 7,65 und 8,95 τ werden sechs methylenische Protonen in Form eines komplexen Multipletts gefunden, Bei 7,47 τ wird ein breites Signal (17 Hz Halbwertsbreite) für zwei Brückenkopfwasserstoffe beobachtet. Ein Dublett von Dubletts mit $J_{H(4)F} = 3,4$ Hz und $J_{H(4)H(5)} = 3,0$ Hz) bei 5,85 τ kann einem *endo*-ständigen allylischen Proton[7,8] zugeordnet werden. Zentriert bei 4,48 τ erscheint ein Paar von Signalen gleicher Intensität mit einer weitere Aufspaltung von 0,8 Hz, das einem olefinischen Proton zugeordnet werden muß ($J_{H(2)F} = 12,6$ Hz; $J_{H(2)H(1)} = 7$ Hz).

[5] Struktur II konnte als Vorstufe für Struktur IV auf der Basis der folgenden Beobachtungen ausgeschlossen werden:
  ① unter den experimentellen Bedingungen der Synthese und Isolierung bleibt II unverändert
  ② die thermische Zersetzung in Lösung (z. B. in Nitromethan bei 150°) führte lediglich zu teerartigen Materialien, leitete man II hingegen bei 150° durch eine 6m-lange Säule, die mit QF-1 auf Chromosorb W gepackt war, so trat keine Umlagerung zu IV auf, es wurde jedoch ein neues Isomeres erhalten, für das die Struktur V spektroskopisch gesichert werden konnte.
  IR: Absorptionsbande bei 1632 cm⁻¹.
  NMR: Dublett bei 3,75 τ (1 olefinisches H; $J_{H(1)H(2)} = 7$ Hz) Dublett von Dubletts bei 5,65 τ (1 endo-allylisches H, das mit einem Fluoratom, $J_{H(4)F} = 50$ Hz, und einem Brückenkopfwasserstoff an C-5 koppelt, $J_{H(1)H(5)} = 3$ Hz); Multiplett bei $\sim 7,33$ τ für zwei Brückenkopfprotonen; Multiplett im Bereich von 7,8 und 9,0 τ für sechs methylenische Protonen.

[6] R. B. Woodward u. R. Hoffmann, Am. Soc. **87**, 395 (1965).

[7] C. W. Jefford et al., Am. Soc. **87**, 2183 (1965).

[8] L. Ghosez et al., Tetrahedron Letters **1967**, 2767.

Dieses Ergebnis ist als Bestätigung für die Annahme einer konzertierten Ringöffnung mit „inward rotation" der zwei C—C-Bindungen gewertet worden[1]: die Spaltung der C—Cl-Bindung würde entweder eine „outward rotation" der C—C-Bindungen, die hier aber aus sterischen Gründen unmöglich ist, oder die Bildung eines hochgespannten klassischen Cyclopropyl-Kations, gefolgt von einer „inward rotation" der C—C-Bindungen, erfordern:

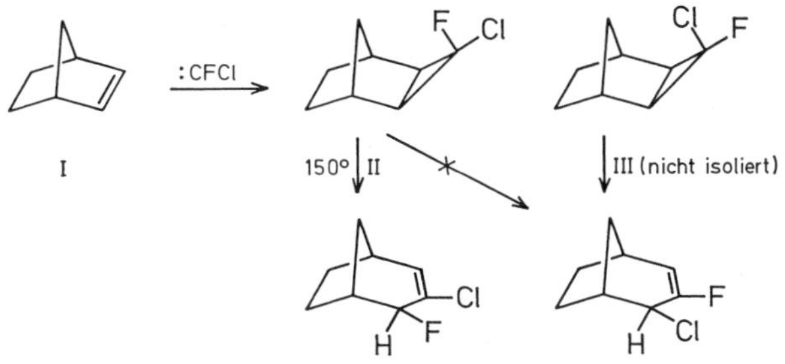

V; *4-Fluor-3-chlor-bicyclo[3.2.1]hepten-(2)*   IV

Wie bereits auf S. 194 erwähnt, erfahren manche Halogencarben-Addukte cyclischer Olefine schon unter den Bedingungen ihrer Herstellung eine Umlagerung.

Für die thermische Stabilität der Halogen-carben-Addukte von Cycloolefinen spielen stereochemische sowie elektronische Faktoren eine Rolle. Insbesondere die Ringgröße und deren mögliche Beziehung zur Stereochemie der Reaktion wurden in Betracht gezogen.

Die Beobachtung[2,3], daß nur das *endo*-Isomere (VIa) von *6-Chlor-bicyclo[3.1.0] hexan* völlige Umlagerung unter Bildung von *3-Chlor-cyclohexen* (VII) erfährt, wurde als Beweis gewertet, daß eine solche Reaktion eine konzertierte Umlagerung eines Cyclopropyl- in ein Allyl-Kation beinhaltet[4].

Nur ein disrotatorischer Prozeß[5], bei dem die zur austretenden Gruppe *cis*-ständigen Gruppen nach „innen" rotieren, wäre hier gestattet, da der Alternativprozeß (für die konzertierte Umlagerung des *exo*-Isomers VIb zu erwarten) zu dem stark gespannten intermediären Kation VIII würde:

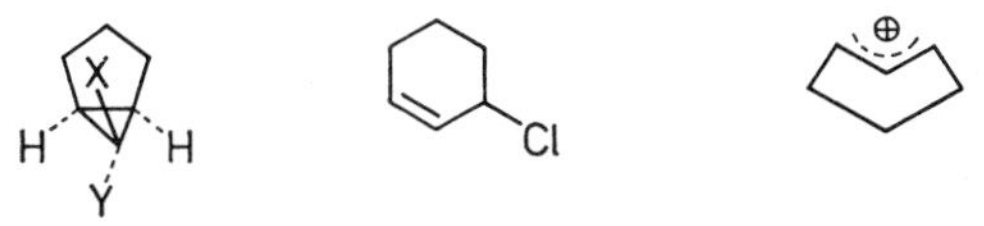

VIa: X = Cl, Y = H   VII   VIII
b: X = H, Y = Cl

Wahrscheinlich sind jedoch beide disrotatorischen Arten der Ringöffnung[5,6] bei den thermischen Umlagerungen monocyclischer und vergleichsweise großer bicy-

[1] L. Ghosez et al., Tetrahedron Letters **1967**, 2773.
[2] M. S. Baird, D. G. Lindsay u. C. B. Reese, Soc. **1969**, 1173.
[3] M. S. Baird u. C. B. Reese, Tetrahedron Letters **1967**, 1379.
[4] Die Tatsache, daß das *endo-6-Tosyloxy-bicyclo[3.1.0]hexan* wesentlich schneller als das exo-Isomere eine Acetolyse eingeht (s. hierzu U. Schöllkopf et al., Tetrahedron Letters **1967**, 3639; vgl. auch S. 199, bzw. 616ff.), spricht dafür, daß auch im Falle der Solvolyse ein ähnlicher konzertierter Mechanismus vorliegt.
[5] R. B. Woodward u. R. Hoffmann, Am. Soc. **87**, 395 (1965).
[6] C. H. De Puy et al., Am. Soc. **87**, 4006 (1965); **88**, 3343 (1966).

clischer Cyclopropan-Derivate- möglich[1]. Für die epimeren *3-Brom-1,2-dimethyl-cyclopropane* (I a und I b) konnte dieses Postulat bewiesen werden[2]:

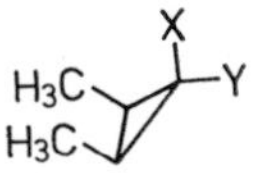

I a: X = Br, Y = H
b: X = H , Y = Br

endo- und *exo-7-Chlor-bicyclo[4.1.0]heptan*[3] zeigen weitgehend ähnliches Verhalten wie die Isomeren des 6-Chlor-bicyclo[3.1.0]hexans. Während das *exo*-Isomere (II b) in Chinolin bei 200° über 30 Stunden stabil ist, wird das *endo*-7-Chlor-bicyclo[4.1.0] heptan (II a) mit 80% Ausbeute unter diesen Bedingungen in *Cycloheptadien-(1,3)* umgewandelt ($k_{200°} = 7 \cdot 10^{-5} \sec^{-1}$)[3]. Die Ringerweiterung von *7-Chlor-bicyclo [4.1.0]heptan (7-Chlor-norcaran)* in der Dampfphase ist gleichfalls bekannt geworden[4]. Die Stabilität des *exo*-Isomeren erklärt sich wohl dadurch, daß man hier im Fall einer Umlagerung mit einem stark gespannten *trans,trans*-Cycloheptenyl-Kation als Zwischenstufe zu rechnen hätte. Eine Mischung von den Isomeren des *7-Fluor-7-chlor-bicyclo[4.1.0]heptan*[3] in Chinolin zeigt nach zehnstündigem Erhitzen auf 200° die Bildung von *Cycloheptatrien-(1,3,5)* (50%, bez. auf ein Isomeres) neben nahezu unverändertem *exo*-Chlor-Isomer ($k_{200°} = 4 \cdot 10^{-5} \sec^{-1}$). Bei gleicher Behandlung des *7,7-Dichlor-bicyclo[4.1.0]heptans* wird *Cycloheptatrien-(1,3,5)* in etwa 61%iger Ausbeute erhalten[5] ($k_{200°} = 2 \cdot 10^{-5} \sec^{-1}$)[3]. Im Fall des Isomerengemisches von *7-Fluor-bicyclo[4.1.0]heptan* wurde auch nach 50-stündigem Erhitzen in Chinolin bei 200° keine nennenswerte Veränderung beobachtet[3]. Offensichtlich ist hier die C—F-Bindung wesentlich resistenter als die C—Cl-Bindung.

Wegen der möglichen Ausbildung einer *trans*-Doppelbindung im achtgliedrigen Ring war es von besonderem Interesse, die thermische Umlagerung von Halogen-carben-Addukten des Cycloheptens zu untersuchen. Hierzu wurden u.a. *endo*- und *exo-8-Brom-bicyclo[5.1.0]octan* (III b und III c) synthetisiert und deren thermische Stabilität untersucht[1]. Das *endo*-Isomer (III b) erwies sich bei 250° als thermisch stabil, während das *exo*-Isomer (III c) langsam bei 230° unter Bildung eines nicht-identifizierten Hauptproduktes und einer Mischung aus o- und m-Xylol reagiert. Zum anderen war bekannt[6], daß das *8,8-Dibrom-bicyclo[5.1.0]octan* (III a)[7] gleichfalls recht stabil ist und erst unter schärferen Bedingungen (240–260°) in *1-Brom-cyclo-octen* (IV) umgewandelt wird:

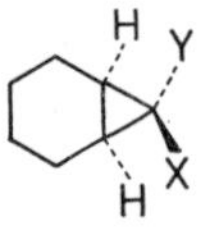

II a: X = Cl, Y = H   III a: X = Y = Br   IV
b: X = H , Y = Cl   b: X = Br, Y = H
c: X = H , Y = Br

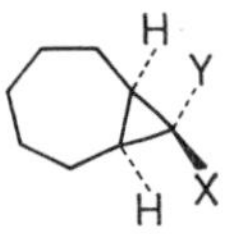

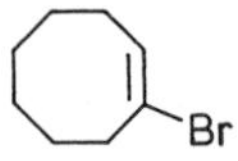

[1] M. S. BAIRD u. C. B. REESE, Soc. **1969**, 1803.
[2] M. S. BAIRD u. C. B. REESE, Tetrahedron Letters **1969**, 2117.
[3] T. ANDO et al., Tetrahedron Letters **1967**, 1123.
[4] O. M. NEFEDOV, A. A. IVASHENKO u. N. N. NOVITSKAYA, Izv. Akad. Nauk SSSR **1965**, 1717; C. A. **63**, 17925 (1965).
[5] D. G. LINDSAY u. C. B. REESE, Tetrahedron **21**, 1673 (1965).
[6] M. S. BAIRD, D. G. LINDSAY u. C. B. REESE, Soc. **1969**, 1173.
[7] W. J. BELL u. S. R. LANDOR, Pr. chem. Soc. **1961**, 143.

Werden jedoch die Monobrom-Verbindungen III b und III c (S. 198) in 4-Methyl-chinolin gelöst und bei 195° erhitzt, so wird *cis,cis-Cyclooctadien-(1,3)* (V) erhalten[1]. Die Umlagerung der einzelnen Isomeren erfolgt mit weitgehend ähnlicher Geschwindigkeit, jedoch wird aus der *endo*-Verbindung III b (S. 198) eine größere Ausbeute an V erzielt:

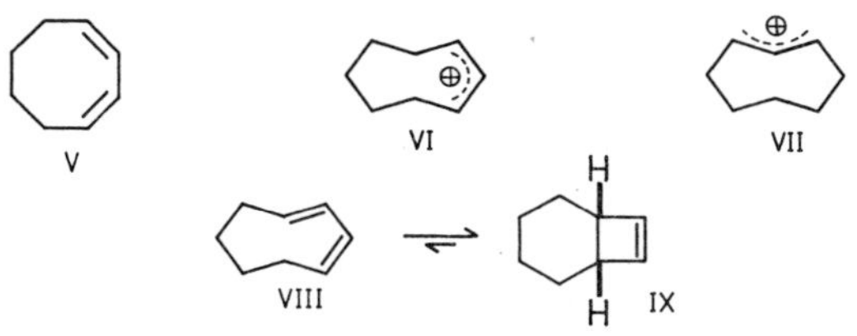

Diese Ergebnisse überraschen zunächst etwas, da z. B. die Acetolyse von *exo-8-Tosyloxy-bicyclo[5.1.0]octan* viel schneller als die des *endo*-Isomeren verläuft[2]. Zum anderen entsteht aus der *exo*-Verbindung III c (S. 198) bei der Hydrolyse *trans-3-Hydroxycycloocten*[3], das für eine konzertierte Reaktion erwartete Produkt[4]. Die Ergebnisse der Solvolysestudien legen nahe, daß das *trans,trans*-Cyclooctenyl-Kation (VII) energieärmer als das *cis,cis*-Kation (VI) ist. Damit ähnelt die Stereochemie der solvolytischen Umlagerung des Bicyclo[5.1.0]octan-Systems[2] (III) derjenigen der *cis*-3-Brom-1,2-dimethyl-cyclopropane[5] (I). Die bevorzugte stereochemische Anordnung der austretenden Gruppe unterliegt einem Wechsel, wenn man vom Bicyclo[4.1.0] heptan zum Bicyclo[5.1.0]octan-System übergeht[2].

Würde die thermische Umlagerung der *8-Brom-bicyclo[5.1.0]octane* gleichfalls nach einem konzertierten Mechanismus ablaufen, so wäre zu erwarten, daß das *endo*-Isomer (III b, S. 198) zu dem beobachteten *cis,cis-Cyclooctadien-(1,3)* (V) führen würde. Das *exo*-Isomer (III c) sollte hingegen unter den gleichen Bedingungen zum *trans,cis-Cyclooctadien-(1,3)*(VIII) oder zu dessen bicyclischen Valenztautomeren, dem *Bicyclo[4.2.0]octen-(7)* (IX)[6] führen. Im Temperaturbereich zwischen 80 und 300° existiert ein Gleichgewicht zwischen VIII und IX, wobei das Isomere IX überwiegt[6]. Oberhalb 300° wird jedoch die Gleichgewichtsmischung irreversibel in *cis,cis*-Cyclooctadien-(1,3) (V) umgewandelt. Eine konzertierte Umlagerung des *exo*-8-Brom-bicyclo[5.1.0]octan (III c) in 4-Methyl-chinolin-Lösung bei 195° würde also zu der Gleichgewichtsmischung von VIII und IX führen, es sei denn das intermediäre *trans,trans*-Kation VII würde vor Verlust eines Protons isomerisieren[1].

Die thermische Umlagerung der epimeren 8-Brom-bicyclo[5.1.0]octane unterliegt also nicht zu dem Grade einer stereochemischen Kontrolle wie er für die kleineren bicyclischen[7–9] und die monocyclischen Systeme[10] beobachtet worden ist. Aus diesem Grunde schien eine Untersuchung der thermischen Reaktion von *endo*- und *exo-9-Brom-bicyclo[6.1.0]nonan* wünschenswert[1].

[1] M. S. Baird u. C. B. Reese, Soc. **1969**, 1803.

[2] U. Schöllkopf et al., Tetrahedron Letters **1967**, 3639.

[3] G. H. Whitham u. M. Wright, Chem. Commun. **1967**, 294.

[4] R. B. Woodward u. R. Hoffmann, Am. Soc. **87**, 395 (1965).

[5] P. v. R. Schleyer et al., Am. Soc. **88**, 2868 (1966).

[6] G. J. Fonken et al., Am. Soc. **87**, 3996 (1965).

[7] M. S. Baird, D. G. Lindsay u. C. B. Reese, Soc. **1969**, 1173.

[8] M. S. Baird u. C. B. Reese, Tetrahedron Letters **1967**, 1379.

[9] T. Ando et al., Tetrahedron Letters **1967**, 1123.

[10] M. S. Baird u. C. B. Reese, Tetrahedron Letters **1969**, 2117.

Das *endo*-Isomer (Xa)[1] schien nach 90-minütigem Erhitzen bei 202° nahezu unverändert (~ 95%) geblieben zu sein. Im Gegensatz dazu wurde für das *exo*-Isomere[2] nach 210 Min. Erhitzen auf 185° eine Umwandlung zu ~ 90% in *cis-3-Brom-cyclononen* (XI)[3] beobachtet[4].

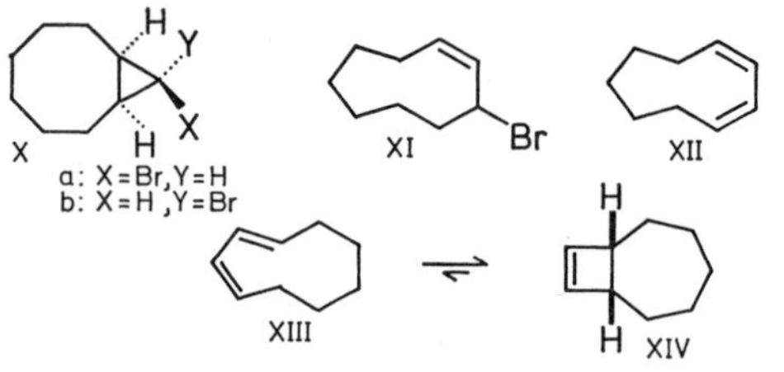

a: X=Br,Y=H
b: X=H,Y=Br

Damit wurde zwar die erwartete Reihenfolge der Reaktivität (d.h. die Korrespondenz mit den Acetolysedaten der 9-Tosyloxy-bicyclo[6.1.0]nonane[5]) gefunden; jedoch legt die Stereo-chemie des Produktes XI nicht nahe, daß die thermische Umlagerung einen konzertierten Pro-zeß darstellt[4]. Beide Isomeren liefern beim Erhitzen in 4-Methyl-chinolin *cis,cis-Cyclononadien-(1,3)*(XII), wobei das *exo*-Isomer leichter umgelagert wird[4]. Das *exo*-Isomer lagert sich schon bei 134° mit mäßiger Geschwindigkeit um. Diese Temp. liegt eindeutig unter der, bei der *trans,cis-Cyclononadien-(1,3)* (XIII) oder dessen Gleichgewichtsmischung mit *cis-Bicyclo[5.2.0]nonen-(8)* (XIV) irreversibel in das *cis,cis*-Isomer (XII) transformiert wird[6]. Daraus ist nun zu schließen, daß entweder die Umlagerung des *exo*-Isomeren (Xb) in 4-Methyl-chinolin keinen konzertierten Prozeß darstellt oder daß das postulierte intermediäre *trans,trans*-Cyclononenium-Kation iso-merisiert bevor es ein Proton verlieren kann[4].

Auch die thermischen Reaktionen von *9,9-Dibrom-* und *9,9-Dichlor-bicyclo[6.1.0] nonan* (XVa/b) sind studiert worden[4]. Erhitzt man die Dibrom-Verbindung (XVa)[7] 1 Stunde auf 240°, so beobachtet man bis zu ~ 90% Umwandlung. Das Hauptprodukt (~ 70% d.Th.) wurde als *cis-* oder *trans-2,3-Dibrom-cyclononen* (XVIa oder XVIIa) identifiziert[8]. Daneben wurden *2-Brom-cyclononadien-(1,3)* (XVIII oder dessen *trans,cis*-Isomer) und *1-Brom-cyclononen* (XIX) gefunden:

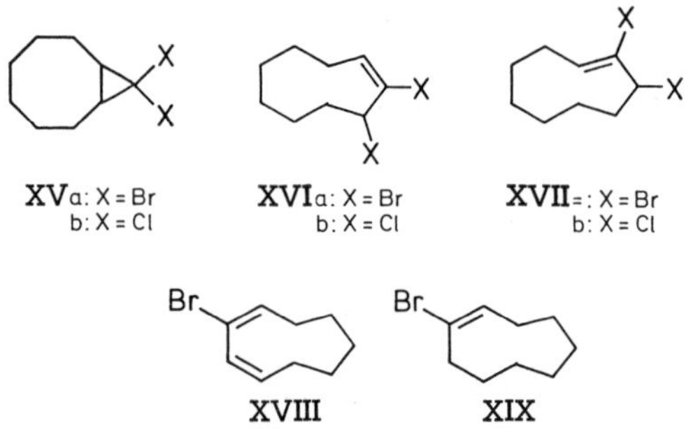

XVa: X=Br   XVIa: X=Br   XVII=: X=Br
  b: X=Cl   b: X=Cl   b: X=Cl

XVIII   XIX

[1] D. SEYFERTH, H. YAMAZAKI u. D. L. ALLESTON, J. Org. Chem. **28**, 703 (1963).
[2] C. L. OSBORN et al., Chem. & Ind. **1965**, 766.
[3] R. W. FAWCETT u. J. O. HARRIS, Soc. **1954**, 2673.
[4] M. S. BAIRD u. C. B. REESE, Soc. **1969**, 1803.
[5] U. SCHÖLLKOPF et al., Tetrahedron Letters **1967**, 3639.
[6] G. J. FONKEN et al., Am. Soc. **87**, 3996 (1965).
[7] P. D. GARDNER u. M. NARAYANA, J. Org. Chem. **26**, 3518 (1961).
[8] Auf anderem Wege wurden *cis-* und *trans-2,3-Dibrom-cyclononen* (XVIa bzw. XVIIa) direkt synthetisiert; K. WEDEGAERTNER u. M. J. MILLAM, J. Org. Chem. **33**, 3943 (1968). Der Vergleich der NMR-Spektren ergibt, daß es sich bei dem Umlagerungsprodukt von XVa um das *cis-2,3-Dibrom-cyclononen* (XVIa) handelt.

Die Dichlor-Verbindung (XVb, S. 200)[1] wird nach 2,5-stündigem Erhitzen auf 250–260° zu ~ 90% in *cis-* oder *trans-2,3-Dichlor-cyclononen* (XVIb oder XVIIb) umgewandelt.

Aufgrund der relativen Geschwindigkeiten der Umlagerung von *endo-* und *exo*-9-Brom-bicyclo [6.1.0]nonan war anzunehmen, daß bei der Isomerisierung der Dibrom-Verbindung (XVa, S. 200) eine Wanderung des *exo*-ständigen Broms erfolgt. Nimmt man eine konzertierte Umlagerung eines Cyclopropyl- in ein Allyl-Kation an, so sollte *trans-2,3-Dibrom-cyclononen* (XVIIa) das erwartete Isomerisierungsprodukt darstellen. Da andererseits die *exo*-Monobrom-Verbindung Xb unter milderen Bedingungen in das *cis-3-Brom-cyclononen* (XI) umgelagert wird, so wäre auch für die Isomerisierung von XVa das *cis*-Produkt zu erwarten[2] (S. 200).

Bei Einbau einer Doppelbindung in das 9-Halogen-bicyclo[6.1.0]nonan-System in 4,5-Stellung wird die Tendenz zur thermischen Umlagerung stark erhöht[3]:

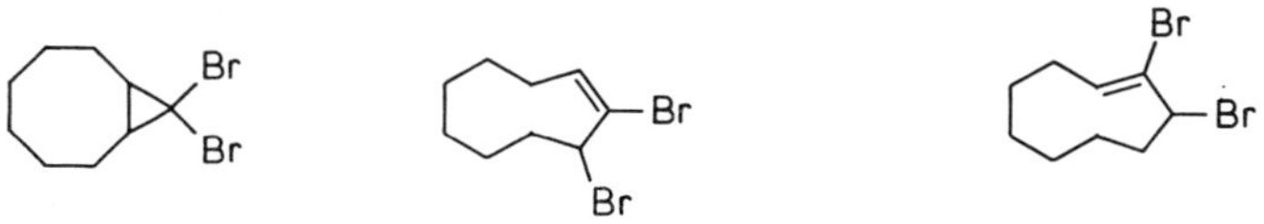

Erhitzt man *9,9-Dibrom-bicyclo[6.1.0]nonen-(4)* (IV)[4] in Chinolin bei Temperaturen um 150–155°, so läßt sich bereits nach 30 Min. kein Ausgangsprodukt mehr nachweisen; in Abwesenheit von Chinolin nimmt die Isomerisierung den gleichen Verlauf mit jedoch geringerer Reaktionsgeschwindigkeit[3]. Das Umlagerungsprodukt ist entweder *cis,cis-* oder *trans,cis-1,9-Dibrom-cyclononadien-(1,5)* (V bzw. VI).

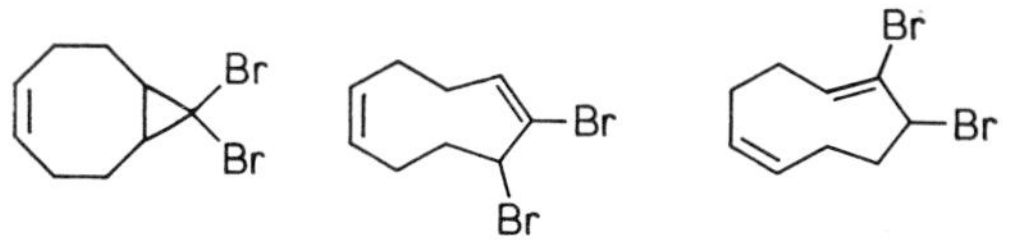

Wird eine 1,4-Dioxan-Lösung dieses Isomerisierungsproduktes mit Wasserstoff in Gegenwart von Palladium-Kohle behandelt, so erfolgt selektive Reduktion an der 5,6-Doppelbindung und es wird ein Produkt erhalten, das mit dem der thermischen Umlagerung[5] von I, d.h. *cis*- oder *trans-2,3-Dibrom-cyclononen* (II bzw. III), identisch ist[3]. Zum gleichen Ergebnis führte auch die Reduktion mit p-Toluolsulfonylhydrazid[6] in einer 1,2-Dimethoxy-äthan-Lösung bei 80°[3]. Als wahrscheinlichere Struktur für das Isomerisierungsprodukt von IV wird die *cis,cis*-Konfiguration V angenommen[3,7].

9,9-Dichlor-bicyclo[6.1.0]nonen-(4) (VII, S. 202) erfährt in heißer 4-Methyl-chinolin-Lösung Umlagerung zum *1,9-Dichlor-cyclononadien-(1,5)* (VIII bzw. dessen *trans,cis-*Isomer)[3]. Auch hier ist die Umlagerungsgeschwindigkeit höher als bei dem entspre-

---

[1] D. G. LINDSAY, unveröffentlicht, s. Zitat 5.

[2] Die chemischen Beweise für die *cis-* bzw. *trans*-Konfigurationen des *2,3-Dibrom-cyclononens* [XVIa oder XVIIa (s. S. 200)] waren nicht eindeutig zu liefern.

[3] M. S. BAIRD u. C. B. REESE, Soc. **1969**, 1808.

[4] L. SKATTEBØL, Tetrahedron Letters **1961**, 167.

[5] M. S. BAIRD u. C. B. RESSE, Soc. **1969**, 1803.

[6] Vgl.: S. HÜNIG et al., Tetrahedron Letters **1961**, 353.
E. E. van TAMELEN et al., Am. Soc. **83**, 4302 (1961).

[7] Die Verbindung hat einen bemerkenswert unreaktiven allylischen Brom-Substituenten. Mit Zn/CH$_3$OH, CH$_3$Li/Äther und auch überraschenderweise mit LiAlH$_4$/Äther wird sie in *Cyclononatrien-(1,2,6)* überführt.

chenden 4,5-Dihydro-Derivat[1]. *endo-9-Chlor-bicyclo[6.1.0]nonen-(4)* (IX) ist im Vergleich zum *exo*-Isomeren relativ thermisch stabil; das *exo*-Isomere X lagert sich bei Temperaturen zwischen 165–170° in eine Mischung der epimeren *cis-3-Chlor-1,2-divinyl-cyclopentane*[2] (XI und XII) um[3]. Möglicherweise wird hierbei *trans,cis-6-Chlor-cyclononadien-(1,4)* (XIII) als Zwischenstufe durchlaufen[3]:

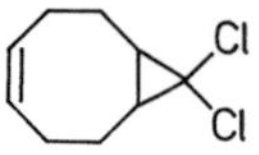

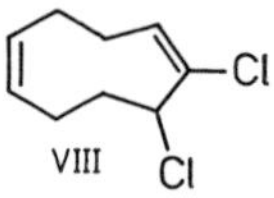

Die Beobachtung, daß die Einführung einer 4,5-Doppelbindung in das 9-Halogen-bicyclo[6.1.0]nonan-System einen ausgeprägt starken Effekt in Hinblick auf die Umlagerungstendenz hervorruft, bedarf eines Kommentares.

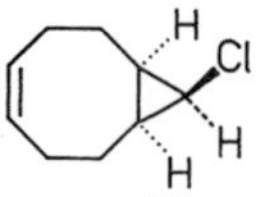

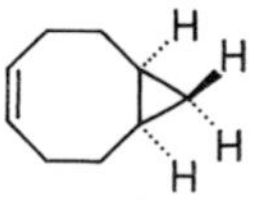

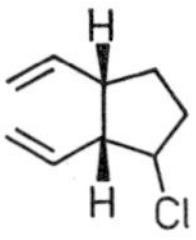

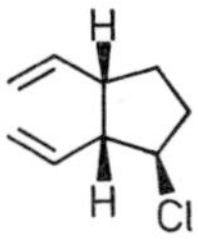

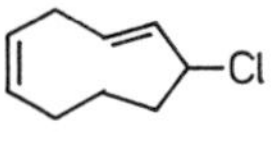

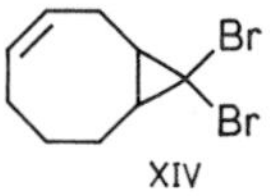

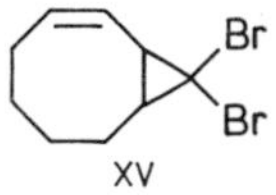

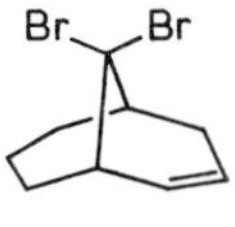

Möglicherweise wird durch die Entfernung von Wasserstoffatomen von den 4- und 5-Positionen die Energie des Übergangszustandes durch eine Herabsetzung der transannularen Wechselwirkung erniedrigt[3]. Sowohl *9,9-Dibrom-bicyclo[6.1.0]nonen-(3)*(XIV)[4] als auch *-nonen-(2)*(XV)[5] lagern sich leichter als die gesättigte Dibrom-Verbindung I (S. 201) um; beide sind jedoch thermisch stabiler als das *9,9-Dibrom-bicyclo[6.1.0]nonen-(4)*(IV S. 201). Mit der Verbindung XV kommt eine weitere Art der Umlagerung ins Spiel, die zum *9,9-Dibrom-bicyclo[3.3.1]nonen-(2)* (XVI) führt und mit der üblichen Ringerweiterungsaktion konkurriert[5].

δ) Reaktionen von 1,1-Dihalogen-cyclopropanen

Insbesondere die Olefin-Dihalogen-carben-Addukte haben breite Anwendung in der präparativen organischen Chemie gefunden. Im Rahmen dieses Kapitels können aus der Vielzahl der bekannt gewordenen Reaktionen nur einige wenige typische Beispiele beschrieben werden.

---

[1] M. S. Baird u. C. B. Reese, Soc. **1969**, 1803.

[2] Die epimeren 3-Chlor-1,2-divinyl-cyclopentane (*cis,trans*-Epimer = XI, *cis,cis*-Epimer = XII) wurden kernresonanzspektroskopisch und durch ihre Umwandlung in das bekannte *cis*-1,2-Divinyl-cyclopentan [E. Vogel et al., A. **644**, 172 (1961); Ang. Ch. **74**, 829 (1962); **75**, 1103 (1963)] charakterisiert. Nur ein Epimeres erleidet Dehydrochlorierung in heißem 4-Methyl-chinolin. Unter der Annahme einer anti-Eliminierung muß diesem Epimeren die *cis,cis*-Konfiguration XII zugeschrieben werden.

[3] M. S. Baird u. C. B. Reese, Soc. **1969**, 1808.

[4] M. S. Baird, Dissertation, Cambridge Universtiy, 1968.

[5] M. S. Baird u. C. B. Reese, Chem. Commun. **1968**, 784.

δ₁) durch Reduktion

1,1-Dihalogen-cyclopropane können durch Reduktion in die entsprechenden Cyclopropane überführt werden. Hierbei kommen z.B. als Reduktionsmittel in Frage:

    Natrium in Alkohol[1]
    katalysierte Hydrierung[2]
    Lithiumalanat[3]
    Natrium in flüssigem Ammoniak[4],
    Lithium/tert.-Butanol in siedendem Tetrahydrofuran[5] u.a.

Oft ist dann eine solche Zweistufensynthese von Cyclopropanen aus Olefinen über Dihalogen-carben-Addition und Reduktion einer direkten Methylen-Übertragung vorzuziehen, wenn etwa Einschiebungsreaktionen vermieden werden sollen, oder wenn eine ganz bestimmte Selektivität der Addition gefordert wird. Natürlich steht eine derartige Zweistufensynthese bezüglich ihrer Anwendung häufig mit den katalysierten Reaktionen des Diazomethans mit Olefinen in Konkurrenz (s.a. S. 105 ff.). Andererseits wurde durch diese Zweistufen-Dihalogen-carben-Methode eine Anzahl von 2α,3α-Cyclopropano-cholestanen zugänglich[6], die nicht mittels der Simmons-Smith-Reaktion synthetisierbar waren.

Die Benutzung von Lithiumalanat als Reduktionsmittel war z.B. erfolgreich bei der Synthese von verschiedenen spirocyclischen Verbindungen. Ausgehend vom Methylen-cyclohexan konnte z.B. über 2,2-Dibrom-cyclopropan-⟨1-spiro⟩-cyclohexan (II) *Cyclopropan-⟨spiro⟩-cyclohexan* (III) erhalten werden[7]:

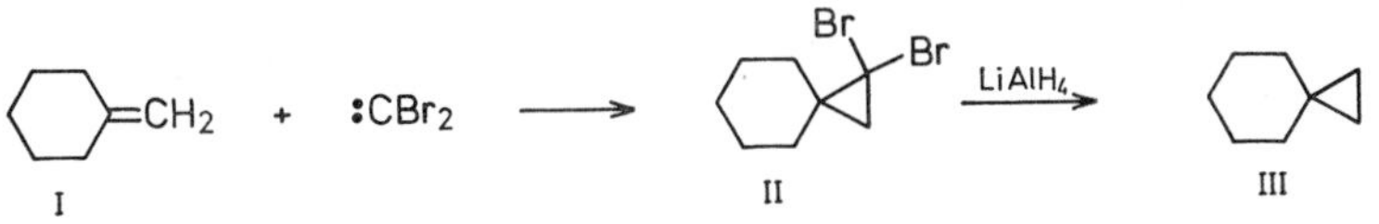

Phenyl-cyclopropan wurde gleichfalls über 2,2-Dibrom-1-phenyl-cyclopropan hergestellt[8,9].

Die partielle Reduktion von substituierten gem.-Dibrom- und gem.-Dichlor-cyclopropanen zu den entsprechenden Monohalogen-Verbindungen kann in guten Ausbeuten mit Tributyl-zinnhydrid bei Temperaturen unterhalb 40° durchgeführt werden[10] (s. Tab. 20, S. 205):

---

[1] Vgl. W. v. E. Doering u. P. La Flamme, Am. Soc. **78**, 5447 (1956).
[2] Vgl. K. Hofmann et al., Am. Soc. **81**, 992 (1959).
[3] Vgl. E. Funakubo, I. Moritani, S. Murahashi u. T. Tuji, Tetrahedron Letters **1962**, 539.
[4] Vgl. E. E. Schweizer u. W. E. Parham, Am. Soc. **82**, 4085 (1960).
[5] Vgl. P. Bruck, D. Thompson u. S. Winstein, Chem. & Ind. **1960**, 405.
[6] R. C. Cookson, D. P. G. Hamon u. J. Hudec, Soc. **1963**, 5782.
[7] E. Funakubo et al., Tetrahedron Letters **1962**, 539.
[8] O. M. Nefedov et al., Doklady Akad. Nauk SSSR **152**, 629 (1963).
[9] R. Ketcham, R. Cavestri u. D. Jambotkar, J. Org. Chem. **28**, 2139 (1963).
[10] D. Seyferth, H. Yamazaki u. D. L. Alleston, J. Org. Chem. **28**, 703 (1963).
    Die Verwendung von Organo-zinnhydriden zur reduktiven Überführung organischer Halogen-Verbindungen in die entsprechenden Kohlenwasserstoffe ist von G. J. M. van der Kerk et al., J. appl. Chem. **7**, 356 (1957), eingeführt worden.

Für diese Reaktionsfolge konnte ein Radikalmechanismus gesichert werden.

Bei der Reduktion von 7,7-Dibrom-bicyclo[4.1.0]heptan mit Tributyl-zinnhydrid wird eine 2,5:1-Mischung der beiden möglichen Isomeren erhalten (*7-Brom-bicyclo [4.1.0]heptan*). Aus 7-Chlor-7-brom-bicyclo[4.1.0]heptan wird vorzugsweise die entsprechende Monochlor-Verbindung (*7-Chlor-bicyclo[4.1.0]heptan*) gebildet. Im Fall des 7,7-Dichlor-bicyclo[4.1.0]heptan müssen für eine erfolgreiche Reaktion die Temperaturen auf $\sim 140°$ erhöht werden[1].

7-Brom-bicyclo[4.1.0]heptan[1]: In einen 100-*ml*-Dreihalskolben mit Thermometer, Magnetrührer und Tropftrichter mit Druckausgleich und Stickstoffeinleitungsrohr werden 20,3 g (0,08 Mol) 7,7-Dibrom-bicyclo[4.1.0]heptan gebracht. Dann gibt man tropfenweise 23,3 g (0,08 Mol) Tributyl-zinnhydrid unter Stickstoff und Rühren innerhalb 1 Stde. zu. Die Temp. wird dabei durch äußeres Kühlen unter 40° gehalten. Nach erfolgter Zugabe wird noch $\sim$ 30–60 Min. gerührt. Die Vakuumdestillation liefert zwei Fraktionen: 1. 13,24 g mit Kp_{25-27}: 94–109° und 2. 29,2 g mit $Kp_{0,3}$: 98–100°. Fraktion 2 ist reines Tributyl-zinnbromid[2] (Ausbeute: 99% d.Th.). Fraktion 1 liefert nach sorgfältiger Fraktionierung 11,4 g (82% d.Th.) *7-Brom-bicyclo[4.1.0]heptan*; Kp_{36}: 96–99° bzw. Kp_{16}: 78°; $n_D^{25} = 1,5137$.

Mit Tributyl-zinnhydrid kann auch eine **komplette reduktive Entfernung** der Halogenatome aus **gem.-Dihalogen-cyclopropanen** erreicht werden. So konnte z.B. 3,3-Dibrom-1,1,2,2-tetramethyl-cyclopropan durch zwei Äquivalente Tributyl-zinnhydrid in 69%iger Ausbeute in *1,1,2,2-Tetramethyl-cyclopropan* umgewandelt werden.

In Zusammenhang mit dieser Reduktionsmethode muß jedoch beachtet werden, daß Organo-zinnhydride auch mit anderen **funktionellen** Gruppen, wie etwa der Carbonyl-Gruppe in Aldehyden und Ketonen[3] oder C=C-Doppel- bzw. C≡C-Dreifachbindungen reagieren[4,5] können, so daß sie nicht immer anwendbar sein dürfte. Die Reduktion von 2,2-Dibrom-1-vinyl-cyclopropan mit Tributyl-zinnhydrid zeigt, daß das Hydrid bevorzugt mit der C—Br-Bindung bei Gegenwart einer inaktivierten olefinischen Bindung[1] reagiert.

Bei der Reduktion von 2,2-Dibrom-1,1-bis-[carboxymethyl]-cyclopropan mit Zinkstaub in Eisessig oder durch Hydrierung über Platin in methanolischer Kalilauge konnte jeweils in $\sim$ 50%iger Ausbeute *2-Brom-1-carboxymethyl-cyclopropan* erhalten werden[6].

9,9-Dibrom-bicyclo[6.1.0]nonen-(4) wird mit Zinkstaub in warmem Eisessig zu einem *endo/exo*-Gemisch von *9-Brom-bicyclo[6.1.0]nonen-(4)* reduziert[7].

Bei der Zinnhydrid-Methode muß unter Ausschluß von Sauerstoff gearbeitet werden; ein Überschuß an der Organo-zinn-Verbindung führt zur völligen Enthalogenierung.

Aus Tab. 21 (S. 206) geht u.a. hervor, daß die stufenweise Reduktion geminaler Dihalogen-cyclopropane begünstigt ist, wenn die Halogenatome nicht identisch sind.

---

[1] s. Lit.[10], S. 203.
[2] D. Seyferth, Am. Soc. **79**, 2133 (1957).
[3] H. G. Kuivila u. O. F. Beumel, Am. Soc. **80**, 3798 (1958); **83**,1246 (1961).
[4] G. J. M. van der Kerk et al., J. appl. Chem. **7**, 356 (1957).
[5] G. J. M. van der Kerk et al., J. appl. Chem. **9**, 106 (1959).
[6] K. Hofmann et al., Am. Soc. **81**, 992 (1959).
[7] C. L. Osborn u. T. C. Shields, Am. Soc. **87**, 3158 (1965).

Tab. 20. Monohalogen-cyclopropane[1] durch Reduktion von gem.-Dihalogen-cyclopropanen mit Tributyl-zinnhydrid[2]

gem.-Dihalogen-cyclopropan	Monohalogen-cyclopropan	Ausbeute [% d.Th.]	Kp		n_D^{25}
			[°C]	[Torr]	
2,2-Dibrom-1,1-dimethyl-cyclopropan	*2-Brom-1,1-dimethyl-cyclopropan*	82	107–108	760	1,4516
3,3-Dibrom-1,1,2-tri-methyl-cyclopropan	*3-Brom-1,1,2-tri-methyl-cyclopropan*	79	61–62	70	1,4593
3,3-Dibrom-1,1,2,2-tetra-methyl-cyclopropan	*3-Brom-1,1,2,2-tetra-methyl-cyclopropan*	78	51	22	1,4652
2,2-Dibrom-1-phenyl-cyclo-propan	*2-Brom-1-phenyl-cyclo-propan*	71	48–50	0,15	1,5696
2,2-Dibrom-1-vinyl-cyclo-propan	*2-Brom-1-vinyl-cyclo-propan*	62	62–74*	90	—
7,7-Dibrom-bicyclo[4.1.0] heptan	*7-Brom-bicyclo[4.1.0] heptan*	82	96–99	36	1,5137
7-Chlor-7-brom-bicyclo [4.1.0]heptan	*7-Chlor-bicyclo [4.1.0]heptan*	97	56–58	11	1,4861
7,7-Dichlor-bicyclo [4.1.0]heptan	*7-Chlor-bicyclo [4.1.0]heptan*	83	56–58	11	1,4860
9,9-Dibrom-bicyclo [6.1.0]nonan	*9-Brom-bicyclo [6.1.0]nonan*	84	40–42	0,13	1,5142

* Angabe nur für Rohprodukt.

Mit Tributyl-zinnhydrid als Reduktionsmittel konnte auch aus 2-Fluor-2-chlor-1,1-dimethyl-cyclopropan *2-Fluor-1,1-dimethyl-cyclopropan*[3] sowie aus 7-Fluor-7-chlor-bicyclo[4.1.0]heptan ein *endo/exo*-Gemisch des *7-Fluor-bicyclo[4.1.0]heptans*[4] erhalten werden.

Im Fall der Fluor-chlor-cyclopropane sind auch noch andere Reduktionsmittel zur Herstellung der entsprechenden Monohalogen-cyclopropane eingesetzt worden[5,6]. So wurden sowohl 7-Fluor-7-chlor-bicyclo[4.1.0]heptan als auch 9-Fluor-9-chlor-bicyclo[6.1.0]nonan (beides *endo/exo*-Gemische, etwa 1:1) durch Zutropfen zur äquivalenten Menge Natrium in Form einer 3%igen Lösung in Ammoniak selektiv zu *endo/exo-7-Fluor-bicyclo[4.1.0]heptan* bzw. *endo/exo-9-Fluor-bicyclo[6.1.0]nonan* reduziert[5]. Während 9-Fluor-9-chlor-bicyclo[6.1.0]nonan durch Zinkstaub in 60° heißem Eisessig nicht verändert wird, läßt es sich in guten Ausbeuten schon bei 0° mit Natrium und Methanol/Wasser-Gemischen reduzieren[5].

Hierbei hängt der Reaktionsverlauf ganz offensichtlich vom Verteilungsgrad des Natriums als auch vom Wassergehalt des Methanols ab. Es wird um so mehr *Bicyclo[6.1.0]nonan* gebildet,

[1] D. Seyferth, H. Yamazaki u. D. L. Alleston, J. Org. Chem. 28, 703 (1963).
[2] Zur Herstellung des Tributyl-zinnhydrids s. G. J. M. van der Kerk et al., J. appl. Chem. 7, 366 (1957).
[3] J. P. Oliver, U. V. Rao u. M. T. Emerson, Tetrahedron Letters 1966, 3419.
[4] T. Ando et al., Tetrahedron Letters 1967, 1123.
[5] D. Klamann u. C. Finger, B. 101, 1291 (1968).
[6] M. Schlosser u. G. Heinz, Ang. Ch. 79, 617 (1967).

Tab. 21. 1-Halogen-cyclopropane und Cyclopropane durch Reduktion
von 1,1-Dihalogen-cyclopropanen des Typs[1]

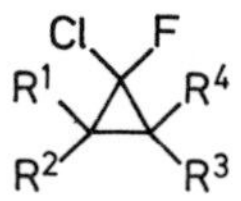

$$\underset{R^2}{\overset{R^1}{>}}\underset{R^3}{\overset{Cl\ F}{\triangle}}\underset{}{\overset{R^4}{<}}$$

R^1	R^2	R^3	R^4	Reduktionsmittel	Umsatz [%]	1,1-Halogen-cyclopropan	Ausbeute [% d.Th.]	syn: anti
C_5H_{11}	H	H	H	Na/NH_3	11	2-Fluor-1-pentyl-cyclo-propan	76	0,6
				tert.-C_4H_9Li	11	2-Fluor-1-pentyl-cyclo-propan	53	1,5
						Pentyl-cyclopropan	20	
C_6H_5	H	CH_3	H	tert.-C_4H_9Li	38	3-Fluor-2-methyl-1-phenyl-cyclopropan	75	1,2
						2-Methyl-1-phenyl-cyclopropan	21	
CH_3	CH_3	CH_3	CH_3	Na/NH_3	45	3-Fluor-1,1,2,2-tetra-methyl-cyclopropan	65	
				Na/CH_3OH	45		60	
				$Li/tert.-C_4H_9OH$	45	3-Fluor-1,1,2,2-tetra-methyl-cyclopropan	72	
						1,1,2,2-Tetramethyl-cyclopropan	15	
H	—$(CH_2)_4$—		H	Na/NH_3	21	7-Fluor-bicyclo[4.1.0]heptan	74	0,5
				Na/CH_3OH		7-Fluor-bicyclo[4.1.0]heptan	75	1,0
						Bicyclo[4.1.0]heptan (Norcaran)	25	
				$Li/tert.-C_4H_9OH$		7-Fluor-bicyclo[4.1.0]heptan	68	1,0
						Bicyclo[4.1.0]heptan (Norcaran)	32	

[1] M. SCHLOSSER u. G. HEINZ, Ang. Ch. 79, 617 (1967).

je feiner verteilt das metallische Natrium und je größer der Wassergehalt des Methanols. Arbeitet man beispielsweise unter Zutropfen einer 6%igen Lösung von Wasser in Methanol zu in Stückchen geschnittenem Natrium unter der ätherischen Lösung des 9-Fluor-9-chlor-bicyclo [6.1.0]nonans, so bilden sich *9-Fluor-bicyclo[6.1.0]nonan* und *Bicyclo[6.1.0]nonan* etwa im Verhältnis 15:1; wird Natriumpulver verwendet, so verschiebt sich das Verhältnis auf ∼ 5:1. Legt man hingegen das Natriumpulver vor und läßt Wasser ohne Methanol zutropfen, so kehrt sich das Verhältnis auf 1:15 bei allerdings stark erniedrigter Gesamtausbeute um. Bei allen Reduktionen werden *endo*- und *exo*-Form praktisch zu gleichen Teilen gebildet[1].

Auch andere Fluor-cyclopropane werden aus Fluor-chlor-cyclopropanen durch reduzierende Entchlorierung mit Alkalimetallen in protonischen Solventien zugänglich (s. Tab. 21; S. 206)[2]. Gute Ergebnisse werden insbesondere dann erhalten, wenn die über eine Drehbandkolonne destillierten Fluor-chlor-cyclopropane[3] in Tetrahydrofuran aufgenommen werden und anschließend in flüssiges Ammoniak getropft werden, das die stöchiometrische Menge Natrium enthält. Dabei verschwindet die blaue Farbe sofort. Nach Abdampfen des Ammoniaks können die Fluorcyclopropane durch Destillation oder präparative Gaschromatographie isoliert werden[2]. Die Reduktion der Fluor-chlor-cyclopropane gelingt auch mit metallischem Lithium in tert.-Butanol/Tetrahydrofuran (1:3)[4] oder mit Natrium in Methanol (s. oben). Das Metall muß hier jedoch im Überschuß eingesetzt werden, nebenbei entstehen halogenfreie Cyclopropane (s. Tab. 21; S. 206). In einer offenbar radikalischen Nebenreaktion wird teilweise statt Chlor zuerst Fluor gegen Wasserstoff ersetzt[2].

δ_2) durch Umlagerungen mit Basen

Wie bereits auf S. 192 erwähnt, besteht die Möglichkeit, von einem Olefin in einer Zweistufensynthese über das entsprechende Dibrom-carben-Addukt zu einem Allen zu gelangen. Auf der Basis der ursprünglichen Beobachtungen, daß für die Reaktion der 1,1-Dibrom-cyclopropan-Verbindung in ein Allen vor allem Magnesium[5-7] und auch Natrium[5] geeignet sind, wurde insbesondere durch Verwendung von Methyllithium diese Zweistufenreaktion zu einer präparativ sehr wertvollen Allen-Synthese ausgebaut[8-13]. Eine derartige Allen-Synthese ist vor allem deswegen so interessant, weil sich eine Vielzahl der sonst üblichen Allen-Synthesen wegen des Auftretens von Gemischen mit den entsprechenden Acetylenen und anderen Isomeren als recht unpraktisch erwiesen hat[14]. In der hier vorliegenden Allen-Synthese wird aus

[1] D. KLAMANN u. C. FINGER, B. **101**, 1291 (1968).
[2] M. SCHLOSSER u. G. HEINZ, Ang. Ch. **79**, 617 (1967).
[3] Die entsprechenden Fluor-chlor-cyclopropane werden aus Fluor-dichlor-methan und Olefinen mit lithiumorganischen Reagentien als reine Produkte hergestellt.
[4] Vgl. hierzu: S. WINSTEIN u. R. L. HANSEN, Am. Soc. **82**, 6206 (1960).
[5] W. v. E. DOERING u. P. M. LA FLAMME, Tetrahedron **2**, 75 (1958).
   US. P. 2933544 (1960), The Carwin Co., Erf.: W. v. E. DOERING u. P. M. LA FLAMME; C. A. **54**, 19538 (1960).
[6] T. J. LOGAN, Tetrahedron Letters **1961**, 173.
[7] P. D. GARDNER u. M. NARAYANA, J. Org. Chem. **26**, 3518 (1961).
[8] L. SKATTEBØL, Tetrahedron Letters **1961**, 167.
[9] L. SKATTEBØL, Chem. & Ind. **1962**, 2146.
[10] L. SKATTEBØL, Acta chem. scand. **17**, 1683 (1963).
[11] L. SKATTEBØL, J. Org. Chem. **31**, 2789 (1966).
[12] W. R. MOORE u. H. R. WARD, J. Org. Chem. **25**, 2073 (1960); **27**, 4179 (1962).
[13] W. R. MOORE et al., Am. Soc. **83**, 2019 (1961).
[14] Vgl. z. B. die Übersicht über die Allen-Synthesen bei A. A. PETROV u. A. V. FEDOROVA, Russ. Chem. Rev. 1, (1964).
   Vgl. a. ds. Handb., Bd. V/1 d, Kap. Allene.

dem meist gut zugänglichen Olefin durch Übertragung von Dibrom-carben[1],[2] die
entsprechende gem.-Dibrom-cyclopropan-Verbindung präpariert. Die Zugabe von
Methyl-lithium bei Temperaturen zwischen —78 und 0° führt dann unter milden
Bedingungen und in guten Ausbeuten zu dem gewünschten Allen bei Abwesenheit
von acetylenischen Nebenprodukten:

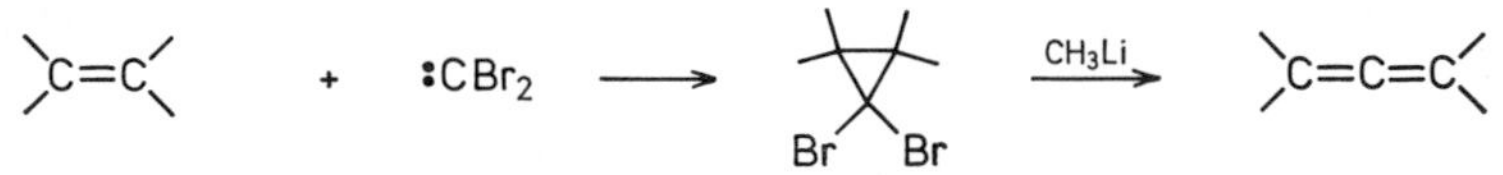

$$\diagdown C=C\diagup \quad + \quad :CBr_2 \quad \longrightarrow \quad \underset{Br\ \ Br}{\bigtriangleup} \quad \xrightarrow{CH_3Li} \quad \diagdown C=C=C\diagup$$

Möglicherweise wird bei der Umwandlung von 1,1-Dibrom-cyclopropanen
in Allene unter dem Einfluß von Magnesium, Natrium oder Alkyl-lithium-Verbindungen (s. a. S. 637 ff.) ein Carben als Zwischenstufe durchlaufen:

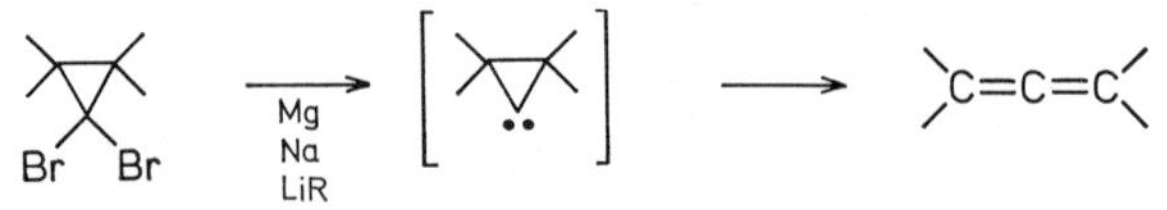

$$\underset{Br\ \ Br}{\bigtriangleup} \quad \xrightarrow[LiR]{\overset{Mg}{Na}} \quad \left[\underset{\cdot\cdot}{\bigtriangleup}\right] \quad \longrightarrow \quad \diagdown C=C=C\diagup$$

Allene aus 1,1-Dihalogen-cyclopropanen, allgemeine Herstellungsvorschrift[3]: Zu einer auf
~ —40° abgekühlten Lösung von 0,1 Mol des 1,1-Dihalogen-cyclopropans in 25 ml absol. Äther
tropft man innerhalb 30 Min. eine ätherische Lösung von 0,12 Mol der entsprechenden Alkyl-
lithium-Verbindung. Die Mischung wird bei dieser Temp. noch weitere 30 Min. gerührt und
schließlich mit Wasser versetzt. Die abgetrennte wäßrige Phase wird mit wenig Äther ausgeschüttelt. Die vereinigten Ätherauszüge werden dann solange mit Wasser gewaschen, bis sie
nicht mehr basisch reagieren. Nach Trocknen über wasserfreiem Natriumsulfat liefert die Destillation das entsprechende reine Allen.

Alle Versuche, ein solches hypothetisches Carben durch intermolekulare Reaktionen abzufangen sind allerdings zunächst gescheitert[4],[5]. Auf der anderen Seite
sind jedoch recht interessante Experimente bekannt geworden, die darauf hin-
zielten, eine intramolekulare Addition eines derartigen „Carbenacyclopropans"
zu erreichen[6],[7]. An Verbindungen des Typs X und XI, die durch Dibrom-carben-Ad-
dition an die entsprechenden Diene zugänglich sind[7], unternahm man zu diesem
Zwecke Untersuchungen der bekannten Umsetzungen mit Methyl-lithium[3],[4].

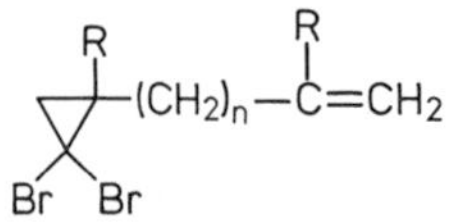

$$\underset{Br\ \ Br}{\overset{R}{\bigtriangleup}}-(CH_2)_n-\overset{R}{\underset{}{C}}=CH_2 \qquad\qquad \underset{Br\ \ Br}{\overset{Br}{\bigtriangleup}}-(CH_2)_n-\underset{Br\ \ Br}{\overset{Br}{\bigtriangleup}}$$

$$\text{X} \qquad\qquad\qquad\qquad\qquad\qquad \text{XI}$$

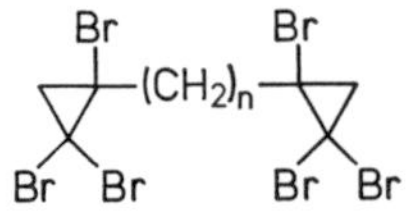

Tab. 22 (S. 209) und Tab. 23 (S. 210) zeigen eine Zusammenstellung der entsprechenden Ergebnisse. Neben den erwarteten Allenen und Diallenen kam es in der Tat zur Bildung von interessanten spirocyclischen Verbindungen im Zuge eines intramolekularen Prozesses. Offensichtlich kommt es primär bei der Reaktion der gem.-Di-
brom-cyclopropane mit dem Methyl-lithium zu einem Halogen-Metall-Austausch
unter Bildung eines 1-Lithium-1-brom-cyclopropan-Derivates[3],[9], das entweder direkt oder über ein „Carbenacyclopropan" in das entsprechende Allen-Derivat und den Spirocyclus umgewandelt wird:

[1] W. v. E. DOERING u. A. K. HOFFMANN, Am. Soc. **76**, 6162 (1954).
[2] Vgl. auch die Übersicht bei W. E. PARHAM u. E. E. SCHWEIZER, Org. Reactions **13**, 55 (1963).
[3] L. SKATTEBØL, Acta chem. scand. **17**, 1683 (1963).
[4] Vgl. z. B. : T. J. LOGAN, Tetrahedron Letters **1961**, 173.
[5] Vgl. z. B.: L. SKATTEBØL, Tetrahedron Letters **1961**, 167.
[6] L. SKATTEBØL, Chem. & Ind. **1962**, 2146.
[7] L. SKATTEBØL, J. Org. Chem. **31**, 2789 (1966).
[8] L. SKATTEBØL, J. Org. Chem. **29**, 2951 (1964).
[9] Vgl. W. R. MOORE et al., J. Org. Chem. **25**, 2073 (1960); **27**, 4179 (1962); Am. Soc. **83**, 2019 (1961).

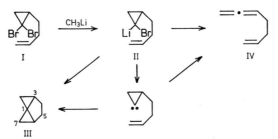

I = 2,2-Dibrom-1-buten-(3)-yl-cyclopropan   II = 2-Lithium-2-brom-1-buten-(3)-yl-cyclopropan
III = Tricyclo[4.1.0.0¹,³]heptan   IV = Heptatrien-(1,2,6)

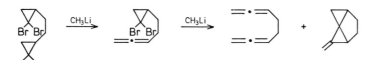

1,2-Bis-[2,2-dibrom-   5-(2,2-Dibrom-cyclo-   Octatetraen-(1,2,6,7)   2-Methylen-tricyclo
cyclopropyl]-äthan   propyl)-pentadien-(1,2)   [4.1.0.0¹,³]heptan

Tab. 22. Reaktionen von gem. Dibrom-cyclopropanen des Typs V mit Methyl-lithium[1]

H △—(CH₂)ₙ—C=CH₂ Br Br R V	Reaktions-temperatur [°C]	Reaktionsprodukte [% d. Gesamtmenge]		Ausbeute [% d.Th.]
R=H; n=1	−78	Hexatrien-(1,2,5)	—	46[a]
R=H; n=2	−78 −30 0	Heptatrien-(1,2,6) (52) (70) (84)	(48) (30) (16) Tricyclo[4.1.0.0¹,³]heptan	85
R=H; n=3	−78	Octatrien-(1,2,7) (90)	[b](10) Tricyclo[5.1.0.0¹,³]octan	85
R=H; n=4	−78	Nonatrien-(1,2,8)	—	80
R=CH₃; n=2	−78	3,6-Dimethyl-hepta-trien-(1,2,6) (38)	CH₃ CH₃ 3,6-Dimethyl-tricyclo [4.1.0.0¹,³]heptan (62)	88

[a] Restprodukt waren Polymere.   [b] Nicht rein erhalten.

[1] L. Skatteböl, J. Org. Chem. 31, 2789 (1966).

Ferner konnte gezeigt werden, daß 7,7-Dibrom-bicyclo[4.1.0]hepten-(3) (I) bei Behandlung mit Methyl-lithium in Gegenwart von *cis*- und *trans*-Buten-(2) zu den Addukten IV bzw. V {*2,3-Dimethyl-cyclopropan-⟨1-spiro-7⟩-bicyclo[4.1.0]hepten-(3)*} führt, aus denen nach Reaktion mit Brom und nachfolgender Dehydrobromierung mit 1,5-Diaza-bicyclo[5.4.0]undecen-(5) unter Ringerweiterung die Spirononatriene VI und VII (*2,3-Dimethyl-cyclopropan-⟨1-spiro-7⟩-cycloheptatrien*) erhalten werden können[1]:

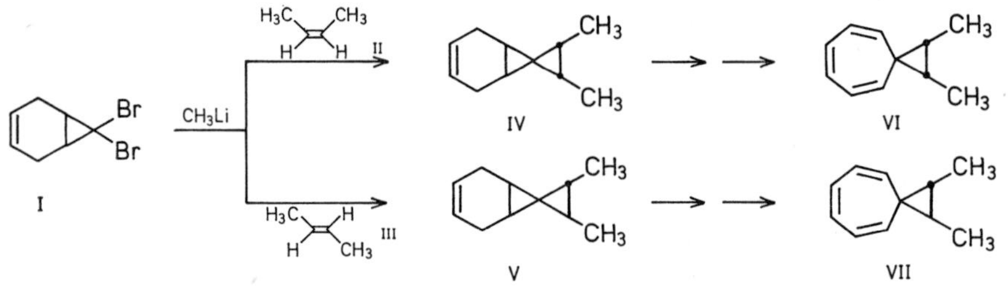

In dieser Reaktionsfolge dürfte vielleicht ein indirekter Beweis für die Existenz eines „Carbena-cyclopropans" gesehen werden.

Bei der Addition von Dichlor-carben an eine Anzahl von Enoläthern ergaben sich interessante präparative Möglichkeiten. So erhält man aus Cyclohexanon

Tab. 23. Reaktionen von *a,ω*-Bis-[2,2-dibrom-cyclopropyl]-alkanen des Typs VIII mit Methyl-lithium[2]

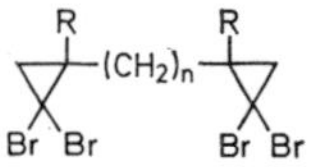 VIII	Reaktionsprodukte [% d. Gesamtmenge]		Ausbeute [% d. Th.]
R = H; n = 2	*Octatetraen-(1,2,6,7)* (68)		71
	2-Methylen-tricyclo [4.1.0.0^{1,3}]heptan (28)[a]		
R = H; n = 3	*Nonatetraen-(1,2,7,8)*		83
R = H; n = 4	*Decatetraen-(1,2,8,9)*		86
R = CH₃; n = 2	*3,6-Dimethyl-octatetra- en-(1,2,6,7)* (50)[b]	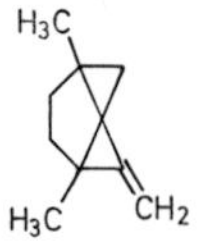 (50)[b] *3,6-Dimethyl-2-methylen- tricyclo[4.1.0.0^{1,3}]heptan*	78

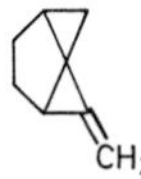

[a] Zusätzlich wurden 4% einer dritten Verbindung gefunden.
[b] Ungefähre Werte, basierend auf der Fraktionierung.

---

[1] M. Jones u. E. W. Petrillo, Tetrahedron Letters **1969**, 3953.
[2] L. Skattebøl, J. Org. Chem. **31**, 2789 (1966).

über den entsprechenden Enoläther und *7,7-Dichlor-1-äthoxy-bicyclo[4.1.0]heptan*(I)
1-Äthoxy-cycloheptatrien-(1,3,5) (III), da sich aus dem Carben-Addukt (I) mit
kochendem Pyridin oder Chinolin relativ leicht Chlorwasserstoff abspalten läßt[1,2].
1-Äthoxy-cycloheptatrien-(1,3,5) (III) wird schließlich durch Hydrolyse in 91%iger
Ausbeute in *6-Oxo-cycloheptadien-(1,3)* (IV) umgewandelt[1,2]:

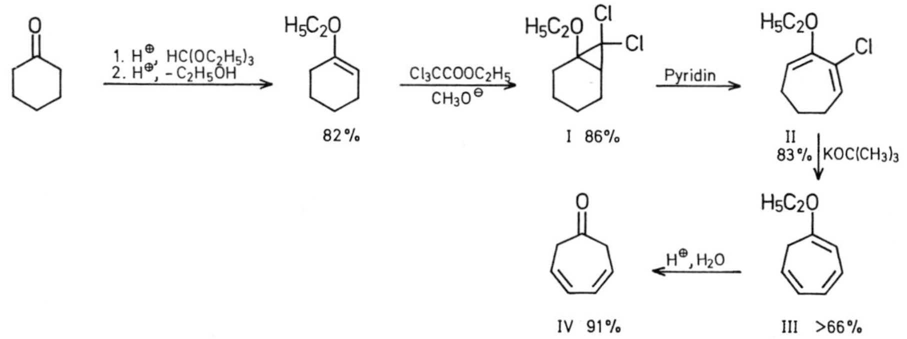

In ganz analoger Weise werden auch Tropon und substituierte Tropone
aus Enoläthern hergestellt[3]:

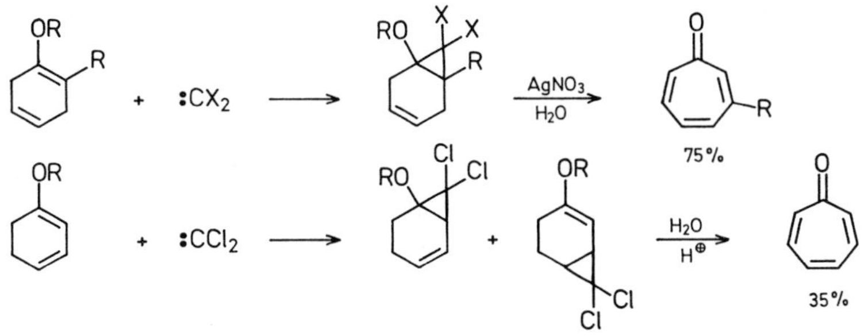

Bei Anwendung dieser Reaktionsfolge auf 1,2- und 1,4-Dihydro-Derivate des Östron-
methyläthers werden Halogen-A-Homo-Steroide in guten Ausbeuten zugänglich[4].

Zum anderen wurde jedoch beobachtet, daß sich die von 1-Äthoxy-cyclohepten und
1-Äthoxy-cyclooocten in analoger Weise abgeleiteten 1,1-Dihalogen-cyclopropan-Derivate gegenüber einer Ringerweiterung viel resistenter verhalten. Erst bei Angriff unter gröberen Bedingungen
werden diese Produkte gespalten und es kommt zur Bildung von Produkten, die aus transannularen Reaktionen resultieren[2].

Im Fall des Dichlor-carben-Addukts von *trans*-1-Äthoxy-cyclododecen (V,
S. 212) wird dann wiederum leichte Ringerweiterung beobachtet[5]. Das Ringerweiterungsprodukt VII (S. 212) zeigt eine Reihe von interessanten chemischen Reaktionen und kann u.a. zu einer neuen Synthese von heterocyclischen m-Cyclo-
phanen herangezogen werden[5,6]:

---

[1] W. E. PARHAM et al., Am. Soc. **84**, 1755 (1962).
[2] W. E. PARHAM et al., Am. Soc. **87**, 321 (1955).
[3] A. J. BIRCH u. J. M. H. GRAVES, Pr. chem. Soc. **1962**, 282.
[4] A. J. BIRCH, J. M. H. GRAVES u. J. B. SIDDALL, Soc. **1963**, 4234.
[5] W. E. PARHAM u. R. J. SPERLEY, J. Org. Chem. **32**, 926 (1967).
[6] Vgl. hierzu auch: W. E. PARHAM u. J. F. DOOLEY, Am. Soc. **89**, 985 (1967).

14*

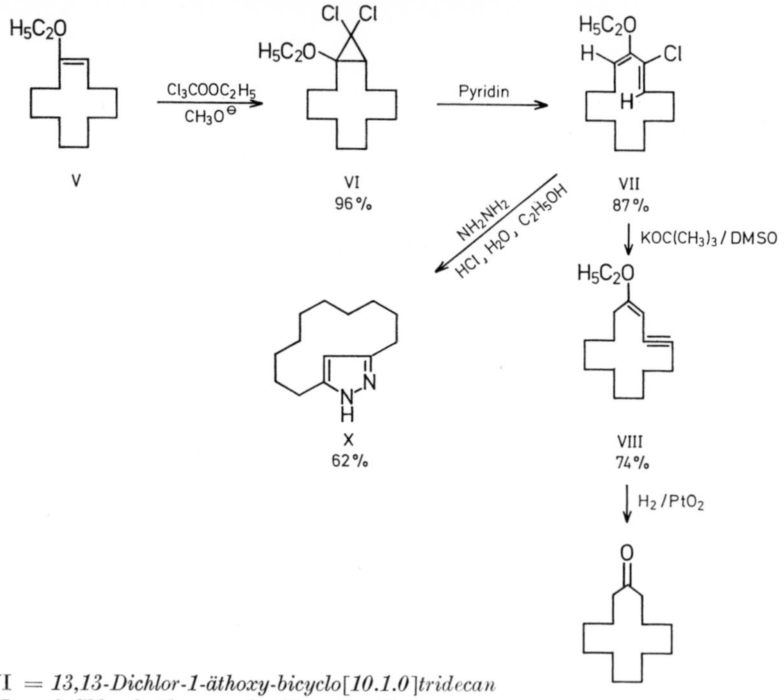

VI = *13,13-Dichlor-1-äthoxy-bicyclo[10.1.0]tridecan*
VII = *3-Chlor-2-äthoxy-cyclotridecadien-(1,3)*
VIII = *4-Äthoxy-cyclotridecen-(3)-in-(1)*
IX = *1-Oxo-cyclotridecan*
X = *3,5-[10]-Pyrazolophan*[1]

Bei der Synthese überbrückter Norcaradiene[2,3] und Cycloheptatriene[3-5] sowie insbesondere des 10π-Elektronensystems *1,6-Methano-cyclodecapentaen*,[4,6] hat sich der Weg über Dihalogen-carben-Addukte als Zwischenstufen gut bewährt.

Ausgehend vom 1,4,5,8-Tetrahydro-naphthalin[7,8] (I, S. 213), das durch Birch-Reduktion[9] aus Naphthalin zugänglich ist, wurde durch Dichlor-carben-Addition (aus Chloroform und Kalium-tert.-butanolat) *11,11-Dichlor-tricyclo[4.4.1.0^{1,6}]undecadien-(3,8)* (II) erhalten, dessen Reduktion mit Natrium in flüssigem Ammoniak zum *Tricyclo [4.4.1.0^{1,6}]undecadien-(3,8)* (III) führt. Über *3,4,8,9-Tetrabrom-tricyclo[4.4.1.0^{1,6}]*

[1] Vgl. hierzu auch: W. E. Parham u. J. F. Dooley, Am. Soc. **89**, 985 (1967).
[2] E. Vogel, W. Wiedemann, H. Kiefer u. W. F. Harrison, Tetrahedron Letters **1963**, 673 u. spätere Arbeiten.
[3] Vgl. E. Vogel, Ang. Ch. **74**, 829 (1962).
[4] H. D. Roth, Dissertation, Universität Köln, 1965; vgl. auch Zitat 5.
[5] J. Eimer, Dissertation, Universität Köln, 1966;
[6] E. Vogel u. H. D. Roth, Ang. Ch. **76**, 145 (1964).
[7] W. Hückel u. H. Schlee, B. **88**, 346 (1955).
[8] P. Schiess, Dissertation, Universität Basel, 1956.
[9] Vgl. A. J. Birch, Quart. Rev. **4**, 69 (1950).
   A. J. Birch u. D. Nasipuri, Tetrahedron **6**, 148 (1959).

undecan (IV) gelangt man durch Behandlung mit methanolischer Kalilauge schließ
lich zum *1,6-Methano-cyclodecapentaen* (V)[1,2]:

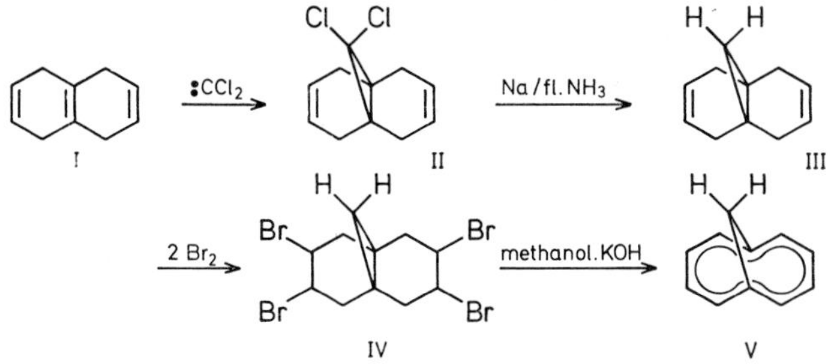

Auch die Addition von Dichlor-carben (aus Natrium-trichloracetat) an 1,4,5,8,
9,10-Hexahydro-anthracen(VI) führte in selektiver Weise zu *15,15,16,16-Tetra-
chlor-pentacyclo[8.4.1.1^{3,8}.0^{1,10}.0^{3,8}]hexadecadien-(5,12)* (VII), das dann in das überbrückte *1,6;8,13-Bis-[methano]-[14]-annulen* (VIII) überführt werden konnte[3]:

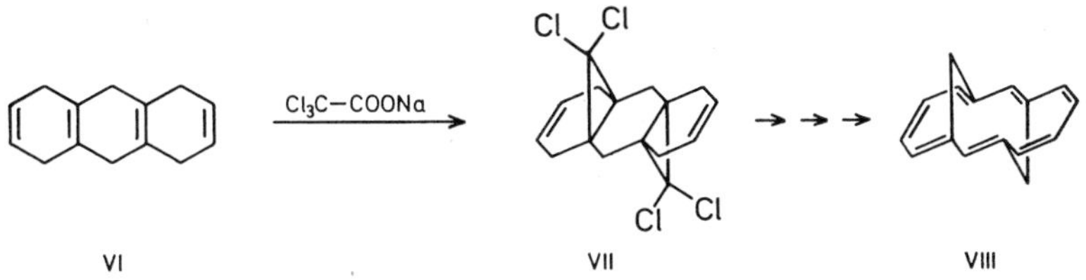

Das gleiche Prinzip wurde bei der Synthese des *1,5-Methano-cyclononatetraenyl-
Anions* (XI) aus dem Äthylenketal des 4,7-Dihydro-indanons-(2) (IX) verwendet[4],
während eine etwa gleichzeitig publizierte Reaktionsfolge vom 4,7-Dihydro-indanol-
(2) ausgeht und den dirigierenden Einfluß von Hydroxy-Gruppen bei der SIMMONS-
SMITH-Reaktion (vgl. hierzu S. 122) ausnutzt[5].

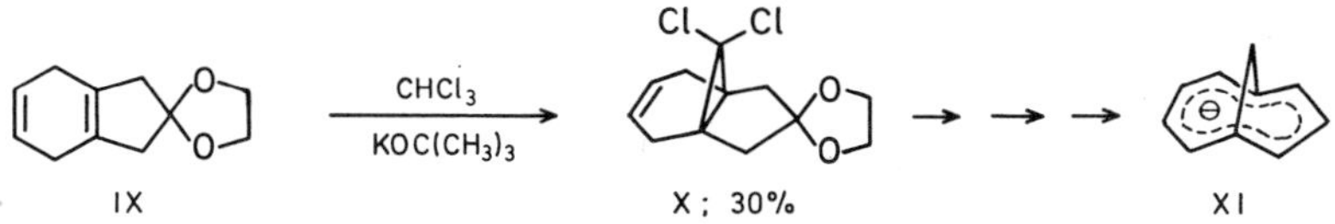

1,6-Methano-cyclodecapentaen[2,6]:

11,11-Dichlor-tricyclo[4.4.1.0^1]undecadien-(3,8)(II): 85 g (0,75 Mol) Kalium-
tert.-butanolat werden in einer Lösung von 80 g (0,6 Mol) 1,4,5,8-Tetrahydro-naphthalin (I;
F: 55°) in 750 *ml* wasserfreiem Äther suspendiert. Bei Temp. zwischen −15 und −10° werden
dann 72 g (∼ 0,6 Mol) Chloroform eingetropft. Nachdem das Gemisch unter Rühren Zimmertemp.
erreicht hat, werden 200 *ml* Wasser zugeführt. Die wäßrige Phase wird mit 300 *ml* Äther extrahiert, die vereinigten ätherischen Lösungen mit 2%iger Schwefelsäure und 3%iger Natrium-
bicarbonat-Lösung ausgeschüttelt und über wasserfreiem Magensiumsulfat getrocknet. Nach
Abdampfen des Äthers und Abdestillieren von nicht umgesetzten Chloroform und 1,4,5,8-Tetra-

---

[1] H. D. ROTH, Dissertation, Universität Köln, 1965; vgl. auch Zitat 5.
[2] E. VOGEL u. H. D. ROTH, Ang. Ch. **76**, 145 (1964).
[3] E. VOGEL et al., Ang. Ch. **78**, 642 (1966).
[4] E. VOGEL et al., Ang. Ch. **78**, 643 (1966).
[5] P. RADLICK u. W. ROSEN, Am. Soc. **88**, 3461 (1966).
[6] H. D. ROTH, Dissertation, Universität Köln, 1965.

hydro-naphthalin geht ein Gemisch der Dichlor-carben-Addukte über, in dem das symmetrische Derivat (II, S. 213) lt. Gaschromatogramm zu $87 \pm 2\%$ vorliegt; $Kp_{0,1}$: 83–86°; Rohausbeute: 71 g (55% d. Th.). Nach mehrmaligem Umkristallisieren aus Essigsäure-äthylester und Methanol F: 91–92°.

Tricyclo[4.4.1.0^{1,6}]undecadien-(3,8)(III, S. 213): 86,1 g (0,4 Mol) II (s. S. 213) werden in 500 ml trockenem Äther gelöst und bei −70° in eine Lösung von 60 g (2,6 g Atom) Natrium in 1 l flüssigem Ammoniak eingetropft. Nach erfolgter Zugabe wird noch ∼ 2 Stdn. bei −70° gerührt. Danach wird das Kältebad entfernt, so daß der Ammoniak verdampfen kann. Nicht umgesetztes Natrium wird zersetzt, indem unter Stickstoff, bei −60° beginnend, 250 ml Methanol, 250 ml wäßriges Methanol (1:1) und zuletzt 500 ml Wasser eingetropft werden. Die wäßrige Phase wird dann 3 mal mit je 100 ml Pentan extrahiert. Die vereinigten organischen Phasen werden anschließend mit 2%iger Schwefelsäure und 2%iger Natriumhydrogencarbonat-Lösung ausgeschüttelt und über Magnesiumsulfat getrocknet. Nach Abdampfen der Lösungsmittel über eine 10-cm-Füllkörper-Kolonne mit Dephlegmator wird fraktioniert; Ausbeute: 52 g (89% d. Th.); Kp_{11}: 80–81° n_D^{20} = 1,5186.

3,4,8,9-Tetrabrom-tricyclo[4.4.1.0^{1,6}]undecan (IV, S. 213): Zu einer Lösung von 14,6 g (0,1 Mol) III (s. o.) in 40 ml Dichlormethan wird bei −55° eine Lösung von 32 g (0,2 Mol) Brom in 30 ml Dichlormethan getropft. Nach erfolgter Zugabe und Erwärmen auf ∼ 0° wird das Lösungsmittel i. Vak. entfernt. Dabei fällt das Tetrabrom-Derivat in farblosen Kristallen an, die 3 mal aus Äthanol/Essigsäure-äthylester (1:1) umkristallisiert werden; Ausbeute: 67 g (71% d. Th.); F: 126–127°.

1,6-Methano-cyclodecapentaen (V, S. 213): 46,6 g (0,1 Mol) des Tetrabrom-Derivats IV (s. o.) werden in 300 g 15%iger methanolischer Kalilauge 8 Stdn. unter Rückfluß erhitzt. Danach werden 2 l Wasser zugegeben und die wäßrig-methanolische Phase portionsweise mit insgesamt 250 ml Pentan extrahiert. Die gesammelten Auszüge werden mit 1%iger Schwefelsäure und 2%iger Natriumcarbonat-Lösung ausgeschüttelt und über Magnesiumsulfat getrocknet. Das Pentan wird über eine 10-cm-V₂A-Wendel-Kolonne abgedampft und der Kohlenwasserstoff destilliert; Ausbeute: 10,9 g (77% d. Th.); Kp_2: 76–78°. Beim Animpfen erstarrt der Kohlenwasserstoff kristallin; F: 28–29° (aus Methanol).

In Zusammenhang mit diesen Synthesen sind auch entsprechende Untersuchungen zur Stereoselektivität der Dihalogen-carben-Addition an Dihydroaromaten[1-3] von Interesse.

Beim Angriff auf Bicyclo[5.4.0]undecadien-(1⁷,9) bzw. 1,2,3,4,5,8-Hexahydronaphthalin verlieren die Dihalogen-carbene weitgehend bzw. vollständig ihre Selektivität[2]. Diese Tatsache ist um so auffälliger, als Bicyclo[4.3.0]nonadien-(1⁶,3) und auch das 1,4,5,8-Tetrahydro-naphthalin von Dichlor- und Dibrom-carben selektiv an der zentralen Doppelbindung angegriffen {zu *10,10-Dichlor-* (bzw. *10,10-Dibrom*)-*tricyclo[4.3.1.0¹·⁶]decen-(3)* bzw. *11,11-Dichlor-* (bzw. *11,11-Dibrom*)-*tricyclo[4.4.1.0¹·⁶] undecadien-(3,8)*} werden[1,2]. Aus diesem Grunde wurde dann die Dihalogen-carben-Addition an den Dihydroaromaten I, II und III eingehender studiert[3]:

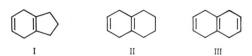

I   II   III

Im Fall der Dihydroaromaten Bicyclo[4.3.0]nonadien-(1⁶,3) (I), 1,2,3,4,5,8-Hexahydronaphthalin (II) und 1,4,5,8-Tetrahydro-naphthalin (III) befinden sich in ein und demselben Molekül zwei verschieden substituierte Doppelbindungen. Infolge der verschiedenen Zahl der elektro-

[1] E. VOGEL et al., Tetrahedron Letters 1963, 673.
   E. VOGEL u. H. D. ROTH, Ang. Ch. 76, 145 (1964).
[2] H. D. ROTH, Dissertation, Universität Köln, 1965.
[3] J. EIMER, Dissertation, Universität Köln, 1966.

nenliefernden Alkyl-Substituenten an den Reaktionszentren sollte die Addition der elektrophilen Dihalogencarbene mit deutlich abgestufter Reaktionsgeschwindigkeit erfolgen, wie es an den Kohlenwasserstoffen I und II anhand der elektrophilen Agentien Brom[1,2] und organischen Persäuren[1,2] bereits gezeigt wurde (s.a.S. 171).

Um die relativen Additionsgeschwindigkeiten von Dichlor- und Dibrom-carben an die zentrale und die äußere Doppelbindung aus den Isomerengemischen abschätzen zu können, mußte die 2:1-Adduktbildung unterdrückt werden, was durch Verwendung eines großen Überschusses an Kohlenwasserstoff erreicht werden konnte. Die beiden elektrophilen Dihalogen-carbene wurden für diese Studien aus den entsprechenden Haloformen und Kalium-tert.-butanolat erzeugt[3]. Das Mengenverhältnis der durch Addition der Dihalogen-carbene an die tetra- bzw. dialkylierten C=C-Doppelbindungen der Dihydroaromaten gebildeten 1:1-Addukte und damit das Verhältnis der relativen Geschwindigkeitskonstanten konnte durch gaschromatographische und kernresonanzspektroskopische Analyse bestimmt werden.

Im Fall von Bicyclo[4.3.0]nonadien-(1^6,3) (I, S. 214) erhält man bei der Dichlorcarben-Addition ein Mengenverhältnis von 10:1 für die beiden 1:1-Addukte {*10, 10-Dichlor-tricyclo[4.3.1.0^{1,6}]decen-(3)* und *4,4-Dichlor-tricyclo[5.3.0.0^{3,5}]decen-(1^7)*} (Verhältnis der Addition an die zentrale zu der an die äußere Doppelbindung), während die entsprechenden Dibromcarben-Addukte nur im Verhältnis von 4,5:1 gebildet werden {*10,10-Dibrom-tricyclo[4.3.1.0^{1,6}]decen-(3)* und *4,4-Dibrom-tricyclo[5.3.0.0^{3,5}]decen-(1^7)*}[4].

Diese ermittelten Werte dürften auch das Verhältnis der relativen Geschwindigkeitskonstanten annähernd richtig darstellen. Das hier beobachtete unterschiedliche Auswahlvermögen von Dichlor- und Dibrom-carben entspricht durchaus anderen Feststellungen[5], wonach Dibrom-carben relativ zum Dichlor-carben mit steigendem Grad der Alkylsubstitution an der Doppelbindung aus sterischen Gründen zunehmend langsamer reagiert.

Die entsprechenden Untersuchungen am 1,2,3,4,5,8-Hexahydro-naphthalin (II, S. 214) lieferten Verhältnisse von 67:33 für das Dichlorcarben {*11,11-Dichlor-tricyclo[4.4.1.0^{1,6}]undecen-(3)* und *4,4-Dichlor-tricyclo[5.4.0.0^{3,5}]undecen-(1^7)*} und von 43:57 für das Dibromcarben {*11,11-Dibrom-tricyclo[4.4.1.0^{1,6}]undecen-(3)* und *4,4-Dibrom-tricyclo[5.4.0.0^{3,5}]undecen-(1^7)*}[4]. Bei der Prüfung der Basenbeständigkeit der Carbenaddukte (Durchführung der Carben-Addition bei 10-fachem Überschuß an Base; Aussetzung der Isomerengemische einem großen Überschuß an Base) änderte sich das Mengenverhältnis der 1:1-Addukte nur geringfügig: bei den Dichlorcarben-Addukten auf 70:30 und bei den Dibrom-carben-Addukten[4] auf 46:54. Überraschend ist zunächst der hohe Anteil an den äußeren 1:1-Addukten.

Beim Angriff auf das Hexalin (II, S. 214) verliert das Dichlor-carben weitgehend und das Dibromcarben vollständig seine Selektivität. Der Grund für die Herabsetzung der Reaktivität der zentralen Doppelbindung durch die Einführung einer zusätzlichen Methylen-Gruppe (II gegenüber I) liegt wohl kaum in einer Veränderung der elektronischen Struktur, sondern vielmehr in einer Abänderung der sterischen Gegebenheiten, wofür auch die stärkere Beeinflussung des gegen sterische Hinderung empfindlicheren Dibrom-carbens (s.o.) spricht. Modellbetrachtungen zeigen, daß der Fünfring im Bicyclo[4.3.0]nonadien-(1⁶,3) (I, S. 214) eben ist und somit die zentrale Doppelbindung hier dem Angriff der Dihalogen-carbene ungehindert offen steht. Das 1,2,3,4,5,8-Hexahydro-naphthalin(II) liegt hingegen in Halbsessel-Formen (IIa–d, S. 216) vor, die über Wannen-Formen ineinander überführt werden können. Der Angriff eines der Dihalogencarbene auf die zentrale Doppelbindung wird auf beiden Seiten der Molekel durch das axiale Wasserstoffatom einer gegenüberliegenden Methylen-Gruppe gestört. Da Cyclopenten bei manchen Cycloadditionen

[1] Vgl. E. GIOVANNINI u. H. WEGMÜLLER, Helv. **41**, 933 (1958).

[2] Vgl. W. HÜCKEL u. U. WÖRFFEL, B. **89**, 2098 (1956).

[3] Vgl. W. v. E. DOERING u. A. K. HOFFMANN, Am. Soc. **76**, 6162 (1954).

[4] J. EIMER, Dissertation, Universität Köln, 1966.

[5] Vgl. W. v. E. DOERING u. W. A. HENDERSON, Am. Soc. **80**, 5274 (1958).

dem Cyclohexen in seiner Reaktivität erheblich überlegen ist, besteht zudem die Möglichkeit, daß die tetrasubstituierte Doppelbindung in I (s. S. 214) per se durch die beiden genannten Dihalogencarbene leichter angegriffen[1] wird als in II:

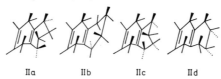

IIa   IIb   IIc   IId

Bei der Dichlor-carben-Addition an 1,4,5,8-Tetrahydro-naphthalin (III, S. 214) beläuft sich das entsprechende Verhältnis der relativen Geschwindigkeitskonstanten auf 5:1 {*11,11-Dichlor-tricyclo[4.4.1.0^{1,6}]undecadien-(3,8)* und *4,4-Dichlor-tricyclo[5.4.0.0^{3,5}]undecadien-(1^7,9)*} und bei der Dibromcarben-Addition auf 3:1 {*11,11-Dibrom-tricyclo[4.4.1.0^{1,6}]undecadien-(3,8)* und *4,4-Dibrom-tricyclo[5.4.0.0^{3,5}] undecadien-(1^7,9)*}[2,3].

Die tatsächliche Selektivität ist noch größer als aus diesen Werten hervorgeht, da die Bildung der nicht-symmetrischen Addukte wegen zweier identischer dialkyl-substituierter C=C-Doppelbindungen in III (S. 214) statistisch bevorzugt ist. Gegenüber II ist III durch die Einführung einer weiteren C=C-Doppelbindung ebener gebaut. Außerdem wird der Angriff der Dihalogencarbene durch keine axialen Wasserstoffe behindert, da in III die Wasserstoffatome äquatorial angeordnet sind. Hiermit ist zugleich der Beweis erbracht worden, daß das Ausbleiben der Selektivität der Dihalogencarben-Addition beim Hexalin(II) in der Tat auf eine sterische Hinderung durch die axialen Wasserstoffatome zugeführt werden muß[2].

2. Cyclopropanierung mit Monohalogen-carbenen

a) Reaktionen mit Chlor- und Bromcarben

Zur Erzeugung von Chlor-carben wurde zunächst der Eliminierungsweg versucht. Die Entfernung eines Protons aus Dichlormethan ist wesentlich schwieriger durchzuführen als aus Chloroform, da der acidifizierende Effekt der beiden Chloratome des Dichlormethans geringer als der drei Chloratome des Chloroforms ist. Alkyllithium-Verbindungen erwiesen sich als geeignete Basen zur Erzeugung von Chlorcarben aus Dichlormethan[4,5]. In Gegenwart von Olefinen als Abfangreagentien wurden die entsprechenden Monochlor-cyclopropane in relativ guten Ausbeuten zugänglich[4,5]:

$$R—Li \; + \; CH_2Cl_2 \longrightarrow R—H \; + \; CHCl_2Li \qquad ①$$

$$CHCl_2Li \longrightarrow :CHCl \; + \; LiCl \qquad ②$$

$$:CHCl \; + \; {}_{\nearrow}^{\searrow}C{=}C_{\searrow}^{\nearrow} \longrightarrow \underset{H \quad Cl}{\times} \qquad ③$$

Die gleiche Reaktion wurde auch in Gegenwart von Triphenylphosphin als Abfangreagens durchgeführt[6,7]:

$$:CHCl \; + \; P(C_6H_5)_3 \longrightarrow HClC{=}P(C_6H_5)_3$$

[1] Vgl. R. HUISGEN et al., Tetrahedron **17**, 3 (1962).
[2] J. EIMER, Dissertation, Universität Köln, 1966.
[3] H. D. ROTH, Dissertion, Universität Köln, 1965.
[4] G. L. CLOSS u. L. E. CLOSS, Am. Soc. **81**, 4996 (1959).
[5] G. L. CLOSS u. L. E. CLOSS, Am. Soc. **82**, 5723 (1960).
[6] G. WITTIG u. M. SCHLOSSER, Ang. Ch. **72**, 324 (1960).
[7] D. SEYFERTH et al., Am. Soc. **82**, 1510 (1960).

Das entstandene Triphenylphosphin-chlormethylen erlaubt eine neue Erweiterung der Anwendung der Carbonyl-Olefinierung nach Wittig.

Kalium-tert.-butanolat als Base hat sich wegen zu geringer Ausbeuten zur Erzeugung von Chlor-carben nicht bewährt[1]. Chlor-carben wurde auch bei der Behandlung von Chloroform mit metallischem Lithium in Tetrahydrofuran erhalten[2]. In diesem Verfahren wird jedoch auch Dichlorcarben gebildet; während die Reaktion mit Bromoform offenbar nur zur Bildung des Brom-carbens Anlaß gibt[2].

Zum Zwecke der Cyclopropanierung von Olefinen, d.h. der Herstellung von Monochlor-cyclopropanen wird zweckmäßigerweise mit einem Überschuß an Olefin gearbeitet. Die Ausbeuten beim lithiumorganischen Eliminierungsverfahren[3,4] bewegen sich dabei zwischen 25 und 67%, wobei ein Ausbeuteanstieg bei steigender Nucleophilie des Olefins beobachtet wird (vgl. Tab. 24).

In neuerer Zeit gelang auch die Erzeugung von Chlor- bzw. Brom-diazomethan durch Einwirkung von tert.-Butylhypochlorit bzw. -bromit auf Diazomethan bei $-100°$ in inerten Lösungsmitteln[5,6]. Durch thermische (-10 bis $-30°$) und photo-

Tab. 24. Halogen-cyclopropane aus Olefinen durch die Dichlormethan/Alkyllithium-Reaktion (Übersicht)

Olefin	Reaktionsprodukt(e)	Ausbeute [% d.Th.]	Literatur
2-Methyl-propen	2-Chlor-1,1-dimethyl-cyclopropan	44[a]	[3]
		50[b]	[3]
cis-Buten-(2)	3-Chlor-cis-1,2-dimethyl-cyclopropan (trans/ cis-Chlor-Verhältnis = 1 : 5,5)[7]	30[a]	[3,7]
trans-Buten-2	3-Chlor-trans-1,2-dimethyl-cyclopropan	40[a]	[3,4]
2-Methyl-buten-(2)	3-Chlor-1,1,2-trimethyl-cyclopropan(trans/ cis-Verhältnis = 1 : 1,6)[7]	50[a]	[3]
Penten-(1)	2-Chlor-1-propyl-cyclopropan (bei $-35°$: trans/cis-Verhältnis = 1 : 3,4)[7]	10[a]	[3]
	(bei $+30°$: trans/cis-Verhältnis = 1:1,8)[7]	25[b]	[3]
2,3-Dimethyl-buten-(2)	3-Chlor-1,1,2,2-tetramethyl-cyclopropan	67[a]	[3,4]
Cyclohexen	7-Chlor-bicyclo[4.1.0]heptan (endo/exo-Verhältnis = 2,2 : 1)[7]	31[a]	[4]
	(endo/exo-Verhältnis = 3,2 : 1)[7]	48[b]	[3]

[a] Als Base wurde Butyl-lithium verwendet.
[b] Als Base wurde Methyl-lithium verwendet.

---

[1] M. E. VOLPIN, D. N. KURSANOV u. V. G. DULOVA, Tetrahedron 8, 33 (1960).
[2] O. M. NEFEDOV et al., Izv. Akad. Nauk SSSR 1962, 367; C. A. 57, 11041 (1962).
[3] G. L. CLOSS u. L. E. CLOSS, Am. Soc. 82, 5723 (1960).
[4] G. L. CLOSS u. L. E. CLOSS, Am. Soc. 81, 4996 (1959).
[5] G. L. CLOSS u. J. J. COYLE, Am. Soc. 84, 4350 (1962).
[6] G. L. CLOSS u. J. J. COYLE, Am. Soc. 87, 4270 (1965).
[7] Vgl. G. L. CLOSS et al., Am. Soc. 84, 4985 (1962); exakte Konfigurationsaufklärung.

lytische (−45 bis −80°) Zersetzung dieser so zugänglichen Halogen-diazomethane konnten Chlor- bzw. Brom-carben erzeugt werden. Bei Anwesenheit von
Olefinen werden die entsprechenden Monohalogen-cyclopropane erhalten[1−3]:

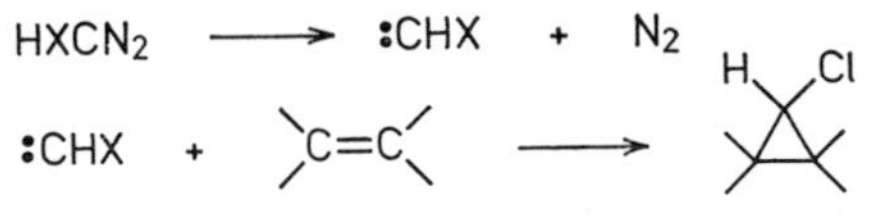

$$HXCN_2 \longrightarrow \; :CHX \; + \; N_2$$

$$:CHX \; + \; \text{>C=C<} \longrightarrow$$

Überraschenderweise werden daneben auch Produkte gefunden, die von einer
Einschiebung des Halogen-carbens in C—H-Bindungen resultieren, und nicht
entstehen, wenn Chlor-carben (oder Chlor-carbenoid) aus Dichlormethan und Alkyl-
lithium erzeugt wird[1−3].

So beobachtete man z. B. bei der Zersetzung von Chlor-diazomethan in Pentan die drei möglichen Einschiebungsprodukte[1]:

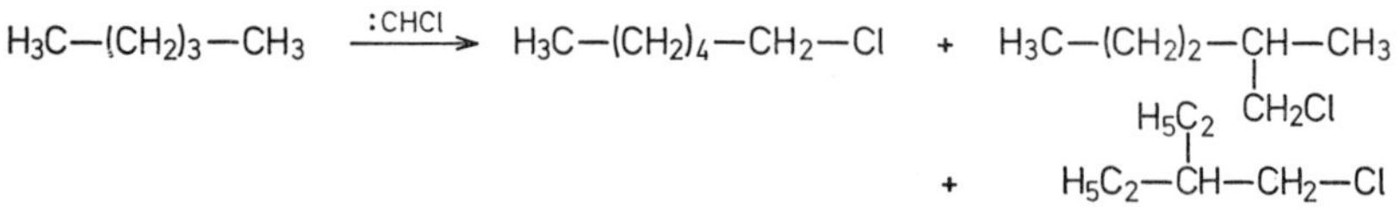

$$H_3C-(CH_2)_3-CH_3 \xrightarrow{\; :CHCl \;} H_3C-(CH_2)_4-CH_2-Cl \; + \; H_3C-(CH_2)_2-\underset{\underset{CH_2Cl}{|}}{\overset{\overset{H_5C_2}{|}}{CH}}-CH_3$$

$$+ \quad H_5C_2-\underset{}{CH}-CH_2-Cl$$

Daß in der Tat aus den Halogen-diazomethanen durch thermische oder photolytische Zersetzung
jeweils ein freies Halogen-carben entsteht, kann angesichts der engen Analogie zu Diazomethan[4,5]
kaum bezweifelt werden.

Chlor-cyclopropane; allgemeine Herstellungsvorschrift:

Chlor-diazomethan[3]: Chlor-diazomethan kann in einer Vielzahl von Lösungsmitteln bereitet
werden. Zur Veranschaulichung der allgemeinen Methode soll hier Pentan als Solvens verwendet
werden. Eine Mischung von 150 ml Pentan und 30 ml 50%iger wäßriger Kalilauge wird in einem
250-ml-Kolben, der mit einem Magnetrührer und einem Gaseinleitungsrohr bestückt ist, auf 0°
abgekühlt. 8,00 g (0,0775 Mol) N-Methyl-N-nitroso-harnstoff[6] werden eingetragen und die
Mischung 45 Min. bei dieser Temp. gerührt. Die Diazomethan-Lösung wird auf −75° abgekühlt
und eine 1 Stde. bei dieser Temp. gehalten. Danach wird die organische Phase durch ein kurzes
Glasrohr in einen zweiten 250-ml-Kolben durch Dekantieren und Anwendung eines geringen
Stickstoffdruckes überführt. Der zweite Kolben ist mit einem Magnetrührer, einem Tieftempera-
turthermometer und einem Tropftrichter mit Trockenrohr versehen. Nach der Benzoesäure-
Methode[6] wird die Diazomethan-Lösung schließlich standardisiert. Zu der 0,36 m Diazomethan-
Lösung wird bei −100° während eines Zeitraumes von 30 Min. eine Mischung von 4,34 g (0,040
Mol) tert.-Butylhypochlorit[7] und 30 ml Fluor-trichlor-methan tropfenweise gegeben. Bereits beim
Aufwärmen auf −40° wird Stickstoff-Entwicklung beobachtet; bei −10° tritt innerhalb 30 Min.
vollständige Zers. des Chlor-diazomethans ein, wie an der Entfärbung der roten Lösung leicht
zu verfolgen ist.

Chlor-cyclopropane[3]: Die Olefine wie Cyclohexen, 2-Methyl-buten-(2), 2,3-Dimethyl-bu-
ten-(2) und ähnliche werden mit einer Lösung von Eisen(III)-sulfat und Schwefelsäure gewaschen,
getrocknet und vor der unmittelbaren Verwendung fraktioniert destilliert. Olefine wie 2-Methyl-
propen, cis- und trans-Buten-(2) können auch ohne weitere Reinigungsoperationen eingesetzt
werden. Diazomethan, erzeugt aus 4 g (0,039 Mol) N-Nitroso-N-methyl-harnstoff in 90–100 ml

[1] G. L. Closs u. J. J. Coyle, Am. Soc. **84**, 4350 (1962).
[2] J. J. Coyle, Dissertation, University of Chicago, 1965.
[3] G. L. Closs u. J. J. Coyle, Am. Soc. **87**, 4270 (1965).
[4] T. G. Pearson, R. H. Purcell u. G. S. Saigh, Soc. **1938**, 409.
[5] F. O. Rice u. A. L. Glasebrook, Am. Soc. **56**, 2381 (1934).
[6] Vgl. F. Arndt, Org. Synth., Coll. Vol. 2, S. 165, J. Wiley & Sons, New York 1943.
[7] C. Walling u. A. Padwa, J. Org. Chem. **27**, 2976 (1962).

Olefin, wird standardisiert und unter Verwendung von 70% der stöchiometrischen Menge an tert.-Butylhypochlorit (2,2 g ≡ 0,02 Mol) chloriert. Zur thermischen Zersetzung von Chlor-diazomethan werden die Lösungen auf Temp. auf −30° gebracht. Nach 2–3 Stdn. wird komplette Entfärbung beobachtet. Zur Photolyse der Chlor-diazomethan-Lösungen werdenen die Mischungen auf ∼ −45° unter Benutzung eines geeigenten Kältebades gebracht. Die Bestrahlung (Lampe: General Electric, Photoflood, PH RFL-2, 500 W) erfordert in den meisten Fällen nur ∼ 45 Min. (Entfärbung). Die erhaltenen Reaktionsmischungen werden dann mit Eiswasser gewaschen, über Natriumsulfat getrocknet und anschließend vom überschüssigen Olefin befreit. Nach fraktionierter Destillation können danach die reinen Chlor-cyclopropane erhalten werden. Im Fall von epimeren Chlor-cyclopropanen erfolgt die Trennung der Isomeren zweckmäßigerweise durch Gaschromatographie. Die Ausbeuten an nach diesem Verfahren hergestellten Chlorcyclopropanen bewegen sich im Bereich zwischen 45 und 55% d.Th. (bez. auf eingesetztes tert.-Butylhypochlorit).

Brom-cyclopropane[1]: Die Bereitung von zur Synthese von Brom-cyclopropanen benötigten Brom-diazomethan-Lösungen erfolgt in der gleichen Weise wie für Chlor-diazomethan (s. S. 218). Die thermische Stabilität von Brom-diazomethan-Lösungen ist vergleichbar mit der des Chlordiazomethans. Eine ∼ 0,25 m Lösung wird nach Aufbewahren bei −10° nach 35–40 Min. völlig entfärbt. Die Herstellung von Brom-cyclopropanen ist bezüglich der Methode, der Menge und auch der Aufarbeitung völlig analog der Chlor-cyclopropan-Synthese (s. oben).

Wie bereits mit Gl. ② (S. 216) formuliert, wurde Chlor-carben als Zwischenstufe der mit Alkyl-lithium-Verbindungen initiierten α-Eliminierung von Dichlormethan postuliert[2,3]. Dieses Postulat wurde insbesondere durch die Ergebnisse der Produktanalyse von verschiedenen Reaktionen mit binären Olefin-Gemischen nahegelegt[4]. Zum anderen ergab sich ein eindeutig elektrophiler Angriff auf die entsprechenden Olefine, der mit dem Grad der Alkylsubstitution variiert, wobei die hier betrachtete Spezies eine Mittelstellung zwischen Methylen und Dichlormethylen einnimmt[4]. Die Tab. 25, 26 (S. 220) zeigen deutlich, daß bezüglich der Reaktivität signifikante Unterschiede für die verschiedenen Zwischenstufen, die aus Chlor-diazomethan thermisch oder aus Dichlormethan durch α-Eliminierung gebildet werden, existieren[1]. Während bei beiden Reaktionen aus Olefinen Chlor-cyclopropane gebildet werden, geht die ausgeprägt hohe Stereoselektivität, die für die α-Eliminierungsreaktion beobachtet wurde (relative große syn/anti-Verhältnisse) weitgehend verloren, wenn mit Chlor-diazomethan gearbeitet wird. Aus den Konkurrenzdaten für verschiedene Olefine geht außerdem hervor, daß bei der α-Eliminierung eine weniger reaktive Zwischenstufe entstehen sollte[1]. In Einklang mit diesen Beobachtungen steht auch die Tatsache, daß bei der Thermolyse von Chlor-diazomethan Insertions-Produkte erhalten werden (s. oben).

Es gibt nun mindestens drei verschiedene Erklärungsmöglichkeiten für das unterschiedliche Verhalten der intermediär auftretenden Spezies:

① Durch Thermolyse oder Photolyse von Chlor-diazomethan entstehen energetisch angeregte Zwischenstufen, während sich bei der α-Eliminierung die gebildete Zwischenstufe mit der Umgebung im thermischen Gleichgewicht befindet.

Die Beobachtung, daß die Addition von Chlormethylen an eine Doppelbindung gegenüber einer C—H-Insertion um den Faktor 100 begünstigt ist, impliziert sofort viele Kollisionen (erfolglose) vor dem Beginn der Insertion[1]. Die Reaktion mit Pentan ist ∼ 100mal langsamer als die

[1] G. L. Closs u. J. J. Coyle, Am. Soc. **87**, 4270 (1965).
[2] G. L. Closs u. L. E. Closs, Am. Soc. **81**, 4996 (1959).
[3] G. L. Closs u. L. E. Closs, Am. Soc. **82**, 5723 (1960).
[4] G. L. Closs u. G. M. Schwartz, Am. Soc. **82**, 5729 (1960).

Addition an die C=C-Doppelbindung des *cis*-Buten-(2). Pro Bindungstyp wird ein Wert von ~ 600 für das Verhältnis von Addition zu Insertion in die sek. C—H-Bindungen und ein Wert von ~ 12000 für das Verhältnis von Addition zu Insertion in die prim. C—H-Bindungen gefunden. Zum anderen muß aus der „nonzero"-Aktivierungsbarriere der Addition geschlossen werden, daß die Zahl der für die Einschiebung notwendigen Kollisionen sehr viel größer sein muß, als durch die relativen Geschwindigkeiten der Reaktion mit den C—H- und den C=C-Bindungen. nahegelegt wird. Sicher sind hier Translations- und Vibrations-Relaxation viel wirksamer. Die

Tab. 25. Isomerenverhältnisse[1] von Halogen-cyclopropanen (*syn/anti*), hergestellt aus Olefin und Dichlormethan/Butyl-lithium bzw. durch Thermolyse von Halogen-diazomethanen bei —30°

Olefin-Akzeptor	Reaktanten				
	CH_2Cl_2/RLi[2]	ClCHN$_2$		BrCHN$_2$	
2-Methyl-buten-(2)	1,6	1,0	*3-Chlor-1,1,2-trimethyl-cyclopropan*	—	—
Cyclohexen	3,2	1,0	*7-Chlor-bicyclo[4.1.0] heptan*	1,0	*7-Brom-bicyclo [4.1.0]heptan*
cis-Buten-(2)	5,5	1,0	*3-Chlor-1,2-dimethyl-cyclopropan*	1,0	*3-Brom-1,2-dime-thyl-cyclopropan*
Buten-(1)	3,4	1,0	*2-Chlor-1-äthyl-cyclo-propan*	1,0	*2-Brom-1-äthyl-cyclopropan*

Tab. 26. Relative Geschwindigkeiten der Halogen-cyclopropan-Bildung aus Olefinen[1]

Olefine	Reagentien				
	CH_2Cl_2/RLi[2,d]	ClCHN$_2$[a]		BrCHN$_2$[a]	
2,3-Dimethyl-buten-(2)	2,81	1,20	*3-Chlor-1,1,2,2-tetra-methyl-cyclopropan*	1,18 (1,21)[b]	*3-Brom-1,1,2,2-te-tramethyl-cyclo-propan*
2-Methyl-buten-(2)	1,78	1,18	*3-Chlor-1,1,2-trimethyl-cyclopropan*	—	—
trans-Buten-(2)	0,45	1,09	*3-Chlor-1,2-dimethyl-cyclopropan*	1,10	*3-Brom 1,2-dime-thyl-cyclopropan*
cis-Buten-(2)	0,91	0,99	*3-Chlor-1,2-dimethyl-cyclopropan*	1,02	*3-Brom-1,2-dime-thyl-cyclopropan*
2-Methyl-propen	1,00	1,00	*2-Chlor-1,1-dimethyl-cyclopropan*	1,00	*2-Brom-1,1-dime-thyl-cyclopropan*
Buten-(1)	0,23[c]	0,74 (0,77)[b]	*2-Chlor-1-äthyl-cyclo-propan*	0,75	*2-Brom-1-äthyl-cyclopropan*

[a] Thermolyse der Halogen-diazomethane bei −30°
[b] gemessen in Konkurrenz mit *trans*-Buten-(2)
[c] relative Geschwindigkeit der Addition zu Penten-(1)
[d] Reaktionstemp.: −35°

[1] G. L. Closs u. J. J. Coyle, Am. Soc. **87**, 4270 (1965).
[2] Vgl. hierzu: G. L. Closs u. G. M. Schwartz, Am. Soc. **82**, 5729 (1962).

elektronische Relaxation sollte auch komplett sein, es sei denn, daß die Molekel in einem lang-lebigen, metastabilen Zustand gehalten würde. Diese Betrachtungen werden durch die Beobach-tungen gestützt, daß bei 100facher Verdünnung des *cis*-Buten-(2) mit Pentan keine Änderung des *syn/anti*-Verhältnisses der resultierenden Cyclopropan-Derivate eintritt[1,2].

② Oder aber es entsteht aus Dichlormethan und Alkyl-lithium ein Carben, das zu-sammen mit dem abgespaltenen Lithiumchlorid in einem Solvenskäfig verbleibt und durch die Nachbarschaft von Lithiumchlorid weniger reaktiv ist als wenn es von Lithiumchlorid durch Solvensmoleküle getrennt wäre:

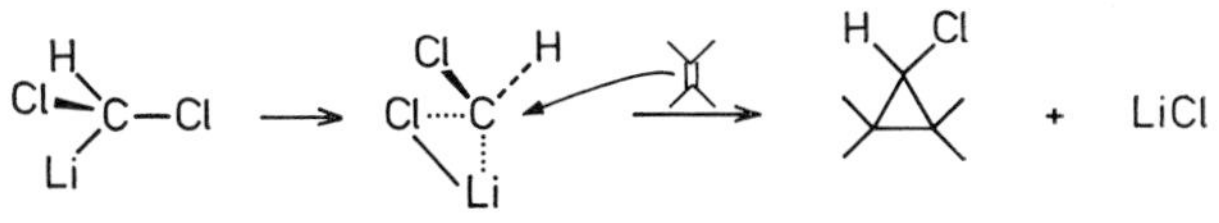

③ Schließlich sind die Unterschiede auch so zu erklären, daß bei der Thermolyse und Photolyse von Halogen-diazomethanen „freie" Carbene gebildet werden, während bei der α-Eliminierung von Dichlormethan Dichlormethyl-lithium als carbenoide Zwischenstufe entsteht:

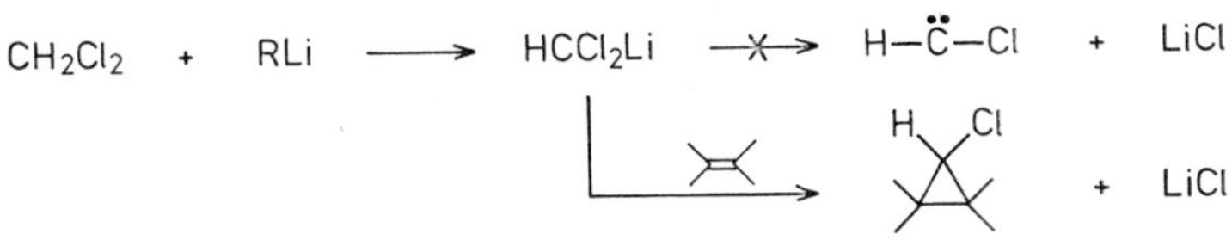

Für eine ganze Anzahl von Reaktionen wurde festgestellt bzw. postuliert, daß α-Halogen-metallorganyle (Carbenoide) carben-ähnliche ja sogar carben-typische Reaktionen eingehen können, ohne daß überhaupt ein Zerfall in „freie" Carbene erfolgt[3]. Außerdem konnte auch Dichlormethyl-lithium durch Metallierung von Dichlormethan bei −110° hergestellt werden[4].

In Analogie zu bekannten Vorstellungen[5] könnte man annehmen, daß das Olefin wie in einer S_N2-Reaktion das Lithiumchlorid aus dem Dichlormethyl-lithium verdrängt:

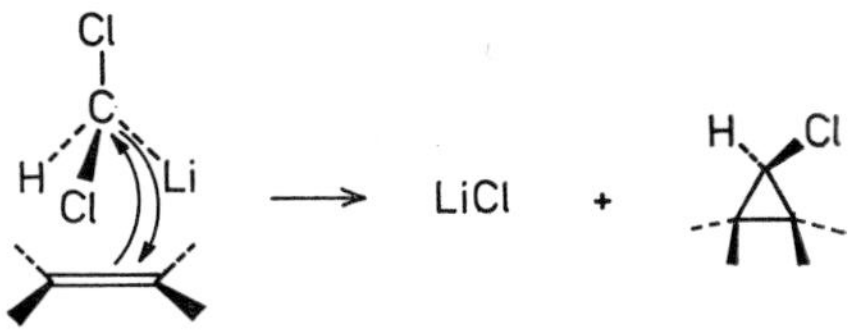

[1] G. L. CLOSS u. J. J. COYLE, Am. Soc. **87**, 4270 (1965).
[2] Y. TANG u. F. S. ROWLAND, Am. Soc. **87**, 1625 (1965), konnten Tritio-chlor-carben in der Gasphase erzeugen. Die beobachteten Reaktivitäten dieser Spezies entsprechen weit-gehend denen des aus Chlor-diazomethan erzeugten Chlor-carbens.
[3] Vgl. etwa:
   H. E. SIMMONS u. R. D. SMITH, Am. Soc. **80**, 5323 (1958).
   G. WITTIG u. K. SCHWARZENBACH, A. **650**, 1 (1961).
   G. L. CLOSS u. L. E. CLOSS, Ang. Ch. **74**, 431 (1962).
   H. E. SIMMONS u. E. P. BLANCHARD, Am. Soc. **86**, 1337 (1964).
   G. L. CLOSS u. R. A. MOSS, Am. Soc. **86**, 4042 (1964).
   W. KIRMSE, Ang. Ch. **77**, 1 (1965).
   G. KÖBRICH u. W. DRISCHEL, Tetrahedron **22**, 2621 (1966).
   G. KÖBRICH et al., Ang. Ch. **79**, 15 (1967).
[4] G. KÖBRICH et al., Ang. Ch. **76**, 536 (1964).
[5] H. E. SIMMONS u. E. P. BLANCHARD, Am. Soc. **86**, 1337 (1964).

Eine solche Reaktionsformulierung, bei der gleichzeitig mit der Chlormethylen-Übertragung eine Lithiumchlorid-Bindung geknüpft wird, hat jedoch den Nachteil, daß das Lithium vom Chloratom ~ doppelt so weit entfernt ist wie es dem Bindungsabstand entspricht. Daher scheint der folgende Mechanismus plausibler:

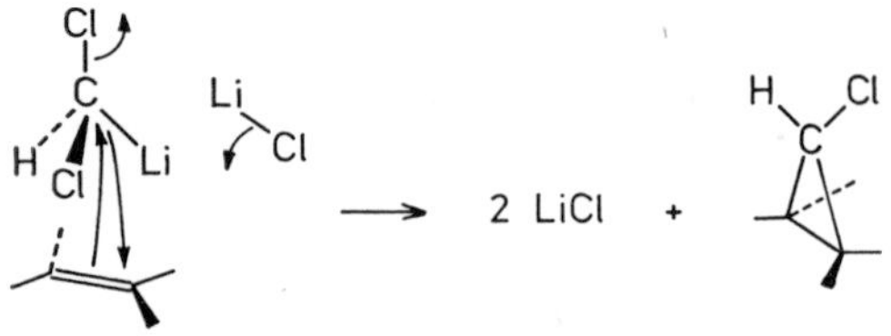

Obgleich ein katalytischer Einfluß des Lithiumchlorids bislang nicht festgestellt worden ist, schließen die Beschreibungen der bekannt gewordenen Experimente eine solche Möglichkeit nicht aus. So ist z. B. bemerkenswert, daß bei einer ähnlichen Methylen-Übertragung mit Jodmethylzinkjodid[1] (s. a. S. 126 ff.), bei der sicher kein freies Methylen auftritt ein katalytischer Einfluß von Zinkchlorid festgestellt worden ist. Bei der Synthese von Alkoxy-cyclopropanen durch lithiumorganisch hervorgerufene Carben-Übertragungen (s. S. 238 ff.) wurde auch eine katalytische Wirkung von Lithiumjodid beobachtet[2].

Zu einer eindeutigen Aufklärung des Reaktionsmechanismus der Alkyl-lithium/Dichlormethan-Reaktion sowie zur Beurteilung der Reaktivitätsunterschiede der verschieden erzeugten Spezies bedarf es jedoch noch weiterer Experimente. Im folgenden soll hier der Einfachheit halber weiter von Chlor- bzw. Brom-carben gesprochen werden.

Nicht nur das aus Chlor-diazomethan, sondern auch das auf lithiumorganischem Wege erzeugte Chlor-carben ist reaktiver als Dichlor- und Dibrom-carben. In Konkurrenzversuchen mit binären Olefin-Gemischen ist nämlich das aus Chlor-diazomethan erzeugte Chlor-carben am wenigsten selektiv[3], lithiumorganisch erzeugtes Chlor-carben ist selektiver[4], und am selektivsten sind Dibrom- und Dichlor-carben[5,6]. Tab. 27 (S. 223) zeigt einen Vergleich der relativen Additionsgeschwindigkeiten von Chlor-carben und Dichlor-carben an Alkene.

Ganz augenfällig zeigt sich die im Vergleich zum Dichlor-carben erhöhte Reaktivität des Chlor-carbens bei der Reaktion mit Benzol. Während mit Dichlor-carben keine Addition zu erzielen ist, entstehen aus Benzol bei Behandlung mit Dichlor-, Dibrombzw. Dijodmethan und Kalium-tert.-butanolat nach saurer Extraktion Tropyliumhalogenide in bescheidenen Ausbeuten[7]. Wird das Chlor-carben aus Dichlormethan und Methyl-lithium erzeugt, so wird als Hauptprodukt 7-*Methyl-cycloheptatrien-(1,3,5)* (II) in 20%iger Ausbeute erhalten[8]. Offensichtlich reagiert das intermediär entstandene Tropyliumchlorid (I) sofort mit noch vorhandenem Methyllithium:

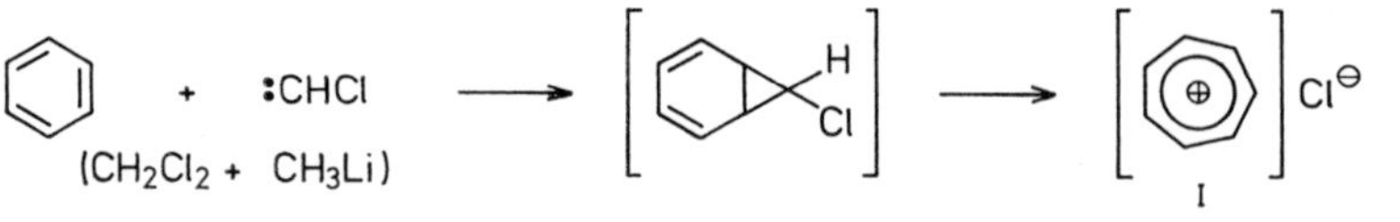

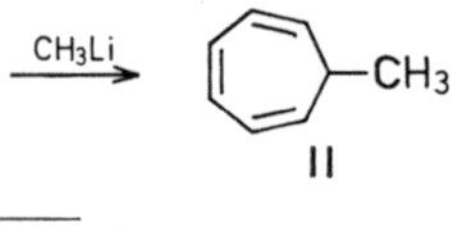

[1] Vgl.: F. Wingler, Dissertation, Universität Heidelberg, 1963.
[2] U. Schöllkopf u. J. Paust, Ang. Ch. **75**, 670 (1963).

(Fortsetzung s. S. 223)

Tab. 27. Relative Geschwindigkeiten der Addition von Chlor-carben und Dichlor-
carben an Olefine[1] (10facher Olefin-Überschuß)

	$\log(k/k_0) : CHCl$ (korr.)	$\log(k/k_0) : CCl_2$
2,3-Dimethyl-buten-(2)	0,45	0,81
2-Methyl-buten-(2)		0,45
cis	0,34	
trans	0,14	
2-Methyl-propen	0,00	0,00
Cyclohexen		0,92
cis	−0,04	
trans	−0,55	
Penten-(1)		−1,78
cis	−0,45	
trans	−1,00	

Die Addition von Chlor-carben an Olefine ist stereochemisch eine *cis*-Addition,
gleichgültig, ob es aus Chlor-diazomethan oder auf lithiumorganischem Wege erzeugt
wird. Das heißt, daß z. B. aus *cis*-Buten-(2) nur folgende zwei Isomeren entstehen[2,3]:

3-Chlor-1,2-dimethyl-cyclopropan

Bei Chlor-carben, das aus Chlor-diazomethan erzeugt wurde, entstehen die beiden
Isomeren im Verhältnis[3] 1:1 und bei auf lithiumorganischem Wege erzeugtem – bekanntlich selektiverem – Chlor-carben im Verhältnis 1:5,5. Zunächst wurde angenommen, daß das in höherer Ausbeute anfallende Produkt die *exo*-Konfiguration
besitzt[2,4], aber eine exakte Konfigurationsaufklärung durch Synthese auf unabhängigem Wege ergab, daß das *endo*-konfigurierte Cyclopropan-Derivat in höherer

[1] G. L. Closs u. G. M. Schwartz, Am. Soc. **82**, 5729 (1960).
[2] G. L. Closs u. L. E. Closs, Am. Soc. **82**, 5723 (1960).
[3] G. L. Closs u. J. J. Coyle, Am. Soc. **84**, 4350 (1962).
[4] Vgl. E. E. Schweizer u. W. E. Parham, Am. Soc. **82**, 4085 (1960).

(Fortsetzung v. S. 222)
[3] G. L. Closs u. J. J. Coyle, Am. Soc. **84**, 4350 (1962).
[4] G. L. Closs u. L. E. Closs, Am. Soc. **82**, 5729 (1960).
[5] W. v. E. Doering u. W. A. Henderson, Am. Soc. **80**, 5274 (1958).
[6] P. S. Skell u. A. Y. Garner, Am. Soc. **78**, 5430 (1956).
[7] M. E. Volpin, D. N. Kursanov u. V. G. Dulova, Tetrahedron **8**, 33 (1960).
[8] G. L. Closs u. L. E. Closs, Tetrahedron Letters **1960**, 38.

Ausbeute entsteht[1]. Die bevorzugte Bildung der stärker gehinderten Produkte ist auch bei der Addition anderer Carbene an Olefine beobachtet worden[2]. Diese Tatsache könnte auf eine beträchtliche Ladungsseparierung des Übergangszustandes zurückgeführt werden[1]; andererseits muß auch die mögliche Inkorporierung eines Lithiumhalogenid-Moleküls in den Übergangszustand nicht außer Acht gelassen werden.

Zunächst sei noch die Reaktion des hypothetischen, aus Dichlormethan und Alkyllithium erzeugten Chlor-carbens mit Alkyl-lithium erwähnt, die zum mindesten als Nebenreaktion stattfindet, auch wenn ein anderer Akzeptor für das Chlor-carben vorhanden ist, und die in Abwesenheit eines solchen zur Hauptreaktion wird:

$$:CHCl + RLi \rightarrow RCHLiCl \rightarrow R-\overset{..}{C}-H + LiCl$$

Es werden dann als Folgeprodukte der Alkyl-carbene charakteristische Verbindungen isoliert, die im Abschnitt Alkyl-carbene (s. S. 228ff.) gesondert besprochen werden.

In Anbetracht der höheren Reaktivität von Chlor-carben im Verhältnis zu Dichlor-carben ist bemerkenswert, daß sich mit Dichlormethan, Methyl-lithium und Lithiumphenolat keine Reimer-Tiemann-Synthese durchführen läßt. Bei der Reaktion von Lithiumphenolat mit Chlor-carben aus Dichlormethan und Methyllithium kommt es zur Bildung von 6-Oxo-5-methyl-cycloheptadien-(1,3) (II) und des Methyl-tropylium-Ions (III), wobei diese Produkte als Ergebnis einer Folgereaktion des intermediär auftretenden Tropons (I) mit noch vorhandenem Methyl-lithium betrachtet werden müssen[3]. Aus Lithium-2-methylphenolat wird in ganz ähnlicher Weise 6-Oxo-5,7-dimethyl-cycloheptadien-(1,3) erhalten[3]. Im Fall des Lithium-2,6-di-tert.-butyl-phenolats (IV) verhindern die stark raumbeanspruchenden ortho-Substituenten eine Addition von Methyl-lithium, so daß 2,7-Di-tert.-butyl-tropon (V) (70% d.Th.) isoliert wird[3]:

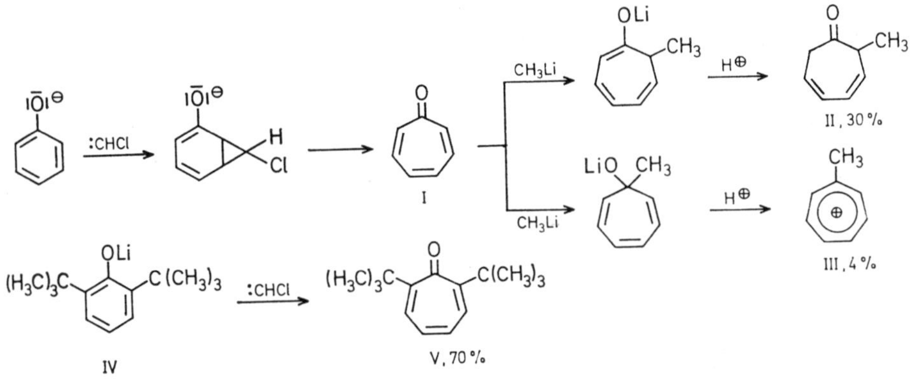

[1] G. L. Closs, R. A. Moss u. J. J. Coyle, Am. Soc. 84, 4985 (1962).

[2] Vgl. W. Kirmse, Carbene Chemistry, Kap. 5 u. 9, Academic Press, Inc., New York · London 1964.

[3] G. L. Closs u. L. E. Closs, Am. Soc. 83, 599 (1961).

Die Reaktionen von lithiumorganisch erzeugtem Chlor-carben mit Pyrrol und Indol führen unter Ringerweiterung zu *Pyridin* (32%) bzw. zu *Chinolin* (13%)[1]:

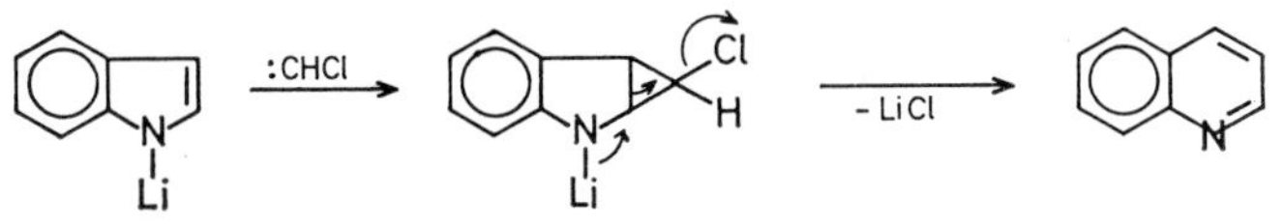

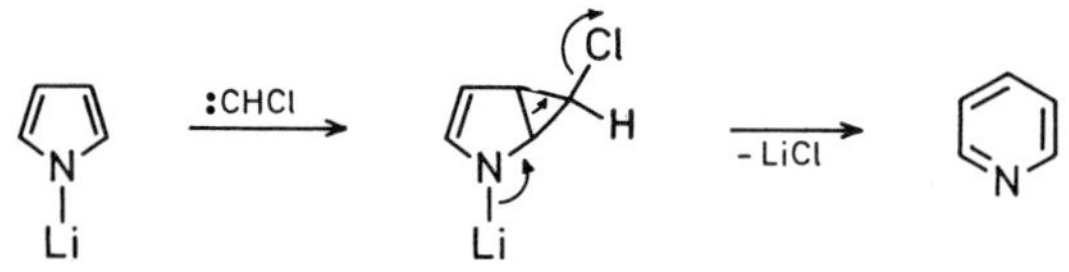

Bei der Reaktion von Cyclooctatetraen mit Dichlormethan und Methyl-lithium wird eine 3:1-Mischung von *syn*- und *anti-9-Chlor-bicyclo[6.1.0]nonatrien-(2,4,6)* (IIa und IIb) erhalten[2]. Der Zugang zu II ist auch ausgehend von Cyclooctatetraenyl-dikalium (III) mit Chloroform möglich[3], während aus III mit Dichlormethan in Tetrahydrofuran *Bicyclo[6.1.0]nonatrien-(2,4,6)* (IV) gebildet wird[3].

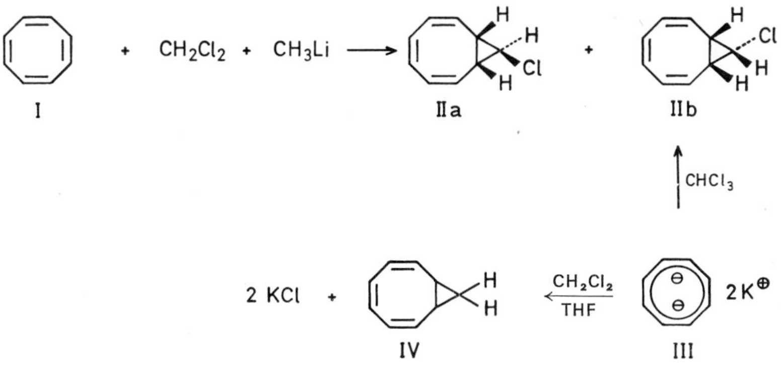

Gegenüber Butadien verhält sich Chlor-carben wie Dichlor-carben[4].

Ob bei der Reaktion von Triphenylsilyl-lithium mit Dichlormethan wirklich intermediär Chlor-carben gebildet wird, bleibt unklar, da keine positive Abfangreaktion mit Cyclohexen erreicht werden konnte[5].

In neuerer Zeit sind einige Arbeiten bekannt geworden, die über Anomalien bei der Reaktion von Dichlormethan, Olefinen und Methyl-lithium berichteten, so-

[1] G. L. CLOSS u. G. M. SCHWARTZ, J. Org. Chem. **26**, 2609 (1961).
[2] E. A. LaLANCETTE u. R. E. BENSON, Am. Soc. **85**, 2853 (1963).
[3] T. J. KATZ u. P. J. GARRATT, Am. Soc. **85**, 2852 (1963).
[4] A. F. PLATE u. O. A. SHEHERBAKOVA, Neftekhimiya 3, (2), 276 (1963); C. A. **59**, 8613 (1963).
[5] H. GILMAN u. D. AOKI, Chem. & Ind. **1960**, 1165.

fern das benutzte Methyl-lithium aus Methyljodid hergestellt wurde[1-5]. Da auch bei weitgehend ähnlichen Reaktionen mit Methyl-lithium der Anwesenheit von Jodid-Ionen Bedeutung zugemessen werden mußte[6], schien eine systematische Untersuchung der lithiumorganischen Halogen-carben-Übertragung bezüglich ihres normalen und anormalen Ablaufes wünschenswert[7].

Während bei der Reaktion von Styrol, Dichlormethan und Butyl-lithium, das aus Butylbromid hergestellt wurde, die erwarteten *cis-* und *trans-2-Chlor-1-phenyl-cyclopropane* entstanden[3], wurde bei Verwendung von, aus Methyljodid bereitetem Methyl-lithium hingegen *Phenyl-cyclopropan* und *cis-2-Methyl-1-phenyl-cyclopropan*[4,8] gebildet, und die Chlor-phenyl-cyclopropane waren nicht einmal in Spuren nachzu-weisen[3].

Bei der Reaktion von Cyclooctatetraen mit Dichlormethan und Methyl-lithium, das aus Methyljodid hergestellt worden ist, wurde als einziges Produkt *cis-9-Methyl-bicyclo[6.1.0]nonatrien* isoliert, während bei Verwendung von aus Methyl-bromid bereitetem Methyl-lithium eine Mischung der *cis-* und *trans-9-Chlor-bicyclo[6.1.0]nonatriene* (s. S. 225) erhalten wird, die außerdem noch geringe Mengen des *9-Methyl*-Derivates enthielt[5].

Um nun den Einfluß von Halogenid-Ionen – speziell von Jodid-Ionen – zu stu-dieren, wurden die Reaktionen von Cyclohexen mit Methyl-lithium, das aus ver-schiedenen Methylhalogeniden hergestellt wurde, untersucht[7]:

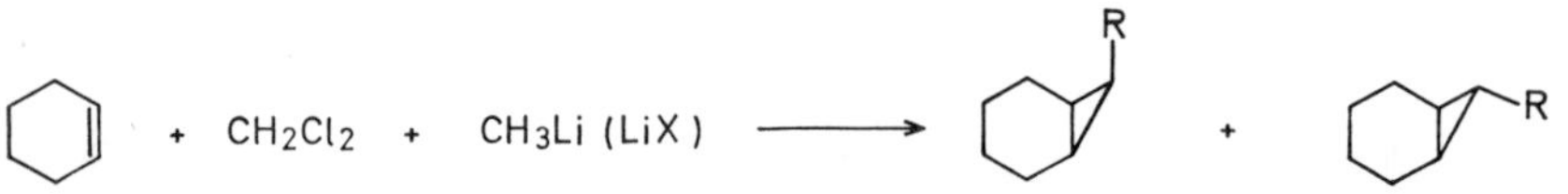

I, III, V, VII   II, IV, VI, VII

R = Cl; I; II;   *7-Chlor-bicyclo[4.1.0]heptan*
     CH₃; III; IV; *7-Methyl-bicyclo[4.1.0]heptan*
     Br; V; VI;   *7-Brom-bicyclo[4.1.0]heptan*
     H; VII;   *Bicyclo[4.1.0]heptan*

Tab. 28 (S. 227) zeigt die erhaltenen Ergebnisse[9].

Außerdem wurde die Reaktion von Dichlormethan und Methyl-lithium (aus Methyljodid) mit 2,3-Dimethyl-buten-)2) überprüft[9]:

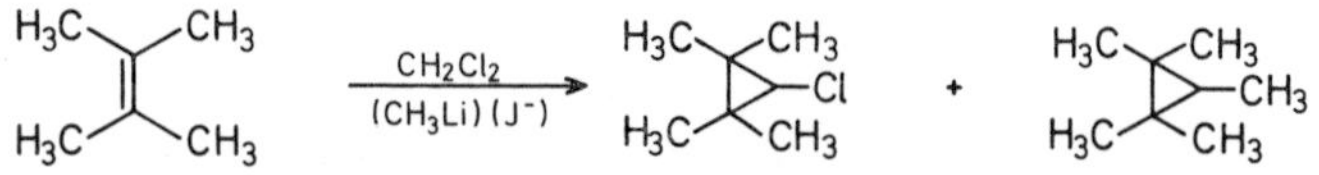

VIII, 6 %   IX, 8 %

[1] W. L. Dilling u. F. Y. Edamura, Tetrahedron Letters **1967**, 587.
[2] W. L. Dilling u. F. Y. Edamura, Chem. Commun. **1967**, 183.
[3] W. L. Dilling, J. Org. Chem. **29**, 960 (1964).
[4] R. A. Moss, J. Org. Chem. **30**, 3261 (1965).
[5] T. J. Katz u. P. J. Garratt, Am. Soc. **86**, 4876 (1964).
[6] Vgl. etwa:
    U. Schöllkopf u. J. Paust, Ang. Ch. **75**, 670 (1963); B. **98**, 2221 (1965).
    G. L. Closs u. J. J. Coyle, J. Org. Chem. **31**, 2759 (1966).
    E. T. Marquis u. P. D. Gardner, Chem. Commun. **1966**, 726.
[7] W. L. Dilling u. F. Y. Edamura, J. Org. Chem. **32**, 3492 (1967).
[8] G. L. Closs u. R. A. Moss, Am. Soc. **86**, 4042 (1964).
[9] W. L. Dilling u. F. Y. Edamura, J. Org. Chem. **32**, 3492 (1967).

Tab. 28. Ausbeuten [% d.Th.] an Bicyclo[4.1.0]heptan(Norcaran)-Derivaten aus Cyclohexen, Dichlormethan und Methyl-lithium[1,a]

(vgl. Übersichtsschema S. 228, sowie das Formelschema auf S. 226 Mitte)

Quelle für CH_3Li	I	II	III	IV	V	VI	VII	
	cis-Cl	trans-Cl	cis-CH_3	trans-CH_3	cis-Br	trans-Br	cis-H	CH_2I_2
CH_3Cl + Li	28	13	1	1	—	—	—	—
CH_3Br + Li	26	12	3	2	1[b]	1	—	—
CH_3I + Li	3	1	19	12	—	—	1	—[c]
CH_3Cl + Li[d]	3	1	11	4	—	—	1	15[e]

[a] Die Reaktionen wurden durch Zugabe von 1,0–1,7 m ätherischem Methyl-lithium zu einem Überschuß an Cyclohexen und Dichlormethan bei 5–15° durchgeführt. Die Ausbeuten an Norcaran-Derivaten sind auf Methyl-lithium bezogen; die Ausbeute an Dijodmethan ist auf zugesetztes Lithiumjodid bezogen.

[b] Die Bildung von Brom-cyclopropanen in einer ähnlichen Reaktion ist von C. W. JEFFORD u. R. MEDARY, Tetrahedron Letters 1966, 2069, 2792, mitgeteilt worden.

[c] Weniger als 0,5%.

[d] 1 Mol Lithiumjodid pro 1 Mol Methyl-lithium zugesetzt.

[e] In gesonderten Kontrollexperimenten wurde Dijodmethan in 10% Ausbeute durch Reaktion von Dichlormethan, Lithiumjodid und aus Methylchlorid bereitetem Methyl-lithium erhalten. Es wurden weder bei der Reaktion von Dichlormethan mit Lithiumjodid in Abwesenheit von Methyl-lithium noch bei der Reaktion von Dichlormethan und Methyl-lithium aus Methyljodid Spuren von Dijodmethan erhalten.

Außer VIII (*3-Chlor-1,1,2,2-tetramethyl-cyclopropan*; S. 226) und IX (*Pentamethyl-cyclopropan*) wurde dabei noch eine geringe Menge von Chlor-jod-methan gefunden; Spuren von 1,1,2,2-Tetramethyl-cyclopropan oder Dijodmethan waren jedoch nicht nachweisbar[1]. VIII ist hingegen mit 67% Ausbeute das einzig isolierbare Produkt, wenn mit aus dem Chlorid bereiteten Butyl-lithium gearbeitet wird[2].

Die in Tab. 28 zusammengestellten Daten zeigen, daß das Jodid-Ion in der Tat für die Änderung des Verlaufes der carbenoiden Additionsreaktionen verantwortlich zu machen ist, wobei das sowohl für seine Bildung aus Methyljodid und Lithium wie auch für den Fall der externen Salz-Zugabe gilt. Die verschiedenen Quellen für das Jodid-Ion geben jedoch nicht zu identischen Reaktionen Anlaß[1].

Mit dem nachfolgenden Schema (s. S. 228) wurde ein Versuch unternommen, die Vielfalt der Reaktionen zu erklären[1].

Auch die analoge Reaktion mit Bromoform ist studiert worden[1] (s. S. 228).

Bei Ausdehnung der Synthesen von geminalen Dihalogen-cyclopropanen aus Olefinen unter Anwendung von (Brom-dihalogen-methyl)-phenyl-quecksilber-Verbindungen[3–6] (s. S. 176f.) wurde festgestellt[7], daß [Chlor-brom-methyl (bzw. Dibrommethyl)]-phenyl-quecksilber zur Monohalogen-carben-Übertragung

---

[1] W. L. DILLING u. F. Y. EDAMURA, J. Org. Chem. **32**, 3492 (1967).

[2] G. L. CLOSS u. L. E. CLOSS, Am. Soc. **82**, 5723 (1960).

[3] D. SEYFERTH, J. M. BURLITCH u. J. K. HEEREN, J. Org. Chem. **27**, 1491 (1962).

[4] D. SEYFERTH et al., J. Org. Chem. **28**, 1163 (1963).

[5] D. SEYFERTH u. J. M. BURLITCH, Am. Soc. **86**, 2730 (1964).

[6] D. SEYFERTH et al., Am. Soc. **87**, 4259 (1965).

[7] D. SEYFERTH, H. D. SIMMONS u. G. SINGH, J. organometal. Chem. **3**, 337 (1965).

auf Olefine unter Bildung der entsprechenden Monohalogen-cyclopropane geeignet sind. So wurden *7-Brom-* und *7-Chlor-bicyclo[4.1.0]heptan* in 86 bzw. 95%iger Ausbeute erhalten[1]:

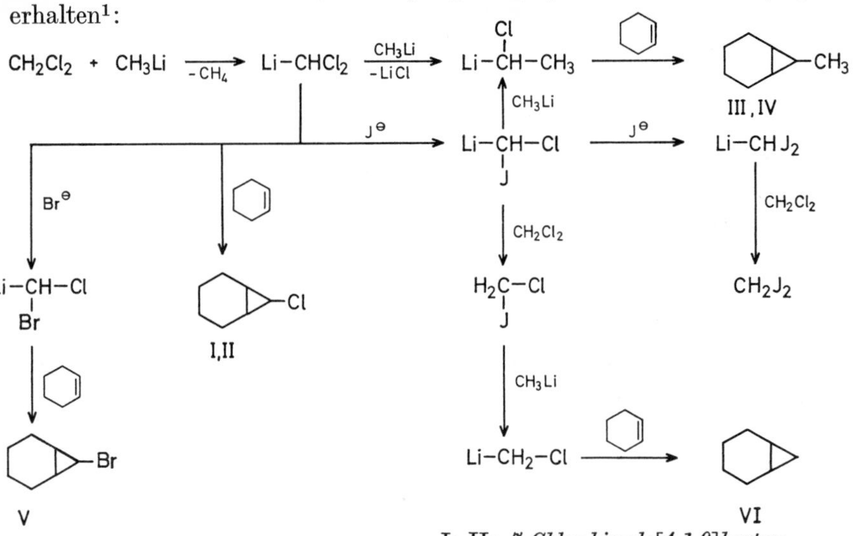

I; II;   *7-Chlor-bicyclo[4.1.0]heptan*
III; IV;   *7-Methyl-bicyclo[4.1.0]heptan*
V;   *7-Brom-bicyclo[4.1.0]heptan*
VI;   *Bicyclo[4.1.0]heptan (Norcaran)*

Das Verfahren dürfte wegen des Wegfalls stark basischer Reaktionsbedingungen bei der Monohalogencarben-Übertragung im allgemeinen und im besonderen wegen der wenig zufriedenstellenden Brom-carben-Übertragung nach O. M. Nefedov[2] in der Zukunft von Interesse sein.

β) Cyclopropanierung mit Alkyl- und Aryl-halogen-carbenen

Alkyl-halogen-carben-Übertragungen auf Olefine haben im Gegensatz zu den Aryl-halogen-carben-Übertragungen zum Zwecke der Cyclopropanierung kaum Bedeutung erlangt[3]. Die Bildung von **Alkyl-halogen-carbenen** im Zuge von α-Eliminierungen und ihre Cyclopropan-Bildung ohne olefinisches Substrat wird an anderer Stelle beschrieben (s. S. 333 ff.).

Die Bildung von **Phenyl-chlor-carben** als Zwischenstufe ist für die Reaktionen von **Phenyl-dichlor-methan und starken Basen** postuliert worden. 1-Chlor-1-phenyl-cyclopropane, die Addukte dieses hypothetischen Carbens mit olefinischen Doppelbindungen, sind bei Verwendung von Kalium-tert.-butanolat[4] oder Methyl-lithium[5] als Basen in Ausbeuten zwischen 20 und 70% erhalten worden:

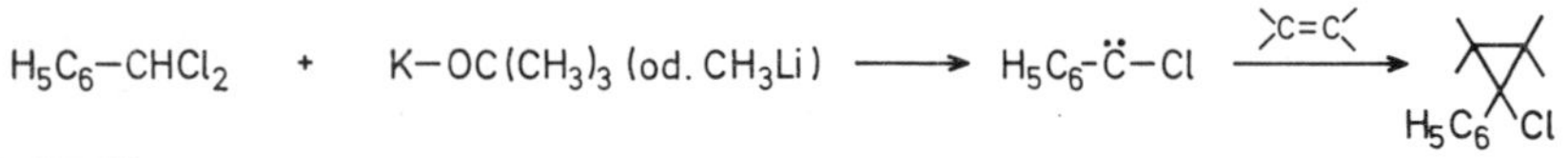

---

[1] Es werden hier *cis/trans*-Gemische im mittleren Verhältnis 1,15:1 erhalten.

[2] O. M. NEFEDOV et al., Izv. Akad. SSSR **1962**, 367; C. A. **57**, 11041 (1962).

[3] Methyl-chlor-carben erhielten kürzlich R. A. Moss u. A. MAMANTOV, Am. Soc. **92**, 6951 (1970) durch Photolyse von Methyl-chlor-diazirin (λ > 300 nm) in 2,3-Dimethyl-buten-(2), 2-Methyl-buten-(2), Isobuten, *cis-* und *trans*-Buten-(2), wobei Additition zu den erwarteten Cyclopropanen eintrat. Die Addition an *cis-* und *trans*-Buten-(2) verlief stereospezifisch. Durch Umlagerung von Methyl-chlor-carben wurde gleichzeitig Vinylchlorid gebildet.

[4] S. M. McELVAIN u. P. L. WEYNA, Am. Soc. **81**, 2586 (1959).

[5] R. A. Moss, J. Org. Chem. **27**, 2683 (1962).

Außer zur Herstellung von Chlor-phenyl-cyclopropanen hat sich diese Reaktions-folge auch zur Herstellung von Cyclopropenylium-Kationen (s. S. 769ff.) mit Erfolg benutzen lassen[1].

Nachdem die Stereochemie der Chlor- und Phenyl-carben-Übertragung bekannt war[2-5], wurden die stereochemischen Aspekte der Phenyl-chlor-carben-Über-tragung auf Olefine studiert[6]. Für Chlor- und Phenyl-methylen wurde gefunden, daß beide Substituenten einen *syn*-dirigierenden Einfluß ausüben, der sich in einer bevorzugten Bildung desjenigen Produktes bemerkbar macht, das die größere An-zahl von Alkyl-Gruppen in *cis*-Stellung zum Substituenten trägt. Dabei zeigte sich, daß der *syn*-dirigierende Effekt des Chlors etwas größer als der des Phenyl-Restes ist.

Tab. 29 zeigt, daß auch beim Phenyl-chlor-carben die relativen Effekte der beiden einzel-nen Substituenten weitgehend erhalten bleiben[6]. Die Stereochemie hängt nicht von der Art der zur Erzeugung des Carbens oder Carbenoids benutzten Base ab. Es muß jedoch einschrän-kend gesagt werden, daß sich die Kalium-tert.-butanolat-Reaktion wegen eines Unterschiedes von annähernd 100° in der Reaktionstemp. auch nicht direkt mit der Methyl-lithium-Reak-tion vergleichen läßt. Die beobachtete einfache Additivität der Effekte der beiden Substituenten spricht auch hier für die schon früher ausgesprochene Hypothese[4], daß der sterische Ablauf der Reaktion im wesentlichen auf die Wechselwirkung der olefinischen Alkyl-Gruppen mit den Sub-stituenten am Carben- bzw. Carbenoid-Kohlenstoff zurückzuführen ist und daß andere sterische Effekte von untergeordneter Bedeutung sind[6].

Tab. 29. Isomerenverhältnisse von 1-Chlor-1-phenyl-cyclopropanen, hergestellt aus Phenyl-dichlor-methan, Kalium-tert.-butanolat und Olefin (Reaktionstemp.: 60–75°)[6]

Olefin	Cyclopropan	*syn/anti*-Verhältnis
2-Methyl-buten-(2)	*1-Chlor-2,2,3-trimethyl-1-phenyl-cyclo-propan*	1,5
cis-Buten-(2)	*1-Chlor-2,3-dimethyl-1-phenyl-cyclopropan*	3,0
Cyclohexen	*7-Chlor-7-phenyl-bicyclo[4.1.0]heptan*	2,0
Buten-(1)	*1-Chlor-2-äthyl-1-phenyl-cyclopropan*	1,7

1-Chlor-1-phenyl-cyclopropane; allgemeine Herstellungsvorschrift:

Mit Kalium-tert.-butanolat als Base[6]: Das zu cyclopropanierende Olefin wird in einem dickwandigen Kolben kondensiert (Olefinmenge: 50 *ml*). Danach werden 8,05 g (0,05 Mol) Phenyl-dichlor-methan und 16,8 g (0,15 Mol) Kalium-tert.-butanolat zugegeben. Nach Verschließen des Kolbens (bzw. Rohres) wird dieser auf eine Schüttelmaschine gebracht und ~ 22 Stdn. auf 60–70° erhitzt. Dann wird die Reaktionsmischung auf Eis gegossen und mit 75 *ml* Äther ex-trahiert. Die ätherische Lösung wird mit Wasser gewaschen und anschließend über Natrium-sulfat getrocknet. Nach Entfernen des Lösungsmittels wird das Produkt i. Vak. destilliert.

Bei höhersiedenden Olefinen wird die Reaktion zweckmäßigerweise in einem Dreihalsrund-kolben mit mechanischem Rührer durchgeführt.

[1] Vgl. etwa:
  R. Breslow et al., Am. Soc. **83**, 2367, 2375 (1961).
  A. S. Kende, Am. Soc. **85**, 1882 (1963).
[2] G. L. Closs u. L. E. Closs, Am. Soc. **82**, 5723 (1960).
[3] G. L. Closs, R. A. Moss u. J. J. Coyle, Am. Soc. **84**, 4985 (1962).
[4] G. L. Closs u. R. A. Moss, Am. Soc. **86**, 4042 (1964).
[5] G. L. Closs u. J. J. Coyle, Am. Soc. **87**, 4270 (1965).
[6] G. L. Closs u. J. J. Coyle, J. Org. Chem. **31**, 2759 (1966).

Tab. 30. Produkt- und Isomerenverhältnisse bei Reaktionen von Phenyl-dichlormethan, Methyl-lithium und Olefinen in Gegenwart von verschiedenen Halogenid-Ionen[1] (Reaktionstemp.: —40 ± 2°)

Olefine	Produktverhältnisse 1-Chlor-1-methyl-cyclopropan / 1-Chlor-1-phenyl-cyclopropan			Isomerenverhältnisse (anti/syn)[a]: 1-Methyl-1-phenyl-cyclopropan			1-Chlor-1-phenyl-cyclopropan	
	$Cl^{\ominus}$	$Br^{\ominus}$	$J^{\ominus}$	$Cl^{\ominus}$	$Br^{\ominus}$	$J^{\ominus}$	$Cl^{\ominus}$	$Br^{\ominus}$
2,3-Dimethyl-buten-(2)	—	0,34	—					
2-Methyl-buten-(2)	—	0,46	—	—	0,71	—	—	1,6
2-Methyl-propen	0,23	0,35	1,42					
trans-Buten-(2)	—	2,0	—					
cis-Buten-(2)	—	2,1	—	—	0,43	—	—	3,0
Buten-(1)	0,72	4,2	100	0,60	0,56	0,53	1,7	1,8

[a] *syn* und *anti* beziehen sich auf die geometrische Beziehung zwischen der Phenyl-Gruppe und der größten Zahl der Alkyl-Gruppen.

Mit Methyl-lithium als Base[1]:

① *Methyl-lithium-Lösungen*: Methyl-lithium kann in Äther aus Lithiumdraht hergestellt werden, wenn man Methylchlorid, -bromid oder -jodid solange zufügt, bis nur wenig Lithium zurückbleibt. Bei Verwendung von Methylchlorid kann die Reaktion unter Rückflußtemp. durchgeführt werden. Wird Methylbromid oder -jodid benutzt, so werden zweckmäßigerweise Reaktionstemp. zwischen —20 und 0° eingehalten.

Alle Operationen werden unter Stickstoffatmosphäre durchgeführt. Die so erhaltenen Methyl-lithium-Lösungen werden in Vorratsbüretten filtriert und unter Stickstoff aufbewahrt. Die Konzentrationsbestimmung kann durch Titration erfolgen.

② *1-Chlor-1-phenyl-cyclopropane*: 1 Mol des entsprechenden Olefins wird mit 10,6 g (0,066 Mol) Phenyl-dichlor-methan in einen durch Ausheizen getrockneten 250-*ml*-Dreihalskolben gebracht, der mit Trockeneiskühler, Tieftemperaturthermometer Tropftrichter und Magnetrührer versehen ist. Alle Operationen werden unter einer Stickstoffatmosphäre ausgeführt. Bei —40° werden dann 0,1 Mol Methyl-lithium in Äther innerhalb von 2,5 Stdn. zugetropft. Nach erfolgter Methyl-lithium-Zugabe wird noch eine weitere Stde. gerührt und danach die Mischung auf Eis gegossen. Das Produkt wird mit Wasser gewaschen und über Natriumsulfat getrocknet. Das überschüssige Olefin läßt man abdestillieren. Der Äther und noch zurückgebliebenes Olefin werden unter vermindertem Druck entfernt. Der verbleibende Rückstand wird i. Vak. von Kolben zu Kolben destilliert.

1-Chlor-2,2,3,3-tetramethyl-1-phenyl-cyclopropan[1]: Ausgehend vom 2,3-Dimethyl-buten-(2) wird nach der obigen allgemeinen Vorschrift verfahren. Nach der Vakuumdestillation (0,25 Torr) fällt das Produkt als Festkörper an und kann aus Pentan umkristallisiert werden; Ausbeute: 6,6 g (63% d.Th.); F: 65,5–66,5°.

7-Chlor-7-phenyl-bicyclo[4.1.0]heptan[1,2]: 50 g (0,45 Mol) Kalium-tert.-butanolat werden zu 400 *ml* (4 Mole) frisch über Natrium destilliertem Cyclohexen gegeben. Unter intensivem Rühren wird die Mischung unter Rückfluß erhitzt, und innerhalb eines Zeitraumes von 90 Min. werden 60 g (0,373 Mol) Phenyl-dichlor-methan zugefügt. Vor der Hydrolyse mit Eiswasser (500 *ml*) wird die Reaktionsmischung noch weitere 6 Stdn. gerührt. Die abgetrennte organische Phase wird mit Wasser neutral gewaschen und getrocknet. Nach Entfernen des überschüssigen Cyclohexens durch Destillation unter vermindertem Druck wird der Rückstand bei 0,05 Torr destilliert. Es werden 46,7 g (65% d.Th.) einer Fraktion von Kp: 88–92° erhalten. Durch Säulenchromatographie kann das *anti*-Isomer in reiner Form aus der Isomerenmischung abgetrennt werden.

---

[1] G. L. CLOSS u. J. J. COYLE, J. Org. Chem. **31**, 2759 (1966).
[2] Vgl. auch: J. E. HODGKINS et al., Am. Soc. **86**, 4080 (1964).

Die Art und Verteilung der Produkte, die bei der Reaktion von Phenyl-dichlormethan mit Methyl-lithium in Gegenwart von Olefinen entstehen, veranschaulichen die Kompliziertheit der Reaktionsfolge (vgl. Tab. 30, S. 230). Die Bildung von 1-Methyl-1-phenyl-cyclopropanen[1] steht in Analogie zur Entstehung von Methyl-bicyclo[6.1.0]nonatrienen bei den Reaktionen von Dichlormethan und Methyl-lithium in Gegenwart von Cyclooctatetraen[2] (s. S. 225). Auch hier ist der Anteil an methyl-substituierten Verbindungen eine Funktion der anwesenden Halogenid-Ionen (s.a. S. 226). Das nachfolgende Schema versucht, eine Übersicht über alle stattfindenden Reaktionen zu geben und eine reaktionsmechanistische Erklärung anzudeuten[1]:

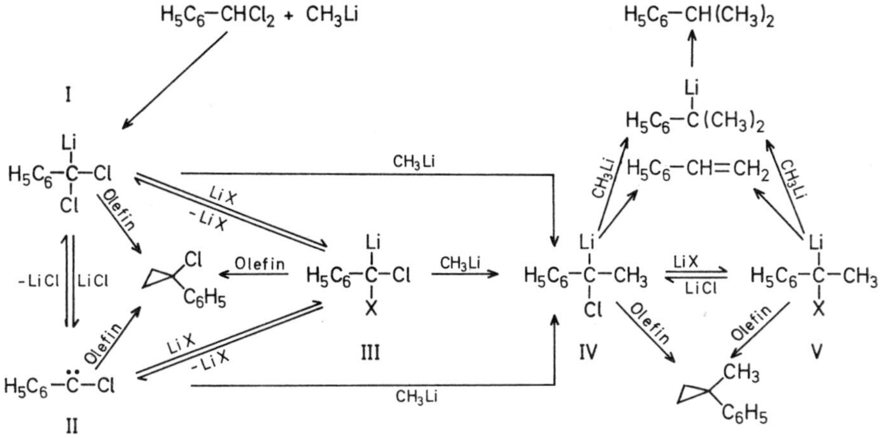

$$H_5C_6{-}CHCl_2 + CH_3Li \qquad\qquad H_5C_6{-}CH(CH_3)_2$$

Der erste Schritt der Reaktion zwischen Phenyl-dichlor-methan und Methyl-lithium dürfte in einem Wasserstoff-Metall-Austausch unter Bildung von a,a-Dichlor-benzyl-lithium (I) bestehen. Diese Zwischenstufe wurde inzwischen auch bei tiefen Temperaturen durch Halogen-Metall-Austausch aus Phenyl-trichlor-methan und Butyl-lithium in Tetrahydrofuran erzeugt[3]. Das Schema zeigt, daß vier verschiedene Reaktionen mit der Zwischenstufe I statthaben können:

① monomolekulare Abspaltung von Lithiumchlorid unter Bildung von Phenyl-chlor-carben (II)

② bimolekulare Reaktion mit einem Olefin unter Bildung des entsprechenden 1-Chlor-1-phenyl-cyclopropans.

③ Reaktion mit einem Lithiumhalogenid unter Erhalt einer neuen a,a-Dihalogen-benzyl-lithium-Verbindung (III) (ist Lithiumchlorid als alleiniges Lithiumhalogenid anwesend, so ist natürlich diese Reaktion degeneriert).

④ Reaktion mit Methyl-lithium unter Entstehung von 1-Chlor-1-phenyl-äthyl-lithium (IV), das in die 1-Methyl-1-phenyl-cyclopropane umgewandelt wird.

Jede der neuen gebildeten Zwischenstufen II und III kann ihrerseits einen äquivalenten Satz von Reaktionen – Cyclopropan-Bildung, Reaktion mit Methyl-lithium und Reaktionen mit Halogenid-Ionen (Interkonversionen von I, II und III) – eingehen. Da gewisse Schwierigkeiten vorliegen, die detaillierten Mechanismen der Reaktionen

$$I \rightleftarrows II \text{ und } II \rightleftarrows III$$

[1] G. L. Closs u. J. J. Coyle, J. Org. Chem. **31**, 2759 (1966).
[2] T. J. Katz u. P. J. Garratt, Am. Soc. **86**, 4876, 5194 (1964).
[3] D. F. Hoeg, D. I. Lusk u. A. L. Crumbliss, Abstracts, 149 th National Meeting of the American Chemical Society, Detroit, Mich., April 1965, p 65p; Am. Soc. **87**, 4147 (1965).

zu veranschaulichen[1], ist nicht sicher, ob I in III ohne intermediäre Bildung von Phenyl-chlor-carben (II) übergehen kann[2]. Zum anderen wurde beim Trichlormethyl-lithium bei Temperaturen um $-100°$ eine Verdrängung durch Bromid-Ionen beobachtet[3].

Auf der Basis des Schemas von S. 231 muß ganz offensichtlich angenommen werden, daß das Produktverhältnis zugunsten der 1-Chlor-1-phenyl-cyclopropane mit steigender Nucleophilie des olefinischen Substrates ansteigen sollte. Dieser Trend wird auch tatsächlich durch das Experiment bestätigt (s. Tab. 31) und ist eine Folge der Tatsache, daß alle drei Zwischenstufen I, II und III (S. 231) elektrophile Spezies[4] darstellen und daß die Produktverhältnisse durch die relativen Geschwindigkeiten des Angriffes durch Olefin und Methyl-lithium auf diese Zwischenstufen bestimmt werden.

Tab. 31. 1-Brom-1-phenyl-cyclopropane[5] durch Phenyl-brom-carben-Übertragung auf Olefine

Olefin	Cyclopropan-Derivat		Ausbeute[a] [% d. Th.]	Kp [°C]	Kp [Torr]
2,3-Dimethyl-buten-(2)	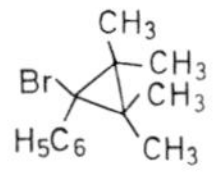 (Struktur)	1-Brom-2,2,3,3-tetramethyl-1-phenyl-cyclopropan	53	(F: 76–77°)	
2-Methyl-buten-(2)	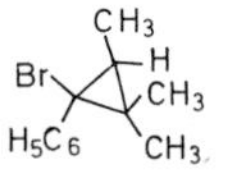 (Struktur)	1-Brom-2,2,3-trimethyl-1-phenyl-cyclopropan	51	82	0,55
2-Methyl-propen	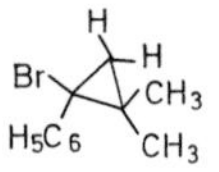 (Struktur)	1-Brom-2,2-dimethyl-1-phenyl-cyclopropan	73	48	0,02
trans-Buten-(2)	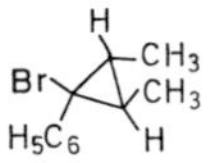 (Struktur)	1-Brom-2,3-dimethyl-1-phenyl-cyclopropan	62	50	0,01
cis-Buten-(2)[b]	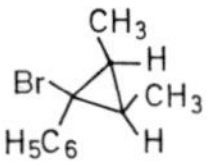 (Struktur)	1-Brom-2,3-dimethyl-1-phenyl-cyclopropan	73	56	0,13
Propen[b]	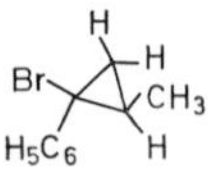 (Struktur)	1-Brom-2-methyl-1-phenyl-cyclopropan	40	61	0,60

[a] bez. auf die gereinigten Produkte
[b] Isomerengemisch

[1] Vgl. J. Hine u. A. M. Dowell, Am. Soc. **76**, 2688 (1954).
[2] G. L. Closs u. J. J. Coyle, J. Org. Chem. **31**, 2759 (1961).
[3] W. T. Miller u. D. M. Whalen, Am. Soc. **86**, 2089 (1964).
[4] Vgl. W. Kirmse, Ang. Ch. **77**, 1 (1965).
[5] R. A. Moss u. R. Gerstl, Tetrahedron **22**, 2637 (1966).

Phenyl-brom-carben wurde als Zwischenstufe der basischen Zersetzung von Phenyl-dibrom-methan in Gegenwart von Diazoalkanen formuliert[1]. Erst einige Zeit später wurde versucht, die Addition dieses hypothetischen Carbens an Olefine nachzuweisen[2,3].

1-Brom-1-phenyl-cyclopropane konnten dann in guten Ausbeuten aus Phenyl-dibrom-methan, Kalium-tert.-butanolat und Olefinen hergestellt werden[3] (s. Tab. 31, S. 232). Bei all diesen Reaktionen wird eine bevorzugte *syn*-Orientierung des Broms beobachtet[3,4]. „Freies" Phenyl-brom-carben (aus Brom-phenyl-diazirin) liefert ähnliche Isomerenverhältnisse wie das Carbenoid[3,4].

Phenyl-fluor-brom-methan (I), das sich in 60%iger Ausbeute durch eine photoinitiierte Reaktion von N-Brom-succinimid mit Benzylfluorid in siedendem Tetrachlormethan erhalten läßt, erwies sich als geeignete Quelle für das bis dahin noch unbekannte Phenyl-fluor-carben bzw. -carbenoid[5]. Wird I mit einem geringen Überschuß an Kalium-tert.-butanolat in 2,3-Dimethyl-buten-(2), 2-Methyl-propen oder *trans*-Buten-(2) behandelt (im abgeschlossenen Rohr ∼ 3 Tage bei 25°), so werden in recht guten Ausbeuten die entsprechenden 1-Fluor-1-phenyl-cyclopropane erhalten (s. Tab. 32):

$$H_5C_6\text{—}\overset{\overset{\displaystyle F}{|}}{C}H\text{—}Br \;+\; K\text{—}OC(CH_3)_3 \longrightarrow H_5C_6\text{—}\ddot{C}\text{—}F \xrightarrow{\;>C=C<\;} \text{(cyclopropan)}\; H_5C_6\;F$$

I

Tab. 32. Cylopropane durch Phenyl-fluor-carben-Übertragung auf Olefine[5]

Olefin	Cyclopropan-Derivat	Ausbeute[a] [% d. Th.]	Kp[b] [°C]	[Torr]
2,3-Dimethyl-buten-(2)	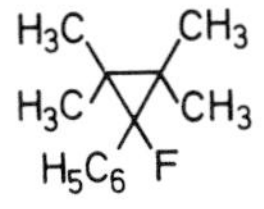 1-Fluor-2,2,3,3-tetramethyl-1-phenyl-cyclopropan	81	73–74	3
2-Methyl-propen	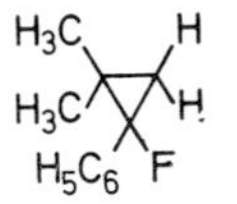 1-Fluor-2,2-dimethyl-1-phenyl-cyclopropan	74	49–52	3
trans-Buten-(2)	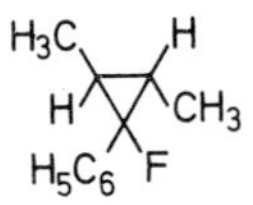 1-Fluor-2,3-dimethyl-1-phenyl-cyclopropan	56	51–58	3,25

[a] Rohproduktausbeute
[b] Siedebereich bei der Destillation des Rohproduktes

[1] H. Reimlinger, Ang. Ch., Inter. Ed. 1, 156 (1962); B. 97, 339 (1964).
[2] R. A. Moss u. R. Gerstl, Tetrahedron Letters 1965, 3445.
[3] R. A. Moss u. R. Gerstl, Tetrahedron 22, 2637 (1966).
[4] Vgl. auch: R. A. Moss u. R. Gerstl, Tetrahedron Letters 1967, 4905.
[5] R. A. Moss, Tetrahedron Letters 1968, 1961.

d) Cyclopropanierung mit Carbenen, die α-Heteroatome enthalten

1. Synthese von Cyclopropyläthern und Cyclopropanolen durch Carben-Übertragung auf Olefine

Unter „Carben-Übertragung" sollen hier im wesentlichen Verfahren besprochen werden, bei denen die Cyclopropanierung im Zuge einer α-Eliminierung alkali-metall-organischer Verbindungen stattfindet. Der Begriff „Carben-Übertragung" soll nur arbeitshypothetisch sein, da in den meisten Fällen noch unklar ist, wie sich der Dreiring tatsächlich bildet. Es steht zwar fest, daß intermediär α-Metall-α-halo-gen-Verbindungen auftreten, doch ist häufig umstritten, ob diese unmittelbar, d.h. „carbenoid"[1], mit der olefinischen Doppelbindung reagieren oder erst mittelbar über ein Carben (s. Schema unten).

Die Carben-Übertragung eignet sich in hervorragender Weise zur Synthese von Alkoxy- und Aryloxy-cyclopropanen[2]. Die Synthese von Hydroxy-cyclo-propanen, insbesondere von sekundären, geht hier von durch Carben-Übertragung hergestellten geeigneten Cyclopropyläthern aus.

α) Phenoxy-cyclopropane

Phenoxy-cyclopropane (III) bilden sich bei der Umsetzung von Chlormethyl-phenyl-äther (I) mit Butyl-lithium[3] bei Temperaturen zwischen −15 und −20° in Gegenwart eines entsprechenden Olefins[4,5]:

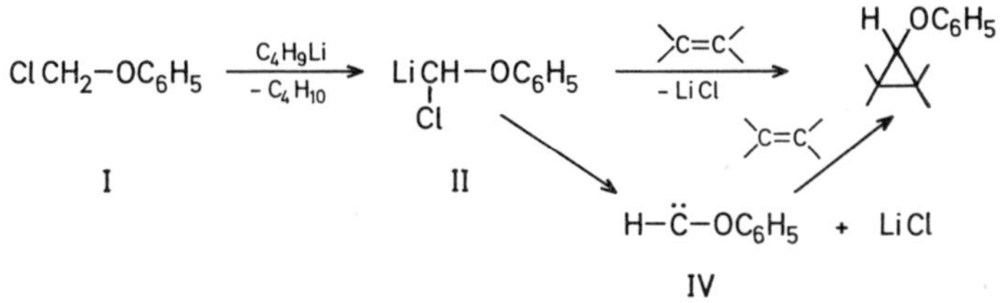

Die Reaktion setzt offensichtlich mit einer Metallierung ein. Das hierbei entste-hende Phenoxy-chlor-methyl-lithium (II), eine thermisch extrem labile Verbindung, die bislang noch nicht abgefangen werden konnte, reagiert dann mit der olefinischen C=C-Bindung weiter – entweder carbenoid oder über das Phenoxy-carben (IV) als Zwischenstufe (s. Schema unten). Soweit bisher untersucht, ist das Synthese-prinzip auch auf kernsubstituierte Chlormethyl-aryl-äther übertragbar. So liefert die Umsetzung von Chlormethyl-(2,4-dichlor-phenyl)-äther mit Butyl-lithium

[1] Zur Definition des Begriffs
   s. G. L. CLOSS u. R. A. MOSS, Am. Soc. **86**, 4042 (1964).
   Vgl.a.: W. KIRMSE, Ang. Ch. **77**, 1 (1965).
   Vgl.a.: G. KÖBRICH, Ang. Ch. **79**, 15 (1967).
[2] Vgl. hierzu: H. GROSS u. E. HÖFT in „*Neuere Methoden der präparativen organischen Chemie* VI" (Über die Knüpfung von C—C-Bindungen mit Hilfe von α-Halogen-äthern,- sulfiden und -aminen), Ang. Ch. **79**, 358 (1967).
[3] H. J. BARBER, R. F. FULLER, M. B. GREEN u. H. T. ZWARTOUW, J. appl. Chem. **3**, 266 (1953).
   C. S. DAVIS u. G. S. LOUGHEED, Org. Synth. **47**, 23 (1967).
[4] U. SCHÖLLKOPF u. A. LERCH, Ang. Ch. **73**, 27 (1961).
[5] U. SCHÖLLKOPF, A. LERCH u. J. PAUST, B. **96**, 2226 (1963).

in 2-Methyl-propen *2-(2,4-Dichlor-phenoxy)-1,1-dimethyl-cyclopropan* (50% d. Th.)[1]. Heterocyclische Chlormethyläther sollten im wesentlichen analog reagieren[2]. Neben den Phenoxy-cyclopropanen entstehen auch geringe Mengen von Pentyl-phenyl-äther[1] (V). Ob dieser durch eine Wurtz-Reaktion (s. Gl. ①) gebildet wird oder durch carbenoide Umsetzung des intermediären Phenoxy-chlor-methyl-lithium (II) mit Butyl-lithium zum entsprechenden 1-Lithium-1-phenoxy-pentan (VI) und anschließende Protonierung (s. Gl. ②), bleibt offen:

$$Cl-CH_2-OC_6H_5 \xrightarrow[-LiCl]{C_4H_9Li} H_{11}C_5-OC_6H_5 \quad ①$$

$$\underset{\underset{II}{Cl}}{Li-CH}-OC_6H_5 \xrightarrow[-LiCl]{C_4H_9Li} \underset{\underset{VI}{Li}}{H_9C_4-CH}-OC_6H_5 \quad ②$$

(V ↑H⊕ über VI)

Die Ausbeuten an Phenoxy-cyclopropanen sind am höchsten, wenn man ätherisches Butyl-lithium einsetzt und die Base bei etwa −15 bis −20° langsam zu einer gut gerührten Lösung des Chloräthers in dem betreffenden Olefin hinzutropft. Weniger befriedigend als Metallierungsagentien erwiesen sich Kalium-tert.-butanolat und Lithium-dicyclohexylamid, da hier die Substitution zur Hauptreaktion wird. Als Beispiel sei die Umsetzung von Kaliumtert.-butanolat mit Chlormethyl-(2,4-dichlor-phenyl)-äther (in Cyclohexen) erwähnt, die zu tert.-Butyloxy-(2,4-dichlor-phenoxy)-methan (77% d. Th.) führt[1].

Die erwähnte Nebenreaktion fällt auch bei Verwendung von Butyl-lithium als Base bezeichnenderweise um so mehr ins Gewicht, je geringer die Elektronendichte der olefinischen Doppelbindung ist. So beträgt das Ausbeuteverhältnis Cyclopropan-Addukt/Pentyl-phenyl-äther im Falle des Cyclohexens etwa 3:1, beim 2,3-Dimethyl-buten-(2) mit seinen vier als Elektronendonator wirkenden Methyl-Gruppen jedoch ~ 10:1. Dieser Befund kann so gedeutet werden[3], daß sich zwei Nucleophile (Olefin und Butyl-lithium) konkurrierend um die Reaktion mit einer elektrophilen Zwischenstufe bemühen, wobei die Organo-lithium-Verbindung um so erfolgreicher ist, je elektronenärmer die olefinische Doppelbindung ist. Als elektrophiles Zwischenprodukt käme dann natürlich das Phenoxy-carben in Frage.

Mit Olefinen ohne Symmetriezentrum oder Symmetrieachse längs der C=C-Doppelbindung bilden sich jeweils zwei Stereoisomere – die *exo-* und *endo-*Isomeren. Mit *cis*-Buten-(2) oder 2-Methyl-buten-(2) entstehen bevorzugt die *endo-*, mit Cyclohexen oder 1,4-Dioxen jedoch überwiegend die *exo-*Isomeren (s. Tab. 33, S. 236).

Diese Befunde weisen auf ein komplexes und schwer durchschaubares Zusammenwirken sterischer und elektronischer Faktoren im Übergangszustand der angenommenen Cycloaddition hin[4]. Wie die Versuche mit *cis-* und *trans*-Buten-(2) zeigten, erfolgt die hier durchgeführte Cyclopropanierung stereospezifisch *cis*[3]. Damit weist sich die produktbildende Spezies als Elektrophiles aus. In Übereinstimmung damit wird z. B. Keten-diäthylacetal mit seiner elektronenreichen Doppelbindung ~ 16-mal schneller angegriffen[4] als 2-Methyl-propen. Jedoch reagiert das gleich-

[1] U. Schöllkopf, A. Lerch u. J. Paust, B. **96**, 2266 (1963).
[2] Vgl. U. Schöllkopf, Ang. Ch. **80**, 603 (1968).
[3] U. Schöllkopf et al., B. **96**, 2266 (1963).
[4] U. Schöllkopf u. H. Görth, A. **709**, 97 (1967).

falls nucleophilere 2-Methyl-buten-(2) nur wenig rascher und 2,3-Dimethyl-buten-(2) sogar langsamer als 2-Methyl-propen. Die begünstigenden elektronischen Effekte werden hier möglicherweise durch retardierende sterische Einflüsse kompensiert oder sogar überspielt. Weitgehend analoges Verhalten, wenn auch weniger signifikant ausgeprägt, ist auch bei Additionsreaktionen anderer elektrophiler Carbene beobachtet worden[1].

Der Nachweis der Elektrophilie erlaubt jedoch keine Entscheidung zwischen den beiden reaktionsmechanistischen Alternativen. Auch die Ergebnisse einer weiteren Versuchsserie[2] (s. Tab. 33), bei der unter vergleichbaren Bedingungen Fluormethyl-, Chlormethyl- und Brommethyl-phenyl-äther mit Butyl-lithium in Cyclohexen umgesetzt wurden, lieferten keine präzisen Hinweise.

Metallierungen mit Lithiumbromid-haltigem Butyl-lithium zeigten, daß das *endo/exo*-Verhältnis des jeweils entstehenden 7-Phenoxy-bicyclo[4.1.0]heptans und mithin die Selektivität der Zwischenstufe von der Natur der Abgangsgruppe nahezu völlig unabhängig ist (s. die Aufstellung auf S. 237, Spalte 2).

Auf den ersten Blick spricht diese Tatsache für einen Carben-Mechanismus; denn hier könnte möglicherweise das Lithiumhalogenid vor dem produktbildenden Schritt eliminiert werden und dann demzufolge im Übergangszustand der Reaktion keinen spezifischen Einfluß mehr ausüben.

Tab. 33. Phenoxy-cyclopropane aus Olefinen durch Carben-Übertragung[2]

$$\underset{endo}{\overset{H\quad OC_6H_5}{\underset{R^4 \underline{\quad\quad} R^3}{R^1 \triangleleft R^2}}} \qquad \underset{exo}{\overset{H_5C_6O\quad H}{\underset{R^4 \underline{\quad\quad} R^3}{R^1 \triangleleft R^2}}}$$

Methode ①: aus $ClCH_2$—OC_6H_5, C_4H_9Li und Olefin
Methode ②: aus Cl_2CH—OC_6H_5, $CH_3Li \cdot LiJ$ und Olefin

Olefin	R^1	R^2	R^3	R^4	Cyclopropan	Methode ①		Methode ②	
						Ausb. [% d.Th.]	endo/exo	Ausb. [% d.Th.]	endo/exo
2-Methyl-propen	H	H	CH_3	CH_3	*2-Phenoxy-1,1-di-methyl-cyclopropan*	65	—	24	—
trans-Buten-(2)	H	CH_3	H	CH_3	*3-Phenoxy-1,2-di-methyl-cyclopropan*	69	—	70	—
cis-Buten-(2)	H	CH_3	CH_3	H	*3-Phenoxy-1,2-di-methyl-cyclopropan*	59	3,7 : 1	67	3 : 1
2-Methyl-buten-(2)	H	CH_3	CH_3	CH_3	*3-Phenoxy-1,1,2-tri-methyl-cyclopropan*	53	3,1 : 1	78	2,1 : 1
2,3-Dime-thyl-buten-(2)	CH_3	CH_3	CH_3	CH_3	*3-Phenoxy-1,1,2,2-tetra-methyl-cyclo-propan*	70	—	68	—
Cyclohexen	H	-(CH_2)$_4$-		H	*7-Phenoxy-bicyclo [4.1.0]heptan*	40	1 : 2,4	40	1 : 1
1,4-Dioxen	H	-O-(CH_2)$_2$-O-		H	*7-Phenoxy-2,5-dioxa-bicyclo[4.1.0]heptan*	21	1 : 2,4	—	—

[1] Vgl. etwa: M. Jones, A. Kulczycki u. K. F. Hummel, Tetrahedron Letters **1967**, 183, sowie dort weitere zitierte Literatur.
[2] U. Schöllkopf, Ang. Ch. **80**, 603 (1968).

Diese Invarianz der Isomerenverhältnisse scheint jedoch ein Zufallsergebnis zu sein. Setzt man nämlich salzfreies Butyl-lithium ein, so steigt das Epimerenverhältnis in der Reihe Bromid, Chlorid und Fluorid an (s. u. die Aufstellung, Spalte 3). Letzten Befund könnte man dann eher im Sinne eines carbenoiden Reaktionsverlaufs interpretieren[1]; allerdings ist nicht ohne weiteres einzusehen, daß der Wechsel im Medium auch einen Wechsel im Reaktionsmechanismus a priori zur Folge haben sollte.

Letzte eindeutige Beweise für den Mechanismus dieser Cyclopropanierung stehen derzeit also noch aus.

Nachfolgend die Konkurrenzkonstanten (k_{rel}) bei $-15°$ der Addition von intermediärem Phenoxy-chlor-methyl-lithium oder Phenoxy-carben an Olefine[2, s.a.1]:

2-Methyl-propen	1	2,3-Dimethyl-buten-(2)	0,45
Keteny-diäthylacetal	16	Cyclohexen	0,20
2-Methyl-buten-(2)	1,03		

sowie die *endo/exo*-Verhältnisse von *7-Phenoxy-bicyclo[4.1.0]heptan*, hergestellt aus Halogen-methyl-phenyl-äthern, Butyl-lithium und Cyclohexen[2, s.a.1]:

$H_5C_6O—CH_2—X$	Lithiumbromid-haltig	salzfrei
X = Fluor	1 : 2,15	1 : 6,2
Chlor	1 : 2,45	1 : 4,8
Brom	1 : 2,1	1 : 4,3

2-Phenoxy-1,1-dimethyl-cyclopropan[3]: In eine auf $-20°$ vorgekühlte Falle wird 2-Methyl-propen eingefüllt und kurz mit Natriumalanat gerührt. Etwa 100 *ml* ($\sim$ 1 Mol) davon werden in einen mit trockenem Stickstoff gefüllten Dreihalskolben einkondensiert, in dem 14,2 g (0,1 Mol) Chlormethyl-phenyl-äther[4] vorgelegt waren. Bei $-20°$ (Innentemp.) tropft man unter Rühren (Magnetrührer) 92 *ml* (0,1 Mol) einer 1,09 m ätherischen Butyl-lithium-Lösung innerhalb von 40 Min. zu, wobei sich ein farbloser Niederschlag bildet. Dann läßt man auf Raumtemp. auf-wärmen und das überschüssige 2-Methyl-propen abdampfen. Danach werden Äther und Wasser zugegeben, die Schichten getrennt und die wäßrige Phase noch einige Male ausgeäthert. Die vereinigten ätherischen Lösungen werden gewaschen und über Natriumsulfat getrocknet und über eine kleine Vigreux-Kolonne destilliert: 8,3 g (51% d.Th.); Kp$_{15}$: 87,5–88,5°; $n_D^{20} = 1,5038$.

Die Ausbeute kann erhöht werden, wenn man wie folgt vorgeht: In 200 *ml* 2-Methyl-propen werden 50 mMol Chlormethyl-phenyl-äther gelöst und bei $-20°$ unter Rühren während 3,5 Stdn. ätherisches Butyl-lithium (geringer Überschuß, bis Gilman-Test positiv) zugetropft. Im rohen Reaktionsprodukt lassen sich danach gaschromatographisch $\sim$ 70% d.Th. *2-Phenoxy-1,1-dimethyl-cyclopropan* und $\sim$ 7% d.Th. *Pentyl-phenyl-äther* nachweisen. Nach der Destillation beträgt die mittlere Ausbeute an reinem 2-Phenoxy-1,1-dimethyl-cyclopropan 65% der Theorie.

3-Phenoxy-1,1,2,2-tetramethyl-cyclopropan[3]: Zu 50 *ml* ($\sim$ 500 mMol) 2,3-Dimethyl-buten-(2) und 3,5 g (25 mMol) Chlormethyl-phenyl-äther[4] werden innerhalb 1 Stde. bei $-20°$ unter Rühren 30 *ml* 0,8 m ätherisches Butyl-lithium getropft ($\sim$ 10%iger Überschuß). Bei dieser Temp. wird noch 30 Min. gerührt; danach ist der Gilman-Test noch positiv. Man hydrolysiert, trennt die wäßrige Schicht ab und äthert sie mehrmals aus. Die vereinigten ätherischen Lösungen werden getrocknet und der Äther mit dem nicht umgesetzten 2,3-Dimethyl-buten-(2) abdestilliert; Rohprodukt: 4,4 g, Verhältnis *3-Phenoxy-1,1,2,2-tetramethyl-cyclopropan/Pentyl-phenyl-äther* = 10:1.

Die Destillation liefert eine Fraktion von 3,7 g bei Kp$_1$: 65–69°, die zur Ausbeuteberechnung gaschromatographiert wird (2-m-Perkin-Elmer-C-Säule, 180°): *3-Phenoxy-1,1,2,2-tetramethyl-*

[1] U. Schöllkopf u. H. Görth, A. **709**, 97 (1967).

[2] U. Schöllkopf, Ang. Ch. **80**, 603 (1968).

[3] U. Schöllkopf, A. Lerch u. J. Paust, B. **96**, 2266 (1963).

[4] s. H. J. Barber, R. F. Fuller, M. B. Green u. H. T. Zwartouw, J. appl. Chem. **3**, 266 (1953).
    C. S. Davis u. G. S. Lougheed, Org. Synth. **47**, 23 (1967).

cyclopropan 70% d.Th. (Retentionszeit 5,5 Min) und *Pentyl-phenyl-äther* 8% d.Th. (Retentionszeit 4,5 Min.).

β) 1-Chlor-1-phenoxy-cyclopropane

1-Chlor-1-phenoxy-cyclopropane beanspruchen als mögliche Vorstufen zur Herstellung phenoxy-substituierter, d.h. resonanzstabilisierter Cyclopropyl-Kationen erhebliches Interesse. Man erhält sie, soweit bislang untersucht, jedoch nur in schlechten Ausbeuten und auch nicht mit allen Alkenen, wenn man aus Dichlormethyl-phenyl-äther[1] in Olefinen mit Kalium-tert.-butanolat Chlorwasserstoff abspaltet[2]:

$$Cl_2CH - OC_6H_5 \ + \ \begin{array}{c} \diagdown \\ \diagup \end{array} C = C \begin{array}{c} \diagup \\ \diagdown \end{array} \xrightarrow[-HCl]{KOC(CH_3)_3} \quad \underset{}{\overset{Cl \quad OC_6H_5}{\triangle}}$$

Versuche mit Butyl-lithium, das sich bei der Präparierung der halogenfreien Phenoxy-cyclopropane gut bewährt hat, führten hier nicht zum Ziele; sie lieferten – gleichgültig ob mit oder ohne Olefin gearbeitet wurde – ein komplexes Gemisch, aus dem sich die folgenden Verbindungen isolieren ließen: *cis*- und *trans*-1,2-Dichlor-1,2-diphenoxy-äthylen, *cis*- und *trans*-1-Chlor-1,2-diphenoxy-hexen-(1) Nonyl-(5)-phenyl-äther und *trans*-Nonen-(4). Möglicherweise reagiert das als Zwischenprodukt anzunehmende Phenoxy-dichlor-methyl-lithiumcarbenoid bevorzugt mit sich selbst oder mit anderen im Medium befindlichen Organo-lithium-Verbindungen. Das Produktverhältnis hängt deutlich von den Reaktionsbedingungen ab; so wird z. B. mit drei Äquivalenten Butyl-lithium *trans*-Nonen-(4) zu 82% d.Th. erhalten. Bei den Reaktionen mit *cis*-Buten-(2) und 2-Methyl-buten-(2) konnte jeweils nur ein Isomeres gefaßt werden – vermutlich die „*endo*-Chlor"-Form. Es ist denkbar, daß die *exo*-Isomeren, die nach der Woodward-Hoffmann-Regel[3] thermolabiler als die *endo*-Epimeren sein sollten, im Zuge der Aufarbeitung bevorzugt zerstört wurden.

γ) Alkoxy-cyclopropane

Im Gegensatz zu den Chlormethyl-aryl-äthern reagieren Chlormethyl-alkyl-äther (I, S. 239) mit Butyl-lithium nicht metallierend, sondern substituierend[4] (s. Gl. ①, S. 239). Der Austausch von Phenyl gegen Alkyl bedingt eine Herabsetzung der Acidität der methylenischen Wasserstoffe und zugleich eine Erhöhung der Austauschfreudigkeit des Halogens[5]. Alkoxy-chlor-methyl-lithium (III) bildet sich jedoch in Ausbeuten zu $\sim$ 50%, wenn man als Base das mehr sperrige tert.-Butyl-lithium verwendet. Bei der Metallierung in Olefinen lassen sich so Alkoxy-cyclopropane (IV) in Ausbeuten bis zu $\sim$ 60% d.Th. erhalten[4] (s. Gl. ②, S. 239). Als präparative Methode zur Synthese von Alkoxy-cyclopropanen ist das genannte Verfahren allerdings wenig geeignet, da das tert. Butyl-lithium ein unangenehmes Reagens ist, das Solventien zersetzt und auch mit Olefinen[6] reagiert, wobei eine Vielzahl unerwünschter Nebenprodukte entsteht.

[1] H. LAATO u. P. LEHTONEN, Suomen Kem. **1964**, 169.

[2] E. RUBAN, Dissertation, Universität Göttingen, 1968.

[3] R. B. WOODWARD u. R. HOFFMANN, Am. Soc. **87**, 395 (1965).

[4] U. SCHÖLLKOPF u. W. PITTEROFF, B. **97**, 636 (1964).

[5] Nach Untersuchungen von H. BÖHME u. A. DÖRRIES, B. **98**, 719 (1965), solvolysieren Chlormethyl-aryl-äther langsamer als Chlormethyl-alkyl-äther. Bei den hier zu postulierenden $S_N 2$-Substitutionen dürften die Unterschiede in den Reaktivitäten jedoch kleiner sein.

[6] Vgl. etwa: P. D. BARTLETT, S. FRIEDMAN u. M. STILES, Am. Soc. **75**, 1771 (1953).

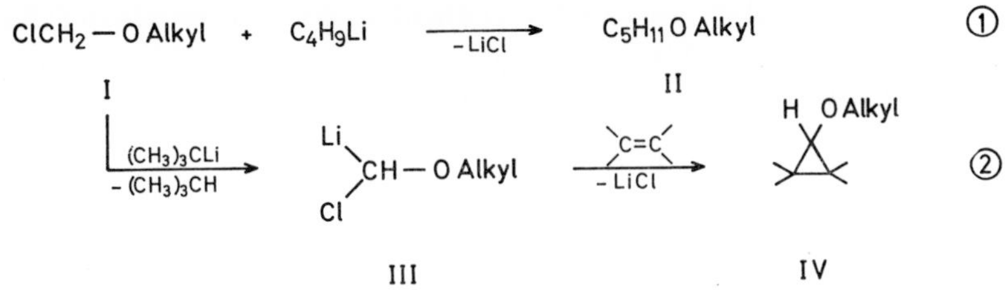

$$ClCH_2 - O\,Alkyl \quad + \quad C_4H_9Li \quad \xrightarrow[-\,LiCl]{} \quad C_5H_{11}\,O\,Alkyl \qquad \textcircled{1}$$

$$\text{I} \qquad\qquad\qquad\qquad \text{II}$$

$$\left\downarrow\;\xrightarrow[-\,(CH_3)_3CH]{(CH_3)_3CLi}\quad \underset{Cl}{\overset{Li}{\diagdown}}CH - O\,Alkyl \quad \xrightarrow[-\,LiCl]{} \quad \overset{}{\diagup}C=C\overset{}{\diagdown} \quad \longrightarrow \quad \overset{H\;\;O\,Alkyl}{\triangle} \qquad \textcircled{2}\right.$$

$$\text{III} \qquad\qquad\qquad\qquad\qquad \text{IV}$$

Tab. 34. Alkoxy-cyclopropane aus Chlormethyl-alkyl-äthern, tert.-Butyl-
lithium und Olefinen (Reaktionstemperatur: —15°)[1]

Olefin	R—O—CH$_2$Cl R =	Cyclopropan-Addukt (exo/endo)	Ausb. [% d. Th.]	Nebenprodukt	Ausb. [% d. Th.]
2-Methyl-propen[a]	CH$_3$	*2-Methoxy-1,1-dimethyl-cyclopropan*	32	2-Methoxy-1,1-dimethyl-propan	18
Cyclohexen[a]	CH$_3$	*7-Methoxy-bicyclo[4.1.0]heptan* (4 : 1)	34	2-Methoxy-1,1-dimethyl-propan	27
Cyclohexen[b]	iso–C$_3$H$_7$	*7-Isopropyloxy-bicyclo[4.1.0]heptan* (7 : 1)	55		
Cyclohexen[b]	C$_4$H$_9$	*7-Butyloxy-bicyclo[4.1.0]heptan* (4,5 : 1)	37	2-Butyloxy-1,1-dimethyl-propan	20

[a] 5facher Überschuß an Olefin, bez. auf Chlormethyl-alkyl-äther.
[b] 10facher Überschuß an Olefin, bez. auf Chlormethyl-alkyl-äther.

Wichtig in diesem Zusammenhang war die Beobachtung[2], daß bei der Umsetzung
von Chlormethyl-phenyl-äther (V) mit Methyl-lithium nicht 2-Phenoxy-1,1-dimethyl-
cyclopropan entstand, sondern unerwarteterweise 1,2-Diphenoxy-äthan (VIII). Da
das benutzte Methyl-lithium aus Methyljodid hergestellt worden war, also 1 Mol
Lithiumjodid enthielt, lag folgende Deutung nahe[3]:

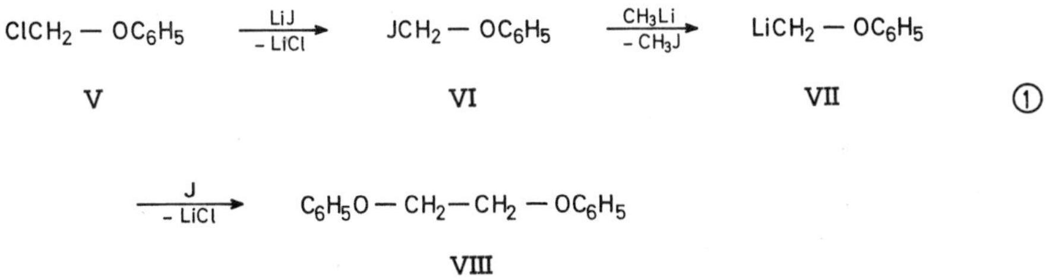

$$ClCH_2 - OC_6H_5 \quad \xrightarrow[-\,LiCl]{LiJ} \quad JCH_2 - OC_6H_5 \quad \xrightarrow[-\,CH_3J]{CH_3Li} \quad LiCH_2 - OC_6H_5 \qquad \textcircled{1}$$

$$\text{V} \qquad\qquad\qquad\qquad \text{VI} \qquad\qquad\qquad\qquad \text{VII}$$

$$\xrightarrow[-\,LiCl]{J} \quad C_6H_5O - CH_2 - CH_2 - OC_6H_5$$

$$\text{VIII}$$

Durch nucleophilen Chlor/Jod-Austausch würde zunächst Jodmethyl-phenyl-äther
(VI) entstehen. VI würde dann mit Methyl-lithium einem Halogen-Metall-Austausch
unterliegen unter Bildung des Lithiummethyl-phenyl-äthers (VII), der seinerseits mit
noch vorhandenem Chlormethyl-phenyl-äther 1,2-Diphenoxy-äthan (VIII) bilden
könnte. Träfe dieses Bild zu, so sollte man zu den gesuchten Alkoxy-chlor-methyl-

[1] U. Schöllkopf u. W. Pitteroff, B. **97**, 636 (1964).
[2] J. Paust, Diplomarbeit, Universität Heidelberg, 1963.
[3] U. Schöllkopf, Ang. Ch. **80**, 603 (1968).
    Vgl. auch: U. Schöllkopf u. J. Paust, Ang. Ch. **75**, 670 (1963); B. **98**, 2221 (1965).

lithium-Verbindungen (XI) [ausgehend von Dichlormethyl-alkyl-äthern (IX) durch
Behandlung mit lithiumjodidhaltigem Methyl-lithium] über Chlor-jod-alkoxy-
methane (X) gelangen[1]:

$$\text{Cl}_2\text{CH}-\text{O Alkyl} \quad \xrightarrow[-\text{LiCl}]{\text{LiJ}} \quad \underset{\text{Cl}}{\overset{\text{J}}{\diagdown}}\text{CH}-\text{O Alkyl} \quad \xrightarrow[-\text{CH}_3\text{J}]{\text{CH}_3\text{Li}} \quad \underset{\text{Cl}}{\overset{\text{Li}}{\diagdown}}\text{CH}-\text{O Alkyl} \qquad ②$$

IX   X   XI

Dies war in der Tat der Fall[2]. Tropft man zur Lösung eines Dichlormethyl-alkyl-
äthers (IX) in einem entsprechenden Olefin bis zum positiven Gilman-Test Methyl-
lithium, so bilden sich Alkoxy-cyclopropane in zum Teil hervorragenden Ausbeuten (vgl. Tab. 34, S. 239).

Die Synthese vollzieht sich noch bei Temperaturen um 0° recht schnell, so daß
sie auch auf solche Alkene anwendbar wird, die normalerweise mit Organo-lithium-
Verbindungen reagieren, wie z.B. Butadien oder Cyclopentadien. Hinzu kommt,
daß die Ausgangsprodukte – die Dichlormethyl-alkyl-äther – leicht aus Ameisen-
säureestern und Phosphor(V)-chlorid zugänglich sind[3]. Außerdem sei erwähnt, daß
man ausgehend vom Dichlormethyl-phenyl-äther auf diesem Wege auch zu Phenoxy-
cyclopropanen gelangen kann[4], wie bereits in Tab. 33, (S. 236) als Methode ② erwähnt.

Wie bei den Additionsreaktionen von Phenoxy-chlor-methyl-lithium oder des
Phenoxy-carbens auf Olefine läßt auch hier das beobachtete Isomerenverhältnis der
bei den Umsetzungen mit nicht-symmetrischen Alkenen entstehenden Addukte
(s. Tab. 35, S. 241) auf ein komplexes Zusammenspiel elektronischer und sterischer
Faktoren im Übergangszustand der Reaktion schließen. Mit Cyclopenten wird die
exo-Form in höherer Ausbeute gebildet, mit Cyclopentadien hingegen die *endo*-Form;
Cyclooc ten ergibt mit Methoxy-carben in überwiegendem Maße *endo-9-Methoxy-
bicyclo[6.1.0]nonan*, mit (2-Chlor-äthoxy)-carben jedoch hauptsächlich *exo-9-(2-
Chlor-äthoxy)-bicyclo[6.1.0]nonan*. Bei offenkettigen Olefinen sind durchweg die
endo-Additionen bevorzugt.

Neben den Alkoxy-cyclopropanen entsteht Methyljodid in praktisch gleicher Ausbeute, was auch für den Reaktionsverlauf im Sinne von Gl. ② (s. oben) spricht.
Durch zweifachen nucleophilen Austausch der Chloratome des Dichlormethyl-alkyl-
äthers durch Methyl-Reste bilden sich ferner Isopropyl-alkyl-äther. Unterhalb von
−40° gewinnt diese Konkurrenzreaktion das Übergewicht. Mit Methyl-lithium,
das aus Methylbromid bereitet wurde, gingen die Ausbeuten drastisch zurück; hier
erhielt man überwiegend Isopropyl-alkyl-äther. Mit Methyl-magnesiumbromid
wurden nur Spuren von Alkoxy-cyclopropanen bei der Reaktion beobachtet.

Wie aus Versuchen mit *cis*- und *trans*-Buten-(2) hervorgeht, erfolgt die Synthese
stereospezifisch *cis*[5].

[1] U. Schöllkopf u. J. Paust, Ang. Ch. **75**, 670 (1963).
[2] U. Schöllkopf u. J. Paust, Ang. Ch. **75**, 670 (1963); B. **98**, 2221 (1965).
    Vgl. a. U. Schöllkopf, Ang. Ch. **80**, 603 (1968).
[3] Vgl.: H. Gross u. E. Höft, Ang. Ch. **79**, 358 (1967).
    H. Gross et al., B. **94**, 544 (1961).
[4] Vgl. E. Ruban, Dissertation, Universität Göttingen, 1968.
[5] U. Schöllkopf u. J. Paust, B. **98**, 2221 (1965).

Tab. 35. Alkoxy-cyclopropane aus Dichlormethyl-alkyl-äthern, Methyl-lithium/ Lithiumjodid und Olefinen[1]

Olefin-Komponente	$Cl_2CH-O-R$ $R =$	Reaktions-temperatur [°C]	Alkoxy-cyclopropan	Ausb. [% d. Th.]	Isomeren-verhältnis
2-Methyl-propen	C_6H_{13}	−10	*2-Hexyloxy-1,1-dimethyl-cyclo-propan*	79	
cis-Buten-(2)	CH_3	−10	*endo/exo[a]-3-Methoxy-cis-1,2-dimethyl-cyclopropan*	49	7,1[b]
trans-Buten-(2)	CH_3	−10	*3-Methoxy-trans-1,2-dimethyl-cyclopropan*	52	
Butadien	CH_3	−5	*cis/trans-2-Methoxy-1-vinyl-cyclopropan*	65	1,4
	C_6H_{13}	−5	*cis/trans-2-Hexyloxy-1-vinyl-cyclopropan*	76	1,3
	CH_3	−5	*2,2'-Dimethoxy-bi-cyclopropyl[f]*	17	
Äthyl-vinyl-äther	CH_3	−5	*cis/trans-2-Methoxy-1-äthoxy-cyclopropan*	51	7,5
Cyclopenten	CH_3	−5	*exo/endo-6-Methoxy-bicyclo[3.1.0]hexan*	16	2,0[c]
	C_6H_{13}	−5	*exo/endo-6-Hexyloxy-bicyclo[3.1.0]hexan*	20	1,9[c]
Cyclopenta-dien	CH_3	−5	*endo/exo-6-Methoxy-bicyclo[3.1.0]hexen-(2)*	51	3,8[b]
	C_6H_{13}	−5	*endo/exo-6-Hexyloxy-bicyclo[3.1.0]hexen-(2)*	70	3,6[b]
Cyclohexen	CH_3	+20	*exo/endo-7-Methoxy-bicyclo[4.1.0]heptan*	31	1,7[c]
	CH_3	−50	*exo/endo-7-Methoxy-bicyclo[4.1.0]heptan*	4	1,6[c]
	CH_3[d]	+20	*exo/endo-7-Methoxy-bicyclo[4.1.0]heptan*	5,5	
	CH_3[e]	+20	*exo/endo-7-Methoxy-bicyclo[4.1.9]heptan*	1	
Cyclooocten	CH_3	+20	*endo/exo-9-Methoxy-bicyclo[6.1.0]nonan*	43	2,0[b]
5,6-Dihydro-4H-pyran	C_6H_{13}	+20	*exo/endo-7-Hexyloxy-2-oxa-bicyclo[4.1.0]heptan*	48	2,5[c]

[a] *exo*-Form: Alkoxy-Gruppe und Kohlenwasserstoff-Rest des Olefins auf verschiedenen Seiten des Cyclopropan-Ringes
endo-Form: Alkoxy-Gruppe und Kohlenwasserstoff-Rest des Olefins auf der gleichen Seite des Cyclopropan-Ringes
[b] *endo*-Form: überwiegt
[c] *exo*-Form überwiegt
[d] mit Methyl-lithium aus Methylbromid
[e] mit Methyl-magnesiumjodid
[f] Nebenprodukt (Isomerengemisch).

[1] U. Schöllkopf u. J. Paust, B. 98, 2221 (1965).

Alkoxy-cyclopropane; allgemeine Herstellungsvorschrift[1]: Der entsprechende Dichlormethyl-alkyl-äther wird im Olefin vorgelegt und eine ätherische Lösung von Methyl-lithium, hergestellt aus Methyljodid und Lithium, bis zum positiven Gilman-Test zugetropft. Danach wird bis zur klaren Lösung Wasser zugesetzt, im Scheidetrichter getrennt, die wäßrige Schicht mehrere Male mit Äther extrahiert und die Äther-Lösungen mit Wasser gewaschen. Scheidet sich während des Aufarbeitens Jod ab, so wird mit 10%iger Hydrogensulfit-Lösung geschüttelt, da der alicyclische Dreiring der Alkoxy-cyclopropane mit Jod langsam unter Bildung von Alkyljodid geöffnet wird.

***exo/endo*-7-Hexyloxy-bicyclo[4.1.0]heptan (7-Hexyloxy-norcaran)[1]:** Zu 18,5 (0,1 Mol) Dichlormethyl-hexyl-äther[2] und 200 *ml* Cyclohexen werden bei 20° innerhalb 2 Stdn. 165 *ml* 1,0 n ätherische Methyl-lithium-Lösung zugetropft. Bei ~ 40° destilliert man i. Wasserstrahlvak. niedrig siedende Substanzen und Cyclohexen ab. Der Rückstand wird aus einem 200-*ml*-Kolben, der tief in ein Ölbad taucht (Schäumen!), an einer 12-cm-Vigreux-Kolonne fraktioniert:

Kp_{18}: 53–54°; 6,0 g (42% d. Th.) *Isopropyl-hexyl-äther*
Kp_{18}: 133–136°; 7,0 g (36% d. Th.) *exo/endo-7-Hexyloxy-norcaran*
Isomerenverhältnis (gaschromatographisch ermittelt): 3,2 : 1.

Isomerentrennung: 3 g des Isomerengemisches werden in einer 120 cm langen Säule an 450 g neutralem Aluminiumoxid chromatographiert, wobei sich das *endo*-Addukt mit Petroläther (Kp: 40°) bevorzugt eluieren läßt.

2-Methoxy-1,1-dimethyl-cyclopropan[1]: Zu 11,5 g (0,1 Mol) Methyl-dichlormethyl-äther[2] und 200 *ml* 2-Methyl-propen werden bei −10° 110 *ml* 1,4 n ätherische Methyl-lithium-Lösung in 3 Stdn. zugetropft. Nach Abdampfen des 2-Methyl-propens werden die niedrig siedenden Verbindungen über eine 60-cm-Füllkörperkolonne mit verspiegeltem Vakuum-Mantel abdestilliert (Rücklaufverhältnis etwa 8 : 1), bis das Thermometer 46° zeigt. Den Rückstand destilliert man, um eventuell vorhandene schwer flüchtige Substanzen abzutrennen, ohne Kolonne bis zu einer Badtemp. von 150°. Die gaschromatographische Untersuchung des Destillats (14,1 g) zeigt die Anwesenheit von 5,5 g (55% d. Th.) *2-Methoxy-1,1-dimethyl-cyclopropan*. Die Verbindung ist auffallend flüchtig und läßt sich bei kleinen Ansätzen vom Äther durch Destillation nur schwer quantitativ abtrennen. Eine durch präparative Gaschromatographie isolierte reine Probe hat einen Kp_{760}: 80–81°.

***endo/exo*-6-Methoxy-bicyclo[3.1.0]hexen-(2)[1]:** Zu 11,5 g (0,1 Mol) Methyl-dichlormethyl-äther und 200 *ml* frisch dest. Cyclopentadien werden innerhalb 2,5 Stdn. bei −5° 110 *ml* 1,4 n ätherische Methyl-lithium-Lösung zugetropft. Der Gilman -Test bleibt negativ! Bei maximal 60° Badtemp. wird ein Gemisch von Äther und Cyclopentadien über eine 30-cm-Vigreux-Kolonne abdestilliert. Den Rückstand fraktioniert man an einer 12-cm-Vigreux-Kolonne; Ausbeute: 5,6 g (51% d. Th.) *endo/exo*-Gemisch; Kp_{760}: 120–123°; Isomerenverhältnis: 3,8 : 1. Der Nachlauf besteht im wesentlichen aus Dicyclopentadien.

Mit Chlormethyl-dichlormethyl-äther (I) anstelle von Dichlormethyl-alkyläthern bilden sich analog Chlormethoxy-cyclopropane (II). Wegen ihrer Hydrolyseempfindlichkeit sind diese nicht isoliert worden, sondern vor der Aufarbeitung mit Natriummethanolat in die entsprechenden (Methoxymethoxy)-cyclopropane (III) überführt worden[1]:

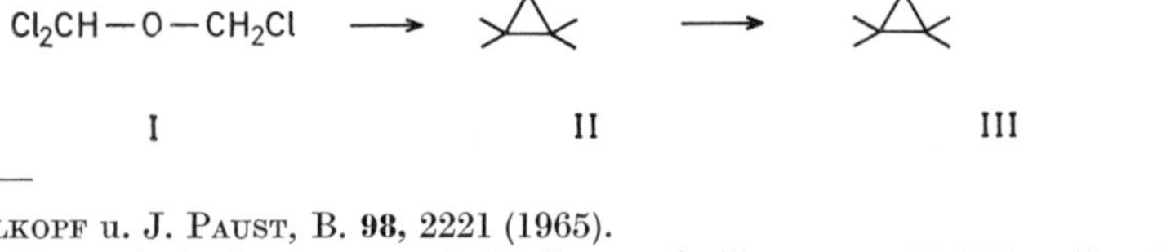

$$Cl_2CH-O-CH_2Cl \longrightarrow \qquad \longrightarrow$$

I   II   III

---

[1] U. Schöllkopf u. J. Paust, B. **98**, 2221 (1965).
[2] Methyl-dichlormethyl-äther kann nach H. Gross, A. Rieche u. E. Höft, B. **94**, 544 (1961), hergestellt werden.
   Vgl. a. H. Laato, Suomen Kem. **32**, 66 (1959).
   Dichlormethyl-hexyl-äther kann in ganz analoger Weise hergestellt werden. Das gebildete Phosphoroxychlorid wird bei 40° i.Wasserstrahlvak. in einem Rotationsverdampfer abdestilliert und das Rohprodukt in kleinen Anteilen rektifiziert, da es vor dem Sieden stark schäumt.

(Methoxymethoxy)-cyclopropane; allgemeine Herstellungsvorschrift[1]:

Chlormethyl-dichlormethyl-äther[1]: In Anlehnung an eine ältere Literaturvorschrift[2] durch Einleiten von Chlor in Methyl-chlormethyl-äther; (Kolben aus Duran-Glas). Zunächst chloriert man mit einem schwachen Chlorstrom ($\sim$ 60 ml/Min.) im indifferenten Tageslicht. Wenn nicht genügend Licht zutreten kann, reichert sich Chlor unter Gelbfärbung in der Lösung an und reagiert bei geringer Beleuchtungszunahme *explosionsartig*! Während der ersten Phase der Chlorierung muß die Flüssigkeit farblos bleiben. Von Zeit zu Zeit entnimmt man Proben und prüft den Siedebereich des Gemisches. Hat dieser 90–100° erreicht, wird unter Bestrahlung mit einer UV-Lampe (70 W-Hg-Hochdrucklampe, Hanau Q 81, Duranglaskolben) schneller chloriert. Den Chlorstrom regelt man so, daß die Temp. des Gemisches nicht über 80° steigt (beginnende Zersetzung). Ist der Siedebereich auf 120–135° gestiegen, wird die Chlorierung beendet. Anschließende Destillation über eine 60-cm-Füllkörperkolonne mit verspiegeltem Vakuum-Mantel (Rückflußverhältnis etwa 8:1) liefert als Hauptprodukt Chlormethyl-dichlormethyl-äther, Kp_{760}: 128–130°. Bei der Destillation des Chlorierungsgemischs werden anstelle von Siedesteinchen, die eine rasche Zersetzung katalysieren, besser Glassplitter verwendet.

(Methoxymethoxy)-cyclopropane: Die Ausbeute an (Methoxymethoxy)-cyclopropanen sinkt, wenn die Mischung während des Metallierens zu schwach gerührt wird; wenn die benutzte Base zu rasch zugetropft wird oder wenn sie konzentrierter als 1n ist. Um eine annähernd gleichmäßige Tropfgeschwindigkeit zu erzielen, bringt man an den Abgang des Tropftrichters eine Kapillare an ($\sim$ 1 mm Q). Der Tropftrichter wird dann auf einen der äußeren Hälse des Dreihalskolbens gesetzt, so daß die Base an der Innenwand herabläuft. Dadurch kann die Zugabe des Metallierungsagens bei intensivem Rühren nahezu kontinuierlich erfolgen. Das Reaktionsgemisch wird nach erfolgter Zugabe des Methyl-lithiums in eine Lösung von Natriummethanolat in Methanol eingegossen (leichte Erwärmung) und über Nacht gerührt. Dann setzt man Wasser zu, bis die Salze gelöst sind, trennt die Ätherschicht ab und wäscht das Wasser-Methanol-Gemisch mehrmals mit Petroläther (Kp: 40°). Die vereinigten organischen Phasen werden wiederholt mit Wasser gewaschen, um Alkali und Methanol zu entfernen. Schließlich wird über Calciumchlorid getrocknet und destilliert.

2-(Methoxymethoxy)-1,1-dimethyl-cyclopropan[1]: Zu 75 g (0,5 Mol) Chlormethyl-dichlormethyläther und 600 ml 2-Methyl-propen werden innerhalb 12 Stdn. bei Rückflußtemp. in oben angegebener Weise 860 ml 1,0 n ätherische Methyl-lithium-Lösung gegeben. Anschließend wird eine Lösung von 30 g Natrium in 700 ml Methanol eingegossen. Niedrig siedende Substanzen destilliert man bei einer maximalen Badtemp. von 65° über eine 25-cm-Vigreux-Kolonne ab. Den Rückstand fraktioniert man an einer 12-cm-Vigreux-Kolonne. Das Destillat (34 g; Kp_{760}: 125–134°) enthält nach gaschromatographischer Analyse neben drei unbekannten Substanzen 41% des gewünschten Acetals. Dieses Destillat wird an einer 60-cm-Füllkörperkolonne mit verspiegeltem Vakuum-Mantel bei einem Rücklaufverhältnis von $\sim$ 10:1 fraktioniert. Beim Kp_{760}: 128–129° gehen 15,2 g Destillat über, das nach gaschromatographischer Analyse zu 97% das gewünschte Acetal enthält.

Überraschenderweise erweisen sich die (Methoxymethoxy)-cyclopropane gegenüber wäßrigen Mineralsäuren sehr stabil. Die Versuche, die Acetale zu Hydroxy-cyclopropanen zu verseifen gelingt nicht[1].

Offensichtlich gelingt die α-Eliminierung zweier Chloratome[1] beim Methyl-trichlormethyl-äther (I; S. 244). Bei der Umsetzung von I in Cyclopentadien mit Methyl-lithium werden zu 21% Anisol (V) erhalten, dessen Bildungsweise leicht überschaubar ist. Das primär entstehende Methoxy-dichlor-methyl-lithium (II) reagiert mit Cyclopentadien – wahrscheinlich über ein Chlor-methoxy-carben (III) als Zwischenstufe – zu *6-Chlor-6-methoxy-bicyclo[3.1.0]hexen-(2)* (IV), das dann unter Ringerweiterung Chlorwasserstoff[3] eliminiert:

---

[1] U. Schöllkopf u. J. Paust, B. **98**, 2221 (1965).

[2] A. de Sonay, B. **27 R**, 337 (1894).

[3] Ob sich die Chlorwasserstoff-Abspaltung tatsächlich über das hier formulierte Carbenium-Ion vollzieht, bleibt fraglich, da auch ein E2-Prozeß nicht a priori ausgeschlossen werden kann.

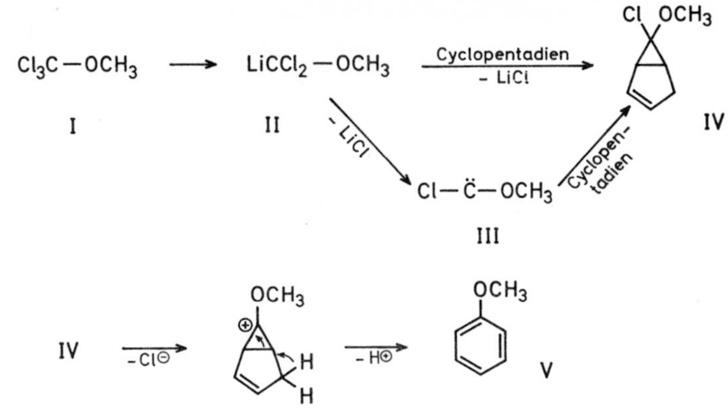

$$Cl_3C-OCH_3 \longrightarrow LiCCl_2-OCH_3 \xrightarrow[-LiCl]{Cyclopentadien}$$

IV

I   II

$$Cl-\ddot{C}-OCH_3$$

III

$$IV \xrightarrow{-Cl^\ominus} \quad \xrightarrow{-H^\oplus}$$

V

Erwartungsgemäß kann der Sauerstoff in den α-Halogen-äthern durch andere Heteroatome mit $+$E-Effekt ersetzt werden. Als Beispiel sei hier die Umsetzung von Trichlormethyl-phenyl-sulfid (VI) mit Methyl-lithium in 2-Methyl-propen erwähnt, die zum *2-Chlor-2-phenylmercapto-1,1-dimethyl-cyclopropan* (IX; 25% d. Th.) führt[1]:

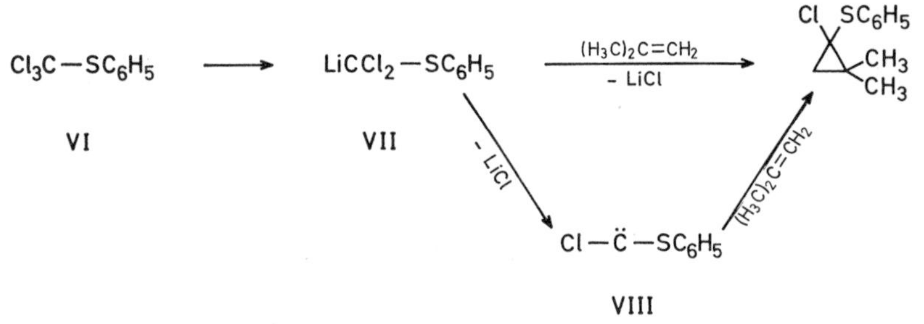

$$Cl_3C-SC_6H_5 \longrightarrow LiCCl_2-SC_6H_5 \xrightarrow[-LiCl]{(H_3C)_2C=CH_2}$$

VI   VII   IX

$$Cl-\ddot{C}-SC_6H_5$$

VIII

δ) Hydroxy-cyclopropane über Cyclopropyläther

Es war naheliegend die oben beschriebene Cyclopropyläther-Synthese für die Herstellung (sekundärer) Hydroxy-cyclopropane einzusetzen, zumal für diese gute Herstellungsverfahren fehlten. Das Problem bestand dann darin, einen geeigneten Rest R in den Cyclopropyläthern zu finden, der unter so milden Reaktionsbedingungen vom Sauerstoff abspaltbar ist, daß dabei der alicyclische Dreiring intakt bleibt. Hierbei hat sich die 2-Chlor-äthyl-Gruppe als besonders günstig erwiesen; d.h. die Synthese verläuft über (2-Chlor-äthoxy)-cyclopropane, die aus Olefinen, Dichlormethyl-[2-chlor-äthyl]-äther und Methyl-lithium/Lithiumjodid hergestellt werden[2,3]:

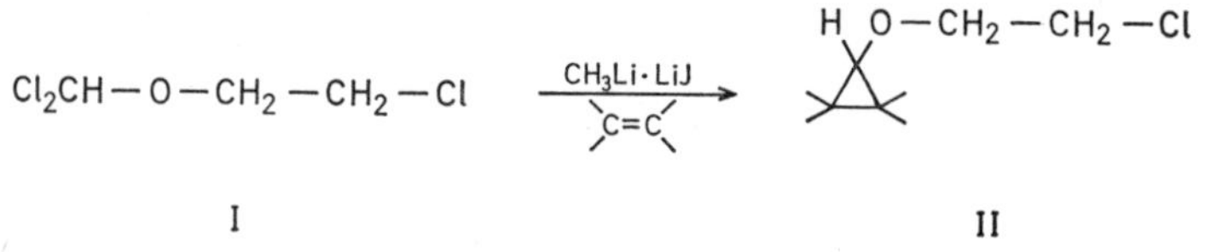

$$Cl_2CH-O-CH_2-CH_2-Cl \xrightarrow[\backslash C=C/]{CH_3Li \cdot LiJ}$$

I   II

---

[1] Vgl. F. P. WOERNER, Dissertation, Universität Heidelberg, 1964.
[2] U. SCHÖLLKOPF, J. PAUST, A. AL-AZRAK u. H. SCHUMACHER, B. **99**, 3391 (1966).
[3] Kurzmitteilung: J. PAUST u. U. SCHÖLLKOPF, Ang. Ch. **77**, 262 (1965).

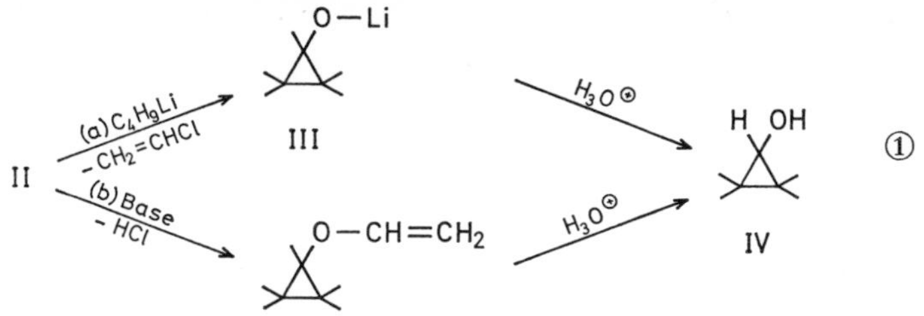

Für die Überführung der (2-Chlor-äthoxy)-cyclopropane (II) in sekundäre Cyclopropanole (IV) haben sich besonders zwei Verfahren bewährt[1,2]. Bei dem einem Verfahren arbeitet man mit Butyl-lithium (oder Äthyl-lithium), wobei in einem Reaktionsgang neben Vinylchlorid die Lithium-cyclopropanolate (III) entstehen, die dann durch saure Hydrolyse in die Cyclopropanole (IV) überführt werden können (Weg a, Gl. ①). Die Methode liefert gute Ausbeuten und dürfte in vielen Fällen daher die Methode der Wahl sein.

Der Reaktionsmechanismus dieser eigentümlichen Spaltreaktion ist noch unbekannt. Möglicherweise wird das lithiumorganische Reagens (R-Li) zunächst koordinativ an das Sauerstoffatom von II gebunden, wobei ein Komplex entstehen könnte, der vermutlich im Sinne der eingezeichneten Pfeile zerfallen könnte:

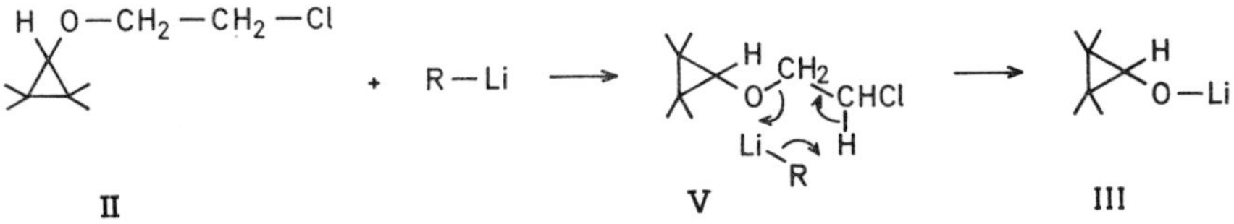

Bei Methode b (Gl. ①) wird aus (2-Chlor-äthoxy)-cyclopropan zunächst mit Kaliumhydroxid oder Kalium-tert.-butanolat Halogenwasserstoff eliminiert und der entstehende Cyclopropyl-vinyl-äther verseift.

(2-Chlor-äthoxy)-cyclopropane; allgemeine Herstellungsvorschrift[3,4]: Dichlormethyl-(2-chloräthyl)-äther [hergestellt[5] aus Ameisensäure-2-chlor-äthylester[6] und Phosphor(V)-chlorid; Kp$_{110}$: 106–110°] wird in dem entsprechenden Olefin vorgelegt und eine Lösung von Methyl-lithium (aus Methyljodid bereitet[7]) bis zum positiven Gilman-Test eingetropft[8]. Danach fügt man bis zur klaren Lösung Wasser zu, äthert mehrmals aus, trocknet über wasserfreies Natriumsulfat und entfernt Lösungsmittel und überschüssiges Olefin. Der Rückstand wird fraktioniert. Als Nebenprodukt ist stets (2-Chlor-äthyl)-isopropyl-äther abzutrennen (Kp$_{760}$: 118–121°).

2-(2-Chlor-äthoxy)-1,1-dimethyl-cyclopropan[3]: Zu 49 g (0,3 Mol) Dichlormethyl-(2-chloräthyl)-äther in 500 ml 2-Methyl-propen werden 240 ml 1,5 n ätherisches Methyl-lithium in 3 Stdn. bei Rückflußtemp. zugetropft. 2-Methyl-propen und Äther werden über eine 10-cm-Vigreux-Kolonne abdestilliert und der Rückstand fraktioniert; Ausbeute: 34,4 g (78% d.Th.); Kp$_{14}$: 50–53°. NMR: Cyclopropanprotonen (ABX-Spektrum) bei 7,0 und 9,1–9,6 τ (J$_{AX}$ ~ 4 Hz, J$_{BX}$ ~ 6 Hz).

3-(2-Chlor-äthoxy)-1,2-*trans*-dimethyl-cyclopropan[3]: Zu 49 g (0,3 Mol) Dichlormethyl-(2-chlor-äthyl)-äther und 400 ml *trans*-Buten-(2) werden innerhalb 3 Stdn. unter Rückfluß 250 ml 1,45 n ätherisches Methyl-lithium zugetropft. Buten und Äther werden im Rotationsverdampfer

[1] U. Schöllkopf, J. Paust, A. Al-Azrak u. H. Schumacher, B. **99**, 3391 (1966).
[2] Kurzmitteilung: J. Paust u. U. Schöllkopf, Ang. Ch. **77**, 262 (1965).
[3] U. Schöllkopf et al., B. **99**, 3391 (1966).
[4] J. Paust u. U. Schöllkopf, Ang. Ch. **77**, 262 (1965).
[5] H. Gross, A. Rieche u. E. Höft, B. **94**, 544 (1961).
[6] H. Baganz u. L. Domaschke, B. **91**, 653 (1958).
[7] H. Gilman, E. A. Zoellner u. W. M. Selby, Am. Soc. **55**, 1252 (1933).
[8] Vgl. U. Schöllkopf u. J. Paust, B. **98**, 2221 (1965).
Vgl. ds. Handb., Bd. XIII/1, S. 22.

abgezogen und der Rückstand an einer 25-cm-Vigreux-Kolonne (Vakuum-Mantel) fraktioniert; Ausbeute: 25,5 g (57% d.Th.); Kp_{760}: 165–166°.

NMR: Cyclopropanprotonen bei 7,03 und 9,2–9,72 τ.

3-(2-Chlor-äthoxy)-1,1,2,2-tetramethyl-cyclopropan[1]: Zu 49 g (0,3 Mol) Dichlormethyl-(2-chlor-äthyl)-äther und 220 ml 2,3-Dimethyl-buten-(2) werden innerhalb 4 Stdn. bei 25° 330 ml 1,3 n ätherisches Methyl-lithium zugetropft. Danach werden 2,3-Dimethyl-buten-(2) und Äther über eine 10-cm-Vigreux-Kolonne abdestilliert und der Rückstand an einer 20-cm-Vigreux-Kolonne fraktioniert; Ausbeute: 33,3 g (63% d.Th.); Kp_{12}: 68–71°.

NMR: Cyclopropanproton bei 7,46 τ, Methylprotonen bei 9 τ.

Analog erhält man[1,2] z. B. aus

cis-Buten-(2)	Rückfluß →	exo/endo-3-(2-Chlor-äthoxy)-1,2-cis-dimethyl-cyclo-propan	74% d.Th.
2-Methyl-buten-(2)	Rückfluß →	trans/cis-3-(2-Chlor-äthoxy)-1,1,2-trimethyl-cyclo-propan	23% d.Th.
Butadien	Rückfluß →	trans/cis-2-(2-Chlor-äthoxy)-1-vinyl-cyclopropan	76% d.Th.
Styrol	25° →	trans/cis-2-(2-Chlor-äthoxy)-1-phenyl-cyclopropan	70% d.Th.
Cyclopenten	−5° →	exo/endo-6-(2-Chlor-äthoxy)-bicyclo[3.1.0]hexan	57% d.Th.
Cyclopentadien	−5° →	exo/endo-6-(2-Chlor-äthoxy)-bicyclo[3.1.0]hexen-(2)	86% d.Th.
Cyclohexen	25° →	exo/endo-7-(2-Chlor-äthoxy)-bicyclo[4.1.0]heptan	48% d.Th.
Cyclohepten	25° →	exo/endo-8-(2-Chlor-äthoxy)-bicyclo[5.1.0]octan	36% d.Th.
Cyclooocten	25° →	exo/endo-9-(2-Chlor-äthoxy)-bicyclo[6.1.0]nonan	65% d.Th.

Hydroxy-cyclopropane; allgemeine Arbeitsvorschrift[1]:

Methode A: Man arbeitet mit Dreihalskolben, die mit Rückflußkühler, Rührer und Stickstoffzuleitung versehen sind. Äthyl- oder Butyl-lithium[3] tropft man bis zum positiven Gilman-Test zu. Da sich die Cyclopropanole beim Stehenlassen leicht in Aldehyde umwandeln[4] (IR-Spektrum) empfiehlt sich rasche Weiterverarbeitung.

Methode B: Es wird mit Kaliumhydroxid oder Kalium-tert.-butanolat eliminiert. In einem Dreihalskolben, der mit Rührmagnet, Tropftrichter, Thermometer und Luftkühler mit aufgesetzter Destillationsbrücke versehen ist, werden 5 Mole Kaliumhydroxid pro 1 Mol [2-Chlor-äthyl]-cyclopropyl-äther geschmolzen (Ölbad, 250–270°). Dazu tropft man den Äther so, daß der entstehende Vinyl-cyclopropyl-äther und Wasser abdestillieren, aber möglichst wenig des Ausgangsäthers. Die Hydrolyse der Vinyl-cyclopropyl-äther erfolgt mit verd. Schwefelsäure in 1,2-Dimethoxy-äthan.

Methode C: Bei dieser Methode erfolgt die Abspaltung der 2-Chlor-äthoxy-Gruppe mit Lithium in Äther.

2-Hydroxy-1,1-dimethyl-cyclopropan[1]:

Methode A: Zu 22,5 g (0,15 Mol) 2-(2-Chlor-äthoxy)-1,1-dimethyl-cyclopropan in 50 ml Äther tropft man in 30 Min. 330 ml 1,1 n ätherisches Äthyl-lithium unter Kühlung mit Wasser. Dann

[1] U. Schöllkopf et al., B. **99**, 3391 (1966).

[2] J. Paust u. U. Schöllkopf, Ang. Ch. **77**, 262 (1965).

[3] Zur Herstellung von ätherischem Äthyl- oder Butyl-lithium aus Äthyl- bzw. Butylbromid s. R. G. Jones u. H. Gilman, Org. Reactions, VI, S. 352, J. Wiley & Sons Inc., New York, 1951.

[4] Vgl. hierzu: C. H. De Puy, G. M. Dappen, K. L. Eilers u. R. A. Klein, J. Org. Chem. **29**, 2813 (1964); s. dort auch weitere Lit.

gießt man auf mit Eis versetzte ges. Natriumhydrogencarbonat-Lösung, äthert aus und trocknet über Natriumsulfat. Der Äther wird über eine 10-cm-Vigreux-Kolonne abdestilliert (Badtemp. maximal 65°) und der Rückstand fraktioniert; Ausbeute: 11,3 g (87% d. Th.); Kp_{13}: 36–38°.

NMR: Cyclopropanprotonen (ABX-Spektrum) bei 6,9 und 9,5–9,9 τ ($J_{AX} \sim$ 3,5 Hz, $J_{BX} \sim$ 6,5 Hz).

Methode B:
In einem 100-ml-Kolben mit 17-cm-Luftbrücke werden 60 g Kaliumhydroxid geschmolzen und 30 g 2-(2-Chlor-äthoxy)-1,1-dimethyl-cyclopropan in 1,5 Stdn. eingetropft (s. allgemeine Vorschrift auf S. 246); Ausbeute 15,5 g (69% d. Th.); Kp_{760}: 96–98°.

Eine Lösung von 16,8 g des Vinyläthers in 50 ml 1,2-Dimethoxy-äthan gibt man in 5 Min. bei 50° zu einer Lösung von 200 ml wäßriger 0,2 n Schwefelsäure in 100 ml 1,2-Dimethoxy-äthan, rührt noch 10 Min. bei dieser Temp., neutralisiert mit festem Natriumhydrogencarbonat und äthert mehrmals aus. Die Äther-Lösungen werden gründlich gewaschen und anschließend über Natriumsulfat getrocknet. Das Lösungsmittel wird über eine 10-cm-Vigreux-Kolonne abdestilliert (Badtemp. 50°). Den verbleibenden Rückstand destilliert man i. Wasserstrahlvak. bis zur Badtemp. 100° über eine 10-cm-Vigreux-Kolonne und rektifiziert anschließend das Destillat; Ausbeute: 9,4 g (73% d. Th.); Kp_{14}: 35–38°.

p-Toluolsulfonsäureester: F: 24–26° (aus Petroläther, Kp: 40°).

Methode C:
Aus 3-Brom-2,2-dimethyl-propanal[1]: Zu 3 g Lithium (in kleinen Stücken) in 50 ml Äther tropft man in 1 Stde. eine Lösung von 13 g 3-Brom-2,2-dimethyl-propanal in 30 ml Äther und rührt 2 Stdn. (exotherme Reaktion, Bildung eines graugrünen Niederschlages). Das überschüssige Lithium wird abgeschöpft und die Suspension in ges. Natriumhydrogencarbonat-Lösung gegossen und wie üblich aufgearbeitet (s. oben); Ausbeute: 5,8 g (84% d. Th.); Kp_{60}: 70–74°.

3-Hydroxy-1,2-*trans*-dimethyl-cyclopropan[1] (nach Methode A):
mit ätherischem Äthyl-lithium: Zu 20 g (0,135 Mol) 3-(2-Chlor-äthoxy)-1,2-*trans*-dimethyl-cyclopropan (s. oben) in 50 ml Äther tropft man bei Raumtemp. in 2 Stdn. 400 ml 0,9 n ätherisches Äthyl-lithium, gießt dann auf mit Eis versetzte ges. Natriumhydrogencarbonat-Lösung und arbeitet wie angegeben auf; Ausbeute: 7 g (60% d. Th.); Kp_{35}: 60–61°.

NMR: Cyclopropanprotonen bei 6,92 und 9,3–9,8 τ.

mit Butyl-lithium in Leichtbenzin: Zu 36 g (0,24 Mol) des Cyclopropyläthers in 300 ml Äther tropft man 500 ml 15%iges Butyl-lithium in Leichtbenzin[2] in 3 Stdn. zu; Ausbeute: 19,2 g (94% d. Th.); Kp_{12}: 36–39°. p-Toluolsulfonsäureester: ölig; $Kp_{0,1}$: 114–116° (nur in kleinen Mengen destillierbar, sonst Zers.).

Ferner werden z. B. erhalten:

exo/endo-3-Hydroxy-cis-1,2-dimethyl-cyclopropan	(Methode A)	85% d. Th.*
cis/trans-3-Hydroxy-1,1,2-trimethyl-cyclopropan	(Methode A)	59% d. Th.*
3-Hydroxy-1,1,2,2-tetramethyl-cyclopropan	(Methode A)	91% d. Th.*
	(Methode B)	69% d. Th.**
cis/trans-2-Hydroxy-1-phenyl-cyclopropan	(Methode A)	81% d. Th.*
	(Methode C)	92% d. Th.*
exo/endo-6-Hydroxy-bicyclo[3.1.0]hexan	(Methode A)	74% d. Th.*
exo/endo-7-Hydroxy-bicyclo[4.1.0]heptan	(Methode A)	94% d. Th.*
	(Methode B)	82% d. Th.**
exo/endo-8-Hydroxy-bicyclo[5.1.0]octan	(Methode A)	64% d. Th.*
exo/endo-9-Hydroxy-bicyclo[6.1.0]nonan	(Methode A)	93% d. Th.*

* bez. auf (2-Chlor-äthoxy)-cyclopropane
** bez. auf Vinyloxy-cyclopropane

Am Beispiel 2-Phenoxy-1,1-dimethyl-cyclopropan (I; S. 248) wurde die Abspaltung der Phenyl-Gruppe durch Birch-Reduktion und anschließende Hydrolyse versucht[1,3].

---

[1] U. Schöllkopf et al., B. **99**, 3391 (1966).
[2] käuflich erhältlich: Metallgesellschaft AG, Frankfurt.
[3] U. Schöllkopf, A. Lerch u. J. Paust, B. **96**, 2266 (1963).

Bei der Reduktion von I mit Lithium, die hier auffallenderweise direkt zu *2-Cyclo-hexen-(1)-yloxy-1,1-dimethyl-cyclopropan* (II) führt, wurden keine reproduzierbaren Ausbeuten erzielt. Hinzu kommt, daß das entstehende 2-Hydroxy-1,1-dimethyl-cyclopropan (III) von dem bei der Hydrolyse von II zwangsläufig mitgebildeten Cyclohexanon wegen der sehr ähnlichen Siedepunkte extrem schwer abtrennbar ist:

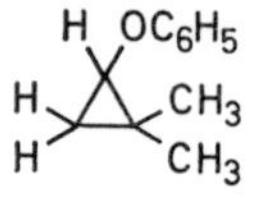

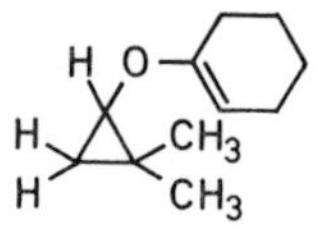

Die guten Ausbeuten bei den Verfahren A und C (s. S. 246) zeigen, daß die Li-thium-cyclopropanolate offensichtlich wesentlich beständiger als ihre offenkettigen Tautomeren, die β-Lithium-aldehyde, sind. Diese Tatsache wurde zu einer weiteren Cyclopropanol-Synthese ausgenutzt[1]. Hierzu wird 3-Brom-2,2-dimethyl-propanal (IV) in Äther mit Lithium umgesetzt. Nach hydrolytischer Aufarbeitung wird *2-Hydroxy-1,1-dimethyl-cyclopropan* (VII; 84% d.Th.) erhalten. Die entscheidende Zwischenstufe hierbei dürfte 3-Lithium-2,2-dimethyl-propanal (V) sein, das zum Lithiumsalz von VII cyclisiert:

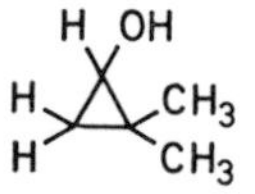

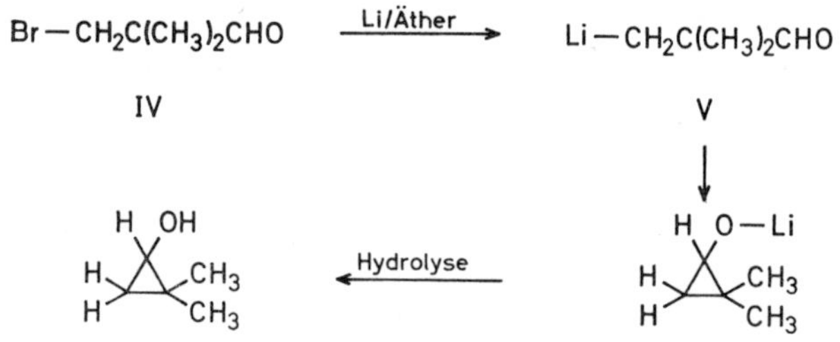

2. Cylopropanierung mit Arylmercapto- und Alkylmercapto-carbenen

a) Phenylmercapto-cyclopropane durch Phenylmercapto-carben-Übertragung auf Olefine

In Analogie zu den Synthesen von Phenoxy- und Alkoxy-cyclopropanen (s. S. 234–S. 244) wurde das Verhalten von Chlormethyl-aryl- bzw. -alkyl-sulfiden gegen-über starken Basen untersucht[2-4]. Phenylmercapto-cyclopropane (X) können danach aus Chlormethyl-phenyl-sulfid (VIII), Kalium-tert.-butanolat bzw. Butyl-lithium und Olefinen synthetisiert werden[2-4]. Eine Reihe von Beobachtungen (s. unten) rechtfertigt die Annahme, daß sich die Cyclopropan-Verbindungen hier über das Phenylmercapto-carben (XI) als Zwischenstufe bilden:

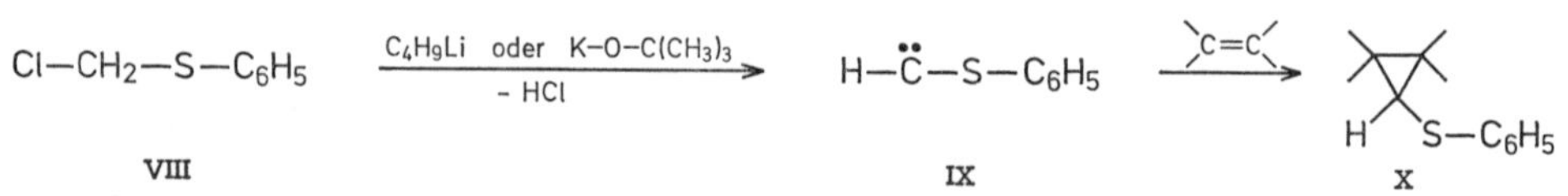

[1] U. SCHÖLLKOPF et al., B. **99**, 3391 (1966).
[2] U. SCHÖLLKOPF u. G. J. LEHMANN, Tetrahedron Letters **1962**, 165.
[3] U. SCHÖLLKOPF, Chem. eng. News **41**, Nr. 31, 42 (1963).
[4] U. SCHÖLLKOPF, G. J. LEHMANN, J. PAUST u. H.-J. HÄRTL, B. **97**, 1527 (1964).

Bei den Chlormethyläthern gelingt die α-Eliminierung praktisch nur mit Organo-lithium-Verbindungen. Schwächere Basen, wie z.B. Kalium-tert.-butanolat, wirken in diesem Fall nicht metallierend, sondern substituierend. Die Metallierung des Chlormethylphenyl-sulfids (VIII) ist demgegenüber auch mit schwächeren Basen aus mehreren Gründen möglich. Einmal dürften die Chlormethylwasserstoffe von VIII acider sein als die der Chlormethyl-aryl- bzw. -alkyl-äther, da das Schwefelatom wegen seiner Befähigung zur d-Orbitalresonanz[1] eine benachbarte negative Ladung nicht nur induktiv, sondern auch elektromer zu stabilisieren vermag. Zum anderen ist anzunehmen[2], daß das Halogenatom in α-Halogen-sulfiden weit weniger leicht nucleophil austauschbar ist als das in α-Halogen-äthern. Beide und möglicherweise noch andere Faktoren wirken hier offenbar zusammen und begünstigen so beim Chlormethyl-phenyl-sulfid die Metallierung vor der Substitution.

Tab. 36 zeigt eine Zusammenstellung der so gewonnenen Phenylmercapto-cyclopropane.

Beim 2-Methyl-propen als Olefinkomponente werden die besten Ergebnisse erzielt, wenn man zu einer Suspension von Kalium-tert.-butanolat (geringer Über-

Tab. 36. Phenylmercapto-cyclopropane aus Olefinen, Chlormethyl-phenyl-sulfid und Base[3]

Olefin	Base	Temperatur [°C]	Produkt	Ausb. [% d. Th.]
2-Methyl-propen	K-tert.-buta-nolat	−14	2-*Phenylmercapto-1,1-dimethyl-cyclo-propan*	80
	C$_4$H$_9$Li	−20	2-*Phenylmercapto-1,1-dimethyl-cyclo-propan*	60
trans-Buten-(2)	K-tert.-buta-nolat	−13	3-*Phenylmercapto-trans-1,2-dimethyl-cyclopropan*	68
cis-Buten-(2)	K-tert.-buta-nolat	−13	3-*Phenylmercapto-endo/exo-cis-1,2-di-methyl-cyclopropan* (Isomerenverhältnis ∼ 7:1)	60
Keten-diäthyl-acetal	C$_4$H$_9$Li	−15	2,2-*Diäthoxy-1-phenylmercapto-cyclo-propan*	80
cis-1,2-Bis-[phe-nylmercapto]-äthylen	K-tert.-buta-nolat a)	0	*all-cis-1,2,3-Tris-[phenylmercapto]-cyclopropan*	13
Cyclohexen	K-tert.-buta-nolat	+25	*endo/exo-7-Phenylmercapto-bicyclo [4.1.0]heptan* (Isomerenverhältnis ∼ 1,3 : 1)	45
	C$_4$H$_9$Li	−12	*endo/exo-7-Phenylmercapto-bicyclo [4.1.0]heptan* (Isomerenverhältnis ∼ 2 : 1)	19
Cyclohexadien-(1,3)	K-tert.-buta-nolat	+25	*endo/exo-7-Phenylmercapto-bicyclo [4.1.0]hepten-(2)* (Isomerenverhältnis ∼ 2,4 : 1)	60

a) in Tetrahydrofuran als Solvens.

---

[1] Vgl.: G. CILENTO, Chem. Reviews **60**, 147 (1960).
  J. F. ARENS, M. FRÖLING u. A. FRÖLING, R. **78**, 663 (1959).
  L. H. SLAUGH u. E. BERGMAN, J. Org. Chem. **26**, 3158 (1961).
[2] H. BÖHME, B. **74**, 248 (1941).
[3] U. SCHÖLLKOPF et al., B. **97**, 1527 (1964).

schuß) in dem Olefin bei $-15°$ allmählich das Chlormethyl-phenyl-sulfid zugibt und bei dieser Temperatur noch 5 Stdn. rührt. Bei Verwendung von Butyl-lithium hat es sich als zweckmäßig erwiesen, Chlormethyl-phenyl-sulfid in dem Olefin zu lösen und bei $-15°$ unter Rühren langsam eine ätherische Lösung der Base einzutropfen. Nicht umgesetztes Chlormethyl-phenyl-sulfid kann beim Aufarbeiten durch kurzzeitiges Kochen mit verdünnter Natronlauge oder mit wäßriger Silbernitrat-Lösung zerstört werden.

2-Phenylmercapto-1,1-dimethyl-cyclopropan[1]:

Mit Butyl-lithium: In einem 500-*ml*-Dreihalskolben kondensiert man unter Stickstoff 100 *ml* 2-Methyl-propen (über Lithiummalanat getrocknet) und fügt 15,9 (0,1 Mol) Chlormethyl-phenyl-sulfid[2] zu. Bei $-20°$ werden dann innerhalb von 4 Stdn. 0,1 Mol ätherisches Butyl-lithium unter Rühren zugetropft. Anschließend wird das Kältebad entfernt und das überschüssige 2-Methyl-propen über einen Rückflußkühler abgedampft. Nach der Hydrolyse mit verd. Natronlauge wird die ätherische Lösung mehrmals mit Wasser gewaschen, über Magnesiumsulfat getrocknet und der Äther abgedampft. Der Rückstand liefert an einer kleinen Vigreux-Kolonne 10,7 g (60,3%); Kp_{14}: 111–112°; $n_D^{20} = 1,5561$.

Mit Kalium-tert.-butanolat: Als Reaktionsgefäß dient ein 0,5-*l*-Dreihalskolben, versehen mit Rührer, Stickstoffzuleitung, Rückflußkühler mit Trockenrohr, Tropfrichter und Kältethermometer. Durch den Rückflußkühler wird Methanol von $-30°$ gepumpt. Zu ~ 1 Mol 2-Methyl-propen, in dem ungefähr 0,2 Mol Kalium-tert.-butanolat suspendiert sind, tropft man bei $-15°$ 31,6 g (0,2 Mol) Chlormethyl-phenyl-sulfid zu (Eintropfdauer ~ 30 Min.). Bei dieser Temp. wird einige Stdn. nachgerührt. Nach 5 Stdn. wird hydrolysiert und wie oben beschrieben, aufgearbeitet. Neben 2,7 g Rückstand erhält man bei der Destillation 9,5 g 2-Phenylmercapto-1,1-dimethyl-cyclopropan, verunreinigt mit $\sim 10\%$ nicht umgesetztem Chlormethyl-phenyl-sulfid. Gesamtausbeute: $\sim 80\%$ d.Th.; zur Abtrennung des Chlormethyl-phenyl-sulfids kocht man 1 g des Gemisches 30 Min. mit 15 *ml* 25%iger Natronlauge, schüttelt mit Äther aus, trocknet und analysiert den Rückstand gaschromatographisch.

1,1-Dimethyl-cyclopropan[1]: In 200 *ml* Äthanol werden 60 g Raney-Nickel und 17,8 g 2-Phenylmercapto-1,1-dimethyl-cyclopropan unter Rückfluß erhitzt. An den Rückflußkühler, dessen Temp. zwischen 22 und 30° gehalten wird, wird eine mit Methanol/Trockeneis gekühlte Falle angeschlossen, in der sich nach 12 Stdn. 2,07 g einer farblosen Flüssigkeit ansammeln, die dem Gaschromatogramm zufolge aus Benzol, Äthanol und einer dritten Substanz besteht, die IR-spektroskopisch als 1,1-Dimethyl-cyclopropan identifiziert werden kann.

Ein Versuch, die Reaktion auf Cyclopentadien anzuwenden, scheiterte. Statt des zu erwartenden Bicyclo[3.1.0]hexens-(2)(II) wurde nur Benzol und Formaldehyd-diphenylmercaptal isoliert[1]. Möglicherweise wird II nur intermediär gebildet, jedoch rasch vom Kalium-tert.-butanolat in Allylstellung angegriffen unter Bildung von Benzol und Kaliumthiophenolat. Das Thiophenolat-Ion könnte dann mit noch vorhandenem Chlormethyl-phenyl-sulfid(I) zum Formaldehyd-diphenylmercaptal weiterreagieren:

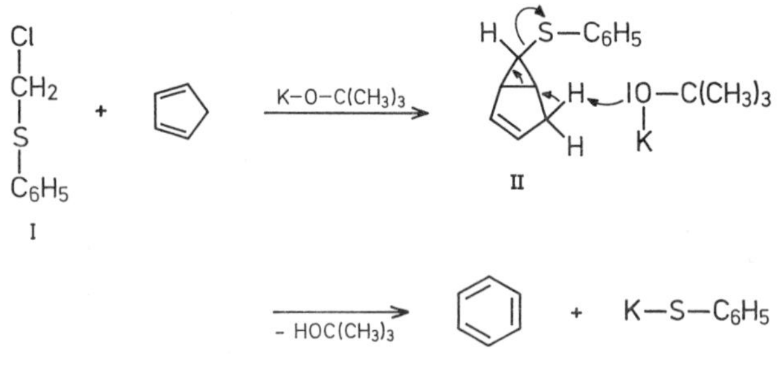

[1] U. Schöllkopf et al., B. **97**, 1527 (1964).

[2] Zur Herstellung von Chlormethyl-phenyl-sulfid s.:

H. Böhme, H. Fischer und R. Frank, A. **563**, 62 (1949).

DBP 845511 (1952), Farbw. Hoechst, Erf.: O. Scherer u. K. Fink; C. **1953**, 2509.

Als wichtigste Nebenprodukte erhält man[1] bei allen Umsetzungen *cis*- und *trans*-1,2-Bis-[phenylmercapto]-äthylen(V und VI)[2]. Mit Butyl-lithium als Base werden diese Produkte in größerem Ausmaße als mit Kalium-tert.-butanolat gebildet[3]. Im Fall der Umsetzung von Cyclohexen unter Verwendung von Butyl-lithium entstehen diese beiden Isomeren immerhin schon zu rund 17%. Für die Entstehung dieser Nebenprodukte sind zwei Reaktionsverläufe zu diskutieren, die beide von der primär entstehenden Organometall-Verbindung III ausgehen würden: III könnte einmal mit nicht umgesetztem I zu IV reagieren, das in einer baseninduzierten β-Eliminierung V und VI liefern würde. Andererseits wäre denkbar, daß auf III Phenylmercapto-carben übertragen würde unter Bildung einer neuen metallorganischen Verbindung VII, die dann schnell zu V und VI zerfiele:

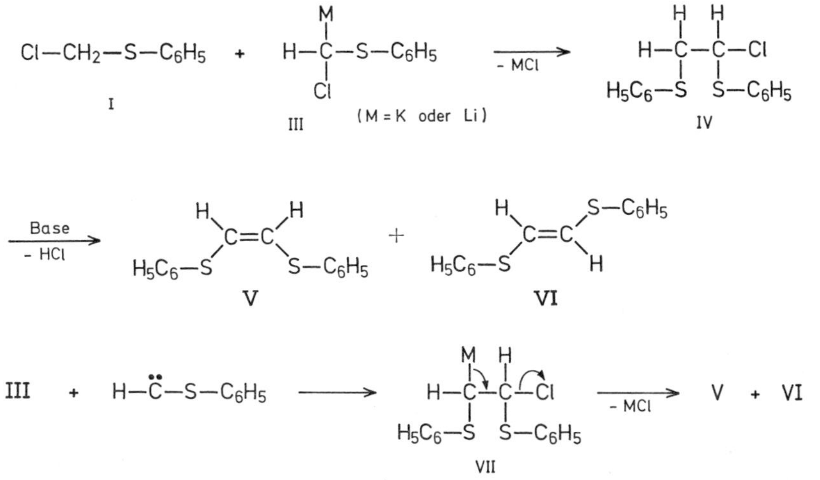

Die zweite Bildungsweise wird für die wahrscheinlichere gehalten[1]. Dieser Mechanismus würde nämlich erklären, warum beim Übergang von Cyclohexen zu 2-Methyl-propen oder Keten-diäthylacetal unter sonst völlig vergleichbaren Bedingungen die Ausbeute an Cyclopropan-Verbindungen ansteigt, die an Nebenprodukten jedoch zurückgeht. Je elektronenreicher die Doppelbindung des Olefins, um so rascher wird sich das Phenylmercapto-carben an das Alken addieren, und um so weniger wird die genannte Nebenreaktion ins Gewicht fallen. Nach den bisherigen Befunden darf man das intermediäre Auftreten der mit III formulierten alkalimetallorganischen Zwischenstufe als bewiesen betrachten. Die Entstehung der oben genannten Nebenprodukte läßt weiterhin den Schluß zu, daß bei der Bildung des Phenylmercapto-carbens die Ablösung des Protons und die Eliminierung des Chlorid-Ions nicht simultan erfolgen.

Bringt man Chlormethyl-phenyl-sulfid mit Kalium-tert.-butanolat in Tetrahydrofuran ohne Zugabe eines Alkens zur Umsetzung, so werden als Reaktionsprodukte dünnschichtchromatographisch neben V und VI noch Formaldehyd-diphenylmercaptal, Thiophenol sowie das *all-cis-1,2,3-Tris-[phenylmercapto]-cyclopropan* nachgewiesen, das ebenfalls durch Anlagerung von Phenylmercapto-carben an *cis*-1,2-Bis-[phenylmercapto]-äthylen synthetisiert werden konnte (s. Tab. 36, S. 249).

---

[1] U. Schöllkopf et al., B. **97**, 1527 (1964).

[2] Vgl.: W. E. Parham u. J. Heberling, Am. Soc. **77**, 1175 (1955).

[3] Gänzlich verschieden ist das Basenverhalten gegenüber Chlormethyl-alkyl-sulfiden. Setzt man z. B. Chlormethyl-dodecyl-sulfid bei −20° mit Butyl-lithium in 2-Methyl-propen um, so wird hauptsächlich 1,2-Bis-[dodecylmercapto]-äthylen neben nur wenig *2-Dodecylmercapto-1,1-dimethyl-cyclopropan* erhalten. Mit Kalium-tert.-butanolat hingegen bildet sich als Hauptprodukt die Cyclopropan-Verbindung, während das 1,2-Bis-[dodecylmercapto]-äthylen nicht nachgewiesen werden konnte; s. U. Schöllkopf et al., B. **97**, 1529 (1964).

Ein Versuch, Tolan in 3-Phenylmercapto-1,2-diphenyl-cyclopropen zu überführen, schlug fehl; offenbar ist Phenylmercapto-carben nicht zur Addition an acetylenische Dreifachbindungen befähigt[1].

Außer dem über das Phenylmercapto-carben führenden Weg ist für die Bildung der Phenyl-mercapto-cyclopropane noch die Anlagerung der intermediären alkalimetall-organischen Verbindung an die Doppelbindung des Olefins zu einer neuen Organo-metall-Verbindung mit Metall und Halogen in γ-Stellung, die dann cyclisiert, in Betracht zu ziehen. Das derzeit vorliegende Tatsachenmaterial bietet weder für den einen noch für den anderen Reaktionsablauf einen exakten Beweis, wenn auch die Indizien deutlich für den Carbenmechanismus sprechen. Die Beobachtung, daß Olefine mit isolierter Doppelbindung, der man im allgemeinen nucleophilen Charakter zuschreibt, glatt in die entsprechenden Cyclopropan-Derivate überführbar sind, wobei die Adduktausbeuten mit zunehmender Elektronendichte an der C=C-Doppelbindung ansteigen, verlangt eine elektrophile Spezies als entscheidende Zwischenstufe. Als solche kommt nur das Phenylmercapto-carben in Frage[1,2], von dem man elektrophiles Verhalten zu erwarten hat[3], nicht aber die hier gebildete alkalimetall-organische Verbindung, die nucleophil reagieren sollte.

Die *cis*-Stereospezifität der Addition und auch das Fehlen von 1,4-Addukten bei der Umsetzung mit einem Dien machen wahrscheinlich, daß sich die Übertragung des Phenylmercapto-carbens über einen Dreizentren-Übergangszustand vom Typ A vollzieht[4].

A

Die bevorzugte Bildung der *endo*-Addukte[5], die man auch bei anderen Carbenen gefunden hat[6], könnte mit der Annahme erklärt werden, daß sich im im Übergangszustand A die Olefin-Liganden und die Phenylmercapto-Gruppe noch in einer Entfernung voneinander befinden, bei der van der Waals'sche Anziehungskräfte wirksam sind. Wahrscheinlicher ist jedoch die folgende Hypothese[6]: Die Partialladungen werden vom Schwefel bzw. von den Alkyl-Gruppen des Olefins z. T. übernommen; der zur *endo*-Verbindung führende Übergangszustand ist dann elektronisch begünstigter als der zum *exo*-Addukt führende. Sofern sterische Einflüsse nicht ausschlaggebend sind — das scheint bei den hier bislang geprüften Alkenen der Fall zu sein —, bilden sich demzufolge die *endo*-Addukte in höherer Ausbeute.

β) 1-Chlor-1-phenylmercapto-cyclopropane

In Analogie zur Herstellung von Phenylmercapto-cyclopropanen (s. S. 248 ff.) gelingt die Synthese von 1-Chlor-1-phenylmercapto-cyclopropanen ausgehend von Dichlormethyl-phenyl-sulfid[7] (I):

[1] U. Schöllkopf et al., B. **97**, 1527 (1964).

[2] Die Phenylmercapto-carbene werden bei den Umsetzungen nicht „frei" auftreten; sie werden möglicherweise in komplexer Bindung noch ein Molekül Metallhalogenid enthalten, das von der α-Eliminierung her vorhanden ist.

[3] U. Schöllkopf, A. Lerch u. J. Paust, B. **96**, 2266 (1963).

[4] U. Schöllkopf et al., B. **96**, 2266 (1963).

[5] Die Konfigurationszuordnung erfolgte nicht nur kernresonanzspektroskopisch, sondern auch chemisch; *endo*- und *exo-7-Phenylmercapto-bicyclo[4.1.0]heptan* wurden getrennt zu den entsprechenden Sulfonen oxidiert. Das höher schmelzende Sulfon läßt sich beim Äquilibrieren mit Kalium-tert.-butanolat in das niedriger schmelzende umwandeln, aber nicht umgekehrt. Da mit Sicherheit das *exo*-Sulfon thermodynamisch stabiler als das *endo*-Isomere ist, folgt, daß das höher schmelzende Sulfon die *endo*-Konfiguration hat; vgl. a. U. Schöllkopf, A. Lerch u. J. Paust, B. **96**, 2266 (1963).

[6] Vgl. G. L. Closs, R. A. Moss u. J. J. Coyle, Am. Soc. **84**, 4985 (1962).

[7] U. Schöllkopf, F.-P. Woerner u. E. Wiskott, B. **99**, 806 (1966).

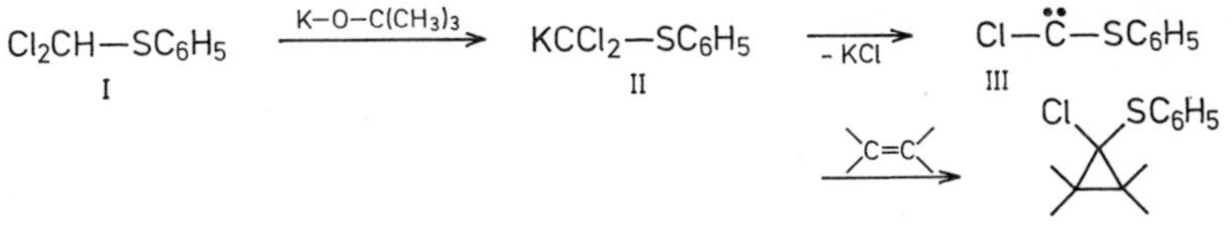

$$Cl_2CH—SC_6H_5 \xrightarrow{K—O—C(CH_3)_3} KCCl_2—SC_6H_5 \xrightarrow[- KCl]{} Cl—\overset{\displaystyle ..}{C}—SC_6H_5$$

I · II · III

$$\xrightarrow{\diagup C=C\diagdown}$$

IV

2-Chlor-2-phenylmercapto-1,1-dimethyl-cyclopropan (V) erhält man, wenn bei 20° zu einer Suspension von Kalium-tert.-butanolat in Petroläther/2-Methyl-propen langsam Dichlormethyl-phenyl-sulfid (I) in Petroläther zugetropft wird (50–60% d. Th.)[1]. Auch mit Butyl-lithium als Metallierungsagens gelingt die Synthese. Diese Modifikation des Verfahrens hat jedoch den Nachteil, daß durch zweifachen Austausch der Chloratome in I ~ 10% *5-Phenylmercapto-nonan* (VI) entstehen, ein Produkt, das von V destillativ nicht abzutrennen ist. V läßt sich nur durch Destillation reinigen, da es sich sowohl bei der Gaschromatographie als auch bei der Dünnschicht- oder Säulenchromatographie zersetzt. Wie bereits erwähnt (s. S. 244), ist V auch durch die Methyl-lithium/Lithiumjodid-Methode nach SCHÖLLKOPF[2] in 25%iger Ausbeute aus Trichlormethyl-phenyl-sulfid in Gegenwart von 2-Methyl-propen zugänglich.

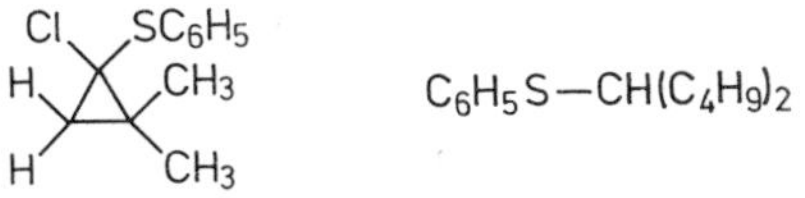

$$C_6H_5S—CH(C_4H_9)_2$$

V · VI

Bei der Hydrolyse in 20%iger Natronlauge erhält man neben Substanzen noch ungeklärter Struktur ~ 10% *2,2-Dimethyl-propansäure* (IX)[1]. Da diese Verbindung nur über *2-Hydroxy-2-phenylmercapto-1,1-dimethyl-cyclopropan*(VIII) entstanden sein kann, beweist ihr Auftreten, daß (zumindest bei einem Teil der Molekeln) bei Austausch von Chlor gegen die Hydroxy-Gruppe der alicyclische Dreiring intakt bleibt; das 2-Phenylmercapto-1,1-dimethyl-cyclopropyl-Kation(VII) ist mögliche Zwischenstufe. Daß VIII unter den vorliegenden Reaktionsbedingungen zu IX weiterreagiert, entspricht der Erwartung[3]; 3-Methyl-butansäure ist nicht nachzuweisen.

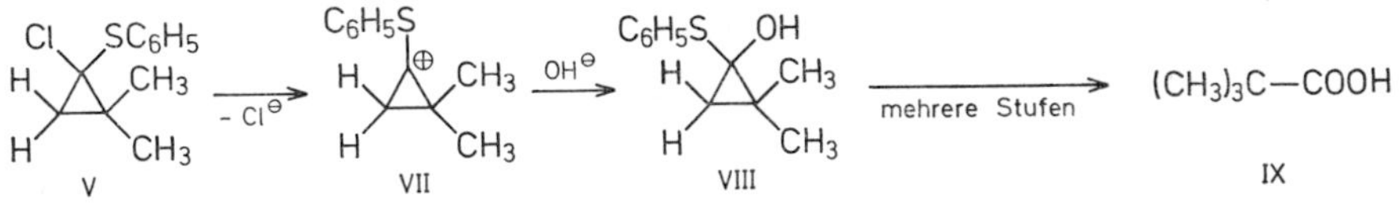

$$\xrightarrow[- Cl^\ominus]{} \qquad \xrightarrow{OH^\ominus} \qquad \xrightarrow{mehrere\ Stufen} (CH_3)_3C—COOH$$

V · VII · VIII · IX

Mit Cyclohexen als Abfangsreagens für Chlor-phenylmercapto-carben entstehen 15–20% *7-Chlor-7-phenylmercapto-bicyclo[4.1.0]heptan* (X; Oel; $Kp_{0,02}$: 122°). X sollte erwartungsgemäß in zwei Isomeren auftreten, jedoch konnte das Isomerenverhältnis nicht bestimmt werden[4]. Bei der alkalischen Hydrolyse liefert X teilweise Cyclohexancarbonsäure. Die Raney-Nickel-Entschwefelung führt unter Eliminierung der Phenylmercapto-Gruppe und des Chlors zu *Bicyclo[4.1.0]heptan* (*Norcaran*).

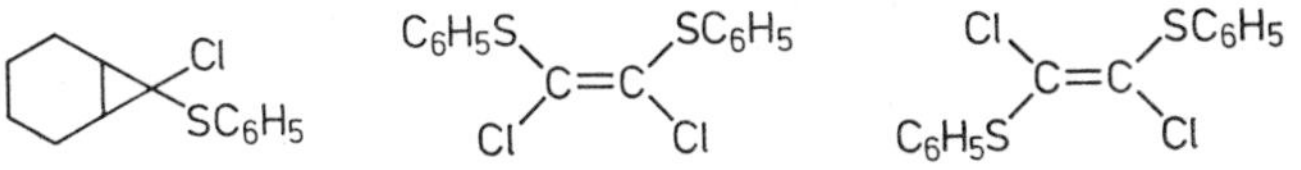

X · XI · XII

[1] U. SCHÖLLKOPF, F.-P. WOERNER u. E. WISKOTT, B. **99**, 806 (1966).
[2] U. SCHÖLLKOPF u. J. PAUST, B. **98**, 2221 (1965).
[3] Vgl. etwa: C. H. DE PUY u. F. W. BREITBEIL, Am. Soc. **85**, 2176 (1963).
[4] U. SCHÖLLKOPF et al., B. **99**, 806 (1966).

Als Nebenprodukte werden hier, wie auch bei anderen Umsetzungen, *cis-* und *trans-*1,2-Dichlor-1,2-bis-[phenylmercapto]-äthylen (XI bzw. XII; S. 253) isoliert. Für die Entstehung der beiden Olefine kann ein zur Bildung der chlorfreien Grundverbindung analoger Mechanismus (s.S. 251) angenommen werden[1].

1-Chlor-2,2-diäthoxy-1-phenylmercapto-cyclopropan (XIII) läßt sich aus Keten-diäthylacetal in 40 bis 60%iger Ausbeute gewinnen. Während XIII i.Vak. praktisch unzersetzt destilliert werden kann, sind die beiden aus Phenyl-keten-diäthylacetal erhältlichen *2-Chlor-3,3-diäthoxy-2-phenylmercapto-1-phenyl-cyclopropane* XIV und XV sehr thermolabil. Sie zersetzen sich beim Erwärmen zu einem Gemisch von *trans-* und *cis-α-Phenylmercapto-β-phenyl-acrylsäure-äthylester* (XVI bzw. XVII). Diese Umwandlungsprodukte bilden sich auch bei der Chromatographie beider Addukte an Aluminiumoxid. Möglicherweise werden die Carbenium-Ionen XVIII und XIX als Zwischenstufen bei der Umwandlung durchlaufen.

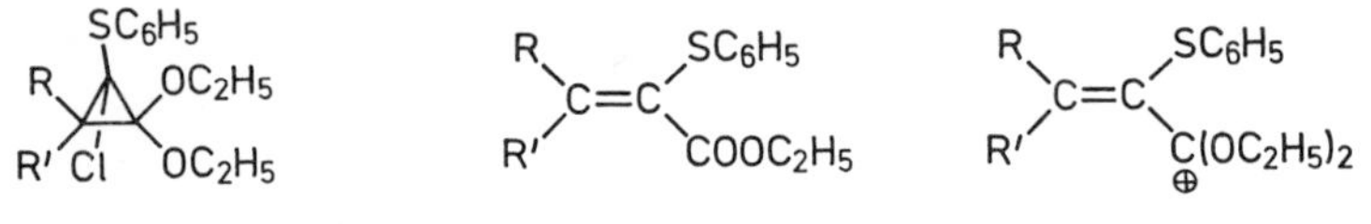

XIII	R = R' = H	
XIV	R = H; R' = C₆H₅	
XV	R = C₆H₅ ; R' = H	

XVI	R = H , R' = C₆H₅
XVII	R = C₆H₅ , R' = H

XVIII	R = H, R' = C₆H₅
XIX	R = C₆H₅ , R' = H

γ) Andere Mercapto-carbene bzw. -carbenoide zur Cyclopropan-Synthese

Diphenoxy-carbenoid ist wahrscheinlich eine Zwischenstufe der Umsetzung von Diphenoxy-dichlor-methan mit Alkyl-lithium-Verbindungen zu Tetraphenoxy-äthylen[2]. Ganz analog liefern Orthothioameisensäure-triester mit Kaliumamid[3] oder Alkyl-lithium[4,5] Tetrakis-[alkylmercapto]- und Tetrakis-[arylmercapto]-äthylene. Eine Anzahl von Indizien spricht für die Existenz eines Gleichgewichtes zwischen Tris-[phenylmercapto]-methyl-lithium, Bis-[phenylmercapto]-carben und Lithium-thiophenolat[4,5]: Durch Zugabe von Lithium-thiophenolat verringert sich die Bildungsgeschwindigkeit des „Dimeren", während sie durch Alkylierungsmittel erhöht wird. Bei Zusatz von Lithium-4-methyl-thiophenolat werden „gemischte Dimere" erhalten:

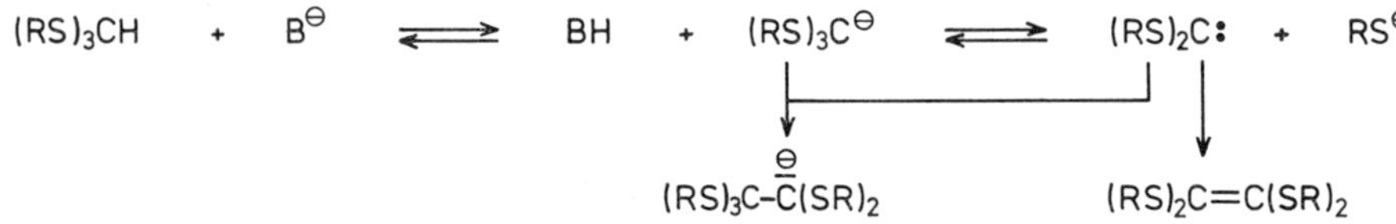

Dimercapto-carbene bzw. -carbenoide können nur an sehr elektronenreiche Doppelbindungen addiert werden. Cyclopropan-Derivate wurden mit Enaminen, Enoläthern[6,7], Ketenacetalen und Keten-thioacetalen[4] erhalten.

Wird z.B. die thermische Zersetzung des Tosylhydrazonsalzes I in Gegenwart von Keten-diäthylacetal durchgeführt, so wird das erzeugte Bis-[methylmercapto]-

[1] U. Schöllkopf u. J. Paust, B. **98**, 2221 (1965).

[2] R. N. McDonald u. R. A. Krueger, J. Org. Chem. **30**, 4372 (1965).

[3] J. Hine, R. P. Bayer u. G. G. Hammer, Am. Soc. **84**, 1751 (1962).

[4] D. Seebach, Ang. Ch. **79**, 469 (1967).

[5] G. A. Wildshut, H. J. T. Bos, L. Brandsma u. J. F. Arens, M. **98**, 1043 (1967).

[6] U. Schöllkopf u. E. Wiskott, Ang. Ch. **75**, 725 (1963); A. **694**, 45 (1966).

[7] D. M. Lemal u. E. H. Banitt, Tetrahedron Letters **1964**, 245.

carben[1–3] auf dieses unter Bildung des Cyclopropan-Derivates III (*2,2-Dimethoxy-1,1-bis-[methylmercapto]-cyclopropan*) übertragen[4]:

$$\text{Tos}-\underset{\underset{I}{Na}}{\overset{-}{N}}-\overset{-}{N}=C(SCH_3)_2 \quad \xrightarrow[-\,TosNa]{120°} \quad [N_2C(SCH_3)_2] \quad \xrightarrow{-\,N_2} \quad :C(SCH_3)_2$$

Dieses Carben addiert sich nicht an Cyclohexen.

3. Cyclopropanierung durch Phenylseleno-carben-Übertragung

Viele der Reaktionen aus der Phenylmercapto-carben-Reihe können auch auf das Selenanaloge übertragen werden[5]. So konnte Phenylseleno-carben aus Chlor-methyl-phenyl-selen mit Kalium-tert.-butanolat freigesetzt werden. Die Übertragung auf *cis*- und *trans*-Buten-(2) (zu *3-Phenylseleno-1,2-dimethyl-cyclopropan*) erwies sich als stereospezifisch. Die Additionen an Cyclohexen (70% *7-Phenylseleno-bicyclo[4.1.0]heptan*) und Cyclohexadien-(1,3) {*7-Phenylseleno-bicyclo[4.1.0]hepten-(2)*; 68% d. Th.} führten zu *endo/exo*-Verhältnissen von 2 : 1.

e) Cyclopropanierung mit Alkyl- und Dialkyl-carbenen

Alkyl- und Dialkyl-carbene unterscheiden sich von den meisten anderen Carbenen dadurch, daß sie fast ausschließlich intramolekulare Reaktionen eingehen, wobei Olefine und Cyclopropane entstehen können. Aus diesem Grunde eignen sich Alkyl- und Dialkyl-carbene nicht oder nur in extrem geringem Maße zur Addition an Olefine zum Zwecke der Cyclopropanierung.

Die Bildung von Cyclopropanen als Folge von intramolekularen Reaktionen dieser Carbene soll aus Gründen der Übersichtlichkeit auf S. 333 ff. gesondert behandelt werden. An dieser Stelle werden daher nur einige Bemerkungen über die intermolekularen Reaktionen von Methyl- und Dimethyl-carben gemacht.

Da primärer Wasserstoff im allgemeinen weniger leicht als sekundärer und tertiärer verschoben wird, läßt sich eine mittlere Stabilität für Methyl- und Dimethyl-carben erwarten. In der Tat wird etwas *Buten-(2)* zusammen mit Äthylen bei der Pyrolyse von Methylketen[6] und Diazoäthan[7,8] erhalten. Buten-(2) wird hierbei höchstwahrscheinlich durch den Angriff des Methyl-carbens an überschüssiges Methylketen bzw. Diazoäthan gebildet. In Einklang damit steht die Beobachtung, daß mit steigendem Druck das Verhältnis Buten-(2)/Äthylen größer wird[8]. Versuche, Methyl-carben durch Kombination mit Kohlenmonoxid abzufangen, scheiterten[9].

In geringer Ausbeute konnte Methyl-carben an Propen[8] und an Cyclohexen[10] unter Bildung von *1,2-Dimethyl-cyclopropan* bzw. *7-Methyl-bicyclo[4.1.0]heptan* addiert werden, während mit Buten-(2) keine Addition erzielt werden konnte[8].

[1] J. Hine, R. P. Bayer u. G. G. Hammer, Am. Soc. **84**, 1751 (1962).
[2] D. M. Lemal u. E. H. Banitt, Tetrahedron Letters **1964**, 245.
[3] A. Fröling u. J. F. Arens, R. **81**, 1009 (1962).
[4] U. Schöllkopf u. E. Wiskott, Ang. Ch. **75**, 725 (1963); A. **694**, 45 (1966).
[5] U. Schöllkopf u. H. Küppers, Tetrahedron Letters **1963**, 105.
[6] G. B. Kistiakowsky u. B. H. Mahan, Am. Soc. **79**, 2412 (1957).
[7] R. K. Brinton u. D. H. Volman, J. Chem. Physics **19**, 1394 (1951).
[8] H. M. Frey, Chem. & Ind. **1962**, 218; Soc. **1962**, 2293.
[9] F. O. Rice u. A. L. Glasebrook, Am. Soc. **56**, 741 (1934).
[10] V. Franzen et al., B. **94**, 2942 (1961).

Bei der *Photolyse* von Diazoäthan[1,2] oder Methyldiazirin[3] führt das intermediär auftretende Methyl-carben zur Bildung von „heißem" Äthylen, das sowohl „abgekühlt" wird als auch in Wasserstoff und Acetylen zerfällt. Das Verhältnis Äthylen/Acetylen steigt linear mit wachsendem Druck.

$$H_3C-CHN_2$$

$$H_3C-\underset{N}{\overset{N}{\underset{\|}{\diagup}}}$$

$$\xrightarrow{h\nu} \quad H_3C-\ddot{C}H \longrightarrow H_2C=CH_2^* \xrightarrow{+M} H_2C=CH_2$$

$$\downarrow$$

$$HC\equiv CH \ + \ H_2$$

Auch Einschiebung des Methyl-carbens in die Si-H-Bindung wurde beobachtet. So wird bei der Photolyse von Diazoäthan in Gegenwart von Phenylsilan 5% *Äthyl-phenyl-silan* gefunden[4]. Dabei konnte gezeigt werden, daß das *Äthyl-phenyl-silan* nicht aus dem Phenylsilan und dem Äthylen entsteht.

Die Bildung von Methyl- und Dimethyl-carben im Zuge der Umsetzungen von Alkyl-lithium-Verbindungen und deren intermolekulare Reaktionsmöglichkeiten in diesen Systemen ist ebenfalls untersucht worden[5].

f) Cyclopropanierungen mit Aryl- und Diaryl-carbenen

Aufgrund von ESR-Untersuchungen wurde der Triplett-Zustand (s. S. 327 ff.) als Grundzustand der Aryl- und Diaryl-carbene zweifelsfrei ermittelt. ESR-Spektren sowie Elektronen- und Schwingungsspektren (s. S. 329–331) lieferten entscheidende Aussagen über die Struktur dieser Carbene.

① Nicht völlige Stereospezifität bei Additionen an Doppelbindungen
② selektive Insertions- und Abstraktionsreaktionen
③ leichte Oxidierbarkeit durch molekularen Sauerstoff (s. u.)

sind typische Eigenschaften der Aryl- und Diaryl-carbene. Aryl- und Diaryl-carbenoide verhalten sich hingegen anders, so daß eine getrennte Behandlung (s. S. 264 ff.) gerechtfertigt erscheint.

Als weiterer Beweis für den Triplett-Zustand ist die Reaktion mit Sauerstoff geeignet. Eingehend wurde die Autoxidation von Diaryl-carbenen untersucht[6-9]. Außer Benzophenon-Derivaten ließen sich hierbei cyclische Peroxide isolieren[9], die jedoch aufgrund von ^{18}O-Versuchen keine Zwischenstufen der Benzophenon-Bildung sind. Diaryl-carbene lösen die Autoxidation von Kohlenwasserstoffen aus; z. B. erhält man bei der Belichtung von Diazofluoren in Cyclohexan unter Sauerstoff *Cyclohexanol* und *Cyclohexanon*[10]. Die Selektivität der induzierten Autoxidation ist ungewöhnlich hoch (prim. C—H/sek. C—H/tert. C—H = 1:15:140); es wird daher nicht das Triplett-Carben selbst, sondern sein Sauerstoff-Addukt als abstrahierende Spezies angesehen[10].

[1] H. M. FREY, Soc. **1962**, 2293.
[2] C. L. KIBBY u. G. B. KISTIAKOWSKY, J. phys. Chem. **70**, 126 (1966).
[3] H. M. FREY u. I. D. R. STEVENS, Soc. **1965**, 1700.
[4] K. A. W. KRAMER u. A. N. WRIGHT, Tetrahedron Letters **1962**, 1095.
[5] W. KIRMSE u. B. v. BÜLOW, B. **96**, 3316, 3323 (1963).
   Vgl. a. W. KIRMSE, „*Carbene Chemistry*", S. 60–61, Academic Press, Inc., New York · London 1964.
[6] H. E. ZIMMERMANN u. D. H. PASKOVICH, Am. Soc. **86**, 2149 (1964).
[7] W. KIRMSE et al., A. **614**, 19 (1958).
[8] G. F. KOSER u. W. H. PIRKLE, J. Org. Chem. **32**, 1992 (1967).
[9] P. D. BARTLETT u. T. G. TAYLOR, Am. Soc. **84**, 3408 (1962).
[10] G. A. HAMILTON u. J. R. GIACIN, Am. Soc. **88**, 1584 (1966).

1. Cyclopropanierung mit Aryl- bzw. Diaryl-carbenen

Photolyse und Pyrolyse von Diazo-Verbindungen sind die entscheiden-den Verfahren zur Erzeugung von Aryl- und Diaryl-carbenen[1,2]. Die Quantenaus-beuten für die UV-Photolyse von verschiedenen Diaryl-diazomethanen reichen von 0,65 bis 0,85.[3] Bei der Photolyse oder Thermolyse einiger Diazo-Verbindungen werden auch Olefine erhalten, die formal Dimere der erwarteten Carbene sind. Neben der Bildung von Olefinen tritt besonders bei den Aryl-diazo-Verbindungen das Entstehen von Azinen auf. Es liegt nahe, diese Reaktion als Angriff des Carbens am end-ständigen Stickstoff der Diazo-Gruppe zu deuten. In der Tat konnte man auch bei der Einwirkung von Dihalogen-carbenoiden auf Aryl-diazo-Verbindungen nebenein-ander Azine und Olefine erhalten[4]. Andere Befunde wecken jedoch Zweifel, ob dies der einzige Weg zu den hier gebildeten Azinen ist.

Die Photolyse von 1-Phenyl-diazoäthan in Hexan bei 0–5° lieferte 95% *Acetophenonazin* und nur insgesamt 5% *Styrol* und *trans-2,3-Diphenyl-buten-(2)*[5]. Da intramolekulare Wasserstoff-Verschiebungen in Carbenen meist sehr rasch erfolgen und durch intermolekulare Abfangreak-tionen gewöhnlich nicht unterbunden werden, hätte man beim Auftreten von Methyl-phenyl-carben vorwiegend Styrol erwartet und erhält es auch bei der thermischen Zersetzung von Methyl-phenyl-diazirin[6]:

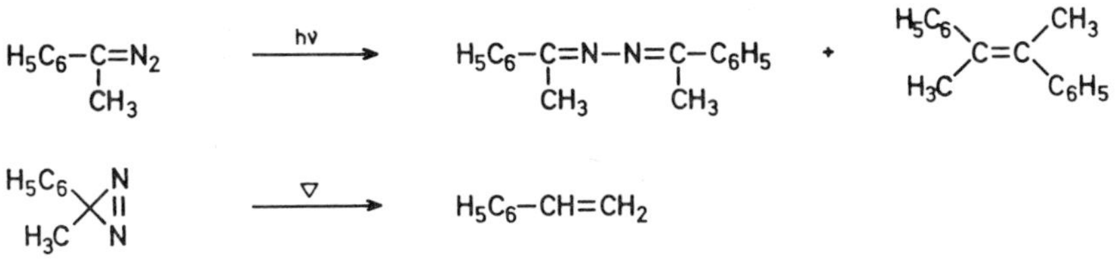

Für die Azin-Bildung ist daher auch eine bimolekulare Reaktion zwischen zwei Molekülen der Diazo-Verbindung erwogen worden[5]. Diese Vorstellung findet eine Stütze in der Zerfallskinetik des Phenyl-diazomethans, die eine Komponente 2. Ordnung aufweist[7]. Dagegen entspricht die Zerfallskinetik des Diphenyl-diazomethans einem unimolekularen Primärschritt[8]. Die Struktur-abhängigkeit der Azin- und Olefin-Bildung ist ebenfalls noch undurchsichtig. Die meisten der bislang untersuchten Aryl- und Diaryl-diazo-Verbindungen geben vorwiegend Azine; Substi-tuenten mit Donator-Wirkung scheinen die Azin-Bildung zu begünstigen[9]. 9-Diazo-fluoren da-gegen liefert überwiegend *Bi-fluorenyliden*[1,9]. Überraschend ist die ausschließliche Olefin-Bildung im Fall des Bis-[2,4,6-trimethyl-phenyl]-diazomethans[3]; man hätte hier erwarten können, daß der endständige Stickstoff einem Carben-Angriff eher zugänglich wäre als der stark sterisch ab-geschirmte Kohlenstoff. In diesem Fall wird jedoch eine echte Dimerisierung von Triplett-Car-benen für möglich gehalten[3].

---

[1] H. STAUDINGER u. O. KUPFER, B. **44**, 2197 (1911).

[2] Vgl. a. G. L. CLOSS u. R. A. MOSS, Am. Soc. **86**, 4042 (1964).

[3] W. KIRMSE u. L. HORNER, A. **625**, 34 (1959).

[4] H. REIMLINGER, B. **97**, 339, 3503 (1964).

[5] C. G. OVERBERGER u. J. P. ANSELME, Tetrahedron Letters **1963**, 1405; J. Org. Chem. **29**, 1188 (1964).

[6] E. SCHMITZ u. R. OHME, B. **94**, 2166 (1961).

[7] D. BETHELL u. D. WHITTAKER, Soc. **1966**, 778.

[8] D. BETHELL, D. WHITTAKER u. J. D. CHALLISTER, Soc. [B] **1965**, 2466.

[9] H. STAUDINGER u. J. GOLDSTEIN, B. **49**, 1923 (1916).

Bei der Durchführung von Aryl- und Diaryl-carben-Additionen an Olefine zum Zwecke der Cyclopanierung muß stets auf diese Nebenreaktionen geachtet werden. Oft bedürfen die entstehenden Produktgemische einer sorgfältigen Aufarbeitung bzw. Trennung. Es sei in diesem Zusammenhang auch erwähnt, daß bei der Photolyse und Thermolyse von Diphenyl-diazomethan in vielen Lösungsmitteln die Bildung von *1,1,2,2-Tetraphenyl-äthan* beobachtet worden ist[1-4]. In einigen Fällen konnten auch Dimerisierungsprodukte des Lösungsmittels isoliert werden, z.B. *1,2-Dimethoxy-1,2-diphenyl-äthan* aus der Pyrolyse von Diphenyl-diazomethan in Methyl-benzyl-äther[3] und *Bi-[cyclohexenyl-(3)]* aus der Photolyse von Diphenyl-diazomethan in Cyclohexen[4].

Durch ihr ESR-Spektrum konnten während der Thermolyse von Diphenyl-diazomethan in Dekalin Diphenylmethyl-Radikale nachgewiesen werden[5]:

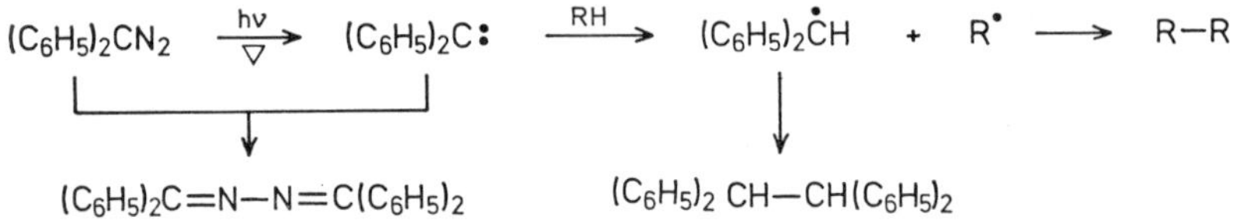

Das Verhältnis Benzophenon/1,1,2,2-Tetraphenyl-äthan hängt bei den Zersetzungsreaktionen des Diphenyl-diazomethans stark von der Fähigkeit des verwendeten Lösungsmittels ab, als H-Donator zu fungieren[2]. Während in Benzol fast nur das Azin gebildet wird, nimmt der Anteil des 1,1,2,2-Tetraphenyl-äthans in der Reihenfolge Toluol, Cyclohexan und Diisopropyläther zu. In Anbetracht dieser recht überzeugend nachgewiesenen Abstraktionsprozesse wird man zögern, die Bildung von *9-Diphenylmethyl-fluoren*(I) aus Diphenyl-diazomethan und Fluoren[2] oder die Bildung von *9-Cyclohexyl-fluoren*(II) aus Diazofluoren und Cyclohexan[2] als direkte Einschiebung zu deuten. Das aus Diazoanthron erzeugte Carben ist in der Lage, auch den Wasserstoff von Aromaten zu abstrahieren, wie die Bildung von *Bi-anthronyl*(III) und Biphenyl bei der Photolyse in Benzol erkennen läßt[6]. Die Belichtung von Diazoanthron in Toluol liefert alle drei möglichen Reaktionsprodukte einer Radikal-Rekombination:

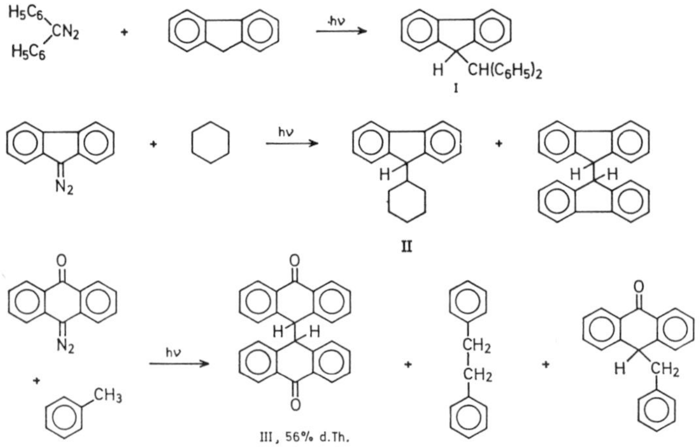

[1] W. E. PARHAM u. W. R. HASEK, Am. Soc. **76**, 935 (1954).
[2] W. KIRMSE et al., A. **614**, 19 (1958).
[3] D. B. DENNEY u. P. P. KLEMCHUK, Am. Soc. **80**, 3289 (1958).
[4] V. FRANZEN u. H. I. JOSCHEK, A. **633**, 7 (1960).
[5] D. R. DALTON et al., Tetrahedron Letters **1968**, 145.
[6] G. CAUQUIS u. G. REVERDY, Tetrahedron Letters **1967**, 1493.

Wie bereits auf S. 256 erwähnt, ist die Addition von Aryl- und Diaryl-carbenen an Olefine unter Cyclopropan-Bildung nicht völlig stereospezifisch. Aus *cis*- und *trans*-Buten-(2) wurden auch stets 3% des „falschen" Isomeren gebildet[1]. Die Untersuchung der syn-Addition von verschiedenen substituierten Phenyl-carbenen I an Olefine ergab, daß die gehinderten Produkte bevorzugt entstehen[2] (s. auch S. 266ff.):

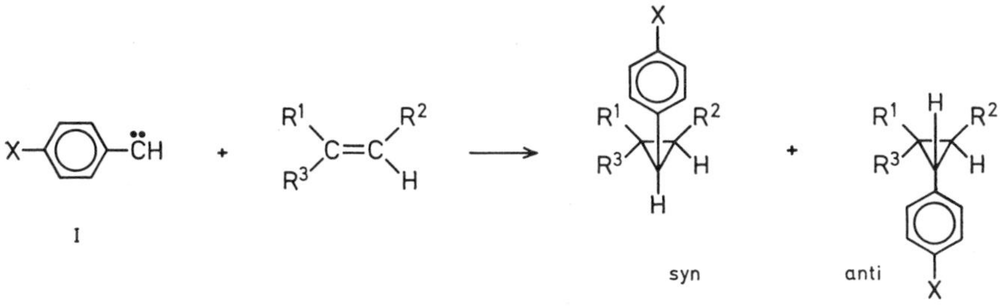

Die Konfigurationszuordnung der stereoisomeren Cyclopropane wurde sowohl kernresonanzspektroskopisch als auch durch unabhängige Synthese der in geringerer Menge entstehenden Addukte aus den entsprechenden *trans*-1-Aryl-butenen-(1) durch die stereospezifische Reaktion mit Dijodmethan und dem Zink-Kupfer-Paar (s. S. 114ff.) durchgeführt[2]. Außer *cis*- und *trans*-Buten-(2) wurde eine ganze Anzahl von Olefinen in die zu erwartenden Phenyl-cyclopropan-Derivate (*2,3-Dimethyl-1-phenyl-cyclopropan*) überführt, so z.B. Cyclohexen (*7-Phenyl-bicyclo[4.1.0]heptan*)[3,4], 2-Methyl-propen (*2,2,3-Trimethyl-1-phenyl-cyclopropan*)[5], Acenaphthylen (*7-Phenyl-7a,6b-dihydro-7H-⟨cyclopropa-[a]-acenaphthylen⟩*)[6] und Keten-diäthylacetal (*2,2-Diäthoxy-1-phenyl-cyclopropan*)[7]. Bei der Photolyse von Phenyl-diazomethan in Benzol wurde *7-Phenyl-cycloheptatrien* erhalten[1].

Bei der Photolyse von Diphenyl-diazomethan in Lösung reagiert das entstehende Diphenyl-carben mit *cis*- und *trans*-Buten-(2) unter Bildung der entsprechenden Diphenyl-cyclopropane, wobei die Reaktion nicht-stereospezifisch verläuft. Die für diese Umsetzungen ursprünglich mitgeteilten Produktverhältnisse[8] dürften wegen unvollständiger Abtrennung der olefinischen Nebenprodukte fehlerhaft gewesen sein. Eine Überprüfung[9] ergab, daß aus *cis*-Buten-(2) 13% *trans*-2,3-Dimethyl-1,1-diphenyl-cyclopropan* (IV) entstehen, während die Addition an *trans*-Buten-(2) selektiver verläuft:

[1] C. D. GUTSCHE et al., Tetrahedron **18**, 617 (1962).
[2] G. L. CLOSS et al., Am. Soc. **84**, 4985 (1962).
[3] G. L. CLOSS u. L. E. CLOSS, Tetrahedron Letters **1960**, 26.
[4] O. M. NEFEDOV, V. I. SHIRYAEV u. A. D. PETROV, Ž. obšč. Chim. **32**, 662 (1962); engl.: 661.
[5] U. SCHÖLLKOPF u. M. EISERT, Ang. Ch. **72**, 349 (1960); A. **664**, 76 (1963).
[6] V. J. HRUBY u. A. W. JOHNSON, Am. Soc. **84**, 3586 (1962).
[7] M. F. DULL u. P. G. ABEND, Am. Soc. **81**, 2588 (1959).
[8] L. S. SKELL et al., Am. Soc. **81**, 1008 (1959).
[9] G. L. CLOSS u. L. E. CLOSS, Ang. Ch. **74**, 431 (1962).

Diphenyl-carben-Addukte von 1,1-Diphenyl-äthylen[1], 3-Acetoxy-propen[2] und Allylalkohol[3] wurden z. B. durch Diphenyl-diazomethan-Pyrolyse erhalten. Die relativen Geschwindigkeiten der Anlagerung von Diphenyl-carben (durch thermische Zersetzung von Diphenyl-diazomethan) an Trimethyl-vinyl-, Trimethyl-allyl- und Trimethyl-[buten-(3)-yl]-silan sowie an Hepten-(1) konnten bestimmt werden[4].

Es war gezeigt worden[5], daß die ω-Trimethylsilyl-alkene-(1) (V) mit Diphenyl-diazomethan (VI) in Gegenwart und Abwesenheit katalytischer Mengen Kupfer(II)-sulfat zu den Cyclopropan-Derivaten VII reagieren.

Zunächst wurde in beiden Fällen angenommen, daß Diphenyl-carben aus Diphenyl-diazomethan entsteht und dann addiert wird[5]. In neuerer Zeit konnte jedoch nachgewiesen werden, daß dieser Mechanismus nur bei Anwesenheit von Kupfer(II)-sulfat gilt, nicht aber für die Reaktion bei Abwesenheit des Katalysators bei Temp. unterhalb des Zersetzungspunktes von VI in inerten Solventien (85°)[6]. In diesen Fällen muß intermediäre Bildung von Pyrazolin-Derivaten VIII angenommen werden[6], die sich nach der auf S. 42ff. beschriebenen Weise unter Stickstoff-Abspaltung und Bildung von VII zersetzen.

$$(CH_3)_3Si-(CH_2)_n-CH=CH_2 \quad + \quad (C_6H_5)_2CN_2 \quad \xrightarrow[-N_2]{CuSO_4} \quad (CH_3)_3Si-(CH_2)_n-\underset{H_5C_6 \quad C_6H_5}{\triangle}$$

$$n=0,1,2 \quad V \qquad\qquad VI \qquad\qquad\qquad VII$$

$$\uparrow -N_2$$

$$V \quad + \quad VI \quad \longrightarrow \quad (CH_3)_3Si-(CH_2)_n \underset{N\equiv N}{\overset{C_6H_5}{\diagup}} C_6H_5$$

$$VIII$$

VII; n = 0;   2-Trimethylsilyl-1,1-diphenyl-cyclopropan
      n = 1;   2-(Trimethylsilyl-methyl)-1,1-diphenyl-cyclopropan
      n = 2;   2-(2-Trimethylsilyl-äthyl)-1,1-diphenyl-cyclopropan

Wie bei anderen Carbenen wird auch bei den Aryl- und Diaryl-carbenen bei der Reaktion mit Olefinen die Cyclopropan-Ausbeute durch konkurrierende Reaktionen oft nachteilig beeinflußt. Insertions- und Abstraktionsreaktionen können hier z. T. erfolgreich mit der Addition konkurrieren. So ist z. B. konkurrierende Abstraktion von Wasserstoff beim Bi-anthronyliden (aus Diazoanthron) die Ursache für mäßige Cyclopropan-Ausbeuten bei Umsetzung mit alkylsubstituierten Olefinen. Mit Styrol und 1,1-Diphenyl-äthylen werden $\sim$ 90% Additionsprodukt erhalten, während Triphenyl- und Tetraphenyl-äthylen mit diesem Carben nicht reagieren[7]. Auch Diphenyl-carben ließ sich nur mit Styrol und 1,1-Diphenyl-äthylen umsetzen, nicht aber an Triphenyl- und Tetraphenyl-äthylen addieren[8]. Ein ungünstiges Zusammenwirken von sterischen und induktiven Effekten dürfte hierfür verantwortlich zu machen sein.

[1] J. E. HODGKINS u. M. P. HUGHES, J. Org. Chem. 27, 4187 (1962).
[2] I. A. DYAKONOV u. O. V. GUSEVA, Ž. obšč. Chim. 22, 1355 (1952); C. A. 47, 4293 (1953).
[3] I. A. DYAKONOV, Ž. obšč. Chim. 21, 1986 (1951); C. A. 46, 6591 (1952).
[4] I. A. DYAKONOV, I. B. REPINSKAYA u. G. V. GOLODNIKOV, Ž. obšč. Chim. 36, 949 (1966); engl.: 964.
[5] Vgl. die Literaturangaben bei I. A. DYAKONOV et al., Ž. org. Chim. 2, 2256 (1966).
[6] I. A. DYAKONOV et al., Ž. org. Chim. 2, 2256 (1966).
[7] G. CAUQUIS u. G. REVERDY, Tetrahedron Letters 1968, 1085.
[8] B. S. GORTON, J. Org. Chem. 30, 648 (1965).

Carbene, für die Abstraktionsreaktionen eindeutig nachgewiesen wurden, addieren sich im allgemeinen nicht-stereospezifisch an Olefine. Eine bemerkenswerte Ausnahme[1] bildet jedoch das 5-Diazo-5H-⟨dibenzo-[a;e]-cycloheptatrien⟩ (IX). Obgleich hier die Bildung des Dihydrodimeren und zweier isomerer Insertionsprodukte eindeutig auf Wasserstoffabstraktion hinweist, erfolgt z.B. die Addition an *cis*-Buten-(2) stereospezifisch:

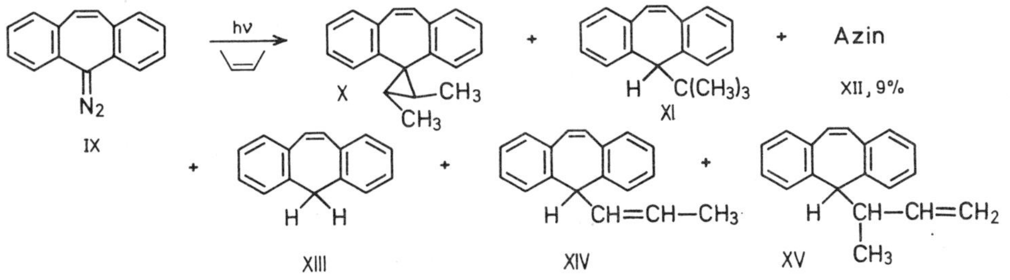

X; *2,3-Dimethyl-cyclopropan-⟨1-spiro-5⟩-5H-⟨dibenzo-[a;e]-cycloheptatrien⟩*; 11% d.Th.
XI; *5-tert.-Butyl-5H-⟨dibenzo-[a;e]-cycloheptatrien⟩*; 23% d.Th.
XIII; *5H-⟨Dibenzo-[a;e]-cycloheptatrien⟩*; 2% d.Th.
XIV; *5-Propenyl-5H-⟨dibenzo-[a;e]-cycloheptatrien⟩*; 2% d.Th.
XV; *5-[Buten-(1)-yl-(3)]-5H-⟨dibenzo-[a;e]-cycloheptatrien⟩*; 2% d.Th.

Sieht man von diesem Beispiel ab, so kann man feststellen, daß Arylsubstituenten Triplett-Carben-Reaktionen begünstigen. So zeigt Diazoanthron vorwiegend Wasserstoff-Abstraktion (s. oben); die Addition an *cis*-Stilben verläuft nicht-stereospezifisch und mit mäßiger Ausbeute[2,3]. Im Gegensatz dazu liefert z.B. das sich vom 2,6-Di-tert.-butyl-1,4-benzochinondiazid ableitende Carben mit Olefinen 70–80% Additionsprodukte mit über 95% Stereospezifität[4]:

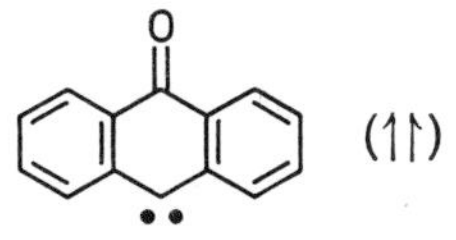

vorwiegend Abstraktion; wenig, nicht-stereospezifische Addition

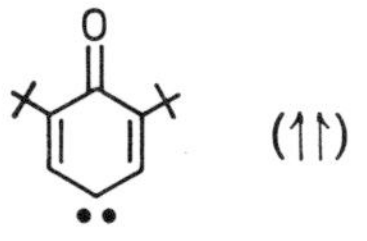

Additionen mit hohen Ausbeuten und hoher Stereospezifität

Über die Reaktionen des Fluorenylidens wird auf S. 292–297 eingehend im Zusammenhang mit der Synthese von Cyclopropan-⟨spiro-3⟩-cyclohexadienen-(1,4) berichtet.

Aryl-cyclopropane; allgemeine Herstellungsvorschrift[5]: Als Photolyseapparatur kann ein Dreihals-Rundkolben verwendet werden, der mit Kältethermometer, Rührer und Stickstoff-Einleitungsrohr versehen ist. Die ganze Apparatur wird in ein Kältebad mit Methanol gebracht. Das Methanol wird zur Kälteübertragung durch einen geeigneten Wärmeaustauscher, der sich in einem Trockeneis/Aceton-Bad befindet, gepumpt. Die Bestrahlung (General Electric Photoflood, PH/RFL-2.500 W) erfolgt zweckmäßigerweise direkt unterhalb des lichtdurchlässigen Kältebades. In einem typischen Ansatz werden 0,25 Mol des entsprechenden Olefins im Reaktionsgefäß kondensiert und 0,01 Mol des Aryl-diazomethans zugegeben. Während der Bestrahlung

---

[1] I. MORITANI et al., Am. Soc. **89**, 1257, 1259 (1967).
[2] G. CAUQUIS u. G. REVERDY, Tetrahedron Letters **1968**, 1085.
[3] G. CAUQUIS u. G. REVERDY, Tetrahedron Letters **1967**, 1493.
[4] G. F. KOSER u. W. H. PIRKLE, J. Org. Chem. **32**, 1992 (1967).
[5] G. L. CLOSS u. R. A. MOSS, Am. Soc. **86**, 4042 (1964).

(∼ 3—4 Stdn.) wird die Temp. auf —10° gehalten. Nach erfolgter Bestrahlung wird das über-schüssige Aryl-diazomethan dadurch entfernt, daß man die Reaktionsmischung in eine Lösung von 1 g Maleinsäureanhydrid in 30 ml Äther gießt[1]. Nach dem Filtrieren wird die ätherische Lösung mit einer Lösung von 1 g Kaliumhydroxid in 30 ml Wasser behandelt und 1 Stde. gerührt. Hierbei werden sowohl das Pyrazolin als auch das überschüssige Maleinsäureanhydrid entfernt. Die organische Phase wird mit Wasser gewaschen und anschließend über wasserfreiem Natrium-sulfat getrocknet. Nach Entfernen des Äthers wird bei 0,1 Torr von Kolben zu Kolben destilliert. Der Destillationsrückstand ist im wesentlichen Aldazin. Das Destillat enthält nach gaschromato-graphischer Untersuchung neben den Cyclopropanen jeweils 2—5% Olefine. Ist eine gaschromato-graphische Trennung von diesen erschwert, so werden die Olefine durch Ozonisierung entfernt. Hierzu wird das Rohdestillat in Methanol gelöst und bei —70° durch diese Lösung Ozon geleitet. Der Ozon-Überschuß wird dann durch Zugabe von Penten zerstört bevor man auf Raumtemp. erwärmen läßt. Die Entfernung der Ozonide erfolgt durch Zugabe von Äther zur Reaktions-mischung und mehrmaliger Extraktion dieser mit ges. Natriumhydrogensulfit-Lösung. Nach Abdampfen des Lösungsmittels wird der Rückstand gaschromatographisch behandelt. Die Aus-beuten an Aryl-cyclopropanen, bez. auf umgewandeltes Aryl-diazomethan, liegen zwischen 10 und 40%. Die Charakterisierung der Produkte erfolgt zweckmäßigerweise durch Aufnahme der IR- und NMR-Spektren.

Dem Zerfall von Cyclopropanen in Olefine und Carbene (s. S. 660ff.) entspricht die Spaltung von Oxiranen in Carbonyl-Verbindungen und Carbene.

Die Photolyse von 2,3-Diphenyl-oxiran (I) in Olefinen führt mit guter Ausbeute (60–75%) zu den entsprechenden Phenyl-cyclopropanen, die jedoch von 2-Phenyl-oxetanen begleitet sind, die durch Photoaddition der Olefine an Benzaldehyd entstehen[2,3]:

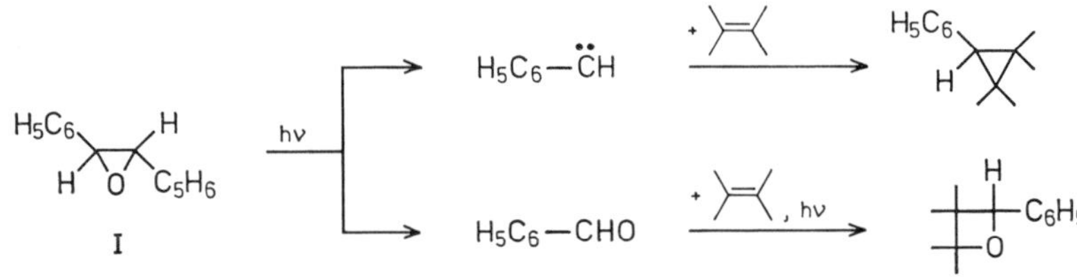

Das hierbei erzeugte Phenyl-carben zeigt gegenüber den C—H-Bindungen des Pentans die gleiche Selektivität wie Phenyl-carben aus Phenyl-diazomethan[4]; Unterschiede bestehen offen-sichtlich im syn/anti-Verhältnis der Addition an einige Olefine[2,3].

Durch Photolyse von trans-2,3-Dimethyl-2,3-diphenyl-oxiran lassen sich Olefin-Addukte des Methyl-phenyl-carbens mit Ausbeuten zwischen 40 und 60% er-halten[5], während andererseits die Zersetzung von 1-Phenyl-diazoäthan vorwiegend Styrol liefert[6].

Das Auftreten von Carbenen im Zuge der Oxiran-Photolyse wurde auch durch spektrosko-pische Methoden gesichert: Bei Belichtung des Tetraphenyl-oxirans in glasartig erstarrtem Methyl-cyclohexan bei 77° K konnte die typische Lumineszenz und das ESR-Spektrum des Di-phenyl-carbens (s.a.S. 329) beobachtet werden[7].

---

[1] Dieses Verfahren erwies sich vorteilhafter als die Zerstörung des überschüssigen Aryl-diazo-methans mit Säuren, da diese zur Bildung von erhöhten Mengen an arylsubstituierten Ole-finen Anlaß gibt.

[2] H. KRISTINSSON u. G. W. GRIFFIN Ang. Ch. **77**, 859 (1965).

[3] H. KRISTINSSON u. G. W. GRIFFIN, Am. Soc. **88**, 1579 (1966).

[4] G. W. GRIFFIN et al., Tetrahedron Letters **1968**, 153

[5] H. KRISTINSSON, Tetrahedron Letters **1966**, 2343.

[6] C. G. OVERBERGER u. J. P. ANSELME, Tetrahedron Letters **1963**, 1405; J. Org. Chem. **29**, 1188 (1964).

[7] G. W. GRIFFIN et al., Am. Soc. **89**, 3357 (1967).

Außer Aryl- und Diaryl-carbenen wurden auch Phenyl-cyan-carben[1-4] und Phenyl-äthoxycarbonyl-carben[2] durch Photolyse von entsprechenden Oxiranen erzeugt.

Eine meist sehr selektive Spaltung wurde bei den unsymmetrisch substituierten Oxiranen beobachtet[1,2,5,6]:

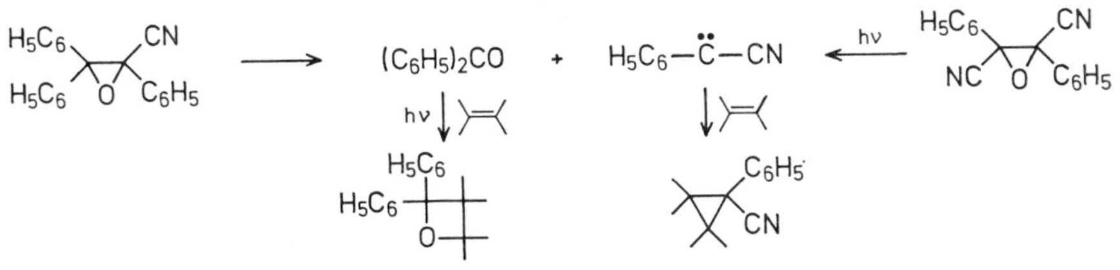

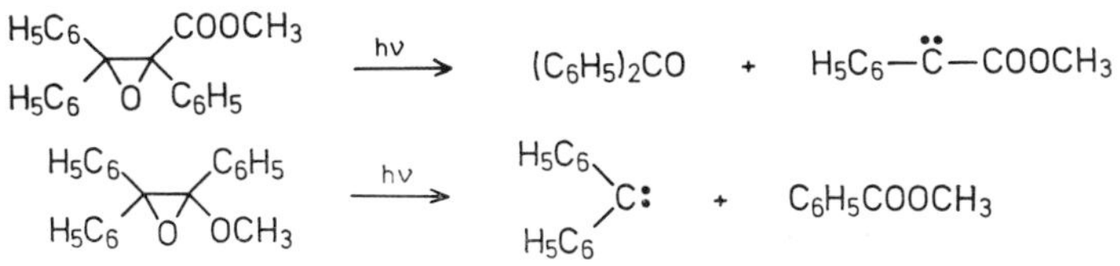

H_5C_6 / CN $\longrightarrow$ $(C_6H_5)_2CO$ + $H_5C_6-\ddot{C}-CN$ $\xleftarrow{h\nu}$ H_5C_6 / CN
H_5C_6 O C_6H_5 NC O C_6H_5

H_5C_6 / COOCH$_3$ $\xrightarrow{h\nu}$ $(C_6H_5)_2CO$ + $H_5C_6-\ddot{C}-COOCH_3$
H_5C_6 O C_6H_5

H_5C_6 / C_6H_5 $\xrightarrow{h\nu}$ H_5C_6 C: + $C_6H_5COOCH_3$
H_5C_6 O OCH_3 H_5C_6

Tab. 37. Phenyl-cyclopropane III durch Photolyse von 2,3-Diphenyl-oxiran (I) in Gegenwart der Olefine II[7]

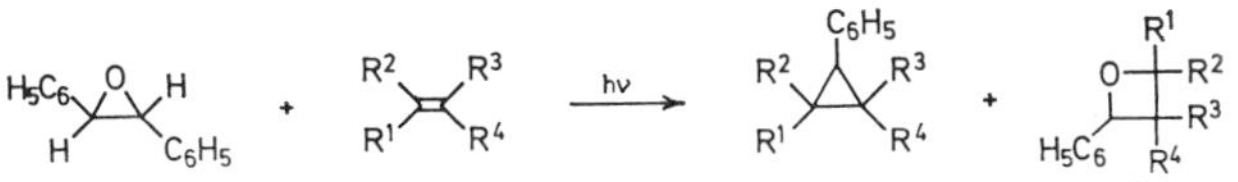

Olefin II	R^X in II, III u. IV	Cyclopropan III	Ausbeute an III [%]	syn/anti
Isobuten	R^1 = R^2 = H; R^3 = R^4 = CH$_3$	2,2-Dimethyl-1-phenyl-cyclopropan	60	–
cis-Buten-(2)	R^1 = R^4 = H; R^2 = R^3 = CH$_3$	cis-2,3-Dimethyl-1-phenyl-cyclopropan	65	0,60–0,65
trans-Buten-(2)	R^1 = R^3 = H; R^2 = R^4 = CH$_3$	trans-2,3-Dimethyl-1-phenyl-cyclopropan	65	–
2-Methyl-buten-(2)	R^1 = H; R^2 = R^3 = R^4 = CH$_3$	2,2,3-Trimethyl-1-phenyl-cyclopropan	75	0,95–1,00
2-Methyl-buten-(1)	R^1 = R^2 = H; R^3 = CH$_3$; R^4 = C$_2$H$_5$	2-Methyl-2-äthyl-1-phenyl-cyclopropan	70	0,65–0,75
2,3-Dimethyl-buten-(2)	R^1 = R^2 = R^3 = R^4 = CH$_3$	2,2,3,3-Tetramethyl-1-phenyl-cyclopropan	60	–

[1] G. W. GRIFFIN et al., Am. Soc. **89**, 1967 (1967).

[2] P. C. PETERLLIS u. G. W. GRIFFIN, Chem. Commun. **1967**, 691.

[3] T. I. TEMNIKOVA, I. P. STEPANOV u. L. O. SEMENOVA, Ž. org. Chim. **3**, 1708 (1967); C. A. **68**, 21384 (1968).

[4] I. P. STEPANOV et al., Ž. org. Chim. **2**, 2259 (1966); C. A. **66**, 75526 (1967).

[5] G. W. GRIFFIN et al., Am. Soc. **89**, 3357 (1967).

[6] T. I. TEMNIKOVA u. I. P. STEPANOV, Ž. org. Chim. **2**, 1525 (1966); C. A. **66**, 54820 (1967).

[7] H. KRISTINSSON u. G. W. GRIFFIN, Am. Soc. **88**, 1579 (1966).

2. Cyclopropanierung mit Aryl- und Diaryl-carbenoiden

Nur wenige Fälle sind bekannt geworden, bei denen aus Benzylhalogeniden oder -äthern reaktive Zwischenstufen erzeugt wurden, die an Olefine unter Cyclopropan-Bildung addiert werden konnten. Aus Benzylchlorid, Butyl-lithium und Cyclohexen wurde *7-Phenyl-norcaran* (*7-Phenyl-bicyclo[4.1.0]heptan*; I; 14% d. Th.) erhalten[1]. I entstand auch in Ausbeuten zwischen 20 und 25% d. Th. bei der nahe verwandten Umsetzung von Phenyl-lithium mit Dichlormethan[2,3]:

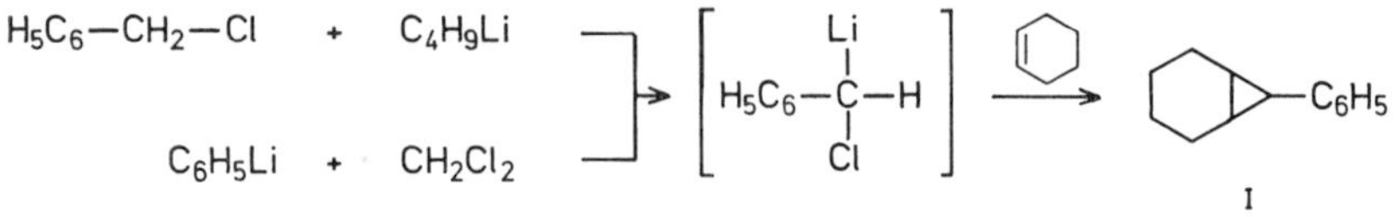

7-Phenyl-norcaran entsteht bei der Einwirkung von Butyl-lithium auf Phenylbenzyl-äther in Cyclohexen in nur 2%iger Ausbeute[4]. Hier wird das Phenyl-carbenoid durch α-Eliminierung aus primär gebildeten Lithium-phenyl-benzyläther erzeugt.

Wesentlich bessere Resultate werden erzielt durch α-Eliminierung von Halogen aus Aryl-dihalogen-methanen[5-7], wobei als Base meist Methyl-lithium zur Anwendung kommt. Je nach Substitution des Carbenoids sowie des Olefins liegen die Cyclopropan-Ausbeuten zwischen 15 und 60%:

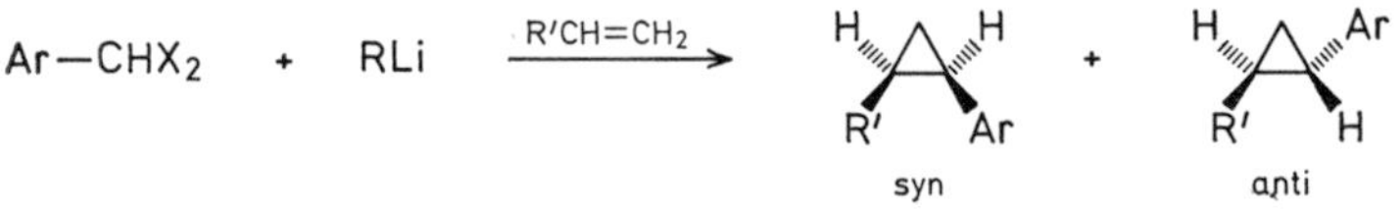

Von den „freien" Aryl-carbenen unterscheiden sich die Aryl-carbenoide durch drei wesentliche Merkmale:

① fehlende Wasserstoff-Abstraktion aus dem Solvens
   (eine der Hauptreaktionen der „freien" Aryl-carbene)
② völlig stereospezifische Addition an Olefine
   („freie" Aryl-carbene addieren zu nur ~ 90% stereospezifisch)
③ veränderte relative Reaktionsgeschwindigkeiten, die zudem noch vom austretenden Halogen und dem Solvens abhängen (vgl. auch Tab. 38, S. 265).

Eine ganz analoge Situation existiert für die Diaryl-carbenoide. Die Einwirkung von Methyl-lithium auf Diphenyl-dibrom-methan in Gegenwart von *cis*- oder *trans*-Buten-(2) führt zu stereospezifischer Addition eines Diphenyl-carbenoids[8]:

[1] G. L. Closs u. L. E. Closs, Tetrahedron Letters **1960**, 26.
[2] O. M. Nefedov, V. I. Shiryaev u. A. S. Khashaturov, Ž. obšč. Chim. **32**, 662 (1962); engl.: 661.
[3] O. M. Nefedov, V. I. Shiryaev u. A. D. Petrov, Ž. obšč. Chim. **35**, 509 (1965); engl.: 509.
[4] U. Schöllkopf u. M. Eisert, Ang. Ch. **72**, 349 (1960); A. **664**, 76 (1963).
[5] G. L. Closs u. R. A. Moss, Am. Soc. **86**, 4042 (1964).
[6] G. L. Closs et al., Am. Soc. **84**, 4985 (1962).
[7] R. A. Moss, J. Org. Chem. **30**, 3261 (1965).
[8] G. L. Closs u. L. E. Closs, Ang. Ch. **74**, 431 (1962).

II; $R^1 = R^2 = CH_3$; $R^3 = H$; *trans-2,3-Dimethyl-1-1-diphenyl-cyclopropan*
$R^1 = R^3 = CH_3$; $R^2 = H$; *cis-2,3-Dimethyl-1-1-diphenyl-cyclopropan*

Auch die Anlagerung an Äthyl-vinyl-äther zu *2-Äthoxy-1,1-diphenyl-cyclopropan* wurde beobachtet[1].

Mit 9,9-Dibrom-fluoren und einigen ähnlichen Verbindungen konnte hingegen keine carbenoide Addition erreicht werden[1,2]. Diese Tatsache wurde mit einem Rückseitenangriff des Olefins auf die α-Halogen-alkyl-lithium-Verbindung erklärt, der bei Fluoren-Derivaten und Analoga aus sterischen Gründen nicht möglich ist.

Tab. 38. Relative Geschwindigkeiten der Aryl-cyclopropan-Bildung [*trans*-Buten-(2) $\triangle$ 1,00] aus (4-Methyl-phenyl)-carbenoiden bei −10° (Ar = $4\text{–}CH_3\text{–}C_6H_4$)[3]

Olefin	Stereochemie der Addition	$ArCHN_2$ hν	$ArCHBr_2$ bzw. $ArCHJ_2$ + C_4H_9Li/Pentan		$ArCHBr_2$ + CH_3Li in Äther
Buten-(1)	*syn*	0,48	1,3	0,99	0,75
	anti	0,41	0,50	0,37	0,35
3-Methyl-penten-(1)	*syn*	—	0,51	0,46	0,33
	anti	—	0,27	0,24	0,22
cis-Buten-(2)	*syn*	1,1	2,7	—	—
	anti	0,66	0,60	—	—

Hauptprodukte der α-Eliminierung an Benzyl- und Diphenylmethyl-Derivaten sind meist Diphenyl- bzw. Tetraaryl-äthylene. In der Mehrzahl der untersuchten Beispiele ist deren Kinetik 2. Ordnung, jedoch wurden auch einige Reaktionen gefunden, die nach 1. Ordnung verlaufen: 4-Nitro-benzylchlorid[4] und 4-Nitro-benzylsulfoniumsalze[5,6] mit wäßrigen Basen, einige 9-Brom-fluoren-Derivate mit Kalium-tert.-butanolat[7] sowie Diphenyl-chlor-methan mit dem Anion des Dimethylsulfoxids[8]. In keinem dieser Fälle gelang eine Carben-Addition an zugesetzte Olefine.

Die katalytische Zersetzung von Diphenyl-diazomethan durch Kupfer(II)-acetylacetonat liefert als Hauptprodukt Tetraphenyl-äthylen, neben Benzophenon-azin. Versuche zur Cyclopropan-Bildung mit Cyclohexen und Äthyl-vinyl-äther scheiterten, waren aber mit Enaminen erfolgreich[9].

Bemerkenswerte Beziehungen zwischen der katalytischen Zersetzung von Diazoalkanen und der α-Eliminierung konnten in neuerer Zeit aufgedeckt werden[10].

---

[1] S. MURAHASHI u. I. MORITANI, Tetrahedron Letters **1967**, 3631.
[2] I. MORITANI et al., Bull. chem. Soc. Japan **40**, 1506 (1967); C. A. **67**, 73432 (1967).
[3] G. L. CLOSS u. L. E. CLOSS, Ang. Ch. **74**, 431 (1962).
[4] S. B. HANNA et al., Soc. **1961**, 217.
[5] C. G. SWAIN u. E. R. THORNTON, Am. Soc. **83**, 4033 (1961); J. Org. Chem. **26**, 4808 (1961).
[6] I. ROTHBERG u. E. R. THORNTON, Am. Soc. **85**, 1704 (1963); **86**, 3296, 3302 (1964).
[7] D. BETHELL u. A. F. COCKERILL, Pr. chem. Soc. **1964**, 283.
[8] A. LEDWITH u. Y. SHIH-LIN, Chem. & Ind. **1964**, 1867.
[9] H. NOZAKI et al., Tetrahedron Letters **1966**, 59.
[10] D. BETHELL u. K. C. BROWN, Chem. Commun. **1967**, 1266.

Aus 9,9-Dijod-fluoren und verkupfertem Zink wurde eine metallorganische Verbindung hergestellt und deren Umsetzung mit Diazofluoren untersucht[1]. Diese Umsetzung wurde mit der durch Zinkjodid katalysierten Zersetzung von Diazofluoren verglichen. Bei beiden Reaktionen erhielt man nach wäßrigem Aufarbeiten *Bi-fluorenyliden*, *Fluorenon-azin* und *Fluorenon*. Allerdings verlief die katalytische Zersetzung des Diazofluorens bis zu ~80% Umsatz sehr rasch, dann aber mit der gleichen Geschwindigkeit wie die Reaktion des 9-Jod-fluorenyl-(9)-zinkjodids. Daher kann letzteres nicht die einzige Zwischenstufe der katalytischen Diazo-Zersetzung sein, sondern muß noch eine wesentliche reaktivere Vorstufe haben.

3. Zur *syn*-Stereoselektivität bei der Synthese von Aryl-cyclopropanen

Die meisten der üblichen monosubstituierten Carbene bzw. Carbenoide wie z.B. Alkoxycarbonyl-, Alkoxy- und Aryloxy-Vertreter zeigen – von einigen Ausnahmen abgesehen – *anti*-Stereoselektivität[2]. Auf der anderen Seite zeigen Arylmercapto-[2], Arylseleno-[2] und Chlor-[2] (mit einer Ausnahme[3]) sowie Aryl-[4-6] und Alkyl-carbene[7,8] bzw. -carbenoide *syn*-Stereoselektivität.

Da *syn*- und *anti*-Alkyl-aryl-cyclopropane einerseits durch präparative Gaschromatographie einfach voneinander trennbar sind und andererseits *anti*-Aryl-cyclopropane aus den *syn*-Isomeren durch basenkatalysierte Isomerisierung gut zugänglich sind, wurden diejenigen synthetischen Bedingungen von besonderem Interesse, die zu einer maximalen *syn*-Addition führen[9].

Die *syn*-Bevorzugung wird sowohl bei der photolytischen Erzeugung der Carben-Spezies aus Aryl-diazomethanen wie auch bei der Umsetzung eines Phenyl-dibrom-methans mit Alkyl-lithium-Verbindungen beobachtet[4]. Die *syn*-Stereoselektivität, die Gesamtausbeute sowie die einfache Durchführung machen gerade die letztgenannte Methode im Vergleich zur ersteren und zum Verfahren der Erzeugung von Phenyl-carbenoid aus Benzylchlorid und Butyl-lithium (s. oben)[10] zur Methode der Wahl. Phenyl-dibrom-methane sind deswegen besonders geeignet, weil die entsprechenden Dijod-Verbindungen einerseits relativ schlecht zugänglich sind und die Dichlor-Verbindungen andererseits zur Bildung von Aryl-chlor-carbenoiden Anlaß geben[11].

Die Art der Substituenten am Aromaten beeinflußt merkbar die *syn*-Stereoselektivität: für 4-Methoxy ist die *syn*-Bevorzugung am stärksten, während das unsubstituierte Phenyl-carbenoid die geringste *syn*-Bevorzugung zeigt[4]. Durch neuere Untersuchungen konnte auch der Einfluß der Olefin-Struktur, der carbenoiden Austrittsgruppe sowie des Solvens festgestellt werden[9].

Das (4-Methyl-phenyl)-carbenoid wurde hierzu an Propen, Buten-(1), 3-Methyl- und 3,3-Dimethylbuten-(1) addiert[9]. Tab. 39 (S. 267) zeigt Daten bezüglich der verschiedenen *syn*/

---

[1] D. BETHELL u. K. C. BROWN, Chem. Commun. **1967**, 1266.

[2] Vgl. die Diskussionen bei W. KIRMSE in „*Carbene Chemistry*", Academic Press, Inc., New York 1964.

[3] T. J. KATZ u. P. J. GARRATT, Am. Soc. **86**, 5194 (1964).

[4] G. L. CLOSS u. R. A. MOSS, Am. Soc. **86**, 4042 (1964).

[5] G. L. CLOSS et al., Am. Soc. **84**, 4985 (1962).

[6] Ein von J. E. HODGKINS et al., Am Soc. **86**, 408 0(1964) berichtetes Beispiel einer *anti*-Aryl-carben-Addition wurde von G. L. CLOSS u. a. auf dem „Carbene Symposium" im Lewis-College, Lockport, Ill. am 3. 4. 1965 in Frage gestellt.

[7] H. M. FREY, Soc. **1962**, 2293.

[8] T. J. KATZ u. P. J. GARRATT, Am. Soc. **86**, 4876 (1964).

[9] R. A. MOSS, J. Org. Chem. **30**, 3261 (1965).

[10] G. L. CLOSS u. L. E. CLOSS, Tetrahedron Letters **1960**, 26.

[11] R. A. MOSS, J. Org. Chem. **27**, 2683 (1962).

anti-Verhältnisse, während in Tab. 40 die relativen Geschwindigkeiten der (4-Methyl-phenyl)-carbenoid-Addition an Olefine verzeichnet sind. Tab. 41 (S. 268) ist eine Kombination beider genannter Tabellen.

syn- und anti-2-tert.-Butyl-1-(4-methyl-phenyl)-cyclopropan[1]: Zu 3,0 g (11,4 mMol) (4-Methyl-phenyl)-dichlor-methan in 15 g (178 mMol) 3,3-Dimethyl-buten-(1) werden unter Stickstoff und intensivem Rühren (Magnetrührer) langsam 10 *ml* einer 2n ätherischen Methyl-lithium-Lösung gegeben, wobei Temp. um ~ 6° eingehalten werden sollte. Nach erfolgter Zugabe wird mit Wasser versetzt, mit Äther extrahiert und schließlich über eine Vigreux-Kolonne destilliert. Bei ~ 62° (0,5 Torr) destillieren 705 mg einer wasserklaren Flüssigkeit (Reinausbeute: 28% d,Th.). Der verbleibende Rückstand ist im wesentlichen *trans*-1,2-Bis-[4-methyl-phenyl]-äthylen.

Die Gaschromatographie zeigt, daß das Destillat zu 85% aus zwei hochsiedenden Komponenten besteht. Die Komponente mit kürzerer Retentionszeit ist das *syn*-Isomere.

anti-2-tert.-Butyl-1-(4-methyl-phenyl)-cyclopropan[1]: 35 mg einer Mischung von *syn*- und *anti*-2-tert.-Butyl-1-(4-methyl-phenyl)-cyclopropan werden in 1,2 *ml* einer 2n Kalium-tert.-butanolat-Lösung in Dimethylsulfoxid in einer Ampulle verschlossen. 23 Stdn. wird die Ampulle in einem Ölbad auf 102° erhitzt. Danach wird der Ampulleninhalt in 30 *ml* Wasser gegossen und die Mischung 3 mal mit je 10 *ml* Äther extrahiert. Nach Entfernen des Äthers läßt sich gaschromatographisch feststellen, daß nur noch *anti*-Derivat vorliegt.

Die Isomerisierung der reinen *syn*-Verbindung führt gleichfalls nur zum reinen *anti*-Isomeren.

Analog erhält man:

2-Methyl-1-(4-methyl-phenyl)-cyclopropan	37% d.Th.
2-Isopropyl-1-(4-methyl-phenyl)-cyclopropan	48% d.Th.

Tab. 39. *syn/anti*-Verhältnisse bei der Addition von (4-Methyl-phenyl)-carbenoid an Alkene-(1) ($R—CH=CH_2$) bei —10° unter verschiedenen Bedingungen[1]

R	ArCHJ$_2$/Pentan[a]	ArCHBr$_2$/Pentan[a]	ArCHBr$_2$/Äther[b]
CH$_3$	—	—	3,1[c]
C$_2$H$_5$	2,7	2,6[2]	2,1[3]
iso-C$_3$H$_7$	1,9	1,9	1,4
tert.-C$_4$H$_9$	0,42	0,72	0,45

[a] unter Verwendung von 2n Butyl-lithium in Pentan
[b] unter Verwendung von 2n Methyl-lithium (aus Methylbromid) in Äther
[c] bei −50° bestimmt

Tab. 40. Geschwindigkeiten der (4-Methyl-phenyl)-carbenoid-Addition an Alkene-(1) ($R—CH=CH_2$) [relativ zu *trans*-Buten-(2)] bei —10° unter verschiedenen Bedingungen[1]

R	ArCHJ$_2$/Pentan[a]	ArCHBr$_2$/Pentan[a]	ArCHBr$_2$/Äther[b]
C$_2$H$_5$	0,68	0,90[2]	0,55[3]
iso-C$_3$H$_7$	0,35	0,39	0,28
tert.-C$_4$H$_9$	0,12	0,15	0,14[c]

[a] mit 2n Butyl-lithium in Petan
[b] mit 2n Methyl-lithium (aus Methylbromid) in Äther
[c] Einzelwert

---

[1] R. A. Moss, J. Org. Chem. **30**, 3261 (1965).
[2] G. L. Closs u. R. A. Moss, Am. Soc. **86**, 4042 (1964).
[3] R. A. Moss, Dissertation, University of Chicago, 1963.

Tab. 41. Relative Geschwindigkeiten der Addition des (4-Methyl-phenyl)-carbenoids an Alkene-(1) ($R-CH=CH_2$) unter Berücksichtigung der *syn/anti*-Bevorzugung bei $-10°$ [*trans*-Buten-(2) $\triangleq 1,00$][1,a]

Substituent R	syn-Addition			anti-Addition		
	ArCHJ$_2$/Pentan	ArCHBr$_2$/Pentan	ArCHBr$_2$/Äther	ArCHJ$_2$/Pentan	ArCHBr$_2$/Pentan	ArCHBr$_2$/Äther
C$_2$H$_5$	0,99	1,3	0,75	0,37	0,50	0,35
iso-C$_3$H$_7$	0,46	0,51	0,33	0,24	0,27	0,23
tert.-C$_4$H$_9$	0,071	0,13	0,086	0,17	0,17	0,19

[a] alle Geschwindigkeiten wurden durch den Faktor 2 auf *trans*-Buten(2) normiert.

Aus Tab. 39—41 (S. 267/268) geht hervor, daß das *syn/anti*-Verhältnis für jedes Lösungsmittelsystem und für jede Austrittsgruppe kleiner wird, wenn der Substituent R größer wird[1]. Die bevorzugte *anti*-Addition an das 3,3-Dimethyl-buten-(1) stellte das erste eindeutige Beispiel dieser Art innerhalb der Klasse der Aryl-carbene bzw. -carbenoide dar. Im Fall des Propens findet man die höchste *syn*-Bevorzugung. Bezüglich der carbenoiden Austrittsgruppe müssen sowohl das Solvens wie auch das sich bildende Lithiumhalogenid betrachtet werden. Aus Tab. 39 (S. 267) wird ersichtlich, daß bei Entstehung von Lithiumbromid das *syn/anti*-Verhältnis in einem Kohlenwasserstoff als Solvens stets größer ist. Andererseits wurden besondere *syn*-Bevorzugungen bei der carbenoiden Reaktion von lithiumjodid-haltigem Methyl-lithium beobachtet[2,3]. In den Fällen der in Tab. 39 (S. 267) aufgeführten Olefine wurden jedoch eher umgekehrte Effekte gefunden[1]. Der Wert von 1,4 in Tab. 39 (S. 267) für das 3-Methyl-buten-(1) weicht nicht entscheidend von dem ab, der für das *syn/anti*-Verhältnis bei der carbenoiden Reaktion von (4-Methyl-phenyl)-dijod-methan und Methyl-lithium in Äther (Methyl-lithium entweder aus Brom- oder Jod-methan) erhalten wurde[1].

Die Bildung der Aryl-cyclopropane kann grundsätzlich entweder über die Bildung eines freien Carbens erfolgen, oder aber eine intermediär auftretende α-Halogen-lithium-Verbindung I kann mit dem Olefin bimolekular über einen Übergangszustand von der Art II reagieren:

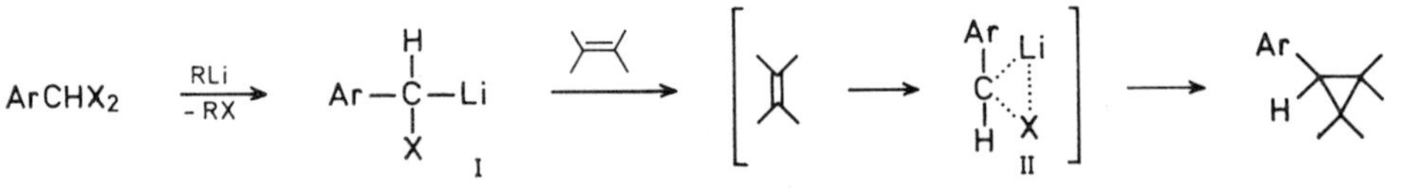

Inzwischen konnte die bimolekulare Reaktionsfolge sichergestellt werden[4]. Die in den Tab. 39—41 (S. 267/268) aufgeführten Daten sprechen dafür, daß das Lithiumhalogenid in der Tat am Übergangszustand beteiligt ist[1] (s. S. 269).

Mit III (S. 269) ist ein für bevorzugte *syn*-Addition verantwortlicher Übergangszustand dargestellt[1,4]. In III wird angenommen, daß elektrostatische und London-Wechselwirkungen zwischen

---

[1] R. A. Moss, J. Org. Chem. **30**, 3261 (1965).

[2] H. M. Frey, Soc. **1962**, 2293.

[3] T. J. Katz u. P. J. Garratt, Am. Soc. **86**, 4876 (1964).

[4] G. L. Closs u. R. A. Moss, Am. Soc. **86**, 4042 (1964).

dem aromatischen π-Elektronensystem und den Alkyl-Gruppen die Aktivierungsenergie der *syn*-Addition im Vergleich zur *anti*-Addition (s. IV) senken[1]. Die vorliegenden Daten können durchaus in diesem Sinne verstanden werden. In dem Maße, wie die olefinischen Alkyl-Gruppen raumbeanspruchender werden, wird die energetisch bevorzugte *syn*-Addition im Vergleich zur *anti*-Addition (IV), bei der nur die Wasserstoffatome die olefinischen Substituenten bedrängen, allmählich immer weniger begünstigt. Sterische Effekte wirken sich sowohl auf die *syn*- als auch auf die *anti*-Addition bei den genannten drei verschiedenen Erzeugungswegen aus[2,3].

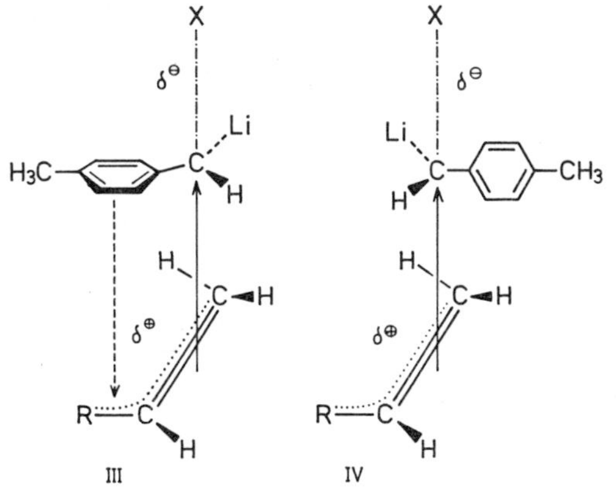

Interessant ist der Vergleich der Selektivität des (4-Methyl-phenyl)-carbenoids mit der des Simmons-Smith-Reagenzes (s. S. 114 ff.), einer Spezies, von der die bimolekulare Reaktionsweise und eine bemerkenswerte sterische Diskriminierung bekannt sind[4,5]. Bei 35° beträgt das relative Geschwindigkeitsverhältnis von Hexen-(1) zu 3,3-Dimethyl-buten-(1) bei der Simmons-Smith-Reaktion 2,6. Der entsprechende Wert des (4-Methyl-phenyl)-carbenoids für Buten-(1) zu 3,3-Dimethyl-buten-(1) ist 3,9 (s. Tab. 40, S. 267). Berücksichtigt man die Unterschiede in Temperatur und in den olefinischen Substraten, so scheinen beide carbenoiden Spezies weitgehend ähnliche Selektivitäten gegenüber Alkenen-(1) aufzuweisen.

g) Cyclopropanierungen mit Alkoxycarbonyl-carbenen bzw. -carbenoiden

Obgleich Alkoxycarbonyl-Gruppen einen gewissen Effekt auf die Reaktivität des divalenten Kohlenstoffatoms ausüben, so gleicht doch das allgemeine Verhalten der Alkoxycarbonyl-carbene eher dem des Methylens als dem der Keto-carbene.

---

[1] Für eine völlig unterschiedliche Reaktionsart wurden ganz ähnliche Betrachtungen angestellt; vgl. H. Kwart u. T. Takeshita, Am. Soc. **84**, 2833 (1962); **86**, 4194 (1964) sowie dort aufgeführte weitere Literaturhinweise.

[2] R. A. Moss, J. Org. Chem. **30**, 3261 (1965).

[3] Zum Vergleich s. andere Unterscheidungen bezüglich der sterischen Effekte in Carben-Olefin-Reaktionen:
W. v. E. Doering u. W. A. Henderson, Am. Soc. **80**, 5274 (1958).
G. L. Closs u. G. M. Schwartz, Am. Soc. **82**, 5729 (1960).
W. M. Jones et al., Am. Soc. **85**, 2754 (1963).
E. P. Blanchard u. H. E. Simmons, Am. Soc. **86**, 1337 (1964).
H. E. Simmons et al., Am. Soc. **86**, 1347 (1964).

[4] H. E. Simmons et al., Am. Soc. **86**, 1347 (1964).

[5] E. P. Blanchard u. H. E. Simmons, Am. Soc. **86**, 1337 (1964).

Während in der Keto-carben-Chemie intramolekulare Umlagerungen mit die Haupt-rolle spielen, gehen die Alkoxycarbonyl-carbene intermolekulare Reaktionen wie Insertion und Addition an Olefine ein. Beiden Carben-Typen ist gemeinsam, daß sie sich in recht seltenen Fällen bei der Addition an Mehrfachbindungen wie 1,3-Dipole verhalten.

Fast ausschließlich Diazo-carbonsäureester sind mit Erfolg zur Erzeugung von Alkoxycarbonyl-carbenen benutzt worden. An Versuchen, Alkoxycarbonyl-carbene auch auf anderem Wege freizusetzen, hat es jedoch nicht gefehlt. Der bisher einzige erfolgreiche Versuch zur Erzeugung eines Alkoxycarbonyl-carbens bzw. -car-benoids durch α-Eliminierung ist die Umsetzung von Dijod-essigsäure-äthyl-ester mit verkupfertem Zink geblieben[1]; sie führt bei Anwesenheit von Olefinen in mäßiger Ausbeute zu Cyclopropan-carbonsäureestern.

Die Quantenausbeute der Diazoessigsäure-äthylester-Photolyse wurde in ver-schiedenen Solventien und unter Variation der Wellenlänge des Lichtes untersucht[2] (s. Tab. 42). Mit steigender Wellenlänge nimmt die Quantenausbeute stark ab. In protonenhaltigen Lösungs-mitteln scheinen Wellenlängen um 2600 Å effektiver als in Kohlenwasserstoffen zu sein; oberhalb 3000 Å kehren sich jedoch die Verhältnisse offensichtlich um.

Tab. 42. Quantenausbeuten der Diazoessigsäure-äthylester-Photolyse (Mol N_2/ Quant)[2]

Solvens	2600 Å	2804 Å	3130 Å	3650 Å	4200 Å
Heptan	1,11	1,02	0,54	0,31	0,20
Äthanol	1,35	1,1	0,34	0,15	0,12
Methanol	1,42	1,1	0,37	0,14	0,12
Wasser	2,8	—	0,36	0,12	—

Temperaturen oberhalb 150° sind für die thermische Zersetzung von Di-azoessigsäure-äthylester notwendig. Die Gegenwart von Katalysatoren beschleu-nigt die Zersetzung und läßt eine Herabsetzung der Temperaturen zu. Bei Verwen-dung von pulverisiertem Kupfer kann die Zersetzung bei Temperaturen zwi-schen 90 und 100° durchgeführt werden.

Die Insertion von Alkoxycarbonyl-carbenen in C—H-Bindungen bleibt bei der Kupfer(salz)-katalysierten Zersetzung von Diazoessigsäure-alkylester aus. Reak-tionen mit Si—H- und Ge—H-Bindungen erfolgen hingegen mit guter Ausbeute[3].

Eine Nebenreaktion aller katalysierten Diazocarbonsäureester-Umsetzungen ist die Bildung von Fumarsäure- und Maleinsäure-diestern. Sie ist höchstwahr-scheinlich auf eine Reaktion des Carbens bzw. Carbenoids mit überschüssigem Di-azoessigsäureester zurückzuführen und kann durch hohe Verdünnung meist unter-drückt werden.

Schon früh wurde darauf hingewiesen, daß Kupfer bzw. Kupfersalze mit dem Carben einen Komplex bilden könnten[4]. Bei Verwendung eines optisch aktiven Kupfer-Komplexes als Katalysator lieferte die Umsetzung von Diazoessigsäure-

[1] I. A. DYAKONOV et al., Ž. obšč. Chim. **32**, 928 (1962); engl.: 917.
[2] E. WOLF, Z. physik. Chem. B. **17**, 46 (1932).
[3] G. J. M. VAN DER KERK et al., J. Organometal. Chem. **2**, 347 (1964).
[4] P. S. SKELL u. R. M. ETTER, Pr. chem. Soc. **1961**, 443.
   Umsetzung mit Diazoalkanen unter Kupfer-Katalyse s. Eu. MÜLLER, H. FRICKE u. W. REIN-DEL, Z. Naturforsch. **15b**, 753 (1960).

äthylester mit Styrol (I) optisch aktive *2-Phenyl-cyclopropan-1-carbonsäuren* mit einer optischen Ausbeute von etwa 6%[1]. Die Beteiligung des Katalysators (Carben-Komplex?) am produktbestimmenden Schritt wurde damit eindeutig nachgewiesen.

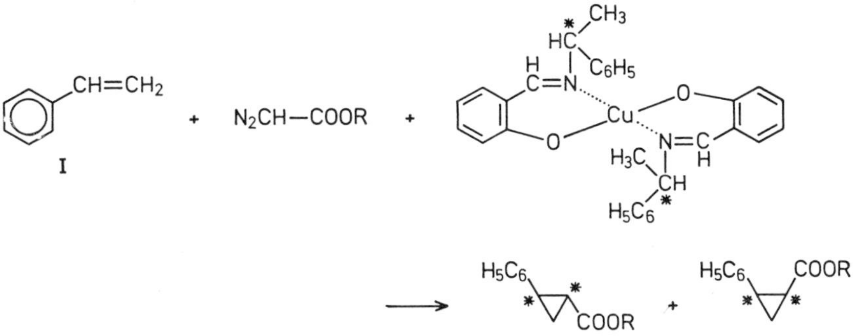

Die Kupfer(salz)-katalysierte Umsetzung von Diazoessigsäure-äthylester mit Olefinen führt in stereospezifischer *cis*-Addition zu Cyclopropancarbonsäure-estern[2-4]. Dabei wird die sterisch günstigste Anordnung bevorzugt. Aus *cis*-Stilben wurde nur das *trans,trans*-Isomer (*2,3-Diphenyl-cyclopropan-1-carbonsäure-äthylester*) erhalten[2]; das *trans/cis*-Verhältnis betrug beim *cis*-Octen-(4) (*2,3-Dipropyl-cyclopropan-1-carbonsäure-äthylester*) ~ 2,0[3] und beim 2-Methyl-buten-(2) (*2,2,3-Trimethyl-cyclopropan-1-carbonsäure-äthylester*) ~ 1,5[4].

Eine starke sterische Diskriminierung beobachtet man auch bei Additionen an Cycloalkene (vgl. Tab. 43, S. 272):

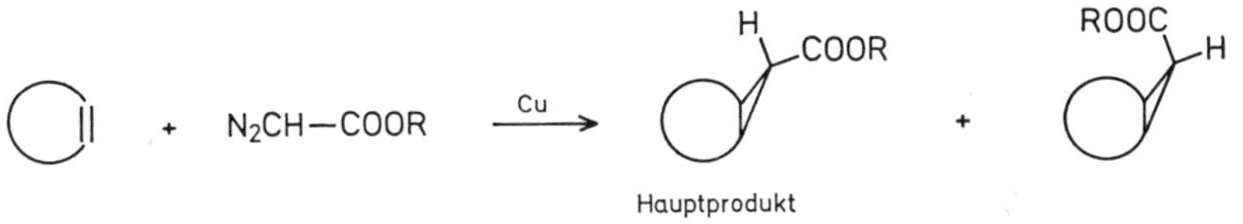

Hauptprodukt

Mit den Beispielen II und VI (S. 272) sei auf die unterschiedliche Produkt-Bildung bzw. -Verteilung hingewiesen, die sich ergibt, wenn der Diazoessigsäure-äthylester entweder kupfer(salz)-katalysiert oder photolytisch zersetzt wird[5]:

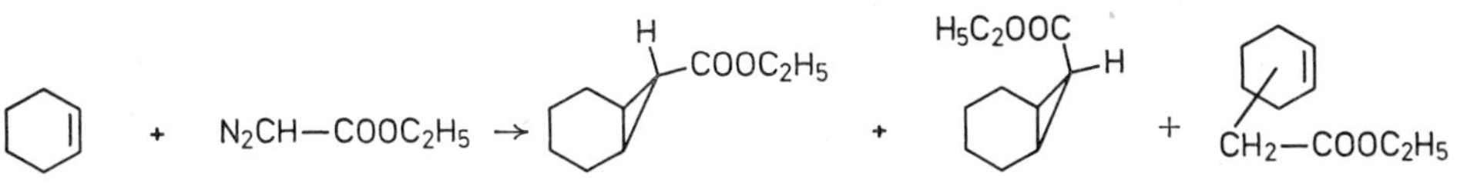

| | *7-Äthoxycarbonyl-bicyclo[4.1.0]heptan* | | *Cyclohexenyl-essig-* |
	exo (III)	*endo* (IV)	*säureäthylester* (V)
hν	31%	16%	21%
Cu	69%	4%	0%

[1] H. Nozaki et al., Tetrahedron Letters **1966**, 5239.
[2] J. K. Blatchford u. M. Orchin, J. Org. Chem. **29**, 839 (1964).
[3] I. A. Dyakonov u. R. R. Kostikov, Ž. obšč. Chim **34**, 3843 (1964); engl.: 3894.
[4] P. S. Wharton u. T. I. Bair, J. Org. Chem. **30**, 1681 (1965).
[5] P. S. Skell u. R. M. Etter, Pr. chem. Soc. **1961**, 443.

$H_2C=CH-OC_2H_5$ + $N_2CH-COOC_2H_5$ $\longrightarrow$

$$+$$

2-Äthoxy-cyclopropan-1-carbonsäure-äthylester

	31%	16%
$h\nu$	31%	16%
$CuSO_4$	63%	11%

Tab. 43. *exo/endo*-Verhältnisse bei kupferkatalysierter Umsetzung von Cycloalkenen mit Diazoessigsäure-äthylester

Cycloalken	Bicyclo-Derivat	*exo/endo*	Litera-tur
Cyclopenten	6-Äthoxycarbonyl-bicyclo[3.1.0]hexan	6	1,2
Cyclopentadien	6-Äthoxycarbonyl-bicyclo[3.1.0]hexen-(2)	5	3
Cyclohexen	7-Äthoxycarbonyl-bicyclo[4.1.0]heptan	16	4
Cyclohexadien-(1,3)	7-Äthoxycarbonyl-bicyclo[4.1.0]hepten-(2)	5	5
Cyclohexadien-(1,4)	7-Äthoxycarbonyl-bicyclo[4.1.0]hepten-(3)	7	5
		~ 60	6
Cyclohepten	8-Äthoxycarbonyl-bicyclo[5.1.0]octan	5	2
Cycloheptatrien	8-Äthoxycarbonyl-bicyclo[5.1.0]octadien-(2,4)	5	2,7
Norbornadien	3-Äthoxycarbonyl-tricyclo[5.1.0.0^{2,4}]octen-(6)	2	8

7-Äthoxycarbonyl-bicyclo[4.1.0]hepten-(2) und **3,8-Dicarboxy-tricyclo[5.1.0.0^{2,4}]octan**[9]: Zu
einer siedenden Mischung von 15,6 g Cyclohexadien-(1,3)[10], 0,2 g Kupferpulver und ~ 2 *ml* Diazoessigsäure-äthylester wird tropfenweise innerhalb von 40 Min. der Hauptteil der Diazoessig-
säure-äthylester-Menge (Gesamtmenge: 24,5 g) gegeben. Nach 15 Min. weiteren Erhitzens unter
Rückfluß wird keine Gasentwicklung mehr beobachtet. Nach dem Abkühlen wird mit Äther
verdünnt und mit einem anderen Ansatz [ausgehend von 10 g Cyclohexadien-(1,3)] vereinigt,
filtriert und schließlich unter Stickstoff über eine Vigreux-Kolonne destilliert. Nach einem niedrigsiedendem Vorlauf werden 29,0 g von Fraktion A (Kp$_{30}$: 72°—Kp$_1$: 95°) erhalten. Diese
Fraktion besteht zu 5% aus *Fumarsäure-diäthylester*, zu 9% aus *Maleinsäure-diäthylester*, zu
14 und 72% aus *endo-* bzw. *exo-7-Äthoxycarbonyl-bicyclo[4.1.0]hepten-(2)*. Der braune Rückstand
(~ 21 g) läßt sich weder destillieren noch kristallisieren.

Mit einer siedenden Mischung von 200 *ml* 10%igem wäßrigen Natriumhydroxid und 150 *ml*
Äthanol kann der Rückstand innerhalb von 70 Min. verseift werden. Nach Entfernen des Ätha-
nols i. Vak. wird die dunkelbraune Lösung mit Äther gewaschen, durch Zugabe von Eis abgekühlt

[1] R. T. LaLonde u. M. A. Tobias, Am. Soc. **86**, 4068 (1964).
[2] W. Kirmse u. K. H. Pook, B. **98**, 4022 (1965).
[3] J. Warkintin et al., Canad. J. Chem. **43**, 3456 (1965).
   Vgl. hierzu auch B. Föhlisch, B. **97**, 88 (1964).
   Vgl. a. P. Besinet et al., Bl. **1960**, 1377.
[4] P. S. Skell u. R. M. Etter, Pr. chem. Soc. **1961**, 443.
[5] J. A. Berson u. E. S. Hand, Am. Soc. **86**, 1978 (1964).
[6] H. Musso u. U. Biethan, B. **97**, 2282 (1964).
[7] F. Korte et al., A. **664**, 114 (1964).
[8] R. R. Sauers u. P. E. Sonnet, Chem. & Ind. **1963**, 786.
[9] J. A. Berson u. E. S. Hand, Am. Soc. **86**, 1978 (1964).
   P. C. Guha u. G. D. Hazra, J. Indian Inst. Sci. **22** [A], 263 (1939); C. A. **34**, 2822 (1940).
   Vgl. auch: P. Besinet et al., Bl. **1960**, 1377.
[10] C. A. Grob et al., Helv. **40**, 130 (1957).

und mit Kaliumhydrogensulfat-Lösung auf $p_H = 2$ gebracht. Die erhaltene Suspension wird 3 mal mit je 100 *ml* Essigsäure-äthylester extrahiert und die Extrakte anschließend mit Salzwasser gewaschen. Nach dem Trocknen über Natriumsulfat und dem Einengen der Lösung kristallisieren 6,15 g *3,8-Dicarboxy-tricyclo[5.1.0.0^{2,4}]octan* (nahezu farblose Kristalle; F: 254—265°). Dieses Material wird in 4%iger Natronlauge gelöst, mit Natriumhydrogensulfat umgefällt, dann mit 200 *ml* kochendem Wasser ausgelaugt und schließlich aus Wasser umkristallisiert (F: 270—271°).

exo-7-Carboxy-bicyclo[4.1.0]heptan[1]: Hierzu wird die Äthoxycarbonyl-carben-Addition an Cyclohexen in Gegenwart von Kupferpulver weitgehend nach einem bekannten Verfahren[2] durchgeführt. Dieses Verfahren wird dahingehend abgewandelt, daß man kommerziell erhältliches, gereinigtes Kupferpulver mit 10%iger Salzsäure (4 mal mit je 25 *ml*), Wasser (4 mal 30 *ml*), absol. Äthanol (4 mal 30 *ml*) und mit wasserfreiem Äther (4 mal 30 *ml*) behandelt und schließlich 30 Min. bei 110° trocknet. Mit einem derart behandelten Kupferpulver können höhere Ausbeuten an *7-Äthoxycarbonyl-bicyclo[4.1.0]heptan* erzielt werden. Nach Verseifung kann *exo-7-Carboxy-bicyclo[4.1.0]heptan* in guter Ausbeute erhalten werden (F: 97—99°).

Aus Cyclooctatetraen (I) erhält man mit Diazoessigsäure-äthylester unter Kupferkatalyse[3,4] *9-Äthoxycarbonyl-bicyclo[6.1.0]nonatrien-(2,4,6)* (II), das sich bei höherer Temperatur stereospezifisch in *9-Äthoxycarbonyl-bicyclo[4.3.0]nonatrien-(2,4,7)* (III) umlagert[5,6]. Das über die freie Säure durch Reduktion erhältliche entsprechende Carbinol erleidet bei Temperaturen um 120° eine anloge Umlagerung[7].

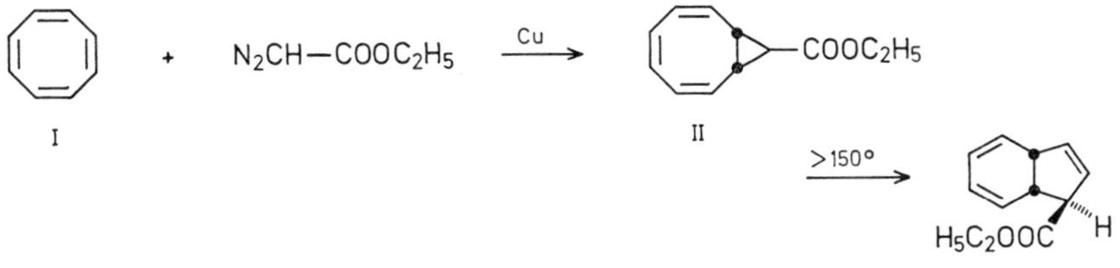

Bei der Addition von Äthoxycarbonyl-carben an die Doppelbindung des **Sabinens** (5-Isopropyl-2-methylen-bicyclo[3.1.0]hexan; IV) kommt es zu einer Umlagerung unter Bildung der spirocyclischen Verbindung V [*2-Äthoxycarbonyl-cyclopropan-⟨1-spiro-4⟩-1-isopropyl-cyclohexen-(1)*][8]:

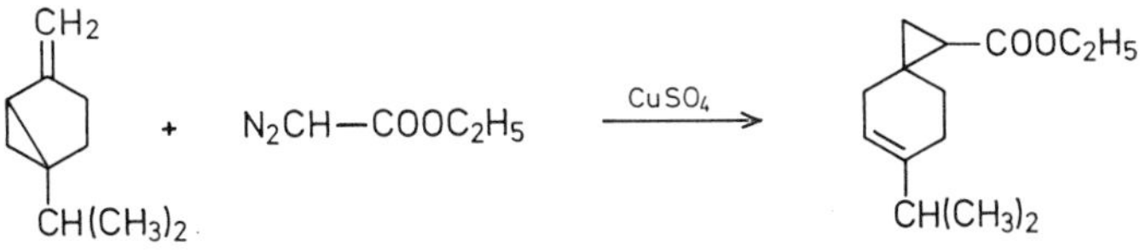

Ausgehend von den Cycloalkenen **VI a—VI c** (S. 274) wurden durch Addition von Diazoessigsäure-äthylester in Gegenwart von Kupferpulver die entsprechenden **Cyclopropancarbonsäure-äthylester VII a—VII c** erhalten[9], die durch Reduktion mit

[1] R. T. LA LONDE u. M. A. TOBIAS, Am. Soc. **86**, 4068 (1964).
[2] P. BESINET et al., Bl. **1960**, 1377.
[3] S. AKIYOSHI u. T. MATSUDA, Am. Soc. **77**, 2476 (1955).
[4] D. D. PHILLIPS, Am. Soc. **77**, 5179 (1955).
[5] K. F. BANGERT u. V. BOEKELHEIDE, Chem. & Ind. **1963**, 1121; Am. Soc. **86**, 905 (1964).
[6] G. J. FONKEN u. W. MORAN, Chem. & Ind. **1963**, 1841.
[7] T. L. BURKROTH, J. Org. Chem. **31**, 4259 (1966).
[8] M. I. GORJAJEW u. G. A. TOLSTIKOV, Ž. obšč. Chim. **32**, 310 (1962); engl. 303.
[9] W. KIRMSE u. K. H. POOK, B. **89**, 4022 (1965).

Lithiumalanat und anschließende Oppenauer-Oxidation in die Aldehyde VIIIa bis VIIIc überführt wurden. Die entsprechenden Tosylhydrazone (IXa–IXc) liefern bei alkalisch-thermischer Behandlung über die Zwischenstufen der Diazoverbindungen (Xa–Xc) die Cycloalkyl-carbene vom Typ XIa–XIc, aus denen schließlich in guten Ausbeuten Gemische aus den anellierten Cyclobutenen XIIa bis XIIc sowie aus den durch Zerfall gebildeten Cycloolefinen VIa–VIc und Acetylen erhalten werden[1]:

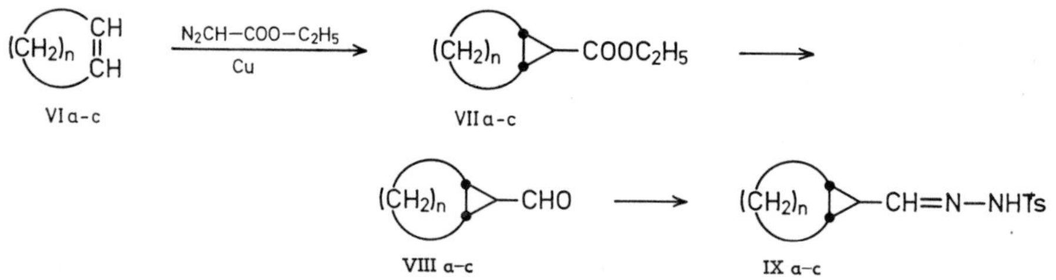

VII a; n = 3; 6-Äthoxycarbonyl-bicyclo[3.1.0]hexan   VIII a; n = 3; 6-Formyl-bicyclo[3.1.0]hexan
 b; n = 4; 7-Äthoxycarbonyl-bicyclo[4.1.0]heptan   b; n = 4; 7-Formyl-bicyclo[4.1.0]heptan
 c; n = 5; 8-Äthoxycarbonyl-bicyclo[5.1.0]octan   c; n = 5; 8-Formyl-bicyclo[5.1.0]octan

IX a; n = 3; 6-p-Tosylhydrazonomethyl-bicyclo[3.1.0]hexan
 b; n = 4; 7-p-Tosylhydrazonomethyl-bicyclo[4.1.0]heptan
 c; n = 5; 8-p-Tosylhydrazonomethyl-bicyclo[5.1.0]octan

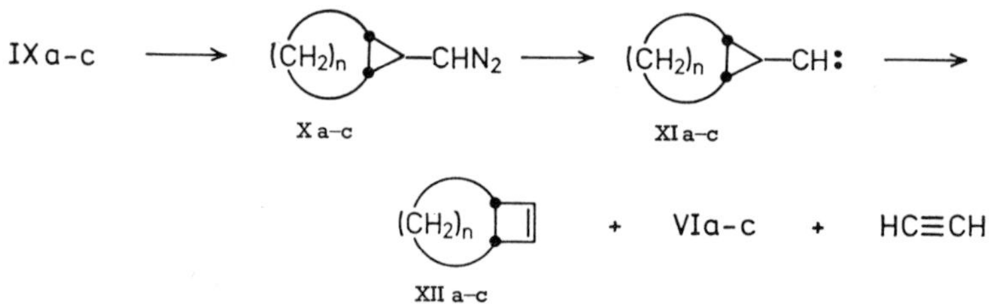

X a; n = 3; 6-Diazomethyl-bicyclo[3.1.0]hexan   XII a; n = 3; Bicyclo[3.2.0]hepten-(6)
 b; n = 4; 7-Diazomethyl-bicyclo[4.1.0]heptan   b; n = 4; Bicyclo[4.2.0]octen-(7)
 c; n = 5; 8-Diazomethyl-bicyclo[5.1.0]octan   c; n = 5; Bicyclo[5.2.0]nonen-(8)

Eingehend wurden auch die Umsetzungen von Diazoessigsäureester mit verzweigten Olefinen untersucht[2]. Wird z.B. 2,3,3-Trimethyl-buten-(1) (XIII) bei 100° in Gegenwart von Kupferbronze oder Kupfer(II)-sulfat mit Diazoessigsäure-äthylester umgesetzt, so wird der 2-Methyl-2-tert.-butyl-cyclopropan-1-carbonsäure-äthylester (XIV; 63% d. Th.) erhalten. Analog reagiert 4-Propyl-hepten-(3) zum 3-Äthyl-2,2-dipropyl-cyclopropan-1-carbonsäure-äthylester (56% d. Th.). Der 3,3-Dimethyl-2,2-diisopropyl-cyclopropan-1-carbonsäure-äthylester wird aus dem entsprechenden Olefin in nur 14% Ausbeute erhalten[2]. Für diese Untersuchungen wurden die verzweigten Alkene jeweils durch Dehydratisierung der entsprechenden Carbinole mit Jod hergestellt:

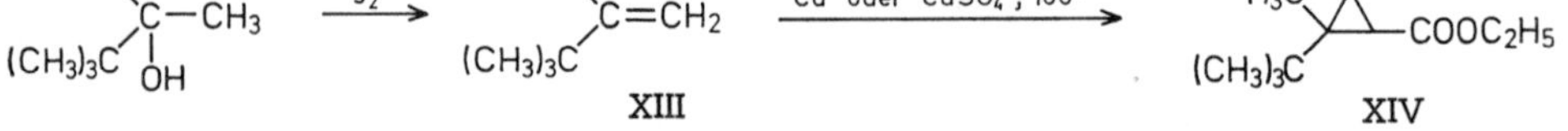

[1] W. Kirmse u, K. H. Pook, B. 89, 4022 (1965).
[2] A. P. Meščerjakov et al., Izv. Akad. Nauk SSSR 1966; 1235; C. A. 65, 16871 (1966).

Monoadditionen von Äthoxycarbonyl-carben an 1,3- und 1,4-Diene können im allgemeinen recht leicht erreicht werden. Für das Isopren (I) wurde hauptsächlich Angriff an der methylsubstituierten Doppelbindung beobachtet[1]. In einem zweiten Schritt konnte auch das Diaddukt III erhalten werden:

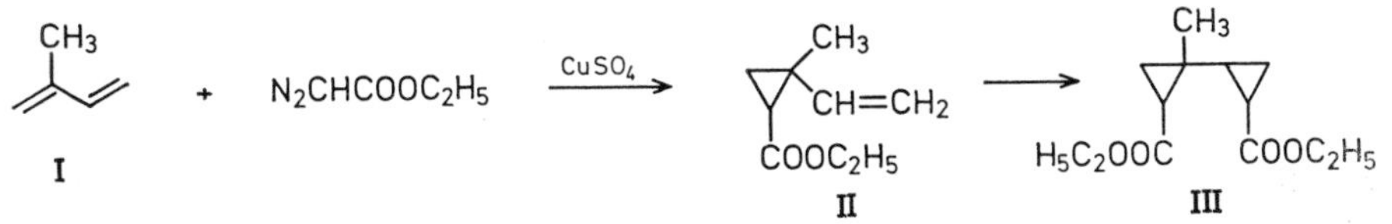

II; *2-Methyl-2-vinyl-cyclopropan-1-carbonsäure-äthylester*
III; *1-Methyl-2,2'-diäthoxycarbonyl-bi-cyclopropyl*

Butadien-1,3 (IV) kann bei 100° sowie bei 20° in Gegenwart von Kupfer(II)-sulfat mit Diazoessigsäure-äthylester cyclopropaniert werden[2]. In beiden Fällen entsteht in Ausbeuten von 20–40% der *2-Vinyl-cyclopropan-1-carbonsäure-äthylester* (V). Durch 8stdgs. Erhitzen von 1 Mol Diazoessigsäure-äthylester und 6 Molen Butadien in einem Autoklaven auf 100–110° kann die Ausbeute auf 80% (bez. auf Diazoessigsäure-äthylester) gesteigert werden[3]. Bei der thermischen Reaktion wird ein *cis/trans*-Verhältnis[2,3] von 45 : 55 und bei der katalysierten Reaktion ein Verhältnis[2] von 40 : 60 beobachtet.

Auch hier muß betont werden, daß die Übergänge zwischen Pyrazolin- und Carben-Mechanismus fließend sein können. So wurde z.B. schon früher bemerkt[4], daß bei der Reaktion von 1 Mol Butadien mit 2 Molen Diazoessigsäure-äthylester bei 100° neben *2,2'-Diäthoxycarbonyl-bi-cyclopropyl*(VI) auch noch *3,3'-Diäthoxycarbonyl-bi-[3,4-dihydro-1H-pyrazolyl-(5)]* (VII) gebildet wurde:

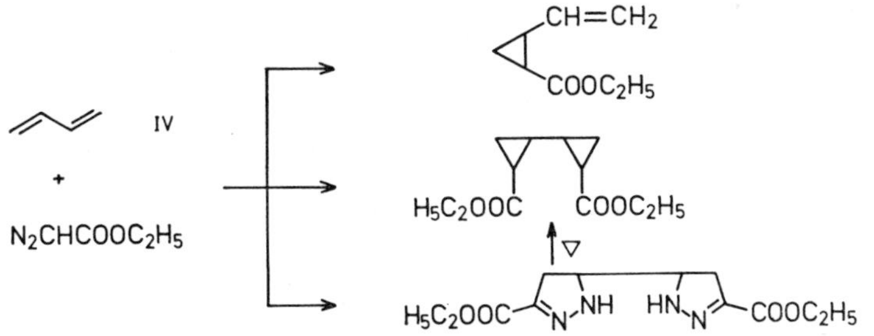

Während Alkoxycarbonyl-carbenoide mit 1,3-Dienen nur unter 1,2-Addition reagieren erfolgt bei Enoläthern von 1,3-Dicarbonyl-Verbindungen eine 1,4-Addition[5]. Diese Reaktion ermöglicht z.B. die Anellierung eines Furanringes an Steroide:

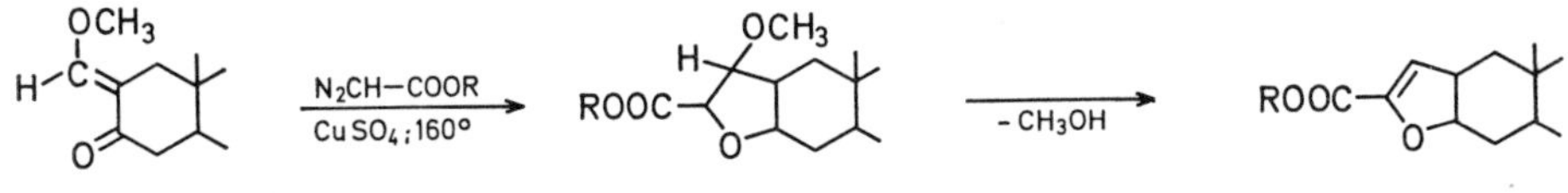

[1] I. A. Dyakonov u. V. F. Myznikova, Sbornik Statei Obshchei Khim., Akad. Nauk SSSR 1, 489 (1953); C. A. 49, 883 (1955).
[2] I. A. Dyakonov et al., Ž. org. Chim. 1, 1189 (1965).
[3] E. Vogel u. R. Erb, Ang. Ch. 74, 76 (1962).
    E. Vogel, Ang. Ch. 74, 829 (1962).
    R. Erb, Dissertation, Universität Köln, 1963.
[4] E. Müller u. O. Roser, J. pr. 133, 291 (1932).
[5] D. L. Storm u. T. A. Spencer, Tetrahedron Letters 1967, 1865.

Eine 1,3-dipolare Addition von Alkoxycarbonyl-carbenoiden wurde bei der kupferkatalysierten Zersetzung von Diazoessigsäure-äthylester in Nitrilen beobachtet[1]:

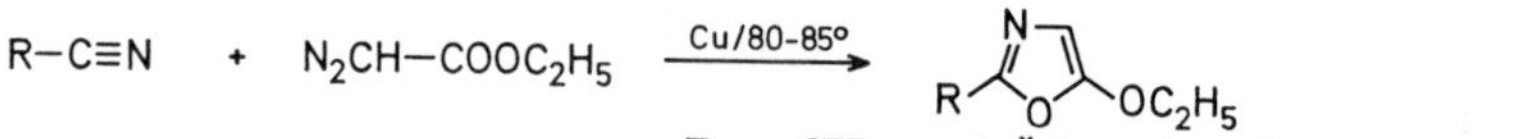

R—C≡N
+
N2CH—COOC2H5
Cu/80-85°
N
R
O
OC2H5

$R = CH_3$; *5-Äthoxy-2-methyl-1,3-oxazol*
$R = C_6H_5$; *5-Äthoxy-2-phenyl-1,3-oxazol*

Für die formal analoge Bildung von Furan-Derivaten aus Alkinen ist der 1,3-dipolare Mechanismus durch neuere Untersuchungen fraglich geworden[2] (s. a. S. 282).

1′-Äthoxycarbonyl-2α,3α-cyclopropano-androstan-Derivate sowie -3α, 4α- und -5β,6β-cyclopropano-pregnen-Derivate konnten in hoher Stereoselektivität aus den entsprechenden Steroid-Olefinen durch Äthoxycarbonyl-carben-Addition erhalten werden[3].

Auch Vinyl-ferrocen (I) konnte mit Diazoessigsäure-äthylester cyclopropaniert werden[4]. Über den *Äthylester* II wurden die *cis/trans*-isomeren *2-Ferrocenyl-cyclopropan-1-carbonsäuren* III und IV erhalten, die getrennt werden konnten. (+)-*trans-2-Ferrocenyl-cyclopropan-1-carbonsäure* konnte über das (−)-1-Phenyl-äthylamin-Salz durch fraktionierte Kristallisation erhalten werden. Im Gegensatz zu den analogen Phenyl- und Methoxyphenyl-Derivaten erfolgt hier bei den Ferrocenyl-Verbindungen durch Säuren sehr leicht Öffnung des Cyclopropanringes. So erhält man z.B. aus der Carbonsäure III bzw. IV mit Polyphosphorsäure in 90%iger Ausbeute *Ferrocenyl-γ-butyrolacton* (V):

CH=CH2
Fe
I
+ N2CH—COOC2H5
COOC2H5
II
1. KOH
2. Trennung
COOH
H
H
+
H
H
COOH
III, cis
IV, trans
Säure
O
Fe
O
V

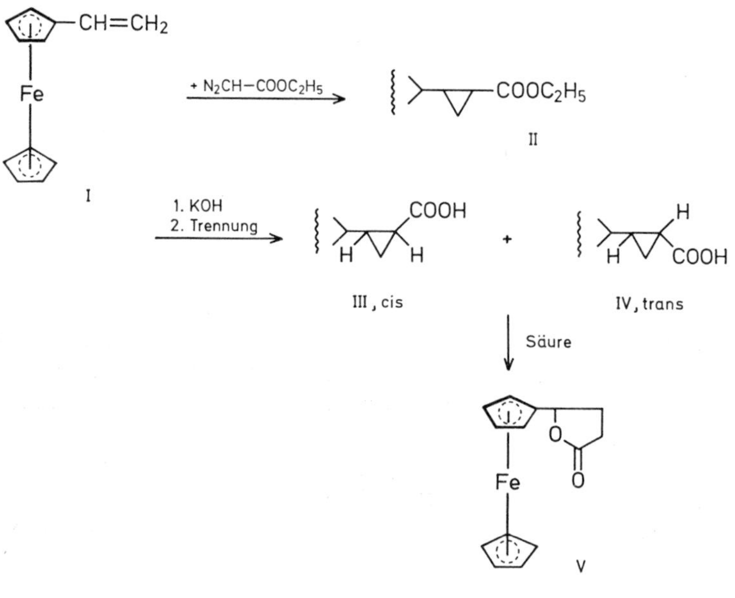

trans-Caryophyllen (VI) reagiert mit Diazoessigsäure-äthylester in Gegenwart von Kupferpulver in 59%iger Ausbeute zu dem Ester VIIa (*4,12,12-Trimethyl-9-methylen-*

---

[1] R. HUISGEN et al., Ang. Ch. **73**, 368 (1961); B. **97**, 2864 (1964).
[2] I. A. DYAKONOV et al., Ž. org. Chim. **2**, 559 (1966).
[3] US. P. 3079406 (1963); 3080386 (1963), L. H. KNOX; C. A. **59**, 2910 (1963); **60**, 626 (1964).
[4] H. MICHTLER u. K. SCHLÖGL, M. **97**, 754 (1966).

5-äthoxycarbonyl-tricyclo[8.2.0.0⁴,⁶]dodecan¹. Durch alkalische Verseifung erhält man aus diesem Ester die Carbonsäure VII b *(4,12,12-Trimethyl-9-methylen-5-carboxy-tricyclo-[8.2.0.0⁴,⁶]dodecan)*, die – wie durch Versuche mit Deuterium festgestellt werden konnte – ein Gemisch der Stereoisomeren VIII und IX darstellt. VIIb kann katalytisch zum Dihydro-Derivat X *(4,9,12,12-Tetramethyl-5-carboxy-tricyclo[8.2.0.0⁴,⁶]dodecan* hydriert werden, das mit Bromwasserstoff/Eisessig in das γ-Lacton XI *(4-Hydroxy-4,11,11-trimethyl-5-carboxymethyl-bicyclo[7.2.0]undecan-lacton)* überführbar ist:

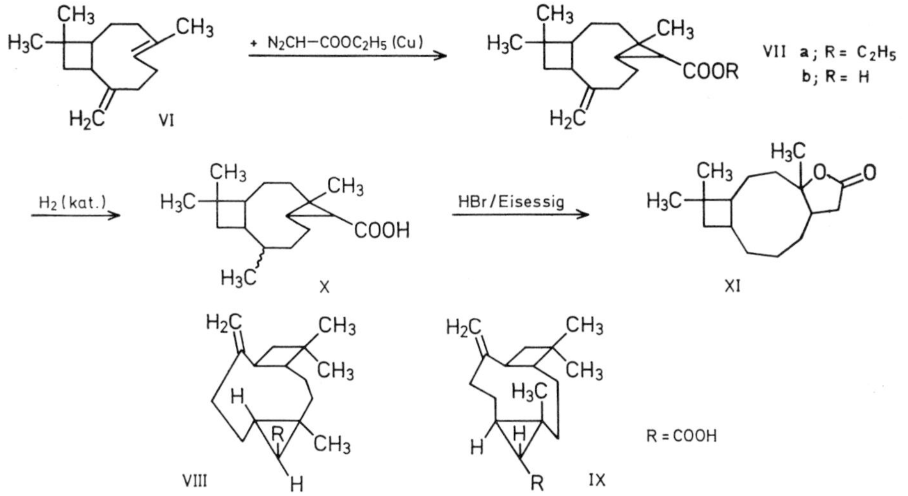

Einige ungesättigte Äther sind u.a. mit Diazoessigsäureester cyclopropaniert worden, um zu pharmazeutisch bzw. pharmakologisch interessierenden Cyclopropylaminen und deren Derivaten zu gelangen²⁻⁴.

So wurde Phenyl-vinyl-äther (I, S. 278) mit Diazoessigsäure-äthylester in Xylol in Gegenwart von Kupfer zum *2-Phenoxy-cyclopropan-1-carbonsäure-äthylester* (IIIa) umgesetzt, aus dem über das *Hydrazid* IIIb und das *Azid* IIIc das *2-Phenoxy-1-isocyanat-cyclopropan* (IV) und schließlich das *2-Äthoxycarbonylamino-1-phenoxy-cyclopropan* (V) erhalten wurden; durch Verseifung von IV und V wurde dann *2-Amino-1-phenoxy-cyclopropan* (VI) zugänglich². Die Isomerentrennung kann hierbei bereits auf der Stufe der Carbonsäureester IIIa erfolgen.

Andere Wege zur Herstellung von *cis-* und *trans-2-Amino-1-phenoxy-cyclopropan* (VI, S. 278) bestehen im Hofmann-Abbau bzw. der Lossen-Umlagerung (vgl. IIIb-IIIe). Zum Zwecke von pharmakologischen Untersuchungen wurden aus IIIa ferner die Ester VIIa und VIIb *(2-Phenoxy-cyclopropan-1-carbonsäure-2-diäthylamino-äthylester* bzw. *-2-diäthylamino-äthylamid)*, das *Benzylhydrazid* VIII sowie mit Lithiummalanat das Carbinol IX *(2-Phenoxy-1-hydroxymethyl-cyclopropan)* hergestellt. Aus IV wurden die Harnstoffe Xa—c {*2-[N′-(4-Chlor-* bzw. *4-Methyl-* bzw. *4-Trifluormethyl-benzolsulfonyl)-ureido]-1-phenoxy-cyclopropan*} aus VI die Derivate XIa—e [*2-Propin-(2)-ylamino-*; *2-Dimethylamino-*, *2-(Methyl-jodmethyl-amino)-*, *2-Chloracetylamino-*, *2-(Diäthyl-amino-acetylamino)-1-phenoxy-cyclopropan*] sowie XII [*2-(3,4,5-Trimethoxy-benzoylamino)-1-phenoxy-cyclopropan*] erhalten. Aus *2-Phenoxy-cyclopropan-1-carbonsäure-amid* (IIId) wurde mit Lithiummalanat *2-Phenoxy-1-aminomethyl-cyclopropan* (XIII) zugänglich. In ganz ähnlicher Weise entstehen die *2-(4-Dimethylamino-*, bzw. *4-Methoxy-*, bzw. *4-Fluor-*, bzw. *2-Methyl-*, bzw. *4-Methyl-*,

---

¹ E. W. Warnhoff u. V. Dave, Canad. J. Chem. **44**, 621 (1966).
² J. Finkelstein et al., J. med. Chem. **8**, 432 (1965).
³ J. Finkelstein et al., J. med. Chem. **9**, 319 (1966).
⁴ J. Finkelstein et al., J. med. Chem. **9**, 440 (1966).

bzw. *4-Chlor-phenoxy)-cyclopropan-1-carbonsäure-hydrazid* (XIV) bzw. 2-Phenoxy-cyclo-propyl-amine (XV). Einige der so hergestellten Verbindungen besitzen Aktivität als Mono-amin-Oxidase-Hemmer, wobei jedoch keine Unterschiede zwischen den *cis*- und *trans*-Formen festgestellt werden konnten[1]:

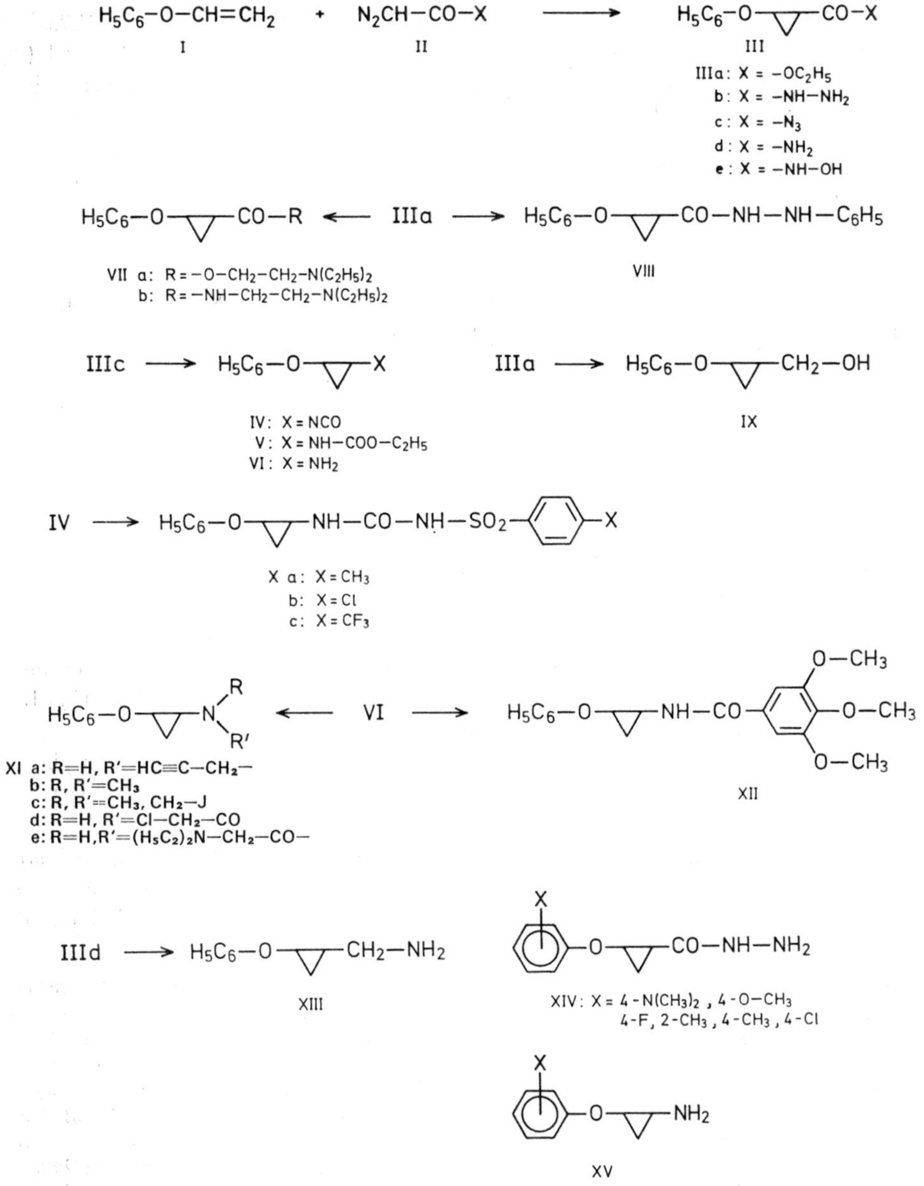

$$H_5C_6-O-CH=CH_2 \quad + \quad N_2CH-CO-X \quad \longrightarrow \quad H_5C_6-O-\triangledown-CO-X$$

        I   II   III

                                              IIIa : X = $-OC_2H_5$
                                                 b : X = $-NH-NH_2$
                                                 c : X = $-N_3$
                                                 d : X = $-NH_2$
                                                 e : X = $-NH-OH$

$$H_5C_6-O-\triangledown-CO-R \quad \longleftarrow \quad IIIa \quad \longrightarrow \quad H_5C_6-O-\triangledown-CO-NH-NH-C_6H_5$$

VII a: R = $-O-CH_2-CH_2-N(C_2H_5)_2$ VIII
      b: R = $-NH-CH_2-CH_2-N(C_2H_5)_2$

$$IIIc \quad \longrightarrow \quad H_5C_6-O-\triangledown-X \qquad\qquad IIIa \quad \longrightarrow \quad H_5C_6-O-\triangledown-CH_2-OH$$

              IV: X = NCO   IX
              V: X = $NH-COO-C_2H_5$
              VI: X = NH_2

$$IV \quad \longrightarrow \quad H_5C_6-O-\triangledown-NH-CO-NH-SO_2-\bigcirc-X$$

                    X a: X = CH_3
                      b: X = Cl
                      c: X = CF_3

$$H_5C_6-O-\triangledown-N\genfrac{}{}{0pt}{}{R}{R'} \quad \longleftarrow \quad VI \quad \longrightarrow \quad H_5C_6-O-\triangledown-NH-CO-\bigcirc\genfrac{}{}{0pt}{}{O-CH_3}{O-CH_3}-O-CH_3$$

XI a: R=H, R'=HC≡C−CH₂−
   b: R, R'=CH₃
   c: R, R'=CH₃, CH₂−J
   d: R=H, R'=Cl−CH₂−CO
   e: R=H, R'=(H₅C₂)₂N−CH₂−CO−
                                                       XII

$$IIId \quad \longrightarrow \quad H_5C_6-O-\triangledown-CH_2-NH_2 \qquad\qquad \underset{X}{\bigcirc}-O-\triangledown-CO-NH-NH_2$$

                    XIII   XIV: X = 4-N(CH₃)₂ , 4-O-CH₃
                                                   4-F, 2-CH₃ , 4-CH₃ , 4-Cl

$$\underset{X}{\bigcirc}-O-\triangledown-NH_2$$

                                       XV

Nach dem Formelschema auf S. 279 wurden *trans-2-Amino-1-cyclohexyloxy-cyclo-propan* (V) und seine N-Alkyl-Derivate VI–VIII ausgehend von Cyclohexyl-vinyl-äther (I) synthetisiert[2]. In Gegenwart von Kupferbronze wurde der Äther I mit Diazoessigsäure-äthylester zum *cis/trans*-Isomerengemisch umgesetzt, aus dem durch

[1] J. Finkelstein et al., J. med. Chem. **8**, 432 (1965).
[2] J. Finkelstein et al., J. med. Chem. **9**, 319 (1966).

Behandlung mit Natriumäthanolat das reine *trans-2-Cyclohexyloxy-cyclopropan-1-carbonsäure-äthylester* (III) gewonnen wurde (85 bzw. 97% d. Th.). Nach Verseifung des Esters, Umsetzung mit Chlorameisensäureester/Natriumazid zum Säureazid IV (*trans-2-Cyclohexyloxy-cyclopropan-1-carbonsäure-azid*) und dessen Abbau nach Curtius wurde schließlich das gewünschte Amin V erhalten (Ausbeuten: 76% für die freie Carbonsäure und 47% für das Amin). Mit D-Weinsäure gelang die Zerlegung des Amins V in seine optischen Isomeren. Durch Hydrierung der Schiffschen Base von V und Benzaldehyd wurde das entsprechende Benzyl-Derivat VI (*trans-2-Benzylamino-1-cyclohexyloxy-cyclopropan*) erhalten, das mit Formaldehyd hydrierend zum *trans-2-(N-Methyl-N-benzyl-amino)-1-cyclohexyloxy-cyclopropan* alkyliert wurde, aus dem durch katalytische Hydrierung der Benzylrest entfernt werden konnte (*trans-2-Methylamino-1-cyclohexyloxy-cyclopropan*).

Die Cyclopropylamine V und VIII erwiesen sich als Aminoxidase-Hemmer 20—50 mal wirksamer als Iproniazid[1]. Im Gegensatz dazu zeigt das weitgehend analog synthetisierte *3-Amino-2-phenoxy-1-methyl-cyclopropan* (XII) nur eine sehr geringe Wirkung gegenüber Monoxidase[2].

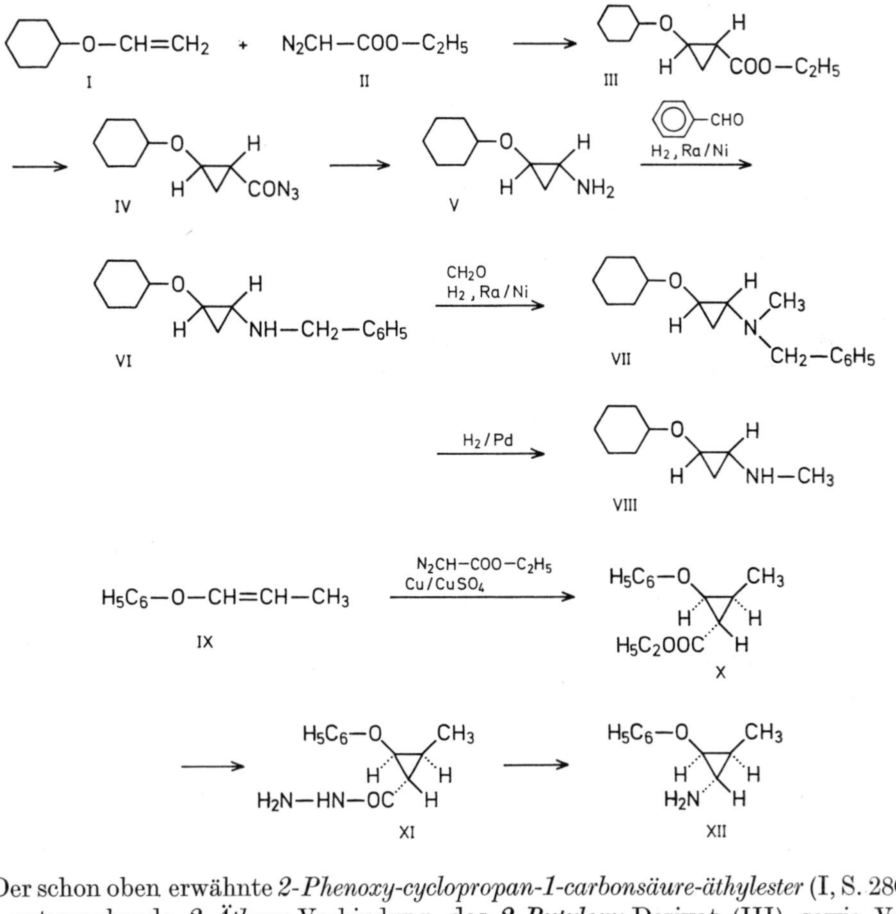

Der schon oben erwähnte *2-Phenoxy-cyclopropan-1-carbonsäure-äthylester* (I, S. 280), die entsprechende *2-Äthoxy*-Verbindung, das *2-Butyloxy*-Derivat (III) sowie Ver-

---

[1] J. FINKELSTEIN et al., J. med. Chem. **9**, 319 (1966).
[2] J. FINKELSTEIN et al., J. med. Chem. **9**, 440 (1966).

bindungen des Typs XI (S. 281) wurden aus den entsprechenden ungesättigten Äthern durch kupferkatalysierte Diazoessigsäure-äthylester-Zersetzung synthetisiert und deren Umwandlung in die Carbinole und anschließende Spaltung zu ungesättigten Aldehyden studiert[1-3] (vgl. z.B. einige Reaktionsfolgen von I und III). Hierbei war unter anderem von präparativem Interesse, daß die Umsetzung der Cyclopropan-Verbindung V mit Alkin-(1)-yl-magnesium-Verbindungen die Synthese von mehrfach ungesättigten Aldehyden der Vitamin-A-Reihe ermöglichte[2] (VIII–X):

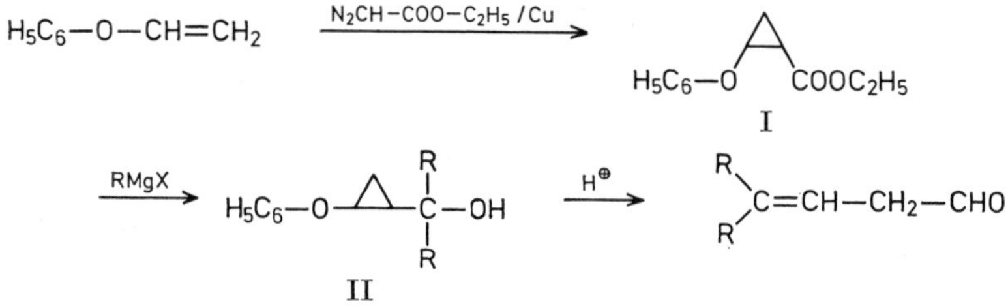

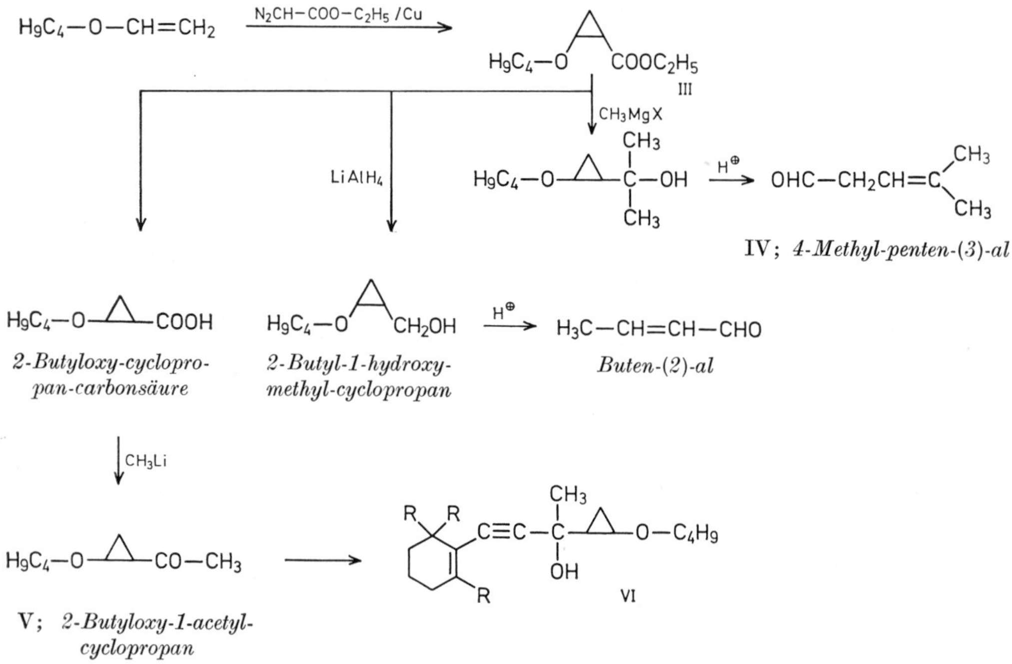

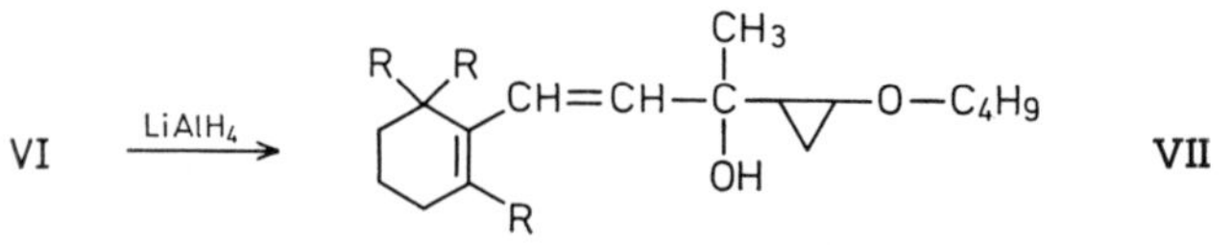

$$H_5C_6-O-CH=CH_2 \xrightarrow{N_2CH-COO-C_2H_5\,/Cu} \text{I: } H_5C_6-O-\triangle-COOC_2H_5$$

$$\xrightarrow{RMgX} \text{II: } H_5C_6-O-\triangle-\underset{R}{\overset{R}{C}}-OH \xrightarrow{H^\oplus} \underset{R}{\overset{R}{C}}=CH-CH_2-CHO$$

$$H_9C_4-O-CH=CH_2 \xrightarrow{N_2CH-COO-C_2H_5\,/Cu} \text{III: } H_9C_4-O-\triangle-COOC_2H_5$$

$$\xrightarrow{CH_3MgX} H_9C_4-O-\triangle-\underset{CH_3}{\overset{CH_3}{C}}-OH \xrightarrow{H^\oplus} OHC-CH_2CH=C\underset{CH_3}{\overset{CH_3}{}}$$

IV; *4-Methyl-penten-(3)-al*

$$\xrightarrow{LiAlH_4}$$

$H_9C_4-O-\triangle-COOH$
2-Butyloxy-cyclopropan-carbonsäure

$H_9C_4-O-\triangle-CH_2OH$
2-Butyl-1-hydroxy-methyl-cyclopropan

$\xrightarrow{H^\oplus} H_3C-CH=CH-CHO$
Buten-(2)-al

$$\downarrow CH_3Li$$

$H_9C_4-O-\triangle-CO-CH_3$

V; *2-Butyloxy-1-acetyl-cyclopropan*

$$\longrightarrow \text{VI}$$

VII a; R=H; *3-Hydroxy-3-(2-butyloxy-cyclopropyl)-1-cyclohexenyl-buten-(1)*
   b; R=CH$_3$; *3-Hydroxy-3-(2-butyloxy-cyclopropyl)-1-(2,6,6-trimethyl-cyclohexenyl)-buten-(1)*

[1] M. JULIA u. G. LE THULLIER, Bl. **1966**, 717.
[2] M. JULIA u. M. BAILLARGE, Bl. **1966**, 743.
[3] M. JULIA u. M. BAILLARGE, Bl. **1966**, 734.

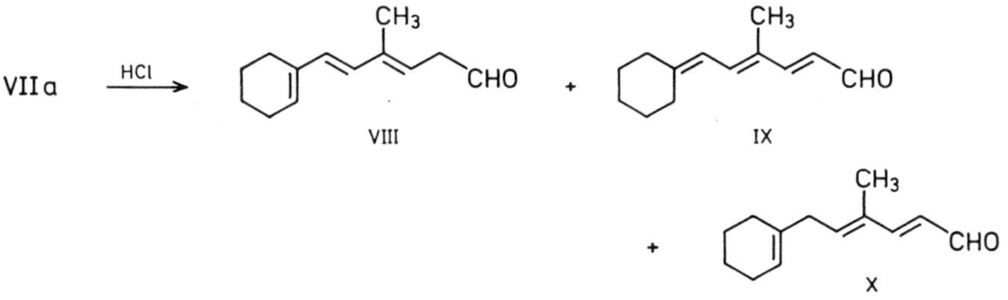

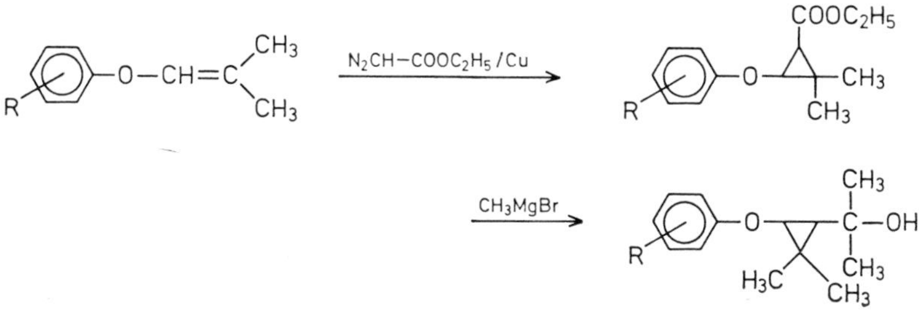

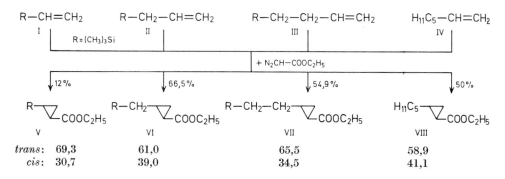

Auch die ungesättigten Silane I, II und III konnten erfolgreich mit Diazo-essigsäure-äthylester cyclopropaniert werden[1]. Die speziell hergestellten ungesättigten Silane wurden zum Sieden erhitzt. Nach Zugabe von Kupfer(II)-sulfat als Katalysator wurde langsam Diazoessigsäure-äthylester zugesetzt. Aus Vergleichszwecken wurde mit dem siliciumfreien Olefin IV in analoger Weise verfahren. Die Cyclopropancarbonsäure-äthylester V bis VIII [*2-Trimethylsilyl-*(V); *2-Trimethylsilylmethyl-*(VI); *2-(2-Trimethylsilyl-äthyl)-*(VII); *2-Pentyl-cyclopropan-1-carbonsäure-äthylester* (VIII)] wurden so erhalten:

R—CH=CH₂	R—CH₂—CH=CH₂	R—CH₂—CH₂—CH=CH₂	H₁₁C₅—CH=CH₂

R—CH=CH₂   R—CH₂—CH=CH₂   R—CH₂—CH₂—CH=CH₂   H₁₁C₅—CH=CH₂
I   II   III   IV

R = (CH₃)₃Si

+ N₂CH—COOC₂H₅

12%   66,5%   54,9%   50%

R—△—COOC₂H₅   R—CH₂—△—COOC₂H₅   R—CH₂—CH₂—△—COOC₂H₅   H₁₁C₅—△—COOC₂H₅
V   VI   VII   VIII

	V	VI	VII	VIII
trans:	69,3	61,0	65,5	58,9
cis:	30,7	39,0	34,5	41,1

Insbesondere waren hier auch die Gründe für die unterschiedlichen Ausbeuten von Interesse[1]. Es wurde nachgewiesen, daß Reaktionstemp. und sterische Effekte auf die Geschwindigkeit der Anlagerung des intermediär gebildeten Äthoxycarbonyl-carbens an die Doppelbindung nur geringen Einfluß haben. Die Doppelbindung in α-Stellung zum Silicium im Trimethyl-vinyl-silan (I) wird desaktiviert gegenüber elektrophilen Agenten infolge dₙ—pₙ-Konjugation, die typisch für das Silicium-Atom in dieser Stellung ist. Die Doppelbindung in β- und auch in γ-Stellung erfährt dagegen keine Desaktivierung, dafür macht sich der positive Induktionseffekt des Siliciums besonders beim Trimethyl-allyl-silan(II), etwas geringer beim 4-Trimethylsilyl-buten-(1)(III) bemerkbar, was zu einer Steigerung der Ausbeute führt.

[1] I. A. Dyakonov, G. V. Golodniko u. I. B. Repinskaya, Ž. obšč. Chim. **35**, 2181 (1965); engl.: 2169.

Alle Cyclopropan-Derivate V—VIII (S. 281) können durch Gasflüssigchromatographie in *cis*- und *trans*-Verbindungen zerlegt werden. Bei mehrstündigem Erhitzen der Ester mit Lauge erfolgt Verseifung und Epimerisierung. Die erhaltenen Carbonsäuren bestehen zu ~ 93% aus den *trans*-Verbindungen, was sich durch nachfolgende Veresterung und Vergleich der so erhaltenen Ester mit den *trans*-Estern aus der direkten Syntheses nachweisen läßt. Bei der Verseifung von 2-Pentyl-cyclopropan-1-carbonsäure-äthylester (VIII) zu *2-Pentyl-cyclopropan-1-carbonsäure* erfolgt nur teilweise Isomerisierung; erst bei der Umsetzung des Isomerengemisches XII mit Thionylchlorid zum entsprechenden *Carbonsäure-chlorid* (4 Stdn. bei 120°) und bei nachfolgender Behandlung mit Kalilauge findet man gleichfalls ~ 93% *trans*-Carbonsäure. Bei der Umsetzung von I—IV mit Diazoessigsäure-äthylester entstehen als Nebenprodukte immer Fumarsäure- und Maleinsäure-diäthylester, die vor der Isolierung von V—VIII durch Permanganat zerstört werden können (S. 281).

Mit Acetylenen reagiert Diazoessigsäureester unter Kupferkatalyse zu Cyclopropen-3-carbonsäureestern[1-6] (s. S. 693–695). Mit Kupfer(II)-sulfat entstehen statt dessen Furan-Derivate, deren Struktur auf eine 1,3-dipolare Addition (s. S. 276) des Alkoxycarbonyl-carbens hinweist. Der erstaunliche Befund, wonach die Katalysatormenge das Endprodukt bestimmt[7-9], hat sich kürzlich geklärt: bei höheren Temperaturen lagern sich die entstandenen Cyclopropen-3-carbonsäureester in Furan-Derivate um, wobei anscheinend die Kupfersalze katalytisch wirken[10].

Durch weitere Umsetzung mit Diazoessigsäureester können die Cyclopropen-3-carbonsäureester in 2,4-Dialkoxycarbonyl-bicyclo[1.1.0]butane umgewandelt werden[11]. In diesem zweiten Schritt ist die Anwesenheit von Kupferkatalysatoren unbedingt erforderlich. Bei Verwendung eines Palladiumkatalysators bleibt die Addition des Alkoxycarbonyl-carbens auf der Cyclopropen-Stufe stehen[12]:

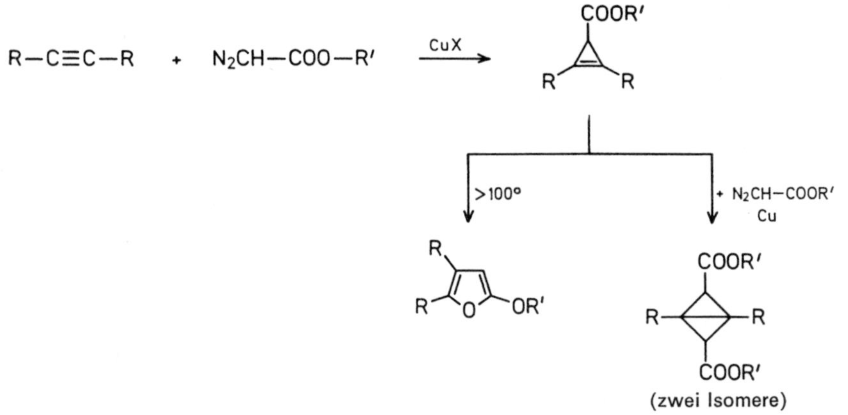

[1] I. A. Dyakonov u. M. I. Komendantov, Vestnik Leningrad. Univ. **11**, No. 22, Ser. Fiz. i. Khim. No. 4, 166 (1956); vgl. C. A. **52**, 2762 (1958).

[2] R. Breslow u. M. Battiste, Chem. & Ind. **1958**, 1143.

[3] R. Breslow et al., J. Org. Chem. **24**, 415 (1959).

[4] R. Breslow u. D. Chipman, Chem. & Ind. **1960**, 1105.

[5] M. Vidal et al., Tetrahedron Letters **1967**, 1073.

[6] I. A. Dyakonov u. M. I. Komendantov, Ž. obšč. Chim. **31**, 3881 (1961); engl.: 3618.

[7] I. A. Dyakonov, M. I. Komendantov u. S. P. Korshunov, Ž. obšč. Chim. **32**, 923 (1962); engl.: 912.

[8] I. A. Dyakonov u. M. I. Komendantov, Ž. obšč. Chim. **33**, 2448 (1963); engl.: 2387.

[9] I. A. Dyakonov et al., Ž. org. Chim. **1**, 209 (1965).

[10] I. A. Dyakonov et al., Ž. org. Chim. **2**, 559 (1966).

[11] I. A. Dyakonov, M. I. Komendantov u. V. V. Razin, Ž. obšč. Chim. **33**, 2420 (1963); engl.: 2360; Tetrahedron Letters **1966**, 1127, 1135.

[12] R. K. Armstrong, J. Org. Chem. **31**, 618 (1966).

Kohlenwasserstoffe, die Olefin- und Acetylen-Gruppen enthalten, addieren Alkoxycarbonyl-carbene bzw. -carbenoide bevorzugt an der C≡C-Doppelbindung[1-3].

Wird z.B. Diazoessigsäure-äthylester in Hexen-(1)-in-(4) (III) in Gegenwart von Kupferbronze erhitzt, so kommt es neben der Bildung von Fumarsäure- und Maleinsäure-diäthylester (25%) zur Addition des Äthoxycarbonyl-carbens (II) unter Monoaddukt-[IV; *2-Butin-(2)-yl-cyclopropan-1-carbonsäure-äthylester*; 19%] und Diaddukt-Bildung[*2-Methyl-3-äthoxycarbonyl-1-(2-äthoxycarbonyl-cyclopropyl)-cyclopropen-(1)*; V][3]. Das Monoaddukt IV besteht zu 24% aus dem *cis-* und zu 76% aus dem *trans*-Isomeren. Bei der Hydrierung von IV an Pd/CaCO$_3$ wird *2-Butyl-cyclopropan-1-carbonsäure-äthylester* (VI) erhalten, der auch auf unabhängigem Wege aus Hexen-(1) (VII) und I hergestellt werden kann:

$$N_2CH-COO-C_2H_5 \longrightarrow \ :CH-COO-C_2H_5 \xrightarrow{\ H_3C-C\equiv C-CH_2-CH=CH_2\ }{III}$$

I   II

COOC$_2$H$_5$ H$_5$C$_2$OOC
CH   CH
‖   +   ‖
CH   CH
COOC$_2$H$_5$ COOC$_2$H$_5$

+ H$_3$C—C≡C—CH$_2$—▽   +   H$_3$C—▽—CH$_2$—▽
                    COO—C$_2$H$_5$ COO—C$_2$H$_5$ COO—C$_2$H$_5$
          IV   V

IV $\xrightarrow[Pd/CaCO_3]{H_2}$ H$_3$C—(CH$_2$)$_3$—▽ $\xleftarrow{\ I\ }$ H$_3$C—(CH$_2$)$_3$—CH=CH$_2$
                              COO—C$_2$H$_5$
              VI   VII

In ganz ähnlicher Weise führt die Addition des Äthoxycarbonyl-carbenoids an 2-Methyl-hexen-(1)-in-(4) (VIII) mit 34% zum *2-Methyl-2-butin-(2)-yl-cyclopropan-1-carbonsäure-äthylester* (IX) und mit nur 11% *2-Methyl-1-(2-methyl-allyl)-cyclopropen-3-carbonsäure-äthylester* (X)[4]. Der *2-Methyl-2-butyl-cyclopropan-1-carbonsäure-äthylester* (XI, S. 284) kann gleichfalls durch katalytische Hydrierung von IX als auch durch Umsetzung von 2-Methyl-hexen-(1) (XII) mit Diazoessigsäure-äthylester erhalten werden. Ganz analog entsteht der *2-Methyl-3-(2-methyl-propyl)-cyclopropan-1-carbonsäure-äthylester* (XIII) durch katalytische Hydrierung von X bzw. durch Reaktion von 2-Methyl-hexen-(4) (XIV) mit Diazoessigsäure-äthylester[4]:

$$H_3C-C\equiv C-CH_2-\underset{\underset{CH_3}{|}}{C}=CH_2 \xrightarrow{\ N_2CH-COO-C_2H_5 / Cu\ }$$

VIII

H$_3$C—C≡C—CH$_2$—▽(H$_3$C)   +   H$_3$C—▽—CH$_2$—C(CH$_3$)=CH$_2$
                    COOC$_2$H$_5$ COOC$_2$H$_5$
            IX   X

[1] I. A. DYAKONOV u. L. P. DANILKINA, Ž. obšč. Chim. **34**, 738 (1964); engl.: 738.
[2] I. A. DYAKONOV u. L. P. DANILKINA, Ž. obšč. Chim. **34**, 3129 (1964); engl.: 3174.
[3] I. A. DYAKONOV u. L. P. DANILKINA, Ž. org. Chim. **2**, 3 (1966).
[4] I. A. DYAKONOV et al., Ž. org. Chim. **2**, 2079 (1966).

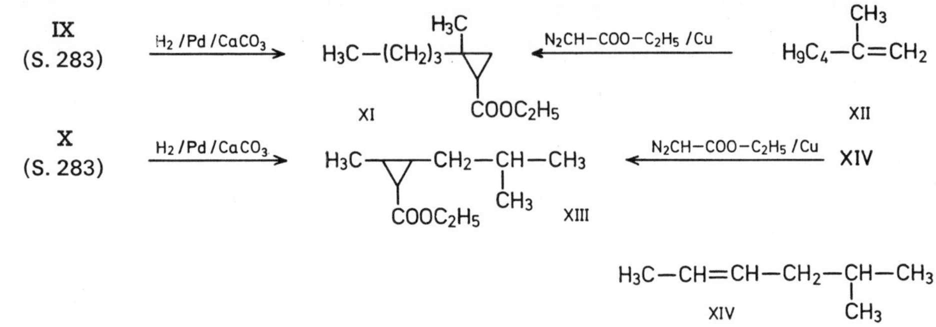

$$\text{IX (S. 283)} \xrightarrow{\text{H}_2/\text{Pd}/\text{CaCO}_3} \text{XI} \xleftarrow{\text{N}_2\text{CH}-\text{COO}-\text{C}_2\text{H}_5/\text{Cu}} \text{XII}$$

$$\text{X (S. 283)} \xrightarrow{\text{H}_2/\text{Pd}/\text{CaCO}_3} \text{XIII} \xleftarrow{\text{N}_2\text{CH}-\text{COO}-\text{C}_2\text{H}_5/\text{Cu}} \text{XIV}$$

$$\text{H}_3\text{C}-\text{CH}=\text{CH}-\text{CH}_2-\underset{\underset{\text{CH}_3}{|}}{\text{CH}}-\text{CH}_3$$
XIV

Erwartungsgemäß wurde bei der Reaktion von 1,3,3-Triphenyl-propin (XV) mit Diazoessigsäure-methylester in Gegenwart von Kupferbronze der *2-Diphenyl-methyl-1-phenyl-cyclopropen-(1)-3-carbonsäure-methylester* (XVI) erhalten[1]. Der Ester XVI ließ sich bei Behandlung mit Alkali zum *3-Phenyl-2-diphenylmethylen-cyclopropan-1-carbonsäure-methylester* (XVII) isomerisieren. Aus XVII erhält man durch Hydrolyse *3-Phenyl-2-diphenylmethylen-cyclopropan-1-carbonsäure* (XVIII). Die Isomerisierungsenthalpie von XVI → XVII wurde zu −13,3 kcal/Mol bestimmt[1]. Bei alicyclischen Dreiringen ist damit also im Gegensatz zu den Vier- bis Zehnringen das Isomere mit *exo*cyclischer Doppelbindung im Vergleich zum *endo*-Isomeren thermodynamisch stabiler.

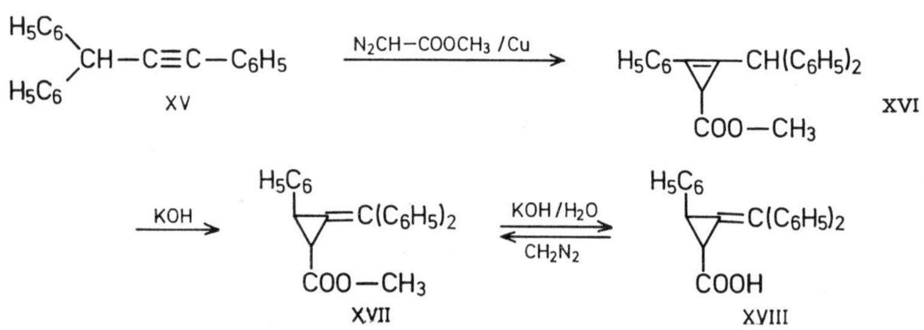

Bis-[diazo-äthoxycarbonyl-methyl]-quecksilber (I) kann mit etwas weniger als zwei Äquivalenten Jod zum Jod-diazoessigsäure-äthylester (II; 80% d. Th.) umgesetzt werden, der bei UV-Bestrahlung in Jod-äthoxycarbonyl-carben (III) zerfällt, das durch Isobuten unter Bildung von *1-Jod-2,2-dimethyl-cyclopropan-1-carbonsäure-äthylester* (IV) abgefangen werden konnte[2]:

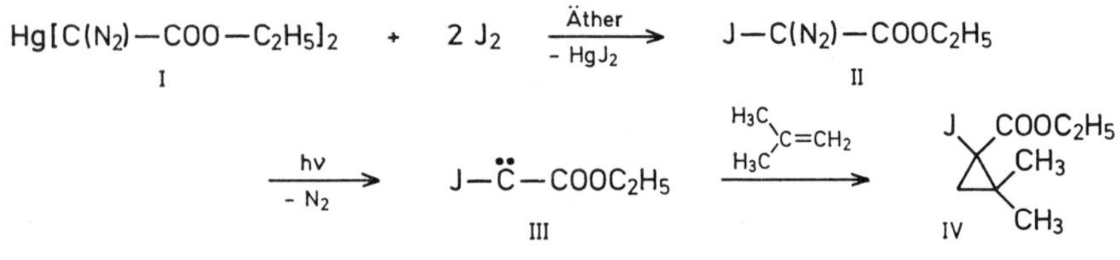

$$\text{Hg}[\text{C}(\text{N}_2)-\text{COO}-\text{C}_2\text{H}_5]_2 + 2\,\text{J}_2 \xrightarrow[-\text{HgJ}_2]{\text{Äther}} \text{J}-\text{C}(\text{N}_2)-\text{COOC}_2\text{H}_5$$
I   II

$$\xrightarrow[-\text{N}_2]{\text{h}\nu} \text{J}-\ddot{\text{C}}-\text{COOC}_2\text{H}_5 \xrightarrow{\underset{\text{H}_3\text{C}}{\overset{\text{H}_3\text{C}}{>}}\text{C}=\text{CH}_2} \text{IV}$$
III

---
[1] I. A. Dyakonov et al., Ž. org. Chim. **2**, 1898 (1966).
[2] U. Schöllkopf et al., Ang. Ch. **79**, 50 (1967).

Die Bestrahlung von Diazomalonsäure-dimethylester (V) liefert Dimeth-oxycarbonyl-carben (VI), das an verschiedene Olefine VII unter Bildung von Cyclopropan-Derivaten VIII addiert werden konnte[1]. Die Reaktion verläuft mit *cis/trans*-Olefinen nicht exakt stereospezifisch. So erhält man aus *cis*-4-Methyl-penten-(2) 92% *cis*- und 8% *trans-3-Methyl-2-isopropyl-cyclopropan-1,1-dicarbon-säure-dimethylester*. Wird Benzophenon als Sensibilisator zugesetzt, so verschiebt sich das Verhältnis zu 15% *cis*- und 85% *trans*-Verbindungen. Dieser Unterschied zwischen sensibilisierter und unsensibilisierter Photolyse des Diazomalonsäure-di-methylesters macht sich auch bei anderen Reaktionen bemerkbar[2].

Wird z. B. Diazomalonsäure-dimethylester in 2,3-Dimethyl-butan (IX) einer unsensibilisierten Photolyse unterworfen, so wird nur eine Einschiebungsreaktion beobachtet. Bei Zusatz von Benzophenon als Sensibilisator werden neben 13% Einschiebungsprodukt ~ 23% *Malonsäure-dimethylester* (X) und 38% *2,3-Dimethoxycarbonyl-bernsteinsäure-dimethylester* (XI) gefunden.

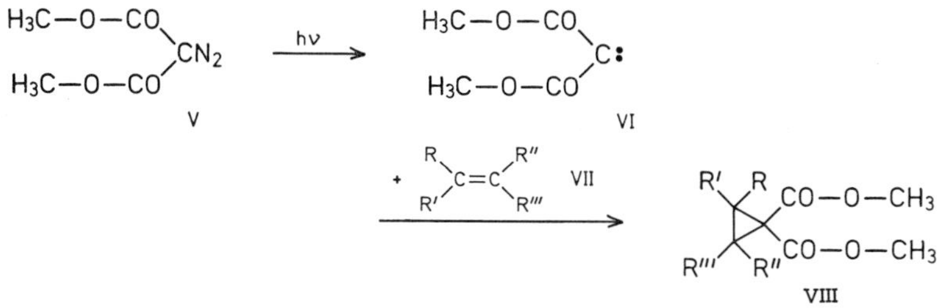

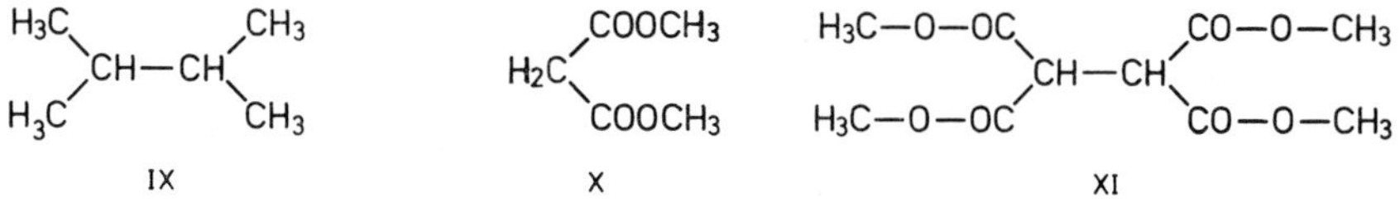

Diazoessigsäure-allylester(II, s. u.) liefert bei der Zersetzung in Gegenwart von Kupfer oder Kupfersalzen in siedendem Cyclohexan ohne Teilnahme des Lösungs-mittels an der Reaktion neben den beiden Dimerisationsprodukten V und VI (S. 286) durch intramolekulare Reaktion das Lacton VII (vgl. hierzu S. 362)[3]. Die Reaktion verläuft über das Allyloxycarbonyl-carben (IV). Eine hohe Verdünnung begün-stigt die Bildung des Cyclisierungsproduktes VII.

Bei Abwesenheit von Kupfer-Verbindungen reagiert das Allyloxycarbonyl-carben mit dem Lösungsmittel Cyclohexan unter Bildung von Cyclohexyl-essigsäure-allylester(VIII). Auch die Photolyse von II in Cyclohexan führt ausschließlich zu VIII.

Wird die Zersetzung von II in Gegenwart von Kupfer in Cyclohexen (IX, S. 286) vorgenommen, so wird das *7-Allyloxycarbonyl-bicyclo[4.1.0]heptan(-norcaran*; X) neben wenig *2-Hydroxymethyl-cyclopropan-1-carbonsäure-lacton* (VII) erhalten.

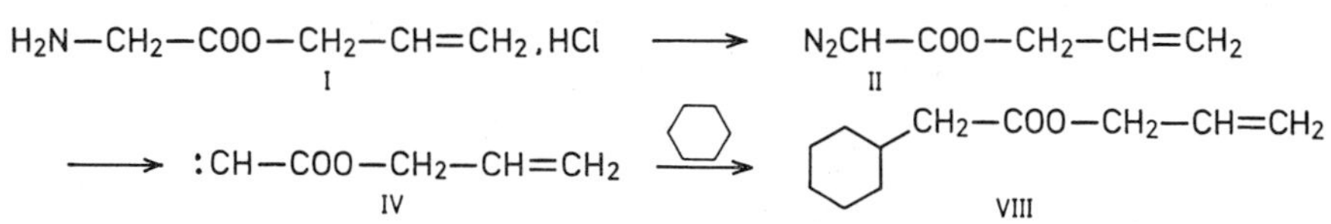

[1] M. Jones et al., Tetrahedron Letters **1967**, 183.
[2] M. Jones et al., Tetrahedron Letters **1967**, 1391.
[3] W. Kirmse u. H. Dietrich, B. **98**, 4027 (1965).

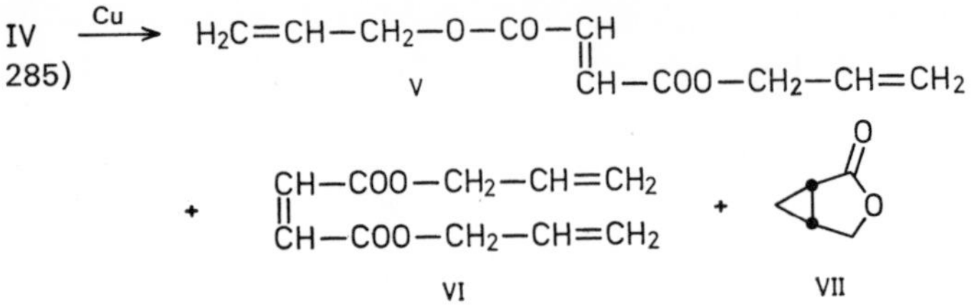

IV $\xrightarrow{\text{Cu}}$ H$_2$C=CH—CH$_2$—O—CO—CH
(S. 285)   V

+ CH—COO—CH$_2$—CH=CH$_2$
  CH—COO—CH$_2$—CH=CH$_2$
           VI

+ VII

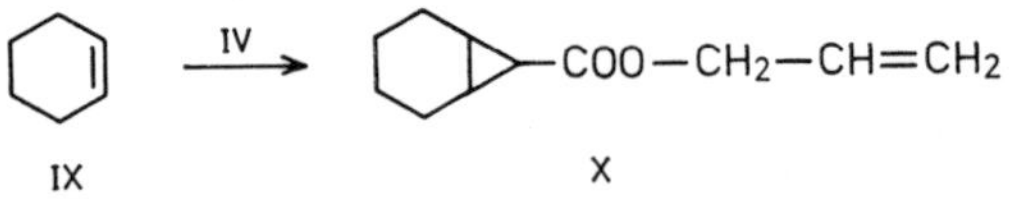

IX $\xrightarrow{\text{IV}}$ —COO—CH$_2$—CH=CH$_2$
X

Bei der photolytischen Spaltung von II (S. 285) in Benzol erhält man primär die Verbindungen XII und XIII, die nach der Hydrierung zu XIV und XV getrennt und identifiziert werden konnten[1].

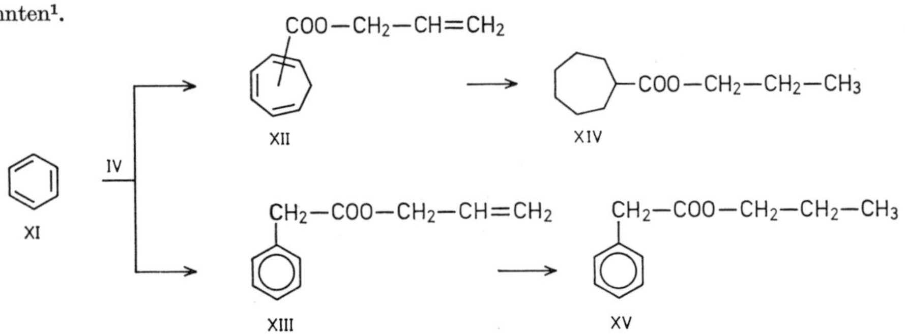

COO—CH$_2$—CH=CH$_2$
          XII

→ —COO—CH$_2$—CH$_2$—CH$_3$
         XIV

XI   IV

CH$_2$—COO—CH$_2$—CH=CH$_2$
          XIII

CH$_2$—COO—CH$_2$—CH$_2$—CH$_3$
          XV

Im Sinne des Gesamtkapitels war bislang lediglich von den Umsetzungen der Alkoxycarbonyl-carbene bzw. -carbenoide mit Olefinen die Rede. Abschließend sollen hier auch noch einige Bemerkungen zur Übertragung von Alkoxycarbonyl-carbenen bzw. -carbenoiden auf Aromaten gemacht werden[2]. So gehört die Zersetzung von Diazoessigsäure-äthylester in Gegenwart von Benzol zu den ältesten bekannten Carben-Reaktionen überhaupt[3-5]. Auf das dabei auftretende Problem der Valenztautomerie

Cycloheptatrien $\rightleftarrows$ Norcaradien

wird an anderer Stelle (s. S. 509–527) zusammenhängend eingegangen. Wegen dieser Valenztautomerie sowie wegen der konkurrierenden Insertions- und Additionsreaktionen bieten die Umsetzungen der Carbene mit aromatischen Kohlenwasserstoffen insgesamt ein recht kompliziertes Bild. Alkoxycarbonyl-carbene scheinen andererseits wenig zur Einschiebung in Aryl-H-Bindungen befähigt zu sein. Bei Alkylbenzolen erfolgt jedoch Insertion in C—H-Bindungen der Seitenkette; im Extremfall des Hexamethyl-benzols stehen Addition und Einschiebung des Äthoxycarbonyl-carbens[7] im Verhältnis 3,5 zu 1,5.

[1] W. Kirmse u. H. Dietrich, B. 98, 4027 (1965).
[2] Zum ausführlichen Studium insbesondere der älteren Arbeiten sei verwiesen auf
    E. Vogel, Ang. Ch. 72, 4 (1960).
    W. Kirmse, „Carbene Chemistry", S. 101 ff., Academic Press, Inc., New York · London 1964.
[3] E. Buchner u. T. Curtius, B. 18, 2377 (1885).
[4] E. Buchner, B. 29, 106 (1896).
[5] E. Buchner, B. 31, 2241 (1898).
    s. a. ds. Handb., Bd. V/1 d, Kap. Cycloheptatriene.
[6] H. Knoche, B. 99, 1097 (1966).

Die Addition von Alkoxycarbonyl-carbenen an Aromaten führt primär zu 1,3,5-Cyclo-heptatrien-7-carbonsäureestern(I), die sich jedoch thermisch oder photochemisch sehr leicht in isomere Cycloheptatrien-carbonsäureester umlagern[1]. Die besten Ausbeuten an Cyclo-heptatrien-7-carbonsäureestern wurden bei der Photolyse von Diazoessigsäure-äthylester mit pyrex-gefiltertem Licht erzielt[1,2]:

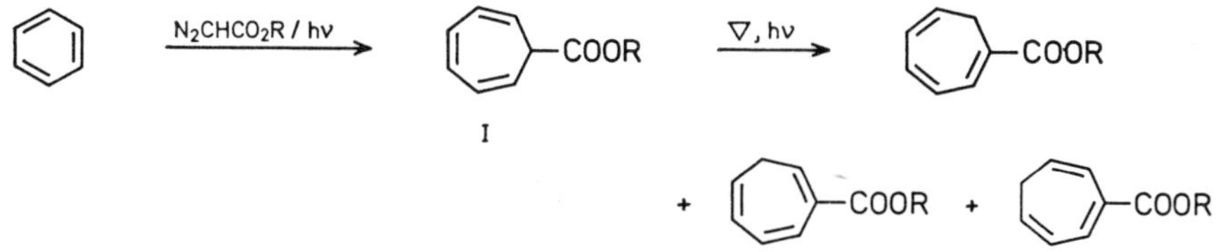

Die Reaktivität von Benzol-Derivaten gegenüber Äthoxycarbonyl-carben wurde in ent-sprechenden Konkurrenzversuchen bestimmt[3]. Nach diesen Ergebnissen erhöhen Substituen-ten mit Donator-Wirkung die Reaktionsgeschwindigkeit (Benzol 1,00; Toluol 1,06; Anisol 1,15) und Akzeptor-Substituenten setzen sie herab (Chlorbenzol 0,84; Fluorbenzol 0,80; Trifluor-methyl-benzol 0,55).

Die Umsetzung von Diazoessigsäure-äthylester mit Naphthalin führt aus-schließlich zur Addition an die 1,2-Bindung; das Produkt besitzt Norcaradien-Struktur (II; *1-Äthoxycarbonyl-1a,7b-dihydro-1H-⟨cyclopropa-[a]-naphthalin⟩*)[4]. Da-neben entstehen auch zwei isomere Diaddukte {*3,10-Diäthoxycarbonyl-⟨benzo-tricyclo-[5.1.0.0²,⁴]octen-(5)⟩*}. 2,3-Dimethyl-naphthalin reagiert bevorzugt im unsubsti-tuierten Ring[5], 2,6-Dimethyl-naphthalin an der 3,4-Bindung[6]. Die sterische Hinderung durch die Methyl-Gruppen hat hier einen dominierenden Einfluß.

Unter Kupferkatalyse reagieren Benzol- und Naphthalin-Derivate nicht mit Di-azoessigsäure-äthylester. Anthracen liefert hingegen ein Gemisch von Mono- und Bis-Addukten[7].

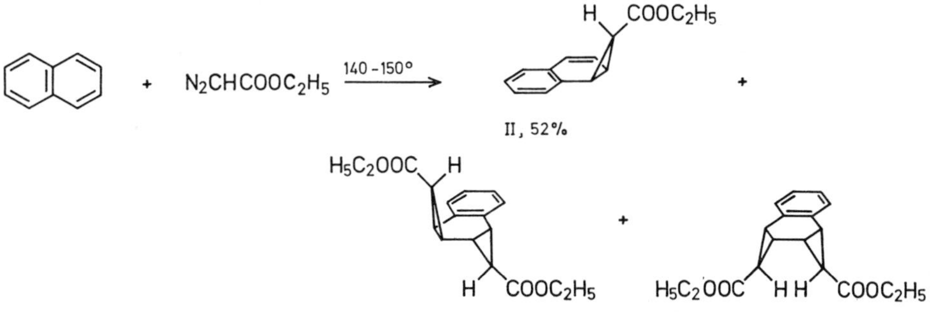

Ein ungewöhnliches Produkt, *Fluoren-2-carbonsäure-äthylester*(IV, S. 288), wurde bei der Um-setzung von Biphenylen(III) mit Diazoessigsäure-äthylester erhalten[8]. Zur Erklärung wurde folgender Reaktionsverlauf vorgeschlagen:

[1] G. O. SCHENCK u. H. ZIEGLER, Naturwissenschaften **38**, 356 (1951); A. **584**, 221 (1953).
[2] F. J. L. SIXMA u. E. DETILLEUX, R. **72**, 173 (1953).
[3] J. E. BALDWIN u. R. A. SMITH, Am. Soc. **89**, 1886 (1967).
[4] R. HUISGEN u. G. JUPPE, B. **94**, 2332 (1961).
[5] G. JUPPE u. R. HUISGEN, A. **646**, 1 (1961).
[6] R. HUISGEN u. G. JUPPE, Tetrahedron **15**, 7 (1961).
[7] T. V. DOMAREVA-MANDELSTAM u. I. A. DYAKONOV, Ž. obšč. Chim. **34**, 3844 (1964); engl.: 3896.
[8] A. S. KENDE u. P. T. MacGREGOR, Am. Soc. **86**, 2088 (1964).

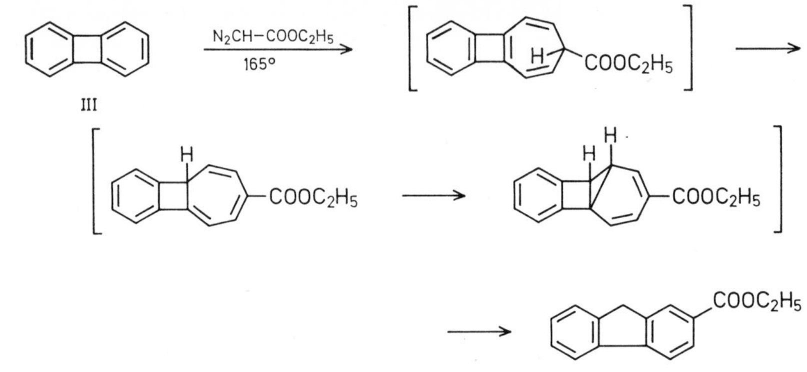

$$\text{III} \xrightarrow[165°]{N_2CH-COOC_2H_5} \left[\quad H\quad COOC_2H_5 \right] \longrightarrow$$

$$\left[\quad H\quad COOC_2H_5 \right] \longrightarrow \quad H\quad H\quad COOC_2H_5$$

$$\longrightarrow \quad COOC_2H_5$$

IV

Es sei noch erwähnt, daß die Umsetzung von Indanen (V) mit Diazoessigsäure-äthylester, gefolgt von Verseifung, Decarboxylierung und Dehydrierung, lange Zeit ein wichtiger Syntheseweg zu Azulenen war[1], der auch heute noch in Sonderfällen angewandt wird: s. z.B. *2H-⟨Benzo-[c,d]-azulen⟩*[2] und *1,3-Dimethyl-2-isopropyl-azulen*[3]:

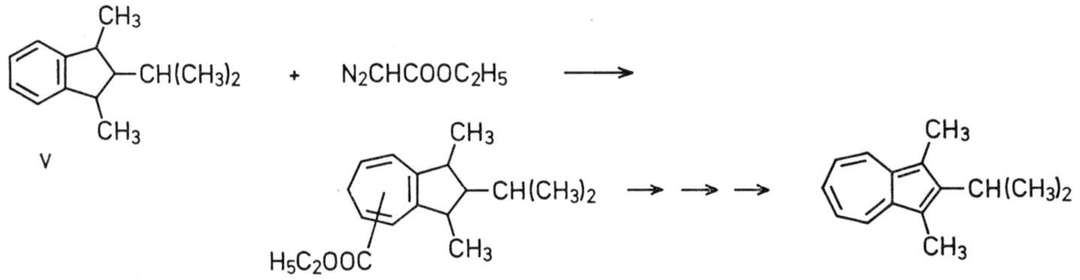

$$\text{V: } CH_3,\ -CH(CH_3)_2,\ CH_3 \quad + \quad N_2CHCOOC_2H_5 \longrightarrow$$

$$CH_3,\ -CH(CH_3)_2,\ CH_3,\ H_5C_2OOC \longrightarrow \longrightarrow \longrightarrow \quad CH_3,\ -CH(CH_3)_2,\ CH_3$$

Furan[4] und **Thiophen**[4,5] reagieren mit Diazoessigsäure-äthylester ebenfalls unter Bildung von **Cyclopropan-Derivaten**. **Benzofuran** addiert Äthoxy-carbonyl-carben am Furanring[6], während **Benzothiophen** am Benzolring angegriffen wird[7]:

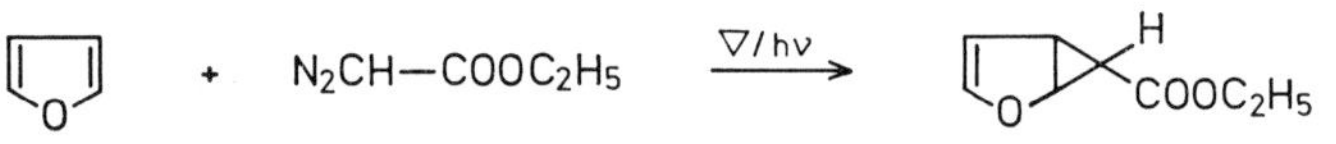

$$\text{(Furan)} + N_2CH-COOC_2H_5 \xrightarrow{\nabla/h\nu} \quad H\ COOC_2H_5 \qquad \text{VI}$$

VI;   *6-Äthoxycarbonyl-2-oxa-bicyclo[3.1.0]hexen-(3)*

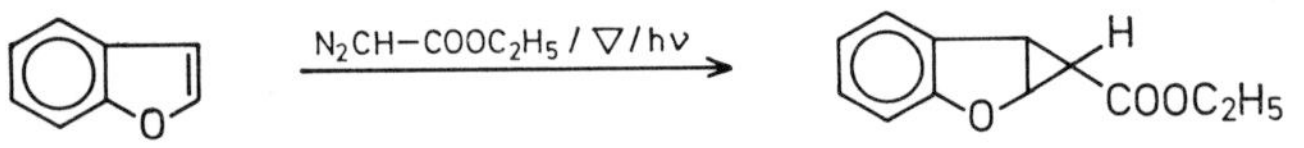

$$\text{(Benzofuran)} \xrightarrow{N_2CH-COOC_2H_5\,/\,\nabla/h\nu} \quad H\ COOC_2H_5 \qquad \text{VII}$$

VII;   *1-Äthoxycarbonyl-1a,6b-dihydro-1H-⟨cyclopropa-[d]-benzo-[a]-furan⟩*

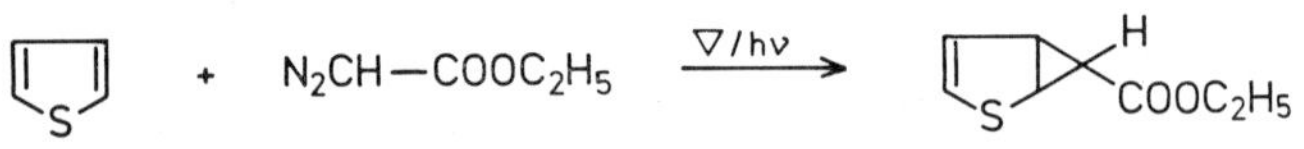

$$\text{(Thiophen)} + N_2CH-COOC_2H_5 \xrightarrow{\nabla/h\nu} \quad H\ COOC_2H_5 \qquad \text{VIII}$$

VIII;   *6-Äthoxycarbonyl-2-thia-bicyclo[3.1.0]hexen-(3)*

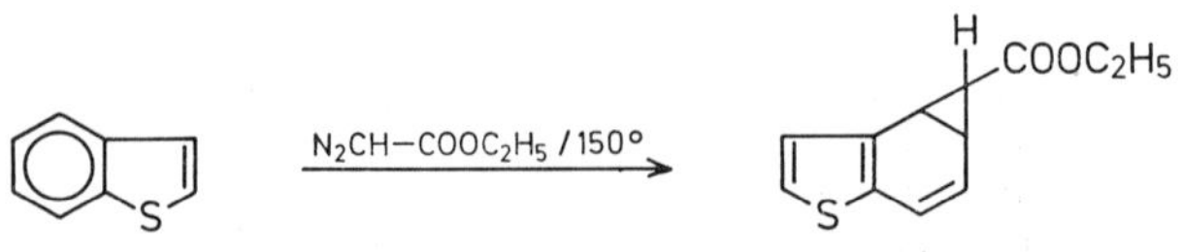

$$\text{(Benzothiophen)} \xrightarrow{N_2CH-COOC_2H_5\,/\,150°} \quad H\ COOC_2H_5 \qquad \text{IX}$$

IX;   *4-Äthoxycarbonyl-3b,4a-dihydro-4H-⟨cyclopropa-[e]-thionaphthen⟩*

---

[1] H. Pommer, Ang. Ch. **62**, 281 (1950) (Zusammenfassung).
K. Hafner, Ang. Ch. **70**, 419 (1958) (Zusammenfassung).

(Fortsetzung s. S. 289)

Pyrrole[1] und Indole[2] liefern bei der Umsetzung mit Diazoessigsäure-äthylester lediglich Ester der entsprechenden Pyrryl- bzw. Indolyl-(3)-essigsäuren. Pyrrol,N-Methyl-pyrrol und 2,4-Dimethyl-pyrrol werden in den α-(2- oder 5)-Positionen angegriffen, während beim 2,3,5-Trimethyl-pyrrol β-Angriff beobachtet worden ist[1]. Vom Indol werden als Ergebnis der Umsetzung mit Diazoessigsäure-äthylester Derivate der Indolyl-(3)-essigsäure erhalten[2]:

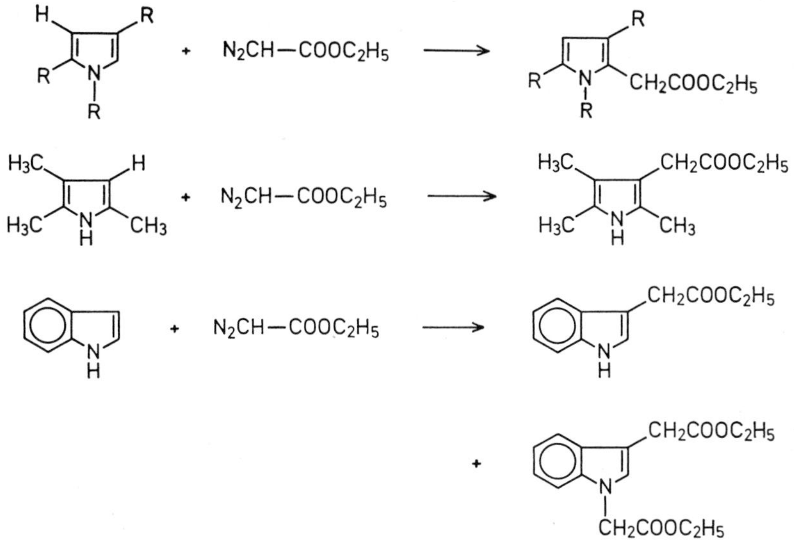

h) Cyclopropanierung mit Keto-carbenen bzw. -carbenoiden

Viele Diazoketone reagieren bei der Photolyse und Thermolyse intramolekular unter Wolff-Umlagerung[3,4] zu Ketenen (Keto-carben-Keten-Umlagerung)[5]. Bei Kupfer(salz)-Katalyse bleibt hingegen die Wolff-Umlagerung aus; man beobachtet dann intramolekulare und intermolekulare Additionsreaktionen der modifizierten Ketocarbene.

In Abwesenheit anderer Reaktionspartner entstehen Diacyl-äthylene[6,7]. Die Cyclopropan-Bildung im Zuge intramolekularer Additionen von ungesättigten Keto-carbenen wird gesondert auf S. 363 behandelt. An dieser Stelle

[1] C. D. NENITZESCU u. E. SOLOMONICA, B. 64, 1924 (1931).
[2] R. W. JACKSON u. R. H. MANSKE, Canad. J. Res. B 13, 170 (1935).
[3] L. WOLFF, A. 325, 129 (1902); 394, 23 (1912).
[4] G. SCHROETER, B. 42, 2346 (1909); 49, 2704 (1916).
[5] s. hierzu die Literaturzusammenstellung unter Zitat 4 auf S. 363.
[6] C. GRUNDMANN, A. 536, 29 (1938).
[7] I. ERNEST u. J. STANĚK, Collect. czech. chem. Commun. 24, 530 (1959); C. A. 53, 13050 (1959).

(Fortsetzung v. S. 288)

[2] V. BOEKELHEIDE u. C. D. SMITH, Am. Soc. 88, 3950 (1966).
[3] M. SRINIVASAN et al., Tetrahedron 22, 3417 (1966).
[4] G. O. SCHENCK u. R. STEINMETZ, A. 668, 19 (1963).
[5] R. PETTIT, Tetrahedron Letters 1960, 11.
[6] G. M. BADGER et al., Soc. 1958, 1179.
[7] D. SULLIVAN u. R. PETTIT, Tetrahedron Letters 1963, 401.
    R. G. TURNBO, D. L. SULLIVAN u. R. PETTIT, Am. Soc. 86, 5630 (1964).

sollen nur die intermolekularen Additionen von Keto-carbenen beschrieben werden, die zu Cyclopropan-Derivaten führen.

Bei Anwesenheit von Olefinen werden durch Keto-carben-Übertragung jeweils die entsprechenden Acyl-cyclopropane erhalten. So reagiert Diazoaceton (I) unter Kupferkatalyse mit Styrol (*2-Phenyl-1-acetyl-cyclopropan*), Cyclohexen (*7-Acetyl-bicyclo[4.1.0]heptan*), Cyclopenten (*6-Acetyl-bicyclo[3.1.0]hexan*), Acetoxy-äthylen (*2-Acetoxy-1-acetyl-cyclopropan*), Dihydro-furan (*6-Acetyl-2-oxa-bicyclo[3.1.0] hexan*) und Benzo-[b]-furan {*1-Acetyl-1a,6b-dihydro-1H-⟨cyclopropa-[d]-benzo-[b]-furan⟩*} unter Bildung von Acetyl-cyclopropanen (II)[1]:

$$H_3C-\underset{\underset{O}{\|}}{C}-CHN_2 \quad + \quad \underset{\diagdown}{\diagup}C=C\underset{\diagup}{\diagdown} \quad \xrightarrow{\text{CuX}} \quad H_3C-\underset{\underset{O}{\|}}{C}-\triangle$$

$$I \qquad\qquad\qquad\qquad\qquad\qquad\qquad\qquad II$$

Aus Diazoacetophenon und Cyclohexen wurde das *7-Benzoyl-bicyclo[4.1.0] heptan* (*7-Benzoyl-norcaran*) in Ausbeuten zwischen 30 und 60% erhalten, wobei sich Kupfer(II)-sulfat als wirksamster Katalysator erwies[2]. Die Addition an *cis*-Buten-(2) zu *2,3-Dimethyl-1-benzoyl-cyclopropan* (30–45% d.Th.) zeigte keine völlige Stereospezifität[2]. Das Benzoyl-carbenoid konnte auch in Ausbeuten zwischen 30 und 40% an 1,3-Diene addiert werden[3].

Unter dem katalytischen Einfluß von Kupfer-acetonylacetonat reagiert Diazo-acetaldehyd mit 2,3-Dimethyl-buten-(2) zum *2,2,3,3-Tetramethyl-1-formyl-cyclo-propan* (25% d.Th.)[4].

Benzoyl-carben[5] und (4-Phenyl-benzoyl)-carben[6] reagieren sogar mit Ole-finen, wenn sie selbst durch unkatalysierte Zersetzung der entsprechenden Diazo-ketone erzeugt werden. Bei Anwesenheit von Kupferpulver werden jedoch beträcht-lich höhere Ausbeuten erzielt.

Bei der Photolyse von Trifluor-3-oxo-2-diazo-propansäure-äthylester (III) in Gegenwart von Cyclohexen werden die beiden Stereoisomeren des Norcaran-Derivates IV {*7-(Trifluoracetyl)-7-äthoxycarbonyl-bicyclo[4.1.0]heptan*} neben dem Insertionsprodukt V erhalten[7]:

$$F_3C-\underset{\underset{O}{\|}}{C}-CN_2-COO-C_2H_5 \quad \xrightarrow{\text{; hv}} \quad \underset{IV}{\overset{\displaystyle \diamond\hspace{-1.2em}\diamond}{}}\begin{matrix}CO-CF_3\\COOC_2H_5\end{matrix} \quad + \quad \underset{V}{\overset{F_3C-CO-CH-COOC_2H_5}{}}$$

$$III \qquad\qquad\qquad\qquad\qquad IV \qquad\qquad\qquad\qquad V$$

Im allgemeinen gelingt die Addition von Keto-carbenoiden an Acetylene relativ schlecht; die Ausbeuten an Cyclopropenyl-ketonen[8,9] liegen meist unter 10%.

[1] J. Novák et al., Collect. czech. chem. Commun. **22**, 1836 (1957).
[2] G. S. Hammond et al., J. Org. Chem. **29**, 1922 (1964).
[3] A. A. Petrov et al., Ž. org. Chim. **3**, 637 (1967).
[4] Z. Arnold, Chem. Commun. **1967**, 299.
[5] H. Strzelecka u. M. Simalty-Siemstycki, C. r. **252**, 3821 (1961).
[6] R. J. Mohrbacher u. N. H. Cromwell, Am. Soc. **79**, 401 (1957).
[7] F. Weygand et al., Ang. Ch. **73**, 409 (1961).
[8] M. Vidal et al., Tetrahedron Letters **1967**, 1073.
[9] N. Obata u. I. Moritani, Bull. Chem. Soc. Japan **39**, 1975 (1966); C. A. **66**, 55148 (1967).

Mit Benzol tritt keine Reaktion ein[1], während mit Indan Ringerweiterung und Kernsubstitution erfolgen soll[2]. N-Methyl-pyrrol[3], Thiophen und Indol[1] werden ebenfalls substituiert:

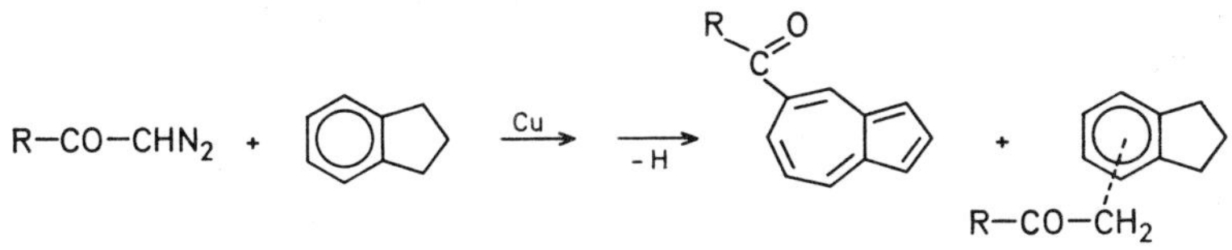

Umstritten ist das carbenoide Verhalten von Acyl-sulfonium-yliden. Bei der Umsetzung von Dialkyl-phenacylsulfoniumhalogeniden mit Basen wird *1,2,3-Tri-benzoyl-cyclopropan* in hohen Ausbeuten erhalten[4,5]. Einigen Autoren gelang die Isolierung des intermediären Sulfonium-Ylids[5]. Dieses Ylid erwies sich als thermisch stabil und reagierte nur mit überschüssigem Sulfoniumsalz zum Tribenzoyl-cyclopropan.

Aus diesem Grunde wurde ein Alkylierungs-Eliminierungs-Mechanismus formuliert und die Bildung von Carbenoiden abgelehnt[5]. Bei der katalytischen Zers. des Ylids mit Kupfer(II)-sulfat und auch bei der Photolyse wurden andererseits hohe Ausbeuten an *1,2,3-Tribenzoyl-cyclopropan* erzielt[6]. Neuere und ergänzende Untersuchungen haben gezeigt[7], daß die kupferkatalysierte Zers. von Diazoketonen in Mercapto-benzol ebenfalls zu hohen Ausbeuten an 1,2,3-Triacyl-cyclopropanen führt, während sie in Kohlenwasserstoffen lediglich die Bildung von Diacyl-äthylenen zur Folge hat. Demnach kann sich offensichtlich das Keto-carbenoid mit dem Dialkylsulfid zu einem Sulfonium-Ylid vereinigen. Die weitere Reaktion zwischen Keto-carbenoid und Sulfonium-Ylid führt zum gleichen Resultat wie die Reaktion zwischen Sulfonium-Ylid und Sulfoniumsalz:

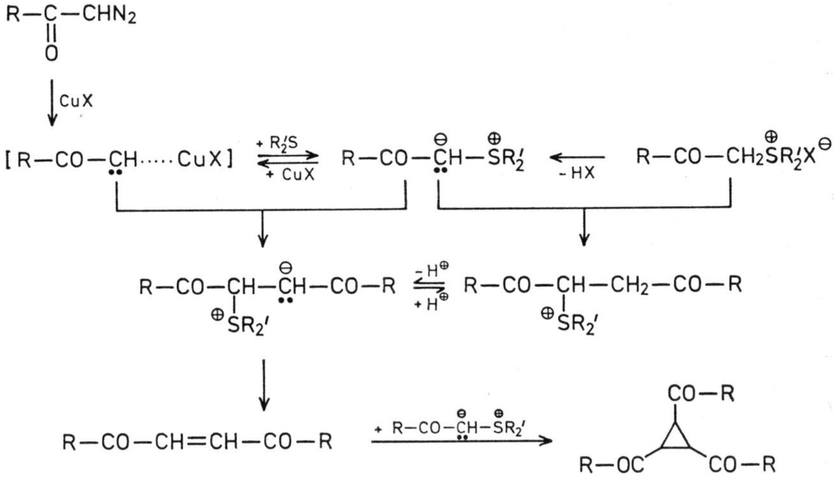

[1] J. NováK et al., Collect, czech. chem. Commun. **22**, 1836 (1957).
[2] W. Treibs u. M. Quarg, A. **598**, 38 (1956).
[3] F. Šorm, Collect. czech. chem. Commun. **12**, 245 (1947).
[4] V. Horák u. L. Kohout, Chem. & Ind. **1964**, 978.
[5] H. Nozaki et al., Tetrahedron Letters **1965**, 251; Tetrahedron **22**, 2145 (1966).
[6] B. M. Trost, Am. Soc. **88**, 1587 (1966); **89**, 138 (1967).
[7] F. Serratosa u. J. Quintana, Tetrahedron Letters **1967**, 2245.

19*

i) Cyclopropane durch spezielle Carben-Übertragungen

1. Cyclopropan-⟨spiro-5⟩-cyclopentadiene

a) Addition von Fluorenyliden an Olefine in Gegenwart von Hexafluor-benzol (Triplett- und Singulett-Fluorenyliden)

In den meisten Fällen addieren sich Carbene stereospezifisch an Olefine unter Bildung von Cyclopropanen (s. S. 98 ff.)[1,2]. Die Berichte, daß sich Diphenyl-carben nicht-stereospezifisch an Alkene addiert[3,4], wurden begleitet von den Anschauungen Skells[3], daß Triplett-Carbene sich bei der Addition an Olefine unstereospezifisch verhalten sollten. Andererseits wurde von einigen Autoren[5,6] davor gewarnt, daß man alle nicht-stereospezifischen Additionen auf Triplett-Carbene zurückführt und daß auf der anderen Seite alle Triplett-Carbene notwendigerweise unstereospezifisch reagieren müßten. Jedoch ist die Stereochemie der Carben-Addition weiterhin als Kriterium für den Spinzustand der betreffenden Carbene in der Diskussion[1,2,7]. Wie bereits beschrieben (s. S. 103), kann Triplett-Methylen vermittels inerter Molekeln durch Stoß-Inaktivierung von Singulett-Methylen erzeugt werden[8–10]. Photosensibilisationsvorgänge waren ebenfalls erfolgreich[11,12]. Derartig erzeugtes Triplett-Methylen addiert sich in nicht-stereospezifischer Weise an Alkene. Skell zeigte außerdem, daß sich der Kohlenstoff in seinem ³P-Zustand ebenfalls in Reaktionen mit Olefinen unstereospezifisch verhält[7].

Der stereochemische Verlauf der Addition von Fluorenyliden an Olefine konnte sowohl für das Triplett- als auch das Singulett-Fluorenyliden aufgeklärt werden[13,14]. Die Erzeugung von Triplett-Fluorenyliden in Lösung gelang durch Stoß-Inaktivierung von Singulett-Fluorenyliden vermittels Hexafluor-benzol[13]. Hexafluor-benzol wurde einmal wegen der relativen Inertheit von C—F-Bindungen gegenüber Carbenen und zum anderen wegen der Trägheit aromatischer Doppelbindungen gegenüber Fluorenyliden gewählt. Dieses Fluorenyliden addiert sich unspezifisch an Olefine[13], während sich das Fluorenyliden im Singulett-Zustand stereospezifisch an olefinische Doppelbindungen anlagert[14].

Die Bestrahlung einer Lösung von 9-Diazo-fluoren (I, S. 293)[13] in *cis*-Buten-(2) führt zu *cis*- und *trans-2,3-Dimethyl-cyclopropan-⟨1-spiro-9⟩-fluoren*[51] (II, III) im Verhältnis[13] 1,95:1. Die Bestrahlung von *trans*-Buten-(2) liefert die gleichen Produkte im Verhältnis[13] 0,06:1. In ähnlicher Weise führt die Photolyse von I in *cis*-4-Methylpenten-(2) zu *cis*- und *trans-3-Methyl-2-isopropyl-cyclopropan-⟨1-spiro-9⟩-fluoren*

---

[1] Vgl.: W. Kirmse, „*Carbene Chemistry*", Academic Press Inc., New York 1964.
[2] Vgl.: J. Hine, „*Divalent Carbon*", The Ronald Press. Co., New York 1964.
[3] R. M. Etter, H. S. Skovronek u. P. S. Skell, Am. Soc. **81**, 1008 (1959).
[4] G. L. Closs u. L. E. Closs, Ang. Ch. **74**, 431 (1962).
[5] W. B. DeMore u. S. W. Benson, Adv. Photochem. **2**, 219 (1964).
[6] P. P. Gaspar u. G. S. Hammond, Kap. 12 in W. Kirmse, „*Carbene Chemistry*", s. Zitat 1, S. 235 ff., Academic Press Inc., New York 1964.
[7] H. D. Hartzler, Am. Soc. **83**, 4997 (1961).
  W. M. Jones et al., Am. Soc. **85**, 2754 (1963).
  E. Funakubo et. al., Tetrahedron Letters **1963**, 1069.
  R. A. Mitsch, Am. Soc. **87**, 758 (1965).
  P. S. Skell u. R. R. Engel, Am. Soc. **87**, 1135 (1965).
  L. D. Wescott u. P. S. Skell, Am. Soc. **87**, 1721 (1965).
  D. C. Blomstrom, K. Herbig u. H. E. Simmons, J. Org. Chem. **30**, 959 (1965).
[8] H. M. Frey, Am. Soc. **82**, 5947 (1960).
[9] F. A. L. Anet u. et al., Am. Soc. **82**, 3217 (1960).
[10] R. F. W. Bader u. J. I. Generosa, Canad. J. Chem. **43**, 1631 (1965).
[11] F. J. Duncan u. R. J. Cvetanovic, Am. Soc. **84**, 3593 (1962).
[12] K. R. Kopecky, G. S. Hammond u. P. A. Leermakers, Am. Soc. **84**, 1015 (1962).
[13] M. Jones u. K. R. Rettig, Am. Soc. **87**, 4013 (1965).
[14] M. Jones u. K. R. Rettig, Am. Soc. **87**, 4015 (1965).
[15] W. v. E. Doering u. M. Jones, Tetrahedron Letters **1963**, 791.

(IV, V)[1]. Aus *trans*-4-Methyl-penten-(2) werden hauptsächlich V und nur Spuren von IV erhalten.

Die Zugabe von Hexafluor-benzol ruft erhöhte Ausbeuten für die *trans*-Cyclopropane hervor. Möglicherweise ist das eine Folge des erhöhten „intersystem crossing" vom Singulett-Fluorenyliden zum stabileren Triplett-Zustand[2]. Aufgabe des Hexafluor-benzols ist es, inaktive Stöße des Fluorenyliden zuzulassen.

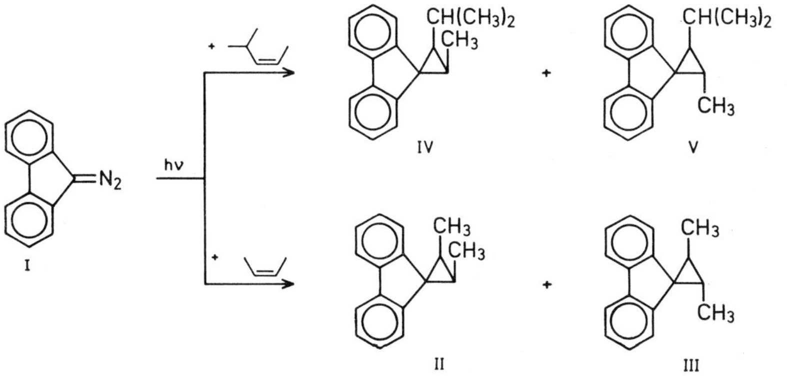

Die Reaktion wird komplettiert durch die Zugabe des Triplett-Fluorenylidens zum Olefin, gefolgt entweder von Spin-Inversion und Ringschluß oder von Rotation, Spin-Inversion und Ringschluß:

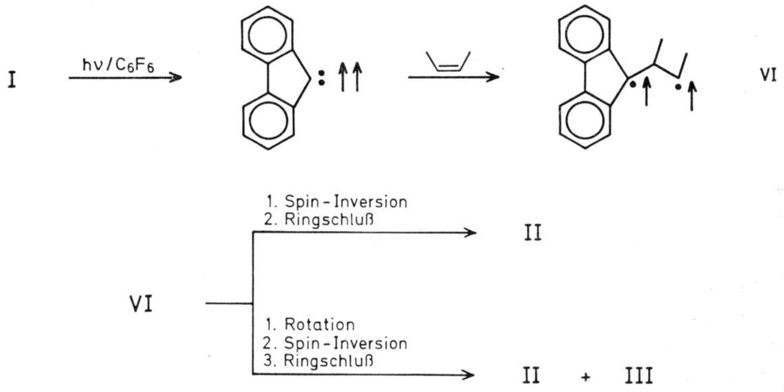

So lange wie die Geschwindigkeit der Rotation von vergleichbarer Größenordnung ist wie die von Spin-Inversion und Ringschluß, wird die Addition nicht stereospezifisch verlaufen.

Die Ergebnisse sprechen dafür, daß das Fluorenyliden am wenigsten reaktiv ist[1,3], wenn große Mengen von Hexafluor-benzol dem System zugefügt werden. Unter diesen Bedingungen entsteht aus *trans*-Buten-(2) nur ∼ 12% des *cis*-Addukts II. Die Rotation scheint langsamer als der Ringschluß zu verlaufen. *Cis*-Olefine liefern Produkte, die eine beträchtliche Rotation während der Reaktion erfahren haben. Diese Tatsachen können entweder energetisch[4] oder durch die Reaktionen der Tripletts erklärt werden. Im Falle der *trans*-Verbindungen scheint der Triplett-Mechanismus am ehesten mit dem Tatsachenmaterial in Einklang zu bringen zu sein. Obwohl andererseits bekannt geworden ist, daß Carben-Erzeuger schon vor ihrer Zersetzung zu

[1] M. Jones u. K. R. Rettig, Am. Soc. **87**, 4013 (1965).
[2] Vgl.: A. M. Trozzolo, R. W. Murray u. E. Wasserman, Am. Soc. **84**, 4900 (1962).
[3] M. Jones u. K. R. Rettig, Am. Soc. **87**, 4015 (1965).
[4] W. B. de More u. S. W. Benson, Advances in Photochemistry **2**, 219 (1964).

Carbenen ein „intersystem crossing" eingehen können[1,2], scheint die mögliche Wichtigkeit von
Reaktionen solcher Tripletts teilweise noch ignoriert zu werden. Möglicherweise kann sich das
Triplett I (S. 293) an ein Olefin unter Bildung der diradikalischen Zwischenstufe VII addieren.
Wären dann die Geschwindigkeiten des Stickstoffverlustes von VII größer als die Geschwindig-
keit des Ringschlusses, so würde das resultierende Diradikal VI das gleiche sein, das in ihrem
Triplett-Carben-Mechanismus formuliert[3,4] wird. Andererseits könnte natürlich VII auch
schneller das entsprechende Pyrazolin bilden, als daß es Stickstoff verliert.

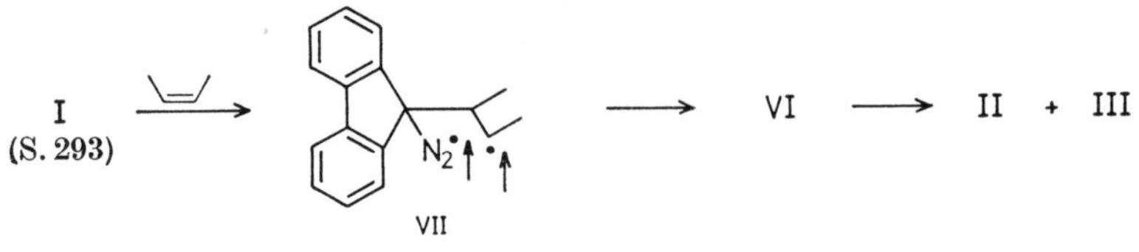

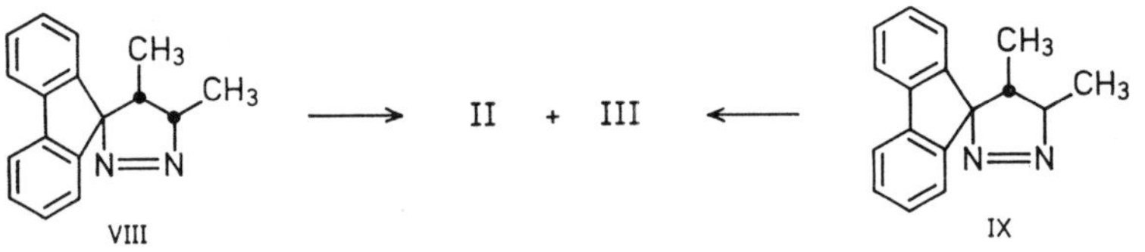

Obgleich für viele solcher Pyrazoline eine stereospezifische Zersetzung bei der Bestrahlung
beobachtet wurde[5] (s. S. 45/46 bzw. 75 ff), kann man nicht a priori einen Vorgang ausschließen,
bei dem eine Rotation in VII schneller als der Ringschluß zu VIII und IX ablaufen könnte.
Diese zwei Pyrazoline könnten sich danach zersetzen, um schließlich im gesamten Geschehen
zu einer nicht-stereospezifischen Addition Anlaß zu geben.

Bei der Bestrahlung von 9-Diazo-fluoren in Gemischen von cis-Buten-(2) und Buta-
dien-(1,3) werden cis- und trans-2,3-Dimethyl-cyclopropan-⟨1-spiro-9⟩-fluoren (II, III,
S. 293) und 2-Vinyl-cyclopropan-⟨1-spiro-9⟩-fluoren erhalten[4]. Die Zugabe von Butadi-
en-(1,3) führt dazu, daß die Reaktion von cis-Buten-(2) stereospezifischer wird. Je
mehr man an Dien zufügt, um so mehr steigt das Verhältnis von cis-Cyclopropan-De-
rivat zu trans-Cyclopropan-Derivat und um so geringer wird das Verhältnis von Buten-
zu Dien-Addukten. Triplett-Fluorenyliden wird durch das Butadien beseitigt
und Singulett-Fluorenyliden bleibt zurück. Es erscheint vernünftig, daß eine
Spezies, die bei Zugabe ein Diradikal erzeugt, eher zur Allylresonanz befähigt ist
als eine Spezies, die bei Zugabe direkt in einem Einstufenprozeß ein Cyclopropan
liefert. Die Addition[6] von Diphenyl-carben an Butadien-(1,3) und 1,1-Diphenyl-
äthylen ist um den Faktor 100 gegenüber nichtkonjugierten Olefinen begünstigt.
Das Verhältnis von cis- und trans-2,3-Dimethyl- (bzw. -Diphenyl)-cyclopropan-⟨1-
spiro-9⟩-fluoren (II und III) wird wieder kleiner, wenn man Hexafluor-benzol dem
System zugibt. Je mehr Tripletts gebildet werden, um so mehr werden von ihnen an
cis-Buten-(2) sogar in Gegenwart von Butadien-(1,3) addiert. Bei einem definierten
Verhältnis von cis-Buten-(2) zu Butadien-(1,3) wird bei Zugabe von Hexafluor-
benzol das Verhältnis II : III erniedrigt[4].

Sauerstoff zeigt einen ähnlichen Effekt wie Butadien-(1,3)[4].

Zusammenfassend kann für die beiden Spezies des Fluorenylidens folgendes gesagt werden:

[1] J. W. Simons u. B. S. Rabinovitch, J. phys. Chem. 68, 1322 (1964).
[2] S. Ho, I. Unger u. W. A. Noyes, Am. Soc. 87, 2297 (1965).
[3] M. Jones u. K. R. Rettig, Am. Soc. 87, 4013 (1965).
[4] M. Jones u. K. R. Rettig, Am. Soc. 87, 4015 (1965).
[5] Vgl. etwa: T. V. Van Auken u. K. L. Rinehart, jr., Am. Soc. 84, 3736 (1962).
[6] R. M. Etter, H. S. Skovronek u. P. S. Skell, Am. Soc. 81, 1008 (1959).

① Im Triplett-Zustand addiert sich das Fluorenyliden in nicht-stereospezifischer Weise an olefinische Doppelbindungen, wobei die Addition an konjugierte Olefine bevorzugt ist. Im Triplett-Zustand ist die Reaktion mit Sauerstoff schneller als im Singulett-Zustand.

② Fluorenyliden im Singulett-Zustand addiert sich stereospezifisch an Olefine unter Bildung von Cyclopropanen.

Auch die Reaktionen des Fluorenylidens und des 2,7-Dibrom-fluorenylidens wurden vergleichend untersucht[1]. Durch Photolyse der Diazo-Verbindungen IIa und IIb, die durch Oxidation der entsprechenden Hydrazone Ia und Ib hergestellt wurden, in Gegenwart von Fumar- und Maleinsäure-diäthylester entstehen über die Carben-Zwischenstufen III in einer nicht-stereospezifischen Reaktion Mischungen aus den beiden isomeren Addukten V und VI (*2,3-Diäthoxycarbonyl-cyclopropan-⟨1-spiro-9⟩-fluoren* bzw. *-2,7-dibrom-fluoren*), den *Bi-fluorenylidenen* VII sowie den Ketazinen VIII. Aus der Dibrom-Verbindung IIb wurden daneben die beiden Pyrazoline IX und X erhalten, deren Photolyse jedoch in stereospezifischer Reaktion zu V bzw. VI führt, so daß diese Verbindungen als Zwischenstufen in der Bildung von V und VI auszuschließen sind[1]. 9-Diazo-fluoren (IIa) liefert bei der Bestrahlung in Gegenwart von 1,2-Dichlor-äthylen 9-Chlor-fluoren (XI, S. 296), während eine Photolyse bei Anwesenheit von Tetrachlormethan zum *9,9′-Dichlor-bi-fluorenyl-(9)* (XII, S. 296) führt. Daneben entsteht noch Fluorenon:

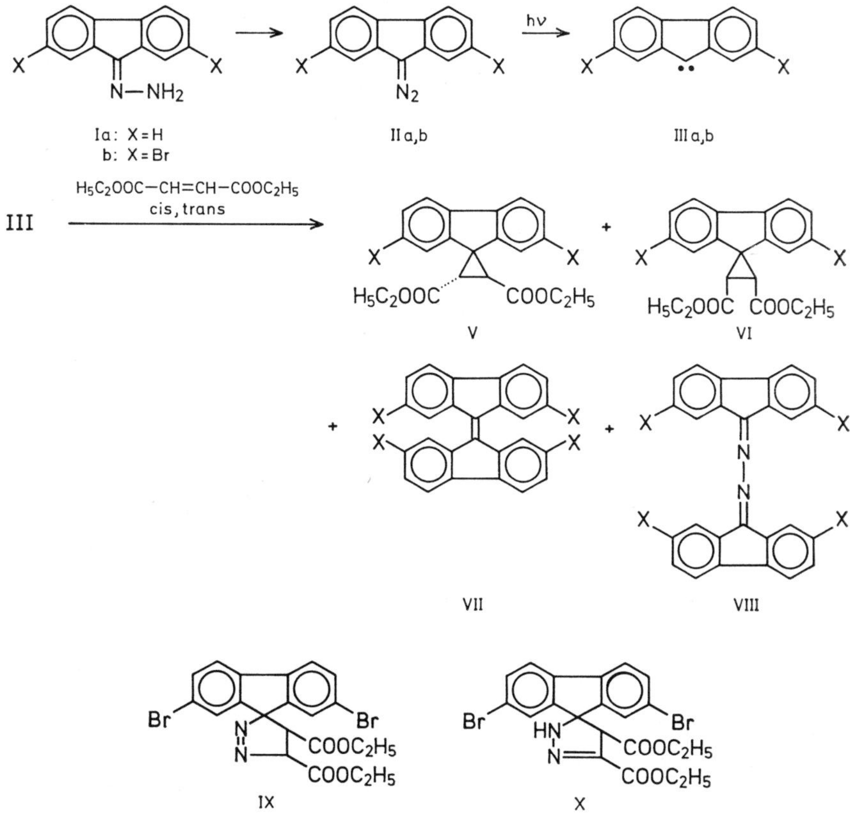

Ia: X = H
  b: X = Br

IIa,b

IIIa,b

$H_5C_2OOC-CH=CH-COOC_2H_5$

III $\xrightarrow{\text{cis, trans}}$

V

VI

+

VII

VIII

IX

X

[1] S. Murahashi et al., Bull. chem. Soc. Japan **40**, 1655 (1967).

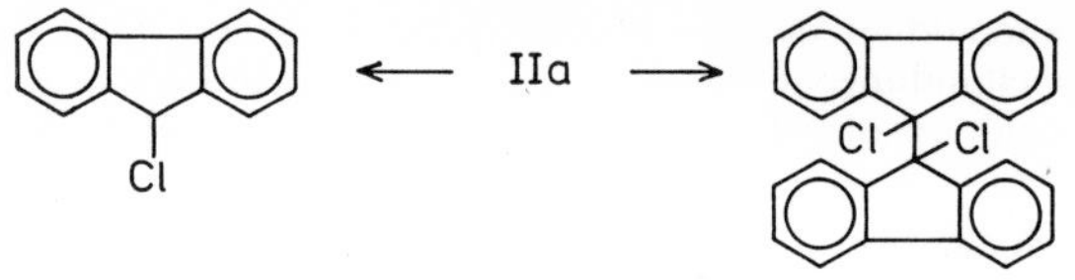

Während 9-Diazo-fluoren mit Acetylen im Autoklaven unter Bildung von *1H-⟨Phenanthro-[9,10-c]-pyrazol⟩* (XIII) und *9-[Pyrazolyl-(3)-methylen]-fluoren* (XIV) reagiert, wobei 3H-Pyrazol-⟨3-spiro-9⟩-fluoren (XV) als Zwischenstufe postuliert wird[1], so kommt es bei der Reaktion mit Buten-in nicht zur Bildung eines Pyrazolenin-Derivates, sondern es entsteht ausschließlich unter Addition des Fluorenylidens an die Vinyl-Gruppe die Cyclopropan-Verbindung XVI (86% d. Th.)[2]. Durch Einwirkung von Trichloressigsäure und Bortrifluorid-Ätherat kann die Äthinyl-Gruppe in XVI (*2-Äthinyl-cyclopropan-⟨1-spiro-9⟩-fluoren*) in die Acetyl-Gruppe überführt werden[2].

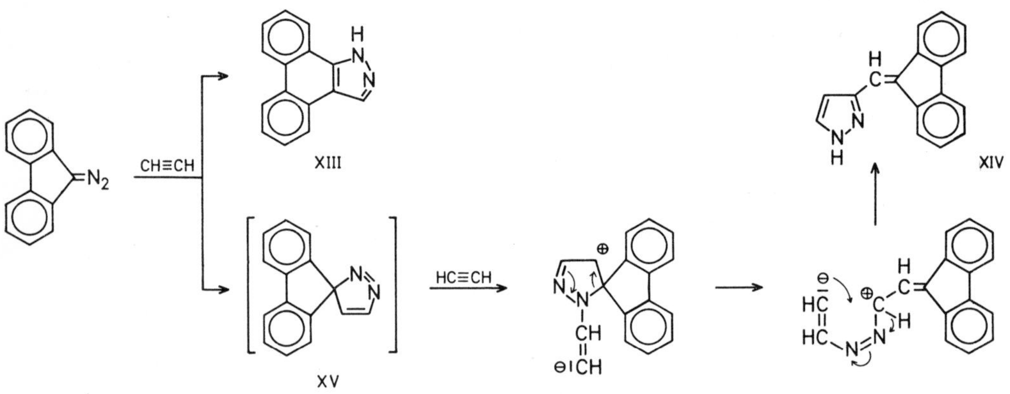

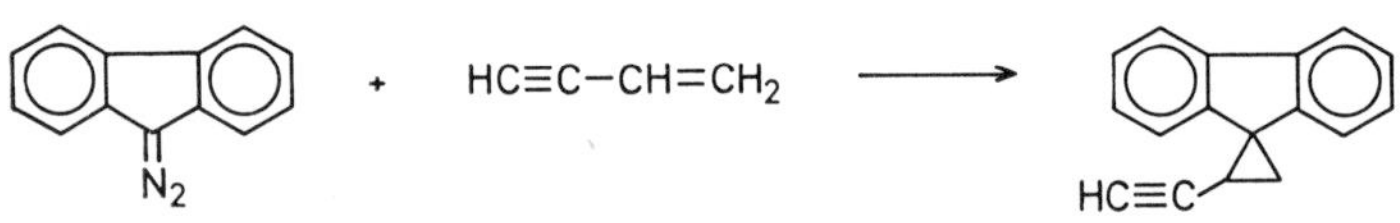

Außer den durch Fluorenyliden-Addition an Olefine erhältlichen Dibenzo-Derivaten der Cyclopropan-⟨spiro-5⟩-cyclopentadiene sind auch durch Carben-Addition die entsprechenden Tetrachlor- und Tetraphenyl-Derivate sowie die Cyclopropan-⟨spiro-5⟩-cyclopentadiene selbst zugänglich geworden.

An dieser Stelle seien auch die Reaktionen des 9-Diazo-fluorens mit Phenylmercapto-carben (XVIIa, S. 297) bzw. dessen Chloranalogen (XVIIb) erwähnt[3]. 9-Diazofluoren liefert mit XVIIa das erwartete Addukt XVIIIa nur als Zwischenstufe; ein weiteres Molekül XVIIa führt zum Cyclopropan-Derivat XIX (*2,3-Diphenylmercapto-cyclopropan-⟨1-spiro-9⟩-fluoren*). Mit XVIIb wird das erwartete Addukt XVIIIb erhalten:

[1] H. Reimlinger, B. **100**, 3097 (1967).
[2] G. S. Nikolskaja u. A. T. Troščenko, Ž. org. Chim. **3**, 498 (1967); C. A. **67**, 2927 (1967).
[3] H. Reimlinger, Chem. & Ind. **1966**, 1682.

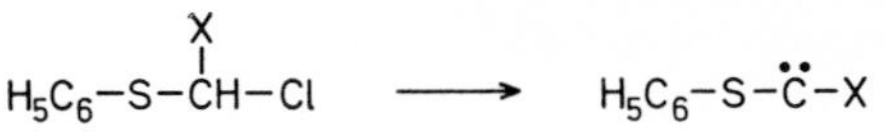

$$H_5C_6-S-\overset{\overset{X}{|}}{C}H-Cl \longrightarrow H_5C_6-S-\overset{..}{C}-X$$

X = H, Cl

XVII a,b

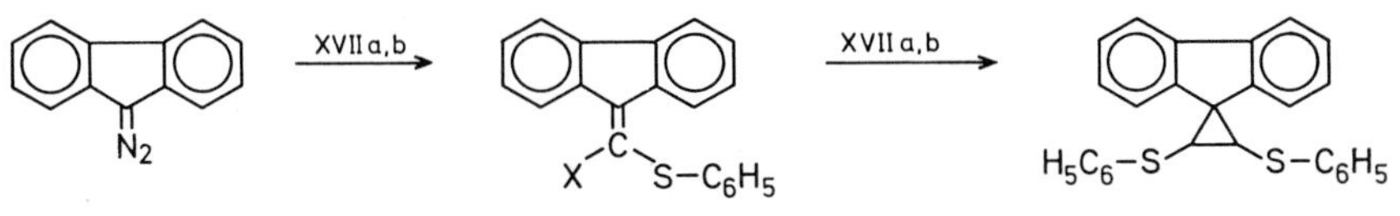

[Struktur Fluoren-N₂] →XVII a,b→ [Struktur mit $\overset{C}{\underset{X}{}}S-C_6H_5$] →XVII a,b→ [Struktur mit H_5C_6-S und $S-C_6H_5$]

XVIII a,b   XIX

β) Reaktionen des 1,2,3,4-Tetrachlor-5-carbena-cyclopentadien-(1,3) mit Olefinen

Nach verschiedenen Methoden kann Tetrachlor-diazocyclopentadien (I) herge-stellt werden[1-3], das dann zur Erzeugung des 1,2,3,4-Tetrachlor-5-carbena-cyclopentadiens-(1,3) (II) benutzt werden kann[3]. So verwenden zwei Verfah-ren[1,2] das Hydrazon des 2,3,4,5-Tetrachlor-cyclopentadienons[4] als Ausgangsprodukt, das durch Oxidation mit Quecksilber(II)-oxid[1] oder Natriumhypochlorit[2] schließ-lich in I überführt werden kann (durch Oxidation mit Silberoxid bzw. durch Photo-lyse wird ebenfalls II erhalten). Die Lösungen von I in verschiedenen Olefinen konn-ten durch UV-Bestrahlung bei 16° in die entsprechenden Cyclopropane III über-führt werden[3]:

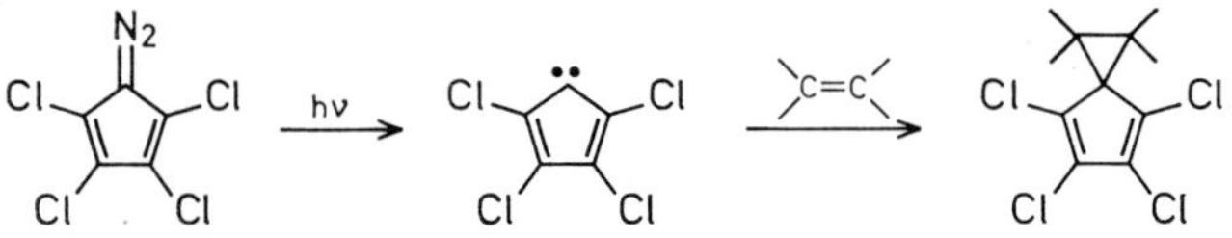

[Reaktionsschema: Cl-substituiertes Cyclopentadien mit N₂ —hv→ Carben II —C=C→ Cyclopropan III]

I   II   III

So wird bei der Photolyse von I in Cyclohexen *1,2,3,4-Tetrachlor-cyclopentadien-⟨5-spiro-7⟩-bicyclo[4.1.0]heptan* (89% d.Th.) erhalten. Einschiebungsprodukte wur-den hierbei nicht beobachtet. Die Reaktion mit Hexen-(1) führt zu *2-Butyl-cyclo-propan-⟨1-spiro-5⟩-1,2,3,4-tetrachlor-cyclopentadien*. Erfolgt die Bestrahlung von I in Hexen-(2) (84% *cis*, 16% *trans*), so wird ein Gemisch der *cis/trans*-isomeren *3-Methyl-2-propyl-cyclopropan-⟨1-spiro-5⟩-1,2,3,4-tetrachlor-cyclopentadiene* im Verhält-nis 77:23 erhalten. Ein Isomerenpaar wurde auch bei der Reaktion von *cis*-Penten-(2) (95%) erhalten: 75% *cis*- und 22% *trans-3-Methyl-2-äthyl-cyclopropan-⟨1-spiro-5⟩-1,2,3,4-tetrachlor-cyclopentadien*.

Analog erhält man mit

2-Methyl-buten-(2)	→	*Trimethyl-cyclopropan-⟨1-spiro-5⟩-1,2,3,4-tetrachlor-cyclo-pentadien*[3]
2,3-Trimethyl-buten-(2)	→	*Tetramethyl-cyclopropan-⟨1-spiro-5⟩-1,2,3,4-tetrachlor-cyclo-pentadien*[3]
cis/trans-Buten-(2)	→	*cis*- und *trans-2,3-Dimethyl-cyclopropan-⟨1-spiro-5⟩-1,2,3,4-tetrachlor-cyclopentadien*[3]

[1] F. KLAGES u. K. BOTT, B. **97**, 735 (1964).
[2] H. DISSELNKÖTTER, Ang. Ch. **76**, 431 (1964).
[3] E. T. McBEE, J. A. BOSOMS u. C. J. MORTON, J. Org. Chem. **31**, 768 (1966).
[4] US.P. 3141043 (1964), E. T. McBEE; C. A. **61**, 8205 (1965).

Bei der Photolyse von Tetrachlor-diazocyclopentadien in *cis*-Buten-(2) wurde keine stereospezifische Addition beobachtet[1]. Das Verhältnis von *cis*- zu *trans*-Cyclopropan konnte erhöht werden (auf 9:1), wenn die Photolyse unter Benutzung eines Filters[2] durchgeführt wurde. Möglicherweise zeigt das 1,2,3,4-Tetrachlor-5-carbena-cyclopentadien-(1,3) ähnliches Reaktionsverhalten wie das Fluorenyliden hinsichtlich der elektronischen Zustände.

2-Methyl-buten-(2) wird durch I unter photolytischen Bedingungen in *Trimethyl-cyclopropan-⟨1-spiro-5⟩-1,2,3,4-tetrachlor-cyclopentadien* übergeführt, das bei der Pyrolyse zum 2,3,4,5-Tetrachlor-ω-methyl-ω-isopropyl-fulven (V) isomerisiert wird[1]:

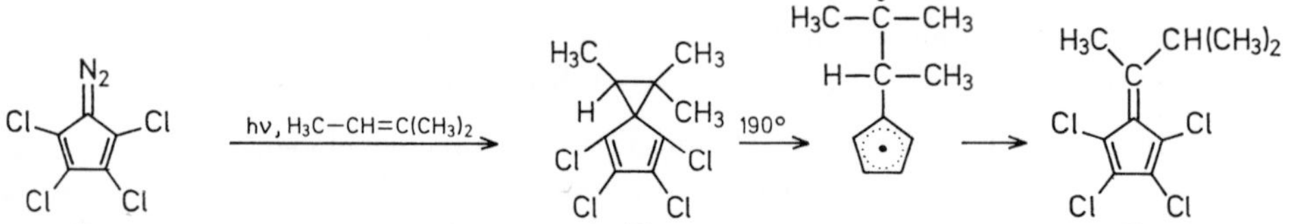

Tetramethyl-cyclopropan-⟨1-spiro-5⟩-1,2,3,4-tetrachlor-cyclopentadien(VI) liefert hingegen über Fulven-Zwischenstufen 2,3,4,5-Tetrachlor-1-[3,3-dimethyl-buten-(1)-yl-(2)]-(VII) und 1,3,4,5-Tetrachlor-2-[3,3-dimethyl-buten-(1)-yl-(2)]-cyclopentadien (VIII):

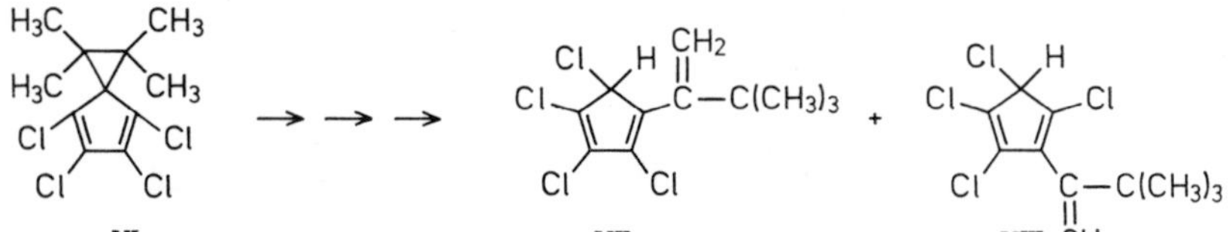

Andere nach diesem Verfahren hergestellte spirocyclische Verbindungen liefern bei der Pyrolyse keine Fulvene; diejenigen, bei denen die Alkyl-Gruppen zueinander *cis*-ständig angeordnet sind, erleiden bei Temperaturen zwischen 435 und 460° eine Isomerisierung zu den entsprechenden *trans*-Verbindungen[1].

Tetrachlor-cyclopentadien-⟨5-spiro-7⟩-bicyclo[4.1.0]heptan:

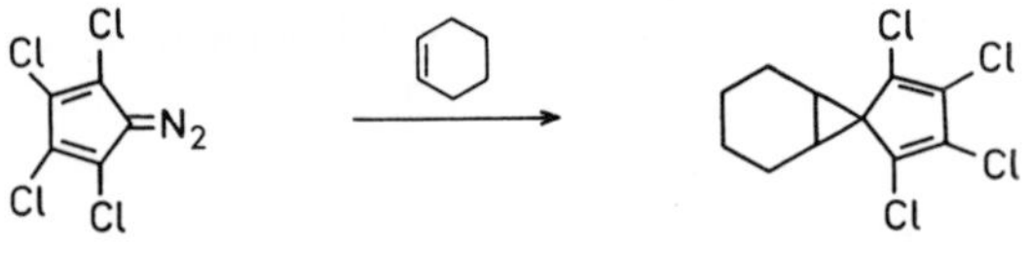

Tetrachlor-diazocyclopentadien[1]: 11,8 g (0,051 Mol) 1,2,3,4-Tetrachlor-5-hydrazono-cyclopentadien[3], 15,5 g (0,125 Mol) Silberoxid, 2 g wasserfreies Natriumsulfat und 125 *ml* wasserfreier Äther werden in einem Kolben mechanisch geschüttelt. Nach 9—10 Stdn. wird die Reaktionsmischung filtriert und das Lösungsmittel abgedampft. Der Rückstand wird über saures Aluminiumoxid chromatographiert. Mit Hexan können 9,2 g (78% d.Th.) eluiert werden; F: 105—106°.

---

[1] E. T. McBee, J. A. Bosoms u. C. J. Morton, J. Org. Chem. **31**, 768 (1966).
[2] Eine komplette Absorption der UV-Strahlung unterhalb 322 mμ wurde erreicht durch Verwendung einer Filter-Lösung (0,1 molar; Dicke = 1 cm) von Naphthalin in Decalin, s. M. Kashna, J. opt. Soc. Am. **38**, 929 (1948).
[3] US.P. 3 141 043 (1964), E. T. McBee; C. A. **61**, 8205 (1965).

Photochemische Zersetzung[1]:

Methode A: Die Lösungen werden in einem zylindrischen Kolben aus Pyrex-Glas (Länge: 50 cm; ∅ 7 cm) bestrahlt. Die Kühlung erfolgt durch kaltes Wasser, das hierzu einen inneren Spiralkühler passiert. Durch ein Diffusionsrohr, das 1 cm oberhalb des Bodens des Kolbens endet, wird 1 Stde. vor der Photolyse trockner Stickstoff geleitet. Als Lichtquelle dient eine 400 W-General Electric H400 A 33-1-Quecksilberlampe.

Methode B[2]: Das Material wird in einem gebogenen 500-ml-Kolben, der mit Rührer und zwei Gaseinleitungsrohren versehen ist und durch kaltes Wasser gekühlt wird, bestrahlt. Als Lichtquelle dient die in Methode A beschriebene Lampe.

1,2,3,4-Tetrachlor-cyclopentadien-⟨5-spiro-7⟩-bicyclo[4.1.0]heptan: Eine Lösung von 21,6 g (0,094 Mol) Tetrachlor-diazocyclopentadien in 250 ml Cyclohexen wird nach Methode A bestrahlt. Nach ~ 78 Stdn. wird das Lösungsmittel abgedampft und der Rückstand über saures Aluminiumoxid chromatographiert. Mit Hexan werden 23,7 g (89% d.Th) Rohprodukt eluiert. Zweimaliges Umkristallisieren aus Methanol liefert einen weißen Festkörper; Fp: 104—104,5°.

γ) Reaktionen des 1,2,3,4-Tetraphenyl-5-carbena-cyclopentadien-(1,3) mit Olefinen

Das durch Photolyse von 5-Diazo-1,2,3,4-tetraphenyl-cyclopentadien-(1,3)[3–5] (I, S. 300) erzeugte Carben II addiert sich an offenkettige Olefine nahezu ausschließlich unter Bildung der entsprechenden Cyclopropane III[6]; I läßt sich hierzu in guter Ausbeute und hoher Reinheit aus 1,2,3,4-Tetraphenyl-cyclopentadien-(1,3) durch Diazogruppen-Übertragung mit p-Toluolsulfonsäure-azid[3] herstellen, wobei man

Tab. 44. Cyclopropan-⟨spiro-5⟩-tetraphenyl-cyclopentadien-Derivate (III) aus 1,2,3,4-Tetraphenyl-5-carbena-cyclopentadien-(1,3)(II) und Olefinen[6]

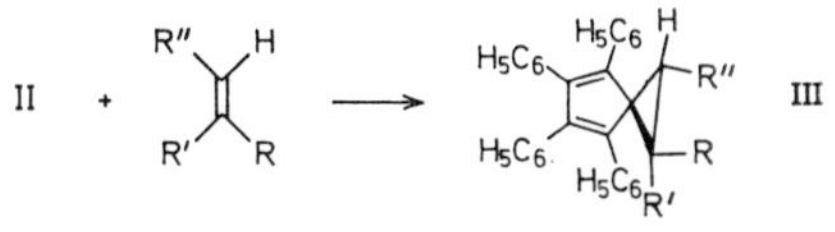

III			-cyclopropan-⟨1-spiro-5⟩-tetraphenyl-cyclopentadien	Ausbeute* [% d.Th.]
R	R′	R″		
C_2H_5	CH_3	H	2-Methyl-2-äthyl-	48
iso-C_3H_7	H	CH_3	trans-3-Methyl-2-isopropyl-	47–50
H	iso-C_3H_7	CH_3	cis-3-Methyl-2-isopropyl-	60
CH_3	CH_3	CH_3	Trimethyl-	45–52

* bez. auf Tetraphenyl-diazocyclopentadien

[1] E. T. McBee, J. A. Bosoms u. C. J. Morton, J. Org. Chem. **31**, 768 (1966).
[2] Für weitere Variationen der Methodik, insbesondere für die Fälle, wo die Verwendung einer Filter-Lösung wünschenswert ist, s. E. T. McBee, J. A. Bosoms u. C. J. Morton, J. Org. Chem. **31**, 768 (1966).
[3] M. Regitz u. A. Liedhegner, Tetrahedron **23**, 2701 (1967).
[4] F. Klages u. K. Bott, B. **97**, 738 (1964).
[5] D. Lloyd u. F. I. Wasson, Soc. **1966**, 408.
[6] H. Dürr u. G. Scheppers, B. **100**, 3236 (1967).

zweckmäßigerweise in Acetonitril in Gegenwart von Triäthylamin als Base arbeitet. Die Lösungen von I in den betreffenden Olefinen werden bei Raumtemperatur mit UV-Licht ($\lambda > 280 m\mu$) bestrahlt. Den Endpunkt der Reaktion sowie die Zusammensetzung des Reaktionsgemisches können mit Hilfe der Dünnschichtchromatographie bestimmt werden. Die Isolierung der Umsetzungsprodukte von den stets in beträchtlicher Menge entstehenden Polymeren gelingt durch Chromatographie an Kieselgel.

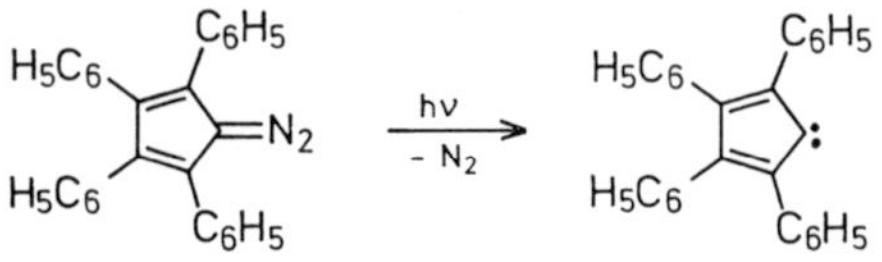

Bei der Reaktion mit offenkettigen Olefinen werden so gut wie gar keine Einschiebungsprodukte beobachtet. Bei Cycloolefinen nimmt jedoch mit steigender Ringgröße die Einschiebungs- auf Kosten der Additionsreaktion zu[1]:

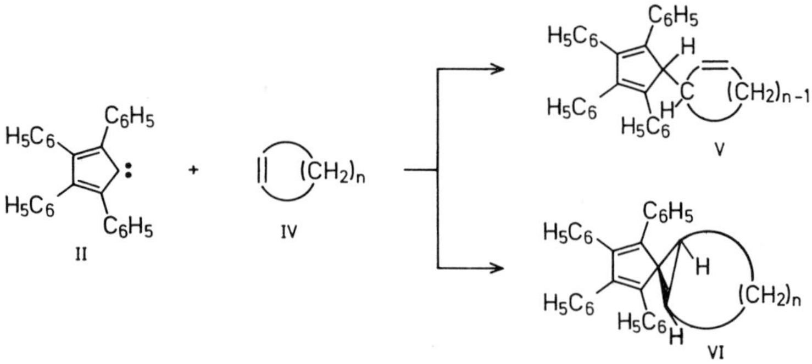

n=3; 47–55% d.Th.;   *1,2,3,4-Tetraphenyl-cyclopentadien-⟨5-spiro-6⟩-bicyclo[3.1.0]hexan*   1:9
                     + 5-Cyclopenten-(2)-yl-1,2,3,4-tetraphenyl-cyclopentadien

n=4; 60% d.Th.;   *1,2,3,4-Tetraphenyl-cyclopentadien-⟨5-spiro-7⟩-bicyclo[4.1.0]heptan*   1:2
                     + 5-Cyclohexen-(2)-yl-1,2,3,4-tetraphenyl-cyclopentadien

n=5; 74% d.Th.;   *1,2,3,4-Tetraphenyl-cyclopentadien-⟨5-spiro-8⟩-bicyclo[5.1.0]octan*   1:1
                     + 5-Cyclohepten-(2)-yl-1,2,3,4-tetraphenyl-cyclopentadien

2-Methyl-2-äthyl-cyclopropan-⟨1-spiro-5⟩-tetraphenyl-cyclopentadien[1]: 2,00 g (5,2 mMol) 5-Diazo-1,2,3,4-tetraphenyl-cyclopentadien-(1,3) werden bei Raumtemp. in 200 *ml* (1,35 Mol) 2-Methyl-buten-(1) gelöst und unter Rühren 45 Min. in Stickstoffatmosphäre mit einem Philips-HPK 125 W-Hochdruckbrenner bestrahlt. Nach Rückgewinnung des Lösungsmittels im Rotationsverdampfer wird der nichtflüchtige, ölige Rückstand chromatographiert (140 × 1,5 cm-Säule, Kieselgel 0,3–0,5 mm, aufgeschlämmt in Petroläther, Kp: 60–90°). Eluiert wird mit 2–3 *l* 5% Benzol/95% Petroläther, 1–2 *l* 10% Benzol/90% Petroläther und 1 *l* 15% Benzol /85%Petroläther. Die 100-*ml*-Fraktionen werden dünnschichtchromatographisch untersucht. Nach einigen Fraktionen mit öligem Anteil folgt als Hauptprodukt das farblose Cyclopropan-Derivat. Ein weiterer polymerer Anteil verbleibt auf der Säule. Die Lösung der rohen Cyclopropan-Verbindung in Benzol versetzt man mit dem 2–4-fachen Vol. Methanol. Nach kurzer Zeit beginnt die Verbindung auszukristallisieren; Ausbeute: 1,10 g (48% d.Th.); F: 160°.

[1] H. Dürr u. G. Scheppers, B. **100**, 3236 (1967).

δ) Addition von Cyclopentadienyliden an Olefine

Auch die Addition von Cyclopentadienyliden[1,2] an Olefine unter Bildung der entsprechenden Cyclopropan-⟨spiro-5⟩-cyclopentadiene konnte realisiert werden. Hier macht sich jedoch schon stark die konkurrierende C—H-Einschiebung bemerkbar. So beträgt zum Beispiel bei der Photolyse von Diazocyclopentadien in 2,3-Dimethyl-buten-(2) bei einer Addukt-Ausbeute von 35%[1] das Verhältnis von Addition zu Insertion 1,74[2]:

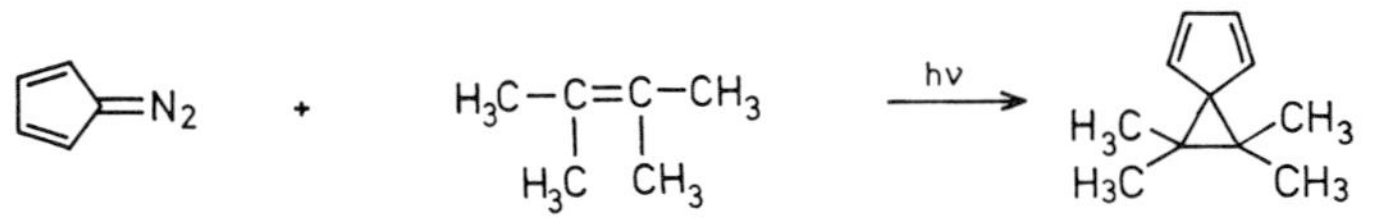

2,2,3,3-Tetramethyl-cyclopropan-⟨1-spiro-5⟩-cyclopentadien

Vergleicht man Cyclopentadienyliden mit Tetraphenyl-[3] und Tetrachlor-cyclopentadienyliden[4], so nimmt in dieser Reihe die Neigung zu Insertionsreaktionen ab und die Ausbeute an Cyclopropan-Derivaten zu.

2. Cyclopropan-⟨spiro-7⟩-cycloheptatriene

a) Additionen des Cycloheptatrienylidens an Olefine

Für die Addition des Cycloheptatrienylidens, erhalten durch thermische Zersetzung des Natrium-Salzes von Tropon-tosylhydrazon in Diglyme, mit Maleinsäure- oder Fumarsäure-dimethylester ist beobachtet worden, daß nur das eine der beiden möglichen Spirononatriene, und zwar das *trans*-Isomere entsteht[5] (*trans-2,3-Dimethoxycarbonyl-cyclopropan-⟨1-spiro-7⟩-cycloheptatrien*):

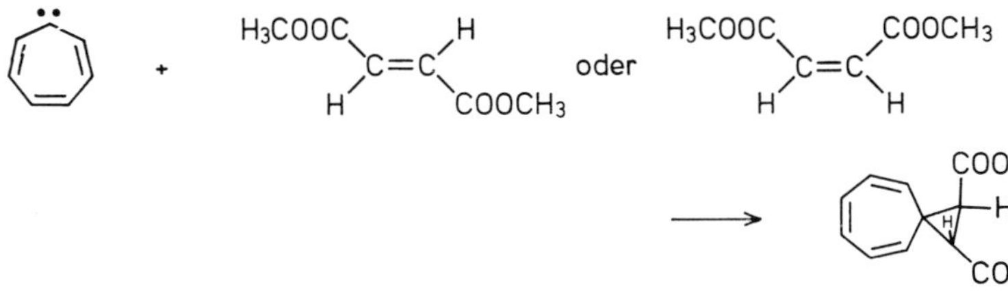

Auch bei der Photolyse des Natrium-Salzes von Tropon-tosylhydrazon in Gegenwart von Fumarsäure-dimethylester wird nur das *trans*-Spirononatrien-Derivat erhalten[6,7]. Wird die Photolyse in Anwesenheit von Maleinsäure-dimethylester durchgeführt, so entsteht ebenfalls dieses *trans*-Isomere[7]. Es wurde jedoch gefunden,

---

[1] R. A. Moss, Chem. Commun. **1965**, 622.
[2] R. A. Moss, J. Org. Chem. **31**, 3296 (1966).
[3] H. Dürr u. G. Scheppers, B. **100**, 3236 (1967).
[4] E. T. McBee et al., J. Org. Chem. **31**, 768 (1966).
[5] T. Mukai et al., Tetrahedron Letters **1968**, 565.
[6] W. M. Jones u. C. L. Ennis, Am. Soc. **89**, 3069 (1967).
[7] W. M. Jones et al., Tetrahedron Letters **1969**, 3909.

daß unter den photolytischen Reaktionsbedingungen eine Isomerisierung von Maleinsäure- zu Fumarsäure-dimethylester z. T. stattfindet[1]. Aus der Tatsache, daß Cycloadditionen an Fumarsäure-dimethylester im allgemeinen wesentlich schneller als an Maleinsäure-dimethylester statthaben[2,3], kann geschlossen werden, daß hier scheinbare nicht-stereospezifische Addition eher eine Folge von Isomerisierung und Reaktionsgeschwindigkeitsdifferenzen ist, als eine einer Zweistufenreaktion.

Für Maleinsäure-dinitril und Fumarsäure-dinitril, die in Cycloadditions-reaktionen nahezu gleiche Reaktionsgeschwindigkeiten zeigen[2,4], wurde in Tetra-hydrofuran stereospezifische Addition des photochemisch erzeugten Cyclo-heptatrienylidens (II) beobachtet[1] [*cis*-(III)- bzw. *trans-2,3-Dicyan-cyclopropan-⟨1-spiro-7⟩-cycloheptatrien* (IV)]:

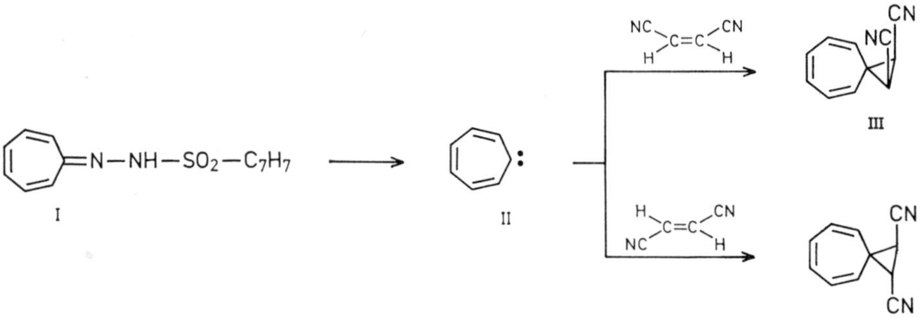

Nach zwei verschiedenen Methoden[5,6] wurde für das Cycloheptatrienyliden (II) der Singulett-Grundzustand wahrscheinlich gemacht[1].

cis-(V) und *trans-2,3-Dimethyl-cyclopropan-⟨1-spiro-7⟩-cycloheptatrien* (VI),

Verbindungen, die auch in Zusammenhang mit dem Norcaradien-Cyclohepta-trien-Gleichgewicht (s. S. 509 ff.) wegen ihres minimalen externen Winkels von Interesse waren[7], konnten in Erweiterung früherer Spiropentan-Synthesen[8,9] über den Dibrom-carben/Methyl-lithium-Weg (s. S. 208 ff) in stereospezifischer Weise synthetisiert werden[7]:

[1] W. M. JONES et al., Tetrahedron Letters **1969**, 3909.
[2] L. HORNER u. E. LINGNAN, A. **591**, 21 (1955).
[3] R. HUISGEN, Ang. Ch. intern. Ed. **2**, 565 (1963).
[4] J. SAUER et al., Z. Naturforsch. **17** [b], 203, 206 (1962).
[5] M. JONES u. K. R. RETTIG, Am. Soc. **87**, 4013 (1965);
　　M. JONES, Tetrahedron Letters **1967**, 183.
[6] Vgl. A. G. ANASTASSIOU, Am. Soc. **89**, 3184 (1967).
[7] W. M. JONES, u. E. W. PETRILLO, Tetrahedron Letters **1969**, 3953.
[8] W. R. MOORE u. H. R. WARD, J. Org. Chem. **25**, 2073 (1960).
[9] W. R. MOORE u. H. R. WARD, J. Org. Chem. **27**, 4179 (1962).

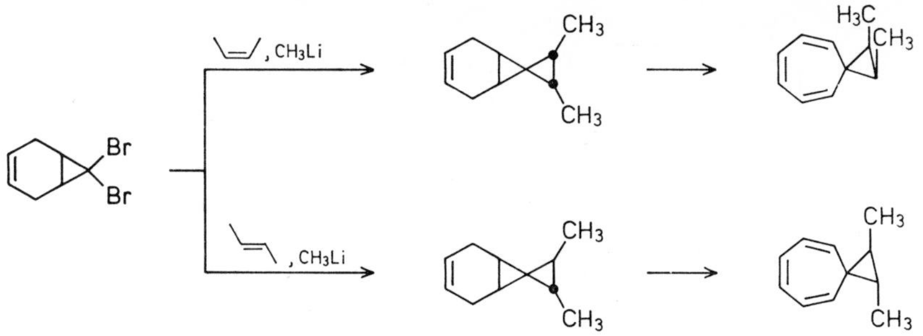

2,3-Dimethyl-cyclopropan-⟨1-spiro-7⟩-bicyclo[4.1.0]hepten-(3)

Weitgehend ähnlich wurde auch *Cyclopropan-⟨spiro-7⟩-cycloheptatrien* (VII) selbst hergestellt[1]:

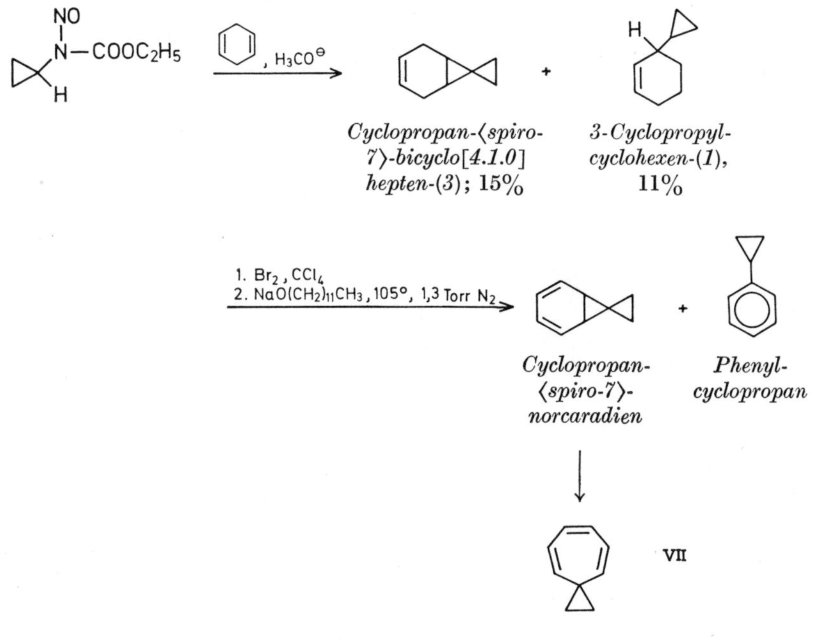

Cyclopropan-⟨spiro-
7⟩-bicyclo[4.1.0]
hepten-(3); 15%

3-Cyclopropyl-
cyclohexen-(1),
11%

1. Br$_2$, CCl$_4$
2. NaO(CH$_2$)$_{11}$CH$_3$, 105°, 1,3 Torr N$_2$

Cyclopropan-
⟨spiro-7⟩-
norcaradien

Phenyl-
cyclopropan

VII

β) Addition von Dibenzo-[a; e]-bzw. Tribenzo-[a; c; e]-cycloheptenyliden an Olefine

Ausgehend von dem Keton Ia (X = O; S. 304) wurde in üblicher Weise das p-Toluolsulfonyl-hydrazon Ib (X = Tos-NH-N) hergestellt, das dann durch Alkali in die Diazo-Verbindung II überführt wurde. Die Diazo-Verbindung II liefert bei der Zersetzung (Photolyse) Dibenzo-[a; e]-cycloheptenyliden (III), das mit *cis-* oder *trans*-Buten-(2) in stereospezifischer Weise zu den beiden isomeren Addukten IV und V (*cis-* bzw. *trans-2,3-Dimethyl-cyclopropan-⟨1-spiro-5⟩-5H-⟨dibenzo-[a; e]-cycloheptatrien⟩*) reagiert[2,3]. Bei der Photolyse von II in *cis*-Buten-(2) erhält man zusätzlich noch Dimere, Reduktionsprodukte sowie Substituitionsprodukte (VI–X) (S. 304):

[1] G. J. Rostek u. W. M. Jones, Tetrahedron Letters **1969**, 3957.
[2] I. Moritani et al., Am. Soc. **89**, 1257 (1967).
[3] I. Moritani et al., Am. Soc. **89**, 1259 (1967).

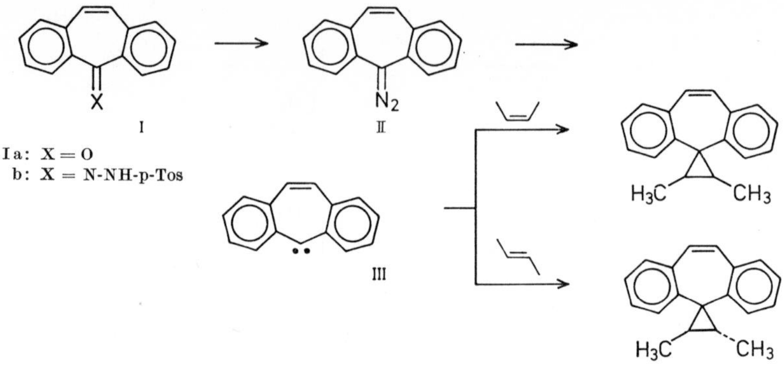
X
N2
H3C
CH3
H3C
CH3

I II III IV V

Ia: X = O
b: X = N-NH-p-Tos

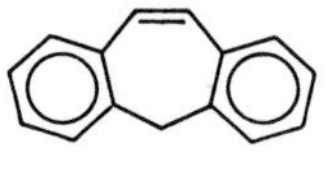

VI

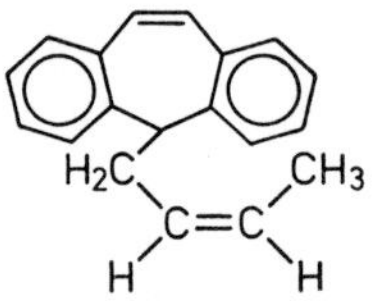
H2C
CH3
C=C
H
H

VII

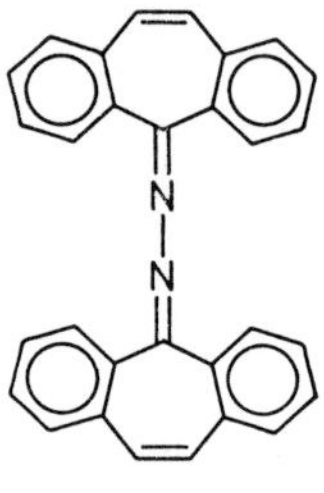
N
N

VIII

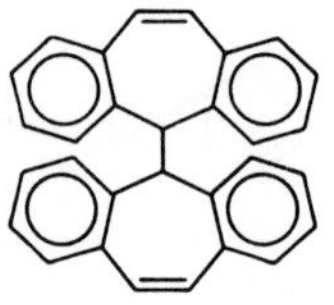

IX

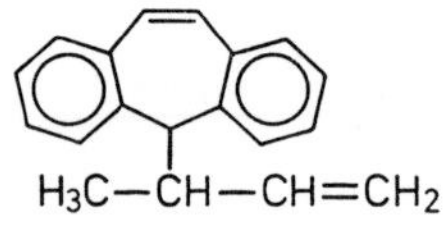
H3C—CH—CH=CH2

X

In ganz analoger Weise können auch aus XIa (X = O) über das Tosylhydrazon XIb (X = Tos-NH-N) die Diazo-Verbindung XII und Tribenzo-[a; c; e]-cycloheptenyliden (XIII) hergestellt und an die oben genannten Butene zu XIV und XV (*cis-* bzw. *trans-2,3-Dimethyl-cyclopropan-⟨1-spiro-5⟩-5H-⟨tribenzo-*[*a*; *c*; *e*]*-cycloheptatrien⟩*) addiert werden[1,2]:

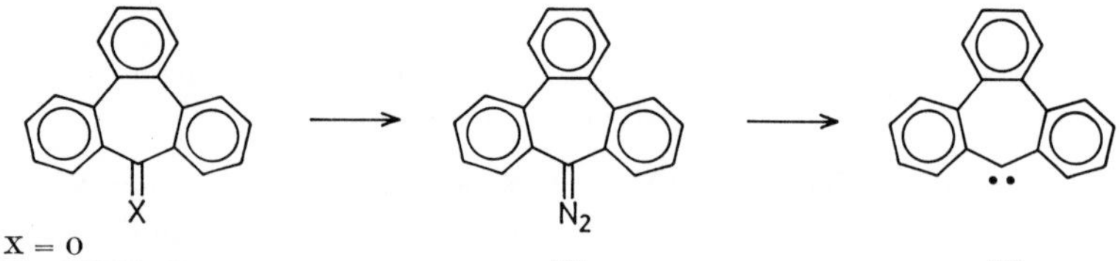
X
N2

XIa: X = O
b: X = N-NH-p-Tos

XII XIII

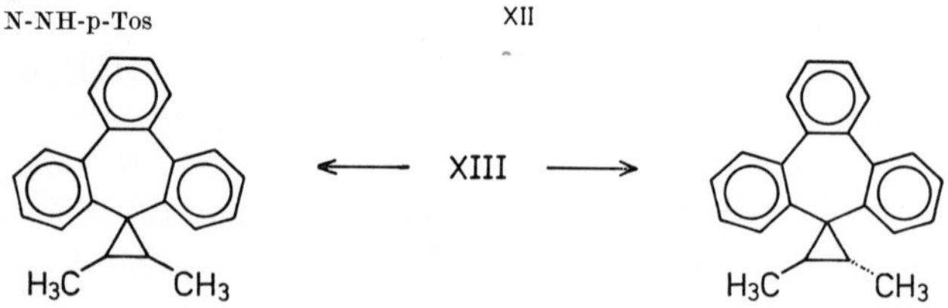
XIII
H3C
CH3
H3C
CH3

XIV XV

---

[1] I. Moritani et al., Am. Soc. **89**, 1257 (1967).
[2] I. Moritani et al., Am. Soc. **89**, 1259 (1967).

Die stereospezifische Addition der Carbene III und XIII ist zunächst überraschend, da man im allgemeinen für diejenigen Carbene, für die Abstraktionsreaktionen eindeutig nachgewiesen werden konnten, eine nicht-stereospezifische Addition beobachtet hat (s. a. S. 261). Andererseits konnte für III, XIII und das analoge Carben XVI durch Elektronenspinresonanz nachgewiesen werden, daß mit einem Triplett-Zustand zu rechnen ist[1]. Auch dieses Beispiel zeigt, daß die Warnungen vor dem Schluß, daß alle nicht-stereospezifischen Additionen auf Triplett-Carbene zurückzuführen sind, berechtigt waren (s. oben).

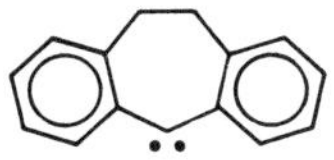

XVI

3. Cyclopropane durch Sulfon-carben-Übertragungen

Während die Photolyse von Diazoacetophenon in Cyclohexen als Hauptprodukt Acetophenon (70%) und nur 10–12% *7-Benzoyl-bicyclo[4.1.0]heptan* liefert, d. h., daß die Wasserstoff-Abstraktion ganz im Vordergrund steht[2], geben die analogen Diazosulfone keine Abstraktion und relativ hohe Ausbeuten an Cyclopropan-Derivaten[3-5]. So werden bei der Phenylsulfon-carben-Übertragung Ausbeuten von ~50% erzielt, im Fall des 4-Methoxy-phenylsulfon-carbens sogar Ausbeuten zwischen 60 und 83%:

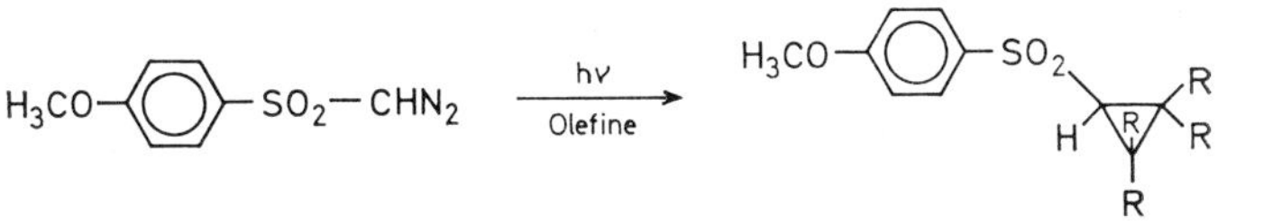

I; R=H;   (*4-Methoxy-phenylsulfon*)-   I; R=CH$_3$; *2,2,3,3-Tetramethyl-1-(4-me-*
            cyclopropan   *thoxy-phenylsulfon)-cyclopropan*

Das *exo/endo*-Verhältnis von 2,1 bei der Addition des Phenylsulfon-carbens an Cyclohexen zeigt eine zum Äthoxycarbonyl-carben[6] (1,9) analoge sterische Diskriminierung für diese Carben an. Die Addition von 4-Methoxy-phenylsulfon-carben an *cis*- und *trans*-Buten-(2) zu *2,3-Dimethyl-1-(4-methoxy-phenylsulfon)-cyclopropan* erwies sich als *cis*-stereospezifisch[5].

4. Cyclopropane durch Dicyan-carben-Übertragungen

Nach ESR-Untersuchungen ist das Dicyan-carben nahezu linear (Abweichung maximal 10–15°) aufgebaut[7]:

E/hc in Poly-trifluorchloräthylen < 0,002 cm^{-1}, in Hexafluor-benzol 0,0033 cm^{-1} (vgl. a. S. 329).

Dicyan-carben kann sowohl thermisch (Temperaturen um 80°) als auch photolytisch aus Dicyan-diazomethan (Diazomalonsäure-dinitril)[8] erzeugt werden[9-11].

[1] I. Moritani et al., Am. Soc. **89**, 1259 (1967).
[2] G. S. Hammond et al., J. Org. Chem. **29**, 1922 (1964).
[3] R. A. Abramovitch u. J. Roy, Chem. Commun. **1965**, 542.
[4] A. M. von Leusen et al., Tetrahedron Letters **1964**, 543.
[5] A. M. von Leusen et al., R. **86**, 225 (1967).
[6] P. S. Skell u. R. M. Etter, Pr. chem. Soc. **1961**, 443.
[7] E. Wasserman et al., Am. Soc. **87**, 2075 (1965).
[8] E. Ciganek, J. Org. Chem. **30**, 4198 (1965).
[9] E. Ciganek, Am. Soc. **87**, 652 (1965).
[10] E. Ciganek, Am. Soc. **88**, 1979 (1966).
[11] E. Ciganek, Am. Soc. **89**, 1454 (1967).

Bei der Addition von Dicyan-carben an 2,3-Dimethyl-buten-(2) entsteht *2,2,3,3-Tetramethyl-1,1-dicyan-cyclopropan* in einer Ausbeute von 54% d. Th.[1]; das Verhältnis von Addition zu Insertion hat bei dieser Reaktion den Wert 1,35[1]. Wird Diazomalonsäure-dinitril bei 80° in Butan zersetzt, so wird für das Insertionsverhältnis sek. C-H/prim. C-H ein Wert von 4,6 beobachtet; bei Zersetzung in 2-Methyl-propan hat das Verhältnis tert. C-H/prim. C-H den Wert 12,0[1].

Eine Erklärungsmöglichkeit für die Selektivitäts-Erhöhung durch Akzeptor-Gruppen wie -COOR und -CN bietet die Beteiligung polarer Grenzstrukturen am Übergangszustand der Insertionsreaktion[2]:

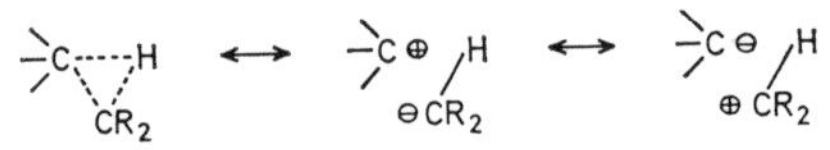

Das „Gewicht" einer Grenzstruktur mit einer negativen (Partial-)Ladung am Carben-Kohlenstoff wird zunehmen, wenn die negative Ladung über -COOR oder -CN-Gruppen verteilt werden kann. Die positive Ladung des Reaktionspartners wird in der Reihenfolge

tertiäres > sekundäres > primäres Kohlenstoff-Atom

stabilisiert. Jede Polarisierung des Übergangszustandes im oben angedeuteten Sinne muß demzufolge die Insertion in sekundäre und tertiäre C–H-Bindungen begünstigen.

Tritt bei der Addition von Triplett-Carbenen (vgl. S. 325ff.) an Olefine ein frei rotierendes 1,3-Diradikal als Zwischenstufe auf, dann sollten aus *cis/trans*-isomeren Olefinen identische Gemische *cis/trans* isomerer Cyclopropan-Derivate entstehen. Diese Erwartung wird auch in einigen Fällen erfüllt. Hierzu gehört z.B. die Addition von Dicyan-carben an Buten-(2) (zu *cis-* bzw. *trans-2,3-Dimethyl-1,1-dicyan-cyclopropan*) bei hoher Verdünnung in Cyclohexan[1] (70% *trans-* und 30% *cis-*Addukt); Cyclohexan ist gegenüber Dicyan-carben zwar nicht inert, reagiert aber sehr viel langsamer als Buten-(2):

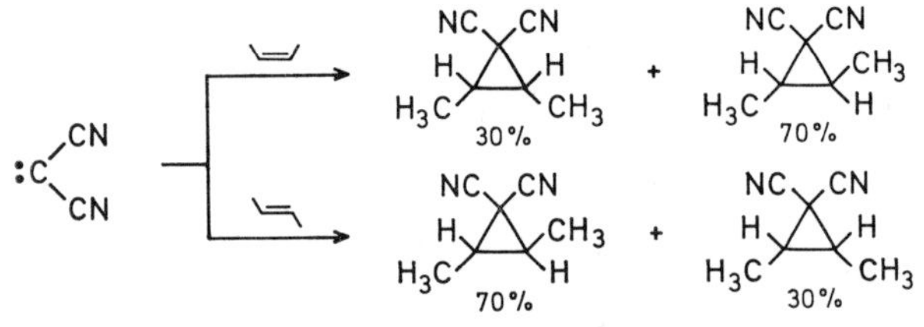

Die thermische Reaktion von Diazomalonsäure-dinitril mit Alkinen (z.T. im Autoklaven) führt zu 3,3-Dicyan-cyclopropenen[1]:

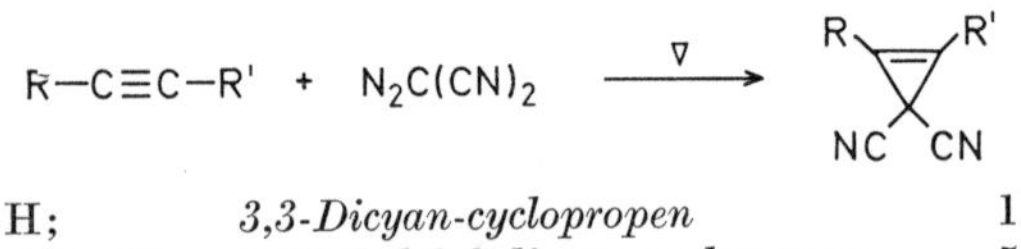

R=R'=H;	*3,3-Dicyan-cyclopropen*	11% d. Th.
R=CH₃; R'=H;	*1-Methyl-3,3-dicyan-cyclopropen*	56% d. Th.
R=R'=CH₃;	*1,2-Dimethyl-3,3-dicyan-cyclopropen*	77% d. Th.

Die Dicyan-carben-Addition an Aromaten erlangte für die Synthese stabiler Norcaradien-Derivate sowie für das Studium des valenztautomeren Systems Cycloheptatrien-Norcaradien (s. die ausführliche Beschreibung der Problematik S. 509ff) besondere präparative Bedeutung. So liefert die Thermolyse oder

[1] E. CIGANEK, Am. Soc. **88**, 1979 (1966).
[2] W. v. E. DOERING u. L. H. KNOX, Am. Soc. **78**, 4947 (1956); **83**, 1989 (1961).

Photolyse von Diazomalonsäure-dinitril in Benzol als einziges Produkt *7,7-Dicyan-norcaradien (7,7-Dicyan-bicyclo[4.1.0]heptadien*; I; 82% d.Th.)[1]. Das Gleichgewicht

Cycloheptatrien ⇌ Norcaradien

ist hier ganz auf die Seite des Norcaradiens verlagert. Die Dipol-Dipol-Abstoßung zwischen den beiden Nitril-Gruppen fördert eine Aufweitung des Valenzwinkels an C-7 und damit die Norcaradien-Struktur. Aus p-Xylol konnten gleichfalls zwei isomere Norcaradien-Verbindungen [*2,5-* (III) und *1,4-Dimethyl-7,7-dicyan-norcaradien* (IV)] erhalten werden[1]. Aus Toluol wurden neben drei isomeren Norcaradien-Derivaten (*Methyl-7,7-dicyan-norcaradien*) auch drei isomere (Methyl-phenyl)-malonsäure-dinitrile isoliert, die jedoch durch Umlagerung entstanden sein könnten[2].

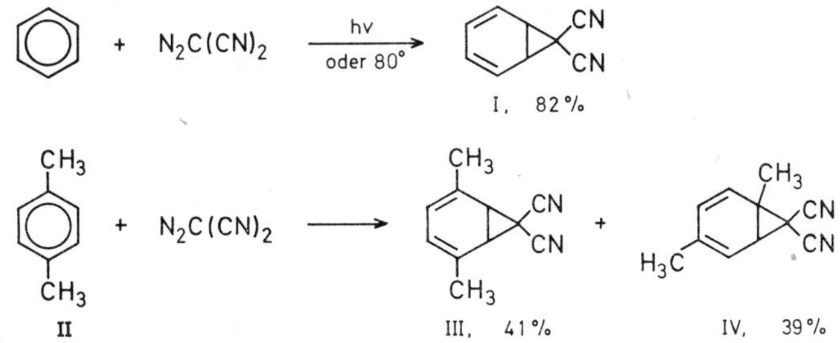

3,3,3-Trifluor-diazo-propansäure-nitril (V) setzt sich in siedendem Benzol ebenfalls unter Bildung eines Additionsproduktes (77% Ausbeute) um. Aufgrund der Kernresonanzspektren existiert hier ein mobiles Gleichgewicht, in dem *7-Trifluormethyl-7-cyan-cycloheptatrien* und *7-Trifluormethyl-7-cyan-norcaradien* im Verhältnis 1:2 vorliegen[3]:

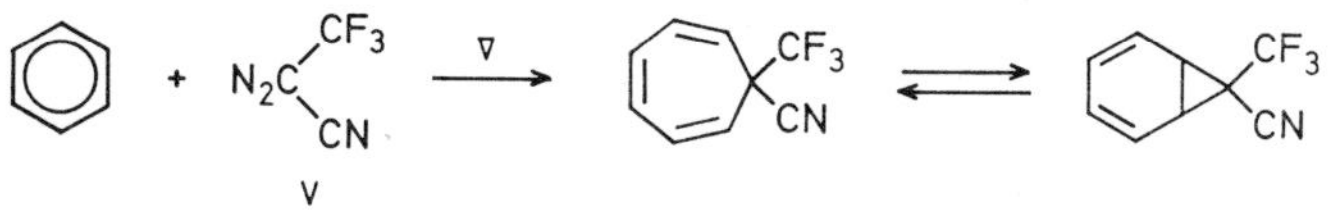

Brom-malonsäure-dinitril (I) reagiert mit 2,3-Dimethyl-buten-(2) (II) glatt zu dem Addukt III, das durch Behandlung mit Triäthylamin zum *2,2,3,3-Tetramethyl-1,1-dicyan-cyclopropan* (IV) cyclisiert wird[4]. Demnach stellt die Bildung von IV aus I und II in Gegenwart von Triäthylamin keinen Beweis für ein eventuelles Auftreten von Dicyan-carben (V) dar:

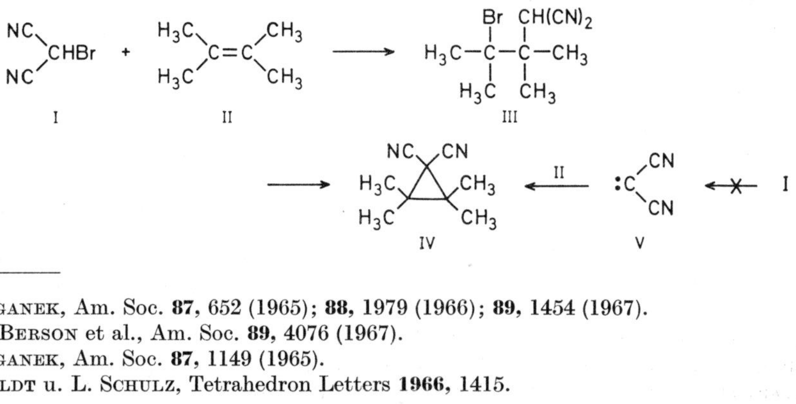

[1] E. CIGANEK, Am. Soc. **87**, 652 (1965); **88**, 1979 (1966); **89**, 1454 (1967).
[2] J. A. BERSON et al., Am. Soc. **89**, 4076 (1967).
[3] E. CIGANEK, Am. Soc. **87**, 1149 (1965).
[4] P. BOLDT u. L. SCHULZ, Tetrahedron Letters **1966**, 1415.

20*

5. Cyclopropane durch Alkin-(1)-yl-carben-Übertragung

Äthinyl-carben (Propargylen), erzeugt durch Photolyse von Diazopropin (I) zeigt keine Insertionstendenz gegenüber C—H-Bindungen und addiert sich nicht-stereospezifisch an Olefine unter Cyclopropan-Bildung[1]. Die nachfolgenden Ergebnisse wurden bei Umsetzung mit *cis*- und *trans*-Buten-(2) zu *2,3-Dimethyl-1-äthinyl-cyclopropan* erzielt[1]:

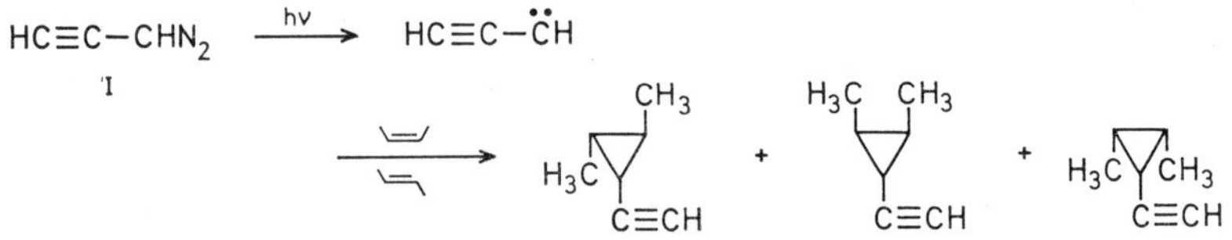

$$HC \equiv C-CHN_2 \xrightarrow{h\nu} HC \equiv C-\ddot{C}H$$

mit *trans*-Buten-(2): 95%   3,5%   1,5%
mit *cis*-Buten-(2): 13%   33%   54%

In Analogie zu anderen nicht-stereospezifisch reagierenden Carbenen erweist sich die Addition an *trans*-Buten-(2) stereoselektiver als die an *cis*-Buten-(2). Aufgrund von MO-Betrachtungen wird angenommen, daß das Äthinyl-carben aus einem energetisch niedrig liegenden Triplett-Zustand reagiert[1]. Die lineare Struktur des Äthinyl-carbens (nach ESR-Untersuchungen) läßt sich wie die des Cyan-carbens als Überlagerung zweier π-Elektronensysteme behandeln, deren Spindichte-Verteilung dem Allyl-Radikal entspricht[2].

Die Versuche, Äthinyl-carben bzw. -carbenoid durch α-Eliminierung aus 3-Brom-propin-(1) (II) zu erzeugen, waren in ihrer Aussagekraft nicht eindeutig[3]. Bei Anwesenheit von *cis*-Buten-(2) wurde so aus II und Kalium-tert.-butanolat eine Mischung aus dem Acetylen-Derivat IV unter dem Allen V erhalten. Ob hier das Äthinyl-carben oder das Äthenyliden-carben III als entscheidende Zwischenstufe auftritt, bedarf noch einer genauen Klärung:

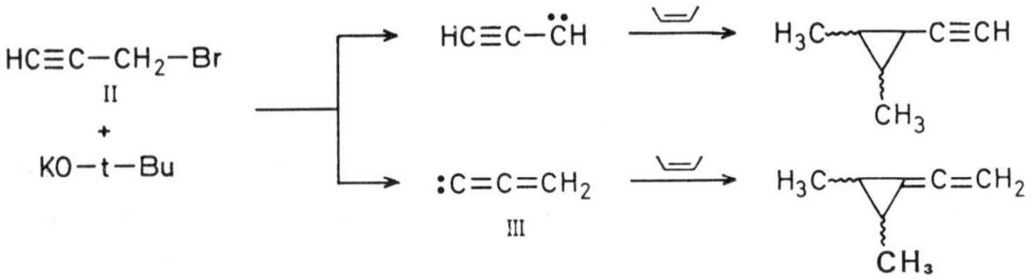

Propin-(1)-yl-carben addiert sich an Olefine nicht nur mit C-1, sondern auch mit C-3, so daß in Carben mit einer zur Allyl-Resonanz in Carbonium-Ionen ähnlichen „Propargyl-Resonanz" zu rechnen ist[4]:

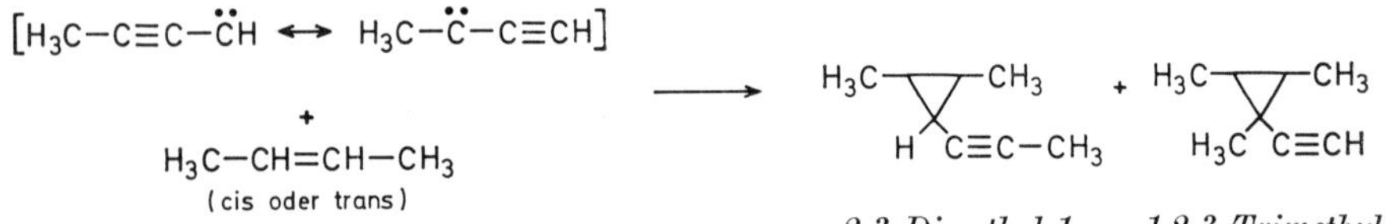

2,3-Dimethyl-1-propin-(1)-yl-cyclopropan (3 Stereoisomere)   *1,2,3-Trimethyl-1-äthinyl-cyclopropan* (3 Stereoisomere)

[1] P. S. Skell u. J. Klebe, Am. Soc. **82**, 247 (1960).
[2] R. A. Bernheim, R. J. Kempf, J. V. Gramas u. P. S. Skell, J. Chem. Physics **43**, 196 (1965).
[3] H. D. Hartzler, Am. Soc. **81**, 2024 (1959); **83**, 4990 (1961).

(Fortsetzung s. S. 309)

6. Olefinische Carbenoide und Carbene in der Cyclopropan-Synthese

Vinyl- und ganz allgemein Alken-(1)-yl-carbene oder auch -carbenoide spielen eine große Bedeutung bei der Synthese von Cyclopropen-Verbindungen und werden daher insbesondere auf S. 696–698 abgehandelt. Mit den Gleichungen ①—④ sollen hier nur summarisch, und ohne auf reaktionsmechanistische Belange einzugehen, einige der Entstehungsweisen dieser präparativ interessanten Zwischenstufen sowie ihre Anwendung verdeutlicht werden:

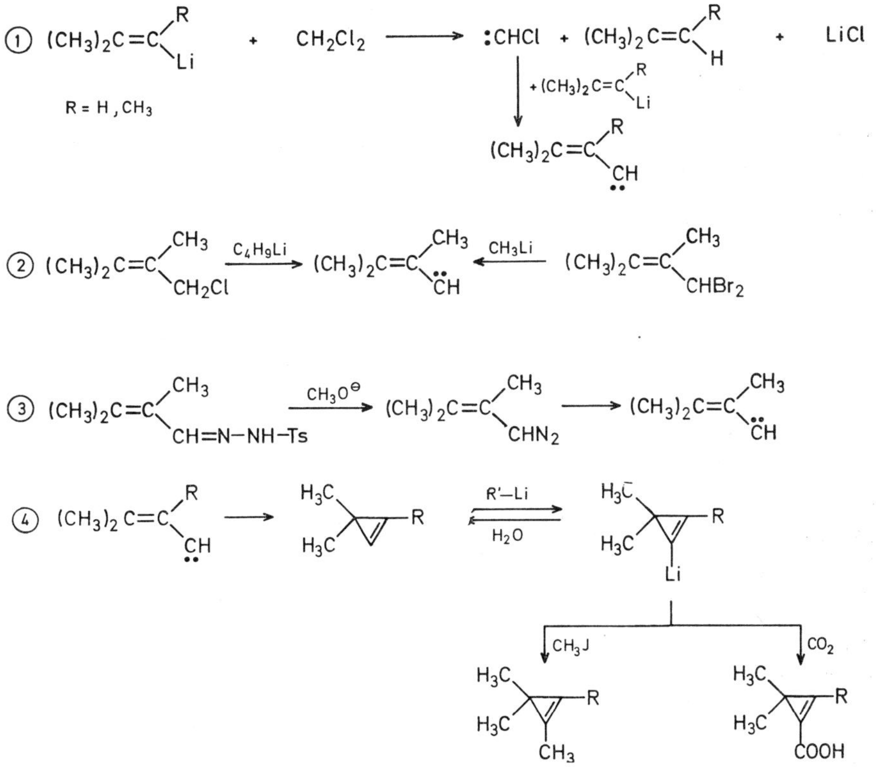

Auf S. 359f. finden sich im Rahmen derjenigen Carben-Reaktionen, die intramolekulare Cyclopropan-Bildung zur Folge haben, weitere Beispiele zur Bedeutung der Alken-(1)-yl-carbene.

Im Rahmen dieses Abschnittes werden vor allem nur diejenigen Reaktionen der Olefin-carbenoide beschrieben, die zur Bildung von Methylen-cyclopropan-Derivaten befähigt sind, wobei dabei auch auf die Carben/Carbenoid-Problematik speziell eingegangen wird.

Als typische Carben-Reaktionen gelten die Cyclopropan-Bildung mit Olefinen, die inter- oder intramolekulare Einschiebung in C—H-Bindungen und die Einschie-

---

(Fortsetzung v. S. 308)

[4] P. S. Skell, Paper presented at the 137 th Meeting Am. Chem. Soc., Cleveland, 1960.
Vgl. auch die Ergebnisse der EPR-Untersuchungen für das Triplett-Propin-(1)-yl-carben: $D/hc = 0,623$ cm^{-1}; $E/hc = 0 \pm 0,002$ cm^{-1}; R. A. Bernheim, R. J. Kempf u. E. F. Reichenbecher, J. Magnetic Resonance **3**, 5 (1970).
s. a. S. 329.

bung in die C-Metall-Bindung lithiumorganischer Verbindungen. Daß Carbenoide vom Typ der bis dahin als instabil geltenden α-Halogen-α-lithium-alkane II inzwischen erstmals in stabiler und in meist ausgezeichneten Ausbeuten synthetisiert werden konnten[1-6], führte u.a. zu der Erkenntnis, daß metallorganisch initiierte α-Eliminierungen nicht notwendigerweise zum Carben führen, sondern daß Metall-Verbindungen des Typs II für etliche, möglicherweise für alle beobachteten elektrophilen Reaktionen verantwortlich sind[7]:

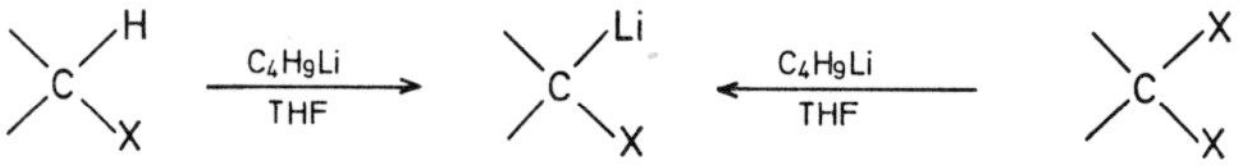

X = Cl, Br

Daß die Carbenoide des Typs II auch die genannten „typischen Carben-Reaktionen" eingehen können, wird durch die folgenden Befunde nahegelegt[7]:

① Das bei $-74°$ stabile Dichlormethyl-lithium reagiert bei dieser Temp. glatt mit Butyllithium. Es entsteht zunächst 1-Chlor-pentyl-lithium, dessen schnelle Folgereaktion u.a. zur Bildung von *5-Methylen-nonan* (V) und anderen Kohlenwasserstoffen führt[8]:

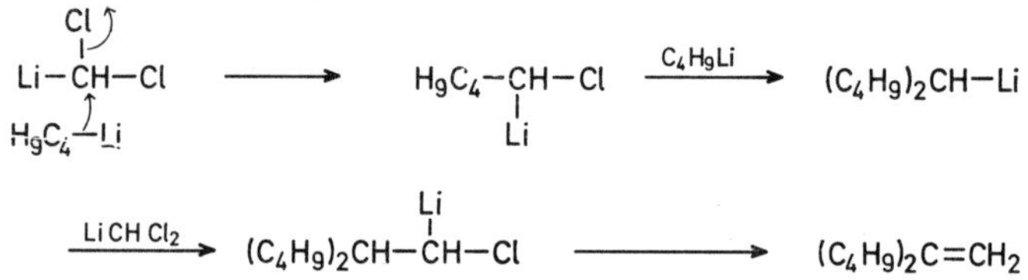

② Die bei α-Eliminierungen von verzweigten Alkylhalogeniden eintretenden intramolekularen Insertionen in γ-ständige C—H-Bindungen werden sowohl vom Halogen[9] wie auch vom verwendeten Metall beeinflußt[10].

③ Der thermische Zerfall von Trichlormethyl-lithium wird durch Cyclohexen und andere Olefine beschleunigt, wobei die entsprechenden Dichlor-cyclopropane gebildet werden[5,11,12]. Die zunehmende Umsetzungsgeschwindigkeit in der Reihe

Buten-(2) ⟨ 2-Phenyl-propen ⟨ 2,3-Dimethyl-buten-(2)

belegt den elektrophilen Charakter des angreifenden Carbenoids[5]. Die Cyclopropan-Bildung verläuft stereospezifisch[5]. Eine Cyclokondensation im Sinne von Gl. ① böte eine plausible Interpretation dieser Befunde:

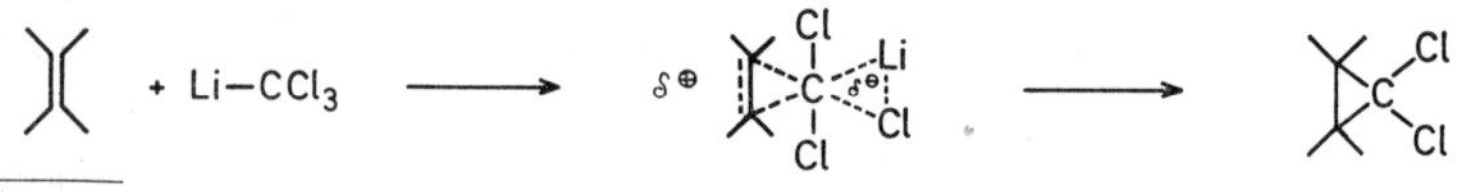

[1] G. Köbrich u. H. Trapp, Z. Naturforsch. **18 [b]**, 1125 (1963); B. **99**, 670, 680 (1966).

[2] G. Köbrich, H. Trapp, K. Flory u. W. Drischel, B. **99**, 689 (1966).

[3] G. Köbrich u. K. Flory, Tetrahedron Letters **1964**, 1137; B. **99**, 1773 (1966).

[4] G. Köbrich, H. Trapp u. I. Hornke, Tetrahedron Letters **1964**, 1131.
Vgl. auch: G. Köbrich et al., B. **99**, 680 (1966).

[5] G. Köbrich, K. Flory u. R. H. Fischer, B. **99**, 1793 (1966).
G. Köbrich, K. Flory u. W. Drischel, Ang. Ch. **76**, 536 (1964).

[6] G. Köbrich et al., J. Organometal. Chem. **3**, 492 (1965).

[7] G. Köbrich u. W. Drischel, Tetrahedron **22**, 2621 (1966).

[8] G. Köbrich u. H. R. Merkle, B. **99**, 1782 (1966).

[9] M. J. Goldstein u. W. R. Dolbier, Am. Soc. **87**, 2293 (1965).

[10] W. Kirmse u. G. Wächtershäuser, Tetrahedron **22**, 73 (1966).

[11] W. T. Miller u. D. M. Whalen, Am. Soc. **86**, 2089 (1964).

[12] D. F. Hoeg, D. I. Lusk u. A. L. Crumbliss, Am. Soc. **87**, 4147 (1965).

④ Auch die Fritsch-Buttenberg-Wiechell-Umlagerung halogenierter 1,1-Diaryl-äthylene in Diaryl-acetylene[1] beinhaltet als entscheidenden Reaktionsschritt eine elektrophile Substitution am Carbenoid-Kohlenstoff. Der Befund, daß diese Isomerisierung weitgehend stereospezifisch abläuft[2,3] legt nahe, daß Halogenid-Eliminierung und Aryl-Wanderung nicht in zwei Schritten nebeneinander ablaufen. Der hierzu bereits 1955 postulierte[2], durch neuere Untersuchungen bestätigte[1,4] Mechanismus ist das erste Beispiel, bei dem man zwischen Carben- und Carbenoid-Reaktionen differenzierte und zugunsten der letzteren entschied:

$$(C_6H_5)_2C=C\begin{smallmatrix}Li\\Cl\end{smallmatrix} \longrightarrow R-C=C\begin{smallmatrix}\\\ominus\\Cl\end{smallmatrix}\ Li^\oplus \longrightarrow R-C\equiv C-C_6H_5 + LiCl$$

$$(R=C_6H_5)$$

Die Thermolyse etlicher Carbenoide, z.B. des Dichlormethyl-lithiums[5] führt unter dimerisierender α-Eliminierung zur Bildung von Carben-Dimeren. Diese Reaktion besitzt präparatives Interesse, da sie eine ergiebige Synthese von Tetraalkyl-cumulenen aus β,β'-dialkylierten 1-Halogen-vinyl-lithium-Verbindungen ermöglicht. So erhält man bei der Thermolyse des aus der Metallierung von I gewonnenen, bei $-110°$ in Tetrahydrofuran stabilen Carbenoids II 69% *Tetrabenzyl-butatrien*[6] (III). Unter diesen Reaktionsbedingungen ist die Dimerisierung zu III soweit begünstigt, daß eine Cyclopropan-Bildung mit zugesetzten Olefinen, etwa mit Äthyl-vinyl-äther zur Verbindung V, auch bei großem Olefin-Überschuß nur untergeordnet zum Zuge kommt:

$$(H_5C_6-CH_2)_2C=C\begin{smallmatrix}H\\Cl\end{smallmatrix}$$
I

$C_4H_9Li/-110°$ | THF

$Li(Hg)/20°$

$$(H_5C_6-CH_2)_2C=C\begin{smallmatrix}J\\Cl\end{smallmatrix}$$
IV

$$(H_5C_6-CH_2)_2C=C\begin{smallmatrix}Li\\Cl\end{smallmatrix}$$
II

$$(H_5C_6-CH_2)_2C=C=C=C(CH_2-C_6H_5)_2$$
III

$$H_2C=CH-OC_2H_5$$

$$(H_5C_6-CH_2)_2C=\triangleleft_{OC_2H_5}$$
V

Wird jedoch das Carbenoid II unter Bedingungen erzeugt, bei denen es nur geringe Lebensdauer besitzt – z.B. aus IV mit Lithiumamalgam bei Raumtemperatur – so wird die in Diäthyläther gleichfalls vorherrschende dimerisierende α-Eliminierung durch Äthyl-vinyl-äther weitgehend zugunsten der Bildung von *2-Äthoxy-1-[1,3-diphenyl-propyliden-(2)]-cyclopropan* (V) unterdrückt[6]. Verständlicherweise genießt bei geringer Stationärkonzentration des Carbenoids II die Cyclopropan-Bildung, bei hoher aber die Dimerisierung den Vorzug[6].

[1] Literatur s. bei G. KÖBRICH, Ang. Ch. **77**, 75 (1965).
[2] A. A. BOTHNER-BY, Am. Soc. **77**, 3293 (1955).
[3] D. Y. CURTIN, E. W. FLYNN u. R. F. NYSTROM, Am. Soc. **80**, 4599 (1958).
[4] G. KÖBRICH, H. TRAPP u. I. HORNKE, Tetrahedron Letters **1964**, 1131.
    Vgl. auch: G. KÖBRICH et al., B. **99**, 680 (1966).
[5] G. KÖBRICH u. H. R. MERKLE, B. **99**, 1782 (1966).
[6] G. KÖBRICH u. W. DRISCHEL, Tetrahedron **22**, 2621 (1966).

Auf der Basis dieser Befunde interessierte dann die Frage, ob auch die Doppelbindungen eines Butatriens ähnlich denen der Allene[1,2] zur Dreiring-Bildung befähigt sind[3,4].

In diesem Falle zeichnete sich eine Möglichkeit ab, durch Kombination mit der dimerisierenden α-Eliminierung im Sinne des nebenstehenden Schemas eine „Eintopfsynthese" höherhomologer Kohlenwasserstoffe zu verwirklichen[3-5]:

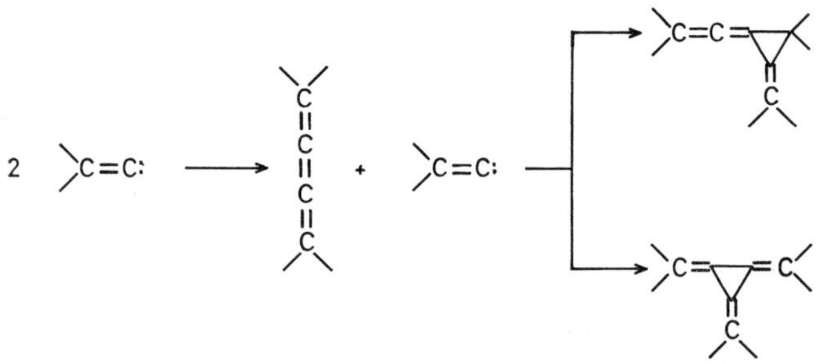

Das in Tetrahydrofuran bei −110° stabile 1-Brom-2-methyl-propen-(1)-yl-lithium (I) liefert beim Erwärmen auf −60° 2,5-Dimethyl-hexatrien-(2,3,4)[6] (III), mit dem es unter geeigneten Bedingungen zu *Tris-[isopropyliden]-cyclopropan* (V) als erstem bekannten Vertreter der [3]-Radialene weiterreagiert[3,4]. Hierbei entstehen außer dem *3,3-Dimethyl-2-isopropyliden-1-(2-methyl-propenyliden)-cyclopropan* (VI), *3,3, 3′,3′-Tetramethyl-2,2′-isopropyliden-bi-cyclopropyliden* (VII) und *Bis-[isopropyliden]-cyclopropan-⟨1-spiro-1⟩-bis-[isopropyliden]-cyclopropan* (VIII), die formal ebenfalls Oligomere des „Isopropyliden-carbens" darstellen.

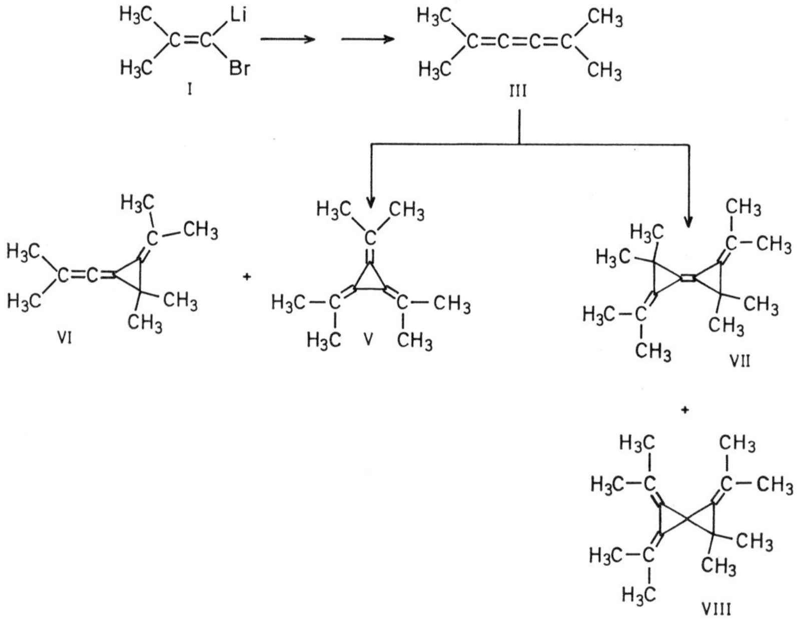

[1] W. J. Ball u. S. R. Landor, Pr. chem. Soc. **1961**, 246.
A. Bezaguet u. V. Delépine, C. r. **254**, 3371 (1962).

(Fortsetzung s. S. 313)

Die Strukturen dieser vier farblosen, festen Kohlenwasserstoffe wurden nur aufgrund ihrer physikalischen Eigenschaften ermittelt[1, vgl. 2,3]):

3,3-Dimethyl-2-isopropyliden-1-(2-methyl-propenyliden)-cyclopropan (VI): Ein sublimierbarer Kohlenwasserstoff vom Schmelzpunkt 28–28,5° besitzt nach Analyse und Molgewicht die Bruttoformel $C_{12}H_{18}$. Der Kohlenwasserstoff zeigt die für Allene bzw. Methylen-cyclopropane typischen IR-Absorptionen bei 1990 und 1760 cm^{-1} und besitzt UV-Maxima bei 250, 237 und 228 mμ, die auf konjugierte Doppelbindungen schließen lassen. Da das Protonenresonanz-Spektrum lediglich drei gleich starke Signale bei 8,19, 8,25 und 8,73 τ aufweist, liegen offensichtlich alle achtzehn Wasserstoffe als Methyl-Gruppen vor, von denen vier an ungesättigten, die restlichen zwei an gesättigten Kohlenstoffen haften müssen. Diese Daten weisen den Kohlenwasserstoff als VI aus. Er ist somit identisch mit einer in der Literatur[2] beschriebenen Substanz (F: 26,7–27°), die aus dem Hartzlerschen Carben[3] und 2,4-Dimethyl-pentadien-(2,3) gewonnen wurde.

Tris-[isopropyliden]-cyclopropan(Hexamethyl-[3]-radialen) (V): Dieser zu VI isomere Kohlenwasserstoff kristallisiert aus Methanol in farblosen Nadeln und schmilzt nach der Sublimation bei 133–134°. Die wegen des relativ hohen Schmelzpunktes zu vermutende große Molekülsymmetrie wird durch das NMR-Spektrum, das lediglich ein scharfes Signal bei 7,99 τ in Tetrachlormethan zeigt, bestätigt.

3′,3′,3,3-Tetramethyl-2,2′-bis-[isopropyliden]-bi-cyclopropyliden (VII): Der dritte in Löslichkeit und Flüchtigkeit dem Radialen V ähnliche Kohlenwasserstoff vom Schmelzpunkt 81,5° besitzt die Summenformel $C_{16}H_{24}$. Seine IR-Absorptionen bei 1750 cm^{-1} und die Raman-Banden bei 1793 und 1820 cm^{-1} weisen auf drei exocyclische Dreiring-Doppelbindungen hin, die wegen des längstwelligen UV-Maximums bei 309,5 mμ miteinander in Konjugation stehen müssen. Da im Kernresonanzspektrum nur zwei Singuletts bei 8,11 und 8,77 τ (CCl$_4$) im Verhältnis 1 : 1 gefunden werden, enthält also die Molekel je vier mit ungesättigten bzw. gesättigten Kohlenstoffen verbundene Methyl-Gruppen. IR- und Raman-Spektrum weisen mit Ausnahme der CH$_3$-Deformationsschwingungen keine Koinzidenzen auf. Dies ist nach dem Alternativverbot für Moleküle mit einem Symmetriezentrum typisch. Damit fällt auch eine aufgrund des Bildungsweges unwahrscheinlichere unsymmetrische Strukturalternative weg.

3,3-Dimethyl-2-isopropyliden-cyclopropan-⟨1-spiro-1⟩-2,3-bis-[isopropyliden]-cyclopropan (VIII): Der vierte Kohlenwasserstoff schmilzt bei 43–43,5° und besitzt wie VII die Bruttoformel $C_{16}H_{24}$. Seine IR-Absorptionen bei 1655, 1762 und 1810 cm^{-1} weisen zusammen mit dem bei 254 mμ beobachteten UV-Maximum auf insgesamt drei exocyclische C=C—Doppelbindungen hin, von denen zwei in Konjugation stehen müßten. Angesichts des Bildungsweges (s. oben) legen diese Daten die Struktur VIII nahe. Mit diesem Befund ist auch das NMR-Spektrum in Einklang zu bringen, das vier Signale von 18 Protonen zwischen 8,03 und 8,38 τ und ein Signal von sechs Protonen bei 8,74 τ zeigt.

[1] G. Köbrich, H. Heinemann u. W. Zündorf, Tetrahedron **23**, 565 (1967).
[2] R. F. Bleiholder u. H. Shechter, Am. Soc. **86**, 5032 (1964).
[3] H. D. Hartzler, Am. Soc. **86**, 526 (1964).

(Fortsetzung v. S. 312)

Y. Vo-Quang et al., C. r. **262**, 220 (1966).
A. Bezaguet u. M. Bertrand, C. r. **262**, 428 (1966).
W. Rahman u. H. G. Kuivila, J. Org. Chem. **31**, 772 (1966).
[2] R. F. Bleiholder u. H. Shechter, Am. Soc. **86**, 5032 (1964).
[3] G. Köbrich u. H. Heinemann, Ang. Ch. **77**, 590 (1965).
[4] G. Köbrich, H. Heinemann u. W. Zündorf, Tetrahedron **23**, 565 (1967).
[5] L. Skattebøl, Tetrahedron Letters **1965**, 2175, hat unabhängig die Dihalogen-carben-Addition an die äußere Doppelbindung von 2,4-Dimethyl-pentadien-(2,3) aufgefunden und hieraus eine elegante Synthese höherer Tetramethyl-kumulene entwickelt.
[6] Erstmals von W. Krestinsky, B. **59**, 1930 (1926), beschrieben.
Vgl. auch die neueren Synthesen:
W. Maier, Tetrahedron Letters **1965**, 3603.
L. Skattbøl, Tetrahedron **21**, 1357 (1965).
F. T. Bond u. D. E. Bradway, Am. Soc. **87**, 4977 (1965).

Nachfolgendes Schema[1] verdeutlicht die Herstellung der Kohlenwasserstoffe V bis VIII:

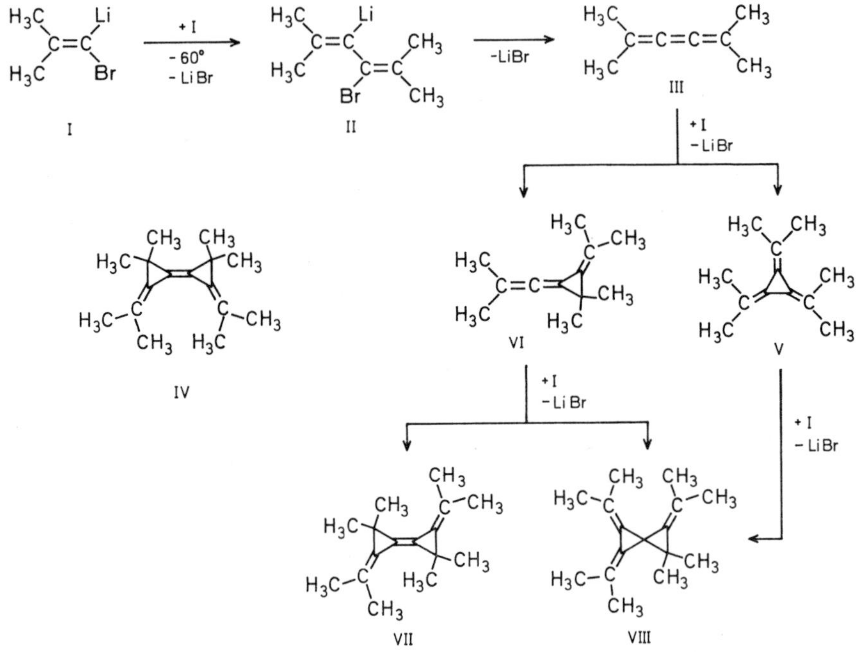

Die trimeren Verbindungen V und VI werden offensichtlich durch Reaktion des Carbenoids I mit einer endständigen bzw. der mittleren Doppelbindung des Butatriens III gebildet. Das Radialen-Derivat V wird in nur 0,3 bis 2%iger Ausbeute, das Allen VI in erheblich größerer Menge erhalten. Offenbar setzt sich bevorzugt die durch Methyl-Substituenten elektronenreichere, außerdem auch noch statistisch begünstigte äußere Doppelbindung von III um. Daß Carbenoide mit Olefinen unter den gewählten Bedingungen elektrophil reagieren, ist am Beispiel des Trichlormethyl-lithium bewiesen worden (s.a. S. 310)[2].

Zur Bildung des Tetrameren VII greift das Carbenoid I die äußere Doppelbindung des Allens VI in der Ringebene, und zwar von der der Isopropyliden-Gruppe abgewandten Seite her an. Eine Annäherung von der anderen möglichen Richtung her, die zur Bildung des nicht beobachteten „cis-Isomeren" IV Anlaß gäbe, wird durch die koplanare Isopropyliden-Gruppe von VI sterisch stark behindert.

Ob das Spiropentan-Derivat VIII nicht nur aus dem Allen VI, sondern auch aus dem Radialen V hervorgeht, bedarf noch einer weiteren Aufklärung. In jedem Fall erfolgt der Angriff von I vertikal zur Ebene des alicyclischen Dreiringes von VI bzw. V, die für beide Verbindungen eine Symmetrieebene darstellt; es sind daher keine Stereoisomeren von VIII möglich.

Die sich als Alternativerklärung anbietende Autokondensation von I zu A mit nachfolgender Cyclopropyl-Allen-Umlagerung[3] zu III, mit der sich gemäß des Schemas auch die Bildung anderer

[1] G. Köbrich, H. Heinemann u. W. Zündorf, Tetrahedron 23, 565 (1967).
[2] G. Köbrich, K. Flory u. R. H. Fischer, B. 99, 1793 (1966).
[3] W. v. E. Doering u. P. M. La Flamme, Tetrahedron 2, 75 (1958).

isolierter Kohlenwasserstoffe deuten ließe, liefert jedoch keine Erklärung für den Befund, daß die höheren Oligomeren erst bei erhöhter Temp. gebildet werden[1]. Da ferner die dimerisierende α-Eliminierung auch bei nichtolefinischen Substraten grundsätzlich möglich ist[2] und andererseits die Substitution von α-Halogen durch einen organischen Rest am Beispiel der Umsetzung von Dichlormethyllithium mit Butyl-lithium direkt nachgewiesen wurde[2], erscheint ein Reaktions-verlauf über A wenig überzeugend[1].

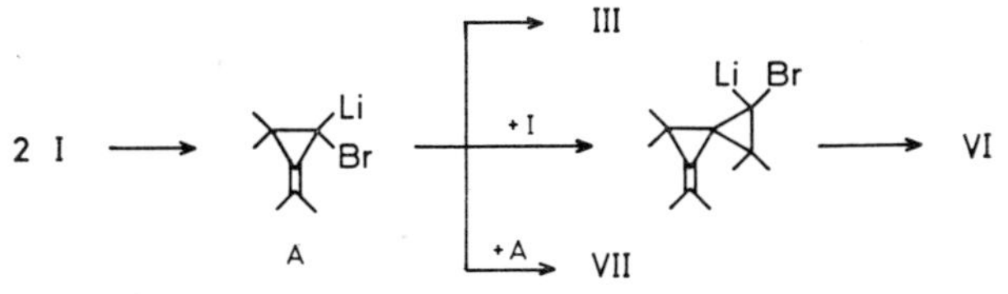

Tris-[isopropyliden]-cyclopropan (V)[1,3] besitzt ein Ringsystem von besonderem Interesse, da es einmal zum Benzol isomer ist und zum anderen das Anfangsglied der Kohlenwasserstoff-Reihe $C_{2n}H_{2n}$ X, XI, XII, XIII usw. darstellt, die man wegen ihrer n radial angeordneten exocyclischen Doppelbindungen als [n]-Radialene bezeichnet[4]. Von den [3]-Radialenen ist außer V[1,3] inzwischen auch der Grund-stoff X unabhängig von zwei Arbeitsgruppen synthetisiert worden[5]. Er besitzt die ihm aufgrund des dem Chinodimethan etwa gleichenden „free-valence"-Index von 0,90 vorausgesagte[6] Polymerisationstendenz und ist daher nur in verdünnter Lösung einige Zeit unzersetzt haltbar. V ist hingegen bemerkenswert stabil. Es bleibt bei mehrtägigem Erhitzen unter Stickstoff auf 150° größtenteils unverändert und bildet erst bei 200° nach mehreren Stunden einen gelben, offenbar polymeren Feststoff[1].

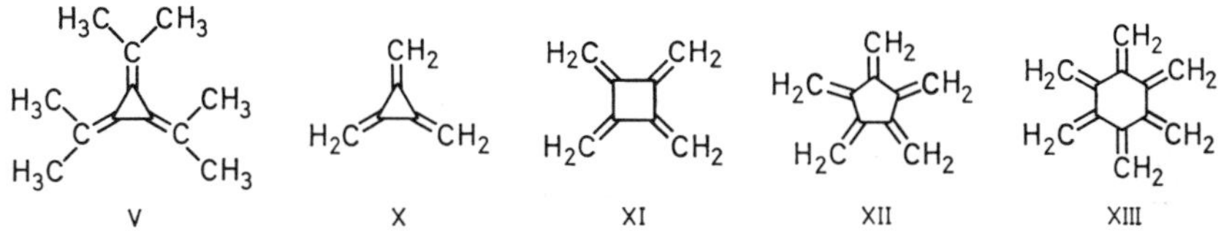

Ein wertvolles Kriterium für die Struktur von V liefert das ESR-Spektrum seines Radikal-Anions[7]. Von den bei einer Spin-Kopplung mit den achtzehn gleichwertigen Protonen zu er-wartenden neunzehn äquidistanten Linien der Hyperfeinstruktur konnten dreizehn einwandfrei beobachtet werden. Die ermittelte Kopplungskonstante von 7,57 G ist ziemlich genau zweimal so groß wie beim Radikal-Anion des Hexamethyl-[6]-radialens, wo sie 3,82 G beträgt. Dieses Ergebnis steht in ausgezeichneter Übereinstimmung mit der Erwartung, daß die Spindichte an jedem der drei exocyclischen Olefinkohlenstoffe des [3]-Radialen-Abkömmlings doppelt so groß sein sollte wie in der entsprechenden Position des [6]-Radialen-Derivates.

[1] G. KÖBRICH u. H. HEINEMANN u. W. ZÜNDORF, Tetrahedron **23**, 565 (1967).

[2] G. KÖBRICH u. H. R. MERKLE, B. **99**, 1782 (1966).

[3] G. KÖBRICH u. H. HEINEMANN, Ang. Ch. **77**, 590 (1965).

[4] Vgl. E. HEILBRONNER et al., Helv. **44**, 1400 (1961). Nach Fußnote 3 dieser Arbeit wurde der Name Radialen für den Kohlenwasserstoff XIII von J. R. PLATT vorgeschlagen.

[5] E. A. DORKO, Am. Soc. **87**, 5518 (1965).
   P. A. WAITKUS, L. I. PETERSON u. G. W. GRIFFIN, Am. Soc. **88**, 181 (1966).

[6] J. D. ROBERTS, A. STREITWIESER u. C. M. REGAN, Am. Soc. **74**, 4579 (1952).
   M. J. S. DEWAR u. G. J. GLEICHER, Am. Soc. **87**, 692 (1965).

[7] F. GERSON, E. HEILBRONNER u. G. KÖBRICH, Helv. **48**, 1525 (1965).

Das Radialen V setzt sich bereits bei Raumtemperatur bereitwillig mit Tetra-cyan-äthylen um (man erhält *Bis-[isopropyliden]-cyclopropan-⟨1-spiro-1⟩-4,4-di-methyl-2,2,3,3-tetracyan-cyclobutan*, XIV)[1]:

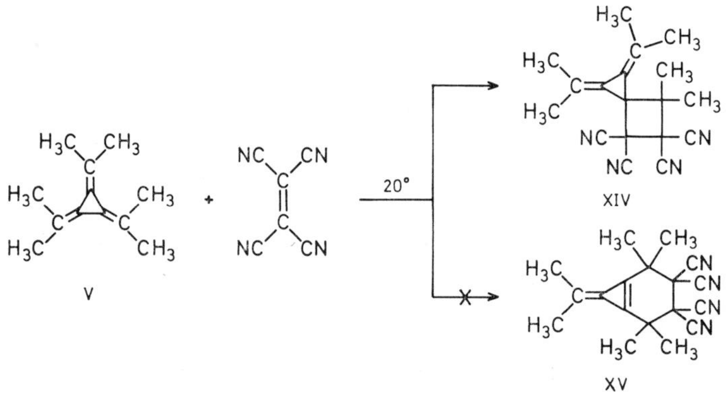

Dabei beobachtet man in aprotischen Solventien zunächst eine intensive violettstichig-blaue Färbung, die sich als einfache und recht empfindliche Nachweisreaktion für V eignet. Diese Färbung wird von einer breiten Absorption des Elektronenspektrums mit einem Maximum bei 583 mμ (in Cyclohexan) hervorgerufen, dessen Extinktion mit wachsender Konzentration der Reaktionspartner stärker als linear ansteigt, wie es für charge-transfer-Banden lockerer Elektro-nen-Donator-Akzeptor-Komplexe typisch ist[2]. Im übrigen verhalten sich die Lösungen wie auch die hieraus beim Einengen resultierenden blau gefärbten Kristalle in ihren Spektren und sonstigen physikalischen Eigenschaften wie Gemische der Komponenten. Die blaue Farbe tritt schon beim trockenen Verreiben der beiden Substrate in Erscheinung. Es ist somit wahrscheinlich, daß V mit Tetracyan-äthylen einen lockeren EDA-Komplex bildet.

Äquimolekulare Lösungen der beiden Reaktionspartner entfärben sich nach einigen Stdn. unter Bildung eines sublimierbaren 1:1-Adduktes, das unter Zers. bei 173.5–174° schmilzt. Seine UV-Maxima bei 268 und 279 mμ sowie die beiden IR-Absorptionen bei 1772 und 1643 cm^{-1} zeigen, daß das Addukt zwei in Konjugation stehende exocyclische Doppelbindungen besitzt. Den Ausschlag zugunsten der Struktur XIV gab dann das NMR-Spektrum[1].

Das Radialen V besitzt danach nucleophilen Charakter, weicht jedoch einer Diels-Alder-Reaktion zum Methylen-cyclopropen-System XV unter Bildung des Adduktes XIV aus[1]. [4]-Radialen und die beiden bislang bekannten [6]-Radialene sind dagegen sehr wohl zu Dienreaktionen befähigt[3–5]. Das abweichende Verhalten von V dürfte analog zum 1,2-Bis-[isopropyliden]-cyclobutan und -cyclohexan[6] auf die Methyl-Gruppen an den Enden des Diensystems zurückgehen, die eine starke Pressung der Substituenten im Produkt XV veranlassen würden und so die Diels-Alder-Reaktion blockieren – eine mögliche Ursache auch für die thermische Sta-bilität von V[1]. Zum anderen ist natürlich nicht undenkbar, daß [3]-Radialene überdies der Umwandlung in ein Methylen-cyclopropen-System aus energetischen Gründen den gleichen Widerstand entgegensetzten wie Derivate des 1,2-Bis-[me-thylen]-cyclobutens ihrer Überführung in Cyclobutadiene[3,7].

[1] G. KÖBRICH, H. HEINEMANN u. W. ZÜNDORF, Tetrahedron **23**, 565 (1967).
[2] Vgl. G. BRIEGLEB, *Elektronen-Donator-Acceptor-Komplexe*, Springer-Verlag, Berlin · Göttingen · Heidelberg, 1961.
[3] G. W. GRIFFIN u. L. I. PETERSON, Am. Soc. **84**, 3398 (1962).
[4] H. HOPFF u. A. K. WICK, Helv. **44**, 380 (1961); **44**, 19 (1961).
[5] H. HOPFF u. A. GATI, Helv. **48**, 1289 (1965).
[6] I. N. NAZAROW u. N. V. KUZNETSOW, Izv. Akad. Nauk SSSR **1960**, 259.
[7] A. T. BLOMQUIST u. Y. C. MEINWALD, Am. Soc. **81**, 667 (1959).
R. CRIEGEE, Ang. Ch. **74**, 703 (1962).

Läßt man Alkyl-lithium-Verbindungen bei höherer Temperatur auf **Vinyl-halogenide**[1] oder auf **1,1-Dibrom-alkene (I)**[2] einwirken, so tritt die sonst beobachtete Butatrien-Bildung stark in den Hintergrund, da hier nur eine geringe stationäre Konzentration an α-Halogen-β,β-dialkyl-vinyl-lithium vorhanden ist. Mit der Addition des Carbenoids an Olefine[2] oder Allene[3] kann jetzt die Umsetzung mit überschüssigem Alkyl-lithium konkurrieren:

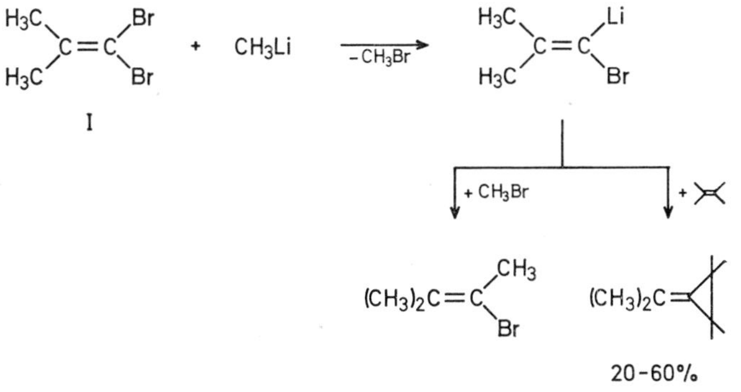

20-60%

Analoge Reaktionen, jedoch mit schlechteren Ausbeuten, konnten mit **Vinyl-halogeniden (II)** und Kalium-tert.-butanolat erzielt werden[4]:

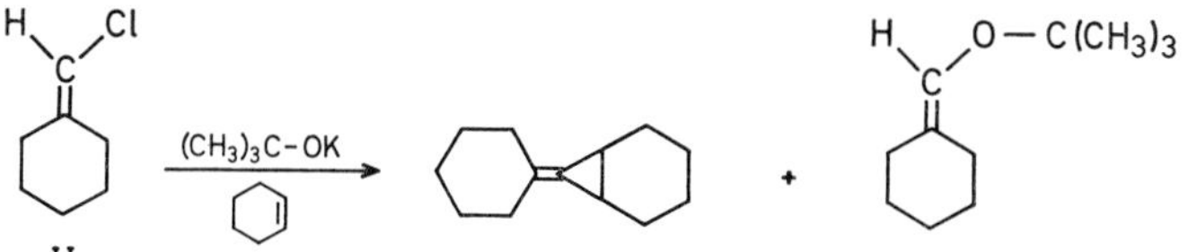

7-Cyclohexyliden-bicyclo [4.1.0]heptan   *(tert.-Butyloxymethylen)-cyclohexan*

In Sonderfällen führte auch die Umsetzung von **1,1-Dibrom-alkenen** mit Magnesium zur Synthese von **Methylen-cyclopropanen**[5]. Wird etwa 1,1-Dibrom-2-methyl-propen (III, S. 318) mit Magnesium in Tetrahydrofuran in Gegenwart des Enolesters V behandelt, so kann das *3-Propanoyloxy-2,2-dimethyl-1-isopropyliden-cyclopropan* (VI) in 18%iger Ausbeute erhalten werden, während bei Gegenwart von Cyclohexen das Addukt VII (*7-Isopropyliden-bicyclo[4.1.0]heptan*) in nur minimaler Ausbeute entsteht[5,6].

Bei der Umsetzung von Styrol (VIII; S. 318) mit 1-Brom-3-methyl-pentadien-1,2 (IX) in Gegenwart von Kalium-tert.-butanolat wird *2-Phenyl-1-[2 methyl-buten-(1)-yliden]-cyclopropan* (73% d.Th.; X) erhalten[7]. Analog werden *2-Phenyl-1-hexen-(1)-yliden-*

---

[1] H. Günther u. A. A. Bothner-By, B. **96**, 3112 (1963).

[2] H. D. Hartzler, Am. Soc. **86**, 526 (1964).

[3] R. F. Bleiholder u. H. Shechter, Am. Soc. **86**, 5032 (1964).

[4] M. Tanabe u. R. A. Walsh, Am. Soc. **85**, 3522 (1963).

[5] N. Wakabayashi, J. Org. Chem. **32**, 489 (1967).

[6] Verbindung VI ist nicht identisch mit einem Sexuallockstoff der Cockroach, für den früher diese Struktur angegeben wurde (s.a.S. 49).

[7] S. R. Landor u. P. F. Whiter, Soc. **1965**, 5625.

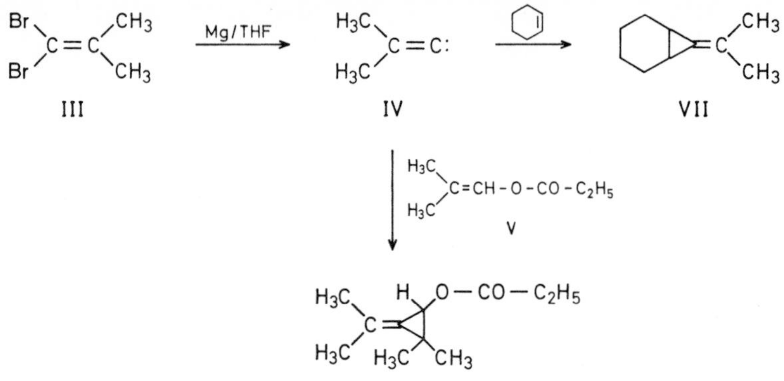

III IV VII V VI

cyclopropan (XI; 67% d.Th.) und *2-Phenyl-1-(2-methyl-propenyliden)-cyclopropan* (XII; 81% d.Th.) gewonnen. Nach der gleichen Methode werden aus den entsprechen den 1-Brom-allenen und Cyclohexen *7-(2-Methyl-propenyliden)*- und *7-[2-Methyl-buten-(1)-yliden]-bicyclo[4.1.0]heptan* (XIII) hergestellt.

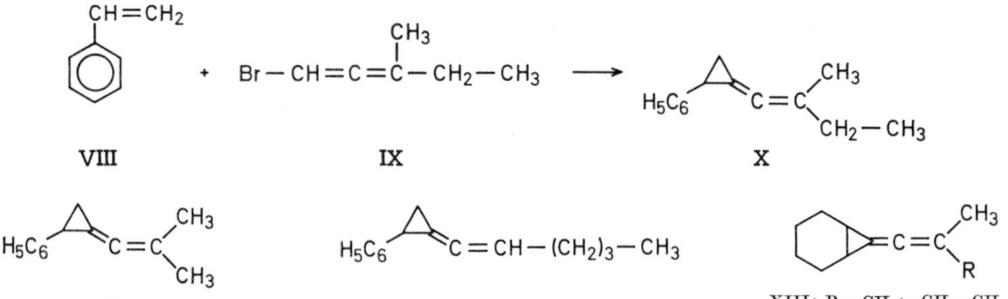

VIII IX X

XII XI XIII: R = CH_3; $-CH_2-CH_3$

Auch die Bildung von Methylen-cyclopropanen (XVII) bei der Behandlung von 5,5-disubstituierten 3-Nitroso-2-oxo-tetrahydro-1,3-oxazolen (XIV) mit Lithium-äthanolat in Olefinen wurde als Folge der Bildung von ungesättigten Carbenen XVI angesprochen[1,2]:

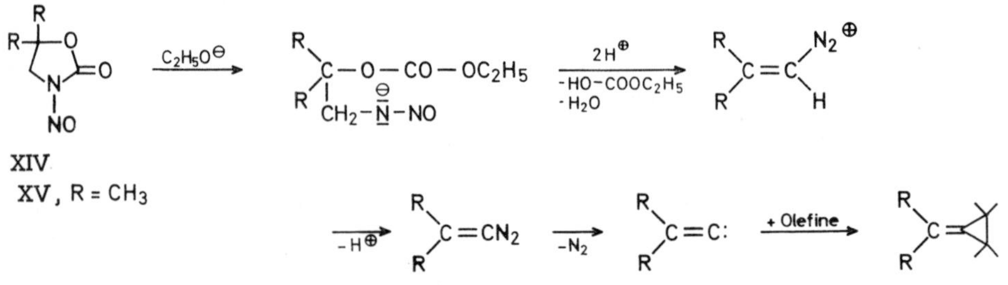

XIV
XV, R = CH_3
XVI XVII

Tab. 45 zeigt eine Übersicht über auf diese Weise synthetisierte Isopropyliden-cyclopropane[3]. 3-Nitroso-2-oxo-5,5-dimethyl-tetrahydro-1,3-oxazol (XV) wird hierzu in einem großen Überschuß an Olefin suspendiert und langsam mit Lithium-

[1] M. S. Newman u. A. O. M. Okorodudu, Am. Soc. **90**, 4189 (1968).
[2] M. S. Newman u. A. O. M. Okorodudu, Am. Soc. **91**, 1220 (1969).
[3] M. S. Newman u. T. B. Patrick, Am. Soc. **91**, 6461 (1969).

Tab. 45. Isopropyliden-cyclopropane aus Olefinen durch Addition von Isopropyliden-carben, erzeugt aus 3-Nitroso-2-oxo-5,5-dimethyl1-tetrahydro-1,3-oxazol[1,a]

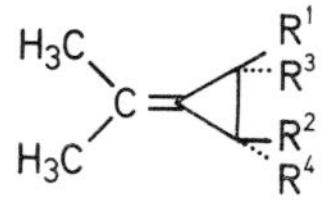

R^1	R^2	R^3	R^4		Ausbeute [% d.Th.]	Kp [°C]	Kp [Torr]
CH_3	CH_3	CH_3	CH_3	2,2,3,3-Tetramethyl-1-isopropyliden-cyclopropan	21	80– 90	120
	$-(CH_2)_6-$	H	H	9-Isopropyliden-bicyclo[6.1.0]nonan	18	120–125	30
	$-(CH_2)_5-$	H	H	8-Isopropyliden-bicyclo[5.1.0]octan	43	100–110	15
	$-(CH_2)_4-$	H	H	7-Isopropyliden-bicyclo[4.1.0]heptan	56	100–108	110
	$-(CH_2)_3-$	H	H	6-Isopropyliden-bicyclo[3.1.0]hexan	30	132–134	760
	$-(CH_2)_3-$	CH_3	H	1-Methyl-6-isopropyliden-bicyclo[3.1.0]hexan	27	105–110	135
$(CH_3)_3C$	H	H	H	2-tert.-Butyl-1-isopropyliden-cyclopropan	31	—	b
$p\text{-}CH_3\text{-}C_6H_4$	H	H	H	2-(4-Methyl-phenyl)-1-isopropyliden-cyclopropan	37	49–49,5	0,1
C_6H_5	H	H	H	2-Phenyl-1-isopropyliden-cyclopropan	32	52–54	0,4
$p\text{-}Cl\text{-}C_6H_4$	H	H	H	2-(4-Chlor-phenyl)-1-isopropyliden-cyclopropan	19	75–85	1,0
C_6H_{13}	H	H	H	2-Hexyl-1-isopropyliden-cyclopropan	31	—	b
CH_3	$(CH_3)_2CH$	H	H	cis-3-Methyl-2-isopropyl-1-isopropyliden-cyclopropan	30	124–126	750[c]
CH_3	H	H	$(CH_3)_2CH$	trans-3-Methyl-2-isopropyl-1-isopropyliden-cyclopropan	34	108–110	750[d]

[a] Vgl. a.: M. TANABE u. R. A. WALSH, Am. Soc. 85, 3522 (1963).
[b] gaschromatographisch abgetrennt.
[c] cis-Verbindung: $n_D^{25} = 1,4419$.
[d] trans-Verbindung: $n_D^{25} = 1,4319$.

[1] M. S. NEWMAN u. T. B. PATRICK, Am. Soc. 91, 6461 (1969).

äthanolat[1] versetzt. Schon nach kurzer Zeit sind die Reaktionen beendet. Neben den Cyclopropan-Verbindungen werden stets auch Oxidationsprodukte gebildet. Es wird angenommen, daß das Isopropyliden-carben bei diesen Reaktionen als Singulett reagiert. Die relativen Geschwindigkeiten der Addition des intermediären Dimethyl-äthyliden-carbens an Styrole zeigen, daß die Olefine als Nucleophile reagieren (s. Tab. 46). Aus den unterschiedlichen Werten für die Addition an 2,3-Dimethyl-buten-(2) und Cyclohexen wird ersichtlich, daß auch noch sterische Effekte eine Rolle spielen müssen[2].

Zur Erklärung der sterischen Effekte wird angenommen, daß C_1 des Carbens sp hybridisiert ist. So befindet sich ein vakantes Orbital in der Papierebene (s. die Projektion B_1) oder senkrecht zu dieser (s. die Projektion B_2; mit R_k und R_g sind kleine oder große Gruppen im allgemeinen Fall gemeint).

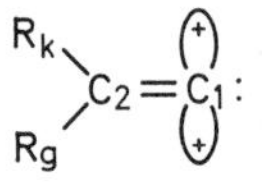

Zusätzlich wird angenommen, daß die Addition eines ungesättigten Carbens an ein Olefin im Sinne eines Zweistufenmechanismus erfolgt (vgl. S. 321). Der Angriff wird dabei an dem Kohlenstoff a erfolgen, der die beiden Substituenten R^1 und R^2 trägt, und zwar aus einer Richtung senkrecht zur Olefin-Ebene, d.h. in der Papierebene. Im Sinne der Projektion D_1 ist das Carben B_2 so orientiert, daß sich R_k und R_g in der Papierebene befinden, wobei R_k sich R^1 und R^2 mehr nähert. In der ersten Stufe soll dann eine Bindung zwischen C_1 und C_a geknüpft werden, wobei die dipolare Zwischenstufe D_2 entstehen soll, die dann im zweiten Schritt zum Methylencyclopropan cyclisiert.

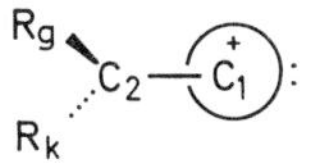

Tab. 46. Relative Additionsgeschwindigkeiten von Isopropyliden-carben an Olefine[2]

Olefin	Relative Geschwindigkeit[a,b]
4-Methyl-styrol	71[c]
Styrol	6,2
4-Chlor-styrol	2,6[c]
Cyclopenten	1,1 (1,2)[d]
Cyclohexen	1,0
2,4-Dimethyl-pentadien-(2,3)	0,9
Cycloocten	0,7
Cyclohepten	0,6
cis-4-Methyl-penten-(2)	0,5 (0,6)[e]
tert.-Butyloxy-äthylen	0,4 (0,4)[f]
1-Methyl-cyclopenten	0,3
Octen-(1)	0,2
trans-4-Methyl-penten-(2)	0,07
2,3-Dimethyl-buten-(2)	0,02 (0,03)[d]
Tetrachlor-äthylen	0,0

a Genauigkeit der Bestimmung etwa ± 5%.
b Gemessen in Konkurrenz mit Cyclohexen.
c Gemessen in Konkurrenz mit Styrol und auf Cyclohexen korrigiert.
d Gemessen in Konkurrenz mit 1-Methyl-cyclopenten und auf Cyclohexen korrigiert.
e Gemessen in Konkurrenz mit trans-4-Methyl-penten-(2) und auf Cyclohexen korrigiert.
f Gemessen in Konkurrenz mit Cyclooocten und auf Cyclohexen korrigiert.

[1] Vgl. W. M. Jones et al., Am. Soc. 85, 2754 (1963).
[2] M. S. Newman u. T. B. Patrick, Am. Soc. 91, 6461 (1969).

Wird die Zeit zwischen den Stufen 1 und 2 sehr kurz, so könnte man schließlich von einem Ein-stufenmechanismus sprechen:

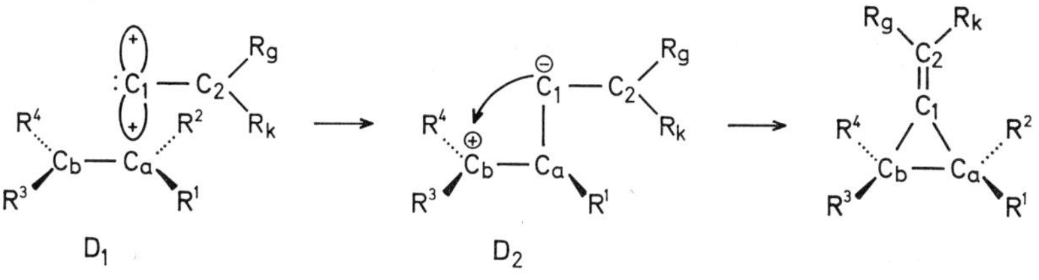

$$D_1 \longrightarrow D_2 \longrightarrow$$

Geht man von dem geschilderten reaktionsmechanistischen Bild aus, so kann der sterische Effekt, der die Additionsgeschwindigkeit im Fall des Methyl-cyclopentens (0,3) im Vergleich zum Cyclopenten (1,1) senkt, in verschiedener Weise wirksam werden: Aus statistischen Gründen wird im Fall des Methyl-cyclopentens dasjenige D_1 leichter und schneller gebildet, bei dem R^1 und R^3 den Ring bilden und $R^2 = H$ bzw. $R^4 = CH_3$ ist, als das D_1, bei dem R^2 die Methyl-Gruppe und R^4 den Wasserstoff darstellt, während im Fall des Cyclopentens beide Orientierungen von D_1 vergleichbar sind mit dem begünstigten D_1 des Methyl-cyclopentens. Zum anderen wird sogar in dem Fall, in dem $R^2 = H$ ist, der Ringschluß von D_1 langsamer erfolgen wegen der größeren Wechselwirkung von R_g mit R^3 und R^4, wenn R^4 die Methyl-Gruppe bedeutet und nicht den Wasserstoff. Ganz ähnlich muß die geringere Geschwindigkeit der Carben-Addition an 2,3-Dimethyl-buten-(2) (0,02) im Vergleich zum Cyclohexen (1,0) auf der Basis sterischer Ein-flüsse diskutiert werden.

Bei der Addition des Isopropyliden-carbens an 1,4,5,8-Tetrahydro-naphthalin (IV) wird nur das *4-Isopropyliden-tricyclo[5.4.0.0³,⁵]undecadien-(1⁷,9)* (V) erhalten[1]:

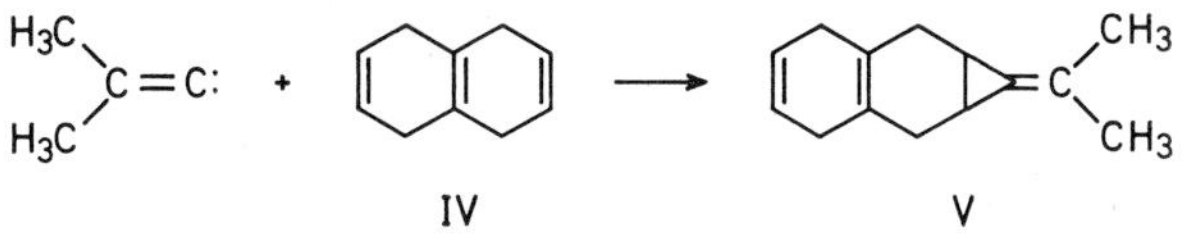

$$\text{IV} \quad + \quad \longrightarrow \quad \text{V}$$

Das steht in Kontrast zu anderen Carben-Additionen[2]. Möglicherweise spielen hier die besonderen sterischen Effekte (s. oben) eine Rolle.

Die Übertragung des Isopropyliden-carbens auf das 2,4-Dimethyl-pentadien-(2,3) führt zum *3,3-Dimethyl-1,2-bis-[isopropyliden]-cyclopropan* (VII; 14% d. Th.)[1] (vgl. auch S. 312)[3]:

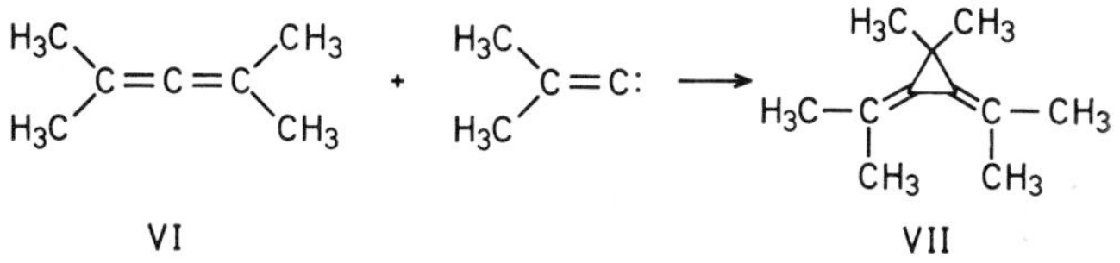

$$\text{VI} \quad + \quad \longrightarrow \quad \text{VII}$$

1-Isopropyliden-bicyclo[4.1.0]heptan[1]: Zu einer gut gerührten Mischung von 5,0 g (0,035 Mol) 3-Nitroso-2-oxo-5,5-dimethyl-tetrahydro-1,3-oxazol[4] in 30 *ml* trockenem Cyclohexen werden bei Temp. zwischen 45 und 55° drei gleiche Portionen von 5,0 g (0,051 Mol) Lithiumäthanolat[5] gegeben. Bei jeder Zugabe kommt es zu einer stürmischen Stickstoffentwicklung, die nach 5–10 Min. jeweils abklingt. Nach erfolgter Reaktion wird die Reaktionsmischung in Eis-

[1] M. S. Newman u. T. B. Patrick, Am. Soc. **91**, 6461 (1969).
[2] J. J. Sims u. V. K. Honwald, J. Org. Chem. **34**, 496 (1969), haben z. B. nachgewiesen, daß Monochlor-carben weniger selektiv als Dichlor-carben reagiert.
    Vgl. auch S. 216 ff.
[3] R. F. Bleiholder u. H. Shechter, Am. Soc. **86**, 5032 (1964).
[4] M. S. Newman u. A. Kutner, Am. Soc. **73**, 4199 (1951).
[5] Vgl. W. M. Jones et al., Am. Soc. **85**, 2754 (1963).

wasser gegossen und dann in üblicher Weise aufgearbeitet und destilliert; Ausbeute: 2,1 g (56% d. Th.); Kp_{110}: 100—108°.

Das nach dieser Destillation verbleibende Öl (∼ 0,5–1,5 g) liefert nach Hydrolyse mit alkohol. Kaliumhydroxid *1,2-Dihydroxy-2-methyl-propan.*

4-Isopropyliden-tricyclo[5.4.0.0^{3,5}]undecadien(1^7,9)[1]: Zu einer gerührten Mischung von 6,0 g Lithiumäthanolat[2], 9,0 g 1,4,5,8-Tetrahydro-naphthalin und 40 *ml* trockenem Hexan werden 5,5 g 3-Nitroso-2-oxo-5,5-dimethyl-tetrahydro-1,3-oxazol[3] auf einmal zugegeben. Nach 30 Min. Rühren bei Raumtemp. wird die Reaktionsmischung in Wasser gegossen und anschließend in üblicher Weise aufgearbeitet. Nach Entfernen des Hexans verbleiben 11,0 g eines gelblichen Öles, das nach längerem Stehen kristallisiert.

Nach Gaschromatogramm enthält das Öl neben unverändertem Ausgangsmaterial 2,9 g (40%) des gewünschten Adduktes. Nach präparativer gaschromatographischer Abtrennung wird eine farblose Flüssigkeit erhalten, die zu einem weißen Körper kristallisiert (Reines Addukt; F: 30,8 – 31,2°).

Die Solvolyse von tert.-Äthinylhalogeniden (z.B. I) läuft im Vergleich zu den tert.-Butylhalogeniden sehr langsam ab, sie wird jedoch stark durch Basen beschleunigt. Unter diesen Reaktionsbedingungen ist die Kinetik bezüglich Halogenid- und Basenkonzentration 1. Ordnung und die Reaktion verläuft im wesentlichen über eine Halogen-Verdrängung (nur wenig Eliminierung von Halogenwasser-

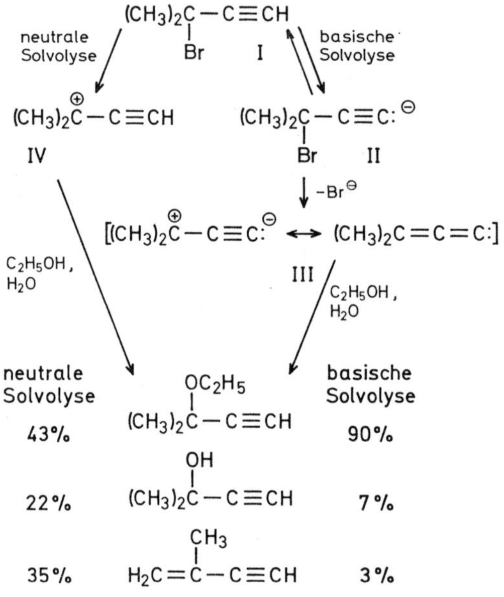

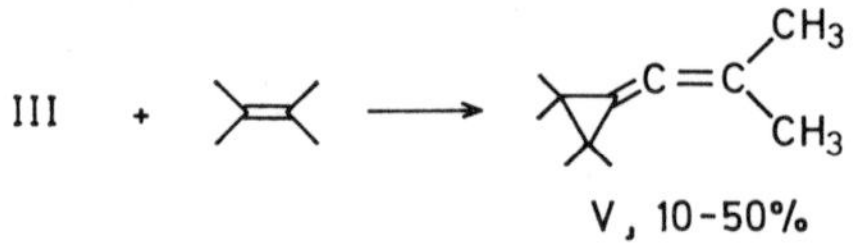

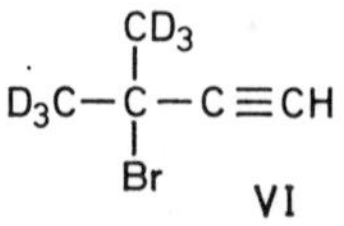

[1] M. S. Newman u. T. B. Patrick, Am. Soc. **91**, 6461 (1969).
[2] Vgl. W. M. Jones et al., Am. Soc. **85**, 2754 (1963).
[3] M. S. Newmann u. A. Kutner, Am. Soc. **73**, 4199 (1951).

stoff wird beobachtet)[1-3]. Wird der acetylenische Wasserstoff in I (S. 322) durch eine Al-kyl-Gruppe ersetzt, so wird keine Basenkatalyse mehr festgestellt[4]. Durch Solvolyse von I in 80% C_2H_5OD/20% D_2O-Mischungen konnte gezeigt werden, daß der basen-katalysierte Austausch der acetylenischen Protonen merkbar schneller als die basen-katalysierte Solvolyse selbst verläuft[5]. Mit anderen Worten: die Reaktion beinhaltet eher ein schnelles Gleichgewicht als die geschwindigkeitsbestimmende Bildung der konjugaten Base. Die konjugate Base II (S. 322) unterliegt eher einer S_N1-Ionisierung als einer S_N2-Verdrängungsreaktion, wie durch den „mass-law"-Effekt von zugefügtem Halogenid-Ion gezeigt werden konnte[5]. Die erhaltenen verschiedenen Produkt-mischungen, die unter neutralen und basischen Solvolysebedingungen resultieren, zeigen deutlich, daß verschiedene Zwischenstufen am produktbestimmenden Re-aktionsschritt beteiligt sind. Auch die geschwindigkeitsbestimmenden Schritte sind verschieden, wie sich aus den Isotopeneffekten der entsprechenden Hexadeutero-Ver-bindung von I (VI; S. 322) erkennen ließ[6]. Die Zwischenstufe der basischen Solvolyse ist möglicherweise das zwitterionische Carben III. Diese ambidente Zwischenstufe reagiert mit Olefinen am terminalen Kohlenstoff unter Bildung von Alkenyliden-

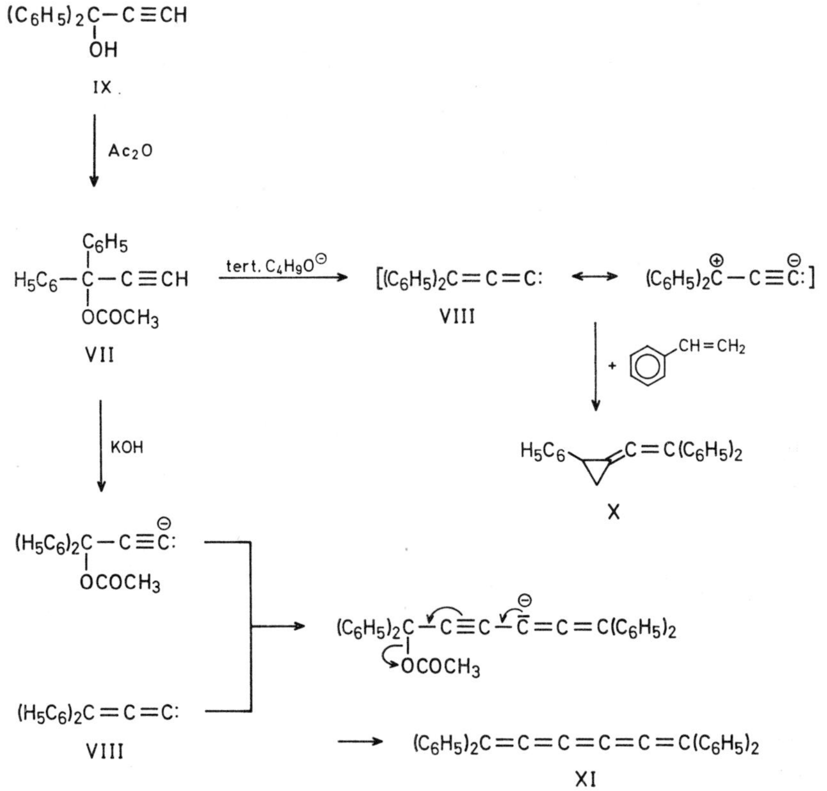

[1] G. F. HENNION u. D. E. MALONEY, Am. Soc. 73, 4735 (1951).
[2] G. F. HENNION u. E. G. TEACH, Am. Soc. 75, 1653 (1953).
[3] G. F. HENNION u. K. W. NELSON, Am. Soc. 79, 2142 (1957).
[4] A. BURAWOY u. E. SPINNER, Soc. 1954, 3752.
[5] V. J. SHINER u. J. W. WILSON, Am. Soc. 84, 2402 (1962).
[6] V. J. SHINER et al., Am. Soc. 84, 2408 (1962).

21*

cyclopropanen (V) in Ausbeuten zwischen 10 und 50%[1]. Aus Konkurrenzexperimenten ging hervor, daß die Selektivität des Carbens III (S. 322) etwa derjenigen der Dihalogen-carbene entspricht[2].

Auch Derivate des 1,1-Diphenyl-propargylalkohols (IX, S. 323) sind studiert worden[1]. Das aus dem 3-Acetoxy-3,3-diphenyl-propin VII erzeugte Carben VIII konnte an Styrol mit 25% Addukt-Ausbeute [*2-Phenyl-1-(diphenyl-vinyliden)-cyclopropan*] addiert werden. Bei Behandlung des Carbinols IX mit Essigsäureanhydrid unter Basenzusatz wurde das *Tetraphenyl-hexapentaen* (XI) erhalten[3]. Diese Reaktion ist so erklärt worden, daß das Carben VIII hierbei die konjugate Base des 3-Acetoxy-3,3-diphenyl-propin VII angreift[1] (s. S. 323).

Es sei auch an dieser Stelle darauf hingewiesen, daß die so erhaltenen Alkenyliden-cyclopropane als Allene mit Carbenoiden weiter zu Cyclopropyliden-cyclopropanen (s. hierzu S. 644) umgesetzt werden können[4].

3-Acetoxy-4,4-dimethyl-3-tert.-butyl-pentin-(1) (Ib) wurde als potentielle Quelle für das (Di-tert.-butyl-vinyliden)-carben (II) hergestellt[5]. Bei der Reaktion von Ib mit Kalium-tert.-butanolat in Gegenwart von Olefinen werden die entsprechenden (Di-tert.-butyl-vinyliden)-cyclopropane (III) in mittleren Ausbeuten erhalten[6]:

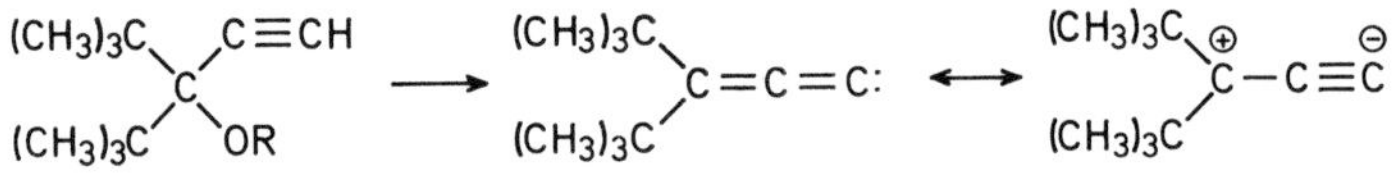

Ia : R = H
b : R = COCH₃

II

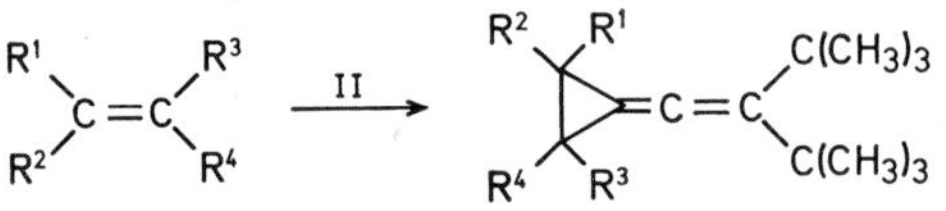

III

R¹=R²=R³=R⁴=CH₃	*Tetramethyl-1-[3,3-dimethyl-2-tert.-butyl-buten-(1)-yliden]-cyclopropan*	52% d. Th.
R¹=R²=R⁴=CH₃; R³=H	*Trimethyl-1-[3,3-dimethyl-2-tert.-butyl-buten-(1)-yliden]-cyclopropan*	10% d. Th.
R¹=CH₃; R²=C₂H₅; R³=R⁴=H	*2-Methyl-2-äthyl-1-[3,3-dimethyl-2-tert.-butyl-buten-(1)-yliden]-cyclopropan*	10% d. Th.
R¹=R³=R⁴=H; R²=C₄H₉	*2-Butyl-1-[3,3-dimethyl-2-tert.-butyl-buten-(1)-yliden]-cyclopropan*	22% d. Th.
R¹=R³=H; R²/R⁴=—(CH₂)₄—	*7-[3,3-Dimethyl-2-tert.-butyl-buten-(1)-yliden]-bicyclo[4.1.0]heptan*	22% d. Th.

Bei Abwesenheit von Olefinen entsteht aus II unter den Reaktionsbedingungen der Allenäther IV und das Hexapentaen V in Ausbeuten von 19 bzw. 20%. Das Cumulen V ist bei Raumtemperatur gegenüber Sauerstoff inert und zeigt auch keine

[1] H. D. HARTZLER, Am. Soc. **81**, 2024 (1959); **83**, 4990 (1961).
[2] H. D. HARTZLER, Am. Soc. **83**, 4997 (1961).
[3] P. CADIOT, Ann. chim. (Paris) (13) **1**, 214 (1956).
[4] B. DuLAURENS et al., Bl. **1967**, 799.
[5] H. D. HARTZLER, Am. Soc. **83**, 4990 (1961).
[6] H. D. HARTZLER, Am. Soc. **88**, 3155 (1966).

Polymerisationstendenz. Beim Schmelzen (185°) dimerisiert es jedoch in 95%iger Ausbeute zum *Tetrakis-[3,3-dimethyl-2-tert.-butyl-buten-(1)-yliden]-cyclobutan* (VI)[1]:

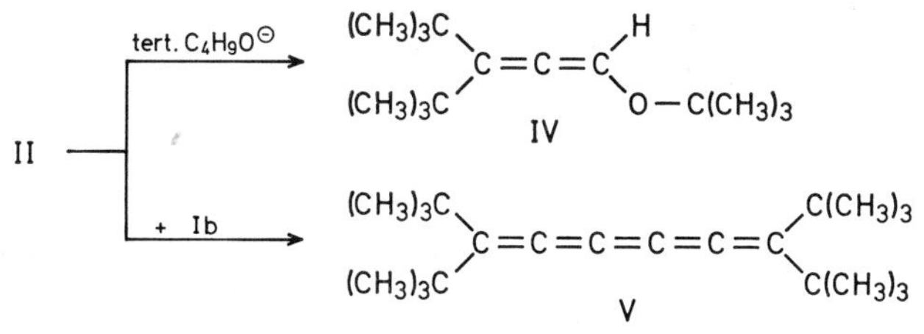

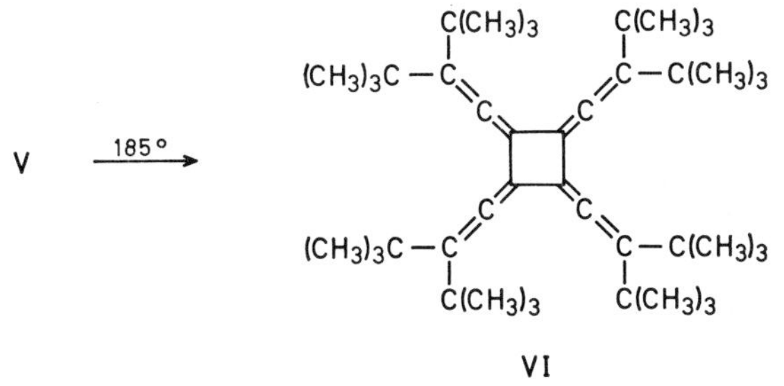

k) Singulett- und Triplett-Carbene

Zum verfeinerten Verständnis der Carben-Reaktionen und ihrer Rolle in der Chemie der Cyclopropane sollen hier noch einige mehr theoretische Betrachtungen angeschlossen werden, die bereits mit der Definition von Singulett- und Triplett-Carben auf S. 100 ff. anklangen.

1. Theoretische Ansätze

Ausgehend von den Möglichkeiten des Spin-Zustandes kann man sich das Methylen gestreckt oder gewinkelt vorstellen. Lineares Methylen ($D_{\infty h}$) besitzt zwei zueinander senkrechte, energiegleiche 2p-Orbitale, in denen zwei Elektronen unterzubringen sind. Das lineare Methylen ist zweifellos ein Triplett. Verbiegt man Methylen von der linearen ($D_{\infty h}$) zu einer gewinkelten (D_{2v}) Geometrie, so bleibt das p-Orbital senkrecht zur Ebene dieser Verbiegung hiervon in erster Näherung unberührt. Das zweite p-Orbital, in der Ebene der Verbiegung, wird mit einem 2s-Orbital des Kohlenstoffs „gemischt" und dadurch stabilisiert. Im folgenden soll es als σ-Orbital bezeichnet werden[2]. Die beiden energieärmsten Elektronenanordnungen des gewinkelten Methylens sind dann σ^2 (Singulett) und σp (Triplett) (s. Abb. 9, S. 326).

Computer-Berechnungen nach der SCF-MO-Methode[3] ergaben für Winkel zwischen 180 und 100° nur geringe Energieunterschiede zwischen σ- und p-Orbital. Die günstigere Wechselwirkung der Elektronen des Triplett-Zustandes könnte ihn daher auch für das gewinkelte Methylen zum Grundzustand machen. Damit erlaubt die Theorie derzeit also keine sicheren

[1] H. D. HARTZLER, Am. Soc. **88**, 3155 (1966).
[2] R. HOFFMANN et al., Am. Soc. **90**, 1485 (1968).
[3] J. M. FOSTER u. S. F. BOYS, Revs. Mod. Phys. **32**, 305 (1960).
 A. PADGETT u. M. KRAUSS, J. Chem. Physics **32**, 189 (1960).
 S. G. PEYERIMHOFF et al., J. Chem. Physics. **45**, 734 (1966).

Aussagen über die Multiplizität des Grundzustandes. Es wird jedoch eine geringe Energiedifferenz zwischen Singulett- und Triplett-Zustand vorausgesagt.

Andererseits wurden auch LCAO-MO-Berechnungen nach einer erweiterten HÜCKEL-Theorie für eine Anzahl von Carbenen durchgeführt[1]. Die benutzten Verfahren schließen die

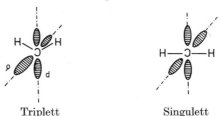

Triplett   Singulett

Abb. 9. Orbitale des linearen und gewinkelten Methylens

Elektronenwechselwirkung nicht ein, können aber die Energie des σ^2- und σp-Zustandes in Abhängigkeit vom Bindungswinkel angeben. Ausgeprägte Energieminima ergaben sich für die σ^2-Zustände bei Bindungswinkeln von 100—120°. Auch die σp-Zustände sind — mit Ausnahme von Cyan-carbenen — gewinkelt, doch zeigen nur Halogen- und Alkoxy-carbene ausgeprägte Energieminima.

2. Spektroskopische Untersuchungen

α) in der Gasphase

Zum Zwecke der spektroskopischen Untersuchung des Methylens wurde gasförmiges, mit Stickstoff verdünntes Diazomethan der Blitzlicht-Photolyse unterworfen[2]. Die Aufnahme der Spektren von Photolyseprodukten erfolgte 10—50μ Sek. nach dem Photolyseblitz. Bei einem Diazomethan/Stickstoff-Verhältnis von 1:500 wurden im Vakuum-Ultraviolett Spektrallinien eines sehr kurzlebigen Photolyseproduktes beobachtet. Ausgehend von Diazomethan, Deutero-diazomethan und Dideutero-diazomethan lagen die Banden bei 1414,5, 1415,5 und 1415,8 Å. Mit $^{13}CH_2N_2$ wurde gleichfalls eine Isotopie-Verschiebung festgestellt. Ohne Zweifel handelte es sich bei der beobachteten Spezies um Methylen. Die Ergebnisse der Analyse der Rotationsfeinstruktur legen ein lineares Molekül (Triplett) mit einer C—H-Bindungslänge von 1,03 Å nahe.

Bei geringeren Verdünnungen (CH_2N_2/N_2-Verhältnisse von 1:50 bis 1:100) sowie kürzerer Zeit (10—20 μ Sek.) zwischen Photolyse- und Spektralblitz wurde ein weiteres Bandensystem im Bereich zwischen 5500 und 9500 Å gefunden. Hier ergab die Analyse der Rotationsfeinstruktur einen H—C—H-Bindungswinkel von 103° und einen C—H-Abstand von 1,12 Å. Eine Triplett-Aufspaltung dieser Spektrallinien konnte nicht nachgewiesen werden. Dem gewinkelten Methylen wurde daher der Singulett-Zustand zugeordnet.

Aus den experimentellen Bedingungen, unter denen Singulett- und Triplett-Methylen beobachtet wurden, können Schlüsse auf ihre relative Energie gezogen werden. Das Singulett-Spektrum ist dann am intensivsten, wenn das Methylen nur wenige Kollisionen mit Inertgas erleidet (kleines CH_2N_2/N_2-Verhältnis) und die Messung selbst so schnell als möglich nach der Photolyse durchgeführt wird. Die photolytische Zersetzung des Diazomethans liefert demzufolge zunächst Singulett-Methylen. Das Triplett-Spektrum ist dann besonders gut ausgeprägt, wenn das Methylen viele Stöße mit Molekülen des Inertgases erleidet und wenn die spektrale Messung in größerem Zeitabstand von der Blitzlicht-Photolyse erfolgt. Diese Bedingungen deu-

[1] R. HOFFMANN et al., Am. Soc. **90**, 1485 (1968).
[2] G. HERZBERG u. J. SHOOSMITH, Nature **183**, 1801 (1959);
    G. HERZBERG, Proc. Roy. Soc. [London] [A] **262**, 291 (1961).

ten an, daß Singulett-Methylen durch zahlreiche Kollisionen in Triplett-Methylen transformiert wird. Danach muß dem Singulett-Zustand der höhere Energiewert zukommen und der Triplett-Zustand als der Grundzustand des Methylens angesprochen werden.

Das Elektronenspektrum des Difluor-carbens (Emission und Absorption) konnte durch elektrische Entladungen in Tetrafluormethan relativ leicht erzeugt und detailliert untersucht werden[1-4]. Die ermittelten UV-Daten sprechen für ein gewinkeltes Singulett als Grundzustand. Auch über die Aufnahme des Mikrowellenspektrums wurde berichtet[5]. Aus diesem Spektrum wurde der Winkel F—C—F zu 105° und der C—F-Abstand zu 1,30 Å bestimmt.

Durch Blitzlicht-Photolyse von Chlor-dibrom-methan und Fluor-dibrom-methan konnten auch die Elektronenspektren des Chlor-carbens[6] und des Fluor-carbens[7] registriert werden. Für diese Carbene ergab sich ein Singulett-Grundzustand. Für das Chlor-carben wurde ein Bindungswinkel von 103°, ein C—H-Abstand von 1,12 Å und ein C—Cl-Abstand von 1,69 Å ermittelt. Der Bindungswinkel des Fluor-carbens beträgt nach Aussage des Spektrums $\sim 102°$.

Bei der Blitzlicht-Photolyse von Trifluor-äthylen trat neben dem sehr intensiven Spektrum des Difluor-carbens (s. oben) auch schwach das Spektrum des Fluor-chlor-carbens auf[8].

Insgesamt ist bemerkenswert, daß eine enge Übereinstimmung im Bindungswinkel aller bisher untersuchten Singulett-Carbene aufgetreten ist.

β) im eingefrorenen Zustand

α_1) Elektronenspinresonanz-Untersuchungen von Triplett-Carbenen

Die ESR-Spektroskopie eignet sich als Methode zum Nachweis von Triplett-Carbenen. ESR-Messungen von Tripletts ($S = 1$) sind jedoch schwieriger als von Radikalen ($S = \frac{1}{2}$) durchzuführen. Die starke Anisotropie des „inneren", von dem zweiten ungepaarten Elektron hervorgerufenen Magnetfeldes ist hierfür die wesentlichste Ursache. Als Folge hiervon kommt es zu einer Bandenverbreiterung, die so stark sein kann, daß die Signale nicht mehr wahrnehmbar werden. Dieser störende Anisotropieeffekt kann dadurch vermieden werden, daß man allen Triplett-Molekeln die gleiche Orientierung zum äußeren Magnetfeld gibt bzw. ermöglicht. Experimentell läßt sich diese Bedingung auf zweierlei Weise erfüllen. Zum einen können direkt Einkristalle vermessen werden und zum anderen können auch „feste Lösungen" in Einkristallen zur Messung herangezogen werden, wobei jedoch die Fremdmoleküle keine Gitterstörungen verursachen dürfen. Derartige Experimente wurden mit Diphenyl-diazomethan in Benzophenon[9] oder 1,1-Diphenyl-äthylen[10] sowie mit reinen 9-Diazo-fluoren-Einkristallen[9,10] ausgeführt.

[1] P. Venkateswarlu, Phys. Rev. 77, 79, 676 (1950).
[2] D. E. Mann u. B. A. Trush, J. Chem. Physics 33, 1732 (1960).
[3] A. M. Bass u. D. E. Mann, J. Chem. Physics 36, 3501 (1962).
[4] C. W. Methews, J. Chem. Physics 45, 1068 (1966).
[5] F. X. Powell u. D. R. Lide, J. Chem. Physics 45, 1067 (1966).
[6] A. J. Merer u. D. N. Travis, Canad. J. Phys. 44, 525 (1966).
[7] A. J. Merer u. D. N. Travis, Canad. J. Phys. 44, 1541 (1966).
[8] W. J. R. Tyerman, Chem. Commun. 1968, 392.
[9] G. L. Closs et al., J. Chem. Physics 37, 1878 (1962); 43, 2006 (1965).
[10] C. A. Hutchison, J. phys. Chem. 71, 203 (1967).

Auch von statistisch orientierten Triplett-Molekeln in glasartig erstarrten Solventien können ESR-Spektren erhalten werden, die allerdings von geringer Intensität sind. Unter diesen Bedingungen geben nur solche Triplett-Moleküle ein Signal, bei denen zufällig eine der Hauptachsen zum äußeren Magnetfeld parallel angeordnet sind. Aus Gründen der wesentlich einfacheren experimentellen Durchführung wurden nach dieser Methode die Mehrzahl von Triplett-Carbenen elektronenspinresonanzspektroskopisch untersucht.

Die mathematisch-numerische Auswertung der ESR-Spektren liefert zwei ,,Zero-Field''-Parameter D und E, die charakteristische Informationen über das jeweilige Triplett-Molekül liefern können. Aus dem Parameter D läßt sich die durchschnittliche Entfernung der beiden ungepaarten Elektronen im Molekül abschätzen. Im Fall der Aryl-carbene können z. B. aus der Größe von D Hinweise auf die Delokalisierung der ungepaarten Elektronen über das π-Elektronensystem des Aromaten entnommen werden. Die Größe E stellt andererseits einen Geometrieparameter dar. Bei Vorliegen einer dreizähligen oder höheren Symmetrieachse ist E = O. Dieser Fall wäre für ein lineares Triplett-Carben gegeben. E/O mißt also die Abweichung von einer derartigen Symmetrie. Tab. 47 (S. 329) zeigt eine Zusammenstellung von ESR-Parametern einiger Triplett-Carbene. Aus den Werten für den Parameter E wird ersichtlich, daß Phenyl-carben, Methyl-phenyl-carben und Diphenyl-carben nicht linear aufgebaut sind; der Winkel am zentralen Kohlenstoffatom beträgt 145–155°. Durch die ^{13}C-Hyperfeinstruktur des Diphenyl-carben-^{13}C-Spektrums fand dieser Wert seine Bestätigung. *Syn/anti*-Isomerie ist beim α- und β-Naphthyl-carben eine Folge der gewinkelten Struktur[1]. In der starren Matrix können sich die Isomeren nicht ineinander umwandeln. Die Rotationshinderung von in einer Matrix eingebetteten Carbenen wurde auch durch die Photolyse mit polarisiertem Licht deutlich gemacht[2].

Zunächst ließen jedoch diese Befunde befürchten, daß die starre Wirtsmatrix den Bindungswinkel des Carbenerzeugers bzw. der Carben-Vorstufe fixiert und die Einstellung des günstigsten Bindungswinkels verhindert.

In neuerer Zeit ist es jedoch gelungen, Diphenyl-carben durch Photolyse von Diazido-diphenyl-methan zu erzeugen, wobei das intermediäre Azidonitren gleichfalls ESR-spektroskopisch nachweisbar wurde[3]. Die dabei ermittelten ESR-Parameter waren die gleichen wie für aus Diphenyl-diazomethan erzeugtes Diphenyl-carben, obgleich der Bindungswinkel $\not\leftteq$ H$_5$C$_6$—C̈—C$_6$H$_5$ in den Ausgangsverbindungen um $\sim 10°$ verschieden ist.

$$\begin{array}{ccccc} \mathrm{H_5C_6} & & \mathrm{H_5C_6} & & \mathrm{H_5C_6} \\ \diagdown & \xrightarrow{h\nu} & \diagdown & \xrightarrow{h\nu} & \diagdown \\ \mathrm{C} & \overset{-N_2}{} & \mathrm{C} & \overset{-2N_2}{} & \mathrm{C:} \\ \diagup & & \diagup & & \diagup \\ \mathrm{H_5C_6} & & \mathrm{H_5C_6} & & \mathrm{H_5C_6} \end{array}$$

In Anbetracht der gewinkelten Struktur vieler Triplett-Carbene ist es nicht überraschend, daß auch die cyclischen Carbene aus 9-Diazo-fluoren[4–6], Diazocyclopentadien[7], Diazoinden[7] sowie verschiedenen 1,4-Chinondiaziden[8] einen durch die ESR-Spektroskopie nachweisbaren Triplett-Grundzustand besitzen.

[1] E. Wasserman et al., Am. Soc. **87**, 129 (1965).
[2] E. Wasserman u. W. A. Yager, J. phys. Chem. **71**, 201 (1967).
[3] E. Wasserman et al., Am. Soc. **89**, 3931 (1967).
[4] G. L. Closs et al., J. Chem. Physics **37**, 1878 (1962); **43**, 2006 (1965).
[5] C. A. Hutchison, J. phys. Chem. **71**, 203 (1967).
[6] E. Wasserman et al., Am. Soc. **84**, 4990 (1962).
[7] E. Wasserman et al., Am. Soc. **86**, 2304 (1964).
[8] E. Wasserman u. R. W. Murray, Am. Soc. **86**, 4203 (1964).

Tab. 47. ESR-Parameter von einigen Triplett-Carbenen

Carben	Bestimmungs-methode	D/hc [cm^{-1}]	E/hc [cm^{-1}]	Litera-tur
H_5C_6—$\ddot{C}H$	A[a]	0,5150	0,0251	1,2
H_5C_6—$\ddot{C}$—CH_3	A	0,4957	0,0265	3
H_5C_6—$\ddot{C}$—C_6H_5[4]	A	0,4055	0,0194	2
	B[b]	0,4051	0,0192	5
	C[c]	0,3964	0,0149	6
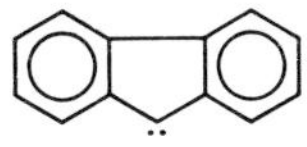 (Fluoren)	A	0,4078	0,0283	2
	D[d]	0,4092	0,0283	5
F_3C—$\ddot{C}H$	A	0,712	0,021	3
F_3C—$\ddot{C}$—CF_3	A	0,7444	0,0437	3
$HC{\equiv}C$—$\ddot{C}H$[4]	A	0,6276	0	7
$HC{\equiv}C$—$\ddot{C}$—C_6H_5	A	0,5413	0	7
$N{\equiv}C$—$\ddot{C}H$[4]	A	0,8629	0	7

[a] In der Methode A werden glasartig erstarrte Lösungsmittel bei 77° K verwendet; z. B. „Fluorolube" (= Poly-trifluoräthylen), 2-Methyl-tetrahydrofuran oder Methyl-cyclohexan/2-Methyl-butan.

[b] Bei der Methode B wurde das Diazoalkan in einen Benzophenon-Einkristall eingelagert; T = 77 oder 4° K.

[c] Bei der Methode C wurde das Diazoalkan in einen 1,1-Diphenyl-äthylen-Einkristall eingebettet; T = 77 oder 4° K.

[d] Hier gelangte reines Diazofluoren als Einkristall zur Messung.

Aus den Daten der Tab. 47 ergibt sich u.a. für die Fluoralkyl-carbene ein Bindungswinkel von ~ 160°; für Bis-[trifluormethyl]-carben hingegen ein Winkel von 140°. Geht man von der Tatsache aus, daß bei Substitution mit Trifluormethyl-Gruppen der Bindungswinkel verkleinert wird, so wäre durch formale Extrapolation für das unsubstituierte Methylen eine weitgehend lineare Struktur zu schließen (s. S. 325–327).

Die linearen Strukturen des Äthinyl- und Cyan-carbens[7] können als Überlagerung von zwei π-Elektronensystemen behandelt werden, deren Spindichte-Verteilung derjenigen des Allyl-Radikals entspricht. Auch das Dicyan-carben ist

[1] E. WASSERMAN et al., Am. Soc. **84**, 4990 (1962).

[2] E. WASSERMAN et al., J. Chem. Physics **40**, 2408 (1964).

[3] E. WASSERMANN et al., Am. Soc. **87**, 4974 (1965).

[4] Für diese und einige andere Triplett-Carbene sind noch neuere Daten bekannt geworden; vgl. hierzu: R. A. BERNHEIM, R. J. KEMPF u. E. F. REICHENBECHER, J. Magnetic Resonance **3**, 5 (1970). Diese Messungen wurden im wesentlichen in einer Poly-(trifluor-chlor-äthylen)-Matrix durchgeführt.

[5] G. L. CLOSS et al., J. Chem. Physics **37**, 1878 (1962); **43**, 2006 (1965).

[6] C. A. HUTCHISON, J. phys. Chem. **71**, 203 (1967).

[7] P. S. SKELL et al., J. Chem. Physics **43**, 196 (1965).

mit einer Abweichung von maximal 10–15° nahezu linear aufgebaut[1]: E/hc in Poly-trifluoräthylen $< 0,002$ cm^{-1}, in C_6F_6 0,0033 cm^{-1}.

Während die Änderung von D bei allen hier bislang betrachteten Carbenen relativ gering ist und die Änderung der π-Elektronendichte am zweibindigen Kohlenstoff widerspiegelt, führt die Photolyse von 1,4-Bis-[diazobenzyl]-benzol zu einem Triplett mit völlig andersartigen ESR-Parametern[2].

Der ermittelte kleine Wert für D weist auf eine große räumliche Entfernung der ungepaarten Elektronen hin; dem entspricht die lineare Struktur.

Hier kann also keinesfalls ein Dicarben vorliegen. Im Gegensatz dazu entsteht bei der photolytischen Zersetzung des 1,3-Bis-[diazobenzyl]-benzols ein „echtes" Dicarben; es ist ein Quintuplett (S = 2) mit einem recht komplexen ESR-Spektrum[3,4]:

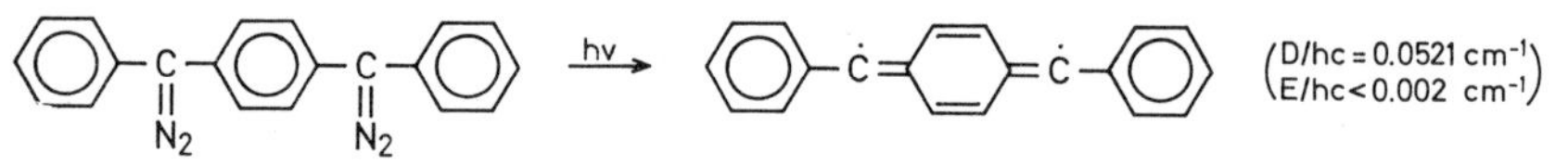

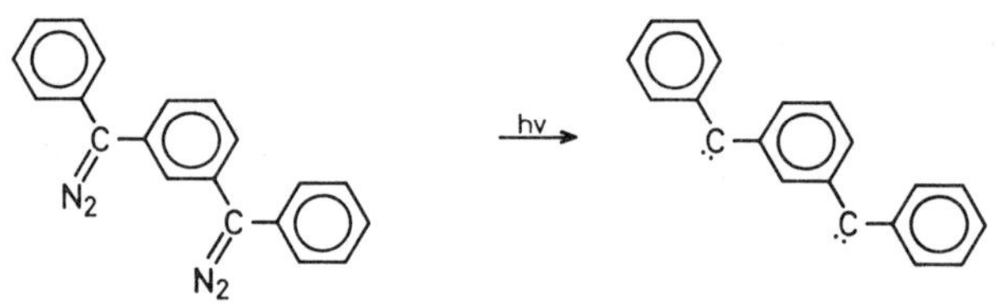

α_2) *Elektronen- und Schwingungsspektren von Carbenen*

Die Aufnahme von ESR- und Elektronenspektren ermöglicht bei den Diaryl-carbenen eine meist recht sichere Zuordnung von Absorptions- und Emissions-banden im sichtbaren und ultravioletten Spektralgebiet. Diphenyl-carben ab-sorbiert im Bereich von 240 bis 470 nm mit Hauptmaxima bei 280 und 465 nm[5,6].

Die Emission besteht aus einer breiten Bande von 470–600 nm mit $\lambda_{max} = 480$ nm[5]. Hierbei handelt es sich um eine Fluoreszenz durch Übergang des Diphenyl-carbens vom ersten angeregten Triplett-Zustand in den Triplett-Grundzustand. Phosphoreszenz wurde dagegen nicht beobachtet[7].

Ganz ähnliche Resultate erbrachten Untersuchungen an substituierten Di-aryl-carbenen[7] (s. Tab. 48, S. 331) und in Einkristallen[8,9].

Methylen hingegen konnte im eingefrorenen Zustand nicht zweifelsfrei nachgewiesen werden. Diazomethan wurde in Stickstoff[10,11], Argon[10] und perfluorierten Äthern[11] bei Temp. um 20°K belichtet. Bei anderen Versuchen erfolgte die photolytische Zersetzung während der Kondensation von Diazomethan zusammen mit Krypton bei ~ 4°K[12]. In den UV- und IR-Spek-

---

[1] E. Wasserman et al., Am. Soc. **87**, 2075 (1965).
[2] E. Wasserman et al., Am. Soc. **85**, 2526 (1963).
[3] K. Itoh, Physics Letters **1**, 235 (1967).
[4] E. Wasserman et al., Am. Soc. **89**, 5076 (1967).
[5] W. A. Gibbons u. A. M. Trozzolo, Am. Soc. **88**, 172 (1966).
[6] I. Moritani et al., Tetrahedron Letters **1966**, 373.
[7] A. M. Trozzolo u. W. A. Gibbons, Am. Soc. **89**, 239 (1967).
[8] C. A. Hutchison, J. phys. Chem. **71**, 203 (1967).
[9] G. L. Closs et al., J. chem. Physics **44**, 413 (1966).
[10] D. E. Milligan u. G. C. Pimentel, J. Chem. Physics **29**, 1405 (1958);
     T. D. Goldfarb u. G. C. Pimentel, Am. Soc. **82**, 1865 (1960).
[11] W. B. DeMore et al., Am. Soc. **81**, 5874 (1959).
[12] G. W. Robinson u. M. McCarty, Am. Soc. **82**, 1859 (1960).

Tab. 48. Elektronenspektren von Diaryl-carbenen in 2-Methyl-tetrahydrofuran[1]

R—⬡—C̈—⬡—R′	Absorptionsmaxima [nm]	Emissionsmaximum [nm]
R=R′=H	300, 465	480
R=Cl; R′=H	311, 475	487
R=Br; R′=H	316, 475	488
R=CH$_3$; R′=H	301, 472	487
R=OCH$_3$; R′=H	335–345[a]	495
R=NO$_2$; R′=H	265, 370, 555	keine Emission
R=C$_6$H$_5$; R′=H	335[a]	555
R=R′=OCH$_3$	335–345[a]	507

[a]) ermittelt aus dem Fluoreszenz-Anregungsspektrum.

tren tauchten eine Reihe neuer Banden auf, die beim Erwärmen wieder verschwanden. Bislang differieren jedoch die Ergebnisse der verschiedenen Arbeitsgruppen so stark, daß derzeit keine eindeutigen Aussagen über die Spektren des Methylens gemacht werden können.

Eindeutigere Ergebnisse wurden für die Dihalogen-carbene erzielt. Dem durch Photolyse erzeugten Difluor-carben (aus Difluor-diazirin) bei Temperaturen zwischen 4 und 20°K konnten Infrarot-Banden bei 668, 1102 und 1222 cm^{-1} zugeordnet werden[2]. Aus den Streckschwingungen des Difluor-carbens-[^{13}C] ließ sich der Bindungswinkel zu etwa 108° abschätzen. Die Erzeugung von Dichlor-carben in einer festen Matrix erwies sich als ziemlich schwierig.

Bei der Photolyse von Cyanazid in einer Stickstoff- bzw. Argon-Matrix in Gegenwart von Chlor wurden die Streckschwingungen des :CCl$_2$ bei 721 und 748 cm^{-1} beobachtet[3]:

$$N_3C \equiv N \xrightarrow[-N_2]{h\nu} [\ddot{:}N{-}C \equiv N \longrightarrow :C=N_2 \xrightarrow{Cl_2} Cl_2C=N_2] \xrightarrow{-N_2} Cl_2C:$$

Analoge Banden (719,5 und 745,7 cm^{-1}) traten auf, als Molekularstrahlen von Lithium und Tetrachlormethan in Argon gleichzeitig bei 15°K kondensiert wurden[4]. Aus einer Normalkoordinaten-Berechnung wurde ein Wert von 100° für den Cl—C—Cl-Winkel ermittelt. Bereits bei Temp. schwach oberhalb von 30°K verschwanden die Spektren des Dichlor-carbens.

3. Spin-Zustand reagierender Carbene

Die oben beschriebenen spektroskopischen Methoden geben Auskunft über die Elektronenanordnung von Carbenen im Grundzustand. Wie bereits an anderer Stelle erwähnt, muß die Multiplizität nicht notwendigerweise dem Grundzustand entsprechen. Viele Bildungsweisen führen unter Spin-Erhaltung primär zu Singulett-Carbenen. Diese können vor einer Umwandlung in ihren Triplett-Grundzustand vollständig oder wenigstens teilweise abreagieren.

Beziehungen zwischen dem Spin-Zustand und dem chemischen Verhalten eines Carbens wurden zunächst rein intuitiv hergestellt. So wurde postuliert, daß nur Singulett-Carbene zu synchronen, einstufigen Insertions- und Additionsreaktionen

[1] A. M. TROZZOLO u. W. A. GIBBONS, Am. Soc. **89**, 239 (1967).
[2] D. E. MILLIGAN et al., J. Chem. Physics **41**, 1199 (1964).
[3] D. E. MILLIGAN et al., J. Chem. Physics **47**, 703 (1967).
[4] L. ANDREWS, Tetrahedron Letters **1968**, 1423.

befähigt sind[1]. Bei Triplett-Carbenen muß auf dem Wege zum Endprodukt eine Spin-Inversion erfolgen, sie können daher nur mehrstufig reagieren.

Auf dieser Basis wurden die nachfolgenden Kriterien für das chemisch-reaktive Verhalten von Singulett- und Triplett-Carbenen entwickelt[1], die bereits auf S. 103 teilweise erörtert wurden, hier jedoch zusammenfassend dargestellt werden sollen:

① Singulett-Carbene addieren sich an Olefine stereospezifisch,
 Triplett-Carbene nicht-stereospezifisch.

② Triplett-Carbene reagieren rascher mit 1,3-Dienen als mit Monoalkenen.

③ Singulett-Carbene reagieren mit C—H-Bindungen unter Insertion,
 Triplett-Carbene hingegen unter Abstraktion.

Grundlage der beiden ersten Kriterien ist die Vorstellung einer diradikalischen Zwischenstufe bei der Addition von Triplett-Carbenen. Die Lebensdauer einer solchen Zwischenstufe muß zur freien Rotation um C—C-Bindungen ausreichen und eine Mesomeriestabilisierung zulassen:

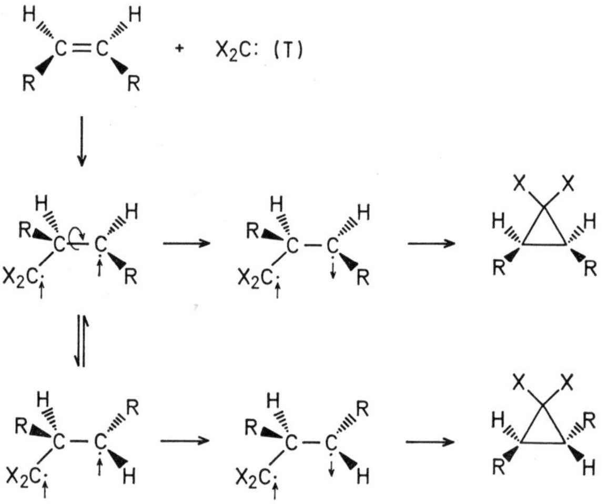

Theoretisch läßt sich diese Vorstellung nicht begründen, da sich die relativen Geschwindigkeiten von Rotation und Ringschluß eines 1,3-Diradikals bislang nur unzulänglich abschätzen lassen[2].

Experimentell sind jedoch die Kriterien durchweg bestätigt worden. Folgende Methoden sind hier aufschlußreich bzw. für die Praxis anwendbar:

① Der Zusatz von Radikalfängern wie Sauerstoff oder Stickoxid führt zur Erhöhung der Stereoselektivität von Carben-Additionen und verringert andererseits die Selektivität der Insertionen in C—H-Bindungen. Durch Abfangen von Triplett-Carbenen und deren Folgeprodukten wird also das chemische Verhalten des Singulett-Carbens weitgehend approximiert.

② Der Zusatz von Inertgasen oder inerten Solventien senkt die Stereoselektivität von Carben-Additionen. In geeigneten Fällen werden dann aus cis/trans-isomeren Alkenen identische Produktgemische erhalten, wie es das Modell der freien Rotationsmöglichkeit (s. oben) fordert. Es werden also Singulett-Carbene durch Zusammenstöße mit inerten Molekeln in den Triplett-Grundzustand überführt.

---

[1] P. S. SKELL u. R. C. WOODWORTH, Am. Soc. **78**, 4496 (1956); **81**, 3383 (1959).

[2] Vgl. die gegensätzlichen Ergebnisse von W. B. DeMORE u. S. W. BENSON (Adv. Photochem. **2**, 219 [1964]) einerseits und die von P. P. GASPAR u. G. S. HAMMOND (in W. KIRMSE „Carbene Chemistry", S. 235, Academic Press, New York 1964) andererseits.

③ Die triplett-sensibilisierte Photolyse von Diazo-Verbindungen und Ketenen führt gleichfalls zu nicht-stereospezifischer Carben-Addition an Olefine und vorwiegender Abstraktion mit C—H-Bindungen. Mit anderen Worten: Der Sensibilisator, z.B. Benzophenon, erfährt im angeregten Zustand eine schnelle Singulett-Triplett-Umwandlung. Im Triplett-Zustand überträgt er dann seine Anregungsenergie auf die Diazoverbindung oder das Keten und erzeugt somit ein Triplett-Carben.

Ein anderer theoretischer Deutungsversuch für das chemische Verhalten von Singulett- und Triplett-Carbenen ist folgender[1]. Es wird von einer erweiterten HMO-Berechnung des Trimethylens ausgegangen:

Ein Komplex aus Singulett-Methylen und Äthylen läßt sich danach durch ein Korrelationsdiagramm mit dem niedrigsten Singulett-Zustand des Trimethylens und damit mit dem Grundzustand des Cyclopropans verknüpfen. Im Gegensatz dazu korreliert der Komplex aus Triplett-Methylen und Äthylen mit einer angeregten Konfiguration des Trimethylens, in der es keine Barrieren für die Rotation um C—C-Bindungen gibt. Auch nach diesen Vorstellungen gelangt man zu dem Ergebnis, daß Singulett-Carbene stereospezifisch und Triplett-Carbene nicht-stereospezifisch addieren; Ursache hierbei ist jedoch nicht der Spin-Zustand selbst — er spielt im benutzten mathematischen Formalismus keine Rolle —, sondern die Symmetrie der Wellenfunktion[1].

V. Intramolekulare Reaktionen von Carbenen und Carbenoiden unter Cyclopropan-Bildung

Die typischen Umsetzungen der Carbene – Addition und Insertion – verlaufen intramolekular, wenn das Carben-Molekül geeignete reaktive Stellen enthält wie z.B. C—H-Bindungen in Alkyl-carbenen oder C≡C-Bindungen in Alken-(1)-yl-carbenen.

Im Bereich der intramolekularen Reaktionen geben Carbene und Carbenoide häufig die gleichen Endprodukte; es werden jedoch quantitative Unterschiede beobachtet, die auf eine höhere Selektivität der Carbenoide zurückgeführt werden können.

Intramolekulare Reaktionen von Dreiring-Carbenen wie etwa die Cyclopropyliden-Allen-Umlagerung oder die Cyclopropylcarben-Cyclobuten-Umlagerung werden auf S. 633 ff. bzw. 646 ff. beschrieben.

Auf S. 333 ff. werden ausführlich die Einschiebungsreaktionen der Alkyl-carbene behandelt, während auf S. 359 ff. die intramolekularen Additionen von Carbenoiden besprochen werden.

a) Intramolekulare Einschiebungs-Reaktionen von Alkyl-carbenen und Analoga

1. Alkalisch-thermische Spaltung von Tosylhydrazonen

Alkyl-carbene liefern unter Verschiebung von β-Wasserstoff Olefine und unter Einschiebung in γ-C—H-Bindungen Cyclopropan-Derivate[2]:

[1] R. Hoffmann, Am. Soc. **90**, 1475 (1968).
[2] L. Friedman u. H. Shechter, Am. Soc. **81**, 5512 (1959).
W. Kirmse u. W. v. E. Doering, Tetrahedron **11**, 266 (1960).
L. Friedman u. J. G. Berger, Am. Soc. **83**, 492, 500 (1961).
G. L. Closs, Am. Soc. **84**, 809 (1962).
E. Schmitz, D. Habisch u. A. Stark, Ang. Ch. **75**, 723 (1963).
W. Kirmse u. B. v. Wedel, A. **666**, 1 (1963).
H. G. Richey u. E. A. Hill, J. Org. Chem. **29**, 421 (1964).

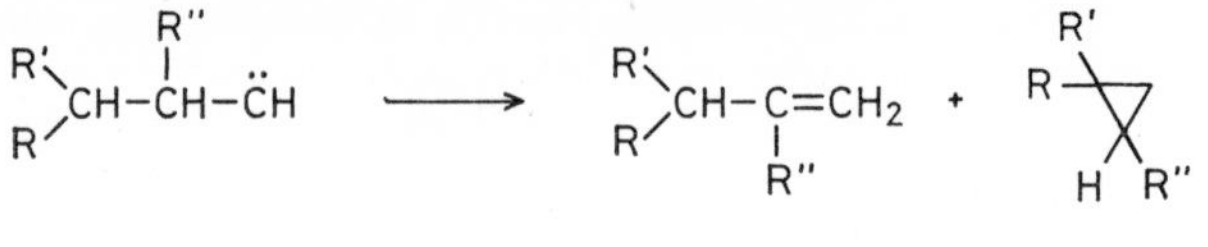

$$R'\!\!\diagdown\!\!\underset{R}{\overset{R''}{\underset{|}{CH\!-\!CH\!-\!\ddot{C}H}}} \longrightarrow \quad R'\!\!\diagdown\!\!\underset{R}{CH\!-\!\underset{\underset{R''}{|}}{C}\!=\!CH_2} \;+\; R\!-\!\!\underset{H\quad R''}{\triangle}\!\!\diagup\!\!R'$$

Umlagerungen treten nur bei kleineren Ringen[1] und bei β-arylsubstituierten Carbenen[2] in größerem Maße auf.

Nachdem zahlreiche Beispiele für diese Reaktionen bekannt wurden, schien eine systematische Untersuchung der Faktoren, die den Verlauf der intramolekularen Carben-Reaktionen bestimmen, wünschenswert. In Anbetracht der statistischen Reaktion des Methylens mit C—H-Bindungen in flüssiger Phase[3] interessierte vor allem die Frage, ob Alkyl-carbene bei ihren intramolekularen Reaktionen eine Selektivität entfalten und wovon diese abhängt. Hierzu wurde eine Reihe verzweigter Alkyl-carbene durch alkalisch-thermische Spaltung von Aldehyd-tosylhydrazonen erzeugt[4]. Diese Reaktion ist bei Ausschluß von Protonen-Donatoren der Thermolyse von Diazo-Verbindungen (s. S. 347) äquivalent[5,6].

Die Versuche zur alkalisch-thermischen Spaltung wurden durch Eintropfen einer Lösung des entsprechenden Tosylhydrazons in Bis-[2-methoxy-äthyl]-äther (Diglyme) in eine siedende Suspension von Natriummethanolat in Diglyme ausgeführt (~ 170°). Methanol und leichtflüchtige Reaktionsprodukte wurden während der Reaktion abdestilliert. Die Gesamtausbeuten an Kohlenwasserstoffen betrugen 70–90%. Die Analyse der Reaktionsprodukte erfolgte gaschromatographisch, die Identifizierung durch Vergleich mit authentischen Proben. In manchen Fällen wurden zur besseren Trennung die Olefine hydriert[4].

Tab. 49 (S. 338) enthält eine Übersicht über die Ergebnisse der genannten Studien der alkalisch-thermischen Spaltung einiger Tosylhydrazone[4]. Aus diesen Studien ergaben sich zunächst die drei nachfolgenden Aspekte[4]:

① Konkurrierende Bildung von Olefinen und Cyclopropanen

Besonders drastisch unterscheidet sich das Produktverhältnis Olefin/Cyclopropan bei Cyclopentyl-(I) und Cyclohexyl-carben(II). Bei den aliphatischen Carbenen mit β-Wasserstoff (vgl. III–V, XII in Tab. 49 S. 338) variiert hingegen dieses Verhältnis nur wenig und liegt zwischen den Extremen von I und II:

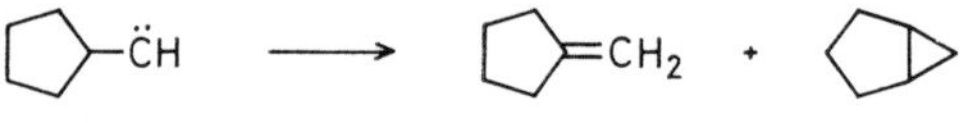

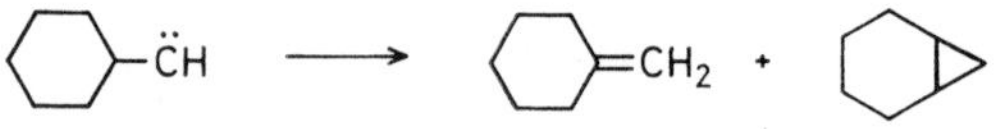

[1] L. FRIEDMAN u. H. SHECHTER, Am. Soc. **82**, 1002 (1960).
   L. FRIEDMAN et al., Am. Soc. **87**, 659 (1965).
[2] L. HELLERMAN u. R. L. GARNER, Am. Soc. **57**, 139 (1935).
   H. PHILIP u. I. KEATING, Tetrahedron Letters **1961**, 523.
   P. B. SARGEANT u. H. SHECHTER, Tetrahedron Letters **1964**, 3957.
[3] W. v. E. DOERING et al., Am. Soc. **78**, 3224 (1956).
   D. B. RICHARDSON, M. C. SIMMONS u. I. DVORETZKY, Am. Soc. **82**, 5001 (1960); **83**, 1934 (1961).
[4] W. KIRMSE u. G. WÄCHTERSHÄUSER, Tetrahedron **22**, 63 (1966).
[5] L. FRIEDMAN u. H. SHECHTER, Am. Soc. **81**, 5512 (1959).
[6] J. W. POWELL u. M. C. WHITING, Tetrahedron **7**, 305 (1959).

Weitgehend ähnliche Ergebnisse waren bereits bei den Eliminierungsreaktionen von Cyclo-alkylmethylchloriden bekannt geworden[1]. Wegen des unbekannten Anteils an β-Eliminierung bei den Versuchen[2] war jedoch diese Bestätigung durchaus wünschenswert. Die hohe Ausbeute an dem Cyclopropan-Derivat aus I (S. 334) legt nahe, daß eine nahezu planare Anordnung des Carben-Kohlenstoffs, des benachbarten Ring-C-Atoms und der C—H-Bindung für die intramolekulare Insertion besonders günstig ist[1]. Im Fall von II muß dagegen zur Einstellung einer solchen ekliptischen Konformation eine erhebliche Energie aufgebracht werden.

② Konkurrierende Bildung *cis/trans*-isomerer Cyclopropane

Bei aliphatischen Carbenen mit „freier Drehbarkeit" von C—C-Bindungen ist im Ausgangszustand eine gestaffelte Konformation begünstigt. Im Cyclopropan als dem Endprodukt der Insertionsreaktion stehen die Substituenten jedoch ekliptisch.

Im Übergangszustand sollten demzufolge stärkere ekliptische Wechselwirkungen als im Ausgangszustand auftreten und so das Energieniveau mitbestimmen. Mit geringen Abänderungen gilt diese Überlegung auch, wenn die Einstellung des Konformationsgleichgewichtes nicht erst auf der Stufe des Carbens, sondern der Diazo-Verbindung erfolgt.

Man darf daher annehmen, daß aus geeigneten Alkyl-carbenen A mehr *trans-* als *cis*-1,2-Dialkyl-cyclopropane entstehen, da der entsprechende Übergangszustand A_1' energiereicher ist als A'_2. In Tab. 49 (S. 338) sind drei Beispiele (III: R=R'=CH$_3$; IV: R=CH$_3$,R'=C$_2$H$_5$; V: R=C$_2$H$_5$,R'=CH$_3$) verzeichnet, von denen III bereits früher untersucht worden ist[2]. In Einklang mit der Erwartung ist das *cis/trans*-Verhältnis bei IV(0,19) und V(0,18) annähernd gleich und kleiner als bei III(0,30):

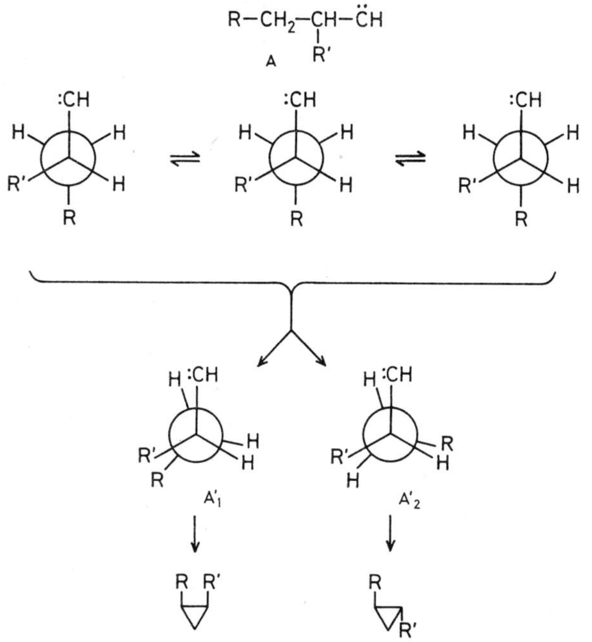

③ Konkurrierende Bildung strukturisomerer Cyclopropane

Bei Carbenen des Typs B (S. 336) kann Einschiebung in die primären (1°) C—H-Bindungen der Methyl-Gruppe und in die sekundären (2°) C—H-Bindungen der R—CH$_2$-Gruppe erfolgen. Diese Konkurrenz wird nicht nur von der Bindungsart, sondern auch von sterischen Faktoren bestimmt. Von den theoretisch möglichen, annähernd ekliptischen Übergangszuständen ist B_1' (1°-Insertion) frei von Alkyl-Alkyl-Wechselwirkungen. Analoges gilt für B'_2, wenn R'=H. Mit ande-

[1] H. G. RICHEY u. E. A. HILL, J. Org. Chem. **29**, 421 (1964).

[2] G. L. CLOSS, Am. Soc. **84**, 809 (1962).

ren Worten: nur die Bildung von Monoalkyl-, 1,1-Dialkyl- und *trans*-1,2-Dialkyl-cyclopropanen erfolgt also ohne erhebliche sterische Einflüsse. Nur die konkurrierende Bildung derartiger Produkte vermag Auskunft über eine Bindungsselektivität zu geben. Wie aus den Carbenen III und IV (s. Tab. 49, S. 338) ersichtlich wird, wird in der Tat die sekundäre C—H-Bindung bei der intramolekularen Insertion gegenüber der primären bevorzugt: die Konkurrenzkonstanten $2°$ (*trans*)/$1°$ sind größer als 1. Die Einschiebung in sekundäre C—H-Bindungen unter Bildung von *cis*-1,2-Dialkyl- oder 1,1,2-Trialkyl-cyclopropanen unterliegt einer sterischen Behinderung (s. Übergangszustand B'_3 mit $R'=H$ oder CH_3 und einer Alkyl-Alkyl-Wechselwirkung).

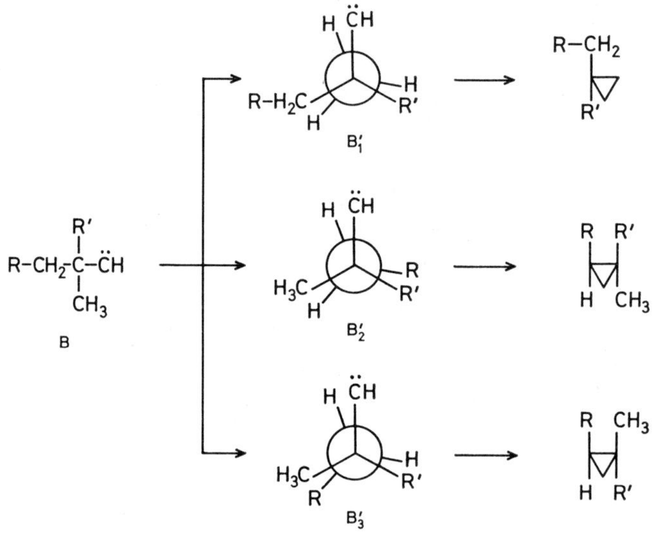

Hieraus resultiert eine scheinbare Bevorzugung der primären C—H-Bindungen: die Konkurrenzkonstanten $2°$(*cis*)/$1°$ (III, IV) bzw. $2°/1°$(VI–X) sind kleiner als 1. Werden die sterischen Wechselwirkungen im Übergangszustand als additive Größen betrachtet, so sollten folgende Konkurrenzkonstanten $2°/1°$ übereinstimmen:

(III) (*cis*) = (VI);   (IV) (*cis*) = (VII) .

Gefunden wurde hingegen:

(III) (*cis*) = 0,49 < (VI) = 0,78 und (IV) (*cis*) = 0,47 < (VII) = 0,85.

Die Einführung einer zusätzlichen Methyl-Gruppe scheint – bei offenbar gleichen sterischen Verhältnissen – eine Zunahme der Bindungsselektivität zu bewirken. Desgleichen führt eine Vergrößerung von R bei den Carbenen VI–VIII zu einem Anstieg der Konkurrenzkonstanten $2°/1°$, während aus rein sterischen Gründen ein Absinken zu erwarten wäre. Der inverse Effekt kann wieder nur eine Erhöhung der Bindungsselektivität sein, die ganz offensichtlich mit wachsender Molekülgröße zunimmt. Für ein solches Phänomen können zwei naheliegende Erklärungen diskutiert werden:

Einmal kann sich ein induktiver Effekt der Alkyl-Gruppen sowohl auf den Carben-Kohlenstoff im Sinne einer Verminderung der Elektrophilie als auch auf die C—H-Bindung im Sinne einer Erhöhung der Elektronendichte auswirken.

Zum anderen kann ein „Abkühlungseffekt" die Selektivität des Carbens erhöhen, falls der intramolekulare Energieausgleich rascher als die Reaktion selber, diese wiederum rascher als der Energieausgleich mit der Umgebung erfolgt. Der Einfluß einer Überschußenergie ist bei vielen Carben-Reaktionen bekannt geworden[1]. Obgleich der Diazo-Zerfall selbst endotherm ist[2], benötigt er doch andererseits eine erhebliche Aktivierungsenergie, die zunächst in den Molekülfragmenten verbleibt.

---

[1] Vgl. H. M. FREY, „*Excess Energy in Carbene Reactions*", in W. KIRMSE, „*Carbene Chemistry*", S. 217–233, Academic Press, New York · London, 1964.

[2] C. B. MOORE u. G. C. PIMENTEL, J. Chem. Physics **41**, 3504 (1964).

G. O. SCHENCK et al., Tetrahedron **21**, 1293 (1965).

Die Untersuchung der Carbene VIII–XI (Tab. 49, S. 338) führte allerdings nicht zu einer Klärung des Problems, da sich deren Konkurrenzkonstanten nur noch geringfügig ändern.

In Tab. 49 (S. 338) sind außerdem zwei Beispiele (XII und XIII) aufgeführt, in denen primäre und tertiäre C—H-Bindungen um den Carben-Kohlenstoff in Konkurrenz treten. Die Insertion in eine tertiäre C—H-Bindung läßt sich nicht realisieren, ohne daß im Übergangszustand wenigstens eine Alkyl-Alkyl-Wechselwirkung auftritt(XII). Ein Vergleich von XII mit VI (gleiche sterische Situation und gleiche Molegröße) spricht für eine geringe Bevorzugung von tertiärem gegenüber sekundärem Wasserstoff. Bei Übergang von XII zu XIII bewirkt ganz offensichtlich die zusätzliche sterische Behinderung durch zwei Alkyl-Alkyl-Wechselwirkungen im Übergangszustand ein starkes Absinken der Konkurrenzkonstanten.

Zusammenfassend können aus den genannten Studien der alkalisch-thermischen Zersetzung von Tosylhydrazonen die folgenden Einflüsse auf die intramolekularen Einschiebungsreaktionen der Alkyl-carbene gefolgert werden[1]:

① Eine Bindungsselektivität zugunsten von sekundären und (wahrscheinlich) tertiären C—H-Bindungen, wie sie auch ganz ähnlich für die intramolekularen Einschiebungsreaktionen von Alkoxycarbonyl-[2] und Aryl-carbenen[3] beobachtet wurde (s. S. 269ff. bzw. 256ff.).

② Eine sterische Hinderung bei der Bildung von cis-Dialkyl- und Trialkyl-cyclopropanen.

③ Eine Zunahme der Bindungsselektivität mit wachsender Molekülgröße, deren Ursache noch einer Klärung bedarf.

Der Einfluß von Substituenten auf die C—H-Einschiebung in γ-Stellung läßt sich gut an der Bildung strukturisomerer Cyclopropane aus substituierten tert.-Butyl-carbenen ablesen[4]:

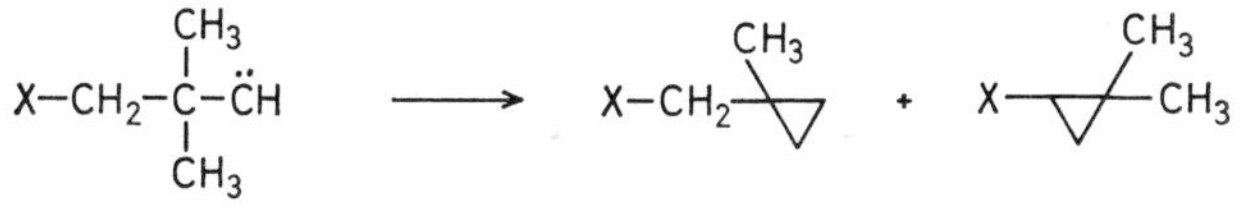

Der Einfluß des Substituenten X auf die Reaktivität der Methyl-Gruppen dürfte nur gering sein, so daß die Insertion in die primären C—H-Bindungen daher als „interner Standard" dienen kann[4]. Aus der folgenden Aufstellung geht hervor, daß Phenyl-, Vinyl-, Methoxy- und Dimethylamino-Gruppen die Einschiebung in benachbarte C—H-Bindungen erschweren[4]:

X	CH_3	$HC{=}CH_2$	C_6H_5	$N(CH_3)_2$	OCH_3
sek. C—H/prim. C—H	0,78	0,43	0,50	0,21	0,06

Das Bild der Substituentenwirkung entspricht weitgehend einem induktiven Effekt, während die Mesomeriebefähigung offensichtlich keine bedeutende Rolle spielt. Das spricht gegen das Auftreten von Partialladungen und für einen Synchronprozeß, bei dem die Wasserstoffübertragung gleichzeitig mit der Knüpfung der neuen C—C-Bindung erfolgt[4].

Die sterischen Voraussetzungen für einen derartigen Synchronvorgang sind bei der γ-C—H-Insertion gegeben: bei nur geringer Deformation des Moleküls kann eine Überlappung der C—H-

---

[1] W. Kirmse u. G. Wächtershäuser, Tetrahedron **22**, 63 (1966).

[2] W. v. E. Doering u. L. H. Knox, Am. Soc. **78**, 4947 (1956); **83**, 1989 (1961).

[3] C. D. Gutsche, G. L. Bachman u. R. S. Coffey, Tetrahedron **18**, 617 (1962).

[4] W. Kirmse et al., B. **99**, 2579 (1966).

Tab. 49. Cyclopropane durch alkalisch-thermische Spaltung einiger Tosyl-hydrazone[1] (Folgeprodukte von verzweigten Alkyl-carbenen)

Carben R—ĊH aus Tosylhydrazon R—CH=N—NHSO$_2$C$_7$H$_7$	Produkte	Relative Ausbeute[%]	Konkurrenz[a] 2°/1° trans	cis
Butyl-(2)-carben, III	2-Methyl-buten-(1)	63,5	1,60	0,49
	Äthyl-cyclopropan	21,5		
	trans-1,2-Dimethyl-cyclopropan	11,5		
	cis-1,2-Dimethyl-cyclopropan	3,5		
Pentyl-(2)-carben, IV	2-Methyl-penten-(1)	62		
	Butyl-cyclopropan	19	2,54	0,47
	trans-2-Methyl-1-äthyl-cyclopropan	16		
	cis-2-Methyl-1-äthyl-cyclopropan	3,0		
Pentyl-(3)-carben, V	3-Methylen-pentan	73,5		
	trans-2-Methyl-1-äthyl-cyclopropan	22,5		
	cis-2-Methyl-1-äthyl-cyclopropan	4,0		
2-Methyl-butyl-(2)-carben, VI	1-Methyl-1-äthyl-cyclopropan	79,5	0,78	
	1,1,2-Trimethyl-cyclopropan	20,5		
2-Methyl-pentyl-(2)-carben, VII	1-Methyl-1-propyl-cyclopropan	78	0,85	
	2,2-Dimethyl-1-äthyl-cyclopropan	22		
2-Methyl-hexyl-(2)-carben, VIII	1-Methyl-1-butyl-cyclopropan	76	0,95	
	2,2-Dimethyl-1-propyl-cyclopropan	24		
2,4-Dimethyl-pentyl-(2)-carben, IX	1-Methyl-1-(2-methyl-propyl)-cyclo-propan	76	0,95	
	2,2-Dimethyl-1-isopropyl-cyclopropan	24		
2-Methyl-octyl-(2)-carben, X	1-Methyl-1-hexyl-cyclopropan	75,5	0,97	
	2,2-Dimethyl-1-pentyl-cyclopropan	24,5		
2-Methyl-4-äthyl-hexyl-(2)-carben, XI	1-Methyl-1-(2-äthyl-butyl)-cyclopropan	75	1,00	
	2,2-Dimethyl-2-pentyl-(3)-cyclopropan	25		
3-Methyl-butyl-(2)-carben, XII	2,3-Dimethyl-buten-(1)	71,0	0,83	
	Isopropyl-cyclopropan	19,6		
	1,1,2-Trimethyl-cyclopropan	5,4		
2,3-Dimethyl-butyl-(2)-carben, XIII	1-Methyl-1-isopropyl-cyclopropan	94	0,38	
	1,1,2,2-Tetramethyl-cyclopropan	6		

[a] 2°/1° = sekundäre C—H-Bindung/primäre C—H-Bindung
3°/1° = tert. C—H-Bindung/primäre C—H-Bindung
Die Konkurrenzkonstanten beziehen sich *auf jeweils eine C—H-Bindung* und sind aus den Produktverhältnissen durch statistische Korrektur (Division durch die Zahl gleichwertiger C—H-Bindungen) abgeleitet.

[1] W. Kirmse u. G. Wächtershäuser, Tetrahedron **22**, 63 (1966).

Bindungen mit dem vakanten p-Orbital des (Singulett-)Carbens und gleichzeitig ein Angriff des nicht-bindenden Elektronenpaars auf den γ-Kohlenstoff eintreten:

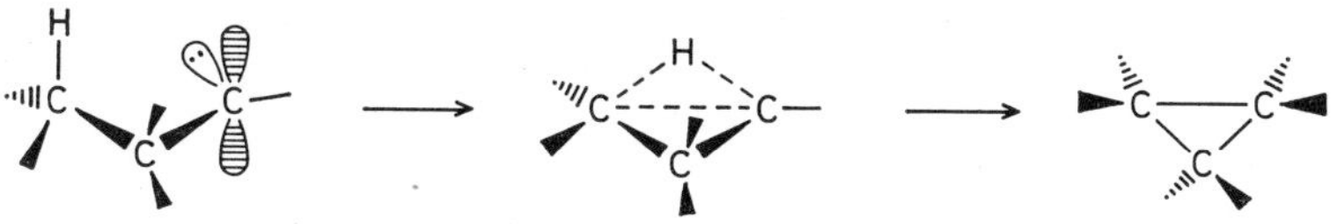

Die Wirkung von β-Substituenten scheint der von γ-Substituenten entgegengesetzt zu sein. Wie durch intramolekulare Konkurrenz und durch Vergleich mit geeigneten Alkyl-carbenen gezeigt werden konnte[1,2], fördern β-Alkoxy-Gruppen die Wanderung weiterer β-Substituenten (H, Alkyl, Alkoxyl) zum Carben-Kohlenstoff. Die untersuchten β-Alkoxy-alkyl-carbene wurden hierzu aus Alkoxyketon-tosylhydrazonen und β-Alkoxy-diazoalkanen erzeugt; als Endprodukte wurden die entsprechenden Enoläther und Alkoxy-cyclopropane isoliert[1,2].

Für die Verschiebung eines β-Substituenten unter Olefin-Bildung ist eine Synchronprozeß-Formulierung wie für die Cyclopropan-Bildung wegen der ungünstigen Orientierung des besetzten sp²-Orbitals nicht möglich[2]. Hier wird die Wanderung des Substituenten der Ausbildung einer Doppelbindung vorauseilen, wie es mit Gl. ② stark übertreibend in zwei Reaktionsschritten dargestellt ist. Eine in β-Stellung befindliche Alkoxy-Gruppe sollte diesen Prozeß durch Stabilisierung der positiven (Partial-)Ladung noch fördern[2]:

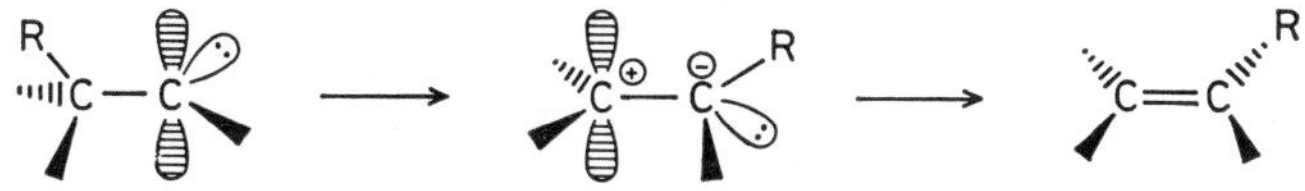

Die bislang mitgeteilten Reaktionen der β-Alkoxy-alkyl-carbene zeigen Stereoselektivität, wenn die Olefin-Bildung zu *cis/trans*-Isomeren führt[2]. Häufig, jedoch nicht immer, entsteht bevorzugt die thermodynamisch stabilere Verbindung, so daß daher die Isomerenverhältnisse nicht mit „product approach control" erklärt werden können. Ein relativ konsistentes Bild ergibt sich, wenn man die *anti*-Stellung der Alkoxy-Gruppe R'O zum nicht-bindenden Elektronenpaar als Vorzugskonformation des Carbens annimmt[2] (vgl. Gl. ③). Im gebildeten Olefin erscheint dann der umgelagerte Rest R bevorzugt in der *trans*-Stellung zur Alkoxy-Gruppe. Dieser Regel fügen sich alle bislang untersuchten Isomerenpaare ein[2]:

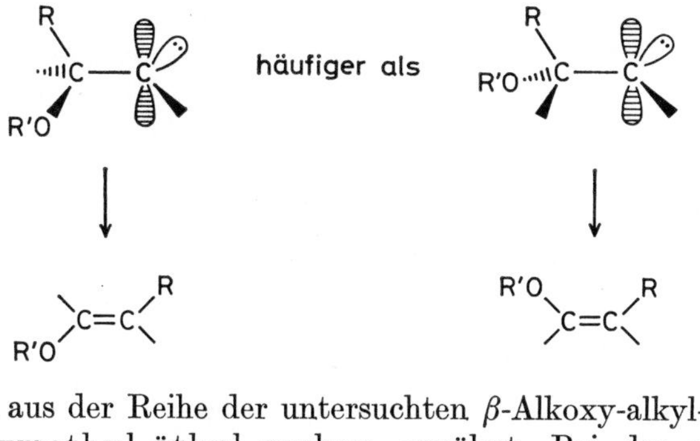

Als Beispiel aus der Reihe der untersuchten β-Alkoxy-alkyl-carbene[2] sei hier nur das Methoxymethyl-äthyl-carben erwähnt. Bei der alkalisch-thermischen Spaltung des 1-Methoxy-butanon-(2)-tosylhydrazons (I, S. 340) erfolgt die Wasserstoff-

---

[1] W. Kirmse u. M. Buschhoff, Ang. Ch. **77**, 681 (1965).
[2] W. Kirmse u. M. Buschhoff, B. **100**, 1491 (1967).

Verschiebung bevorzugt von der Methoxymethyl-Gruppe her: *1-Methoxy-butene-(1)*
und *1-Methoxy-butene-(2)* entstehen[1] im Verhältnis 5,3:1:

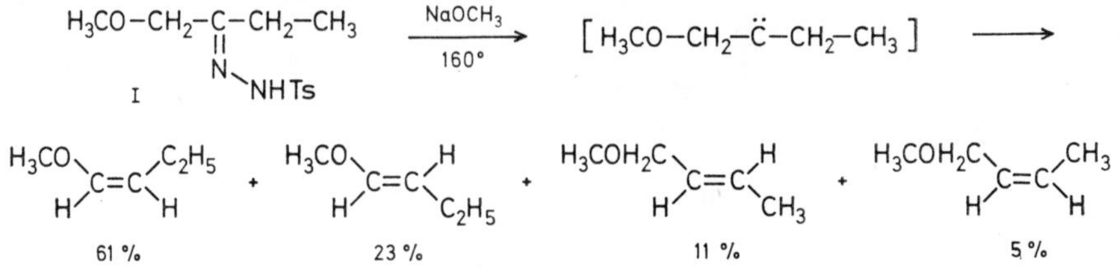

Ähnlich verhalten sich auch die β-Hydroxy-alkyl-carbene. Hier bewähren
sich Hydroxyalkyl-diazirine als Ausgangsmaterial; die entsprechenden Diazo-Verbindungen sind nicht isolierbar. Die thermische Zersetzung des 3-Methyl-3-hydroxy-
methyl-diazirins (II) führte ausschließlich zu Propionaldehyd[2].

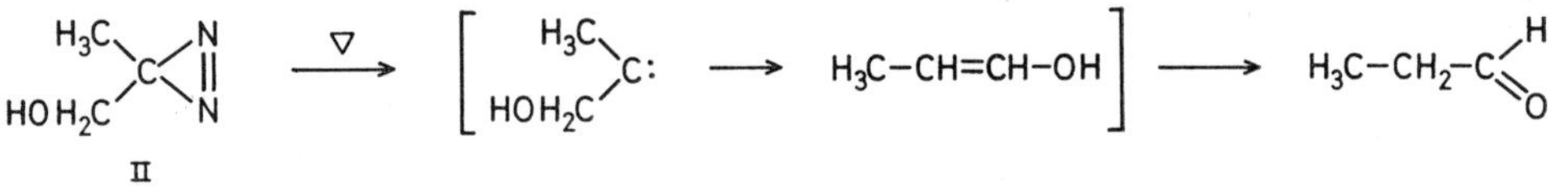

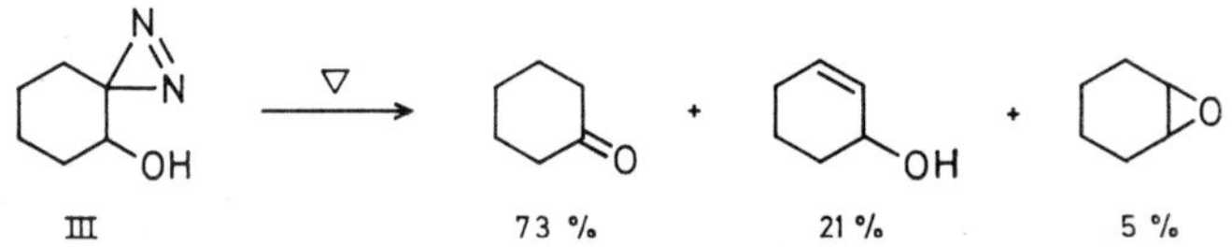

2-Hydroxy-cyclohexan-⟨1-spiro-3⟩-diazirin (III) lieferte eine größere Anzahl von Reaktionsprodukten, doch überwiegt auch hier die Wasserstoff-Verschiebung von der Hydroxymethylen-
Gruppe her mit Cyclohexanon als Endprodukt[3].

2. Zum Vergleich der katalytischen, thermischen und photolytischen Zersetzung von Diazoalkanen

Nachdem Strukturabhängigkeit[4] und Substituenteneinfluß[5] der Cyclopropan-Bildung als Folge einer Insertion von Alkyl-carbenen in γ-C—H-Bindungen eingehend
untersucht worden war (s. S. 333ff.), wurde insbesondere die Frage interessant, ob und
wann bei katalytischer Zersetzung von Diazoalkanen intramolekulare Einschiebung zu Cyclopropanen eintritt[6]. Die genannten Alkyl-carbene (s. S. 333ff.) wurden
meist durch alkalisch-thermische Spaltung von Tosylhydrazonen erzeugt[7].
Diese Reaktion ist der Thermolyse von Diazo-Verbindungen äquivalent,
wenn Protonen-Donatoren ausgeschlossen sind[7]. Als gezeigt wurde, daß man durch
trockene Pyrolyse von Tosylhydrazon-Lithiumsalzen im Vakuum die interessierenden
Diazoalkane in Substanz herstellen kann[8], wurde es möglich, den Einfluß der Reaktionsbedingungen auf den Diazoalkan-Zerfall zu prüfen.

[1] W. Kirmse u. M. Buschhoff, B. **100**, 1491 (1967).
[2] E. Schmitz et al., B. **100**, 2093 (1967).
[3] E. Schmitz et al., B. **98**, 2509 (1965).
[4] W. Kirmse u. G. Wächtershäuser, Tetrahedron **22**, 63 (1966).
[5] W. Kirmse et al., B. **99**, 2579 (1966).
[6] W. Kirmse u. K. Horn, B. **100**, 2698 (1967).
[7] J. W. Powell u. M. C. Whiting, Tetrahedron **7**, 305 (1959).
   L. Friedman u. H. Shechter, Am. Soc. **81**, 5512 (1959).
[8] H. Shechter et al., Am. Soc. **87**, 935 (1965).

Für die katalytische Zersetzung von Diazoalkanen wurde zunächst erwartet[1], daß bei einer solchen „carbenoiden" Insertion ähnliche Selektivitätsunterschiede gegenüber der Thermolyse von Diazoalkanen auftreten würden, wie sie bei α-Eliminierungen beobachtet werden konnten[2] (s. S. 352 ff.). Die untersuchten Diazoalkane und ihre möglichen Reaktionsprodukte sind in Tab. 50 (S. 342) zusammengestellt, wobei von *cis/trans*-isomeren Olefinen nur eine Form aufgenommen ist. Zum Zwecke der besseren Übersicht empfiehlt es sich, die Reaktionsprodukte nach ihrer möglichen Bildungsweise in 3 Gruppen zusammenzufassen:

① Bei carbenoiden Reaktionen sind neben Cyclopropanen Olefine zu erwarten, die durch Alkyl- oder Wasserstoff-Verschiebung gebildet werden, z. B.:

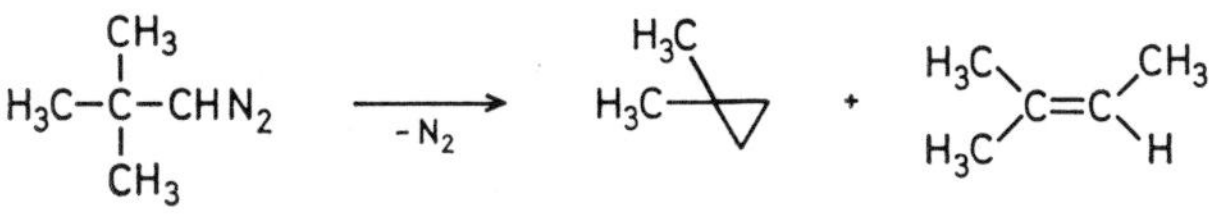

$$\underset{\text{I}}{H_3C-\overset{\displaystyle CH_3}{\underset{\displaystyle CH_3}{C}}-CHN_2} \xrightarrow{-N_2} \underset{\text{II}}{H_3C-\!\!\triangle\!\!-CH_3} \;+\; \underset{\text{III}}{\overset{H_3C}{\underset{H_3C}{>}}C=C\overset{CH_3}{\underset{H}{<}}}$$

② Die gleichen Olefine entstehen auch bei einer Lewis-Säure-Katalyse und sind daher in Tab. 50 (S. 342) als **Le**-Olefine bezeichnet; z. B.:

$$\text{I} \;\xrightarrow[{-N_2}]{+M^{\oplus}}\; (CH_3)_3C-\overset{\oplus}{C}H-M \;\longrightarrow\; (CH_3)_2\overset{\oplus}{C}-\underset{CH_3}{\overset{|}{C}}H-M \;\xrightarrow{-M^{\oplus}}\; \text{III}$$

③ Protonen-Katalyse liefert außer den Le-Olefinen weitere ungesättigte Kohlenwasserstoffe, die sich von Carbeniumionen durch Eliminierung eines Protons ableiten (**Pr**-Olefine); z. B.:

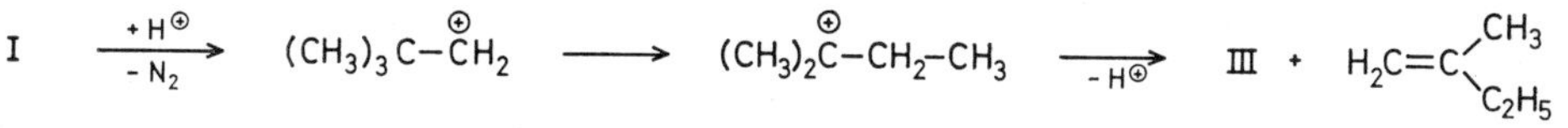

$$\text{I} \;\xrightarrow[{-N_2}]{+H^{\oplus}}\; (CH_3)_3C-\overset{\oplus}{C}H_2 \;\longrightarrow\; (CH_3)_2\overset{\oplus}{C}-CH_2-CH_3 \;\xrightarrow{-H^{\oplus}}\; \text{III} \;+\; \underset{\text{IV}}{H_2C=C\overset{CH_3}{\underset{C_2H_5}{<}}}$$

a) Metallsalz-Katalyse

Bei der Thermolyse der Diazo-neoalkane I, V und XVI (s. Tab. 50, S. 342) werden überwiegend Cyclopropan-Derivate und nur geringe Mengen an Olefinen gebildet[3,4]. Bei katalytischer Zersetzung durch Metallsalze ist hingegen meist die Olefin-Bildung Hauptreaktion[1] (s. Tab. 50, S. 342). Neben den erwarteten **Le**-Olefinen entstehen oft auch **Pr**-Olefine, für deren Bildung entweder unvollkommene Trocknung der Metallsalze oder auch eine nachträgliche Isomerisierung der **Le**-Olefine verantwortlich gemacht werden kann. Silbersalze und Quecksilber(II)-chlorid geben einen besonders geringen Anteil an **Pr**-Olefinen[1].

Bei katalytischer Zersetzung von Diazo-neoalkanen durch Kupfer- und Silbersalze werden neben Olefinen beträchtliche Mengen an Cyclopropan-Verbindungen gebildet[1], wobei die Zusammensetzung der Produktgemische in noch undurchsichtiger Weise vom Anion und vom Solvens abhängt. Durchweg ist jedoch bei der Silbersalz-Katalyse die Gesamtausbeute höher als bei der Kupfersalz-Katalyse.

---

[1] W. KIRMSE u. K. HORN, B. **100**, 2698 (1967).
[2] W. KIRMSE u. G. WÄCHTERSHÄUSER, Tetrahedron **22**, 73 (1966).
[3] W. KIRMSE u. G. WÄCHTERSHÄUSER, Tetrahedron **22**, 63 (1966).
[4] Vgl. J. HINE, „*Divalent Carbon*", S. 110, Ronald Press Co., New York 1964.
    W. KIRMSE, „*Carbene Chemistry*", Kap. 3, Academic Press Inc., New York · London 1964.

Tab. 50. Reaktionsprodukte bei der Zersetzung von Diazoalkanen[1] (Metallsalz-Katalyse)*

Diazoalkan	Gesamtausb. [% d.Th.]	Cyclopropane	Anteil [%]	Le-Olefine	Anteil [%]	Pr-Olefine	Anteil [%]
1-Diazo-2,2-dimethyl-propan I	13–38	1,1-Dimethyl-cyclopropan II	8–30	2-Methyl-buten-(2) III	43–52	2-Methyl-buten-(1) IV	18–48
1-Diazo-2,2-diäthyl-butan V	18–32	2-Methyl-1,1-diäthyl-cyclopropan VI	71–90	3-Äthyl-hexen-(3) VII	9–17	3-Äthyl-hexen-(2) VIII	1–13
1-Diazo-2,2-dimethyl-butan IX	9–23	1,1,2-Trimethyl-cyclopropan X + 1-Methyl-2-äthyl-cyclopropan XI	46–63	3-Methyl-penten-(2) XII, 2-Methyl-penten-(2) XIII	33–42	3-Methylen-pentan XIV, 2-Methyl-penten-(1) XV	4–13
1-Diazo-2,2,3-trimethyl-butan XVI	12[a]	1,1,2,2-Tetramethyl-cyclopropan XVII + 1-Methyl-1-isopropyl-cyclopropan XVIII	82	3,4-Dimethyl-penten-(2) XIX, 2,4-Dimethyl-penten-(2) XX	~18	2,3-Dimethyl-penten-(2) XXI + 2-Methyl-3-methylen-penten XXII + 2,4-Dimethyl-penten-(1) XXIII	<1
1-Diazo-2-äthyl-butan XXIV	57[b]	2-Methyl-1-äthyl-cyclopropan cis XXV trans XXVI	2	3-Methylen-pentan XXVII + Hexen-(2) XXVIII	98	3-Methyl-penten-(2) XXIX + Hexen-(3) XXX	0
Cyclohexyl-diazomethan XXXI	—[c]	Bicyclo[4.1.0]heptan XXXII	~1	Methylen-cyclohexan XXXIII + Cyclohepten XXXIV	98–99	1-Methyl-cyclohexen-(1) XXXV	~1
1-Diazo-pentan XXXVI	84[d]	Äthyl-cyclopropan XXXVII	~2	Penten-(1) XXXVIII	~98	Penten-(2) XXXIX	~1

* Gesamtausbeuten und Zusammensetzung der Gemische sind abhängig vor der Art des Katalysators und der Solventien und schwanken daher naturgemäß.
[a] mit CuCNS in Diäthyläther.   [c] mit CuCNS in Pentan.
[b] mit CuCNS in Methyl-cyclohexan   [d] mit Ag₂SO₄ in Methyl-cyclohexan

[1] W. Kirmse u. K. Horn, B. 100, 2698 (1967).

Als Produkte intermolekularer Reaktionen konnten bei kupfersalzkatalysierter Zersetzung von IXL und XL nachgewiesen werden[1]:

$$I \text{ (s. S. 341)} \xrightarrow{CuX} II + III + IV + \underset{\underset{CH_3}{|}}{\overset{\overset{CH_3}{|}}{H_3C-C}}-CH=CH-\underset{\underset{CH_3}{|}}{\overset{\overset{CH_3}{|}}{C}}-CH_3 + \underset{\underset{CH_3}{|}}{\overset{\overset{CH_3}{|}}{H_3C-C}}-CH=N-N=CH-\underset{\underset{CH_3}{|}}{\overset{\overset{CH_3}{|}}{C}}-CH_3$$

	XL	XIL
CuCl:	70 %	30 %
CuJ :	82 %	18 %

Schon lange ist bekannt, daß Silber-Ionen die intramolekulare Wolff-Umlagerung von Diazoketonen katalysieren, während durch Kupfer(salz)-Katalyse die formale Addition von Keto-carbenen an Mehrfachbindungen erreicht werden kann[2].

Tab. 50 (S. 342) liefert Aufschluß über die Strukturabhängigkeit der Cyclopropan-Bildung bei Verwendung des gleichen Katalysators. Stets ist die Ausbeute an Cyclopropan-Derivat bei I (1-Diazo-2,2-dimethyl-propan) am geringsten und bei V (1-Diazo-2,2-diäthyl-butan) am größten. Eine sterische Behinderung der Diazo-Gruppe scheint die Bildung von Cyclopropanen zu begünstigen[1].

Die Selektivität der intramolekularen Insertion liefert wichtige Informationen. Bei 1-Diazo-2,2-dimethyl-butan (IX) konkurrieren primäre und sekundäre, bei 1-Diazo-2,2,3-trimethyl-butan (XVI) primäre und tertiäre C—H-Bindungen um den carbenoiden Kohlenstoff[1]. Die jeweils auf eine C—H-Bindung bezogenen Konkurrenzkonstanten $2°/1°$ (sekundär/primär) und $3°/1°$ (tertiär/primär) sind bei katalytischer Zersetzung von IX und XVI deutlich höher als bei der Thermolyse oder Photolyse (vgl. Tab. 50, S. 342)[1]. Daraus wäre zu folgern, daß die katalytisch erzeugten carbenoiden Zwischenstufen selektiver zugunsten der sekundären und tertiären C—H-Bindungen als die freien Carbene sind. Fast ausnahmslos sind die Konkurrenzkonstanten für XVI kleiner als für IX. Das ist auf eine besonders große sterische Behinderung der Einschiebung in die tertiäre C—H-Bindung von XVI zurückzuführen[1].

Bei katalytischer Zersetzung von Diazoalkanen durch Metallsalze werden die nicht-bindenden Elektronen des Diazo- bzw. Carben-Kohlenstoffs durch die Metall-Ionen beansprucht. Hierdurch wird der Carben-Kohlenstoff elektropositiver und elektrophiler als im „freien" Carben.

Die intramolekulare Insertion begünstigt zunehmend die sekundären und tertiären C—H-Bindungen. Alkyl-Wanderungen, typische Reaktionen von Carbeniumionen, treten auf.

Nach diesen Vorstellungen muß man einen gleitenden Übergang zwischen Carben-Reaktion und Lewis-Säure-Katalyse annehmen. Letztere ist danach als Grenzfall einer besonders festen Bindung zwischen Carben-Kohlenstoff und Katalysator zu betrachten; sie führt nicht mehr zur Cyclopropan-Bildung, sondern ausschließlich zur Alkyl-Wanderung.

Es ist weiterhin durchaus verständlich, daß die Bindung zwischen Carben-Kohlenstoff und Metall-Kation auch vom Anion des Metallsalzes beeinflußt wird, da sich die meisten hier durchgeführten Katalysen wohl heterogen an der Kristalloberfläche abspielen. Ferner wird bei gleichem Katalysator dessen Bindung um so lockerer sein, je stärker der Carben-Kohlenstoff sterisch behindert ist.

Die Diazoalkane (1-Diazo-2-äthyl-butan, Cyclohexyl-diazomethan und 1-Diazo-pentan) liefern bei der Thermolyse vorwiegend Olefine unter Verschiebung des β-Wasserstoffs[2,3]. Diese Tendenz

[1] W. KIRMSE u. K. HORN, B, **100**, 2698 (1967).
[2] Vgl J. HINE, „*Divalent Carbon*", S. 110, Ronald Press Co., New York 1964.
W. KIRMSE, „*Carbene Chemistry*", Kap. 3, Academic Press Inc., New York · London 1964.
[3] W. KIRMSE u. G. WÄCHTERSHÄUSER, Tetrahedron **22**, 63 (1966).

verstärkt sich bei katalytischer Zersetzung, insbesondere bei Verwendung von Kupfersalzen[1]. Lediglich aus 1-Diazo-2-äthyl-butan entstehen nennenswerte Mengen an Cyclopropan-Derivaten [*cis*- und *trans-2-Methyl-1-äthyl-cyclopropan*]. Das *trans/cis*-Verhältnis ist mit 8,9 (Silbersulfat) und 11,0 [Quecksilber(II)-chlorid] deutlich größer[1] als bei der Thermolyse (5,6)[2].

β) Säurekatalyse

Die Produktbildung bei der Einwirkung von Säuren auf 1-Diazo-2,2-dimethyl-propan ist in Tab. 51 zusammengestellt. Die Art der Säure hat nur einen geringen Einfluß auf die Zusammensetzung und Ausbeute der intramolekularen Reaktionsprodukte[1]. Auf die Bildung von Estern und Äthern im Zuge dieser Umsetzungen soll an dieser Stelle nicht eingegangen werden[3].

Tab. 51. Umsetzung von 1-Diazo-2,2-dimethyl-propan mit Säuren in Methyl-cyclohexan[1]

Säure	Gesamtausbeute [%]	Produkte		
		1,1-Dimethyl-cyclopropan	*2-Methyl-buten-(2)*	*2-Methyl-buten-(1)*
F_3CCOOH[a]	53	1,6	43,8	54,6
$(COOH)_2$	53	0,9	47,2	51,9
$ClCH_2COOH$	53	1,7	44,5	53,8
C_6H_5COOH	56	1,0	48,3	50,7
CH_3COOH	57	2,0	45,0	53,0
C_6H_5OH	51	1,0	44,9	54,1
CH_3OH	22	1,0	47,5	51,5

[a] in Pentan.

Auch die Zersetzung einer Reihe von Diazoalkanen durch Kaliumhydrogensulfat (heterogen) ist untersucht worden[1]. Cyclopropane entstehen hierbei nur aus Diazo-alkanen mit β-Wasserstoff, nicht aus tert.-Alkyl-diazomethanen. Ganz analoge Ergebnisse wurden auch bei der Desaminierung aliphatischer Amine mit salpetriger Säure erhalten[4]: Cyclopropan-Derivate werden dort nur aus Alkyl-(1) und Alkyl-(2)-aminen und nicht aus tert.-Alkyl-amin gebildet.

γ) Thermolyse

Die thermische Zersetzung wurde besonders mit 1-Diazo-2,2-dimethyl-butan unter verschiedenen Bedingungen studiert[1], wobei die Konkurrenz-konstanten $2°/1°$ und die Ausbeuten an **Pr**-Olefinen als Funktion der Cyclopropan Ausbeute betrachtet wurden (s. Abb. 10, S. 345). Die Thermolysen in Bis-[2-äthoxy-äthyl]-äther (Diglyme) unter Zusatz von Alkalimetallmethanolat liefern ähnliche Resultate wie die alkalisch-thermische Spaltung des 2,2-Dimethyl-butanal-tosylhydrazons

[1] W. KIRMSE u. K. HORN, B. **100**, 2698 (1967).

[2] W. KIRMSE u. G. WÄCHTERSHÄUSER, Tetrahedron **22**, 63 (1966).

[3] Vgl. hierzu: W. KIRMSE u. K. HORN, Tetrahedron Letters **1967**, 1827.

[4] P. S. SKELL u. I. STARER, Am. Soc. **82**, 2971 (1960).

M. S. SILVER, Am. Soc. **82**, 2971 (1960).

L. FRIEDMAN et al., Am. Soc. **87**, 5790 (1965).

G. J. KARABATSOS et al., Am. Soc. **86**, 1994 (1964); **88**, 5649 (1966).

($>90\%$ Cyclopropane, $2°/1° = 0,78$)[1]. Das Kation der Base bleibt ohne Einfluß, sofern es nicht selbst katalytisch wirksam ist (Mg, Al). Die Thermolysen in Diglyme ohne Basenzusatz sind im allgemeinen schlecht reproduzierbar, kommen jedoch gelegentlich den Werten mit Basenzusatz nahe.

Octanol-(1)/Natriumoctanolat und selbst Octanol-(1) ohne Alkalimetall-Zusatz zeigen gleichfalls relativ hohe Cyclopropan-Ausbeuten und nur kleine Konkurrenzkonstanten. Werden stärker saure Alkohole als Solventien verwendet, so ändert sich dieses Bild. Mit zunehmender Acidität sinkt die Cyclopropan-Ausbeute und die Konkurrenzkonstante durchläuft ein Maximum.

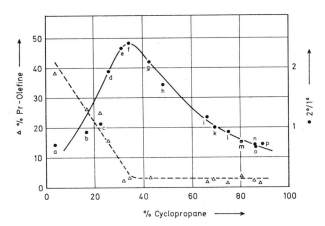

Abb. 10. Thermolyse[2] von 1-Diazo-2,2-dimethyl-butan in verschiedenen Lösungsmitteln bei 160–180°

a) Phenol	i) Octanol-(1)/Diglyme (1 : 1000)
b) Glykol	k) Octanol-(1)
c) Propandiol-(1,3)	l) Bis-[2-äthoxy-äthyl]-äther (Diglyme)
d) Benzylalkohol	m) Octanol-(1)/Natriumoctanolat
e) Bis-[2-hydroxy-äthyl]-äther	n) Diglyme/Kaliummethanolat
f) β-Phenyl-äthanol	o) Diglyme/Natriummethanolat
g) 2-Äthoxy-1-(2-hydroxy-äthoxy)-äthan	p) Diglyme/Lithiummethanolat
h) Dekalin	

● Konkurrenzkonstanten 2°/1° (m,n,o,p Versuche unter Basenzusatz)
△ Ausbeute an **Pr**-Olefinen [% d. Th.]

Die Vermutung, daß hier eine carbenoide Katalyse durch locker gebundene Protonen bzw. Wasserstoffbrücken-Assoziate vorliegt, wird durch die Ausbeuten an **Pr**-Olefinen bestätigt[2]. Diese bleiben bis ~ zum Maximum der Selektivitätskurve klein, um dann jedoch steil anzusteigen. Erst in diesem Bereich wird ein Proton fest gebunden, und es treten Carbeniumionen als Zwischenstufen auf. Mit schwachen Protonen-Donatoren läßt sich demnach ein gleitender Übergang zwischen Carben-Reaktion und Säurekatalyse erreichen, analog wie zwischen Carben-Reaktion und Lewis-Säure-Katalyse mit geeigneten Metallsalzen (s. oben).
Beide Typen carbenoider Zwischenstufen zeichnen sich durch erhöhte Selektivität aus[2].

Auch bei der Einwirkung von Trifluoressigsäure auf Phenyl-diazomethan in Olefinen wurde die Bildung von Phenyl-cyclopropanen beobachtet[3].

---

[1] W. Kirmse u. G. Wächtershäuser, Tetrahedron **22**, 63 (1966).
[2] W. Kirmse u. K. Horn, B. **100**, 2698 (1967).
[3] G. L. Closs, R. A. Moss u. S. H. Goh, Am. Soc. **88**, 364 (1966).

Tab. 52. Cyclopropane durch Photolyse von Diazoalkanen (Quecksilber-Hochdruckbrenner Q 81, Quarzgefäße, 20°)[1]

Diazo-alkan	Lösungsmittel	Gesamt-ausbeute [% d.Th.]	Cyclopropane	[%]	Olefine				Konkurrenz-konstante
					Le	[%]	Pr	[%]	
1-Diazo-2,2-dimethyl-propan	Bis-[2-äthoxyäthyl]-äther[a]		1,1-Dimethyl-cyclopropan	51,6	2-Methyl-buten-(2)	46,6	2-Methyl-buten-(1)	1,8	
1-Diazo-2,2-dimethyl-butan	Bis-[2-äthoxyäthyl]-äther		1,1,2-Trimethyl-cyclopropan + 1-Methyl-1-äthyl-cyclopropan	54,5	3-Methyl-penten-(2) + 2-Methyl-penten-(2)	42,4	3-Methylen-pentan + 2-Methyl-penten-(1)	3,2	0,81
1-Diazo-2,2-diäthyl-butan	Bis-[2-äthoxyäthyl]-äther	54	2-Methyl-1,1-diäthyl-cyclopropan	63,5	3-Äthyl-hexen-(3)	33,0	3-Äthyl-hexen-(2)	3,5	
1-Diazo-2,2,3-trimethyl-butan	Diäthyläther	51	1,1,2,2-Tetramethyl-cyclopropan + 1-Methyl-1-isopropyl-cyclopropan	57,6	3,4-Dimethyl-penten-(2) + 2,4-Dimethyl-penten-(2)	42,4	2,3-Dimethyl-penten-(2) + 2-Methyl-3-methylen-penten + 2,4-Dimethyl-penten-(1)	0,2	0,63
1-Diazo-2-äthyl-butan	Methyl-cyclohexan[b]	62	cis-2-Methyl-1-äthyl-cyclopropan + trans-...	43,5	3-Methylen-penten + Hexen-(2)	57,8	3-Methyl-penten-(2) + Hexen-(3)	0,2	
Cyclohexyl-diazomethan	Pentan[b]		Bicyclo[4.1.0]heptan	14,5	Methylen-cyclohexan + Cycloheptan	85	1-Methyl-cyclohexen-(1)	1,0	
1-Diazo-pentan	Methyl-cyclohexan[b]	34	1-Äthyl-cyclopropan	25,5	Penten-(1)	74,5	Penten-(2)	0,2	

[a] Unter Zusatz von Lithium-tert.-butanolat
[b] Natriummethanolat

[1] W. Kirmse u. K. Horn, B. 100, 2698 (1967).

Hierbei bewirkte Deutero-trifluor-essigsäure nur einen geringen Deuterium-Einbau, es treten also keine Benzyl-Kationen als Zwischenstufen auf. Dieser Befund einer säurekatalysierten carbenoiden Addition an Mehrfachbindungen ergänzt die oben genannten Resultate im Bereich der intramolekularen Einschiebungs-reaktionen[1].

δ) Photolyse

Die Photolyse von 1-Diazo-2,2-dimethyl-propan, -butan, 1-Diazo-2,2-diäthyl-butan bzw. 1-Diazo-2,2,3-trimethyl-butan durch die Gesamtstrahlung eines Quecksil-ber-Hochdruckbrenners (s. Tab. 52, S. 346) liefert erheblich mehr Olefine als die Ther-molyse in protonenfreien Medien[2]. Die Produktzusammensetzung ist ähnlich wie bei einigen carbenoiden Reaktionen der Tab. 50 (S. 342) und der Abb. 10 (S. 345). Allerdings zeigen die niedrigen Konkurrenzkonstanten für 1-Diazo-2,2-diäthyl-butan und 1-Diazo-2,2,3-trimethyl-butan, daß hier die Alkyl-Wanderung nicht durch eine Positivierung des Carben-Kohlenstoffs interpretiert werden kann. Auch erhält man aus Diazoalkanen mit β-Wasserstoff mehr Cyclopropane als bei anderen Zersetzungs-verfahren[2]. Völlig analoge Ergebnisse wurden auch mit Diazirinen als Ausgangs-material erzielt[3].

Die Photolyse führt offensichtlich zu energiereicheren Zwischenstufen als die thermische Zersetzung. Folgereaktionen mit höherer Aktivierungsernergie nehmen daher bei der photo-lytischen Zersetzung an Bedeutung zu.

3. Cyclische Carbene und Cyclopropan-Bildung

Cyclische Carbene, die den Carben-Kohlenstoff in einem Cyclopentan- oder Cyclohexan-Ring enthalten, zeigen wie die acyclischen Dialkyl-carbene geringe Tendenz zur Cyclopropan-Bildung. So liefert die Thermolyse des Cyclopentan-⟨spiro-3⟩-diazirins nur Cyclopenten[4]. Desgleichen entstand bei der Thermolyse des Cyclohexan-⟨spiro-3⟩-diazirins (I) und bei der alkalisch-thermischen Spaltung des Cyclohexanon-tosylhydrazons[5] auch nur Cyclohexen. Geringe Mengen an *Bicyclo [3.1.0]hexan* (III) und Methylen-cyclopentan (IV) erhielt man jedoch bei der Photo-lyse des Cyclohexan-⟨spiro-3⟩-diazirins[6] (I):

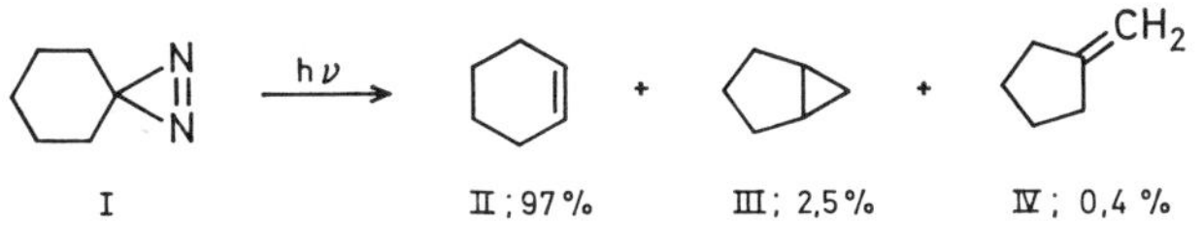

Auch die Einführung von Methyl-Gruppen ändert nichts an der bevorzugten Olefin-Bildung. So ist 3,3-Dimethyl-cyclohexen-(1) das ausschließliche Produkt der Zers. des Tosylhydrazons des 2-Oxo-1,1-dimethyl-cyclohexans[5]. Aus dem 2-Methyl-cyclohexanon-tosylhydrazon(V, S. 348) ent-stehen zwar eine Reihe von isomeren Olefinen, jedoch nur 0,2% *Bicyclo[4.1.0]heptan (Norcaran)*[7]:

[1] „Über die katalytische Wirkung der Diazoalkane als Protonenüberträger" vgl. L. CAPUANO u. M. ZANDER, B. **99**, 3085 (1966).
[2] W. KIRMSE u. K. HORN, B. **100**, 2698 (1967).
[3] A. M. MANSOOR u. I. D. R. STEVENS, Tetrahedron Letters **1966**, 1733.
[4] H. M. FREY u. A. W. SCAPLEHORN, Soc. [A] **1966**, 968.
[5] A. P. KRAPCHO u. R. DONN, J. Org. Chem. **30**, 641 (1965).
[6] H. M. FREY, Pure a. appl. Chem. **9**, 527 (1964).
[7] J. W. WILT u. W. J. WAGNER, J. Org. Chem. **29**, 2788 (1964).

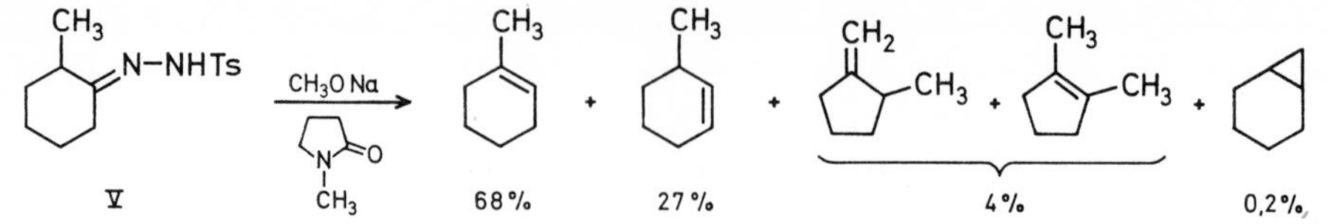

Hier und in anderen acyclischen oder monocyclischen Carbenen reagiert bevorzugt der tertiäre Wasserstoff.

In bicyclischen Systemen wie VI, VII und VIII meidet dagegen die Doppelbindung den Brückenkopf[1-3]:

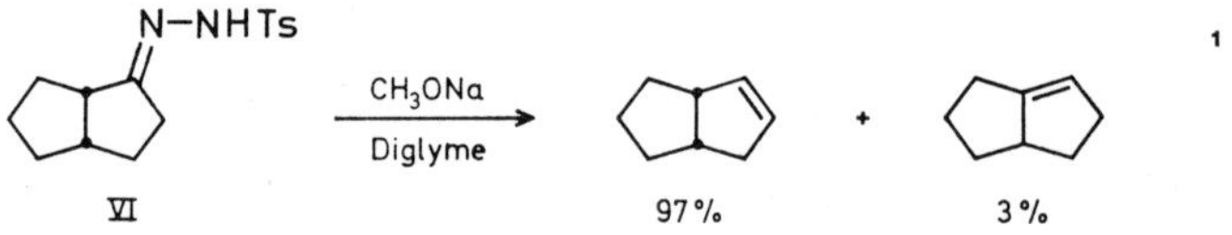

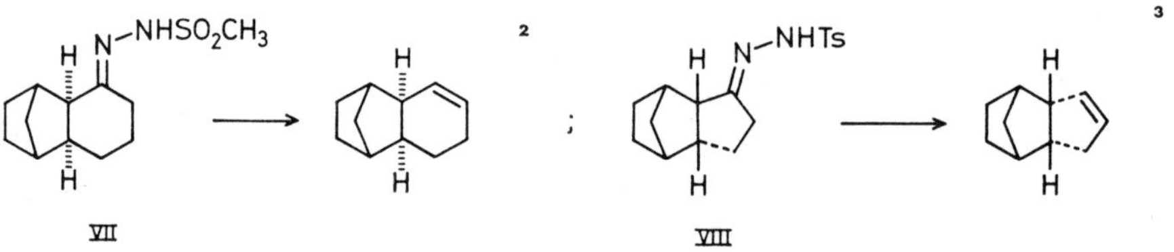

Bei der alkalisch-thermischen Spaltung des 2-Tosylhydrazono-bicyclo[2.2.1]heptan (IX) entsteht neben *Tricyclo[2.2.1.0²,⁶]heptan* das *Bicyclo[2.2.1]hepten* nur in extrem geringer Menge[4,5]. Aus dem weniger gespannten 2-Tosylhydrazono-bicyclo [2.2.2]octan (X) entstehen jedoch größere Mengen an *Bicyclo[2.2.2]octen-(2)* neben *Tricyclo[2.2.2.0²,⁶]octan*[6]. Andererseits setzt die Einführung einer Doppelbindung in das 2-Oxo-bicyclo[2.2.2]octan (s. XI) die Tendenz zur Olefin-Bildung wieder drastisch herab[6]:

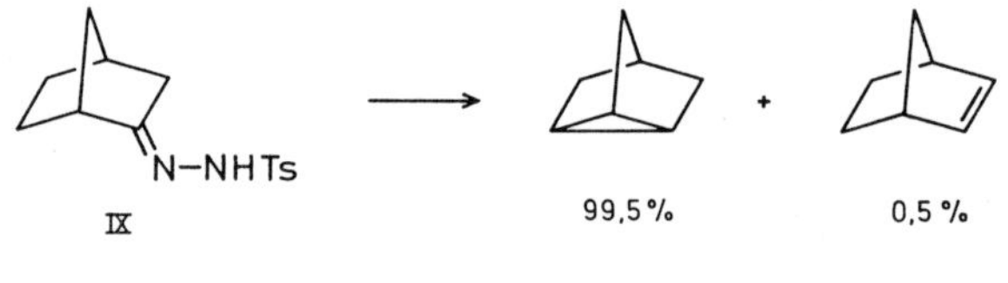

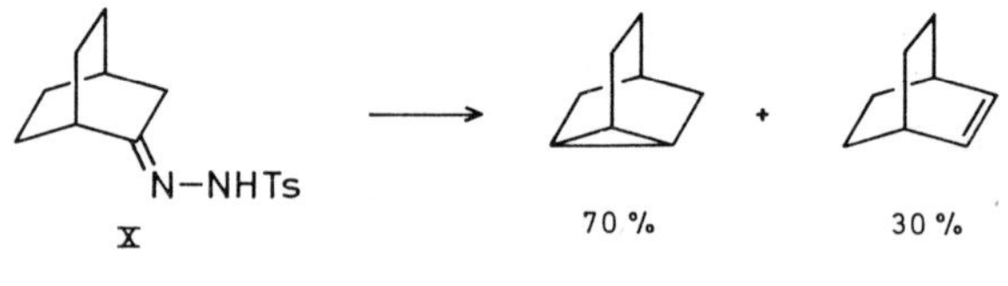

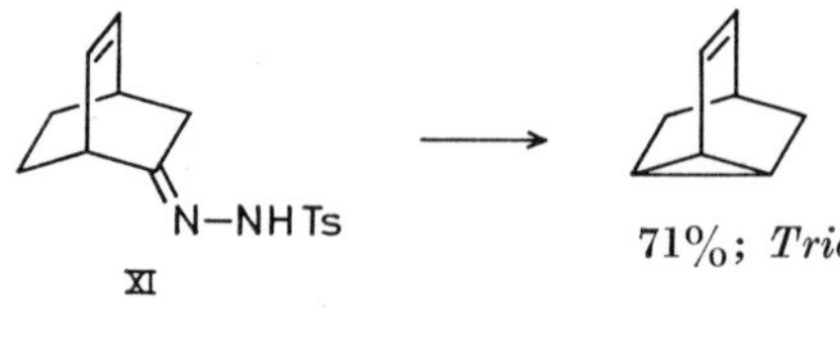

71%; *Tricyclo[2.2.2.0²,⁶]octen-(7)*

[1] Vgl. L. Ruetz, Diplomarbeit, Universität Marburg, 1967.
[2] C. Swithenbank u. M. C. Whiting, Soc. **1963**, 4573.
[3] R. W. Alder u. M. C. Whiting, Soc. **1963**, 4595.

(Fortsetzung s. S. 349)

In diesen Beispielen wird die Produktzusammensetzung ganz offensichtlich stark beeinflußt von der thermodynamischen Stabilität der Isomeren: Bicyclo-[2.2.1]hepten-(2) läßt sich in *Tricyclo[2.2.1.0²,⁶]heptan* umlagern[1]; seine Hydrierungswärme ist um etwas 5 Kcal/Mol größer als die des Bicyclo[2.2.2]octens[2].

Verständlich ist die ausschließliche Cyclopropan-Bildung, wenn jede vom Carben-Kohlenstoff ausgehende Doppelbindung die Bredtsche Regel verletzten würde:

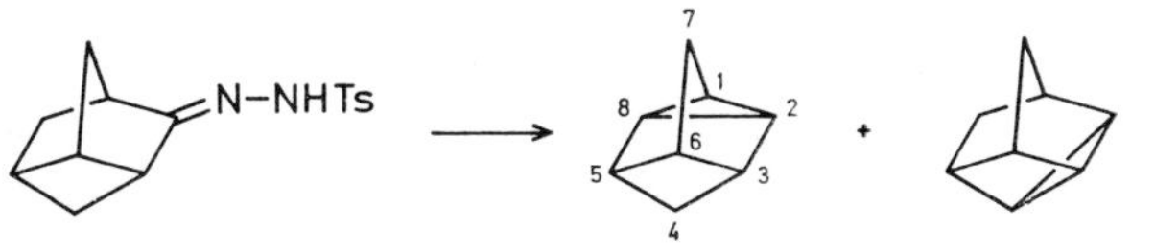

XII

Tetracyclo[3.2.1.0²,⁸.0³,⁶] octan[3]; 29%   *Tetracyclo[3.2.1.0²,⁴.0³,⁶] octan*[3]; 15%

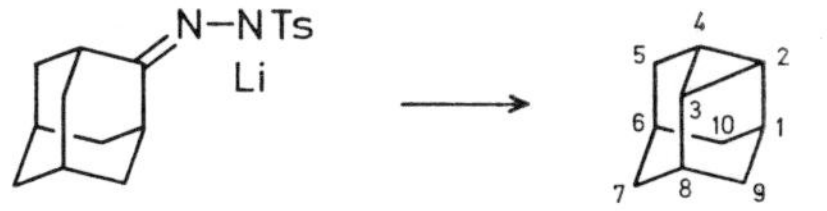

XIII

2,4-Cyclo-adamantan(Tetra-cyclo[4.3.1.0²,⁴.0³,⁸]decan)[4], 65%

Umgekehrt läßt sich auch die ausschließliche Bildung eines Norbornen-Derivates (XIV) {*Tetracyclo[4.3.0.0²,⁴.0³,⁷]nonen-(8)*} erzwingen, wenn sonst nämlich das entsprechende Nortricyclen eine extreme Ringspannung aufweisen würde[5]:

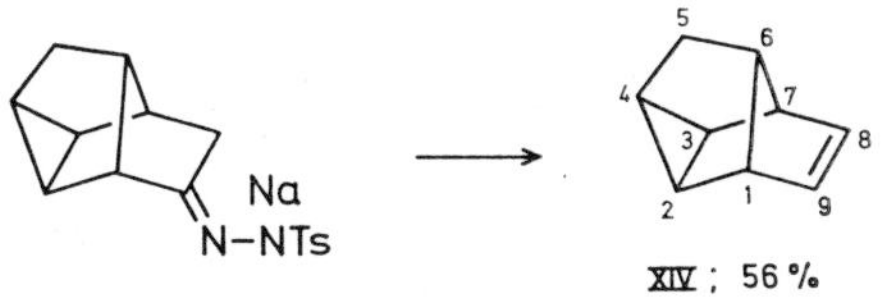

XIV; 56%

Auf S. 334 ff. wurde bereits auf die sterischen Effekte bei den intramolekularen Reaktionen der Alkyl-carbene hingewiesen. Bei den kleinen Ringen zeigt sich ein deutlicher Einfluß der Ringspannung. Cyclopropyl-carben (s. S. 646) reagiert überwiegend unter Umlagerung. Cyclobutyl-carben[6] liefert neben viel Cyclopenten aber auch die C—H-Insertionsprodukte Methylen-cyclobutan und *Bicyclo [2.1.0]pentan (Hausan)*:

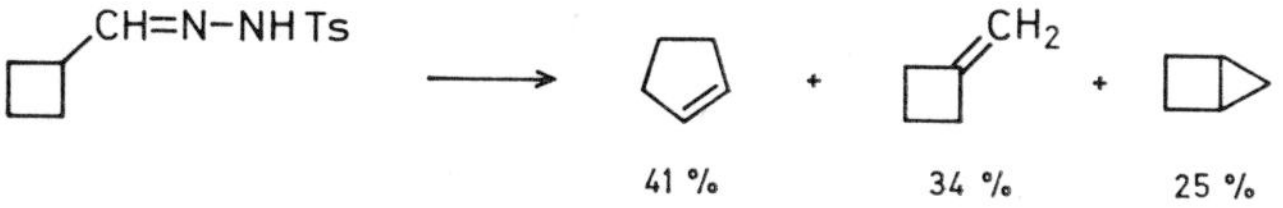

41%   34%   25%

---

[1] P. v. R. SCHLEYER, Am. Soc. **80**, 1700 (1958).
[2] R. B. TURNER et al., Am. Soc. **79**, 4116 (1957).
[3] P. K. FREEMAN et al., Chem. Commun. **1965**, 511.
[4] A. C. UDDING et al., Chem. Commun. **1966**, 657.
[5] P. K. FREEMAN u. D. M. BALLS, J. Org. Chem. **32**, 2354 (1967).
[6] D. H. PASKOVICH u. P. W. N. KWOK, Tetrahedron Letters **1967**, 2227.

(Fortsetzung v. S. 348).

[4] L. FRIEDMAN u. H. SHECHTER, Am. Soc. **83**, 3159 (1961).
[5] P. K. FREEMAN et al., J. Org. Chem. **29**, 1682 (1964).
[6] C. A. GROB u. J. HOSTYNEK, Helv. **46**, 1676 (1963).

Cyclopentyl- und Cyclohexyl-carben zeigen bei thermischer Bildung keine Alkyl-Wanderung[1]:

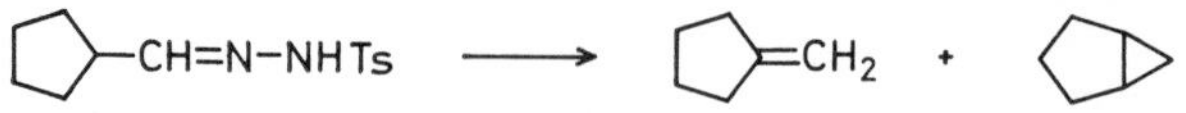

Methylen-cyclopentan;   *Bicyclo[3.1.0]hexan;*
27,5%   72,5%

Methylen-cyclohexan;   *Bicyclo[4.1.0]heptan;*
92%   8%

Die Tatsache, daß der Cyclopropan-Anteil bei der Konkurrenz von β-Wasserstoff-Verschiebung und Insertion in γ-C—H-Bindungen im Falle des Cyclopentylcarbens größer ist als beim Cyclohexyl-carben, wurde auf die günstige, nahezu ekliptische Anordnung der Reaktionspartner im Cyclopentyl-carben (s. oben) zurückgeführt[1]. Eine plausible, aber keine bis dahin bewiesene Voraussetzung dieser Betrachtungsweise war die Konfigurationsstabilität des Carbens.

Aus diesem Grunde wurden beide Annahmen – die entscheidende Bedeutung des Diederwinkels sowie die Konfigurationsstabilität – an den *cis/trans*-Isomeren des Bicyclo[3.1.0]hexyl-(3)-carbens überprüft[2]. Gl. ① zeigt die Reaktionsprodukte der photolytischen und katalytischen Zersetzung von *cis*- und *trans*-3-Diazomethyl-bicyclo[3.1.0]hexan (Ia, Ib)[2]:

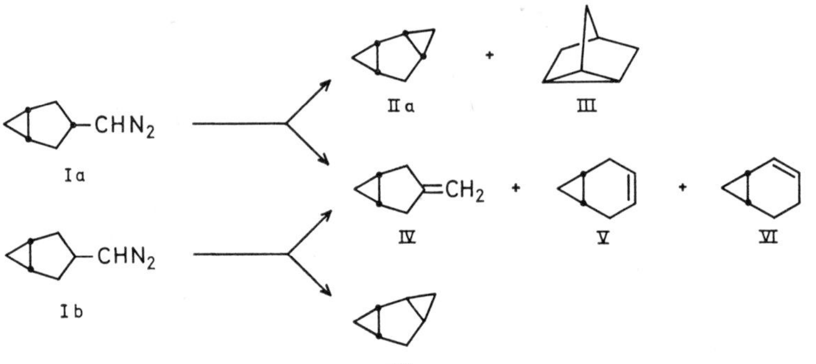

cis- und *trans-Tricyclo[4.1.0.0²,⁴]heptan* (IIa, IIb) sind die Produkte aus der intramolekularen Insertion des *cis*- und *trans*-Bicyclo[3.1.0]hexyl-(3)-carbens in γ-C—H-Bindungen[2,3]. Tab. 53 (S. 351) zeigt, daß aus Ia nur IIa und aus Ib nur IIb entstanden ist. Die Konfiguration an C-3 des Bicyclo[3.1.0]hexan-Systems bleibt also während der Umsetzung erhalten.

Als weiteres Einschiebungsprodukt bildete sich bei der Photolyse von Ia *Tricyclo-[2.2.1.0²,⁶]heptan* (III). Die räumlich dem Carben-Kohlenstoff nahe C—H-Bindung des Dreiringes reagiert unter Bildung von III, das dementsprechend unter den Photo-

---

[1] W. KIRMSE u. G. WÄCHTERSHÄUSER, Tetrahedron **22**, 63 (1966).

[2] W. KIRMSE u. K. PÖHLMANN, B. **100**, 3564 (1967).

[3] IIa und IIb wurden auch aus Cyclopentadien mit Diazomethan unter Kupfer(I)chlorid-Katalyse hergestellt; vgl.: W. v. E. DOERING et al., Ang. Ch. **75**, 27 (1963).

lyseprodukten von I b fehlt[1]. Analoge, konformativ bedingte 1,5- und 1,6-Einschiebungen sind für Carbene bekannt, die sich von mittleren Ringen ableiten[2].

Als Hauptprodukt entstand jedoch bei allen Umsetzungen von I a und I b *3-Methylen-bicyclo[3.1.0]hexan* (IV; S. 350), das aus einer Wasserstoff-Verschiebung von C-3 an den Carben-Kohlenstoff hervorgeht[1]. Ferner wurden aus I a und I b zwei Produkte einer Skelettumlagerung {*Bicyclo[4.1.0]hepten-(3)* (V) bzw. *-(2)* (VI)} gebildet[1]. Insgesamt stimmen die Daten von Tab. 53 mit bereits bekannten Resultaten überein[3] (s. S. 350).

Tab. 53. Zersetzung von *cis*- und *trans*-3-Diazomethyl-bicyclo[3.1.0]hexan in Pentan bei 20° nach verschiedenen Methoden[1]

Methode		Gesamt-ausbeute [% d. Th.][a]	Reaktionsprodukte [%]					
			IIa	IIb	III	IV	V	VI
cis-Isomer	Photolyse[b]	60	38,0	—	6,5	47,0	8,5	—
I a	CuSCN	80	0,5	—	—	95,4	2,6	1,5
	Ag₂SO₄	80	16,2	—	—	78,7	3,4	1,7
	KHSO₄	50	6,0	—	—	45,0	23,0	26,0
trans-Isomer	Photolyse[b]	70	—	44,0	—	52,0	3,3	0,7
I b	CuSCN	65	—	6,2	—	91,0	1,2	1,6
	Ag₂SO₄	75	—	32,6	—	64,1	1,6	1,7
	KHSO₄	45	—	6,3	—	68,0	10,3	15,4

[a] C_7H_{10}-Kohlenwasserstoffe, bez. auf eingesetztes Diazoalkan.
[b] Quecksilberdampflampe Q 18 (Quarzlampen-Gesellschaft Hanau), Quarzgefäße.

Mit der somit festgestellten Konfigurationsstabilität des Bicyclo[3.1.0]hexyl-(3)-carbens erhält die bereits erwähnte[4] Diskussion der konkurrierenden intramolekularen Reaktionen mit Hilfe von Konformationsbetrachtungen die notwendige Grundlage[1].

Infolge der abstoßenden Wechselwirkung zwischen den Wasserstoffen an C-6 und C-3 (s. S. 352) dürfte der Cyclopentanring des Bicyclo[3.1.0]hexans stärker von einer ebenen Anordnung A abweichen als das unsubstituierte Cyclopentan.

A   B

Ein solcher Effekt wird durch einen *cis*-ständigen größeren Substituenten an C-3 noch verstärkt. Wenn die Deformation auch nicht bis zur Ausbildung einer quasi-Sesselform(B) führen wird, so hat sie doch eine Vergrößerung des Winkels zwischen C³—R und C²—H bzw. C⁴—H zur Folge. Nach früher entwickelten Vorstellungen[4] muß dadurch die Insertion des Bicyclo[3.1.0]hexyl-(3)-carbens (R= —ĊH) in die C²—H- und C⁴—H-Bindungen zu IIa und IIb erschwert werden. Die experimentellen Befunde zeigen, daß in der Tat die Cyclopropan-Ausbeuten bei den verschiedenen carbenoiden Reaktionen der Bicyclo[3.1.0]hexyl-Reihe tatsächlich geringer sind als bei denen der Cyclopentyl-Reihe[1].

[1] W. KIRMSE u. K. PÖHLMANN, B. **100**, 3564 (1967).
[2] L. FRIEDMAN u. H. SHECHTER, Am. Soc. **83**, 3159 (1961).
[3] W. KIRMSE u. K. HORN, B. **100**, 2698 (1967).
[4] W. KIRMSE u. G. WÄCHTERSHÄUSER, Tetrahedron **22**, 63 (1966).

Die Bedeutung der Konformationsverhältnisse für die γ–C—H-Insertion wird gleichfalls bei den Reaktionen des Cyclohexen-(3)-yl-carbens (I) deutlich[1].

Hier beträgt der Diederwinkel zwischen C_1—CH und C_2—H $\sim$ 45°, zwischen C_1—CH und C_6—H $\sim$ 60°. In der Tat erhält man hier überwiegend *Bicyclo[4.1.0]hepten-(2)* neben wenig –*(3)* als Cyclopropan-Derivat:

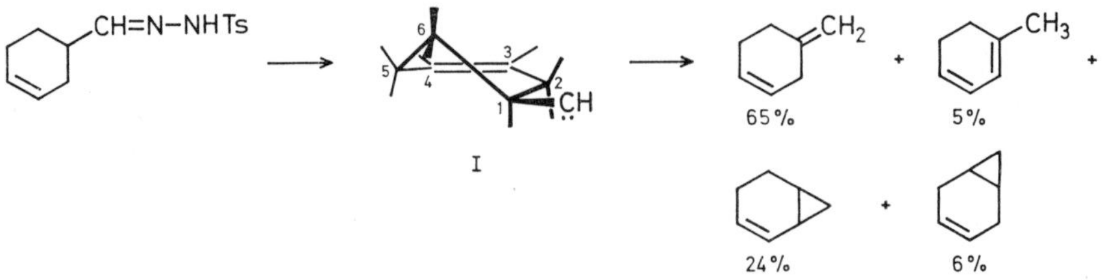

Da bei acyclischen Carbenen eine Vinyl-Gruppe die Insertion in benachbarte C—H-Bindungen erschwert (s. S. 337), kann also die bevorzugte Bildung von Bicyclo[4.1.0]hepten-(2) nicht auf einen Substituenteneffekt der Doppelbindung zurückgeführt werden.

Große Ringe entstehen nur dann, wenn durch konformative Besonderheiten entferntere C—H-Bindungen in die Nähe des Carben-Kohlenstoffs gebracht werden können. So zeigen Carbene, die sich von mittleren Ringen ableiten, neben der üblichen Olefin- und Cyclopropan-Bildung auch transannulare Insertion[2]:

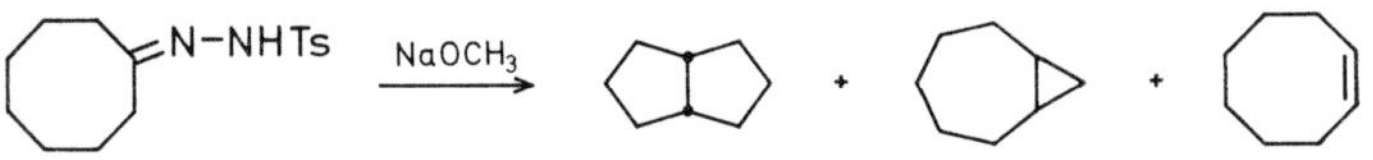

Bicyclo[3.3.0] octan; 46% *Bicyclo[5.1.0] octan*; 9% *Cycloocten*; 45%

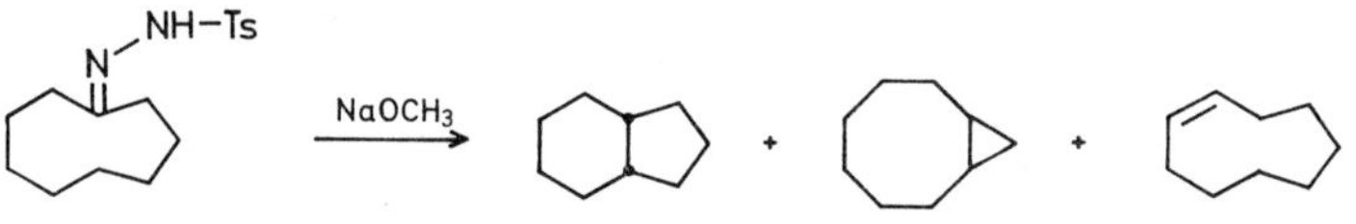

cis-Bicyclo[4.3.0] nonan; 66% *Bicyclo[6.1.0] nonan*; 10% *Cyclononen*; 22%

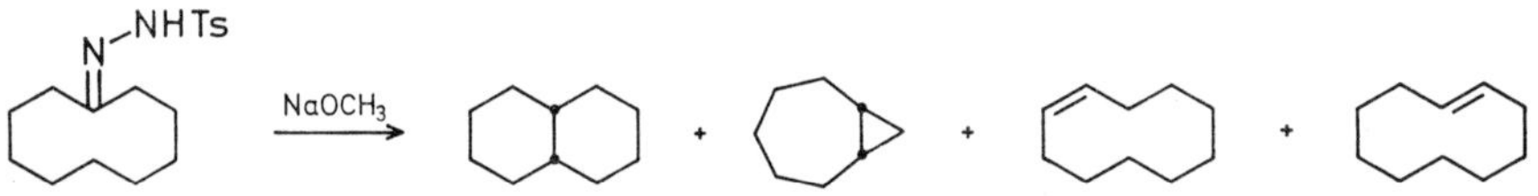

cis-Dekalin; 18% *Bicyclo[5.1.0] octan*; 62% *cis-Cyclodecen*; 14% *trans-Cyclodecen*; 6%

4. Cyclopropane durch α-Eliminierungen an verzweigten Halogen- und Dihalogen-alkanen

α-Eliminierungen verschiedener Art an Halogen- und Dihalogen-alkanen führen zu Cyclopropan-Derivaten[3]. Mittels markierter Verbindungen konnte diese Cyclopropan-Bildung als intramolekulare Einschiebungsreaktion erkannt

---

[1] H. Babad et al., J. Org. Chem. **32**, 2871 (1967).
[2] L. Friedman u. H. Shechter, Am. Soc. **83**, 3159 (1961).
[3] Vgl. die Zusammenfassung bei W. Kirmse, Ang. Ch. **77**, 6 (1965).

werden[1-3]. Die Umsetzung von Alkyl-lithium-Verbindungen mit Dichlormethan führt zu ähnlichen Ergebnissen[1,4].

Die qualitative Übereinstimmung dieser Reaktionen untereinander und mit der Pyrolyse von Diazoalkanen gab Veranlassung, Alkyl-carbene als gemeinsame Zwischenstufen zu postulieren[1-3,5]. Es hat jedoch auch nicht an kritischen Stimmen gefehlt, die das Auftreten von Carbenen bei Eliminierungsreaktionen ablehnen[6,7]. Nachdem sich zunächst die Kritik auf die Olefin-Addition richtete, wurde auch die intramolekulare Insertion zu Cyclopropanen metall-organischen Zwischenstufen zugeschrieben[8]. Aus der beobachteten Abhängigkeit des Isotopie-effektes von der Art des Halogens bei der α-Eliminierung an deuterierten 2,2-Dihalogen-1,1-dimethyl-cyclopropanen wurde auf eine Beteiligung des Halogens am Übergangszu-stand der Insertionsreaktion geschlossen[8].

Nachdem bei der alkalisch-thermischen Spaltung von Tosylhydrazonen (Pyrolyse von Diazo-alkanen) (s.a.S. 340ff.) beobachtet wurde[9], daß verzweigte Alkyl-carbene bei ihren intramole-kularen Reaktionen eine Bindungsselektivität zeigen und von sterischen Faktoren beeinflußt werden, steht ein empfindlicher Test zur Verfügung, der die Identität verschieden erzeugter Zwischenstufen zu prüfen gestattet[10].

a) Cyclopropane durch α-Eliminierung von Chlorwasserstoff aus 1-Chlor-alkanen

Werden primäre Alkylchloride mit Natrium umgesetzt, so rufen intermediär auf-tretende Alkyl-natrium-Verbindungen eine α-Eliminierung von Chlorwasserstoff an überschüssigem Alkylchlorid hervor. Auch selbst wenn eine β-Eliminierung möglich ist, werden noch hohe Anteile an α-Eliminierung beobachtet[1-3]. Nach dieser Methode wurden nun einige Alkylchloride (s. I, II u. V in Tab. 54, S. 354) umgesetzt, die β-Wasserstoff besitzen[10]. Das nach Gl. ② gebildete Alkan ist in Tab. 54 nicht extra aufgeführt:

$$R-CH_2Cl + 2\,Na \rightarrow NaCl + R-CH_2Na \qquad ①$$

$$R-CH_2Na + R-CH_2Cl \rightarrow R-CH_3 + R-\underset{\underset{Cl}{|}}{C}H-Na \rightarrow Produkte \qquad ②$$

Bei tert.-Alkyl-methylchloriden ist die Reaktion nach Gl. ② sterisch be-hindert, so daß die Umsetzung mit metallischem Natrium schlechte Ausbeuten liefert. In diesen Fällen (s. III, IV u. VI in Tab. 54, S. 354) wurde die α-Eliminierung mit Natriumamid durchgeführt[10]. Schon zuvor war nachgewiesen worden, daß bei Abwesenheit von β-Wasserstoff die Eliminierung mit Alkyl-natrium-Verbindungen und Natriumamid übereinstimmende Ergebnisse liefert[11].

Um die Bedingungen der Eliminierung denen der Pyrolyse von Diazoalkanen in etwa anzugleichen, wurden hier die betreffenden Alkylchloride in eine schwach sie-dende Dispersion von Natrium bzw. Natriumamid in Dekalin eingetropft[10].

---

[1] W. Kirmse u. W. v. E. Doering, Tetrahedron 11, 266 (1960).
[2] L. Friedman u. J. G. Berger, Am. Soc. 83, 492, 500 (1961).
[3] P. S. Skell u. A. P. Krapcho, Am. Soc. 83, 754 (1961).
[4] G. L. Closs, Am. Soc. 84, 809 (1962).
[5] Vgl. die Zusammenfassung bei W. Kirmse, Ang. Ch. 77, 6 (1965).
[6] H. Hoberg, A. 656, 1 (1962).
[7] W. T. Miller u. D. M. Whalen, Am. Soc. 86, 2089 (1964).
[8] M. J. Goldstein u. W. R. Dolbier, Am. Soc. 87, 2293 (1965).
[9] W. Kirmse u. G. Wächtershäuser, Tetrahedron 22, 63 (1966).
[10] W. Kirmse u. G. Wächtershäuser, Tetrahedron 22, 73 (1966).
[11] L. Friedmann u. J. G. Berger, Am. Soc. 83, 492, 500 (1961).

Tab. 54. Cyclopropane durch α-Eliminierung an 1-Chlor-alkanen
in Dekalin bei 170°[1]

1-Chlor-alkan	Base	Reaktionsprodukte	Relative Ausbeute[%]
1-Chlor-2-methyl-butan (I)	Na	*2-Methyl-buten-(1)*	58
		Äthyl-cyclopropan	19,5
		trans-1,2-Dimethyl-cyclopropan	18
		cis-1,2-Dimethyl-cyclopropan	4,5
3-Chlormethyl-pentan (II)	Na	*3-Methylen-pentan*	52
		trans-2-Methyl-1-äthyl-cyclopropan	44
		cis-2-Methyl-1-äthyl-cyclopropan	4
1-Chlor-2,2-dimethyl-butan (III)	NaNH$_2$	*1-Methyl-1-äthyl-cyclopropan*	65,5[2]
		1,1,2-Trimethyl-cyclopropan	34,5[2]
1-Chlor-2,2,4-trimethyl-pentan (IV)	NaNH$_2$	*1-Methyl-1-(2-methyl-propyl)-cyclopropan*	64
		2,2-Dimethyl-1-isopropyl-cyclopropan	36
1-Chlor-2,3-dimethyl-butan (V)	Na	*2,3-Dimethyl-buten-(1)*	61
		Isopropyl-cyclopropan	24
		1,1,2-Trimethyl-cyclopropan	15
1-Chlor-2,2,3-trimethyl-butan (VI)	NaNH$_2$	*1-Methyl-1-isopropyl-cyclopropan*	85
		1,1,2,2-Tetramethyl-cyclopropan	15

Tab. 55. Konkurrenzkonstanten der Bildung von Cyclopropanen
aus Diazoalkan und 1-Chlor-alkan[1]

R—CHN$_2$ + R—CH$_2$Cl R =	Konkurrenz[a]	R—CHN$_2$ (Pyrolyse)	R—CH$_2$Cl (+ Na oder NaNH$_2$)
2-Butyl-	2° *trans*/1°	1,60	2,77
	2° *cis*/1°	0,49	0,69
	cis/trans	0,30	0,25
3-Pentyl-	*cis/trans*	0,18	0,091
2-(2-Methyl-butyl)-	2°/1°	0,78	1,59
2-(2,4-Dimethyl-butyl)-	2°/1°	0,96	1,69
2-(3-Methyl-butyl)-	3°/1°	0,83	1,80
2-(2,3-Dimethyl-butyl)-	3°/1°	0,38	1,06

[a] Die Konkurrenzkonstanten beziehen sich auf die Insertion in jeweils eine primäre (1°), sekundäre (2°) oder tertiäre (3°) C—H-Bindung und wurden aus den Produktverhältnissen durch Korrektur mit der Zahl gleichwertiger C—H-Bindungen erhalten.

Tab. 55 zeigt eine vergleichende Zusammenstellung der Produktverhältnisse – ausgedrückt in Konkurrenzkonstanten – der α-Eliminierung und der Diazoalkan-Pyrolyse[1]. Aus dieser Tabelle geht mit überzeugender Deutlichkeit hervor, daß die

[1] W. Kirmse u. G. Wächtershäuser, Tetrahedron **22**, 73 (1966).
[2] L. Friedmann u. J. G. Berger, Am. Soc. **83**, 492, 500 (1961).

Produktbildung bei Diazo-Zersetzung und α-Eliminierung eine analoge Struktur-abhängigkeit aufweist. Man findet also auch bei der α-Eliminierung die früher[1] diskutierten Phänomene:

① eine Bindungsselektivität zugunsten von sekundären und tertiären C—H-Bindungen;

② eine sterische Behinderung der Bildung von cis-1,2-Dialkyl- und Trialkyl-cyclopropanen.

Alle Konkurrenzkonstanten sind bei der α-Eliminierung größer als bei der Diazoalkan-Pyrolyse; demnach sind die Zwischenstufen der Eliminierung selektiver. Vor allem scheint die Bindungsselektivität bei der α-Eliminierung stärker ausgeprägt zu sein[2].

β) Cyclopropane durch Eliminierung von Jod aus 1,1-Dijod-alkanen

Zum Zwecke der Eliminierung von Jod aus 1,1-Dijod-alkanen wurden diese mit verschiedenen Metallen in Diäthyläther bei Raumtemperatur umgesetzt[2] (s. Tab. 56). Die in Tab. 54 (S. 354) verzeichneten Ergebnisse sind wegen der unterschiedlichen Reaktionsbedingungen zwar nicht streng vergleichbar mit denen der Tab. 56, doch ergeben sich bei III und VII sowie VI und VIII (Umsetzung mit Natrium) nur geringfügige Unterschiede. Der Halogen-Metall-Austausch zwischen VII oder VIII und Methyl-lithium liefert das gleiche Ergebnis wie die Umsetzung mit metallischem Lithium[2]. Zink und Kupfer führen hingegen zu wesentlich anderen Resultaten als Natrium, Lithium und Magnesium. Dijodmethan reagiert bekanntlich mit verkupfertem Zink zu relativ stabilem Jodmethyl-zinkjodid (s. S. 126ff.). Von den höheren 1,1-Dijod-alkanen wurden bis dahin 1,1-Dijod-äthan[3], 1,1-Dijod-propan[4], 2,2-Dijod-propan[3] und 1,1-Dijod-2-methyl-propan[4] nach Simmons umgesetzt. Dabei entstanden vorwiegend unter Wasserstoff-Verschiebung Olefine. Die nunmehr untersuchten 1,1-Dijod-neoalkane[2] liefern gleichfalls

Tab. 56. Umsetzung von 1,1-Dijod-alkanen mit Metallen in Diäthyläther bei Raumtemperatur[2]

1.1-Dijodalkan	Reaktionsprodukte	Relative Ausbeuten [%]				
		Na	Li	Mg	Zn	Cu
1,1-Dijod-2,2-dimethyl-butan (VII)	1-Methyl-1-äthyl-cyclopropan	67	56	53	0,8	1,1
	1,1,2-Trimethyl-cyclopropan	32	35,5	39	1,7	1,9
	3-Methyl-penten-(2)[a]	1	7,9	7,8	90	83,5
	2-Methyl-penten-(2)	—	0,6	Spur	7,5	13,5
1,1-Dijod-2,2,3-trimethyl-butan (VIII)	1-Methyl-1-isopropyl-cyclopropan	88	87,5	69,5	3,0	2,3
	1,1,2,2-Tetramethyl-cyclopropan	11	8,5	20,0	2,0	2,0
	3,4-Dimethyl-penten-(2)[a]	1	3,7	10,0	94,5	92,0
	2,4-Dimethyl-penten-(2)	—	0,3	0,5	0,5	3,7
1,1-Dijod-2,2-diäthyl-butan (IX)	2-Methyl-1,1-diäthyl-cyclopropan				34	42
	3-Äthyl-hexen-(3)				66	58

[a] cis + trans

[1] W. Kirmse u. G. Wächtershäuser, Tetrahedron 22, 63 (1966).
[2] W. Kirmse u. G. Wächtershäuser, Tetrahedron 22, 73 (1966).
[3] H. E. Simmons, E. P. Blanchard u. R. D. Smith, Am. Soc. 86, 1347 (1964).
[4] R. C. Neumann, Tetrahedron Letters 1964, 2541.

vorwiegend Olefine, die aus einer Alkyl-wanderung (Wagner-Meerwein-Um-lagerung) hervorgehen. Zumindest tritt bei VII und VIII die Cyclopropan-Bildung stark zurück[1].

Aus Tab. 56 (S. 355) lassen sich zwei charakteristische Größen ableiten[1]:

① das Olefin/Cyclopropan-Verhältnis

② die Konkurrenzkonstanten der Cyclopropan-Bildung,

so daß sich für das 1,1-Dijod-2,2-dimethyl-butan (VII) und das 1,1-Dijod-2,2,3-tri-methyl-butan (VIII) die nachfolgenden Verhältnisse ergeben[1]:

	VII (s. S. 355)		VIII (s. S. 355)	
	Olefin/Cyclopropan	Konkurrenz $2°/1°$	Olefin/Cyclopropan	Konkurrenz $3°/1°$
Na	0,01	1,44	0,01	0,74
Li	0,09	1,70	0,04	0,60
Mg	0,13	2,18	0,12	1,74
Zn	39	6,4	19	4,0
Cu	32	5,2	22	5,2

Die genannten beiden Größen ändern sich also gleichsinnig, d.h. einem An-steigen der Olefin-Ausbeuten entspricht eine Erhöhung der Selektivität bei der Cyclopropan-Bildung[1]. So ist danach nicht überraschend, daß aus 1,1-Dijod-2,2-di-äthyl-butan (IX; S. 355) auch mit Zink und Kupfer relativ große Mengen an *2-Methyl-1,1-diäthyl-cyclopropan* gebildet werden. IX bietet insgesamt 6 sekundäre C—H-Bindungen an, VII hingegen nur zwei. Zum anderen ist zur Olefin-Bildung aus IX eine Äthyl-Wanderung erforderlich. Im Fall des 1,1-Dijod-2,2-dimethyl-butans (VII) ist die Methyl-Wanderung [△ Bildung von 3-Methyl-penten-(2)] im Vergleich zur Äthyl-Wanderung [△ Bildung von 2-Methyl-penten-(2)] stark begünstigt. Werden diese Faktoren in Rechnung gestellt, so fügt sich IX in das Gesamtbild von Tab. 56 (S. 355) ziemlich gut ein[1].

γ) Zur Struktur der Zwischenstufen und deren Reaktionen

Metallorganische Zwischenstufen vom Typ X sind für alle hier behandelten Eli-minierungsreaktionen direkt oder aber indirekt nachgewiesen worden[2]. Für die Reaktionen derartiger Zwischenstufen lassen sich mit XI und XII zwei extremartige Fälle postulieren, wobei XI ein metallsubstituiertes Carbeniumion und XII ein halo-gensubstituiertes Carbanion darstellen[1]:

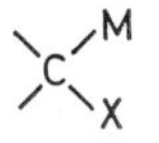

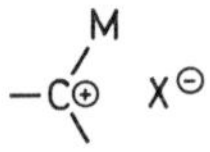

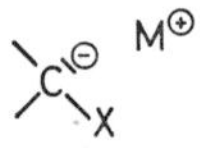

[1] W. KIRMSE u. G. WÄCHTERSHÄUSER, Tetrahedron **22**, 73 (1966).
[2] W. KIRMSE u. B. v. WEDEL, A. **676**, 1 (1964).

Der Formel XI wird man sich nähern, wenn die Kohlenstoff-Metall-Bindung möglichst kovalent und die Kohlenstoff-Halogen-Bindung möglichst polar ist. Für die Annäherung an den Extremfall XII müßten die inversen Verhältnisse erfüllt sein.

Von den hier beschriebenen Beispielen[1], sollte man sich mit M=Zn und X=J in XI (S. 356) am ehesten annähern. Dieser Betrachtung entspricht das elektrophile Verhalten des Jod-methyl-zinkjodids bei der Reaktion mit Olefinen (s.S. 126ff.). Die beobachteten Alkyl-Wanderungen[1] lassen sich gleichfalls mit einer Positivierung des Kohlenstoffs befriedigend erklären. Mit Gl. ③ wurde der Versuch unternommen, diesen Vorgang in Teilschritte zu zerlegen, die in Wirklichkeit jedoch mehr oder minder synchronisiert sein dürften[1]:

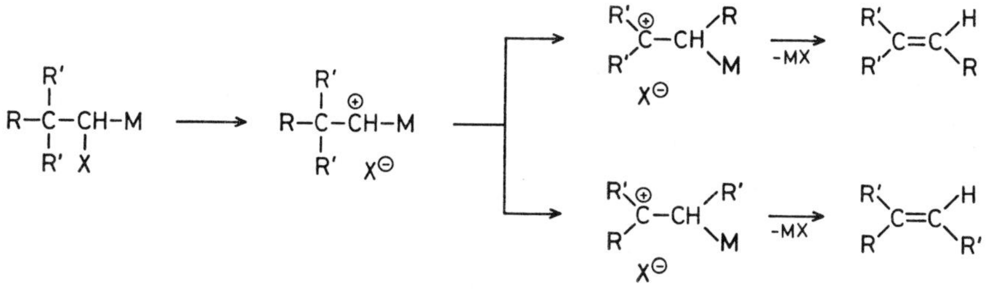

Die Position der Doppelbindung ist durch die Stellung des Metallatoms determiniert. Tab. 56 (S. 355) zeigt, daß aus VII, VIII und IX nur die im Sinne von Gl. ③ ableitbaren Olefine entstehen und keine Isomeren. Die außerdem aus der Tab. 56 (S. 355) ablesbare Folge der Wanderungstendenz

$$CH_3 > C_2H_5 > iso\text{-}C_3H_7$$

entspricht ebenfalls einer Wagner-Meerwein-Umlagerung.

Dem Extremfall XII dürfte man mit Natrium als Metallatom am nächsten kommen. Gemäß der Erwartung entstehen hier praktisch keine Olefine und die Cyclopropan-Bildung erfolgt andererseits mit geringster Selektivität. Der deutlich hervortretende Unterschied zur Diazoalkan-Zersetzung (vgl. Tab. 55, S. 354) legt jedoch nahe, daß am Übergangszustand der Insertion das (Metall-)Halogenid noch beteiligt ist. Neben einer Struktur XII mit aufgeweiteter C—X-Bindung[2] ist auch eine Wechselwirkung zwischen Halogenid-Ion und dem vakanten p-Orbital eines Singulett-Carbens („Carben-Komplex") vorstellbar, wobei der essentielle Unterschied dieser Alternativen in der Hybridisierung des Kohlenstoffs zu suchen ist.

Aufgrund der oben berichteten Ergebnisse wird vorgeschlagen[1], den von Closs[3] geprägten Begriff „carbenoide Reaktionen" nur auf die α-Eliminierungen mit Alkalimetallen, nicht aber auf die Simmons-Smith -Reaktion (s. hierzu S. 114ff.) anzuwenden.

b) Cyclobutyliden-Methylencyclopropan-Umlagerung

Bei der alkalisch-thermischen Spaltung des Cyclobutanon-tosylhydrazons (I, S. 358) wird als Hauptprodukt *Methylen-cyclopropan* gefunden[4]. Daneben erfolgt noch eine Wasserstoff-Verschiebung zu *Cyclobuten*. Auch mit dem Tosylhydrazon des 2,2,4,4-Tetramethyl-cyclobutanons (II; S. 358) gelingt die Umlagerung zu *2,2-Dimethyl-1-isopropyliden-cyclopropan* und *2,2-Dimethyl-1-isopropenyl-cyclopropan*[5]:

---

[1] W. KIRMSE u. G. WÄCHTERSHÄUSER, Tetrahedron 22, 73 (1966).
[2] M. J. GOLDSTEIN u. W. R. DOLBIER, Am. Soc. 87, 2293 (1965).
[3] G. L. CLOSS u. R. A. MOSS, Am. Soc. 86, 4042 (1964).
[4] L. FRIEDMAN u. H. SHECHTER, Am. Soc. 82, 1002 (1960).
[5] J. MEINWALD et al., J. Org. Chem. 30, 1038 (1965).

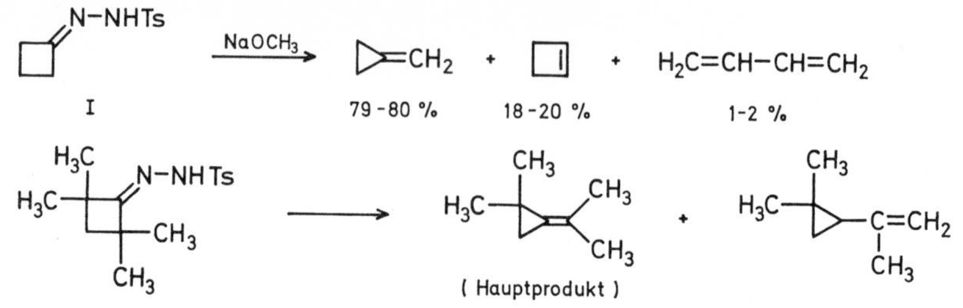

Infolge der irrtümlichen Strukturzuordnung eines Insektenlockstoffes als 2-Acyl-oxy-1-methylen-cyclopropan-Derivat hat es nicht an zahlreichen Versuchen gefehlt, eine derartige Verbindung durch eine Carben-Umlagerung zu synthetisieren[1-3]. Dabei wurden recht unterschiedliche Produkte erhalten, die z. T. durch intramolekulare Insertion[1,3] und Methyl-Wanderung[2] entstanden sind. *3-[Tetrahydropyrenyl-(2)-oxy]-(bzw. 3-Acetoxy-; bzw. 3-Propanoyloxy)-2,2-dimethyl-1-isopropylidencyclopropan* (III) sind lediglich bei der trockenen Pyrolyse der entsprechenden Tosylhydrazon-Natriumsalze im Gemisch mit Kupferpulver nachzuweisen[3]:

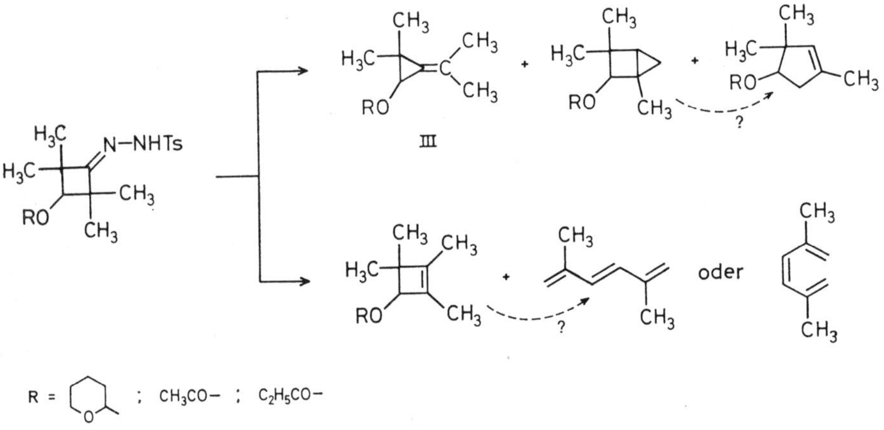

Aus *2,4-Bis-[tosylhydrazono]-1,1,3,3-tetramethyl-cyclobutan* (dimeres Dimethyl-keten) (IV) wurde beim Erhitzen *2,5-Dimethyl-hexatrien-(2,3,4)* gebildet. Eine Cyclobutyliden-Methylen-cyclopropan-Umlagerung wird als erster Schritt dieser Reaktion angenommen, dem eine Cyclopropyliden-Allen-Umlagerung (s. S. 633ff.) folgt[4]:

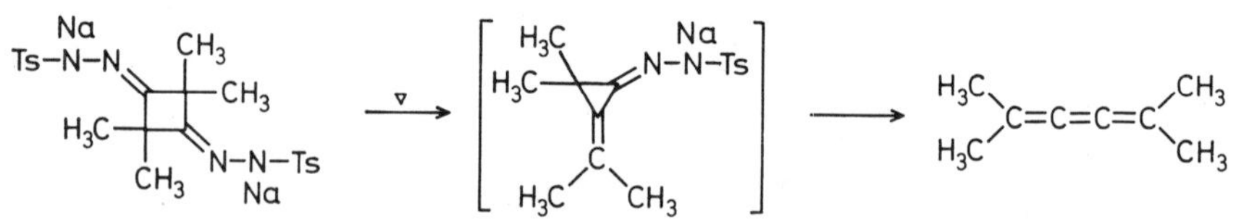

[1] J. R. CHAPMAN, Tetrahedron Letters **1966**, 113.
[2] B. SINGH, J. Org. Chem. **31**, 181 (1966).
[3] G. MAIER u. M. STRASSER, Tetrahedron Letters **1966**, 6453.
[4] G. MAIER, Tetrahedron Letters **1965**, 3603.

c) Cyclopropane durch intramolekulare Additionen von Carbenen bzw. Carbenoiden

1. über Vinyl-carbene

Möglicherweise spielen intramolekulare Additionen von Vinyl-carbenen bei der thermischen oder photochemischen Zersetzung der Tosylhydrazon-Natriumsalze von α,β-ungesättigten Aldehyden und Ketonen, die zu Cyclopropenen führt, eine entscheidende Rolle (s. hierzu S. 697 ff.). Im einzelnen soll hierauf und auf analoge intramolekulare Reaktionen unter Cyclopropen-Bildung als Endprodukt an dieser Stelle nicht eingegangen werden.

Bei Einwirkung von Phenyl-lithium auf Allylchlorid wurde neben *Allyl-benzol* auch *Phenyl-cyclopropan* gefunden[1]. Anstelle des ursprünglich formulierten Carbanion-Mechanismus wurde später durch Markierung mit Deuterium (z. B. I) eine carbenoide Reaktion mit Cyclopropen als Zwischenstufe nachgewiesen (*1- und 2-Deutero-1-phenyl-cyclopropan*)[2]:

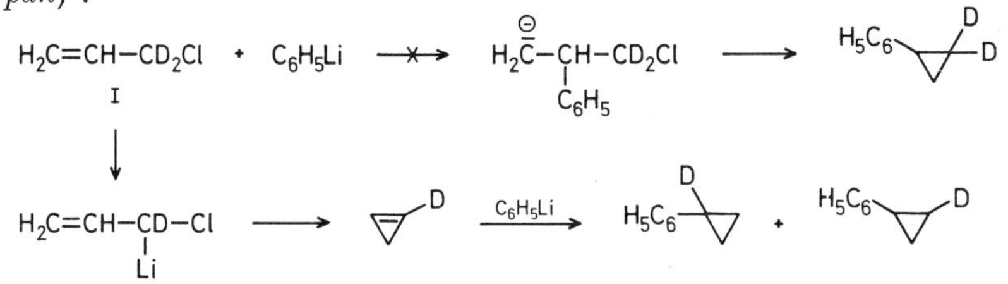

2. Cyclopropane durch Alkenyl-carbene

Für die Photolyse von 4-Diazo-buten-(1) (II) in Heptan bei $-78°$ wurde gefunden, daß sie zu *Butadien* und *Bicyclo[1.1.0]butan* im Verhältnis 5:1 führt[3]. Wird jedoch der Abstand zwischen Doppelbindung und der Diazo-Gruppe vergrößert, so bleibt bei der Photolyse die intramolekulare Reaktion aus[4]. Zum anderen lassen sich aber die ω-Diazo-alkane teilweise durch katalytische Zersetzung mit Kupfer oder Kupfersalzen cyclisieren[4], wobei jedoch die durch Wasserstoff-Verschiebung gebildeten $1,\omega$-Diene stets als Hauptprodukte auftreten:

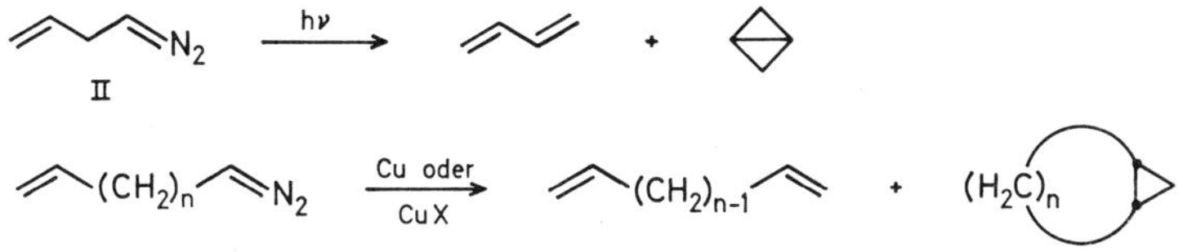

n = 2; 0%
n = 3; max. 36% *cis-Bicyclo [3.1.0]hexan*
n = 4; max. 18% *cis-Bicyclo [4.1.0]heptan*

Ausgehend vom β-Cyclogeraniol[5] wurde über die Mischung der Natriumsalze der *cis/trans*-Tosylhydrazone (I, S. 360) eine Synthese des *4,7,11,11-Tetramethyl-tricyclo*

[1] S. Wawzonek et al., Am. Soc. **87**, 2069 (1965); J. Org. Chem. **30**, 3028 (1965).
[2] R. M. Magid u. J. G. Welsh, Am. Soc. **88**, 5681 (1966).
[3] D. M. Lemal et al., Am. Soc. **85**, 2529 (1963).
[4] W. Kirmse u. D. Grassmann, B. **99**, 1746 (1966).
[5] Vgl. R. Kuhn u. M. Hoffer, B. **67**, 357 (1934).

[5.4.0.0^{1,2}]undecens-(4) *[(±)Thujopsen*; III] realisiert[1]. Hier konkurriert selbst bei der Photolyse die endständige Doppelbindung des 1-Diazo-2,6-dien-Systems erfolgreich mit der benachbarten Olefin-Funktion:

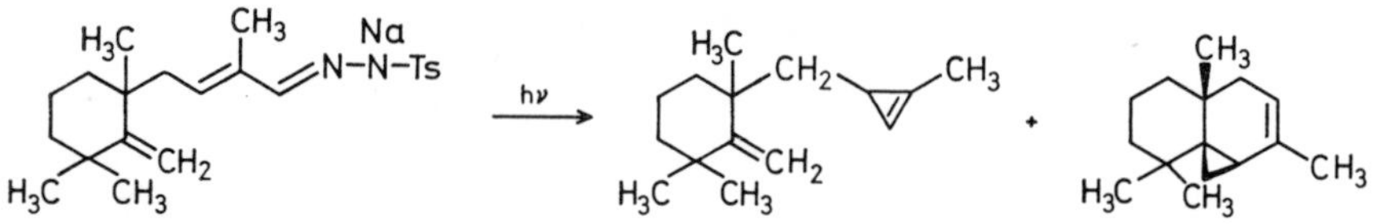

I   II : 10%   III : 4%

Die Übertragung der intramolekularen Carben-Addition auf Cycloalkenyl-carbene machte z.T. recht interessante tricyclische Verbindungen zugänglich.

So erhält man aus dem Cyclopentenyl-(3)-diazomethan (IV)[2,3] und selbst aus 1,3-Dimethyl-cyclobutenyl-(3)-diazomethan (V)[3] überbrückte Bicyclobutan-Derivate. In der Hauptsache werden jedoch die Umlagerungsprodukte der entsprechenden Cycloalkenyl-carbene gebildet.

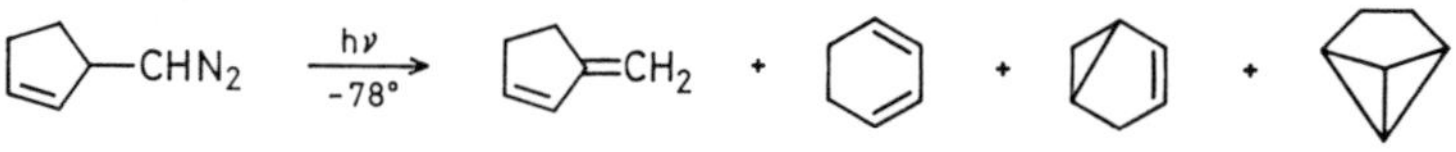

IV   52%   9%

Bicyclo[3.1.0]   *Tricyclo*
hexen-(2); 29%   *[2.1.1.0^{5,6}]*
hexan; 10%

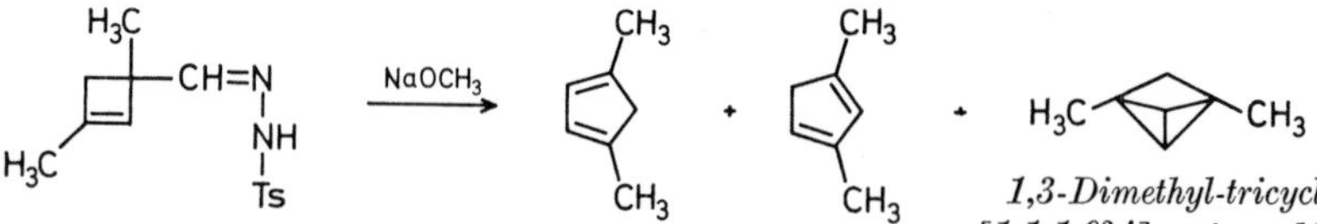

V   *1,3-Dimethyl-tricyclo*
[1.1.1.0^{2,4}]pentan; 10%

Der dann naheliegende Versuch der intramolekularen Addition eines Cyclopropenyl-carbens zu einem Tetrahedran-Derivat schlug jedoch fehl. Die ursprünglich für ein in 0,05 bis 0,1% Ausbeute entstandenes Nebenprodukt vorgeschlagene Tetrahedran-Struktur (VI; *1,2-Diphenyl-tetrahedran*)[4] erwies sich später als falsch[5,6]:

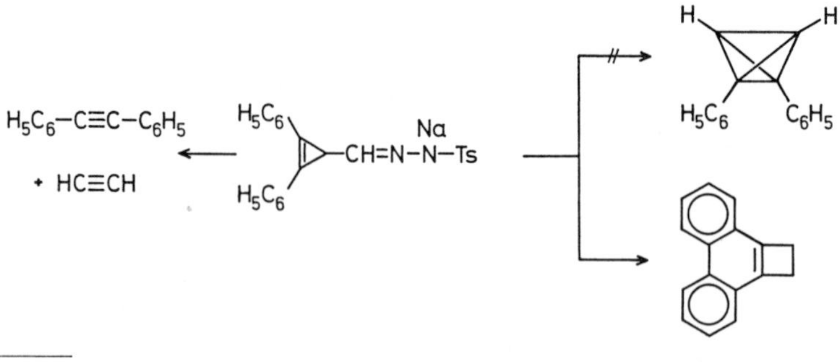

VI

[1] G. Büchi u. J. D. White, Am. Soc. **86**, 2884 (1964).
[2] D. M. Lemal u. K. S. Shim, Tetrahedron Letters **1964**, 3231.
[3] G. L. Closs u. R. B. Larrabee, Tetrahedron Letters **1965**, 287.
[4] S. Masamune u. M. Kato, Am. Soc. **87**, 4190 (1965).
[5] E. H. White et al., Am. Soc. **88**, 611 (1966).
[6] S. Masamune u. M. Kato, Am. Soc. **88**, 610 (1966).

Aus den Beispielen I und II[1] geht hervor, daß intramolekulare Carben-Additionen über größere Entfernungen auch bei Cycloalkenyl-carbenen nur schlecht gelingen. Zum anderen ist auch nicht auszuschließen, daß die gebildeten kleinen Mengen an tricyclischen Verbindungen möglicherweise über Pyrazolin-Zwischenstufen entstehen können. Die Olefin-Bildung bleibt auch hier die Hauptreaktion:

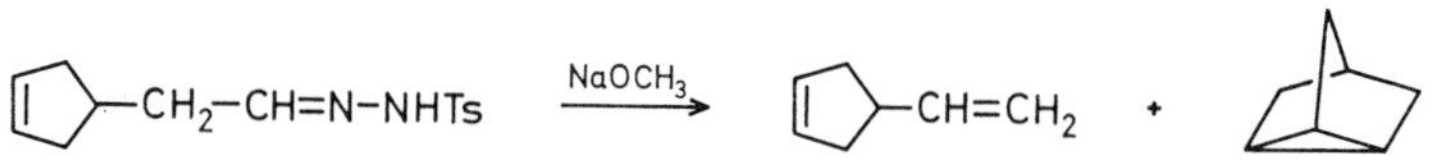

I

30 %

Tricyclo[2.2.1.0²,⁶]heptan; 3%,

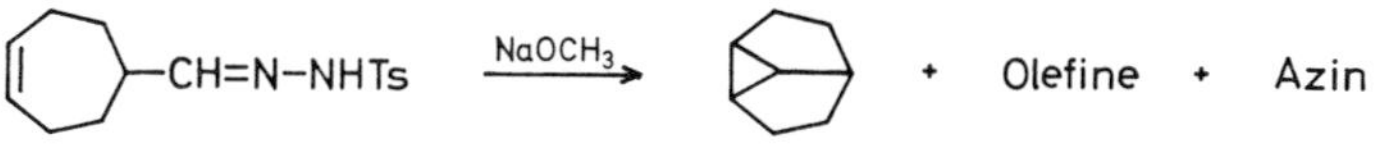

II

Tricyclo[3.2.1.0²,⁸]octan, 2% 15% 35%

Aus dem Tosylhydrazon des Cycloheptrien-7-yl-acetaldehyds (III; R = H) wird *Bicyclo[4.2.1]nonatrien-(2,4,7)* (VI) gebildet[2]. Zunächst erscheint dieser Befund überraschend. Man kann sich jedoch vorstellen, daß es primär zu einer Carben-Addition an die 1,2-Doppelbindung des alicyclischen Siebenringes kommt, wobei *Tricyclo[4.2.1.0⁸,⁹]nonadien-(2,4)* (V) entsteht, das eine Valenzisomerisierung zu VI erleidet. Daneben erfolgt in geringerem Maße auch Addition an die 3,4-Doppelbindung zu einem bereits bekannten Tricyclus mit „fluktuierender" Struktur, dem *Barbaralan* (IV) (s. S. 536ff.).

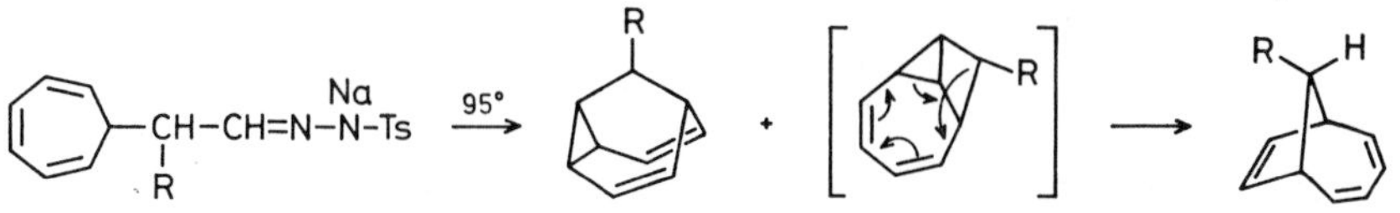

III; R = H, C_6H_5 IV V VI

An anderer Stelle (s. S. 207ff.) wurde bereits darauf hingewiesen, daß sich bei Behandlung von Dibrom-carben-Addukten mit Methyl-lithium präparativ interessante Allen-Synthesen realisieren lassen. Besonders im Fall der Dibrom-carben-Addukte der 1,ω-Diene konkurriert vor allem bei tiefer Temperatur (−78°) die Addition an die endständige Doppelbindung zu überbrückten Spiropentanen (IX bzw. XII, S. 362) z.T. recht erfolgreich mit der Allen-Bildung[3]:

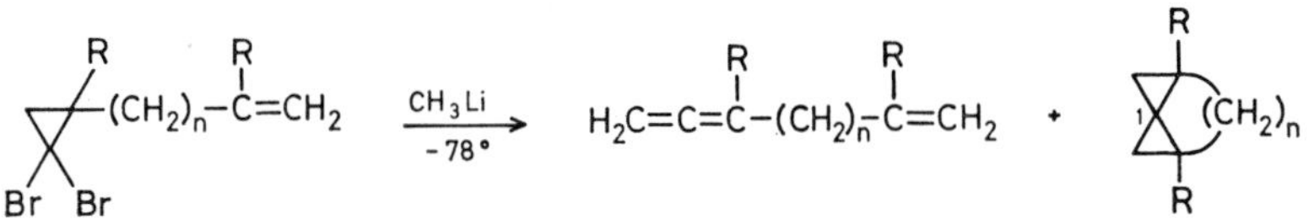

VII VIII IX

IX; n = 1;	R = H;	—		0% d.Th.
n = 2;	R = H;	*Tricyclo[4.1.0.0¹,³]heptan*		48% d.Th.
	R = CH_3;	*3,6-Dimethyl-tricyclo[4.1.0.0¹,³]heptan*		62% d.Th.
n = 3;	R = H;	*Tricyclo[5.1.0.0¹,³]octan*		10% d.Th.
n = 4;	R = H;	—		0% d.Th.

[1] M. Schwarz et al., J. Org. Chem. **30**, 2425 (1965).
[2] H. Tsuruta et al., Tetrahedron Letters **1967**, 3775.
[3] L. Skattebøl, Chem. & Ind. **1962**, 2146; J. Org. Chem. **31**, 2789 (1966).

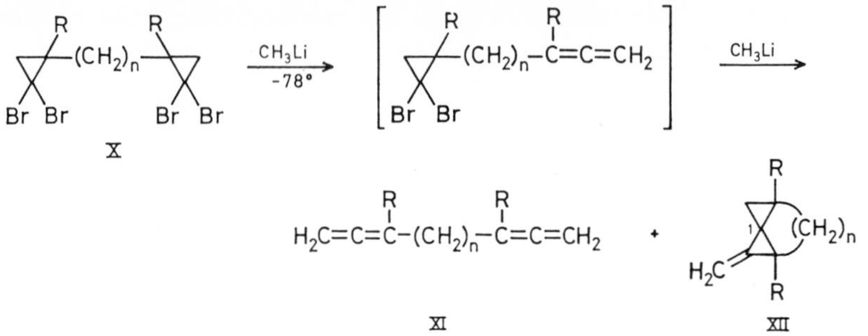

XII; n = 2; R = H; *2-Methylen-tricyclo[4.1.0.0^{1,3}]heptan* 28% d.Th.
R = CH$_3$; *3,6-Dimethyl-2-methylen-tricyclo*
[4.1.0.0^{1,3}]heptan 50% d.Th.
n = 3; R = H; — 0% d.Th.
n = 4; R = H; — 0% d.Th.

3. Cyclopropane über Aryl-carbene mit ungesättigter Seitenkette

Das (2-Allyloxy-phenyl)-diazomethan (I) scheint das einzige bisher unter-suchte Beispiel dieser Gruppe zu sein[1]. Mit der photochemischen Zersetzung dieser Diazo-Verbindung konkurriert die intramolekulare Cycloaddition zu einem Pyra-zolin III, das seinerseits unter den Bedingungen der Photolyse quantitativ in das Produkt intramolekularer Carben-Addition umgewandelt wird. Aus der Zeitabhän-gigkeit der Produktverteilung konnte jedoch abgeleitet werden, daß intramolekulare Insertion und intramolekulare Addition des 2-Allyloxy-phenyl-carbens im Verhältnis 2,5:1 erfolgen.

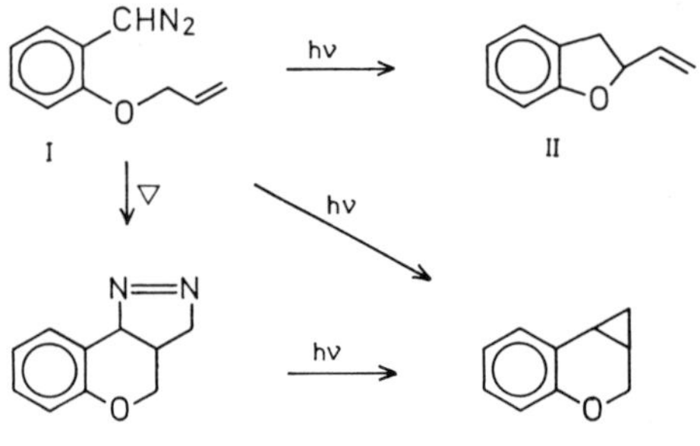

IV; *1,1 a,2,7 b-Tetra-*
hydro-⟨cyclopropa-[c]-
chromen⟩

4. Cyclopropane über Allyloxycarbonyl-carbene

Bei der Photolyse von Diazoessigsäure-allylester (V) (s.a. S. 285f.) erfolgt aus-schließlich Reaktion mit dem verwendeten Solvens. Durch Kupfer(salz)-Katalyse läßt sich dagegen eine intramolekulare Addition zu *cis-2-Hydroxymethyl-cyclopropan-1-carbonsäure-lacton* (VI) erreichen[2]. Da die benutzten Katalysatoren auch eine „Di-merisierung" des Diazoessigsäure-allylester zu Maleinsäure- und Fumarsäure-di-

---

[1] W. KIRMSE u. H. DIETRICH, B. **100**, 2710 (1967).
[2] W. KIRMSE u. H. DIETRICH, B. **98**, 4027 (1965).

allylester (VII und VIII) bewirken, wird man zweckmäßigerweise sehr verdünnt arbeiten, um die Ausbeute an dem Lacton VI zu optimieren (maximale Ausbeute ~ 40%):

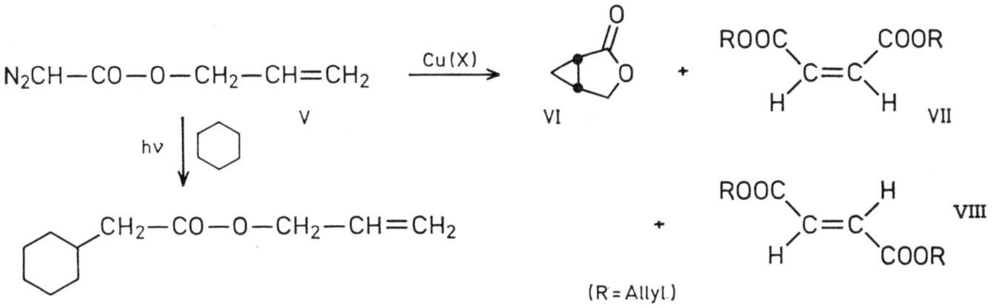

Ganz ähnliche Umsetzungen wurden auch mit Diazomalonsäure-allyl-estern (IX) durchgeführt[1]:

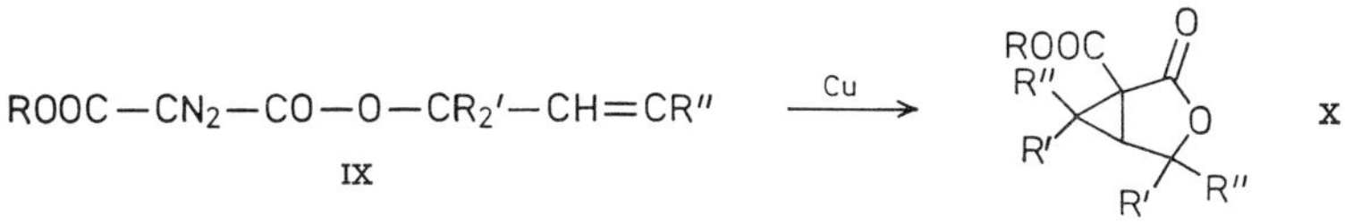

X;
R′=R″=H;   R=CH$_3$;   *2-Hydroxymethyl-cyclopropan-1,1-dicarbonsäure-monomethylester-lacton*
          R=C$_2$H$_5$; *2-Hydroxymethyl-cyclopropan-1,1-dicarbonsäure-monoäthylester-lacton*
R′=R″=CH$_3$; R=CH$_3$ *3,3-Dimethyl-2-[2-hydroxy-propyl-(2)]-cyclopropan-1,1-dicarbonsäure-*
          monomethylester-lacton
          R=C$_2$H$_5$; *3,3-Dimethyl-2-[2-hydroxy-propyl-(2)]-cyclopropan-1,1-dicarbonsäure-*
          monoäthylester-lacton

5. Cyclopropane durch ungesättigte Keto-carbene

Sowohl die photolytische als auch die thermische sowie die durch Silber-Ionen katalysierte Zersetzung von Diazoketonen löst die Wolff-Umlagerung[2,3] zu Ketenen aus (Keto-carben/Keten-Umlagerung)[4].

Bei Kupfer- bzw. Kupfersalz-Katalyse bleibt hingegen die Wolff-Umlagerung aus und man beobachtet inter- und intramolekulare Additionsreaktionen der modifizierten Keto-carbene.

Eine neuere systematische Studie[5] ergab auch hier fallende Ausbeuten mit zunehmender Entfernung zwischen Diazo-Gruppe und Doppelbindung.

---

[1] S. JULIA et al., C. r. C **264**, 1890 (1967).
[2] L. WOLFF, A. **325**, 129 (1902); **394**, 23 (1912).
[3] G. SCHROETER, B. **42**, 2346 (1909); **49**, 2704 (1916).
[4] Übersichtsreferate:
   B. EISTERT in W. FOERST „*Neuere Methoden der präparativen organischen Chemie*", Bd. I, S. 359, Verlag Chemie, Weinheim 1949.
   W. E. BACHMANN u. W. S. STRUVE in „Organic Reactions", Bd. I, S. 38, John Wiley and Sons, New York 1942.
   R. HUISGEN, Ang. Ch. **67**, 439 (1955).
   V. FRANZEN, Ch. Z. **81**, 359 (1957).
   F. WEYGAND u. H. J. BESTMANN in W. FOERST „*Neuere Methoden der präparativen organischen Chemie*", Verlag Chemie, Bd. III, S. 280, Weinheim 1961.
   L. L. RODINA u. I. K. KOROBITSYNA, Russian Chemical Reviews **36**, 260 (1967); Usp. Chim. **36**, 611 (1967); C. A. **67**, 116250 (1967).
   W. KIRMSE, „*Carbene, Carbenoide und Carbenanaloga*", S. 166–174, Verlag Chemie, Weinheim 1969.
[5] M. M. FAWZI u. C. D. GUTSCHE, J. Org. Chem. **31**, 1390 (1966).

Die Cyclisierung ungesättigter Diazoketone I verläuft jedoch wesentlich glatter als die der Diazoalkene (s. S. 359f.), da hier keine Wasserstoff-Verschiebung möglich ist:

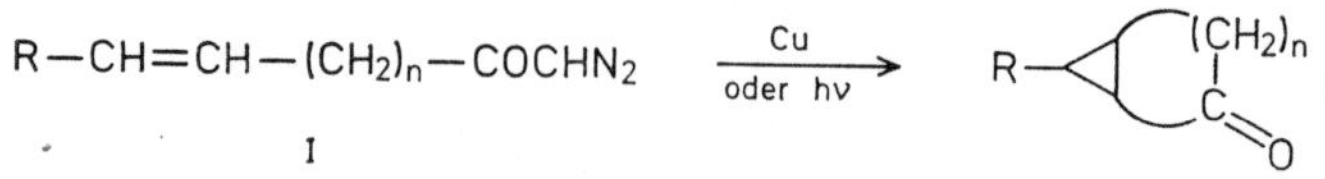

$$R-CH=CH-(CH_2)_n-COCHN_2 \xrightarrow[\text{oder } h\nu]{Cu} R-\underset{II}{\triangleleft} \overset{(CH_2)_n}{\underset{C=O}{}}$$

I

II; n=2; R=H;	2-Oxo-bicyclo[3.1.0]hexan	59% d.Th.
R=C$_6$H$_5$;	2-Oxo-6-phenyl-bicyclo[3.1.0]hexan	59% d.Th.
n=3; R=H;	2-Oxo-bicyclo[4.1.0]heptan	37% d.Th.
R=C$_6$H$_5$;	2-Oxo-7-phenyl-bicyclo[4.1.0]heptan	30% d.Th.
n=4; R=H;	2-Oxo-bicyclo[5.1.0]octan	3% d.Th.
R=C$_6$H$_5$;	2-Oxo-8-phenyl-bicyclo[5.1.0]octan	Spuren

Ein entscheidender Einfluß von Substituenten an der Doppelbindung konnte bislang nicht festgestellt werden. Auch die Beispiele III bis VI sind ein Beleg dafür:

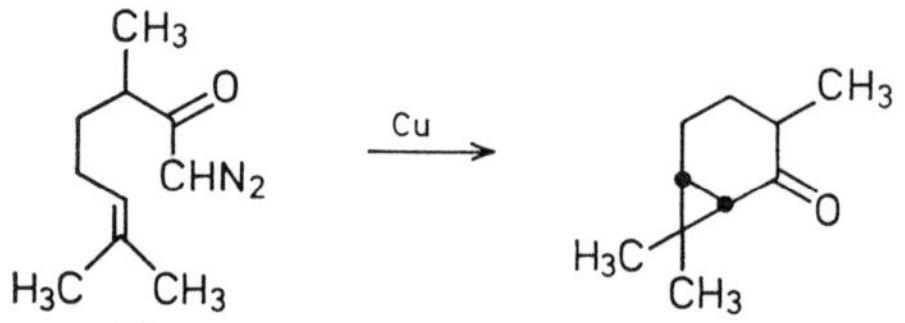

III

50%; 2-Oxo-3,7,7-trimethyl-bicyclo[4.1.0]heptan[1]

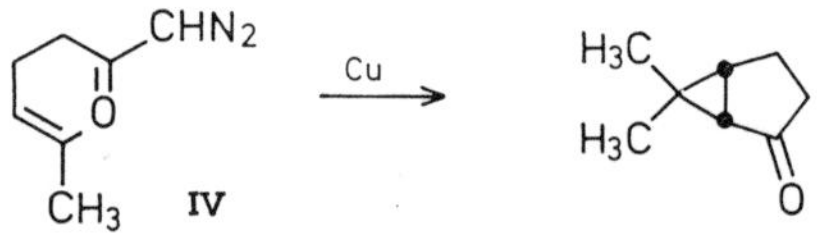

IV

40%; 2-Oxo-6,6-dimethyl-bicyclo[3.1.0]hexan[2,3]

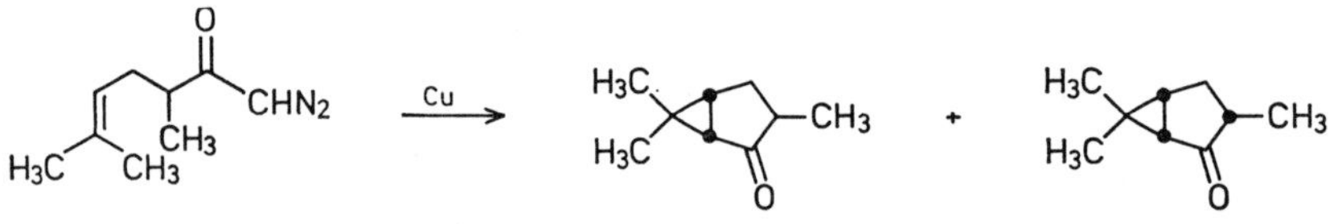

V

3 : 2 (Gesamtausb.: 70%)[3]
2-Oxo-3,6,6-trimethyl-bicyclo[3.1.0]hexan

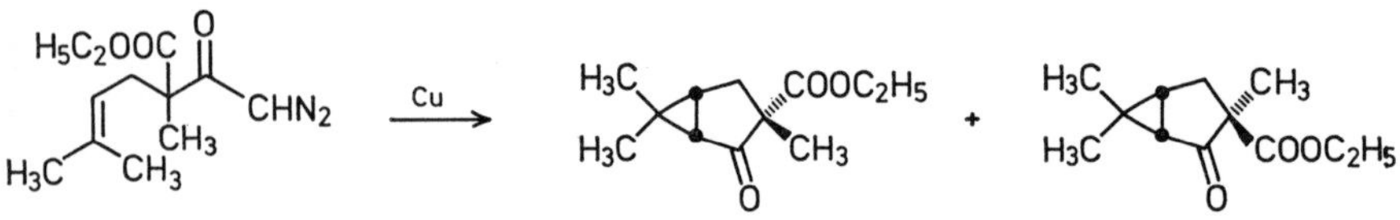

VI

1 : 1 (Gesamtausbeute: 48%)[4]
2-Oxo-3,6,6-trimethyl-3-äthoxycarbonyl-bicyclo[3.1.0]hexan

[1] F. Medina u. A. Manjarrez, Tetrahedron 20, 1807 (1964).
[2] S. Julia, M. Julia u. G. Linstrumelle, Bl. 1964, 2693.
[3] S. Julia u. G. Linstrumelle, Bl. 1966, 3490.
[4] G. Linstrumelle u. S. Julia, Bl. 1966, 3507.

Auch eine Addition an Aromaten ist unter gleichen Bedingungen möglich, die jedoch weniger leicht als die Anlagerung an Olefine erfolgt; als Konkurrenzreaktion treten Wasserstoff-Abstraktion und C—H-Insertion auf[1].

Von besonderem Interesse sind die entsprechenden intramolekularen Reaktionen von Cycloalkenyl-diazoketonen zur Synthese von tricyclischen Verbindungen, die auf anderem Wege schlecht oder kaum zugänglich sind.

So kann man ausgehend von substituierten Cyclopropen-carbonsäuren zu Tricyclo[1.1.1.0^{2,4}]pentan-Derivaten (VII) gelangen[2-5]. Die zeitweilig z. T. angezweifelte Struktur der Produkte konnte inzwischen durch Röntgenstrukturanalyse überzeugend gesichert werden[4]:

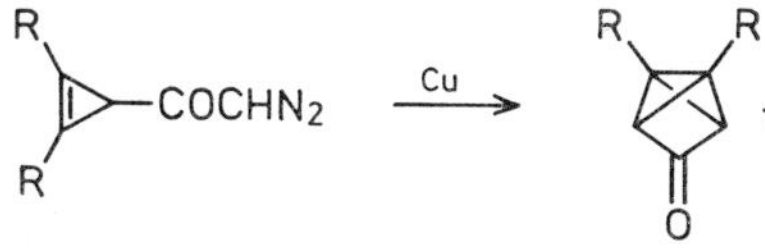

VII, R=CH$_3$;   *5-Oxo-2,4-dimethyl-tricyclo[1.1.1.0^{2,4}]pentan*
R=C$_3$H$_7$;   *5-Oxo-2,4-dipropyl-tricyclo[1.1.1.0^{2,4}]pentan*
R=C$_6$H$_5$;   *5-Oxo-2,4-diphenyl-tricyclo[1.1.1.0^{2,4}]pentan*

Ganz analog reagiert das um eine Methylen-Gruppe reichere 3-Diazo-2-oxo-1-[1,2-diphenyl-cyclopropenyl-(3)]-propan (VIII) bei kupferkatalysierter Zersetzung[5,6]. Die entsprechenden Reaktionsprodukte gehen thermisch und auch photochemisch in Phenole über:

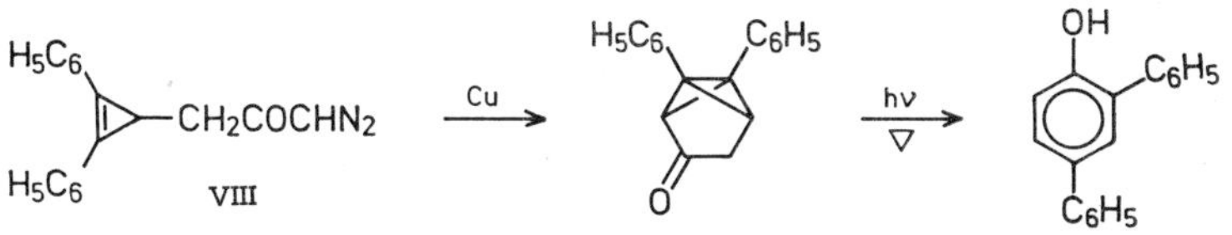

2-Oxo-5,6-diphenyl-
tricyclo[2.1.1.0^{5,6}]hexan

Die kupfer(salz)-katalysierte Zersetzung zahlreicher Diazoketone, die sich vom Cyclopenten, -hexen und -hepten ableiten, führte mit Ausbeuten von 30 bis 65% zu den erwarteten Produkten der intramolekularen Addition[7]. Obgleich sich die Carbenoide nach aller bisherigen Erfahrung elektrophil verhalten, werden auch bei konjugierten Doppelbindungen noch erträgliche Ausbeuten erzielt (s. IX und X):

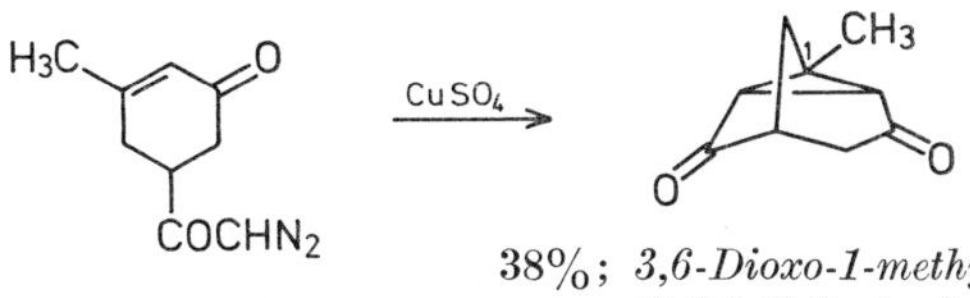

38%; *3,6-Dioxo-1-methyl-tricyclo*
[3.2.1.0^{2,7}]octan[8]

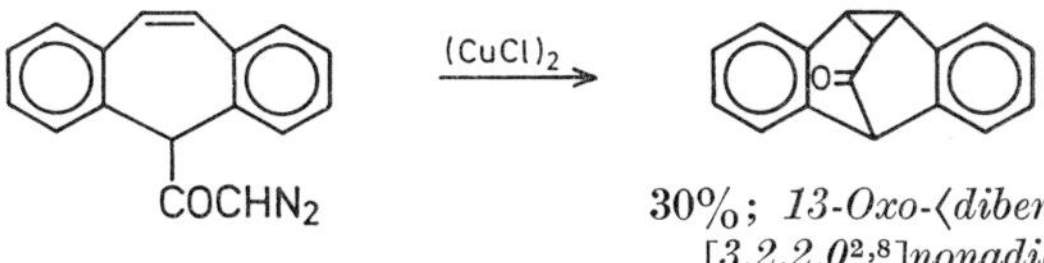

30%; *13-Oxo-⟨dibenzo-tricyclo*
[3.2.2.0^{2,8}]nonadien(3,6)⟩[9]

[1] S. JULIA et al., C. r. C **264**, 407 (1967).
[2] S. MASAMUNE, Am. Soc. **86**, 735 (1964).
[3] W. v. E. DOERING u. M. POMERANTZ, Tetrahedron Letters **1964**, 961.

(Fortsetzung s. S. 366)

Ausgehend von der Cycloheptatrien-7-carbonsäure gelangt man über das Diazoketon (XI) und dessen carbenoide intramolekulare Addition an die 3,4-Doppelbindung zu einem Molekül mit rascher reversibler Valenzisomerisierung, dem *9-Oxo-tricyclo-[3.3.1.0²,⁸]nonadien-(3,6)* (*Barbaralon*) (s. S. 530; vgl. a. S. 536–538). Die homologe Verbindung *9-Oxo-tricyclo[5.2.1.0²,¹⁰]decadien-(3,5)* (*Bullvalon*) ist hingegen aus der Cycloheptatrienyl-(7)-essigsäure (XII) auf diesem Wege nicht zugänglich, denn hier wird nun Addition an die 1,2-Doppelbindung beobachtet[1]:

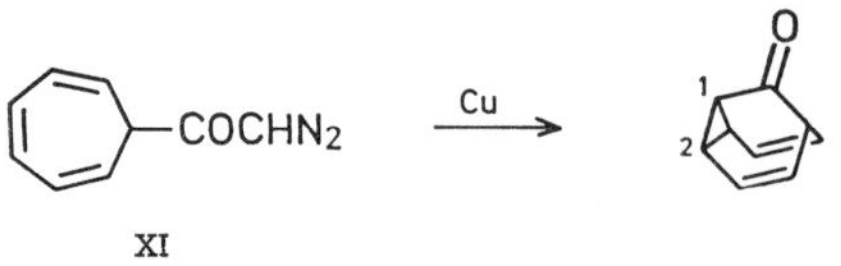

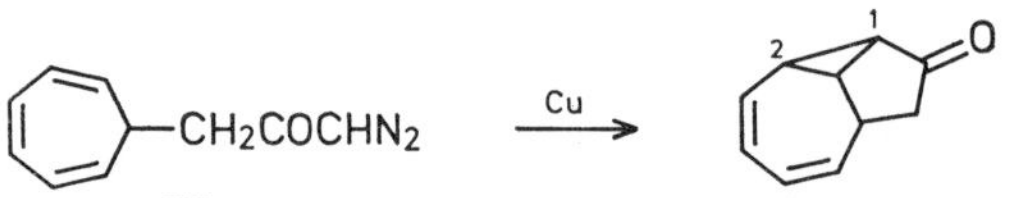

Mit den Beispielen XIII—XIX sind einige weitere intramolekulare Keto-carben-Additionen, die zu interessanten Strukturen führen, wiedergegeben:

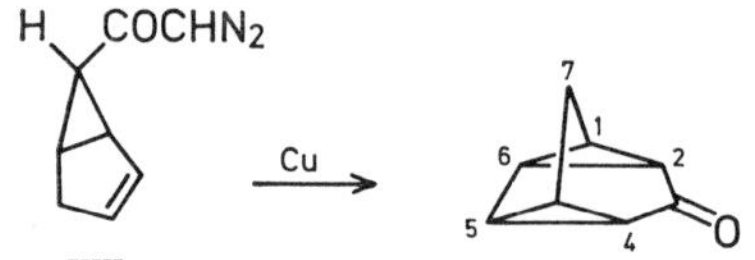

30%; *3-Oxo-tetracyclo[2.2.2.0²,⁶.0⁵,⁸]octan²,³*

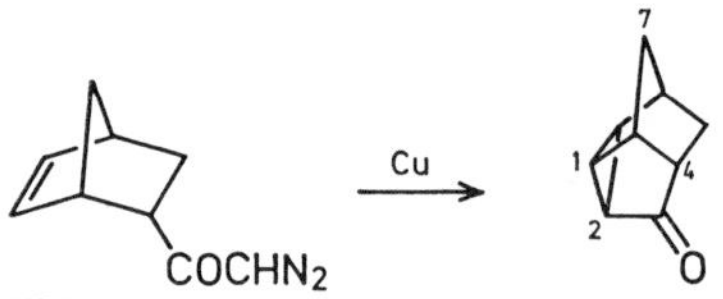

3-Oxo-tetracyclo[4.2.1.0²,⁹.0⁴,⁸]nonan⁴

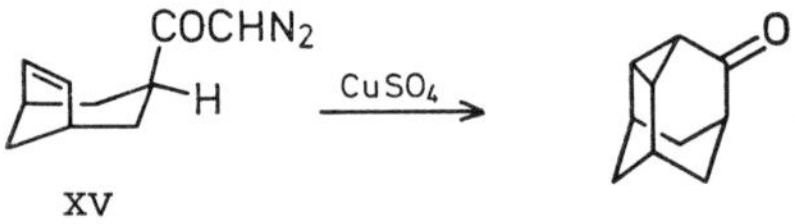

15–20%; *5-Oxo-tetracyclo[4.3.1.0²,⁴.0³,⁸]decan⁵*

[1] W. v. E. Doering et al., Tetrahedron **23**, 3943 (1967).
[2] P. K. Freeman u. D. G. Kuper, Chem. & Ind. **1965**, 424.
[3] J. Meinwald u. G. H. Wahl, Chem. & Ind. **1965**, 425.
[4] A. Nickon et al., Am. Soc. **87**, 1613, 1615 (1965).
[5] J. E. Baldwin u. W. D. Foglesong, Tetrahedron Letters **1966**, 4089.

(Fortsetzung v. S. 365)

[4] S. Masamune et al., Am. Soc. **89**, 2792 (1967).
[5] A. Small, Am. Soc. **86**, 2091 (1964).
[6] S. Masamune u. N. T. Castellucci, Pr. chem. Soc. **1964**, 298.
[7] W. v. E. Doering et al., Tetrahedron **21**, 25 (1965).
[8] D. Becker u. H. J. E. Loewenthal, Chem. Commun. **1965**, 149.
[9] C. D. Nenitzescu et al., Tetrahedron Letters **1965**, 3383.

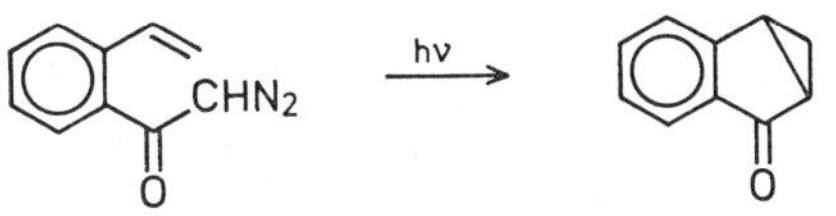

6-Oxo-⟨benzo-bicyclo[3.1.0]hexen-(2)⟩[1]

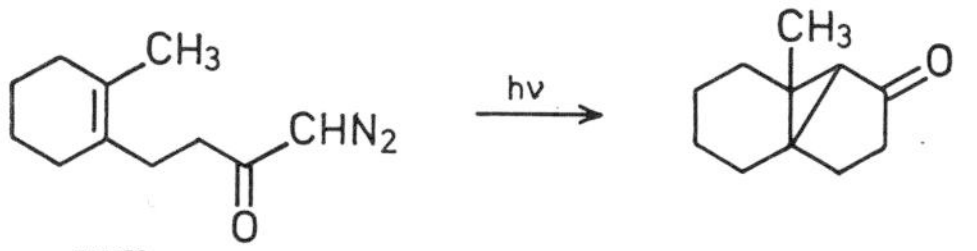

4-Oxo-6-methyl-tricyclo[4.4.0.0¹,⁵]decan[1]

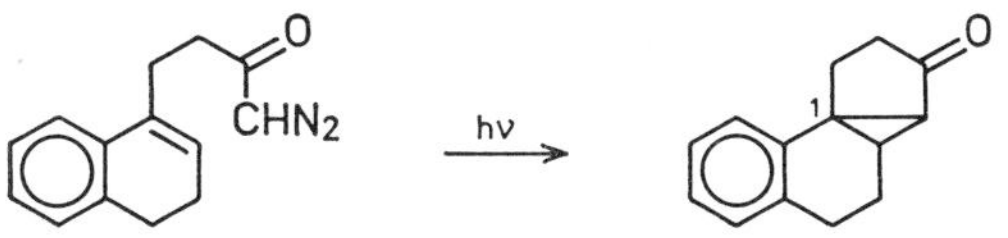

10-Oxo-⟨benzo-tricyclo[4.4.0.0¹,⁶]decen-(9)⟩[1]

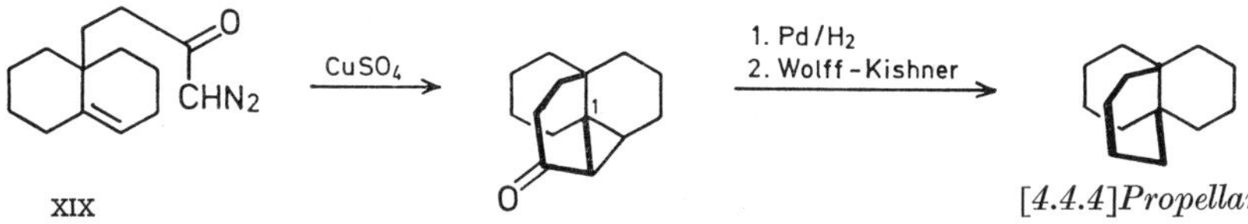

9-Oxo-tetracyclo
[4.4.4.0.¹,⁶.0²,¹⁰]
tetradecan

[4.4.4]Propellan[2]

VI. Spezielle Methoden zur Herstellung von Cyclopropan-Derivaten

a) durch Einwirkung von Brom-malonsäure-dinitril

1. auf Carbonyl-Verbindungen (Widequist-Reaktion)

Die Kondensation von leichtzugänglichen Monobrom-malonsäure-dinitril[3] mit Aldehyden und Ketonen in Gegenwart von Kaliumjodid führt unter relativ milden Bedingungen in guten Ausbeuten zu Derivaten des Tetracyan-cyclopropans:

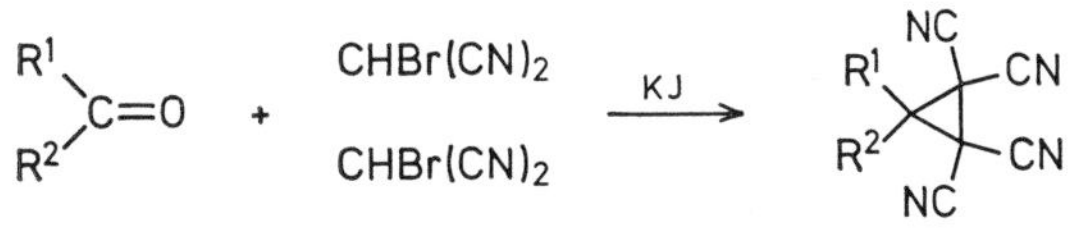

Auf diese Weise wurde eine ganze Anzahl von substituierten 1,1,2,2-Tetracyan-cyclopropanen synthetisiert (s. Tab. 57; S. 368)[4]. Aus Aldehyden hergestellte Cyclopropane sind meist weniger beständig, als die aus Ketonen erhaltenen Verbindungen.

---

[1] M. M. Fawzi u. C. D. Gutsche, J. Org. Chem. 31, 1390 (1966).
[2] J. Altman et al., Tetrahedron Letters 1967, 757.
[3] L. Ramberg u. S. Widequist, Ark. Kemi A. 12, Nr. 22 (1937); C. A. 32, 2511 (1938).
[4] S. Widequist, Ark. Kemi B. 20, Nr. 4 (1945).

Tab. 57. 1,1,2,2-Tetracyan-cyclopropane aus Brom-malonsäure-dinitril und Carbonyl-Verbindungen (WIDEQUIST-Reaktion)

Carbonyl-Verbindungen	Reaktionsprodukt	Ausbeute [% d. Th.]
Aceton	*3,3-Dimethyl-1,1,2,2-tetracyan-cyclopropan*	70–82
Butanon	*3-Methyl-3-äthyl-1,1,2,2-tetracyan-cyclopropan*	68
Octanon-(2)	*3-Methyl-3-hexyl-1,1,2,2-tetracyan-cyclopropan*	30
Phenyl-aceton	*3-Methyl-3-benzyl-1,1,2,2-tetracyan-cyclopropan*	39
Acetophenon	*3-Methyl-3-phenyl-1,1,2,2-tetracyan-cyclopropan*	14
Cyclohexanon	*2,2,3,3-Tetracyan-cyclopropan-⟨1-spiro⟩-cyclohexan*	92
Acetaldehyd	*3-Methyl-1,1,2,2-tetracyan-cyclopropan*	70
Benzaldehyd	*3-Phenyl-1,1,2,2-tetracyan-cyclopropan*	80
Furfural	*3-Furyl-(2)-1,1,2,2-tetracyan-cyclopropan*	50

3,3-Dimethyl-1,1,2,2-tetracyan-cyclopropan[1]: 17 g Monobrom-malonsäure-dinitril und 50 *ml* Aceton werden mit Lösung der von 41 g Kaliumjodid in 100 *ml* Wasser versetzt. Die Mischung färbt sich tiefrot und es erfolgt baldige Kristallabscheidung. Die Kristalle werden abgesaugt und mehrmals mit Wasser gewaschen und getrocknet. Aus Chloroform umkristallisiert erhält man ein Produkt mit F: 64,5–65,1° (Ausbeute: 82% d. Th.).

Die Verallgemeinerungsfähigkeit der inzwischen als Wide quist-Reaktion bezeichneten Methode[2] ist in neuerer Zeit nachgewiesen worden[3,4]. Für den Ablauf der Reaktion wird folgender Reaktionsmechanismus vorgeschlagen[3]:

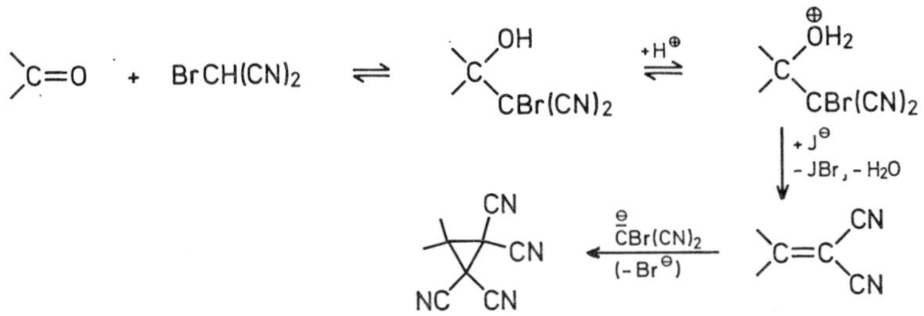

Um den letzten Schritt – die Reaktion von Alkyliden-malonsäure-dinitrilen – sicherzustellen, wurden eine Anzahl von Alkyliden-malonsäure-dinitrilen synthetisiert[5,6]. Bei der Umsetzung mit Brom-malonsäure-dinitril ohne Jodid-Ionen erhält man in vielen Fällen rasch und in hohen Ausbeuten die gewünschten Tetracyancyclopropane. In der normalen Widequist-Reaktion haben die Jodid-Ionen offensichtlich nur die Aufgabe, die Eliminierungsreaktion zur Bildung der Alkylidenmalonsäure-dinitrile einzuleiten. Nach dem Hart-Verfahren sind auch Tetracyancyclopropane zugänglich, die im Sinne der herkömmlichen Widequist-Reaktion nicht synthetisiert werden können[5]. Das Verfahren von Hart zeigt dem Reaktionsverlauf nach eine formale Analogie zu der basenkatalysierten Kondensation aktivierter α,β-ungesättigter Systeme mit α-Halogen-carbonsäure-estern, Ketonen oder Nitrilen, der eine intramolekulare Dehydrohalogenierung folgt. In der Reaktion

[1] L. RAMBERG u. S. WIDEQUIST, Ark. Kemi B. **14**, Nr. 37 (1941).
[2] H. HART u. F. FREEMAN, Am. Soc. **85**, 1161 (1963).
[3] H. HART u. F. FREEMAN, J. Org. Chem. **28**, 1220 (1963).
[4] R. M. SCRIBNER, G. N. SAUSEN u. W. W. PRICHARD, J. Org. Chem. **25**, 1440 (1960).
[5] H. HART u. Y. C. KIM, J. Org. Chem. **31**, 2784 (1966).
[6] A. C. COPE u. K. E. HOYLE, Am. Soc. **63**, 733 (1941).

von Hart wirkt jedoch das Brom-malonsäure-dinitril als starke Säure[1] und kann für die Reaktion genügend Brom-dicyan-Carbanionen liefern.

Alkyliden-bis-[malonsäure-dinitrile] sind auch durch Bromierung in Tetracyan-cyclopropane umgewandelt worden[2].

Nach der Methode von Hart können nicht nur eine Vielzahl einfacher 3,3-Dialkyl-1,1,2,2-tetracyan-cyclopropane hergestellt werden, sondern es gelingt auch, eine Anzahl von Spirocyclopropanen aus Cycloalkyliden-malonsäure-dinitrilen mit 5-,6-,10-,12- und 15-gliedrigen Ringen zu synthetisieren[3]. Tab. 58 (S. 370) zeigt eine Übersicht der hergestellten 1,1,2,2-Tetracyan-cyclopropan-Verbindungen.

Im Fall des 1-Dicyanmethylen-tetralins bzw. 1-Dicyanmethylen-indans erfolgt mit Brom-malonsäure-dinitril eher Bromierung als Cyclopropanierung. Abschließend sei darauf hingewiesen, daß das Brom-malonsäure-dinitril mit wäßrigem Äthanol nach längerem Stehen oder Kochen unter Rückfluß unter Bildung von (Amino-äthoxy-methyl)-malonsäure-dinitril reagiert!

Inzwischen konnte das Verfahren von HART auch auf aromatische Aldehyde ausgebaut werden; die entsprechenden 3-Aryl-1,1,2,2-tetracyan-cyclopropane wurden in Ausbeuten zwischen 60 und 90% d. Th. erhalten[4].

2. 1,1-Dicyan-cyclopropane aus Alkenen durch Addition von Monobrom-malonsäure-dinitril und anschließende γ-Eliminierung von Bromwasserstoff

Synthesen von 1,1-Dicyan-cyclopropan-Derivaten sind erst in neuerer Zeit beschrieben worden. Das *1,1-Dicyan-cyclopropan* selbst erhält man durch Dehydratisierung von 1-Aminocarbonyl-1-cyan- bzw. 1,1-Bis-[aminocarbonyl]-cyclopropan in Ausbeuten zwischen 54[5] und 33% d. Th.[6]. Derivate des 1,1-Dicyan-cyclopropans bilden sich auch neben anderen Produkten bei der thermischen Zersetzung von Dicyan-diazomethan in Gegenwart von Olefinen[5]. Einige Derivate wurden durch Umsetzung substituierter Dimethylvinylsulfonium-Salze mit Malonsäure-dinitril (bis 30% d. Th.; s. S. 148f.) hergestellt[7]. Auch über die Bildung von *Tetramethyl-1,1-dicyan-cyclopropan* (IV) bei der Umsetzung von Brom-malonsäure-nitril (I) mit 2,3-Dimethyl-buten-(2) und Triäthylamin wurde berichtet[8]:

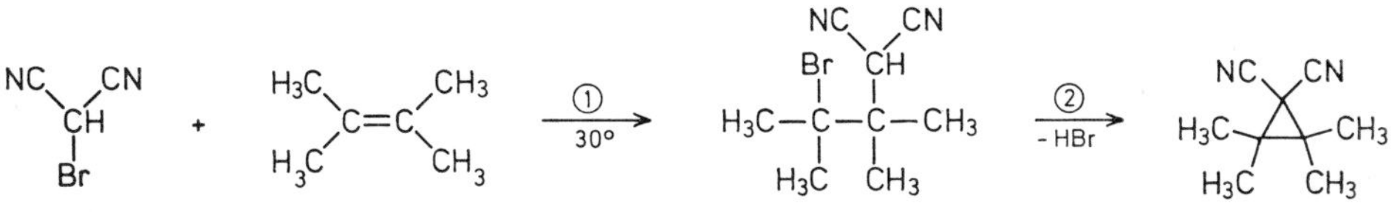

Die Entstehung von IV bei dieser Reaktion wurde als Beweis für die intermediäre Bildung von Dicyan-carben[5] durch α-Eliminierung angesehen. Es konnte jedoch gezeigt werden, daß I und II bereits bei Raumtemperatur unter Bildung von III reagieren, das in rascher und glatter Reaktion mit Triäthylamin zu IV cyclisiert wird[9].

[1] R. G. Pearson u. R. L. Dillon, Am. Soc. **75**, 2439 (1953).
[2] R. P. Mariella u. A. J. Roth, J. Org. Chem. **22**, 1130 (1957).
[3] H. Hart u. F. Freeman, Am. Soc. **85**, 1161 (1963).
[4] Y. C. Kim u. H. Hart, Tetrahedron **25**, 3869 (1969).
[5] E. Ciganek, Am. Soc. **88**, 1979 (1966).
[6] J. M. Stewart u. H. H. Westberg, J. Org. Chem. **30**, 1951 (1965).
[7] J. Gosselck, L. Béress u. H. Schenk, Ang. Ch. **78**, 606 (1966).
[8] J. S. Swenson u. D. J. Renaud, Am. Soc. **87**, 1394 (1965).
[9] P. Boldt u. L. Schulz, Tetrahedron Letters **1966**, 1415.

Tab. 58. 3,3-Disubstituierte 1,1,2,2-Tetracyan-cyclopropane aus den entsprechenden Alkyliden-malonsäure-dinitrilen durch Umsetzung mit Brom-malonsäure-dinitril nach H. Hart[1]

| Alkyliden-malonsäure-dinitril (m Mol) | | Brom-malon-säure-dinitril [m Mol] | Lösungsmittel-verhältnisse[a] | Reaktionszeit[b] | | | 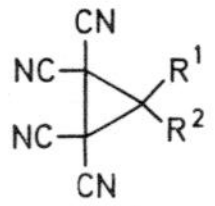 Ausbeute [% d. Th.] | F [°C] |
R^1	R^2				R^1	R^2		
CH$_3$	CH$_3$ (4,72)	6,90	5; 50	2 Min., 30 Min.	CH$_3$	CH$_3$	86	206–208
	C$_2$H$_5$ (8,3)	10,0	15; 80	Min., Stdn.		C$_2$H$_5$	91	204–206
	C$_3$H$_7$ (5,95)	8,97	10; 75	einige Min.		C$_3$H$_7$	97,5	164–166
	iso-C$_3$H$_7$ (3,73)	6,00	12; 80	1 Stde., 24 Stdn.		iso-C$_3$H$_7$	97,4	201–202,5
	C$_5$H$_{11}$ (7,71)	10,00	10; 90	1 Stde;Stdn.		C$_5$H$_{11}$	97,5	103–105
C$_2$H$_5$	C$_2$H$_5$ (10,1)	13,8	15; 95	einige Stdn.	C$_2$H$_5$	C$_2$H$_5$	88,5	163–165
	C$_4$H$_9$ (6,17)	10,3	15; 90	24 Stdn.		C$_4$H$_9$	94,5	119–121
cycl.-C$_3$H$_5$	cycl.-C$_3$H$_5$ (5,0)	6,9	20; 60	10 Min., 24 Stdn.	cycl.-C$_3$H$_5$	cycl.-C$_3$H$_5$	62	185–187
-(CH$_2$)$_4$	(7,57)	10,3	14; 85	30 Min., Stdn.	-(CH$_2$)$_4$-		52,6	240–243
-(CH$_2$)$_5$	(6,84)	11,7	15; 80	2 Min., Stdn.	-(CH$_2$)$_5$-		97,5	177–179

Produkte (Spalte Produktname):
- 3,3-Dimethyl-1,1,2,2-tetracyan-cyclopropan
- 3-Methyl-3-äthyl-1,1,2,2-tetra-cyan-cyclopropan
- 3-Methyl-3-propyl-1,1,2,2-tetra-cyan-cyclopropan
- 3-Methyl-3-isopropyl-1,1,2,2,-tetracyan-cyclopropan
- 3-Methyl-3-pentyl-1,1,2,2-tetra-cyan-cyclopropan
- 3,3-Diäthyl-1,1,2,2-tetracyan-cyclopropan
- 3-Äthyl-3-butyl-1,1,2,2-tetra-cyclopropan
- 3,3-Dicyclopropyl-1,1,2,2-tetra-cyan-cyclopropan
- 2,2,3,3-Tetracyan-cyclopropan-⟨1-spiro⟩-cyclopentan
- 2,2,3,3-Tetracyan-cyclopropan-⟨1-spiro⟩-cyclohexan

a Die erste Zahl bedeutet die Menge in *ml*; die zweite die Alkoholkonzentration [%] des Äthanol/Wassergemisches.
b Die erste Zahl gibt den Kristallisationsbeginn an; die zweite den Zeitpunkt des Aufarbeitungsbeginns; erscheint nur eine Zahl, so soll damit der Aufarbeitungsbeginn gemeint sein.

1 H. HART u. Y. C. KIM, J. Org. Chem. 31, 2784 (1966); die Reaktionen wurden mehr oder minder bei Raumtemp. durchgeführt.

Tab. 58. (Fortsetzung)

Alkyliden-malonsäure-dinitril (m Mol) 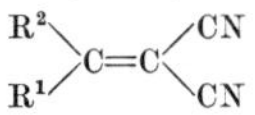 $R^2{>}C{=}C{<}^{CN}_{CN}$		Brom-malon-säure-dinitril [m Mol]	Lösungsmittel-verhältnisse[a]	Reaktionszeit[b]	$NC{-}\overset{CN}{\underset{CN}{\triangle}}{-}\overset{R^1}{R^2}$			Ausbeute [% d.Th.]	F [°C]
R^1	R^2				R^1	R^2			
$-(CH_2)_4-CH(CH_3)-$	(6,25)	10,3	30; 95	16 Stdn., 2 Tg.	$-(CH_2)_4-CH(CH_3)-$		2,2,3,3-Tetracyan-cyclopropan-⟨1-spiro-1⟩-2-methyl-cyclohexan	39,3	165–166
$-(CH_2)_9-$	(4,85)	15,3	12; 95	15 Min., Stdn.	$-(CH_2)_9-$		2,2,3,3-Tetracyan-cyclopropan-⟨1-spiro-1⟩-cyclodecan	34,8	214–216
$-(CH_2)_{11}-$	(2,17)[c]	13,8	10; 95	1 Stde., Stdn.	$-(CH_2)_{11}-$		2,2,3,3-Tetracyan-cyclopropan-⟨1-spiro-1⟩-cyclododecan	94	197–200
$-(CH_2)_{14}-$	(2,89)[c]	13,8	15; 95	einige Tg.	$-(CH_2)_{14}-$		2,2,3,3-Tetracyan-cyclopropan-⟨1-spiro-1⟩-cyclopentadecan	36	111–112
C_6H_5	CH_3 (5,96)	10,0	40; 95	1,5 Stdn., 24 Stdn.	C_6H_5	CH_3	3-Methyl-3-phenyl-1,1,2,2-tetra-cyan-cyclopropan	86,6	249–252
C_6H_5	C_2H_5 (5,0)	8,0	20; 95	einige Tg.	C_6H_5	C_2H_5	3-Äthyl-3-phenyl-1,1,2,2-tetra-cyan-cyclopropan	17,8	225–227
$4\text{-}CH_3\text{-}C_6H_4$	CH_3 (5,49)	10,0	50; 95	15 Stdn., 18 Stdn.	$4\text{-}CH_3\text{-}C_6H_4$	CH_3	3-Methyl-3-(4-methyl-phenyl)-1,1,2,2-tetracyan-cyclopropan	81,2	222–224
$4\text{-}CH_3O\text{-}C_6H_4$	CH_3 (5,04)	15,0	50; 95	20 Stdn., 44 Stdn.	$4\text{-}CH_3O\text{-}C_6H_4$	CH_3	3-Methyl-3-(4-methoxy-phenyl)-1,1,2,2-tetracyan-cyclopropan	51,2	215–217
$3\text{-}Cl\text{-}C_6H_4$	CH_3 (4,93)	10,3	50; 95	2 Stdn., Stdn.	$3\text{-}Cl\text{-}C_6H_4$	CH_3	3-Methyl-3-(3-chlor-phenyl)-1,1,2,2-tetracyan-cyclopropan	68,1	206–208
Naphthyl-(2)	CH_3 (4,58)	15,0	50;,95	1 Stde., 24 Stdn.	Naphthyl-(2)	CH_3	3-Methyl-3-naphthyl-(2)-1,1,2,2-tetracyan-cyclopropan	54,8	255–260
Thienyl-(2)	CH_3 (5,7)	6,9	50; 95	30 Min.	Thienyl-(2)	CH_3	3-Methyl-3-thienyl-(2)-1,1,2,2-tetracyan-cyclopropan	22,1	207–210
Tetralyl-(1)	CH_3 (3,1)	10,3	35; 80	6 Stdn., 12 Stdn.	Tetralyl-(1)	CH_3	3-Methyl-3-tetralyl-(1)-1,1,2,2-tetracyan-cyclopropan	54,2	167–170

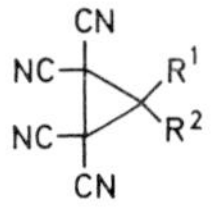

[c] Millimolangabe bezieht sich hier auf das Ausgangsketon.

24*

Bei der Reaktion ① (S. 369) handelt es sich hingegen um eine Radikalkettenreaktion ohne Beteiligung ionischer Addition[1,2].

Führt man die Reaktion nicht unter Stickstoff, sondern in Anwesenheit von Sauerstoff unter sonst gleichen Bedingungen aus, so verläuft sie deutlich langsamer. Unter Stickstoff ist sie bei hellem Tageslicht nach ~ 4,5 Stdn. und bei Bestrahlen mit kurzwelligem Licht nach 3,5 Stdn. praktisch quantitativ. Dagegen wurde im Dunkeln nach 10 Stdn. nur 65% Ausbeute erzielt. Diese Dunkelreaktion kann schließlich so gut wie vollständig unterbunden werden, wenn man geringe Mengen eines Radikalfängers zusetzt.

1,1-Dicyan-cyclopropane; allgemeine Herstellungsvorschrift[1]:

Brom-malonsäure-dinitril[1,3]: Zu einer Suspension von 132 g Malonsäure-dinitril in 1,5 l Wasser gibt man unter gutem Rühren und Eiskühlung in kleinen Anteilen 320 g chlorfreies Brom und filtriert nach 4 stdgm. Rühren. Der fast farblose kristalline Rückstand wird nach Waschen mit Eiswasser über der gleichen Vol.-Menge wasserfreiem Natriumsulfat zentrifugiert und i. Vak. über Schwefelsäure getrocknet; Rohausbeute: 182,5 g. Nach Umkristallisieren aus Tetrachlormethan (die Temp. soll 53° nicht übersteigen) und anschließendem Trocknen erhält man 146,8 g farbloses Dinitril; F: 64–65°(korr.). Aus den vereinigten Mutterlaugen können weitere 8,2 g gewonnen werden (Gesamtausbeute: 53% d. Th.).

(β-Brom-alkyl)-malonsäure-dinitril[1]: Reines Olefin gelöst in Dichlormethan (p.a.) wird in einen Tropftrichter (bei Styrol ist Vak.-Dest. unter Stickstoff erforderlich) destilliert und man läßt das Destillat auf einmal unter Rühren zu dem Brom-malonsäure-dinitril in einem mit Thermometer, Rückflußkühler und Magnetrührer ausgerüsteten Kolben laufen. — Alle Operationen werden zweckmäßigerweise in einer geschlossenen Apparatur aus Solidex-Glas [Borosilikatglas der Fa. Sovirel, Paris; Transmissionsfaktor von 2 mm starkem Glas: 0,1 (280 mμ), 0,33 (300), 0,7 (320)] unter gereinigtem Stickstoff durchgeführt. Danach wird die Lösung mit einer filterlosen Analysenlampe (Q 81-Pl 327 der Quarzlampengesellschaft Hanau mit Hg-Hochdruckbrenner) aus 20—70 cm Entfernung bestrahlt. Die Temp. der Reaktionsmischung steigt anfangs stets über 30°; man hält sie durch geeigneten Abstand der UV-Lampe oder Luftkühlung bei dem angegebenen oberen Grenzwert. Das Fortschreiten der Reaktion ist an der allmählich auf 26–27° absinkenden Temp. zu erkennen. Nach Beendigung der Addition – die höchste Bestrahlungszeit beträgt 6 Stdn. – kann mit schwach essigsaurer Kaliumjodidstärke-Lösung kein Brom-malonsäure-dinitril mehr nachgewiesen werden. Durch Abdampfen des Lösungsmittels erhält man im allgemeinen die Addukte bereits in reiner Form und in Ausbeuten über 90%.

1,1-Dicyan-cyclopropane[1]: In der Regel werden die (β-Brom-alkyl)-malonsäure-dinitrile nicht isoliert, sondern direkt in der Reaktionslösung unter Kühlen und Rühren mit ~ 1,1 Mol.-Äquiv. Triäthylamin versetzt. Danach rührt man noch 10 Min., wäscht 2mal mit 2n Salzsäure und destilliert das Lösungsmittel ab bis – unter allmählich vermindertem Druck – der Rückstand zu sieden beginnt. Beim Abkühlen erstarren dann die nahezu reinen 1,1-Dicyan-cyclopropane.

Demnach dürfte Reaktion ① (s. S. 369) ebenso ablaufen wie die Addition von Polyhalogen-methanen an Olefine[4]:

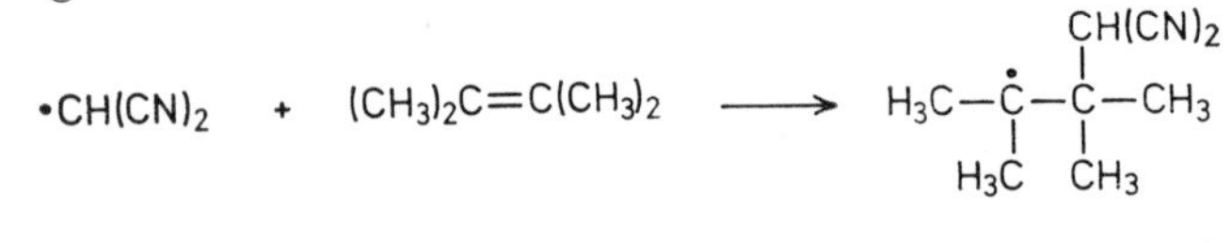

$$\cdot CH(CN)_2 \; + \; (CH_3)_2C=C(CH_3)_2 \; \longrightarrow \; H_3C-\overset{CH(CN)_2}{\underset{CH_3}{\overset{|}{\underset{|}{C}}}}-\overset{\cdot}{\underset{H_3C}{\overset{|}{\underset{|}{C}}}}-CH_3 \qquad (1\,a)$$

$$H_3C-\overset{\cdot}{\underset{H_3C}{\overset{|}{\underset{|}{C}}}}-\overset{CH(CN)_2}{\underset{CH_3}{\overset{|}{\underset{|}{C}}}}-CH_3 \; + \; BrCH(CN)_2 \; \longrightarrow \; H_3C-\overset{Br}{\underset{H_3C}{\overset{|}{\underset{|}{C}}}}-\overset{CH(CN)_2}{\underset{CH_3}{\overset{|}{\underset{|}{C}}}}-CH_3 \; + \; \cdot CH(CN)_2 \qquad (1\,b)$$

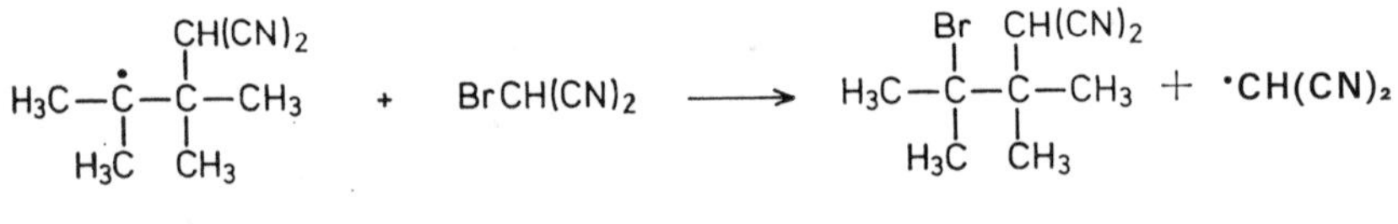

[1] P. Boldt, L. Schulz u. J. Etzemüller, B. **100**, 1281 (1967).

[2] K. Torssell u. K. Dahlqvist, Acta chem. scand. **16**, 346 (1962).

[3] Vgl. auch: L. Ramberg u. S. Widequist, Ark. Kemi [A] **12**, Nr. 22, 1 (1937); C. A. **32**, 2511 (1938).

[4] Vgl. etwa: C. Walling „*Free Radicals in Solution*", J. Wiley & Sons, New York 1957.

Tab. 59. Radikalische Addition von Brom-malonsäure-dinitril an Olefine und anschließende Cyclisierung zu 1,1-Dicyan-cyclopropanen[1]

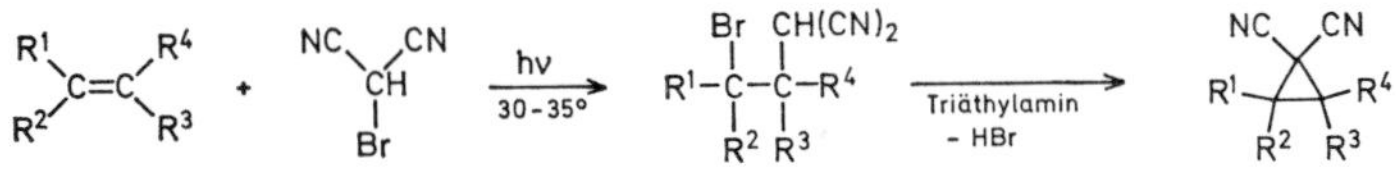

Olefin (Substitution)	Ausbeute [% d. Th.]	F [°C]	...-1,1-dicyan-cyclopropan	Ausbeute [% d. Th.][2]	F [°C]
$R^1=R^2=R^3=R^4=CH_3$	98	117,0–117,5	*Tetramethyl-*	97	51,5–52,0
$R^1=R^2=R^3=CH_3$; $R^4=H$	> 90	41,0– 41,5	*2,2,3-Trimethyl-*	95	45,0–45,5
$R^1=R^2=CH_3$; $R^3=R^4=H$	> 90	39,5– 40,0	*2,2-Dimethyl-*	94	39,0–39,5
$R^1=C_4H_9$; $R^2=R^3=R^4=H$	> 90	48,5– 49,0	*2-Butyl-*	95	flüssig
$R^1=C_6H_5$; $R^2=R^3=R^4=H$	> 90	60,5– 61,0	*2-Phenyl-*	94	58,5–59,0

Tab. 60. 1,1-Dicyan-cyclopropane durch radikalische Addition von Brom-malonsäure-dinitril an Cycloalkene[3]

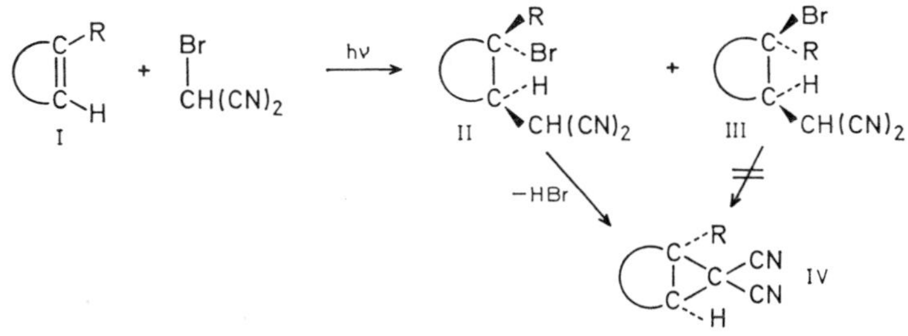

Cycloalken I	seqtrans-Addukt II[4,5]	seqcis-Addukt III[4,5]	Verhältnis[6] seqtrans/seqcis	1,1-Dicyan-cyclopropan-Derivat[4]
Cyclohexen	13% (F: 56,5°)	19% (F: 68,5°)	1,1	*7,7-Dicyan-bicyclo[4.1.0]heptan*; 38%; F: 62,0°
1-Methyl-cyclohexen	56% (F: 79,0°)	16% (F: 53,0°)	2,2	*1-Methyl-7,7-dicyan-bicyclo[4.1.0]heptan*; 53%; F: 36,5°
Cyclopenten	6% (F: 21,5°)	9% (F: 49,5°)	3,8	*6,6-Dicycan-bicyclo[3.1.0]hexan*; 51%; F: 35°
1-Methyl-cyclopenten	38% (F: 40,0°)	5,5% (F: 44,5°)	2,6	*1-Methyl-6,6-dicyan-bicyclo[3.1.0] hexan*; 37%; F: 29,5°
Bicyclo[2.2.1] hepten	(F: 49,0°)	(F: 74,5°)	0,25	*3,3-Dicyan-tricyclo[3.2.1.0²,⁴]octan*[7]; F: 86,5°

---

[1] P. Boldt, L. Schulz u. J. Etzemüller, B. **100**, 1281 (1967).
[2] Die angegebenen Ausbeuten beziehen sich auf eingesetztes Brom-malonsäure-dinitril.
[3] P. Boldt u. L. Schulz, Tetrahedron Letters **1967**, 4351.
[4] Alle präparativen Ausbeuten sind auf Brom-malonsäure-dinitril bezogen.

(Fortsetzung s. S. 374)

Für eine **Kettenreaktion** spricht die **starke** Beschleunigung durch relativ **schwache** Belichtung. Es besteht jedoch noch die Möglichkeit, daß Dicyanmethyl-Radikale durch direkte Photolyse von Brom-malonsäure-dinitril entstehen, denn dieses absorbiert noch oberhalb der Durchlässigkeitsgrenze des verwendeten Glases (s. S. 372) UV-Strahlung. Im Dunkeln könnten möglicherweise die Dicyanmethyl-Radikale u.a. durch gekoppelte Reaktion von Brom-malonsäure-dinitril mit Alkenen entstehen, wie etwa für die Primärreaktion des tert.-Butyl-hypobromits bei Additionen an Olefine vorgeschlagen wurde[1]. Die Tatsache, daß keine Allyl-Substitutionsprodukte gefunden wurden[2], spricht nicht gegen die oben angedeutete Reaktionsfolge, da z.B. bei radikalischen Additionen des Trichlor-brom-methans an Octen-(1) und Buten-(2) auch nur wenig Allyl-Substitution beobachtet worden ist[3].

Tab. 59 (S. 373) zeigt eine Zusammenstellung derjenigen 1,1-Dicyan-cyclopropane, die durch die Addition von Brom-malonsäure-dinitril an Olefine nach dem geschilderten Verfahren erhalten wurden. Zum Nachweis der Stereoselektivität der radikalischen Addition ist dieses Syntheseprinzip auch auf Cycloolefine erweitert worden[4]; die bisher erzielten Ergebnisse sind in Tab. 60 (s. S. 373) aufgeführt.

b) 1.1-Dihalogen-cyclopropane durch Cyclopropanierung von Olefinen mit Haloformen und Äthylenoxid

Die Basizität[5] des mit bestimmten salzartigen Katalysatoren versetzten Äthylenoxids reicht aus[5], um aus Haloformen Halogenwasserstoff abzuspalten und in Gegenwart von Olefinen 1,1-Dihalogen-cyclopropane zu bilden:

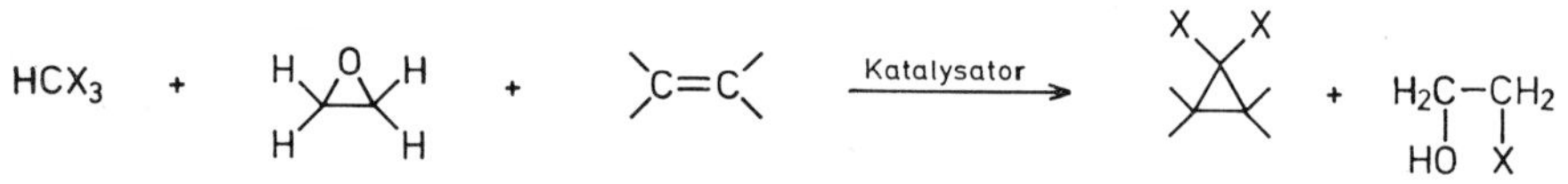

Die Reaktionen werden über intermediär gebildetes Dichlor-, Fluor-chlor- und Difluor-carben formuliert[6]. Gegenüber den herkömmlichen Carben-Verfahren[7] hat die Nerdel-Methode den nicht zu übersehenden Vorteil, daß keine Vorstufen, wie etwa Kalium-tert.-butanolat, hergestellt werden müssen, sondern alle hier verwende-

[1] C. WALLING, L. HEATON u. D. D. TANNER, Am. Soc. **87**, 1715 (1965).
[2] P BOLDT, L. SCHULZ u. J. ETZEMÜLLER, B. **100**, 1281 (1967).
[3] E. S. HUYSER, J. Org. Chem. **26**, 3261 (1961).
[4] P. BOLDT u. L. SCHULZ, Tetrahedron Letters **1967**, 4351.
[5] F. NERDEL u. J. BUDDRUS, Tetrahedron Letters **1965**, 3585; Ang. Ch. **77**, 1034 (1965).
   D. KLAMANN u. P. WEYERSTAHL, Ang. Ch. **77**, 1028 (1965).
   D. KLAMANN u. K. ULM, Ang. Ch. **77**, 1028 (1965).
   DBP 1198355 (1965) ≡ Niederl. P. 6400031 (1964), F. NERDEL u. J. BUDDRUS, Erf.: F. NERDEL u. J. BUDDRUS; C. A. **62**, 2720 (1965).
   DAS 1227458 (1966), F. NERDEL u. J. BUDDRUS, Erf.: F. NERDEL, J. BUDDRUS, D. KLAMANN, P. WEYERSTAHL u. K. ULM.
   D. KLAMANN, M. FLIGGE, P. WEYERSTAHL, K. ULM u. F. NERDEL, Chemie-Ing.-Techn. **39**, 1024 (1967).
[6] P. WEYERSTAHL, D. KLAMANN, C. FINGER, F. NERDEL u. J. BUDDRUS, B. **100**, 1858 (1967).
[7] S.S. 150ff.
   Vgl. auch: B. J. HEROLD u. P. P. GASPAR, Fortschr. chem. Forsch. **5**, 89 (1965).

(Fortsetzung v. S. 373).

[5] Nomenklatur der Additionsprodukte nach: R. S. CAHN, C. INGOLD u. V. PRELOG, Ang. Ch. **78**, 413 (1966).
[6] Die Isomerenverhältnisse im Reaktionsgemisch wurden gaschromatographisch bestimmt.
[7] Die *exo/endo*-Isomerieverhältnisse wurden nicht untersucht.

ten Ausgangsmaterialien billige, kommerziell erhältliche Produkte sind. Das Verfahren scheint bezüglich seiner Wirtschaftlichkeit auch der von Robinson[1] angegebenen Methode überlegen zu sein, obwohl diese mit Natriumhydroxid als Base arbeitet. Bei diesem Verfahren gestaltet sich außerdem die Aufarbeitung recht einfach; die Produkte können in guter Reinheit erhalten werden. Das Verfahren erfordert allerdings die Anwesenheit eines im Reaktionsmedium löslichen Salzes als Katalysator.

Die Öffnung von Epoxid-Ringen durch Halogen-Anionen in wäßrigem Medium[2]:

$$\overset{O}{\triangle} \quad + \quad A^{\ominus} \quad + \quad H_2O \quad \longrightarrow \quad \underset{\underset{A}{|} \quad \underset{OH}{|}}{H_2C-CH_2} \quad + \quad OH^{\ominus}$$

sowie allgemeine Formulierungen über den nucleophilen Angriff auf Epoxide sind in der Literatur beschrieben worden[3].

Sicherlich wirkt das Äthylenoxid als Protonen-Acceptor, d.h. als Brönsted-Base. Hierbei ist die Beteiligung des Anions entscheidend.

$$\overset{O}{\triangle} \quad + \quad A^{\ominus} \quad + \quad HCX_3 \quad \longrightarrow \quad \underset{\underset{A}{|} \quad \underset{OH}{|}}{H_2C-CH_2} \quad + \quad CX_3^{\ominus}$$

Da dieses Anion nur in geringer Konzentration vorliegt, kann auch die Base stets nur in kleiner Konzentration vorliegen. Daraus ergeben sich zwei Konsequenzen.

① Es werden höhere Temperaturen benötigt, um brauchbare Reaktionsgeschwindigkeiten zu erzielen.

② Das Reaktionsgemisch ist stets quasi-neutral[4].

Was mit dem $CX_3^{\ominus}$-Ion im weiteren passiert, läßt sich derzeit nicht beantworten. Der Zerfall in ein möglicherweise solvatisiertes Dihalogen-carben und ein $X^{\ominus}$-Ion ist wahrscheinlich, ebenso sind aber auch Formulierungen über ein Ionenpaar denkbar.

Eine metallorganische Zwischenstufe, die bei allen bisher bekannten carbenoiden Reaktionen zu diskutieren ist, scheint jedoch im Falle dieses Verfahrens mit Sicherheit auszuschließen zu sein.

Bei Abwesenheit eines Olefins konnten in untergeordnetem Maße Folgeprodukte einer Ausweichreaktion nachgewiesen werden. So bilden sich z.B. aus Chloroform, Äthylenoxid und Tetraäthylammoniumbromid (als Katalysator) 15% 2-Chlor-äthanol und 25% eines hochsiedenden Produktes, das im wesentlich aus Orthoameisensäure-tris-[2-chlor-äthylester] bestand, dessen Entstehung sich so erklären läßt, daß gebildetes Dichlor-carben mit 2-Chlor-äthanol zum Dichlormethyl-(2-chlor-äthyl)-äther reagiert[5], der unter diesen Bedingungen rasch zwei weitere Moleküle Äthylenoxid addiert[6]:

$$:CCl_2 \quad + \quad HO-CH_2-CH_2-Cl \quad \longrightarrow \quad \left[\underset{\underset{\ominus}{|} CCl_2}{\overset{\oplus}{HO}-CH_2-CH_2-Cl} \right] \quad \longrightarrow \quad Cl_2CH-O-CH_2-CH_2-Cl$$

$$\xrightarrow{2 \overset{O}{\triangledown}} \quad HC(O-CH_2-CH_2-Cl)_3$$

[1] G. C. Robinson, Tetrahedron Letters **1965**, 1749.
[2] J. N. Brönsted, M. Kilpatrick u. M. Kilpatrick, Am. Soc. **51**, 428 (1929).
[3] R. E. Parker u. N. E. Isaacs, Chem. Reviews **59**, 737 (1959).
[4] P. Weyerstahl, D. Klamann, C. Finger, F. Nerdel u. J. Buddrus, B. **100**, 1858 (1967).
[5] J. Hine et al., Am. Soc. **82**, 1398 (1960).
[6] L. Blanchard, Bl. 4 **39**, 1263 (1926).

1. 1,1-Dichlor-cyclopropane

Zur Herstellung von 1,1-Dichlor-cyclopropanen werden die Reaktionskomponenten im Bombenrohr oder im Autoklaven einige Stdn. auf 130–170° erhitzt. Ein Überschuß an Äthylenoxid ergibt optimale Ausbeuten. Als Katalysatoren können quartäre Salze wie Tetraalkylammoniumhalogenide oder Phosphonium-Salze benutzt werden. Am besten eignet sich jedoch im allgemeinen Tetraäthylammoniumbromid (s. die Bemerkungen zum Einfluß der Katalysatoren auf S. 380). Zur Aufarbeitung kann das Reaktionsgemisch direkt destilliert werden, wobei die äquivalente Menge 2-Chlor-äthanol, meist als Vorlauf, erhalten wird. Bei der Herstellung von 1,1-Dichlor-cyclopropanen, deren Siedepunkte in der Nähe des Kochpunktes von 2-Chlor-äthanol liegen, ist es notwendig, dieses durch Ausschütteln mit Wasser zu entfernen, wobei zur Verschiebung des Verteilungsgleichgewichtes noch niedrig siedender Petroläther zugefügt werden kann. Diese Variante ist allgemein vorteilhaft, da so bereits nach einmaliger Destillation sehr reine Produkte erhalten werden können. Nicht umgesetzte Ausgangsprodukte werden nahezu vollständig in der leichtsiedenden Fraktion wiedergewonnen, da bei richtiger Wahl der Reaktionstemperatur kaum Nebenprodukte entstehen.

Die Ausbeuten hängen stark von Temperatur, Zeit, Molverhältnis und Katalysatorkonzentration ab (s. S. 380)[1].

Außerdem hängen in bekannter Weise[2] die Ausbeuten an Cyclopropanen auch von der Elektronendichte an der olefinischen Doppelbindung ab. Bei trisubstituierten Äthylenen ist das primär gebildete 1,1-Dichlor-cyclopropan-Derivat bei etwas erhöhter Temperatur nicht mehr stabil, und es werden demzufolge Sekundärprodukte erhalten[1].

Im Gegensatz zu den Auffassungen Fields[3] ist die thermische Energie offenbar nicht der alleinbestimmende Faktor für die Reaktionsweise des Dichlor-carbens. Fields erhielt bei der Reaktion mit 2-Phenyl-propen sehr verschiedene Ausbeuten an 1,1-Dichlor-2-methyl-2-phenyl-cyclopropan je nach der Erzeugungsart des Dichlor-carbens. So wurde nach der Natrium-trichlor-acetat-Methode bei 95° 33% und nach der Kalium-tert.-butanolat-Methode bei 0° 0,5–5% Ausbeute erhalten[3]. Nerdel[1] erhielt nach seiner Methode bei 170° auch nur 5% Ausbeute. Hierin ist wohl ein Hinweis zu sehen, daß sich das mittels Äthylenoxid erzeugte Dichlor-carben ähnlich verhält wie das nach der Kalium-tert.-butanolat bzw. wie ein durch Basen erzeugtes Dichlor-carben.

2,2-Dichlor-1-methyl-cyclopropan[1]: In einem 0,5-l-V₄A-Schüttelautoklaven werden 42,0 g (1 Mol) Propen, 143 g (1,2 Mole) Chloroform, 52,8 g (1,2 Mole) Äthylenoxid und 1,0 g Tetraäthylammoniumbromid 5 Stdn. unter Schütteln auf 150° erhitzt. Das danach erhaltene gelbe Reaktionsprodukt wird bis zu einer Kopftemp. von 65°/40 Torr destilliert, das Destillat mehrmals mit Wasser gewaschen, getrocknet und schließlich über eine 30-cm-Füllkörperkolonne destilliert; Ausbeute: 32 g (26% d.Th.); Kp: 101,5°; $n_D^{20} = 1,4451$.

Analog erhält man z. B. aus

cis-Buten-(2)	→ cis-2,2-Dichlor-1-äthyl-cyclopropan	50% d.Th.
trans-Buten-(2)	→ trans-2,2-Dichlor-1-äthyl-cyclopropan	84% d.Th.
Methylen-cyclohexan	→ 2,2-Dichlor-cyclopropan-⟨1-spiro⟩-cyclohexan	63% d.Th.
Cyclohexen	→ 7,7-Dichlor-bicyclo[4.1.0]heptan	78% d.Th.
2-Phenyl-propen	→ 2,2-Dichlor-1-methyl-1-phenyl-cyclopropan	83% d.Th.

[1] P. WEYERSTAHL, D. KLAMANN, C. FINGER, F. NERDEL u. J. BUDDRUS, B. **100**, 1858 (1967).
[2] W. v. E. DOERING u. W. A. HENDERSON, Am. Soc. **80**, 5274 (1958).
[3] E. K. FIELDS, Am. Soc. **84**, 1744 (1962).

Die Stereospezifität der Dihalogen-carben-Addition an cis- bzw. trans-Olefine[1,2], ließ sich auch in diesem Fall bestätigen. Die Überprüfung wurde am *cis*-Buten-(2), *trans*-Buten-(2), *cis*-Penten-(2) und einem *cis, trans*-Penten-(2)-Gemisch durchgeführt[3]. Eine Übersicht über die mit Hilfe von Äthylenoxid aus Monoolefinen hergestellten 1,1-Dichlor-cyclopropane findet sich in Tab. 61 (S. 378)[3].

Während 1,1-Diphenyl-äthylen glatt in guter Ausbeute *2,2-Dichlor-1,1-diphenyl-cyclopropan* ergibt, gelang es nicht *trans*-Stilben umzusetzen. Die Herstellung des gewünschten 3,3-Dichlor-1,2-diphenyl-cyclopropans konnte bisher nur mittels Trichlormethyl-phenyl)-quecksilber (s. S. 175 ff.) realisiert werden[4].

Am Beispiel des Cyclooctens konnte gezeigt werden, daß auch mit Dichlor-brommethan an Stelle von Chloroform eine analoge Reaktion stattfindet und *9,9-Dichlor-bicyclo[6.1.0]nonan* in vergleichbarer Ausbeute entsteht.

2. 1-Fluor-1-chlor-cyclopropane

Die bislang bekannten Verfahren zur Herstellung von Difluor- und Fluor-chlor-cyclopropanen ähneln im Prinzip denjenigen für die Herstellung der Dichlor-cyclo-propane[5–9] (s. S. 376). Nach der Methode von Nerdel lassen sich Fluor-chlor- und Difluor-cyclopropane nahezu ebenso glatt herstellen wie Dichlor-cyclopropane. Für die experimentelle Durchführung gilt im wesentlichen das gleiche wie beim Dichlor-carben[6]. Die Reaktionstemperaturen liegen hier oft etwas niedriger. Reaktionszeit und Molverhältnisse sind etwa gleich. Die Aufarbeitung gestaltet sich analog zu der bei den Dichlor-carben-Reaktionen, wobei zu beachten ist, daß die Fluor-chlor-cyclopropane ~ 40° tiefer sieden als die Dichlor-cyclopropane. Vor der Destillation sollte in jedem Fall mit Wasser geschüttelt werden, da die Fluor-chlor-cyclopropane unempfindlicher sind als die entsprechenden Dichlor-Derivate und hochreine Produkte auch wesentlich haltbarer sind.

Unsymmetrisch substituierte Äthylene und alle Cycloolefine liefern geometrische Isomere:

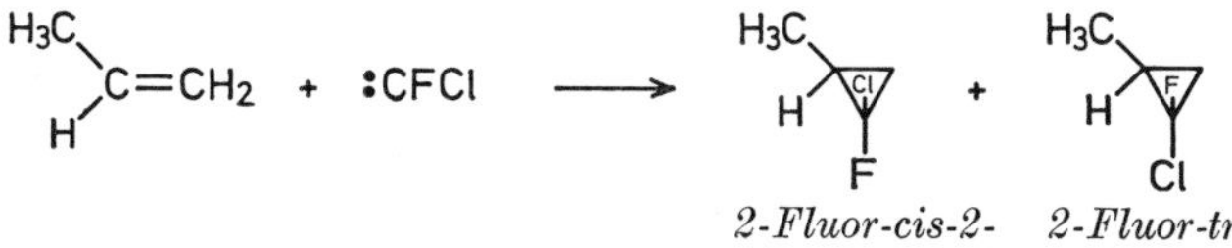

2-Fluor-cis-2-
chlor-1-methyl-
cyclopropan

2-Fluor-trans-2-
chlor-1-methyl-
cyclopropan

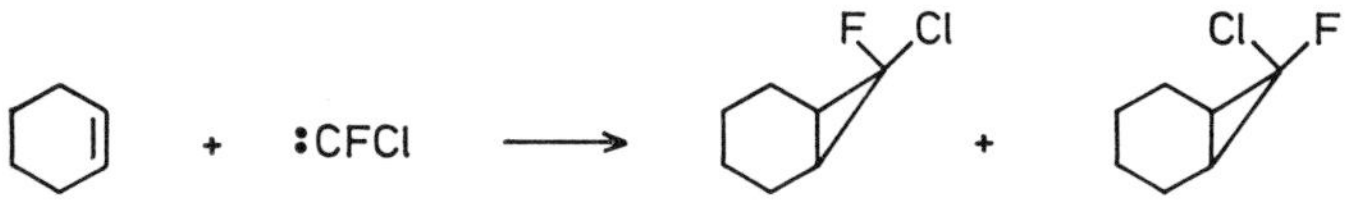

endo-7-Fluor-7-
chlor-bicyclo
[4.1.0]heptan

exo-7-Fluor-7-
chlor-bicyclo
[4.1.0]heptan

---

[1] P. S. SKELL u. R. C. WOODWORTH, Am. Soc. **78**, 4496 (1956).
    P. S. SKELL u. A. Y. GARNER, Am. Soc. **78**, 3409 (1956).
[2] W. v. E. DOERING u. P. M. LA FLAMME, Am. Soc. **78**, 5447 (1956).
[3] F. NERDEL et al., B. **100**, 1858 (1967).
[4] D. SEYFERTH et al., Am. Soc. **87**, 4259 (1965).
[5] J. M. BIRCHALL, G. W. CROSS u. R. N. HASZELDINE, Pr. chem. Soc. **1960**, 81.
[6] US.P. 3080385 (1963), Syntex S. A., Erf.: L. H. KNOX; C. A. **59**, 14086 (1963).

(Fortsetzung s. S. 380)

Tab. 61. 1,1-Dichlor-cyclopropane aus Olefinen nach Nerdel[1]

Olefin	Mol	$CHCl_3$/Äthylenoxid [Mol]	$[(C_2H_5)_4N]^{\oplus} Br^{\ominus}$ [g]	Reaktionsbedingungen [Stdn.]	[°C]	Cyclopropan	Reinheit nach GC [%]	Ausbeute [% d.Th.]
$H_2C{=}CH_2$	~0,5	0,5/0,5	1,0	5	150	1,1-Dichlor-cyclopropan	> 98	8
$H_3C{-}CH{=}CH_2$	1,0	1,2/1,2	1,0	5	150	2,2-Dichlor-1-methyl-cyclopropan	99,5	26
$H_5C_2{-}CH{=}CH_2$	0,2	0,25/0,6	0,5	5	160	2,2-Dichlor-2-äthyl-cyclopropan	99,9	27
$H_3C{-}CH{=}CH{-}CH_3$ cis	0,2	0,25/0,6	0,5	5	140	3,3-Dichlor-cis-1,2-dimethyl-cyclopropan	> 99[b]	50
trans	0,2	0,25/0,6	0,5	5	160	3,3-Dichlor-trans-1,2-dimethyl-cyclopropan	99,8[e]	84
$(H_3C)_2C{=}CH_2$	0,2	0,25/0,6	1,0	5	150	2,2-Dichlor-1,1-dimethyl-cyclo-propan	99,5	72
$H_7C_3{-}CH{=}CH_2$	0,2	0,25/0,6	0,3[d]	5	150	2,2-Dichlor-1-propyl-cyclopropan	> 98	32
$H_5C_2{-}CH{=}CH{-}CH_3$[a] cis	0,2	0,25/0,6	0,3[d]	5	150	3,3-Dichlor-cis-2-methyl-1-äthyl-cyclopropan	98[c]	60
	0,2	0,25/0,6	0,3[d]	5	150	cis,trans-3,3-Dichlor-2-methyl-1-äthyl-cyclopropan	98[g]	55
$H_9C_4{-}CH{=}CH_2$[f]	0,3	0,3/0,6	0,5	5	150	2,2-Dichlor-1-butyl-cyclopropan	99	36

a) Reinheit (GC) > 99%

b) Retentionszeit 3,43 Min. (100°, 2-m-Siliconöl-Säule, 1,5 atü H_2)

c) Retentionszeit 3,00 Min. (Bedingungen wie b)

d) Unter Zusatz von 0,1 g Hydrochinon

e) Zusammensetzung nach GC: 93,3% cis-Verbindung, Retentionszeit 2,40 Min., 4,4% trans-Verbindung, Retentionszeit 2,08 Min. (100°, 2-m-Siliconöl-Säule, 1,5 atü H_2)

f) Gemisch aus 32% cis- und 68% trans-Isomerem

g) Gemisch aus 33% cis- und 65% trans-Verbindung

[1] F. NERDEL et al., B. 100, 1858 (1967).

Tab. 61. (Fortsetzung)

Olefin	Mol	CHCl₃/Äthylenoxid [Mol]	$[(C_2H_5)_4N]^{\oplus} Br^{\ominus}$ [g]	Reaktionsbedingungen [Stdn.]	[°C]	Cyclopropan	Reinheit nach GC [%]	Ausbeute [% d.Th.]
(H₅C₂)₂C=CH₂	0,2	0,2/0,4	0,5	5	150	2,2-Dichlor-1,1-diäthyl-cyclopropan	99	51
H₁₇C₈—CH=CH₂	0,25	0,25/0,75	0,5^d	8	170	2,2-Dichlor-1-octyl-cyclopropan	96	45
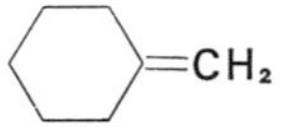 ⬡=CH₂	0,11	0,15/0,24	0,5	5	150	2,2-Dichlor-cyclopropan-⟨1-spiro⟩-cyclohexan	98	63
Cyclohexen	0,2	0,25/0,6	0,5	5	170	7,7-Dichlor-bicyclo[4.1.0]heptan (7,7-Dichlor-norcaran)	99,5	78
Cyclroocten	0,2	0,25/0,5	1,0	5	150	9,9-Dichlor-bicyclo[6.1.0]nonan	98	73
H₅C₆—CH=CH₂	0,3	0,34/0,5	1,0^h	7,5	160	2,2-Dichlor-1-phenyl-cyclopropan	99	54
$\begin{array}{c} H_5C_6 \\ H_3C \end{array}$C=CH₂	0,2	0,22/0,6	1,0	5	160	2,2-Dichlor-1-methyl-1-phenyl-cyclopropan	98,5	83
(H₅C₆)₂C=CH₂	0,03	0,06/0,05	0,2	6,5	170	2,2-Dichlor-1,1-diphenyl-cyclopropan	—	71
CH₃|Cl—CH₂—C=CH₂	0,4	0,45/0,8	0,5	5	150	2,2-Dichlor-1-methyl-1-chlor-methyl-cyclopropan	99	30
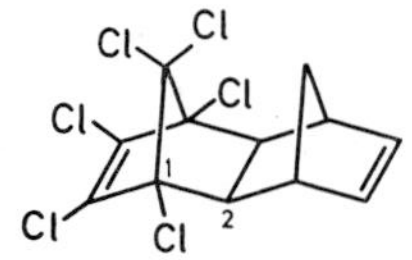 (Struktur)	0,1	0,12/0,3	0,5	5	170	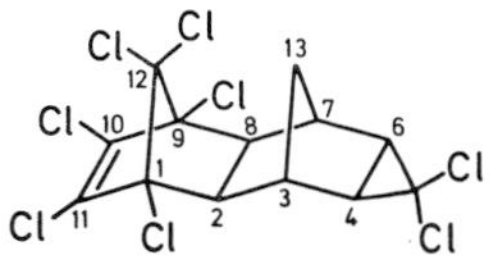 1,5,9,10,11,12,12-Octachlor-pentacyclo[7.2.1.1³,⁷.0²,⁸.0⁴,⁶]tridecen-(10)	—	4

d) Unter Zusatz von 0,1 g Hydrochinon
h) Unter Zusatz von 0,2 g 3,4-Dihydroxy-1-tert.-butyl-benzol

7-Fluor-7-chlor-norcaran (7-Fluor-7-chlor-bicyclo[4.1.0]heptan)[1]: 16,4 g (0,2 Mol) Cyclohexen, 25,7 g (0,25 Mol) Fluor-dichlor-methan, 11,0 g (0,25 Mol) Äthylenoxid und 0,5 g Tetraäthylammoniumbromid werden im Bombenrohr 5 Stdn. auf 150° erhitzt. Danach wird noch 12 Stdn. auf 110° gehalten (zu langes Erhitzen auf 150° führt zu teilweiser Zers.). Vom Reaktionsprodukt wird bis zu einer Badtemp. von 80° bei 600 Torr der leichtsiedende Anteil abgezogen. Der Rückstand wird dann mit 50 ml Pentan versetzt und 3mal mit je 50 ml Wasser ausgeschüttelt. Nach dem Trocknen und Abziehen des Pentans wird über eine 10-cm-Vigreux-Kolonne destilliert; Ausbeute: 13,2 g (45% d. Th.); Kp_{40}: 74–75°; $n_D^{20} = 1,4603$.

Analog erhält man z. B. aus

Cycloocten	→	9-Fluor-9-chlor-bicyclo[6.1.0]nonan	57% d. Th.
Styrol	→	2-Fluor-2-chlor-1-phenyl-cyclopropan	45% d. Th.
2-Methyl-propen	→	2-Fluor-2-chlor-1-methyl-cyclopropan	39% d. Th.

Bei der Umsetzung mit tri- und tetrasubstituierten Äthylenen treten wieder Folgereaktionen auf.

3. 1,1-Difluor-cyclopropane

Die Herstellung von 1,1-Difluor-cyclopropanen aus Difluor-chlor-methan gelang ebenfalls nach der Äthylenoxid-Methode, wobei bislang nur die Addition an Isobuten (*2,2-Difluor-1,1-dimethyl-cyclopropan*) und Cyclohexan (*7,7-Difluor-bicyclo [4.1.0]heptan*) durchgeführt wurde[1]. Ein ständiges Nebenprodukt ist der Difluormethyl-(2-chlor-äthyl)-äther, der offenbar durch Addition von Difluor-carben an 2-Chlor-äthanol entsteht. Dieser α-Fluor-äther wirkt bei der Aufarbeitung sehr störend, da er sich bei der Destillation oft spontan zersetzt.

4. Katalysatoreinfluß bei der Herstellung von 1,1-Dihalogen-cyclopropanen

In Hinblick auf die technische Verwendbarkeit des Verfahrens wurde vor allem der Einfluß des Katalysators untersucht[2]. Als wirksamster Katalysator erwies sich das Tetraäthyl-ammoniumbromid, das im Reaktionsmedium gut löslich und dessen Bromid ausreichend nucleophil ist, um das als Chlorwasserstoff-Acceptor dienende Äthylenoxid zu aktivieren. Mit Tetraäthyl-ammoniumchlorid konnten praktisch gleiche Ausbeuten erzielt werden. Tetraäthyl-ammoniumjodid war trotz der stärkeren Nucleophilie des Jod-Anions, aber offenbar wegen seiner geringen Löslichkeit in Chloroform, weniger wirksam. Quartäre Ammonium-tosylate katalysieren die Cyclopropanierungs-Reaktion fast überhaupt nicht, was offenbar auf die geringere Ionenbeweglichkeit und Nucleophilie des Tosylat-Anions zurückzuführen ist. Quartäre Arsonium- und Phosphonium-Salze sowie unter bestimmten Reaktionsbedingungen auch Tetraäthylammonium-Salz des Pentacyanopropenyl-Anions erwiesen sich ebenso wirksam wie die Ammonium-Salze, während tertiäre organische Basen eine schwächere katalytische Wirkung zeigten.

[1] P. WEYERSTAHL, D. KLAMANN, C. FINGER, F. NERDEL u. J. BUDDRUS, B. **100**, 1858 (1967).
[2] D. KLAMANN, M. FLIGGE, P. WEYERSTAHL, K. ULM u. F. NERDEL, Chemie-Ing.-Techn. **39**, 1024 (1967).

(Fortsetzung v. S. 377)

[7] US.P. 3080387 (1963), Syntex S. A., Erf.: L. H. KNOX; C. A. **60**, 626 (1964).
[8] R. A. MITSCH, Am. Soc. **87**, 758 (1965).
[9] B. FARAH u. S. HORENSKY, J. Org. Chem. **28**, 2494 (1963).

Anorganische Salze lieferten selbst in Gegenwart von Tetraäthyl-ammonium-bromid oder Lösungsvermittlern nur sehr schlechte Ausbeuten an Cyclopropan-Derivaten. Basische Ionenaustauscher zeigten ebenfalls eine hohe katalytische Wirksamkeit.

c) Spezielle Herstellung von Methyl-cyclopropanen

Obgleich die Herstellung von methylsubstituierten Cyclopropanen aus Olefinen auf verschiedenen Wegen realisiert werden konnte[1-4], war die Ausarbeitung einer verbesserten und vor allem weitgehend verallgemeinerungsfähigen Methode zur Synthese von Methyl-cyclopropanen wünschenswert[5].

Einleitend sei noch auf einige Charakteristika verschiedener älterer Synthesen[1-4] hingewiesen.

① *cis-* und *trans-1,2-Dimethyl-cyclopropan* wurden in nur geringer Ausbeute bei der Photolyse von Diazoäthan in Gegenwart von Propen erhalten[1], wobei für diese Reaktion *syn*-Selektivität[6] festgestellt wurde.

② Bei der Reaktion von Dilithium- oder Dikalium-cyclooctatetraenid mit 1,1-Dichlor-äthan wurde das *endo-9-Methyl-bicyclo[6.1.0]nonatrien* in nur 3% Ausbeute erhalten[2].
   Bei beiden Methoden zeigt also das Methyl-carben bzw. -carbenoid *syn*-Selektivität.

③ Auf der anderen Seite konnte *exo-*7-Methyl-*bicyclo[4.1.0]heptan* in 3,6%iger Ausbeute aus Cyclohexen mit 1,1-Dijod-äthan und Zink/Kupfer erhalten werden[3]:

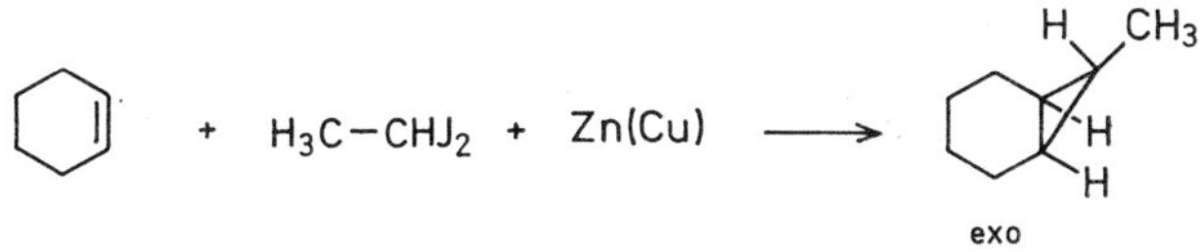

④ Bei Ersatz von 1,1-Dijod-äthan gegen Benzoesäure-1-jod-äthylester konnten *endo-* und *exo-*7-Methyl-*bicyclo[4.1.0]heptan* aus Cyclohexen in 29%iger Ausbeute hergestellt werden[4]:

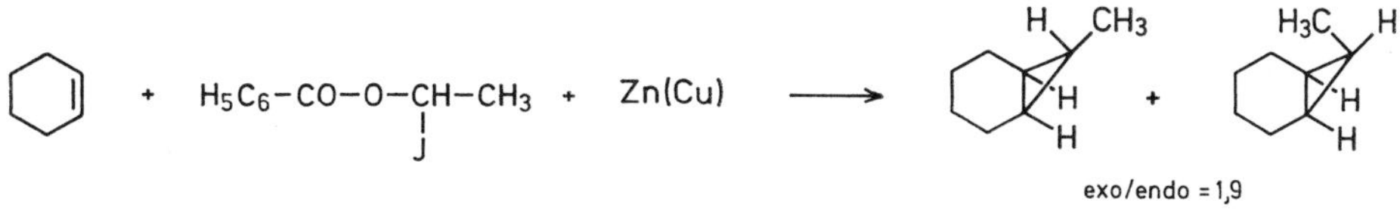

Als verbessertes Verfahren zur Herstellung von Methyl-cyclopropanen erwies sich die Reaktion von Olefinen mit 1,1-Dijod-äthan und Diäthyl-zink[5,7], die hier als spezielle Methode detailliert beschrieben werden soll.

[1] H. M. Frey, Soc. **1962**, 2293.

[2] T. J. Katz u. P. J. Garratt, Am. Soc. **86**, 4876 (1964).

[3] H. E. Simmons et al., Am. Soc. **86**, 1347 (1964).

[4] G. Wittig u. M. Jautelat, A. **702**, 24 (1967).

[5] J. Furukawa et al., Tetrahedron Letters **1968**, 3495.

[6] Die Bezeichnungen syn- und anti-Selektivität bzw. syn- und anti-Konfiguration werden hier in dem von R. A. Moss, J. Org. Chem. **30**, 3261 (1965), definierten Sinne verwendet.

[7] J. Furukawa et al., Tetrahedron **25**, 2647 (1969).

Die Reaktion ist exotherm und ist nach einigen Stunden abgeschlossen. Tab. 62 (S. 386) zeigt die bisher erzielten Ergebnisse dieser Methode. In Analogie zur Reaktion mit Dijodmethan[1] erhöhen Substituenten im Olefin mit Elektronendonator-Wirkung sowohl die Ausbeute an Methyl-cyclopropanen als auch die Reaktionsgeschwindigkeit[2]. Die Reaktion erweist sich damit als elektrophil. Die Bildung der Methyl-cyclopropane erfolgt stereospezifisch.

Aus *cis*-1-Isopropyloxy-propen wurde eine 9,2:1-Mischung von *3-Isopropyloxy-cis-1, cis-2-*(I) und *-cis-1,trans-2-dimethyl-cyclopropan* (II) erhalten; es konnten jedoch keinerlei Anteile des *trans,trans*-Isomeren festgestellt werden. Aus dem *trans*-1-Isopropyloxy-propen ergab sich eine 3,1:1-Mischung aus II und III, wobei keine Anteile von I gefunden wurden[2].

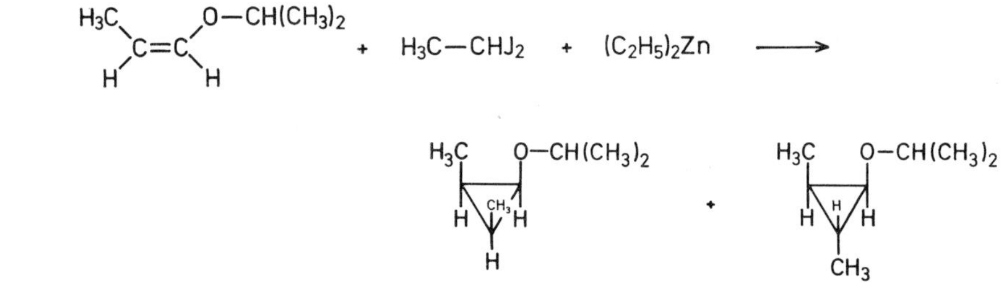

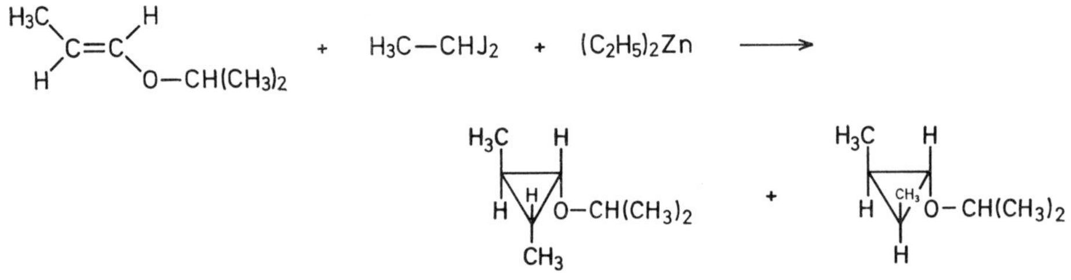

Bei Anwendung der Methode auf Cyclohexen resultiert eine 1,5:1-Mischung von *endo-* und *exo-7-Methyl-norcaran* (*7-Methyl-bicyclo[4.1.0]heptan*; IV, V), wie durch Vergleich mit authentischen Materialien[3,4] bewiesen wurde[2].

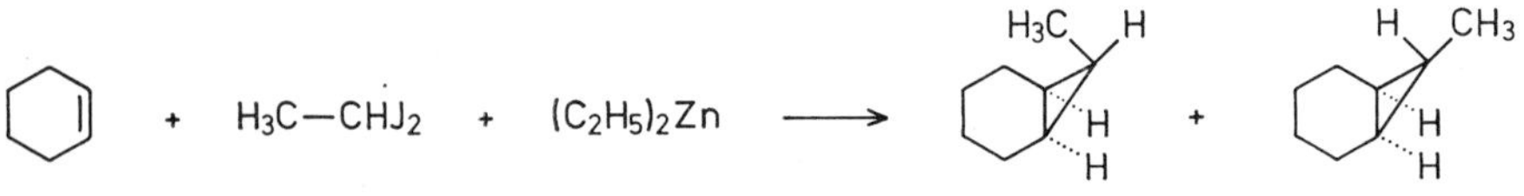

In ganz ähnlicher Wiese erhielt man aus 5,6-Dihydro-4H-pyran eine 1,4:1-Mischung von *endo-*(VI) und *exo-7-Methyl-2-oxa-bicyclo[4.1.0]heptan* (VII), deren Strukturen kernresonanzspektroskopisch gesichert wurden[2]:

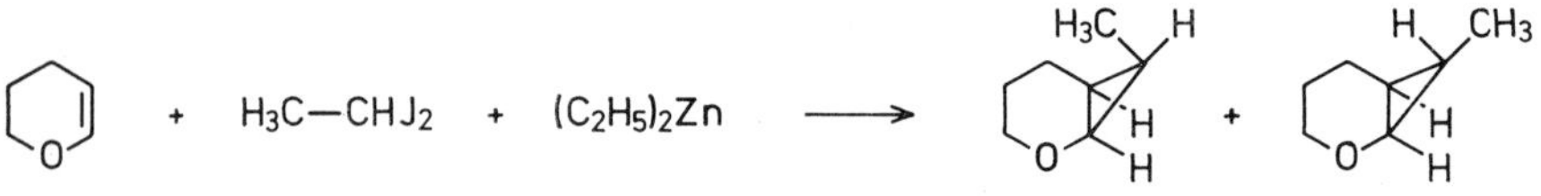

[1] J. Furukawa et al., Tetrahedron Letters **1966**, 3353; Tetrahedron **24**, 53 (1968).
[2] J. Furukawa et al., Tetrahedron **25**, 2647 (1969).
[3] H. E. Simmons et al., Am. Soc. **86**, 1347 (1964).
[4] G. Wittig u. M. Jautelat, A. **702**, 24 (1967).

Furan führt zu einer 3,2:1-Mischung aus zwei isomeren Bis-Addukten:

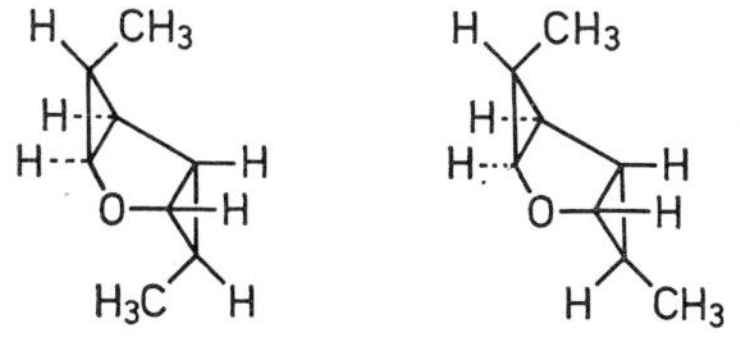

VIII   IX

Die Zuordnung im Sinne der Strukturen VIII, IX (*3,7-Dimethyl-5-oxa-tricyclo [4.1.0.0²,⁴]heptan*) konnte durch die Kernresonanzspektren wahrscheinlich gemacht werden[1].

Bei Anwendung des Verfahrens auf (2-Methyl-propyl)-vinyl-äther wurde eine 2,3:1-Mischung aus *cis* -und *trans-2-(2-Methyl-propyloxy)-1-methyl-cyclopropan* (X, XI) erhalten[1]:

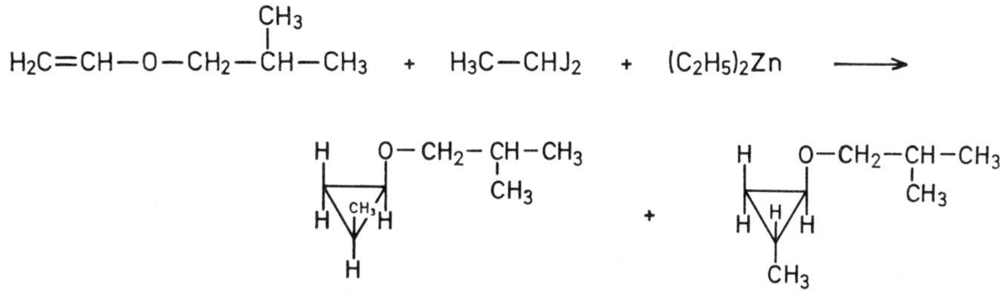

X   XI

Alle diese Beobachtungen sprechen dafür, daß die Reaktionsfolge ① (S. 381) eher die Bildung des *syn*- als die des *anti*-Isomeren begünstigt. Die Umwandlung des *trans*-Isopropyl-propenyl-äthers in die Cyclopropan-Verbindungen II und III (s. S. 382) stellt in diesem Zusammenhang einen interessanten Fall dar. Hierbei wurde das *cis,trans*-Isomer II gegenüber dem *trans,trans*-Isomeren bevorzugt gebildet. Offensichtlich ist die durch das 1,1-Dijod-äthan eingeführte Methyl-Gruppe so angeordnet, daß sie die *cis*-Konfiguration in Bezug auf die Isopropyloxy-Gruppe begünstigt. Bei der oben einleitend beschriebenen Diazoäthan-Reaktion mit Propen beträgt das *cis/trans*-Verhältnis[2] der gebildeten 1,2-Dimethyl-cyclopropane 1,4. Bei der Reaktion des Cyclooctatetraen-Dianions mit 1,1-Dichlor-äthan wird das *syn*-Isomere sogar ausschließlich gebildet[3]. Die Reaktionsfolge ① zeigt also die gleiche sterische Bevorzugung wie diese beiden Reaktionen. Die oben gleichfalls erwähnten Umsetzungen des Cyclohexens im Sinne von Simmons-Smith-Reaktionsvarianten[4,5] liefern im Gegensatz dazu bevorzugt das entsprechende *exo*-Isomere. Die hier beobachtete anti-Selektivität ist entweder auf die Anwesenheit von metallischem Zink oder auch auf unterschiedliche Übergangszustände zurückzuführen.

---

[1] J. Furukawa et al., Tetrahedron **25**, 2647 (1969); Das NMR-Spektrum von VIII enthält bei 8,79 ein Dublett (J = ∼ 6 Hz) für die Methyl-Gruppe, während das von IX zwei Dubletts bei 8,82 (J = ∼ 6 Hz) bzw. 9,12 (J = ∼ 3 Hz) für Methyl-Gruppen-Protonen zeigt. Diese Tatsache spricht dafür, daß VIII zwei *endo*-ständige Methyl-Gruppen enthält, und daß IX eine *endo*- und eine *exo*-Methyl-Gruppe besitzt.
[2] H. M. Frey, Soc. **1962**, 2293.
[3] T. J. Katz u. P. J. Garratt, Am. Soc. **86**, 4876 (1964).
[4] H. E. Simmons et al., Am. Soc. **86**, 1347 (1964).
[5] G. Wittig u. M. Jautelat, A. **702**, 24 (1967).

Die Reaktion von Dijodmethan und Diäthyl-Zink mit Bicyclo[2.2.1]hepten entspricht einer Simmons-Smith-Reaktion[1] und führt nur zum *exo-Tricyclo* [*3.2.1.0^{2,4}*]*octan* (XII) in nahezu quantitativer Ausbeute[2]:

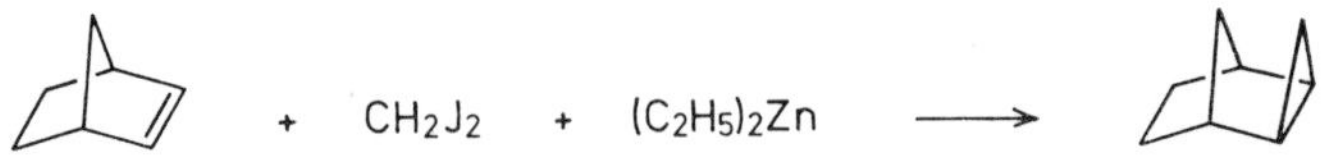

XII

Die Reaktion von 1,1-Dijod-äthan und Diäthyl-Zink mit Bicyclo[2.2.1]hepten jedoch liefert eine 2,2:1-Mischung der isomeren Verbindungen XIV (Kp: 153°; $u_D^{25} = 1,4744$)[3] und XV und XVI (Kp: 170°; $n_D^{25} = 1,4824$).

Daß bei dieser Reaktion nicht das *syn*-Isomere (XIII) des *anti-3-Methyl-exo-tricyclo* [*3.2.1.0^{2,4}*]*octans* (XIV) gebildet wird, dürfte eine Folge der starken sterischen Wechselwirkung zwischen Methyl- und Brückenmethylen-Gruppe sein.

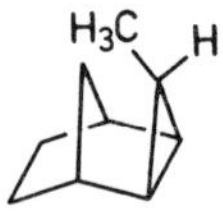

XIII 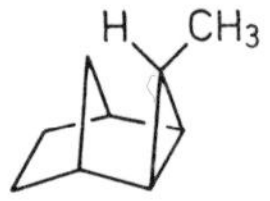   XIV 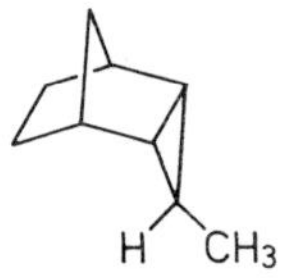   XV 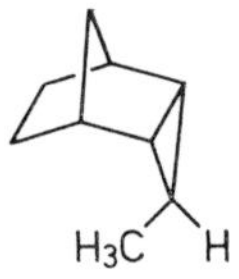   XVI

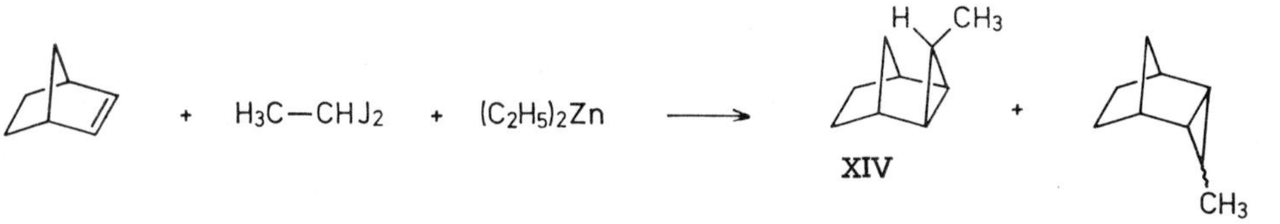

XIV   XV oder XVI

Die Reaktion von Diäthyl-zink und 1,1-Dijod-äthan mit Olefinen ist auch auf ungesättigte Alkohole anwendbar, obgleich die Hälfte der Zn—C-Bindung durch Reaktion mit der Hydroxy-Gruppe des Alkohols verbraucht wird. Die Cyclopropan-Bildung findet erst statt, wenn der ungesättigte Alkohol in das Äthyl-zink-alkanolat umgewandelt ist[4].

Wendet man das Verfahren z.B. auf Allylalkohol an, so erhält man eine 5,4:1-Mischung von *trans*-(XVII) und *cis-2-Methyl-1-hydroxymethyl-cyclopropan* (XVIII)[2]:

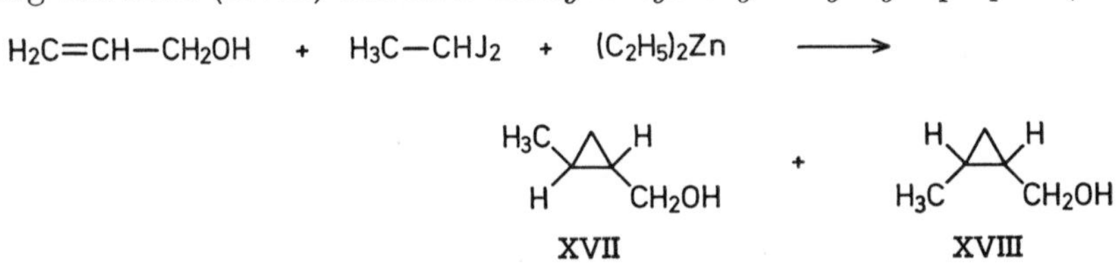

XVII   XVIII

[1] H. E. SIMMONS et al., Am. Soc. **86**, 1347 (1964).
[2] J. FURUKAWA et al., Tetrahedron **25**, 2647 (1969).
[3] XIV wurde durch Vergleich identifiziert; J. FURUKAWA et al., Tetrahedron **25**, 2647 (1969).
[4] J. FURUKAWA et al., Tetrahedron **25**, 2647 (1969).

Buten-(2)-ol liefert eine Mischung (1,7:1) aus *trans-2,trans-3-* (XIX) und *cis-2,
trans-3-Dimethyl-1-hydroxymethyl-cyclopropan*(XX)[1]:

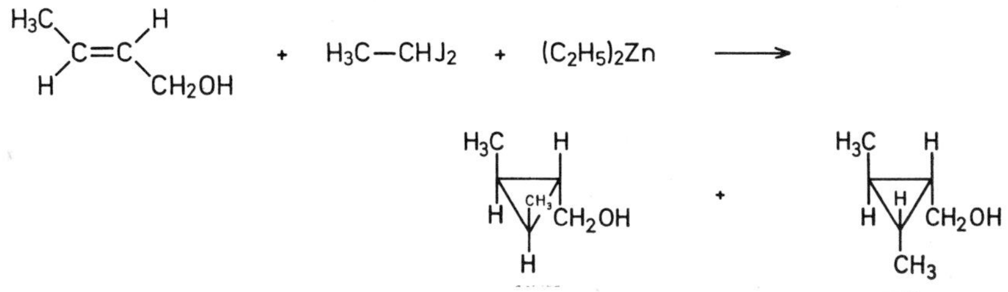

XIX + XX

Mit den Formeln XXII (*3-Hydroxy-6-methyl-bicyclo[3.1.0]hexan*) und XXI (*3-Hydr-
oxy-bicyclo[3.1.0]hexan* werden die Reaktionsprodukte von Cyclopenten-(1)-ol-(4)
mit 1,1-Dijod-äthan, Dijodmethan bzw. und Diäthyl-zink angegeben[1]:

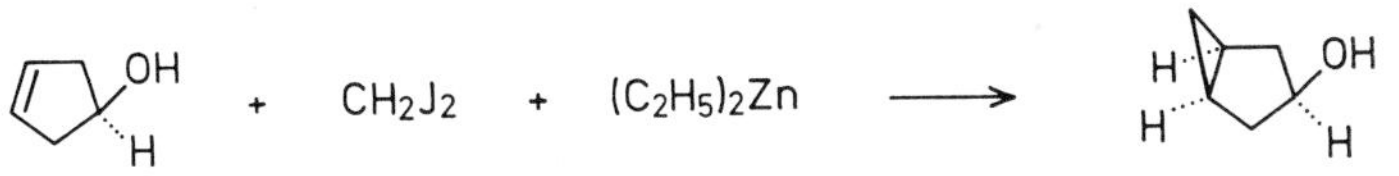

XXI

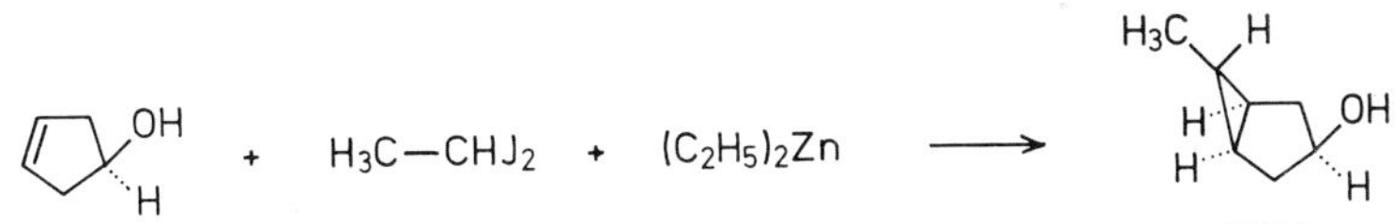

XXII

Die bei diesen ungesättigten Alkoholen beobachtete *anti*-Selektivität läßt auf einen
intramolekularen Reaktionsablauf schließen[1]. Möglicherweise wird hierbei ein
Übergangszustand vom Typ XXIII[2] durchlaufen, bei dem die sterische Wechselwirkung zwischen Methyl-Gruppe und dem Cyclopenten-Ring eine *anti*-Anordnung der
Methyl-Gruppe erzwingt:

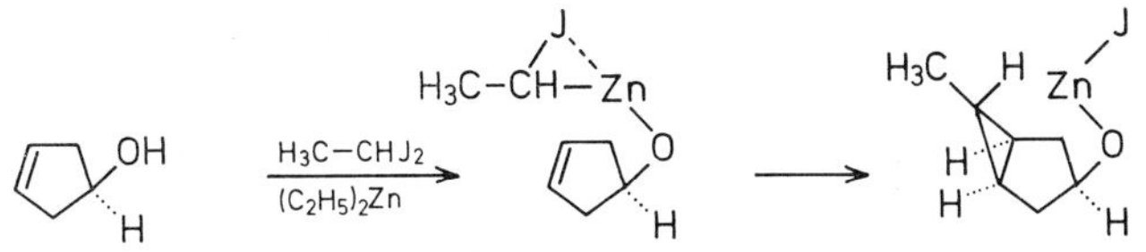

XXIII

Daß bei der Reaktion von Buten-(2)-ol das *trans,trans*-Isomere XX (s. o.) bevorzugt gebildet wird, zeigt, daß die durch das 1,1-Dijod-äthan eingeführte Methyl-Gruppe
eine Position einnimmt, durch die eine *trans*-Konfiguration bezüglich der Carbinol-
Funktion begünstigt wird. Auch in diesem Fall dürfte ein intramolekularer Reaktionsmechanismus wirksam sein.

**Methyl-cyclopropane aus Olefinen, 1,1-Dijod-äthan und Diäthyl-zink; allgemeine Herstellungs-
vorschrift**[1]: Ein mit Thermometer, Tropftrichter, Dreiwegehahn und Magnetrührer ausgerüsteter

---

[1] J. Furukawa et al., Tetrahedron **25**, 2647 (1969).
[2] Vgl. etwa: E. P. Blanchard u. H. E. Simmons, Am. Soc. **86**, 1337 (1964).

Dreihals-Rundkolben wird evakuiert und anschließend mit trockenem Stickstoff gefüllt. Olefin, Solvens und Diäthyl-zink werden mittels hypodermischer Spritzen eingefüllt. Das 1,1-Dijod-äthan wird durch den Tropftrichter innerhalb 30 Min. langsam zugetropft, wobei bei Raumtemp. gerührt wird. Die exotherme Reaktion findet sofort statt. Nach erfolgter Zugabe läßt man die Reaktionsmischung einige Stdn. bei Raumtemp. stehen. Danach gibt man die Mischung sukzessive in verd. Salzsäure und wäscht anschließend mit Wasser und verd. Natriumhydrogencarbonat. Nach dem Trocknen über Natriumsulfat wird das Lösungsmittel, Äthyljodid (Kp: 73°) und 2-Jod-butan (Kp: 119°) destillativ entfernt. Der Rückstand wird über eine gepackte Kolonne fraktioniert destilliert. In den Fällen, in denen epimere Cyclopropane gebildet werden, werden die Isomerenverhältnisse direkt am Rohmaterial gaschromatographisch bestimmt. Für analytische und spektroskopische Zwecke kann die Feintrennung entweder destillativ (Drehband-Kolonne) oder gaschromatographisch erfolgen.

Tab. 62. Methyl-cyclopropane aus Olefinen, 1,1-Dijod-äthan und Diäthyl-zink[1]

Olefin	Reaktionsbedingungen				Produkt	Ausbeute* [% d. Th.]	Isomerenverhältnis
	Olefin [Mol]	H₃C—CHJ₂ [Mol]	(C₂H₅)₂Zn [Mol]	Solvens			
Cyclohexen	0,20	0,40	0,25	Petroläther	*endo/exo-7-Methyl-bicyclo[4.1.0]heptan*	66	1,5
Bicyclo[2.2.1]hepten	0,20	0,60	0,35	Petroläther	*exo/endo-3-Methyl-tricyclo[3.2.1.0²,⁴]octan*	70	2,2
(2-Methyl-propyl)-vinyl-äther	0,05	0,10	0,075	Diäthyläther	*cis/trans-2-(2-Methyl-propyloxy)-1-methyl-cyclopropan*	96	2,3
cis-Isopropyl-propenyl-äther	0,17	0,30	0,16	Diäthyläther	*3-Isopropyloxy-cis-1, cis-2/cis-1,trans-2-dimethyl-cyclopropan*	90	9,2
trans-Isopropyl-propenyl-äther	0,17	0,30	0,16	Diäthyläther	*3-Isopropyloxy-cis-1, trans-2/trans-1,trans-2-dimethyl-cyclopropan*	77	3,1
5,6-Dihydro-4H-pyran	0,10	0,20	0,13	Petroläther	*endo/exo-7-Methyl-2-oxa-bicyclo[4.1.0]heptan*	57	1,4
Furan	0,20	0,40	0,25	Diäthyläther	*endo-3,endo-7/endo-3, exo-7-Dimethyl-2-oxa-trans-tricyclo[4.1.0.0³,⁵]heptan*	32	3,2
Allylalkohol	0,20	0,40	0,30	Diisopropyl-äther	*trans/cis-2-Methyl-1-hydroxymethyl-cyclopropan*	23	5,4
trans-Buten-(2)-ol	0,20	0,40	0,30	Diisopropyl-äther	*trans-2,trans-3/cis-2,trans-3-Dimethyl-1-hydroxymethyl-cyclopropan*	85	1,7
Cyclopenten-(1)-ol-(4)	0,12	0,20	0,25	Diisopropyl-äther	*3-Hydroxy-oxo-6-methyl-cis-bicyclo[3.1.0]hexan*	45	—

* Auf eingesetztes Olefin bezogen.

---

[1] J. Furukawa et al., Tetrahedron 25, 2647 (1969).

d) 3-Oxo-1,1,2,2-tetramethyl-cyclopropan durch Photolyse von 2,4-Dioxo-1,1,3,3-tetramethyl-cyclobutan

Zum Zwecke der Präparierung stabiler Lösungen von *3-Oxo-1,1,2,2-tetramethyl-cyclopropan* ist die Photolyse des 2,4-Dioxo-1,1,3,3-tetramethyl-cyclobutan (I) und anderer Cyclobutandione-(1,3) eingehender untersucht worden[1-8].

Verschiedene tetrasubstituierte Cyclobutandione-(1,3) wurden in inerten Lösungsmitteln (in Gegenwart und in Abwesenheit von Sauerstoff), in hydroxylhaltigen Solventien und in der Gasphase mit zum Teil bemerkenswert hohen Quantenausbeuten photolysiert. Chemische und auch spektroskopische Beweise wurden erbracht, die zeigen, daß eine der primären Zwischenstufen, die durch Monodecarbonylierung entsteht, das korrespondierende Cyclopropanon ist. Das entsprechende Cyclopropanon reagiert mit Alkoholen, Dienen und mit Sauerstoff (s. a. S. 406 ff.).

Bei Abwesenheit derartiger Fänger tritt weitere Decarbonylierung unter Bildung des korrespondierenden Tetraalkyl-olefins ein. Die Gasphasenphotolyse von I stellt einen recht komplexen Radikalprozeß dar, jedoch dürfte einer der primären photochemischen Reaktionsschritte in einer Spaltung von I unter Bildung von 2 Molen Dimethyl-keten zu suchen sein. Nachfolgend würde das Dimethyl-keten photolytisch in Kohlenmonoxid, Propen und Methan gespalten werden. Gewisse Mengen an 2,3-Dimethyl-buten-(2) werden gleichfalls gebildet. Es wird angenommen, daß es sich bei dem chemisch aktiven angeregten Zustand um einen n-π*-Singulettzustand handelt[3].

3-Oxo-1,1,2,2-tetramethyl-cyclopropan (II) erwies sich als leidlich stabile und destillierbare Verbindung, die man zweckmäßigerweise in einer Pentan-Lösung handhabt. Thermische Behandlung führt zu Reaktionen und Produkten, die auch bei der Photolyse von I beobachtet wurden[1-3,5,6].

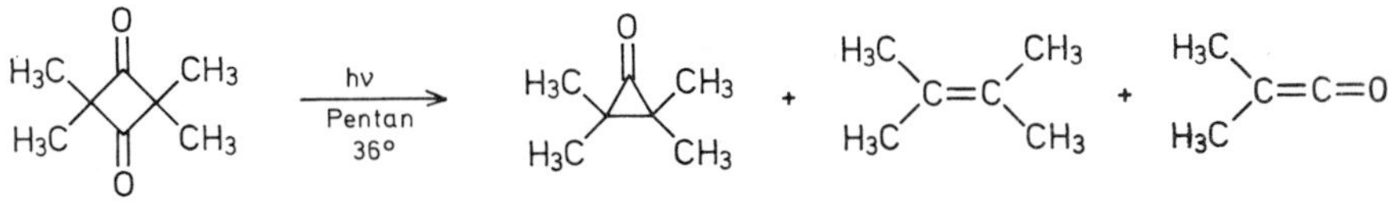

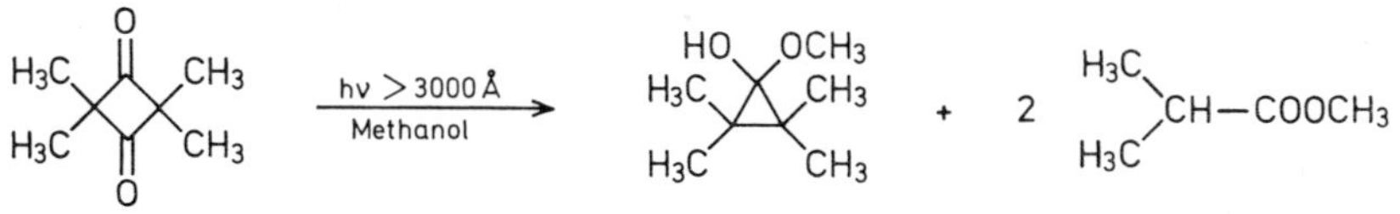

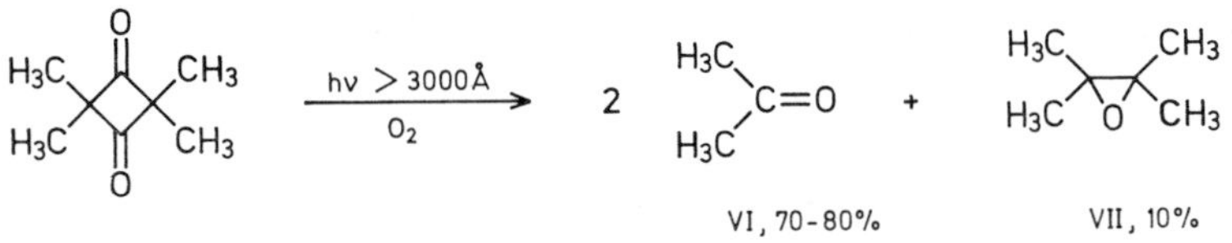

[1] N. J. Turro, G. W. Byers u. P. A. Leermakers, Am. Soc. **86**, 955 (1964).

[2] P. A. Leermakers, G. F. Vesley, N. J. Turro u. D. C. Neckers, Am. Soc. **86**, 4213 (1964).

[3] N. J. Turro, P. A. Leermakers, H. R. Wilson, D. C. Neckers, G. W. Byers u. G. F. Vesley, Am. Soc. **87**, 2613 (1965).

[4] N. J. Turro, W. B. Hammond u. P. A. Leermakers, Am. Soc. **87**, 2774 (1965).

[5] R. C. Cookson, M. J. Nye u. G. Subrahmanyan, Pr. chem. Soc. **1964**, 144.

[6] H. G. Richey, J. M. Richey u. D. C. Clagett, Am. Soc. **86**, 3907 (1964).

[7] I. Haller u. R. Srinivasan, Am. Soc. **87**, 1144 (1965).

[8] s. a. ds. Handb., Bd. IV/5.

3-Oxo-1,1,2,2-tetramethyl-cyclopropan (II; S. 387)[1]: Eine Pentan-Lösung von 2,4-Dioxo-1,1,3,3-tetramethyl-cyclobutan (I; s. S. 387) wird 1—2 Stdn. bei 36° photolysiert (Pyrex-Hanovia-450 W-Immersionsapparatur). Neben II werden auch III und IV gebildet. Bei Verlängerung der Photolysedauer kommt es außerdem noch zur Bildung des Lactons V[2]. Nach ~ 1 stdgr. Bestrahlung erreicht die Konz. von II ein Maximum und fällt danach wieder ab. Die Photolyse-Lösungen werden von III und auch z. T. von Pentan befreit, bis eine ~ 10%ige Lösung von II in Pentan erhalten wird (Abschätzung der Konz. über das IR-Spektrum). Eine solche Lösung enthält neben 3% I Spuren von 2,3-Dimethyl-buten-(2) (III). Durch Destillation bei 1 Torr/20° können sehr reine Lösungen von II in Pentan erhalten werden.

Bei einer Quantenausbeute von 0,38 ± 0,01 (Verschwinden von I; S. 387) wird nach erschöpfender Photolyse von I in entgastem Benzol als Hauptprodukt 2,3-Dimethyl-buten-(2) (III; 80% d. Th.) erhalten.

Die Photolyse ($h\nu > 3000$ Å) beginnt mit einer schnellen Kohlenmonoxid-Entwicklung. Dimethyl-keten (IV, S. 387) wird hierbei ebenfalls gebildet. Die photolysierten Lösungen zeigen eine gelbe Farbe und eine starke IR-Bande bei 4,7 μ (vom Dimethyl-keten stammend[3]), die sofort verschwindet, wenn man einige Tropfen Alkohol zugibt. Eine quantitative Verfolgung der Bildung von IV ist unter den Bedingungen der Photolyse sehr schwierig, da mit einer schnellen Dimerisation des *Dimethyl-ketens* hierbei zu rechnen ist[4]. Bei einer gaschromatographischen Analyse des Photolysegemisches wurde die Bildung von *3-Oxo-2,4-dimethyl-penten-(1)* beobachtet.

Die Photolyse von I (S. 387) in Benzol unter einem Sauerstoffdruck von ~ 530 Torr führt zu Aceton (VI; 70—80% d. Th.) und zu Tetramethyl-oxiran (VII; 10% d. Th.).

Bei einer Quantenausbeute von 0,49 ± 0,03 werden z. B. bei der Photolyse von I in Methanol ~ 20—30% *2-Methyl-propansäure-methylester* (VIII) und ~ 70—80% *3-Hydroxy-3-methoxy-1,1,2,2-tetramethyl-cyclopropan* (IX, S. 387) erhalten. Geringe Mengen von III werden ebenfalls beobachtet. Ähnliche Ergebnisse werden mit Isopropanol erhalten. Beim Stehenlassen der Lösungen von IX werden die entsprechenden Faworski-Produkte gebildet (s. S. 665, 666).

Eine vollständige Photolyse von I (S. 389) in der Gasphase bei niedrigen Drucken führt zu folgendem Ergebnis: 2,0 Mole Kohlenmonoxid, 0,078 Mol Propen, 0,026 Mol 2,3-Dimethyl-buten-(2), 0,0024 Mol Methan und Spuren von Propan (alle Werte bezogen auf Verbrauch von 2 Molen des Dions). Die relativ geringen Ausbeuten an Kohlenwasserstoffen im Vergleich zu Kohlenmonoxid erklären sich durch Polymerisation. Polymere Stoffe werden an den Wänden des Reaktionsgefäßes beobachtet.

Die photochemischen Studien der Photolyse von I wurden so durchgeführt, daß die Anregung mit dem niedrigsten Energieübergang von I primär korrespondiert. Filtration der anregenden Strahlung mit einem Corning-7-37-Filter oder mit einem Monochromator zur Isolierung von reinem 3660-Å-Licht führt nicht zur Änderung des Photolyseverlaufs. Das Unterbleiben einer Emission von I bedeutet, daß ein extrem schneller Schritt oder extrem schnelle Schritte der Desaktivierung für den niedrigsten angeregten Singulettzustand (S_1) von I existieren

---

[1] N. J. TURRO, W. B. HAMMOND u. P. A. LEERMAKERS, Am. Soc. **87**, 2774 (1965).

[2] Das Lacton V ist nicht das Produkt einer photochemischen Dimerisierung von Dimethyl-keten (IV) [die thermische Dimerisierung von Dimethyl-keten führt ausschließlich zum 2,4-Dioxo-1,1,3,3-tetramethyl-cyclobutan (I)]. Möglicherweise wird V durch eine Umlagerung vom nachfolgenden Typ gebildet:

[3] Vgl. R. A. HOLROYD u. F. E. BLACET, Am. Soc. **79**, 4830 (1957).

[4] Vgl. H. STAUDINGER, K. KYCKERHOFF, H. W. KLEVER u. L. RUZICKA, B. **58**, 1083 (1925).

müssen. Da die Quantenausbeute der photolytischen Spaltung von I relativ gut ist, kommen zwei Desaktivierungsmöglichkeiten in Betracht:

① Desaktivierung von S_1 durch eine photochemische Reaktion.

② Desaktivierung von S_1 durch „intersystem crossing" zum niedrigsten Triplett (T_1) und nachfolgende Zersetzung.

Die Photolyse von I wird jedoch nicht durch Benzophenon sensibililiert, und es kommt auch nicht durch eine hohe Konzentration (0,3 Mol) von Pentadien-(1,3) zu einem „Quench"-Vorgang. Diese Tatsachen sprechen gegen eine Annahme von T_1 in diesen Photolysen. Andererseits fordern diese Ergebnisse nicht notwendigerweise einen solchen Schluß.

① Das Triplett von Benzophenon (E_T = 69 Kcal/Mol) besitzt nicht genügend Energie, um I anzuregen.

② Eine Photoreaktion in T_1 ist sehr viel schneller als eine Energieübertragung zum Pentadien-(1,3)[1].

Somit ergibt sich die Annahme eines n-π*-Singulettzustands als chemisch aktivem Zustand der Photolysen von I in Lösung und in der Gasphase nur indirekt.

Das vorliegende Material[2] läßt den Schluß zu, daß *3-Oxo-1,1,2,2-tetramethyl-cyclopropan* (II) eine Zwischenstufe bei der Photolyse von I ist. Allgemein sind 3-Oxo-1,1,2,2-tetraalkyl-cyclopropane Zwischenstufen bei Photolysen von 2,4-Dioxo-1,1,3,3-tetraalkyl-cyclobutanen. Bei 25° liegen die Halbwertszeiten bei einigen Stunden. Bei kurzer Photolyse von I in Lösung zeigt das schnell aufgenommene IR-Spektrum der Lösung Absorptionsbanden bei 1840 und 2124 cm^{-1}. Letztere Bande bei 2124 cm^{-1} rührt vom Dimethyl-keten her, die andere ist der Carbonylstreckschwingung des 3-Oxo-1,1,2,2-tetramethyl-cyclopropans (II) zuzuordnen[3]. Bei längerer Photolyse wird schnell eine stationäre Konzentration von II erreicht. Die simultane Bildung von Aceton und Tetramethyl-oxiran bei der Photolyse von I in Gegenwart von Sauerstoff ist unzweifelhaft eine Folge der Bildung von Peroxiden und deren weiterer Zersetzung. Die Tatsache, daß diese Oxidationen auch im Dunkeln verlaufen, spricht für die Annahme einer echten Zwischenstufe und gegen einen elektronisch angeregten Zustand. Schließlich ist auch die Bildung von 3-Oxo-2,4-dimethyl-penten-(1) unter den thermischen Bedingungen der Gaschromatographie ein Beweis für die Fähigkeit von II monomolekulare Umlagerungen eingehen zu können.

3-Oxo-1,1,2,2-tetraalkyl-cyclopropane verhalten sich je nach Art der angreifenden Agentien entweder als Diradikale oder als dipolare Zwischenstufen.

Die Photochemie von I und anderer tetrasubstituierter Cyclobutandione-(1,3) in Lösung kann im Sinne von drei Primärprozessen betrachtet werden[4]:

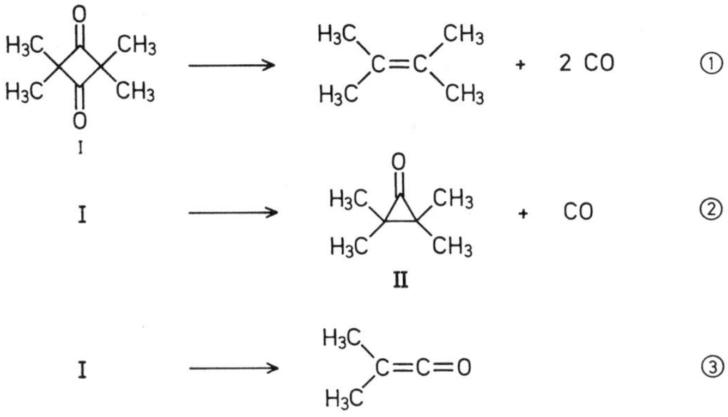

[1] G. S. Hammond, N. J. Turro u. P. A. Leermakers, J. phys. Chem. **66**, 1144 (1962).
[2] N. J. Turro et al., Am. Soc. **87**, 2613 (1965).
    R. C. Cookson, M. J. Nye u. G. Subrahmanyan, Pr. chem. Soc. **1964**, 144.
    H. G. Richey, J. M. Richey u. D. C. Clagett, Am. Soc. **86**, 3907 (1964).
    I. Haller u. R. Srinivasan, Am. Soc. **87**, 1144 (1965).
[3] W. B. de More, H. O. Pritchard u. N. Davidson, Am. Soc. **81**, 5874 (1959).
[4] N. J. Turro et al., Am. Soc. **87**, 2613 (1965).

Gleichung ③ (S. 389) ist für 20–30% des Dions, das in den untersuchten Systemen reagiert, anzunehmen. Die Ausbeute an Kohlendioxid stellt ein unteres Limit für den Betrag an Dimethyl-keten dar, der bei der Photolyse von I in inerten Lösungsmitteln in Gegenwart von Sauerstoff entsteht, da das Keten mit Sauerstoff unter Bildung von Aceton und Kohlendioxid[1,2] im Verhältnis 0,85:1 reagiert. Für den Prozeß im Sinne von Gleichung ③ ist damit ein Wert von 25% in Rechnung zu stellen.

Für die Schritte im Sinne der Gleichungen ① und ② (S. 389) prozentuale Reaktionsanteile zu ermitteln, ist wesentlich schwieriger, da bei Umwandlungsbeträgen größer als 20% das Cyclopropan-Derivat mit einer zur Bildungsgeschwindigkeit analogen Geschwindigkeit in das 2,3-Dimethyl-buten-(2) umgewandelt wird.

e) Bildung des alicyclischen Dreiringes durch photochemische [2 + 2]-Cycloadditionen bei den Cyclohexadienonen und Cyclohexenonen

An dieser Stelle sollen nur einige grundsätzliche Bemerkungen zur Entstehung des Cyclopropanringes gemacht werden, die sich aus den photochemischen [2 + 2]-Cycloadditionen der Cyclohexadienone und Cyclohexenone ergeben. Auf die präparativen Einzelheiten wird hier bewußt verzichtet[3].

Die bei der Photochemie der Cyclohexadienone und Cyclohexenone beobachteten primären Isomerisierungsprozesse[4] lassen sich in die Gruppen ① bis ③ einteilen:

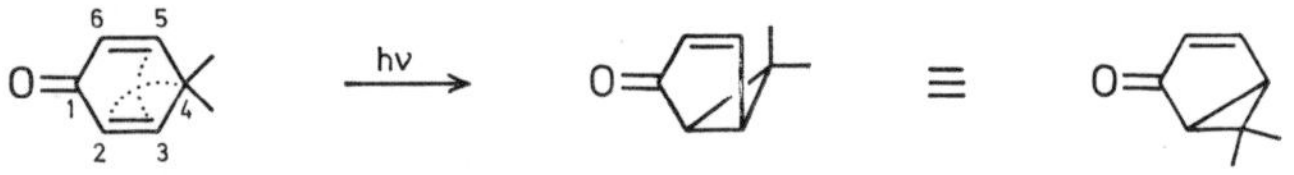

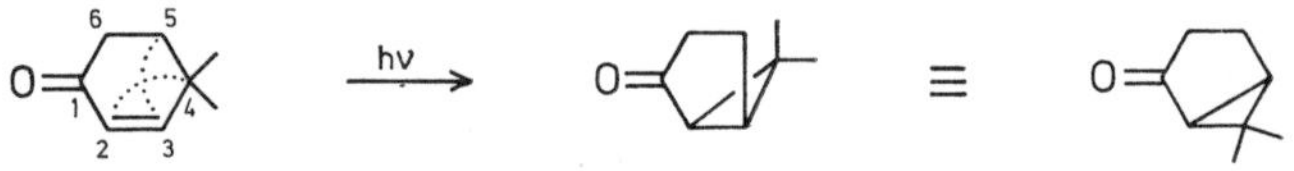

Mit Sicherheit sind an einigen – möglicherweise sogar an allen – Umsetzungen dieser Art Reaktionen beteiligt, die n,π^*-Triplett-Zustände durchlaufen. Sicher ist

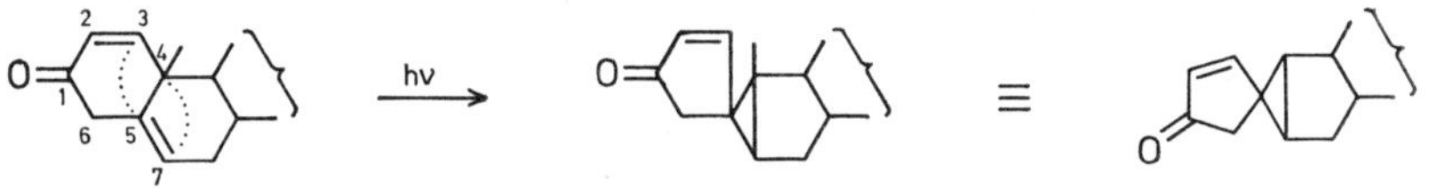

[1] H. B. Smith, Dissertation, Emory University, 1951; s. Dissertation Abstr. 19, 2480 (1959).

[2] R. A. Holroyd u. F. E. Blacet, Am. Soc. 79, 4930 (1957).

[3] Vgl. hierzu ds. Handb., Bd. VII/2, Kap. Ketone; Bd IV/5, Photochemie.

[4] Vgl. zwei neuere Zusammenfassungen, die eine gute Übersicht über die eleganten strukturellen Untersuchungen bieten:
   K. Schaffner, Advances in Photochemistry 4, 81 (1965).
   P. J. Kropp, Organic Photochemistry 1, 1 (1967).

[5] D. H. R. Barton, J. McGhie u. R. Rosenberger, Soc. 1961, 1215.
   D. H. R. Barton, P. deMayo u. M. Shafiq, Soc. 1958, 140, 3314.
   O. Jeger et al., Helv. 40, 1732 (1957).
   Vgl. auch Zitate in den Übersichtsartikeln[4].

[6] W. W. Kwie, B. A. Shoulders u. P. D. Gardner, Am. Soc. 84, 2268 (1962).
   O. L. Chapman et al., Tetrahedron Letters 1963, 2049.
   O. Jeger, K. Schaffner et al., Helv. 46, 2473 (1963).
   Vgl. auch weitere Zitate in den Übersichtsartikeln[4].

[7] O. Jeger, K. Schaffner et al., Helv. 46, 2473 (1963); 48, 1680 (1965).

auch zum anderen, daß die Quantenausbeuten dieser Prozesse stark differieren[1]. Von den detaillierten Mechanismen, die für diese Reaktionen vorgeschlagen wurden[2], ist der von Zimmerman[3] wohl am besten ausgearbeitet.

Im Sinne der Woodward-Hoffmann-Regel war es dann von Interesse, sich mit dem stereochemischen Zwang zu befassen, der durch die Erhaltung der Orbitalsymmetrie auf diese Umsetzungen ausgeübt wird[4]. Dieser Zwang tritt natürlich nur auf, wenn es sich um eine Synchronreaktion handelt. Eine Reihe von physikalischen bzw. physikalisch-chemischen Messungen haben zu Ergebnissen geführt, die dahingehend interpretiert wurden, daß diese Reaktionen nicht nach einem Synchronprozeß ablaufen. Unbeschadet dieser Tatsache schein es trotzdem nützlich, sich die stereochemischen Konsequenzen klarzumachen, die mit solchen Synchronreaktionen verbunden wären[4]. Nach Woodward und Hoffmann sind alle genannten Reaktionen [$\sigma^2 + \pi^2$]-Cycloadditionen[4]. Handelt es sich um Synchronreaktionen aus angeregten Zuständen heraus, so müssen es [$\sigma^2 s + \pi^2 s$]- oder [$\sigma^2 s + \pi^2 a$]-Prozesse sein[4].

In den Gruppen ① und ② (S. 390) ist die suprafaciale Beteiligung der 2,3-Doppelbindung stereochemisch unmöglich, denn sie würde zu einer *trans*-Verknüpfung zwischen drei- und fünfgliedrigen Ring führen. Danach sollten diese Umsetzungen als [$\sigma^2 a + \pi^2 a$]-Reaktionen aufzufassen sein, was eine antarafaciale Addition an die 2,3-Doppelbindung und eine Inversion am Kohlenstoff 4 verlangt. In der Gruppe ③ fehlt ein solcher stereochemischer Zwang, es sind also sowohl [$\sigma^2 a + \pi^2 a$]- als auch [$\sigma^2 s + \pi^2 s$]-Prozesse möglich[4].

Die antarafaciale Addition an die Doppelbindung und die Inversion am wandernden gesättigten C-Atom ist genau das, was bei der klassischen Umwandlung von Santonin (IV) in *Lumisantonin* (V) beobachtet wird[5]:

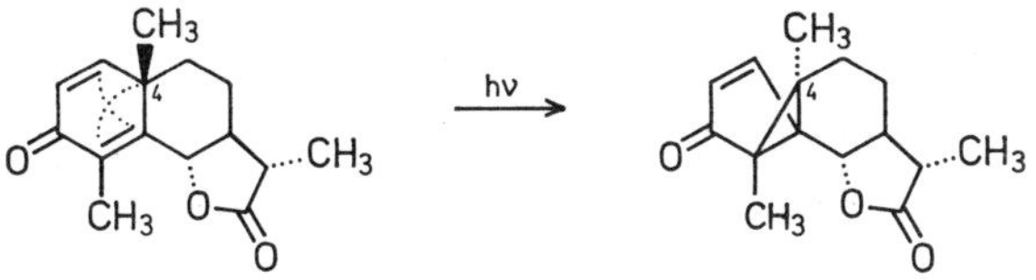

Unglücklicherweise würde in diesem Fall aber die symmetrie-verbotene, unter Erhaltung der Konfiguration an C-4 verlaufende Umwandlung zur sterisch unwahrscheinlichen *trans*-Verknüpfung der beiden Ringe führen, so daß man das Argument

[1] H. E. ZIMMERMAN et al., Am. Soc. **88**, 159 (1966).
   O. L. CHAPMAN et al., Am. Soc. **88**, 161 (1966).
[2] H. E. ZIMMERMAN, Advances in Photochemistry **1**, 183 (1963).
   O. L. CHAPMAN, Advances in Photochemistry **1**, 323 (1963).
[3] H. E. ZIMMERMAN, 17th National Organic Symposium of the American Chemical Society, Bloomington, Indiana, 1960, Abstracts, S. 31.
   H. E. ZIMMERMAN u. D. I. SCHUSTER, Am. Soc. **83**, 4486 (1961); **84**, 4527 (1962).
   H. E. ZIMMERMAN, Tetrahedron **19**, Suppl. 2, 393 (1963).
[4] R. B. WOODWARD u. R. HOFFMANN, „*Die Erhaltung der Orbitalsymmetrie*", S. 89 ff., Verlag Chemie GmbH, Weinheim/Bergstr. 1970.
[5] D. H. R. BARTON, P. deMAYO u. M. SHAFIQ, Soc. **1958**, 140.
   O. JEGER et al., Helv. **40**, 1732 (1957).
   W. COCKER, K. CROWLEY, J. T. EDWARD, T. B. H. McMURRY u. E. R. STUART, Soc. **1957**, 3416.
   D. H. R. BARTON u. P. T. GILHAM, Soc. **1960**, 4596.

nicht von der Hand weisen kann, die beobachtete Reaktion – wenngleich symmetrie-erlaubt – würde hier durch die Geometrie des Systems erzwungen[1].

Die Markierung des dem Santonin (IV, S. 391) zugrundeliegenden Cyclohexadie-nons mit einem Chiralitätszentrum würde im Prinzip eine Lösung des Problems ermög-lichen[1]. Welche Folgen hätte eine Retention oder Inversion an C-4 bei einem der-artigen chiralen Cyclohexadienon (VI)? Sowohl für die Inversion als auch für die Retention an C-4 gibt es zwei Wege, je nachdem ob die Addition an C-3 „von oben" oder „von unten" erfolgt[2]:

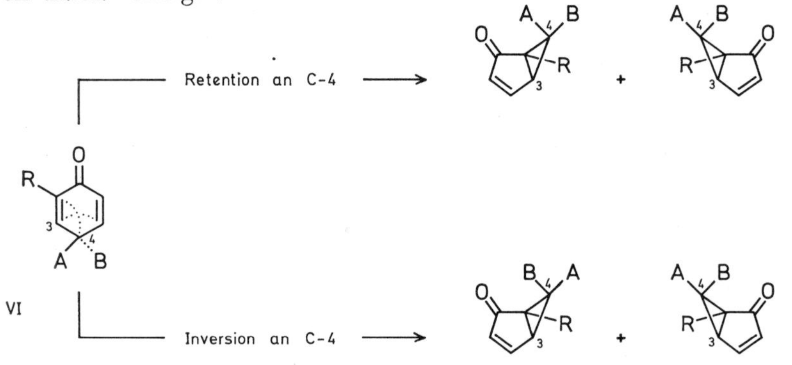

Sind nun A und B in VI verschiedene Substituenten, so werden die beiden Reaktions-wege in sterischer Hinsicht verschieden, und es ist dann auch zu erwarten, daß ihre Reaktionsprodukte in unterschiedlichen Mengen entstehen. Die Produkte des In-versionsprozesses sind miteinander diastereomer, mit denen der Retentionsreaktionen aber enantiomer.

Welchen Verlauf die Umlagerung eines einfachen chiralen Cyclohexadienons nun tatsächlich nimmt, ist derzeit noch unbekannt, doch wird dieses Problem gegen-wärtig bearbeitet[3].

In der vielseitigen Chemie der Steroide gibt es dagegen schon eine Bestätigung für die Postulate von Woodward und Hoffmann[1]. Die bemerkenswert reiche Photo-chemie des 17β-Acetoxy-3-oxo-androstadiens-(1,4) und seiner Methyl-Derivate[4] beginnt mit der Umwandlung des 2,5-Cyclohexadienon-Systems VII in das Bicyclo[3.1.0]hexenon-System VIII, aus dem das neue Cyclohexa-dienon-System IX bekannter Stereochemie entsteht. Die weitere photolytische Zer-setzung dieses Systems liefert – je nach Art der Substituenten – zwei oder auch drei Isomere, deren aufgeklärte Strukturen mit den Formeln X–XII wiedergegeben sind:

[1] R. B. Woodward u. R. Hoffmann, „Die Erhaltung der Orbitalsymmetrie", S. 89 ff., Verlag Chemie GmbH, Weinheim/Bergstr. 1970.

[2] R. B. Woodward u. R. Hoffmann zeigen hier nur die Folgen einer Addition an die dem Substi-tuenten R benachbarte Doppelbindung auf [R. B. Woodward u. R. Hoffmann. Die Erhaltung der Orbitalsymmetrie, S. 89 ff., Verlag Chemie GmbH, Weinheim/Bergstraße 1970]. Natür-lich ist auch eine Addition an die gegenüberliegende Doppelbindung möglich, wodurch sich die Zahl der denkbaren Reaktionsprodukte verdoppelt.

[3] D. I. Schuster, persönliche Mitteilung an Woodward und Hoffmann [R. B. Woodward u. R. Hoffmann. Die Erhaltung der Orbitalsymmetrie, S. 89 ff., Verlag Chemie GmbH, Wein-heim/Bergstraße 1970].

[4] H. Dutler, M. Bosshard u. O. Jeger, Helv. **40**, 494 (1957).
K. Weinberg, E. C. Utzinger, D. Arigoni u. O. Jeger, Helv. **43**, 236 (1960).
H. Dutler, C. Ganter, H. Ryf, E. C. Utzinger, K. Weinberg, K. Schaffner, D. Arigoni u. O. Jeger, Helv. **45**, 2346 (1962).
O. Jeger, K. Schaffner et al., Helv. **47**, 627 (1964), **49**, 1049 (1966).

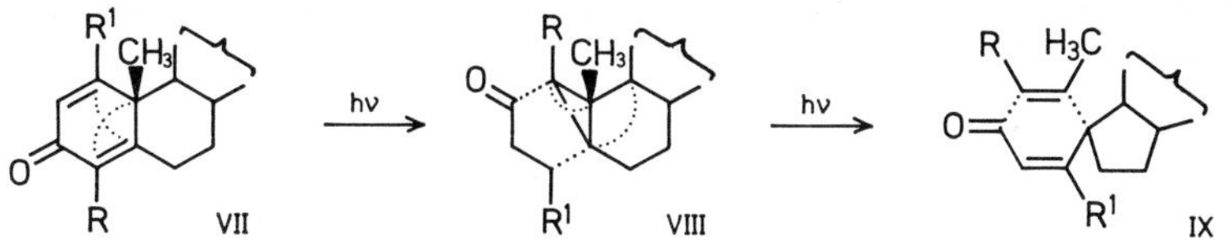

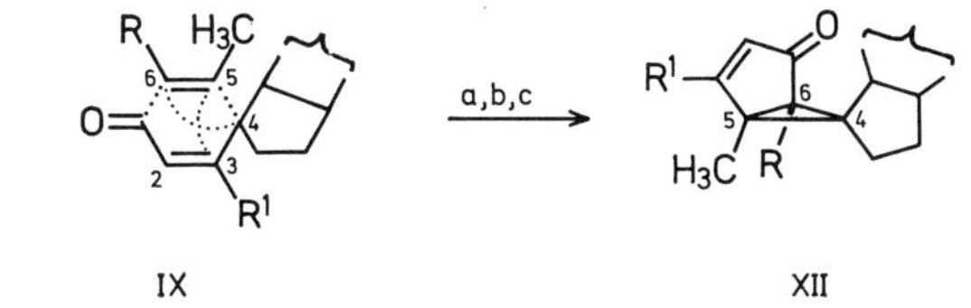

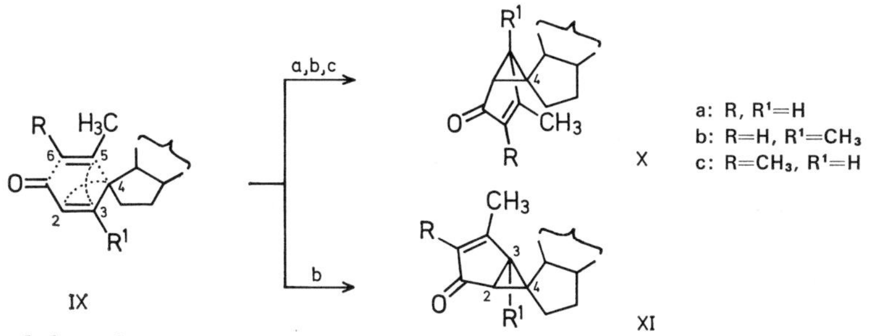

X; a) *4-Oxo-2-methyl-* } *bicyclo[3.1.0]hexen-(2)-⟨6-spiro-3⟩-*
　　b) *4-Oxo-2,3-dimethyl-* } *6-acetoxy-5a-methyl-perhydro-as-indacen*
　　c) *4-Oxo-1,2-dimethyl-* }

XI; *4-Oxo-1,2-dimethyl-bicyclo[3.1.0]hexen-(2)-⟨6-spiro-3⟩-6-acetoxy-5a-methyl-perhydro-as-indacen*

XII; a) *4-Oxo-1-methyl-* } *bicyclo[3.1.0]hexen-(2)-⟨6-spiro-3⟩-*
　　　b) *4-Oxo-1,2-dimethyl-* } *6-acetoxy-5a-methyl-perhydro-as-indacen*
　　　c) *4-Oxo-1,5-dimethyl-* }

Die Verbindungen X, XI und XII sind alle Produkte von Prozessen des Typs $[\pi^2 a + \sigma^2 a]$, genau wie es die Erhaltung der Orbitalsymmetrie bei Synchronreaktionen verlangt[1]. Besonders deutlich ist, daß jede dieser Photoisomerisierungen auch eine Inversion an C-4 beinhaltet. Bei den Substitutionsarten vom Typ (a) und (c) beobachtet man von den beiden Produkten, die durch symmetrie-erlaubte Reaktionen mit der 2,3-Doppelbindung entstehen können, nur eines, nämlich X. Desgleichen bildet sich in den Fällen (a) und (c) nur die Verbindung XII, wenn sich die 5,6-Doppelbindung an der Reaktion beteiligt. Beim Substitutionstyp (b) sind drei der vier möglichen Produkte symmetrie-erlaubter Prozesse isoliert worden. Dagegen hat man bislang nicht ein einziges der vier Produkte gefunden, die das Resultat symmetrie-verbotener oder nicht-stereospezifischer Umwandlungen sein könnten.

Unglücklicherweise führt der im Lichte der Woodward-Hoffmann-Regel interpretierte Zimmerman-Mechanismus[2] bei Reaktionen der Gruppe ① (S. 390) zu genau denselben Produkten, wie sie aus einer Synchron-Reaktion hervorgehen müssen.

---

[1] R. B. WOODWARD u. R. HOFFMANN, *„Die Erhaltung der Orbitalsymmetrie"*, S. 89ff., Verlag Chemie GmbH, Weinheim/Bergstr. 1970.

[2] H. E. ZIMMERMAN, 17th National Organic Symposium of the American Chemical Society Bloomington, Indiana, 1960, Abstracs, S. 31.
　　H. E. ZIMMERMAN u. D. I. SCHUSTER, Am. Soc. **83**, 4486 (1961); **84**, 4527 (1962).
　　H. E. ZIMMERMAN, Tetrahedron **19**, Suppl. 2, 393 (1963).

Die Formeln XIII—XVI zeigen den von Zimmerman vorgeschlagenen Reaktionsmechanismus.

Der symmetrie-erlaubten Bindungsverschiebung XIV → XIVa und der Umkehrung XIVa → XV folgt ein Schritt, der formal eine Cyclopropylcarbinyl-Umlagerung im Grundzustand darstellt. Der Übergang von XV in das primäre Cyclohexadienon XIII entsprechend den Pfeilen in XVa ist symmetrie-verboten! Für den Reaktionsschritt XV → XVI gibt es auch zwei Möglichkeiten. Sie lassen sich nach Woodward und Hoffmann am besten als sigmatrope [1.2n]-Verschiebungen beschreiben[1].

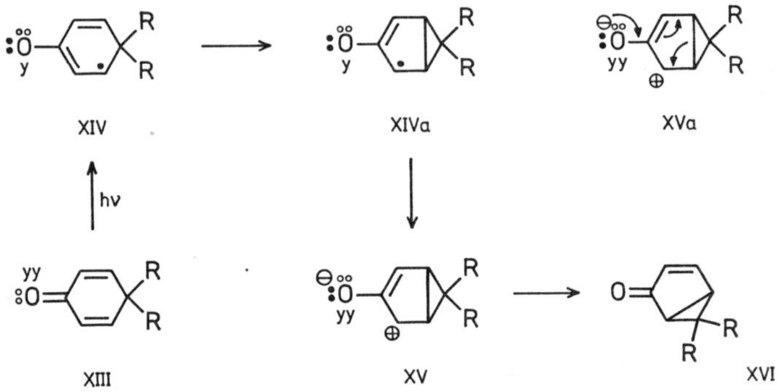

Die erste Möglichkeit besteht danach in zwei aufeinanderfolgenden [1.2]-Verschiebungen: XVII → XVIII → XIX ≡ XXI. Die zweite ist eine [1.4]-Umlagerung: XX → XIX ≡ XXI. Da aber sigmatrope [1.2]-Verschiebungen unter Retention, erzwungenermaßen suprafaciale [1.4]-Verschiebungen hingegen unter Inversion am wandernden Kohlenstoff verlaufen müssen, lassen sich die beiden Möglichkeiten stereochemisch nicht unterscheiden. Für die Reaktionen der Gruppe ① (S. 390) erhält man also sowohl mit einem Synchronmechanismus als auch bei stufenweisem Ablauf mit synchronen Teilschritten stereochemisch das gleiche Resultat. Obgleich die physikalischen Beweise für den von Zimmerman vorgeschlagenen Reaktionsmechanismus recht eindrucksvoll sind, halten Woodward und Hoffmann diese nicht für schlüssig: beiden Alternativen bleiben weiterhin möglich[1].

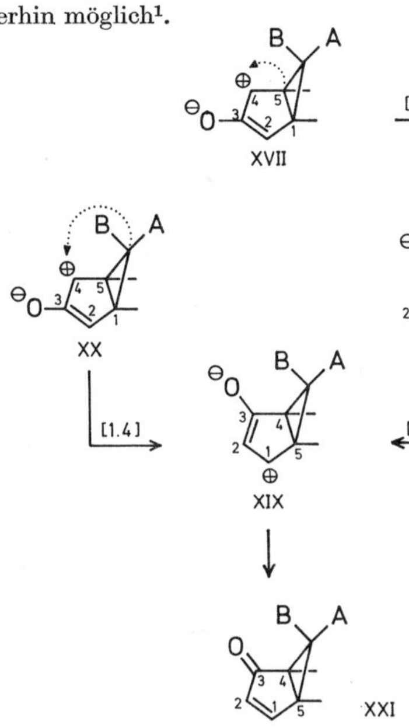

---

[1] R. B. Woodward u. R. Hoffmann, „*Die Erhaltung der Orbitalsymmetrie*", S. 89 ff., Verlag Chemie GmbH, Weinheim/Bergstr. 1970.

Die photochemische Umlagerung der Cyclohexenone (Reaktionen der Gruppe ②; S. 390) ist äußerst stereospezifisch und verläuft sehr wahrscheinlich synchron ab. So fand man, daß bei den Reaktionen XXII und XXIII die Chiralität erhalten bleibt {11-Oxo-6-methyl-⟨benzo-tricyclo[4.4.0.0^{1,5}]decen-(7)⟩}[1]:

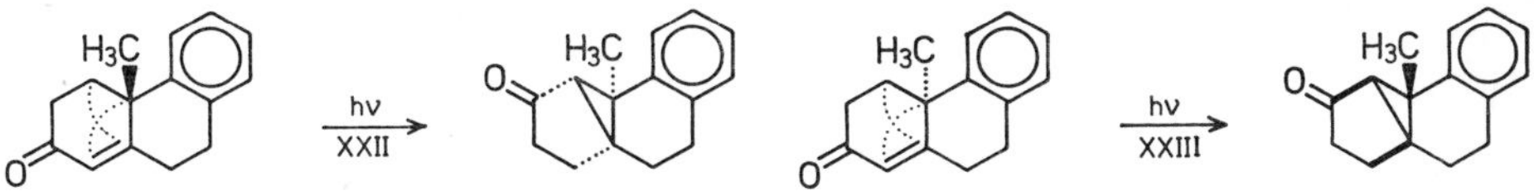

Die Isomerisierung von XXIV verläuft unter Retention an C-1 und unter Inversion[2] an C-10. Letztere wird durch die sterischen Verhältnisse erzwungen, was für die Retention nicht gilt, die mit einer radikalischen Spaltung der Bindung zwischen C-1 und C-10 nicht in Einklang zu bringen ist:

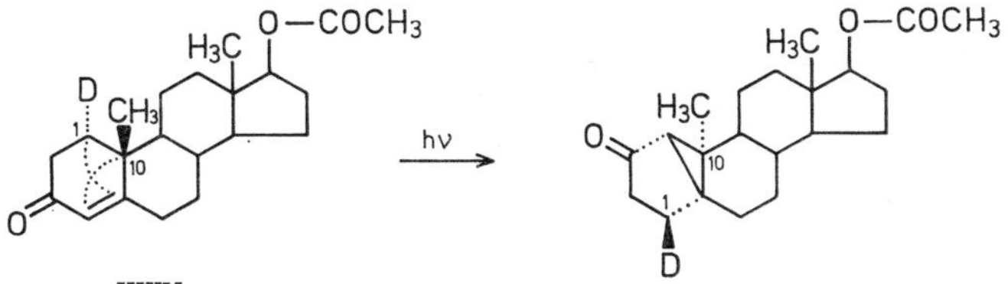

XXIV

4β-Deutero-17β-acetoxy-2-oxo-1,5-cyclo-androstan

Wie bereits oben erwähnt, werden in der Gruppe ③ (S. 390) weder $[\pi^2 s + \sigma^2 s]$- noch $[\pi^2 a + \sigma^2 a]$-Synchronprozesse durch die sterischen Verhältnisse behindert. Die Unter-

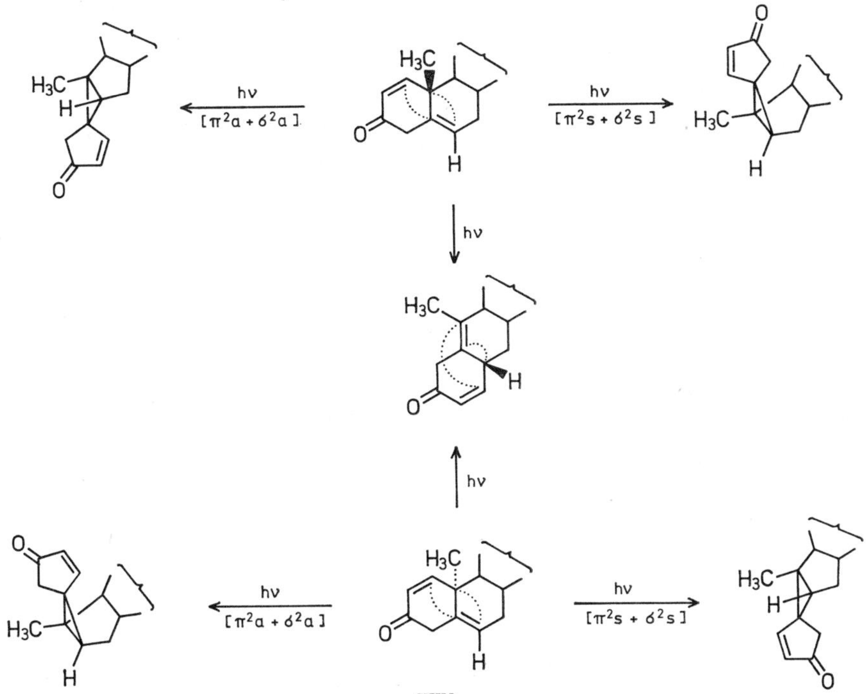

XXV

---

[1] O. L. Chapman, J. B. Sieja u. W. J. Welstead, Am. Soc. 88, 161 (1966).
[2] D. Bellus, D. R. Kearns u. K. Schaffner, Helv. 52, 971 (1969).

suchung der Umlagerung von XXV (S. 396)[1] ergab, daß genau die Produkte entstehen, die für die beiden erlaubten Cycloadditionen zu erwarten sind. Aber auch hier hätte der oben erwähnte Zwang zur Vermeidung einer *trans*-Verknüpfung der beiden Ringe bei stufenweisem Reaktionsverlauf die gleichen stereochemischen Konsequenzen[2] (s. S. 395).

Es gibt noch zwei weitere photochemische Umwandlungen von Enonen, die zur Klasse der [2 + 2]-Cycloadditionen zu zählen sind. Die erste ist die Isomerisierung[3] eines nicht-konjugierten Cyclohexenons XXVI:

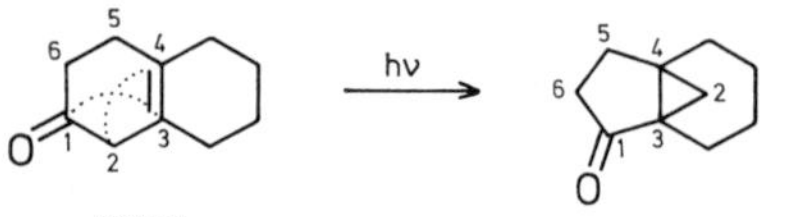

XXVI

7-Oxo-tricyclo[4.3.1.0^{1,6}]decan

Das Formelbild XXVII zeigt diejenigen Produkte, die durch stereochemisch mögliche anatarafaciale Reaktionen an der Doppelbindung bei Retention und Inversion an C-2 stattfinden können[2]:

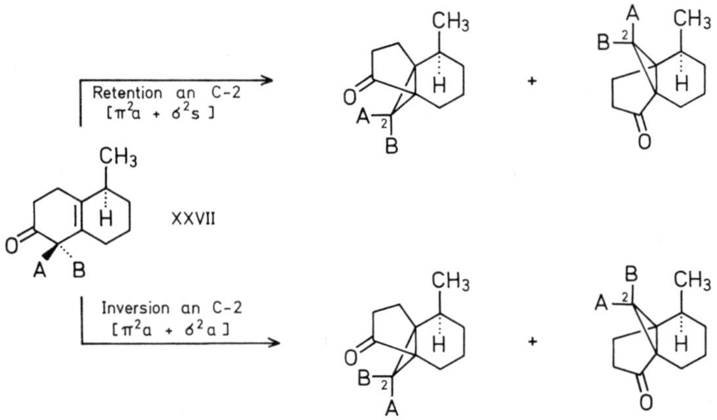

Ein Steroid dieses Typs ist photolysiert worden[3]. Von den beiden möglichen Produkten entsteht nur dasjenige, dessen Cyclopropanring sich in α-Stellung befindet (XXVIII). Da bei dieser Reaktion der Kohlenstoff C-2 keine Substituenten trägt, bleibt die Frage, ob Retention oder Inversion eintritt, weiterhin unbeantwortet. Woodward und Hoffmann erwarten jedoch, daß die Umlagerung unter Inversion an C-2 verläuft[2].

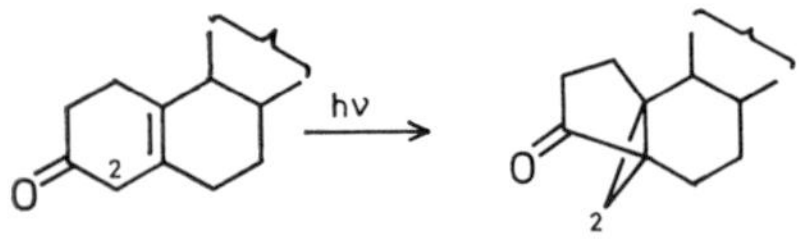

XXVIII

---

[1] O. Jeger, K. Schaffner et al., Helv. **46**, 2473 (1963); **48**, 1680 (1965).
[2] R. B. Woodward u. R. Hoffmann, „*Die Erhaltung der Orbitalsymmetrie*", S. 89 ff., Verlag Chemie GmbH, Weinheim/Bergstr. 1970.
[3] J. R. Williams u. H. Ziffer, Chem. Commun. **1967**, 194, 469; Tetrahedron Letters **24**, 6725 (1968).

Ähnliche Verhältnisse herrschen beim zweiten Beispiel[1], der Reaktion XXIX → XXX:

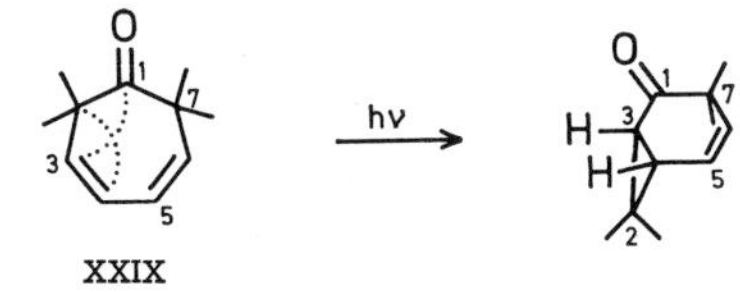

Es scheint zum anderen, daß es mehrere Beispiele für photochemisch induzierte $[\pi^2a + \sigma^2a]$-Cycloadditionen einfacher Olefine und Diene gibt. So wurden ungewöhnliche Propen-Cyclopropan-Cyclisierungen mit gleichzeitiger Gruppen-Wanderung beobachtet (XXXI; XXXII), bei denen es sich durchaus um Synchronreaktionen handeln kann, doch fehlt auch hier noch der stereochemische Beweis[2].

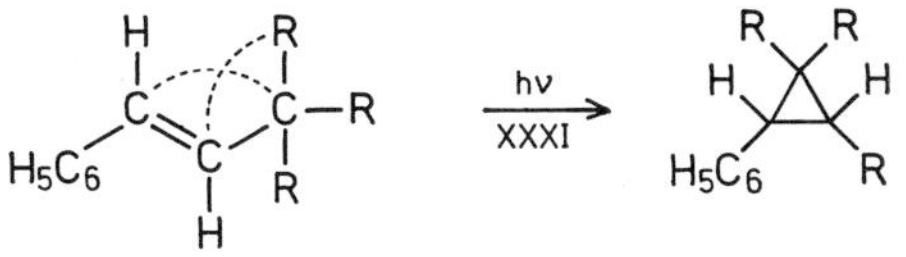

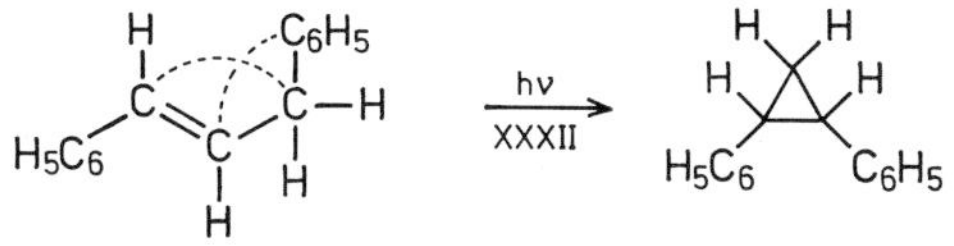

cis-1,2-Diphenyl-
cyclopropan

Dagegen ist der stereochemische Verlauf der Photolyse des 6-Oxo-3,3-diphenyl-cyclohexens (XXXIII) aufgeklärt worden[3]. Unter den Reaktionsprodukten überwiegt das der antarafacialen Addition an die Doppelbindung mit Inversion an C-4:

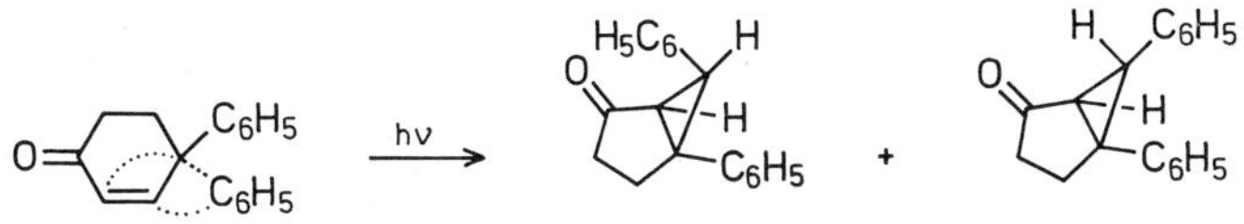

140:1

4-Oxo-1,6-diphenyl-bicyclo[3.1.0]hexan

Wahrscheinlich ist auch die Photolyse des 17β-Acetoxy-3,19-dioxo-androsten-(4) (XXXIV) ein Beispiel für einen $[\sigma^2a + \pi^2a]$-Prozeß[4]:

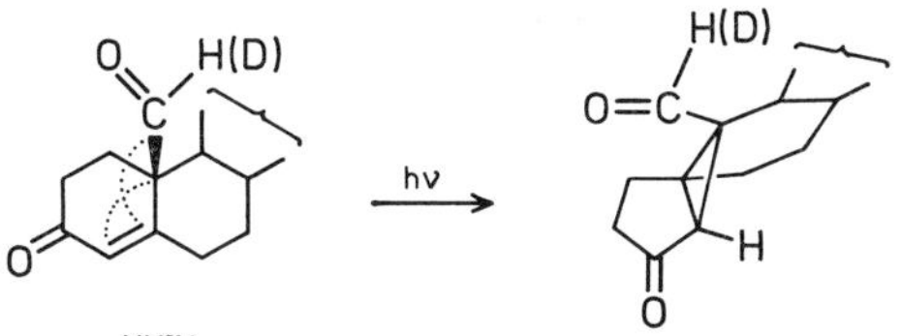

17β-Acetoxy-3,19-dioxo-
4,10-cyclo-androstan

[1] L. A. PAQUETTE, R. F. EIZEMBER u. O. COX, Am. Soc. **90**, 5153 (1968).
[2] G. W. GRIFFIN et al., Am. Soc. **87**, 1410 (1965).
  H. KRISTINSSON u. G. W. GRIFFIN, Am. Soc. **88**, 378 (1966).
[3] H. E. ZIMMERMAN u. K. G. HANCOCK, Am. Soc. **90**, 3749 (1968).
  Vgl. auch: H. E. ZIMMERMAN u. R. L. MORSE, Am. Soc. **90**, 954 (1968).
[4] O. JEGER, K. SCHAFFNER et al., Helv. **51**, 772 (1968).

Weitere mögliche $[\sigma^2 a + \pi^2 a]$-Prozesse, die erzwungenermaßen als solche ablaufen, sind die Umlagerungen vom Typ **XXXV**[1]:

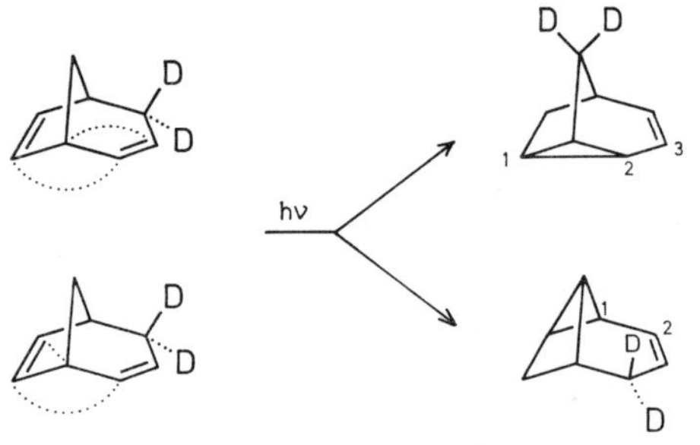

6,6-Dideutero-tricyclo [3.2.1.0^{2,7}]octen-(3)

4,4-Dideutero-tricyclo [3.2.1.0^{7,8}]octen-(2)

Auch die Bildung des *Bicyclo[5.1.0]octadiens-(2,5)* (**XXXVII**) bei der Photolyse des Cyclooctatriens (**XXXVI**) muß, sofern sie synchron verläuft, eine $[\pi^2 a + \sigma^2 a]$-Reaktion sein. Sie geht nicht mit einer Wasserstoff-Verschiebung einher[2]:

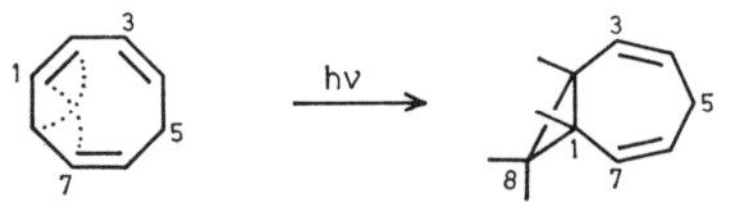

Die Umlagerung **XXXVIII** stellt einen verwandten Fall dar[3]. An einer synchron verlaufenden Cycloaddition kann sich entweder die 3,7- oder die 2,3-σ-Bindung beteiligen {**IXL** bzw. **XL**; *Benzo-tricyclo[2.2.1.0^{2,7}]hepten-(5)*}. Ob es sich hier tatsächlich um eine Synchronreaktion handelt, müßte mit einem chiralen Ausgangsmaterial überprüft werden.

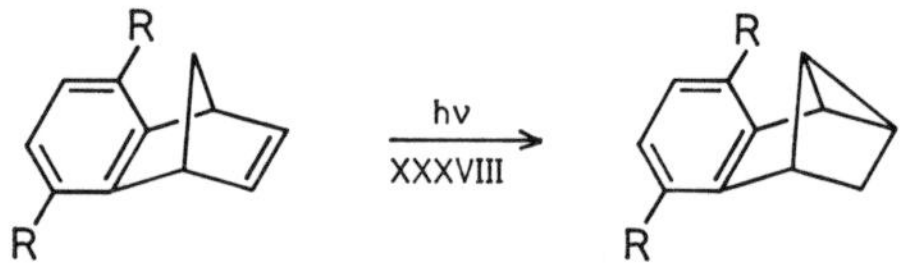

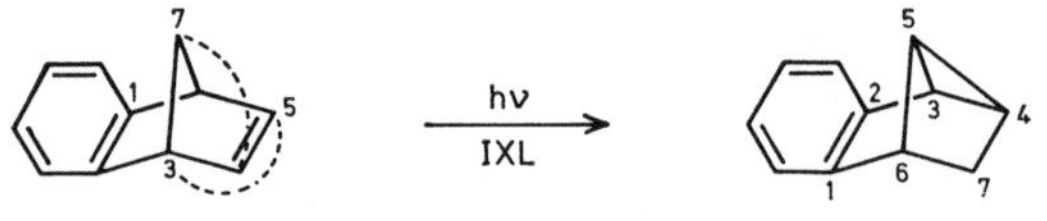

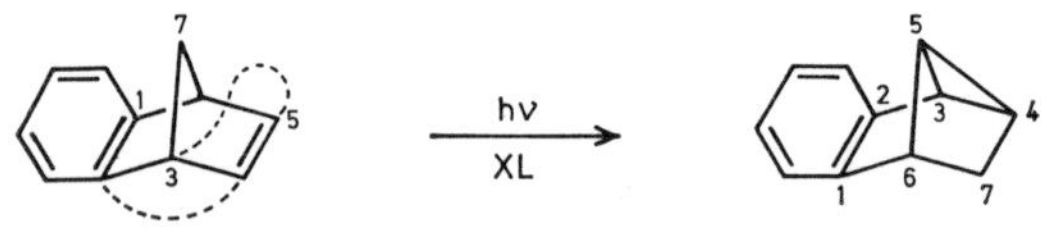

Weitere Umwandlungen dieser Art sind die Bildung von *Dibenzosemibullvalen* aus dem Dibenzo-bicyclo[2.2.2]octatrien (**XLI**)[4] und die Entstehung von *Benzosemibullvalen* aus dem markierten Benzo-bicyclo[2.2.2]octatrien (**XLII**)[5]:

[1] R. R. SAUERS u. A. SHURPIK, J. Org. Chem. **33**, 799 (1968).
[2] W. R. ROTH u. B. PELTZER, A. **685**, 56 (1965).
[3] J. R. EDMAN, Am. Soc. **88**, 3454 (1966).
[4] E. CIGANEK, Am. Soc. **88**, 2882 (1966).

(Fortsetzung s. S. 399)

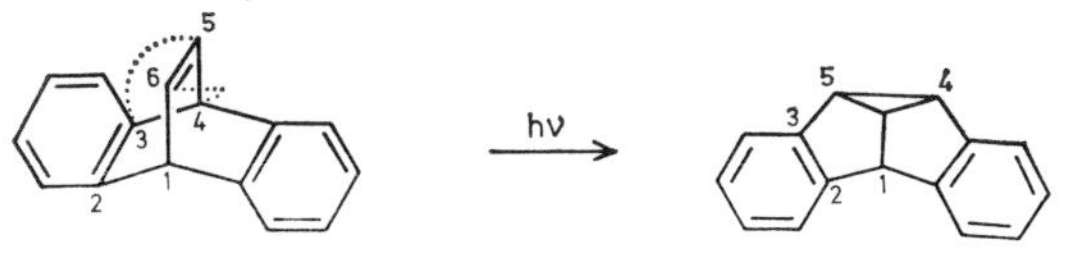

XLI

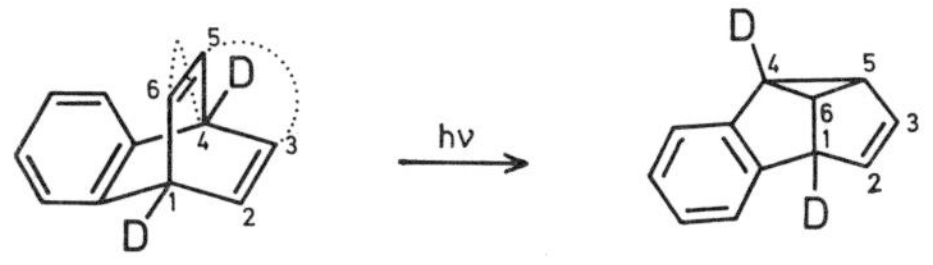

XLII

Es sei jedoch erwähnt, daß keine dieser Reaktionen synchron verlaufen muß. So gibt es z. B. sogar Hinweise auf einen stufenweisen Verlauf bei der entsprechenden Umlagerung des Barrelens[1].

Abschließend sei darauf hingewiesen, daß sich der alicyclische Dreiring auch noch aus anderen als den hier beschriebenen Systemen photochemisch bilden kann. Eine komplette Behandlung dieser Systeme würde jedoch den Rahmen dieses Beitrags sprengen, so daß hier nur auf einige photochemisch orientierte Übersichtsreferate[2] und Originalarbeiten[3] sowie ds. Handb., Bd. IV/5 verwiesen werden kann.

VII. Metallorganische Verbindungen der Cyclopropane

Die ersten hergestellten metallorganischen Verbindungen der Cyclopropane waren aus Chlor- und Brom-cyclopropan erhaltene Grignard-Verbindungen. Chlorcyclopropan reagiert mit Magnesium nur relativ träge[4]. Bei der Reaktion von *Cyclopropyl-magnesiumbromid* mit Quecksilberchlorid wird *Dicyclopropyl-quecksilber* (Kp_{18}: 110–112°) erhalten[5].

[1] H. E. ZIMMERMAN et al., Am. Soc. **89**, 3932 (1967).
[2] R. SRINIVASAN, Advances in Photochemistry **1**, 96 (1963).
  M. AKHTAR, Advances in Photochemistry **2**, 363 (1964).
  M. MOUSSERON, Advances in Photochemistry **4**, 195 (1965).
  P. J. WAGNER u. G. S. HAMMOND, Advances in Photochemistry **5**, 21 (1968).
  G. S. HAMMOND, Advances in Photochemistry **7**, 373 (1969).
[3] Vgl. etwa:
  S. J. CRISTOL u. R. S. SNELL, Am. Soc. **76**, 5000 (1954); **80**, 1950 (1958).
  H. PRINZBACH et al., Chimia **20**, 432 (1966).
  H. U. HOSTETTLER, Helv. **49**, 2417 (1966).
  N. J. TURRO u. R. M. SOUTHAM, Tetrahedron Letters **1967**, 545.
  J. MEINWALD u. P. H. MAZZOCCHI, Am. Soc. **89**, 696, 1755 (1967).
  M. POMERANTZ, Am. Soc. **89**, 694 (1967).
  H. E. ZIMMERMAN et al., Am. Soc. **92**, 1407, 1409, 3474 (1970) und frühere Arbeiten.
  J. S. SWENTON et al., Am. Soc. **92**, 1406 (1970).
  E. C. SANFORD u. G. S. HAMMOND, Am. Soc. **92**, 3497 (1970).
  D. GINSBURG et al., Tetrahedron Letters **1968**, 2361; Israel J. Chem. **7**, 435 (1969).
[4] J. D. ROBERTS u. V. C. CHAMBERS, Am. Soc. **73**, 3176 (1951).
[5] G. F. REYNOLDS, R. E. DESSY u. H. H. JAFFÉ, J. Org. Chem. **23**, 1217 (1958).

(Fortsetzung v. S. 398)
[5] H. E. ZIMMERMAN, R. S. GIVENS u. R. M. PAGNI, Am. Soc. **90**, 4192 (1968).
  Vgl. auch: J. P. N. BREWER u. H. HEANEY, Chem. Commun. **1967**, 811.
  P. W. RABIDEAU, J. B. HAMILTON u. L. FRIEDMAN, Am. Soc. **90**, 4465 (1968).

Das *trans*-1,2-Dibrom-cyclopropan scheint das einzige einfache Dibromid zu sein, das eine Di-Grignard-Verbindung bildet[1]. Wegen der Überführungsmöglichkeit dieser metallorganischen Spezies in *Cyclopropan-cis-1,2-dicarbonsäure* wurden die nachfolgenden Strukturalternativen diskutiert:

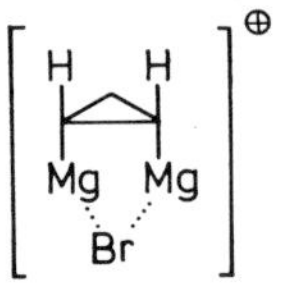

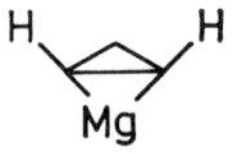

Das (+)-(S)-*2-Lithium-2-methyl-1,1-diphenyl-cyclopropan* wurde aus der entsprechenden Brom-Verbindung und Butyl-lithium unter vollständiger Konfigurationserhaltung zugänglich[2,3]. *1-Methyl-2,2-diphenyl-cyclopropyl-magnesiumbromid*, das erste optisch aktive Grignard-Reagens, wurde aus dem entsprechenden Bromcyclopropan unter Erhaltung von ~ 10% der ursprünglichen optischen Reinheit präpariert. Der starke Racemisierungsanteil ergibt sich offensichtlich im Zuge der Grignard-Bildung[4].

Die heftige Reaktion zwischen Lithium und Chlor-cyclopropan, die neben anderen Produkten *Cyclopropan* und *Bi-cyclopropyl* liefert[5], verläuft wahrscheinlich über *Cyclopropyl-lithium*[6]. *Cyclopropyl-natrium* wurde durch direkte Metallierung von Cyclopropan mit Pentyl-natrium präpariert[7].

Cyclopropylmethyl-Anionen können in die isomeren Buten-(3)-yl-Anionen übergehen. Cyclopropylmethyl-Grignard-Reagentien[8] (s. a. S. 404) und *Cyclopropylmethyl-lithium*[9] sind sehr labile Verbindungen, die sich schon bei −40° in die entsprechenden Buten-(3)-yl-Grignard-Verbindungen bzw. Buten-(3)-yl-lithium-Derivate umlagern.

Der reversible Charakter dieser Umlagerung konnte an in α-Stellung deuterierten Buten-(3)-yl-Grignard-Reagentien als Ausgangsmaterial demonstriert werden[10]. Obgleich nur Ringöffnungsprodukte erhalten wurden, konnte man einen langsamen Austausch der α- und β-Positionen im Grignard-Reagens beobachten. Bei +27° beträgt die Halbwertszeit der Äquilibrierung etwa 30 Stdn., bei +55° nur noch ~ 40 Min.[8,10]:

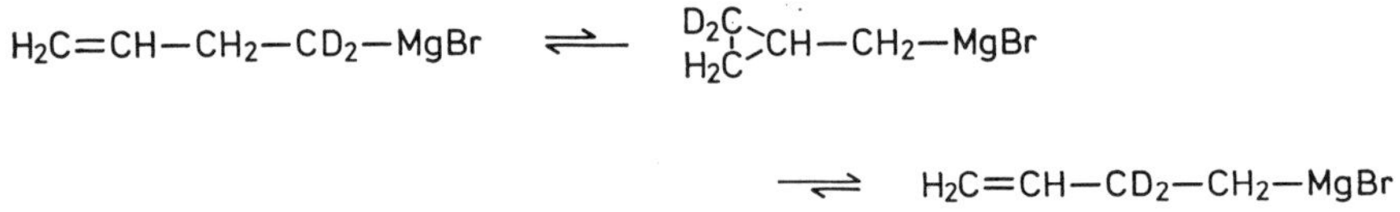

$$H_2C=CH-CH_2-CD_2-MgBr \; \rightleftharpoons \; \begin{smallmatrix} D_2C \\ H_2C \end{smallmatrix}\!\!> CH-CH_2-MgBr$$

$$\rightleftharpoons \; H_2C=CH-CD_2-CH_2-MgBr$$

[1] K. B. Wiberg u. W. J. Bartley, Am. Soc. **82**, 6375 (1960).

[2] H. M. Walborsky et al., Am. Soc. **86**, 3283 (1964).

[3] Bei der Umsetzung mit Lithium und anschließend mit Kohlendioxid wird aus (+)-(S)-2-Halogen-2-methyl-1,1-diphenyl-cyclopropan ein Gemisch aus optisch reiner *1-Methyl-2,2-diphenyl-cyclopropan-carbonsäure* und deren Racemat erhalten. Die Zusammensetzung des Gemisches wird durch das Halogenatom und den Natriumgehalt des Lithiums beeinflußt; s. H. M. Walborsky u. M. S. Aronoff, J. Organomet. Chem. **4**, 418 (1965).

[4] H. M. Walborsky u. A. E. Young, Am. Soc. **83**, 2595 (1961); **86**, 3288 (1964).

[5] V. A. Slabey, Am. Soc. **74**, 4928 (1952).

[6] H. Hart u. J. M. Sandri, Chem. & Ind. **1956**, 1014.

[7] E. J. Lanpher, L. M. Redman u. A. A. Morton, J. Org. Chem. **23**, 1370 (1958).

[8] D. J. Patel, C. L. Hamilton u. J. D. Roberts, Am. Soc. **87**, 5144 (1965).

[9] P. T. Lansbury et al., Am. Soc. **86**, 2247 (1964); vgl. auch **85**, 1886 (1963).

[10] J. D. Roberts et al., Am. Soc. **82**, 2646 (1960).

Diese ganz unerwartete Umlagerung wird stark begünstigt durch Phenyl- oder Vinyl-Substitution der 4-Stellung in den Allylmethyl-Grignard-Reagentien[1]. Die Erleichterung der Umlagerung ist vermutlich eine Folge der Stabilisierung des Übergangszustandes während der Cyclisierung durch Delokalisierung der negativen Partialladung des Methyl-Kohlenstoffs über die Phenyl- oder Vinyl-Gruppen. Ein Cyclopropylmethyl-Grignard-Reagens der Struktur I konnte jedoch in der Gleichgewichtsmischung nicht entdeckt werden.

$$H_5C_6\diagdown C=CH-CH_2-CH_2-MgX \rightleftharpoons \triangleright\!\!-\!\!\underset{\underset{C_6H_5}{|}}{\overset{\overset{C_6H_5}{|}}{C}}\!\!-\!\!MgX$$

I

Es wurden dann Versuche durchgeführt, um durch Austausch mit Alkalimetallen zu Verbindungen mit einer zu I analogen Struktur zu gelangen[2]. Man nahm zunächst an, daß man durch Erhöhung des Ionenbindungsanteils der Kohlenstoff-Metall-Bindung die Resonanzstabilisierung des Cyclopropylmethyl-Anions erhöhen könnte, so daß die carbocyclische Dreiring-Verbindung in der Gleichgewichtsmischung möglicherweise sogar gegenüber dem offenkettigen Isomeren begünstigt sein könnte.

Die einfachste Präparierung des Cyclopropyl-phenyl-methyl-Anions (III) sollte in einer Protonen-Abstraktion aus Benzyl-cyclopropan (II) durch eine starke Base ($M^\oplus B^\ominus$; $M^\oplus$ = Metall-Kation) zu suchen sein[2]. Die Bildung des Anions würde dann durch Hydrolyse mit Deuteriumoxid verfolgbar sein:

$$H_5C_6-CH_2-\triangleleft \xrightarrow[-HB]{M^\oplus B^\ominus} \left[H_5C_6-\overset{\ominus}{\underset{\!\!}{C}}H-\triangleleft \rightleftharpoons H_5C_6-CH=CH-CH_2-\overset{\ominus}{C}H_2 \right] M^\oplus$$

II 　　　　　　　　　　　　　　　　　III

$$\xrightarrow{D_2O} \begin{cases} H_5C_6-CHD-\triangleleft \\ H_5C_6-CH=CH-CH_2-CH_2D \end{cases}$$

M = Li, Na, K

Unter normalen Bedingungen wird II jedoch nicht leicht von Butyl-lithium in Äther oder von Benzyl-kalium in Toluol angegriffen.

Diese Tatsache ist vermutlich darauf zurückzuführen, daß die Assoziation von Basen des Typs $M^\oplus B^\ominus$ in Lösungsmitteln geringer Polarität eine so große Rolle spielt, daß kinetisch kontrollierte Reaktionen nur sehr langsam verlaufen. Während Benzyl-kalium mit Erfolg zur Metallierung von Cycloheptatrien benutzt werden konnte[3], ist offensichtlich das Ausbleiben der Reaktion dieser Base mit II so zu erklären, daß Toluol eine stärkere Säure als Benzyl-cyclopropan darstellen muß[2]. Auch mit Pentyl-natrium in Heptan, das mit Äthyl-benzol und Isopropyl-benzol reagiert[4], konnte bei II keine Metallierung erreicht werden. In Anknüpfung an

---

[1] J. D. ROBERTS et al., Am. Soc. **88**, 1732 (1966).

[2] A. MAERCKER u. J. D. ROBERTS, Am. Soc. **88**, 1742 (1966).

[3] H. J. DAUBEN u. M. R. RIFI, Am. Soc. **85**, 3041 (1963).

[4] A. A. MORTON u. E. J. LANPHER, J. Org. Chem. **23**, 1636 (1958).
C. E. CLAFF u. A. A. MORTON, J. Org. Chem. **20**, 440, 981 (1955).

frühere Beobachtungen[1] lag dann nahe, **Phenyl-kalium** als metallierendes Agens einzusetzen[2].

Bei Raumtemperatur wird II nicht nachweisbar von **Phenyl-kalium** in Heptan angegriffen. Wird jedoch die Reaktionsmischung 46 Stdn. unter Rückfluß erhitzt, so tritt eine Reaktion ein[2]. Als Hauptprodukt wurde *1-Deutero-1-phenyl-buten-(2)* gefunden. Die beiden Nebenprodukte sowie das zurückgewonnene Ausgangsmaterial (60%) waren frei von Deuterium[2].

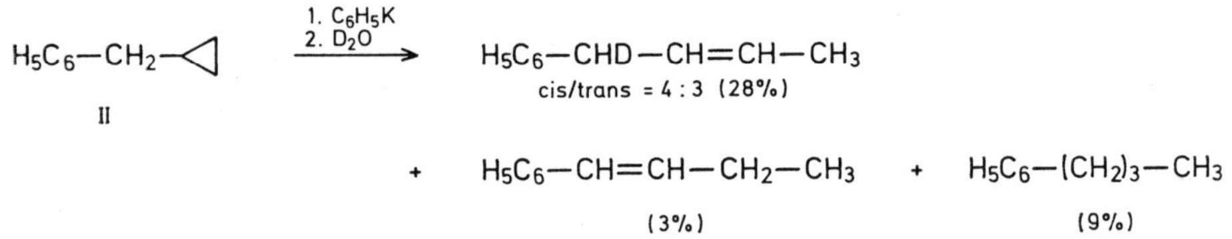

$$H_5C_6-CH_2-\triangleleft \xrightarrow[\text{2. D}_2\text{O}]{\text{1. C}_6\text{H}_5\text{K}} H_5C_6-CHD-CH=CH-CH_3$$
II
$$cis/trans = 4:3 \ (28\%)$$

$$+ \quad H_5C_6-CH=CH-CH_2-CH_3 \quad + \quad H_5C_6-(CH_2)_3-CH_3$$
$$(3\%) \qquad\qquad\qquad (9\%)$$

Offensichtlich erfolgt zunächst die Bildung des Cyclopropyl-phenyl-methyl-Anions III, dann die **reversible** Bildung des **4-Phenyl-buten-(3)-yl-Anions IV** und schließlich eine **irreversible** Umwandlung von IV in das stabilisierte **allylische** Anion[2] V:

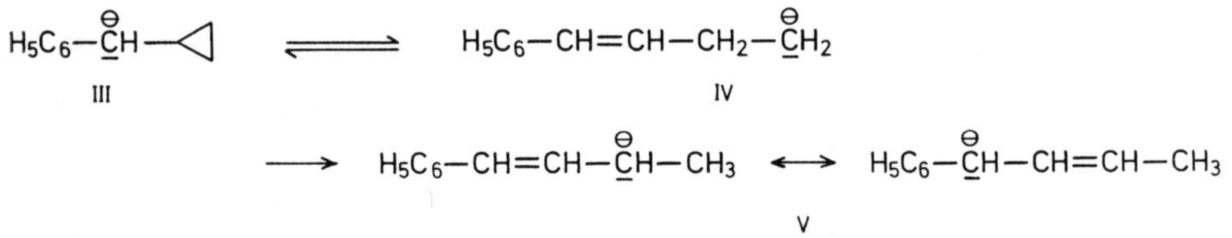

$$H_5C_6-\overset{\ominus}{C}H-\triangleleft \quad \rightleftharpoons \quad H_5C_6-CH=CH-CH_2-\overset{\ominus}{C}H_2$$
III   IV

$$\longrightarrow \quad H_5C_6-CH=CH-\overset{\ominus}{C}H-CH_3 \quad \longleftrightarrow \quad H_5C_6-\overset{\ominus}{C}H-CH=CH-CH_3$$
V

Ganz ähnliche Ergebnisse wurden bei einer Metallierungsmethode erhalten, die sich sonst insbesondere für die Metallierung der Seitenkette von Toluol als sehr wirksam erwiesen hat[3] :

$$2 H_5C_6CH_3 + 2 K + Na_2O \rightarrow 2 H_5C_6CH_2K + NaH + NaOH$$

Behandelt man Benzyl-cyclopropan (II) bei 80–85° mit Heptan, das flüssiges **Kalium** und **Natriummonoxid** als Wasserstoff-Akzeptor enthält, 22 Stdn. unter intensiven Rühren, so erhält man nach der anschließenden Hydrolyse mit Deuteriumoxid 57% deuterium-freies Ausgangsmaterial[2]; 1-Phenyl-buten-(1) konnte nicht gefunden werden:

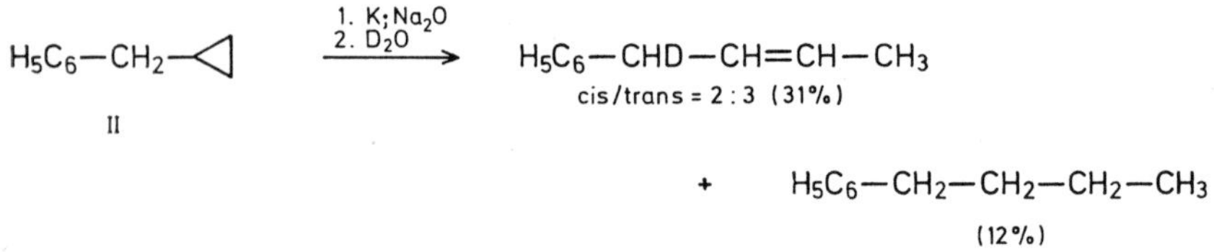

$$H_5C_6-CH_2-\triangleleft \xrightarrow[\text{2. D}_2\text{O}]{\text{1. K; Na}_2\text{O}} H_5C_6-CHD-CH=CH-CH_3$$
II
$$cis/trans = 2:3 \ (31\%)$$

$$+ \quad H_5C_6-CH_2-CH_2-CH_2-CH_3$$
$$(12\%)$$

[1] R. A. Benkeser et al., Am. Soc. **84**, 4971 (1962).
R. A. Benkeser et al., Am. Soc. **85**, 3984 (1963).
[2] A. Maercker u. J. D. Roberts, Am. Soc. **88**, 1742 (1966).
[3] A. A. Morton u. E. J. Lanpher, J. Org. Chem. **23**, 1636 (1958).
C. E. Claff u. A. A. Morton, J. Org. Chem. **20**, 440, 981 (1955).

Es ist allerdings möglich, daß in diesem und auch dem oben beschriebenen Experiment beträchtliche Mengen (12%) an 1-Phenyl-buten-(1) gebildet wurden, daß dieses jedoch durch überschüssiges metallisches Kalium während der Hydrolyse zum Butyl-benzol reduziert worden ist. Daß das Cyclopropyl-phenyl-methyl-Anion (III) in der Tat eine Zwischenstufe der zu offenkettigen Produkten führenden Metallierung ist, konnte durch ein Experiment gezeigt werden, bei dem 1-Chlor-pentan unter starkem Rühren auf Kalium-Sand in Gegenwart von II bei —10° gegeben wurde[1]:

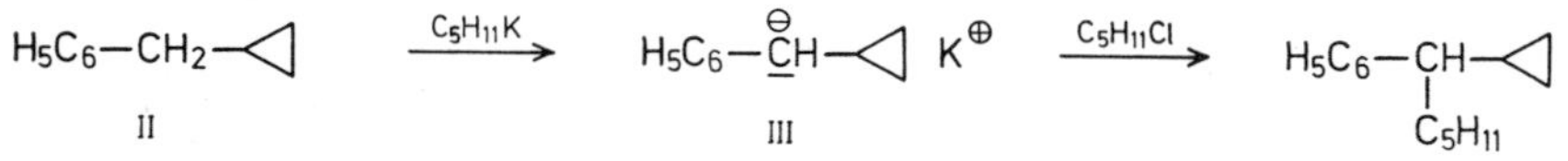

$$ H_5C_6-CH_2-\triangleleft \xrightarrow{\ C_5H_{11}K\ } H_5C_6-\overset{\ominus}{\underset{\cdot\cdot}{C}}H-\triangleleft\ K^{\oplus} \xrightarrow{\ C_5H_{11}Cl\ } H_5C_6-\underset{\underset{C_5H_{11}}{|}}{C}H-\triangleleft $$

II   III

Daß II auch tatsächlich mit Kalium-tert.-butanolat reagiert, konnte durch Verwendung von deuterierten Solventien nachgewiesen werden[1]. Während in tert.-Butanol-O-d oder in einer Mischung dieses Alkohols mit Dimethylsulfoxid kein Austausch beobachtet wurde, werden in Perdeuterodimethylsulfoxid bei Raumtemp. nach 5 Stdn. 50% der benzylischen Protonen von II gegen Deuterium ausgetauscht. Die Produktmischung enthält neben 25% Ausgangsmaterial 25 % (*a,a-Dideutero-benzyl)-cyclopropan* (VI) und 50% (*a-Deutero-benzyl)-cyclopropan* (VII)[1]. Nach weiterem Stehen (20 Stdn.) erhält man nahezu vollständige Deuterierung der benzylischen Wasserstoffe und es werden nur noch Spuren der monodeuterierten Verbindung VII gefunden. Es erfolgt jedoch keine Ringöffnungsreaktion.

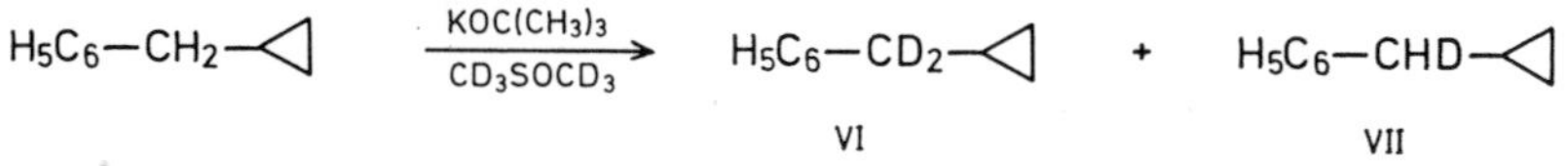

$$ H_5C_6-CH_2-\triangleleft \xrightarrow[CD_3SOCD_3]{\ KOC(CH_3)_3\ } H_5C_6-CD_2-\triangleleft\ +\ H_5C_6-CHD-\triangleleft $$

VI   VII

Auch Experimente zur Herstellung von phenylsubstituierten Cyclopropyl-methyl-kalium-Derivaten waren erfolgreich[1]. Eingehend wurden dann gleichfalls die Möglichkeiten zum Austausch des Kaliums gegen andere Metalle untersucht[1]. Schema 1 (S. 404) gibt eine Übersicht über alle entsprechenden Reaktionen und Umlagerungen.

Die Gesamtergebnisse lassen sich in der folgenden Weise zusammenfassen[1]:

① Das Cyclopropylmethyl-Anion wird stabilisiert durch eine dem Carbinyl-Kohlenstoff benachbarte Phenyl-Gruppe, wenn Kalium oder Natrium als entsprechendes Kation fungieren.

② Wird Kalium durch Lithium oder Magnesium in Äther ersetzt, so kommt es zur sofortigen Umlagerung und der Bildung der entsprechenden kovalenten metallorganischen Buten-(3)-yl-Verbindung.

③ Derartige Umlagerungen können reversibel sein, wie mit Diphenylmethyl-lithium, das in Tetrahydrofuran stabil ist, aber in Diäthyläther quantitativ unter Bildung von 4,4-Diphenyl-buten-(3)-yl-lithium Ringöffnung erfährt, gezeigt werden konnte. Die Retro-Umlagerung kann in einfacher Weise durch Zugabe von Tetrahydrofuran zur ätherischen Lösung eingeleitet werden.

④ Die Reaktion von 4,4-Diphenyl-buten-(3)-yl-quecksilberbromid mit Kalium führt unter Ringschluß zur entsprechenden Cyclopropylmethyl-kalium-Verbindung.

⑤ Die Wahl des Solvens und des entsprechenden Kations haben also entscheidenden Einfluß auf die Stabilität des Cyclopropylmethyl-Anions.

Bei der elektrochemischen Reduktion von optisch aktivem 2-Brom-2-methyl-1,1-diphenyl-cyclopropan (I; S. 405) in Tetraäthylammoniumbromid-Acetonitril an einer Quecksilberkathode entsteht in 93%iger Ausbeute *2-Methyl-1,1-diphenyl-cyclopropan* (III, S. 405) mit einer optischen Restaktivität[2] von 25%. Als Zwischenver-

---

[1] A. MAERCKER u. J. D. ROBERTS, Am. Soc. **88**, 1742 (1966).
[2] C. K. MANN, J. L. WEBB u. H. M. WALBORSKY, Tetrahedron Letters **1966**, 2249.

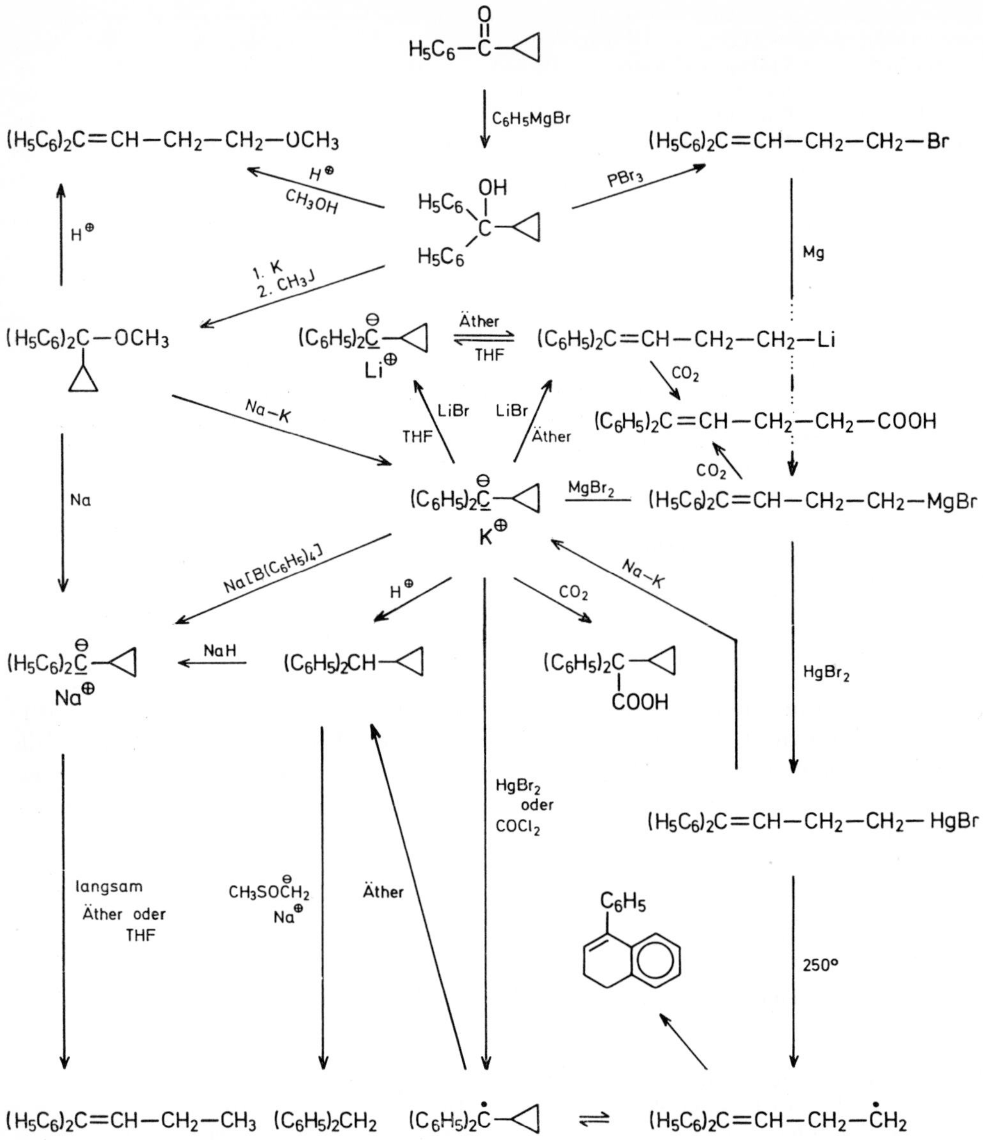

Schema 1: Übersicht über die beobachteten Umlagerungen von Cyclopropyl-diphenyl-methyl- und 4,4-Diphenyl-buten-(3)-yl-metall-Verbindungen[1]

bindung konnte Bis-[1-methyl-2,2-diphenyl-cyclopropyl]-quecksilber (II; S. 405) nach-gewiesen werden. Eine zu II sehr ähnliche Verbindung (IVa) wurde bei der Photo-lyse von Quecksilber-bis-diazoessigsäure-äthylester (V) mit durch Pyrex gefiltertem Licht erhalten[2]:

[1] A. MAERCKER u. J. D. ROBERTS, Am. Soc. 88, 1742 (1966).
[2] O. P. STRAUSZ, T. DO MINH u. J. FONT, Am. Soc. 90, 1930 (1968).

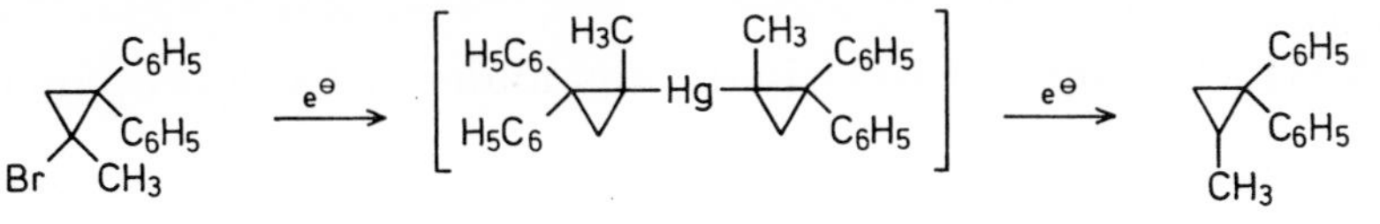

IV a;   Bis-{7-äthoxycarbonyl-bicyclo[4.1.0]heptyl-(1)}-quecksilber
IV b;   Bis-[cyclohexen-(2)-yl-äthoxycarbonyl-methyl]-quecksilber
VI b;   R₃M = (CH₃)₃Si; 1-Trimethylsilyl-2,2-dimethyl-1-äthoxycarbonyl-cyclopropan; 49%
d.Th.
R₃M = (CH₃)₃Sn; 1-Trimethylstannyl-2,2-dimethyl-1-äthoxycarbonyl-cyclopropan; 35%
d.Th.

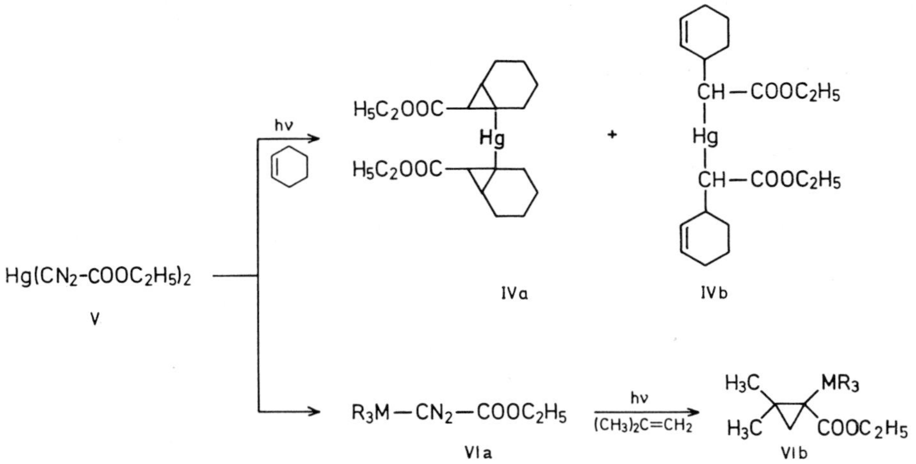

Das Bis-[diazo-äthoxycarbonyl-methyl]-quecksilber (V) läßt sich ferner in Tri-
methyl-silyl- und Triphenylstannyl-diazoessigsäure-äthylester (VIa) überführen, die ihrerseits photochemisch mit Olefinen zu Cyclopropan-Derivaten umgesetzt
werden können[1]. Trimethylsilyl-diazomethan (VII) reagiert unter Kupfer(I)-salz-
Katalyse mit Olefinen zu Trimethyl-cyclopropyl-silanen[2]. Die Addition von
Dichlor-carben an Trimethyl-vinyl-silan liefert in geringer Ausbeute 2,2-Dichlor-1-
trimethylsilyl-cyclopropan[3].

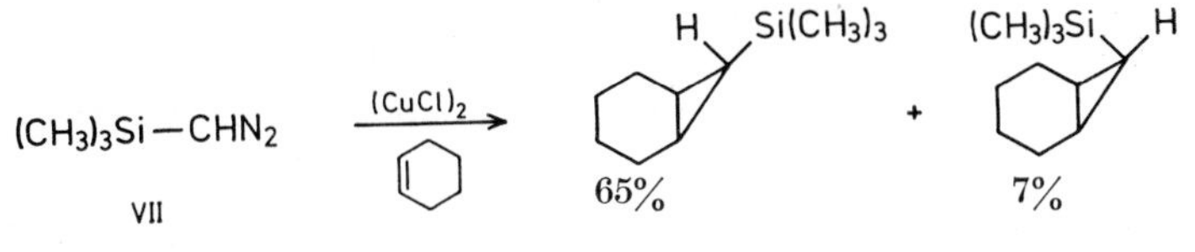

Auch bor- und aluminium-organische Verbindungen des Cyclopropans sind
synthetisiert und deren Eigenschaften studiert worden[4].

Insgesamt muß jedoch gesagt werden, daß die Bearbeitung der metallorganischen
Cyclopropan-Verbindungen noch in ihren Anfängen steht.

---

[1] U. Schöllkopf u. N. Rieber, Ang. Chem. **79**, 906 (1967).
[2] D. Seyferth et al., Am. Soc. **90**, 1080 (1968).
[3] J. Cudlin u. V. Chvalovsky, Collect. czech. chem. Commun. **27**, 1658 (1962).
[4] Vgl. etwa: P. Binger u. R. Köster, Ang. Ch. **74**, 652 (1962).
   Zur Bildung von Cyclopropan-Kohlenwasserstoffen aus 3-Halogen-alkylboranen andererseits,
   vgl.: P. Binger u. R. Köster, Tetrahedron Letters **1961**, 156.

VIII. Cyclopropan-Derivate aus anderen Cyclopropanen

a) Additionsreaktionen an der Carbonyl-Gruppe des Cyclopropanons

In kleinen Alicyclen sollte die Reaktivität der Carbonyl-Gruppe der cyclischen Ketone stark erhöht sein.

In der Tat kann man die Reaktivität des Cyclopropanons durchaus mit der des Formaldehyds vergleichen (s. a. S. 592). Insbesondere gilt die gesteigerte Reaktivität für die Additionsreaktionen.

Cyclopropanon addiert in schneller Reaktion Wasser und Alkohol unter Bildung des relativ stabilen Hydrats (s. S. 65–66) bzw. des entsprechenden Hemiketals (s. S. 65–66)[1–3]. Auch für das 2-Oxo-1,1-dimethyl-cyclopropan[4] (I) und das Oxo-tetramethyl-cyclopropan[5] (II → IV; *3-Hydroxy-3-methoxy-tetramethyl-cyclopropan*) ist die glatte Hemiketal-Bildung beobachtet worden:

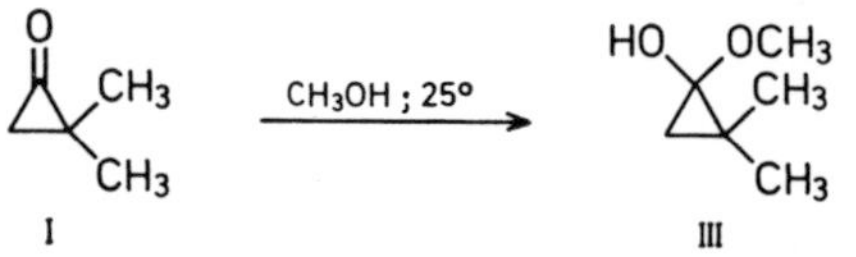

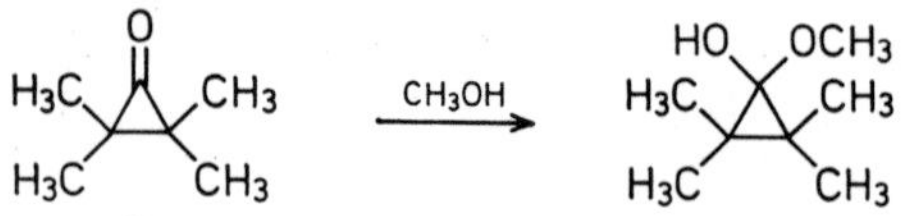

Methanol reagiert hierbei mit I zu *2-Hydroxy-2-methoxy-1,1-dimethyl-cyclopropan* (III) etwa zehnmal schneller als mit Dimethyl-keten[4].

Im allgemeinen muß damit gerechnet werden, daß ein Gleichgewicht zwischen den Cyclopropanonen und ihren Hemiketalen existiert[6,7].

In Gegenwart von Silber(I)- oder Kupfer(II)-Ionen wird Cyclopropanon-hemiacetal nicht zu Propionsäureester isomerisiert, sondern über radikalische Zwischenstufen zum *Adipinsäure-dimethylester* dimerisiert[8]. Mit Eisen(III)-chlorid wird jedoch als Hauptprodukt *3-Chlor-propansäure-methylester* erhalten[8].

Cyclopropanon addiert auch Carbonsäuren und Carbonsäure-chloride[9,10].

[1] P. LIPP, J. BUCHKREMER u. H. SEELES, A. 499, 1 (1932).

[2] S. E. SCHAAFSMA, H. STEINBERG u. T. J. DE BOER, R. 85, 1170 (1966); 86, 651 (1967).

[3] N. J. TURRO u. W. B. HAMMOND, Am. Soc. 88, 3672 (1966); 89, 1028 (1967).

[4] W. B. HAMMOND u. N. J. TURRO, Am. Soc. 88, 2880 (1966).

[5] N. J. TURRO et al., Am. Soc. 86, 955, 4213 (1964); 87, 2613 (1965).
   H. G. RICHEY, J. M. RICHEY u. D. C. CLAGETT, Am. Soc. 86, 3906 (1964).

[6] H. H. WASSERMAN u. D. C. CLAGETT, Am. Soc. 88, 5368 (1966).

[7] N. J. TURRO et al., Chem. & Ind. 1965, 990.

[8] S. E. SCHAAFSMA, H. STEINBERG u. T. J. DE BOER, R. 85, 70 (1966).
   Vgl. auch: S. E. SCHAAFSMA et al., R. 85, 73 (1966); 86, 1301 (1967).

[9] N. J. TURRO u. W. B. HAMMOND, Am. Soc. 89, 1028 (1967).

[10] W. J. M. VAN TILBORG, S. E. SCHAAFSMA, H. STEINBERG u. T. J. DE BOER, R. 86, 419 (1967); 86, 651 (1967).

Bei Raumtemperatur neigt Cyclopropanon zu schneller Polymerisation (s. S. 409). Molare Mengen von Essigsäureanhydrid oder Acetyl-chlorid in Dichlormethan und Cyclopropanon (I) wirken als Polymerisationsinhibitoren[1]. Die Zugabe von überschüssiger Essigsäure oder von Salzsäure zu den Dichlormethan-Lösungen von I bei 25° in Gegenwart eines Inhibitors oder bei −78° ohne Inhibitor führt in hohen Ausbeuten zum *1-Hydroxy-1-acetoxy-cyclopropan* (II) bzw. zum *1-Chlor-1-hydroxy-cyclopropan* (III)[1]:

I

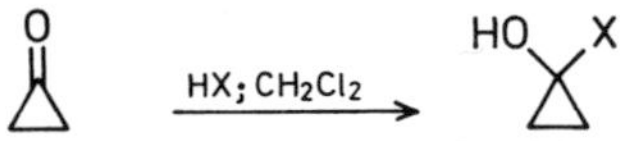

II; X = $OCOCH_3$; *1-Hydroxy-1-acetoxy-cyclopropan*; 100% d.Th.
III; X = Cl; *1-Chlor-1-hydroxy-cyclopropan*; 65% d.Th.

Die Reaktion von I mit Essigsäure ist auch bei Temperaturen von −78° noch reversibel. So kommt es z.B. bei der Addition von überschüssigem Keten an II (in Dichlormethan) zur Bildung von *1,1-Diacetoxy-cyclopropan* (IV), Essigsäureanhydrid und auch Cyclopropanon[1]:

II IV; 62% I; 31%

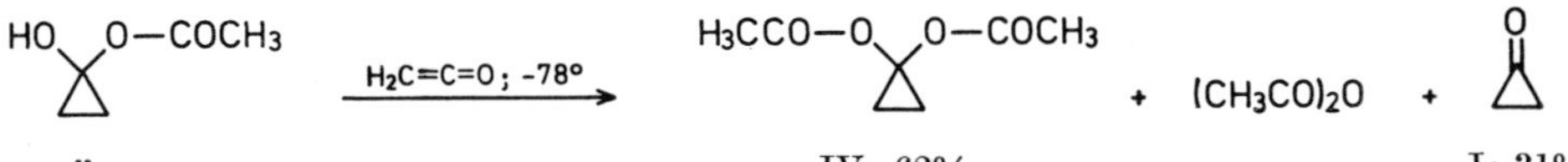

Bei Zugabe von überschüssigem Acetylchlorid zu den Dichlormethan-Lösungen von III werden in partieller Acylierung die Verbindungen V, VI und VII erhalten[1]:

III

1-Chlor-1-acetoxy-cyclopropan; V; 34% *Chlor-aceton*; 15%

1-Chlor-1-propanoyloxy-cyclopropan; VI; 12% *1-Acetoxy-1-(1-chlor-cyclopropyl-oxy)-cyclopropan*; VII; 2%

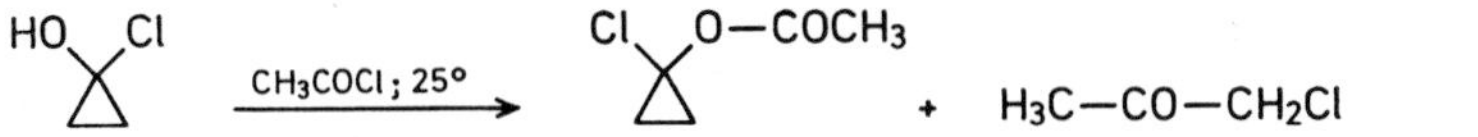

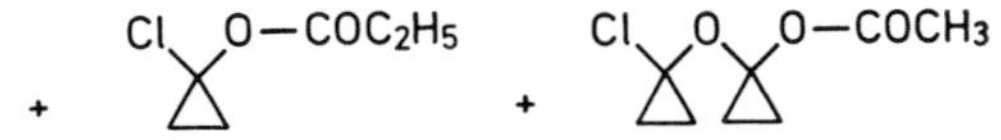

Fügt man Eisessig zu einer ätherischen Lösung von Cyclopropanon, das in situ aus Diazomethan und überschüssigem Keten bereitet worden ist, so läßt sich *1,1-Diacetoxy-cyclopropan* (IV; F: 62–63°) in 30%iger Ausbeute isolieren[2].

Bei −10° reagieren eine ätherische Lösung von Cyclopropanon und flüssigem Cyanwasserstoff unter Bildung von *1-Hydroxy-1-cyan-cyclopropan* (V)[3]:

V

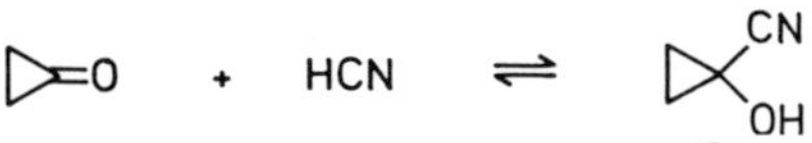

Das Cyanhydrin V ist eine farblose Flüssigkeit mit starkem Geruch. Auch diese Reaktion ist reversibel.

---

[1] N. J. TURRO u. W. B. HAMMOND, Am. Soc. **89**, 1028 (1967).

[2] W. J. M. VAN TILBORG, S. E. SCHAAFSMA, H. STEINBERG u. T. J. DE BOER, R. **86**, 419 (1967); **86**, 651 (1967).

[3] W. J. M. VAN TILBORG, S. E. SCHAAFSMA, H. STEINBERG u. T. J. DE BOER, R. **86**, 419 (1967).

Aliphatische und aromatische Amine addieren sich ebenfalls an Cyclopropanon[1-3]. So reagiert Dimethylamin mit Cyclopropanon unter Bildung von *1,1-Bis-[dimethylamino]-cyclopropan* (III; 40% d. Th.)[1]. *1-Dimethylamino-1-hydroxy-cyclopropan* (II) dürfte hierbei das primäre Reaktionsprodukt sein. Verbindung III kann auch aus Cyclopropanonhydrat und Dimethylamin in Gegenwart von Molekularsieben präpariert werden[1]:

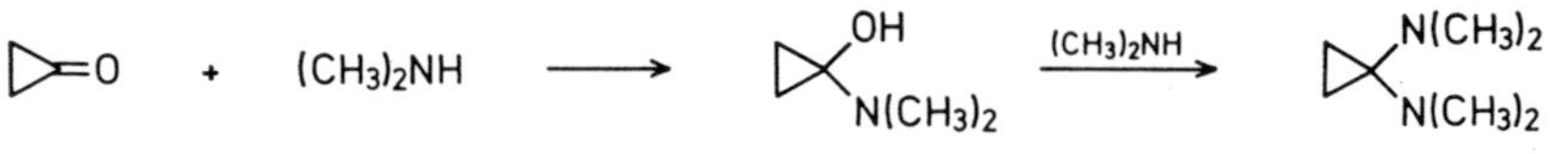

Bei Zugabe von Methylamin zu einer ätherischen Lösung von Cyclopropanon werden die polyspiro-Derivate IV und V isoliert[1]:

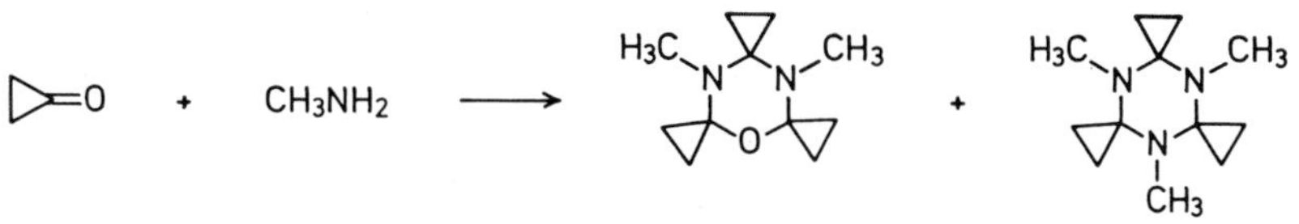

IV; *Cyclopropan-⟨spiro-2⟩-[3,5-dimethyl-(cyclopropan-⟨spiro-4⟩)-tetrahydro-2H-1,3,5-oxtriazin]-⟨6-spiro⟩-cyclopropan*; 48%

V; *Cyclopropan-⟨spiro-2⟩-[3,5-dimethyl-(cyclopropan-⟨spiro-4⟩)-hexahydro-1,3,5-triazin-⟨6-spiro⟩-cyclopropan*; 3%

Behandelt man eine Dichlormethan-Lösung von Cyclopropanon mit 1 Mol Anilin bei −78°, so kommt es sofort zur Bildung eines Gemisches aus den Verbindungen *Bis-[1-hydroxy-cyclopropyl]-phenyl-amin* (VI) und *1-Anilino-1-hydroxy-cyclopropan*(VII)[2,3]:

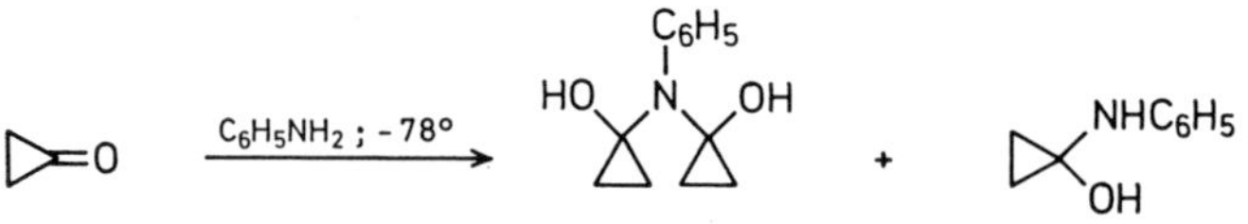

Setzt man unter analogen Bedingungen Cyclopropanon mit zwei Molen Anilin um, so wird VII als Hauptprodukt (95%) erhalten. Läßt man das Gemisch aus VI und VII einige Tage in Gegenwart von überschüssigem Anilin stehen, so bildet sich schließlich *1,1-Dianilino-cyclopropan*.

Spuren von Wasser initiieren die Polymerisation des Cyclopropanons (s. S. 65/65 u. 407)[4]. Neuere Untersuchungen haben gezeigt, daß offenbar das primär gebildete Cyclopropanonhydrat sich an das im Überschuß befindliche Cyclopropanon addiert[5]. Der resultierende Dihydroxyäther Ia (S. 409) kann dann weitere Cyclopropanon-Einheiten bis zu einer durchschnittlichen Kettenlänge von 170 Einheiten addieren. Unter sorgfältig gewählten Reaktionsbedingungen können auch reine Oligomere mit niedrigerem Molekulargewicht isoliert werden[5].

[1] W. J. M. van Tilborg, S. E. Schaafsma, H. Steinberg u. T. J. de Boer, R. **86**, 417 (1967).
[2] N. J. Turro u. W. B. Hammond, Tetrahedron Letters **1967**, 3085.
[3] N. J. Turro u. W. B. Hammond, Tetrahedron **24**, 6029 (1968).
[4] S. E. Schaafsma, H. Steinberg u. T. J. de Boer, R. **85**, 1170 (1966).
[5] S. E. Schaafsma, H. Steinberg u. T .J. de Boer, R. **86**, 651 (1967).

Fügt man Cyclopropanonhydrat zu einer ätherischen Lösung von Cyclopropanon, das in situ aus Diazomethan und einem Überschuß von Keten erzeugt worden ist, so wird eine Mischung von a,ω-Diacetoxy-poly-(oxicyclopropyliden) erhalten, die sich durch Destillation und präparative Gaschromatographie auftrennen läßt[1].

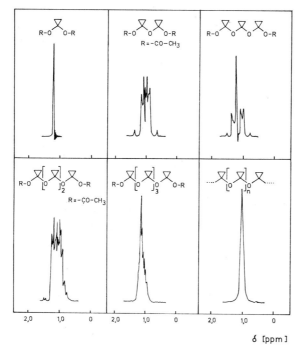

a) n = 0   c) n = 2
b) n = 1   d) n = 3

Die Infrarotspektren der Verbindungen IIa–IId zeigen ähnliche C—H- und H_3C—C=O-Streckschwingungsbanden, unterscheiden sich jedoch in dem Bereich zwischen 1000 und 1300 cm^{-1}. Die Kernresonanzspektren der verschiedenen Oligomeren unterscheiden sich charakteristisch bezüglich des spektralen Habitus der Resonanzstellen der Cyclopropanprotonen (vgl. Abb. 19)[1].

Abb. 19. Cyclopropan-Anteil der NMR-Spektren (60 MHz) von Produkten der Umsetzung Cyclopropanon mit 1,1-Dihydroxy-cyclopropan[1]

Addition von 1,1-Dihydroxy-cyclopropan an Cyclopropanon[1]: Zu einer Lösung von 200 mMol Keten in 300 *ml* trockenem Äther werden unter Rühren bei 0° 3,7 g (50 mMol) 1,1-Dihydroxy-cyclopropan und eine ätherische Lösung von 70 mMol Diazomethan gegeben. Das Rühren wird

---

[1] S. F. Schaafsma, H. Steinberg u. T. J. de Boer, R. **86**, 651 (1967).

danach noch 30 Min. fortgesetzt. Das Lösungsmittel wird weitgehend i.Vak. abgedampft. Der zurückbleibende farblose Syrup wird unter vermindertem Druck destilliert. Die erste Fraktion (Kp$_{0,5}$: 65°) kristallisiert beim Abkühlen und ist identisch mit einer authentischen Probe von *1,1-Diacetoxy-cyclopropan*[1]; [Ausbeute: 3,35 g (42,4% d.Th.); F: 62–63°.

Nach weiterer Fraktionierung werden Mischungen von oligomeren Diacetoxy-Verbindungen erhalten, die durch präparative Gaschromatographie getrennt werden können (Formeln s. S. 409).

1,95 g (22,6% d.Th.) *Bis-[1-acetoxycyclopropyl]-äther*; F: 35–35,5°; IIa (S. 409), n = 0

2,12 g (15,7% d.Th.) *1,1-Bis-[1-acetoxy-cyclopropyloxy]-cyclopropan*; F: 61,5–62,5°; IIb S. 409, n = 1 *Bis-[1-(1-acetoxy-cyclopropyloxy)-cyclopropyl]-äther*; IIc S. 409, n = 2

0,43 g (2,3% d.Th.) *1,1-Bis-[1-(1-acetoxy-cyclopropyloxy)-cyclopropyloxy]-cyclopropan*; IId S.409, n = 3

Behandelt man eine Pentan-Lösung von Oxo-tetramethyl-cyclopropan[1] mit ätherischen Lithiumalanat, so erhält man in glatter Reaktion *3-Hydroxy-1,1,2,2-tetramethyl-cyclopropan*[2,3], das auch in guter Ausbeute aus einer ätherischen Lösung des Hemiketals von Oxo-tetramethyl-cyclopropan durch Umsetzung mit überschüssigem Lithiumalanat bei Raumtemperatur erhalten wird[3]. Eine ähnliche Reaktion wurde für das 1-Äthoxy-1-acetoxy-cyclopropan beobachtet[4].

2-Oxo-1,1-dimethyl-cyclopropan (I) reagiert bei Raumtemperatur mit Dimethyl-keten zum *2-Methyl-2-(1-hydroxy-2,2-dimethyl-cyclopropyl)-propansäure-lacton* (II)[5]:

Ein analoges Cycloaddukt wird auch mit 1,1-Dimethoxy-äthylen erhalten.

b) Metall-Komplexe von Vinyl-cyclopropanen

1. mit Palladium(II)-chlorid

Da für Vinyl-cyclopropane mit einer gewissen Ähnlichkeit zu konjugierten Dienen zu rechnen ist[6], sollte in Analogie zum Butadien-(1,3)[7,8] eine Komplexbildung mit Palladium(II)-chlorid zu erwarten sein. Vinyl-cyclopropan sollte einen π-Komplex durch die Doppelbindung hindurch mit Palladium(II)-chlorid bilden, der stabiler als der Butadien-π-Komplex[8] sein sollte und der erst bei höheren Temperaturen eine thermische Umlagerung zu einem chlorsubstituierten π-Allyl-Komplex durch Ringöffnung erfahren sollte.

Ein *Vinyl-cyclopropan-Palladium(II)-chlorid*-Komplex konnte durch Behandlung von 1 g Di-μ-chlor-dichlor-bis-[äthylen]-di-palladium suspendiert in 15 *ml* Dichlor-

[1] W. J. M. van Tilborg, S. E. Schaafsma, H. Steinberg u. T. J. de Boer, R. **86**, 419 (1967).

[2] N. J. Turro, W. B. Hammond u. P. A. Leermakers, Am. Soc. **87**, 2774 (1965).

[3] N. J. Turro, W. B. Hammond, P. A. Leermakers u. H. Thomas, Chem. & Ind. **1965**, 990.

[4] H. H. Wasserman u. D. C. Clagett, Tetrahedron Letters **1964**, 341.

[5] W. B. Hammond u. N. J. Turro, Am. Soc. **88**, 2880 (1966).

[6] Vgl. z. B.: D. Peters, Tetrahedron **19**, 1539 (1963).

[7] S. D. Robinson u. B. L. Shaw, Soc. **1963**, 4806.

[8] M. Donati u. F. Conti, Tetrahedron Letters **1966**, 1219.

methan, mit 1 *ml* Vinyl-cyclopropan bei 25° präpariert werden[1]. Nach 30 Min. kommt es zur Ausscheidung eines Komplexes, Einengen der Mutterlauge ergibt eine Nachfällung. Aufgrund analytischer Ergebnisse sind die beiden Niederschläge identisch. Bei 110° erfolgt eine Zersetzung des Komplexes.

Das Infrarotspektrum des Komplexes zeigt Absorptionsbanden bei 1515 und 1532 cm^{-1}, die der komplexierten π-Bindung des Olefins zuzuordnen sind. Die Absorptionsbanden bei 1022, 1060 und 3080 cm^{-1} sind charakteristisch für eine Cyclopropyl-Gruppe. Das Kernresonanzspektrum in Deuterochloroform zeigt weder cyclopropylische noch olefinische Signale, sondern lediglich ein Hauptsignal (Singulett) bei 8,49 τ der relativen Fläche 5,2. Ein kleines Multiplett bei 5,5 τ (relative Fläche 1,0) ist außerdem im NMR-Spektrum zu beobachten. Wird andererseits Dimethylsulfoxid der Lösung des Komplexes zugegeben, so ergibt sich das NMR-Spektrum des freien Vinyl-cyclopropans. Bei der Hydrierung des Komplexes wurde ein Produkt erhalten, das aufgrund seiner Retentionszeit im Gaschromatographen einem verzweigten Pentan entsprechen muß.

Diese Ergebnisse zeigen, daß das Vinyl-cyclopropan mit dem Palladium(II)-chlorid durch die Doppelbindung hindurch einen π-Komplex bildet, daß aber zu einem gewissen Teil auch ein Wasserstoff-Übertragungsprozeß stattfindet, der schnell genug verläuft, daß nur ein zeitliches Mittelwertsspektrum in der Kernresonanz beobachtet wird[1]. Hierfür können zwei verschiedene Prozesse in Betracht gezogen werden[1]:

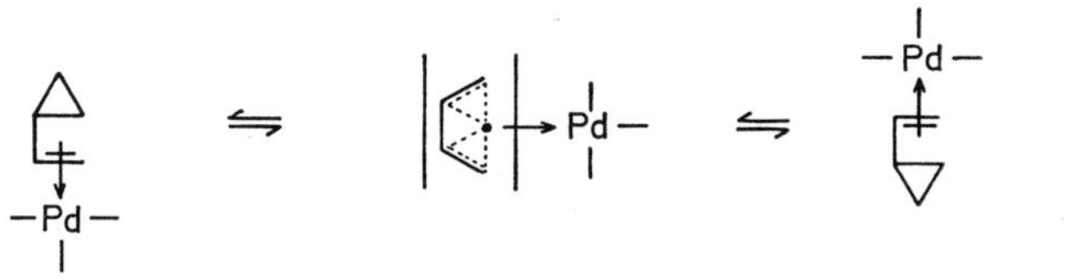

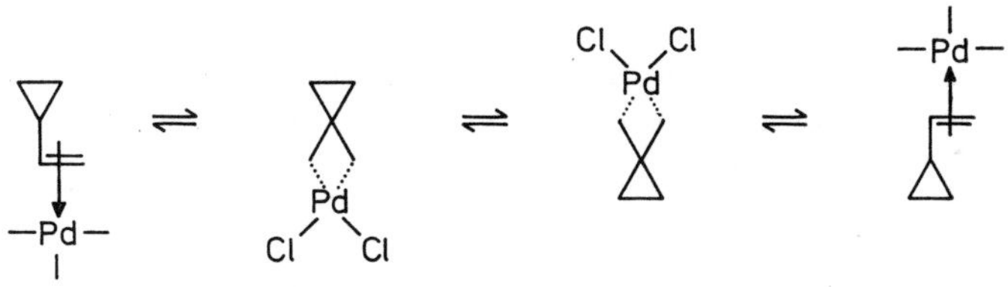

Der erste Fall würde einen schnellen Wechsel zwischen dem Vinyl- und dem Cyclopropyl-System bedeuten. Im zweiten Fall würde es zu einer Wasserstoff-Wanderung und zur Ausbildung von σ-gebundenen Cyclopropan-Komplexen[2] kommen. Erst eingehende Tieftemperatur-NMR-Studien könnten möglicherweise eine Entscheidung bringen.

Der Vinyl-cyclopropan-Komplex ist bei Raumtemp. in Benzol unlöslich. Bei Erhöhung der Temp. auf 40° löst sich der Komplex schnell unter Bildung einer weinroten Lösung. Wird zu dieser Lösung Heptan zugefügt, so kommt es zur Niederschlagsbildung. IR- und NMR-Spektren dieses neuen Komplexes sind identisch mit denen, die von dem Komplex aus Pentadien-(1,3) und Di-μ-chlor-dichlor-bis-[äthylen]-di-palladium erhalten wurden[1].

Dem Umlagerungsprodukt des beschriebenen Vinyl-cyclopropan-Komplexes wird eine Mischung der Komplexe I und II (S. 412) zugeschrieben[1].

---

[1] A. D. KETLEY u. J. A. BRAATZ, J. Organometal. Chem. **9**, P 5 (1967).
[2] D. M. ADAMS, J. CHATT, R. G. GUY u. N. SHEPPARD, Soc. **1961**, 738. Hier wurde gezeigt, daß das Cyclopropan selbst mit Platin(IV)-chlorid einen Komplex bildet, in dem der geöffnete Ring vermutlich durch die Kohlenstoffatome 1 und 3 mit dem Metall eine σ-Bindung eingeht.

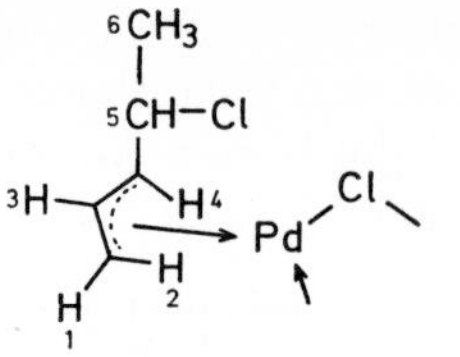

I 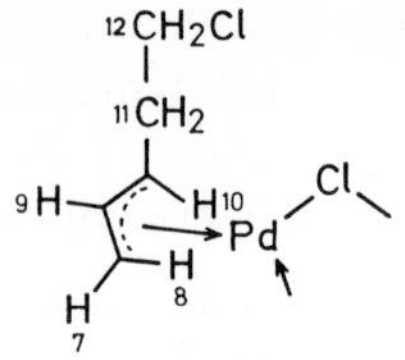   II

Bei der Reaktion von 2,2-Dichlor-1-vinyl-cyclopropan mit Di-μ-chlor-di-chlor-bis-[äthylen]-di-palladium wird ein lohfarbener Komplex erhalten[1]. Dieser Komplex ist empfindlich gegenüber Luftfeuchtigkeit.

Das IR-Spektrum des Komplexes zeigt eine olefinische C—C-Streckschwingungsbande bei 1610 cm^{-1}. Das NMR-Spektrum in Deuterochloroform besteht aus einem Multiplett zwischen 4,2 und 5,0 τ und einem weiteren Multiplett im Bereich von 7,5 bis 8,6 τ. Damit unterscheidet sich dieses NMR-Spektrum nicht signifikant von dem des freien 2,2-Dichlor-1-vinyl-cyclopropan. Zum anderen ruft die Zugabe von DMSO-d$_6$ keine Änderung des Spektrums hervor. Danach scheint es sich bei diesem Komplex um einen π-Komplex des Olefins mit Palladium-(II)-chlorid zu handeln. Der Komplex zeigt keine Umlagerungstendenz unter den gleichen Reaktionsbedingungen wie der Komplex des unsubstituierten Vinyl-cyclopropans. Wird die deuterochloroformische Lösung des Komplexes jedoch etwa 30 Min. auf 55° erhitzt, so wird das NMR-Spektrum deutlich verändert. Möglicherweise hat der Komplex die Struktur III:

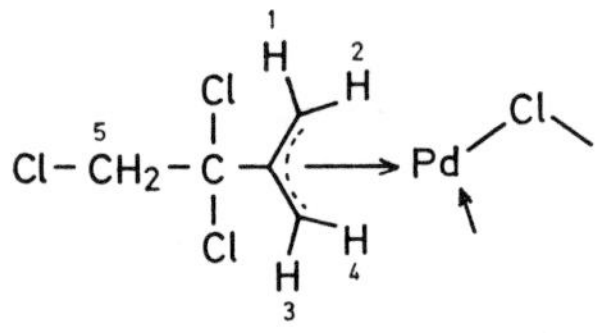

III

Auch von 1-Cyclopropyl-1-phenyl-äthylen konnte mit Palladiumchlorid ein 1:1-Komplex erhalten werden, dessen Struktur bzw. Strukturen bedürfen jedoch noch der Aufklärung[1].

2. Komplexbildung mit Eisenpentacarbonyl

1,1-Dicyclopropyl-äthylen (IV) reagiert mit Eisenpentacarbonyl (V) quantitativ zum *2-Cyclopropyl-pentadien-(1,3)-Eisentricarbonyl-π-Komplex* (VI)[2,3]. Bei längerer Reaktionsdauer entsteht daneben auch das Kohlenmonoxid-Einschiebungsprodukt VII (*3-Oxo-1-propenyl-cyclohexen-(1)-Eisentricarbonyl*):

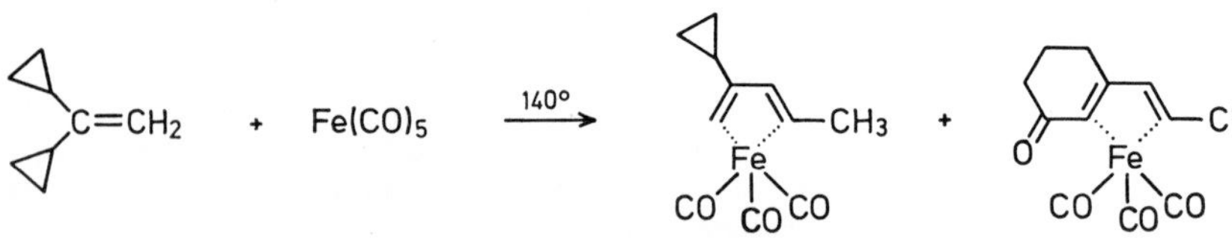

IV   V   VI   VII

[1] A. D. Ketley u. J. A. Braatz, J. Organometal. Chem. **9**, P5 (1967).

[2] R. Ben-Shoshan u. S. Sarel, Chem. Commun. **1969**, 883.
    Vgl. a. S. Sarel et al., Am. Soc. **87**, 2517 (1965).

[3] Unlängst wurde von R. Aumann, Ang. Ch. **83**, 175 (1971), über das erste Beispiel der Komplexierung einer Vinylcyclopropan-Gruppe über eine π-Allyl- und eine σ-Komponente an eine Fe(CO)$_3$-Einheit berichtet.

c) Reaktion zwischen 1,1-Dichlor-cyclopropanen und Alkyl-lithium-Verbindungen

2,2-Dichlor-1,1-dimethyl-cyclopropan (I) reagiert mit Äthyl-lithium in Benzol/Äther (30:1) zu *3-Methyl-butadien-(1,2)* (44% d. Th.; II), *2-Chlor-1,1-dimethyl-cyclopropan* (42% d. Th.; III) und *1-Chlor-2,2-dimethyl-1-äthyl-cyclopropan* (7% d. Th.; IV)[1]. Diese Reaktion wurde kernresonanzspektroskopisch in den nachfolgenden drei Phasen verfolgt: ① Ausgangsprodukt in Benzol, ② nach Zugabe von Äther und ③ nach vollständiger Umsetzung. Es ergaben sich dabei Anzeichen, daß man mit Hilfe der chemisch induzierten dynamischen Kernpolarisation (CIDNP-Phänomen)[2,3] instabile, aus Ein-Elektronen-Übergängen resultierende Zwischenstufen erkennen kann[1].

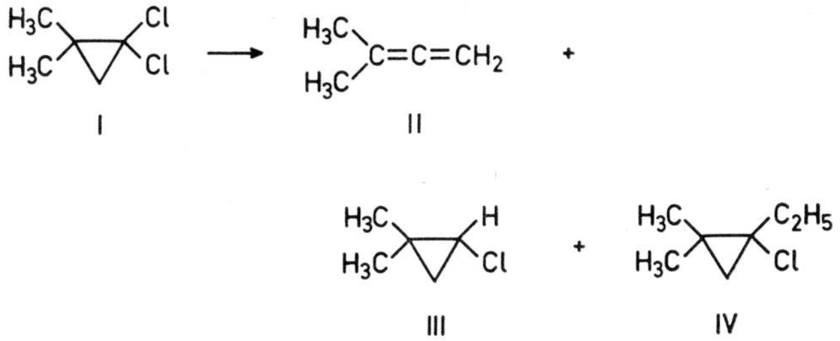

Die Elektronenübertragung von I soll danach ein „caged"-Radikalpaar vom Typ V bilden, das dann zu den Produkten III, IV, VI und II führen kann[1]:

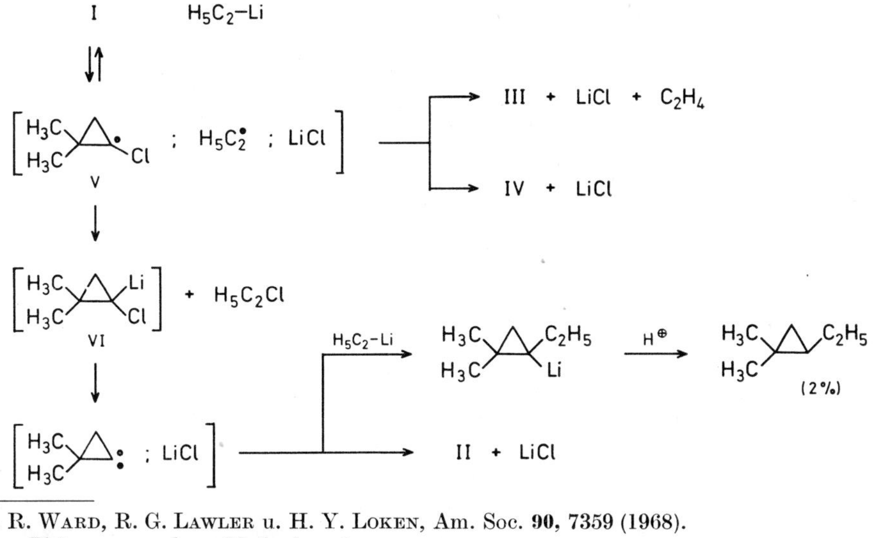

[1] H. R. WARD, R. G. LAWLER u. H. Y. LOKEN, Am. Soc. **90**, 7359 (1968).
[2] Zum Phänomen und zur Methode vgl.:
J. BARGON, H. FISCHER u. U. JOHNSEN, Z. Naturf. [a] **22**, 1551 (1967).
J. BARGON u. H. FISCHER, Z. Naturf. [a] **22**, 1556 (1967); **23**, 2109 (1968).
J. BARGON, Dissertation, Technische Hochschule Darmstadt, 1968.
H. FISCHER u. J. BARGON, Accounts Chem. Research **2**, 110 (1969).
M. LEHNIG u. H. FISCHER, Z. Naturf. [a] **24**, 1771 (1969).
[3] Vgl. auch die nachfolgenden Anwendungen des Phänomens:
G. L. CLOSS u. L. E. CLOSS, Am. Soc. **91**, 4549, 4550, 4552 (1969).
G. L. CLOSS u. A. D. TRIFUNAC, Am. Soc. **91**, 45 54(1969); **92**, 2183 (1970); **92**, 2186 (1970).
G. L. CLOSS et al., Am. Soc. **92**, 2185 (1970).
H. R. WARD et al., Am. Soc. **90**, 7359 (1968); **91**, 746, 4928 (1969); Tetrahedron Letters **1969**, 527.

d) Spezielle Solvolyse-Beispiele von Cyclopropan-Derivaten

Die Cyclopropan-Derivate I, XI, XVII und XVIII wurden in wäßrigem Aceton bzw. in Ameisensäure der Solvolyse unterworfen[1]. Bei der Hydrolyse von I in wäßrigem Aceton bilden sich lediglich die Cyclopropan-Verbindungen II bis VI, sowie ungesättigte Kohlenwasserstoffe. Bei der Formolyse entstehen hingegen nach anschließender Hydrolyse der Ameisensäureester II bis VI daneben *cis*- und *trans*-VII sowie VIII. Aus dem Tosylat XI werden bei der Hydrolyse die Alkohole XII bis XV und ungesättigte Kohlenwasserstoffe wie XVI erhalten; bei der Formolyse und anschließenden Hydrolyse erhält man neben XII bis XV auch die Cyclopentanole IX und X.

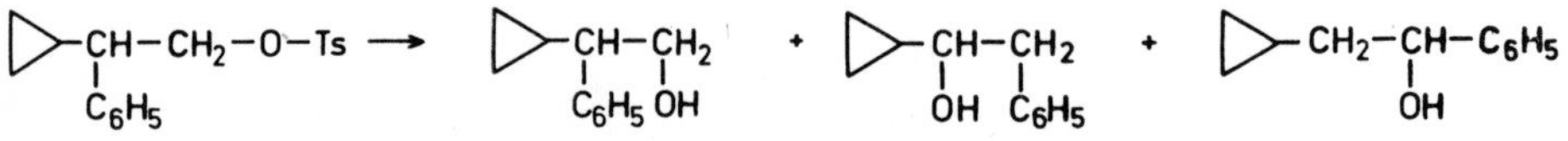

$$
\triangleright\!-\!\underset{\underset{C_6H_5}{|}}{CH}\!-\!CH_2\!-\!O\!-\!Ts \longrightarrow \triangleright\!-\!\underset{\underset{C_6H_5}{|}}{CH}\!-\!\underset{\underset{OH}{|}}{CH_2} \;+\; \triangleright\!-\!\underset{\underset{OH}{|}}{CH}\!-\!\underset{\underset{C_6H_5}{|}}{CH_2} \;+\; \triangleright\!-\!CH_2\!-\!\underset{\underset{OH}{|}}{CH}\!-\!C_6H_5
$$

I   II   III   IV

$$
\triangleright\!-\!\underset{\underset{C_6H_5}{|}}{C}\!=\!CH_2 \qquad + \qquad \triangleright\!-\!CH\!=\!CH\!-\!C_6H_5
$$

V   VI

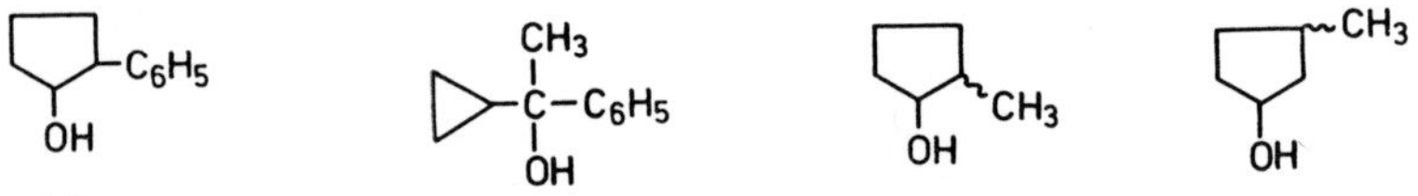

VII   VIII   IX   X

$$
\triangleright\!\!\!\!\bigtriangledown\!-\!\underset{\underset{CH_3}{|}}{CH}\!-\!CH_2\!-\!O\!-\!Ts \longrightarrow \underset{\underset{CH_3}{|}}{CH}\!-\!CH_2\!-\!OH \;+
$$

XI   XII

$$
\underset{\underset{CH_3}{|}}{CH_2}\!-\!\overset{OH}{\underset{}{CH}} \;+\; \underset{\underset{CH_2-CH_3}{|}}{CH}\!-\!OH \;+\; \underset{H_3C \quad CH_3}{C}\!-\!OH \;+\; \underset{\underset{CH_3}{|}}{C}\!=\!CH_2
$$

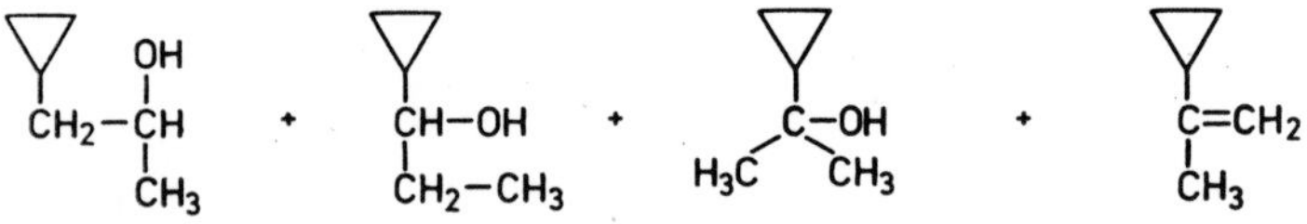

XIII   XIV   XV   XVI

XVII   XVIII

---

[1] M. Hanack u. H. M. Ensslin, A. 713, 49 (1968).

Bei der Hydrolyse entstehen also Umlagerungsprodukte, deren Bildung auf eine 1.2-Wanderung der β-ständigen Substituenten – Methyl, Cyclopropyl, Phenyl – bzw. auf eine Hydrid-Verschiebung zurückzuführen ist. Die Bildung der Cyclopentanole beweist, daß in Ameisensäure eine merkliche Beteiligung des Cyclopropanringes bei der Bildung der Carbeniumionen erfolgt. Aufgrund der entstehenden Produkte kann die Existenz eines symmetrischen „nicht-klassischen" Carbeniumions ausgeschlossen werden[1].

Andere interessante Beispiele von Solvolysen von Cyclopropanen sind inzwischen bekannt geworden. Im Rahmen dieses Beitrages sei auf zwei Arbeiten[2,3] hingewiesen, die die Solvolyse und eine entartete Cyclopropylcarbinyl-Cyclopropylcarbinyl-Umlagerung eines Hexamethylcyclopropylcarbinyl-Systems zum Gegenstand haben.

A_2. Cyclopropane im Zuge von „Homoallyl-Umlagerungen"

Cyclopropylmethyl-Verbindungen lagern sich in thermodynamisch kontrollierten Reaktionen in die entsprechenden Cyclobutyl-Derivate und die offenkettigen Homoallyl-Verbindungen um. Andererseits können in kinetisch kontrollierten Reaktionen aus geeigneten Homoallyl-Systemen Cyclopropyl- und Cyclobutyl-Derivate erhalten werden. Beide Reaktionstypen sollen hier unter dem gemeinsamen Begriff „Homoallyl-Umlagerungen" zusammen besprochen werden.

Die zunehmende Beschäftigung mit den Reaktionsmechanismen von Carbeniumionen-Reaktionen sowie mit den Bindungsverhältnissen in kleinen Ringen führte in neuerer Zeit zu zahlreichen Untersuchungen auf dem Gebiet der Homoallyl-Umlagerung, die auch eine wachsende präparative Bedeutung erkennen ließen.

Bereits 1907 wurde die Umlagerung von Cyclopropyl- und Cyclobutylamin bekannt[4]. Kurz danach wurde eine Homoallyl-Umlagerung bei der Einwirkung von Säuren auf Cyclopropylcarbinole beobachtet[5,6]. 1928 wurde zum ersten Male über eine wechselseitige Umlagerung einfacher Homoallyl- und Cyclopropylmethyl-Verbindungen berichtet[7]. Schon relativ früh fand man, daß das Cholesteryl-tosylat bei der Solvolyse[8,9] die isomere Cyclocholesterin-Verbindung[10] liefert.

[1] M. HANACK u. H. M. ENSSLIN, A. **713**, 49 (1968).
[2] C. D. POULTER u. S. WINSTEIN, Am. Soc. **91**, 3649 (1969).
[3] C. D. POULTER u. S. WINSTEIN, Am. Soc. **91**, 3650 (1969).
[4] N. J. DEMJANOW, B. **40**, 4393, 4961 (1907).
[5] N. J. DEMJANOW, Ж. **39**, 1085 (1908); C. **1908** I, 818.
[6] O. WALLACH, A. **360**, 82 (1908).
[7] P. BRUYLANTS u. A. DEWAEL, Bull. Acad. Roy. Belg., Cl. Sci. (5) **14**, 140 (1928); C. **1928** I, 2708.
[8] W. STOLL, H. **207**, 147 (1932).
[9] T. WAGNER-JAUREGG u. L. WERNER, H. **213**, 119 (1932).
[10] E. S. WALLIS, E. FERNHOLZ u. F. T. GEPHART, Am. Soc. **59**, 137 (1937);
    J. H. BEYNON, J. M. HEILBRON u. F. S. SPRING, Soc. **1937**, 406.

I. Einfache substituierte Cyclopropylmethyl-
und Cyclobutyl-Verbindungen

Cyclopropylmethyl-Derivate vom Typ I und Cyclobutyl-Verbindungen der Struktur II reagieren bei Solvolyse- und Desaminierungs-Reaktionen ohne Umlagerung[1-7]. Mit $R=CH_2F$ ändert sich noch nichts an diesem Sachverhalt[1]. Erst bei Einführung einer Trifluormethyl-Gruppe reicht der induktive Effekt aus, um bei

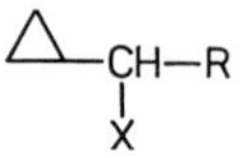

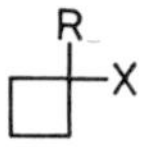

Solvolysereaktionen des Tosylates eine weitgehende Umlagerung der entsprechenden Cyclopropylmethyl-Verbindung zu erreichen[8]. So entstehen bei der Hydrolyse des Tosylates (I; $R=CF_3$; $X=OTs$) *2-Trifluormethyl-1-hydroxymethyl-cyclopropan* (IV), *2-Hydroxy-1-trifluormethyl-cyclobutan* (III) und 1,1,1-Trifluor-penten-(2)-ol-(5) (V) in etwa gleichen Mengen[8,9]:

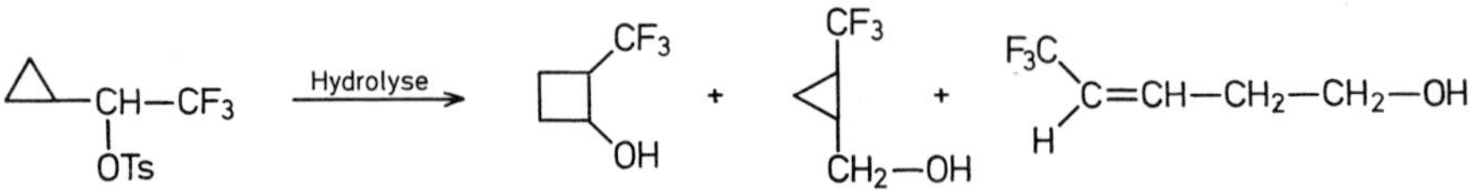

Eingehende kinetische Untersuchungen[3,4,10] an Arylsulfonaten vom Typ VI, besonders die Auswertung der entsprechenden Aktivierungsparameter, als auch die zu in 1-Stellung substituierten Cyclobutyl-Verbindungen führende Umlagerung gaben schließlich zu der Deutung Anlaß, daß bei der Solvolyse die positive Ladung bevorzugt am Methin-Kohlenstoffatom lokalisiert wird:

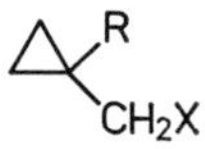

---

[1] M. HANACK, S. KANG, J. HÄFFNER u. K. GÖRLER, A. **690**, 98 (1965).

[2] E. F. COX, M. C. CASERIO, M. S. SILVER u. J. D. ROBERTS, Am. Soc. **83**, 2719 (1961).

[3] J. W. WILT u. D. D. ROBERTS, J. Org. Chem. **27**, 3430 (1962).

[4] D. D. ROBERTS, J. Org. Chem. **29**, 294 (1964); **30**, 23 (1965).

[5] M. S. SILVER, M. C. CASERIO, H. E. RICE u. J. D. ROBERTS, Am. Soc. **83**, 3671 (1961).

[6] M. HANACK u. H. EGGENSPERGER, A. **663**, 31 (1963).

[7] R. A. SNEEN u. A. L. BARON, Am. Soc. **83**, 614 (1961).

[8] M. HANACK u. H. MEYER, unveröffentlichte Versuche.
s. hierzu: M. HANACK u. H. J. SCHNEIDER, Fortschr. chem. Forsch. **8**, 554 (1967).

[9] Vgl. a. M. HANACK u. H. MEYER, A. **720**, 81 (1968).

[10] D. D. ROBERTS, J. Org. Chem. **31**, 2000 (1966).

Cyclobutyl-Derivate der Formel I lagern sich in die entsprechenden Dreiring-Verbindungen II um[1-3]:

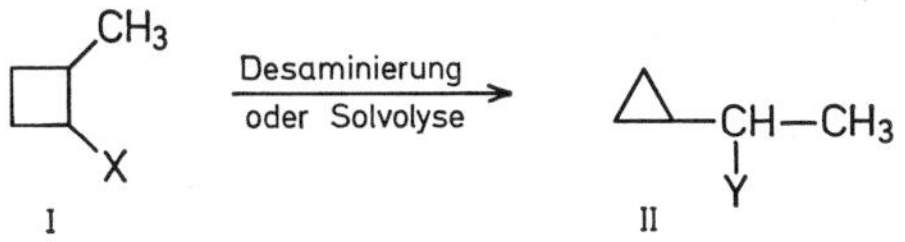

Auch hier bewirkt die stark elektronegative Trifluormethyl-Gruppe eine Änderung der Umlagerungsrichtung. So hydrolisiert 2-Tosyloxy-1-trifluormethyl-cyclobutan (III) überwiegend zu IV (*2-Trifluormethyl-1-hydroxymethyl-cyclopropan*). Daneben entsteht das strukturgleiche *2-Hydroxy-1-trifluormethyl-cyclobutan* (V) und in geringer Menge *1,1,1-Trifluor-penten-(2)-ol-(5)* (VI)[4,5]:

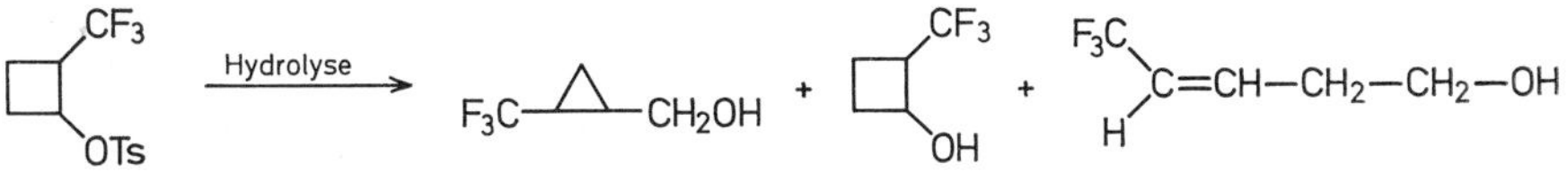

Disubstituierte (4-Nitro-benzoyloxymethyl)-cyclopropane solvolysieren unter **O-Alkyl-Spaltung ebenfalls ohne Umlagerung**[6-9].

Im Ring substituierte Cyclopropylmethyl-Verbindungen zeigen bei ihren Carbeniumionen-Reaktionen im allgemeinen ein recht kompliziertes Verhalten. Z.B. liefert 2-Methyl-1-aminomethyl-cyclopropan (VII) bei der Desaminierung neben dem nicht-umgelagerten *2-Methyl-1-hydroxymethyl-cyclopropan* (VIII) *1-(1-Hydroxy-äthyl)-cyclopropan* (IX) und *Penten-(2)-ol-(5)* (X)[10]:

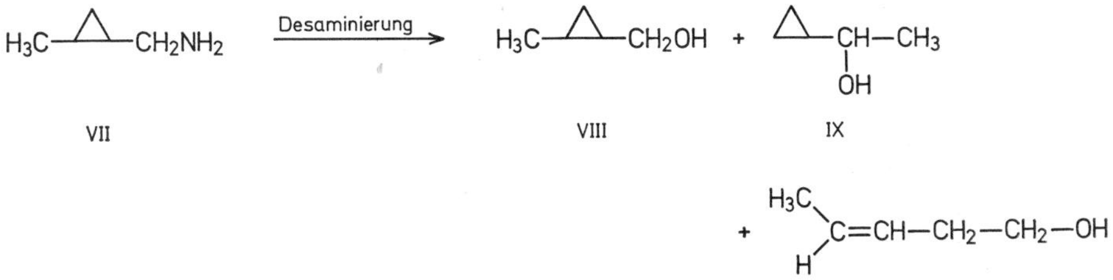

[1] J. D. ROBERTS et al., Am. Soc. **83**, 2719 (1961).
[2] M. HANACK u. H. EGGENSPERGER, A. **663**, 31 (1963).
[3] Zur Solvolyse mehrfach substituierter Cyclobutyl-Verbindungen s. C. F. WILCOX u. R. J. ENGEN, Tetrahedron Letters **1966**, 2759.
[4] M. HANACK u. H. MEYER, unveröffentlichte Versuche.
  s. hierzu: M. HANACK u. H. J. SCHNEIDER, Fortschr. chem. Forsch. **8**, 554 (1967).
[5] Vgl. a. M. HANACK u. H. MEYER, A. **720**, 81 (1968).
[6] H. HART u. J. M. SANDRI, Am. Soc. **81**, 320 (1959).
[7] H. HART u. P. A. LAW, Am. Soc. **84**, 2462 (1962).
[8] H. HART u. P. A. LAW, Am. Soc. **86**, 1957 (1964).
[9] M. HANACK u. H. EGGENSPERGER, B. **96**, 1259 (1963).
[10] J. D. ROBERTS et al., Am. Soc. **83**, 2719 (1961).

Die Solvolysegeschwindigkeiten von phenyl-substituierten Sulfonaten der Struktur XI unterscheiden sich nur sehr geringfügig von der des unsubstituierten Cyclopropyl-methylsulfonates. Daraus wurde geschlossen, daß die positive Ladung im Übergangszustand nur zu einem geringen Teil an den Methylen-C-Atomen des alicyclischen Dreiringes lokalisiert ist[1].

$$R \overset{\triangle}{\underset{XI}{}} CH_2X$$

In jüngster Zeit ist der Einfluß von Substituenten im Cyclopropanring auf die Geschwindigkeit der Solvolyse von Cyclopropylmethyl-Verbindungen eingehender untersucht worden[2].

So konnte gezeigt werden, daß eine oder auch mehrere Methyl-Gruppen in den verschiedenen Positionen des alicyclischen Dreiringes zu einer jeweils praktisch konstanten Erhöhung der Hydrolysegeschwindigkeiten der entsprechenden (3,5-Dinitro-benzoyloxymethyl)-cyclopropane im Vergleich zum nichtsubstituierten Cyclopropylmethyl-System führt. Jede zusätzlich eingeführte Methyl-Gruppe erhöht die Geschwindigkeit der Solvolyse unabhängig von der Anzahl und der Position anderer Substituenten[2]. Tab. 63 zeigt eine diesbezügliche Zusammenstellung einiger Daten.

Diese Ergebnisse wurden gegen die Bildung eines Bicyclobutonium-Ions, das ein Kohlenstoffatom ohne positive Ladung enthält, und für eine „bisektische" Struktur des Kations gewertet, bei dem sich die positive Ladung auf alle vier C-Atome verteilen kann[2] (s. a. S. 477 ff.).

Tab. 63. Daten für die nach 1. Ordnung verlaufenden Solvolysen von (3,5-Dinitro-benzoyloxymethyl)-cyclopropanen in 60%igem wäßr. Aceton bei 100°[2]

-1-(3,5-dinitro-benzoyloxymethyl)-cyclopropan	$k_1(\text{sec}^{-1})$	Relative Geschwindigkeiten	
		beobachtet	berechnet[3]
unsubstituiert	$4{,}30 \cdot 10^{-7}$	1,0	1,0
1-Methyl-	$2{,}13 \cdot 10^{-6}$	5,0	—
trans-2-Methyl-	$4{,}75 \cdot 10^{-6}$	11,0	(11,0)
cis-2-Methyl-	$3{,}50 \cdot 10^{-6}$	8,2	(8,2)
2,2-Dimethyl-	$3{,}97 \cdot 10^{-5}$	92	90
trans,trans-2,3-Dimethyl-	$5{,}33 \cdot 10^{-5}$	124	121
cis,cis-2,3-Dimethyl-	$3{,}53 \cdot 10^{-5}$	82	67
cis,trans-2,3-Dimethyl-	$3{,}45 \cdot 10^{-5}$	80	90
trans-2,2,3-Trimethyl-	$2{,}12 \cdot 10^{-4}$	490	1000
2,2,3,3-Tetramethyl-	$6{,}75 \cdot 10^{-4}$	1570	8100
trans-2-Äthoxy-	$4{,}03 \cdot 10^{-4}$	940	—
1-[1-(3,5-Dinitro-benzoyloxy)-äthyl]-cyclopropan	$4{,}37 \cdot 10^{-4}$	1020	—

[1] R. A. Sneen, K. M. Lewandowski, I. A. I. Taha u. B. R. Smith, Am. Soc. **83**, 4846 (1961).
C. Y. Wu u. R. E. Robertson, Am. Soc. **88**, 2666 (1966).
[2] P. v. R. Schleyer u. G. W. van Dine, Am. Soc. **88**, 2321 (1966).
[3] Berechnet nach der Gleichung:
$k_{\text{subst.}}/k_{\text{unsubst.}} = 8{,}2^{N\ cis\text{-}2\ oder\ 3\text{-}CH_3} \cdot 11{,}0^{N\ trans\text{-}2\ oder\ 3\text{-}CH_3}$;
P. v. R. Schleyer u. G. W. van Dine, Am. Soc. **88**, 2321 (1966).

II. Aliphatische Homoallyl-Verbindungen

Aliphatische Homoallyl-Verbindungen vom Typ I reagieren unter geeigneten Bedingungen überwiegend unter Bildung der Cyclopropylmethyl-Derivate[1-4] II:

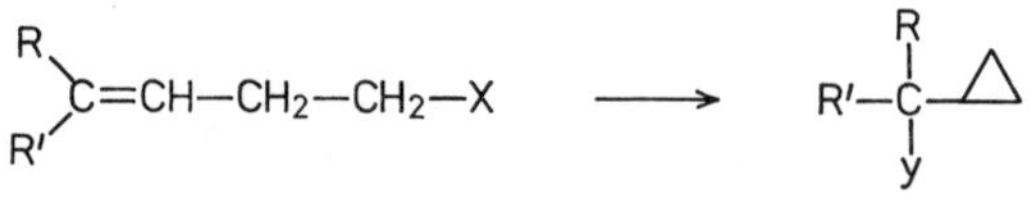

Eingehend wurden die Solvolysereaktionen verschieden substituierter Homoallyl-Derivate (I mit R = Alkyl und Phenyl; mit R' = Alkyl, H; mit X = Cl, Br,

Tab. 64. Relative Solvolysegeschwindigkeiten von Naphthalin-2-sulfonsäure-bzw. Toluolsulfonsäure-homoallylestern zu den entsprechenden gesättigten Verbindungen[5-10]

Homoallyl-Derivat X = ONs bzw. OTs	Äthanolyse[a] $k_{unges.}/k_{ges.}$	Acetolyse[a] $k_{unges.}/k_{ges.}$	Formolyse[b] $k_{unges.}/k_{ges.}$[f]
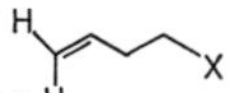	0,55[c]	—	3,7
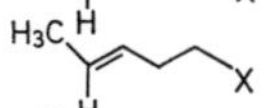	0,76	25,8	~ 770
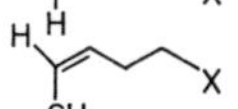	0,57	—	~ 165
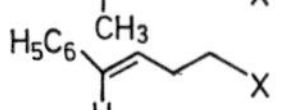	0,88	12,5	~ 350
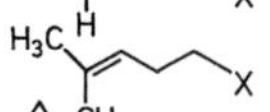	47,5	350[d,e]	~ 16 · 10³
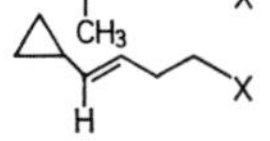	3,9	72,0	—

[a] hierbei gelangten β-Naphthylsulfonate zur Messung
[b] hierbei gelangten Tosylate zur Messung
[c] vgl. a. C. G. BERGSTROM u. S. SIEGEL, Am. Soc. **74**, 145 (1952).
[d] bez. auf Naphthalinsulfonsäure-pentylester = 1
[e] für das Tosylat beträgt das Verhältnis 1200, bez. auf Toluolsulfonsäure-äthylester[9]
[f] bez. auf Toluolsulfonsäure-butylester[8]; die angegebenen Werte hängen von der gewählten Meßmethode ab[10].

[1] P. BRUYLANTS u. A. DEWAEL, Bull. Acad. Roy. Belg., Cl. Sci (5) **14**, 140 (1928); C. **1928** I, 2708.
[2] T. A. FAWORSKAJA u. S. A. FRIDMAN; Ž. obšč. Chim. **15**, 421 (1945); C. A. **40**, 4655 (1946). T. A. FAWORSKAJA, Ž. obšč. Chim. **17**, 541 (1947); C. A. **42**, 1210 (1048).
[3] Y. M. SLOBODIN, W. I. GRIGORJEWA u. Y. E. SCMULYAKOWSKII, Ž. obšč. Chim. **23**, 1873 (1953); C. A. **49**, 192 (1955).
[4] S. JULIA, M. JULIA u. L. BRASSEUR, Bl. **1962**, 1634.
[5] K. L. SERVIS u. J. D. ROBERTS, Am. Soc. **86**, 3773 (1964).
[6] M. HANACK et al., A. **690**, 98 (1965).
[7] M. HANACK u. K. GÖRLER, B. **96**, 2121 (1963).
[8] K. L. SERVIS u. J. D. ROBERTS, Am. Soc. **87**, 1331 (1965).
[9] J. B. ROGAN J. Org. Chem. **27**, 3910 (1962).
[10] M. HANACK u. H. J. SCHNEIDER, Fortschr. chem. Forsch. **8**, 554 (1967).

27*

OTs und ONs) in mehreren Solventien studiert[1-4]. Während bei der Hydrolyse überwiegend die entsprechenden Cyclopropylcarbinole (II mit Y = OH, S. 419) gebildet werden, entstehen bei der Methanolyse wegen der erhöhten Nucleophilie des Lösungsmittels durch eine S_N2-Substitution neben den Äthern (II, Y = OCH_3) auch die nicht umgelagerten Homoallyläther (I, X = OCH_3, S. 419).

Das unsubstituierte Allylcarbinyl-Derivat (I; R = R' = H; X = Cl, Br bzw. OTs, S. 419) lagert sich nur in Ameisensäure, d. h. einem Solvens hoher Ionisierungsstärke und geringer Nucleophilie, unter Bildung von *Hydroxymethyl-cyclopropan* und *Cyclobutanol* im Verhältnis 1:1 um[5,6].

Ein Vergleich der Kinetik der Homoallyl-Verbindungen des Typs I (s. S. 419) mit der der gesättigten Analoga macht eine Beteiligung der Doppelbindung im geschwindigkeitsbestimmenden Schritt deutlich[7] (s. Tab. 64, S. 419). Während bei der Äthanolyse die Homoallyl-Derivate relativ langsam und nur wenig schneller als die entsprechenden gesättigten Verbindungen die Solvolyse eingehen, wird in den weniger nucleophilen Lösungsmitteln wie Eisessig oder Ameisensäure eine beträchtliche Geschwindigkeitserhöhung in Abhängigkeit vom Substituenten beobachtet[7].

Tab. 65. Hydrolyse von Homoallyl-halogeniden

Homoallyl-halogenid (X = Cl, Br)	Reaktionsprodukte		Ausbeute [% d. Th.]	Literatur
a) mit 20 %iger K_2CO_3 [1]				
trans-H_3C−CH=CH−CH_2−CH_2−X	H_3C−CH(OH)−△	1-(1-Hydroxy-äthyl)-cyclopropan	95	4
	H_3C−CH=CH−CH=CH_2	Pentadien-(1,3)	5	4
$(CH_3)_2C$=CH−CH_2−CH_2−X	$(CH_3)_2C$(OH)−△	1-[2-Hydroxy-propyl-(2)]-cyclopropan	86	
	+ Kohlenwasserstoff *)		14	
trans-H_5C_6−CH=CH−CH_2−CH_2−X	H_5C_6−CH(OH)−△	1-(α-Hydroxy-benzyl)-cyclopropan	71	
	+ Kohlenwasserstoff *)		29	
trans-△−CH=CH−CH_2−CH_2−X	△−CH(OH)−△	Dicyclopropyl-carbinol	70	3
	△−CH=CH−CH=CH_2	1-Cyclopropyl-butadien	30	

* Ungesättigt, nicht identifiziert.

[1] M. HANACK, S. KANG, J. HÄFFNER u. K. GÖRLER, A. **690**, 98 (1965).
[2] M. HANACK u. H. EGGENSPERGER, B. **96**, 1259 (1963).
[3] M. HANACK u. H. EGGENSPERGER, A. **663**, 31 (1963).
[4] M. HANACK u. K. GÖRLER, B. **96**, 2121 (1963).
[5] K. L. SERVIS u. J. D. ROBERTS, Am. Soc. **86**, 3773 (1964)
[6] M. HANACK et al., A. **690**, 98 (1965).
[7] M. HANACK u. H. J. SCHNEIDER, Fortschr. chem. Forsch. **8**, 554 (1967).

Tab. 65. (Fortsetzung)

Homoallyl-halogenid (X = Cl, Br)	Reaktionsprodukte	Ausbeute [% d. Th.]	Literatur
b) mit Ag$_2$O/H$_2$O [1]			
trans-H$_3$C−CH=CH−CH$_2$−CH$_2$−X	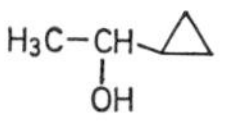 H$_3$C−CH−△ OH *1-(1-Hydroxy-äthyl)-cyclopropan*	90	[2]
	H$_3$C−CH=CH−CH=CH$_2$ *Pentadien-(1,3)*	10	
(CH$_3$)$_2$C=CH−CH$_2$−CH$_2$−X	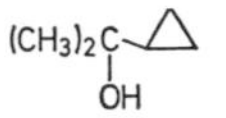 (CH$_3$)$_2$C−△ OH *1-[2-Hydroxy-propyl-(2)]-cyclopropan*	90	[2]
	+Kohlenwasserstoff *)	10	
trans-H$_5$C$_6$−CH=CH−CH$_2$−CH$_2$−X	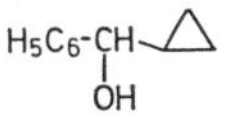 H$_5$C$_6$−CH−△ OH *1-(α-Hydroxy-benzyl)-cyclopropan*	73	
	+Kohlenwasserstoff *)	17	
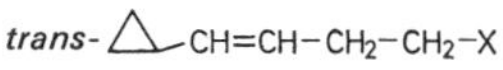 trans-△−CH=CH−CH$_2$−CH$_2$−X	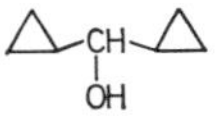 △−CH−△ OH *Dicyclopropyl-carbinol*	88	[3]
	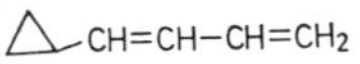 △−CH=CH−CH=CH$_2$ *1-Cyclopropyl-butadien*	12	
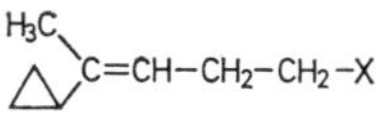 H$_3$C △ C=CH−CH$_2$−CH$_2$−X	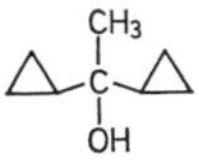 CH$_3$ △−C−△ OH *1-Hydroxy-1,1-di-cyclopropyl-äthan*	85	[3]
	+Kohlenwasserstoff *)	15	
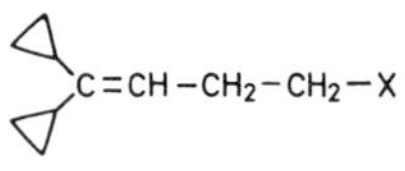 △ △ C=CH−CH$_2$−CH$_2$−X	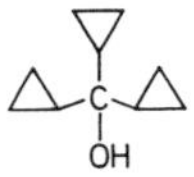 △ △−C−△ OH *Tricyclopropyl-carbinol*	35	[3]
	+Kohlenwasserstoff *)	65	
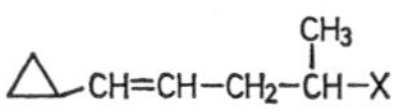 △−CH=CH−CH$_2$−CH−X CH$_3$	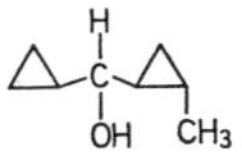 H △−C−△ OH CH$_3$ *2-Methyl-1-(hydroxy-cyclopropyl-methyl)-cyclopropan*	98	[4]
	+Kohlenwasserstoff *)	2	

* Ungesättigt, nicht identifiziert.

1-(1-Hydroxy-äthyl)-cyclopropan:

mit wäßriger Kaliumcarbonat-Lösung[2]: 5,0 g (0,033 Mol) 5-Brom-penten-(2), hergestellt aus 1-(1-Hydroxy-äthyl)-cyclopropan und 48%iger Bromwasserstoffsäure[5], werden mit 8,2 g (0,06 Mol) Kaliumcarbonat in 85 ml Wasser 4 Stdn. unter Rückfluß erhitzt und anschließend mit Äther extrahiert. Nach Abdestillieren des Äthers wird der Rückstand ohne weitere Destillation gaschromatographisch analysiert; Ausbeute: 80% d. Th. *1-(1-Hydroxy-äthyl)-cyclopropan*; neben 19% Ausgangsprodukt und 1% ungesättigtem Kohlenwasserstoff.

[1] M. HANACK, S. KANG, J. HÄFFNER u. K. GÖRLER, A. **690**, 98 (1965).
[2] M. HANACK u. K. GÖRLER, B. **96**, 2121 (1963).
[3] M. HANACK u. H. EGGENSPERGER, A. **663**, 31 (1963).
[4] M. HANACK u. H. EGGENSPERGER, B. **96**, 1259 (1963).
[5] M. JULIA, S. JULIA u. J. A. DU CHAFFAUT, Bl. **1960**, 1735.

Tab. 66. Methanolyse von Toluolsulfonsäure-homoallylestern unter Zusatz von Calciumcarbonat[1]

Toluolsulfonsäure-homoallylester	Reaktionsprodukte	Ausbeute [% d.Th.]
trans-$H_3C-CH=CH-CH_2-CH_2-OTs$	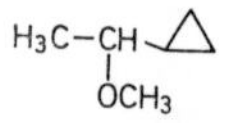 H_3C-CH◁ OCH_3 *1-(1-Methoxy-äthyl)-cyclopropan*	33
	$H_3C-CH=CH-CH_2-CH_2-OCH_3$ *5-Methoxy-penten-(2)*	31
	$H_3C-CH=CH-CH=CH_2$ *Pentadien-(1,3)*	36
cis-$H_3C-CH=CH-CH_2-CH_2-OTs$	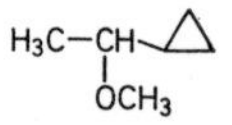 H_3C-CH◁ OCH_3 *1-(1-Methoxy-äthyl)-cyclopropan*	29
	$H_3C-CH=CH-CH_2-CH_2-OCH_3$ *5-Methoxy-penten-(2)*	71
$(CH_3)_2C=CH-CH_2-CH_2-OTs$	$(CH_3)_2C$◁ OCH_3 *1-[2-Methoxy-propyl-(2)]-cyclopropan* *5-Methoxy-2-methyl-penten-(2)*	40
trans-$H_5C_6-CH=CH-CH_2-CH_2-OTs$	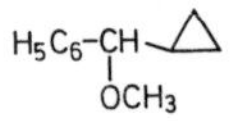 H_5C_6-CH◁ OCH_3 *1-(α-Methoxy-benzyl)-cyclopropan*	56
	$H_5C_6-CH=CH-CH_2-CH_2-OCH_3$ *4-Methoxy-1-phenyl-buten-(1)*	44
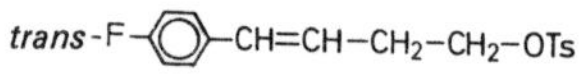 trans-F-◯-$CH=CH-CH_2-CH_2-OTs$	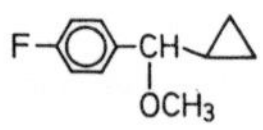 F-◯-CH◁ OCH_3 *1-(4-Fluor-α-methoxy-benzyl)-cyclo-propan*	40
	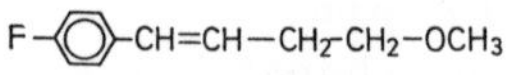 F-◯-$CH=CH-CH_2-CH_2-OCH_3$ *4-Methoxy-1-(4-fluor-phenyl)-buten-(1)*	60
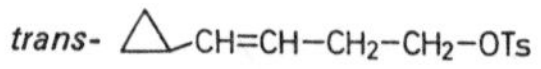 trans- ◁-$CH=CH-CH_2-CH_2-OTs$	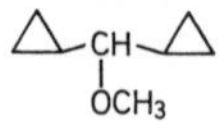 ◁-CH◁ OCH_3 *Methoxy-dicyclopropyl-methan*	93
	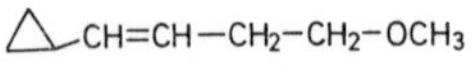 ◁-$CH=CH-CH_2-CH_2-OCH_3$ *4-Methoxy-1-cyclopropyl-buten-(1)*	7

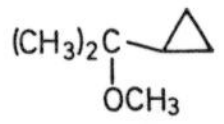

[1] M. Hanack, S. Kang, J. Häffner u. K. Görler, A. **690**, 98 (1965).

mit Silberoxid[1]: 7,0 g (0,05 Mol) 5-Brom-penten-(2) werden mit einer Suspension von frisch gefälltem Silberoxid in 200 *ml* Wasser 24 Stdn. bei Raumtemp. gerührt. Nach Abfiltrieren des Silberoxids wird das Filtrat mit Natriumchlorid gesättigt und mit Äther extrahiert. Nach Abdampfen des Äthers wird gaschromatographisch analysiert; Ausbeute: 90% d.Th. *1-(1-Hydroxy-äthyl)-cyclopropan*; neben 10% *trans-Pentadien-(1,3)*.

Das IR-Spektrum des Reaktionsprodukts ist mit dem einer authentischen Probe identisch. Im NMR-Spektrum erscheinen die Dreiring-Protonen im Bereich zwischen 9,57 und 9,74 τ. 4-Nitro-benzoesäureester; F: 56–58°.

2-Methyl-dicyclopropylketon[2]: Zu einer Natriummethanolat-Lösung aus 25 g Natrium und 300 *ml* absol. Methanol fügt man unter Rühren eine Mischung von 86 g (1 Mol) γ-Butyrolacton und 101 g (1 Mol) γ-Methyl-butyrolacton. Unter weiterem Rühren werden $\sim$ 250 *ml* Methanol bei Normaldruck und das restliche Methanol i. Vak. abdestilliert. Unter Rühren werden zum Rückstand langsam 400 *ml* konz. Salzsäure getropft. Danach wird $\sim$ 20 Min. unter Rückfluß erhitzt, mit einer Eis/Natriumchlorid-Mischung auf −10° abgekühlt und unter Rühren eine auf −10° vorgekühlte Lösung von 240 g Natriumhydroxid in 300 *ml* Wasser so schnell zugegeben, daß 50° nicht überschritten wird. Anschließend wird 30 Min. unter Rückfluß gekocht, das Keton und das Wasser abdestilliert, das Destillat mit Kaliumcarbonat gesättigt und mit Äther extrahiert. Nach Abdampfen des Äthers verbleibt ein Rückstand von $\sim$ 80 g, der gaschromatographisch analysiert wird:

> 25% *Dicyclopropylketon*
> 60% *2-Methyl-dicyclopropylketon*
> 15% *2,2'-Dimethyl-dicyclopropylketon*.

Durch Destillation über eine Drehbandkolonne können 37 g reines *2-Methyl-dicyclopropylketon* (Kp$_{20}$: 74–75) gewonnen werden.

Im Gegensatz zu den Solvolyse-Reaktionen werden bei Desaminierungen von Homoallyl-aminen mit salpetriger Säure neben den Cyclopropylcarbinolen in beachtlicher Menge nichtumgelagerter Alkohol sowie Folgeprodukte von Hydrid-Wanderungen beobachtet[3–6].

Während sich bei einer solvolytischen Reaktion die Doppelbindung unmittelbar an der Carbeniumionen-Bildung beteiligt und daher andere Stabilisierungsalternativen, etwa durch Hydrid-Wanderung verhindert, entsteht bei der Desaminierung aus dem primären Diazonium-Ion wahrscheinlich ein energiereiches, nicht ladungsdelokalisiertes Carbeniumion („hot" carbeniumion)[3–8].

Wird der Stickstoff bei der Desaminierung des Amins aus einer für eine Doppelbindungs-Beteiligung ungünstigen Konformation eliminiert, so kommt es zu einer Substitution ohne Umlagerung oder zu einer Hydrid-Verschiebung[7]. Substituierte Homoallyl-Verbindungen der Formel I reagieren bei kinetisch kontrollierten Reaktionen zu Cyclobutanen[6,9] der Struktur II:

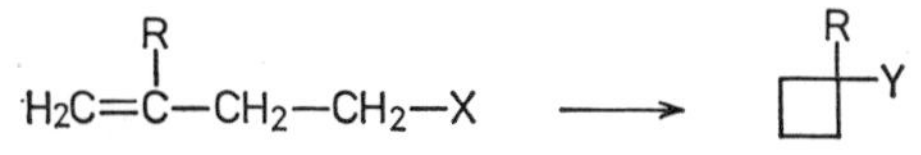

[1] M. HANACK u. K. GÖRLER, B. **96**, 2121 (1963).
[2] M. HANACK u. H. EGGENSPERGER, B. **96**, 1259 (1963).
[3] E. RENK u. J. D. ROBERTS, Am. Soc. **83**, 878 (1961).
[4] K. L. SERVIS u. J. D. ROBERTS, Am. Soc. **86**, 3773 (1964).
[5] M. HANACK, S. KANG, J. HÄFFNER u. K. GÖRLER, A. **690**, 98 (1965).
[6] K. L. SERVIS u. J. D. ROBERTS, Am. Soc. **87**, 1331 (1965).
[7] J. D. ROBERTS et al., Am. Soc. **83**, 3671 (1961).
[8] J. D. ROBERTS et al., Am. Soc. **76**, 4501 (1954).
   D. J. CRAM u. J. E. McCARTY, Am. Soc. **79**, 2866 (1957).
   B. M. BENJAMIN, H. J. SCHAEFFER u. C. J. COLLINS, Am. Soc. **79**, 6160 (1957).
   A. STREITWIESER, J. Org. Chem. **22**, 861 (1957).
   H. SHECHTER et al., Am. Soc. **87**, 661 (1965).
[9] J. D. ROBERTS et al., Am. Soc. **83**, 2719 (1961).

Auch in diesem Fall unterscheiden sich Solvolyse- und Desaminierungsreaktionen in der oben beschriebenen Weise.

Bei der Acetolyse von Tosylaten oder Brom-benzolsulfonaten der Struktur III konnten keine entsprechenden Cyclopropylmethyl-Derivate gefaßt werden, da diese vermutlich recht instabil sind[1,2]. Die Reaktionsgeschwindigkeit der unter anchimerer Beteiligung der Doppelbindung ablaufenden Acetolyse wird durch die Methyl-Gruppe an C-2 wesentlich erhöht.

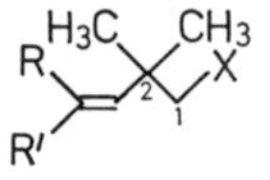

So solvolysiert 5-Tosyloxy-2,4,4-trimethyl-penten-(2) (III, R=R′=CH₃, X=OTs) ~ 100mal schneller als 5-Tosyloxy-2-methyl-penten-(2)[3]. Die erhöhte Reaktionsgeschwindigkeit bei der Solvolyse wird auf den stabilisierenden Effekt der Methyl-Gruppen im Übergangszustand bzw. in dem sich bildenden Cyclopropan-Ring zurückgeführt[1,2]. In diesem Zusammenhang war auch die Untersuchung der Alkylierung von Phenol mit 5-Chlor-2-methyl-penten-(2) (IV) von Interesse[4]. Da diese Reaktion nur zu substituierten Tetralolen sowie zu einem Homochroman-Derivat führt, aber kein entsprechendes Cyclopropan-Derivat gefunden wird, reagiert offensichtlich das Phenol ausschließlich mit dem primären Kohlenstoffatom des aus IV entstehenden Homoallyl-Kations.

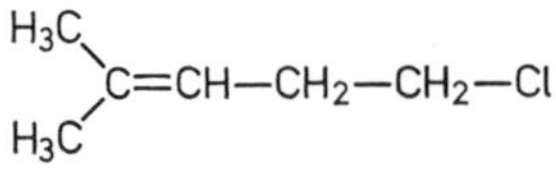

III. Thermodynamisch kontrollierte Homoallyl-Umlagerungen

Unter thermodynamischer Kontrolle erfolgt durch Säuren, Phosphor(III)- bzw. (V)-chlorid, Phosphor(III)-bromid und Thionylchlorid in Cyclopropylcarbinolen der Struktur I eine Ringöffnung, die – von wenigen Ausnahmen abgesehen – zum stabileren Homoallyl-Derivat II führt[5-7]:

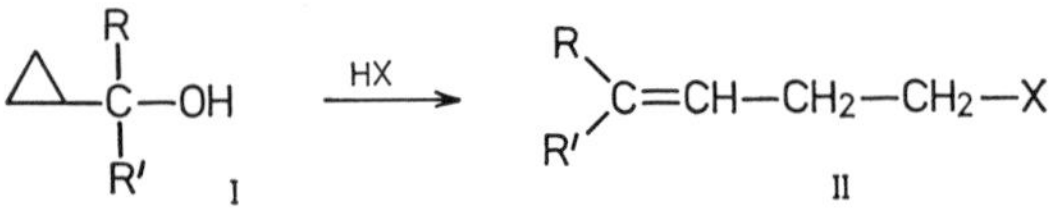

Aus der Vielzahl der bekannt gewordenen Untersuchungen zum Studium dieser Umlagerungsreaktionen können hier nur einige besprochen werden.

[1] C. F. WILCOX u. D. L. NEALY, J. Org. Chem. **28**, 3454 (1963).
[2] R. S. BLY u. R. T. SWINDELL, J. Org. Chem. **30**, 10 (1965).
[3] J. B. ROGAN, J. Org. Chem. **27**, 3910 (1962).
[4] J. L. CORBIN, H. HART u. C. R. WAGNER, Am. Soc. **84**, 1740 (1962).
   H. HART, J. L. CORBIN, C. R. WAGNER u. C. Y. WU, Am. Soc. **85**, 3269 (1963).
[5] O. WALLACH, A. **360**, 82 (1908).
[6] P. BRUYLANTS u. A. DEWAEL, Bull. Acad. Roy. Belg., Cl. Sci. (5) **14**, 140 (1928); C. **1928** I, 2708.
[7] N. KISHNER u. W. KLAWIKORDOW, Ж. **43**, 595; C. **1911** II, 363.
   L. I. SMITH u. J. MCKENZIE, J. Org. Chem. **15**, 74 (1950).
   T. A. FAWORSKAJA u. S. A. FRIDMAN, Ž. obšč. Chim. **15**, 421 (1945); C. A. **40**, 4655 (1946).
   E. H. FARMER u. F. L. WARREN, Soc. **1931**, 3231.

Bei der Umsetzung von Hydroxymethyl-cyclopropan und Cyclobutanol mit Thionylchlorid, Phosphor(III)-bromid oder Bromwasserstoff erhielt man[1] Gemische aus gleichen Teilen Cyclopropylmethyl-, Cyclobutyl- und Allylcarbinyl-Verbindungen[2]. Setzt man dagegen Hydroxymethyl-cyclopropan oder eine Mischung von Hydroxy-methyl-cyclopropan und Cyclobutanol oder auch deren Chloride mit Lucas-Reagens (Zinkchlorid/Salzsäure) um, so wird überwiegende Umlagerung zum stabileren offenkettigen Allylcarbinylchlorid beobachtet. Unter solchen Reaktionsbedingungen stehen die cyclischen Chloride offensichtlich über ihre kationischen Zwischenstufen untereinander im Gleichgewicht. Hydroxymethyl-cyclopropan-α-^{14}C liefert mit Lucas-Reagens ein *4-Chlor-buten-(1)*, in dem das ^{14}C zwischen den drei Methylen-Gruppen gleichmäßig verteilt ist[3,4]. Diese Befunde lassen sich durch Annahme von Bicyclobutonium-Ionen (s. S. 477 ff.) als entscheidende Zwischenstufen erklären.

Eingehend wurde die Umlagerung von tertiären Cyclopropylcarbinolen unter der Einwirkung von Säuren studiert[5]. Die Reaktion von alkyl- und phenyl-substituierten Cyclopropylcarbinolen mit wäßriger Salzsäure oder auch mit Phosphor(III)-chlorid in Pyridin führt in jedem Fall zum korrespondierenden Homoallyl-chlorid. Nur unter sehr schonenden Bedingungen gelingt der Nachweis des ent-sprechenden Chlor-dialkyl-cyclopropyl-methan[6].

Bei der Umsetzung sekundärer Cyclopropylcarbinole mit Bromwasser-stoffsäure werden bereits bei Raumtemperatur die entsprechenden, überwiegend *trans*-konfigurierten Homoallylbromide[7-9] erhalten.

Tertiäre Alkohole der Struktur I (S. 424) reagieren bei der Ringöffnung dann weit-gehend sterisch einheitlich, wenn sich die Substituenten R und R' in ihrer Raumbean-spruchung bzw. Raumerfüllung stark unterscheiden. Da bekannt wurde, daß die Kon-figuration der homoallylischen Doppelbindung von den konformativen Ver-hältnissen des Cyclopropylcarbinols vor der Öffnung des Ringes bestimmt wird[8], ist es verständlich, daß es in derartigen Fällen zur bevorzugten Bildung der isomeren Homoallyl-Verbindung kommt, bei der sich der räumlich kleinere Substituent und die Kette —CH$_2$—CH$_2$—X in *cis*-Stellung zur Doppelbindung befinden[10].

[1] J. D. ROBERTS u. R. H. MAZUR, Am. Soc. **73**, 2509 (1951).

[2] M. C. CASERIO, W. H. GRAHAM u. J. D. ROBERTS, Tetrahedron **11**, 171 (1960).

[3] R. H. MAZUR et al., Am. Soc. **81**, 4390 (1959).

[4] D. B. DENNEY u. E. J. KUPCHIK, Am. Soc. **82**, 859 (1960).

[5] T. A. FAWORSKAJA, K. A. KONOPOWA u. M. I. TITOW, Ž. obšč. Chim. **29**, 2894 (1959); C. **1961**, 10148.

T. A. FAWORSKAJA u. L. S. BRESSLER, Ž. obšč. Chim. **27**, 1179 (1957); C. **1958**, 12947.

T. A. FAWORSKAJA, T. N. GULJAJEWA u. J. S. GOLOWATSCHEWA, Ž. obšč. Chim. **23**, 2014 (1953); C. **1958**, 12946.

T. A. FAWORSKAJA u. N. W. SCHTSCHERBINSKAJA, Ž. obšč. Chim. **23**, 2009 (1953); C. **1958**, 12945.

Vgl. a. Y. M. SLOBODIN u. I. N. SHOKHOR, Ž. obšč. Chim. **22**, 208 (1952); C. **1954**, 996.

[6] M. HANACK u. H. EGGENSPERGER, Ang. Ch. **74**, 116 (1962).

Vgl. a. M. HANACK u. H. EGGENSPERGER, A. **663**, 31 (1963).

[7] M. JULIA, S. JULIA u. J. A. DU CHAFFAUT, Bl. **1960**, 1735.

[8] M. JULIA, S. JULIA u. T. S. YU, Bl. **1961**, 1849.

[9] M. JULIA, S. JULIA, T. S. YU u. C. NEUVILLE, Bl. **1960**, 1381.

Vgl. a. R. G. PEARSON u. N. H. LANGER, Am. Soc. **75**, 1065 (1953).

[10] M. JULIA et al., Bl. **1964**, 2533.

M. JULIA, M. CAPUT u. C. DESCOINS, Bl. **1965**, 2135.

S. SAREL u. R. BEN-SHOSHAN, Tetrahedron Letters, **1965**, 1053.

Auch wenn sich mehrere Cyclopropyl-Gruppen am Carbinylkohlenstoff befinden, reagieren die Alkohole mit Bromwasserstoff, Chlorwasserstoff, Phosphor(III)-bromid bzw. -chlorid und Phosphor(V)-chlorid unter Öffnung eines Cyclopropan-Ringes in glatter Reaktion zu den entsprechenden Homoallyl-halogeniden. So liefert Dicyclopropyl-carbinol (I) *4-Halogen-1-cyclopropyl-buten-(1)* (II); Tricyclopropyl-carbinol (III) *4-Halogen-1,1-dicyclopropyl-buten-(1)* (IV)[1-3]:

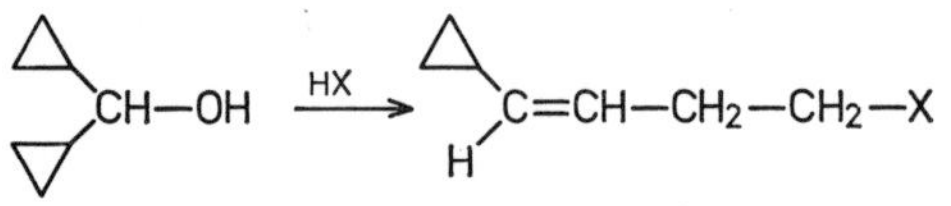

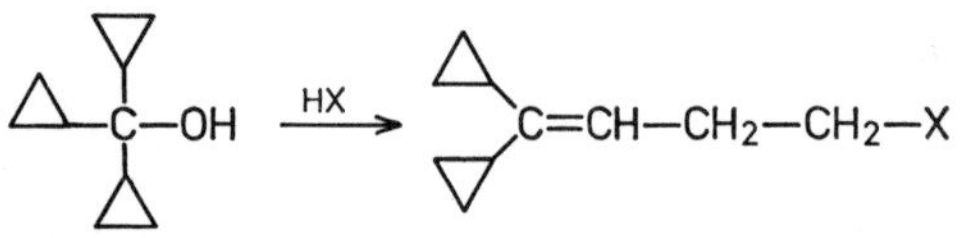

Das sekundäre 1-(α-Hydroxy-benzyl)-cyclopropan (V) oder Dicyclopropylcarbinol (I) reagieren mit Acetylchlorid in Pyridin zum *1-(α-Acetoxy-benzyl)-cyclopropan* (VI) bzw. *Acetoxy-dicyclopropyl-methan*; diese lagern sich jedoch schon bei Raumtemperatur langsam unter O-Alkyl-Spaltung in die 4-Acetoxy-butene-(1) (II bzw. VII) um[4]:

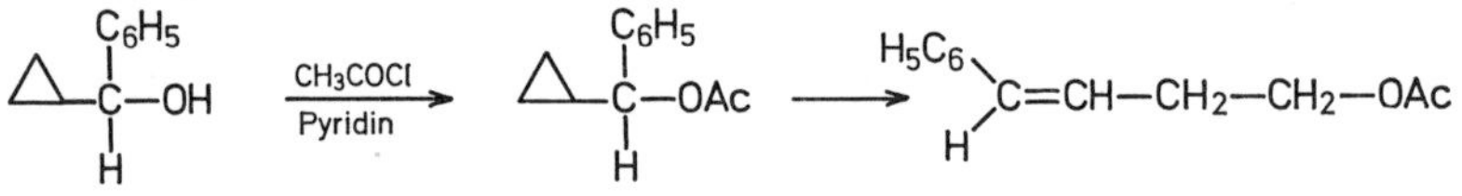

Ameisensäureester analoger Struktur (R = Alkyl; R' = H) können gleichfalls unter O-Alkyl-Spaltung umlagern[5].

Die Reaktion von sekundären und tertiären Cyclopropylcarbinolen (I; R = Alkyl oder Phenyl; R' = H; R = R' = Alkyl; S. 427) mit Schwefelsäure oder Perchlorsäure führt nicht mehr zu einheitlichen Produkten[6-8]. In Abhängigkeit vom

[1] M. HANACK u. H. EGGENSPERGER, A. **663**, 31 (1963).
[2] H. HART u. J. M. SANDRI, Am. Soc. **81**, 320 (1959).
[3] Die Reaktion von tert. Cyclopropylcarbinolen (mit R = R' = Alkyl) mit Ameisen- oder Benzoesäure führt ebenfalls vorwiegend zu den entsprechenden Homoallylalkoholen oder deren Estern; s. hierzu:
T. A. FAWORSKAJA, K. A. KONOPOWA u. M. I. TITOW, Ž. obšč. Chim. **29**, 2894 (1959); C. **1961**, 10148.
T. A. FAWORSKAJA u. L. S. BRESSLER, Ž. obšč. Chim. **27**, 1179 (1957); C. **1958**, 12947.
T. A. FAWORSKAJA, T. N. GULJAJEWA u. J. S. GOLOWATSCHEWA, Ž. obšč. Chim. **23**, 2014 (1953); C. **1958**, 12946.
T. A. FAWORSKAJA u. N. W. SCHTSCHERBINSKAJA, Ž. obšč. Chim. **23**, 2009 (1953); C. **1958**, 12945.
Vgl. a. Y. M. SLOBODIN u. I. N. SHOKHOR, Ž. obšč. Chim. **22**, 208 (1952); C. **1954**, 996.
[4] M. HANACK, S. KANG, J. HÄFFNER u. K. GÖRLER, A. **690**, 98 (1965).
[5] K. L. SERVIS u. J. D. ROBERTS, Am. Soc. **87**, 1331 (1965).
[6] M. HANACK et al., A. **690**, 98 (1965).
[7] T. A. FAWORSKAJA, K. A. KONOPOWA u. M. I. TITOW, Z. obšč. Chim. **29**, 2894 (1959); C. **1961**, 10148.
T. A. FAWORSKAJA u. L. S. BRESSLER, Ž. obšč. Chim. **27**, 1179 (1957); C. **1958**, 12947.

(Fortsetzung s. S. 427)

p_H-Wert werden neben den Homoallyl-alkoholen (II) in wechselnden Anteilen in 2-Stellung substituierte Tetrahydrofurane und die entsprechenden Diäther erhalten. Beide entstehen durch eine Folgereaktion aus dem Homoallyl-alkohol. Tricyclopropyl-carbinol (III) reagiert unter diesen Bedingungen ausschließlich zum *2,2-Dicyclopropyl-tetrahydrofuran* (IV)[1-3]:

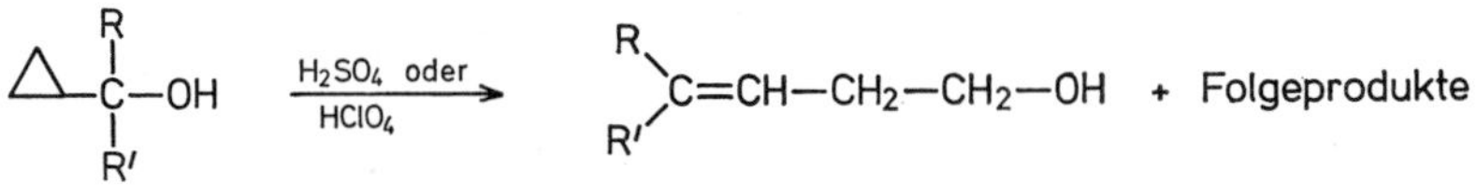

Primäre, sekundäre und auch tertiäre Cyclopropylcarbinole, die Substituenten am Dreiring tragen (V), werden unter thermodynamisch kontrollierten Bedingungen stets so geöffnet, daß das höher substituierte Homoallyl-Derivat VI entsteht[4]:

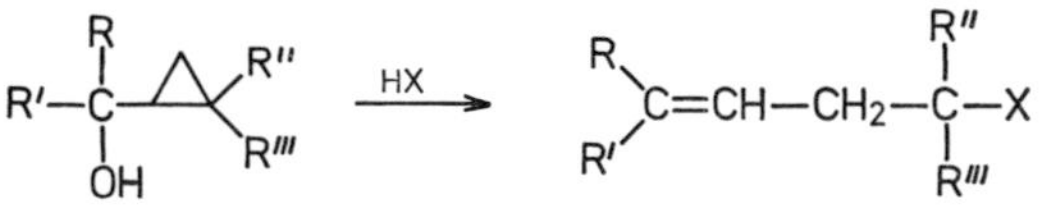

Der Cyclopropanring wird dabei so gespalten, daß das primär entstehende Carbenium-Ion eine möglichst optimale Delokalisierung der Ladung gestattet[5,6].

Bei Vorhandensein von zwei alicyclischen Dreiringen wird der substituierte Ring unter Homoallyl-Umlagerung geöffnet. So führt z.B. die Umsetzung von 2-Methyl-1-(hydroxy-cyclopropyl-methyl)-cyclopropan (VII) mit Bromwasserstoff ausschließlich zum *4-Brom-1-cyclopropyl-penten-(1)* (VIII)[7]:

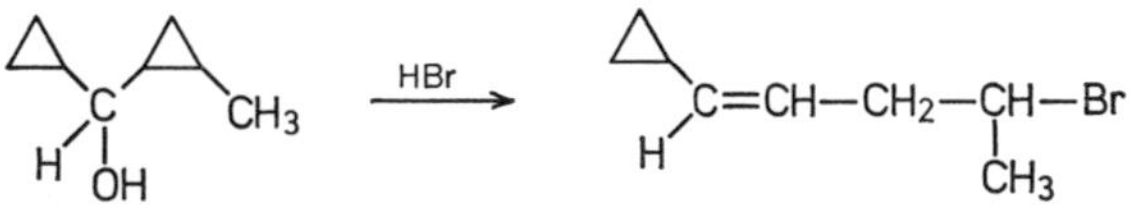

[1] M. Hanack et al., A. **690**, 98 (1965).

[2] H. Hart u. P. A. Law, Am. Soc. **79**, 1455 (1962).

[3] L. L. Darko u. J. G. Cannon, Tetrahedron Letters **1966**, 423.

[4] M. Julia, S. Julia u. J. Amaudric du Chaffaut, Bl. **1960**, 1735.

[5] H. M. Walborsky u. L. Plonsker, Am. Soc. **83**, 2138 (1961).
    H. M. Walborsky u. J. F. Pendleton, Am. Soc. **82**, 1405 (1960).
    H. M. Walborsky u. F. M. Hornyak, Am. Soc. **77**, 6396 (1955).

[6] M. Julia, R. Guégan, Y. Noël u. T. S. Yu, C. r. **260**, 4222 (1965).

[7] M. Hanack u. H. Eggensperger, B. **96**, 1259 (1963).

(Fortsetzung v. S. 426)

T. A. Faworskaja, T. N. Guljajewa u. J. S. Golowatschewa, Ž. obšč. Chim. **23**, 2014 (1953); C. **1958**, 12946.

T. A. Faworskaja u. N. W. Schtscherbinskaja, Ž. obšč. Chim. **23**, 2009 (1953); C. **1958**, 12945.

J. M. Slobodin u. J. N. Shochor, Ž. obšč. Chim. **22**, 208 (1952); C. **1954**, 996.

[8] H. Hart u. P. A. Law, Am. Soc. **79**, 1455 (1962).

Andererseits werden Cyclopropylcarbinole des Typs IX je nach Reaktionsbedingungen entweder in die primären Alkohole X oder in die sekundären Siebenring-alkohole XI übergeführt. Für beide Reaktionswege sind verschiedene Mechanismen diskutiert worden[1].

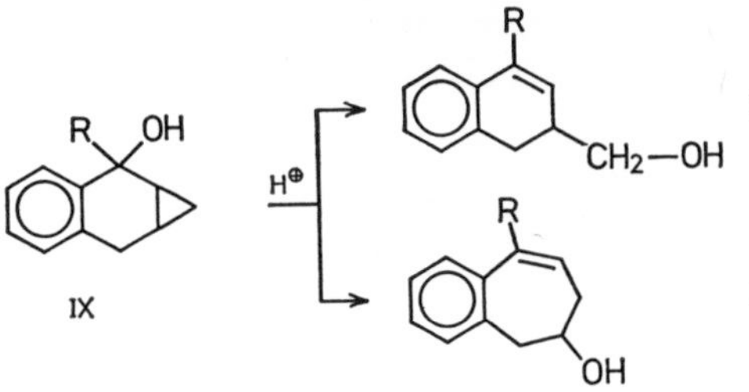

IX $\xrightarrow{\text{H}^{\oplus}}$ X, XI

Vinyloge Homoallyl-Umlagerungen von Cyclopropyl-en-olen oder Cyclopropyl-dien-olen XII führen zu den entsprechenden konjugierten Dienen oder Trienen[2] XIII:

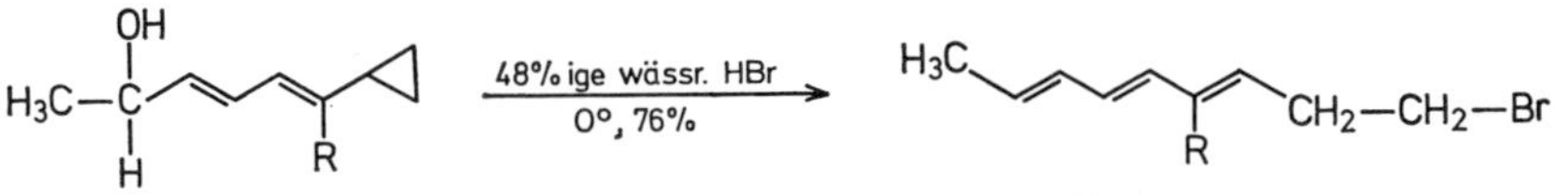

XII $\xrightarrow[\text{0°, 76%}]{\text{48% ige wässr. HBr}}$ XIII

Die Homoallyl-Umlagerung ist auch in eleganter Weise zur Synthese von verschiedenen Terpenoiden verwendet worden[3]. Als Beispiel sei hier der Syntheseweg für die beiden Terpenoide *Nerolidol* und *Geranyl-linalool* schematisch dargestellt:

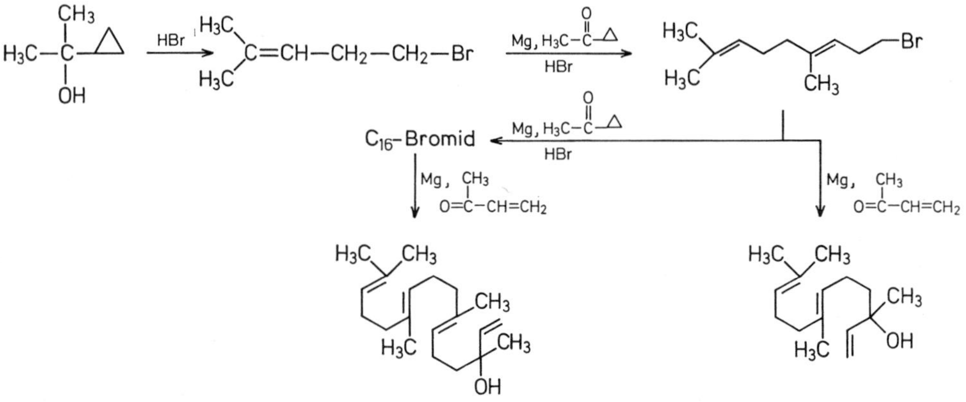

Geranyl-linalool   *Nerolidol*

[1] S. Julia, M. Julia u. C. Huynh, C. r. **246**, 3464 (1958); Bl. **1960**, 84, 174.
  S. Julia, M. Julia u. B. Bemont, Bl. **1959**, 1449.
  S. Julia, M. Julia u. C. Neuville, Bl. **1960**, 300.
[2] S. Julia, M. Julia, S. Y. Tchen u. P. Graffin, C. r. **253**, 678 (1961); Bl. **1964**, 3207.
  S. Julia, M. Julia u. P. Graffin, Bl. **1964**, 3218.
  s. ds. Handb., Bd. V/1d, Kap. Offenkettige Polyene.
[3] M. Julia, S. Julia u. R. Guégan, Bl. **1960**, 1072.
  M. Julia, S. Julia, B. Stalla-Bourdillon u. C. Descoins, Bl. **1964**, 2533.
  M. Julia, Ind. chim. belge **1961**, 995.
  M. Julia u. C. Descoins, Bl. **1962**, 1933, 1939.
  M. Julia, S. Julia u. Y. Noël, Bl. **1960**, 1708.
  M. Julia u. M. Baillargé, C. r. **249**, 2793 (1959).
  M. Julia u. G. Tchernoff, C. r. **249**, 714 (1959); **245**, 1246 (1957).
  Vgl. a. M. Julia, S. Julia u. H. Brisson, C. r. **259**, 833 (1964).
  Vgl. a. R. D. Hoffsommer, D. Traub u. N. L. Wendler, J. Org. Chem. **27**, 4134 (1962).

IV. Cyclische Homoallyl-Verbindungen

a) Cycloalken-(3)-yl-Verbindungen

Besonderes Interesse verdienen die Umlagerungen cyclischer Homoallyl-Verbindungen, da sie zu stark gespannten drei- oder vierringhaltigen bicyclischen Systemen führen können, deren unterschiedliche Entstehungsweise, abgesehen von präparativen Gesichtspunkten, einen weiterführenden Einblick in den Mechanismus der Homoallyl-Umlagerung gestattet. Hierfür ist außerdem von Wichtigkeit, daß in diesen Fällen die Geometrie des Homoallyl-Kations wie auch die der resultierenden Cyclopropylmethyl- und Cyclobutyl-Derivate weitgehend festgelegt ist, so daß die stereochemischen Aspekte dieses Umlagerungstyps zugänglich werden.

Frühere Untersuchungen hatten gezeigt, daß bei der Solvolyse des 4-Brom-cyclopentens (I) offensichtlich keine Isomerisierung stattfindet[1]. Die mit $k_{60°} = 1{,}25 \cdot 10^{-5}$ geringere Reaktionsgeschwindigkeit der ungesättigten Verbindung im Vergleich zum gesättigten Brom-cyclopentan mit $k_{60°} = 6 \cdot 10^{-5}$ wurde als Hinweis für die fehlende Wirkung der Doppelbindung gewertet[1]. Aus neueren Untersuchungen verschiedener Cyclopenten-(3)-yl-Derivate (I, II) geht jedoch hervor, daß auch in diesen Fällen die für viele Homoallyl-Verbindungen typische Hydrid-Verschiebung eintritt[2]:

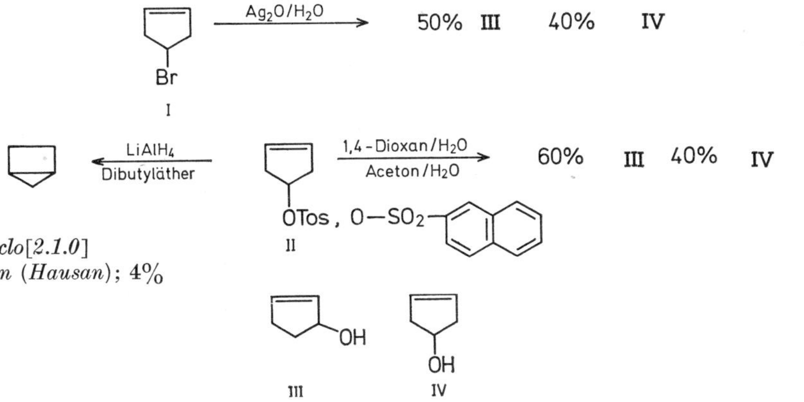

Die überwiegende Bildung des 3-Hydroxy-cyclopentens (III) wird insofern verständlich, als sich Homoallyl-Kationen dann durch eine Hydrid-Verschiebung zu Allyl-Kationen stabilisieren, wenn die Doppelbindung zur sich bildenden positiven Ladung keine für die Nachbargruppenwirkung optimale Lage einnimmt. Daß dies hier in der Tat der Fall ist, kommt in dem zunächst unerwarteten Unterschied der Solvolysegeschwindigkeiten sowie der Aktivierungsenergien gegenüber der gesättigten Verbindung zum Ausdruck[3]. Bei einer Solvolyse mit komplex gebundenen Hydrid-Ionen, wie sich die Reaktion mit Lithiumalanat betrachten läßt[4], kann hingegen auch eine instabile Zwischenstufe in Form des *Bicyclo[2.1.0]pentans* (V) abgefangen werden[5].

Die Berechnung des Energiepotentials am Cyclopenten-(3)-yl-Kation nach einer erweiterten Hückel-Methode in Abhängigkeit von dem Winkel, den die $C_2—C_1^{\oplus}—C_5$-Ebene zur angenommenen Ebene der verbliebenen C-Atome bildet, zeigt nicht nur ein Minimum, wie es der spannungsärmsten Konformation entsprechen würde, sondern noch ein zweites Minimum, das durch die Wechselwirkung mit der Doppelbindung entsteht. Dieses „nichtklassische" Minimum

[1] P. D. Bartlett u. M. C. Rice, J. Org. Chem. **28**, 3351 (1963).
[2] M. Hanack, Ang. Ch. **77**, 624 (1965).
    Vgl. a. M. Hanack u. H. J. Schneider, Fortschr. chem. Forsch. **8**, 554 (1967).
[3] Vgl. M. Hanack u. H. J. Schneider, Fortschr. chem. Forsch. **8**, 554 (1967).
[4] Vgl. H. C. Brown u. H. M. Bell, J. Org. Chem. **27**, 1928 (1962).
[5] M. Hanack, Ang. Ch. **77**, 624 (1965), Vortragsreferat GdCh-Ortsverband Freiburg.

besitzt jedoch nur dann eine dem „normalen" ersten Minimum vergleichbare Energie, wenn man von einer stark gespannten Konformation ausgeht, wie sie der Fünfring etwa im Bicyclo[2.2.1] hepten-(2)-yl-(7)-Kation einnimmt[1].

Die C_1—C_2-Bindung des Cyclohexen-(3)-yl-Carbeniumions kann mit der Doppelbindung schon eine dem Homoallyl-Resonanz-Modell angenäherte Konformation einnehmen, wodurch die Umlagerung hier erleichtert werden sollte. Experimentell fand man dementsprechend nicht nur eine Erhöhung der Acetolysegeschwindigkeit durch die Doppelbindung um das 2,4-fache, sondern man konnte auch bei der Desaminierung und Acetolyse[2] sowie bei der Hydrolyse[3,4] des 4-Amino- bzw. 4-Tosyloxy-cyclohexens (VI) neben VII und VIII die erwarteten *2-Hydroxy-bicyclo [3.1.0]hexane* (IX)[5] isolieren:

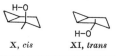

	VII	VIII	IX
VI	70%	15%	cis: 7%
			trans: 7%

Die Konfigurationszuordnung der isomeren 2-Hydroxy-bicyclo[3.1.0]hexane erfolgte[6] ausgehend von dem leicht zugänglichen[7] 2-Oxo-bicyclo[3.1.0]hexan. 2-Oxo-bicyclo[3.1.0]hexan ergibt, auf verschiedenem Wege reduziert, Mischungen der isomeren Alkohole X und XI (s. Tab. 67). Die Alkohole X und XI lassen sich gaschromatographisch auf einer 8-m-Hyprose-Säule gut trennen, wobei XI eine geringere Retentionszeit zeigt. Die Reindarstellung von X und XI kann durch Destillation des Alkoholgemisches der Meerwein-Ponndorf-Reduktion (s. Tab. 67) über eine Drehbandkolonne erfolgen. Reines *cis-2-Hydroxy-bicyclo[3.1.0]hexan* (X) ist außerdem durch Methylen-Addition nach Simmons-Smith[8] an 3-Hydroxy-cyclopenten zugänglich[9,10].

Tab. 67. Produktverhältnis der durch Reduktion von 2-Oxo-bicyclo[3.1.0] hexan gewonnenen stereoisomeren Alkohole X und XI

X, *cis*   XI, *trans*

Reduktionsmethode	2-Hydroxy-bicyclo[3.1.0]hexan	
	[%] *cis*- (X)	[%] *trans*- (XI)
Lithiumalanat	91	9
Natrium und Alkohol	89	11
Meerwein-Ponndorf-Verley	38	62
Wasserstoff/Platin(IV)-oxid	96	4
Wasserstoff/Raney-Nickel	72	28

[1] R. Hoffmann, Am. Soc. **86**, 1259 (1964).
[2] M. Hanack u. W. Keberle, B. **96**, 2937 (1963).
[3] Vgl. M. Hanack u. H. J. Schneider, Fortschr. chem. Forsch. **8**, 554 (1967).
[4] M. Hanack u. P. C. Krause, unveröffentlichte Versuche.
[5] Vgl. a. W. G. Dauben u. G. H. Berezin, Am. Soc. **85**, 468 (1963).
    E. J. Corey u. R. L. Dawson, Am. Soc. **85**, 1782 (1963).
[6] M. Hanack u. H. Allmendinger, B. **97**, 1669 (1964).
[7] Vgl. a. W. A. Nelson u. G. A. Mortimer, J. Org. Chem. **22**, 1146 (1957).
[8] H. E. Simmons u. R. D. Smith, Am. Soc. **81**, 4256 (1959).
    s. a. S. 114 ff.
[9] W. G. Dauben u. G. H. Berezin, Am. Soc. **85**, 468 (1963).
[10] Die Methylen-Addition an 3-Methoxy-cyclopenten ergibt ebenfalls reines *cis-2-Methoxy-bi-cyclo[3.1.0]hexan*.

Zur Konfigurationszuordnung wurden die aus den Alkoholen X und XI (S. 430) mit Diazomethan und Aluminiumtrichlorid hergestellten Methyläther hydrogenolysiert. Dabei sollte aus dem *cis*-Methyläther neben anderen Reaktionsprodukten das *cis*-3-Methoxy-1-methyl-cyclopenten-(1), aus dem *trans*-Methyläther das *trans*-3-Methoxy-1-methyl-cyclopenten-(1) entstehen. Zur Hydrogenolyse wurden die bicyclischen Äther bei 165° und 190–195 at mit Raney-Nickel in Petroläther 12 Stdn. hydriert. Nach Entfernen des Petroläthers ergab die gaschromatographische Analyse des Reaktionsproduktes aus dem Methyläther von X *cis-3-Methoxy-1-methyl-cyclopenten-(1)* und Kohlenwasserstoffe. Der Methyläther von XI ergab außer den erwähnten Nebenprodukten das *trans-3-Methoxy-1-methyl-cyclopenten-(1)*, wie durch Vergleich mit authentischem Material ersichtlich wurde.

Die Gleichgewichtseinstellung der Alkohole X und XI mit Aluminiumisopropanolat in Isopropanol führt zu ~ 70% *trans*-Alkohol.

Für das *cis-2-Hydroxy-bicyclo[3.1.0]hexan* (X, S. 430) konnte weiterhin eine intramolekulare Wasserstoffbrückenbindung nachgewiesen werden, was gleichfalls für die angegebene Konfiguration spricht. Während der *trans*-Alkohol im IR-Spektrum (Tetrachlormethan) eine einheitliche ν_{OH}-Bande bei 3615 cm^{-1} zeigt, ist die ν_{OH}-Bande des *cis*-Alkohols aufgespalten (3603 u. 3616 cm^{-1}).

Im sieben- und achtgliedrigen Ring können die geometrischen Voraussetzungen einer fast idealen „Homoallyl-Resonanz" im Übergangszustand der Reaktion, d.h. der Umlagerung, ähnlich realisiert werden, wie dies für die entsprechenden Phenonium-Ionen postuliert wurde[1]. Eingehende Studien haben gezeigt, daß ein geeignetes Cyclohepten-(3)-yl-Derivat[2] XII sowie Cycloocten-(3)-yl-Verbindungen[3,4] unter großer Geschwindigkeitserhöhung und weitgehender Umlagerung zu XIII solvolysieren[5]:

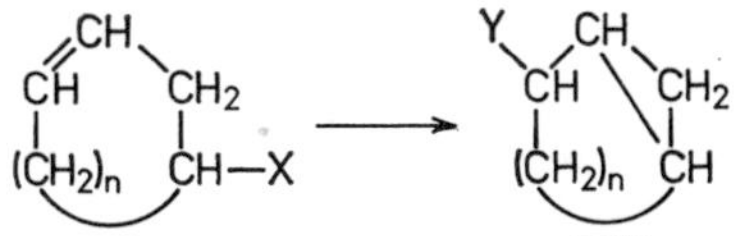

$$ n = 3; \quad \xrightarrow[20°/24 \text{ Stdn.}]{\text{AcOH}} \quad 78\% \; cis \; \text{XIII} + 22\% \; trans \; \text{XIII} $$

$$ n = 4; \quad \xrightarrow[20°/12 \text{ Stdn.}]{\text{AcOH}} \quad 39\% \; cis \; \text{XIII} + 13\% \; trans \; \text{XIII} + 25\% \; 3\text{-Y-cyclo-octen} $$

b) Cycloalken-(2)-yl-methyl-Verbindungen

Die Homoallyl-Umlagerung von Cycloalken-(2)-yl-methyl-Derivaten erscheint auch bei kleineren Ringen erfolgreich, da hierbei ein primäres Carbeniumion in ein sekundäres Cyclopropylmethyl-Kation übergehen kann. Trotzdem verhindert die hohe Spannung der entsprechenden Bicyclen bei kleinen Ringen eine solche Art der Stabilisierung. Anstelle dieser Möglichkeit wird als Ausweichreaktion stets eine hier realisierbare Wagner-Meerwein-Umlagerung beobachtet.

Das 2,3-Diphenyl-cyclopropen-(2)-yl-methyl-Kation aus dem Tosylat I (S. 432) wurde im Hinblick auf seine Eigenschaften als kombiniertes Homoallyl- und Cyclopropylmethyl-Kation untersucht[6] (s. a. S. 477 ff.):

[1] R. Huisgen et al., A. **671**, 41 (1964).
[2] A. C. Cope, C. H. Park u. P. Scheiner, Am. Soc. **84**, 4862 (1962).
[3] A. C. Cope u. P. E. Peterson, Am. Soc. **81**, 1643 (1959).
[4] A. C. Cope, S. Moon u. P. E. Peterson, Am. Soc. **84**, 1935 (1962).
[5] A. C. Cope, M. M. Martin u. M. A. McKervey, Quart. Rev. **20**, 119 (1966).
[6] R. Breslow, J. Lockhart u. A. Small, Am. Soc. **84**, 2793 (1962).

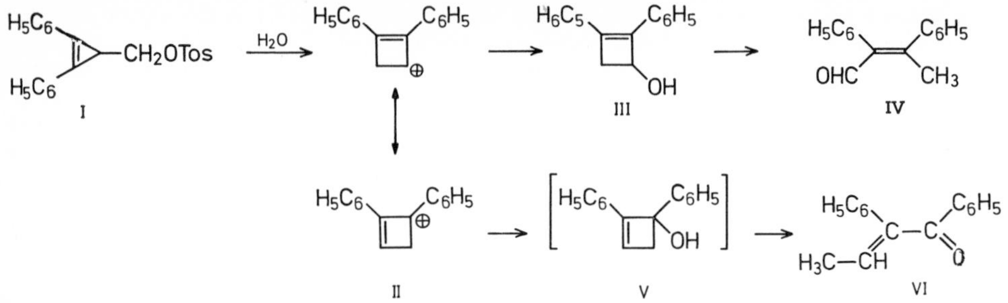

Die dabei beobachtete ausschließliche Bildung der Ringerweiterungsprodukte III und V bzw. deren Folgeprodukte IV und VI wurde durch Annahme des mesomeren Cyclobutenyl-Kations II als Zwischenstufe erklärt, das um wenigstens 20 kcal/Mol stabiler als andere in Frage kommende isomere Kationen sein sollte. Dem ungewöhnlichen Energiegewinn durch Öffnung des Cyclopropen-Ringes steht jedoch eine Reaktionsgeschwindigkeitserhöhung im Vergleich zum gesättigten Tosyloxymethyl-diphenyl-cyclopropan um den relativ geringen Faktor 3 gegenüber. Hieraus wurde schließlich gefolgert, daß die Primärstufe bei der Solvolyse noch nicht die Form eines Bicyclo[1.1.0]butonium-Ions (s. S. 477ff.) haben kann. Die relativ geringe Beteiligung der Doppelbindung bzw. eines dem Cyclobutenyl-Kation ähnlichen Übergangszustandes bei der Solvolyse des Cyclopropylmethyl-Systems wird ersichtlich in der nur um den Faktor 11 beschleunigten Reaktionsgeschwindigkeit bei Ersatz einer Phenyl- durch eine 4-Methoxy-phenyl-Gruppe. Der Vergleich mit dem Effekt der 4-Methoxy-phenyl-Gruppe bei Cyclopropenyl-Kationen sowie Hückel-MO-Berechnungen der auftretenden Delokalisierungsenergie ließen eine Geschwindigkeitserhöhung um das annähernd 100000fache erwarten[1].

Auch im Fall des Cyclobuten-(2)-yl-methyl-Kations kommt es noch nicht zu einer Homoallyl-Umlagerung, obgleich das dabei zu erwartende Bicyclo[2.1.0] pentyl-(2)-Kation (VIII) als Kombination eines sekundären Cyclopropylmethyl- und Cyclobutyl-Kations eine hohe Stabilisierung durch Ladungsdelokalisierung aufweisen sollte. Die jedoch noch immer sehr erhebliche Spannungsenergie, die in der großen Empfindlichkeit von erst kürzlich dargestellten Derivaten des Bicyclo[2.1.0]pentans[2,3] zum Ausdruck kommt, überkompensiert hier die Delokalisierungsenergie. Das Cyclobuten-(2)-yl-methyl-Kation stabilisiert sich, wie bei der Hydrolyse des 3-Tosyloxymethyl-cyclobutens (VII) gezeigt werden konnte[4], durch eine nahezu vollständige Wagner-Meerwein-Umlagerung zu IX bzw. X:

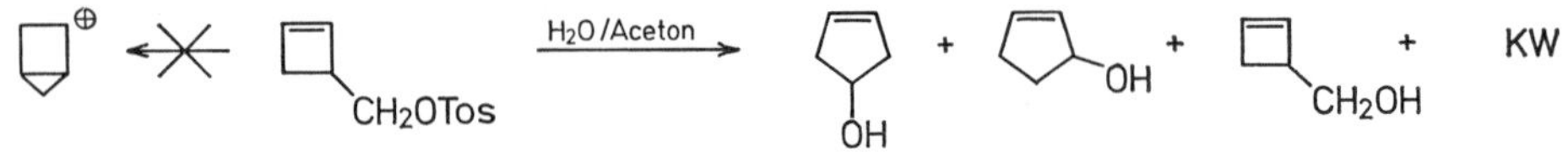

Das überwiegend entstehende 4-Hydroxy-cyclopenten (IX) zeigt, daß bei Ringvergrößerungen die Wanderung der Vinyl-Gruppe infolge der erreichbaren Senkung der Aktivierungsenergie

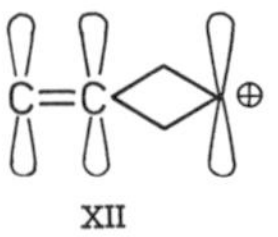

[1] R. Breslow, J. Lockhart u. A. Small, Am Soc. **84**, 2793 (1962).
[2] M. Hanack u. R. Hüttinger, unveröffentlichte Versuche, zitiert bei M. Hanack u. H. J. Schneider, Fortschr. chem. Forsch. **8**, 554 (1967).
[3] Vgl. M. Hanack u. H. J. Schneider, Fortschr. chem. Forsch. **8**, 554 (1967).
[4] M. Hanack u. K. Riedlinger, B. **100**, 2107 (1967).

durch Delokalisierung mittels der Elektronen bevorzugt ist[1]. Die kinetisch bestimmte Nachbar-gruppenbeteiligung bei der Acetolyse von VII (S. 432)[2] bleibt hier sogar hinter der des gesättigten Vierringes im Cyclobutylmethyl-System[3] zurück. Daß hier höchstens der induktive Effekt der Dop-pelbindung ins Spiel kommt, ist aus der ungünstigen, vor allem starren Anordnung des funktio-nellen Kohlenstoffatoms zur Doppelbindung verständlich, die eine Annäherung an ein Bicyclo-butonium-Ion im Übergangszustand der Umlagerung verhindert.

Im 3-Methylen-cyclobutyl-Kation XII (S. 432)[4] wird besonders deutlich, daß für die Reaktivität eines Homoallyl-Kations die geometrische Anordnung der π-Elektronen und „vakanten" sp[2]-Elektronenbahnen von entscheidender Bedeutung ist, die in diesem Fall in extrem ungünstiger Weise genau parallel stehen. Obwohl bei XII zusätzlich eine Resonanzstabilisierung durch die Entstehung eines Cyclo-butyl-Kations zu erwarten wäre, solvolysiert 3-Brom-1-methylen-cyclobutan $\sim$ 160-mal langsamer als Homoallyl-bromid; die Desaminierung des Amins verläuft ohne Umlagerung.

Eingehend wurde auch das Cyclopenten-(2)-yl-carbinyl-System auf seine Umlagerungsfähigkeit hin untersucht. Hierzu wurden insbesondere die Cyclopenten-(2)-yl-Derivate I und II ausgewählt[5]:

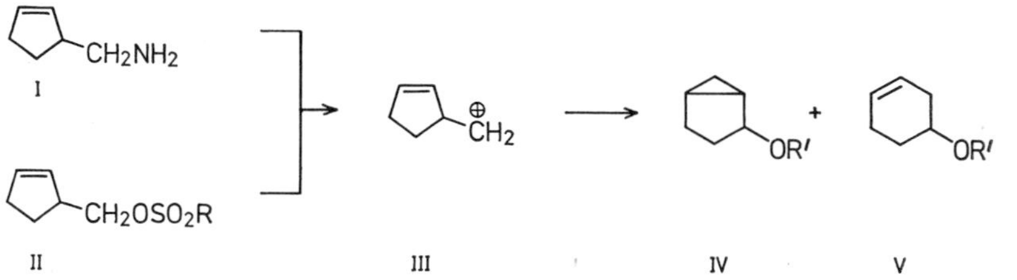

Das aus diesen Verbindungen unter verschiedenen Bedingungen entstehende Cyclo-penten-(2)-yl-carbinyl-Kation III ließ sowohl die Bildung von Bicyclo[3.1.0]hexyl-(2)- (IV) als auch die Bildung von Cyclohexen-(3)-yl-Derivaten V erwarten.

Tab. 68 (S. 434) zeigt eine Zusammenstellung der Reaktionsprodukte bei der Um-setzung von 3-Aminomethyl-cyclopenten-(1) (I) mit salpetriger Säure, sowie der Solvolysereaktionen der Sulfonsäureester (II) in verschiedenen Lösungsmitteln[5].

Die Solvolyse des Naphthalin-2-sulfonsäure-cyclopenten-(2)-ylmethylesters [II mit R = Naphthyl-(2)] wurde in absol. Äthanol und absol. Eisessig bei 70° kinetisch ver-folgt. Zum Vergleich wurde auch der gesättigte Ester unter gleichen Bedingungen gemessen[5] (s. Tab. 69, S. 434).

Aus den Daten der Tab. 69 (S. 434) wird ersichtlich, daß die Produktzusammensetzung wie-derum in der bereits beschriebenen Weise u. a. von der Nucleophilie des Lösungsmittels abhängt; so entsteht z.B. bei der Methanolyse kein Cyclohexen-(3)-Derivat (V). Bei der Acetolyse macht sich die mangelnde Stabilität der unter O-Alkyl-Spaltung weiterreagierenden bicyclischen Ester bemerkbar. Die aus dem hier beweglichen Homoallyl-Kation verständliche größere Nachbargrup-penwirkung der C=C-Doppelbindung äußert sich in der um den Faktor 4,4 bzw. 10 beschleunig-ten Äthanolyse- und Acetolyse-Geschwindigkeit im Vergleich zum Cyclopentylmethyl-System[6].

---

[1] Vgl. S. WINSTEIN u. E. M. KOSOWER, Am. Soc. **81**, 4399 (1959).
[2] M. HANACK u. K. RIEDLINGER, B. **100**, 2107 (1967).
[3] C. F. WILCOX u. M. E. MESIROV, Am. Soc. **84**, 2759 (1962).
[4] E. F. KIEFER u. J. D. ROBERTS, Am. Soc. **84**, 784 (1962).
[5] M. HANACK u. H. J. SCHNEIDER, Tetrahedron **20**, 1863 (1964).
[6] Vgl. a. M. HANACK u. H. J. SCHNEIDER, Fortschr. chem. Forsch. **8**, 554 (1967).

Tab. 68. Umsetzung von 3-Aminomethyl-cyclopenten-(1) mit salpetriger Säure sowie Solvolyse von Naphthalin-2-sulfonsäure-cyclopenten-(2)-ylmethylester in Methanol, Eisessig und 1,4-Dioxan-Wasser (9:1)[1]

Reaktionsprodukt in %	Aminverkochung			Solvolysen		
	in 10% Essigsäure		in Perchlorsäure	Methanolyse	Acetolyse	Hydrolyse (1,4-Dioxan/Wasser)
	unverseift	verseift				
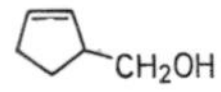 3-Hydroxymethyl-cyclopenten-(1)	14,5	14	10	12,5*	5,5+	6
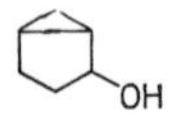 trans 2-Hydroxy-bicyclo[3.1.0]hexan	46,5	46,5	45,5	53*	26+	32
cis	24	24,5	25,5	34,5*	20+	28
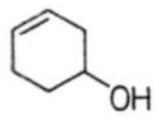 4-Hydroxy-cyclohexen-(1)	15	15	18,5	0	48,5+	34
Gesamtmenge Alkohol	78	100	99,5	100	100	100
Nebenprodukte (überwiegend Acetate)	22					

* = es entstehen die entsprechenden Methyläther.

+ = zugrundegelegt wurde das Mengenverhältnis der Alkohole, die bei der Verseifung der gebildeten Acetate erhalten wurden.

Tab. 69. Solvolysegeschwindigkeiten von Naphthalin-(2)-sulfonsäure-cyclopenten-(2)-ylmethylester und -cyclopentylmethylester in absol. Äthanol und in Eisessig[1]

	Äthanolyse $k \cdot 10^5$ [Sec.$^{-1}$]			Acetolyse $k \cdot 10^5$ [Sec.$^{-1}$]
	60°	70°	80°	70°
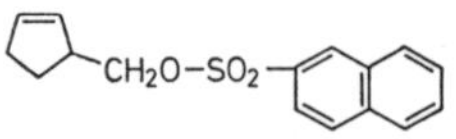	0,22	0,75		1,0
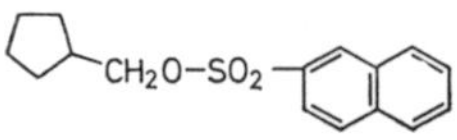		0,17	0,45	0,1
$\dfrac{k_{\text{ungesättigt}}}{k_{\text{gesättigt}}}$		4,4		10

Die Einführung einer zweiten homoallyl-ständigen Doppelbindung in einem pentamethylierten Fünfring VI (S. 435) beschleunigt die Acetolyse um das ~ 10⁴fache, im Vergleich zum 3-Tosyloxy-2,2-dimethyl-propan um das 10^8—10^{10}fache[2]. Über die

---

[1] M. HANACK u. H. J. SCHNEIDER, Tetrahedron 20, 1836 (1964).
[2] S. WINSTEIN u. M. BATTISTE, Am. Soc. 82, 5244 (1960).

Struktur der hierbei auftretenden „nicht-klassischen" Carbenium-Ionen, die sich auf jeden Fall von den üblichen Homoallyl-Kationen in Aufbau und Stabilität unterscheiden, herrscht keine Klarheit. Als einziges Umlagerungsprodukt wurde das durch eine sekundäre Eliminierung gebildete Produkt VII isoliert[1]:

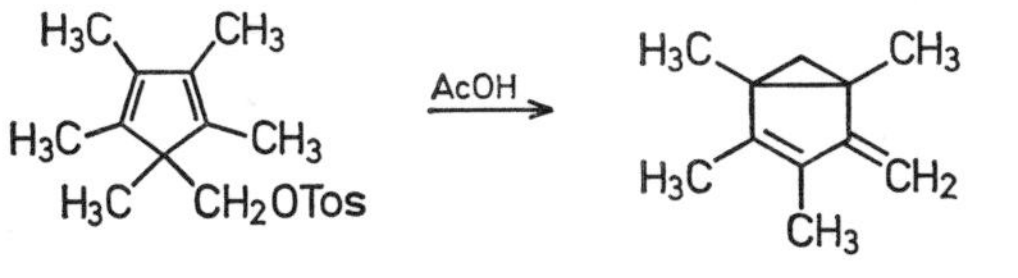

VI

VII; *1,2,3,5-Tetramethyl-4-methylen-bicyclo [3.1.0]hexen-(2)*

Interessante präparative Möglichkeiten eröffneten die Solvolysen von 3-Tosyloxymethyl-cyclohexadienen-(1,4) (II), die zu verschieden substituierbaren Cycloheptatrienen (III) führen[2]:

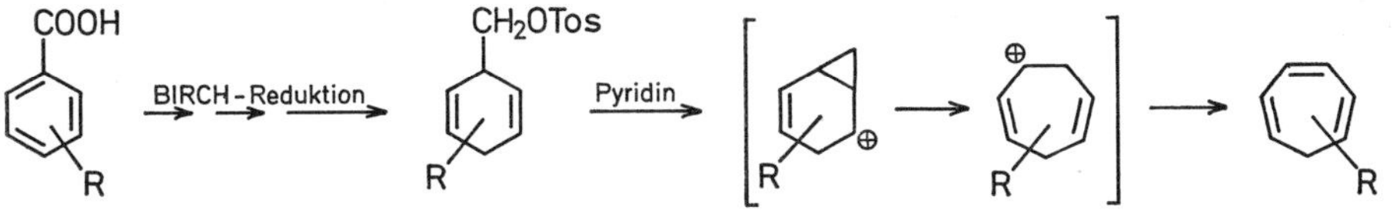

Diese Reaktion konnte durch Einführung funktioneller Gruppen zu einer auch für β-Tropolone anwendbaren allgemeinen Troponoid-Synthese erweitert werden[3]:

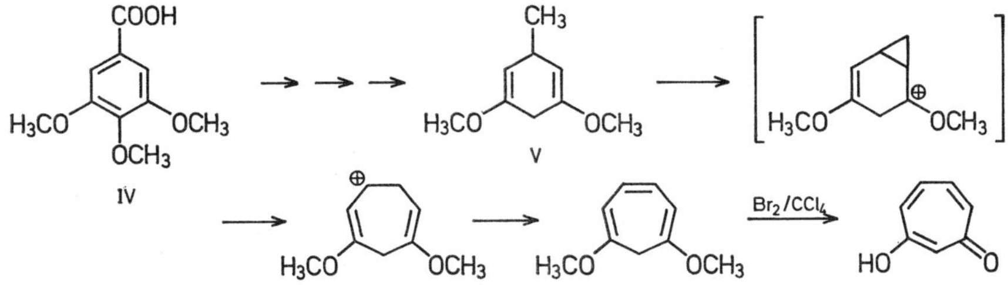

1,6-Dimethoxy-cycloheptatrien

3-Hydroxy-tropolon

Gesamtausbeute: 30–50%

Werden die Methoxy-Gruppen in V durch Methyl-Gruppen ersetzt, so verläuft die Solvolyse ~ 46-mal langsamer, bei Ersatz durch Wasserstoff ~ 6800-mal langsamer. Aus der Tatsache, daß die Dimethyl- bzw. Dimethoxy-cyclohexadien-(2,5)-ylmethyl-Derivate nur ~ 2—3-mal schneller solvolysieren als die entsprechenden monosubstituierten Derivate, wurde auf die Beteiligung von nur einer Doppelbindung bei der Ionisierung geschlossen[3]. Der für die Homoallyl-Umlagerung typische

[1] L. DeVries, Am. Soc. **82**, 5242 (1960).
[2] N. A. Nelson, J. H. Fassnacht u. J. U. Piper, Am. Soc. **83**, 206 (1961).
[3] O. L. Chapman u. D. Fitton, Am. Soc. **85**, 41 (1963).
Vgl. a. z. B. V. J. Trainelis u. S. R. Livingston, J. Org. Chem. **29**, 1092 (1964).

28*

bicyclische Dreiring tritt dann als Endprodukt der Solvolyse auf, wenn die destabilisierende Wirkung der zweiten Doppelbindung fehlt[1]:

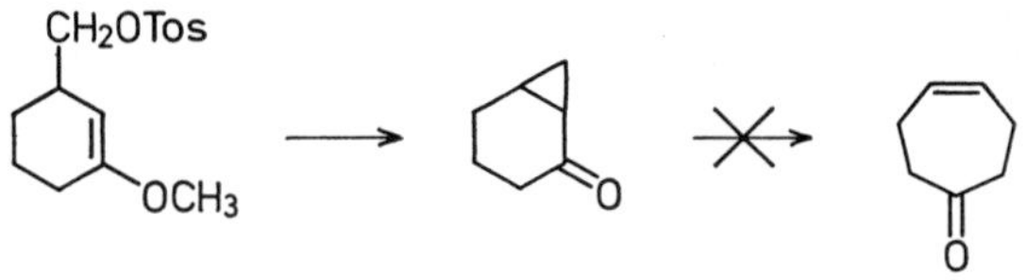

2-Oxo-bicyclo
[4.1.0]heptan

c) Cycloalken-(1)-yl-äthyl-Verbindungen

Die Untersuchungen von Cycloalken-(1)-yl-äthyl-Systemen (I) haben gezeigt, daß Homoallyl-Umlagerungen neben ihren theoretischen Gesichtspunkten auch neue Syntheseprinzipien für kondensierte kleine Ringe eröffnen[2,3]. So sind neben spirocyclischen Verbindungen insbesondere bisher nicht bekannte oder nur sehr schwer herstellbare Vierring-Verbindungen leicht zugänglich geworden[4]. In neuerer Zeit ist die Erweiterung der Reaktion auch auf mittlere Ringe (I mit n = 5,6,7) gelungen, wobei die entsprechenden bisher nur als Kohlenwasserstoffe bekannten vierringhaltigen Bicyclen und die spirocyclischen Verbindungen erhalten wurden[5-7]. Tab. 70 (S. 437) zeigt eine Übersicht über die Ergebnisse dieser Synthesen.

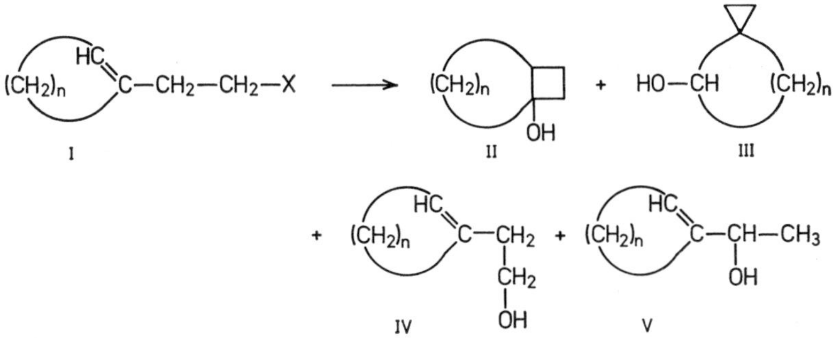

Die bei Homoallyl-Umlagerungen sonst seltene, hier jedoch charakteristische simultane Bildung von Drei- und Vierring-Verbindungen läßt sich mit der vergleichbaren Stabilität der entsprechenden ionischen Zwischenstufen erklären.

Die Solvolyse-Ergebnisse der Sulfonate (I mit n = 3,4; X = OTs, O-SO$_2$-β-naphthalin)[3] unterscheiden sich im wesentlichen nur dadurch von denen der Desaminierung, daß es dabei nicht zu sekundären Umlagerungen der extrem säureempfindlichen

[1] O. L. CHAPMAN u. D. FITTON, Am. Soc. **85**, 41 (1963).
Vgl. a. z. B. V. J. TRAINELIS u. S. R. LIVINGSTON, J. Org. Chem. **29**, 1092 (1964).
[2] M. HANACK u. H. J. SCHNEIDER, Ang. Ch. **76**, 783 (1964).
[3] M. HANACK u. H. J. SCHNEIDER, A. **686**, 8 (1965).
[4] A. C. COPE u. R. W. GLEASON, Am. Soc. **84**, 1928 (1962).
[5] H. SCHNEIDER-BERNLÖHR et al., unveröffentlichte Ergebnisse, zitiert bei M. HANACK u. H. J. SCHNEIDER; Fortschr. chem. Forsch. **8**, 554 (1967).
[6] Vgl. M. HANACK u. H. J SCHNEIDER, Fortschr. chem. Forsch. **8**, 554 (1967).
[7] Vgl.: M. HANACK et al., A. **717**, 41 (1968).

Alkohole III kommt; zugleich wird auch weniger Hydrid-Verschiebung zu V beobachtet. Bei der unabhängig untersuchten Acetolyse des 2-(4-Brom-benzolsulfonyloxy)-1-cyclopenten-(1)-yl-äthans (I, n = 3, X = OBs) wurde neben weiteren Folgeprodukten ~ 10% *2-Hydroxy-cyclopentan-⟨1-spiro⟩-cyclopropan* (III, n = 3, S. 436) erhalten[1,2]. Im Fall der Desaminierung und Hydrolyse verhindert höchstwahrscheinlich die höhere Nucleophilie des Wassers die beim Fünfring erschwerte Umlagerung zum Cyclopropylmethyl-System III.

Eine möglicherweise biochemisch bedeutsame Nachbargruppenwirkung wurde bei der Solvolyse von Tryptophyl-tosylat gefunden, die in Eisessig ~ 10^4-mal schneller als die von Toluolsulfonsäure-2-naphthyl-(1)-äthylester verläuft[3]. Bei der Behandlung mit Kalium-tert.-butanolat in Tetrahydrofuran wurde eine durch sekundäre Eliminierung gebildete Dreiring-Verbindung isoliert[3].

Tab. 70. Umlagerungen von Cycloalken-(1)-yl-äthyl-Verbindungen (I; S. 436)[4]

Ausgangsverbindung I			Ausbeuten [%] für die Verbindungen (s. Formelbild S. 436)			
X =	n =	Medium	II	III	IV	V
NH₂	3	HNO₂	*1-Hydroxy-bicyclo [3.2.0]heptan*; 65	—	6	10
NH₂	4	HNO₂	*1-Hydroxy-bicyclo [4.2.0]octan*; 81	*2-Hydroxy-cyclohexan-⟨1-spiro⟩-cyclopropan*; 3	12	—
OTs	4	H₂O	*1-Hydroxy-bicyclo [4.2.0]octan*; 33	*2-Hydroxy-cyclohexan-⟨1-spiro⟩-cyclopropan*; 65	1	—
NH₂	5	HNO₂	*1-Hydroxy-bicyclo [5.2.0]nonan*; 35	*2-Hydroxy-cycloheptan-⟨1-spiro⟩-cyclopropan*; 43	12	?
NH₂	6	HNO₂	*1-Hydroxy-bicyclo [6.2.0]decan*; 22	*2-Hydroxy-cyclooctan-⟨1-spiro⟩-cyclopropan*; 45	16	13
OTs	7	H₂O	*1-Hydroxy-bicyclo [7.2.0]undecan*; 35	*2-Hydroxy-cyclononan-⟨1-spiro⟩-cyclopropan*; 30	10	?

2-Hydroxy-cyclohexan-⟨1-spiro⟩-cyclopropan[5]:

2-[Cyclohexen-(1)-yl]-äthanol: 95 g (0,66 Mol) Cyclohexen-(1)-yl-essigsäure werden innerhalb 1 Stde. zu 25 g (0,66 Mol) Lithiumalanat in 1 l Äther getropft. Die Mischung wird dann 2¹/₂ Stdn. unter Rückfluß erhitzt. Anschließend wird mit verd. Salzsäure aufgearbeitet und nach Entfernen des Äthers i. Vak. destilliert; Ausbeute: 75 g (88% d.Th.; gaschromatographisch rein); Kp₁₃: 93–93,5°.

2-p-Toluolsulfonyloxy-2-[cyclohexen-(1)-yl]-äthan: Zu 48 g des Alkohols werden 72,5 g p-Toluolsulfonsäure-chlorid, das in 80 ml Pyridin gelöst ist, langsam unter Kühlen und Rühren zugegeben. Nach 15 Stdn. wird unter Eiskühlung mit verd. Salzsäure sorgfältig neutralisiert, in Äther aufgenommen und dieser nach dem Waschen mit stark verd. Salzsäure, Natriumhydrogencarbonat-Lösung und Wasser abgedampft; Ausbeute: 64 g (60% d.Th.).

2-Hydroxy-cyclohexan-⟨1-spiro⟩-cyclopropan: 65 g 2-p-Toluolsulfonyloxy-1-[cyclohexen-(1)-yl]-äthan werden mit 40 g Calciumcarbonat in 800 ml 20%igem wäßr. Aceton 10 Tage bei 85° gerührt. Nach Abfiltrieren vom Calciumcarbonat wird mit Natriumchlorid ges. und 3mal

[1] W. D. CLOSSON u. G. T. KWIATKOWSKI, Tetrahedron Letters **1964**, 3831.
[2] W. D. CLOSSON u. G. T. KWIATKOWSKI, Tetrahedron **21**, 2779 (1965).
[3] W. D. CLOSSON, S. A. ROMAN, G. T. KWIATKOWSKI u. D. A. CORWIN, Tetrahedron Letters **1966**, 2271.
[4] Vgl. M. HANACK u. H. J. SCHNEIDER, Fortschr. chem. Forsch. **8**, 554 (1967).
[5] M. HANACK u. H. J. SCHNEIDER, A. **686**, 8 (1965).

mit je 150 *ml* Äther extrahiert und dieser anschließend über eine Kolonne abdestilliert. Zur Abtrennung des nichtumgesetzten Tosylates wird der Rückstand mit Calciumcarbonat versetzt und das Alkoholgemisch i. Vak. abdestilliert, anschließend über eine 1 m lange Drehbandkolonne; Ausbeute: 14.5 g (50% d. Th., bez. auf Tosylat); Kp_{20}: 88,5°.

d) Homoallyl-Umlagerungen bei Pyrolysen

Die Pyrolyse von Cyclopropylmethyl-, Cyclobutyl- und Homoallyl-estern der Struktur I, II und III verläuft unter weitgehender Isomerisierung zu den bis dahin unbekannten Olefinen IV und V neben VI und VII[1].

Die thermische Spaltung von Estern in der Gasphase wurde bisher durchweg als Synchronprozeß mit cyclischem Übergangszustand interpretiert[2]. Für einen ionischen Reaktionsmechanismus konnte lediglich die Parallelität der Pyrolyse- und Solvolyse-Geschwindigkeit von primären, sekundären und tertiären Estern bzw. Halogeniden in die Diskussion gebracht werden[3].

Die nunmehr aufgefundenen Umlagerungen zeigen, daß eine Pyrolyse von Carbonsäureestern nach einem Mechanismus ablaufen kann, dessen Anteil in Analogie zu den bekannten S_N1/S_N2-Solvolyse-Mechanismen INGOLD's sowohl von der Struktur des Kohlenstoff-Restes als auch von der des betreffenden Säurerestes abhängt[4].

Die relativ geringe Aktivierungsenergie der Homoallyl-Umlagerung sowie die durch Nachbargruppenwirkung gesenkte Ionisierungsenergie erklären, warum in solchen Systemen eine Umlagerung bei der Pyrolyse eintritt[1].

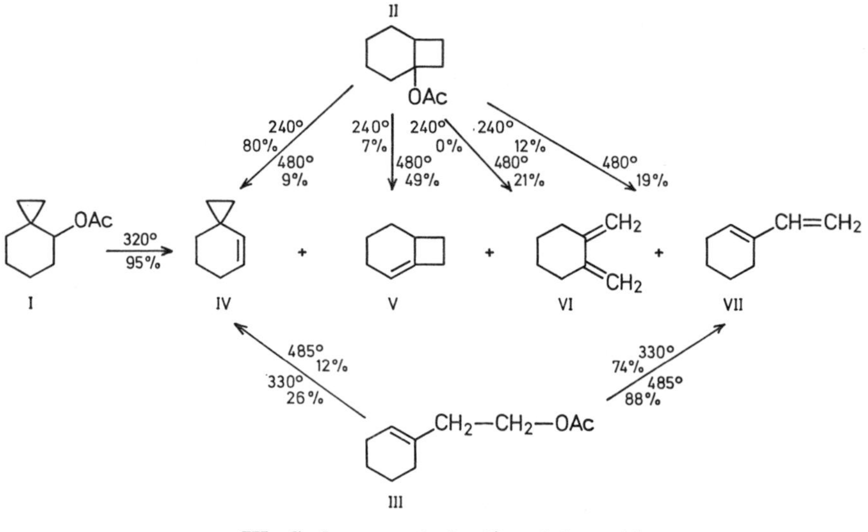

IV; *Cyclopropan-⟨spiro-3⟩-cyclohexen-(1)*
V; *Bicyclo[4.2.0]octen-(1)*
VI; *1,2-Bis-[methylen]-cyclohexan*
VII; *1-Vinyl-cyclohexen-(1)*

Da der Anteil an isomerisierten Olefinen mit **steigenden Temperaturen** bei den bislang untersuchten Systemen **stark abfällt**, müssen am produktbestimmenden Schritt der Pyrolyse zwei Parallelreaktionen mit unterschiedlicher Aktivierungsenergie beteiligt sein[1,4]. Daß ionische

[1] M.HANACK, H. J. SCHNEIDER u. H. SCHNEIDER-BERNLÖHR, Tetrahedron 23, 2195 (1967).
[2] Vgl. C. H. DE PUY u. R. W. KING, Chem. Reviews 60, 431 (1960).
[3] J. C. SCHEER, E. E. KOOYMAN u. F. L. J. SIXMA, R. 82, 1123 (1963).
[4] Vgl. M. HANACK u. H. J. SCHNEIDER, Fortschr. chem. Forsch. 8, 554 (1967).

und synchrone Spaltung miteinander in Konkurrenz treten können, wird auch durch die mit steigender Säurestärke – z.B. 4-Nitro-benzoesäureester anstelle von Essigsäureestern – ansteigende Menge isomerisierter Olefine nahegelegt[1,2]. Desgleichen ist auch das Produktverhältnis der isomerisierten Olefine untereinander, die bei den hier benutzten Pyrolysebedingungen stabil sind, stark temperaturabhängig. Jeder Struktur sind ionische Zwischenstufen zuzuordnen, die in konkurrierenden Parallelreaktionen aus dem Primärion entstehen[1,2].

In diesem Zusammenhang ist erwähnenswert, daß auch die thermische Isomerisierung von Cyclopropyl-thiocyanaten zum Teil unter für ionische Reaktionen typischen Umlagerungen verläuft[3].

V. Bicyclische Homoallyl-Verbindungen

Homoallyl-Umlagerungen an Bicyclo[2.2.1]hepten-(2)-yl-Verbindungen zeichnen sich insbesondere dadurch aus, daß sie auch bei thermodynamisch kontrollierten Reaktionen in überwiegendem Maße zu Tricycloalkyl-Derivaten führen. In diesen Fällen ist das Dreiring-System nicht nur in der ionisierten Form, sondern auch im Grundzustand besonders stabil. Bei elektrophilen Additionen an Bicyclo[2.2.1]heptadiene[4-7] wird unter geeigneten Bedingungen vollständige Umlagerung beobachtet[8,9]:

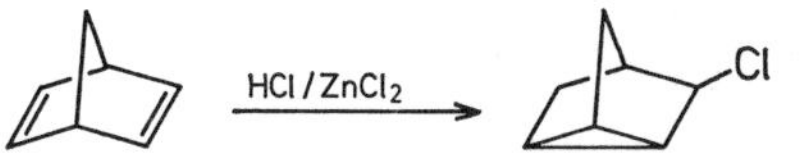

3-Chlor-tricyclo [2.2.1.0²,⁶]heptan

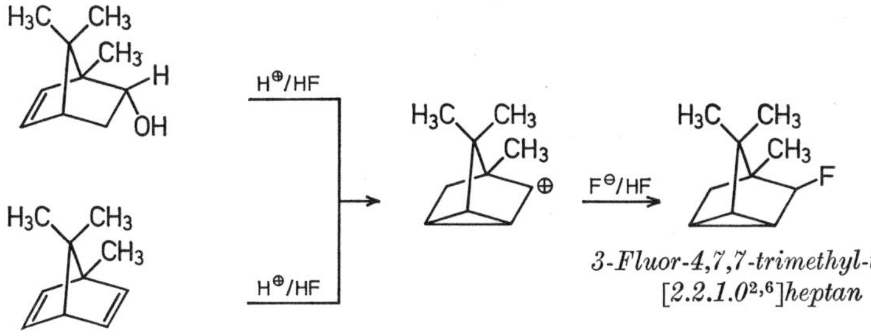

3-Fluor-4,7,7-trimethyl-tricyclo [2.2.1.0²,⁶]heptan

Die kinetisch kontrollierte Solvolyse von *exo*- und *endo*-Bicyclo[2.2.1]hepten-(2)-yl-(5)- (I, S. 440)[10,11] sowie von Tricyclo[2.2.1.0²,⁶]heptyl-(3)-Verbindungen (V)[9,12] führt vorwiegend zu Tricyclo[2.2.1.0²,⁶]heptyl-Verbindungen. Da sich bei den Solvolyseprodukten von 5-Sulfonyloxy-bicyclo[2.2.1]heptenen-(2)-5,6-¹⁴C (I)[13] das ¹⁴C in einem u.a. von der Nucleophilie des Solvens abhängigen Ausmaße

[1] M. HANACK, H. J. SCHNEIDER u. H. SCHNEIDER-BERNLÖHR, Tetrahedron 23, 2195 (1967).
[2] M. HANACK u. H. J. SCHNEIDER, Fortschr. chem. Forsch. 8, 554 (1967).
[3] L. A. SPURLOCK u. P. E. NEWALLIS, Tetrahedron Letters 1966, 303.
[4] L. SCHMERLING, J. P. LUVISI u. R. W. WELCH, Am. Soc. 78, 2819 (1956).
[5] S. WINSTEIN u. M. SHATAVSKY, Am. Soc. 78, 2819 (1956).
[6] H. KRIEGER, Suomen Kem. B 33, 183 (1960).
[7] S. J. CRISTOL, W. K. SEIFERT, D. W. JOHNSON u. J. B. JURALE, Am. Soc. 84, 3918 (1962).
     S. J. CHRISTOL, T. C. MORRIL u. R. A. SANCHEZ, J. Org. Chem. 31, 2719, 2726, 2733 (1966).
[8] M. HANACK, H. EGGENSPERGER u. R. HÄHNLE, A. 652, 96 (1962).
[9] M. HANACK u. W. KAISER, A. 657, 12 (1962).
     W. TREIBS, Naturwiss. 49, 255 (1962).
[10] S. WINSTEIN, H. M. WALBORSKY u. K. SCHREIBER, Am. Soc. 72, 5795 (1950).
[11] J. D. ROBERTS, W. BENNETT u. R. ARMSTRONG, Am. Soc. 72, 3329 (1950).
[12] S. WINSTEIN, Experientia Suppl. II, 137 (1955).
[13] J. D. ROBERTS, C. C. LEE u. W. H. SAUNDERS, Am. Soc. 77, 3034 (1955).

auch in der C_1- sowie in der C_7-Stellung wiederfindet, kommt neben dem ursprünglich angenommenen „Dehydronorbornonium-Kation" II[1] zusätzlich auch das enantiomere Ion III oder das Kation IV als Zwischenstufe dieser Reaktion in Frage[2]:

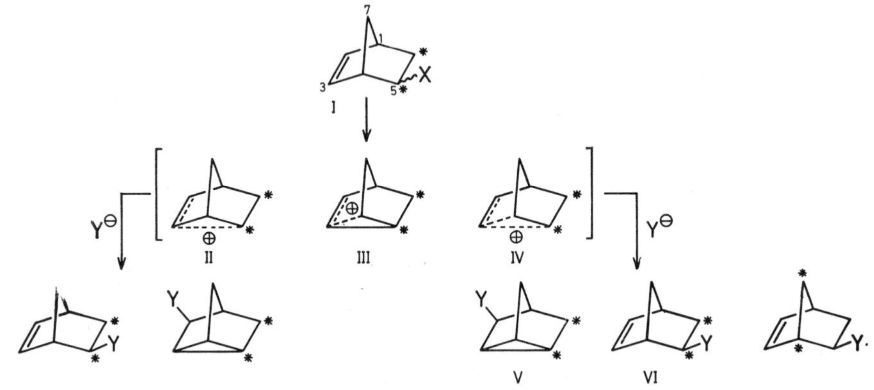

Die Bildung des nicht-klassischen Kations II ist postuliert worden, weil die Acetolyse des 5-*exo*-Sulfonyloxy-bicyclo[2.2.1]heptens-(2) (VI) nahezu gleich schnell wie die des entsprechenden gesättigten *exo*-Derivates[1,3] verläuft, das allerdings seinerseits zu einem nicht-klassischen Ion dissoziieren soll[4]. Die nach der LCAO-Methode theoretisch berechnete Delokalisierungsenergie in II verdoppelt sich, wenn neben der 2,6-Wechselwirkung auch die 2,5-Überlappung berücksichtigt wird[5]. Die 5-*endo*-Verbindung reagiert langsamer als das gesättigte Vergleichssystem, obgleich auch dabei eine nahezu vollständige Homoallyl-Umlagerung stattfindet. Hierfür wurde außer der ungünstigen Lage des unbesetzten Orbitals zur Doppelbindung deren induktiver Effekt verantwortlich gemacht[3,6].

Umsetzungen von Bicyclo[2.2.1]heptadien[7]:

3-Chlor-tricyclo[2.2.1.0²,⁶]heptan und 5-Chlor-bicyclo[2.2.1]hepten-(2):

mit gasförmigem Chlorwasserstoff: In eine Lösung von 5 g (54 mMol) frisch destilliertem Bicyclo[2.2.1]heptadien in 30 *ml* Petroläther (Kp: 30–50°) wird bei −70° 30 Min. Chlorwasserstoff eingeleitet. Danach wird mit Wasser und Natriumhydrogencarbonat-Lösung ausgeschüttelt, der Petroläther über eine Vigreux-Kolonne abdestilliert und das Reaktionsprodukt i. Vak. destilliert. Dabei werden 1,5 g (24%) vom Kp_{20}: 48–53° erhalten. Zurück bleibt nur polymeres Produkt. Die gaschromatographische Analyse des Destillates (2m Carbowax-Säule, 120°) ergibt 23% *3-Chlor-tricyclo[2.2.1.0²,⁶]heptan*, 77% *5-Chlor-bicyclo[2.2.1]hepten-(2)* und geringe Mengen nicht-umgesetztes Dien. Wird die Reaktion bei 0° und 2 Stdn. Reaktionsdauer durchgeführt, so werden 35% *3-Chlor-tricyclo[2.2.1.0²,⁶]heptan* neben 65% *5-Chlor-bicyclo[2.2.1] hepten-(2)* erhalten.

mit konz. Salzsäure: 5 g (54 m Mol) Bicyclo[2.2.1]heptadien in 30 *ml* Petroläther werden mit 10 *ml* konz. Salzsäure (= 3,7 g = 0,1 Mol Chlorwasserstoff) 2 Stdn. bei 0° zur Reaktion gebracht. Die Destillation liefert 1,5 g (24%); Kp_{12}: 42–45°, bestehend aus 62% *3-Chlor-tricyclo [2.2.1.0²,⁶]heptan*, 38% *5-Chlor-bicyclo[2.2.1]hepten-(2)* und außerdem aus nicht-umgesetztem Dien.

mit Lucas-Reagenz: 5 g (54 mMol) Bicyclo[2.2.1]heptadien werden 2 Stdn. bei −10° mit 50 g Lucas-Reagenz (20 g konz. Salzsäure u. 30 g Zinkchlorid) (= 0,15 Mol Chlorwasserstoff) behandelt. Die Destillation ergibt 1 g (15%) *3-Chlor-tricyclo[2.2.1.0²,⁶]heptan*.

---

[1] J. D. ROBERTS, W. BENNETT u. R. ARMSTRONG, Am. Soc. **72**, 3329 (1950).
[2] S. J. CRISTOL, T. C. MORIL u. R. A. SANCHEZ, Am. Soc. **88**, 3087 (1966).
[3] S. WINSTEIN, H. M. WALBORSKY u. K. SCHREIBER, Am. Soc. **72**, 5795 (1950).
[4] S. WINSTEIN et al., Am. Soc. **74**, 1127 (1952) und weitere Arbeiten.
[5] R. J. PICCOLINI u. S. WINSTEIN, Tetrahedron **19**, Suppl. 2, 423 (1963).
[6] Vgl. J. A. BERSON in P. DE MAYO „*Molecular Rearrangements*", Bd. I, S. 111, Interscience Publishers, New York 1963.
[7] M. HANACK u. W. KAISER, A. **657**, 12 (1962).

Das Gaschromatogramm zeigt nur noch *3-Chlor-tricyclo[2.2.1.0²,⁶]heptan* neben Spuren von *5-Chlor-bicyclo[2.2.1]hepten-(2)*. Das IR-Spektrum ist identisch mit dem für das *3-Chlor-tricyclo [2.2.1.0²,⁶]heptan* in der Literatur angegebenen[1].

3-Brom-tricyclo[2.2.1.0²,⁶]heptan und 5-Brom-bicyclo[2.2.1]hepten-(2):

Zu 5 g (54 mMol) Bicyclo[2.2.1]heptadien in 30 *ml* Petroläther werden 10 *ml* 60%ige Brom-wasserstoffsäure (=6,5 g = 0,081 Mol Bromwasserstoff) bei −70° getropft und 1 Stde. gerührt. Die Destillation liefert 2 g (21%); Kp_{20}: 67–69°, bestehend aus 65% *3-Brom-tricyclo[2.2.1.0²,⁶] heptan* und 35% *5-Brom-bicyclo[2.2.1]hepten-(2)*; daneben wenig nicht-umgesetztes Dien.

3-Fluor-tricyclo[2.2.1.0²,⁶]heptan und 5-Fluor-bicyclo[2.2.1]hepten-(2):

15 g (0,16 Mol) Bicyclo[2.2.1]heptadien in 225 *ml* Petroläther werden 2 Stdn. bei 0° mit 5 g (0,25 Mol) Fluorwasserstoff umgesetzt. Danach wird mit Wasser und Natriumhydrogencarbonat-Lösung gewaschen, der Petroläther abgedampft und der Rückstand schließlich i. Vak. subli-miert. Dabei werden 2 g (12% d. Th.; F: 48–50°, geschlossene Kapillare) gewonnen.

Das Gaschromatogramm (4 m Carbowax-Säule, 100°) zeigt zwei Hauptpeaks sowie drei klei-nere Signale längerer Retentionszeit. Bei den beiden durch präparative Gaschromatographie abge-trennten Hauptprodukten handelt es sich um 87% *3-Fluor-tricyclo[2.2.1.0²,⁶]heptan* (Dreiring-Absorption im IR bei 3080, 814 u. 805 cm⁻¹)[2] und 13% *5-Fluor-bicyclo[2.2.1]hepten-(2)*.

Bei der Hydrierung des Gemisches wird das *3-Fluor-tricyclo[2.2.1.0²,⁶]heptan* nicht verändert, während das *5-Fluor-bicyclo[2.2.1]hepten-(2)* in *3-Fluor-tricyclo[2.2.1.0²,⁶]heptan* überführt wird. Die Hydrierzahl ergibt 11,6% und die Brom-Titration nach Kaufmann 13,8% *5-Fluor-bicyclo [2.2.1]hepten-(2)*.

Die Einführung von Doppelbindungen in das besonders wenig reaktive **Bicyclo [2.2.1]heptyl-(7)-System (I)**[3-5] führt zu den eindrucksvollsten Beispielen der Reaktionsbeschleunigung durch Nachbargruppenwirkung einer homoallyl-ständigen Doppelbindung:

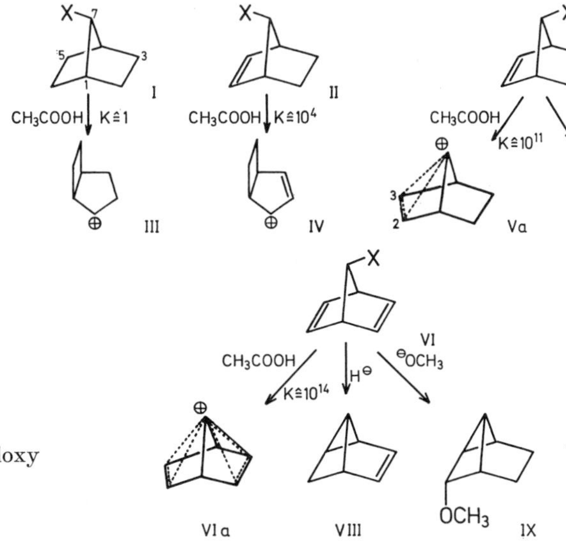

X = p-Tosyloxy

VII; *Tricyclo[3.2.0.0²,⁷] heptan*
VIII; *Tricyclo[3.2.0.0²,⁷] hepten-(3)*
IX; *6-Methoxy-tricyclo [3.2.0.0²,⁷]heptan*

7-*syn*-Tosyloxy-bicyclo[2.2.1]hepten-(2) (II) acetolysiert trotz der ungünstigen Lage des vakanten Orbitals schnell[6] im Vergleich zum Bicyclo[2.2.1]heptyl-(7)-System I.

[1] J. D. ROBERTS u. W. BENNETT, Am. Soc. **76**, 4623 (1954).
[2] M. HANACK u. H. EGGENSPERGER, A. **648**, 3 (1961).
[3] J. D. ROBERTS et al., Am. Soc. **76**, 5692 (1954).
[4] S. WINSTEIN et al., Am. Soc. **77**, 4183 (1955).
[5] W. HÜCKEL u. O. VOGT, A. **695**, 16 (1966).
[6] S. WINSTEIN u. E. T. STAFFORD, Am. Soc. **79**, 505 (1957).

Beide Systeme unterliegen dabei einer Wagner-Meerwein-Umlagerung zu III
und IV (S. 441)[1]. Die durch kinetische Untersuchungen beobachtete Nachbargruppenwirkung bei II ist der energetisch vorteilhaften Bildung des Allyl-Kations IV zugeschrieben worden[2]. Die stereoelektronisch verständliche sehr starke Beteiligung
der Doppelbindung bei der Solvolyse des 7-anti-Tosyloxy-[3,4] bzw. -Chlor-bicyclo
[2.2.1]heptens (V)[5] ruft keine Umlagerung hervor. Diese Tatsache ist auf die mangel-
hafte Stabilität der zu erwartenden tricyclischen Verbindungen zurückgeführt worden.
Die große Stabilität des Kations Va (S. 441) wird nahegelegt durch MO-Berechnungen der Delokalisierungsenergie, deren Betrag auf 10 Kcal/Mol geschätzt wurde[5] und
die zumindest aber höher als im Bicyclo[2.2.1]hepten-(2)-yl-(5)-Kation[6] liegen muß.

Die mit dem Faktor 10^{14} größte bislang bekannt gewordene Reaktivitätssteigerung
im Bicyclo[2.2.1]heptadienyl-(7)-System (VI; S. 441)[7], das jedoch gleichfalls
keine Isomerisierung zeigt[7,8], steht in Einklang mit LCAO-Berechnungen[6] am Ion VIa.

Es gelang schließlich, stabile Lösungen des Bicyclo[2.2.1]heptadienyl-(7)-tetrafluoroborats in
Schwefeldioxid herzustellen und zu untersuchen[9]. Eine eingehende Analyse des NMR-Spektrums
unter Benutzung der Spinentkopplungs-Technik ergab, daß das Proton an C_7 mit den Protonen
der einen Doppelbindung mit 2,7 Hz, mit denen der zweiten mit 1,0 Hz koppelt, was nur mit
einer asymmetrischen Form von VIa (S. 441) in Einklang zu bringen ist[10]. Aus den Spin-Spin-Kopplungskonstanten zwischen den C_7- und den vinylischen Protonen im Bicyclo[2.2.1]heptadien wurde
darüber hinaus geschlossen, daß hier sogar der Grundzustand durch Nachbargruppenwirkung stabilisiert ist[11]. Der nicht-klassische Charakter von Va und VIa (S. 441) geht auch aus der nach LCAO-
Verfahren berechneten Abhängigkeit der Energie dieser Kationen von ihrer Geometrie hervor[12].
Im Gegensatz zu dem erwarteten einfachen Minimum des gesättigten Systems bei symmetrischer
Lage des C_7 weisen die Potentialkurven von Va und besonders stark ausgeprägt die von VIa
zwei Minima bei asymmetrischer C_7-Anordnung auf.

Während die besonders zur Ladungsdelokalisierung befähigten Systeme V und
VI unter üblichen Solvolyse-Bedingungen nicht umlagern, konnten bei der Reduktion von V (X = OTs)[13] und VI (X = Cl[14]; X = OTs[13]) mit Lithiumalanat[13,14]
bzw. Natriumboranat[13] die tricyclischen Kohlenwasserstoffe VII bzw. VIII in Ausbeuten um 50% isoliert werden (S. 441).

Bei der Methanolyse von V (X = Cl) (X = OTs) und VI (X = Cl; S. 441) wurden
dann bis zu ∼ 50% des tricyclischen endo-Methyläthers – z.B. IX aus VI – gefaßt, wenn Natriummethanolat im Überschuß zugesetzt wurde[15–17]. Die gleiche Ring-
schlußreaktion kann mit dem ebenfalls stark nucleophilen Cyanid-Anion hervorgerufen werden[18] und man erhält 6-Cyan-tricyclo[3.2.0.0²·⁷]heptan.

[1] S. Winstein et al., Am. Soc. 80, 5895 (1958).
[2] S. Winstein u. E. T. Stafford, Am. Soc. 79, 505 (1957).
[3] S. Winstein et al., Am. Soc. 77, 4183 (1955).
[4] S. Winstein u. M. Shatavsky, Am. Soc. 78, 592 (1956).
[5] J. D. Roberts et al., Am. Soc. 78, 5653 (1956).
[6] R. J. Piccolini u. S. Winstein, Tetrahedron 19 [Suppl.] 2, 423 (1963).
[7] S. Winstein u. C. Ordronneau, Am. Soc. 82, 2084 (1960).
[8] P. R. Story u. M. Saunders, Am. Soc. 82, 6199 (1960).
[9] P. R. Story u. M. Saunders, Am. Soc. 84, 4876 (1962).
[10] P. R. Story et al., Am. Soc. 85, 3630 (1963).
[11] E. J. Snyder u. B. Franzus, Am. Soc. 86, 1166 (1964).
[12] R. Hoffmann, Am. Soc. 86, 1259 (1964).
[13] H. C. Brown u. H. M. Bell, Am. Soc. 85, 2324 (1963).
[14] P. R. Story, Am. Soc. 83, 3347 (1961).
[15] H. Tanida, T. Tsuji u. T. Irie, Am. Soc. 88, 864 (1966).
[16] A. Diaz, M. Brookhart u. S. Winstein, Am. Soc. 88, 3133 (1966).
[17] M. Brookhart, A. Diaz u. S. Winstein, Am. Soc. 88, 3135 (1966).
[18] H. Tanida u. Y. Hata, J. Org. Chem. 30, 977 (1965).

Um diese zunächst überraschenden Befunde zu erklären, wurde angenommen, daß sich durch die Anwesenheit von Methanolat-Anionen das Verhältnis der Energien der Übergangszustände ändert, und zwar zugunsten einer Reaktion zu dem instabilen und entsprechend sehr reaktiven tricyclischen System[1,2]. Rechnet man jedoch andererseits mit der Möglichkeit, daß aus dem stark ladungsdelokalisierten Homoallyl-Ion Va bzw. VIa (S. 441) ein hier durch die hohe Spannung energiereicheres tricyclisches Cyclopropylmethyl-Kation entsteht, so wäre es durchaus verständlich, daß dieses Kation wegen seiner geringen Lebensdauer nur von sehr nucleophilen Reaktionspartnern wie Hydrid- oder Methanolat-Ionen vor der Rückreaktion zum stabileren Va bzw. VIa (S. 441) abgefangen werden kann[3].

Im Kernresonanzspektrum des Bicyclo[2.2.1]hepten-(2)-yl-(7)-Kations (Va; S. 441), das sowohl aus dem Alkohol (V mit X = OH) wie auch aus dem entsprechenden tricyclischen Äther mit starken Säuren erzeugt werden kann, liegen die Resonanzsignale der C_7-Protonen bei 6,7 τ, die der C_2- und C_3-Wasserstoffe jedoch bei 2,8 τ[4,5]. Danach sollte in dem nicht-klassischen Kation Va die positive Ladung im wesentlichen an C_2 und C_3 konzentriert sein, obgleich bei Solvolysen von V normalerweise keine Substitution an den Kohlenstoffen C_2 bzw. C_3 beobachtet wird.

Eine Vielzahl weiterer Bicyclo[2.2.1]hepten-(2)-yl-(7)-Systeme, die ungesättigte Gruppen in Homoallyl-Stellung zum funktionellen Kohlenstoffatom enthalten, sind zum Teil sehr eingehend mittels der Kinetik und der Produktanalyse studiert worden, ohne daß eine eindeutige Klärung möglich war, inwieweit es sich bei den Kationen um nicht-klassische oder klassische Zwischenstufen handelt[6]:

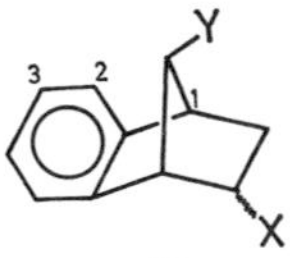

XVI; 7,7-Dimethyl-1-hydroxymethyl-tricyclo[2.2.1.0²,⁶]heptan

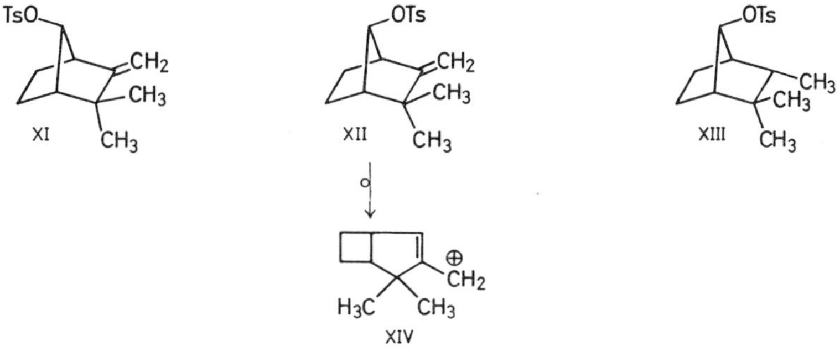

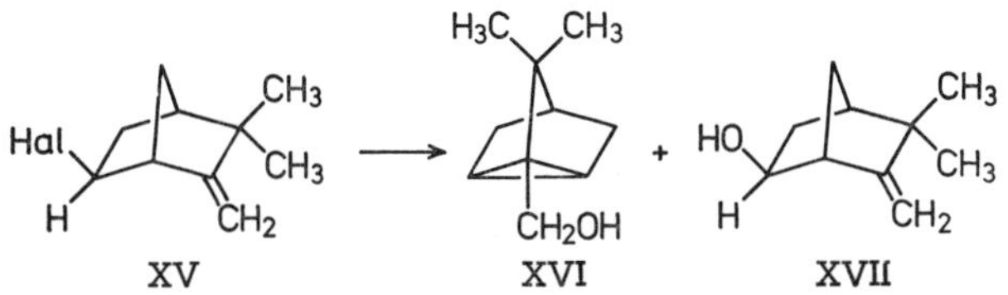

[1] A. DIAZ, M. BROOKHART u. S. WINSTEIN, Am. Soc. **88**, 3133 (1966).
[2] S. WINSTEIN, A. H. LEWIN u. K. C. PANDE, Am. Soc. **85**, 2324 (1963).
[3] Vgl. M. HANACK u. H. J. SCHNEIDER, Fortschr. chem. Forsch. **8**, 554 (1967).
[4] M. BROOKHART, A. DIAZ u. S. WINSTEIN, Am. Soc. **88**, 3135 (1966).
[5] H. G. RICHEY u. R. K. LUSTGARTEN, Am. Soc. **88**, 3136 (1966).
[6] H. TANIDA, T. TSUJI u. H. ISHITOBI, Am. Soc. **86**, 4904 (1964).
H. TANIDA u. H. ISHITOBI, Am. Soc. **88**, 3663 (1966).

So acetolysieren sowohl die 7- wie auch die 9-(4-Brom-benzolsulfonyloxy)-⟨benzo-bicyclo[2.2.1]heptene⟩ (X; S. 443 mit X = OBs; Y = H bzw. X = H; Y = OBs)[1,2], vom *exo*-2-Derivat abgesehen[3], unter Konfigurationserhaltung.

Die Acetolysegeschwindigkeit, die nach der Hammett-Beziehung von der Substitution des Aromaten abhängt[1], ist meistens durch Nachbargruppenwirkung des Aromaten wesentlich erhöht, jedoch nicht so stark wie bei den rein olefinischen Systemen.

Die Acetolyse des 7-*anti*-Tosyloxy-3,3-dimethyl-2-methylen-bicyclo[2.2.1]heptans (XI; S. 443) verläuft einerseits unter Erhaltung der Konfiguration, andererseits aber ~ 11-mal langsamer als die von XIII. Das 7-*syn*-Tosyloxy-3,3-dimethyl-2-methylen-bicyclo[2.2.1]heptan (XII) reagiert hingegen 15mal langsamer, obwohl wie im Falle des 7-*syn*-Tosyloxy-bicyclo[2.2.1]heptens (s. S. 443) ein Allyl-Kation (XIV) gebildet wird[4].

Der Nachbargruppeneffekt einer Methylen-Gruppe auf die 2-Stellung kommt z.B. in der beschleunigten Solvolyse[5] von XV (S. 443) zum Ausdruck, die z.T. unter Umlagerung die Verbindung XVI, z.T. unter Retention XVII ergibt[6].

Eine Isopropyliden-Gruppe in 7-Stellung von Bicyclo[2.2.1]heptyl-Systemen führt z.B. bei den Tosylaten I a und I b zu einer Erhöhung der Acetolysegeschwindigkeit um den Faktor 200 bzw. 2000 sowie zu konfigurationsgleichen Reaktionsprodukten. Die nur unwesentlich beschleunigte Solvolyse der entsprechenden *exo*-Tosylate I c und I d führt hingegen zu den Wagner-Meerwein-Umlagerungsprodukten[7] I e und I f:

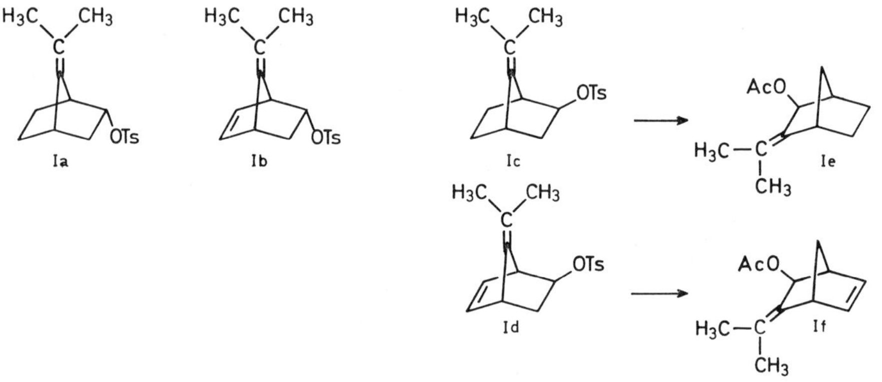

Bicyclo[2.2.2]octenyl-Systeme zeigen geringere Neigung zur Bildung eines alicyclischen Dreiringes als die oben behandelten Bicyclo[2.2.1]heptenyl-Derivate, da hier sowohl die Spannung der Doppelbindung wie die des Gesamtsystems er-

[1] H. Tanida, T. Tsuji u. H. Ishitobi, Am. Soc. **86**, 4904 (1964).
   H. Tanida u. H. Ishitobi, Am. Soc. **88**, 3663 (1966).
[2] P. D. Bartlett u. W. P. Giddings, Am. Soc. **82**, 1240 (1960).
   H. C. Brown u. G. L. Trittle, Am. Soc. **88**, 1320 (1960).
[3] W. P. Giddings u. J. Dirlam, Am. Soc. **85**, 3900 (1963).
[4] E. E. van Tamelen u. C. J. Judd, Am. Soc. **80**, 6305 (1958).
[5] M. Gaitonde, P. A. Vatakencherry u. S. Dev, Tetrahedron Letters **1964**, 2007.
[6] B. H. Jennings u. G. B. Herschbach, J. Org. Chem. **30**, 3902 (1965).
[7] C. H. de Puy, J. A. Ogawa u. J. C. McDaniel, Am. Soc. **83**, 1668 (1961).

heblich geringer ist. Bei der elektrophilen Addition von Brom an das Dien[1] I wird überwiegend das Dibromid III erhalten[2]. Trotz des induktiven Effektes des zweiten Bromatoms reagiert das *endo*-ständige Brom im Dibromid III ~ 143-mal schneller als Brom-cyclopentan[1]:

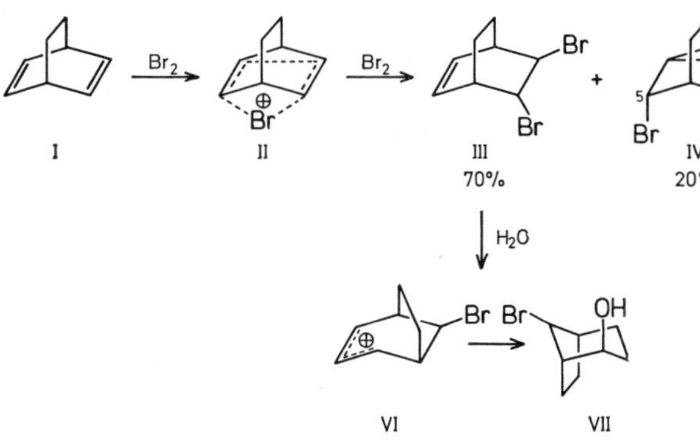

I   II   III   IV   V
                              70%   20%   10%

$\downarrow$ H₂O

IV; V; *3,5-Dibrom-tricyclo[2.2.2.0²,⁶]octan*

VI   VII

Die Stabilisierung tritt hier jedoch nicht durch eine Homoallyl-Wechselwirkung, sondern durch eine gekoppelte Wagner-Meerwein-Allyl-Umlagerung unter Bildung von VII (*8-Brom-2-hydroxy-bicyclo[3.2.1]octan*) ein[1]. Die gleiche Reaktion wurde bei der gleichfalls beschleunigten Acetolyse[3] von optisch aktivem *endo*-5-Tosyloxy-bicyclo[2.2.2]octen-(2) zu dem rein *axialen* Racemat (VII, Br = H) beobachtet[4], wie aus dem Kation VI (Br=H) zu erwarten ist.

Erst im 5-*exo*-Tosyloxy-bicyclo[2.2.2]octen-(2) (VIII)[5] sind im Sinne von IX wieder die stereoelektronischen Voraussetzungen für die Homoallyl-Umlagerung gegeben. Im Vergleich zum Toluolsulfonsäure-cyclohexylester verläuft die Solvolyse ~ 12 800-

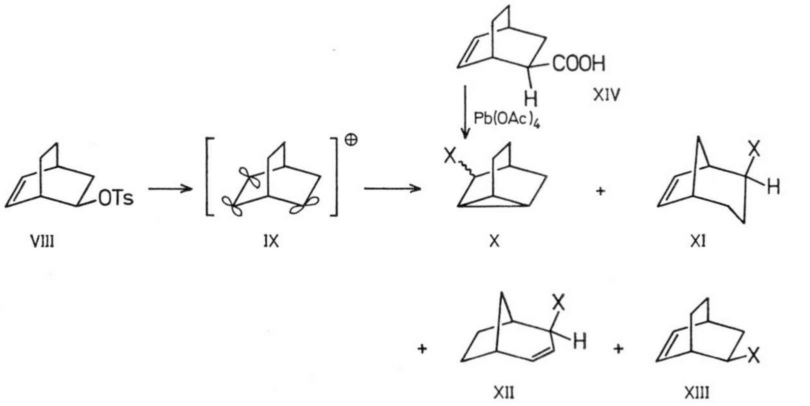

VIII   IX   X   XI

XII   XIII

X; *3-Hydroxy-tricyclo[2.2.2.0²,⁶]octan*

[1] A. Gagneux u. C. A. Grob, Helv. **42**, 1753 (1959).
[2] C. A. Grob u. J. Hostynek, Helv. **46**, 1676 (1963).
[3] H. L. Goering u. M. S. Sloan, Am. Soc. **83**, 1992 (1961).
[4] H. L. Goering u. D. L. Towns, Am. Soc. **85**, 2295 (1963).
[5] N. A. Le Bel u. J. E. Huber, Am. Soc. **85**, 3193 (1963).

mal schneller und führt je nach Nucleophilie des Solvens zu wechselnden Mengen von X neben wenig XI und XII (S. 445). Auch die oxidative Decarboxylierung von XIV mit Blei(IV)-acetat liefert nur aus ionischen Zwischenstufen zu erwartende tricyclische Verbindungen[1].

Die Einführung einer **Doppelbindung** in die 2-Stellung des **Bicyclo[3.2.1] octyl-(8)-Systems**[2] I führt bezüglich der Reaktivität zu keinen wesentlichen Änderungen. Im Gegensatz dazu geht das dem Bicyclo[2.2.1]hepten-(2)-yl-(5)-System verwandte Dibromid der Struktur II schon beim Erwärmen in das in diesem Fall stabilere tricyclische Produkt {*3,6-Dibrom-tricyclo[3.2.1.0²,⁷]octen-(3)*; III} über[3]. Ganz ähnlich reagiert das aus dem Bicyclo[2.2.1]hepten-(2)-yl-(5)-methyl-System IV intermediär gebildete Bicyclo[3.2.1]octen-(6)-yl-(2)-Kation V zur tricyclischen Verbindung VI (*6-Hydroxy-tricyclo[3.2.1.0²,⁷]octan*)[4]:

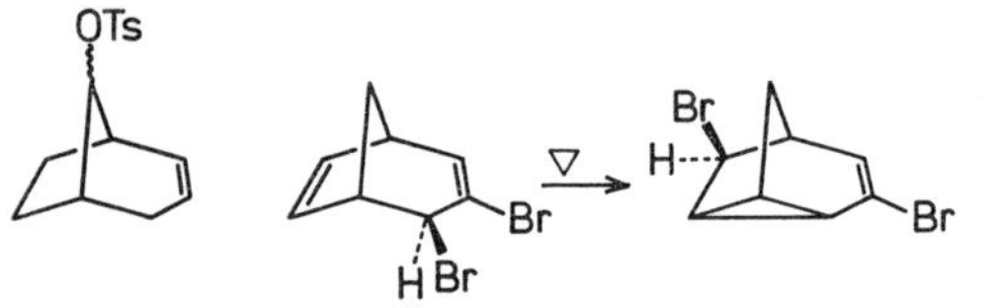

VI. Cyclen mit Cyclopropylmethyl- und Cyclobutyl-Systemen

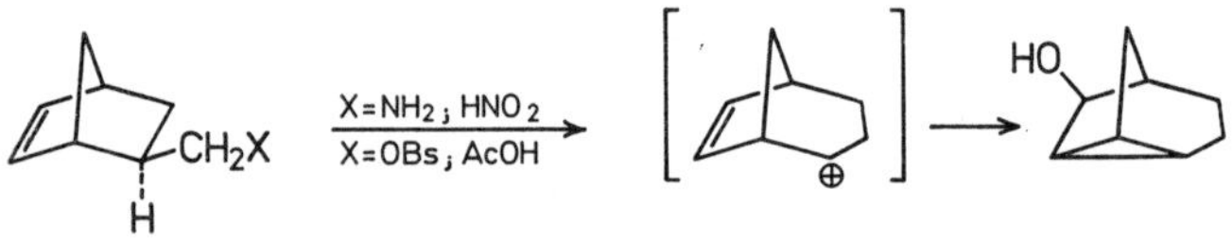

Die meist stark gespannten Bicyclen, die ein Cyclopropylmethyl-System in ringförmiger Verknüpfung enthalten, verdienen besonderes Interesse. Aus den bislang gemessenen Ultraviolett-Spektren von Cyclopropyl-äthylenen[5], Aryl-cyclopropanen[6] und Cyclopropylmethyl-ketonen[7] ist zu schließen, daß der alicyclische Dreiring dann eine beträchtliche, mit Dienen vergleichbare Konjugation zeigt, wenn die Ebene der Doppelbindungen den Cyclopropanring in senkrechter Anordnung symmetrisch schneidet. Entsprechend diesen Befunden wäre auch eine Abhängigkeit der Dreiring/Carbenium-C-Atom-Wechselwirkung und damit sowohl der Kinetik wie der Isomerisierungstendenz von der in bicyclischen Systemen vollständig fixierten geometrischen Anordnung zu erwarten. Zum anderen setzt sich die Reaktivität der funktionellen Gruppe aus der des Cyclopropylmethyl- wie der des verbundenen Ring-

[1] N. A. LEBEL u. J. E. HUBER, Am. Soc. **85**, 3193 (1963).

[2] N. A. LEBEL u. L. A. SPURLOCK, Tetrahedron **20**, 215 (1964).

[3] W. R. MOORE, W. R. MOSER u. J. E. LAPRADE, J. Org. Chem. **28**, 2200 (1963).

[4] R. R. SAUERS, R. A. PARENT u. H. M. HOW, Tetrahedron **21**, 2907 (1965).

[5] C. A. GROB u. J. HOSTYNEK, Helv. **46**, 1676 (1963).

[6] G. L. CLOSS u. H. B. KLINGER, Am. Soc. **87**, 3265 (1965).
    A. L. GOODMAN u. R. H. EASTMAN, Am. Soc. **86**, 908 (1964).

[7] N. H. CROMWELL u. G. V. HUDSON, Am. Soc. **75**, 872 (1953).
    E. M. KOSOWER, Pr. chem. Soc. **1962**, 25.

systems zusammen. Beide Ringe können durch ihre Verknüpfung unter Umständen erhebliche Veränderungen erfahren.

Bei der Solvolyse der 4-Nitro-benzoesäureester von *cis-* und *trans-*2-Hydroxy-bicyclo[3.1.0]hexan (I und II)[1] wurden nur verhältnismäßig geringe Unterschiede festgestellt[2]. Obgleich sich die Lage des unbesetzten Orbitals zum Cyclopropan-Ring unterscheidet, hydrolysiert die *cis-*Verbindung I nur ~ 1,5mal schneller als der *trans-*Ester II. Beide Isomeren hydrolysieren zum anderen nur unwesentlich langsamer als die monocyclische Verbindung[3] IV, bei der sich die optimale Konformation für eine entscheidende Nachbargruppenwirkung einstellen kann. Die Hydrolyse liefert ein Gemisch der beiden Alkohole und verläuft damit ebensowenig stereospezifisch wie die Umlagerung von Toluolsulfonsäure-cyclohexen-(3)-ylester bzw. -cyclopenten-(2)-ylmethylester (s. S. 429 f. bzw. 431 f.):

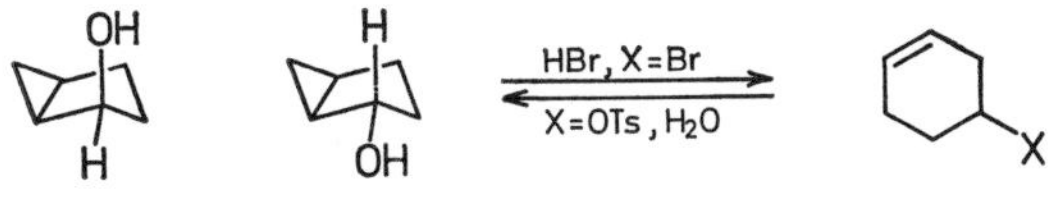

I II III

2-Hydroxy-bicyclo[3.1.0]hexan

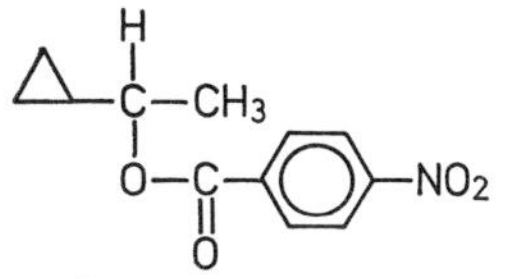

IV

Auch die Umlagerung von Cyclohepten-(3)-yl- und Cycloocten-(3)-yl-Systemen[4] führt zu Gemischen der isomeren Cyclopropylcarbinole V und VI (*2-Hydroxy-bicyclo[4.1.0]heptan*) bzw. VII und VIII (*2-Hydroxy-bicyclo[5.1.0]octan*):

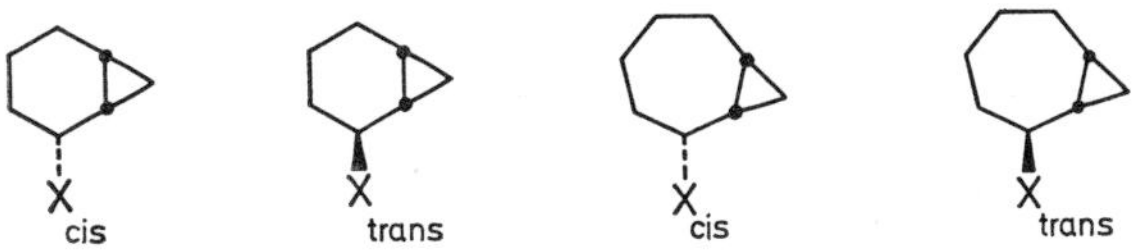

V VI VII VIII

IX

Die Acetolyse der Trifluoressigsäureester von VII und VIII verläuft teilweise unter innerer Rückkehr[5]. Bei höherer Temperatur, die zu einem thermodynamischen Gleichgewicht führt, wurde nur das entsprechende Homoallyl-acetat isoliert[4]. Die

[1] M. HANACK u. H. ALLMENDINGER, B. 97, 1669 (1964).
[2] M. HANACK u. H. ALLMENDINGER, unveröffentlichte Versuche.
s. hierzu: M. HANACK u. H. J. SCHNEIDER, Fortschr. chem. Forsch. 8, 554 (1967).
[3] R. A. SNEEN u. A. L. BARON, Am. Soc. 83, 614 (1961).
[4] A. C. COPE, S. MOON u. P. E. PETERSON, Am. Soc. 84, 1935 (1962).
[5] A. C. COPE, S. MOON u. C. H. PARK, Am. Soc. 84, 4850 (1962).

bei milderen Reaktionsbedingungen bevorzugte Bildung der *cis*-Verbindung wurde durch Annahme des nicht-klassischen Kations IX (S. 447) gedeutet, das vorwiegend von der sterisch zwar ungünstigen, jedoch nicht durch die Verbrückung abgeschirmten *endo*-Seite her angegriffen wird[1].

Die Solvolysegeschwindigkeit des Cyclopropan-⟨spiro-1⟩-2-chlor-cyclopropans (V)[2] liegt zwischen der eines Chlor-cyclopropans (IV) und eines Chlormethyl-cyclopropans (VI). Die spirocyclische Verbindung VII solvolysiert besonders schnell, da sich hier die Nachbargruppenwirkung des Drei- und Vierringes in einem Kohlenstoffatom vereint. In der zu VII isomeren Verbindung II hingegen ist durch den alicyclischen Dreiring die Möglichkeit zur Ladungsdelokalisierung im Cyclobutyl-Kation in ähnlicher Weise verloren gegangen wie durch die Doppelbindung in der Methylen-cyclobutan-Verbindung[3] I.

Tab. 71 (S. 449) zeigt zur weiteren Veranschaulichung der Verhältnisse eine Gegenüberstellung der Aktivierungsparameter von drei Halogen-spiro-Verbindungen zu denen des Chlor-cyclohexans.

Die hohen Solvolysegeschwindigkeiten aller bislang untersuchten Spirocyclopropylmethyl-Systeme zeigen, daß für die Nachbargruppenwirkung des Cyclopropanringes mesomere Formulierungen ausscheiden.

$K_{rel} = 3 \cdot 10^{-7}$

I

$K_{rel} = 1 \cdot 10^{-2}$

V

$K_{rel} = 5 \cdot 10^{-6}$

II

$K_{rel} = 1 \cdot 10^{-1}$

VI

$K_{rel} = 3 \cdot 10^{-3}$

III

$K_{rel} = 1$

VII

$K_{rel} = 2 \cdot 10^{-3}$

IV

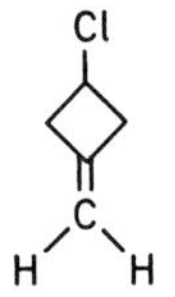

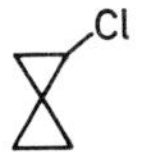

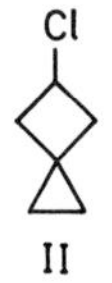

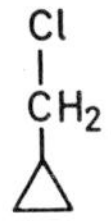

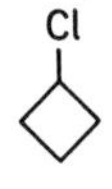

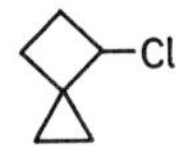

Die Ester VIII–XII (S. 449) werden in wäßrigem Aceton zu den freien Spiranolen hydrolysiert. Die Anwesenheit eines zweiten Cyclopropanringes erhöht die Hydrolysege-

---

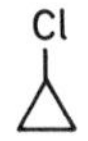

[1] A. C. Cope, S. Moon u. C. H. Park, Am. Soc. **84**, 4850 (1962).
[2] J. A. Landgrebe u. D. E. Applequist, Am. Soc. **86**, 1536, 1543 (1964).
[3] E. F. Kiefer u. J. D. Roberts, Am. Soc. **84**, 784 (1962).

Tab. 71. Aktivierungsparameter von Halogen-spiro-alkanen[1]

Verbindung	$\Delta H^{\neq}$ (kcal/Mol)	$\Delta S^{\neq}$ (e. u.)
Cyclobutan-⟨spiro-1⟩-2-chlor-cyclopropan	$24,3 \pm 0,1$	$-20,3 \pm 0,2$
Cyclobutan-⟨spiro-1⟩-2-brom-cyclopropan	$20,0 \pm 0,2$	$-21,6 \pm 0,4$
Cyclopentan-⟨spiro-1⟩-2-chlor-cyclopropan	$25,9 \pm 0,1$	$-16,8 \pm 0,3$
Chlor-cyclohexan	$26,9 \pm 0,2$	$-13,0 \pm 0,5$

schwindigkeit jeweils um mehrere Zehnerpotenzen. Ähnliches gilt beim Übergang vom Bicyclus XIII zum Bicyclus XIV[2]:

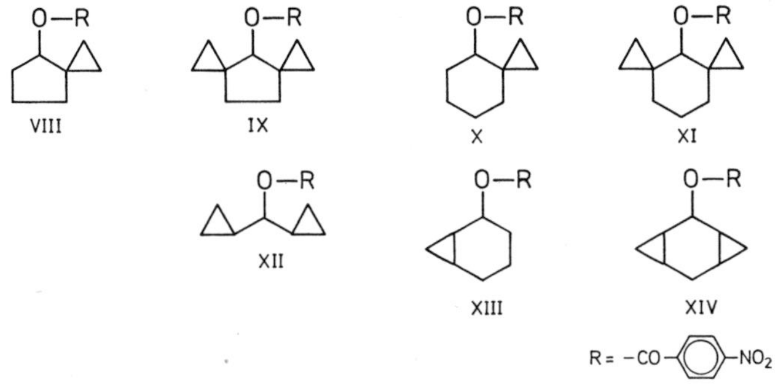

R = H; VIII; Cyclopropan-⟨spiro-1⟩-2-hydroxy-cyclopentan
IX; Cyclopropan-⟨spiro-3⟩-2-hydroxy-cyclopentan-⟨1-spiro⟩-cyclopropan
X; Cyclopropan-⟨spiro-1⟩-2-hydroxy-cyclohexan
XI; Cyclopropan-⟨spiro-3⟩-2-hydroxy-cyclohexan-⟨1-spiro⟩-cyclopropan
XII; Dicyclopropyl-carbinol
XIII; 2-Hydroxy-bicyclo[4.1.0]heptan
XIV; 2-Hydroxy-tricyclo[5.1.0.0³,⁵]octan

Die Ausbildung eines Bicyclobutonium-Ions wie I sollte durch Vergrößerung des zweiten Ringes erleichtert werden[3]. In der Tat solvolysiert die Verbindung II (S. 450) als Sechsring-Verbindung mit der Geschwindigkeit des einfachen 4-Nitro-benzoesäure-esters[4] III, während IV die zu erwartende höhere Reaktionsgeschwindigkeit des Fünfring-Systems aufweist[5] (s. S. 450).

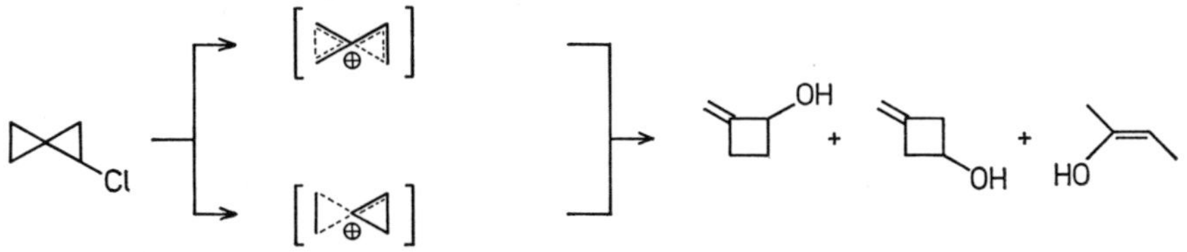

---

[1] J. A. Landgrebe u. D. E. Applequist, Am. Soc. **86**, 1536, 1543 (1964).
[2] A. P. Krapcho, R. C. H. Peters u. J. M. Conia, Tetrahedron Letters **1963**, 4827.
[3] D. E. Applequist u. J. A. Landgrebe, Am. Soc. **86**, 1536, 1543 (1964).

 (Fortsetzung s. S. 450)

Bei der Hydrolyse von II und IV entsteht neben der entsprechenden Vierring-Verbindung hauptsächlich *Cyclopropan-⟨spiro-1⟩-2-hydroxy-cyclopentan* bzw. *-cyclohexan*, was auf die unverminderte Stabilität der Cyclopropylmethyl-Kationen hinweist. Entsprechend zeigt das fast ideal konfigurierte[1] *Cyclopropan-⟨spiro⟩-cyclohexan* (V) ein UV-Maximum hoher Extinktion bei 213 mμ[2].

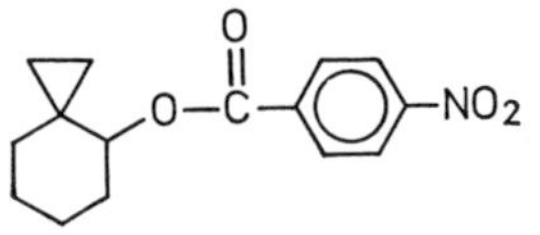

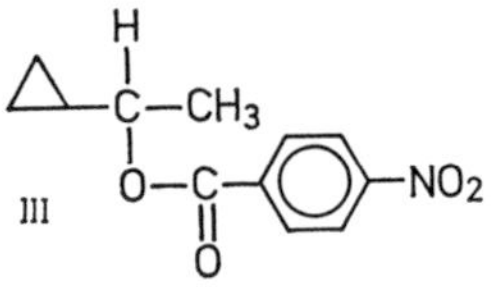

Interessante Ergebnisse bezüglich des Reaktivitäts- und Stereochemie-Verhaltens[3] der epimeren Bis-[cyclopropyl]-carbinyl-Systeme[4] bei der Solvolyse von VI und VII sollen in diesem Zusammenhang ebenfalls erwähnt werden. In VI und VII sind die beiden Cyclopropan-Ringe zueinander *cis*-ständig[4]. Das Epimer VI hat eine *all-cis*-Struktur, während in VII die austretende Gruppe in *trans*-Stellung zu den Ringmethylen-Gruppen der Dreiringe angeordnet ist:

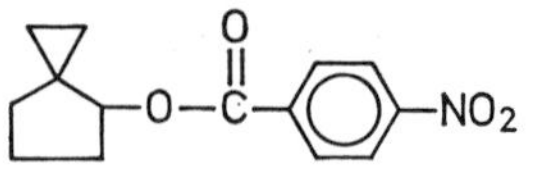

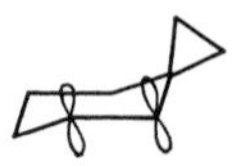

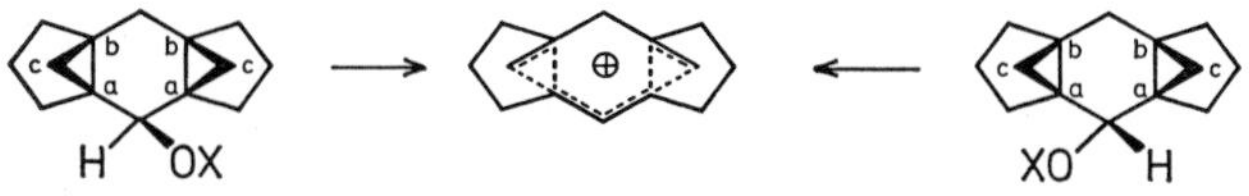

Aus diesem Grunde sind die Konfigurationen begünstigt[5] im Hinblick auf die Beteiligung der Bindungselektronen der a-b-Cyclopropanbindung während der Ionisation von VI (X = Acetyl) und der Bindungselektronen der a-c-Cyclopropanbindung bei der Ionisation von VII (X = Acetyl)[3]. Tab. 72 (S. 451) zeigt eine Zusammenstellung der Solvolysegeschwindigkeiten für VI (X = 4-Nitro-benzoyl), VI (X = Acetyl) und VII (X = Acetyl). Die völlige Identität der Produkte der Solvolyse von VI (X = Acetyl) und VII (X = Acetyl) zeigt, daß die beiden epimeren Ester bei der Solvolyse die gleiche bzw. die gleichen Zwischenstufen durchlaufen müssen. Als Zwischenstufe ist eine Spezies vom Typ VIII formuliert worden[3], die auch die stereospezifisch *cis* verlaufende Solvolyse erklären kann. Sowohl sterische als auch Elektronendelokalisierungs-Effekte spielen bei der Solvolyse der Ester VI und VII eine Rolle.

Die Ionisationsgeschwindigkeit des 4-Nitro-benzoesäureesters von VI ist nahezu so groß wie die des 4-Nitro-benzoesäureesters von IX (S. 451), der zu einem Ion vom Benzenium-Typ führt[3]. Der enorme Beschleunigungseffekt einer α-Cyclopropyl-

---

[1] C. A. Grob u. J. Hostynek, Helv. **46**, 1673 (1963).

[2] M. Hanack, H. Schneider-Bernlöhr u. H. J. Schneider, Tetrahedron **23**, 2195 (1967).

[3] L. Birladeanu, T. Hanafusa, B. Johnson u. S. Winstein, Am. Soc. **88**, 2316 (1966).

[4] L. Birladeanu, T. Hanafusa u. S. Winstein, Am. Soc. **88**, 2315 (1966).

[5] Vgl. S. Winstein u. E. M. Kosower, Am Soc. **81**, 4399 (1959).

(Fortsetzung v. S. 449)

[4] M. Hanack u. H. J. Schneider, A. **686**, 8 (1965).

[5] W. D. Closson u. G. T. Kwiatkowski, Tetrahedron **21**, 2779 (1965).

Tab. 72. Solvolyse von Estern eines Bis-[cyclopropyl]-carbinyl-Systems[1]

Beispiel VI und VII, S. 450

Solvens	Tempe-ratur [°C]	$10^5 k$ [sec^{-1}]			
		VI; $X = -\overset{O}{\underset{}{C}}-\bigcirc-NO_2$		VI; $X = -\overset{O}{\underset{}{C}}-CH_3$	VII; $X = -\overset{O}{\underset{}{C}}-CH_3$
90% Aceton	25,0	70		—	—
80% Aceton	25,0	770		15,0[a]	7,83
Produkt aus 80% Aceton + NaHCO₃ } 25,0		{ % VI—OH % VII—OH	2-Hydroxy-pentacyclo [7.3.1.1³,⁷.0¹,⁹.0³,⁷] tetradecan (S. 450)	99,4[b] 0,6[b]	99,5[b] 0,5[b,c]

[a] 24,5°

[b] Genauigkeit: ± 0,1%

[c] nach Korrektur für eine kleine Menge *trans*-VII-OH in dem Ausgangs-*trans*-VII-OAc mit dem CAT (time-averaging computer) analysiert. Im eingesetzten VI-OAc wurde weder VII-OH noch VII-OAc festgestellt.

Gruppe geht ganz deutlich aus der Gegenüberstellung der relativen Solvolysege-schwindigkeiten der 4-Nitro-benzoesäureester der Verbindungen VI, IX und X bis XIII hervor[1]:

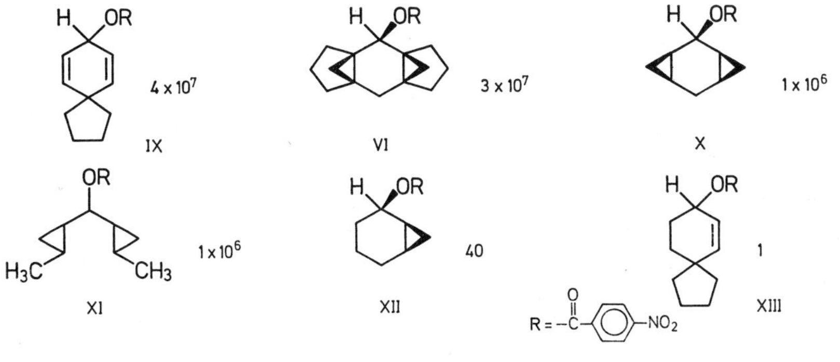

Die relative Ionisationsgeschwindigkeit des *cis*-Essigsäureesters von VI (S. 450) ist ∼ 2 mal so groß wie die der *trans*-Verbindung. Die Differenz der freien Energien zwischen dem *trans*- und dem *cis*-Übergangszustand ist in derselben Richtung und etwas größer als die entsprechende Differenz im Grundzustand wie aus Äquilibrierungsversuchen bekannt wurde[2]. Die Stereo-spezifität der Alkohol-Bildung zeigt, daß die Differenz der freien Energien zwischen *trans*- und *cis*-Übergangszustand bei der Bildung der Alkohole derjenigen der *trans*- und *cis*-Essig-säureester-Übergangszustände entspricht.

Von Interesse ist auch ein Vergleich der Verhältnisse der Epimeren VI und VII (S. 450) mit denen der i- und epi-i-Cholesteryl-Epimeren (s. a. S. 458 ff.)[3]. Im ersteren Fall ist das stabilere Epimere etwas reaktiver und infolgedessen bei der kinetischen Produktkontrolle stark begünstigt. Im zweiten Fall ist das weniger stabilere i-Epimere reaktiver und wird bei der kinetischen Produktkontrolle stark bevorzugt. Dieses Bei-

[1] L. BIRLADEANU, T. HANAFUSA, B. JOHNSON u. S. WINSTEIN, Am. Soc. **88**, 2316 (1966).

[2] L. BIRLADEANU, T. HANAFUSA u. S. WINSTEIN, Am. Soc. **88**, 2315 (1966).

[3] Vgl. S. WINSTEIN u. E. M. KOSOWER, Am. Soc. **81**, 4399 (1959).

spiel illustriert die verschiedenen möglichen Mischungen von sterischen Faktoren in Verbindung mit der austretenden bzw. eintretenden Gruppe in Grund- und Übergangs-zuständen sowie von stereoelektronischen Faktoren in Zusammenhang mit der Be-teiligung von a–b- und a–c-Cyclopropan-Bindungselektronen bei der Elektronen-delokalisierung des Übergangszustandes[1].

Wie bereits erwähnt, ist im Falle der Tricyclo[2.2.1.0^{2,6}]heptyl-Verbin-dungen das Cyclopropylmethyl-System stabiler als das Homoallyl-System[2]. Die von Winstein hervorgehobene Bedeutung der Energien im Grundzustand für die Reaktivität der Homoallyl-Isomeren[3] wird besonders einleuchtend am Beispiel der um den Faktor 5 geringeren Acetolyse-Geschwindigkeit des Brosyloxy-tricyclo [2.2.1.0^{2,6}]heptans im Vergleich zum exo-5-Brosyloxy-bicyclo[2.2.1]hepten-(2)[3,4]. Der im Quadricyclyl-System I enthaltene zweite Cyclopropan-Ring erhöht die Solvolyse-geschwindigkeit nicht so sehr[5] wie es eigentlich für ein Dicyclopropyl-carbinyl-Derivat zu erwarten wäre[6-8]. Möglicherweise ist das auf den für einen sp^2-Zustand besonders ungünstigen Winkel am funktionellen Kohlenstoffatom zurückzuführen, der durch zwei alicyclische Dreiringe zusätzlich verkleinert wird.

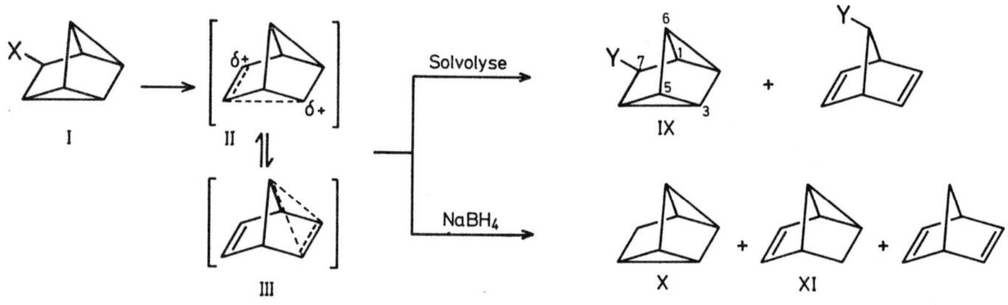

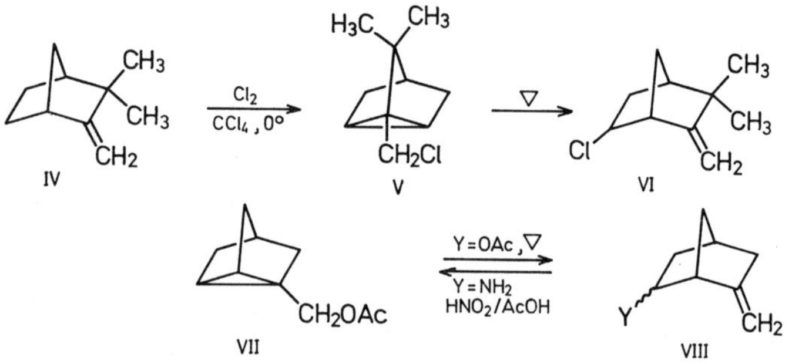

IX; Y = OH; 7-Hydroxy-tetracyclo[2.2.1.0^{2,6}.0^{3,5}]heptan

 X; Tetracyclo[2.2.1.0^{2,6}.0^{3,5}]heptan

XI; Tricyclo[3.2.0.0^{2,7}]hepten-(3)

 V; 7,7-Dimethyl-1-chlormethyl-tricyclo[2.2.1.0^{2,6}]heptan

VII; 2-Acetoxymethyl-tricyclo[2.2.1.0^{2,6}]heptan

[1] L. Birladeanu, T. Hanafusa, B. Johnson u. S. Winstein, Am. Soc. **88**, 2316 (1966).
[2] P. v. R. Schleyer, Am. Soc. **80**, 1700 (1958).
[3] S. Winstein u. E. M. Kosower, Am. Soc. **81**, 4399 (1959).
[4] H. J. Schmid, unveröffentlichte Versuche, s. Zitat 3.
[5] H. G. Richey u. N. C. Buckley, Am. Soc. **85**, 3057 (1963).
[6] H. Hart u. J. M. Sandri, Am. Soc. **81**, 320 (1959).
[7] H. Hart u. P. A. Law, Am. Soc. **84**, 2462 (1962).
[8] Hart u. J. M. Sandri, Am. Soc. **86**, 1957 (1964).

Die Acetolyse[1] wie auch Hydrolyse und Reduktion mit Natriumboranat[2] von I verlaufen z. T. unter doppelter Homoallyl-Umlagerung, deren Zwischenstufen in Form getrennter isomerer Ionen II und III mit nur partiell delokalisierter Ladung formuliert wurden (S. 452)[2].

Bei der Chlorierung des Camphens (IV, S. 452) entsteht in wechselnden Mengen u. a. ein besonders reaktives Monochlor-Derivat, dessen Struktur jedoch lange umstritten war[3,4]. Nach neueren Untersuchungen handelt es sich um das *exo*-6-Chlor-camphen (*exo*-6-Chlor-3,3-dimethyl-2-methylen-bicyclo[2.2.1]heptan; VI), das bereits durch schwaches Erwärmen aus dem Primärprodukt V durch Homoallyl-Umlagerung gebildet wird[5,6].

Bei z. T. stereospezifisch verlaufenden[7] Solvolysen von V und VI (S. 452) werden Gemische der entsprechenden Alkohole erhalten[6]. Die tricyclische Dreiring-Verbindung ist hier weder bei thermodynamisch noch bei kinetisch kontrollierten Reaktionen energetisch bevorzugt. Im Gegensatz dazu ist in der Verbindung VII das Cyclopropylmethyl-System als Kation stabil und instabil im Grundzustand, wie aus dem typischen Unterschied der kinetisch kontrollierten Desaminierung und der thermodynamisch kontrollierten inneren Rückkehr zu ersehen ist[8].

Die Acetolyse der epimeren 3-(4-Nitro-benzoyloxy)-tricyclo[2.2.2.0^{2,6}]octane XII und XIII liefert bis zu 88% *3-Acetoxy-tricyclo[2.2.2.0^{2,6}]octan* (XII; X = OAc). Daneben entstehen jedoch in wechselnden Mengen auch XIII (X = OAc) und die entsprechenden Homoallyl-Derivate, so daß die Bildung von zwei verschiedenen Cyclopropyl-methyl-Carbeniumionen angenommen wurde[9].

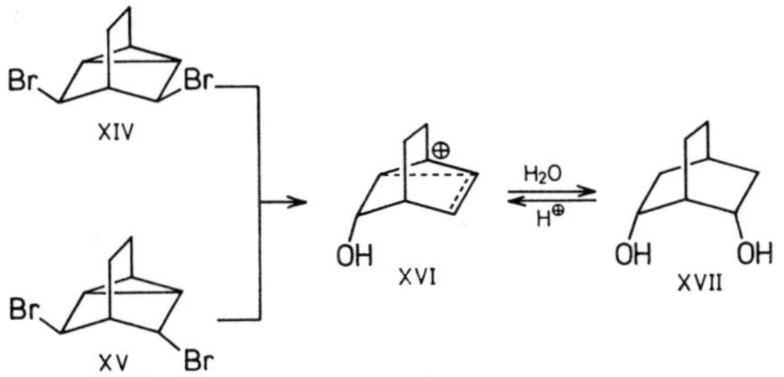

Bei der kinetisch kontrollierten Hydrolyse der Dibrom-Verbindung XIV wie auch der isomeren Verbindung XV wird stereospezifisch *2,6-Dihydroxy-bicyclo[2.2.2] octan* (XVII) erhalten, da das angenommene „trizentrische" Kation XVI, in dem

[1] H. G. Richey u. N. C. Buckley, Am. Soc. **85**, 3057 (1963).
[2] P. R. Story u. S. R. Fahrenholtz, Am. Soc. **86**, 527 (1964); **88**, 374 (1966).
[3] D. Tishenko, Ž. obšč. Chim. **23**, 1002 (1953); engl.: 1051.
[4] G. Chiurdoglu, C. Goldenberg u. J. Geeraerts, Bull. Soc. chim. belges **66**, 200 (1957).
[5] H. G. Richey et al., J. Org. Chem. **30**, 3909 (1965).
[6] B. H. Jennings u. G. B. Herschbach, J. Org. Chem. **30**, 3902 (1965).
[7] M. Gaitonde, P. A. Vatakencherry u. S. Dev, Tetrahedron Letters **1964**, 2007.
[8] H. Hart u. R. A. Martin, Am. Soc. **82**, 6362 (1960).
[9] N. A. LeBel u. J. E. Huber, Am. Soc. **85**, 3193 (1963).

die Ebenen des Cyclopropanringes und des trigonalen Kohlenstoffatoms senkrecht und zueinander symmetrisch liegen, nur an der unverbrückten *endo*-Seite substituiert wird[1]. In Gegenwart von Säure entstehen z. T. unter Homoallyl-Umlagerung weitere fünf Diole, die alle über das Kation XVI (S. 453) erklärt werden können.

Die Reaktions- und Umlagerungsfähigkeit von bicyclischen *exo*- und *endo*-Cyclopropylmethyl-Derivaten der Formel I bzw. II ist sehr eingehend studiert worden, um Aufschlüsse über die strukturellen Voraussetzungen zu erhalten, die für die Bildung eines Bicyclobutonium-Ions (s. S. 477 ff.) notwendig sind:

Exo-5-Tosyloxymethyl-bicyclo[2.1.0]pentan (I; n = 2; X = OTs) acetolysiert ∼ 1,3-mal schneller als Tosyloxymethyl-cyclopropan zum strukturgleichen Essigsäureester (*5-Acetoxymethyl-bicyclo[2.1.0]pentan*)[2]. *Exo*-2-Tosyloxy-bicyclo[2.2.0]hexan (III; n = 2) erfährt bei der Acetolyse überwiegend eine Umlagerung zum 5-Acetoxy-bicyclo[2.1.1]hexan (IV; X = *exo*-OAc). Hier verhindert die starre planare Verknüpfung der beiden Vierringe die Bildung eines Bicyclobutonium-Ions[2,3].

Aus diesem Grunde kann auch die Solvolyse von I mit n = 2 und X = OTs nicht über ein solches Bicyclobutonium-Ion als Zwischenstufe verlaufen. Hier deutet die erhöhte Reaktionsgeschwindigkeit darauf hin, daß ein relativ stabiles Cyclopropylmethyl-Kation entsteht. Die Acetolyse der Tosylate vom Typ IV zeigt ein Verhältnis[4] der Geschwindigkeitskonstanten:

$$k_{endo}/k_{exo} = 3 \cdot 10^6$$

Exo- und *endo*-6-Tosyloxymethyl-bicyclo[3.1.0]hexan (I und II; n = 3; X = OTs) acetolysieren mit etwa gleicher Geschwindigkeit, liefern jedoch verschiedene Reaktionsprodukte[5,6]. Das *exo*-Tosylat ergibt die gleichen Produkte, die auch bei der Solvolyse von *exo*-6-Tosyloxy-bicyclo[3.2.0]heptan (III; n = 3) beobachtet werden, woraus geschlossen wurde, daß beide Tosylate bei der Solvolyse das gleiche Bicyclobutonium-Ion als Zwischenstufe durchlaufen[5]. Im Gegensatz dazu ist das entsprechende *endo*-Isomere (II; n = 3; X = OTs) nicht in der Lage, das gleiche Ion zu bilden, das aus dem *endo*-Tosylat III (n = 3) entsteht, da aus beiden verschiedene Reaktionsprodukte erhalten werden.

Bei dem Bicyclo[3.2.0]heptyl-System tritt bei der Solvolyse Ringöffnung zu VI [*Cyclooctatrien-(1,3,6)*] ein, wenn eine Doppelbindung wie in V vorhanden ist[7]:

[1] C. A. Grob u. J. Hostynek, Helv. **46**, 2209 (1963).

[2] K. B. Wiberg u. A. J. Ashe III, Tetrahedron Letters **1965**, 4245.

[3] R. N. McDonald u. C. E. Reinecke, Am. Soc. **87**, 3020 (1965).

[4] K. B. Wiberg, B. R. Lowry u. T. H. Colby, Am. Soc. **83**, 3998 (1961).
   K. B. Wiberg u. R. A. Fenoglio, Tetrahedron Letters **1963**, 1273.

[5] K. B. Wiberg u. A. J. Ashe III, Tetrahedron Letters **1965**, 1553.

[6] T. F. Bond u. L. Scerbo, Tetrahedron Letters **1965**, 4255.

[7] H. L. Dryden u. B. E. Burgert, Am. Soc. **77**, 5633 (1955).

Bei der Solvolyse des 1-(4-Nitro-benzoyloxymethyl)-bicyclo[3.1.0]hexans (VII) wurde überwiegend das *3-Methylen-cyclohexanol* (VIII) als Reaktionsprodukt gefunden[1]. Die Tatsache, daß VII bei der Solvolyse ~ 600mal schneller als das (4-Nitro-benzoyloxymethyl)-cyclopropan reagiert, wurde durch den Spannungsverlust bei der Bildung von VIII erklärt.

1-Hydroxymethyl-bicyclo[1.1.0]butan (IX)[2], zeigt infolge seiner hohen Spannung eine noch höhere Reaktivität seines instabilen Toluolsulfonsäureesters und 4-Nitrobenzoesäureesters im Vergleich zum (4-Nitro-benzoyloxymethyl)-cyclopropan.

In Hinblick auf die durchlaufenen Zwischenstufen der Homoallyl-Umlagerung I sind auch die Ergebnisse über die Umlagerung des Cyclopropylcarbinyl-Systems in dem Sesquiterpen Thujopsen erwähnenswert[3,4].

Eine Lösung von (±)*cis*-6,6-Dideutero-hydroxy-thujopsan (II)[4] in 95%igem Äthanol (0,012 n Salzsäure) liefert nach 10minütigem Erhitzen unter Rückfluß quantitativ (±)*cis-6,6-Dideutero-thujopsen* (III a). Das undeuterierte Olefin III b ist unter sauren Bedingungen (s.o.) sowohl in 95%igem Äthanol als auch in Methanol ~ 40 Min. stabil:

II	III a X = D	IV a R = H X = H	
	III b X = H	IV b R = CH$_3$ X = H	
		IV c R = PNB X = H	
		IV d R = H X = D	

Der entsprechende Homoallyl-Alkohol, (+)-Widdrol(IV a), zeigt unter diesen sauren Bedingungen in wäßrigem Methanol keine Umlagerungsprodukte (nach 10 Min.); nach 40 Min. wird eine Produktmischung von IV a und dem Methyläther IV b im Verhältnis 1:2 erhalten. Desgleichen liefert die Solvolyse des (4-Nitro-benzoyloxy)-Derivats IV c in 70%igem wäßrigem 1,4-Dioxan lediglich den unumgelagerten Ausgangsalkohol IV a[3].

[1] W. D. CLOSSON u. G. T. KWIATKOWSKI, Tetrahedron **21**, 2779 (1965).
[2] K. B. WIBERG et al., Tetrahedron **21**, 2749 (1965).
[3] W. G. DAUBEN u. L. E. FRIEDRICH, Tetrahedron Letters **1967**, 1735.
[4] W. G. DAUBEN u. L. E. FRIEDRICH, Tetrahedron Letters **1964**, 2675.

Diese Reaktionen zeigen, daß das intermediär auftretende Ion V, das sich von dem Cyclopropyl-carbinol II ableitet, sich strukturell von dem Kation VI, das sich aus dem korrespondierenden Homoallyl-Alkohol IVa ableitet, unterscheidet. Es muß daher eine bestimmte Energiebarriere für die gegenseitige Überführung dieser beiden unsymmetrischen Homoallyl-Ionen existieren. Das Kation aus dem Cyclopropylcarbinol II eliminiert echt ein Proton unter Bildung des Kohlenwasserstoffes Thujopsen (III), während das von dem Homoallyl-Alkohol abgeleitete Ion durch Reaktion mit dem nuleophilen Solvens stabilisiert wird und zu dem Alkohol Widdrol (IVa) oder zu einem seiner Derivate führt[1].

Erhitzt man (±)-dideuteriertes Olefin IIIb unter Rückfluß in 80%igem wäßrigem 1,4-Dioxan (0,02 m in Perchlorsäure), so wird der umgelagerte Homoallyl-Alkohol, (±)-*7,7-Dideutero-widdrol* (IVd)[2], zum am schnellsten gebildeten Primärprodukt.

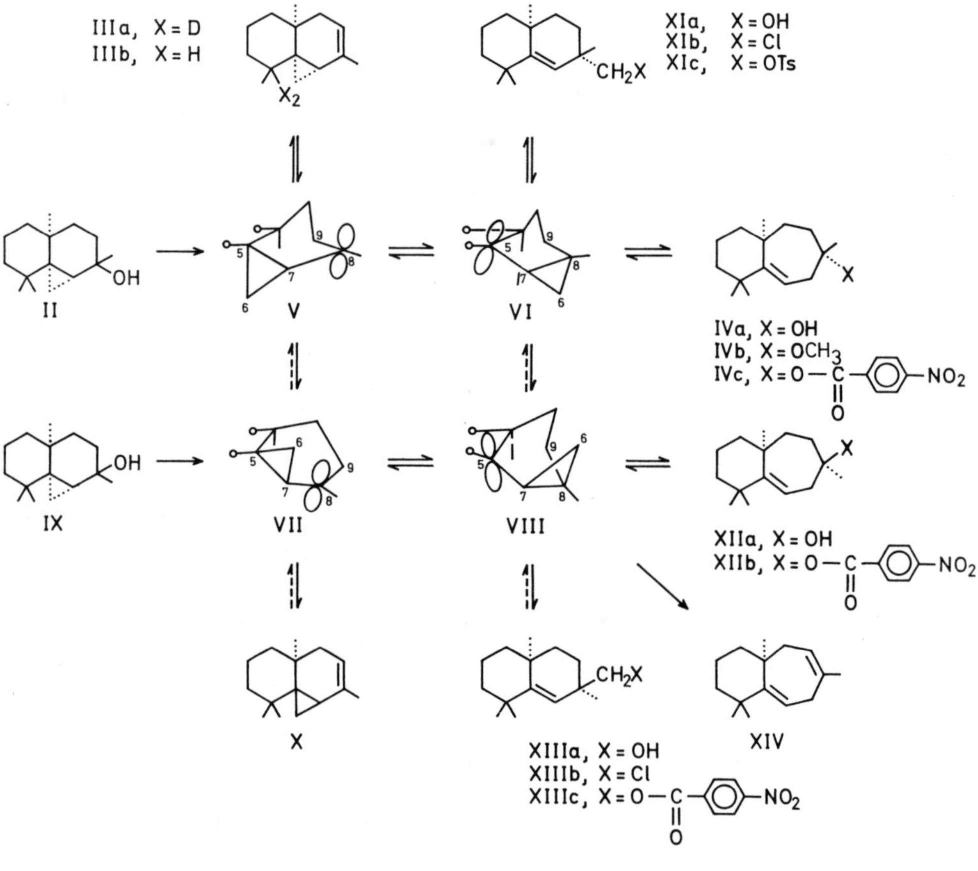

Behandelt man in ähnlicher Weise den Homoallyl-Alkohol Widdrol (IVa) oder führt man eine Solvolyse an dessen Ester IVc in trockenem 1,4-Dioxan, das noch Lithiumperchlorat-Trihydrat enthält, durch, so ist das *Thujopsen* (IIIb) das Primärprodukt, das mit der größten Geschwindigkeit gebildet wird[1]. Diese Reaktionen zeigen, daß zwar eine endliche, jedoch keine sehr große Energiebarriere zwischen den beiden isomeren Ionen V und VI vorhanden ist.

---

[1] W. G. Dauben u. L. E. Friedrich, Tetrahedron Letters 1967, 1735.
[2] W. G. Dauben u. L. E. Friedrich, Tetrahedron Letters 1964, 2675.

Die Behandlung von (±)*trans*-Thujopsanol (IX)[1,2] mit 0,012 n Salzsäure in 95%igem Äthanol unter Rückfluß während einer Reaktionsdauer von 10 Min. führt nur zu zwei unpolaren Produkten[3] – (±)*trans-Thujopsen* (X, ∼ 80%)[4] und ein Chlorid vom Neopentyl-Typ XIIIb (∼ 20%)[5]. Die Solvolyse[6] des entsprechenden Homoallyl-alkoholesters XIIb, in mit Pyridin gepuffertem wäßrigem 1,4-Dioxan verläuft ∼ 60-mal langsamer als die des epimeren 4-Nitro-benzoesäureesters IVc. Die in ∼ 47% Ausbeute erhaltenen Kohlenwasserstoffe bestehen zu 30% aus (+)*trans-Thujopsen*[4] und zu ∼ 30% aus dem Dien XIV. Neben diesen Kohlenwasserstoffen wird eine Mischung der folgenden Zusammensetzung erhalten: 15% (+)-*epi*-Widdrol (IVa), 5% (+)-Widdrol (IVb), 6% *trans*-Alkohol vom Neopentyl-Typ XIIIa und ∼ 12% des entsprechenden 4-Nitro-benzoesäureesters (XIIIc)[6–8] (vgl. S. 456).

---

[1] W. G. DAUBEN u. A. C. ASHCRAFT, Am. Soc. **85**, 3673 (1963).

[2] (±)*trans*-Thujopsanol (F: 62–66°), wurde durch Reaktion von Methyl-lithium mit 7-Oxo-4,4, 10α-trimethyl-5β,6β-methylen-dekalin hergestellt.

Vgl. W. G. DAUBEN u. A. C. ASHCRAFT, Am. Soc. **85**, 3673 (1963).

[3] W. G. DAUBEN u. L. E. FRIEDRICH, Tetrahedron Letters **1967**, 1735.

[4] Daten von (±)*trans*-Thujopsen: λ_{max} (Cyclohexan) = 213 mμ (ε = 4670); (+) *trans*-Thujopsen $[\alpha]_D^{23}$: + 149° (c: 0,436; CHCl₃).

[5] NMR-Daten des Chlorids XIIIb: τ 6,63 (1 H, Dublett, J = 11 Hz) und τ 6,77 (1 H, Dublett, J = 11Hz).

[6] W. G. DAUBEN u. L. E. FRIEDRICH, Tetrahedron Letters **1967**, 1735; diese Ergebnisse in der *trans*-Thujopsen-Serie (vgl. S. 456) wurden so gedeutet, daß zwei zusätzliche unsymmetrische Homoallyl-Ionen VII und VIII – Epimere zu V und VI – in das Reaktionsgeschehen eingreifen und daß die Aktivierungsenergie für die Isomerisierung von VIII in VII geringer als diejenige für die Isomerisierung von VI in V (s. S. 456) ist. Das kinetische Produkt aus dem Ion VII (assoziiert mit einem Chlorid-Anion), das aus dem *trans*-Thujopsanol hervorgeht, ist das *trans*-Thujopsen. Dieses Ion VII ist sofort in das aus *epi*-Widdrol-4-nitro-benzoat (XIIb) durch Ionisation erzeugte Kation VIII überführbar. Die kinetisch kontrollierte Reaktion von Nucleophilen mit dem Ion VIII (assoziiert mit einem 4-Nitro-benzoat-Anion) führt hauptsächlich zu Derivaten des *trans*-Neopentyl-Typs XIII und dem weniger stabilen *epi*-Widdrol-Derivat XIIa. Die geringe Ausbeute an Widdrol bei der Hydrolyse des Esters XIIb kann man entweder auf nichtbeobachtete Kontaminierung des *epi*-Widdrol-esters mit dem Widdrol-4-nitro-benzoat zurückführen, oder auch als Folge einer langsamen Umwandlung des Ions VIII in das Kation VI begreifen. Andererseits böte die Annahme eines ladungsdelokalisierten Kations der Struktur XV, das mit dem Solvens von der stärker gehinderten Seite des Moleküls aus unter Bildung von Widdrol reagieren könnte, eine Alternativerklärung:

XV

Behandelt man entweder *cis*-Thujopsen (IIIb) oder Widdrol (IVa) mit 0,02 m Perchlorsäure in 80%igem wäßrigem 1,4-Dioxan eine längere Zeit, so erhält man die drei Alkohole XIa, XIIa und XIIIa in ∼ 2%iger Ausbeute. Das zeigt einen geringen, jedoch signifikanten „Verlustbetrag" aus dem Satz der Ionen V und VI zu dem Satz der Ionen VII und VIII. Das *cis*-Chlorid XIb wird auch gebildet, wenn man *cis*-Thujopsen IIIb längere Zeit mit konzentrierter Salzsäure zur Reaktion bringt. Aus diesen Gründen kann man die Verbindungen XIa–b und XIIIa–b als thermodynamische Produkte aus der Reaktion der Nucleophilen mit den Ionen VI und VIII betrachten. Bei thermodynamisch kontrollierten Reaktionsbedingungen wird der Ionensatz V–VI langsam in den Satz der Ionen VII–VIII umgewandelt.

Der Tosylatester XIc liefert bei der Solvolyse – 80%ige wäßrige 1,4-Dioxan-Lösung mit Pyridin gepuffert – in 98% Ausbeute *Widdrol* (IVa) und 1% *cis*-Thujopsen (IIIb). Die Ionisation des Esters XIc führt also auch zu dem erwarteten Ion VI, das in 1%iger Umwandlung zu dem Ion V isomerisiert.

[7] der Ester XIIIc (S. 456) wurde durch Lithiumalanat in den Alkohol XIIIa überführt.

[8] (+)-*epi*-*Widdrol* (F: 54–56°) wurde aus (+)-Widdrol über das Epoxid des Diens XIV (S. 456) erhalten.

VII. Homoallyl-Umlagerungen bei Steroiden

Die sogenannte „i-Steroid-Umwandlung" ist eines der ältesten Beispiele für Phänomene, die durch nicht-klassische Ionen hervorgerufen werden. Schon sehr früh wurde festgestellt, daß die Methanolyse[1] und auch die Acetolyse[2] von 3β-Tosyloxy-cholesten-(5) (Ia) sowie von 3-Halogen-cholesten-(5)[3] zu zwei isomeren Verbindungen in Abhängigkeit von der An- oder Abwesenheit eines Puffers führt. 3β-Methoxy-cholesten-(5) (Ib) oder die entsprechende Acetoxy-Verbindung Ic werden in Abwesenheit von Kaliumacetat gebildet, während die Produkte, die unter gepufferten Bedingungen entstehen, als 3,5-Cyclosteroide III charakterisiert werden konnten[2]:

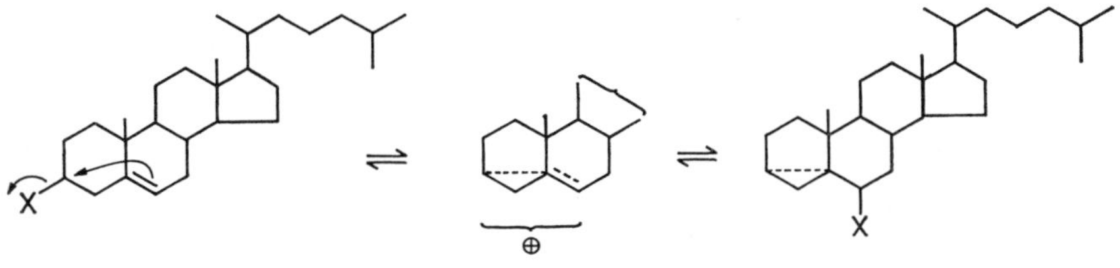

I a : X = $C_7H_7SO_2O$ II   III a : X = $C_7H_7SO_2O$; *6-Tosyloxy-*
                                                                          3,5-cyclo-cholestan

  b : X = CH_3O b : X = CH_3O; *6-Methoxy-*
                                                                          3,5-cyclo-cholestan

  c : X = AcO   c : X = AcO; *6-Acetoxy-*
                                                                          3,5-cyclo-cholestan

  d : X = C_2H_5O d : X = C_2H_5O; *6-Äthoxy-*
                                                                          3,5-cyclo-cholestan

Für die Verdrängungsreaktionen am 3β-Tosyloxy-cholesten-(5) konnte gezeigt werden, daß mit Konfigurationserhalt zu rechnen ist. Diese Tatsache ist untrennbar mit dem i-Steroidwechsel verbunden, für den ein monomolekularer S_N1-Prozeß in Betracht gezogen wurde, der von einer Beteiligung der π-Elektronen der 5,6-Doppelbindung begleitet ist und für den Konfigurationserhalt an C_3 Sorge trägt[4]. Diese Interpretation konnte durch kinetische Messungen verifiziert werden[5]. Die entsprechenden Zwischenstufen wurden als nicht-klassische oder homoallylisch verbrückte Ionen II formuliert[6]. Die intermediäre Bildung des gleichen

[1] W. STOLL, Z. physiol. Chem. **207**, 147 (1932).
[2] E. S. WALLIS, E. FERNHOLZ u. F. T. GEPHART, Am. Soc. **59**, 137 (1937).
    E. G. FORD u. E. S. WALLIS, Am. Soc. **59**, 1415 (1937).
    E. G. FORD, P. W. CHAKRAVORTY u. E. S. WALLIS, Am. Soc. **60**, 413 (1938).
    K. LADENBERG, P. N. CHAKRAVORTY u. E. S. WALLIS, Am. Soc. **61**, 3483 (1939).
[3] T. WAGNER-JAUREGG u. L. WERNER, Z. physiol. Chem. **213**, 119 (1932).
    s. a. J. H. BEYNON, I. M. HEILBRON u. F. S. SPRING, Soc. **1936**, 907; **1937**, 404, 1459.
    T. N. JAKOBSEN u. E. V. JENSEN, Chem. & Ind. **1957**, 172.
[4] C. W. SHOPPEE u. C. K. INGOLD, Soc. **1946**, 1147; Bl. **1951**, 120 c.
[5] S. WINSTEIN u. R. ADAMS, Am. Soc. **70**, 838 (1948).
    M. M. HAFEZ, G. HALSEY u. E. S. WALLIS, Science **110**, 474 (1949).
[6] M. SIMONETTA u. S. WINSTEIN, Am. Soc. **76**, 18 (1954).
    C. W. SHOPPEE u. D. F. WILLIAMS, Soc. **1956**, 2488.
    R. SNEEN, Am. Soc. **80**, 3982 (1958).
    M. DAVIS, S. JULIA u. H. G. R. SUMMERS, Bl. **1960**, 742.

Ions II für den inversen Prozeß (III → I) wurde durch die Bildung von *6β-Äthoxy-3,5-cyclo-cholestans* (IIId) zusammen mit 3β-Äthoxy-cholestens-(5) (Id) aus 6β-Methoxy-3,5-cyclo-cholestan (IIIb) mit absolutem Äthanol[1] nahegelegt (S. 458). Die Beteiligung der π-Elektronen der 5,6-Doppelbindung bei der i-Steroid-Umlagerung ist insofern stereoselektiv *alpha*, als nur die 3β-Tosylate oder 3β-Halogenide diesen Wechsel eingehen[2].

Die mit dieser Beteiligung verbundene sterische Begünstigung wird sofort evident, wenn man die beobachteten Solvolysegeschwindigkeiten der Tosylate von Cholestanol, Cholesterol und 7-Dehydro-cholesterol vergleicht, die sich wie 1:100:3000 verhalten[3]. Andererseits existieren bezüglich der Reaktivität keine großen Unterschiede zwischen den 6β- und 6α-i-Steroid-Derivaten, obgleich für die 6β-Isomeren mit einer größeren sterischen Beschleunigung formal zu rechnen wäre[4]. Solvolysestudien an ^{14}C-markierten Proben des 6β-Acetoxy-3,5-cyclo-cholestans (IIIc) in Essigsäure natürlicher Isotopenzusammensetzung in Gegenwart von Perchlorsäure haben gezeigt, daß der Tracer-Verlust ∼ 10-mal schneller erfolgt als die Umlagerung zu dem entsprechenden 3β-Cholesteryl-Isomer[5]. Hieraus wurde geschlossen, daß Austausch und Umlagerung über eine gemeinsame Zwischenstufe erfolgen, die mit einem Tracer-Verlust ∼ 9-mal schneller mit Essigsäure das 6β-Acetoxy-3,5-cyclo-cholestan rückbildet als zum umgelagerten 3β-Acetoxy-cholestens-(5) weiterreagiert. Diese Ergebnisse zeigen, daß Cholesterol und i-Cholesterol die thermodynamischen bzw. kinetischen Produkte der i-Steroid-Umlagerung darstellen.

Die durch Perchlorsäure katalysierte Isomerisierung von 6β-Acetoxy-3,5-cyclo-cholestan[4] in Essigsäure zum thermodynamisch begünstigten Cholesteryl-Isomeren wurde als sehr instruktives Beispiel für eine Ionenpaar-Rückkehr erkannt (Carbeniumperchlorat-Ionenpaar)[5]. Die kinetische Untersuchung ergab, daß die Isomerisierung in essigsaurer Lösung in bezug auf Perchlorsäure nach der 1. Ordnung und in bezug auf das 6β-Acetoxy-3,5-cyclo-cholestan nach der 0. Ordnung verläuft[6]. Diese Kinetik der Isomerisierung (s. S. 460) wird mit Hilfe von aus 6β-Acetoxy-3,5-cyclo-cholestan (A) und undissoziierter Perchlorsäure gebildeten Carbeniumperchlorat-Ionenpaaren C erklärt (S. 460). Von diesen Ionenpaaren C führen einige in reversibler Reaktion zu A, D und E; während ein gewisser Anteil F in irreversibler Reaktion zum 3β-Acetoxy-cholesten-(5) (B) übergeht. Auf dieser Basis ergibt sich daher für die Isomerisierungsgeschwindigkeit ein Ausdruck im Sinne von Gl. [5], der in Gl. [6] umgeformt werden kann, und damit die 1. Ordnung in Perchlorsäure und die 0. Ordnung in 6β-Acetoxy-3,5-cyclo-cholestan wiedergibt[6] (S. 460).

Die sehr labilen Tosylate des Ergosterols (I; S. 460) und des Dehydroergosterols (IV) konnten in ihre entsprechenden i-Sterol-Isomeren II bzw. V durch Behandlung mit Kaliumhydrogencarbonat in wäßrigem Aceton übergeführt werden[7]. Bei Verlän-

[1] S. WINSTEIN u. A. H. SCHLESINGER, Am. Soc. **70**, 3528 (1948).
[2] A. BUTENANDT u. L. A. SURANYI, B. **75**, 591, 597 (1942).
R. M. DODSON u. B. RIEGEL, J. Org. Chem. **13**, 424 (1948).
C. W. SHOPPEE u. D. D. EVANS, Soc. **1953**, 540.
L. C. KING u. M. J. BIGELOW, Am. Soc. **74**, 6238 (1952).
E. J. BECKER u. E. S. WALLIS, J. Org. Chem. **20**, 353 (1955).
[3] M. SIMONETTA u. S. WINSTEIN, Am. Soc. **76**, 18 (1954).
[4] S. WINSTEIN u. E. M. KOSOWER, Am. Soc. **81**, 4399 (1959).
[5] Y. POCKER, Pr. chem. Soc. **1959**, 226.
[6] A. EHRET u. S. WINSTEIN, Am. Soc. **88**, 2048 (1966).
[7] W. R. NES u. J. A. STEELE, J. Org. Chem. **22**, 1457 (1957).
W. R. NES, Am. Soc. **78**, 193 (1956).
W. R. NES u. C. W. SHOPPEE, Soc. **1957**, 93.
s. a G. H. R. SUMMERS, Soc. **1958**, 4489.
s. a. P. W. REES u. C. W. SHOPPEE, Soc. **1954**, 3422.

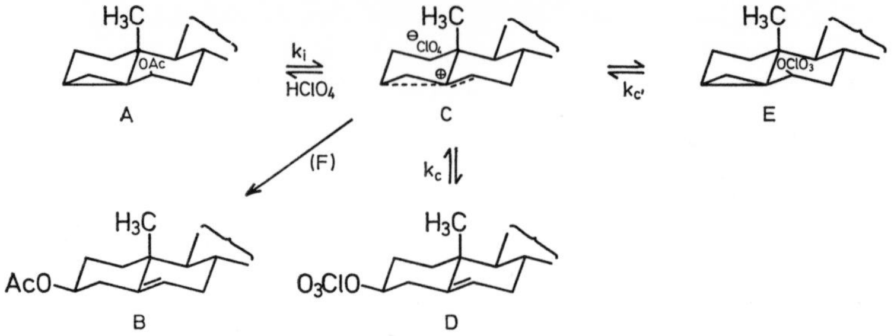

Geschwindigkeit $= k_1(\Sigma\,\text{HClO}_4)$ [1]; $i\text{—ROAc} + \text{HClO}_4 \xrightleftharpoons{K_m^{ii}} i\text{—ROClO}_3 + \text{AcOH}$ [2];

[1a] $k_1 \equiv F[(k_i/k_m^i) + k_c + (k_c'k_m^{ii}/k_m^i)]$; $i\text{—ROAc} + \text{HClO}_4 \xrightleftharpoons{K_m^i} \text{ROClO}_3 + \text{AcOH}$ [3];

$$K_m^i = \frac{(\text{ROClO}_3)}{i\text{—(ROAC)\,(HClO}_4)} = \sim 2000\ [4];\ \text{rate} = F[k_i(i\text{—ROAC})(\text{HClO}_4) + k_c(\text{ROClO}_3) + $$
$$k_c'(i\text{—ROClO}_3)]\ [5]$$

Geschwindigkeit $= F[(k_i/K_m^i) + k_c + (k_c'K_m^{ii}/K_m^i)]\,(\Sigma\text{HClO}_4)$ [6]

$$\text{ROAc} + \text{HClO}_4 \xrightleftharpoons{K_m} \text{ROClO}_3 + \text{AcOH}\ [7];\quad \text{RX} \xrightleftharpoons{K_{RX}} i\text{—RX}\ [8]$$

gerung der Reaktionsdauer werden jedoch II bzw. V in die ungesättigten Systeme[1] III bzw. VI umgewandelt.

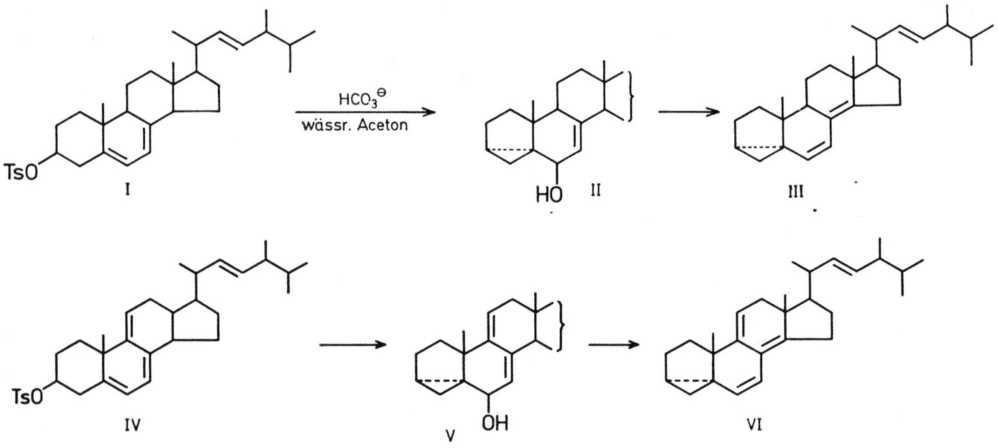

II; *6-Hydroxy-24-methyl-3,5-cyclo-cholestadien-(7,22)*
III; *24-Methyl-3,5-cyclo-cholestatrien-(6,8¹⁴,22)*
V; *6-Hydroxy-24-methyl-3,5-cyclo-cholestatrien-(7,9¹¹,22)*
VI; *24-Methyl-3,5-cyclo-cholestatetraen-(6,8¹⁴,9¹¹,22)*

---

[1] Der i-Steroid-Kohlenwasserstoff III wurde bereits früher nach verschiedenen Methoden hergestellt:
O. RYGH, Z. physiol. Chem. **185**, 99 (1929).
W. STOLL, Z. physiol. Chem. **202**, 232 (1931).
A. GUITERAS, Z. physiol. Chem. **215**, 196 (1833),
jedoch erst später charakterisiert:
M. FIESER, W. E. ROSEN u. L. F. FIESER, Am. Soc. **74**, 5397 (1952).

In diesem Zusammenhang wurde auch beobachtet, daß die Solvolysegeschwindigkeit von I (S. 460) größer ist als die von IV ($t_{1/2}$ für I = 1,64 Stdn.; $t_{1/2}$ für IV = 2,16 Stdn.)[1]. Diese Tatsache ist in Einklang mit einer fehlenden Beteiligung der 9^{11}-Doppelbindung am Solvolyseprozeß sowie mit der bevorzugten Bildung des 6- gegenüber des 11-Hydroxy-Isomeren[2].

Bei der Behandlung von 3β-Tosyloxy-4,4-dimethyl-cholesten-(5) (VII) mit Kaliumacetat in siedendem wäßrigen Aceton wird kein entsprechendes i-Steroid erhalten[3]. In größerem Ausmaße kommt es zu einer Ringverengerungsreaktion unter Bildung von VIII {3-[2-*Hydroxy-propyl*-(2)]-*A-nor-cholesten*-(5)} mit einer Olefinmischung, die im wesentlichen IX [3-*Isopropyliden-A-nor-cholesten*-(5)] enthält (es gibt jedoch einige Anzeichen dafür, daß das Carbinol auch die Struktur X besitzen könnte)[3,4]. Außerdem wurde auch eine geringe Menge 3β-Hydroxy-4,4-dimethyl-cholesten-(5) (VIIb) gefunden:

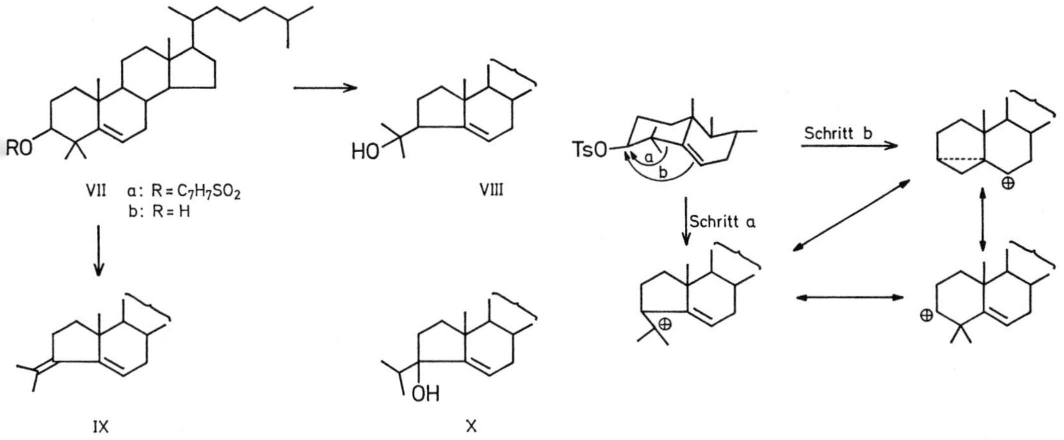

Die Tatsache, daß bei der Solvolyse von VII im wesentlichen Ringkontraktion eintritt, wurde so interpretiert, daß die Wagner-Meerwein-Umlagerung (Schritt a) stärker als die Homoallyl-Beteiligung (Schritt b) zum Zug kommt[5]. Diese Art von Wagner-Meerwein-Umlagerung ist auf dem Gebiet der Triterpenoide lange bekannt; hier wird sie als diagnostisches Hilfsmittel zur Feststellung von 3β-Hydroxy-4,4-dimethyl-allo-Systemen benutzt[6]. Schritt a wird außerdem sterisch begünstigt durch die „non-bonded"-Wechselwirkung zwischen den axialen Methyl-Gruppen an C_4 und C_{10}, die im Gegensatz zum Homoallyl-Weg b bei der Wagner-Meerwein-Umlagerung

[1] W. R. Nes u. J. A. Steele, J. Org. Chem. **22**, 1457 (1957).
W. R. Nes, Am. Soc. **78**, 193 (1956).
W. R. Nes u. C. W. Shoppee, Soc. **1957**, 93.
s. a. G. H. R. Summers, Soc. **1958**, 4489.
s. a. P. W. Rees u. C. W. Shoppee, Soc. **1954**. 3422.
[2] Vgl. a. N. L. Wendler in P. de Mayo „*Molecular Rearrangements*", Bd. II, Interscience Publishers, New York 1964.
[3] R. M. Moriarty u. E. S. Wallis, J. Org. Chem. **24**, 1274, 1987 (1959).
Y. M. Y. Haddad u. G. H. R. Summers, Soc. **1959**, 769.
[4] Vgl. S. Winstein u. G. Just, XVIIIth IUPAC Congress, Montreal, Canada, 6.-12. August 1961.
[5] Y. M. Y. Haddad u. G. H. R. Summers, Soc. **1959**, 769.
[6] L. Ruzicka, M. Montavon u. O. Jeger, Helv. **31**, 818 (1948).
W. Klyne, in „*Progress in Stereochemistry*", Bd. 1, S. 70, Butterworths, London 1954.
J. Bielmann u. G. Ourisson, Bl. **1962**, 331.

aufgehoben wird. Es bleibt jedoch festzuhalten, daß ein homoallylischer Prozeß doch stattfindet[1]; denn die gem.-Dimethyl-Gruppe des ungesättigten Esters VII (S. 461) ist ~ 15-mal effektiver bezüglich einer Reaktionsgeschwindigkeitserhöhung (relativ zur unmethylierten Verbindung) als die Dimethyl-Gruppe im entsprechenden gesättigten Ester[2]. Zum anderen ist die Reaktion des verbrückten homoallylischen Ions an C$_4$, die zu VIII führt, begünstigt gegenüber einer Reaktion an C$_6$, die zu einem i-Steroid führen würde, da im letzteren Fall mit ungünstigen Wechselwirkungen zwischen den axialen Substituenten an C$_4$, C$_6$ und C$_{10}$ zu rechnen wäre.

Bei der Solvolyse des 3β-Tosyloxy-4,4-dimethyl-cholestans kommt es gleichfalls zu einer A-Ringkontraktion[3]. Das 3α-Tosyloxy-4,4-dimethyl-cholesten-(5) (IX) erleidet im wesentlichen eine Methyl-Wanderung, die u.a. zu X führt[4]:

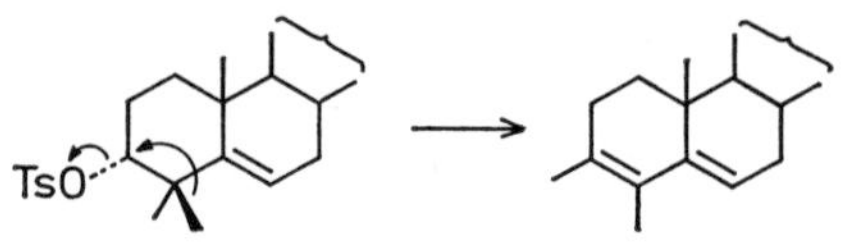

Auch im Fall des 3β-Tosyloxy-B-nor-cholestens-(5) (III) erfolgt eine i-Steroid-Umlagerung[5]. Bei der Methanolyse (ohne Puffer) wird unter Konfigurationserhalt 3β-*Methoxy-B-nor-cholesten*-(5) (VI) erhalten; in Gegenwart von Kaliumacetat als Puffer bildet sich hingegen der isomere i-Äther V (*6-Methoxy-B-nor-3,5-cyclo-cholestan*):

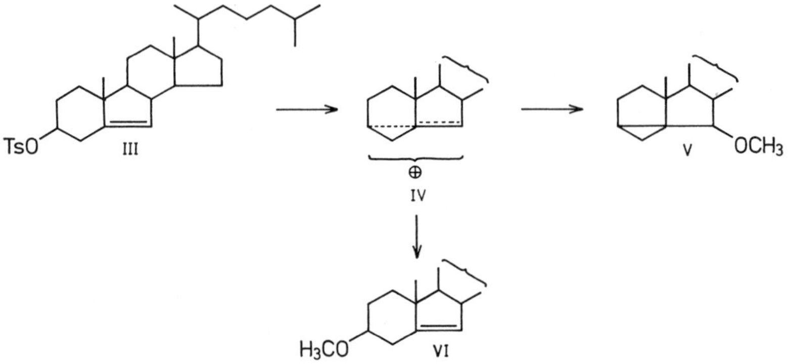

Bei der Bestrahlung von Cholestadien-(3,5) (I, S. 463) in äthanolischer Lösung wird ein Produkt erhalten, das aufgrund seiner Umwandlungen als *6-Äthoxy-3,5-cyclocholestan* charakterisiert werden konnte[6]. Diese Substanz verliert auf Aluminiumoxid Äthanol und liefert ein Cyclopropylvinyl-System. In angesäuertem Aceton wird eine Umlagerung zu dem Homoallylcarbinol III [*3β-Hydroxymethyl-A-nor-cholesten*-(5)] beobachtet. Das Dihydro-Derivat V wird unter Bildung der Olefine IV [*3-Me-*

[1] R. M. Moriarty u. E. S. Wallis, J. Org. Chem. **24**, 1274, 1987 (1959).
[2] W. G. A. van der Heuvel, R. M. Moriarty u. E. S. Wallis, J. Org. Chem. **27**, 725 (1962).
[3] C. W. Shoppee u. G. A. R. Johnston, Soc. **1961**, 3261.
   J. Bielmann u. G. Ourisson, Bl. **1960**, 348.
   R. Hanna u. G. Ourisson, Bl. **1961**, 1945.
[4] Vgl. S. Winstein u. G. Just, XVIIIth IUPAC Congress, Montreal, Canada, 6.–12. August 1961.
   Vgl. C. W. Shoppee u. G. A. R. Johnston, Soc. **1962**, 2684.
[5] W. G. Dauben u. G. J. Fonken, Am. Soc. **78**, 4736 (1956).
[6] W. G. Dauben u. J. A. Ross, Am. Soc. **81**, 6521 (1959).

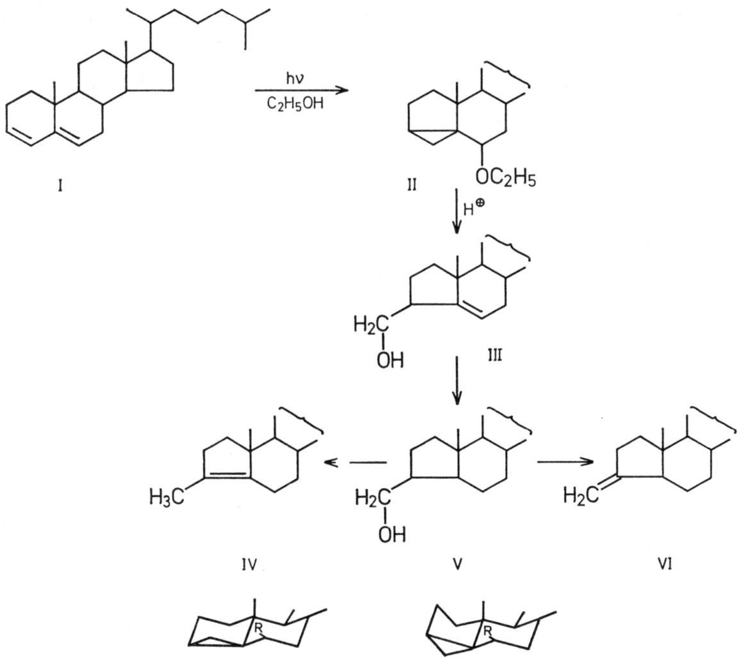

thyl-A-nor-cholesten-(3))] und VI (*3-Methylen-A-nor-cholestan*) an Aluminiumoxid dehydratisiert. Diese Daten und die Tatsache, daß die 6α- und 6β-Hydroxy-Derivate des 3α, 5α-Cyclo-cholestans zum Cholesterol umgelagert werden, sprechen für VIII als Struktur des Photoprodukts. 3α,5α-Cyclo-cholestan (VII mit R = H) liefert jedoch auch in einer säurekatalysierten Umlagerung[1] das Olefin IV.

Bei der UV-Bestrahlung des 6β-Hydroxy-3α,5α-cyclo-cholestans (IX) in Benzol/Methanol (3:1) werden nach chromatographischer Trennung *6β-Methoxy-3α,5α-cyclo-cholestan* (X) und *3β-Methoxy-cholesten-(5)* (XI) im Verhältnis 35:1 erhalten[2]:

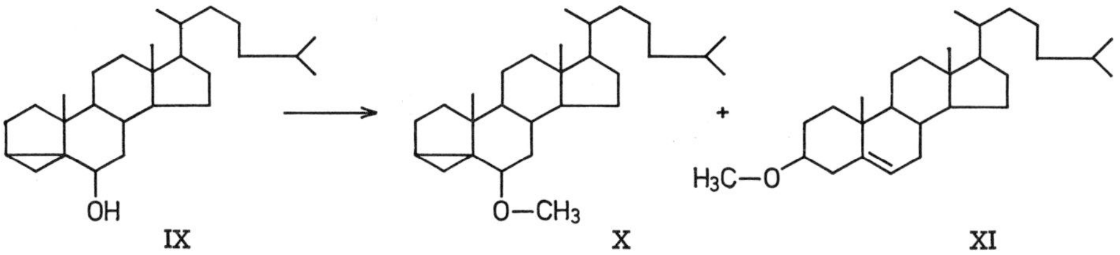

Die Spaltung des 11α-Hydroxy-11,19-cyclosteroids XII (S. 464) mit Blei(IV)-acetat beinhaltet möglicherweise eine Variante der i-Steroid-Umlagerung[3]. Diese Reaktion, die möglicherweise über das Ion XIII (S. 464) verläuft, führt zu einer Mischung der isomeren Carbinolacetate XIV und XV {*19-Acetoxy-3,3; 20,20-bis-[äthylendioxy]-11-oxo-pregnen-(5)* bzw. *6-Acetoxy-3,3,20,20-bis-[äthylendioxy]-11-oxo-5,10-cyclo-pregnan*}.

3β-Tosyloxymethyl-A-nor-cholesten-(5) (XVI, S. 464) lagert sich in dem gleichen Maße in *3β-Hydroxy-cholesten-(5)* (XVII) und *6β-Hydroxy-3,5-cyclo-cholestan* (XVIII)

[1] H. Schmidt u. K. Kägi, Helv. **33**, 1582 (1950).
[2] R. Beugelmans u. H. Compaignons de Marchaville, Chem. Commun. **1969**, 241.
[3] M. S. Heller et al., Helv. **45**, 1261, 2615 (1962).

um, wie dieses aus 3β-p-Tosyloxy-cholesten-(5) selbst gebildet wird[1]. Diese Tatsache
führte zur Annahme eines „symmetrischen" Kations XIX, das eine Delokalisierung sowohl der Elektronen der 4,5-Bindung als auch der π-Elektronen der 5,6-Doppelbindung

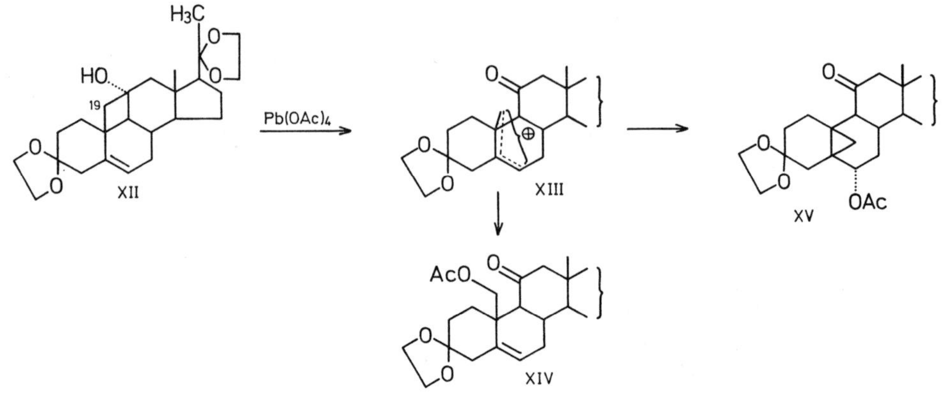

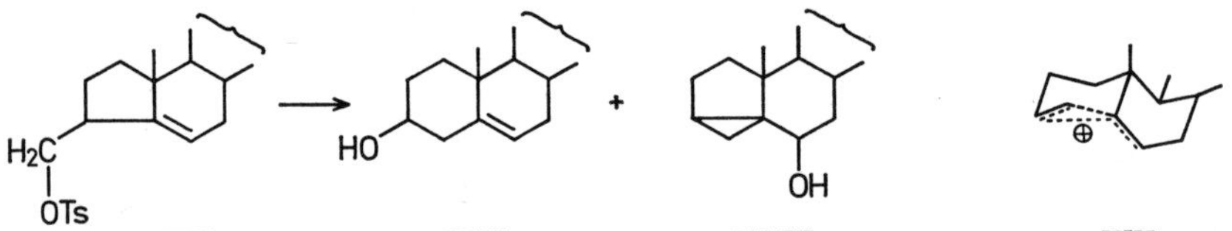

beinhaltet. Das entsprechende „unsymmetrische" Kation beinhaltet nur eine Delokalisierung der π-Elektronen der 5,6-Doppelbindung.

Versuche, ein i-Steroid durch direkte Umlagerung von 7β-Tosyloxy-cholesten-(4)
(I) zu erzeugen, schlugen fehl[2]. Die Bildung von *7β-Methoxy-cholesten-(4)* (Ia) als
entscheidendes Produkt der Methanolyse von I deutet andererseits auf die Betei-

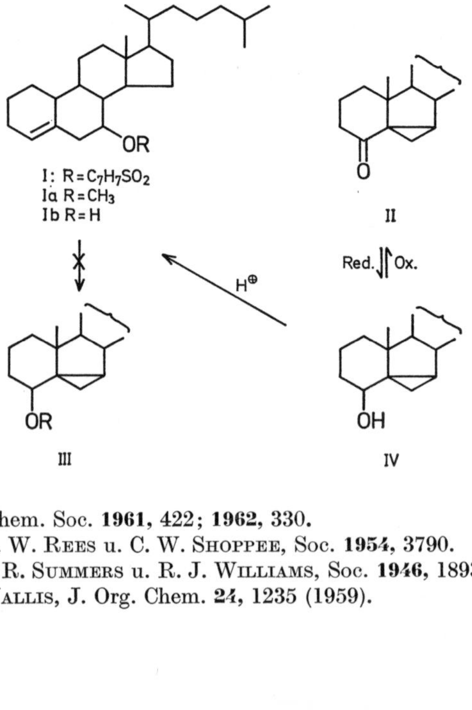

[1] G. H. WHITHAM, Pr. chem. Soc. **1961**, 422; **1962**, 330.
[2] R. J. W. CREMLYN, R. W. REES u. C. W. SHOPPEE, Soc. **1954**, 3790.
     C. W. SHOPPEE, G. H. R. SUMMERS u. R. J. WILLIAMS, Soc. **1946**, 1893.
     G. J. KENT u. E. S. WALLIS, J. Org. Chem. **24**, 1235 (1959).

ligung der π-Elektronen der 4,5-Doppelbindung beim Konfigurationserhalt an C$_7$ hin. *4-Oxo-5a,7a-cyclo-cholestan*(II, S. 464) kann reduktiv in das epimere *4β-Hydroxy-5,7-cyclo-cholestan* (IV) überführt werden[1]. Durch oxidative Behandlung kann IV wieder in das Ausgangsketon II umgewandelt werden (s. S. 464). Bei Behandlung mit Säure erfolgt eine Umlagerung zum *7-Hydroxy-cholesten-(4)* (I b).

Bei der Reaktion von *3β-Chlor-cholesten-(5)* (V) mit Triphenyl-zinnhydrid oder mit dem Natrium-biphenyl-Radikalanion entsteht nur *Cholesten-(5)* (VI). Bei der Reaktion des *6β-Chlor-3,5-cyclo-cholestans* (VII) hingegen erhält man mit den gleichen Reagentien neben Cholesten-(5) (VI) überwiegend *3,5-Cyclo-cholestan* (VIII)[2].

Aus den gebildeten Produkten und denen von Vergleichsreaktionen wurde geschlossen, daß die Reaktion V→VI über das Cholesteryl-(3)-Radikal verläuft, die Reaktion VII→VIII dagegen über das Cyclocholestanyl-(6)-Radikal, das sich teilweise in das offensichtlich stabilere Cholesteryl-Radikal umlagert[2].

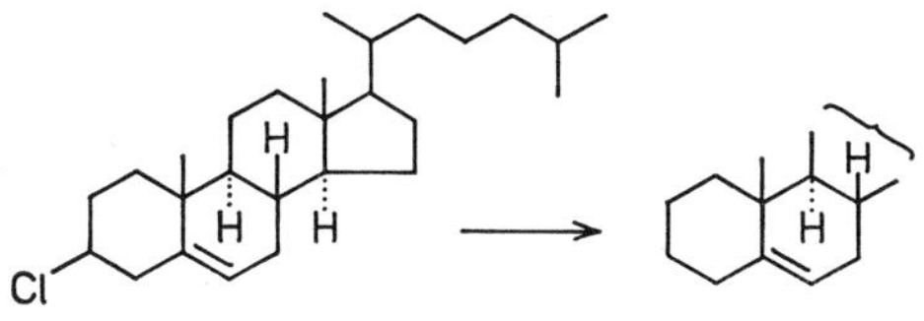

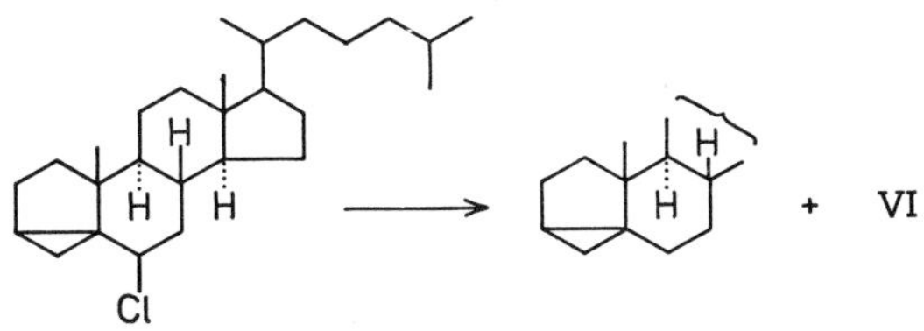

Bei der Synthese des *16a,17a-Isopropylidendioxy-3,20-dioxo-6a-methyl-pregnen-(4)* (IX) wurde der nachfolgende Weg beschritten, der u.a. eine Cyclopropanierung unter Homoallyl-Umlagerung und eine Wiederöffnung des Dreiringes beinhaltet[3]:

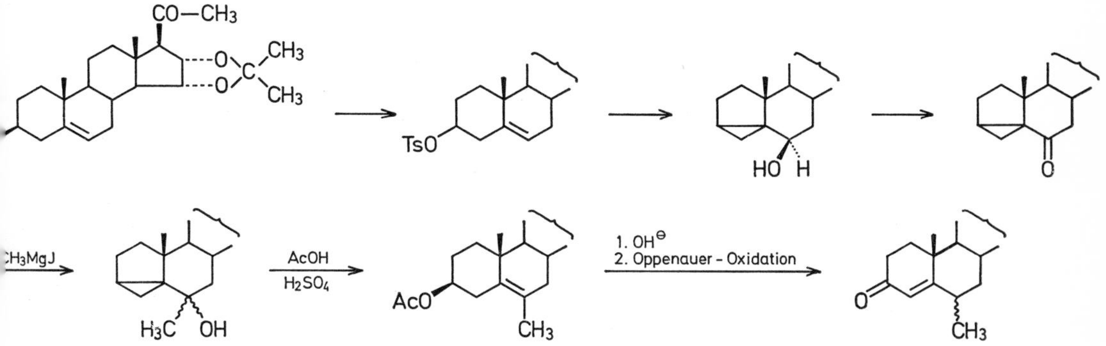

---

[1] Q. R. PETERSON, Am. Soc. **82**, 3677 (1960).
   G. H. R. SUMMERS, Pr. chem. Soc. **1960**, 24.
[2] S. J. CRISTOL u. R. V. BARBOUR, Am. Soc. **90**, 2831 (1968).
[3] B. ELLIS, S. P. HALL, V. PETROW u. S. WADDINGTON-FEATHER, Soc. **1961**, 4111.

Interessante Homoallyl-Umlagerungen sind auch bei in 19-Stellung substituierten Steroiden beobachtet worden[1,2]. So liefert das aus 19-Hydroxy-3-methoxy-17-oxo-androsten-(5) hergestellte Methansulfonat I bei Hydrolyse in wäßrigem Aceton in Anwesenheit von Kaliumacetat als Puffer *6β-Hydroxy-3-methoxy-17-oxo-5β,19-cyclo-androstan* (II). Eine anschließende Behandlung mit Schwefelsäure führt unter Ringerweiterung zum *7β-Hydroxy-3β-methoxy-17-oxo-B-homo-östren-(5¹⁰)* (III)[1]. Aus III entsteht mit Methansulfonsäure-chlorid in Pyridin das *3β-Methoxy-17-oxo-5,6-cyclopropano-östren-(9)* (IV) und in geringer Menge *10β-Hydroxy-3β-methoxy-17-oxo-5,6-cyclopropano-östran* (V). Mit Thionylchlorid wird aus III ein Gemisch aus *3β-Methoxy-17-oxo-6-chlor-methyl-östren-(5¹⁰)* (VI) und *7-Chlor-3β-methoxy-17-oxo-B-homo-östren-(5¹⁰)* (VII) erhalten[2]:

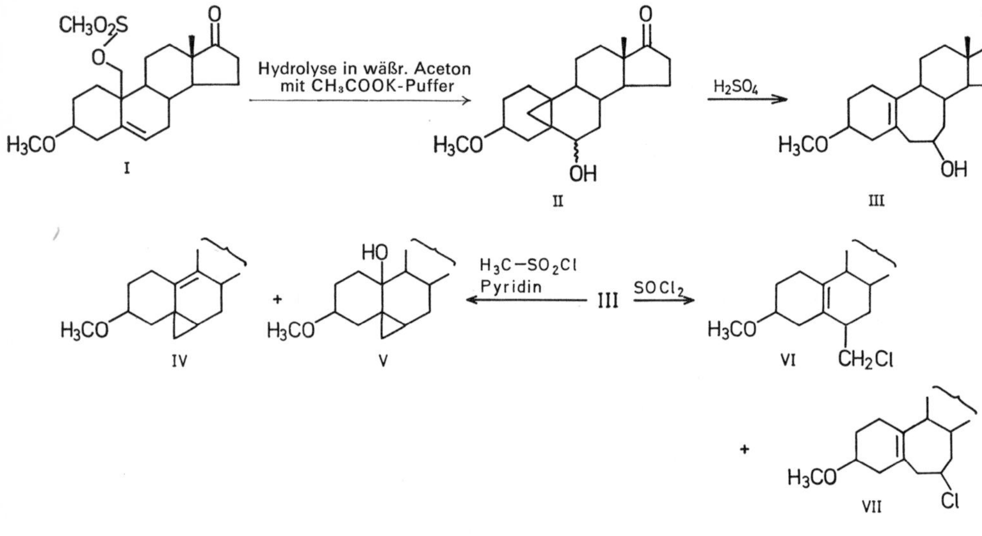

VIII. Cyclisierungen von Allen- und Acetylen-Derivaten unter solvolytischen Bedingungen (Analogiereaktionen zur Homoallyl-Umlagerung)

a) Allen-Verbindungen

In Analogie zu den Homoallyl-Verbindungen wurde die Möglichkeit untersucht[3], Allen-Verbindungen der Struktur I (S. 467) zu cyclisieren[4]. Da die π-Bindungen des Allen-Systems jede für sich den Charakter isolierter Doppelbindungen besitzen, sollten derartige Verbindungen wegen ihrer Ähnlichkeit mit Homoallyl-Verbindungen bei Carbeniumionen-Reaktionen unter geeigneten Bedingungen zu Cyclopropan-Derivaten reagieren. Als Endprodukte dieser Umlagerung wären Cyclopropylketone

[1] J. TADANIER u. W. COLE, Tetrahedron Letters **1964**, 1345.
[2] J. TADANIER, J. Org. Chem. **31**, 2124 (1966).
[3] M. HANACK u. J. HÄFNER, Tetrahedron Letters **1964**, 2191; B. **99**, 1077 (1966).
[4] Vgl. a. M. BERTRAND u. M. SANTELLI, C. r. **259**, 2251 (1964).

III zu erwarten, wobei vermutlich Enole bzw. Enolester der Struktur II als Zwischenstufen durchlaufen werden. In der Tat konnten solche Umlagerungen bzw. Cyclisierungen realisiert werden[1,2]. Neben den Cyclopropylketonen III kommt es zur Bildung von nicht-umgelagertem Alkohol bzw. dessen Ester sowie von ungesättigtem Kohlenwasserstoff in wechselnden Mengen[2]. Wie bei den Homoallyl-Verbindungen ist auch hier die Ausbeute an Cyclisierungsprodukt abhängig von der Nucleophilie und der Ionisierungsstärke des verwendeten Lösungsmittels[2].

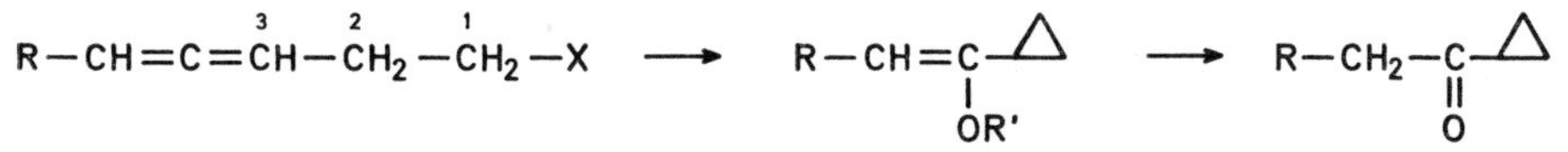

$$R-CH=\overset{3}{C}=\overset{2}{C}H-\overset{1}{C}H_2-CH_2-X \longrightarrow R-CH=C-\triangle \longrightarrow R-CH_2-C-\triangle$$

$$\qquad\qquad\qquad\qquad\qquad\qquad\qquad\qquad OR' \qquad\qquad\qquad\qquad O$$

$$I \qquad\qquad\qquad\qquad\qquad II \qquad\qquad\qquad\qquad III$$

Tab. 73. Cyclisierung von Allen-Verbindungen I zu Cyclopropylketonen unter solvolytischen Bedingungen[2]

R	X	Medium		Ausbeute [% d. Th.]
H	Br	Ag_2O/H_2O		32
	Naphthyl-(2)-sulfonyloxy-	CH_3COOH		20
		HCOOH	*Acetyl-cyclopropan*	80
		CH_3OH		0
	NH_2	HNO_2		9
CH_3	Naphthyl-(2)-sulfonyloxy-	Aceton/H_2O	*Propanoyl-cyclo-*	40
		HCOOH	*propan*	51

Auf eine direkte Beteiligung einer Allen-Doppelbindung deutet neben den Ergebnissen der Produktanalyse auch die Kinetik der Acetolyse des Naphthalin-2-sulfonsäure-pentadien-(3,4)-ylester und -hexadien-(3,4)-ylester hin. Hierbei reagiert der Pentadien-(3,4)-ylester 3,5mal, der Hexadien-(3,4)-ylester 9,5mal schneller als der gesättigte Naphthalin-2-sulfonsäure-pentylester[1]. Weitere kinetische Untersuchungen[3] lassen die gleichen Schlüsse zu.

Bei in 1- oder 3-Stellung substituierten Allenen vom Typ I wurden auch Cyclobutyl-Derivate als Reaktionsprodukte gefunden[4].

Acetyl-cyclopropan aus Naphthalin-2-sulfonsäure-pentadien-(3,4)-ylester[1]:

Hydrolyse: 4,1 g (15 mMol) Naphthalin-2-sulfonsäure-pentadien-(3,4)-ester [hergestellt aus Pentadien-(3,4)-ol-(1)[5] und Naphthalin-2-sulfonsäure-chlorid], werden mit 4,0 g (40 mMol) Calciumcarbonat in 100 *ml* Aceton/Wasser (1:1) gepuffert und 13 Tage unter Rühren bei 60° gehalten. Dann wird filtriert, das Filter mit Wasser nachgewaschen, auf 1 *l* verdünnt, mit Natriumchlorid gesättigt und 5mal mit je 100 *ml* Äther extrahiert. Nach dem Trocknen und Abdestillieren erhält man 2,5 g Rohprodukt, dessen gaschromatographische Analyse folgende Zusammensetzung ergibt:

11% Kohlenwasserstoff (nicht identifiziert)
37% *Acetyl-cyclopropan*
52% *Pentadien-(3,4)-ol-(1)*.

---

[1] M. HANACK u. J. HÄFNER, Tetrahedron Letters 1964, 2191; B. 99, 1077 (1966).
[2] Vgl. M. HANACK u. H. J. SCHNEIDER, Fortschr. chem. Forsch. 8, 554 (1967).
[3] Vgl. A. R. BALLENTINE, R. S. BLY u. S. U. KOOCK, Abstracts 152. Meeting Am. Soc., New York, Sept. 1966, Section S.
[4] M. BERTRAND u. M. SANTELLI, C. r. 259, 2251 (1964).
[5] Vgl. E. B. BATES, E. R. H. JONES u. M. C. WHITING, Soc. 1954, 1854.

Acetolyse: 5,48 g (20 mMol) Naphthalin-2-sulfonsäure-pentadien-(3,4)-ylester in 100 *ml*
absol. Eisessig und 3,2 g (40 mMol) wasserfreies Natriumacetat werden 12 Tage unter Rühren
auf 60° erwärmt. Danach gibt man die Mischung langsam zu einer mit Äther überschichteten
Lösung von 30 g Natriumcarbonat in 100 *ml* Wasser, extrahiert die wäßrige Phase 3mal mit je
50 *ml* Äther, wäscht die vereinigten Ätherauszüge mit Wasser, trocknet diese und destilliert
das Lösungsmittel ab. Im Rückstand können

20% *Acetyl-cyclopropan*
61% *5-Acetoxy-pentadien-(1,2)*
sowie 7 bzw. 12% nicht-identifizierter Produkte nachgewiesen werden.

Formolyse: 3,0 g (11 mMol) Naphthalin-2-sulfonsäure-pentadien-(3,4)-ylester in 200 *ml*
absol. Ameisensäure und 2,0 g (30 mMol) Natriumformiat werden 8 Tage unter Rühren bei 60°
gehalten. Dann wird mit 1 *l* Wasser verdünnt, mit Natriumchlorid gesättigt, mit Äther extrahiert,
und schließlich die Ätherauszüge bis zur neutralen Reaktion mit einer ges. Natriumhydrogencarbonat-Lösung gewaschen. Nach dem Trocknen über wasserfreiem Natriumsulfat destilliert
man das Solvens über eine Kolonne ab und destilliert den Rückstand; Ausbeute: 0,7 g (80%
d. Th.).

Die gaschromatographische Analyse ergibt dann

80% *Acetyl-cyclopropan*
5% *5-Formyloxy-pentadien-(1,2)*
sowie zwei weitere nicht-identifizierte Komponenten mit zusammen 15%.

Methanolyse: 4,1 g (15 mMol) Naphthalin-2-sulfonsäure-pentadien-(3,4)-ylester in 200 *ml*
absol. Methanol und 4 g (40 mMol) Calciumcarbonat werden bei 60° 10 Tage gerührt. Anschließend wird vom Calciumcarbonat abfiltriert, mit Methanol nachgewaschen, das Filtrat mit 2 *l*
Wasser verdünnt, 6mal mit je 50 *ml* Äther extrahiert und nach Trocknen und Verdampfen
des Äthers ohne Fraktionierung destilliert; Ausbeute: 0,85 g (57% d. Th.).

Das Gaschromatogramm zeigt

92% *5-Methoxy-pentadien-(1,2)*
neben drei weiteren Produkten (nicht identifiziert) von insgesamt 8%.

Bei der Hydrolyse des optisch aktiven 5-p-Tosyloxy-hexadien-(1,2) (IV) werden
28% des racemischen Hexadien-(1,2)-ol-(5) (V), 33% *cis-2-Methyl-1-acetyl-cyclo-
propan* (VI) und 37% *trans-2-Methyl-1-acetyl-cyclopropan* (VII) erhalten[1]. Damit
sind erste Untersuchungen zur Stereochemie der Homoallyl-Gruppenbeteiligung
eingeleitet worden.

Auch die Cyclisierungen von β-Allen-Verbindungen mit freier 3-Stellung[2] sowie
von in 3-Stellung substituierten β-Allenen[3] sind grundlegend untersucht worden.
Je nach Art des verwendeten Reagens verläuft die Reaktion der beiden Allen-Deri-
vate I a und I b (S. 469) über die Zwischenstufen II oder III zum *2-Methyl-1-acetyl-
cyclopropan* (IV) oder zum nicht-umgelagerten[2] Carbinol V. Der sterische Ablauf der
Reaktion, die zu einem racemisierten Carbinol V einerseits, und zu einem invertierten Cyclopropan-Derivat IV andererseits führen kann, ist ausführlich diskutiert
worden[1,2].

[1] M. BERTRAND u. M. SANTELLI, Chem. Commun. **1968,** 718.
[2] M. SANTELLI u. M. BERTRAND, Tetrahedron Letters **1969,** 2511.
[3] M. SANTELLI u. M. BERTRAND, Tetrahedron Letters **1969,** 2515.

Die Desaminierung des Amins VI führt ausschließlich zunächst zu dem Kation III, das dann entweder zu V weiter reagiert oder über eine Isomerisierung zum isomeren Kation VII das isomere Carbinol VIII liefert. II und IV können auch aus dem ungesättigten Bromid IX mit wäßrigem Silbernitrat erzeugt werden. In Gegenwart von Kaliumbromid erhält man aus dem Allen-Derivat Ia neben IV und V noch die Bromide IX und X. Der Ester XI liefert bei der Solvolyse unter Umlagerung das lineare Carbinol XII. Die Reduktion von Ia mit Natriumboranat führt über die Zwischenstufe XIII zu *2-Methyl-1-äthinyl-cyclopropan* (XIV)[1].

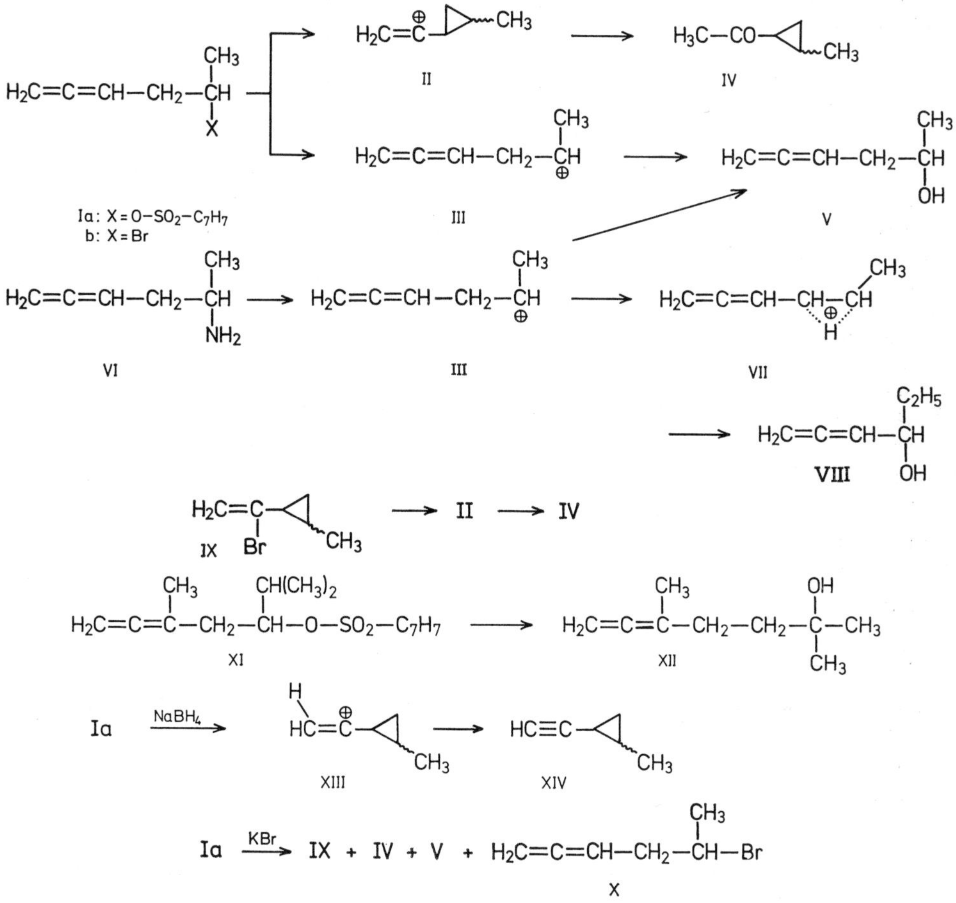

Die Solvolyse der beiden substituierten Allencarbinol-Derivate XV und XVIII liefert jeweils die Methylen-cyclobutanole XVI und XVII[2]. Als Zwischenstufen für diese Reaktion werden Kationen vom Typ XIX bzw. XX diskutiert[2]:

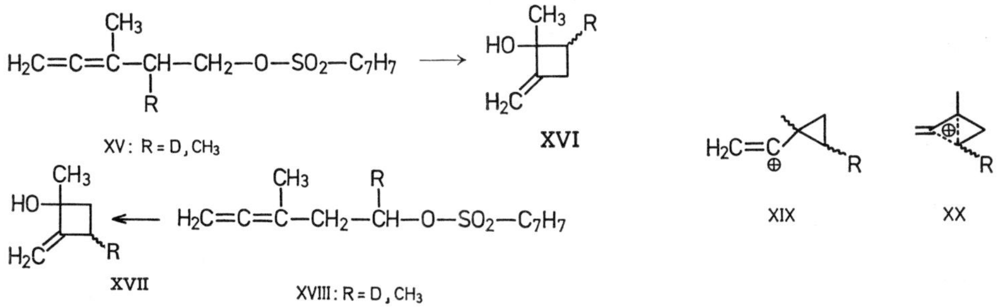

---

[1] M. SANTELLI u. M. BERTRAND, Tetrahedron Letters **1969**, 2511.
[2] M. SANTELLI u. M. BERTRAND, Tetrahedron Letters **1969**, 2515.

b) Acetylen-Verbindungen

Auch Alkine der Struktur I cyclisieren unter den Bedingungen einer Solvolyse[1].
So liefert 5-Tosyloxy-pentin-(2) (I mit R = CH$_3$ und X = OTs) bei der Formolyse zu
20% 2-Oxo-1-methyl-cyclobutan (II mit R = CH$_3$) neben 80% nicht-umgelagertem
5-Formyloxy-pentin-(2) sowie geringen Mengen *Acetyl-cyclopropan* (weniger als 1%)
(III mit R = CH$_3$)[1,2]:

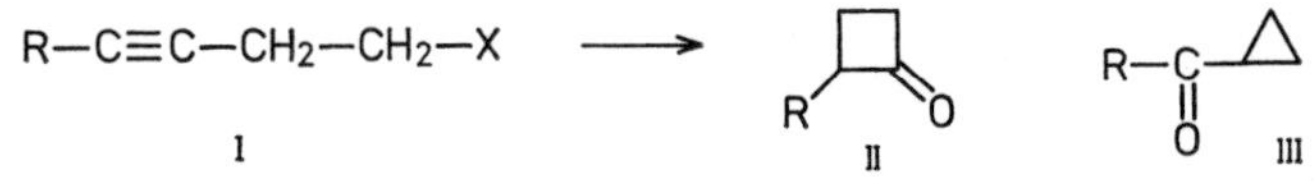

Die Ausbeuten an 2-Oxo-1-alkyl-cyclobutanen (II) konnten bei der Trifluoracetolyse
von I (X = OTs) beträchtlich gesteigert werden[2] (s. Tab. 74, S. 472). Einer präparativen Anwendung
zur Herstellung der 2-Oxo-1-alkyl-cyclobutane standen die langen Reaktionszeiten der Tosylate
entgegen (s. Tab. 74). Eine praktisch quantitative Cyclisierung zum 2-Oxo-1-alkyl-cyclobutan
kann dann erreicht werden, wenn die schneller reagierenden 3-Nitro-benzolsulfonate (I mit
X = OSO$_2$C$_6$H$_4$–m–NO$_2$) oder die 3,5-Dinitro-benzolsulfonate [I mit X = OSO$_2$C$_6$H$_3$–3,5–
(NO$_2$)$_2$] in Trifluoressigsäure solvolysiert werden. Die Umlagerung ist dann nach 5 Tagen vollständig; nichtumgesetztes Sulfonat kann nicht mehr nachgewiesen werden[2,3]. Die auf anderem
Wege nur sehr schwer zugänglichen 2-Oxo-1-alkyl-cyclobutane[4] sind damit relativ leicht
herzustellen[5].

4-Tosyloxy- bzw. 4-(3-Nitro-benzolsolfonyloxy)-1-phenyl-butin-(1) (I mit R = C$_6$H$_5$
und X = OTs bzw. OSO$_2$–C$_6$H$_4$–3–NO$_2$) reagieren in Ameisensäure oder Trifluoressigsäure neben anderen Produkten überwiegend zum *Benzoyl-cyclopropan* (III mit
R = C$_6$H$_5$)[6]. 4-Tosyloxy-1-äthoxy-butin-(1) (I mit R = C$_2$H$_5$O; X = OTs) lagert
sich bei der Hydrolyse in einem Aceton/Wasser-Gemisch teilweise zu *Cyclopropancarbonsäure-äthylester* um[7].

Durch geeignete Änderung der Reaktionsbedingungen kann die geschilderte Umlagerung in eine andere Richtung geleitet werden. Solvolysiert man die Acetylen-
Derivate I (X = OSO$_2$–C$_6$H$_4$–3–NO$_2$) in Trifluoressigsäure unter Zusatz von
Quecksilber(II)-acetat, so entstehen vorwiegend die entsprechenden Alkyl-
cyclopropyl-ketone III; der strukturgleiche Ester (I mit R = Alkyl; X = OCOCF$_3$)
wird nicht gebildet; so erhält man aus:

---

[1] M. HANACK, J. HÄFNER u. I. HERTERICH, Tetrahedron Letters **1965**, 875.

[2] M. HANACK u. I. HERTERICH, Tetrahedron Letters **1966**, 3847.

[3] M. HANACK, I. HERTERICH u. V. VÖTT, Tetrahedron Letters **1967**, 3871.

[4] D. R. HOWTON u. E. R. BUCHMANN [Am. Soc. **78**, 4011 (1956)] erhielten *2-Oxo-1-methyl-
cyclobutan* in geringer Menge bei der Pyrolyse von Trimethyl-(2-methyl-cyclobutyl)-ammo-
niumhydroxid.

J. M. CONIA u. J. GORE [Bl. **1963**, 735] konnten *2-Oxo-1-methyl-cyclobutan* durch Ozonisierung
von 2-Oxo-1-äthyliden-cyclobutan herstellen; es bildet sich ferner neben *2-Methyl-1-formyl-
cyclopropan* bei der Umlagerung von Epoxy-1-methyl-cyclobutan (vgl. J. L. RIPOLL u.
J. M. CONIA, Bl. **1965**, 2755).

M. JULIA et al., [C. r. **260**, 4222 (1965)] überführten Methylen-cyclobutan in 1-Methyl-cyclo-
buten, dessen Hydroborierung und Oxidation des 2-Hydroxy-1-methyl-cyclobutans gleichfalls *2-Oxo-1-methyl-cyclobutan* ergab. Bei diesen in der Literatur beschriebenen Verfahren
wird damit in einen durch konventionelle Synthesen hergestellten Vierring auf verschiedene
Weise eine Keto-Gruppe eingeführt.

[5] Vgl. ds. Handb., Bd. IV/4, Kap. Carbocyclische Vierringsysteme, S. 62 ff.

[6] Vgl. M. HANACK u. H. J. SCHNEIDER, Fortschr. chem. Forsch. **8**, 554 (1967).

[7] M. HANACK u. W. KAISER, unveröffentlichte Ergebnisse.

5-(3-Nitro-benzolsulfonyloxy)-pentin-(2)	→	*Acetyl-cyclopropan*	97% d.Th.
		neben *2-Oxo-1-methyl-cyclobutan*	3% d.Th.
1-(3-Nitro-benzolsulfonyloxy)-hexin-(3)	→	*Propanoyl-cyclopropan*	90% d.Th.
		neben *2-Oxo-1-äthyl-cyclobutan*	10% d.Th.
1-(3-Nitro-benzolsulfonyloxy)-	→	*1-Oxo-2-methyl-1-cyclo-*	75% d.Th.
5-methyl-hexin-(3)		*propyl-propan*	
		neben *2-Oxo-1-isopropyl-cyclobutan*	25% d.Th.

Neben der präparativen Bedeutung dieser Umlagerungen sind auch die reaktionsmechanistischen Aspekte von Interesse[1].

Die Cyclobutanone II können auf zwei Wegen gebildet werden: Die Cyclisierung erfolgt, wie von den Homoallyl-[2] und entsprechend gebauten Allen-Verbindungen[3] bekannt, auch bei den Alkin-Derivaten unter direkter Beteiligung der C≡C-Dreifachbindung (s. Schema A). Die aus IV bzw. V gebildeten Enolester VI und VII liefern dabei die Ketone II bzw. III:

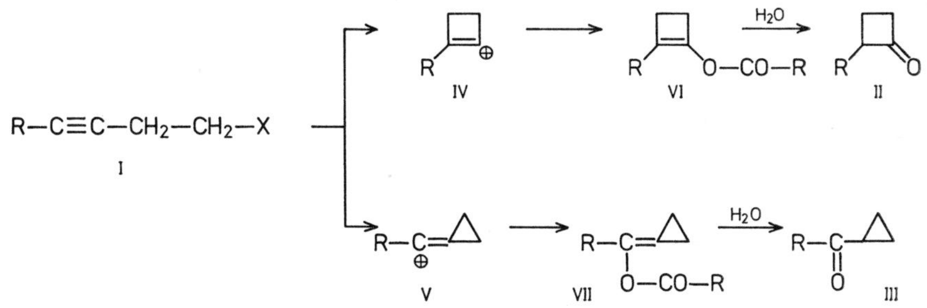

Schema A

Schema B zeigt einen anderen Reaktionsweg, bei dem zunächst eine Addition der Säure an die C≡C-Dreifachbindung erfolgt:

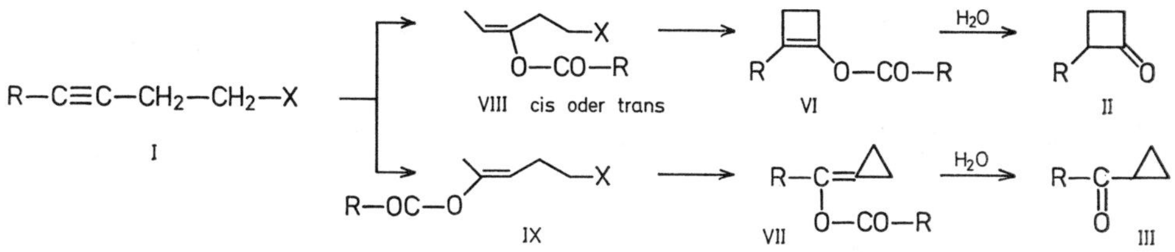

Schema B

Die Homoallyl-Systeme VIII und IX solvolysieren unter Ringschluß, wobei VI und VII oder die korrespondierenden Dicarbonsäure-diester als Zwischenstufen auftreten.

Obwohl im Sinne von Schema A das außergewöhnlich stark gespannte Vinyl-Kation zumindest als sehr kurzlebige Zwischenstufe durchlaufen werden müßte, können die bisher gesammelten Ergebnisse für die alkylsubstituierten Ester (I, R = Alkyl) derzeit am besten mit einer direkten Beteiligung der C≡C-Dreifachbindung an dieser Carbeniumionen-Reaktion interpretiert werden[1]:

Die Umlagerung zum Cyclobutanon wird begünstigt durch Lösungsmittel hoher Ionisierungsstärke und niederer Nucleophilie (z.B. Ameisensäure und Trifluoressigsäure). Be-

---

[1] M. HANACK, I. HERTERICH u. V. VÖTT, Tetrahedron Letters **1967**, 3871.
[2] Vgl. die Zusammenfassung bei M. HANACK u. H. J. SCHNEIDER, Fortschr. chem. Forsch. **8**, 554 (1967).
[3] M. HANACK u. J. HÄFNER, B. **99**, 1077 (1966).

Tab. 74. Solvolysen von Alkin-3-yl-sulfonaten in verschiedenen Lösungsmitteln[1]

R–C≡C–CH₂–CH₂–X	Solvens	Temperatur [°C]	Reaktionsdauer in Tagen	Reaktionsprodukte[a]		
				(Cyclobutanon) [% d.Th.]	$R-\overset{\triangle}{C}=O$ [% d.Th.]	R–C≡C–CH₂–CH₂–OH [% d.Th.]
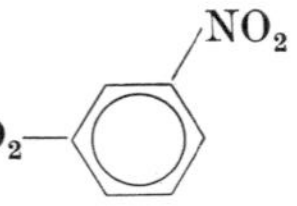 R=CH₃; X=OSO₂– (m-Nitrophenyl)	CH₃COOH/CH₃COONa	70	19[b]	—	—	>98[c]
X=OTs	HCOOH/HCOONa	70	18[b]	16	1	83[c]
X=OTs	CF₃COOH/CF₃COONa	50	11[b]	85	9	Spuren
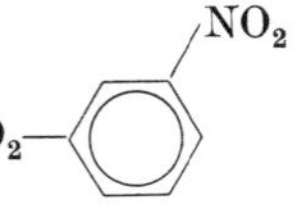 X=OSO₂– (Nitrophenyl)	CF₃COOH/CF₃COONa	50	5	>98[d]	<1	—
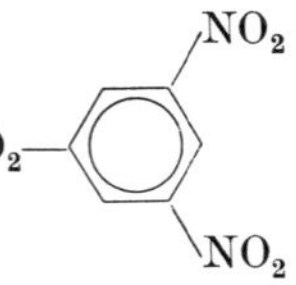 X=OSO₂– (Dinitrophenyl)	CF₃COOH/CF₃COONa	45	5	>98[e]	<1	—
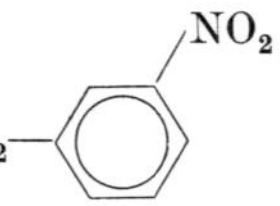 R=C₂H₅; X=OSO₂– (Nitrophenyl)	CF₃COOH/CF₃COONa	50	5	>95[f]	<1	Spuren
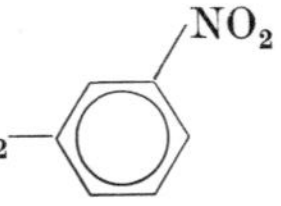 R=i-C₃H₇; X=OSO₂– (Nitrophenyl)	CF₃COOH/CF₃COONa	50	5	>98[g]	<1	—

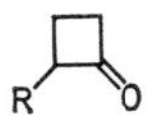

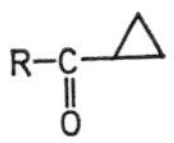

a) gaschromatographisch ermittelte Zusammensetzung.
b) es war noch nicht-umgesetztes Sulfonat nachzuweisen.
c) nach dem Verseifen der Ester.
d) isoliert 2-Oxo-1-methyl-cyclobutan; 52% d.Th.
e) isoliert 2-Oxo-1-methyl-cyclobutan; 72% d.Th.
f) isoliert 2-Oxo-1-äthyl-cyclobutan; 52% d.Th.
g) isoliert 2-Oxo-1-isopropyl-cyclobutan; 30% d.Th.

reits in Eisessig werden nur noch die strukturgleichen Acetate isoliert. Methanol als Solvens liefert nur die entsprechenden 1-Methyläther. Bei der Hydrolyse der Bromide (I, X = Br, S. 471) wird lediglich der strukturgleiche Alkohol erhalten.

Die Verwendung der im Vergleich zu den Tosylaten leichter zu S_N1-Reaktionen neigenden 3-Nitro- und 3,5-Dinitro-benzolsulfonsäureester führt unter sonst gleichen Reaktionsbedingungen zu höheren Cyclobutanon-Ausbeuten.

Wird das Pentin-(3)-ol-(1) (I, R = CH_3, X = OH; S. 471) mit Ameisensäure oder Trifluoressigsäure unter solvolytischen Bedingungen umgesetzt, so wird nur der entsprechende Ester isoliert. Eine Addition an die C≡C-Dreifachbindung konnte nicht beobachtet werden.

Im Gegensatz dazu entstehen aus den Acetylenalkoholen unter den gleichen Reaktionsbedingungen in Anwesenheit von Quecksilber(II)-acetat über die Ketole IX (R = Alkyl, X = OH bzw. OCOR (S. 471) bevorzugt die alkylsubstituierten 4,5-Dihydro- bzw. 2-Alkylen-tetrahydrofurane (S. 471)[1].

Die Reaktion der Sulfonsäureester (I, R = Alkyl; S. 471) in Trifluoressigsäure in Gegenwart von Quecksilber(II)-acetat ergibt – wie bereits erwähnt – vorwiegend die Cyclopropyl-ketone (III, R = Alkyl). In Analogie zu den Alkoholen dürfte auch hier die Addition primär zu der Zwischenstufe IX (R = Alkyl, X = OSO_2R) führen. Im Sinne von Schema B (S. 471) würden dann die Cyclopropylketone durch anschließende Solvolyse und Umlagerung daraus gebildet werden[2,3].

Bei der Acetolyse von I (mit R = CH_3; X = 3-Nitro-benzolsulfonyloxy, S. 471) wird keine Umlagerung gefunden; eine unter analogen Bedingungen durchgeführte Acetolyse unter Quecksilber(II)-acetat-Zusatz liefert hingegen zu 18% *Acetyl-cyclopropan* neben nicht-umgelagertem Ester[2].

Der sehr geringe Anteil an Cyclopropylketonen bei den Solvolysen, die ohne Quecksilber(II)-salze durchgeführt wurden, deutet darauf hin, daß die Umlagerung bei den alkylsubstituierten Estern nicht im Sinne einer Primäraddition der Säure an die acetylenische Dreifachbindung abläuft. Bei der kernresonanzspektroskopischen Verfolgung der Trifluoracetolyse von 1-(3-Nitro-benzoylsulfonyloxy)-hexin-(3) ergab sich kein Hinweis für die Anwesenheit von olefinischen Protonen in dem sich bildenden Zwischenprodukt.

Nach Zusatz von Wasser zum Reaktionsgemisch trat unmittelbar das Spektrum des 2-Oxo-1-äthyl-cyclobutans auf[4].

Bei der Hydrolyse von I [mit R = CH_3; X = 3,5-Dinitro-benzolsulfonyloxy, S. 471] in einem Aceton/Wasser-Gemisch (20:80) unter Zusatz von Pyridin entsteht neben dem strukturgleichen Alkohol zu 4% das 2-Oxo-1-methyl-cyclobutan. Da die entstehende Sulfonsäure mit Pyridin abgefangen wurde, scheidet somit eine Protonenaddition bzw. eine säurekatalysierte Wasser-Addition an die Dreifachbindung des Alkins aus[2].

Die Formolyse des 4-Tosyloxy-1-phenyl-butin-(1)[5] (I, R = C_6H_5, X = OTos, S. 471) ergab nach dem Verseifen der Ester 61% *Benzoyl-cyclopropan*, während dieses vor dem Verseifen in einigen Ansätzen nur in Spuren nachzuweisen war[2]. Ein Additionsmechanismus im Sinne von Schema B (S. 471) kann in diesem Fall nicht ausgeschlossen werden[6], da neben 17% strukturgleichem Alkohol auch zu 18% *4-Hydroxy-1-oxo-1-phenyl-butan* erhalten wurde.

Bislang ist es jedoch nicht gelungen, ein Zwischenprodukt in Form des Enolesters VI (oder VII; S. 471) zu isolieren[2]. Die unlängst am 6-Brosyloxy-1-phenyl-hexin-(1)[7]

[1] M. HANACK u. V. VÖTT, unveröffentlichte Versuche.
[2] M. HANACK, I. HERTERICH u. V. VÖTT, Tetrahedron Letters **1967**, 3871.
[3] Vgl. a. M. HANACK u. H. J. SCHNEIDER, Ang. Ch. **79**, 709 (1967).
[4] M. HANACK, H. EHRHARDT u. V. VÖTT, unveröffentlichte Versuche.
[5] M. HANACK u. I. HERTERICH, Tetrahedron Letters **1966**, 3847.
    M. HANACK, J. HÄFNER u. I. HERTERICH, Tetrahedron Letters **1965**, 875.
[6] Vgl. a. H. R. WARD u. P. D. SHERMAN, Am. Soc. **89**, 1962 (1967).
[7] W. D. CLOSSON u. S. A. ROMAN, Tetrahedron Letters **1966**, 6015.

sowie am 6-Tosyloxy-heptin-(1)[1] durchgeführten Solvolysen haben andererseits gezeigt, daß bei diesen Beispielen die über ein Vinyl-Kation[2] entstehenden Enolester gefaßt werden können.

Abschließend seien an dieser Stelle noch die neueren Untersuchungen zur Produktbildung[3] und zum Mechanismus[4] der zur Homoallyl-Umlagerung formal analogen Homopropargyl-Umlagerung erwähnt.

c) Vinyl-Kationen als Zwischenstufen

Wie bereits erwähnt, sind Cyclisierungen, die unter Beteiligung von allenischen oder acetylenischen Bindungen zur Bildung von kleinen Alicyclen führen, sehr eingehend untersucht worden[5]. Die extrem leichte solvolytische Isomerisierung einiger Homoallenyl-Verbindungen I unter Bildung von Alkyl-cyclopropyl-ketonen (III) lieferte nicht nur einen Hinweis, daß hierbei der Grundzustand destabilisiert wird[6], sondern auch die Möglichkeit, daß ein intermediäres Vinyl-Kation (II) durch den benachbarten Cyclopropanring beträchtlich stabilisiert werden könnte[7]:

$$R-CH=C=CH-CH_2-CH_2-X \longrightarrow R-CH=\overset{\oplus}{C}-\triangleleft \longrightarrow \longrightarrow R-CH_2-\underset{\underset{O}{\parallel}}{C}-\triangleleft$$

$$\text{I} \qquad\qquad\qquad\qquad \text{II} \qquad\qquad\qquad\qquad \text{III}$$

$$\begin{array}{c} R \\ \diagdown \\ C=\overset{\oplus}{C}-R \\ \diagup \\ R \end{array}$$

$$\text{IV}$$

Zum anderen stieg auch die Zahl anderer organischer Reaktionen, für die Vinyl-Kationen der allgemeinen Struktur IV als Zwischenstufen diskutiert wurden[8].

[1] P. E. Peterson u. R. J. Kamat, Am. Soc. **88**, 3152 (1966).

[2] Vgl. a. P. E. Peterson u. J. E. Duddey, Am. Soc. **88**, 4990 (1966).

[3] M. Hanack, S. Bocher, K. Hummel u. V. Vött, Tetrahedron Letters **1968**, 4613.

[4] M. Hanack, V. Vött u. H. Ehrhardt, Tetrahedron Letters **1968**, 4617.

[5] M. Hanack u. J. Häfner, Tetrahedron Letters **1964**, 2131; B. **99**, 1077 (1966).
M. Bertrand u. M. Santelli, C. r. **259**, 2251 (1964); **266**, 231 (1966); Chem. Commun. **1968**, 718.
M. Hanack, J. Häfner u. I. Herterich, Tetrahedron Letters **1965**, 875.
M. Hanack u. J. Herterich, Tetrahedron Letters **1966**, 3847.
M. Hanack, I. Herterich u. V. Vött, Tetrahedron Letters **1967**, 3871.
M. Hanack, V. Vött u. H. Ehrhardt, Tetrahedron Letters **1968**, 4617.
M. Hanack et al., Tetrahedron Letters **1968**, 4613.

[6] Vgl. R. S. Bly, A. R. Ballentine u. S. U. Koock, Am. Soc. **89**, 6993 (1967).

[7] Vgl. M. Hanack u. H. J. Schneider, Ang. Ch. **79**, 709 (1967).

[8] M. Bertrand u. M. Santelli, C. r. **266**. 231 (1968).
R. Garry u. R. Vessiere, Bl. **1968**, 1542.
W. D. Closson u. S. A. Roman, Am. Soc. **88**, 6015 (1966).
H. R. Ward u. P. D. Sherman, Am. Soc. **89**, 1962 (1967).
T. L. Jakobs u. R. Macomber, Tetrahedron Letters **1967**, 4877.
T. L. Jakobs u. R. N. Johnson, Am. Soc. **82**, 6397 (1960).
R. C. Fahey u. D. J. Lee, Am. Soc. **90**, 2124 (1968) u. frühere Arbeiten.
A. Nishimura, H. Kato u. M. Ohta, Am. Soc. **89**, 5083 (1967).
W. M. Jones u. F. W. Miller, Am. Soc. **89**, 1960 (1967).
J. K. Crandall, D. R. Paulson u. C. A. Bunnell, Tetrahedron Letters **1968**, 5063.
G. Capozzi et al., Tetrahedron Letters **1968**, 4039.

(Fortsetzung s. S. 475)

Aus diesem Grunde wurde es interessant, Versuche zur direkten Erzeugung von Vinyl-Kationen durch Solvolyse geeigneter Cyclopropyläthylen-Derivate durchzuführen und zu bestimmen, ob die Vinyl-Kationen im Gegensatz zu anderen Vinyl-Derivaten[1] besonders schnelle Reaktionsgeschwindigkeiten zeigen.

In der Tat gelang die Erzeugung von Vinyl-Kationen durch Solvolyse von 1-Jod[2]- bzw. 1-Chlor-1-cyclopropyl-äthylen[3].

Bei der Behandlung des Hydrazons II mit Triäthylamin und Jod in Tetrahydrofuran[4] bei 0° wird *1-Jod-1-cyclopropyl-äthylen* in 20%iger Ausbeute neben anderen, höhersiedenden Produkten erhalten[2]:

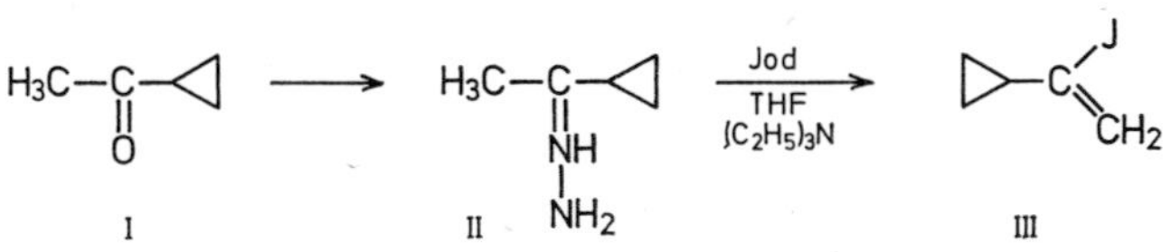

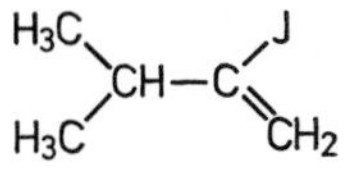

Das reine Jodid reagiert unmittelbar bei Kontakt mit wäßrig-äthanolischer Silbernitrat-Lösung bei Raumtemperatur unter Bildung von Silberjodid und von *Acetyl-cyclopropan* als organischem Hauptprodukt (>90%).

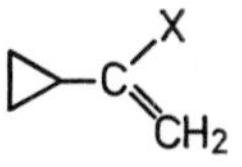

Im Gegensatz dazu ist das analoge Jodid IV völlig unreaktiv gegenüber Silbernitrat bei Zimmertemp. und geht erst bei Temp. um 150° im abgeschlossenen Rohr eine silberkatalysierte Umwandlung (in 36 Stdn. ~ 20% Durchsatz) in 3-Oxo-2-methyl-butan ein. Die Behandlung von III mit Silberacetat in Essigsäure führt in schneller Reaktion zu *1-Acetoxy-1-cyclopropyl-äthylen* (V). Darüber hinaus liefert III mit einem Überschuß an Silber-p-toluolsulfonat[5] in Acetonitril bei Raumtemp. das ungewöhnliche *1-p-Tosyloxy-1-cyclopropyl-äthylen* (VI). Aus dieser Reaktion geht schon hervor, daß das intermediäre Vinyl-Kation selbst mit dem wenig nucleophilen p-Toluolsulfonat-Anion[6] abgefangen werden kann[2]. Nachstehende Aufstellung zeigt das Ergebnis sorgfältiger Produktstudien, die an der Silberacetat/Essigsäure-Reaktion mit III durchgeführt wurden[2]:

---

[1] Vgl. R. L. Shriner, R. C. Fuson u. D. Y. Curtin in „*Systematic Identification of Organic Organic Compounds*" Kap. 8, John Wiley & Sons, Inc., New York, 1964.
C. A. Grob u. G. Cseh, Helv. **47**, 194 (1964).
C. A. Grob, J. Csapilla u. G. Cseh, Helv. **47**, 1590 (1964).
[2] S. A. Sherrod u. R. G. Bergman, Am. Soc. **91**, 2115 (1969).
[3] M. Hanack u. T. Bässler, Am. Soc. **91**, 2117 (1969).
[4] Vgl. D. H. R. Barton, R. E. O'Brien u. S. Sternhell, Soc. **1962**, 470.
[5] Vgl. N. Kornblum, W. J. Jones u. G. J. Anderson, Am. Soc. **81**, 4113 (1959).
[6] Vgl. auch zur Synthese und Solvolyse einer Zahl anderer Toluolsulfonsäure-vinylester: P. E. Peterson u. J. M. Indelicato, Am. Soc. **90**, 6515 (1968).

(Fortsetzung v. S. 474)

G. Modena u. U. Tonellato, Chem. Commun. **1968**, 1676.
P. E. Peterson u. J. E. Duddey, Am. Soc. **88**, 4990 (1966).
A. G. Martinez et al., Ang. Ch. **82**, 323 (1970).
K. Griesbaum et al., Ang. Ch. **82**, 841 (1970).
P. v. R. Schleyer, Am. Soc. **91**, 5350 (1969).
D. R. Kelsey u R. G. Bergman, Am. Soc. **92**, 228 (1970).

1-Acetoxy-1-cyclopropyl-äthylen	61,4 %
Acetyl-cyclopropan	25,5 %[1]
2-Acetoxy-1-methylen-cyclobutan	1,5 %
5-Acetoxy-pentadien-(1,2)	2,3 %
nicht-identifiziertes Material	0,5 %
Cyclopropyl-acetylen	8,7 %[2]

Obgleich das Silber(I)-Ion die Ionisationsgeschwindigkeit von III (S. 475) erhöht, so ist es doch nicht als notwendiger Katalysator für die Reaktion aufzufassen[3]. Das Jodid III wird auch in wäßrigem, mit Triäthylamin gepuffertem Methanol bei 140 bis 160° in *Acetyl-cyclopropan* übergeführt ($k_{150°} = 1,93 \cdot 10^{-4} sec^{-1}$; $\Delta H^{\neq} = 23,3$ kcal/Mol; $\Delta S^{\neq} = -21,2$ e. u.).

Die Reaktionsgeschwindigkeit wird nur sehr geringfügig geändert, wenn man bei der Zugabe von Puffern von 1 zu 3 Äquivalenten übergeht; d.h., daß das Triäthylamin nicht im Sinne eines Additions-Eliminierungs-Schrittes am Reaktionsgeschehen beteiligt ist. Diese Ergebnisse sind schließlich als Beweis für das intermediäre Auftreten des Vinyl-Kations VII gewertet worden[3]. Die Tatsache, daß VII offensichtlich nur langsam zu dem wahrscheinlich stabileren allylischen Cyclobutyl-Kation VIII umgelagert wird, zeigt, daß ein relativ hoher Ladungsbetrag am Vinyl-Kohlenstoff konzentriert sein muß, wenn auch eine genügende Elektronenfreigabe vom Cyclopropanring im Übergangszustand der Ionisation stattfindet, um die Reaktion zu beschleunigen[3]:

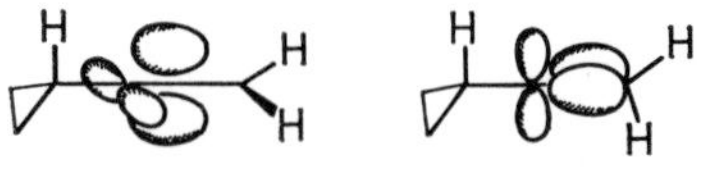

Für das Vinyl-Kation VII ist eher mit einer bisektischen Struktur[4] VIIa als mit einer Struktur im Sinne des entsprechenden 90°-Rotameren VIIb zu rechnen, da in VIIa die günstigste Überlappung zwischen dem vakanten p-Orbital und dem Cyclopropanring gegeben sein dürfte[3]. Andererseits muß darauf hingewiesen werden, daß sicher die Solvens-Moleküle eng mit dem Kation und dem zu diesem führenden Übergangszustand verbunden sein sollten, so daß das Vinyl-Kation VII vielleicht mit der Formel IX realer beschrieben sein dürfte[3].

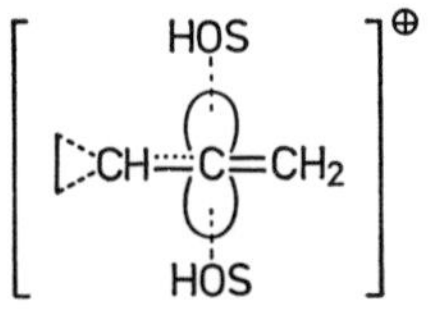

Zur Herstellung des *1-Chlor-1-cyclopropyl-äthylens* (XII, S. 477)[5] wurde gleichfalls vom Acetyl-cyclopropan (X) ausgegangen, das mit Phosphor(V)-chlorid in das Dichlorid XI überführt wurde[6]. Bei der tropfenweisen Zugabe von XI in eine Lösung von Kaliumhydroxid in Triäthylenglykol (90°) wird dann eine Mischung von *1-Chlor-1-cyclopropyl-äthylen* (XII), *Cyclopropyl-acetylen* und Penten-(1)-in-(3) neben nichtum-

---

[1] Möglicherweise aus dem Hauptprodukt bei der Aufarbeitung entstanden.

[2] Vgl. Y. M. SLOBODIN u. I. N. SHOCHOR, Ž obšč. Chim. **22**, 195 (1952); engl.: 243.

[3] S. A. SHERROD u. R. G. BERGMAN, Am. Soc. **91**, 2115 (1969).

[4] Vgl. J. E. BALDWIN u. W. D. FOGLESONG, Am. Soc. **90**, 4311 (1968).

[5] M. HANACK u. T. BÄSSLER, Am. Soc. **91**, 2117 (1969).

[6] Y. M. SLOBODIN u. I. N. SHOCHOR, Ž. obšč. Chim. **22**, 195 (1952); engl.: 243.
Es ist darauf zu achten, daß sehr reines Phosphor(V)-chlorid eingesetzt und die Temp. unter 0° gehalten wird, da ohne diese Vorkehrungen mit quantitativer Cyclopropanring-Öffnung zu rechnen ist; s. M. HANACK u. T. BÄSSLER, Am. Soc. **91**, 2117 (1969).

gesetztem Dichlorid XI erhalten. XII reagiert bei Raumtemperatur sofort mit Silberperchlorat in ungepufferter Essigsäure. Die gaschromatographische Analyse zeigte 80% *Acetyl-cyclopropan*, 15% *Cyclopropyl-acetylen* neben insgesamt 5% nicht-identifizierten Produkten[1]:

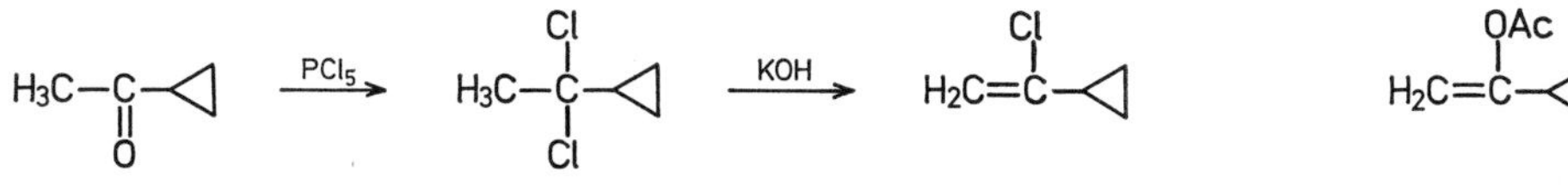

Wird XII mit Silberperchlorat in mit Natriumacetat gepufferter trockener Essigsäure bei 25° behandelt, so wird innerhalb weniger Minuten *1-Acetoxy-1-cyclopropyl-äthylen* (XIII) als Hauptprodukt gebildet[1]. 2-Chlor-3,3-dimethyl-buten-(1) hingegen ist völlig inaktiv gegenüber Silbersalzen.

Auch diese Ergebnisse sprechen für die Annahme eines Vinyl-Kations als Zwischenstufe, das durch Ladungsdelokalisierung durch den benachbarten Cyclopropanring stabilisiert wird.

IX. Zwischenstufen bei der Homoallyl-Umlagerung

a) Bicyclobutonium-Ionen

1951 wurde mit einer Reihe von Untersuchungen eine eingehendere Aufklärung der Umlagerungsreaktionen von Cyclopropylmethyl- und Cyclobutyl-Verbindungen eingeleitet.

Zunächst konnte sicher nachgewiesen werden, daß die Desaminierung von Aminomethyl-cyclopropan (I) und Cyclobutylamin (II) dasselbe Verhältnis der isomeren Alkohole III, IV und V liefert[2]:

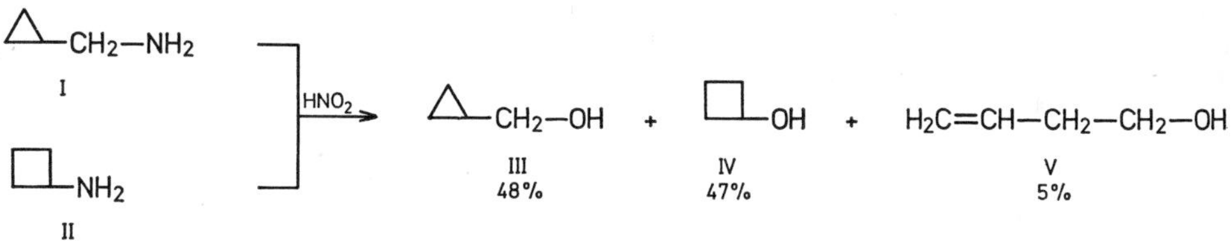

Bei dieser Umsetzung sowie auch bei anderen kinetisch kontrollierten Reaktionen, z.B. bei der Solvolyse geeigneter Derivate[2,3] kann somit aus einer Vierring-Verbindung eine um ∼ 1,5 Kcal/Mol stärker gespannte Dreiring-Verbindung (*Hydroxymethyl-cyclopropan*) entstehen.

Bei der Solvolyse von Chlormethyl-cyclopropan wurde neben den Solvolyseprodukten auch Chlor-cyclobutan und 4-Chlor-buten-(1) gefunden, deren Entstehung durch die bei solvolytischen Reaktionen grundsätzlich zu erwartende „innere Rückkehr" (internal return) zu verstehen ist[4]. Hierbei auftretende Zwischenstufen

---

[1] M. HANACK u. T. BÄSSLER, Am. Soc. **91**, 2117 (1969).

[2] J. D. ROBERTS u. R. H. MAZUR, Am. Soc. **73**, 2509 (1951).

[3] J. D. ROBERTS u. V. C. CHAMBERS, Am. Soc. **73**, 5034 (1951).

[4] M. C. CASERIO, W. H. GRAHAM u. J. D. ROBERTS, Tetrahedron **11**, 171 (1960).

wurden u. a. aufgrund des beobachteten Deuterium-Platzwechsels bei der Behandlung von Cyclopropylcarbinol und Cyclobutanol mit Thionylchlorid als „Bicyclobutonium-Ionenpaar" formuliert[1]. Zum anderen soll die innere Rückkehr durch einen Übergangszustand höheren Ordnungsgrades verlaufen als die Solvolyse, da erstere bei einer niedrigeren Aktivierungsenergie langsamer als letztere verläuft[2]. Eine Desaminierung[3,4] oder eine Solvolyse[5,6] von Buten-(3)-yl-(1)-Verbindungen ergibt unter geeigneten Bedingungen gleichfalls Cyclopropylmethyl- und Cyclobutyl-Derivate, obwohl diese um $\sim$ 12 Kcal/Mol gespannter sind.

Eine eingehendere Untersuchung dieser ungewöhnlichen Umlagerungsreaktionen unter Verwendung von in α-Stellung ^{14}C-markiertem Cyclopropylmethyl-amin zeigte, daß im Verlaufe der Reaktion eine weitgehende Verteilung des ^{14}C stattfindet[7].

Zum anderen zeichnen sich zur Solvolyse befähigte Cyclopropylmethyl- und Cyclobutyl-Derivate durch eine unerwartet hohe Reaktionsgeschwindigkeit aus. So reagiert z.B. Brommethyl-cyclopropan in einem 1:1-Äthanol/Wasser-Gemisch bei 25° mit k = 8,3 · 10^{-5} Sec^{-1} $\sim$ 23mal schneller als das Allylbromid (k = 0,36 · 10^{-5} Sec^{-1}), das Cyclobutylchlorid mit k = 0,42 · 10^{-5} Sec^{-1} annähernd gleich schnell, während 4-Chlor-buten-(1) selbst bei 90° für die Reaktionsgeschwindigkeitskonstante nur einen Wert von 0,17 · 10^{-1} Sec^{-5} zeigt[3,8,9].

Die gleiche Produktzusammensetzung bei den Reaktionen der Cyclopropyl-methyl- und Cyclobutyl-Verbindungen, die Verteilung des ^{14}C in den entstandenen Alkoholen sowie die hohe Geschwindigkeit der Solvolyse wurden zunächst mit der Annahme einer allen isomeren Systemen gemeinsamen Zwischenstufe in Form eines symmetrischen Tricyclobutonium-Ions erklärt[7]. Bei einer genaueren Analyse der Umsetzung von Aminomethyl-cyclopropan-α-^{14}C mit salpetriger Säure zeigte sich jedoch, daß das ^{14}C z.B. im gebildeten Cyclobutanol nicht genau gleichmäßig auf die drei in Frage kommenden Stellungen verteilt ist (je 35,8% ^{14}C in den beiden β-Stellungen und 28,1% in der γ-Stellung). Da ein symmetrisches Tricyclobutonium-Ion zu einer absolut gleichmäßigen Verteilung des ^{14}C Anlaß geben sollte, lassen sich die Ergebnisse am besten durch ein sich rasch, aber mit verschiedener Geschwindigkeit einstellendes Gleichgewicht dreier pyramidaler unsymmetrischer Bicyclobutonium-Ionen I, II und III (s. Abb. 11 auf S. 479) deuten[10,11]. Aus jedem dieser drei Bicyclobutonium-Ionen, die sich ihrerseits über ein Tricyclobutonium-Ion als Übergangszustand bilden sollen, werden durch Substitution an C-1, C-2 und C-3 die Cyclobutyl-, Cyclopropylmethyl- und Homoallyl-Verbindungen gebildet.

Die bei der Acetolyse und Äthanolyse von deuteriertem (Benzolsulfonyloxymethyl)-cyclopropanen beobachteten sekundären Isotopeneffekte[12] ließen sich mit den Bicyclobutonium-Strukturen nur schwer vereinbaren.

[1] M. C. CASERIO, W. H. GRAHAM u. J. D. ROBERTS, Tetrahedron **11**, 171 (1960).
[2] S. BORČIČ, K. HUMSKI u. D. E. SUNKO, Croat. Chem. Acta **34**, 249 (1962).
[3] J. D. ROBERTS u. R. H. MAZUR, Am. Soc. **73**, 2509 (1951).
[4] E. RENK u. J. D. ROBERTS, Am. Soc. **83**, 878 (1961).
[5] K. L. SERVIS u. J. D. ROBERTS, Am. Soc. **86**, 3773 (1964).
[6] M. HANACK et al., A. **690**, 98 (1965).
[7] J. D. ROBERTS u. R. H. MAZUR, Am. Soc. **73**, 3542 (1951).
[8] C. C. BERGSTROM u. S. SIEGEL, Am. Soc. **74**, 145 (1952).
[9] R. A. SNEEN et al., Am. Soc. **83**, 4846 (1961).
  C. Y. WU u. R. E. ROBERTSON, Am. Soc. **88**, 2666 (1966).
[10] J. D. ROBERTS et al., Am. Soc. **81**, 4390 (1959).
[11] H. KIM u. W. D. GWINN, Tetrahedron Letters **1964**, 2535.
[12] S. BORČIČ, M. NIKOLETIČ u. D. E. SUNKO, Am. Soc. **84**, 1615 (1962); Pure a. Appl. Chem. **8**, 441 (1964).

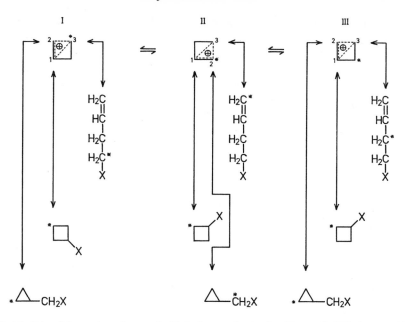

Abb. 11. Bicyclobutonium-Ionen als Zwischenstufen in der Homoallyl-Umlagerung[1,2].

Die Verteilung der Ladung im Bicyclobutonium-Ion und damit auch die Zusammensetzung der Reaktionsprodukte sollte durch Substituenten beeinflußbar sein[3].

In der Tat tritt, wie die Beispiele IV bis IX zeigen, die Substitution durch das Solvens jeweils am Substitutionsort einer Methyl-Gruppe ein, was auch durch die größere Stabilität der entsprechenden Carbenium-Ionen erklärt werden könnte:

Die Desaminierung von optisch aktivem 1-Amino-1-cyclopropyl-äthan (IX mit $R = CH_3$ und $X = NH_2$) liefert ebenso wie die durch Nachbargruppenwirkung beschleunigte Hydrolyse entsprechender 4-(1-Cyclopropyl-äthoxy)-1-methyl-pyridinium-Salze (IX, $R = CH_3$, $X = [OC_5H_4N^{\oplus}CH_3] J^{\ominus}$; $ClO_4^{\ominus}$) ein nahezu vollständig racemisiertes Produkt (*1-Hydroxy-1-cyclopropyl-äthan*; VIII, $R = CH_3$, $Y = OH$)[4]. Da im Bicyclobutonium-Ion das funktionelle Kohlenstoffatom gegen den Solvensangriff einseitig abgeschirmt ist, wird aufgrund dieser Befunde das Auftreten von ladungs-

[1] R. H. MAZUR et al., Am. Soc. **81**, 4390 (1959).
[2] Vgl. a. H. KIM u. W. D. GWINN, Tetrahedron Letters **1964**, 2535.
[3] E. F. COX et al., Am. Soc. **83**, 2719 (1961).
[4] M. VOGEL u. J. D. ROBERTS, Am. Soc. **88**, 2262 (1966).

delokalisierten Cyclopropylmethyl-Kationen ohne Verbrückung angenommen[1].

Die Bevorzugung einer „bisektischen" Struktur als Zwischenstufe ergibt sich
auch aus der Racemisierungsgeschwindigkeit von optisch aktivem *1-Hydroxy-1-
cyclopropyl-äthan* (IX mit R=CH$_3$ und X=OH, S. 479) mit verdünnter Säure, die
etwa gleich groß ist wie die Austauschgeschwindigkeit[2] mit H$_2^{18}$O.

b) Homoallyl-Resonanz und isomere Ionen

Die Nachbargruppenwirkung eines α-ständigen Cyclopropanringes wie die einer
γ-ständigen Doppelbindung wurde in einer Reihe theoretisch weitreichender Arbeiten
eingehend studiert und unter dem Begriff der „Homoallyl-Resonanz" zusammenfassend beschrieben[3].

Die bereits früher beschriebene Solvolyse des 3β-Chlor-cholesterins (I, X = Cl, S. 481)
und des 6β-Chlor-3,5-cyclo-cholestans (III, X = Cl) verläuft zu $\sim 80\%$ unter „internal return"[4,5].

Die Homoallyl-Umlagerung wurde andererseits auch als eine nicht-klassische
Wagner-Meerwein-Umlagerung unter Vinylgruppen-Wanderung angesprochen,
wobei die Bildung verschiedener ladungsdelokalisierter Spezies II diskutiert wurde[3,6].
Die Umlagerung des Cyclopenten-(2)-yl-methyl-Systems (s. a. S. 484) führt neben
dem zu erwartenden Cyclopropan-Produkt in der Tat zu dem Wagner-Meerwein-
Isomeren, dem Cyclohexen-(3)-yl-Derivat[7].

Bei der Diskussion der ladungsdelokalisierten Strukturen II (S. 481) wurde davon ausgegangen[6,3],
daß das durch die Ionisierung vakant gewordene Orbital an C-1 mit dem C-3-Orbital der π-Bindung
in der Ebene der Kohlenstoffe C-1, C-2 und C-3 ähnlich überlappen kann wie die korrespondierenden Orbitale im Allyl-Kation (s. Abb. 13, S. 482). Die Austausch- bzw. Überlappungsintegrale
und daraus die Delokalisierungsenergie (DE) wurden nach einer semiempirischen LCAO-Methode

---

[1] M. Vogel u. J. D. Roberts, Am. Soc. **88**, 2262 (1966).

[2] H. G. Richey u. J. M. Richey, Am. Soc. **88**, 4971 (1966).

[3] S. Winstein u. M. Simonetta, Am. Soc. **76**, 18 (1954).

[4] S. Winstein u. E. M. Kosower, Am. Soc. **81**, 4399 (1959).

In einer für die hier vorliegende thermodynamisch kontrollierte Reaktion gültigen
Beziehung ist der Unterschied der Energien im Grundzustand von I und III (s. das Energieschema auf S. 481) durch

$$\Delta F_0 = RT \ln K = (\Delta F_I - \Delta F_{III}) - (\Delta F_{-I} - \Delta F_{-III})$$

gegeben. Der erste Klammerausdruck kann aus dem Verhältnis der Reaktionsgeschwindigkeits-
konstanten von I (X = Cl) und III (X = Cl), der zweite approximativ aus dem Produktverhältnis bei kinetisch kontrollierten Solvolysen von I und III bestimmt werden, wobei allerdings ein S$_N$2-Anteil noch zu berücksichtigen wäre. Die Übereinstimmung der experimentellen
Ergebnisse mit einem ΔF_0-Wert von ~ 9 kcal/Mol wurde als Bestätigung des Umlagerungs-
mechanismus über das resonanzstabilisierte gemeinsame Carbonium-Ion II gewertet. Gleichzeitig wurde hieraus auch ein Hinweis auf die Bedeutung der unterschiedlichen Spannungs-
energien im Grundzustand abgeleitet. Die „Resonanzstabilisierung" in der gemeinsamen
ionischen Zwischenstufe wurde schon früher[3,8,9] im Sinne mesomerer Strukturen formuliert.

[5] S. Winstein u. R. Adams, Am. Soc. **70**, 838 (1948).
  S. Winstein u. A. H. Schlesinger, Am. Soc. **70**, 3528 (1948).

[6] R. J. Piccolini u. S. Winstein, Tetrahedron **19** (Suppl. 2), 423 (1963).

[7] M. Hanack u. H. J. Schneider, Ang. Ch. **74**, 388 (1962).

[8] J. D. Roberts, W. Bennett u. R. Armstrong, Am. Soc. **72**, 3329 (1950).

[9] R. G. Pearson u. S. H. Langer, Am. Soc. **75**, 1065 (1953).

für verschiedene $C_1C_2C_3(\alpha)$-Winkel und C_1-C_3-Abstände berechnet. Die entsprechende Spannungs-energie (SE) konnte ebenfalls abgeschätzt werden[1]. Bei einem C_1-C_3-Abstand von 1,85 Å ergibt sich die größte Differenz (DE-SE) zu etwa 6 Kcal/Mol.

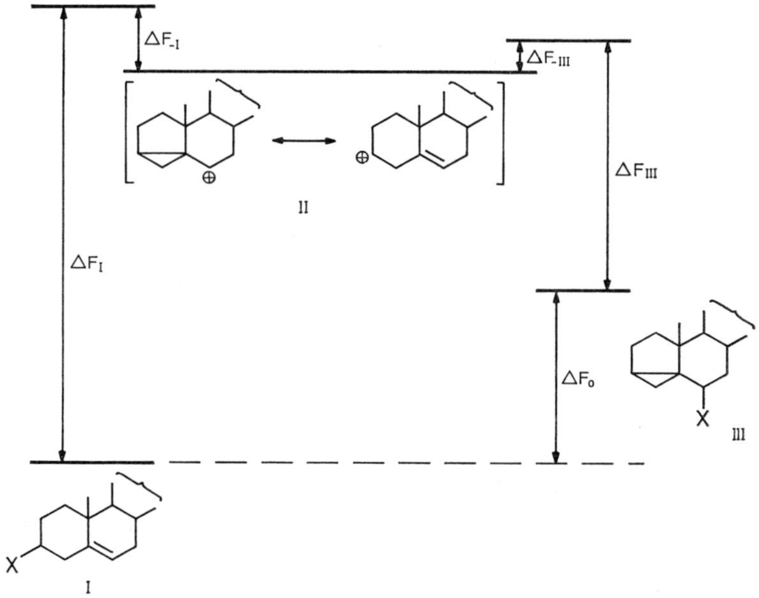

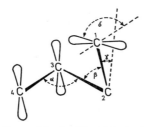

Abb. 12. Energieschema für die Homoallyl-Umlagerung

Das vorgeschlagene Bicyclobutonium-Ionen-Modell[2] berücksichtigt nicht nur die 1,3-, sondern auch die 1,4-Wechselwirkung. Eine Neuberechnung der reinen 1,3-Wechselwirkung führte zu einer optimalen Gesamtenergieerniedrigung von nur 2,8 Kcal/Mol, die sich aus (DE-SE) = 5,0 bis 2,2 Kcal/Mol bei einem C_1-C_3-Abstand von 2,25 Å ergibt. Durch Einbeziehung der 1,4-Wechselwirkung vergrößert sich der optimale Wert auf (DE-SE) = 22,7–11,3 = 11,4 Kcal/Mol. Der Aufbau des Bicyclobutonium-Ions ist dabei mit ungleichen 1,3- und 1,4-Überlappungen und -Abständen leicht asymmetrisch, der Winkel β ist gegenüber dem Tetraederwinkel um 35° verkleinert (s. Abb. 13)[3].

Abb. 13. Geometrie des Bicyclobutonium-Ions[3].

Daten: $\alpha = 115°$, $\beta = 74,5°$, $\gamma = 35°$, $\delta = 90,5°$, $d_{1,4} = 2,100$ Å, $d_{1,3} = 1,845$ Å.

Neben dem vorgeschlagenen Mechanismus der Homoallyl-Umlagerung über eine gemeinsame nicht-klassische Zwischenstufe sind auch andere Erklärungsversuche unternommen worden. Ein nicht-klassisches gemeinsames Kation sollte einerseits

[1] J. E. KILPATRICK u. R. SPITZER, J. chem. Physics **14**, 463 (1946).

[2] J. D. ROBERTS et al., Am. Soc. **81**, 4390 (1959).

[3] M. E. H. HOWDEN u. J. D. ROBERTS, Tetrahedron **19** (Suppl. 2), 403 (1963).

zu einer Energiesenkung und somit zu einer Solvolysebeschleunigung führen und andererseits gleichzeitig die Umlagerung in eine andere Struktur vermitteln. Danach wäre ein Zusammenhang zwischen der Isomerisierungstendenz und dem kinetischen Nachbargruppeneffekt ($k_{ungesättigt}/k_{gesättigt}$) zu erwarten. Dieser Faktor sollte z.B. bei umlagerungsfähigen Homoallyl-Derivaten in der Größenordnung von $10^5 \, sec^{-1}$ liegen, da das entsprechende Ion um ~ 10 Kcal/Mol stabilisiert ist[1]. Die Zusammensetzung des Umlagerungsgemisches dürfte nur von der Ladungsdelokalisierung im Bicyclobutonium-Ion abhängen[1]. Außerdem sollte die Bildung der Isomerisierungsprodukte weitgehend stereospezifisch erfolgen. Da diese und auch andere Forderungen[2] insbesondere bei substituierten Homoallyl-Verbindungen nicht stets erfüllt sind, wurde ein Mechanismus vorgeschlagen, dessen Zwischenstufen als isomere ladungsdelokalisierte Carbenium-Ionen formuliert werden (s. Abb. 14, S. 483)[2].

Die freie Energie der in einem reversiblen Gleichgewicht befindlichen isomeren Ionen bestimmt u.a. die Produktzusammensetzung. Homoallyl-Verbindungen würden entsprechend dieser Vorstellung deshalb isomerisieren, weil die korrespondierenden Ionen trotz einer möglichen Delokalisierung der positiven Ladung – die wiederum von der Geometrie des Ions sowie von der Natur der Substituenten an der Doppelbindung abhängt – in der Regel instabiler sind als die stärker ladungsdelokalisierten Cyclopropylmethyl- und Cyclobutyl-Carbeniumionen. Wenn auch die Energieerniedrigung durch Delokalisierung der Ladung bei Cyclopropylmethyl- und Cyclobutyl-Kationen in vielfältiger Weise empirisch gesichert ist, bedarf die Aufklärung der Natur und der Bedingungen dieser zweifelsohne nicht-klassischen Stabilisierung noch weiterer Untersuchungen[3]. Die Ladungsdelokalisierung kommt in diesen nicht-klassischen Carbeniumionen dadurch zustande, daß das unbesetzte $C^{\oplus}$-Orbital mit den gespannten C—C-Bindungen der entsprechenden Ringe überlappt. Für den Cyclopropan- sowie auch in geringerem Maße für den alicyclischen Vierring ist aus den Hybridisierungsrechnungen nach VB- und MO-Verfahren bekannt, daß diese Bindungen durch einen partiellen in der Ringebene befindlichen π- bzw. sp^2-Anteil ausgezeichnet sind[4].

Eine zu hohe Spannung kann jedoch insbesondere bei bicyclischen Systemen eine Umlagerung zu Drei- und Vierring-Verbindungen verhindern. Die besonders stabilen Allyl-Kationen werden nur recht selten beobachtet, da die Aktivierungsenergie für die Hydrid-Wanderung wahrscheinlich höher als die für die Homoallyl-Umlagerung ist. Die wechselseitige Umlagerung der Ionen wird beschleunigt durch einen günstigeren Übergangszustand bei der Homoallyl-Umlagerung, der einem Bicyclobutonium-Ion auch hinsichtlich der sterischen Voraussetzungen vergleichbar ist[3].

Vor dem eigentlichen Umlagerungsschritt kann das entsprechende Kation andererseits vom Solvens abgefangen werden, wodurch es zu einer Abhängigkeit der Produktzusammensetzung von der Nucleophilie des Lösungsmittels auch bei S_N1-Reaktionen kommt. Außerdem muß mit der Möglichkeit gerechnet werden, daß die beteiligten Ionen verschieden schnell durch das Solvens substituiert werden. Die Bildung sterisch einheitlicher Produkte ist bei Annahme getrennter ionischer Zwischenstufen durch besondere sterische Einflüsse möglich, aber nicht notwendig[3].

[1] M. E. H. Howden u. J. D. Roberts, Tetrahedron 19 (Suppl. 2), 403 (1963).

[2] M. Hanack u. H. J. Schneider, Tetrahedron 20, 1863 (1964).

[3] Vgl. M. Hanack u. H. J. Schneider, Fortschr. chem. Forsch. 8, 554 (1967).

[4] Vgl. etwa:
    C. A. Coulson u. W. E. Moffitt, Phil. Mag. 40, 1 (1949).
    A. D. Walsh, Trans. Faraday Soc. 45, 179 (1949).
    C. A. Coulson u. T. H. Goodwin, Soc. 1962, 2851.
    D. Peters, Tetrahedron 19, 1539 (1963).
    M. S. Dewar u. A. P. Marchand, Ann. Rev. phys. Chem. 16, 321 (1965).

Aus dem Energieschema in Abb. 14 kann man entnehmen, daß zwischen der Solvolysegeschwindigkeit der hier beteiligten Systeme und der Zusammensetzung der Produkte über die Energiedifferenz der isomeren Carbenium-Ionen ein Zusammenhang besteht[1]. Eine hohe Geschwindigkeitskonstante deutet auf eine ausgezeichnete Stabilität des betreffenden Kations hin. Dieses kann demzufolge eine geringere Isomerisierungstendenz zeigen als ein Ion höherer Energie, das seinerseits wegen der größeren Energiedifferenz zum Grundzustand langsamer gebildet wird[2].

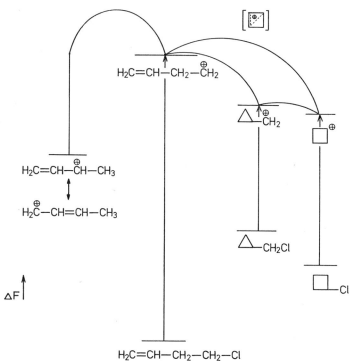

Abb. 14. Homoallyl-Umlagerung über isomere Carbenium-Ionen nach M. HANACK u. H. J. SCHNEIDER[1]

c) Untersuchungsergebnisse an „freien" Cyclopropylmethyl-Kationen

In neuerer Zeit gelang die direkte Beobachtung von Cyclopropylmethyl-Carbeniumionen. Verschiedene Cyclopropylmethyl-Kationen erwiesen sich als ungewöhnlich stabil[3-5].

[1] M. HANACK u. H. J. SCHNEIDER, Tetrahedron **20**, 1863 (1964).
[2] M. HANACK u. H. J. SCHNEIDER, Fortschr. chem. Forsch. **8**, 554 (1967).
[3] Übersichtsreferate:
    R. BRESLOW in P. DE MAYO „*Molecular Rearrangements*", Vol. I, Kap. 4, Interscience Publishers, Inc., New York 1963.
    N. C. DENO, Chem. eng. News **42.** (40), 88 (1964); Progr. Phys. Org. Chem. **2**, 129 (1964).
    M. J. S. DEWAR u. A. P. MARCHAND, Ann. Rev. Phys. Chem. **16**, 321 (1965), sowie hier zitierte weitere Literatur.
[4] C. U. PITTMAN u. G. A. OLAH, Am. Soc. **87**, 2998, 5123 (1965).
[5] N. C. DENO et al., Am. Soc. **87**, 3000 (1965); **87**, 4533 (1965).

31*

Beim Lösen von Tricyclopropyl-carbinol in konzentrierter Schwefelsäure wurde erstmalig das *Tricyclopropyl-Carbeniumion* I beobachtet[1].

Das Kernresonanzspektrum von I in Schwefelsäure zeigt bei Raumtemp. ein einziges Signal bei 7,74 τ. In Trifluoressigsäure und auch in einem Dichlormethan/Aluminiumtrichlorid-Gemisch bei −25° wird ebenfalls nur ein Signal beobachtet. Das Ion I zeigt eine überraschend große Stabilität. Es zeigt einen pK-Wert von −2,34 und wird „half-formed" (die Kation-Konzentration ist gleich der Carbinol-Konzentration) in 22%iger Schwefelsäure, während das Triphenylmethyl-Kation in 50%iger Schwefelsäure vergleichsweise seinen „half-form"-Wert zeigt[2].

Andere Beispiele für den stabilisierenden Effekt des Cyclopropyl-Ringes auf ein Carbeniumion sind in den Vergleichen der „Halbprotonierungsacidität" vom 1,3-Dimethyl-cyclopentenyl-Kation (II, 35% H_2SO_4) mit dem des 3-Methyl-1-cyclopropyl-cyclopentenyl-Kations (III, 11% H_2SO_4) bzw. des 1,3,5,5-Tetramethyl-cyclohexenyl-Kations (IV, 50% H_2SO_4) mit dem des 5,5-Dimethyl-1,3-dicyclopropyl-cyclohexenyl-Kations (V, 1,8% H_2SO_4) zu erblicken[3]:

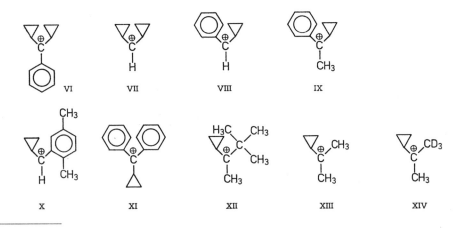

Durch die Wahl geeigneter Solventien konnten weitere Cyclopropyl-Carbeniumionen beobachtet werden. So konnten die Cyclopropyl-Carbeniumionen VI–XIV durch Eintropfen der entsprechenden Carbinole in gut gerührte und auf −78° abgekühlte $FSO_3H/SO_2/SbF_5$-Lösungen[4] erzeugt und direkt beobachtet werden[5]. In allen Fällen konnten bei tiefen Temperaturen informative Kernresonanzspektren erhalten werden[5], in denen die α- und β-Wasserstoffe der Cyclopropyl-Ringe aufgelöst sind. Mit Ausnahme von XII, das sich langsam innerhalb von 30 Minuten zersetzt, sind alle diese

[1] N. C. Deno et al., Am. Soc. **84**, 2016 (1962).
[2] N. C. Deno, A. Schriesheim u. J. J. Jaruzelski, Am. Soc. **77**, 3044 (1955).
[3] J. S. Liu, Dissertation, Pennsylvania State University, 1963.
[4] G. A. Olah et al., Am. Soc. **87**, 2997 (1965).
[5] C. U. Pittman u. G. A. Olah, Am. Soc. **87**, 2998 (1965).

Kationen bei $-65°$ stabil. Wird die Temperatur auf $-25°$ erhöht, so erfolgt in allen Fällen Zersetzung. Die Produkte des Aufwärmungsprozesses von XII auf Raumtemperatur stellen Gemische von Cyclopentenyl-Kationen dar[1].

Von besonderem Interesse ist das NMR-Spektrum des Dimethyl-cyclopropyl-carbeniumions (XIII)[2]. Im Spektrum von XIII (in SO_2—SOClF—SbF_5 bei $-75°$) zeigen die Methyl-Gruppen unterschiedliche chemische Verschiebungen, die relative chemische Verschiebung beträgt 0,54 ppm. Dieser Befund wurde so gedeutet, daß der Cyclopropyl-Ring in einer Ebene liegt, die senkrecht zu der des $^{\oplus}C(CH_3)_2$-Systems angeordnet ist[2]. Damit würde die Ebene des Cyclopropyl-Ringes parallel zur Achse des unbesetzten p-Orbitals liegen. In dieser Orientierung (s. XIIIa und XIIIb) liegt die eine Methyl-Gruppe *cis* und die andere *trans* zum alicyclischen Dreiring:

Seitenansicht   Draufsicht

XIIIa   XIIIb

Aus Modellbetrachtungen wird sofort ersichtlich, daß die *cis*-ständige Methyl-Gruppe von XIII eine Lage nahezu oberhalb der Ebene des alicyclischen Dreiringes erhält und dadurch dem Einfluß der diamagnetischen Anisotropie des Cyclopropan-Ringes (s. S. 488; s. a. S. 28/29) unterliegt, d.h. im NMR-Spektrum nach höherem Feld verschoben wird. In ähnlich gelagerten Fällen wurden Shifteffekte zwischen 0,3 und 0,5 ppm beobachtet[3,4]. Die hier beobachteten 0,54 ppm für die relative chemische Verschiebung sind damit in guter Übereinstimmung. Zum Vergleich wurde aus 1,1,1-Trideutero-2-cyclopropyl-propanol-(2) das entsprechende Kation XIV (S. 484) hergestellt[2]. Das Kernresonanzspektrum von XIV ist im wesentlichen völlig analog zu dem von XIII. Lediglich die beiden Methyl-Signale bei 6,86 und 7,40 ppm (τ-Skala) zeigen nur die Hälfte der Intensität von der in XIII. Beim Aufwärmen bis auf $-35°$ konnten keine Anzeichen für eine Rotation des Dreiringes gefunden werden. Bei dieser Temp. wird das Ion rasch zerstört, es wird jedoch im Spektrum kein Koaleszieren der beiden Methyl-Signale beobachtet[2].

Bei dem Kation VII (S. 484) wird der Wasserstoff am zentralen, geladenen Kohlenstoffatom im NMR-Spektrum als scharfes Triplett ($J = 13\,Hz$) bei $1,86\,\tau$ gefunden; d.h. es ist mit der Äquivalenz der α-Protonen in VII und der Abwesenheit von Kopplungen mit den β-Wasserstoffen in nennenswerter Größe zu rechnen[2].

Aus den Kernresonanzspektren der erwähnten Cyclopropyl-Carbeniumionen lassen sich allgemein ganz wesentliche Aspekte dieser Spezies herausarbeiten. In den Spektren sind nicht nur die Signale der α-Protonen am Dreiring, wie aufgrund des induktiven Effektes zu erwarten wäre, sondern mehr noch die der β-Protonen nach tieferem Feld verschoben. Dies deutet darauf hin, daß die positive Ladung besonders stark von den β-C-Atomen übernommen wird. Das ist in Übereinstimmung mit in der Literatur bekannten Untersuchungen über derartige delokalisierte Orbitale[5-9]. Gegenüber den Werten der Ausgangscarbinole werden im allgemeinen die α- und β-Wasserstoffe um ~ 3 ppm nach tieferem Feld in den Ionen verschoben[2].

[1] N. C. DENO et al., Am. Soc. **85**, 2991 (1963).
[2] C. U. PITTMAN u. G. A. OLAH, Am. Soc. **87**, 2998 (1965).
[3] S. FORSÉN u. T. NORIN, Tetrahedron Letters **1964**, 2845.
[4] D. J. PATEL, M. E. H. HOWDEN u. J. D. ROBERTS, Am. Soc. **85**, 3218 (1963).
[5] R. H. EASTMAN, Am. Soc. **76**, 4115, 4118 (1954); **77**, 6643 (1955).
[6] E. M. KOSOWER u. M. ITO, Pr. chem. Soc. **1962**, 25.
[7] A. P. CROSS, Am. Soc. **84**, 3206 (1962).
 D. H. WILLIAMS u. N. S. BHACCA, Am. Soc. **85**, 2861 (1963).
 K. B. WIBERG u. B. J. NIST, Am. Soc. **83**, 1226 (1961).
[8] A. S. WALSH, Trans. Faraday Soc. **45**, 179 (1949).
[9] C. A. COULSON u. W. MOFFITT, Phil. Mag. **40**, 1 (1949).

Die Cyclopropyl-Carbeniumionen I bis III konnten in ganz ähnlicher Weise wie die oben beschriebenen Kationen aus den entsprechenden Carbinolen in Fluorsulfonsäure bei −50° erhalten werden[1]:

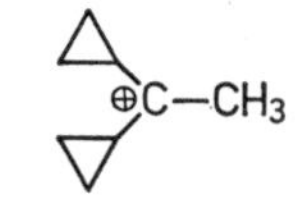

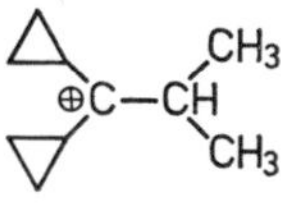

Spätere Untersuchungen führten zur Beobachtung weiterer Cyclopropyl-Carboniumionen und auch von einigen protonierten Cyclopropylketonen[2,3] (z.B. IV–VIII):

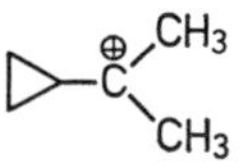

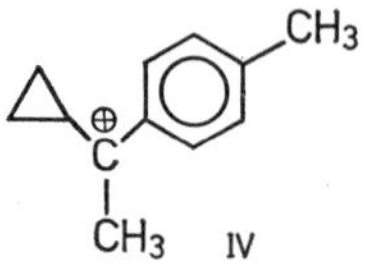

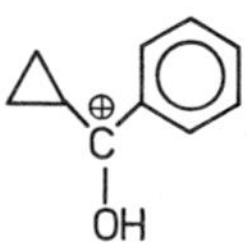

1. Struktur der Cyclopropylmethyl-Carbeniumionen

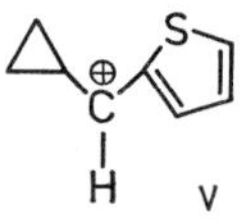

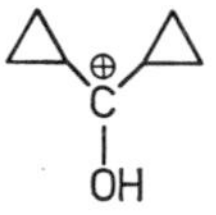

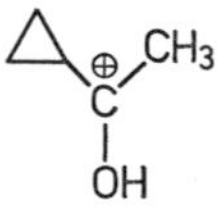

Die kernresonanzspektroskopischen Ergebnisse am *Dimethyl-cyclopropyl-carbeniumion*[4] sind durchaus mit einer bisektischen Struktur[5] (bisektische Anordnung zwischen der trigonalen Ebene des Carbenium-Kohlenstoffs und dem Cyclopropyl-Ring) in Einklang zu bringen[2]. Die am Formyl-cyclopropan wahrscheinlich gemachten konformativen Verhältnisse (*cis*- und *trans*-Rotamere)[6–8] werden z.T. als Analoga diskutiert[2]. Die bisektische Struktur wird auch durch UV-Studien an Cyclopropylketonen[9] und deren protonierten Derivaten[10] nahegelegt. In einer zur bisektischen Form des Dimethyl-cyclopropylmethyl-carbeniumions ähnlichen Struktur liegen auch andere Cyclopropylmethyl-Kationen vor[2,11–13].

[1] N. C. Deno et al., Am. Soc. **87**, 3000 (1965).
    Vgl. a. N. C. Deno, Chem. eng. News **42**, 88 (1964).
    N. C. Deno, Progr. Phys. Org. Chem. **2**, 148 (1964).
[2] N. C. Deno et al., Am. Soc. **87**, 4533 (1965).
[3] C. U. Pittman u. G. A. Olah, Am. Soc. **87**, 5123 (1965).
[4] C. U. Pittman u. G. A. Olah, Am. Soc. **87**, 2998 (1965).
[5] N. C. Deno, Progr. Phys. Org. Chem. **2**, 129 (1964).
[6] L. S. Bartell, B. L. Carroll u. J. P. Guillory, Tetrahedron Letters **1964**, 705.
    L. S. Bartell u. J. P. Guillory, J. chem. Physics **43**, 647 (1965).
[7] G. J. Karabatsos u. N. Hsi, Am. Soc. **87**, 2864 (1965).
[8] Mit Sicherheit ist nur die Existenz der s-*trans*-Form bewiesen; vgl. hierzu a.: G. J. Karabatsos u. D. J. Fenoglio, Am. Soc. **91**, 3577 (1969).
[9] E. M. Kosower, Pr. chem. Soc. **1962**, 25.
[10] Untersuchungen von G. H. Richey; s. N. C. Deno, Progr. Phys. Org. Chem. **2**, 129 (1964).
[11] C. U. Pittman u. G. A. Olah, Am. Soc. **87**, 5123 (1965).
    Vgl. a. T. J. Sekur u. P. Kranenburg, Tetrahedron Letters **1966**, 4769.
[12] N. C. Deno et al., Am. Soc. **84**, 2016 (1962).
[13] N. C. Deno et al., Am. Soc. **87**, 3000 (1965).

Eine solche Struktur ist räumlich nur dann mit dem Konzept des Bicyclobutonium-Ions (s. S. 477 f.) in Übereinstimmung zu bringen, wenn man annimmt, daß zwischen den beiden äquivalenten Roberts-Strukturen eine so schnelle Oszillation stattfindet, daß im Mittel im NMR-Spektrum die symmetrische Spezies mit bisektischer Struktur sichtbar wird[1].

Bei Annahme der bisektischen Struktur auch für das *Tricyclopropyl-methyl-Kation*[2] und für einige *Dicyclopropyl-alkyl-Kationen*[3,4] waren insbesondere die Ergebnisse von solvolytischen Studien[5] von Bedeutung, anhand derer gezeigt werden konnte, daß die Natur der Konjugation in mono-, di- und tricyclopropyl-substituierten Carbeniumionen gleich ist.

2. Thermodynamische Stabilitäten

Ein Ergebnis von besonderer Wichtigkeit ist die Tatsache, daß Cyclopropyl-Substituenten Carbeniumionen **stärker** als Phenyl-Gruppen stabilisieren. Das gilt sowohl für eine direkte Anordnung am Zentrum des Carbeniumions in $R_3C^{\oplus}$-Strukturen als auch für die Substitution an den terminalen Kohlenstoffen von Allyl-Kation-Systemen.

Tab. 75 (S. 488) zeigt den Konzentrationswechsel des Tricyclopropylmethyl-Kations in Abhängigkeit von der Schwefelsäurekonzentration[1]. Drei Tatsachen sprechen dafür, daß eher das Gleichgewicht zwischen Kation und Alkohol als ein solches zwischen Kation und Olefin von Bedeutung ist[1]:

(a) Die Verschiebung des Gleichgewichts mit der Säurekonzentration erfüllt Gleichung ①, in der die H_R-Werte durch

$$H_R = pK_{R^{\oplus}} + \log C_{ROH}/C_{R^{\oplus}} \qquad ①$$

Messungen des Gleichgewichts zwischen Triarylmethyl-Kationen und Triarylcarbinolen[6] erhalten wurden.

(b) Das Tricyclopropylmethyl-Kation tauscht lt. NMR-Befund in 96%iger Dideuteroschwefelsäure keinen Wasserstoff gegen Deuterium aus.

(c) Der Alkohol, das Tricyclopropyl-methanol, wird bei schneller Eingabe in wäßriges Alkali quantitativ zurückgebildet.

Die Erfüllung von Gl. ① kann so erklärt werden, daß die positive Ladung im Tricyclopropyl-methyl-Kation in ähnlich hohem Betrage wie im Triphenyl-methyl-Kation delokalisiert ist und daß spezifische Bindungen zum Solvens weitgehend reduziert sind[7].

3. Ultraviolettspektren

Die starke Nachbargruppenwirkung des alicyclischen Dreiringes in den Cyclopropyl-methyl-Carbeniumionen drückt sich in starken Konjugationseffekten insbesondere in den UV-Spektren aus[1]. So zeigt z.B. das *Tricyclopropyl-methyl-Kation*[1] ein Maximum bei 270 mμ mit $\varepsilon = 22000$ oder auch das *Dimethyl-cyclopropyl-methyl-Kation*[8] ein Maximum bei 289 mμ mit $\varepsilon = 10800$[8]. Derart

[1] N. C. Deno et al., Am. Soc. **87**, 4533 (1965).

[2] N. C. Deno et al., Am. Soc. **84**, 2016 (1962).

[3] C. U. Pittman u. G. A. Olah, Am. Soc. **87**, 2998 (1965).

[4] N. C. Deno et al., Am. Soc. **87**, 3000 (1965).

[5] H. Hart u. P. A. Law, Am. Soc. **84**, 2462 (1962).
   H. Hart u. J. M. Sandri, Am. Soc. **81**, 320 (1959).

[6] N. C. Deno, J. J. Jaruzelski u. A. Schriesheim, Am. Soc. **77**, 3044 (1955).

[7] N. C. Deno, Sur. Progr. Chem. **2**, 155 (1965).

[8] C. U. Pittman u. G. A. Olah, Am. Soc. **87**, 5123 (1965).
   Vgl. a. T. J. Sekur u. P. Kranenburg, Tetrahedron Letters **1966**, 4769.

intensive Absorptionsbanden werden bei einfachen Alkyl-Kationen nicht beobachtet (zum Vergleich: tert.-Butyl-Kation $\lambda_{max} = 300$ mμ, $\varepsilon < 500$)[1]. Offensichtlich werden in den hier vorliegenden konjugierten Systemen während des Überganges große Änderungen des Dipolmoments und der Ladungsverteilung erfolgen.

Tab. 75 zeigt den konjugativen Effekt von Cyclopropyl-Substituenten in Allyl-Kationen.

Tab. 75. Schwefelsäurekonzentrationen, bei denen das jeweilige Kation aus dem Dien und/oder Alkohol „half-formed" ist, sowie UV-Maxima der Kationen von Allyl-Systemen

Kation	Schwefelsäure-Konzentration	UV-Spektrum		Literatur
		λ_{Max} [mμ]	ε	
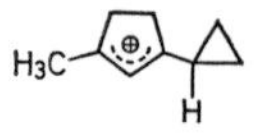	12	309	28 000	2
	35	275	11 000	3
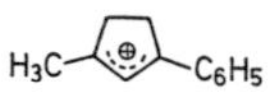	50	378	23 500	2
	54,5	446	17 400	2
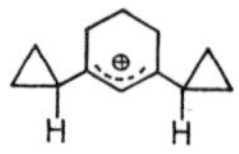	1,2	364	33 000	2
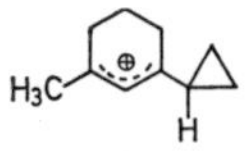	—	333	56 000	2
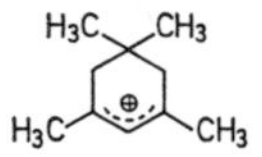	50	314	9 100	3
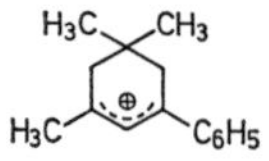	52	411	44 800	3

4. Kernresonanzspektren

Eine positive Ladung an einem Kohlenstoffatom in Nachbarschaft zu einem Cyclopropyl-Ring gibt in den NMR-Spektren zu zwei verschiedenen Effekten Anlaß.

Liegt ein streng induktiver Effekt wie im Fall des Cyclopropylammonium-Ions vor (s. Tab. 76, S. 489), so wird der α-Wasserstoff des Dreiringes um ~ 2 ppm nach tieferem Feld verschoben, während die β-Wasserstoffe weniger beeinflußt und nur um $\sim 0,5$ ppm nach niederem Feld verschoben werden[2].

In den Cyclopropylmethyl-carbeniumionen ruft der konjugative Effekt eine stärkere Ladungsdelokalisierung in den β-ständigen C-Atomen als in den näheren α-Kohlenstoffatomen hervor[2].

Die Kombination von induktiven und konjugativen Effekten führt dann letztlich dazu, daß sowohl die α- als auch die β-ständigen Protonen um rund 2 ppm nach tieferem Feld verschoben

[1] G. A. Olah et al., Am. Soc. **86**, 1360 (1964); vgl. a. **88**, 1488 (1966).
[2] N. C. Deno et al., Am. Soc. **87**, 4533 (1965).
[3] N. C. Deno et al., Am. Soc. **85**, 2998 (1963).

werden (s. Tab. 76). Als intermediärer Fall sei jedoch das *9-Cyclopropyl-9-xanthyl-Kation* erwähnt[1]. In diesem Ion ist schon das Xanthyl-Kation[2] selbst so stabil, daß nur relativ wenig der positiven Ladung auf den Dreiring übergeht. Die β-Wasserstoffe werden daher nicht so stark nach tiefem Feld verschoben, so daß das NMR-Spektrum bezüglich der chemischen Verschiebungen der cyclopropylischen Protonen dem des Cyclopropylammonium-Kations ähnlich wird.

Tab. 76. Kernresonanzsignale von Cyclopropyl-Carbeniumionen[3]

Nr.	Kation	Signallagen (ppm)[4]		
		α–H	β–H	andere Protonen
1	2-Cyclopropyl-propyl-(2)[5]	(3,4 bis 4,0)		2,60; 3,14
2	Dicyclopropyl-methyl[5,6]	2,9–3,5	2,3–2,8	8,24[7]
3	1,1-Dicyclopropyl-äthyl[6]	3,00	2,56; 2,66	2,28[7]
4	Tricyclopropyl-methyl	2,26	2,26	—
5	2,2,3,3-Tetramethyl-tricyclo-propyl-methyl	(2,3 bis 2,48)		gem.-Dimethyl bei 1,25
6	3,5,5-Trimethyl-1-cyclopropyl-cyclohexenyl	[2,3 bis 2,7(?)]		gem.-Dimethyl bei 0,98; H an C-2 bei 7,32; CH₃ an C-3 bei 2,44; H an C-4 u. C-6 bei 2,3–2,7(?)
7	3-Methyl-1-cyclopropyl-cyclo-pentenyl	(2,2 bis 2,6)		H an C-2 bei 7,23; CH₃ an C-3 bei 2,73; H an C-4 u. C-5 bei 3,29
8	5,5-Dimethyl-1,3-dicyclo-propyl-cyclohexenyl	2,4	1,97;[7] 2,01[7]	Signale bei 7,2, 2,5 u. 1,06
9	9-Cyclopropyl-xanthyl-(9)	2,96	1,38;[7] 1,96[7]	Signale von aromatischen Protonen bei 8,82, 8,13 u. 7,89
10	Cyclopropyl-ammonium[8]	2,93[7]	0,93[7]	—

5. Chemische Reaktivität

Im allgemeinen sind Cyclopropanringe säureempfindlich. Cyclopropan und 96%ige Schwefelsäure liefern eine Lösung, die laut Kernresonanzspektrum nur *Schwefelsäure-monopropylester*, das Ringöffnungsprodukt enthält. Eine benachbarte positive Ladung schützt den Ring; so ist das *Cyclopropylammonium*-Ion in 96%iger Schwefelsäure stabil[1]. Wird die positive Ladung vom Ring weg entfernt, so kehrt die Säureempfindlichkeit zurück. So unterliegt z.B. das Cyclo-propylmethyl-ammoni-

[1] N. C. DENO et al., Am. Soc. **87**, 4533 (1965).
[2] N. C. DENO, J. J. JARUZELSKI u. A. SCHRIESHEIM, Am. Soc. **77**, 3044 (1955).
[3] Vgl. N. C. DENO et al., Am. Soc. **87**, 4533 (1965); die Daten sollen den Effekt abfallender Cyclopropyl-Konjugation zeigen.
[4] Bedingungen: für 1. SbF₅–FSO₃H bei −70°; für 2. u. 3. FSO₃H bei −50°; für 4. bis 6. CF₃COOH bei −25°; für 7.–10. 96%ige H₂SO₄ bei + 25°.
[5] Vgl. J. D. ROBERTS et al., Am. Soc. **81**, 4390 (1959); **83**, 2719, 3671 (1961); Tetrahedron **11**, 171 (1960).
[6] N. C. DENO et al., Am. Soc. **87**, 3000 (1965).
[7] Multiplett-Signal.
[8] Die Signallagen sind denen des freien Amins in Tetrachlormethan sehr ähnlich.

um-Ion einer sofortigen Ringöffnung in 96%iger Schwefelsäure und besitzt bei 25° in 76%iger Schwefelsäure eine Halbwertszeit von $\sim$ 3 Stunden[1].

In den *Cyclopropylmethyl-Kationen* hingegen ist die Chemie der Dreiringe völlig verändert. Anstelle der Säureempfindlichkeit wird jetzt eine Empfindlichkeit gegenüber nucleophilen Basen beobachtet. Es soll hier nicht die Rede von der üblichen Basenempfindlichkeit von Carbeniumionen die Rede sein (die einfache Umwandlung eines Carbeniumions in einen Alkohol oder in ein Olefin), sondern von dem **Wasserangriff an einem β-Kohlenstoff unter Ringöffnung**. Die Geschwindigkeit einer solchen Reaktion z. B. für das *Tricyclopropyl-methyl-Kation* kann durch Abnahme des UV-Maximums bei 270 mμ studiert werden[1].

Im Bereich zwischen 13 und 77%iger Schwefelsäure ist die Reaktion 1. Ordnung bezüglich der Tricyclopropylmethyl-Kationenkonzentration. Die Reaktion erwies sich ebenfalls annähernd 1. Ordnung bezüglich der Wasseraktivität im erwähnten Bereich, besonders eindeutig jedoch im Bereich von 50–77% Schwefelsäure, wo die Aktivität des Wassers einen Wechsel von 0,350 nach 0,0118 erfährt. Die Gesamtgeschwindigkeit läßt sich durch die Gleichung

$$- d\, C_R{}^\oplus /dt = k_2 C_R{}^\oplus\, a_{H_2O}$$

beschreiben[1]. Die Halbwertszeit des Tricyclopropylmethyl-Kations bei 3° im Bereich von 13–30%iger Schwefelsäure beträgt 13 Sekunden. Bei 25° reicht die Halbwertszeit von 15 Sek. in 42%iger Schwefelsäure bis zu $1,36 \cdot 10^3$ Sekunden in 77%iger Schwefelsäure[1].

Das Primärprodukt der Ringöffnung ist wahrscheinlich das *4-Hydroxy-1,1-dicyclopropyl-buten-(1)*[1]. Ein Derivat dieses Alkohols, 1,1-Dicyclopropyl-tetrahydrofuran, wurde in geringen Mengen isoliert und spektroskopisch identifiziert[2]. Im System 20% Schwefeldioxid/80% Schwefelsäure ist das Tricyclopropyl-methyl-Kation weniger stabil als in 96%iger Schwefelsäure[1].

Die Halbwertszeiten von 5,5-Dimethyl-1,3-dicyclopropyl-cyclohexenyl-Kationen betragen 50 Sek. in 16%iger Schwefelsäure, 30 Sek. in 5,7%iger Säure und 22 Sek. in 1,8%iger Säure (30°)[1].

6. Stabilitäten in der Gasphase

Der Stabilisierungseffekt von verschiedenen Substituenten auf $^\oplus CH_3$-Ionen in der Gasphase kann durch Messung des Erscheinungspotentials der Reaktion

$$R-CH_3 + e^\ominus \rightarrow R-^\oplus CH_2 + 2e^\ominus + H$$

bestimmt werden[3]. Relativ zum Wert Null für R = H wurde für R = CH_3 ein Wert von 36 Kcal/Mol (−1,58 eV)[4], für R = C_6H_5 55 Kcal/Mol und für R = Cyclopropyl 58 Kcal/Mol erhalten[1].

Damit ist auch für die Gasphase der größere Stabilisierungseffekt einer Cyclopropyl- gegenüber einer Phenyl-Gruppe nachgewiesen worden. Die tatsächliche Energiedifferenz sollte um 5–10 Kcal größer sein als die durch das Erscheinungspotential bestimmte: Es ist bekannt, daß das Produkt aus H_5C_6—CH_3 nicht H_5C_6—$^\oplus CH_2$ sondern das Tropylium-Kation $C_7H_7{}^\oplus$ ist[5]. In dem Maße wie die Abstreifung von $H^\ominus$ mit einer Umlagerung von H_5C_6—$^\oplus CH_2$ in $C_7H_7{}^\oplus$ synchronisiert ist, kommt es zu einer Erniedrigung des für die hypothetische Bildung von H_5C_6—$^\oplus CH_2$ erforderlichen Erscheinungspotentials. Der Wert von 55 Kcal/Mol für R = C_6H_5 ist also zu groß.

[1] N. C. Deno et al., Am. Soc. **87**, 4533 (1965).
[2] N. C. Deno et al., Am. Soc. **84**, 2016 (1962).
[3] R. W. Taft, R. H. Martin u. F. W. Lampe, Am. Soc. **87**, 2490 (1965).
   Vgl. a. R. H. Martin, Dissertation, Pennsylvania State University, 1965.
[4] H. Field u. J. L. Franklin, „*Electron Impact Phenomena and the Poperties of Gaseous Ions*", Academic Press Inc., New York 1957.
[5] F. Meyer u. A. G. Harrison, Am. Soc. **86**, 4757 (1964).
   Vgl. a. H. M. Grubb u. S. Meyerson in F. W. McLafferty „*Mass Spectrometry of Organic Ions*", Academic Press Inc., New York 1963.

7. Stabile Salze

Bei der Zugabe von Tricyclopropyl-carbinol zu einer Lösung von Tetrafluorbor säure in Trifluoressigsäure/Trifluoressigsäure-anhydrid bei 0° wird ein farbloser kristalliner Feststoff erhalten. Das Kernresonanzspektrum dieses Salzes in 96%iger Schwefelsäure zeigt nur ein Signal bei 2,26 ppm ($= 7,74 \tau$) für das *Tricyclopropylmethyl*-Kation und das IR-Spektrum (in Kaliumbromid-Pille) läßt die gleichen Banden wie die der Lösung des Kations in 96%iger Schwefelsäure erkennen[1].

Die direkte Untersuchung ionischer Zwischenstufen bei der Homoallyl-Umlagerung macht es prinzipiell möglich, deren Reaktion in Hinblick auf Richtung und Geschwindigkeit unmittelbar zu verfolgen[2]. Sind an einer Umlagerung mehrere Ionen beteiligt, so ergibt sich im Gegensatz zu Solvolysereaktionen eine Abhängigkeit der Produktzusammensetzung von Temperatur[3] und Zeit. Homoallylcarbenium-Salze können durch die kontrollierbare Reaktion von 4-Brom-buten-(1) bzw. 5-Brompenten-(2) mit Silbertetrafluoroborat in Nitromethan hergestellt werden[4]. Auch bei Temperaturen unterhalb −30° werden nach der Hydrolyse unmittelbar die entsprechenden Cyclopropylmethyl- und Cyclobutyl-Verbindungen beobachtet, darauf während ∼ 30 Minuten die Umlagerung dieser Systeme ineinander und schließlich die langsam verlaufende Hydrid-Verschiebung zu Allyl-Derivaten[5]. Aus den Ergebnissen lassen sich Vorstellungen bezüglich der Stabilität und Umlagerungsgeschwindigkeit der beteiligten Ionen ableiten.

X. Nichtkationische Umlagerungen

a) von Cyclopropylmethyl-Anionen

Im Vergleich zu den eingehend untersuchten kationischen Homoallyl-Umlagerungen sind anionische Umlagerungen bisher nur recht wenig studiert worden.

Die Herstellung von Cyclopropylmethyl-lithium (II) gelang bei −70° durch Lithium/Halogen-Austausch ausgehend vom Jodmethyl-cyclopropan (I)[6]. Schon bei etwas höheren Temperaturen tritt quantitative Umlagerung zum *Buten-(1)-yl-(4)-lithium* (III) ein.

$$\triangleright\!\!-CH_2J \;+\; RLi \;\xrightleftharpoons{-70°}\; \triangleright\!\!-CH_2Li \;\rightleftharpoons\; \underset{H}{\overset{H_2C\diagdown\,\diagup CH_2}{C}}\!\!-CH_2Li$$

I   II (+RJ)   III

Cyclopropylmethyl-lithium, in dem die α-Wasserstoffe durch Deuterium ersetzt sind, reagiert mit Benzaldehyd ohne Deuterium-Platzwechsel zum entsprechenden *2,2-Dideutero-1-hydroxy-2-cyclopropyl-1-phenyl-äthan.*

[1] N. C. Deno et al., Am. Soc. **84**, 2016 (1963).
[2] Vgl. M. Saunders, P. v. R. Schleyer u. G. A. Olah, Am. Soc. **86**, 5680 (1964).
[3] Vgl. P. v. R. Schleyer et al., Am. Soc. **86**, 5679 (1964).
[4] M. Hanack u. H. J. Schneider, Ang. Ch. **77**, 1023 (1965).
[5] Vgl. M. Hanack u. H. J. Schneider, Fortschr. chem. Forsch. **8**, 554 (1967).
[6] P. T. Lansbury u. V. A. Pattison, Am. Soc. **85**, 1886 (1963).
    P. T. Lansbury et al., Am. Soc. **86**, 2247 (1964).

Die direkte und leichte Umlagerung des Cyclopropylmethyl-lithiums in das Homoallyl-Derivat sowie das Fehlen eines Deuteriumplatzwechsels sind in Einklang mit MO-Berechnungen[1], nach denen dem Cyclopropylmethyl-Anion kein „nicht-klassischer" Charakter zuzuschreiben ist.

Zum anderen konnte gezeigt werden, daß die sehr labilen Cyclopropylmethyl-Grignard-Verbindungen sich mit den offenkettigen Homoallyl-Grignard-Verbindungen in einem Gleichgewicht befinden, wobei das offenkettige Isomere stark begünstigt ist[2-6]. Die Umwandlung von IV in VI, d.h. der beobachtete Platzwechsel der α- und β-Kohlenstoffatome, läßt auf das intermediäre Auftreten von V im Gleichgewicht schließen:

$$H_2C{=}CH{-}CH_2{-}CD_2MgBr \;\rightleftharpoons\; \overset{D_2C}{\underset{H_2C}{\diagup}}\!\!\diagdown CH{-}CH_2MgBr \;\rightleftharpoons\; H_2C{=}CH{-}CD_2{-}CH_2MgBr$$

IV   V   VI

*(2,2-Dideutero-cyclo-
propyl)-methyl-
magnesiumbromid*

Phenyl- oder Vinyl-Substituenten in 4-Stellung der Homoallyl-Grignard-Verbindung begünstigen diese Umlagerung sehr stark.

Das Cyclopropylmethyl-Anion wird durch Phenyl-Gruppen wie in VII stabilisiert, sofern es sich um die Natrium- oder Kalium-Verbindung handelt[5]. Die erhöhte Stabilität der substituierten Cyclopropylmethyl-natrium- bzw. -kalium-Verbindungen im Vergleich zu der entsprechenden mehr kovalenten Grignard-Verbindung[4] kann mit dem höheren ionischen Charakter der Kohlenstoff-Metall-Bindung und der dadurch möglichen Stabilisierung des Elektronenpaares am Kohlenstoff durch die Phenyl-Gruppen erklärt werden. Der Ersatz des Kaliums in VII durch Lithium oder Magnesium in Äther führt unter Umlagerung zu VIII. Es konnte gezeigt werden, daß diese Umlagerung durch Änderung des Solvens umkehrbar ist: Wird der farblosen Lösung von VIII in Äther Tetrahydrofuran zugesetzt, so tritt sofort die tiefrote Farbe des Anions von VII auf[5].

$$\triangleright\!\!-\overset{\overset{\displaystyle C_6H_5}{|}}{\underset{\underset{\displaystyle C_6H_5}{|}}{C}}{}^{\ominus}\; M^{\oplus} \qquad\qquad \overset{H_5C_6}{\underset{H_5C_6}{\diagdown}}C{=}CH{-}CH_2{-}CH_2{-}Li$$

VII   VIII

Cyclopropylmethyl-Anionen zeigen bei gewissen Umlagerungsreaktionen eine relativ hohe Stabilität. So führt z.B. die Wittig-Umlagerung von Benzyloxymethyl-cyclopropan überwiegend ohne Isomerisierung des Cyclopropylmethyl-Anions zu *1-Hydroxy-1-cyclopropyl-1-phenyl-äthan*[7].

---

[1] M. E. H. Howden u. J. D. Roberts, Tetrahedron 19 (Suppl. 2), 403 (1963).
[2] M. S. Silver et al., Am. Soc. 82, 2646 (1960).
[3] D. J. Patel, C. L. Hamilton u. J. D. Roberts, Am. Soc. 87, 5144 (1965).
[4] M. E. H. Howden et al., Am. Soc. 88, 1732 (1966).
[5] A. Maercker u. J. D. Roberts, Am. Soc. 88, 1742 (1966).
[6] J. D. Roberts u. R. H. Mazur, Am. Soc. 73, 2509 (1951).
[7] P. T. Lansbury u. V. A. Pattison, Am. Soc. 84, 4295 (1962).

Die Sommelet-Hauser-Umlagerung von IX liefert ohne Isomerisierung der wandernden Gruppe *2-Methyl-1-(dimethylamino-cyclopropyl-methyl)-benzol* (X)[1]:

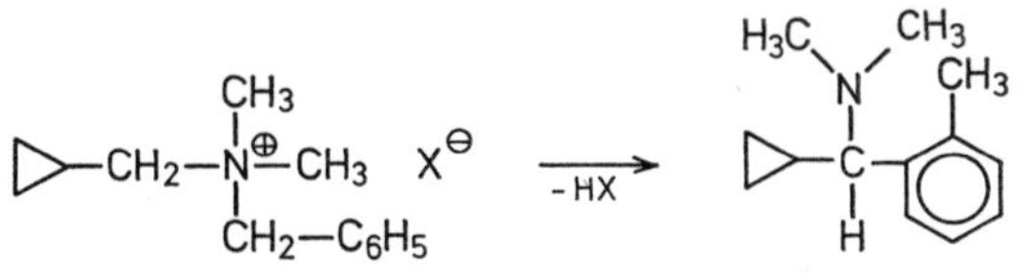

Die über eine Carbanion-Zwischenstufe verlaufende Wolff-Kishner-Reduktion von Formyl-cyclopropan[2], 2-Phenyl-1-formyl-cyclopropan[3], Acetyl-cyclopropan und Dicyclopropyl-keton führt ohne Ringöffnung zu den entsprechenden Kohlenwasserstoffen. Befindet sich hingegen in β-Stellung am Cyclopropan-Ring eine Phenyl-Gruppe, so tritt bei Carbanionen-Reaktionen Isomerisierung unter Ringöffnung ein[3]. Die Stabilität des Cyclopropylmethyl-Anions hängt von den Substituenten am alicyclischen Dreiring, aber auch von der Art und Weise, wie das Anion erzeugt wird, ab[3,4].

b) Umlagerung von Cyclopropylmethyl-Radikalen

Auf verschiedenen Wegen wurde eine Reihe von Cyclopropylmethyl-Radikalen erzeugt, wobei leicht Ringöffnung eintrat.

Bei der Gasphasenchlorierung von Methyl-^{13}C-cyclopropan (I) wurden neben ringchlorierten Isomeren die Produkte II und III erhalten, ohne daß dabei ein Platzwechsel der ^{13}C-Atome eingetreten wäre[2,5-7]:

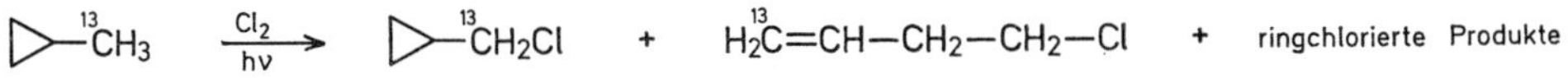

Dieser Befund zeigt, daß Cyclopropylmethyl-Radikale in Übereinstimmung mit den MO-Berechnungen[8] keinen „nicht-klassischen" Charakter besitzen. Auch bei anderen Cyclopropylmethyl-Verbindungen tritt schon unter milden Bedingungen Ringöffnung ein. So liefert Dicyclopropyl-methan bei —80° ausschließlich *4-Chlor-1-cyclopropyl-buten-(1)*[9]. Cyclopropan-⟨spiro⟩-cyclobutan (Spiro-[3.2]hexan) ergibt bei der Chlorierung unter Öffnung des Dreiringes z.T. *(2-Chlor-äthyl)-cyclobuten-(1)*[10]. Die Chlorierung des Cyclopropan-⟨spiro⟩-cyclopropans (Spiro-[2.2]pentan) führt ebenfalls zu Produkten, die durch Umlagerung aus einem Cyclopropylmethyl-Radikal entstanden sind[11].

Weitere Beispiele für eine Ringöffnung im Zuge der Bildung von Cyclopropylmethyl-Radikalen sind in der Decarbonylierung von Cyclopropylacetaldehyd

[1] C. L. Bumgardner, Am. Soc. **85**, 73 (1963).
[2] J. D. Roberts et al., Am. Soc. **83**, 1987 (1961).
[3] C. L. Bumgardner u. J. P. Freeman, Tetrahedron Letters **1964**, 737.
[4] J. P. Freeman u. C. L. Bumgardner, Am. Soc. **85**, 97 (1963).
[5] J. D. Roberts u. R. H. Mazur, Am. Soc. **73**, 2509 (1951).
[6] Zur Chlorierung von Methyl-cyclopropan in der flüssigen Phase s. H. C. Brown u. M. Borkowski, Am. Soc. **74**, 1894 (1952).
[7] Vgl. a. C. Walling u. P. S. Fredricks: Chlorierung von Methyl-cyclopropan und 1,1-Dimethyl-cyclopropan mit tert.-Butylhypochlorit unter Ringöffnung, Am. Soc. **84**, 3326 (1962).
[8] M. E. H. Howden u. J. D. Roberts, Tetrahedron **19** (Suppl. 2), 403 (1963).
[9] H. Hart u. D. Wyman, Am. Soc. **81**, 4891 (1959); s. dort Anm. 22.
[10] D. A. Applequist u. J. A. Landgrebe, Am. Soc. **86**, 1543 (1964).
[11] D. E. Applequist, G. F. Fanta u. B. W. Henrikson, Am. Soc. **82**, 2368 (1960).

und 2-Methyl-2-cyclopropyl-propanal zu sehen, die zu Buten-(1) bzw. zu 2-Methyl-penten-(2) führt[1].

Radikalische Additionsreaktionen an 2-Cyclopropyl-propen können gleich-falls unter Ringöffnung verlaufen[2].

Andererseits konnte durch Messungen der Reaktionsgeschwindigkeiten der thermischen Zersetzungen von Cyclopropylmethylperoxiden[3,4] und Azonitrilen[5] eine erhöhte Reaktionsgeschwindigkeit im Vergleich zu entsprechend gebauten Cyclohexyl- und Cyclopentyl-Derivaten nachgewiesen werden. Dies wurde auf eine „Resonanz"-Stabilisierung des Cyclopropylmethyl-Radikals zurückgeführt[4-6].

Wenig experimentelles Material liegt über die Möglichkeit einer Cyclisierung von Homo-allyl-Radikalen zu den Cyclopropylmethyl-Verbindungen vor. In den wenigen bislang unter-suchten Fällen tritt mit Ausnahme der radikalischen Additionsreaktionen an das Norbornadien[7] eine Cyclisierung in nur sehr geringem Maße ein[8,9]. Die Untersuchungen am Bicyclo[2.2.1]hepten-(2)-yl- bzw. Tricyclo[2.2.1.0^{2,6}]heptyl-Radikal haben ergeben[7], daß beide stabiler sein dürften als das entsprechende „nicht-klassische" Radikal[10].

c) Umlagerung von Cyclopropyl-carbenen

Das aus dem Tosylhydrazon des Formyl-cyclopropans mit Natriumäthanolat in aprotischen Solventien erzeugte Cyclopropylcarben (I) ergibt durch Ringerweite-rung überwiegend Cyclobuten (II) neben Äthylen, Acetylen und Butadien[11-14] (s. a. S. 646ff.):

Dagegen führt die Zersetzung des Cyclobutanon-tosylhydrazons unter gleichen Bedingungen in überwiegendem Maße unter Ringverengung zum *Methylen-*

[1] D. T. SCHUSTER, Dissertation, California Institute of Technology, 1961.

[2] E. S. HUYSER u. J. D. TALIAFERRO, J. Org. Chem. **28**, 3442 (1963).

[3] H. HART u. D. WYMAN, Am. Soc. **81**, 4891 (1959); s. dort Anm. 22.

[4] H. HART u. R. A. CIPRIANI, Am. Soc. **84**, 3697 (1962).

[5] C. G. OVERBERGER u. A. LEBOVITS, Am. Soc. **76**, 2722 (1954).

[6] D. C. NECKERS, Tetrahedron Letters **1965**, 1889.
D. C. NECKERS, A. P. SCHAAP u. J. HARDY, Am. Soc. **88**, 1265 (1966).

[7] S. J. CRISTOL, G. D. BRINDELL u. J. A. REEDER, Am. Soc. **80**, 635 (1958).
D. J. TRECKER u. J. P. HENRY, Am. Soc. **85**, 3204 (1963).
S. J. CRISTOL u. D. I. DAVIES, J. Org. Chem. **29**, 1282 (1964).
S. J. CRISTOL u. R. V. BARBOUR, Am. Soc. **88**, 4262 (1966).

[8] Vgl. D. J. PATEL, C. L. HAMILTON u. J. D. ROBERTS, Am. Soc. **87**, 5144 (1965); s. dort weitere Literatur.

[9] Vgl. L. H. SLAUGH, Am. Soc. **87**, 1522 (1965); s. dort weitere Literatur.

[10] Mit einem gemeinsamen radikalischen Zwischenzustand werden die Reduktionen von 5-Halogen-bicyclo[2.2.1]heptenen-(2) und Halogen-tricyclo[2.2.1.0^{2,6}]heptanen mit Tributyl-zinn-hydrid gedeutet; vgl.: C. R. WERNER, R. J. STRUNK u. H. G. KUIVILA, J. Org. Chem. **31**, 3381 (1966); s. dort weitere Literatur.

[11] L. FRIEDMAN u. H. SHECHTER, Am. Soc. **82**, 1002 (1960).

[12] J. A. SMITH et al., Am. Soc. **87**, 659 (1965).
J. BAYLESS et al., Am. Soc. **87**, 661 (1965).

[13] Vgl. a. S. J. CRISTOL u. J. K. HARRINGTON, J. Org. Chem. **28**, 1413 (1963).

[14] Vgl. a. P. B. SHEVLIN u. A. P. WOLF, Am. Soc. **88**, 4262 (1966).

cyclopropan[1]. *Bicyclobutan* wird aus Tosylhydrazonomethyl-cyclopropan nur in Gegenwart von Alkoholen gebildet[2-5].

Bicyclo[n.1.0]alkyl-carbene (III; n = 3-5), aus den Tosylhydrazonen der entsprechenden Aldehyde erzeugt, liefern zu ~ 70% Bicyclo[n.2.0]alkene IV sowie Cycloalkene V und Acetylen[6]:

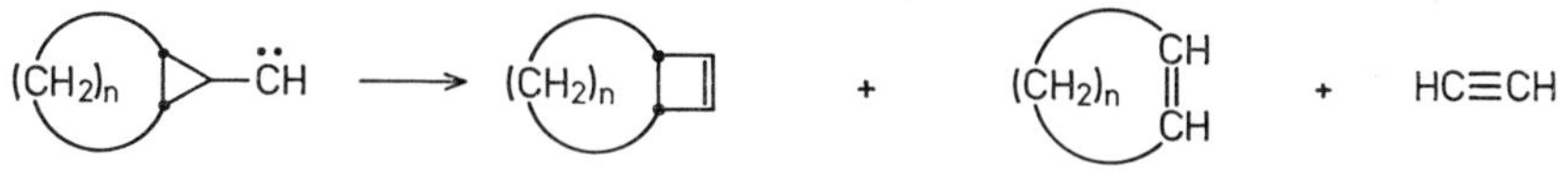

Die Übertragung dieser Reaktion auf spirocyclische Verbindungen führt zu bicyclischen ungesättigten Kohlenwasserstoffen[7,8]:

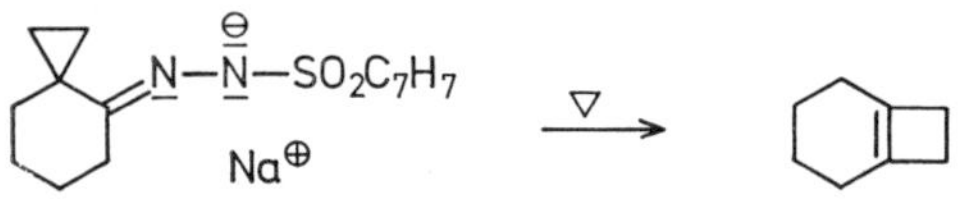

XI. Zusammenfassende Bemerkungen

zur Stereochemie der Ringöffnung bei Homoallyl-Umlagerungen sekundärer und tertiärer Cyclopropylalkohole unter dem Einfluß elektrophiler Reagentien sowie stereochemische Aspekte anderer Homoallyl-Umlagerungstypen

Die säurekatalysierte Homoallyl-Umlagerung der Cyclopropylcarbinole unterscheidet sich bezüglich der Reaktionsgeschwindigkeit und der entscheidenden Produkte von den behandelten Solvolyse- und Desaminierungsreaktionen[9].

Am Beispiel (s. Schema S. 496) des 1-Chlor-1-cyclopropyl-äthans (I d), des (1-Cyclopropyl-äthyl)-amins (III) und des 1-Cyclopropyl-äthanols (I a) läßt sich diese Tatsache gut verdeutlichen. Sowohl bei der Desaminierung von optisch aktivem (1-Cyclopropyl-äthyl)-amin (III)[10] als auch bei der Solvolyse[11] von I d wird der racemische Alkohol I a, jedoch kein dem Derivat II a entsprechender Homoallyl-alkohol gebildet. Zum anderen tritt beim säurekatalysierten Austausch des 1-Cyclopropyl-äthanols (I a) mit Wasser keine Umlagerung ein[12]. Behandelt man hingegen I a mit methanolischer Salzsäure, so entsteht in schneller Reaktion der entsprechende Methyläther, der dann aber langsam zur offenkettigen *trans*-Verbindung II a weiterreagiert[13]. Auch bei der Reaktion von I a mit 48%iger Bromwasserstoffsäure wird als Endprodukt die

[1] L. Friedman u. H. Shechter, Am. Soc. **82**, 1002 (1960).
[2] J. A. Smith et al., Am. Soc. **87**, 659 (1965).
    J. Bayless et al., Am. Soc. **87**, 661 (1965).
[3] H. M. Frey u. I. D. R. Stevens, Pr. chem. Soc. **1964**, 144.
[4] K. B. Wiberg u. J. M. Lavanish, Am. Soc. **88**, 365 (1966).
[5] F. B. Cook et al., Am. Soc. **88**, 3870 (1966).
[6] W. Kirmse u. K. H. Pook, B. **98**, 4022 (1965).
[7] W. Kirmse u. K. H. Pook, Ang. Ch. **78**, 603 (1966).
[8] Über eine photochemische Cyclopropylmethyl-Umlagerung berichtet M. J. Jorgenson, Am. Soc. **88**, 3463 (1966).
[9] Vgl. a. die Übersicht bei S. Sarel, J. Yovell u. M. Sarel-Imber, Ang. Ch. **80**, 592 (1968).
[10] M. Vogel u. J. D. Roberts, Am. Soc. **88**, 2262 (1966).
[11] M. Hanack u. H. Eggensperger, A. **663**, 31 (1963).
[12] H. G. Richey u. J. M. Richey, Am. Soc. **88**, 4971 (1966).
[13] R. G. Pearson u. S. H. Langer, Am. Soc. **75**, 1065 (1953).

trans-Verbindung[1] IIb erhalten, die vermutlich gleichfalls aus – nicht gefaßtem – Ic hervorgeht. 1-Cyclopropyl-äthanol (Ia) liefert mit Phosphor(V)-chlorid ein Gemisch[2] aus 88% Id und 12% IIc.

Bei der Desaminierung von 2-Methyl-1-aminomethyl-cyclopropan (IV) werden Alkohole mit Cyclopropylmethyl- (Ia) und Homoallyl-Struktur (V) gebildet[3], jedoch kein Derivat des Cyclobutans VII. Noch komplexer sind die Verhältnisse, denen man bei der Umlagerung von *cis*- und *trans*-(2-Methyl-cyclopropyl)-methanol (VI) unter Säureeinfluß begegnet. Wird VI mit 1n wäßriger Perchlorsäure behandelt, so wird ein Gemisch aus den Homoallyl-alkoholen Va und Vb (Hauptmenge), *2-Methyl-cyclobutanol* (VII) und *1-Cyclopropyl-äthanol* (Ia) erhalten[4]. Obgleich Homoallyl-alkohole bekanntlich mit starken Säuren Cyclobutyl-Verbindungen bilden[5] (s. S. 423), wurde diese Reaktion weder bei der säurekatalysierten Umlagerung von sekundären und tertiären Cyclopropylalkoholen noch bei der Solvolyse von tertiären Cyclopropylmethyl-sulfonaten beobachtet[6].

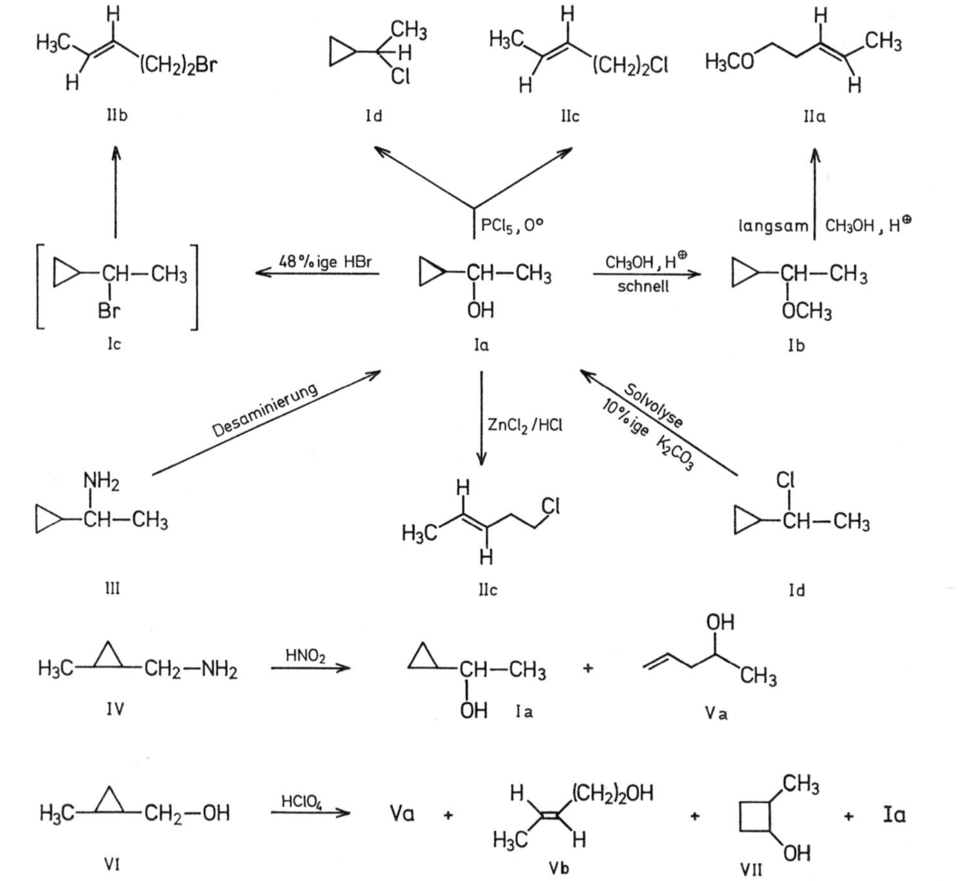

[1] M. JULIA et al., Bl. **1960**, 1381.
[2] M. HANACK u. H. EGGENSPERGER, A. **663**, 31 (1963).
[3] R. A. SNEEN et al., Am. Soc. **83**, 4846 (1961).
    C. Y. WEE u. R. E. ROBERTSON, Am. Soc. **88**, 2666 (1966).
[4] Vgl. M. JULIA u. Y. NOEL, Referate der Vorträge auf den Journées de Chimie Organique, Soc. chim. France, Orsay, 21. bis 23. September 1967.

(Fortsetzung s. S. 497)

a) Säurekatalysierte Homoallyl-Umlagerungen sekundärer Cyclopropylalkohole

Die Homoallyl-Umlagerung verzweigter Cyclopropylalkohole der Struktur I oder II kann durch zahlreiche Protonensäuren (48%ige Bromwasserstoff, Chlorwasserstoff, Chlorwasserstoff/Zinkchlorid, Perchlorsäure, Schwefelsäure, Ameisensäure, Essigsäure), Säurechloride [Phosphor(III) und (V)-halogenide, Thionylchlorid und Acetylchlorid] und Carbonsäureanhydride (Essigsäure- und Trifluoressigsäure-anhydrid) bei Temperaturen zwischen −20 und 120° eingeleitet werden, wobei mit einer Reaktionsdauer zwischen einigen Minuten und mehreren Stunden zu rechnen ist.

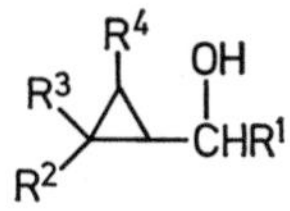

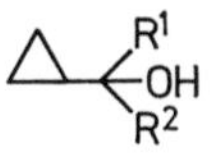

R^1 = Alkyl, Alkenyl, Aryl, Cyclopropyl
R^2 = Alkyl; R_3 = Alkyl, Hydroxymethyl, Carboxy
R^2–R^3 oder R^3–R^4 = —$(CH_2)_n$—
R^1 = CH_3; R^2 = Alkyl, Alkenyl, Alkinyl, Aryl, Cyclopropyl

Die Stereochemie an der Doppelbindung der Umlagerungsprodukte von Verbindungen des Typs I wurde nur in einigen Fällen eingehend untersucht; diese Untersuchungen gestatten die Schlußfolgerung, daß Ringöffnung und Produktbildung stereoselektiv zum *trans*-Isomeren als Hauptprodukt führen[1]. Als Beispiele können hier die Reaktionen III → IV, V → VII, VI → IX, X → XI und XII → XIII (s. S. 498) betrachtet werden[1]:

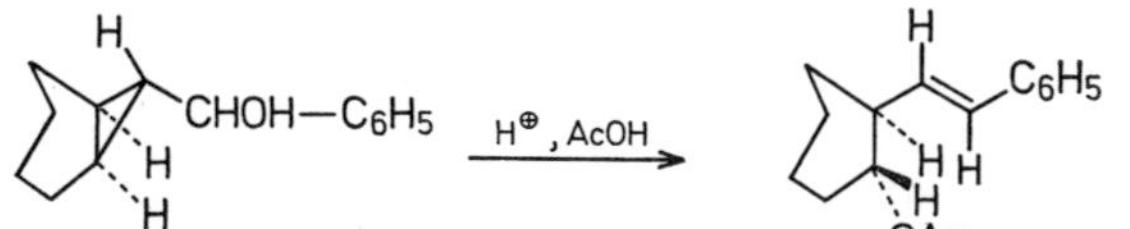

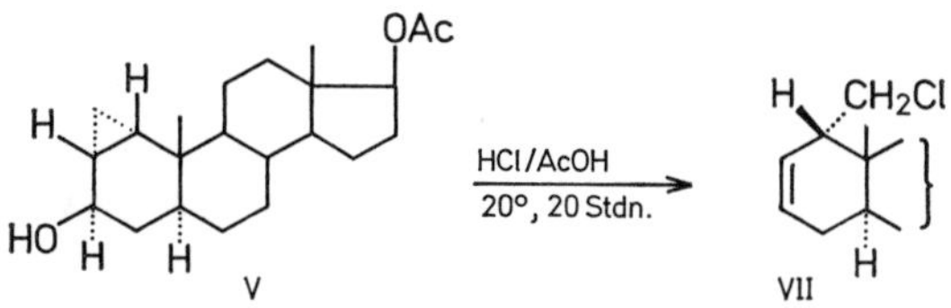

---

[1] Vgl. die Übersicht bei S. Sarel, J. Yovell u. M. Sarel-Imber, Ang. Ch. **80**, 592 (1968).

(Fortsetzung v. S. 496)

[5] K. L. Servis u. J. D. Roberts, Am. Soc. **87**, 1331 (1965).
  M. Hanack et al., A. **690**, 98 (1965).
[6] H. Hart u. J. M. Sandri, Am. Soc. **81**, 320 (1959).
  H. Hart u. P. A. Law, Am. Soc. **84**, 2462 (1962); **86**, 1957 (1964).
  M. Hanack u. H. Eggensperger, B. **96**, 1259 (1963).

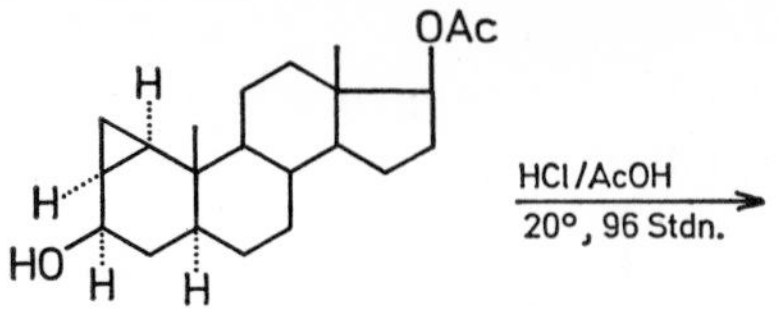

Behandelt man das 7-(α-Hydroxy-benzyl)-bicyclo[4.1.0]heptan (III, S. 497) mit einer Mineralsäure in Essigsäure, so erhält man *trans-2-Acetoxy-1-(trans-styryl)-cyclohexan* (IV)[1]. Während der Ringöffnung und der Bildung der Doppelbindung bleibt die Konfiguration am substituierten Kohlenstoffatom des kleinen Ringes erhalten; an einem Brückenkopf-C-Atom kehrt sich die Konfiguration unter Einfluß des Acetat-Ions hingegen um. Hierbei ist nun von besonderem Interesse, wie sich die Anordnung des Bicyclo[4.1.0]heptyl-Systems auf die Umlagerung auswirkt.

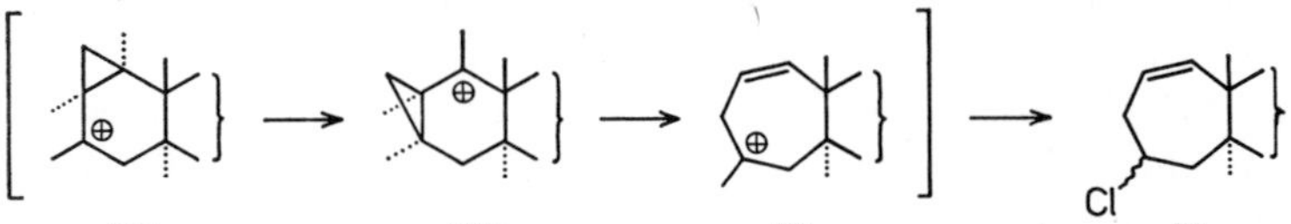

3β-Hydroxy-17β-acetoxy-1α,2α-cyclopropano-5α-androstan (V, S. 497) mit einer relativ starren Bicyclo[4.1.0]heptyl-Gruppierung wird von einer ges. Lösung von Salzsäure in Eisessig ausschließlich in VII übergeführt. Die 1β,2β-Cyclopropano-Verbindung VI, in der die Wasserstoffe an C-2 und C-3 *cis*-ständig sind und somit die Konformation des kondensierten Ringsystems weniger starr ist, lagert sich hingegen nur langsam in die Siebenring-Verbindung IX um. Es wird angenommen, daß diese Reaktion über mehrere klassische Homoallyl-Carbeniumionen (VIIIa, VIIIb, VIIIc) verläuft[2].

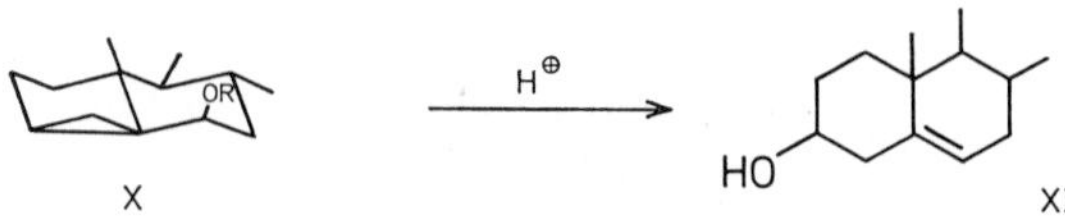

Analoge Positionseffekte werden auch bei Steroiden mit der Bicyclo[3.1.0]hexan-Gruppierung beobachtet. Aus den 6α- oder 6β-Alkoxy-Derivaten des 3α,5α-Cyclocholestans (X) entsteht *Cholesterin* (XI)[3]; unter den gleichen Reaktionsbedingungen liefert 6β-Alkoxy-3β,5β-cyclo-cholestan (XII) das *3β-Hydroxymethyl-A-nor-cholesten-(4)* (XIII)[4].

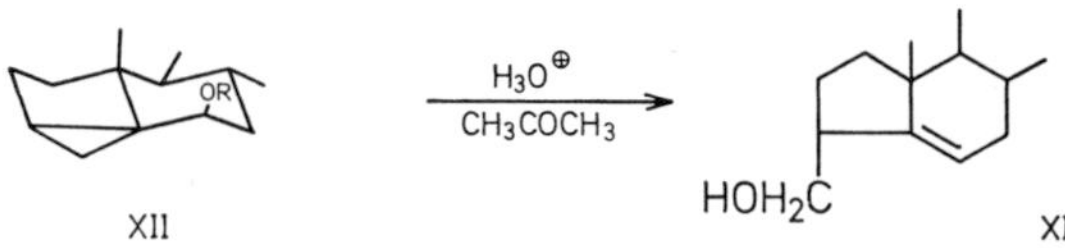

Bei der säurekatalysierten Umlagerung von einfachen substituierten Dicyclopropyl-methanolen entsteht wieder vorwiegend das *trans*-Isomere; z.B. Verbindung XIV mit R = CH₃ führt zu *4-Brom-1-cyclopropyl-penten-(1)* (XV; R = CH₃)[5]:

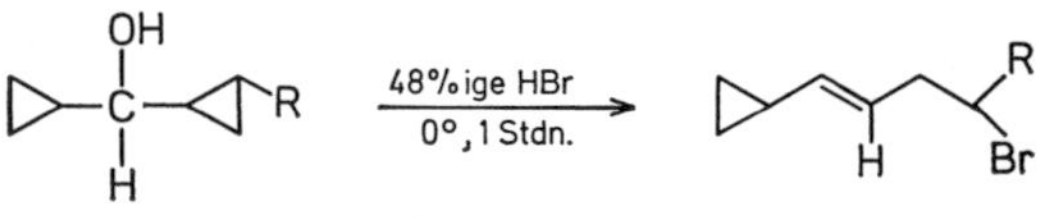

[1] P. Besinet et al., Bl. **1960**, 1377.
[2] H. Laurent, H. Müller u. R. Wiechert, B. **99**, 3836 (1966).
[3] S. Winstein u. E. M. Kosower, Am. Soc. **81**, 4399 (1959).
[4] W. G. Dauben u. J. A. Ross, Am. Soc. **81**, 6522 (1959).
    Vgl. a. N. L. Wendler in P. de Mayo „*Molecular Rearrangements*", Bd. 2, S. 1075, Interscience, New York 1963.
[5] M. Hanack u. H. Eggensperger, B. **96**, 1259 (1963).

Bei Cyclopropylmethyl-Derivaten XVI, die eine **Phenoxy**- und eine **gem.-Dimethyl**-Gruppe am alicyclischen Dreiring besitzen, wird die der **gem.**-Dimethyl-Gruppe gegenüberliegende Bindung gelöst, wobei wiederum das *trans*-Isomere [XVII, *2,2-Dimethyl-4-phenyl-buten-(3)-al*] als Hauptprodukt gebildet wird[1]:

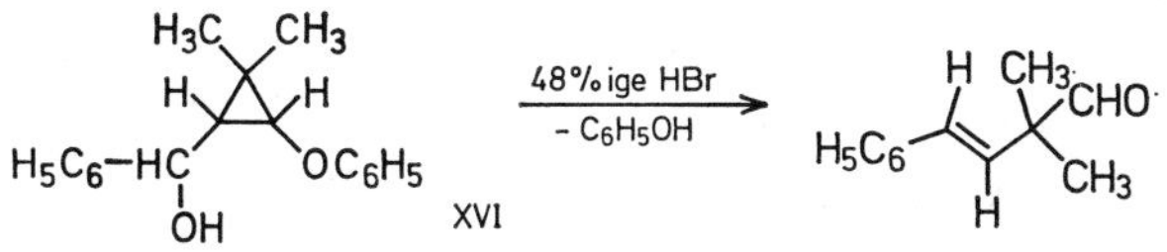

Die Stereochemie der Umlagerungen wird jedoch nicht allein von induktiven Effekten bestimmt; auch **Säurestärke** und **Reaktionsmedium** beeinflussen den Verlauf der Reaktion entscheidend.

So lagern sich z. B. die epimeren Alkohole I a und I b bei Behandlung mit Säure in den gleichen Alkohol II um. Ebenso liefert III mit Mineralsäure in Eisessig oder auch Äther vorwiegend das analoge Produkt IV. Aus dem Isomeren V (S. 560) hingegen wird unter sonst gleichen Bedingungen 45% *trans-1-Methyl-2-hydroxymethyl-1,2-dihydro-naphthalin* (VI) neben 18% *trans-6-Hydroxy-5-methyl-6,7-dihydro-5H-⟨cyclo-heptabenzol⟩* (VII) erhalten[2]. Höchstwahrscheinlich wird die Stereochemie der Ringöffnung bei der Reaktion III → IV vorwiegend durch Konjugationseffekte, wie sie etwa in Formel I c angedeutet sind, determiniert. Zum anderen beeinflußt bei der Umwandlung V → VI + VII (S. 500) das Solvens (Äther) die Art und Weise der Ringöffnung, in dem es die Energieunterschiede zwischen den beiden Reaktionsalternativen vermindert[3].

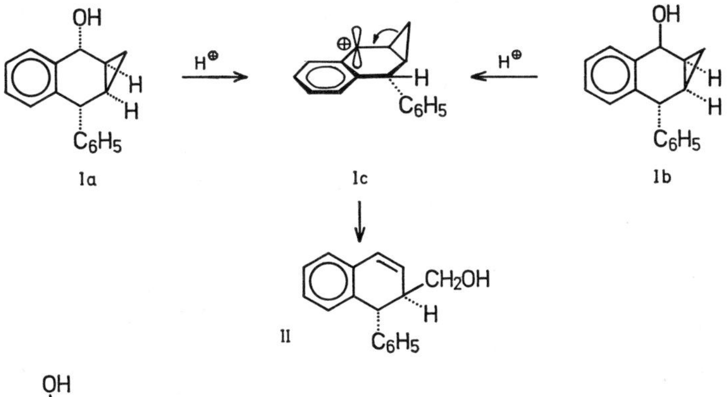

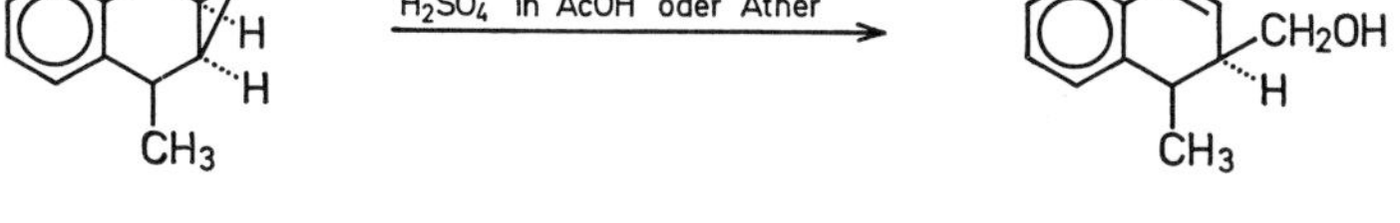

[1] M. JULIA et al., Bl. **1966**, 717, 732, 734, 743.
[2] M. JULIA et al., Bl. **1960**, 1381.
[3] s. E. L. ELIEL in „*Stereochemistry of Carbon Compounds*", McGRAW-HILL, New York, 1962, S. 375, 387.
Vgl. a. W. G. DAUBEN u. E. J. DEVINY, J. Org. Chem. **31**, 3794 (1966).
W. G. DAUBEN u. G. H. BEREZIN, Am. Soc. **89**, 3449 (1967).

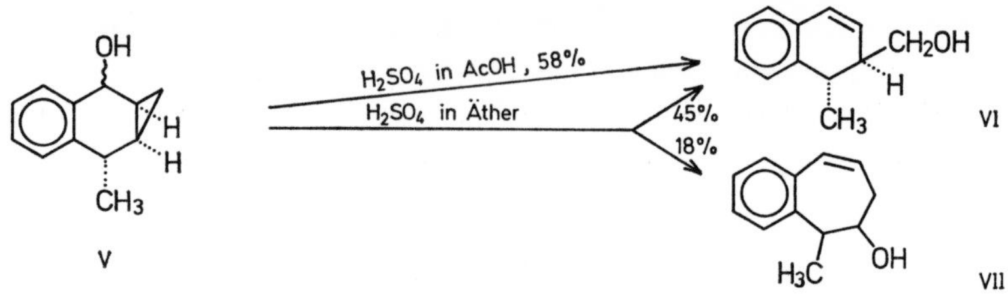

Besonders interessant verhält sich die Verbindung VIIIa, die mit 48%iger Bromwasserstoffsäure Xa und nicht XIa liefert, wie man etwa aufgrund des induktiven Effektes erwarten sollte. In weniger saurem Medium hingegen, z.B. in 3,6 n Schwefelsäure in Essigsäure oder sogar mit Natriumacetat/Essigsäure, entsteht aus Xa und aus VIIIb die Verbindung[1] XIb:

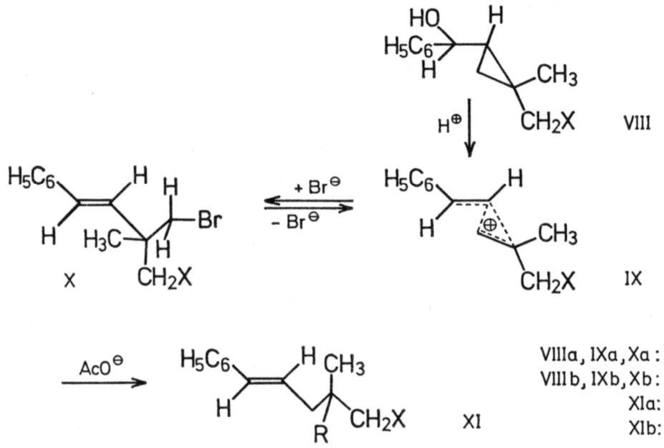

VIIIa, IXa, Xa : X = OH
VIIIb, IXb, Xb : X = OAc
XIa : X = OH, R = Br
XIb : X = R = OAc

Die schnelle Umlagerung von Xb und auch die Tatsache, daß keine Cyclobutyl-Derivate gefunden wurden, legen nahe, daß die Umwandlung von VIII in XI über das nicht-klassische Carbeniumion IX verläuft.

Die unter Einfluß von Säuren und Phosphorhalogeniden entstehenden Umlagerungsprodukte VI und VIII (s. S. 501) des sekundären Cyclopropylalkohols I sowie die Bildung der Verbindungen VI und VIII bei der Desaminierung des (Dicyclopropylmethyl)-amins (II) (R = Cyclopropyl), lassen sich durch die Annahme erklären, daß mehrere isomere Carbeniumionen (III, V u. VII) als Zwischenstufen durchlaufen werden[2]. Ob sich I und II umlagern, hängt in entscheidendem Maße von dem Gleichgewicht IV ⇌ III ab. Wenn k ≫ k_{-1} ist, werden Cyclopropylmethyl-Verbindungen der Struktur IV gebildet. Bei k < k_{-1} entstehen über die Carbeniumionen V bzw. VII die Allyl-Derivate VI bzw. VIII. Das Überwiegen des *trans*-Isomeren VI im Produktgemisch läßt sich mit der Bevorzugung des energieärmeren Konformeren V erklären[2] (S. 501).

An dieser Stelle sind auch die Umlagerungen des [Cyclopropyl-aryl-methoxy]-borans (IX) und des Bis-[α-cyclopropyl-benzyloxy]-borans (XI) erwähnenswert. Durch kurze Behandlung mit Bortrifluorid/Äther bei 0° entsteht[3] aus IX ausschließlich X. Im Gegensatz dazu geht XI in ein Gemisch aus Xa und den offenkettigen Verbindungen XII und XIII über[4]. In Gegenwart

[1] M. Julia, G. Mouzin u. C. Descoins, C. r. **264**, 330 (1967).
[2] Vgl. hierzu: S. Sarel, J. Yovell u. M. Sarel-Imber, Ang. Ch. **80**, 592 (1968).
[3] E. Breuer, Tetrahedron Letters **1967**, 1849.
   Vgl. a. H. M. Bell u. H. C. Brown, Am. Soc. **88**, 1473 (1966).
[4] E. Breuer, unveröffentlichte Ergebnisse, s. hierzu das Übersichtsreferat von S. Sarel et al., Ang. Ch. **80**, 592 (1968).
   W. Gerrard, M. F. Lappert u. H. B. Silver, Soc. **1957**, 1647, berichteten gleichfalls über Allyl-Umlagerungen bei Alkoxy-bor-Verbindungen.

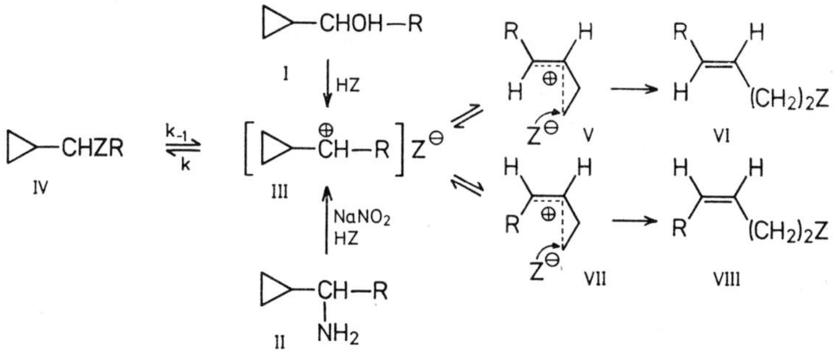

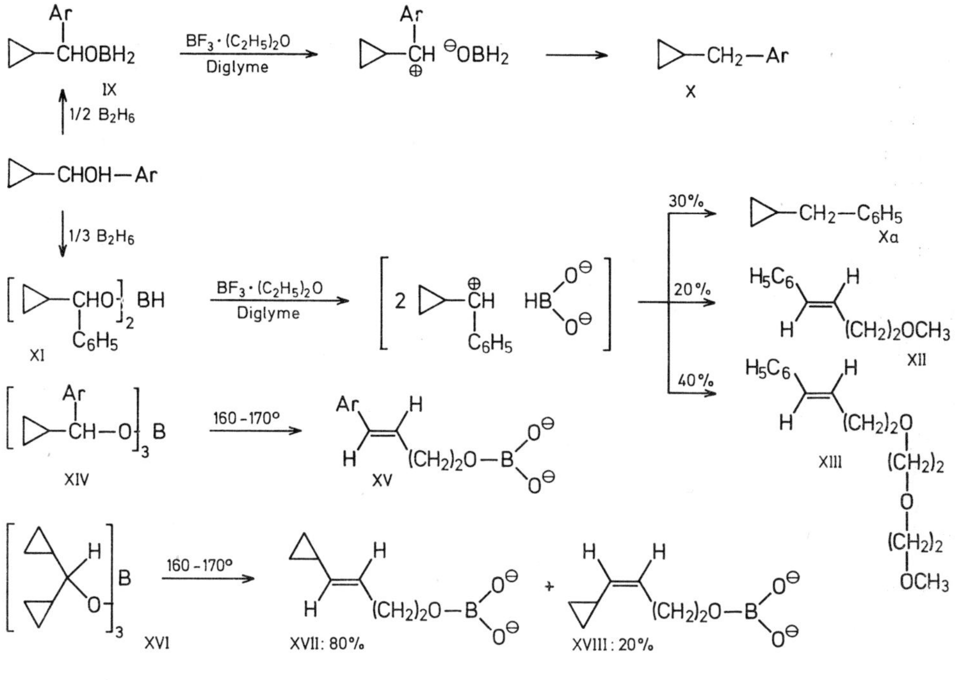

von überschüssigem Diboran reagieren Verbindungen des Typs III (s. oben) in überwiegendem Maße zum entsprechenden Hydrogenolyseprodukt (X oder Xa ≡ IV, Z = H, R = Ar bzw. C_6H_5). Bei einem Unterschuß an Diboran folgt auf die Umwandlung III ⇌ V ein Solvensangriff (hier Diglyme), und es werden die offenkettigen Verbindungen [XII und XIII ≡ VI, R = C_6H_5, Z = OCH_3 bzw. $O(CH_2)_2O(CH_2)_2OCH_3$] gebildet.

Bei erhöhter Temp. lagern sich die Organoborate XIV und XVI in die Homoallyl-Verbindungen XV bzw. XVII und XVIII um[1]. Diese thermische Umlagerung ist lösungsmittelabhängig. Nach ∼ 1 Stde. beträgt der Umsatz in Diglyme 90%, im weniger polaren 1,2-Dichlor-benzol 50% und im am schwächsten polaren Dekalin praktisch 0%. In 1,2-Dichlor-benzol ist die Umsetzung nach ∼ 4 Stdn. beendet[2]. Das beobachtete Verhältnis von 4:1 für XVII/XVIII ist darauf zurückzuführen, daß sich die Begünstigung der Konformationen V und VII bei Temperaturerhöhung umkehrt.

[1] E. Breuer u. S. Sarel, Israel J. Chem. 4, 16p (1966).
[2] E. Breuer, unveröffentlichte Ergebnisse, s. hierzu das Übersichtsreferat von S. Sarel et al., Ang. Ch. 80, 592 (1968).

b) Homoallyl-Umlagerungen tertiärer Cyclopropylalkohole

Während aus den sekundären Cyclopropylalkoholen bei der Umlagerung nur ein Stereoisomeres gebildet wird, lagern sich die tertiären Cyclopropylalkohole in mehrere isomere Verbindungen um (s. Tab. 77).

Tab. 77. Isomerenverhältnis bei der Bromwasserstoff-katalysierten Homoallyl-Umlagerung von tertiären Cyclopropylalkoholen[1] des Typs I:

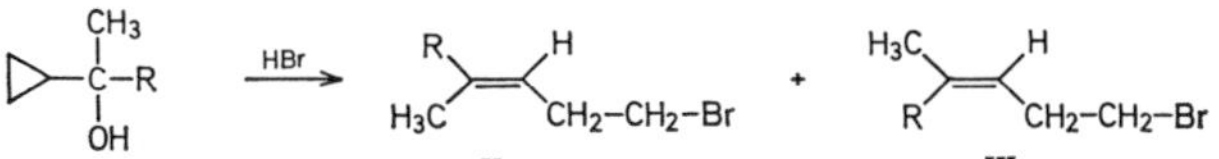

Substituent R		trans [%] (I)	cis [%] (II)
C_3H_7; i-C_4H_9; C_5H_{11}	a	Hauptprodukt	?
C_2H_5; $H_2C=CH-CH_2-$; $HC\equiv C-CH_2-$	b	80	20
$H_2C=CH-$; $H_3C-CH=CH-$; $(CH_3)_2C=CH-$	c	60–65	40–35
$HC\equiv C-$; $H_3C-C\equiv C-$	d	6–5	94–95

Bei den Homoallyl-Umlagerungen von Verbindungen des Typs I unter dem katalytischen Einfluß von Bromwasserstoffsäure (s. Tab. 77) ändert sich das *cis/trans*-Verhältnis in den Reaktionsprodukten bei Übergang von einem sp-hybridisierten Kohlenstoffatom am Carbinol-C-Atom (I d) zu einem trigonalen C-Atom (I c) ganz erheblich. Beim Übergang zu einem tetraedrischen Kohlenstoffatom (I a und I b) tritt ein solcher Effekt viel weniger in Erscheinung[1].

Bei den Dicyclopropylalkoholen wird eine weitgehend ähnliche Tendenz sichtbar (s. Tab. 78).

Während bei der Umlagerung von I c das *trans*-Isomere überwiegend gebildet wird, herrscht jedoch bei der Homoallyl-Umlagerung von IV b das *cis*-Isomere vor.

Tab. 78. Isomerenverhältnis bei der Essigsäure-katalysierten Homoallyl-Umlagerung der Dicyclopropylalkohole IV bei 100°

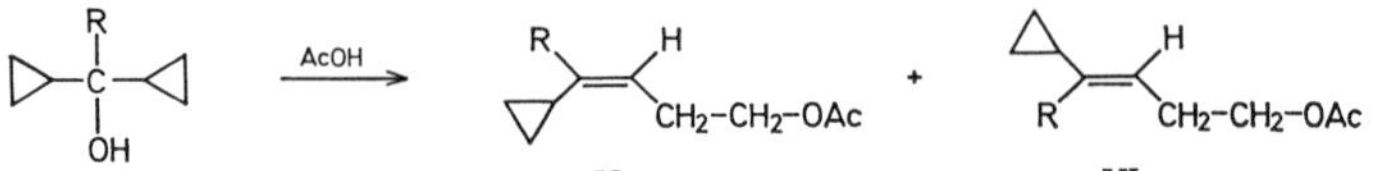

Substituent R		trans [%] (V)	cis [%] (VI)	Literatur
$H_5C_6-C\equiv C-$	a	15	85	2
CH_3	b	35	65	3
C_3H_7	c	45	55	3
i-C_3H_7	d	58	42	2
t-C_4H_9	e	100	0	2

---

[1] M. Julia, C. Descoins u. C. Risse, Tetrahedron Suppl. **8**, Teil II, 443 (1966).
  M. Julia et al., Bl. **1964**, 2533.
[2] M. Sarel-Imber, unveröffentlichte Ergebnisse, vgl. das Übersichtsreferat von S. Sarel et al., Ang. Ch. **80**, 592 (1968).
[3] J. Yovell, Dissertation, The Hebrew University of Jerusalem, 1967.

Das beruht ganz offensichtlich auf der Bevorzugung einer der Konformationen A, B und C. Je größer der Substituent R ist, um so mehr wird das Konformere C überwiegen, da in diesem die Wechselwirkung zwischen den alicyclischen Dreiringen und den Methylprotonen von R weitgehend vermieden wird:

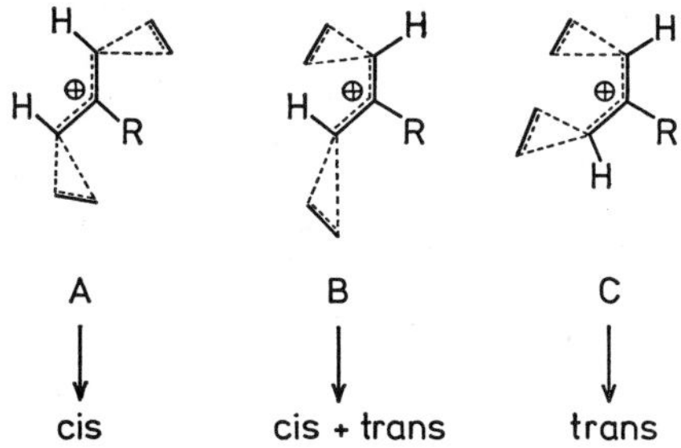

$$A \qquad B \qquad C$$

$$\downarrow \qquad \downarrow \qquad \downarrow$$

$$cis \qquad cis + trans \qquad trans$$

Aus Tab. 79 wird ersichtlich, daß bei der Homoallyl-Umlagerung der Aryl-cyclopropylalkohole vom Typ VII bevorzugt das *cis*-Isomere entsteht[1].

Es ist anzunehmen, daß die ionische Zwischenstufe der Umlagerung bevorzugt in der Konformation D vorliegt. In der Tat zeigen Modellbetrachtungen, daß sich in dieser Konformation der aromatische Ring bequem mit dem sp^2-hybridisierten Kohlenstoffatom koplanar einstellen kann, so daß gegenüber E eine gewisse Resonanzenergie gewonnen werden kann[2]. Wird die Methyl-Gruppe durch den Isopropyl-Rest ersetzt, so kehren sich die Verhältnisse um[3]. Wahrscheinlich fällt der Energieverlust aufgrund der Wechselwirkung zwischen dem Dreiring und den Wasserstoffen der Isopropyl-Gruppe stärker als der Verlust an Resonanzenergie ins Gewicht[2].

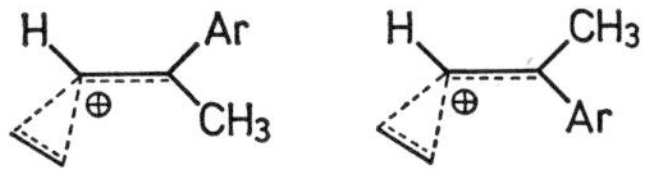

$$D \qquad E$$

Tab. 79. Isomerenverteilung bei der Essigsäure-katalysierten Homoallyl-Umlagerung der Aryl-cyclopropylalkohole VII bei 100°:

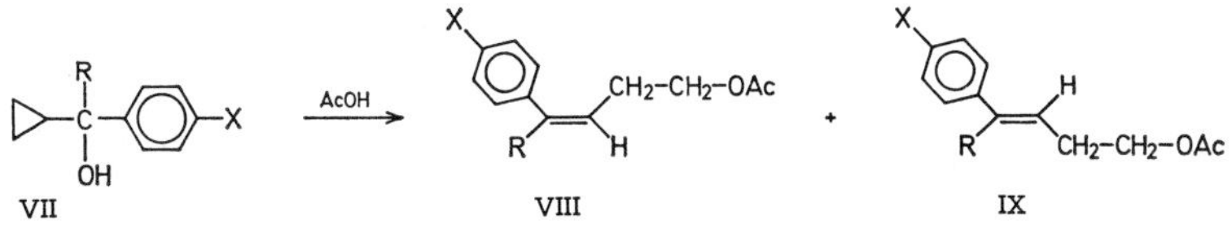

Substituent R	Substituent X		trans [%] (VIII)	cis [%] (IX)	Literatur
CH_3	H	a	0	100	1
CH_3	CH_3	b	0	100	1
CH_3	OCH_3	c	0	100	1
CH_3	Cl	d	0	100	1
$i\text{-}C_3H_7$	H	e	75	25	3

[1] M. SAREL-IMBER, unveröffentlichte Ergebnisse, vgl. das Übersichtsreferat von S. SAREL et al., Ang. Ch. **80**, 592 (1968).

[2] S. SAREL, J. YOVELL u. M. SAREL-IMBER, Ang. Ch. **80**, 592 (1968).

[3] E. BREUER, E. SEGALL u. S. SAREL, unveröffentlichte Arbeiten, vgl. das Übersichtsreferat von S. SAREL et al., Ang. Ch. **80**, 592 (1968).

c) Homoallyl-Umlagerungen von Cyclopropylmethoxy-
magnesium-halogeniden

Bei der Addition von Dicyclopropyl-keton (I) an im Überschuß befindliches Alkyl-magnesium-jodid in siedendem Äther werden außer dem gewünschten Alkohol III auch Produkte einer Homoallyl-Umlagerung erhalten (IV)[1]:

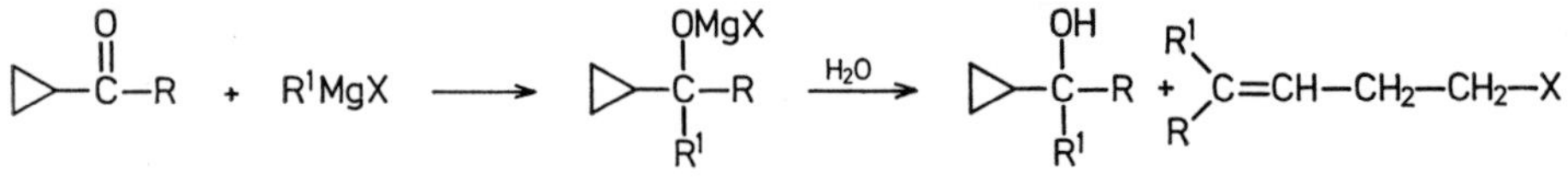

Die Ausbeute an Produkten der Homoallyl-Umlagerung (IV), die entscheidend von der Art des Halogens und den Reaktionsbedingungen abhängt, steigt mit wachsender Konzentration des Organo-magnesium-halogenids und mit zunehmender Temperatur. Der Halogeneinfluß auf die Ausbeute an IV bzw. V (X=J) nimmt in der Reihenfolge

$$Cl < Br \ll J$$

zu[2].

Das Homoallylprodukt erweist sich hierbei als Stereoisomerengemisch. Die den Isomeren zugrundeliegenden Olefine VI und VII konnten durch Reduktion mit Lithiumalanat und anschließende Trennung der Isomeren durch präparative Gaschromatographie erhalten werden. Die Strukturzuordnung gelang auf spektroskopischem Wege (vor allem durch die NMR-Spektren)[3]:

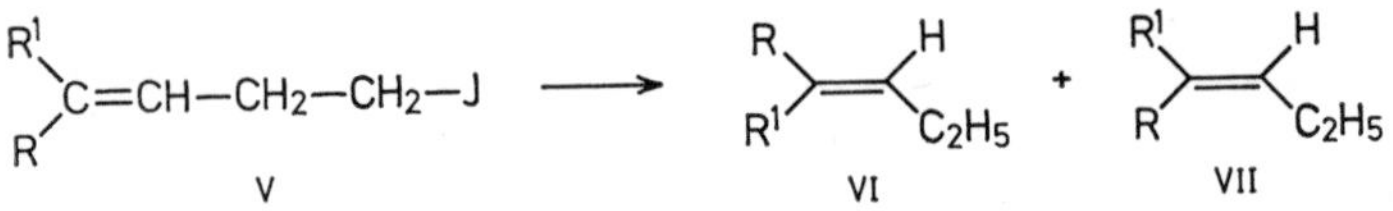

Für die Derivate des Vinyl-cyclopropans VIII und IX (S. 505) wurde die Struktur der Isomeren aufgrund ihres unterschiedlichen Verhaltens bei der Thermolyse abgeleitet[3]: Die *cis*-Verbindung VIII lagert sich bei 380–390° vollständig in das Cyclopenten-Derivat X um, während die *trans*-Verbindung IX unter diesen Bedingungen unverändert bleibt.

Das sehr ähnliche *cis-trans*-Verhältnis bei den Homoallyl-Verbindungen, die aus Cyclopropylalkoholen und Essigsäure (s. Tab. 80, 505) oder aus Cyclopropylmethoxy-magnesium-jodid (s. Tab. 80) gebildet werden, deutet darauf hin, daß offensichtlich in beiden Reaktionstypen analoge konformative Faktoren die Stereochemie der Öffnung des alicyclischen Dreiringes bestimmen.

Die Homoallyl-Umlagerung des Dicyclopropylmethoxy-magnesium-jodids könnte nach einem ionischen Mechanismus verlaufen, bei dem der Angriff eines Jodid-Ions auf das nicht-klassische, symmetrische Homoallyl-Kation, das sich durch die drei Konformationen A, B und C (s. S. 503) beschreiben läßt, schließlich zur Ringöffnung führt[1]; zum anderen käme

[1] J. Yovell, Dissertation, The Hebrew University of Jerusalem, 1967.
[2] S. Sarel, J. Yovell u. M. Sarel-Imber, Israel J. Chem. **4**, 21 p (1966).
[3] J. Yovell, Dissertation, The Hebrew University of Jerusalem, 1967.
   S. Sarel, J. Yovell u. M. Sarel-Imber. Ang. Ch. **80**, 592 (1968).

Tab. 80. Verhältnis der Isomeren bei der Homoallyl-Umlagerung der Cyclo-
propylmethoxy-magnesium-jodide[1]:

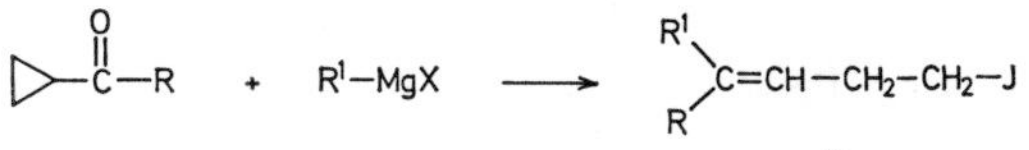

R	R^1	V	trans[%]	cis [%]
Cyclopropyl	CH$_3$	5-Jod-2-cyclopropyl-penten-(2)	35	65
Cyclopropyl	C$_3$H$_7$	1-Jod-4-cyclopropyl-hepten-(3)	45	55
Cyclopropyl	i-C$_3$H$_7$	6-Jod-2-methyl-3-cyclopropyl-hexen-(3)	58	42
Cyclopropyl	t-C$_4$H$_9$	6-Jod-2,2-dimethyl-3-cyclopropyl-hexen-(3)	100	—
Phenyl	CH$_3$	5-Jod-2-phenyl-penten-(2)	—	100
4-Methoxy-phenyl	CH$_3$	5-Jod-2-(4-methoxy-phenyl)-penten-(2)	40	60
4-Chlor-phenyl	CH$_3$	5-Jod-2-(4-chlor-phenyl)-penten-(2)	—	100

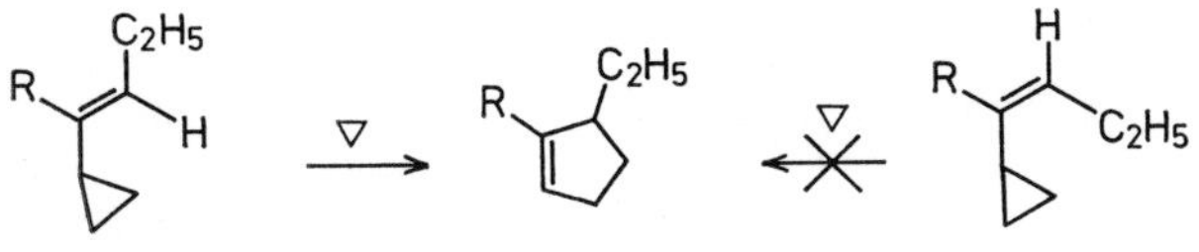

VIII   X   IX

eine Synchronreaktion über einen cyclischen „Übergangszustand" F und G in Betracht[2]. Die
Konformation von F scheint gegenüber der von G bevorzugt zu sein[1]:

d) Additionen von Carbonsäuren an Vinyl-cyclopropane

Die Umlagerung von Cyclopropylalkoholen des Typs I und IV (S. 506) unter dem
Einfluß von Essigsäure läuft in mehreren Stufen ab[3-6]: einer Elinimierung[5] folgt
eine 1,5-Addition[6] unter gleichzeitiger Ringöffnung. Gaschromatographisch kann

---

[1] J. Yovell, Dissertation, The Hebrew University of Jerusalem, 1967.
  S. Sarel, J. Yovell u. M. Sarel-Imber, Ang. Ch. **80**, 592 (1968).
[2] Vgl. etwa: M. S. Newman u. G. Kangars, J. Org. Chem. **31**, 1379 (1966).
[3] J. Yovell, Dissertation, The Hebrew University of Jerusalem, 1967.
[4] S. Sarel, J. Yovell u. B. A. Weissman, unveröffentlichte Ergebnisse.
  Vgl. a. B. A. Weissman, M. S. Thesis, The Hebrew University of Jerusalem, 1968.
[5] S. Sarel et al., Israel J. Chem. **1**, 451 (1963).
[6] S. Sarel u. R. Ben-Shoshan, Tetrahedron Letters **1965**, 1053.

gezeigt werden, daß im Anfang sehr schnell II bzw. V entsteht, das dann langsam in III (*cis* und *trans*) bzw. VI (ausschließlich *trans*) übergeht:

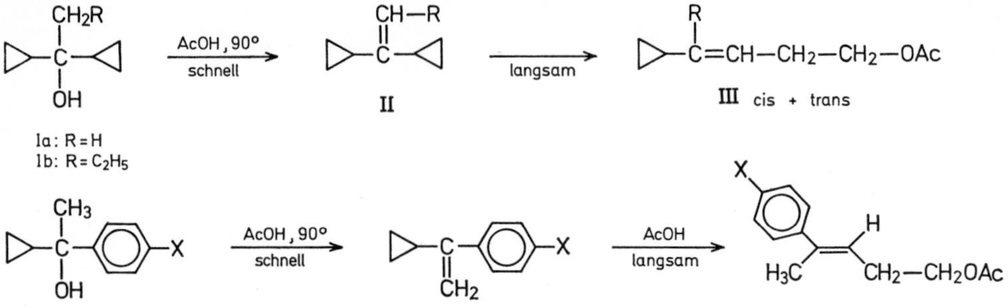

Ia: R = H
Ib: R = C$_2$H$_5$

IVa: X = OCH$_3$
IVb: X = CH$_3$
IVc: X = H
IVd: X = Cl

R = H;   IIa = *1,1-Dicyclopropyl-äthylen*
R = C$_2$H$_5$;   IIb = *1,1-Dicyclopropyl-buten-(1)*
R = H;   IIIa = *4-Acetoxy-1-cyclopropyl-buten-(1)*
R = C$_2$H$_5$;   IIIb = *6-Acetoxy-3-cyclopropyl-hexen-(3)*
X = OCH$_3$;   Va = *1-Cyclopropyl-1-(4-methoxy-phenyl)-äthylen*
X = CH$_3$;   Vb = *1-Cyclopropyl-1-(4-methyl-phenyl)-äthylen*
X = H;   Vc = *1-Cyclopropyl-1-phenyl-äthylen*
X = Cl;   Vd = *1-Cyclopropyl-1-(4-chlor-phenyl)-äthylen*
X = OCH$_3$;   VIa = *5-Acetoxy-2-(4-methoxy-phenyl)-penten-(trans-2)*
X = CH$_3$;   VIb = *5-Acetoxy-2-(4-methyl-phenyl)-penten-(trans-2)*
X = H;   VIc = *5-Acetoxy-2-phenyl-penten-(trans-2)*
X = Cl;   VId = *5-Acetoxy-2-(4-chlor-phenyl)-penten-(trans-2)*

Die Geschwindigkeit der Dehydratisierung und der Addition nimmt in der Reihenfolge

IVa → Va > Ia → IIa > Ib → IIb > IVc → Vc > IVd → Vd

ab[1]. Beim Behandeln der Vinylcyclopropan-Derivate II bzw. V mit Essigsäure entstehen die gleichen Produkte wie bei der Umlagerung von I (s. Tab. 78; S. 502) bzw. von VII (s. Tab. 79; S. 503)[1].

Eine Addition an das Vinyl-cyclopropan-System des 3,5-Cyclo-cholestens-(6) (VII) unter Bildung von VIII ist ebenfalls bekannt[2]:

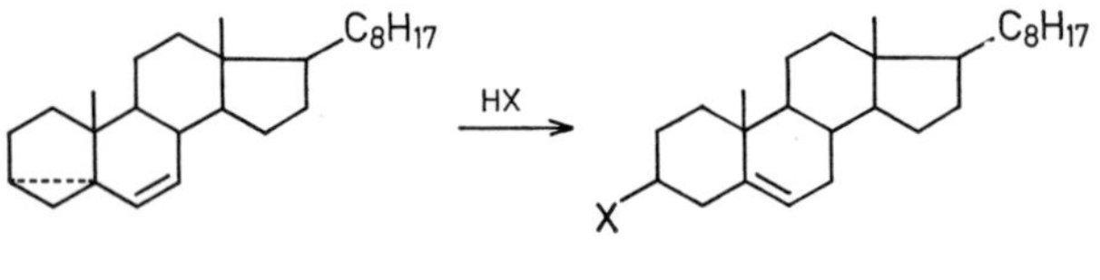

VII
X = OAc, CH$_3$O, OH, Cl, Br, J

VIII; *3β-Acetoxy-(bzw. Methoxy-, Hydroxy-, Chlor-, Brom-, Jod-)-cholesten-(5)*

Nach dem gleichen Schema verläuft auch Chlorwasserstoff-Anlagerung an α- und β-Cubeben[3].

---

[1] S. SAREL, J. YOVELL u. M. SAREL-IMBER, Ang. Ch. **80**, 592 (1968).
[2] R. RIEGEL, G. B. HAGER u. B. L. ZENITZ, Am. Soc. **68**, 2562 (1946).
[3] Y. OHTA, T. SAKAI u. Y. HIROSE, Tetrahedron Letters **1966**, 6365.

Zum anderen konnte beobachtet werden, daß die Homoallyl-Umlagerung des 4-Hy-droxy-4-methyl-4-cyclopropyl-buten-(1) (I) über den oben erwähnten Eliminierung-Additionsmechanismus verlaufen kann[1]. Wird I mit Kaliumacetat in Essigsäure behandelt, so wird ein Gemisch offenkettiger Acetate, in dem vorwiegend die Verbindungen III und IV vorliegen, erhalten. Ein weitgehend ähnliches Gemisch entsteht bei der Reaktion von V mit Essigsäure. Daß II aus I und V in unterschiedlicher Menge gebildet wird, hängt offensichtlich damit zusammen, daß I auf zwei verschiedene Arten Wasser verlieren kann: Entweder entsteht V, das praktisch ausschließlich zu III und IV weiterreagiert, oder es bildet sich *2-Cyclo-propyl-pentadien-(1,4)*, das dann II liefert.

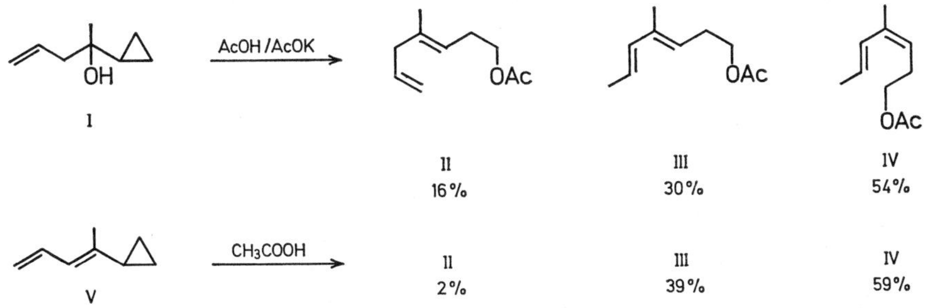

	II	III	IV
	16%	30%	54%

	II	III	IV
	2%	39%	59%

II; *7-Acetoxy-4-methyl-heptadien-(1,4)*   III, IV; *7-Acetoxy-4-methyl-heptadien-(2,4)*

Bei der Ringöffnung im Zuge der Umlagerung von VI in VII und auch von VIII in IX ist höchstwahrscheinlich auf irgendeiner Stufe eine Bromwasserstoff-Addition an das Vinylcyclopropan-System beteiligt[2,3]:

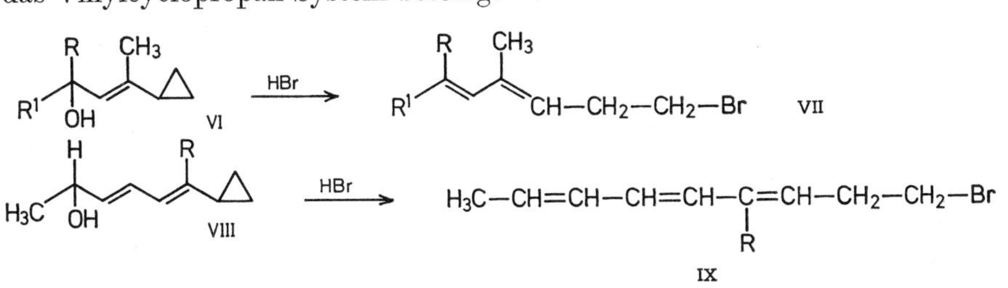

VII, R = R^1 = H; *6-Brom-3-methyl-hexadien-(1,3)*
      R = R^1 = CH$_3$; *7-Brom-2,4-dimethyl-heptadien-(2,4)*
      R = H; R^1 = CH$_3$; *7-Brom-4-methyl-heptadien-(2,4)*
IX,   R = H; *9-Brom-nonatrien-(2,4,6)*
      R = CH$_3$; *9-Brom-6-methyl-nonatrien-(2,4,6)*

Auch die Verbindung X zeigt, daß die Substituenten und die Reaktionsbedingungen den Reaktionsablauf entscheidend beeinflussen. Wird X mit Perchlorsäure behandelt[4], so entsteht der offenkettige primäre Alkohol XI:

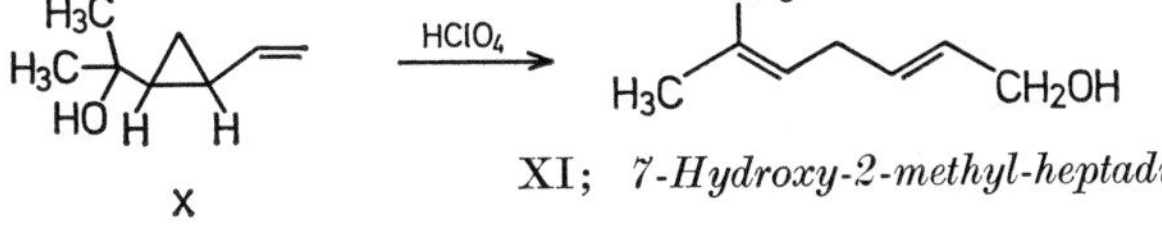

XI; *7-Hydroxy-2-methyl-heptadien-(2,5)*

[1] M. Julia et al., Tetrahedron [Suppl.] **8**, Teil II, S. 443 (1966); Bl. **1964**, 2533.
[2] S. Julia, M. Julia u. P. Graffin, Bl. **1964**, 3218.
[3] S. Julia et al., Bl. **1964**, 3207.
[4] Vgl. A. Menet u. G. Descotes, Referate der Vorträge auf den Journées de Chimie Organique, Soc. chim. France, Orsay, 21. bis 23. Sept. 1967.

Werden die beiden olefinischen Wasserstoffe im 1,1-Dicyclopropyl-äthylen durch Methyl-Gruppen ersetzt, so kommt es nicht mehr zu einer Addition von Essigsäure an das Vinylcyclopropan-System in I. In Gegenwart katalytischer Mengen p-Toluolsulfonsäure hingegen wird ein Gemisch erhalten, in dem II die Hauptkomponente darstellt. Die Isomeren III und IV, die ausschließlichen Produkte der Umlagerung des Carbinols V, entstehen bei der katalytischen Reaktion nur als Nebenprodukte. Das Mengenverhältnis II : III : IV entspricht hier dem Gleichgewichtsgemisch[1]:

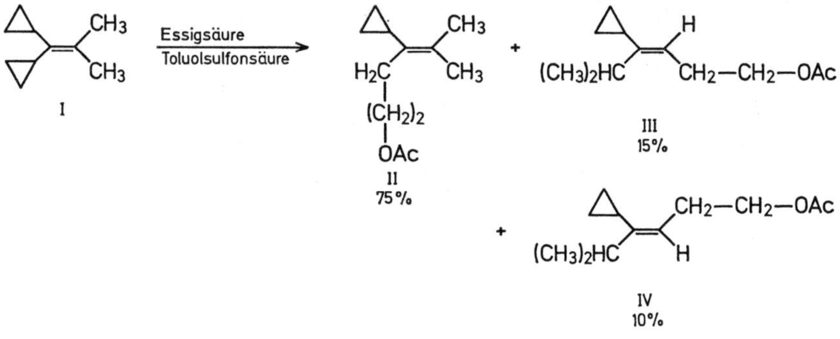

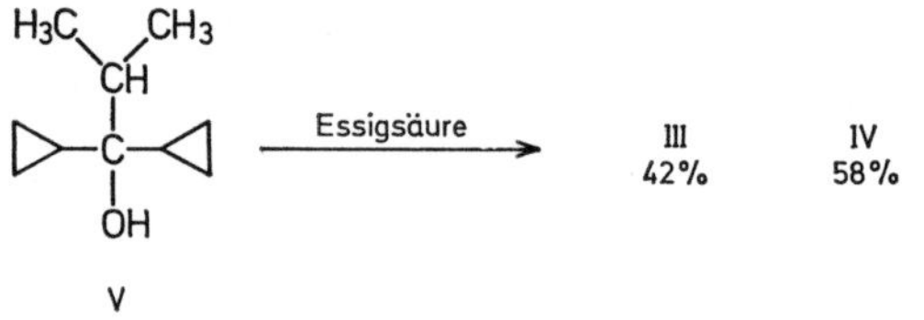

II; 6-Acetoxy-2-methyl-3-
    cyclopropyl-hexen-(2)
III; 6-Acetoxy-2-methyl-3-
    cyclopropyl-cis-hexen-(3)
IV; 6-Acetoxy-2-methyl-3-
    cyclopropyl-trans-hexen-(3)

Carbeniumionen-Mechanismus:

nur *cis* [2]

Carbanion-Mechanismus:

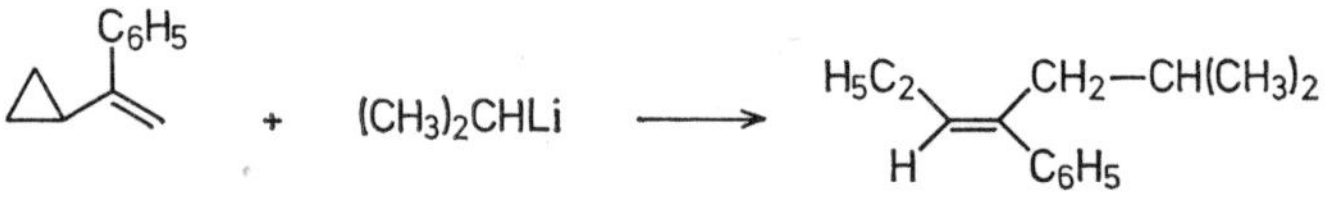

nur *cis*; *6-Methyl-4-phenyl-cis-hepten-(3)*[3]

Radikal-Mechanismus:

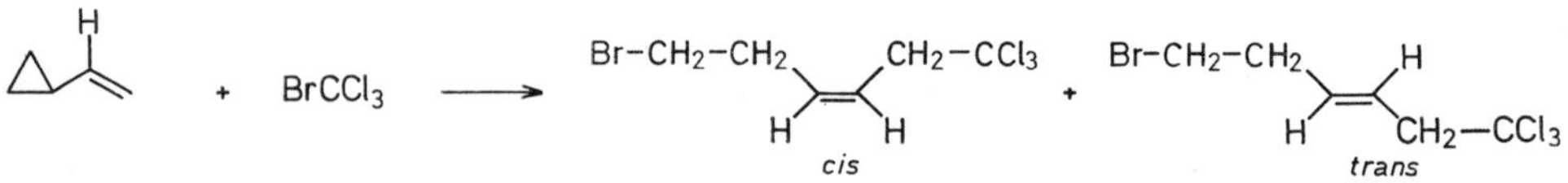

5,5,5-Trichlor-1-brom-hexen-(3)[4]

[1] M. SAREL-IMBER, unveröffentlichte Ergebnisse, s. hierzu a. S. SAREL et al., Ang. Ch. **80**, 592 (1968).
[2] S. SAREL, J. YOVELL u. M. SAREL-IMBER, Ang. Ch. **80**, 592 (1968).
[3] Vgl. J. A. LANDGREBE u. J. D. SHOEMAKER, Am. Soc. **89**, 4465 (1967).
[4] Vgl. E. S. HUYSER u. L. R. MUNSON, J. Org. Chem. **30**, 1436 (1965).

Sowohl die Addition über ein Carbeniumion als auch über ein Carbanion verläuft stereoselektiv. Auf keinem der beiden Wege wird ein Cyclobutyl-Derivat gebildet.

A₃. Cyclopropane in valenzisomeren Systemen (einschließlich Moleküle mit fluktuierenden Bindungen)

I. Das valenzisomere System Cycloheptatrien/Norcaradien[1]

Eine der Cope-Umlagerung ähnliche Valenzisomerisierung ist die oft umkehrbare Cyclisierung von konjugierten *cis*-Trienen zu Cyclohexadienen-(1,3). Auch diese Isomerisierung, die als intracyclische Dien-Syntheses aufgefaßt wurde[2], zeigt die Merkmale eines Mehrzentren-Prozesses[3]; analoges gilt für ihre Umkehrung, die Spaltung des cyclischen Diens zum Trien (Retro-Dienzerfall)[4].

Die wohl interessantesten Valenzisomerisierungen dieses Typs beobachtet man bei cyclischen *cis*-Trienen der Struktur I. Eine cyclische Elektronen-Verschiebung führt hier zu den bicyclischen Dienen II:

Mit n = 1 geben die Formeln I und II das eingehend untersuchte System Cycloheptatrien/Norcaradien wieder.

Dem valenzisomeren System I/II begegnete schon vor fast 70 Jahren R. Willstätter[5] bei der Strukturaufklärung des Tropilidens[6]. Dabei wurden für das Tropiliden die Strukturen der drei valenztautomeren Kohlenwasserstoffe *Cycloheptatrien* (I), *Norcaradien* (II) und *Bicyclo[3.2.0]heptadien-2,6*) in Betracht gezogen. Da es gelang, Cyclohepten auf verschiedenen Wegen in das Tropiliden umzuwandeln, hielt man die Cycloheptatrien-Form (I) für gesichert.

Bei der photochemischen Addition von Methylen an Benzol erhielten verschiedene Autoren[7,8] selbst unter milden Bedingungen (–50°)[9] nicht das erwartete Norcara-

---

[1] Vgl. a. ds. Handb., Bd. V/1d, Kap. Cycloheptatriene.

[2] K. ALDER u. G. JACOBS, B. **86**, 1528 (1953).

[3] Vgl. z.B.:
  J. E. BALDWIN u. J. D. ROBERTS, Am. Soc. **85**, 115 (1963).
  J. B. LAMBERT u. J. D. ROBERTS, Tetrahedron Letters **1965**, 1457.
  J. C. LITTLE, Am. Soc. **87**, 4020 (1965).
  R. HUISGEN, R. GRASHEY u. J. SAUER, in S. PATAI „*The Chemistry of Alkenes*", S. 878–929, Interscience Publ. Co., New York, 1964.
  Vgl. a. die Literaturzusammenstellung bei A. T. BALABAN, Rev. Roumaine Chim. **12**, 875 (1967).

[4] Vgl. z. B. A. T. BALABAN, Rev. Roumaine Chim. **12**, 875 (1967) (Literaturzusammenstellung).

[5] R. WILLSTÄTTER, A. **317**, 204 (1901).

[6] A. LADENBURG, A. **217**, 74 (1883).

[7] H. MEERWEIN et al., A. **604**, 151 (1957).

[8] W. v. E. DOERING u. L. H. KNOX, Am. Soc. **75**, 297 (1953).

[9] W. v. E. DOERING u. W. R. ROTH, Privatmitteilung.

dien, sondern nur Cycloheptatrien. Weitere Untersuchungen haben gezeigt, daß das Tropiliden bei einigen chemischen Reaktionen, z. B. der Hydrierung[1] und Bromierung[2] im Sinne der Cycloheptatrien-Form und bei anderen wie der Ozonisierung[3] und Diels-Adler-Reaktion[4] im Sinne der Norcaradien-Form reagiert.

Infrarotspektroskopische Untersuchungen[5] sowie kernresonanzspektroskopische Messungen[6] an Tropilidenen sprachen für die Cycloheptatrien-Form.

Die entscheidende Frage, ob sich Cycloheptatrien mit einer geringen Menge von Norcaradien im Gleichgewicht befindet, konnte bisher auch nicht mit Hilfe moderner physikalischer Methoden beantwortet werden.

Der Übergang der Trien-Struktur in das bicyclische Diensystem bei manchen Reaktionen kann noch nicht als Beweis für eine Valenztautomerie gewertet werden, da die Cyclisierung auch eine Folge der Wechselwirkung mit dem angreifenden Agens sein kann.

Röntgeninterferenzmessungen am 2-Oxo-2-(4-brom-phenyl)-äthylester der Thujansäure[7] und eine Elektronenbeugungs-Strukturanalyse[8] erbrachten ebenfalls den Beweis, daß das Tropiliden als Cycloheptatrien vorliegt. Das IR-Spektrum von 7-Deutero-cycloheptatrien[9] und Tieftemperatur-Kernresonanzmessungen an 2-substituierten 3,7,7-Trimethyl-tropilidenen[10] sowie am Tropiliden[11,12] selbst lassen oberhalb von $-120°$ auf eine Ringinversion schließen. Für das Tropiliden kann ein Konformations-Gleichgewicht zwischen zwei Bootformen als gesichert gelten[8,11,12]. Auch das Mikrowellenspektrum des Cycloheptatriens[13] und die für das [D]-Cycloheptatrien typischen thermischen[14,15] und photochemischen[16,17] transannularen Wasserstoff-Verschiebungen sprechen für diese Bootformen. Neuere kernresonanzspektroskopische Untersuchungen am Tropiliden[18], 7-Methyl-, 7-Phenyl-, 7-Isopropyl- und 7-tert.-Butyl-tropiliden[19] sowie am 3,7,7-Trimethyl-tropiliden[20] gaben ebenfalls keinen Hinweis auf die Anwesenheit valenztautomerer Norcaradien-Formen.

Die Röntgenstrukturanalyse[7,21] zeigt, daß der C_1—C_6-Abstand von 2,51 Å für eine nennenswerte p-p-Überlappung zwischen diesen Atomen zu groß ist. Der in den

[1] J. B. CONN, G. B. KISTIAKOWSKY u. E. A. SMITH, Am. Soc. **61**, 1868 (1939).

[2] W. v. E. DOERING u. L. H. KNOX, Am. Soc. **76**, 3203 (1954).

[3] P. S. BALEY, Chem. Reviews **58**, 926 (1958).

[4] K. ALDER, K. KAISER u. M. SCHUMACHER, A. **602**, 80 (1957).

[5] M. V. EVANS u. R. C. LORD, Am. Soc. **82**, 1876 (1960).

[6] E. J. COREY, H. J. BURKE u. W. A. REMERS, Am. Soc. **77**, 4941 (1955).

[7] R. E. DAVIES u. A. TULINSKY, Tetrahedron Letters **1962**, 839.

[8] M. TRAETTEBERG, Am. Soc. **86**, 4265 (1964).

[9] C. LA LAU u. H. DE RUYTER, Spectrochim. Acta **19**, 1559 (1963).
A. P. TER BORG, H. KLOOSTERZIEL u. N. VAN MEURS, Pr. chem. Soc. **1962**, 359.

[10] K. CONROW, M. E. HOWDEN u. D. DAVIS, Am. Soc. **85**, 1929 (1963).

[11] F. A. L. ANET, Am. Soc. **86**, 458 (1964).

[12] F. R. JENSEN u. L. A. SMITH, Am. Soc. **86**, 956 (1964).

[13] S. S. BUTCHER, J. chem. Physics **42**, 1883 (1965).

[14] A. P. TER BORG, H. KLOOSTERZIEL u. N. VAN MEURS, R. **82**, 717 (1963).

[15] A. P. TER BORG u. H. KLOOSTERZIEL, R. **84**, 245 (1965).
A. P. TER BORG, H. KLOOSTERZIEL u. N. VAN MEURS, Pr. chem. Soc. **1962**, 359.

[16] W. R. ROTH, Ang. Ch. **75**, 921 (1963).

[17] A. P. TER BORG u. H. KLOOSTERZIEL, R. **84**, 241 (1965).

[18] H. GÜNTHER, Z. Naturf. **20**[b], 948 (1965).
H. GÜNTHER u. R. WENZL, Z. Naturf. **22b**, 389 (1967).

[19] H. GÜNTHER, M. GÖRLITZ u. H. H. HINRICHS, Tetrahedron **24**, 5665 (1968).

[20] H. GÜNTHER u. M. GÖRLITZ, unveröffentlicht.

[21] J. D. DUNITZ u. P. PAULING, Helv. **43**, 2188 (1960).

letzten Jahren diskutierte pseudoaromatische Charakter[1] des Tropilidens (Resonanz-stabilisierung durch p-p-Überlappung der Atome C_1 und C_6 des π-Elektronensystems) konnte aufgrund der Ergebnisse von Gleichgewichtsstudien an 7-gliedrigen cyclischen Trienen[2] nicht geklärt werden. Im Falle des Homotropyliumions[3] wurde das quasiaromatische Verhalten durch magnetische Studien bewiesen. Im Gegensatz zur gewinkelten Struktur des Cycloheptatriens wird, in Analogie zum eben gebauten Tropylium-Ion[4–7], auch für das Tropyl-Radikal[8,9] und das entsprechende Anion des Tropilidens[10–12] eine hochsymmetrische Struktur gefunden.

Eine 1,6-Überlappung der π-Orbitale zwischen den Atomen C_1 und C_6 des Cyclo-heptatriens führt zum valenzisomeren, bisher nicht gefaßten *Norcaradien*. Die freie Energie der Valenzisomerisierung von II → I (S. 509) wird auf −11 Kcal/Mol ge-schätzt[13], was die Instabilität von II gegenüber I erklärt in der Annahme, daß die Aktivierungsenergie der Umlagerung wegen der zu erwartenden hohen Delokalisie-rung im Übergangszustand relativ klein ist.

Da sich die freien Energien von mono- und bicyclischen Isomeren nur wenig unter-scheiden, genügen elektronische oder sterische Effekte, um das valenztautomere Gleichgewicht nach der einen oder anderen Seite zu verschieben.

Weder die elektronegativen Phenyl-Gruppen im Heptaphenyl-tropiliden[14] noch die elektropositiven Methyl-Gruppen im 1,6-Dimethyl-tropiliden vermögen die Norcaradien-Struktur zu stabilisieren; das Gleichgewicht liegt ganz auf der Seite der Trien-Form.

Benzo-norcaradien[15,16] und seine Derivate[17] können nur formal als Norcaradien-Derivateangesprochen werden, da eine Doppelbindung in ein Aromaten-System ein-bezogen ist.

Eine Stabilisierung der Norcaradien-Struktur durch Überbrückung der Atome C-1 und C-6 konnte realisiert werden.

Im Zuge einer Colchicin-Synthese erhielt man eine Cycloheptatrien-dicarbonsäure vom Typ I (S. 512), die beim Erhitzen mit Essigsäure-anhydrid in das Anhydrid II überging. Bei der Hydrolyse von II wurde erwartungsgemäß I zurückerhalten[18]:

[1] W. v. E. Doering et al., Am. Soc. **78**, 5448 (1956).

[2] K. Conrow, Am. Soc. **83**, 2958 (1961).

[3] J. L. v. Rosenberg, J. E. Mahler u. R. Pettit, Am. Soc. **84**, 2842 (1962).

[4] W. v. E. Doering u. L. H. Knox, Am. Soc. **76**, 3203 (1954).

[5] M. J. S. Dewar u. R. Pettit, Chem. & Ind. **1955**, 199.

[6] M. J. S. Dewar u. R. Pettit, Soc. **1956**, 2021.

[7] M. J. S. Dewar u. R. Pettit, Soc. **1956**, 2026.

[8] H. J. Dauben et al., Am. Soc. **82**, 5593 (1960).

[9] G. Juppe u. A. P. Wolf, Am. Soc. **83**, 337 (1961).

[10] W. v. E. Doering u. P. P. Gaspar, Am. Soc. **85**, 3043 (1963).

[11] H. J. Dauben u. M. R. Rifi, Am. Soc. **85**, 3041 (1963).

[12] A. W. Johnson, Chem. & Ind. **1964**, 504.

[13] K. N. Klump u. J. P. Chesick, Am. Soc. **85**, 130 (1963).

[14] M. A. Battiste, Am. Soc. **83**, 4101 (1961).

[15] E. Vogel, D. Wendisch u. W. R. Roth, Ang. Ch. **76**, 432 (1964).

[16] W. v. E. Doering u. M. J. Goldstein, Tetradehron **5**, 53 (1959).

[17] Vgl. z. B. R. Huisgen u. G. Juppe, B. **94**, 2332 (1961).

[18] L. A. Eschenmoser et al., Helv. **44**, 540 (1961).

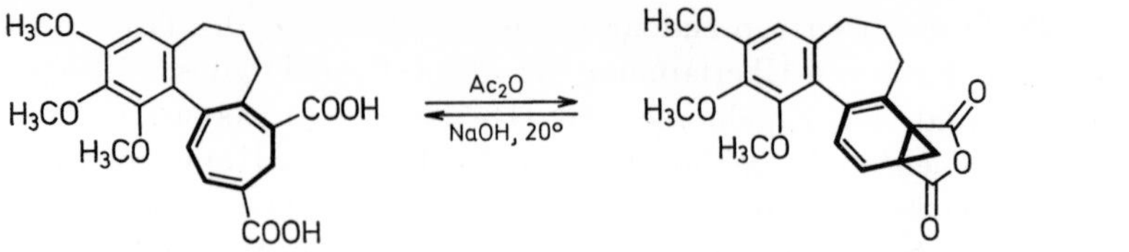

I

II; *6,7,8-Trimethoxy-⟨8,9-benzo-*
tricyclo[5.5.0.0²,⁴]dodecatrien-(1⁷,
5,8)⟩-12,14-dicarbonsäure-anhydrid

Auch das *Anhydrid* der instabilen *Bicyclo[4.1.0]heptadien-(2,4)-1,6-dicarbonsäure* (III) konnte synthetisiert werden[1]:

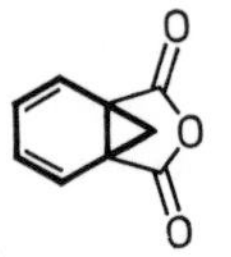

III

Eine Stabilisierung des Norcaradien-Systems sollte auch dadurch zu erreichen sein, daß man die Kohlenstoffatome 1 und 6 im Norcaradien durch eine **Methylen-Kette** mit maximal vier Gliedern (IV mit n = 2) überbrückt. Betrachtungen an Molekülmodellen zufolge ist bei (IV mit n = 1), dem *Tricyclo[4.3.1.0¹,⁶]decadien-(2,4)*, die Umlagerung in das entsprechende Cycloheptatrien mit großer Wahrscheinlichkeit blockiert, während sich bei IV und V mit n = 2 für beide Isomere vergleichbare Spannungen abschätzen lassen; eine Kette mit fünf Methylen-Gruppen erlaubt bereits eine annähernd spannungsfreie Cycloheptatrien-Form.

Zunächst konnte die **Synthese** des *Tricyclo[4.3.1.0¹,⁶]decadiens-(2,4)* (XI, S. 513) realisiert werden[2]. Als Ausgangsverbindung diente das durch Birch-Reduktion von Indan leicht erhältliche 4,7-Dihydro-indan (VI, S. 513)[3]. Dieses Dien wurde mit Bromoform und Kalium-tert.-butanolat umgesetzt, wobei eine selektive Addition des intermediär gebildeten Dibrom-carbens an die nucleophilere tetraalkyl-substituierte Doppelbindung[4] unter Bildung von VII eintrat. Die Struktur dieses Addukts konnte durch sein IR-Spektrum(olefinische C—H-Valenz- und Deformationsschwingungen bei 3030 bzw. 654 cm⁻¹) und die Umwandlung in das bekannte *Tricyclo[4.3.1.0¹,⁶]decan*[5] gesichert werden. Reduktive Eliminierung der Bromatome in VII mit Natrium in flüssigem Ammoniak führte zu VIII, dessen Struktur wiederum spektroskopisch gesichert werden konnte. VIII wurde bei −15° in Chloroform bromiert, das hierbei erhaltene Dibrom-Derivat IX mit Dimethylamin in Benzol bei 60–70° zum Amin X umgesetzt und letzteres mit Methyljodid quartärniert. Daß bei der Brom-Addition an VIII und der anschließenden Eliminierung der Cyclopropan-Ring unberührt bleibt, konnte durch die Spektren der genannten Zwischenprodukte gesichert werden. Das Jod-

[1] A. Eschenmoser et al., Helv. **46**, 2893 (1963).
[2] E. Vogel et al., Tetrahedron Letters **1963**, 673.
[3] E. Giovannini u. H. Wegmüller, Helv. **41**, 933 (1958).
[4] Vgl. etwa:
    P. S. Skell u. A. Y. Garner, Am. Soc. **78**, 5430 (1956).
    W. v. E. Doering u. W. A. Henderson, Am. Soc. **80**, 5274 (1958).
[5] W. G. Dauben u. P. Laug, Tetrahedron Letters **1962**, 453.

methanolat von X unterliegt schon beim Erwärmen mit Natrium-äthanolat in Äthanol der Hofmann-Eliminierung, die zu gaschromatographisch reinem *Tricyclo[4.3.1.0^{1,6}]decadien-(2,4)* (XI) führt:

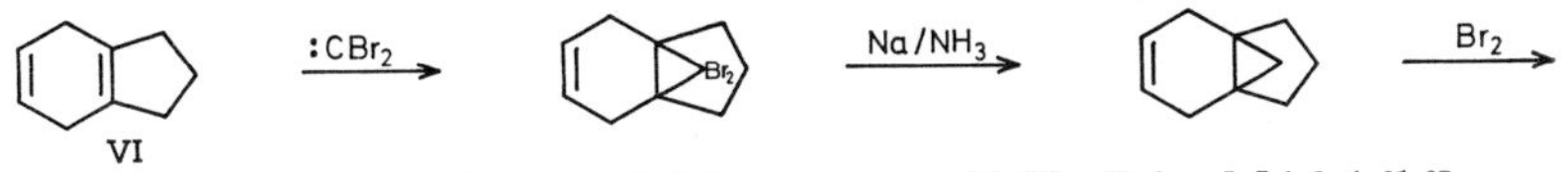

VI

VII; *10,10-Dibrom-tricyclo[4.3.1.0^{1,6}]decen-(3)*

VIII; *Tricyclo[4.3.1.0^{1,6}]decen-(3)*

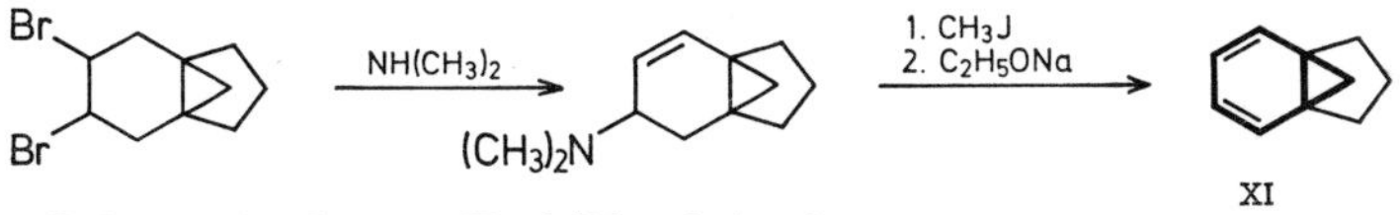

IX; *3,4-Dibrom-tricyclo[4.3.1.0^{1,6}]decan*

X; *4-Dimethylamino-tricyclo[4.3.1.0^{1,6}]decen-(2)*

XI

In der Reihe der überbrückten Cycloheptatrien-Norcaradien-Systeme genügt jedoch der Übergang von einer Brücke aus drei Gliedern zu einer viergliedrigen, um eine stabile Norcaradien-Form wie das *Tricyclo[4.3.1.0^{1,6}]decadien-(2,4)* (XI)[1] in eine stabile Cycloheptatrien-Verbindung zu überführen[2]. Einige kernresonanzspektroskopische Daten des Bicyclo[4.4.1]undecatriens-(1,3,5) lassen allerdings für den Winkel an C-11 und damit für den Abstand zwischen C-1 und C-6 eine Zwischenstellung zwischen dem *Tricyclo[4.3.1.0^{1,6}]decadien-(2,4)*[1] und dem Bicyclo[5.4.1]dodecatrien-(1,3,5)[3] erkennen[2]. Diese gewisse Zwischenstellung dokumentiert sich auch in der Reaktivität gegenüber Maleinsäureanhydrid: Das Bicyclo[4.4.1]undecatrien-(1,3,5) bildet schon in siedendem Äther ein Addukt mit Cyclopropan-Struktur; es reagiert also ähnlich leicht wie das Tricyclo[4,3.1.0^{1,6}]decadien-(2,4). 1,6-Dimethyl-cycloheptatrien und Bicyclo[5.4.1]dodecatrien-(1,3,5) dagegen zeigen bei 110° noch keine Umsetzung; erst in siedendem o-Xylol können die entsprechenden Maleinsäureanhydrid-Addukte erhalten werden[2]. Die durch Einführung einer Doppelbindung in die Tetramethylen-Brücke des Bicyclo[4.4.1]undecatriens-(1,3,5) erreichte zusätzliche Spannung äußert sich zwar in einer Annäherung der Kohlenstoffatome C-1 und C-6, reicht jedoch nicht aus, um den Übergang in die Norcaradien-Form zu ermöglichen[2].

Ein interessantes überbrücktes System ist das 1,6-Methano-cyclodecapentaen(1,6-Methano-[10]annulen, I, S. 514)[4]. Alle Eigenschaften dieser Verbindung[5] sprechen dafür, daß der Kohlenwasserstoff am besten durch die beiden Grenzformen I und II oder durch das Formelbild III beschrieben wird. Die Röntgenstrukturanalyse[6] der 1,6-Methano-cyclodecapentaen-2-carbonsäure ergab, daß der Perimeter zwar nicht ganz eben ist, aber lokalisierte Einfach- und Doppelbindungen sicher

---

[1] E. VOGEL et al., Tetrahedron Letters 1963, 673; Ang. Ch. 78, 643 (1966).
Vgl. a. W. WIEDEMANN, Dissertation, Universität Köln 1963.

[2] H. D. ROTH, Dissertation, Universität Köln, 1965.
Vgl. hierzu: L. H. KNOX, E. VELARDE u. A. D. CROSS, Am. Soc. 87, 3727 (1965).

[3] J. EIMER, Dissertation, Universität Köln, 1966.

[4] E. VOGEL u. H. D. ROTH, Ang. Ch. 76, 145 (1964).

[5] E. VOGEL u. W. A. BÖLL, Ang. Ch. 76, 784 (1964).

[6] M. DOBLER u. J. D. DUNITZ, Helv. 48, 1429 (1965).

auszuschließen sind. Es gibt keine Anhaltspunkte für das Auftreten eines valenztautomeren Gleichgewichts mit der Norcaradien-Form IV. Das gleiche gilt auch für die Substitutionsprodukte[1-6] von I, das *anti*-1,6;8,13-Bis-[methano]-[10]annulen[7] und den Kohlenwasserstoff[8] V. Dagegen liegt das Addukt von I mit Acetylen-dicarbonsäure-dimethylester(VI)[7] sowie Verbindung[9,10] VII in der Norcaradien-Form vor:

I II 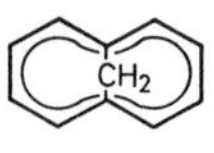 III 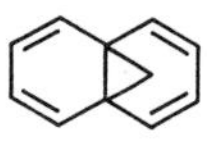 IV

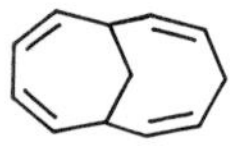

V 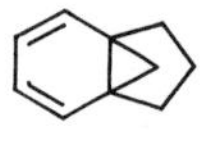 VII; *Tricyclo[4.3.*
1.0¹·⁶]decadien-
(2,4)

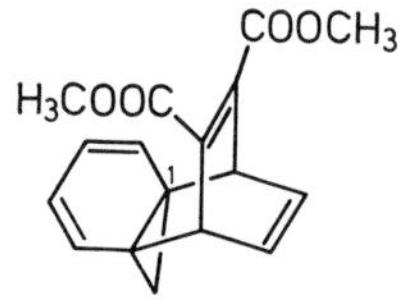

VI; *3,4-Dimethoxycarbonyl-tetra-*
cyclo[4.4.1.2²·⁵.0¹·⁶]trideca-
tetraen-(3,7,9,12)

Ein Gleichgewicht zwischen Verbindungen mit Cycloheptatrien- und Norcaradien-Struktur, verbunden mit einer Tautomerisierung, wurde zwischen dem Alkohol VIII und dem Keton IX gefunden[4]:

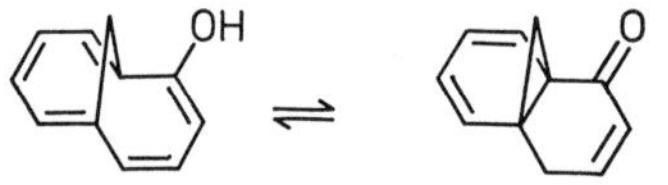

VIII; *2-Hydroxy-*
1,6-methano-[10]
annulen

IX; *7-Oxo tricyclo*
[4.4.1.0¹·⁶]undeca-
trien-(2,4,8)

Mit der Synthese des Methylen-norcaradien-Derivates[11] X wurde ein weiterer Weg gefunden, wie man ein Cycloheptatrien in das Norcaradien-System zwingen kann. X ist gegenüber seinem Siebenring-Isomer stabil, da in letzterem gewisse sterische Wechselwirkungen zwischen den Wasserstoffen 3 und 3′ und den Methyl-Gruppen an C—1 und C—6 auftreten sollten.

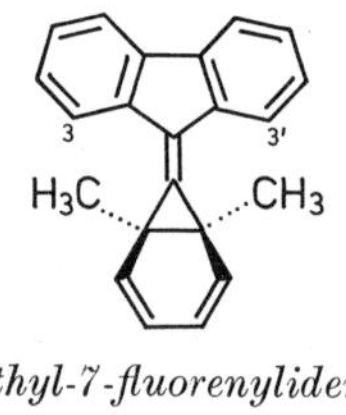

X; *1,6-Dimethyl-7-fluorenyliden-norcaradien*

[1] E. Vogel u. W. A. Böll, Ang. Ch. **76**, 784 (1964).
[2] E. Vogel, W. A. Böll u. M. Biskup, Tetrahedron Letters **1966**, 1959.
[3] E. Vogel, W. Grimme u. S. Korte, Tetrahedron Letters **1965**, 3625.
[4] E. Vogel, W. Schröck u. W. A. Böll, Ang. Ch. **78**, 753 (1966).
[5] W. A. Böll, Ang. Ch. **78**, 755 (1966).
[6] E. Vogel et al., Ang. Ch. **78**, 754 (1966).
[7] E. Vogel et al., Ang. Ch. **78**, 642 (1966); **82**, 510 (1970).
[8] W. Grimme, H. Hoffmann u. E. Vogel, Ang. Ch. **77**, 348 (1965).
[9] W. Grimme et al., Ang. Ch. **78**, 643 (1966).
[10] P. Radlick u. W. Rosen, Am. Soc. **88**, 3461 (1966).
[11] H. Prinzbach, U. Fischer u. R. Cruse, Ang. Ch. **78**, 268 (1966).

Die einfachsten stabilen Norcaradien-Verbindungen konnten durch Addition geeigneter Carbene an Aromaten hergestellt werden.

So führte die Thermolyse und Photolyse von Dicyan-diazomethan in Benzol in 80%iger Ausbeute zum *7,7-Dicyan-norcaradien* (I), das sich beim Erhitzen auf 160° in Phenyl-malonsäure-dinitril umlagert[1]:

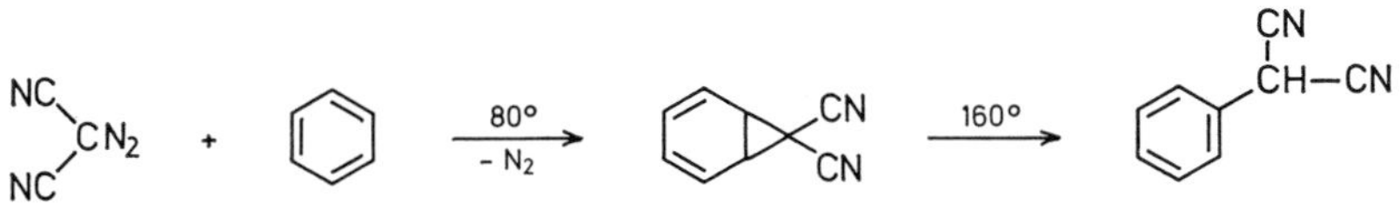

Zersetzt man Dicyan-diazomethan thermisch in p-Xylol, so wird eine Mischung von *2,5-Dimethyl-7,7-dicyan-norcaradien* (II; 41% d.Th.) und *1,4-Dimethyl-7,7-dicyan-norcaradien* (III; 39% d.Th.) erhalten[1]:

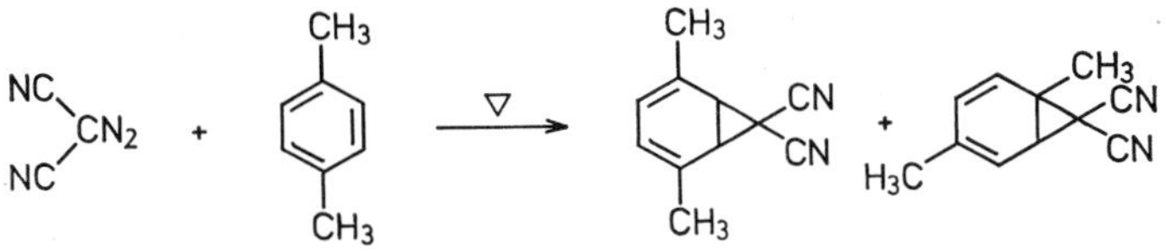

Bei der thermischen Zersetzung von Dicyan-diazomethan in Naphthalin kommt es zur Bildung von drei isomeren Verbindungen, die als IV, V und VI charakterisiert wurden[1]:

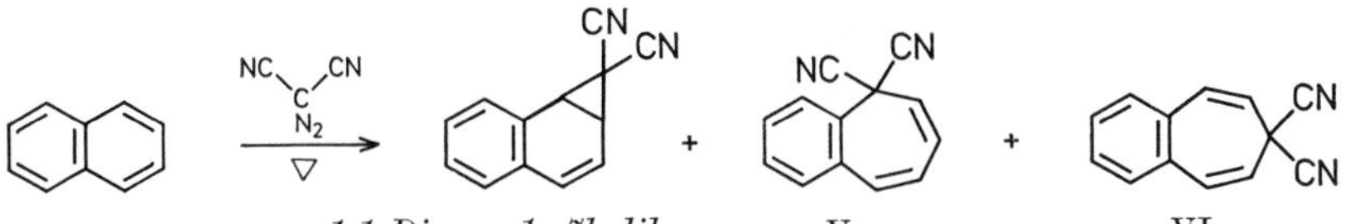

1,1-Dicyan-1a,7b-dihydro-1H-⟨cyclopropa-[a]-naphthalin⟩; IV

Bei dieser Reaktion wird IV als Hauptprodukt gebildet. Die beiden Isomeren V und VI werden möglicherweise durch Addition von Dicyan-carben an die 1,9- und 2,3-Bindungen des Naphthalins gebildet, der eine Umlagerung der o-chinoiden Norcaradiene in die stabileren Benzocycloheptatriene folgt.

Eine erste direkte Beobachtung des Norcaradien/Cycloheptatrien-Gleichgewichts gelang mit der Untersuchung des Adduktes von Trifluormethyl-cyan-carben und Benzol[2]. Bei Raumtemperatur stellt dieses Addukt eine sich sehr schnell äquilibrierende Mischung von 7-Trifluormethyl-7-cyan-cycloheptatrien (VII) und *7-Trifluormethyl-7-cyan-norcaradien* (VIII) dar:

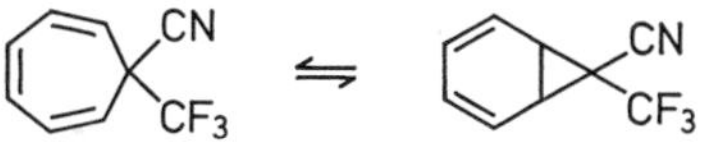

---

[1] E. Ciganek, Am. Soc. **87**, 652 (1965); Am. Soc. **89**, 1454 (1967).
[2] E. Ciganek, Am. Soc. **87**, 1149 (1965).

Im Gegensatz dazu zeigt das Addukt von Bis-[trifluormethyl]-carben und Benzol nur die entsprechende Cycloheptatrien-Struktur[1,2].

Bei der Thermolyse von *7,7-Dicyan-norcardien* (I) wird eine Mischung von Phenyl-malonsäure-dinitril (II) und 3,7-Dicyan-cycloheptatrien (III) erhalten[3]. Die kinetischen Daten beider Reaktionen konnten bestimmt werden[3] (s. unten).

Die bekannte Isomerisierung von Tropiliden zum Toluol[4–8] wird so erklärt: primäre Valenzisomerisierung zum Norcaradien, anschließende homolytische Spaltung der C-1/C-7-Bindung und Wasserstoff-Verschiebung im resultierenden Diradikal[4]. Für diesen Prozeß wurde eine Aktivierungsenergie von 51 Kcal/Mol bestimmt; für die Umwandlung des Norcaradiens in Toluol wurden 40 ± 5 Kcal/Mol abgeschätzt[7]. Die niedrigere Aktivierungsenergie für die beobachtete Aromatisierung des *7,7-Di-cyan-norcaradiens* (I) ist möglicherweise eine Folge der Stabilisierung des Diradikals VI (S. 517) durch die beiden Cyan-Gruppen[9]. III wird offensichtlich aus dem Valenztautomeren des 7,7-Dicyan-norcaradiens (I), dem 7,7-Dicyano-cyclohepta-trien, durch 1,5-Cyan-Verschiebung gebildet[3].

Nachfolgend seien die kinetischen Daten von thermischen Isomerisierungen von Dicyan-norcaradien-Derivaten[10] wiedergegeben:

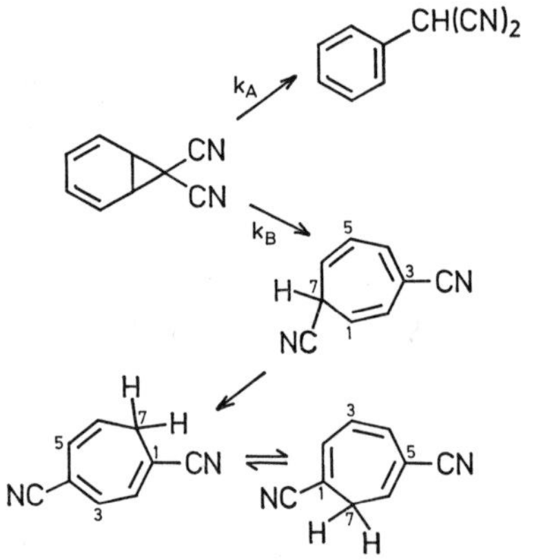

Ea = 31,5 Kcal/Mol	logA = 12,9	$\Delta F^* = 31{,}6$ Kcal/Mol	$\Delta H^* = 30{,}7$ Kcal/Mol
$\Delta S^* = -2{,}9$ e.u. Ea = 28,4 Kcal/Mol	log A = 10,8	$\Delta F^* = 32{,}4$ Kcal/Mol	$\Delta H^* = 27{,}6$ Kcal/Mol
	$\Delta S^* = -12{,}2$ e.u.		

[1] D. M. Gale, W. J. Middleton u. C. G. Krespan, Am. Soc. **87**, 657 (1965).

[2] J. B. Lambert et al., Am. Soc. **87**, 3896 (1965).

[3] E. E. Ciganek, Am. Soc. **89**, 1458 (1967); s. a. **89**, 1454 (1967).

[4] W. G. Woods, J. Org. Chem. **23**, 110 (1958).

[5] W. M. Halper et al., Ind. Eng. Chem. **50**, 1131 (1958).

[6] J. H. Birley u. J. P. Chesick, J. phys. Chem. **66**, 568 (1962).

[7] K. N. Klump u. J. P. Chesick, Am. Soc. **85**, 130 (1963).

[8] W. C. Herdon u. L. L. Lowry, Am. Soc. **86**, 1922 (1964).

[9] Das Benzyl-Radikal wird durch die Einführung von zwei CN-Gruppen stabilisiert: H. D. Hartz-ler, J. Org. Chem. **31**, 2654 (1966).

[10] E. Ciganek, Am. Soc. **89**, 1458 (1967).

Auch die thermischen Umlagerungen der Dicyan-Carben/Naphthalin-Addukte (*1,1-Dicyan-1a,7b-dihydro-1H-⟨cyclopropa-[a]-naphthalin⟩*) sind untersucht worden[1].

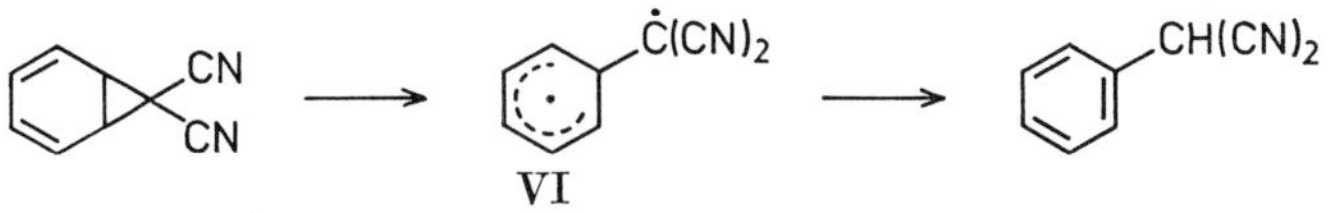

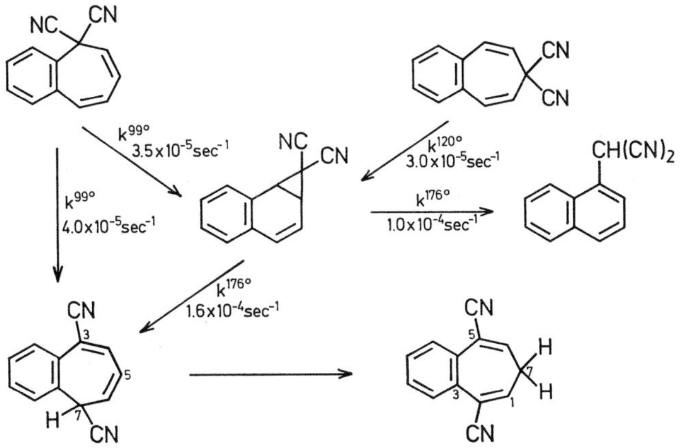

Photolytische Reaktionen von 7,7-Dicyan-norcaradienen wurden gleichfalls studiert[2]. Bei der Photolyse von *7,7-Dicyan-norcaradien* (I) in einer Cyclohexan-Lösung wird in 60%iger Ausbeute im wesentlichen Cyclohexyl-malonsäure-dinitril erhalten. Bei Verwendung von 2,3-Dimethyl-butan als Solvens erhält man unter sonst gleichen Bedingungen eine Mischung aus (2,3-Dimethyl-butyl)-malonsäure-dinitril (II) und [2,3-Dimethyl-butyl-(2)]-malonsäure-dinitril (III)[2]:

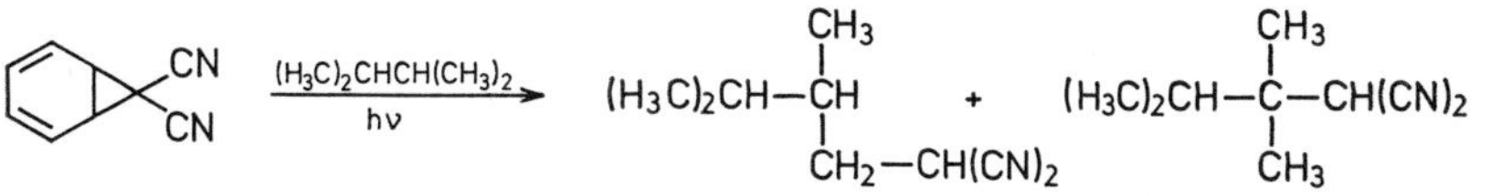

Zum Vergleich wurde auch die Thermolyse von Dicyan-diazomethan[3] in 2,3-Dimethyl-butan untersucht. Die genannten Einschiebungsprodukte II und III wurden hierbei in 12 bzw. 16%iger Ausbeute erhalten[2].

Bei der Photolyse von *1,1-Dicyan-1a,7b-dihydro-1H-⟨cyclopropa-[a]-naphthalin⟩* IV entstehen neben Cyclohexyl-malonsäure-dinitril (V) Naphthalin (VI, 22% d. Th.) und *3,3-Dicyan-2a,7b-dihydro-3H-⟨cyclobuta-[a]-inden⟩* (VII; 44% d. Th.)[2]. Das Photoisomer VII wird ebenfalls bei der Bestrahlung einer Cyclohexan-Lösung von 5,5-Dicyano-5H-⟨cyclohepta-benzol⟩ (VIII, S. 518) durch ein Pyrex-Filter erhalten:

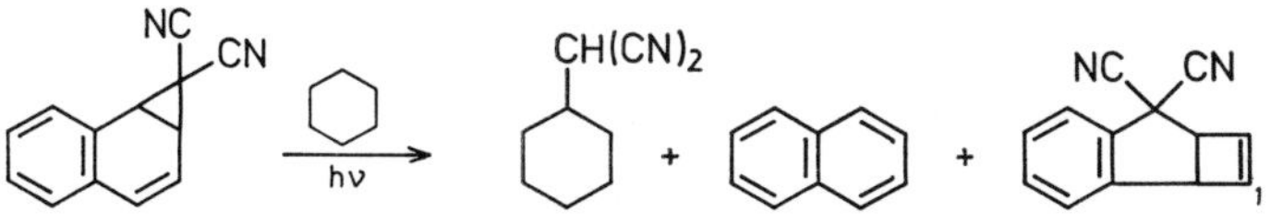

[1] E. E. Ciganek, Am. Soc. **89**, 1458 (1967); s. a. **89**, 1454 (1967).
[2] E. Ciganek, Am. Soc. **89**, 1458 (1967).
[3] E. Ciganek, J. Org. Chem. **30**, 4198 (1965).

VIII

Im Vergleich dazu wird bei der Photolyse von *1-Äthoxycarbonyl-1a,7b-dihydro-⟨cyclopropa-[a]-naphthalin⟩*[1] in Cyclohexan ein Gemisch erhalten, das neben polymerem Material 11% Napthalin und 8% Essigsäure-äthyl-cyclohexylester enthält.

Die katalytische Reduktion von *7,7-Dicyan-norcaradien* in Methanol über Palladium wird kompliziert durch die Reduktion der Nitril-Gruppen. Das einzige Hydrierungsprodukt, das noch zwei intakte Nitril-Gruppen enthält, konnte, in 12%-iger Ausbeute isoliert und als Cyclohexyl-malonsäure-dinitril charaktersiert werden[2]. Möglicherweise tritt primär eine reduktive Spaltung des Cyclopropanringes ein, der sich dann eine Absättigung der Doppelbindungen anschließt.

7,7-Dicyan-norcaradien liefert mit Tetracyan-äthylen bei 140° kein Diels-Alder-Addukt. Mit Acetylen-dicarbonsäure-dimethylester in Substanz entsteht bei 100° in 53%iger Ausbeute ein entsprechendes Diels-Alder-Addukt mit der *anti*-Konfiguration[2] II:

II; *3,3-Dicyan-6,7-dimethoxycarbonyl-tricyclo[3.2.2.0²,⁴]nonadien-(6,8)*

7,7-Dicyan-norcaradien[3]:

Carbonylcyanidhydrazon

(a) *aus Diphenylmethylen-dicyanmethylen-hydrazin*[4]: Eine Lösung von 3,00 g (11,6 m Mol) Diphenylmethylen-dicyanmethylen-hydrazin und 3,00 g (15,3 m Mol) Benzophenonhydrazon in 40 *ml* Tetrahydrofuran läßt man 12 Stdn. bei Raumtemp. stehen. Nach Entfernen des Solvens erhält man 6,00 g eines gelben Festkörpers, der mit 60 *ml* Benzol bei Raumtemp. gerührt wird. Das unlösliche Material wird über Florisil chromatographiert. Benzophenon-azin wird mit einer 1:1-Mischung aus Benzol und Dichlormethan eluiert. Schließlich wird ein brauner Festkörper mit Tertahydrofuran eluiert, der nach Sublimation (0,1 Torr, 80° Badtemp.) 0,44 g (56% d. Th.) Carbonylcyanidhydrazon ergibt; F: 122—124° (Zers.; aus Benzol).

(b) *aus Dibrom-malonsäure-dinitril*[4]: Zu einer mechanisch intensiv gerührten Lösung von 55,35 g (1,73 Mol) wasserfreiem Hydrazin in 100 *ml* Methanol und 900 *ml* Tetrahydrofuran wird innerhalb 3 Stdn. eine Lösung von 129,1 g (0,577 Mol) Dibrom-malonsäure-dinitril[5] in 450 *ml* Tetrahydrofuran zugetropft. Während der Zugabe muß die Mischung auf Temp. unterhalb –70° gehalten werden. Danach wird noch 2 Stdn. bei –70° gerührt, schließlich auf –10° aufgewärmt und filtriert. Das unlösliche Material wird mit Tetrahydrofuran gewaschen und anschließend getrocknet. 122, 0 g (94% d. Th.) rohes Hydrazin-hydrobromid werden so erhalten. Die kombinierten Filtrate werden auf ∼ 200 *ml* konzentriert. Danach werden 70 g Florisil zugefügt und das restliche Lösungsmittel entfernt. Der Rückstand wird auf eine mit 150 g gepackte Florisil-Säule gebracht und mit einer Dichlormethan-Tetrahydrofuran-Mischung (1 : 1) eluiert

[1] E. Buchner u. S. Hediger, B. **36**, 3502 (1903).
   R. Huisgen u. G. Juppe, B. **94**, 2332 (1961).
[2] E. Ciganek, Am. Soc. **89**, 1458 (1967).
[3] E. Ciganek, Am. Soc. **89**, 1454 (1967).
[4] E. Ciganek, J. Org. Chem. **30**, 4198 (1965).
[5] K. Torssell u. K. Dahlquist, Acta chem. scand. **16**, 346 (1962).

($\sim$ 600 ml). Nach Entfernung der Lösungsmittel verbleibt eine halbfeste Masse, die anschließend sublimiert wird. Bei 0,2 Torr und 60° Badtemp. wird zunächst eine beträchtliche Menge an Malonsäure-dinitril erhalten. Nach Steigerung der Badtemp. auf 80° gehen dann die ersten Mengen an Carbonylcyanidhydrazon über. Eine kontinuierliche Sublimation liefert 21,19 g (39% d. Th.) schwach braunes Carbonylcyanidhydrazon. Nach einer Resublimierung verbleiben schließlich 19,52 g (36% d. Th.) eines farblosen kristallinen Produkts.

Dicyan-diazomethan[1]: *Vorsicht!* Festes Dicyan-diazomethan ist eine *explosive* Verbindung, die auf statische Elektrizität empfindlich reagieren kann. Dicyan-diazomethan sollte nur hinter einer Schutzscheibe und bei Verwendung geeigneter Schutzkleidung gehandhabt werden. Eine Probe von 15 m Mol (Gewicht nach der Entfernung von Essigsäure) Blei(IV)-acetat wird 30 Min. unter Hochvak. gebracht, um die restliche Essigsäure der käuflichen Proben zu entfernen. Zu dieser Probe wird dann unter Ausschluß von Feuchtigkeit wasserfreies Acetonitril (60 ml) gegeben und die Mischung 5 Min. bei Raumtemp. gerührt. Unter Kühlung (Eisbad) wird zu dieser Mischung eine Lösung von 1,23 g (13,1 m Mol) Carbonylcyanidhydrazon in 20 ml Acetonitril innerhalb 10 Min. zugetropft. Danach wird das Eisbad entfernt und weitere 2 Stdn. gerührt. Nach Zugabe von 2 ml Wasser wird 15 Min. weitergerührt und schließlich das Blei(II)-acetat durch Filtration entfernt. Das Filtrat und zwei 5-ml-Acetonitril-Extrakte werden unter Benutzung eines Rotationsverdampfers bis zur Trockene eingedampft. Den gelben Rückstand läßt man 30 Min. bei 1 Torr bei Raumtemp. stehen. Dann werden 100 ml Äther zugegeben und die entstandene Suspension $\sim$ 5 Min. kräftig gerührt. Die filtrierte Mischung wird im Rotationsverdampfer bis zur Trockene konzentriert. Es verbleiben schließlich 1,16 g (96% d. Th.) völlig reines Dicyan-diazomethan.

Eine analytische Probe kann durch Abkühlung (–30°) einer bei Raumtemp. ges. ätherischen Lösung gewonnen werden, wobei unter Stickstoff filtriert, mit kaltem Äther gewaschen und anschließend getrocknet wird; F: $\sim$ 75° (Zers.). Größere Mengen *explodieren* bei dieser Temperatur!

7,7-Dicyan-norcaradien[1]: Eine Lösung von Dicyan-diazomethan[1] (bereitet aus 860 mg des entsprechenden Hydrazons[1]) in 40 ml Benzol wird 15 Min. unter Rückfluß erhitzt. Danach wird das Lösungsmittel entfernt und der Rückstand über Florisil (37 g) chromatographiert. Mit 280 ml Dichlormethan werden eluiert: 1,071 g (82% d. Th.); F: 93—96°.

Um die Isolierung des gefährlichen Dicyan-diazomethans[1] zu vermeiden, empfiehlt sich für die Bereitung größerer Mengen von 7,7-Dicyan-norcaradien folgendes Verfahren: 67,13 g Blei(IV)-acetat (käufliches Material mit $\sim$ 10% Essigsäure) werden in 900 ml Benzol suspendiert. Im Zeitraum von 10 Min. wird eine Lösung von 11,17 g des Carbonylcyanidhydrazons[1] in 50 ml Acetonitril unter mechanischem Rühren und Eiskühlung langsam zugegeben. Danach wird das Eisbad entfernt und die Mischung 3 Stdn. bei Raumtemp. gerührt. Nach Zugabe von 100 ml Wasser wird noch weitere 5 Min. gerührt. Danach wird die Mischung unter Benutzung von Celite filtriert und die Schichten des Filtrats getrennt. Die wäßrige Phase wird einmal mit 100 ml Benzol extrahiert. Die vereinigten organischen Phasen werden mit Wasser gewaschen und mit konz. Natriumchlorid-Lösung versetzt. Schließlich wird über wasserfreiem Magnesiumsulfat getrocknet. Die filtrierte gelbe Lösung wird dann unter Rückfluß so lange erhitzt bis die Stickstoff-Entwicklung abgeklungen ist. Danach wird das Lösungsmittel entfernt und der Rückstand über Florisil (70 g) chromatographiert. Bei der Eluierung mit 1 l Dichlormethan werden 11,37 g des gewünschten Rohprodukts erhalten. Nach Umkristallisation aus 40 ml Methanol verbleiben 8,40 g 7,7-Dicyan-norcaradien; F: 96,5—98°. Aus der Mutterlauge können weitere 960 mg gewonnen werden (Gesamtausbeute: 55% d. Th.).

Eine analytische Probe (Cyclohexan): F: 97—98°. Das Kernresonanzspektrum (in Deuterochloroform) zeigt Multipletts bei 6,53 (2H) und 3,2—3,9 τ (4H); UV-Spektren:

$\lambda_{\text{Max}}^{\text{Cyclohexan}}$ 271 mμ (ε 2920); $\lambda_{\text{Max}}^{95\%\,C_2H_5OH}$ 271 mμ (ε 2840); $\lambda_{\text{Max}}^{CH_3CN}$ 271 mμ (ε 2830).

IR-Spektrum (KBr): 3100 (m—w), 3070 (m), 3030 (m—w) und 2243 cm^{-1} (s). Raman-Spektrum (CHCl$_3$): 3067 (64), 2248 (100), 1565 (76) unf 1430 cm^{-1} (24).

Auch die Einführung von drei Phenyl-Gruppen in das Cycloheptatrien führt zum stabilen *2,5,7-Triphenyl-norcaradien* (I, S. 520)[2,3]. Bei der Reaktion von Phenylmagnesiumbromid mit Diphenyltropylium-Salzen, erhalten aus Diphenyl-

---

[1] E. CIGANEK, J. Org. Chem. **30**, 4198 (1965).

[2] T. MUKAI, H. KUBOTA u. T. TODA, Tetrahedron Letters **1967**, 3581.

[3] Vgl. a. A. CAIRNCOSS, Dissertation, Yale University, 1963.

cycloheptatrien[1] durch Hydrid-Entzug mit Triphenylmethyl-tetrafluoroborat[2], entsteht I in ~ 22% Ausbeute neben einem Öl[3]. Erhitzt man dieses Öl 50 Stdn. auf 160°, so erhält man 1,3,6-Triphenyl-cycloheptatrien (II; 18% d. Th.)[3].

Beim Erhitzen von I in Chloroform bei 121° im abgeschlossenen Rohr kommt es primär zur Bildung von 1,3,5-Triphenyl-cycloheptatrien (III), das dann seinerseits in II übergeht. Letztere Umwandlung führt schließlich bis zu einem 5 : 1-Gleichgewicht von II/III. Jede dieser Stufen (I→III→II) erwies sich als monomolekulare Reaktion[3]:

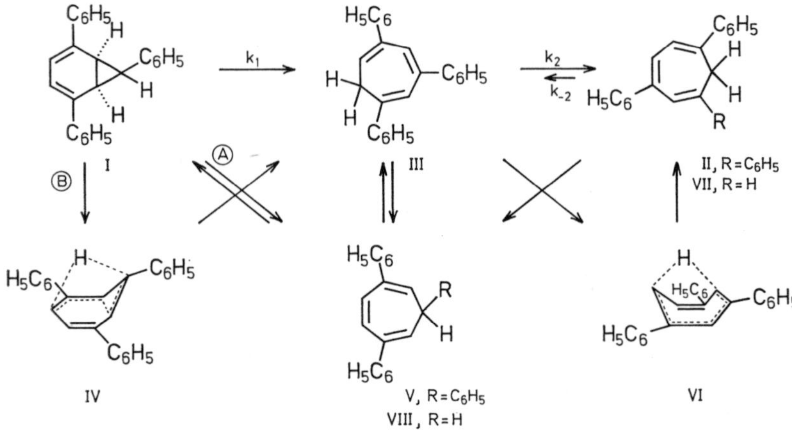

Die Geschwindigkeitskonstanten und Aktivierungsparameter dieser Reaktionen konnten bestimmt werden[3]:

$K_1^{121°}$	I → III = $1{,}64 \cdot 10^{-4}$ sec^{-1}		ΔH^*	I → III = 25,2 Kcal/Mol	
$K_2^{121°}$	III → II = $9{,}30 \cdot 10^{-4}$ sec^{-1}		ΔH^*	III → II = 27,2 Kcal/Mol	
ΔE_a	I → III = 26,0 Kcal/Mol		ΔS^*	I → III = —12,7 e. u.	
ΔE_a	III → II = 27,8 Kcal/Mol		ΔS^*	III → II = —13,4 e. u.	

Die Isomerisireung III → II verläuft möglicherweise im Sinne einer 1,5-Wasserstoff-Verschiebung[4] über den Übergangszustand VI. Die kinetischen Parameter ähneln weitgehend denen, die für die Isomerisierung des 7-Phenyl-cycloheptatrien in das entsprechende 3-Isomere[5,6] ermittelt wurden.

Einer der plausibelsten Reaktionswege für die Umlagerung I→III ist Schritt (A), der über die Zwischenstufe V führt; d.h.: Vorliegen eines Norcaradien/Cycloheptatrien-Gleichgewichts und anschließende 1,5-Wasserstoff-Verschiebung. Andererseits ist zu bemerken, daß k_1 größer als k_2 und auch größer als die Geschwindigkeitskonstanten anderer thermischer 1,5-Wasserstoff-Verschiebungen an Cycloheptatrienen[5,6] ist. Wenn die Geschwindigkeit der Reaktion von V→III vergleichbar derjenigen von thermischen Isomerisierungen anderer ist, wäre der Weg (B) eine reaktionsmechanistische Alternative, wobei ein Übergangszustand im Sinne von IV in Frage käme. Die Starrheit und der elektronische Zustand von IV sind jedoch nicht so sehr von denen von VI verschieden. Die Aktivierungsparameter von I→III sind den entsprechenden von III→II sehr ähnlich.

---

[1] C. Jutz u. F. Voithenleitner, B. **97**, 29 (1964).
[2] H. J. Dauben et al., J. Org. Chem. **25**, 1442 (1960).
[3] T. Mukai, H. Kubota u. T. Toda, Tetrahedron Letters **1967**, 3581.
[4] R. B. Woodwarrd u. R. Hoffmann, Am. Soc. **87**, 395, 2511 (1965).
[5] A. P. ter Borg u. H. Kloosterziel, R. **82**, 741 (1963).
[6] R. W. Murry u. H. L. Kaplan, Am. Soc. **88**, 3527 (1966).

BeiBelichtung von I (S. 520) in 1,4-Dioxan bei Raumtemperatur (5 Stdn.) wird eine Mischung von II (43% d.Th.), I (21% d.Th.) p-Terphenyl (~1% d.Th.) und einem nicht charakterisierbaren Öl erhalten[1]. Belichtet man II unter den gleichen Bedingungen[2], so erhält man: I (12% d.Th.), II (31% d.Th.) und ein Öl. Diese Ergebnisse deuten auf das Vorliegen eines Photogleichgewichts zwischen I und II hin.

Möglicherweise verläuft diese Reaktion von I (S. 520) über V unter Disrotation[3] und anschließender 1,7-Wasserstoff-Verschiebung[4]. Andererseits kann die Isomerisierung II zu I als Photo-1,7-Wasserstoff-Verschiebung[4] unter Bildung von V, der eine thermische Isomerisierung von V nach I nachgelagert ist[5], erklärt werden.

Im Vergleich zur Photoisomerisierung von II liefert die Bestrahlung von 1,4-Diphenyl-cycloheptatrien (VII, S. 520)[6] 2,5- und 3,7-Diphenyl-cycloheptatrien neben öligen Produkten. Hierbei konnten keine Norcaradien-Derivate festgestellt werden[1].

Diese Tatsache legt nahe, daß die Bestrahlung von II (S. 520) zur Bildung von V als Zwischenstufe Anlaß gibt und daß das resultierende Cycloheptatrien bei gewöhnlicher Temperatur in sein Valenztautomeres I übergeht.

Die Einführung der dritten Phenyl-Gruppe in die Position C-7 spielt offensichtlich eine wichtige Rolle für die Bildung stabiler Norcaradiene.

7,7-Dimethoxycarbonyl-cycloheptatrien (IX), das ausgehend von *7,7-Dimethoxycarbonyl-bicyclo[4.1.0]hepten-(3)* auf zwei verschiedenen Wegen synthetisiert werden konnte[7], existiert im wesentlichen in der Siebenringform. Bei Temperaturen um −139° konnte auch das Isomere, das *7,7-Dimethoxycarbonyl-norcaradien* (X), im Gleichgewicht mit IX beobachtet werden[8]:

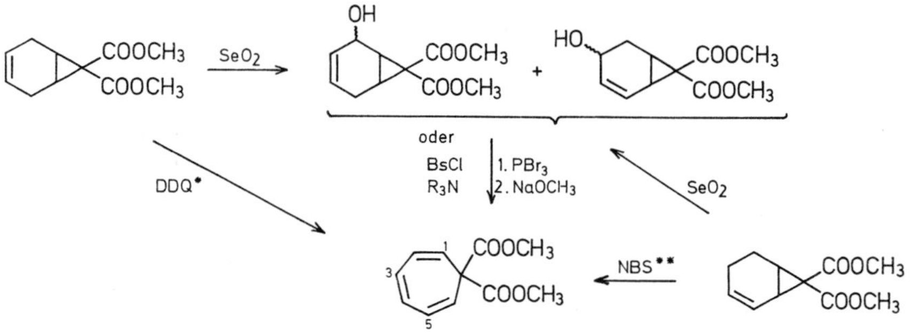

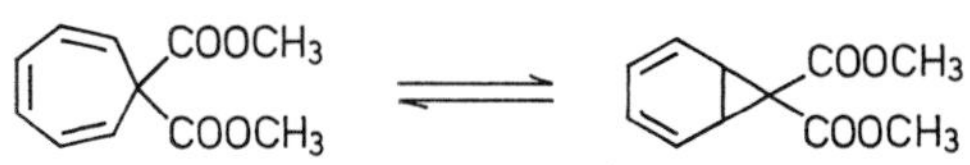

* Dichlor-dicyan-p-benzochinon   ** N-Brom-succinimid

[1] T. Mukai, H. Kubota u. T. Toda, Tetrahedron Letters **1967**, 3581.
[2] Niederdruck-Hg-Lampe Ushio 6W.
[3] Nach der Woodward-Hoffmann-Regel[5] ist dieser photochemische Prozeß nicht begünstigt. Wenn ein thermisches Gleichgewicht I ⇌ III bei Raumtemp. möglich ist, ist dieser Prozeß jedoch begünstigt. Ein konzertierter Prozeß oder ein Diradikalmechanismus können derzeit nicht ausgeschlossen werden.
[4] R. B. Woodward u. R. Hofmann, Am. Soc. **87**, 2511 (1965).
[5] R. B. Woodward u. R. Hofmann, Am. Soc. **87**, 395 (1965).
[6] C. Jutz u. F. Voithenleitner, B. **97**, 29 (1964).
[7] J. A. Berson et al., J. Org. Chem. **33**, 1669 (1968).
[8] H. Günther u. M. Görlitz, Tetrahedron **25**, 4467 (1969).

Eine Cycloheptatrien-Norcaradien-Isomerisierung wird auch als wesentlicher Bestandteil der thermisch induzierten Skelettumlagerungen* von einigen Trialkyl-tropilidenen diskutiert[1-5]. 7–15 Kcal/Mol wurden als entsprechender Beitrag zur Aktivierungsenergie für diese Gerüstumlagerungen, die bei Temperaturen um 300° erfolgen, abgeschätzt[6]. Echte Norcaradiene sollten daher ähnliche Umwandlungen schon bei wesentlich tieferen Temperaturen eingehen.

In der Tat konnten für methylsubstituierte 7,7-Dicyan-norcaradiene (*1- bzw. 2-, oder 3-Methyl-7,7-dicyan-norcaradien*) solche Umlagerungen schon bei Temperaturen von 55° beobachtet und deren intramolekularer Charakter nachgewiesen werden[6]. Hierzu wurden zunächst die Produkte der Reaktion von Toluol mit Dicyandiazomethan[7-10] eingehend untersucht[6].

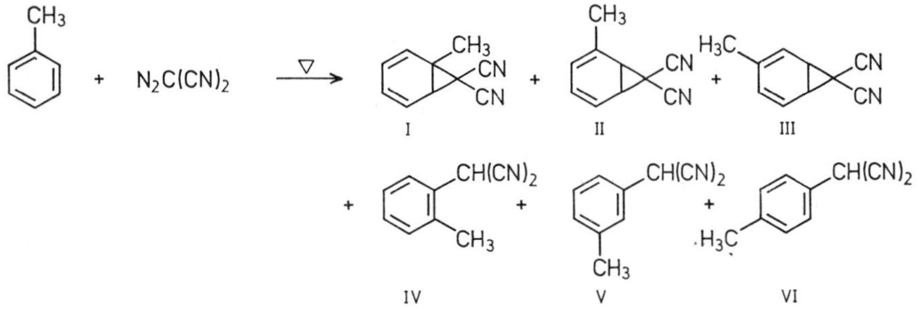

Durch Deuterium-Markierung konnte gezeigt werden, daß ein Mechanismus im Sinne von nachfolgendem Schema für die Umwandlungen der drei methylsubstituierten 7,7-Dicyan-norcardiene angenommen werden muß[6]:

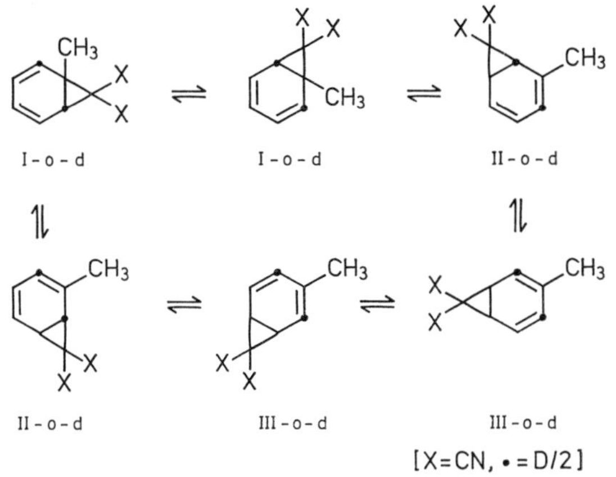

$[X = CN, \bullet = D/2]$

* 1,5-sigmatrope Kohlenstoff-Umlagerungen.

[1] J. A. Berson u. M. R. Willcott, Am. Soc. **87**, 2751 (1965).
[2] J. A. Berson et al., Am. Soc. **87**, 2752 (1965).
[3] J. A. Berson et al., Am. Soc. **88**, 2494 (1966).
[4] J. A. Berson u. M. R. Willcott, Record Chem. Progr. (Kresge-Hooker Sci. Lib.) **27**, 139 (1966).
[5] Vgl. auch die Formulierung des Reaktionsmechanismus der Pyrolyse von Cyclohepatrien (VII), die zum Toluol (VIII) führt, von W. G. Woods, J. Org. Chem. **23**, 110 (1958):

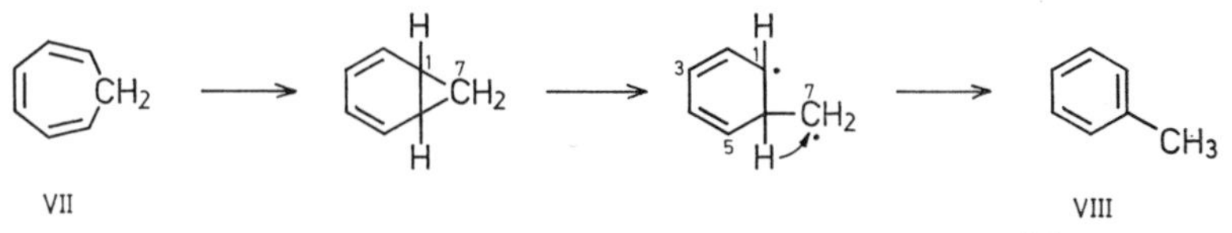

(Fortsetzung s. S. 523)

Die Hauptkonkurrenzreaktion zu diesen Umwandlungen ist die Aromatisierung.

Die Umwandlungsgeschwindigkeit der x,7,7-Trimethyl-tropilidene[1] bei 300° entspricht etwa derjenigen der methylsubstituierten 7,7-Dicyan-norcaradiene[2] bei 80°. Daraus läßt sich berechnen, daß der Substitutionsprozeß durch die CN-Gruppen eine Erniedrigung der Gesamtaktivierungsenergie der Umlagerung um ∼18 Kcal/Mol hervorruft[2].

Skelett-Reorganisationen im Sinne von 1,5-sigmatropen Umlagerungen

Eine Norcaradien-Cycloheptatrien-Isomerisierung wird auch für eine Reaktion des Benzocyclopropens angenommen[3]. *Benzocyclopropen* addiert ähnlich wie ein Olefin elementares Jod (in Tetrachlormethan). Hierbei entsteht unter Spaltung des Dreiringes 2-Jod-benzyljodid sowie auch 1,6-Dijod-cycloheptatrien, das nur aus intermediär gebildetem *1,6-Dijod-norcaradien* hervorgegangen sein kann[3].

Wie bereits erwähnt, konnte die entscheidende Frage, ob sich das Cycloheptatrien mit einer geringen Menge von Norcaradien im Gleichgewicht befindet, weder chemisch[4] noch mit Hilfe der modernsten physikalischen Methoden[5] beantwortet werden. Im Falle der Derivate des Norcaradiens bzw. des Cycloheptatriens können jedoch insbesondere die spektroskopischen Methoden wichtige Strukturaufschlüsse geben.

So ist z.B. allen durch eine Brücke stabilisierten Norcaradien-Derivaten gemeinsam, daß die beiden geminalen Dreiringprotonen nicht identisch sind und im Kernresonanzspektrum bei sehr unterschiedlichen τ-Werten absorbieren, wobei dem endoständigen Proton der höhere τ-Wert zugeordnet werden muß. Auch der Betrag der geminalen Kopplung läßt eine Aussage zu. Bei den Norcaradien-Derivaten liegt J_{gem} etwa zwischen 3 und 5 Hz; während bei den isomeren Cycloheptatrienen Werte zwischen 7 und 12 Hz beobachtet werden[3,6-16].

---

[1] J. A. Berson et al., Am. Soc. **87**, 2751, 2752 (1965); **88**, 2494 (1966).

[2] J. A. Berson et al., Am. Soc. **89**, 4076 (1967).

[3] E. Vogel, W. Grimme u. S. Korte, Tetrahedron Letters **1965**, 3625.

[4] Auch die von R. Huisgen; Ang. Ch. **76**, 928 (1964), im System Cyclooctatetraen/Bicyclooctatrien angewendete dilatometrische Methode versagt hier.

[5] s. S. 509 ff..

[6] E. Vogel et al., Tetrahedron Letters **1963**, 673.

[7] L. H. Knox, E. Velarde u. A. D. Cross, Am. Soc. **85**, 2533 (1963).

[8] L. H. Knox, E. Velarde u. A. D. Cross, Am. Soc. **87**, 3727 (1965).

[9] E. Vogel, W. Maier u. J. Eimer, Tetrahedron Letters **1966**, 655.

[10] E. Vogel, W. A. Böll u. M. Biskup, Tetrahedron Letters **1966**, 1569.

[11] W. Grimme, H. Hoffmann u. E. Vogel, Ang. Ch. **77**, 348 (1965).

[12] E. Vogel et al., Ang. Ch. **78**, 642 (1966).

[13] E. Vogel, W. Schröck u. W. A. Böll, Ang. Ch. **78**, 753 (1966).

[14] W. Grimme et al., Ang. Ch. **78**, 643 (1966).

[15] W. A. Böll, Ang. Ch. **78**, 755 (1966).

[16] H. Radlick u. W. Rosen, Am. Soc. **88**, 3461 (1966).

(Fortsetzung v. S. 522)

[6] J. A. Berson et al., Am. Soc. **89**, 4076 (1967).

[7] E. Ciganek, Am. Soc. **87**, 652, 1149 (1965).

[8] E. Ciganek, Am. Soc. **89**, 1454 (1967).

[9] E. Ciganek, Am. Soc. **89**, 1458 (1967).

[10] E. Ciganek, J. Org. Chem. **30**, 4198 (1965).

Die Struktur von Dien-Trien-Isomeren und schnelle, reversible Valenz-tautomerien vom Norcaradien-Cycloheptatrien-Typ können exakt mit Hilfe einer kompletten Analyse der entsprechenden Kernresonanzspektren bestimmt werden.

So konnten z.B. die Verschiebungs- und Kopplungsparameter des Cyclo-hexadien-(1,3)-Systems (I)[1] an 9,10-disubstituierten 9,10-Dihydro-naphthalinen (II–V)[2], Indanoxid (VI)[3] und an den Norcaradienen[4] (VII–IX) besonders in Hinblick auf die Einflüsse der Stereochemie gemessen werden[5,6]. In den genannten Verbindungstypen variiert, wie Modellbetrachtungen zeigen, die Planarität des Cyclo-hexadien-(1,3)-Systems. Tab. 81 zeigt eine Zusammenstellung der ermittelten NMR-Parameter.

I   II   III   IV   V

VI: X=O
VII: X=CH₂
VIII: X=CCl₂
IX: X=CBr₂

In Tab. 81 ist die Reihenfolge der untersuchten Verbindungen so gewählt, daß damit eine zunehmend planare Anordnung des Diensystems verbunden sein sollte. An Dreiding-Modellen läßt sich zeigen, daß die Art der Überbrückung in der Reihe II—VI zu einer fort-

Tab. 81. Chemische Verschiebungen $(\tau)^a$, relative chem. Verschiebungen $(\nu_0\delta)^d$ und Kopplungskonstanten J(Hz) in Cyclohexadien-(1,3)-Systemen[6]

	$\tau_{1.4}$	$\tau_{2.3}$	$\nu_0\delta$	^3J_C $J_{12}=J_{34}$	^4J $J_{13}=J_{24}$	^5J J_{14}	^3J_S J_{23}	Δf^b
II	4,407	4,211	11,77	9,59	0,90	0,88	5,41	0,05
III	4,609	4,281	19,65	9,55	0,89	0,88	5,35	0,05
IV	4,726	4,301	25,51	9,71	0,72	1,09	5,48	0,07
			25,34	9,68	0,80	1,04	5,47	0,08^c
V	4,372	3,992	22,77	9,51	0,75	0,96	5,88	0,03
VI	3,639	3,843	12,2	9,3	0,7	1,2	6,0	0,03
VII	3,933	4,294	21,65	9,25	0,58	1,31	5,94	0,08
VIII	4,196	3,983	12,77	9,35	0,48	1,25	6,00	0,03
IX	4,197	3,955	14,53	9,33	0,48	1,23	6,02	0,03

a) in CCl_4; Konzentrationen: 1 m für III, VIII und IX; 0,68 bzw. 0.64 m für II und V; 20 Vol-% (ca. 1–2 m) für IV, VI und VII.
b) Standardabweichung (Hz) zwischen exper. u. theoret. Linienfrequenzen.
c) Ergebnis einer unabhängigen Bestimmung von H. GÜNTHER.
d) in Hz bei 60 MHz als Meßfrequenz.

[1] Zur Analyse des Cyclohexadien-(1,3): s.:
    S. L. MANATT u. D. D. ELLEMAN, Privatmitteilung an H. GÜNTHER[6].
    Vgl. a. J. B. LAMBERT et al., Am. Soc. **87**, 3896 (1965).
[2] E. VOGEL et al., Ang. Ch. **76**, 786 (1964).
    E. VOGEL et al., Tetrahedron Letters **1966**, 655.
[3] E. VOGEL, W. A. BÖLL u. H. GÜNTHER, Tetrahedron Letters **1965**, 609.
    H. GÜNTHER, Tetrahedron Letters **1965**, 4085.
[4] E. VOGEL et al., Tetrahedron Letters **1963**, 673.
[5] H. GÜNTHER u. H. H. HINRICHS, Tetrahedron Letters **1966**, 787.
[6] H. GÜNTHER u. H. H. HINRICHS, A. **706**, 1 (1967).

schreitenden Einebnung führen muß. Dies wird für die Verbindungen VI—IX (S. 524) durch die Röntgenstrukturanalyse des *2,5-Dimethyl-7,7-dicyan-norcardiens*[1] bestätigt, nach der die C-Atome des Diensystems in einer Ebene liegen. Während die Änderungen der ^3J_C-Werte keinen klaren Trend erkennen lassen, beobachtet man bei Übergang von I nach IX (S. 524) einen deutlichen Anstieg für ^3J_s (von 5,1 auf 6,0 Hz), eine geringe Zunahme von ^6J (von 0,9 auf 1,3 Hz) und eine Abnahme für ^4J (von 1,1 auf 0,5 Hz). Der Anstieg von ^5J_s ist zweifelsohne in erster Linie auf die Verkleinerung des Diederwinkels $\emptyset$ zwischen den Bindungen C^2—H^2 und C^3—H^3 zurückzuführen und bildet damit gleichzeitig eine Bestätigung der gewählten Reihenfolge. Für I beträgt[2] $\emptyset$ 17,5 $\pm$ 2°, während in den Norcaradienen VII—IX (S. 524) ein Wert von $\sim$ 0° zu erwarten ist.

Die Analyse des Protonenresonanz-Spektrums erlaubt in allen Fällen, zwischen den Strukturen X und XI zu unterscheiden, solange $^3J_s > {}^3J_s$ gilt. Diese Bedingung dürfte erst bei großen, ebenen Ringen außer Kraft sein, bei denen die Verkleinerung der HCC-Valenzwinkel oder eine mögliche *s-trans*-Verknüpfung der Doppelbindungen einen starken Anstieg von ^3J_s zur Folge haben sollte. Bisherige Erfahrungen haben gezeigt, daß sie bis zum Siebenring, auch in Systemen mit koplanarer Anordnung der olefinischen C-Atome, erfüllt ist[3].

In vielen Fällen kann ferner der Parameter N, die Summe der Kopplungskonstanten J_{12} und J_{13}, dem Spektrum ohne komplette Analyse direkt entnommen werden. Nach Tab. 81 (S. 524) beträgt N in Cyclohexadienen durchschnittlich 9,8–10,5 Hz, in Cycloheptatrienen nur $\sim$ 6 Hz bei der „normalen" Boot-Konformation[4] und $\sim$7,5 Hz in ebeneren Systemen[5-7].

Auch die Existenz einer schnellen, reversiblen Valenztautomerie des Typs X⇌XI kann aus den Größen der Kopplungskonstanten abgeleitet werden. Dabei muß jedoch die Voraussetzung vergleichbarer Konzentrationen $(0,1 < K < 10)$ beider Tautomerer erfüllt sein, da die Abweichungen von den Erwartungswerten sonst zu gering sind und innerhalb der Meßfehlergrenze liegen. Im Gebiet des schnellen Austauschs sind alle Parameter des Spektrums dann Mittelwerte, die sich gemäß Gl. ① aus den individuellen Parameter der Gleichgewichtsparameter im entsprechenden Molverhältnis zusammensetzen[8]:

$$P = p_{11}P_{11} + p_{12}P_{12} \qquad ①$$

Da ferner $\Delta H° \neq 0$ gilt, sind die Kopplungskonstanten temperatur- und in

[1] C. J. Fritchie, Acta crystallogr. (London) **20**, 27 (1966).
[2] S. S. Butcher, J. chem. Physics **42**, 1830 (1965).
[3] H. Günther u. R. Wenzl, Z. Naturf. **22b**, 389 (1967).
[4] F. A. L. Anet, Am. Soc. **86**, 458 (1964).
  F. R. Jensen u. L. A. Smith, Am. Soc. **86**, 956 (1964).
[5] J. B. Lambert et al., Am. Soc. **87**, 3896 (1965).
[6] H. Günther u. R. Wenzl, Z. Naturf. **22b**, 389 (1967).
[7] Bei den Trienen des Typs XI ist der Parameter N wesentlich stärker von der Konformation abhängig als bei den Dienen des Typs X, da die vicinale Kopplung J_{12} (bzw. J_{34}), die den Hauptbeitrag zu N liefert, bei XI vom Diederwinkel beeinflußt werden kann, bei X hingegen als *cis*-olefinische Kopplung von diesem Strukturparameter unabhängig ist.
[8] J. W. Emsley, J. Feeney u. L. Sutcliffe in „*High Resolution Nuclear Magnetic Resonance*", Bd. I, S. 481 ff., Pergamon Press, London 1965.

vielen Fällen auch solvensabhängig. Durch Untersuchungen der Benzoloxid-Oxepin-Valenztautomerie[1] konnte dies bestätigt werden.

Die komplette Analyse des Spektrums wird insbesondere dann sehr wertvoll sein, wenn ein „Einfrieren" des Gleichgewichts durch Temperatursenkung nicht erreicht werden kann.

Die Diskussion der chemischen Verschiebungen der olefinischen Protonen ist z. T. ähnlich aufschlußreich wie die der Kopplungskonstanten. Die relative chemische Verschiebung der olefinischen Protonen in I (S. 524) ist geringer als im Butadien[2], doch liegt auch bei I die Resonanz der zentralen Protonen des Diensystems bei kleinerer Feldstärke als die der terminalen Protonen[3]. Unterschiede in der Ladungsdichte an den C-Atomen und Anisotropie-Effekte können hierfür verantwortlich gemacht werden[2]. Da die Analyse eines AA'BB'-Systems keine Zuordnung der Resonanzfrequenzen erlaubt[4], ist die Reihenfolge für die Verbindungen II–V in Tab. 81 (S. 524) in Analogie zu I gewählt worden[5]. Bei den Verbindungen VI–IX erlaubt dagegen die long-range-Kopplung mit den Protonen der β-ständigen Methyl-Gruppe eine unabhängige Zuordnung, da erfahrungsgemäß angenommen werden darf, daß von dieser Wechselwirkung in erster Linie die Protonen H_1 und H_4 betroffen sind. Dabei zeigt sich, daß beim Indanoxid VI (S. 524) und bei dem Norcaradien-Derivat VII eine Vertauschung der Larmor-Frequenzen auftritt: Hier liegt die Resonanzstelle der zentralen Protonen des Diensystems bei höherer Feldstärke als die der terminalen. Bei VIII und IX gilt wieder die ursprüngliche Reihenfolge. Es lag nahe, die besondere Lage der Resonanzfrequenzen in VII auf die diamagnetische Anisotropie des Cyclopropanringes[6] zurückzuführen, während bei den Verbindungen VI, VIII und IX Bindungsanisotropien und dipolare Feldeffekte[7] der Substituenten hinzukommen. In der Tat konnte gezeigt werden[5] (durch Modellrechnungen[8]), daß die relative Lage der olefinischen Protonen im *Tricyclo[4.3.1.0^{1,5}]decadien-(2,4)* (VII, S. 524) in erster Linie von einem diamagnetischen Anisotropie-Effekt des alicyclischen Dreiringes bestimmt wird.

Im Falle einiger überbrückter Norcaradiene konnten auch die ^{13}C—H-Kopplungskonstanten zum Konstitutionsbeweis herangezogen werden[9,10].

Inzwischen konnte gleichfalls gezeigt werden, daß die ^{13}C-Kernresonanzspektroskopie in nahezu idealer Weise geeignet ist, zwischen Norcaradien- und Cyclohepta-

[1] H. Günther u. H. H. Hinrichs, Tetrahedron Letters **1966**, 787.
[2] R. T. Hobgood u. J. H. Goldstein, J. molecular Spectroscopy **12**, 76 (1964).
[3] S. L. Manatt u. D. D. Elleman, Privatmitteilung an H. Günther[6].
[4] B. Dischler u. G. Englert, Z. Naturf. **16a**, 1180 (1961).
[5] H. Günther u. H. H. Hinrichs, A. **706**, 1 (1967).
[6] Vgl. J. R. Lacher, J. W. Pollock u. J. D. Park, J. chem. Physics. **20**, 1047 (1952).
[7] Vgl. A. D. Buckingham, Canad. J. Chem. **38**, 300 (1960).
[8] Als Bezugsverbindung wurde das *cis*-3a,7a-Dihydro-indan gewählt.
   Sowohl die Punktdipol-Näherung nach
       H. M. McConnell, J. chem. Physics **27**, 226 (1957)
   als auch das Bindungsanisotropie-Modell von
       K. Tori u. K. Kitahonoki, Am. Soc. **87**, 386 (1965)
   wurden zu den Rechnungen herangezogen[6].
[9] E. Vogel u. W. A. Böll, Ang. Ch. **76**, 784 (1964).
[10] E. Vogel, W. Grimme u. S. Korte, Tetrahedron Letters **1965**, 3625.

trien-Strukturen zu unterscheiden[1]. Die relative chemische Verschiebung zwischen den ^{13}C-Resonanzen für C-1 bzw. C-6 in beiden Systemen ist mit ∼ 80–100 ppm hinreichend groß, so daß eine Überschneidung der Absorptionsbereiche nicht zu befürchten ist (s. ds. Handb., Bd. V/1d, Kap. Cycloheptatriene).

Zum anderen stellen die **UV-Spektren** gleichfalls ein wichtiges Hilfsmittel zur Entscheidung zwischen Cycloheptatrien- und Norcaradien-Form dar[2-12].

Im Rahmen dieses Beitrages sind nur die eigentlichen Vertreter des valenzisomeren Systems Cycloheptatrien/Norcaradien besprochen worden. Abschließend soll jedoch auch auf die gleich große Bedeutung analoger Systeme mit **Heteroatomen** wie Oxepin/Benzoloxid[13], Azepin/Benzolimin[14], 3,4-Diaza-norcaradien/3,4-Diaza-cyclo-heptatrien[15] und verwandter Isomerenpaare[16] hingewiesen werden.

II. Moleküle mit fluktuierenden Bindungen; Bicyclo[5.1.0]octadien-(2,5)

a) Bicyclo[5.1.0]octadien-(2,5) und die Vorhersage des „Bullvalens"

Im *Bicyclo[5.1.0]octadien-(2,5)* (I)[17], dem sogenannten 3,4-Homotropiliden, sind die Vinyl-Gruppen eines *cis*-1,2-Divinyl-cyclopropans durch eine Methylenbrücke verknüpft. Das hat die interessante Folge, daß die Cope-Umlagerung keine neue Substanz hervorbringt. Vielmehr stimmen jetzt Ausgangsmaterial und Umlagerungs-produkt überein[17]:

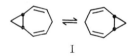

I

[1] H. GÜNTHER u. T. KELLER, B. **103**, 3231 (1970).

[2] E. VOGEL et al., Tetrahedron Letters **1963**, 673.

[3] L. H. KNOX, E. VELARDE u. A. D. CROSS, Am. Soc. **85**, 2533 (1963).

[4] L. H. KNOX, E. VELARDE u. A. D. CROSS, Am. Soc. **87**, 3727 (1965).

[5] E. VOGEL, W. MAIER u. J. EIMER, Tetrahedron Letters **1966**, 655.

[6] E. VOGEL, W. A. BÖLL u. M. BISKUP, Tetrahedron Letters **1966**, 1569.

[7] W. GRIMME, H. HOFFMANN u. E. VOGEL, Ang. Ch. **77**, 348 (1965).

[8] E. VOGEL et al., Ang. Ch. **78**, 642 (1966).

[9] E. VOGEL, W. SCHRÖCK u. W. A. BÖLL, Ang. Ch. **78**, 753 (1966).

[10] W. GRIMME et al., Ang. Ch. **78**, 643 (1966).

[11] W. A. BÖLL, Ang. Ch. **78**, 755 (1966).

[12] P. RADLICK u. W. ROSEN, Am. Soc. **88**, 3461 (1966).

[13] Vgl. die Untersuchungen des Arbeitskreises von E. VOGEL und die ersten Synthesen aus dem Mitarbeiterkreis von K. DIMROTH.
s. die Literaturzusammenstellung von G. MAIER, Ang. Ch. **79**, 446 (1967).

[14] Vgl. die Untersuchungen des DIMROTH'schen Arbeitskreises und von K. HAFNER et al.
s. G. MAIER, Ang. Ch. **79**, 446 (1967).

[15] Vgl. die Untersuchungen von G. MAIER; s. G. MAIER, Ang. Ch. **79**, 446 (1967).

[16] G. MAIER, Ang. Ch. **79**, 446 (1967).

[17] W. v. E. DOERING u. W. R. ROTH, Ang. Ch. **75**, 27 (1963).

Die Cope-Umlagerung ist damit entartet[1,2]. I entsteht bei der Cyclopropanierung von Cycloheptatrien neben *Bicyclo[5.1.0]octadien-(2,4)* (II)[1,3,4]. Die beiden Isomere lassen sich durch Gaschromatographie trennen. Ihre Struktur geht aus den UV-Spektren direkt hervor.

II absorbiert als konjugiertes Dien bei 258 mμ ($\varepsilon = 4200$), während I keine Absorption oberhalb 215 mμ zeigt. Beide Isomere lassen sich katalytisch zu Cyclooctan und *Bicyclo[5.1.0]octan* hydrieren; ihre Pyrolyseprodukte unterscheiden sich jedoch:

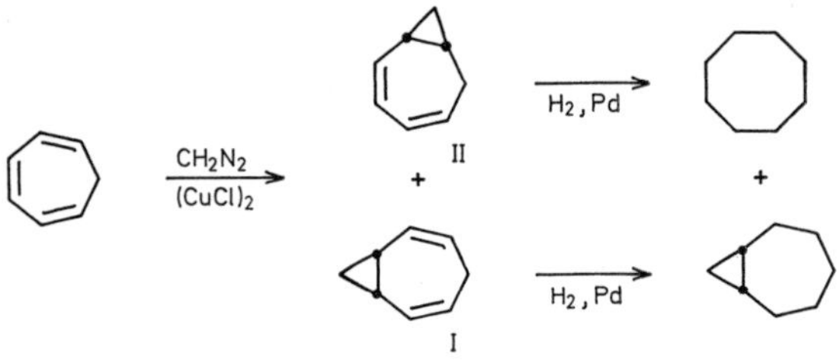

Bicyclo[5.1.0]octadien-(2,4) (II) erleidet bei Temperaturen um 225° eine interessante Umlagerung[1,3]: Zunächst bildet sich durch Wasserstoff-Verschiebung Cyclooctatrien, das sich dann zu Benzol und Äthylen[5] sowie zu *Tricyclo[2.2.2.0^{2,6}] octen-(7)* (III) umlagert. III bildet sich offensichtlich durch Aufspaltung des Cyclooctatriens zu Octatetraen, anschließende Cyclisierung zu Vinyl-cyclohexadien und nachfolgender intramolekularer Diels-Adler-Addition[1,3]:

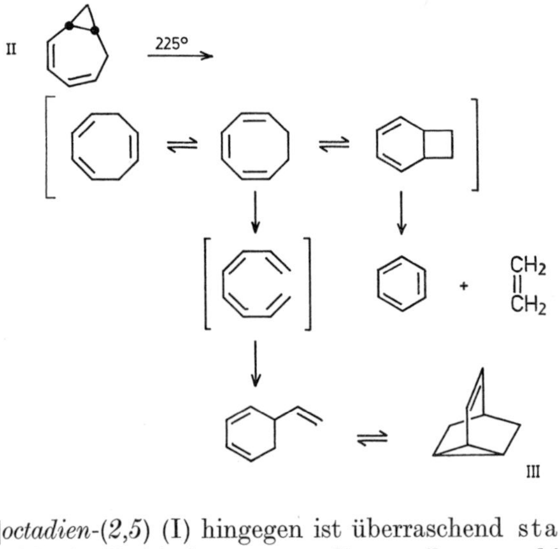

Bicyclo[5.1.0]octadien-(2,5) (I) hingegen ist überraschend stabil und lagert sich unterhalb 305° nicht in Verbindungen um, die von ihm verschieden sind; bei 305° entsteht *3,3a,6,6a-Tetrahydro-pentalen* (IV, S. 529)[1]:

[1] W. v. DOERING u. W. R. ROTH, Ang. Ch. **75**, 27 (1963).

[2] Auf diese Möglichkeit hat auch E. VOGEL bereits in einem Diskussionsbeitrag am 25. April 1961 in Heidelberg hingewiesen.

[3] W. v. E. DOERING u. W. R. ROTH, Tetrahederon **19**, 715 (1963).

[4] Die hier benutzte Cyclopropanierungs-Methode ist die sogenannte GASPAR-ROTH-Vorschrift, die auf S. 110 ausführlich beschrieben ist.

[5] Bereits von K. ALDER und W. KRANE beschrieben.

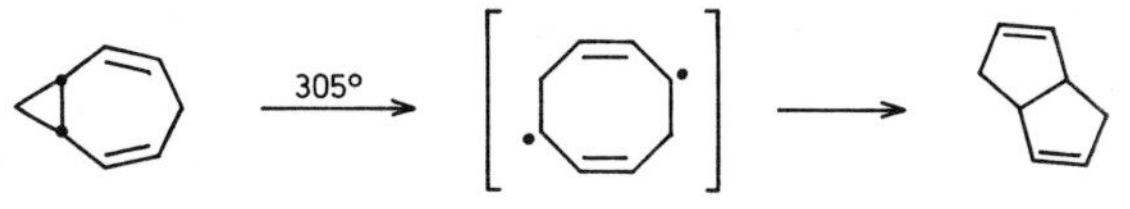

Die auffallendste Eigenschaft des *Bicyclo[5.1.0]octadiens-(2,5)* (I) wird jedoch durch sein Kernresonanzspektrum enthüllt[1].

Das Spektrum ändert sich mit der Temp. grundlegend! Bei –50° ist das Spektrum gut aufgelöst und reich an Feinstruktur. Mit steigender Temp. wird das Spektrum mehr und mehr verwaschener, und schließlich sind von den insgesamt zehn Wasserstoffen nur noch die vinylischen Protonen deutlich erkennbar. Bei weiterer Temperaturerhöhung bildet sich allmählich ein neues Spektrum aus, dessen volle Schärfe bei 180° erreicht wird. Die Signale im vinylischen Bereich bei $\sim 4,3\,\tau$ besitzen jetzt nur noch die halbe Intensität. Die Signale im Cyclopropan-Bereich bei $\sim 9,7\,\tau$ (–50°) sind völlig verschwunden. Es wird hingegen bei $\sim 6,7\,\tau$ ein vier Protonen zuzuordnendes Multiplett beobachtet. Die Signale der verbleibenden vier Protonen sind einigermaßen symmetrisch um $8,3\,\tau$ angeordnet. Die genannten Änderungen im Spektrum sind streng reversibel. Das Infrarot-Spektrum ist hingegen im genannten Temperaturbereich temperaturunabhängig. Dieser zunächst scheinbare Widerspruch beruht auf der Bildung von Mittelwerten. Die spektralen Übergänge in der Kernresonanz entsprechen sehr kleinen Energieänderungen; nach der Heisenberg-Unschärferelation beansprucht ihre Messung also lange Zeit. Ändert ein Wasserstoffatom während dieser Zeit seinen Platz, d.h. ist seine mittlere Aufenthaltswahrscheinlichkeit an einer Stelle kürzer als die zur Messung erforderliche Zeit, so beobachtet man einen Energiebereich statt einer definierten Energie. Ist ein solcher Platzwechselvorgang jedoch schnell, verglichen mit dem Reziprokwert des Frequenzunterschieds der hypothetischen Resonanzsignale vor und nach dem Platzwechsel, dann tritt ein neues und scharfes Signal auf, das sich im Gewichtsmittel zwischen den beiden ursprünglichen Signalen befindet[2]. Im Fall des *Bicyclo[5.1.0]octadiens-(2,5)* tauschen also bei 180° die Wasserstoffe so schnell ihre Plätze, daß man im Spektrum die genannten Mittelwerte der Bandenpositionen beobachtet. Die Tatsache, daß das IR-Spektrum temperaturunabhängig ist, zeigt andererseits, daß der Platzwechsel nicht zu einer permanenten Änderung der Struktur führt.

Dieser Befund läßt sich nur durch eine Cope-Umlagerung des *Bicyclo[5.1.0]octadiens-(2,5)* erklären, bei der *Ausgangsmaterial* und *Umlagerungsprodukt übereinstimmen*[1].

Modellbetrachtungen lassen für die Molekel des *Bicyclo[5.1.0]octadiens-(2,5)* eine *cisoide* (II) und eine *transoide* (I) Konformation erkennen[1]:

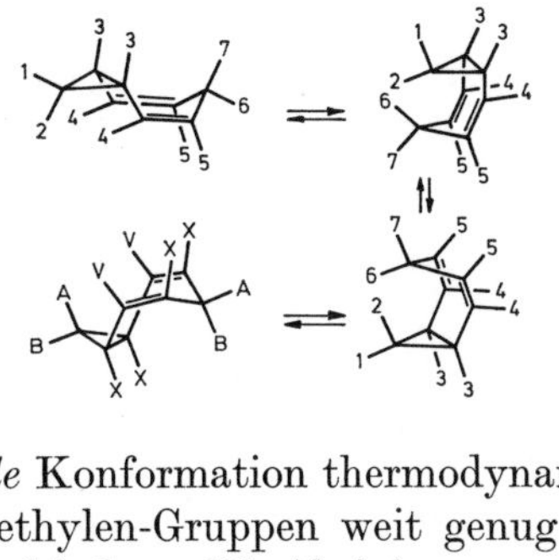

Hierbei sollte die *transoide* Konformation thermodynamisch bevorzugt sein, da in diesem Falle die beiden Methylen-Gruppen weit genug voneinander entfernt sein sollten, um sich sterisch zu behindern. Die Aktivierungsenergie für die Cope-Umlagerung aus dieser Konformation heraus sollte jedoch nicht gerade gering sein. Nur wenn die Wasserstoffatome H_3 und H_4 an jeder der beiden neu entstehenden Dop-

---

[1] W. v. E. Doering u. W. R. Roth, Ang. Ch. **75**, 27 (1963).

[2] Vgl. etwa: J. A. Pople, W. G. Schneider u. H. J. Bernstein in *"High-resolution Nuclear Magnetic Resonance"*, McGraw-Hill, New York 1959.

pelbindungen von vornherein nahezu in einer Ebene mit ihren C-Atomen liegen, geht die Umlagerung leicht vor sich.

In der *transoiden* Form ist der Winkel zwischen den beiden Wasserstoffatomen 80°. In der *cisoiden* Form beträgt er dagegen nur 10°, und ist damit dem optimalen Winkel von 0° entscheidend näher. Bei der *cisoiden* Konformation ist andererseits mit einer erheblichen Abstoßung zwischen den Wasserstoffen H_2 und H_6 zu rechnen. Die *transoide* Form ist also gegenüber der *cisoiden* Form thermodynamisch begünstigt, hat aber bei der Cope-Umlagerung eine viel geringere Reaktionsgeschwindigkeit. Das bedeutet, daß die IR- und NMR-Spektren stets die der *transoiden* Konformation sind, während die Isomerisierung über die *cisoide* Form verläuft[1]. In der *transoiden* Form des *Bicyclo[5.1.0]octadiens-(2,5)* findet man bei niedriger Temp. sieben Typen von Protonen: die zwei Wasserstoffe der Methylen-Gruppe des Dreiringes (H_1 und H_2), das Paar tertiärer, allylischer Wasserstoff-Atome des Cyclopropanringes (H_3), je zwei Vinylprotonen (H_4 und H_5) sowie die beiden nicht-äquivalenten Methylenwasserstoffe H_6 und H_7. Bei der Cope-Umlagerung, die über die *cisoide* Konformation I b verläuft und wieder die *cisoide* Form liefert, I b → I c (S. 529), wird das Cyclopropanproton H_1 zum Methylenwasserstoff H_7, während H_2 zu H_6 dabei wird. Analog wird H_7 zu H_1 und H_6 zu H_2. Bei genügend schneller Umlagerung werden H_1 und H_7 äquivalent und bilden ein Paar des Typs A; H_2 und H_6 werden ein Paar des Typs B. Im Zuge der Umlagerung werden die Cyclopropanprotonen H_3 zu H_5 und umgekehrt. Dadurch tritt bei schneller Umlagerung eine neue Bande (x, s. I d S. 529) für vier Wasserstoffe in der Mitte zwischen den Vinyl- und Cyclopropan-Signalen auf. Lediglich die Vinylwasserstoffe H_4 (v, s. I d S. 529) bleiben bei der Cope-Umlagerung ungeändert. In Bezug auf das NMR-Spektrum ändert eine genügend schnelle Cope-Umlagerung die effektive Symmetrie der *Bicyclo [5.1.0]octadien-(2,5)*-Molekel: Die Molekel, die bei tiefen Temperaturen 7 Arten von Wasserstoffen besitzt, wird bei hohen Temperaturen zu einem System mit nur 4 Wasserstoff-Typen.

Es wurde abgeschätzt, daß *Bicyclo[5.1.0]octadien-(2,5)* bei 180° ∼ tausendmal in der Sekunde die Cope-Umlagerung eingeht, bei −50° ∼ einmal pro Sekunde[1].

Damit wurde das erste sichere Beispiel für eine organische Molekel bekannt, die durch den Mittelwert **zweier** gleicher Strukturen beschrieben werden muß! Für derartige Moleküle wurde der Begriff der „**fluktuierenden Struktur**" geprägt[1].

Im Anschluß an die Untersuchungen am *Bicyclo[5.1.0]octadien-(2,5)* wurde versucht, die Geschwindigkeit der Cope-Umlagerung durch Ausschluß der kinetisch ungünstigen *transoiden* Konformation zu erhöhen. Dies konnte schließlich durch den Einbau einer **dritten Brücke** zwischen C—4 und C—8 im *Bicyclo[5.1.0]octadien-(2,5)* erreicht werden[2,3]. Aus Cycloheptatrien-7-carbonsäure (I) wurde über das Carbonsäure-chlorid mit Diazomethan das Diazoketon II hergestellt, das bei der Behandlung mit Kupfer unter Stickstoff-Abspaltung ein Ketocarben bildet. Dieses Ketocarben lagert sich nicht wie in der **Arndt-Eistert-Synthese** zu einem Keten um, sondern addiert sich in diesem Fall an die 3,4-Doppelbindung unter Bildung des tricyclischen Ketons III[2,3] {*9-Oxo-tricyclo[3.3.1.0^{4,6}]nonadien-(2,7)* (III); *Barbaralon*[3]; s. a. S. 536}:

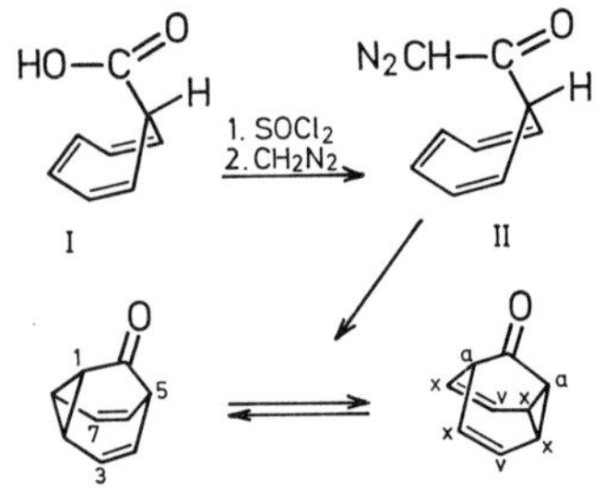

[1] W. v. E. DOERING u. W. R. ROTH, Ang. Ch. **75**, 27 (1963).
[2] W. v. E. DOERING et al., Ang. Ch. **75**, 27 (1963).
[3] W. v. E. DOERING et al., Tetrahedron **23**, 3943 (1967).

Kernresonanzspektroskopisch wurde die degenerierte Cope-Umlagerung von III (S. 530) im Bereich zwischen +34 und –91° untersucht[1]. Die bei +34° sehr schnell verlaufende Umlagerung von III gibt zu einem recht einfachen NMR-Spektrum Anlaß: Ein Pseudotriplett bei 5,68 τ mit einer vier Protonen entsprechenden Intensität (Protonen vom Typ x) wird als Folge einer Mittelung der chemischen Verschiebungen zweier vinylischer Protonen und zweier tertiärer Cyclopropanwasserstoffe beobachtet. Zwei vinylische Protonen (Typ v) erscheinen bei 4,29 τ, die Protonen des Typs a hingegen[1,2] bei $\tau = 7,35$. Mit sinkender Temp. wird die Geschwindigkeit der Umlagerung verlangsamt. Bei –33° ist das Signal bei 5,68 schon stark verbreitert, bei –70° bereits komplett verschwunden. Bei einer Temp. von $\sim$ –91° wird dasjenige Spektrum von III beobachtet, das man bei Abwesenheit einer Umlagerung erwarten würde[1]. Aus der Temperaturabhängigkeit der NMR-Spektren[3] wurden für das *Barbaralon* die nachfolgenden kinetischen Parameter ermittelt[1]:

$$\Delta E = 8,1\ \text{Kcal/Mol};\ A = 1,4 \cdot 10^{11}\,.$$

Als extremes Beispiel eines solchen Moleküls mit „fluktuierender Struktur“ wurde das zu der Zeit hypothetische *Tricyclo[3.3.2.0^{4,6}]decatrien-(2,7,9)* (IV) postuliert[4,5]. Für IV wurde der Kolloquiumname *Bullvalen* benutzt. Formal leitet sich das Bullvalen vom *Bicyclo[5.1.0]octadien-(2,5)* durch Verbinden des sekundären Cyclopropankohlenstoffes und der Methylen-Gruppe durch eine weitere C=C-Doppelbindung ab. Die Struktur hat damit eine dreizählige Symmetrieachse. Verliefe nun die Cope-Umlagerung so schnell wie bei dem auf S. 530 erwähnten *9-Oxo-tricyclo[3.3.1.0^{4,6}]nonadien-(2,7)* (III), so hätte schließlich das *Bullvalen* nur eine Art von Wasserstoffatomen.

Abb. 14 zeigt, wie drei reversible Cope-Umlagerungen, deren Produkte infolge der dreizähligen Symmetrieachse übereinstimmen, die Cyclopropanatome C-10, C-5 und C-4 nacheinander in die entsprechenden Brückenkopfatome umwandeln können. Simultan würden dabei die dem ursprünglichen Brückenkopf (C-1) benachbarten Kohlenstoffe zu Cyclopropankohlenstoffen (C-7 und C-2, C-8 und C-2, C-7 und C-8). Durch weitere Umlagerungen würden auch diese zu Brückenkopfatomen umgewandelt werden. In der ersten Umlagerungsfolge sind die C-Atome 9, 6 und 3 zu neben dem Brückenkopf stehenden Atomen geworden. Solche Atome sollten dann erst in Cyclopropanatome und durch eine zweite Umlagerung in Brückenkopfatome verwandelt werden. Wenn also mit C-1 das Brückenkopfatom gemeint sein soll, dann sollten die C-Atome 4,5 und 10 nur eine Cope-Umlagerung davon entfernt sein, selbst Brückenkopfatome zu werden. Die Kohlenstoffatome 2,7 und 8 sind zwei Cope-Umlagerungen von der Brücken-

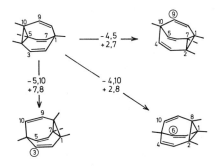

Abb. 14. Cope-Umlagerungen am Bullvalen (IV)[5]

[1] J. B. LAMBERT, Tetrahedron Letters **1963**, 1901.
[2] W. v. E. DOERING et al., Tetrahedron **23**, 3943 (1967).
[3] Die von J. B. LAMBERT[1] benutzte Methode folgte im wesentlichen dem von M. ANBAR, A. LOEWENSTEIN u. S. MEIBOOM, Am. Soc. **80**, 2631 (1958), angegebenen Verfahren.
[4] W. v. E. DOERING und W. R. ROTH, Ang. Ch. **75**, 27 (1963).
[5] W. v. E. DOERING und W. R. ROTH, Tetrahedron **19**, 715 (1963).

kopfposition entfernt zu denken, während die C-Atome 9,6 und 3 drei Umlagerungen benötigen würden.

Aufgrund dieser Überlegungen wurde für das *Bullvalen* postuliert, daß bei genügend schneller Cope-Umlagerung im Durchschnitt alle Wasserstoffatome die gleiche Position erhalten sollten und daher im Kernresonanzspektrum nur zu einer scharfen Bande Anlaß geben würden[1,2].

b) Bullvalen und Derivate

1. Bullvalen

Allgemeines

Bullvalen (F: 96°), das sich leicht sublimieren läßt, zeigt ein **temperaturabhängiges Kernresonanzspektrum**.

Bei 100° erscheint bei 5,8 τ nur ein einziges scharfes Protonenresonanzsignal (Linienbreite 1,5 Hz). Damit war die Voraussage[1,2] über das kernresonanzspektroskopische Verhalten experimentell vollauf bestätigt worden.

Die genaue Untersuchung der Temperaturabhängigkeit des Spektrums[3] zeigte, daß in der Tat jedes Proton während einiger Valenzisomerisierungen die vier chemischen Positionen — zwei Olefin-, eine Cyclopropyl- und eine Brückenkopfposition — durchlaufen. Das **Tieftemperaturspektrum** besteht aus zwei Bandengruppen, deren Flächen sich verhalten wie 6:4. Bei 4,35 τ wird ein unsymmetrisches Multiplett für die 6 Olefinprotonen des Bullvalens beobachtet. Die Unsymmetrie dieser Bande erklärt sich aus den verschiedenen Größen für die Kopplungen der Cyclopropyl- bzw. Brückenkopfprotonen mit den benachbarten olefinischen Wasserstoffen. Die relativ breite Bande bei 7,92 τ muß den drei identischen Cyclopropyl- und dem einen Brückenkopfproton zugeordnet werden. Diese beiden Bandengruppen kollabieren bei +13° und ergeben oberhalb dieser Temp. das eine Signal bei 5,78 τ. Die Lage dieses Signal kann so berechnet werden: Da alle Bullvalen-Isomeren die gleiche Existenzwahrscheinlichkeit besitzen, verharrt ein Proton in den zehn möglichen Positionen im Mittel dieselbe Zeit. Daraus ergibt sich:

$$\tau = 6 \ (4,35) + 4 \ (7,92) \ / \ 10 = 5,78 \ ppm \ .$$

Durch hochauflösende Kernresonanzspektroskopie konnte zunächst die **Reaktionsgeschwindigkeit** der degenerierten Cope-Umlagerung des Bullvalens in Lösung gemessen und die interessierenden kinetischen Daten bestimmt werden[4]: $k_{10,5°} = 1200 \ sec^{-1}$; $k_{82,7°} = 79000 \ sec^{-1}$; $E_a = 11,8 \pm 1,0 \ Kcal/Mol$; $A = 12,3 sec^{-1}$.

Die bemerkenswert **kleinen** Wahrscheinlichkeits- und Entropiebarrieren der Reaktion, die die Spaltung einer Kohlenstoff-Kohlenstoff-Bindung und die Bildung einer anderen beinhalten, können sowohl auf die extrem günstige Geometrie für diese Umlagerung als auch auf die relative Schwäche der zu spaltenden C—C-Bindung zurückgeführt werden[5].

In diesem Zusammenhang soll erwähnt werden, daß die für die Bullvalen-Umlagerung gefundene hohe Reaktionsgeschwindigkeit nicht so interpretiert werden muß, daß die 1209600 interkonvertierbaren Permutationen des Bullvalens jeweils von der anderen mit vergleichbarer

[1] W. v. E. Doering u. W. R. Roth, Ang. Ch. **75**, 27 (1963).

[2] W. v. E. Doering u. W. R. Roth, Tetrahedron **19**, 715 (1963).

[3] R. Merényi, J. F. M. Oth u. G. Schröder, B. **97**, 3150 (1964).

[4] M. Saunders, Tetrahedron Letters **1963**, 1699.

[5] W. v. E. Doering u. W. R. Roth, Tetrahedron **19**, 715 (1963), schätzten den Wert von 20,6 Kcal/Mol [83,3-2(21,8)-19,1] für die Aktivierungsenergie dieser Bindungsspaltung.

Vgl. hierzu auch die für die Umlagerung des *trans-1,2-Divinyl-cyclopropans* ermittelten kinetischen Daten[6] auf S. 614.

[6] R. Sundermann, Dissertation, Universität Köln, 1966.

Geschwindigkeit erhalten werden, denn die Umwandlung einer Permutation in die andere beinhaltet verschiedene bzw. mehrere Zustände eines sogenannten „random-walk process"[1]. Diese Betrachtungen sind von praktischem Interesse für das Verständnis der Eigenschaften und insbesondere des Kernresonanzspektrums von substituierten Bullvalenen (s. S. 547 f., 551, 553 f.).

Die entartete Cope-Umlagerung des Bullvalens wurde später im Temperaturbereich zwischen 25 und 123° in einer Tetrachloräthylen-Lösung unter Anwendung der Spin-Echo-Kernresonanzmethode bei 26,85 MHz sehr sorgfältig untersucht[2]. Die Verbreiterung der üblichen Absorptionssignale der Kernresonanz durch Inhomogenitäten konnte im Spin-Echo-Experiment umgangen werden, so daß es möglich wurde, viel schnellere Austauschgeschwindigkeiten zu messen, als es in den früheren Hochauflösungsuntersuchungen[1,3] geschehen war. Somit muß den kinetischen Parametern, die mit der Spin-Echo-Methode ermittelt wurden[2] ($A = 0,8 \cdot 10^{13}$ sec^{-1}; $E_a = 12,8 \pm 0,1$ Kcal/Mol) eine größere Zuverlässigkeit zugesprochen werden.

Es wurde außerdem gefunden, daß das Bullvalen mit Silberionen zur Komplex-Bildung befähigt ist[2]. Mit Silbernitrat in Deuteriumoxid- und Acetonitril-Lösungen sowie mit Silbertetrafluoroborat in 1,2-Dichlor-äthan wurden Komplexe erhalten. Die Umlagerungsgeschwindigkeiten des Bullvalens in Lösung dieser Komplexe werden verlangsamt[2]. Ein Silberkomplex (0,32 g Bullvalen in 7,15 m Silbernitrat in Deuteriumoxid; vermutlich: $C_{10}H_{10} \cdot 2\,AgNO_3$) wurde eingehender studiert.

In diesem Komplex wurde für die Aktivierungsenergie der degenerierten Cope-Umlagerung des Bullvalens der Wert von 15,1 $\pm$ 0,8 Kcal/Mol ($A = 4,9 \cdot 10^{13}$ sec^{-1}) ermittelt[2]. Der Unterschied in der Aktivierungsenergie zwischen nicht-komplexiertem Bullvalen und obigem Silberkomplex könnte darauf zurückgeführt werden, daß auch die Umlagerung im Komplex in jedem Fall über das nicht-komplexierte Bullvalen verlaufen muß, da die Dissoziationskonstante des Silberkomplexes erwartungsgemäß mit steigender Temp. größer werden sollte. Andererseits kann nicht ausgeschlossen werden, daß die Umlagerung im Komplex selbst mit höherer Aktivierungsenergie und kleinerer Geschwindigkeit als im freien Bullvalen stattfindet. Vielleicht können auch beide mechanistischen Möglichkeiten realisiert sein. Zum anderen könnte die Situation noch weiter kompliziert werden, wenn man die Existenz von Gleichgewichten zwischen verschiedenen Komplexen mit unterschiedlicher Anzahl koordinierter Silberionen ins Auge fassen müßte.

An einem Einkristall eines Silber-Bullvalen-Komplexes, $(C_{10}H_{10})_3 \cdot AgBF_4$, konnte eine Röntgenstrukturanalyse vorgenommen werden[4].

Dieser Kristall (farblose Nadeln, die sich nach längerem Stehen im Licht allmählich dunkel färben) gehört zum monoklinischen System. Die Raumgruppe ist P2$_1$/c mit vier Molekülen $(C_{10}H_{10})_3 \cdot AgBF_4$ in der Einheitszelle. Die drei Bullvalen-Molekeln sind um das zentrale Ag$^\oplus$-Ion angeordnet und nehmen Positionen um eine pseudo-dreizählige Symmetrieachse durch das Ag$^\oplus$-Ion ein. 12 verschiedene mögliche Ag$^\oplus$-C (Olefin)-Bindungsabstände zwischen 2,43 und 3,47 Å sind vorhanden. Die Art der Komplexbildung zwischen Ag$^\oplus$ und den olefinischen Bindungen unterscheidet sich für die drei Bullvalen-Moleküle. Aus den Ergebnissen der Röntgenstrukturanalyse sind keine Hinweise dafür abzuleiten, daß andere tautomere Formen des Bullvalens die gleichen kristallographischen Positionen in einigen Einheitszellen besetzen. Für den vorliegenden Silber-Bullvalen-Komplex muß angenommen werden, daß die schnelle Selbstumlagerung des Bullvalens im festen Zustand interessanterweise effektiv eingefroren ist[4].

Vorläufige Röntgenstudien an anderen bekannt gewordenen Ag$^\oplus$/Bullvalen-Komplexen[2] haben ergeben, daß sich diese durch einen recht geringen Grad an Kristallinität auszeichnen, was möglicherweise als eine Folge einer kristallographischen Fehlordnung bezüglich der Bullvalen-Tautomeren anzusehen ist[4].

---

[1] M. SAUNDERS, Tetrahedron Letters **1963**, 1699.
[2] A. ALLERHAND u. H. S. GUTOWSKY, Am. Soc. **87**, 4092 (1965).
[3] J. B. LAMBERT, Tetrahadron Letters **1963**, 1901.
[4] M. G. NEWTON u. I. C. PAUL, Am. Soc. **88**, 3161 (1966).

Bullvalen wurde auch im festen Zustand kernresonanzspektroskopisch untersucht[1]. Das Breitlinienresonanzexperiment zeigte, daß bei $\sim 0°$ die Linienbreite[2] allmählich verringert wird und mit steigender Temperatur weiterhin kleiner wird.

Die Verringerung der Linienbreite kann einer molekularen Bewegung im Festkörper zugeschrieben werden, die die direkte Dipol-Dipol-Wechselwirkung der Wasserstoffkerne mittelt. Im Fall des Bullvalens kann diese Bewegung einer Reorientierung um die Molekülachse entsprechen oder auch einer möglichen Valenzisomerisierung ähnlich der in Lösung beobachteten zugeschrieben werden. Das beobachtete 2. Moment von 10 Gauß[2] des Spektrums bei –33° stellt einen vernünftigen Wert für ein starres Gitter dar. Bei einer Temp. von +83° ist das 2. Moment auf 5 Gauß[2] reduziert. Dieser Wert ist größer als der, den man für eine allgemeine Reorientierung der Molekeln im Kristallgitter erwarten würde. Nimmt man an, daß der Prozeß, der die Linienbreite verringert, ein aktivierter Prozeß ist, so kann die Aktivierungsenergie[3] aus der Temperaturabhängigkeit der Linienbreite ermittelt werden. So ergibt sich ein Wert von 9,2 Kcal/Mol für die Aktivierungsenergie und von $0,2 \cdot 10^{12}$ sec^{-1} für den Frequenzfaktor[1]. Diese Werte sind durchaus vergleichbar mit denen, die für den flüssigen Zustand ermittelt wurden[4].

Falls der oben erwähnte Linienbreiten-Übergang bei $\sim 0°$ tatsächlich einer Reorientierung zuzuordnen wäre, dann wäre es denkbar, daß das Bullvalen zu einer besonderen Klasse von Festkörpern, den sogenannten „plastic crystals'', gehören würde. Bei einem solchen Fall würde das Bullvalen einen Kristall-Kirstall-Übergang eingehen und die Hochtemperatur-Kristallform würde reorientiert werden[1].

Unterhalb 0° zeigt das Bullvalen eine recht große Relaxationszeit[1].

A. Herstellung

Kurz nach der theoretischen Vorhersage des *Bullvalens*[5,6] gelang G. SCHRÖDER die Synthese[7] dieses Kohlenwasserstoffs. Aus einem Dimeren des Cyclooctatetraens[8] I (s. a. S. 573) wurde bei UV-Bestrahlung neben Benzol das *Bullvalen* (II; $\sim 80\%$ d. Th.) erhalten[7]:

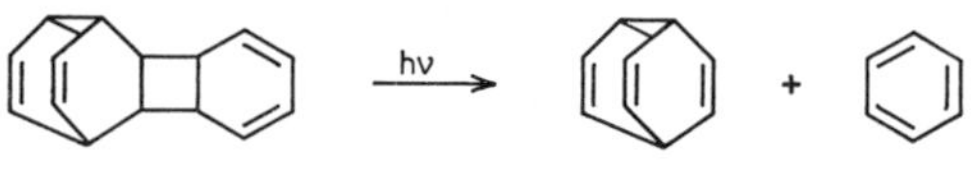

I
(F: 76°)

II
(F: 96°)

Bullvalen[9]:

In einem 1-*l*-Dreihalskolben, versehen mit Magnetrührer, Rückflußkühler, Anschluß für Reinstickstoff und einer UV-Tauchlampe (Philips, HPK, No. 57203B, 125 W) mit Quarzkühlmantel für Wasser, werden 22 g Pentacyclo[9.3.2.0^{2,9}.0^{3,8}.0^{10,12}]hexadecatetraen-(4,6,13,15) (I; F: 76°)[10] in 900 *ml* absol. und dest. Äther gelöst. Die klare Lösung wird 24 Stdn. bestrahlt. Je nach Reinheitsgrad des dimeren Cyclooctatetraens färbt sich dabei die Lösung schwach gelb

[1] J. D. GRAHAM u. E. R. SANTEE, Am. Soc. **88**, 3453 (1966).
[2] Mit Linienbreiten sind hier die Abstände der Maxima von den Minima der Ableitungen der Absorptionskurven gemeint.
[3] H. S. GUTOWSKY u. G. E. PAKE, J. chem. Physics **18**, 162 (1950).
[4] A. ALLERHAND u. H. S. GUTOWSKY, Am. Soc. **87**, 4092 (1965).
[5] W. v. E. DOERING u. W. R. ROTH, Ang. Ch. **75**, 27 (1963).
[6] W. v. E. DOERING u. W. R. ROTH, Tetrahedron **19**, 715 (1963).
[7] G. SCHRÖDER, Ang. Ch. **75**, 722 (1963), B. **97**, 3140 (1964).
[8] G. SCHRÖDER, Ang. Ch. **75**, 91 (1963); B. **97**, 3131 (1964).
[9] G. SCHRÖDER, B. **97**, 3140 (1964).
[10] G. SCHRÖDER, B. **97**, 3131 (1964).
   s. die Arbeitsvorschrift auf S. 573.

(rein) bis schwach rotbraun. Der Äther wird über eine Kolonne abdestilliert. Ätherreste sowie das bei der Reaktion entstandene Benzol zieht man anschließend bei 20 Torr und einer Badtemp. bis ~40° in einer möglichst kleinen Destillationsapparatur mit Kühlfalle vorsichtig ab. Die Benzol/Äther-Lösung wird nochmals destilliert (lt. IR-Spektrum ist die Fraktion mit Kp: 75—80° Benzol). Der kristalline, etwas ölige und relativ leicht flüchtige Rückstand wird 2 mal bei 1—14 Torr sublimiert (Ölbadtemp. zwischen 40 und 60°; Ausbeute: 10,5 g; 75% d. Th.); F: 93—95°; nochmals aus Äthanol umkristallisiert und sublimiert; F: 95—96°.

In Zusammenhang mit der Synthese des Bullvalens aus einem Cyclooctatetraen-Dimeren[1,2] ist es durchaus von Interesse, nach dem Mechanismus der Dimerisation des Cyclooctatetraens zu fragen. Frühere Deutungsversuche[2,3] basierten auf einer unzutreffenden Struktur des Dimeren III und sind somit derzeit nicht mehr haltbar. Im Sinne einer neueren Arbeitshypothese wird der Mechanismus wie folgt interpretiert[4]:

Der Primärschritt, der einer thermischen 1,2/1,2-Cycloaddition analog ist[5], führt zum Biradikal II. Bei der weiteren Reaktion dieses Biradikals kommt es zu einer Verzweigung. Dabei bedarf es einer relativ geringen Aktivierungsenergie zur Bildung des Dimeren III, eines symmetrischen tricyclischen Körpers mit *all-cis*-Konfiguration des alicyclischen Vierringes[6]. III entsteht gegenüber allen anderen dimeren Verbindungen bevorzugt[7]. Andererseits zerfällt II entweder reversibel in zwei Moleküle Cyclooctatetraen, oder aber es lagert sich irreversibel über die angenommenen Zwischenstufen IIa, IV und V in VI um. Für diese Deutung spricht ein experimenteller Befund: Beim Erhitzen von reinem III auf ~ 100° entstehen

① Cyclooctatetraen, das unter geeigneten Reaktionsbedingungen (schwach verminderter Druck) im Augenblick des Entstehens sofort aus dem Reaktionsgefäß entfernt wird, und

② das Dimere VI.

Damit wäre gezeigt, daß III ein Vorläufer von VI sein könnte:

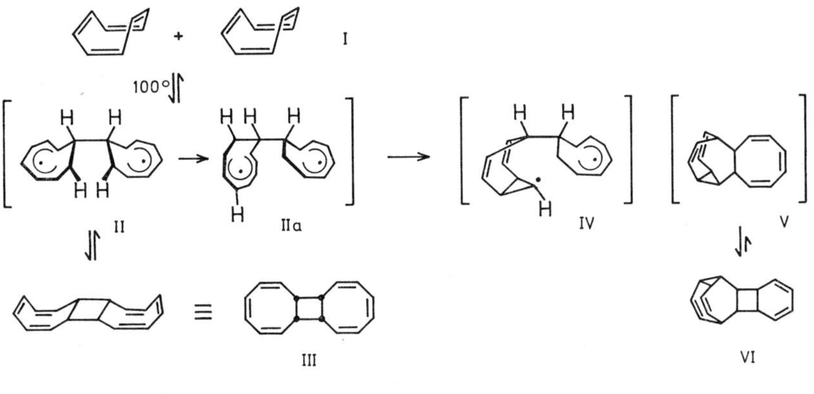

Später gelang auch die Synthese des *Bullvalens* auf einem anderen Wege[9]. Im Zuge dieses Synthese-Verfahrens wurden weitere Verbindungen mit fluktuierender Struktur ebenfalls zugänglich. Ausgehend vom Diazoketon II (S. 536), hergestellt aus der gut

[1] G. SCHRÖDER, Ang. Ch. **75**, 722 (1963).
[2] G. SCHRÖDER, B. **97**, 3140 (1964).
[3] G. SCHRÖDER in „*Cyclooctatetraen*", Verlag Chemie, Weinheim/Bergstr., 1965.
[4] G. SCHRÖDER u. J. F. M. OTH, Ang. Ch. **79**, 458 (1967).
[5] Vgl. J. D. ROBERTS u. C. M. SHARTS, Org. Reactions **12**, 1 (1962).
[6] G. SCHRÖDER u. W. MARTIN, Ang. Ch. **78**, 117 (1966).
[7] G. SCHRÖDER u. W. MARTIN, s. Zitat 5.
[8] B. FLÜGEL, Diplomarbeit, Technische Hochschule Karlsruhe, 1964.
[9] W. v. E. DOERING et al., Tetrahedron **23**, 3943 (1967).

zugänglichen Cycloheptatrienyl-(7)-essigsäure (I)[1,2] sollte durch kupferkatalysierte Zersetzung unter Cyclisierung[3,4] 9-Oxo-tricyclo[3.3.2.0^{4,6}]decadien-(2,7) (Bullvalon; III) hergestellt werden. Anstelle von III kam es jedoch zur Bildung des isomeren Ketons[5] IV:

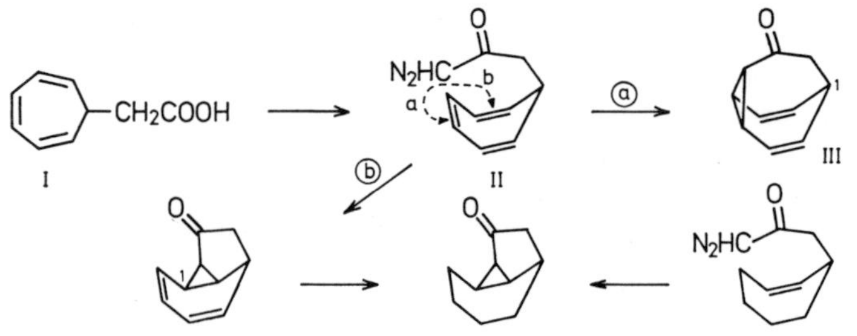

I —CH₂COOH ⟶ II ⟶(ⓐ) III

IV; 8-Oxo-tricyclo [7.1.0.0^{6,10}]deca- dien-(2,4)

V; 8-Oxo-tricyclo [7.1.0.0^{6,10}]decan

VI

Durch spektroskopische Untersuchungen und präparative Umsetzungen konnte die Struktur dieses Ketons gesichert werden[5].

Das gegenüber III um eine Methylen-Gruppe ärmere *9-Oxo-tricyclo[3.3.1.0^{4,6}]nona-dien-(2,7)* (Barbaralon; VIII; s. a. S. 530) konnte jedoch in ähnlicher Weise aus 7-Diazo-acetyl-cycloheptatrien (VII) erhalten werden:

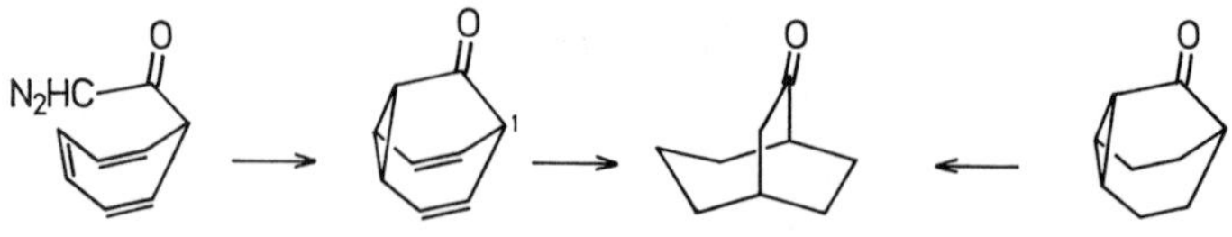

VII   VIII   IX   X

Der chemische Beweis für die Struktur von VIII ergab sich aus der katalytischen Hydrierung, bei der zwei Ketone erhalten wurden[5]. Das eine Keton konnte als *6-Oxo-bicyclo[3.2.2]nonan* (IX) charakterisiert werden, das sich gleichfalls bei der katalytischen Hydrierung von 9-Oxo-tricyclo[3.3.1.0^{4,6}]nonan (X) bildete. Eine Alter-nativstruktur für IX, etwa das 9-Oxo-bicyclo[3.3.1]nonan, konnte wegen des in basischen Medium beobachteten H/D-Austausches ausgeschlossen werden[5]. Einige der Eigenschaften von VIII in Hinblick auf das Homotropiliden- bzw. Bullvalen-Problem sind bereits auf S. 530 f. beschrieben worden. Um zu entscheiden, ob die Art des Substituenten in 9-Stellung des Tricyclo[3.3.1.0^{4,6}]nonadien-(2,7)-Systems (XI, S. 537) als hauptsächlicher Faktor für die sehr hohe Umlagerungsgeschwindigkeit des *9-Oxo-tricyclo[3.3.1.0^{4,6}]nonadiens-(2,7)* (s. S. 537) anzusprechen ist, wurden u.a. die *9-Hydroxy-* und *9-Chlor-*Derivate sowie das entsprechende *Äthylendimercapto-*Deri-vat hergestellt[5]. Alle drei Verbindungen gehen die Divinyl-cyclopropan-Umlagerung mit vergleichbaren Geschwindigkeiten ein. Derzeit stehen die Ergebnisse eines sorg-fältigen quantitativen Vergleichs noch aus[5]. Zum anderen wurde auch versucht, das sich von XII und XIII ableitbare Carbenium-Ion XV (S. 537) auf Anzeichen von fluk-

[1] M. E. VOLPIN, I. S. AKHREM u. D. N. KURSANOV, Izv. Akad. SSSR 1501 (1957).
[2] K. CONROW, Am. Soc. **81**, 5461 (1959).
[3] G. STORK u. J. FICINI, Am. Soc. **83**, 4678 (1961).
[4] W. v. E. DOERING, E. T. FOSSEL u. R. L. KAYE, Tetrahedron **21**, 25 (1965).
[5] W. v. E. DOERING et al., Tetrahedron **23**, 3943 (1967).

tuierendem Charakter und anchimeren Effekten hin zu prüfen. Alle Versuche zur Beobachtung dieses Carbenium-Ions scheiterten; selbst das Tosylat von XII zeigt schon
eine hohe Reaktivität[1]:

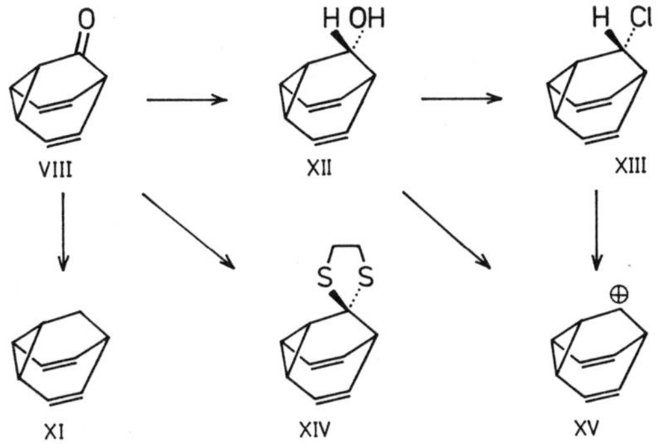

Die nächste Stufe dieser Bullvalen-Synthese besteht in einer Ringerweiterung des
9-Oxo-tricyclo[3.3.1.0^{4,6}]nonadiens-(2,7) (Barbaralon-System; VIII)[1]. Die in klassi-
scher Weise mit Diazo-methan vorgenommene Ringerweiterung führt zu einem $\sim 1:1$-
Gemisch des gewünschten Ketons III und eines Aldehyds XVI[1,2]. Versuche, die Ausbeute an III durch Reaktion von Diazomethan mit dem Kondensationsprodukt von
VIII und Malonsäure-dinitril im Sinne der Bastús-Methode[3] zu erhöhen, brachten
keinen nennenswerten Erfolg[1]. Durch chemische und spektroskopische Untersuchungen konnte die Struktur von III gesichert werden[1]. Die Überführung des Ketons in
das *Bullvalen* durch Reduktion mit Lithiumalanat verläuft über die Stufe des entsprechenden Carbinols. Das Carbinol wird durch Behandlung mit Essigsäure-anhydrid
in Pyridin in den flüssigen Essigsäureester XVII umgewandelt. Die Pyrolyse dieses
Esters bei Temperaturen um 345° führt schließlich zum *Bullvalen*[1]:

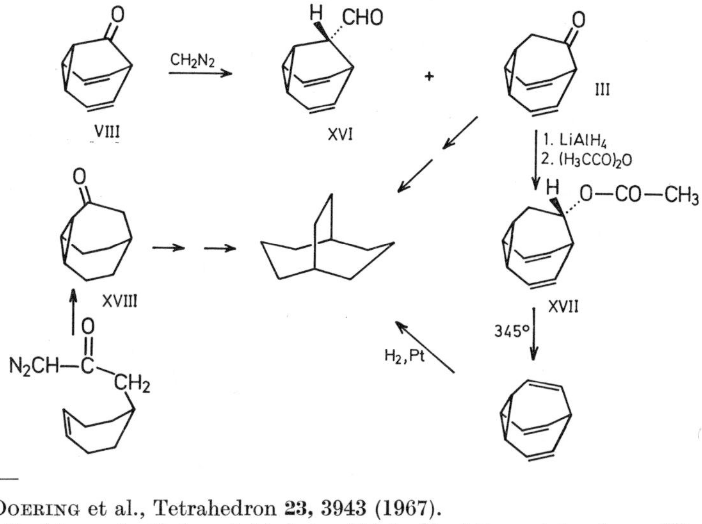

---

[1] W. v. E. Doering et al., Tetrahedron **23**, 3943 (1967).

[2] Da das IR-Spektrum des Rohprodukts keine Aldehydfunktion zeigt, nehmen W. v. E. Doering
et al.[1] an, daß sich der Aldehyd XVI im Zuge der verschiedenen Aufarbeitungsprozeduren
aus dem zu erwartenden Epoxid gebildet hat.

[3] J. B. Bastús, Tetrahedron Letters **1963**, 955.
Vgl. a. F. Wessely et al., Ang. Ch. **76**, 107 (1964).

Bullvalen: (vgl. Formeln und Text S. 537, 538)

Cycloheptatrien-7-carbonsäure-chlorid[1]: Diese Ausgangssubstanz wird zweckmäßigerweise nach der von M. J. S. Dewar u. R. Pettit[2] beschriebenen Methode hergestellt. Versuche, die photochemische Erzeugung des Cycloheptatrien-7-carbonsäure-äthylesters[3] durch eine thermische Reaktion von Diazoessigsäure-äthylester in Benzol zu ersetzen[4], waren nicht erfolgreich[1]. Im Temperaturbereich von 120—126° ist die Reaktion in ihrem Verlauf sehr langsam. Im Bereich zwischen 130 und 139° werden auch beträchtliche Mengen an β- und γ-Isomeren gebildet. Reine Cycloheptatrien-7-carbonsäure kann nur durch Reinigung über das Amid erhalten werden.

Man bestrahlt Lösungen von 50 g Diazoessigsäure-äthylester in 5 l trockenem Benzol mit GENERAL ELECTRIC RS-Sunlamps in Pyrexglas-kolben, die mit strömendem Wasser gekühlt werden[2,3,5]. Nach 3—4 Tagen werden die Lösungen farblos und die Stickstoff-Entwicklung ist dann abgeschlossen. Vier vereinigte Ansätze werden schließlich aufgearbeitet. Nach Entfernung des überschüssigen Benzols durch Destillation, wird der Rückstand einer Wasserdampf-Destillation unterworfen und das Destillat ($\sim$ 7,5 l) 3 mal mit je 300 ml Äther extrahiert. Die Vakuumdestillation liefert dann 88 g (31% d. Th.) Cycloheptatrien-7-carbonsäure-äthylester; Kp$_6$: 85-86°. Über die Stufe der reinen Carbonsäure kann man das Carbonsäure-chlorid erhalten[2].

7-Diazoacetyl-cycloheptatrien[1]: Zu einer ätherischen Lösung von Diazomethan (bei 0° aus 42 g N-Nitroso-N-methyl-harnstoff, 160 ml 50%ige wäßrige Kalilauge und 650 ml Äther bereitet, über Kaliumhydroxid-Pillen getrocknet und anschließend destilliert) fügt man tropfenweise unter Rühren 14 g des Carbonsäure-chlorids (in 60 ml wasserfreiem Äther gelöst) in einem Zeitraum von 45 Min. zu. Dabei wird die Mischung auf 0° gehalten. Nach 12 stdgm. Stehenlassen bei 4° wird filtriert und unter vermindertem Druck konzentriert. Es resultiert dann das Diazoketon in Form eines gelben Öls.

9-Oxo-tricyclo[3.3.1.0^{4,6}]nonadien-(2,7)[1]: Ohne weitere Reinigung kann das Diazoketon direkt für die Zersetzung benutzt werden. Hierzu wird das Diazoketon in 80 ml wasserfreiem Benzol und 80 ml trockenem Hexan gelöst und die Lösungen anschließend halbiert. Diese Lösungen werden jeweils tropfenweise in eine kräftig gerührte und siedende Suspension von 16 g wasserfreiem Kupfer(II)-sulfat in 160 ml Hexan (unter Stickstoff) während 45 Min. eingetragen. Danach wird noch eine 1 Stde. unter Rückfluß gekocht. Die obenstehende Lösung wird vom Rückstand abdekantiert, der anschließend mit Aceton gewaschen wird. Die Lösungen werden dann vereinigt und auf $\sim$ 80 ml durch Destillation konzentriert. Dieses Destillat wird mit drei 100-ml-Portionen Äther extrahiert. Die ätherischen Extrakte werden über Magnesiumsulfat getrocknet und auf $\sim$ 50 ml eingeengt. Nach Abkühlung auf –70° kommt es zur Kristallisation. Die Kristalle werden auf einer auf –70° gekühlten Glasfritte scharf abgesaugt, aus Pentan umkristallisiert und sublimiert; Ausbeute: 1,6–3,5 g; F: 40–48°; F: 53,5° (aus Wasser).

9-Oxo-tricyclo[3.3.2.0^{4,6}]decadien-(2,7)[1]: Zu einer Lösung von 1,8 g 9-Oxo-tricyclo [3.3.1.0^{4,6}]nonadien-(2,7) in 36 ml Methanol werden bei 0° 120 ml einer Diazomethan-Lösung gegeben, die aus 8 g N-Nitroso-N-methyl-harnstoff, 14 ml wäßrige Kaliumhydroxid-Lösung und 130 ml Äther bereitet und einige Min. über Kaliumhydroxid-Pillen getrocknet worden ist. Die Reaktionsmischung läßt man dann 18 Stdn. im Eisbad stehen. Danach wird die Reaktionslösung zunächst unter vermindertem Druck auf $\sim$ 80 ml eingedampft. Daran schließt sich eine Destillation an, wobei eine Füllkörperkolonne mit hohem Rücklaufverhältnis zu verwenden ist. Die Badtemp. soll hierbei nicht 135° übersteigen. 3—4 ml Methanol werden schließlich durch kurzes Evakuieren entfernt. Die erhaltenen 2 g des Rohprodukts werden zweckmäßigerweise durch präparative Gaschromatographie in *9-Formyl-tricyclo[3.3.1.0^{4,6}]nonadien-(2,7)* und *9-Oxotricyclo[3.3.2.0^{4,6}]decadien-(2,7)* aufgetrennt. Gaschromatographiebedingungen: Temp. des Einspritzblocks = 175°; Säulenlänge = 1,50 m; Säulenmaterial: 20% Diäthylenglykolsuccinat auf Chromosorb W. Zunächst werden 484 mg (24% d. Th.) *9-Formyl-tricyclo[3.3.1.0^{4,6}]nonadien-(2,7)*

[1] W. v. E. Doering et al., Tetrahedron **23**, 3943 (1967).

[2] M. J. S. Dewar u. R. Pettit, Soc. **1956**, 2021.

[3] W. v. E. Doering u. D. W. Wiley, Tetrahedron **11**, 183 (1960).

[4] C. Grundmann u. G. Ottmann, A. **582**, 163 (1953).

[5] Diese Art der Bestrahlungsmethode wurde von L. K. Knox, Hickrill Chemical Research Foundation, Katonah, N. Y., 1949 entwickelt.

Vgl. a.: G. O. Schenk u. H. Ziegler, Naturwiss. **38**, 356 (1951); A. **584**, 221 (1953).

G. O. Schenk, Z. El. Ch. **55**, 505 (1951); Ang. Ch. **64**, 12 (1952).

und danach 500 mg (25% d. Th.) *9-Oxo-tricyclo[3.3.2.0⁴,⁶]decadien-(2,7)* erhalten; F: 36—37° (aus Pentan).

Bullvalen[1]:

9-Hydroxy-tricyclo[3.3.2.0⁴,⁶]decadien-(2,7): Eine Lösung von 50 mg *9-Oxo-tricyclo[3.3.2.0⁴,⁶] decadien-(2,7)* in 0,5 *ml* Äthanol wird bei 0° zu 60 mg Natriumborhydrid in 1,5 *ml* Äthanol gegeben. Innerhalb von 18 Stdn. läßt man langsam auf Raumtemp. aufwärmen. Nach Abdampfen des Alkohols wird mit 3 *ml* 20%iger wäßriger Natriumcarbonat-Lösung behandelt, 10 Min. auf 55° erwärmt und 2 mal mit je 5 *ml* Äther extrahiert. Nach Entfernen des Lösungsmittels erhält man 29 mg des Alkohols.

9-Acetoxy-tricyclo[3.3.2.0⁴,⁶]decadien-(2,7): Eine Lösung von 25 mg des 9-Hydroxy-Derivats in 0,25 *ml* Pyridin wird mit 0,1 *ml* Essigsäure-anhydrid gemischt und 15 Min. bei 130° unter Rückfluß gekocht. Danach wird die Mischung in 2,5 *ml* Wasser gegossen, 15 Min. stehen gelassen und 3 mal mit je 1 *ml* Äther extrahiert. Nach dem Trocknen und Entfernen des Solvens werden 22,5 mg des Esters in Form eines nicht-kristallisierenden Öls gewonnen.

Bullvalen[1]: Die Pyrolyse des Esters *9-Acetoxy-tricyclo[3.3.2.0⁴,⁶]decadien-(2,7)* wird am besten in einer 5,5 cm langen und 7 mm dicken (innerer ∅) Pyrex-Apparatur, die mit Quarzglaskörpern gefüllt und elektrisch beheizbar ist, durchgeführt. Unter Stickstoff (0,6 cm³/sec) werden am oberen Ende der Apparatur langsam die Anteile der 10%igen ätherischen Lösung des Esters eingetropft. Die Pyrolyseprodukte werden am unteren Ende in einer Trockeneis-Kühlfalle aufgefangen. Bei einer Innentemp. von 345° werden als Hauptprodukte *Bullvalen* und *cis-9,10-Dihydronaphthalin* gebildet. Die Trennung kann durch präparative Gaschromatographie erfolgen (Carbowax/Kieselgur-Säule).

In der Endstufe der oben beschriebenen Bullvalen-Synthese wird Essigsäure unter Bedingungen, die denen der Bullvalen-Umwandlung in Naphthalin ähneln[2], pyrolytisch aus 9-Acetoxy-tricyclo[3.3.2.0⁴,⁶]decadien-(2,7) eliminiert[3,4]. Um die Ausbeute dieser Eliminierung zu steigern, wurde das thermische Verhalten von *Bullvalen* eingehender studiert[4].

Überraschenderweise wurde dabei als erstes isolierbares Produkt der thermischen Reorganisation des Bullvalens (I, S. 540) das *cis-9,10-Dihydro-naphthalin* (II)[5] erkannt, das durch Vergleich der Kernresonanz- und Ultraviolett-Spektren mit denen einer authentischen Probe[6] identifiziert werden konnte[4]. Wird I bei 350° in einer Strömungsapparatur partiell zersetzt, so ist II das einzige zu beobachtende Produkt. Erhitzt man auf 359° bei längerer Verweilzeit oder gleich auf 400°, so bilden sich drei weitere Verbindungen auf Kosten von II. Diese Produkte, die ihrerseits bei 400° stabil sind, werden im ungefähren Verhältnis 4 : 2 : 1 gebildet, und sind *1,4-, 1,2-Dihydro-naphthalin* und *Naphthalin*, wie durch Vergleich der NMR- und IR-Spektren mit denen von authentischen Proben[7,8] bewiesen werden konnte. Diese Produkte werden in nahezu gleichen Verhältnissen gebildet, wenn das *cis*-9,10-Dihydro-naphthalin (II) selbst bei 396° erhitzt wird[9]; d.h. diese Produkte sind nicht Folgeprodukte einer thermischen Reorganisation des Bullvalens, sondern einer des *cis*-9,10-Dihydro-naphthalins:

[1] W. v. E. DOERING et al., Tetrahedron **23**, 3943 (1967).
[2] G. SCHRÖDER, B. **97**, 3140 (1964).
[3] W. v. E. DOERING, B. M. FERRIER u. G. KLUMPP, s. Zitat bei: G. SCHRÖDER, J. F. M. OTH u. R. MERÉNYI, Ang. Ch. **77**, 774 (1965).
[4] W. v. E. DOERING u. J. W. ROSENTHAL, Am. Soc. **88**, 2078 (1966).
[5] W. v. E. DOERING u. G. KLUMPP, s. Zitat 3.
[6] E. E. VAN TAMELEN u. B. PAPPAS, Am. Soc. **85**, 3296 (1963).
[7] E. S. COOK u. A. J. HILL, Am. Soc. **62**, 1995 (1940).
[8] F. STRAUS u. L. LEMMEL, B. **54**, 25 (1921).
[9] VAN TAMELEN u. PAPPAS[6] berichten nur von der Bildung von Naphthalin bei der Zersetzung von 9,10-Dihydro-naphthalin in Tetrachlormethan bei 150—200°.

Andererseits wurde eine Serie von **thermischen Umlagerungen** zum Zwecke einer Bull-valen-Synthese in Betracht gezogen, bei der das Tricyclo[4.2.2.0²,⁵]decatrien-(3,7,9) (III)[1], möglicherweise über Bicyclo[4.2.2]decatetraen-(2,4,7,9) (IV; Spaltung des Cyclobutenringes in III) und das *Tetracyclo[4.4.0.0²,¹⁰.0⁵,⁷]decadien-(3,8)* (V; intramolekulare Diels-Alder-Reaktion) in *Bullvalen* (durch homolytische Spaltung der C—C-Bindungen 1, 2 und 6,7 in V und Bildung der C—C-Bindung 4,7) umgelagert werden könnte. Hierbei kam es jedoch zunächst nicht zur Bildung von Bullvalen[2,3].

Die Wiederholung der thermischen Untersuchungen in einer Strömungsapparatur führte zu interessanten Ergebnissen[4]. Bei 301° wird in partieller Zersetzung 1,2-Dihydro-naphthalin (10 Tle.), 9,10-Dihydro-naphthalin (3 Tle.) und *cis*-1-Phenyl-butadien-(1,3)[5] (2 Tle.) erhalten. Bei 354° und höherer Umwandlungsrate werden die gleichen Produkte im Verhältnis 7 : 4 : 2 gebildet. Bei 404° wird das Phenylbutadien nicht mehr beobachtet und Naphthalin sowie 1,4-Dihydro-naphthalin entstehen auf Kosten von 9,10-Dihydro-naphthalin. Möglicherweise spielt bei diesen Umlagerungen V eine wesentliche Rolle: durch Spaltung der Kohlenstoff-Kohlenstoff-Bindungen 5,7 und 2,10 könnte II entstehen[5,6]. Für die thermische Reorganisation von I in II könnte VI als Zwischenstufe in Frage kommen: Spaltung der C—C-Bindungen 4,8 und 1,7 und anschließende Umwandlung in II über ein Cyclodecapentaen. VI entsteht möglicherweise aus I durch eine Umlagerung vom Vinyl-cyclopropan-Typ (s. S. 597 ff.) in Analogie zur thermischen Reorganisation von Bicyclo[5.1.0]octadien-(2,5) bei 305° zu Bicyclo[3.3.0]octadien-(2,6)[7].

Photochemisch konnte *cis*-9,10-Dihydro-naphthalin dann in *Bullvalen* über-führt werden[4,8]. Die Bestrahlung von *cis*-9,10-Dihydro-naphthalin in entgastem Pen-tan bei 0° (15 Stdn.) führt zu einer Mischung von vier Produkten, die gaschromatogra-phisch getrennt werden konnten. Das auffallendste Produkt wurde durch das IR-Spektrum als *Bullvalen* charakterisiert. Als zweites Produkt wurde Naphthalin er-kannt[4]. Später konnte auch das dritte Produkt aufgeklärt werden[8]: es erwies sich aufgrund der NMR-, UV- und IR-Spektren als identisch mit dem Hauptprodukt der

[1] M. AVRAM, E. SLIAM u. C. D. NENITZESCU, A. **636**, 184 (1960).

[2] W. v. E. DOERING u. M. JONES, s. Zitat 4.

[3] In einer Paralleluntersuchung erhitzten C. D. NENITZESCU et al.[9] Tricyclo[4.2.2.0²,⁵]deca-trien-(3,7,9) 2 Stdn. bei 300° und erhielten Naphthalin(48%), 1,2-Dihydro-naphthalin (27%) und Tetrahydronaphthalin (25%). Als Zwischenstufe wurde Tricyclo[4.4.0.0²,⁵]decatrien-(3,7,9) angenommen.

[4] W. v. E. DOERING u. J. W. ROSENTHAL, Am. Soc. **88**, 2078 (1966).

[5] Ein ähnliches Schema wurde von G. SCHRÖDER, B. **97**, 3140 (1964), für die Bildung von Naphthalin aus Bullvalen bzw. für die Umwandlung von Cyclooctatetraen in das Dimere vom Schmelzpunkt 76° diskutiert.

[6] V konnte inzwischen im photostationären Kohlenwasserstoff-Gemisch, das bei der Tieftempe-ratur-Photolyse von Bullvalen entsteht, auf 40–50% angereichert werden[10,11]; über einen stabilen Bis-[tricarbonyleisen]-Komplex wurde unlängst berichtet[12].

[7] M. JONES, private Mitteilung an W. v. E. DOERING, s. W. v. E. DOERING u. J. W. ROSENTHAL, Am. Soc. **88**, 2078 (1966).

[8] W. v. E. DOERING u. J. W. ROSENTHAL, Tetrahedron Letters **1967**, 349.

[9] C. D. NENITZESCU et al., Acad. Rep. Populare Romine Studii Ceretari Chim. (Filiala Bucaresti), **11** (1), 7 (1963).

[10] S. MASAMUNE et al., Am. Soc. **92**, 6641 (1970).

[11] M. JONES et al., Am. Soc. **92**, 3118 (1970).

[12] R. AUMANN, Ang. Ch. **83**, 176 (1971).

Zersetzung des p-Tosylhydrazons von 9-Formyl-bicyclo[6.1.0]nonatrien(2,4,6)[1,2], dem die Struktur eines Bicyclo[4.2.2]decatetraens-(2,4,7,9) (II) zugeschrieben wurde[1]:

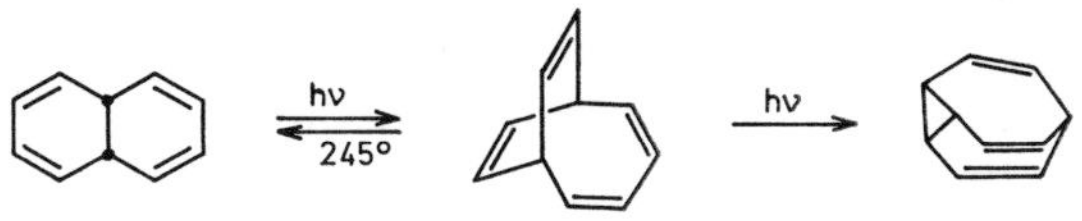

Zum anderen wurde gezeigt, daß Bicyclo[4.2.2]decatetraen-(2,4,7,9) (II) in hohen Ausbeuten durch UV-Bestrahlung in *Bullvalen* (III) überführt werden kann[1-3]. Bestrahlt man z. B. eine Pentan-Lösung von II in einer Pyrexapparatur mit UV-Licht[4], so erhält man bereits nach 2,5 Stdn. 20% d. Th. *Bullvalen* und nach 15 Stdn. 80% d. Th.[3]. Wird die Photolyse in einer Quarzapparatur unter Verwendung einer 10 W-Niederdruck-Quecksilberlampe durchgeführt, so ergeben sich 66% d. Th. III neben 33% zurückgewonnenem Bicyclo[4.2.2]decatetraen-(2,4,7,9) (II) und einer Spur ($\sim$1%) von nicht identifiziertem Material[3].

Führt man die Bestrahlung von *cis*-9,10-Dihydro-naphthalin (I) in einer Pyrexapparatur durch und unterbricht nach gegebener Zeit, so läßt sich II in 26%iger Ausbeute neben 24% *cis*-9,10-Dihydro-naphthalin und 10% *Bullvalen* isolieren[3,4]. Diese Methode ist besonders zur Synthese geringer Mengen von Bicyclo[4.2.2]decatetraen-(2,4,7,9) (II) geeignet, da I durch thermische Umlagerung von Bullvalen oder III (S. 541) zugänglich ist. In einer Quarzapparatur kann die schnelle Weiterisomerisierung von II zu III nur sehr schwer an einem optimalen Zeitpunkt unterbrochen werden.

Erhitzt man II bei 245° 4 Stdn. in An- oder auch Abwesenheit von Diphenyl-amin, so findet eine gut reproduzierbare Umlagerung zu *cis*-9,10-Dihydro-naphthalin (20%) und Naphthalin (80%) statt[3]. Damit muß auch Bicyclo[4.2.2]deca-tetraen-(2,4,7,9) zusammen mit *Bullvalen*, Tricyclo[4.2.2.0^{2,5}]decatrien-(3,7,9) (III, S. 540) 1,2-, 1,4- und *cis*-9,10-Dihydro-naphthalin dem Kollektiv isomerer $C_{10}H_{10}$-Kohlenwasserstoffe zugeordnet werden[5], deren ähnliche Energiehyperflächen wechsel-seitige thermische Überführungen gestatten.

Während die Thermolyse (80–90°) von *cis*-9,10-Dihydro-naphthalin-9,10-dicarbon-säure-dimethylester (I, S. 542)[6] ein komplexes Gemisch von isomeren 9,10-Dihydro-naphthalin-dicarbonsäure-dimethyl-estern liefert, führt die Photolyse von I zur Isolierung eines Bullvalen-Derivates[7]. Bei der Bestrahlung von I mit einer Queck-silber-Niederdrucklampe in Methanol entsteht neben Naphthalin-2,6-dicarbonsäure-dimethylester und einigen nicht rein isolierten Produkten ein Photoisomeres vom Schmelzpunkt 135–136° (Ausbeute: 10% d. Th.; UV-Spektrum: Endabsorption mit Schultern bei 222 mμ, $\varepsilon = 8800$ und 245 mμ, $\varepsilon = 6300$ in Methanol)[7]. Das Kern-resonanzspektrum erwies sich als temperaturabhängig, womit das Vorliegen eines Moleküls mit fluktuierender Struktur nahegelegt wurde[8].

Aus den Signalintensitäten des Tieftemperaturspektrums geht hervor, daß von den zwölf möglichen stellungsisomeren *Bullvalen-dicarbonsäure-dimethylestern* nur

[1] M. Jones u. L. T. Scott, Am. Soc. **89**, 150 (1967).
[2] P. Radlick u. W. Fenical, zitiert bei W. v. E. Doering u. J. W. Rosenthal, Tetrahedron Letters **1967**, 349.
[3] W. v. E. Doering u. J. W. Rosenthal, Tetrahedron Letters **1967**, 349.
[4] 275 W-General Electric -RS-Sonnenlampe.
[5] Vgl. hierzu: W. v. E. Doering u. J. W. Rosenthal, Am. Soc. **88**, 2078 (1966).
[6] E. Vogel, W. Meckel u. W. Grimme, Ang. Ch. **76**, 786 (1964).
[7] E. Vogel et al., Ang. Ch. **78**, 599 (1966).

(Fortsetzung s. S. 542)

solche (maximal vier Isomere) mit den Ester-Gruppen an den Doppelbindungen vorhanden sind. In Analogie zur Analyse der Spektren von *Bullvalencarbonsäuremethylester*[1, s.a. 2] und von disubstituierten Bullvalenen[3] kann man ableiten, daß das Isomere III mit einem Mindestanteil von 75% im Gleichgewicht vorherrscht.

cis-9,10-Dihydro-naphthalin-9,10-dicarbonsäure-anhydrid (IV)[4] wandelt sich bei Belichtung in Äther hauptsächlich in zwei photoisomere Anhydride A und B um. Die nur mit $\sim 90\%$ Reinheit erhaltene Verbindung A ist nach ihrem sehr einfachen Kernresonanzspektrum (bei 30° nur ein Signal bei 5,38 τ) als *Bullvalen-dicarbonsäure-anhydrid* anzusprechen[2]. Für diese Struktur spricht außerdem, daß A bei der Umsetzung mit methanolischer Salzsäure und nachfolgender Behandlung mit Diazomethan den *Bullvalen-dicarbonsäure-dimethylester* (II) liefert. Das Isomere B (F: 182–183°; UV-Spektrum mit $\lambda_{max} = 255$ mμ, $\varepsilon = 9100$ und Schulter bei 310 mμ, $\varepsilon = 1400$ in Methanol) zeigt ein Protonenresonanzspektrum mit Dublett bei 2,47 τ (2 Protonen), symmetrischem Multiplett (4 Protonen) bei $\tau = 4,22$ und einem 2 Protonen entsprechenden komplexen Multiplett bei 6,35 τ. Damit spricht das Spektrum für ein symmetrisches Molekül, dem aufgrund der Signalmultiplizitäten die Bicyclo [4.2.2]decatetraen-Struktur (VI) zugeschrieben wurde[2]. Für die Bildung von VI wurde der nachfolgende Bildungsweg angenommen[2]: photochemisch induzierte Isomerisierung (4+4-Cycloaddition)[5] von IV zum tetracyclischen System V und anschließende Umlagerung im Sinne einer Retrodiensynthese.

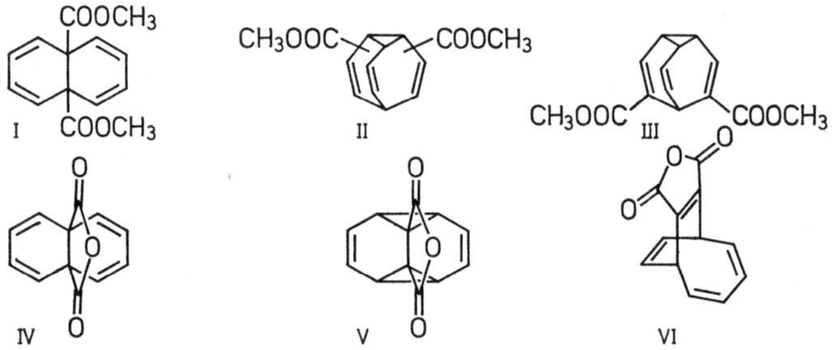

[1] G. SCHRÖDER, J. F. M. OTH u. R. MERÉNYI, unveröffentlicht; vgl. a. G. SCHRÖDER u. J. F. M. OTH, Ang. Ch. **79**, 458 (1967).

[2] E. VOGEL et al., Ang. Ch. **78**, 599 (1966).

[3] Vgl.: J. F. M. OTH et al., Tetrahedron Letters **1966**, 3377.

[4] E. VOGEL, W. MECKEL u. W. GRIMME, Ang. Ch. **76**, 786 (1964).

[5] Vgl. hierzu die von R. HOFFMANN u. R. B. WOODWARD quantenmechanisch abgeleiteten Auswahlregeln für synchron verlaufende Cycloadditionen: Am. Soc. **87**, 2046 (1965).

(Fortsetzung v. S. 541)

[8] Bei 30° zeigt das NMR-Spektrum lediglich ein scharfes Singulett bei 6,3 τ sowie zwei sehr breite Banden bei 4,3 und 6,4 τ mit Halbwertsbreiten von ~ 100 Hz mit den relativen Intensitäten 6 : 4 : 4. Bei $-50°$ wird die optimale Auflösung des Spektrums erreicht. An Stelle der breiten Banden erscheinen hier ein symmetrisches Signal bei 2,75 τ (2 olefinische Protonen), ein verbreitertes Dublett, zentriert bei 4,08 τ (2 weitere olefinische Protonen), ein verbreitertes Dublett bei 5,78 τ ($\sim 0,8$ Protonen), ein Multiplett, zentriert bei $\tau = 6,60$ ($\sim 0,7$ Protonen), sowie eine wenig aufgelöstes Signal bei $\tau = 7,35$ ($\sim 2,5$ Protonen). Außerdem findet man ein gegenüber dem Spektrum bei 30° nahezu unverändertes scharfes Signal bei 6,20 τ, das den sechs Methyl-Protonen der beiden Ester-Gruppen zugeordnet werden muß. Mit Ausnahme dieses Singuletts koaleszieren bei Temperaturerhöhung sämtliche Signale zunächst zu den bei Raumtemp. beobachteten breiten Banden und dann, oberhalb 55° zu einem einzigen Signal bei $\tau = 5,25$ (Halbwertsbreite bei 100° $\sim 4,5$ Hz).

Ein derartiges Temperaturverhalten des Spektrums beweist für das Photoisomere die Bullvalen-Struktur II; E. VOGEL et al., Ang. Ch. **78**, 599 (1966).

Von den beschriebenen Synthesen des Bullvalen-Skeletts dürfte diejenige mit Abstand präparativ am ergiebigsten sein, die sich die Bildung eines Homotropiliden-Systems bei der thermischen Dimerisierung des Cyclooctatetraens zunutze macht[1-3]. Nur diese Synthese erlaubt – unter der Voraussetzung, daß das Cyclooctatetraen in größeren Mengen leicht zugänglich ist – Bullvalen im 100 g-Maßstab frappierend einfach und mit einem Minimum an Arbeitsaufwand darzustellen.

B. Umwandlung

Bei der katalytischen Hydrierung über Palladium absorbiert Bullvalen vier Mole Wasserstoff entsprechend drei olefinischen Doppelbindungen und einem Cyclopropanring zum *Bicyclo[3.3.2]decan* (II). Wegen der dreizähligen Symmetrieachse ist es belanglos welche Bindung im Cyclopropanring des Bullvalens aufhydriert wird; es kann immer nur II entstehen.

Das Kernresonanzspektrum des $C_{10}H_{18}$-Kohlenwasserstoffes ist mit der Struktur II vereinbar: Bei 7,8 τ erscheinen ein Multiplett, bei 8,3 τ ein nicht vollkommen ausgebildetes Triplett und bei 8,4 τ ein weiteres Multiplett; die Intensitäten[4] verhalten sich wie 2:4:12.

Reduziert man I mit Natrium in flüssigem Ammoniak bei −75° und zersetzt mit Methanol, so wird *Bicyclo[3.3.2]decatrien-(2,6,9)* (III; F: 45°) erhalten. Die anschließende katalytische Hydrierung führt zu hochreinem II (F: 180°). Aus der Struktur (III, s.a. U.V-Spektren und Kernresonanzspektrum[4]) folgt, daß sich offenbar die Natriumatome bei der Birch-Reduktion in 2,6-Stellung an das Vinylcyclopropylsystem im Bullvalen addiert haben. Dieser Befund steht im Widerspruch zu Literaturangaben[6], wonach die Reaktion eines Vinylcyclopropyl-Derivates mit Natrium in

---

[1] G. SCHRÖDER, Ang. Ch. **75**, 722 (1963).

[2] G. SCHRÖDER, B. **97**, 3140 (1964).

[3] S. a. G. SCHRÖDER, B. **97**, 3131 (1964).

s. die Arbeitsvorschrift für das entsprechende Cyclooctatetraen-Dimere auf S. 573.

[4] G. SCHRÖDER, B. **97**, 3140 (1964).

Aufgrund des UV-Spektrums (nur Endabsorption, $\varepsilon_{209\,m\mu} = 3000$) liegt offensichtlich kein Homotropiliden-System vor; zum anderen müssen isolierte Doppelbindungen vorliegen. Im Kernresonanzspektrum werden zwei Protonen als symmetrisches Sextett bei $\tau = 4,2$, vier als Multiplett bei $\tau = 4,5$, zwei als Multiplett bei $\tau = 7,3$ und vier als Multiplett bei 7,8 τ gefunden. Das symmetrische Sextett bei 4,2 τ, das den Protonen an C-9,10 in III zukommen muß, war das hier entscheidende Strukturcharakteristikum; denn nur diese sind Brückenkopfprotonen benachbart, die untereinander identisch sind. Die Protonen an C-9 und C-10 koppeln mit denen an C-1 und C-5 und bilden zunächst ein AA′XX′-System.

[5] K. ALDER et al., B. **89**, 1972 (1956), synthetisierten II durch Ringerweiterung eines Bicyclo [3.2.2]nonan-Derivates (F: 162°).

[6] H. GREENFIELD, R. A. FRIEDEL u. M. ORCHIN, Am. Soc. **76**, 1258 (1954).

flüssigem Ammoniak/Methanol den alicyclischen Dreiring intakt läßt und nur die Doppelbindung reduziert.

Bei der Reaktion von *Bullvalen* mit Diimid[1] werden die drei olefinischen Doppelbindungen sukzessive hydriert[2]. Es ist nicht möglich, die Hydrierung auf der Stufe des *Dihydro-* und *Tetrahydro-bullvalens* abzubrechen; es liegen immer Gemische vor, deren Komponenten sich jedoch durch präparative Gaschromatographie abtrennen lassen. Das *Dihydrobullvalen* (*Tricyclo[3.3.2.0⁴,⁶]decadien-(2,7)*; IV, S. 543), konnte in kleinen Mengen rein isoliert werden und ist von besonderem Interesse, da es gleichfalls zu den Molekeln mit schneller und reversibler Valenzisomerisierung zu zählen ist[2] (s. S. 567 ff.). Wird Bullvalen mit einem großen Diimid-Überschuß reduziert, so wird in ~50%iger Ausbeute *Tricyclo[3.3.2.0⁴,⁶]decan* (V, S. 543) erhalten[2], das man formal auch als ein Trihomo-nortricyclen bezeichnen könnte.

Dieser Kohlenstoff, der mit 126° einen relativ hohen Schmelzpunkt hat, zeigt bezüglich seines IR- und auch NMR-Spektrums gewisse Ähnlichkeiten mit dem Nortricyclen. Im IR-Spektrum von V (S. 543) erscheinen charakteristische Banden bei 2980 und 718 cm⁻¹, wobei erstere den C—H-Valenzschwingungen am alicyclischen Dreiring, letztere in Analogie zum Nortricyclen (s. Bande bei 807 cm⁻¹) der sogenannten „cage-breathing"-Deformationsschwingung[3] zugeordnet wird[2]. Das NMR-Spektrum zeigt zwei Multipletts bei 7,9 bzw. 8,4 τ, die den zwölf Protonen der sechs Methylen-Gruppen und dem einen Brückenkopfproton zuzuordnen sind. Die verbleibenden drei cyclopropanischen Protonen absorbieren in Form eines wenig aufgespaltenen Multipletts bei 9,3 τ (s. Dreiringprotonen im Nortricyclen[4]: 9,0 τ).

Das Vorliegen eines Dreiringes im Bullvalen ließ sich zusätzlich noch durch eine Abbaureaktion beweisen[2]: Die Ozonolyse von I, nachfolgende Reduktion mit Natriumborhydrid und Veresterung des entstehenden, jedoch nicht isolierten Triols mit Essigsäure-anhydrid[5] ergaben in einer Gesamtausbeute von 53% d. Th. ein Triacetat $C_{12}H_{18}O_6$, das als *cis-1,2,3-Tris-[acetoxymethyl]-cyclopropan* (VI) charakterisiert werden konnte.

Bullvalen reagiert leicht und ohne tiefgreifende Umlagerungen mit typischen Doppelbindungsreagenzien, wie mit Diimid und Ozon bereits beschrieben wurde. So wird auch erklärlich, daß mit Dichlor-carben[6] und Osmium(VIII)-oxid/Mannit[7] die entsprechenden Reaktionsprodukte VII und VIII entstehen[2]:

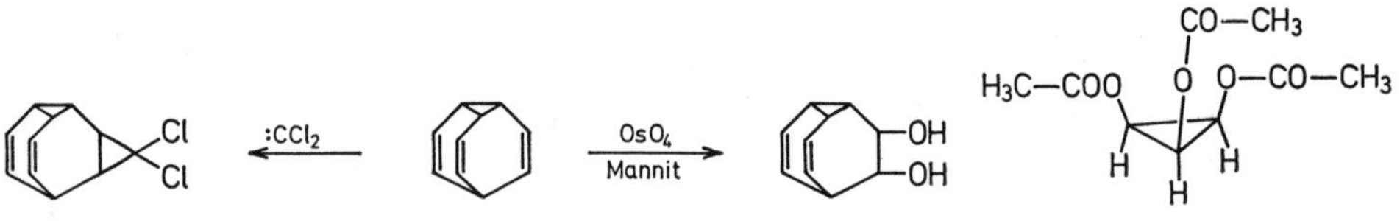

Im UV-Spektrum zeigen VII und VIII je eine Schulter bei 230 ($\varepsilon = 4200$) bzw. 232 mμ ($\varepsilon = 3000$), wodurch sich wiederum das überbrückte Homotropiliden-System zu erkennen gibt. Als Derivate des Homotropilidens fallen auch diese beiden Verbindungen in die Klasse der Moleküle mit schneller und reversibler Valenzisomerisierung und zeigen – wie erwartet – temperaturabhängige NMR-Spektren (s. a. S. 529)[2].

[1] Vgl. hierzu etwa: E. J. Corey et al., Tetrahedron Letters **1961**, 347.
    S. Hünig et al., Tetrahedron Letters **1961**, 353.
[2] G. Schröder, B. **97**, 3140 (1964).
[3] E. R. Lippincott, Am. Soc. **73**, 2002 (1951).
[4] R. Srinivasan, Am. Soc. **83**, 4923 (1961).
[5] Zur Methode s. A. J. Hubert, Soc. **1963**, 4088.
[6] W. v. E. Doering u. A. K. Hoffmann, Am. Soc. **76**, 6162 (1954).
[7] R. Criegee, B. Marchand u. H. Wannowius, A. **550**, 99 (1942).

Bullvalen zeichnet sich durch eine außergewöhnlich große thermische Stabilität aus. Es zerfällt erst bei Temperaturen um 400° und einer Reaktionsdauer von ~ 10 Min. in Naphthalin[1]. Diese Zerfallsreaktion ist über 9,10-Dihydro-naphthalin im Sinne von Gl. ① formuliert worden[1]:

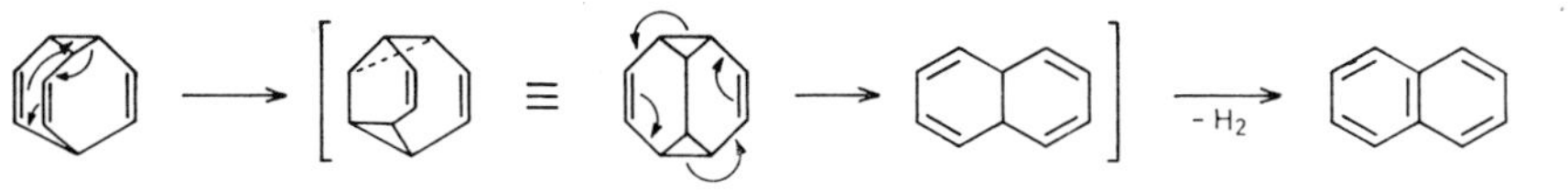

Da Bullvalen formal drei Arten von Wasserstoff enthält, tauchte sofort die Frage auf, welche C—H-Bindung soweit aktiviert sei, daß ein basenkatalysierter H/D-Austausch möglich werden könnte. Vom Bicyclo[3.2.2]nonadien-(6,8) (IX) war bekannt, daß die Verbindung im ROD/ROK-System Deuterium inkorporiert und daß dabei ausschließlich die olefinischen Wasserstoffe einen H/D-Austausch eingehen[2].

IX

In Analogie zu IX wurde daher angenommen, daß im Bullvalen ebenso die olefinischen Wasserstoffe die Stellen größter Acidität sind. Beim Bullvalen, dem idealen Molekül mit schneller und reversibler Valenzisomerisierung, sollte sich an der Doppelbindung eintretendes Deuterium sofort statistisch über die gesamte Molekel verteilen. Durch das Experiment wurde diese Voraussage überzeugend bestätigt[1]: Bullvalen unterliegt im System ROD/ROK bei 140° noch keinem, bei 160° einem Wasserstoff-Deuterium-Austausch; seine Protonen zeigen damit etwa gleiche Acidität wie die olefinischen Wasserstoffe des Cyclopentens[3] und von IX[2]. Das Infrarot-Spektrum eines deuteriumhaltigen Bullvalens weist deutliche C—D-Valenzschwingungen im olefinischen und aliphatischen Bereich auf[1].

2. Substituierte Bullvalene

a) monosubstituierte Bullvalene

Wie bereits erwähnt, repräsentiert das unsubstituierte *Tricyclo[3.3.2.0⁴,⁶]decatrien-(2,7,9)*, das *Bullvalen*, während eines bestimmten Zeitintervalls ein System von über 1,2 Millionen strukturgleichen Valenzisomeren. Bei einem monosubstituierten Bullvalen hat man zwar dieselbe Anzahl von Valenzisomeren, diese sind hier jedoch nicht alle strukturgleich. Es muß nun vielmehr mit vier verschiedenen stellungsisomeren Verbindungen gerechnet werden. Hinzu kommt, daß man im Fall der monosubstituierten Bullvalene sieben elementare Isomerisierungsgeschwindigkeiten unterscheiden muß[4]. Abb. 15 (S. 547) zeigt die entsprechenden Verhältnisse.

Um nun die Bedeutung und Größe der sieben Geschwindigkeitskonstanten bei verschiedenen monosubstituierten Bullvalenen zu erfahren und um daraus den Einfluß der Substitution in einer Position auf die Geschwindigkeit der Valenzisomerisierung

[1] G. Schröder, B. **97**, 3140 (1964).
[2] G. Schröder, unveröffentlicht.
   s. G. Schröder, B. **97**, 3140 (1964).
[3] G. Schröder, B. **96**, 3178 (1963).
[4] J. F. M. Oth et al., B. **98**, 3385 (1965).

zu bestimmen, erlangte die Synthese von monosubstituierten Bullvalenen großes Interesse.

Den bislang besten Weg in die Reihe der Bullvalen-Derivate erschließt die Bromierung[1,2]. Das dabei entstehende Dibrom-Derivat II eliminiert Bromwasserstoff in Gegenwart von Kalium-tert.-butanolat/tert.-Butanol und bildet hierbei *Brombullvalen* (III); III kann dann als Ausgangsprodukt zur Herstellung weiterer Bullvalen-Derivate dienen. So entstehen z.B. in Dimethylsulfoxid aus III und den alkoholfreien Kalium-alkoholaten bei 20° die entsprechenden Alkoxy-bullvalene (IV–VII) in Ausbeuten zwischen 80 und 90% d. Th.[1]:

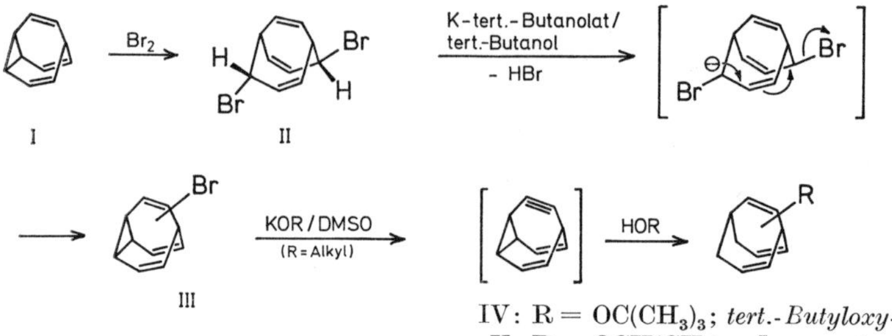

IV: R = OC(CH$_3$)$_3$; *tert.-Butyloxy-bullvalen*
V: R = OCH(CH$_3$)$_2$; *Isopropyloxy-bullvalen*
VI: R = OC$_2$H$_5$; *Äthoxy-bullvalen*
VII: R = OCH$_3$; *Methoxy-bullvalen*

Die Entstehung von III aus II wird über eine transannulare 1,4-Eliminierung von Bromwasserstoff formuliert[1]. Die beiden Bromatome im Dibromid II stehen nach den Ergebnissen einer gründlichen NMR-Untersuchung in *trans*-Stellung in bezug auf das Achtringsystem. Die Reaktion II→III verläuft mit einer Ausbeute bis zu 70% d. Th., bezogen auf eingesetztes Dibromid.

Bei dieser Reaktion fällt außerdem ein zu II stereoisomeres Dibromid VIII an, in dem die Bromatome *cis*-Konfiguration besitzen[3]. Da der Achtring überbrückt ist, sind zwei *cis*-Isomere (VIIIa und b) möglich:

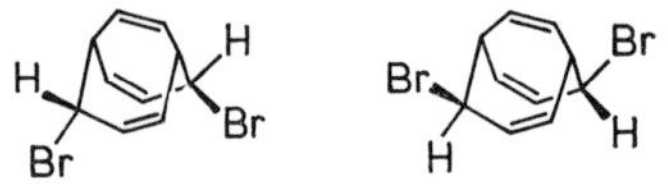

Aufgrund der NMR-Spektren muß angenommen werden, daß die beiden Bromatome die gleiche Lage im Raum haben. Eine Unterscheidung zwischen VIIIa und b gelang jedoch nicht[3].

Die Herstellung von IV (bzw. V–VII) wird über das intermediäre Auftreten von Didehydro-bullvalen formuliert[3,4]: Aus dem der allgemeinen Formel O$_c$ oder O$_b$ (s. Abb. 15, S. 547) entsprechenden stellungsiosmeren *Brom-bullvalene* wird durch die Base das benachbarte olefinische Proton abstrahiert und danach das Bromid-Ion eliminiert. Im darauffolgenden Reaktionsschritt wird ein Molekül Alkohol an das Didehydro-bullvalen addiert, wobei schließlich IV (bzw. V–VII) entstehen. Für den Ersatz des Broms im Brom-bullvalen durch die Alkoxy-Gruppe wird also ein Eli-

[1] J. F. M. OTH et al., B. **98**, 3385 (1965).
[2] G. SCHRÖDER, R. MERÉNYI u. J. F. M. OTH, Tetrahedron Letters **1964**, 773.
[3] J. F. M. OTH et al., B. **98**, 3385 (1965).
[4] Vgl. a. S. 557 ff.

minierungs-Additionsmechanismus angenommen. Ein nucleophiler Substitutions-
mechanismus wird dagegen für unwahrscheinlich gehalten, da weder das relativ
schwach basische Kaliumphenolat noch Kaliumcyanid in Dimethylsulfoxid mit
Brom-bullvalen reagieren[1].

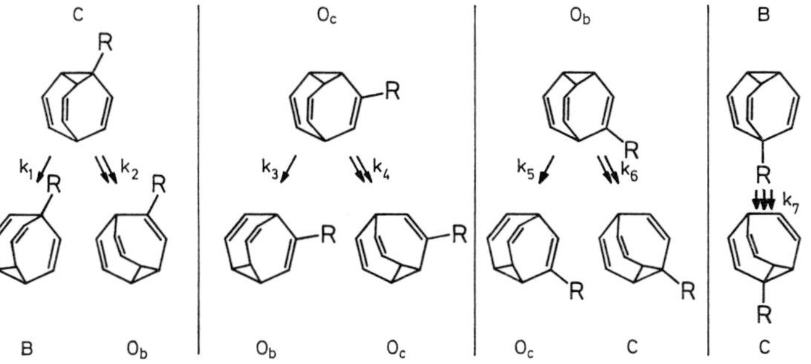

Abb. 15: Die vier Stellungsisomeren und die sieben Isomerisierungsprozesse des monosubstituierten
Bullvalens[1].

C = Cyclopropyl-
O = Olefin-
B = Brückenkopfposition.

Aus den temperaturabhängigen Kernresonanzspektren (s. einige NMR-Daten in
Tab. 82) der genannten monosubstituierten Bullvalene lassen sich die nachfolgenden
Aussagen machen[1]:

Die Isomeren O_c und O_b (s. Abb. 15) oder eines der beiden beherrschen das Gleichgewichtsgemisch. Im Fall von IV liegen O_c und O_b in ungefähr gleichen Konzentrationen vor, bei V, VI
und VII ist das Stellungsisomere O_b bevorzugt, beim *Brom-bullvalen* (III) ist eine solche Feststellung nicht möglich.

Die Lage des Hochtemperatursignals der Bullvalylprotonen zeigt, daß auch bei höheren Temp. die Bevorzugung der Isomeren O_b und/oder O_c erhalten bleibt. Die Konzentra-

Tab. 82. NMR-Daten der Bullvalylprotonen und Isomerisierungsgeschwindigkeiten der COPE-Umlagerungen von monosubstituierten Bullvalenen[1] bei +80°

IV (S. 546) R		Bullvalylprotonen-Signal		Mittlere Geschwindigkeit $\bar{k}$ (sec^{-1})[b]
		τ (ppm)	$\Delta \tilde{\nu}$ (Hz)[a]	
H I		5,78	2.8	$100{,}0 \cdot 10^3$
Br III		5,73	6.8	$40{,}0 \cdot 10^3$
$OC(CH_3)_3$ IV		5,97	19	$14{,}5 \cdot 10^3$
$OCH(CH_3)_2$ V		6,00	41	$6{,}9 \cdot 10^3$
OC_2H_5 VI		6,00	55	$5{,}4 \cdot 10^3$
OCH_3 VII		6,02	72	$4{,}2 \cdot 10^3$

[a] Halbwertsbreite;
[b] Mit $\bar{k}$ ist hier diejenige Geschwindigkeitskonstante gemeint, die im Falle von Bullvalen die
    beobachtete Linienbreite des untersuchten Derivates ergeben würde; d.h. k_1 bis $k_7 = \bar{k}$.

[1] J. F. M. OTH et al., B. **98**, 3385 (1965).

tionen der Stellungsisomeren B und C sollten zwar mit der Temp. ansteigen; sie bleiben aber zu gering, um nachweisbar werden zu können.

Eine der langsamsten Isomerisierungen ist diejenige mit k_6, die von O_b zu C führt. Nur diese Isomerisierung vermag den Substituenten aus einer olefinischen in eine aliphatische Position zu bringen (s. Abb. 15, S. 547). Eine der schnellsten muß k_2 sein, die von C zu O_b zurückführt. Für alle monosubstituierten Bullvalene gilt demnach: $k_2 > k_6$. Die Geschwindigkeitskonstanten k_3 und k_5, die die Isomerisierungen von O_c zu O_b bzw. von O_b zu O_c bestimmen, sind bei den Alkoxybullvalenen IV–VII (S. 546) größer als k_6 und wahrscheinlich kleiner als k_2.

Im Falle von IV also: $(k_2 >)k_3 \approx k_5 > k_6$ und
bei V, VI und VII: $(k_2 >) k_3 > k_5 > k_6$.

Eine nur qualitative Auswertung der temperaturabhängigen NMR-Spektren ergab keine Information über k_1, k_4 und k_7.

Für die hier beschriebenen monosubstituierten Bullvalene ist ein Minimalwert von 20 für k_2/k_6 anzunehmen. Im Fall von IV haben genauere Berechnungen der Koaleszenzspektren gezeigt, daß man mit $k_2/k_6 \approx 100$ eine recht gute Übereinstimmung zwischen berechneten und experimentellen Spektren erzielen kann.

Die Werte der sieben Isomerisierungsgeschwindigkeiten eines monosubstituierten Bullvalens spiegeln den Einfluß des Substituenten und den seiner relativen Position auf die Valenzisomerisierung wieder.

Die bevorzugten Positionsisomeren bei monosubstituierten Bullvalenen sind nach diesen Untersuchungen diejenigen, in denen der Substituent eine olefinische Position besetzt hält (O_b und O_c).

Dieses experimentelle Ergebnis muß in erster Linie damit begründet werden, daß die Stabilität der Bindung zwischen dem Substituenten und einem olefinischen C-Atom größer ist als bei einem aliphatischen Kohlenstoffatom. Zumindest im Fall von IV (S. 546) ist der Konjugationseffekt dem Bindungseffekt unterzuordnen. Andererseits vermag der Konjugationseffekt jedoch die Energieverhältnisse bei den beiden olefinischen Positionsisomeren aller der bisher untersuchten Bullvalyläther verständlich zu machen. Im Falle eines Bullvalyläthers kann man mit dem Bindungseffekt (Zustand der Hybridisierung des substituierten Kohlenstoffatoms) und der Konjugationsmöglichkeit zwischen den beiden freien Elektronen des Äthersauerstoffs und dem Vinylcyclopropylsystem des Bullvalenskeletts die relative Größe der Geschwindigkeitskonstanten interpretieren. Von den durch Bindungseffekt bevorzugten Isomeren O_b und O_c sollte O_b wegen der hier am stärksten ausgeprägten Konjugation am energieärmsten sein.

Damit lassen sich die vier Stellungsisomeren im Sinne wachsenden Energieinhaltes, d. h. abnehmender Konzentration wie folgt ordnen[1]:

$$[O_b] > [O_c] > [C] > [B]$$

Die Gleichungen bezüglich der Isomerenkonzentration ergeben dann:

$[O_b] > [O_c]$ $k_3 > k_5$
$[O_b] > [C]$ $k_2 > k_6$
$[C] > [B]$;   d. h. 3 $k_7 > k_1$.

Diese Überlegungen unterstützen die Analysenergebnisse aus den Kernresonanzspektren der Alkoxy-bullvalene. Lediglich das *tert.-Butyloxy-bullvalen* (IV, S. 546), für das $k_3 \approx k_5$ gefunden worden ist[1], bildet eine Ausnahme.

Eine optimale Konjugation zwischen der Doppelbindung und dem Äthersauerstoff ergibt sich bei paralleler Anordnung der π-Orbitale der Doppelbindung zu den Orbitalen der freien Elektronen des Sauerstoffs. Betrachtungen an Molekülmodellen haben deutlich gezeigt, daß sich im Fall von

---

[1] J. F. M. OTH et al., B. **98**, 3385 (1965).

IV eine hierfür günstige Konformation nicht realisieren läßt. Die sehr raumbeanspruchende tert.-Butyloxy-Gruppe wird aufgrund sterischer Hinderung mit den Vinyl- oder den Cyclopropyl-(bzw. Brückenkopf)-protonen in eine für die Parallelanordnung der Orbitale ungünstige Konformation abgedreht. Damit läßt sich verstehen, daß im *tert.-Butyloxy-bullvalen* (IV, S. 546) die beiden Isomeren O_c und O_b in etwa gleiche Energie haben, d.h. $k_3 \approx k_5$ ist[1].

In der homologen Reihe der Bullvalyläther kann man auch ohne direkte Kenntnis der einzelnen Geschwindigkeiten aufgrund der ,,mittleren Geschwindigkeitskonstanten $\overline{k}$'' (s. Tab. 82, S. 547) gewisse Schlüsse ziehen[1]:

Je schneller diese ,,mittlere Geschwindigkeit'' ist, um so schmaler muß die Linienbreite des entsprechenden Resonanzsignals im Hochtemperaturspektrum der Bullvalylprotonen sein (s. Tab. 82, S. 547).

Je größer die Linienbreite, um so langsamer fluktuieren oder oszillieren im Mittel die Bindungen innerhalb des Bullvalen-Derivates.

Die $\overline{k}$-Werte (s. Tab. 82, S. 547) zeigen, daß alle Bullvalyläther langsamer als IV fluktuieren.

Das oben erwähnte *Brom-bullvalen* ist nicht nur Ausgangsprodukt für die beschriebenen Alkoxy-bullvalene, sondern auch Schlüsselsubstanz zur Herstellung anderer monosubstituierter Bullvalene[2-4].

Methyl-bullvalen (VII) läßt sich so in allerdings mäßigen Ausbeuten (32% d. Th.) durch Behandeln von Brom-bullvalen (I) mit Methyl-magnesiumbromid in Gegenwart von Kobalt(II)-chlorid gewinnen[3,4]. Mit Magnesium-Spänen wird aus I die variationsfähige Grignard-Verbindung II zugänglich. Mit Kobalt(II)-chlorid entsteht aus I und II *Bi-bullvalenyl* (III; 17% d. Th.)[3,4]. Mit Kohlendioxid bildet II *Bullvalen-carbonsäure* (IV; 40%) und mit Jod das *Jod-bullvalen* (V; 38% d. Th.)[3,4]. Jod-bullvalen dient seinerseits als Ausgangsprodukt für das interessante *Fluor-bullvalen* (VI)[3,4]. VI ist besonders deshalb bemerkenswert, da man hier die Valenzisomerisierungen anhand der temperaturabhängigen ^{1}H- und ^{19}F-Kernresonanzspektren studieren kann[2].

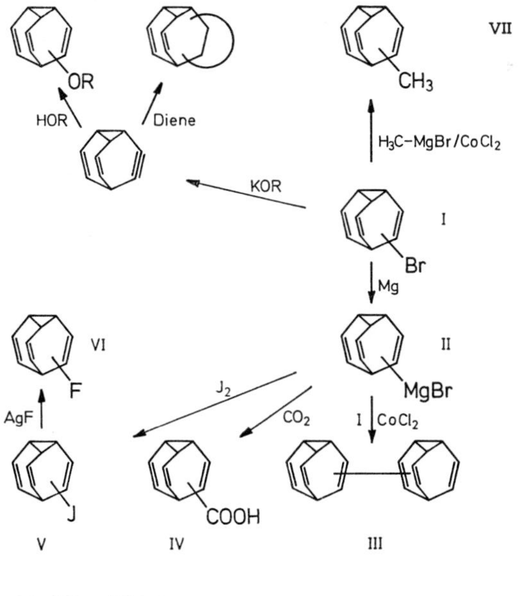

[1] J. F. M. OTH et al., B. **98**, 3385 (1965).
[2] s. Übersichtsreferat von G. SCHRÖDER u. J. F. M. OTH, Ang. Ch. **79**, 458 (1967).
[3] H. RÖTTELE, Dissertation, Technische Hochschule Karlsruhe, 1967.
[4] Vgl. a. J. F. M. OTH et al., Tetrahedron Letters **1968**, 3941.

Die Synthese des *Chlor-bullvalens*[1-3] verläuft über eine stereoselektive Chlorierung des Bullvalens (I). In Gegenwart von Kalium-alkoholaten wird unter Chlorwasserstoff-Eliminierung aus dem bicyclischen *trans*-Dichlor-Derivat II das Homotropiliden-System zurückgebildet:

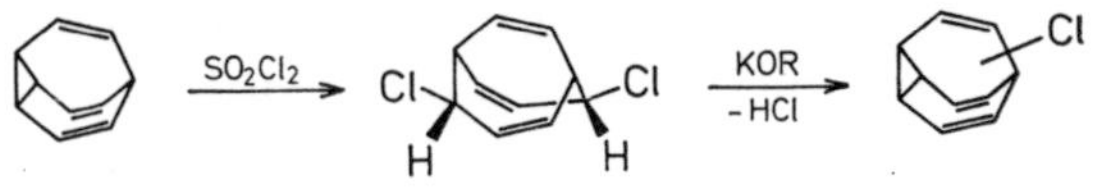

Jod-bullvalen[3]: Zu einem vorgelegten Gemisch aus 4,0 g Brom-bullvalen[4] in 30 *ml* Tetrahydrofuran und 1,2 g Magnesiumpulver läßt man langsam eine Lösung von 4,6 g 1,2-Dibrom-äthan in 25 *ml* Tetrahydrofuran eintropfen und erwärmt noch 30 Min. auf 50–60°. Zu einer Lösung von 4,8 g Jod in 100 *ml* Äther läßt man dann diese Grignard-Lösung langsam einfließen. Danach filtriert man, schüttelt die ätherische Phase mit wäßriger Natriumthiosulfat-Lösung durch, wäscht mit Wasser und arbeitet schließlich in üblicher Weise auf. Neben 0,25 g *Bullvalen* werden 1,9 g (38% d.Th.) *Jod-bullvalen* isoliert; F: 96–98° (aus Methanol).

Fluor-bullvalen[3]: Zunächst werden 5 g Silberfluorid 2 Stdn. bei 100° und 0,1 Torr getrocknet. Danach wird mit Stickstoff entspannt und 3 g Brom-bullvalen[5] in 40 *ml* Pyridin zugegeben. Anschließend wird das Reaktionsgemisch unter Stickstoff und unter Rühren 22 Stdn. auf 115° erhitzt. Nach dem Abkühlen wird mit Äther zugefügt, das Gemisch filtriert und das Filtrat mehrmals mit Wasser gewaschen und schließlich in üblicher Weise aufgearbeitet; Ausbeute: 1,1 g (50% d.Th.); F: 96,5–98° (aus Äthanol).

Chlor-bullvalen[3]: 2,5 g Bullvalen werden in 6 *ml* Chloroform gelöst. Zu dieser Lösung werden bei 30° 3,0 g Sulfurylchlorid in 2 *ml* Chloroform zugetropft, wobei man noch kurze Zeit zum Sieden erhitzt. Nach Entfernen des Solvens kristallisiert das entsprechende Dichlor-Derivat aus dem öligen Rückstand aus; 0,9 g; F: 117,5–119,5° (aus Cyclohexan).

Bei der Umsetzung von 2 g dieses Dichlor-Derivats mit Kalium-tert-butanolat (aus 2 g Kalium) in 50 *ml* siedendem tert.-Butanol entstehen 1,3 g (80% d.Th.) *Chlor-bullvalen*; $n_D^{20} = 1,5810$.

Diese monosubstituierten Bullvalene zeigen ganz ähnliche temperaturabhängige NMR-Spektren, wie die der bereits beschriebenen Bullvalyläther und des Brombullvalens. Aus Gründen der besonderen Verhältnisse sollen an dieser Stelle zwei monosubstituierte Bullvalene noch detailliert behandelt werden.

Beim *Bi-bullvalenyl* muß nicht nur die für die monosubstituierten Bullvalene normale Anzahl von vier Stellungisomeren in Betracht gezogen werden, sondern nunmehr insgesamt 10 Positionsisomere, da der zweite Bullvalenyl-Rest ebenso wie der erste vier verschiedene Positionen besitzt.

Im Kernresonanzspektrum fallen bei höheren Temperaturen alle 18 Protonen zu einem einzigen Absorptionssignal zusammen; d.h. kernresonanzspektroskopisch werden die 18 Protonen äquivalent[6]. Es hat den Anschein, daß mit dem Bi-bullvalenyl ein Molekül vorliegt, in dem die Valenzisomerisierungen in den beiden verknüpften Bi-bullvalenyl-Teilen mehr oder weniger unabhängig voneinander ablaufen[6]. Aus dem Spektrum bei −40° kann ein Verhältnis von 10 olefinischen zu 8 aliphatischen Bullvalenylwasserstoffen abgeleitet werden; das bedeutet, daß das Gleichgewichtsgemisch – wie aus den Untersuchungen an anderen monosubstituierten Bullvalenen

[1] H. Röttele, Dissertation, Technische Hochschule Karlsruhe 1967.
[2] s.a. Übersichtsreferat von G. Schröder u. J. F. M. Oth, Ang. Ch. **79**, 458 (1967).
[3] s.a.: J. F. M. Oth et al., Tetrahedron Letters **1968**, 3941.
[4] s. J. F. M. Oth et al., B. **98**, 3385 (1965).
[5] Anstelle von Brom-bullvalen kann man ebenfalls Jod-bullvalen verwenden.
[6] G. Schröder u. J. F. M. Oth, Ang. Ch. **79**, 458 (1967) (Übersichtsreferat).

zu erwarten war[1,2] – von den Positionsisomeren O_b—O_b, O_b—O_c und O_c—O_c beherrscht wird, bei denen die beiden Molekülhälften über zwei olefinische Kohlenstoffatome verbunden sind[3].

Mit Ausnahme des *Fluor-bullvalens* steht der Substituent in allen der bisher untersuchten monosubstituierten Bullvalenen bevorzugt an einer olefinischen Position, d. h. O_c- und/oder O_b-Strukturen überwiegen. Das Tieftemperaturspektrum von *Fluorbullvalen* ist ein Beweis dafür, daß im Gleichgewichtsgemisch ein aliphatisches Stellungsisomeres B oder C (S. 547) dominiert. Es wird hier ein Verhältnis von 6 olefinischen zu 3 aliphatischen Protonen gefunden[3].

Das Signal der olefinischen Protonen erscheint im Tieftemperatur-NMR-Spektrum als ein Dublett bei 4,11 τ. Auch bei einer anderen Meßfrequenz als 60 MHz zeigt dieses Signal bei tiefen Temp. einen unveränderten Habitus. Somit muß die Aufspaltung auf eine Kopplung zwischen den olefinischen Protonen und dem Fluorkern in B-Position zurückgeführt werden. Die chemischen Verschiebungen der O_b- und O_c-Protonen sowie deren Kopplungskonstanten mit dem Fluorkern ($J_{H-F[Ob]} \approx J_{H-F[Oc]} \approx 14$ Hz) sind nahezu identisch. Das einfache und zugleich symmetrische Signal der aliphatischen Protonen läßt sich offenbar gleichfalls nur mit dem Fluor-Substituenten in der Position B verstehen[3]. Bei + 140° wird im NMR-Spektrum bei 5,52 τ ein Dublett beobachtet. Bei dieser Temp. sind jetzt alle Protonen spektroskopisch gleichwertig und mit dem ^{19}F-Kern in Spin-Spin-Kopplung, wobei ein Mittelwert von 6 Hz für J_{H-F} zu entnehmen ist[3]. Auch das ^{19}F - Kernresonanzspektrum von *Fluor-bullvalen* ist in Abhängigkeit von der Temp. untersucht worden[3]: Bei −53° erscheint ein 7-Linien-Signal, zentriert um $\delta = -12.26$ (innerer Standard: Hexafluor-benzol). Beim Erwärmen verliert dieses Viellliniensignal zunächst seine Feinstruktur, wobei man gleichzeitig eine Linienverbreiterung und Verschiebung des Resonanzsignals nach tieferem Feld erkennen kann. Eine geplante[4] quantitative Berechnung der ^{1}H- und ^{19}F-NMR-Spektren von *Fluor-bullvalen* sollte ganz sicher zu einem tieferen Verständnis der dynamischen Gleichgewichte beitragen.

Tab. 83 (S. 554) bringt eine summarische Zusammenstellung der wesentlichen kernresonanzspektroskopischen Ergebnisse substituierter Bullvalene.

Das in Tab. 83 aufgeführte *Phenyl-bullvalen* konnte erstmalig ausgehend vom 76°-Dimeren des Cyclooctatetraens synthetisiert werden, wobei nach Behandlung mit Phenyl-lithium oder anderen starken Basen zunächst 8-Phenyl-bicyclo[3.3.2]decatrien-(2,6,9) erhalten wurde. Bromierung und anschließende Bromwasserstoff-Abspaltung führten zum Phenyl-bullvalen[5].

In Zusammenhang mit den monosubstituierten Bullvalenen spielt auch 9-Oxotricyclo[3.3.2.0[4,6]]decadien-(2,7) eine gewisse Rolle[6] (s. S. 552).

In verdünntem alkalischen Deuteriumoxid zeigen zwei Wasserstoffe des *9- (oder 10)-Oxo-tricyclo[3.3.2.0[4,6]]decadiens-(2,7)* (*Bullvalon*) schnellen Austausch in voller Übereinstimmung mit der Gegenwart einer zur Carbonyl-Gruppe α-ständigen Methylen-Gruppe. Wird das Experiment fortgesetzt (während der Grad des Austausches massenspektroskopisch verfolgt wird), so wird auch ein weiterführender Austausch beobachtet. Drei, vier und schließlich alle 10 Wasserstoffe werden durch Deuterium ersetzt[6]. Für *9-(oder 10)-Oxo-tricyclo[3.3.2.0[4,6]]decadien-(2,7)* (*Bullvalon*) das nicht selbst zur Bullvalen-Umlagerung befähigt ist, ist zu erwarten, daß es mit einer geringen Menge seines enolischen Tautomeren (*Hydroxy-bullvalen*) im Gleichgewicht steht, das seinerseits wenigstens hypothetisch die Bullvalen-Umlagerung eingehen

---

[1] G. Schröder, J. F. M. Oth u. R. Merényi, Ang. Ch. **77**, 774 (1965).

[2] J. F. M. Oth et al., B. **98**, 3385 (1965).

[3] G. Schröder u. J. F. M. Oth, Ang. Ch. **79**, 458 (1957) (Übersichtsreferat).

[4] J. F. M. Oth u. J.-M. Gilles, s. G. Schröder u. J. F. M. Oth, Ang. Ch. **79**, 458 (1967).

[5] G. Schröder, Ang. Ch. **77**, 682 (1965).

[6] W. v. E. Doering et al., Tetrahedron **23**, 3943 (1967).

könnte. So muß also das erwartete Produkt des Austausches, *9,9-(oder 10,10)-Dideutero-9-(oder 10)-oxo-tricyclo[3.3.2.0^{4,6}]decadien-(2,7)* sich mit dem potentiell fluktuierenden *9-Deutero-10-deuterooxy-tricyclo[3.3.2.0^{4,6}]decatrien-(2,7,9)* im Gleichgewicht befinden[1]:

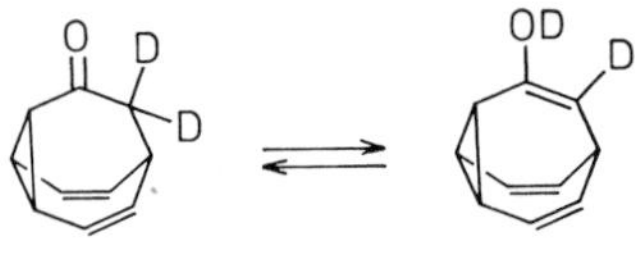

Ausgehend vom 9-(bzw. 10)-Oxo-tricyclo[3.3.2.0^{4,6}]decadien-(2,7) konnten durch Behandlung mit Methyl-magnesiumbromid oder Phenyl-lithium über die entsprechenden tertiären Alkohole, aus denen Wasser leicht eliminiert werden kann, *Methyl-* bzw. *Phenyl-bullvalen* hergestellt werden[1].

β) disubstituierte Bullvalene

Bei einem disubstituierten Bullvalen mit zwei gleichen Substituenten muß prinzipiell mit zwölf verschiedenen Stellungsisomeren gerechnet werden, wobei 3 davon Antipodenpaaren entsprechen. Es sind dabei insgesamt 27 verschiedene Isomerisierungsprozesse zu unterscheiden.

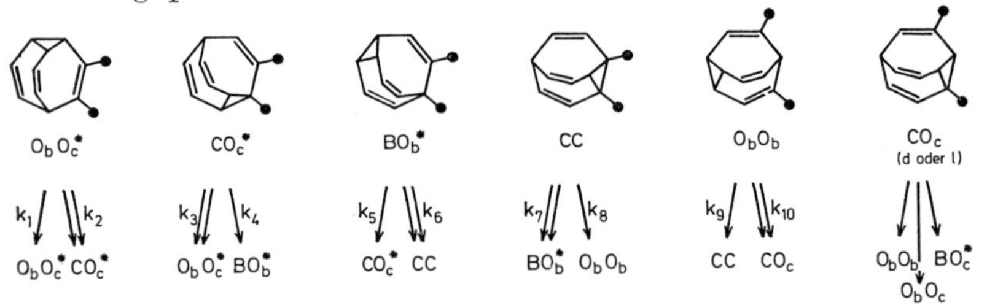

Abb. 16. Die 12 Stellungsisomeren und 27 Isomerisierungsprozesse eines **disubstituierten** Bullvalens mit zwei gleichen Substituenten[2].

C = Cyclopropyl-
O = Olefin-
B = Brückenkopfposition des Substituenten

* kennzeichnet solche Strukturen, bei denen die beiden Substituenten an ein und demselben Arm des Bullvalenskeletts stehen, wobei unter einem solchen Arm die Kette aus Brückenkopf-, Olefin- und Cyclopropankohlenstoffatomen verstanden werden soll.

Das Formelschema illustriert den Syntheseweg für die beiden disubstituierten Bullvalene[2] *Dibrom-bullvalen* (III) und *Di-tert.-Butyloxy-bullvalen* (IV):

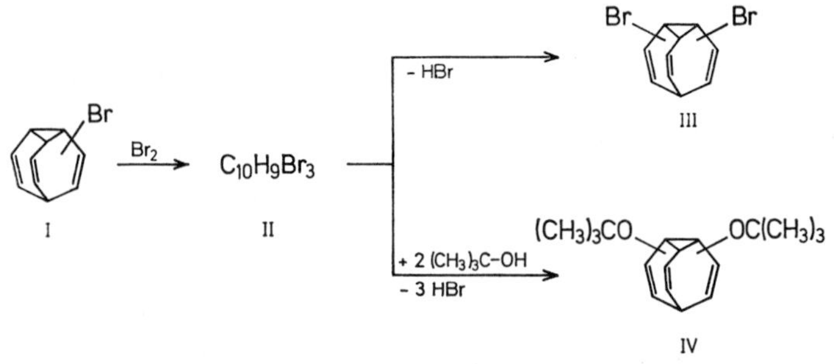

[1] W. v. E. DOERING et al., Tetrahedron **23**, 3943 (1967).
[2] J. F. M. OTH et al., Tetrahedron Letters **1966**, 3377.

Dibrom-bullvalen:

4,8,9-Tribrom-bicyclo[3.3.2]decatrien-(2,6,9)[1]: In einem 0,5-l-Dreihalskolben werden ~ 30 ml Chloroform vorgelegt und gut gerührt. Bei einer Temp. von −60 bis −75° im äußeren Kühlbad läßt man aus 2 Tropftrichtern langsam und gleichzeitig 2 Lösungen von 10 g Brom-bullvalen[2] in 100 ml Chloroform und 7,6 g Brom in 100 ml Chloroform einfließen. Nach erfolgter Reaktion wird das Chloroform am Rotationsverdampfer abgezogen. Die Kristalle des danach zurückbleibenden Kristallbreies werden abgesaugt und mehrmals mit Äther gewaschen. Aus der Mutterlauge und den Waschlösungen können weitere Kristalle in analoger Weise gewonnen werden; Ausbeute: 7,8 g (44,2% d. Th.); F: 155–180° (aus gleichen Teilen Essigsäure-äthylester und Chloroform)[3].

Dibrom-bullvalen[1]: 0,65 g Kalium werden in 20 ml tert.-Butanol gelöst und zu dieser 70° heißen Lösung innerhalb von 5 Min. eine vorgewärmte Lösung von 1,5 g 4,8,9-Tribrom-bicyclo [3.3.2]decatrien-(2,6,9) in 15 ml Benzol zugegeben. Das dunkel gefärbte Reaktionsgemisch wird sofort abgeschreckt, mit Wasser zersetzt und anschließend mehrmals mit Äther extrahiert. Die Extrakte werden danach gewaschen und getrocknet. Nach Entfernen des Äthers verbleibt ein viskoses Öl, das 2mal mikrodestilliert wird (0,05 Torr, Ölbadtemp.: 80°); Ausbeute: 300 mg.

Di-tert.-butyloxy-bullvalen[1]: Aus 0,9 g Kalium und tert.-Butanol wird zunächst trockenes Kalium-tert.-butanolat hergestellt. Das Alkoholat wird in 30 ml absol. Benzol suspendiert und auf 70° erwärmt. Hierzu läßt man dann eine warme Lösung von 1,37 g 4,8,9-Tribrom-bicyclo[3.3.2]decatrien-(2,6,9) in 40 ml Benzol im Laufe einiger Min. zutropfen. Nach erfolgter Zugabe wird 1,5 Stdn. bei 75° weitergerührt. Nach dem Erkalten wird mit Wasser zersetzt und mehrmals ausgeäthert. Die vereinigten Extrakte werden gewaschen, getrocknet und am Rotationsverdampfer eingeengt. Der verbleibende viskose Rückstand wird mikrodestilliert (0,05 Torr; Badtemp.: 70°); Ausbeute: 318 mg.

Die Kernresonanzspektren des *Dibrom*-bullvalens (III, S. 252) verändern sich ebenso wie die des *Di-tert.-butyloxy-bullvalens* (IV) in ganz charakteristischer Weise mit der Temperatur. Aus den Tieftemperaturspektren in Schwefelkohlenstoff folgt für III und IV ein Flächenverhältnis von 4 olefinischen zu 4 aliphatischen Bullvalylprotonen. Damit wird sofort festgelegt, daß das Gleichgewichtsgemisch bei III und IV nur von solchen Stellungsisomeren beherrscht wird, bei denen die Substituenten eine olefinische Position besetzen (O_bO_b, O_bO_c, O_cO_c und O_bO_c*)[1].

Im Fall des *Dibrom-bullvalens* (III, S. 552) wird das um 7,25 τ zentrierte Signal im Tieftemperaturspektrum den – bezüglich der Brom-Substituenten – α-ständigen aliphatischen Bullvalylprotonen zugeordnet. Die relative Fläche dieses Signals entspricht 2 Protonen. Nur die drei Stellungsisomeren O_bO_c, O_cO_c und O_bO_c* haben zwei solche Protonen; d.h. O_bO_b hat am Gleichgewichtsgemisch von III keinen wesentlichen Anteil. Eine detaillierte Analyse[1] der progressiv sich verändernden NMR-Spektren im Bereich der Koaleszenztemp. zeigt eindeutig, daß O_bO_c und O_cO_c die weitaus beherrschenden Positionsisomeren von III sind und daß daneben O_bO_c* am Gleichgewichtsgemisch nur relativ geringfügig beteiligt ist. Diese Folgerung wird auch durch die nachfolgende Überlegung gestützt[1]: da ein olefinischer Brom-Substituent ein an der gleichen Doppelbindung *cis*-konfiguriertes Wasserstoffatom nach tieferem Feld verschiebt, kann man das Signal bei 3,9 τ im Tieftemperaturspektrum von III derartigen Protonen zuordnen. Die relative Intensität dieses Signals entspricht in ~1,6-Protonen: das zeigt, daß O_bO_c* am Gleichgewichtsgemisch maximal zu ~ 20% nur beteiligt sein kann.

Das kernresonanzspektroskopische Verhalten von IV vermittelt einen besseren Einblick in die Zusammensetzung des Gleichgewichtsgemisches als im Falle des Dibrom-bullvalens (III). Das Signal der olefinischen Protonen in Nachbarstellung zur tert.-Butyloxy-Gruppe ist stark nach höherem Feld verschoben: $\tau = 5,01$ bei −50°. Da die relative Fläche dieses Signals 2 Protonen entspricht, können beim *Di-tert.-butyloxy-bullvalen* (IV, S. 552) nur die Stellungsisomeren O_bO_b, O_bO_c und O_cO_c in Betracht gezogen werden[1]. Eine detaillierte Analyse informiert zusätzlich

---

[1] J. F. M. OTH et al., Tetrahedron Letters **1966**, 3377.

[2] J. F. M. OTH et al., B. **98**, 3385 (1965).

[3] Das Brommolekül hat sich also in 1,4 Stellung an das Vinylcyclopropyl-System des Brom-bullvalens[2] addiert; d.h. die Brom-Addition an Brom-bullvalen verläuft analog wie beim Bullvalen[2].

noch darüber, daß von diesen drei Isomeren das $O_b O_b$-Positionsisomere das geringste Gewicht hat[1].

In den NMR-Spektren von III und IV (S. 552) bei 80° erscheinen die 8 Bullvalylprotonen als eine breite Bande. Die Halbwertsbreite Δv für III beträgt 35 Hz, für IV 97 Hz. Mit weiterer Temperaturerhöhung werden die Linien schmäler und schmäler: bei 130° für III $\Delta v = 4,0$ Hz und für IV $\Delta v = 5,7$ Hz[1].

Tab. 83. Protonenresonanz-Daten von mono- und
disubstituierten Bullvalenen[2]

Substituent R am Bullvalen ... -bullvalen		Chemische Verschiebung (τ) bei T = +80°	Linienbreite $\Delta \bar{v}$ (Hz) (80°)	Bevorzugtes Isomeres[3]
H;		5,78	2,8	—
F;	Fluor-	5,52 [4]	83	B
Cl;	Chlor-	5,76	7,4	O
Br;	Brom-	5,73	7,4–6,8	O
J;	Jod-	5,73	7,2	O
C_6H_5;	Phenyl-[5]	5,75	6,0	O_b
$C_{10}H_9$;	Bi-bullvalyl	5,80	7,0	O
COOH;	Carboxy-	5,44	12,6	O
$COOCH_3$;	Methoxycarbonyl-	5,48	9,6	O_b
CH_3;	Methyl-	5,95	5,4	O
$OC(CH_3)_3$;	tert.-Butyloxy-	5,97	19,1–19,0	O_b u. O_c
$OCH(CH_3)_2$;	Isopropyloxy-	6,00	41,0	O_b
OCH_2CH_3;	Äthoxy-	6,00	55,0	O_b
OCH_3;	Methoxy-	6,02	72,0	O_b
$2 \times Br$;	Dibrom-	5,69	35	$O_b O_c$ u. $O_c O_c$
$2 \times OC(CH_3)_3$;	Di-tert.-butyloxy-	6,08	97	$O_b O_c$ u. $O_c O_c$
$2 \times COOCH_3$;	Dimethoxy-carbonyl-[6]	5,25	24	$O_b O_b$

Cyclooctatetraen-eisentricarbonyl (V, S. 555) reagiert bei höheren Temperaturen (z. B. in siedendem 2,4,6-Trimethyl-benzol) mit Acetylenen zu Derivaten des Bicyclo[4.2.2] decatetraens-(2,4,7,9)[7]. So entsteht z. B. mit Tolan u. a. ein Kohlenwasserstoff $C_{22}H_{18}$ in 35% Ausbeute, dessen Kernresonanzspektrum mit einer Struktur VI in Einklang steht. Bei Temperaturen um 180° zerfällt VI hauptsächlich in 2,3-Diphenyl-naphthalin (VII) und Diphenyl-bicyclo[3.3.2]decatrien-(2,6,9) (VIII). Der Strukturbeweis für IV (S. 552) basiert im wesentlichen auf dem NMR-Spektrum dieser Verbindung. Bei der UV-Bestrahlung von VI wird neben unverändertem Ausgangsmaterial ein viskoses Öl der Zusammensetzung $C_{22}H_{18}$ erhalten, das ein temperaturabhängiges NMR-Spektrum zeigt. Anscheinend enthält das Öl Diphenyl-bullvalen (IX):

[1] J. F. M. Oth et al., Tetrahedron Letters **1966**, 3377.
[2] G. Schröder u. J. F. M. Oth, Ang. Ch. **79**, 458 (1967) (Übersichtsreferat).
[3] s. die Abb. 15, 16 auf den Seiten 547, 552.
[4] Bei + 140°.
[5] G. Schröder, Ang. Ch. **77**, 682 (1965).
[6] Vgl. a. die Ergebnisse von E. Vogel et al., Ang. Ch. **78**, 599 (1966).
[7] U. Krüerke, Ang. Ch. **79**, 55 (1967).

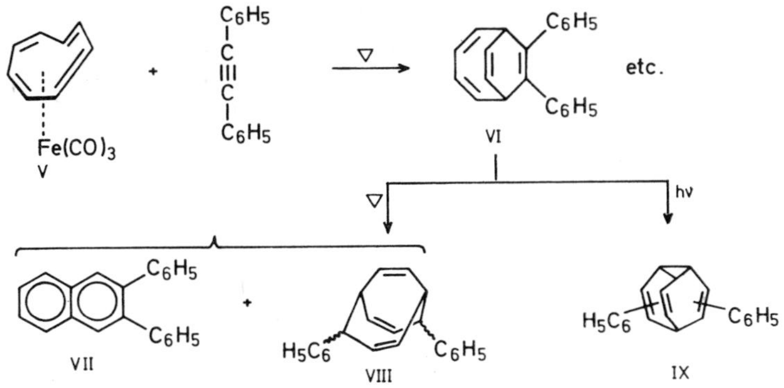

γ) Anellierte Bullvalene, Benzo-bullvalene

Wie bereits erwähnt, entstehen aus Brom-bullvalen (I) und Kalium-alkoholaten in guten Ausbeuten die entsprechenden Alkoxy-bullvalene[1]. Aufgrund umfangreicher Untersuchungen über Herstellung und Verhalten des 1,2-Dehydro-benzols[2] und anderer cyclischer Dehydro-Verbindungen[3] liegt es nahe, diese Umsetzungen über einen Eliminierungs-Additions-Mechanismus zu formulieren. Das intermediär entstehende *3,4-Didehydro-bullvalen* (II) ist dabei entscheidendes Zwischenprodukt[4]. Es ist zu erwarten, daß sich II wie ein reaktives Dienophil verhält und bei Anwesenheit von Dienen zu entsprechenden Diels-Alder-Addukten reagieren sollte:

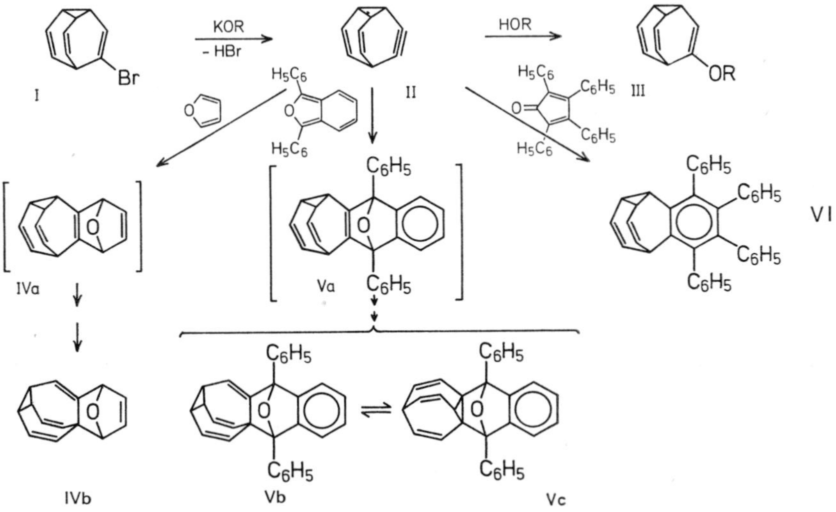

IVb; *Bullvaleno-7-oxa-bicyclo[2.2.1]heptadien*
Vb; *1,7-Diphenyl-⟨benzo-bullvaleno-7-oxa-bicyclo[2.2.1]hepten⟩*
VI; *6,7,8,9-Tetraphenyl-⟨benzo-bullvalen⟩*

[1] J. F. M. OTH et al., B. **98**, 3385 (1965).
[2] Vgl. z.B. G. WITTIG, Ang. Ch. **77**, 752 (1965).
[3] Vgl. etwa den Nachweis eines Dehydrocycloheptatrien-Derivates durch: W. TOCHTERMANN, K. OPPENLÄNDER u. U. WALTER, B. **97**, 1318 (1964).
[4] s. Übersichtsreferat von G. SCHRÖDER u. J. F. M. OTH, Ang. Ch. **79**, 458 (1967).

Wird I (S. 555) mit Kalium-alkoholaten in Furan als Solvens umgesetzt, so entstehen neben dem Alkoxy-bullvalen III in 16%iger Ausbeute das Furan-Addukt IV sowie geringe Mengen trimeren *Didehydro-bullvalens*[1,2]. Führt man die Reaktion von I und Base in Benzol unter Zusatz von 2,5-Diphenyl-⟨benzo-[c]-furan⟩ oder in 1,4-Dioxan unter Tetraphenylcyclopentadienon-Zusatz durch, so können die Addukte V und VI in 76% bzw. 46% Ausbeute isoliert werden[1]. Die Strukturbeweise für die Formeln IV bis VI gründen sich insbesondere auf die temperaturabhängigen NMR-Spektren[1]. Aus diesen Spektren folgt eindeutig, daß den Addukten aus Didehydro-bullvalen (II) und den beiden Furanen nicht die aus einer Diels-Alder-Reaktion primär zu erwartenden Strukturen IVa und Va zuzuschreiben sind[1]. Dieser zunächst sehr überraschende Befund kann wie folgt erklärt werden[1]:

Die bei Raumtemperatur im Bullvalen-Skelett relativ leicht ablaufenden Bindungsverschiebungen lassen die Molekeln in die Strukturen mit geringstem Energieinhalt „hineinfallen", nämlich hier in IVb sowie in Vb und Vc (S. 555)[1,3]. Ganz offensichtlich zeigen IVb sowie Vb und Vc geringere Pitzer- und/oder Baeyer-Spannung als die korrespondierenden Isomeren IVa und Va (S. 555).

In Hinblick auf die Studien über das Verhalten von Cyclohexin[4] und Cyclohexadien-(1,2)[5] kann die Entstehung des Trimeren VII als weiterer Beweis für das intermediäre Auftreten von *3,4-Didehydro-bullvalen* (II) gewertet werden[1,6,7]:

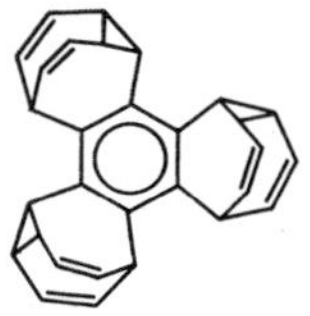

VII; *Tris-[bullvaleno]-benzol*

Hydrolytisch lagert sich das Furan-Addukt IVb in glatter Reaktion in *6-Hydroxy-⟨benzo-bullvalen⟩* (VIII) um[1].

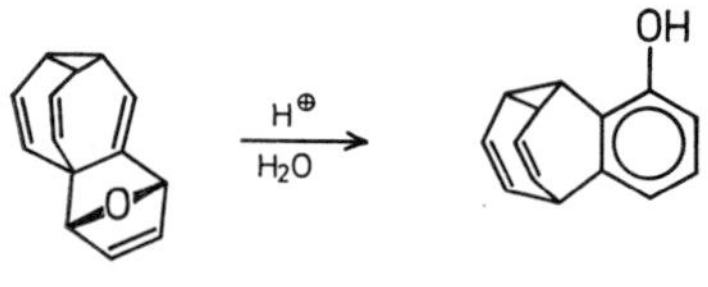

IVb   VIII

Grundsätzlich sind die Valenzisomerisierungen in den anellierten Bullvalenen wie die in den disubstituierten Bullvalenen (s. S. 552 f.) zu behandeln. Aufgrund von Ringspannungen müssen jedoch alle Isomeren außer den ersten vier in Abb. 16 (S. 552) ausgeschlossen werden. Die beiden substituierten Kohlenstoffatome bleiben stets ortho-ständig, da k_8 (s. Abb. 16) praktisch Null ist. Die recht komplexen temperaturabhängigen Kernresonanzspektren von IV können am besten durch die

[1] s. Übersichtsreferat von G. Schröder u. J. F. M. Oth, Ang. Ch. **79**, 458 (1967).
[2] s. H. Röttele, Dissertation, Technische Hochschule Karlsruhe, 1967.
[3] G. Schröder et al., B. **100**, 3527 (1967).
    J. F. M. Oth et al., B. **100**, 3538 (1967).
[4] G. Wittig u. U. Mayer, B. **96**, 342 (1963).
[5] G. Wittig u. P. Fritze, Ang. Ch. **78**, 905 (1966).
[6] s. a. R. J. Böttcher et al., Tetrahedron Letters **1968**, 3935.
[7] s. a. S. 555.

Valenzisomerisierungen BO_b^* ⇌ CC ⇌ BO_b^* erklärt werden[1], sofern der prozentuale Anteil an CC-Positionsisomeren als klein angenommen wird:

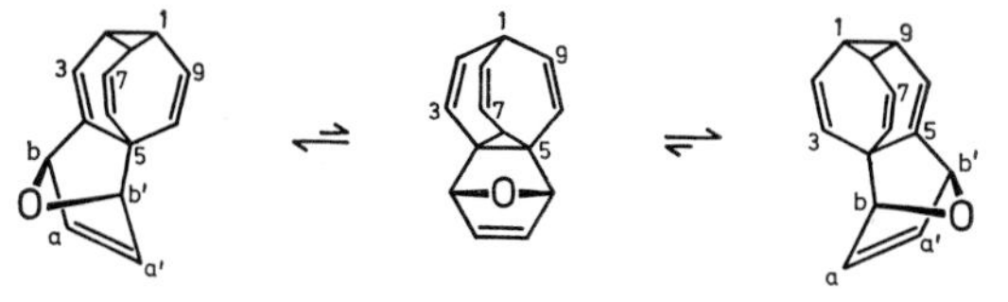

BO_b^* (+ oder −)   CC BO_b^* (− oder +)

Prinzipiell ist das Addukt V (S. 555 unten) in Lösung durch dieselben Gleichgewichte beschreibbar; der Anteil der beiden BO_b^*-Stellungsisomeren beträgt hier ~ 54%, der des Isomeren CC ~ 46%[1].

Wegen der sehr begrenzten Valenzisomerisierungen kommt es bei den anellierten Bullvalenen IV und V (S. 555 unten) nicht mehr zur Ausbildung eines einzigen scharfen Singulett-Signals für die 8 Protonen im Hochtemperatur-NMR-Spektrum[2].

Eine C=C-Doppelbindung wird im Fall der Benzo-bullvalene durch Einbeziehung in einen Benzolkern blockiert, d. h. es liegt ein durch einen Benzol-Rest überbrücktes Homotropiliden-System vor. Die beobachtete Temperaturabhängigkeit der NMR-Spektren der Benzobullvalene kann offenbar nur durch eine Valenzisomerisierung erklärt werden, an der zwei $O_bO_c^*$-Positionsisomere beteiligt sind[3]:

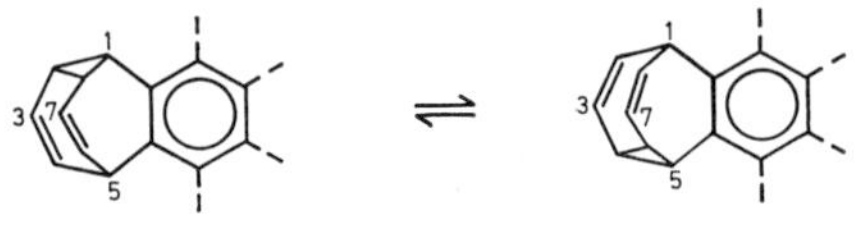

$O_bO_c^*$ $O_bO_c^*$

In der Tat sind die bei + 70° aufgenommenen Spektren der Benzo-bullvalene VI, VII und VIII (S. 555 unten, 556) den Hochtemperatur-NMR-Spektren anderer überbrückter Homotropilidene[4] analog[3]. Wichtig ist hier das um 6,1τ zentrierte Absorptionssignal, das durch Mittelung der chemischen Verschiebungen zweier Cyclopropyl- und zweier olefinischer Protonen (Nr. 2 u. 8 bzw. Nr. 4 u. 6 in obiger linken Formel) entsteht[3].

δ) Dimeres und trimeres Didehydro-bullvalen

Für dimeres Didehydro-bullvalen (Bis-[bullvaleno]-cyclobutan; –cyclobuten; -cyclobutadien; II; S. 558) können insgesamt 17 verschiedene Strukturen in Betracht kommen, in denen die Anellierung jedes der beiden Didehydro-bullvalene I über ortho-ständige Kohlenstoffatome erfolgt oder anders gesagt, in den 17 Strukturen erscheint stets ein Cyclobutanring-System. Dabei stellen II_1 bis II_4 einige interessante Kombinationsmöglichkeiten dar[5]. Eine Valenzisomerisierung im Sinne $II_3 \rightarrow II_{18}$ oder $II_4 \rightarrow II_{19}$ ist mit größter Wahrscheinlichkeit auszuschließen, da

[1] G. Schröder et al., B. **100**, 3527 (1967).
  J. F. M. Oth et al., B. **100**, 3538 (1967).
[2] Für Einzelheiten der NMR-Spektren s. d. Arbeiten von G. Schröder et al.[1,3].
[3] s. Übersichtsreferat von G. Schröder u. J. F. M. Oth, Ang. Ch. **79**, 458 (1967).
[4] Vgl. z. B.: G. Schröder, J. F. M. Oth u. R. Merényi, Ang. Ch. **77**, 774 (1965).
[5] R. J. Böttcher et al., Tetrahedron Letters **1968**, 3935.

II_{18} zwei und II_{19} vier sp²-hybridisierte C-Atome am Brückenkopf besitzen, die – wie aus Modellbetrachtungen ersichtlich wird – zu extremen Spannungen führen müßten[1]:

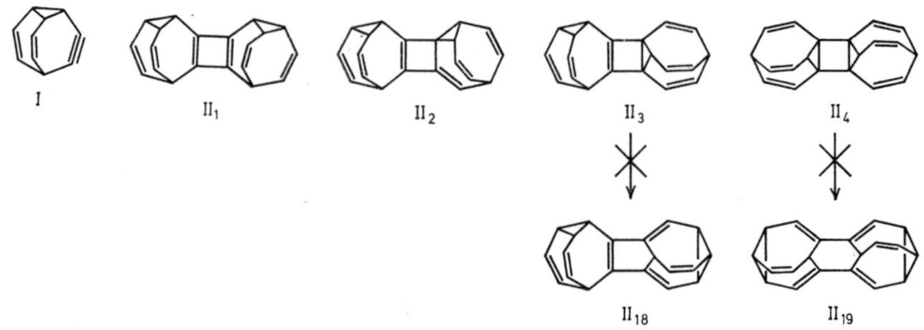

II_1 und auch II_4 zeigen jeweils eine extreme Verteilung für die 16 Bullvalenylprotonen, nämlich 8 : 8 bzw. 12 : 4 olefinische und aliphatische Wasserstoffe.

Das Kernresonanzspektrum von II bei −30° zeigt ein Verhältnis von 11,5 olefinischen zu 4,5 aliphatischen Protonen an[1]. Daraus ergibt sich, daß die Cyclobutadien-Struktur II_1 am Gleichgewichtsgemisch nicht wesentlich beteiligt ist und daß außerdem das Bishomo-cyclobutadien-System[2] II_4 von allen 17 Valenzisomeren thermodynamisch am stabilsten ist[1]. II_4 beherrscht ganz eindeutig das Gleichgewichtsgemisch. Mit steigenden Temperaturen werden die 16 Wasserstoffe von II kernresonanzspektroskopisch äquivalent; dabei geben sie bei + 120° zu einem Singulett mit einer Linienbreite von 6 Hz Anlaß[1]. Mit anderen Worten: im dimeren Didehydro-bullvalen (II) laufen in den beiden Bullvalenyl-Systemen Valenzisomerisierungen ab, die zum Austausch aller möglichen Protonen führen. Für jedes der beiden miteinander orthoanellierten Bullvalenen in II existieren damit vier Möglichkeiten der Verknüpfung (CC, BO_b, CO_c und O_bO_c), die im Austauschprozeß alle – jedoch zweifelsohne mit verschiedenen Gewichten – durchlaufen werden, anderenfalls die kernresonanzspektroskopische Äquivalenz der 16 Wasserstoffe unerklärlich bleiben würde[1].

Die Isomerisierung CC ⇌ BO_b läßt deutlich werden, warum bei tiefen Temp. eine erste, jedoch unvollständige Mischung der NMR-Signale beobachtet wird[1]. Bei diesem Prozeß werden insgesamt sechs CC-Strukturen durchlaufen, in denen die Positionen 5 und 10 zu genau gleichen Teilen Brückenkopf- und Olefin-Charakter haben. Hierbei bleiben die Protonen 4, 6 und 9 stets olefinisch, die restlichen Protonen 3, 7 und 8 zeigen in je vier CC-Strukturen olefinischen, in den restlichen zwei aliphatischen Charakter. Im Sinne einer solchen Betrachtung wird das Erscheinen des Signals bei τ = 6,05 im NMR-Spektrum von + 60° (Protonen 5 und 10) durchaus verständlich[1]:

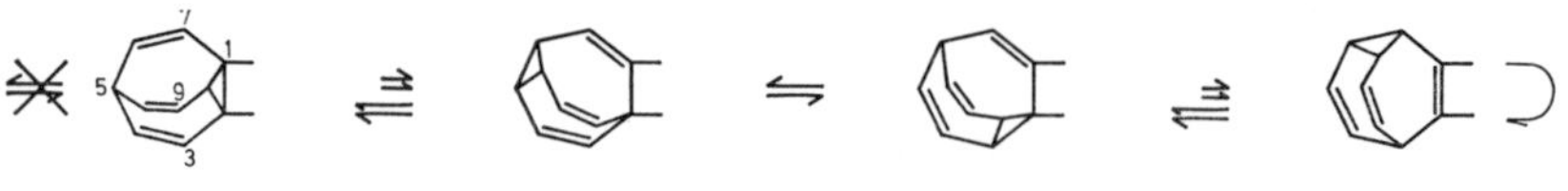

[1] R. J. BÖTTCHER et al., Tetrahedron Letters **1968**, 3935.
[2] Zwei Stereoisomere II_4 und II_5- d.h. anti- und syn-Anordnung der beiden Cyclopropanringe in Bezug auf den Vierring — kommen in Betracht, wobei nach Modellstudien der anti-Anordnung der Vorzug zu geben ist.

Das NMR-Spektrum von trimerem Didehydro-bullvalen (*Tris-[bullvaleno]-benzol*; III) zeigt bei $-65°$ drei Signale für die Bullvalenylprotonen. Die 12 olefinischen Protonen der Sorte 3,4,6 und 7 erscheinen hier als ein Pseudo-Singulett bei $4,15\,\tau$; die sechs dem aromatischen Ring benachbarten aliphatischen Wasserstoffe vom Typ 1 und 5 absorbieren als breite Bande bei $\tau = 6,5$, während die restlichen Cyclopropylprotonen der Spezies 2 und 8 zu Signalen um $7,70\,\tau$ Anlaß geben[1].

III

Die beobachtete Temperaturabhängigkeit des Kernresonanzspektrums von III ist in folgender Weise gedeutet worden[1]: Da III ein Derivat des Bullvalens ist, bei dem je eine Doppelbindung durch Einbau in einen Benzolkern blockiert ist, kann nur noch eine Valenzisomerisierung im benzoüberbrückten Homotropiliden ablaufen. Daher ist eine vollständige Mischung der Bullvalenylprotonen nicht mehr möglich. Die Signale der Protonen 4 und 6 sowie 2 und 8 kollabieren bei $\sim -10°$. Bei $+0,5°$ beträgt die Halbwertsbreite dieser Bande ~ 73 Hz. Im Spektrum von $+60°$ ist das entsprechende Signal zu einem Triplett(J = 8,5 Hz) bei $5,97\,\tau$ ausgebildet, was mit dem berechneten Wert für die chemische Verschiebung [$= 0,5(4,15 + 7,7) = 5,92\,\tau$] gut übereinstimmt.

Die Protonen der Sorte 1 und 5 verändern gleichfalls ihre chemische Umgebung; sie geben schon bei $-65°$ eine sehr breite Bande um $6,55\,\tau$. Die verbleibenden Protonen 3 und 7 erscheinen in den NMR-Spektren bei $+0,5°$ und $+60°$ als Triplett zentriert um $\tau = 4,15[\bar{J} = 0,5(J_{23}+J_{34}) = 0,5(J_{67} + J_{78}) = 9,5$ Hz][1].

Die ermittelten kinetischen Parameter der Valenzisomerisierung in III betragen[1]:

$$k\,(-10°) \simeq 470\;\text{sec}^{-1} \qquad E_a \simeq 13,6 \pm 2\;\text{Kcal/Mol}$$
$$\text{d.h.}$$
$$k\,(0,5°) \simeq 1270\;\text{sec}^{-1} \qquad \log_{10}A \simeq 13,9.$$

Dimeres Didehydro-bullvalen (Bis-[bullvaleno]-cyclobutan; -cyclobuten; -cyclobutadien; II, S. 558)[1]: 2,0 g Brom-bullvalen werden in einer Aufschlämmung von festem Kalium-tert.-butanolat (aus 1 g Kalium) in 50 ml Benzol unter Rühren 2 Stdn. auf etwa 80° erhitzt. Danach zersetzt man mit Wasser, extrahiert die abgetrennte wäßrige Phase 2mal mit Äther, trocknet die vereinigten organischen Extrakte und entfernt schließlich das Lösungsmittel unter Benutzung eines Rotationsverdampfers. Der durch Destillation ($\sim 0,05$ Torr; Badtemp.: bis 60°) in einer Kurzwegapparatur vom tert.-Butyloxy-bullvalen ($\sim 40\%$) befreite, viel polymere Anteile enthaltende Rückstand wird durch Säulenchromatographie (Kieselgel/Benzol) gereinigt; Ausbeute: 16% d.Th.; Zers. p.: 203–206° (aus Benzol).

Trimeres Didehydro-bullvalen (Tris-[bullvaleno]-benzol; III)[1]: 5,0 g Brom-bullvalen werden mit Kalium.-tert.-butanolat (aus 2 g Kalium) in einem siedenden Gemisch aus 40 ml Furan und 25 ml Äther unter Rühren 4 Stdn. behandelt. Danach zersetzt man wie im Falle des dimeren Produkts (s. oben) und entfernt schließlich das Solvens am Rotationsverdampfer. Der resultierende Rückstand wird mit Äther aufgenommen. Bei einer Temp. von $\sim 0°$ kristallisieren gemeinsam aus: Das Addukt aus Furan und Didehydro-bullvalen (17% *Bullvaleno-7-oxa-bicyclo[2.2.1] heptadien* sowie trimeres Didehydro-bullvalen ($\sim 5\%$ d.Th.). Die Äther-Lösung enthält *tert.-Butyloxy-bullvalen* (43% d.Th.). Durch Säulenchromatographie (Aluminiumoxid neutral, Cyclohexan/Dichlormethan) läßt sich *Tris-[bullvaleno]-benzol* (F: 300°) rein erhalten.

---

[1] R. J. Böttcher et al., Tetrahedron Letters **1968**, 3935.

c) Bullvalenanaloga

1. Semibullvalene {Tricyclo[3.3.0.0^{4,6}]octadien-(2,7) und seine Derivate}

In Zusammenhang mit Untersuchungen zur Chemie des Barrelens {Bicyclo-[2.2.2]octatrien-(2,5,7); I}[1,2] wurde bei der photochemischen Isomerisierung dieses Kohlenwasserstoffs festgestellt, daß neben Cyclooctatetraen noch ein anderer C_8H_8-Kohlenwasserstoff entstanden war[3]. Aufgrund von Elementaranalyse, Massenspektroskopie, Kernresonanzspektroskopie und Hydrierungsexperimenten konnte für dieses C_8H_8-Isomere die Struktur II gesichert werden[3]. Wegen der strukturellen Ähnlichkeit von II mit Bullvalen wurde für diesen Kohlenwasserstoff der Name *Semibullvalen* {*Tricyclo[3.3.0.0^{4,6})]octadien-(2,7)*}[3] eingeführt:

Bei der Photolyse von 1–2%igen Bicyclo[2,2,2]octatrien-Lösungen in 2-Methylbutan unter Zusatz von 3–8% Aceton als Photosensibilisator wird II in Ausbeuten zwischen 25 und 40% neben 1–2% Cyclooctatetraen erhalten (bez. auf 55–70% umgesetztes I)[3]. I, Cyclooctatetraen und II können chromatographisch getrennt werden.

Semibullvalen befindet sich in einem schnellen Gleichgewicht mit seinem entarteten Valenztautomeren (IIa ⇌ IIb). Das NMR-Spektrum zeigt nur drei Sorten von Protonen im Verhältnis 2 : 4 : 2. Die Wasserstoffe 1,3,5 und 7 werden äquivalent wie auch 4 und 8, während die Wasserstoffe 2 und 6 unverändert aber äquivalent bleiben[3].

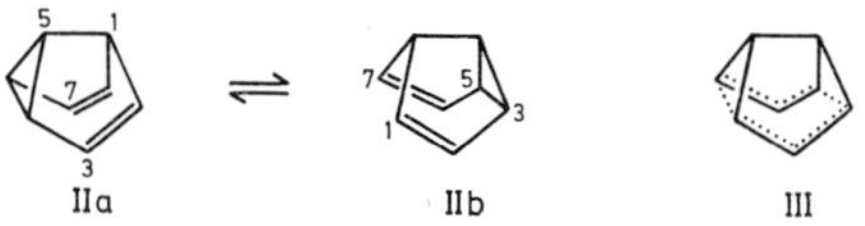

Trotz der Ähnlichkeit des Semibullvalens bezüglich der chemischen Verschiebungen mit analogen Verbindungen wie 9-Oxo-tricyclo[3.3.1.0^{4,6}]nonadien-(2,7) (s. S. 531)[4,5] und Dihydrobullvalen (s. S. 567)[6] findet im NMR-Spektrum des Semibullvalens bis zu Temperaturen von −110° keine Änderung statt[3].

Die Alternative, daß IIa und IIb nur Resonanzstrukturbeiträge zu einer symmetrischen Spezies III sein könnten, scheidet aufgrund des Kernresonanzspektrums und vor allem wegen des UV-Spektrums [Schulter bei 225–235 mμ (ε = 2450)], das große Ähnlichkeit mit dem des Dihydrobullvalens zeigt, aus[3].

[1] H. E. ZIMMERMAN u. R. M. PAUFLER, Am. Soc. **82**, 1514 (1960).
[2] H. E. ZIMMERMAN u. G. L. GRUNEWALD, Am. Soc. **86**, 1434 (1964).
[3] H. E. ZIMMERMAN u. G. L. GRUNEWALD, Am. Soc. **88**, 183 (1966).
[4] W. v. E. DOERING u. W. R. ROTH, Ang. Ch. **75**, 27 (1963).
[5] J. B. LAMBERT, Tetrahedron Letters **1963**, 1901.
[6] G. SCHRÖDER, B. **97**, 3140, 3150 (1964).

Die photochemische Bildung des *Semibullvalens* aus Bicyclo[2.2.2]octatrien-(2,5,7) scheint drei molekulare Prozesse zu beinhalten:

2,7 – plus 5,8 – Bindungsknüpfung im Bicyclo[2.2.2]octatrien-(2,5,7)
Spaltung der 1,2-Bindung im Bicyclo[2,2.2]octatrien-(2,5,7)
Triplett/Singulett-Spininversion.

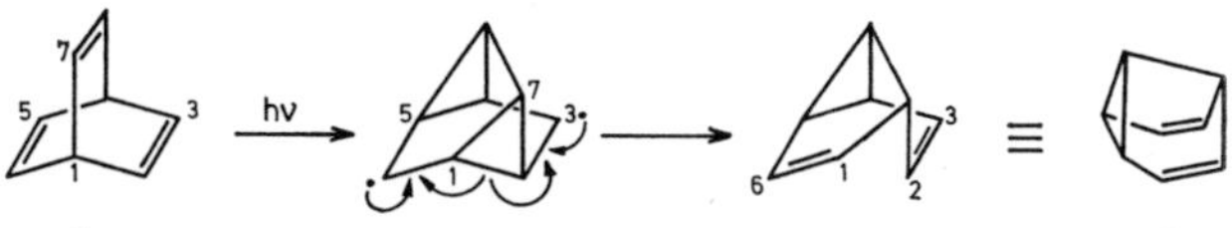

Semibullvalen {*Tricyclo[3.3.0.0⁴,⁶]octadien-(2,7)*} selbst wird photolytisch nur in Cyclooctatetraen und nicht in Bicyclo[2.2.1]octatrien-(2,5,7) umgewandelt[1]. Zwei zunächst denkbare weitere Valenztautomerisierungen geht das Semibullvalen nicht ein. So scheidet etwa die in Betracht gezogene Vinyl-cyclopropan-Valenztautomerie[2] aus. Diese würde zu einer einzigen NMR-Linie als Ergebnis der Tautomerie im Sinne der Gleichungen ① und ② führen. Gl. ② verlangt jedoch einen Vierzentren- und Vierelektronen-Übergangszustand mit cyclobutadienoider Struktur und sollte daher energetisch ungünstig sein[1]. Gegen eine Valenztautomerie im Sinne von Gl. ③ spricht sofort das NMR-Spektrum.

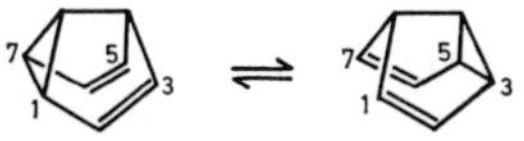

Inzwischen ist die oben beschriebene Photoisomerisierung des Bicyclo[2.2.2]octatrien-(2,5,7) (Barrelens) zum *Semibullvalen* auch an einer Reihe von Dibenzo-bicyclo-[2.2.2]octatrienen beobachtet worden[3] (s. S. 562).

So liefert die Bestrahlung[4] einer Aceton-Lösung von Dibenzo-bicyclo[2.2.2]octatrien (IIIa)[5] *Dibenzo-tricyclo[3.3.0.0⁴,⁶]octadien-(2,7)* (IVa, S. 562) in 85%iger Ausbeute[3]. Das Kernresonanzspektrum dieses Produkts ist identisch mit dem des Dimerisationsprodukts von Benzocyclobutadien[6]. Zum anderen führte die katalytische

---

[1] H. E. Zimmerman u. G. L. Grunewald, Am. Soc. **88**, 183 (1966).

[2] H. G. Viehe, Ang. Ch. **77**, 768 (1965). Für die Struktur II wurde von Viehe der Name „Octavalen" vorgeschlagen.

[3] E. Ciganek, Am. Soc. **88**, 2882 (1966).

[4] Philipps-HPK 125 – Hochdruck-Hg-Lampe unter Benutzung eines Pyrexfilters bzw. von Pyrex-Bestrahlungsapparaturen.

[5] S. J. Cristol u. R. K. Bly, Am. Soc. **82**, 6155 (1960).

[6] G. F. Emerson, L. Watts u. R. Pettit, Am. Soc. **87**, 131 (1965).

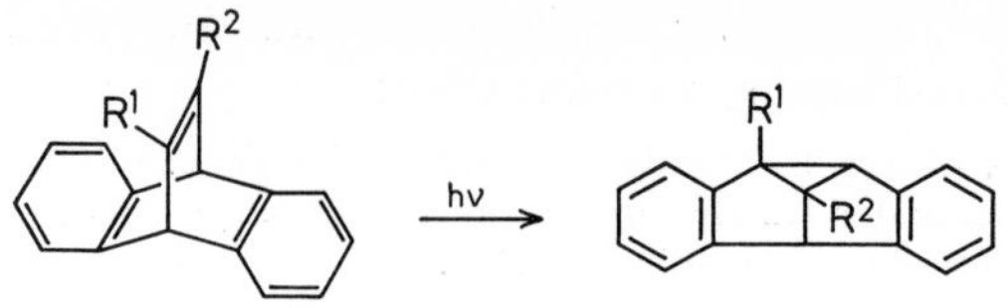

a: $R^1 = R^2 = H$

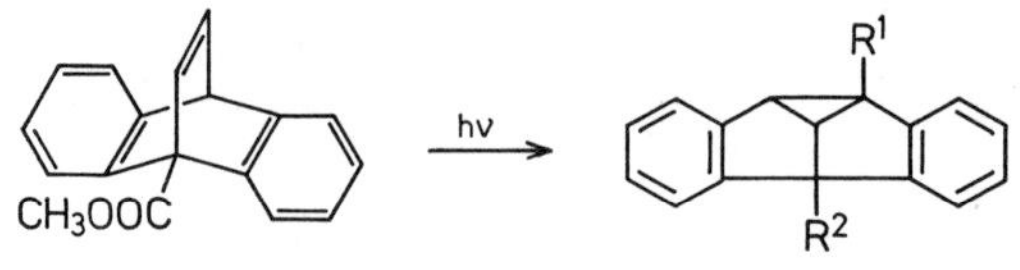

b: $R^1 = R^2 = COOCH_3$

c: $R^1 = R^2 = CN$

d: $R^1 = R^2 = CF_3$

e: $R^1 = H$; $R^2 = COCH_3$

...⟨dibenzo-tricyclo[3.3.0.0^{4,6}]
octadien-(2,7); IV

a = 85% d.Th.

b = 6,7-Dimethoxycarbonyl-;
   96% d.Th.

c = 6,7-Dicyan; 80% d.Th.

d = 6,7-Bis-[trifluormethyl]-;
   74% d.Th.

e = 7-Methoxycarbonyl-;
   75% d.Th.

...⟨dibenzo-tricyclo[3.3.0.0^{4,6}]
octadien-(2,7); VI

a: $R^1 = COOCH_3$; $R^2 = H$;
   6-Methoxycarbonyl-

b: $R^1 = H$; $R^2 = COOCH_3$;
   1-Methoxycarbonyl-

Hydrierung von IVa zum bekannten Dibenzo-bicyclo[3.3.0]octadien[1]. IVa ist auch durch unsensibilisierte Photolyse von IIIa in benzolischer Lösung zugänglich, wobei jedoch die Reaktionsgeschwindigkeit sehr gering ist. Andererseits verläuft die Umlagerung der Derivate IIIb–d in IVb–d in Lösungen von Benzol oder Cyclohexan relativ schnell. Für präparative Zwecke empfiehlt sich allerdings die Verwendung von Aceton als Sensibilisator und Solvens[2]. In diesen Fällen werden jeweils nur die 1,2 Isomeren IVb–d gefunden. Bei der Umlagerung[3] von IIIe werden neben IVe noch ∼ 5% anderer Isomere beobachtet. Die Bestrahlung von 1-Methoxycarbonyl-⟨dibenzo-bicyclo[2.2.2]octatrien⟩ (V)[4] liefert eine Mischung (67:33) der Isomeren VIa und VIb, die chromatographisch getrennt werden konnten[2].

2. Homosemibullvalene {Tricyclo[3.3.1.0^{4,6}]nonadien-(2,7) und seine Derivate}

Bei der Anlagerung von Dibrom-carben an Bicylco[3.2.1]octadien-(2,6) (I) entsteht unter den Herstellungsbedingungen des Dibrom-carbens (basisches Milieu) das 3,4-Dibrom-bicyclo[3.3.1]nonadien-(2,7) (II), das in Gegenwart einer stärkeren Base unter Bromwasserstoff-Eliminierung in 3-Brom-tricyclo[3.3.1.0^{4,6}]nonadien-(2,7) (III) übergeht:

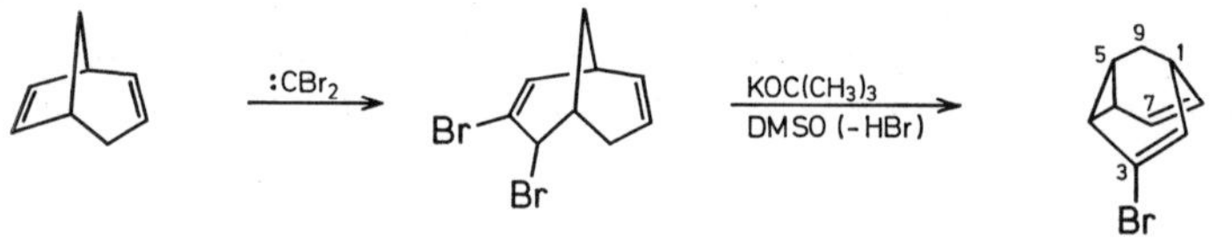

[1] W. Baker et al., Soc. **1957**, 4026.

[2] E. Ciganek, Am. Soc. **88**, 2882 (1966).

[3] Hergestellt durch Addition von Propiolsäure-methylester an Anthracen.

[4] Hergestellt durch Addition von cis-1,2-Dichlor-äthylen an 9-Methoxycarbonyl-anthracen und nachfolgender Dechlorierung unter Benutzung eines Zink-Kupfer-Paars.

Das unsubstituierte tricyclische System, das sogenannte „Homosemibullvalen", konnte auf verschiedenen Wegen[1–3] zugänglich gemacht werden.

Im Zusammenhang mit Studien an Umlagerungen im Triasteran-System konnte zunächst ein synthetischer Zugang zum *Tricyclo[3.3.1.*$0^{4,6}$*]nonadien-(2,7)* (XVI) gefunden werden[1]. Die Cyclopropanringe im *Triasteran* (*Tetracyclo-[3.3.1.*$0^{2,8}$*.*$0^{4,6}$*]nonan*; VI) stehen parallel und besonders günstig für Umlagerungen, die von einer Methylen-Brücke (Anion, Radikal, Kation oder Carben) ausgehen. So liefert die Wolff-Kishner-Reduktion des 9-Oxo-triasterans (IV) 29% *Triasteran* (VI), 8,5% *Bicyclo[3.3.1]nonadien-(2,6)* bzw. *-(2,7)* sowie 0,9% *Tricyclo[3.3.1.*$0^{4,6}$*] nonen-(2)* (VIII)[1,4]. Die Bildung von VIII läßt sich aus dem Anion V durch Homoallyl-Umlagerung zum Anion VII und dessen Protonierung erklären[1]. Über Platin in Eisessig läßt sich VIII zu IX (*Tricyclo[3.3.1.*$0^{4,6}$*]nonan*) und dieses weiter zu Bicyclo [3.3.1]- und -[3.2.2]nonan hydrieren[1,4]. Die Konstitutionen von VIII und IX wurden durch die folgenden Synthesen bewiesen[1]: Cyclohexen-(1)-yl-essigsäure liefert über das Carbonsäure-chlorid X (Kp_{15}: 90–92°; 95% d.Th.) ein Diazoketon XI, das mit Kupferpulver in siedendem Cyclohexan zum Keton XII (farblose Kristalle; F: 92–94°; 52% d.Th.) zersetzt wird. Beim Erhitzen des entsprechenden Tosylhydrazons XIII (F: 203–205°; 80% d.Th.) mit Natrium-glykolat in Glykol wird ein Rohprodukt erhal-

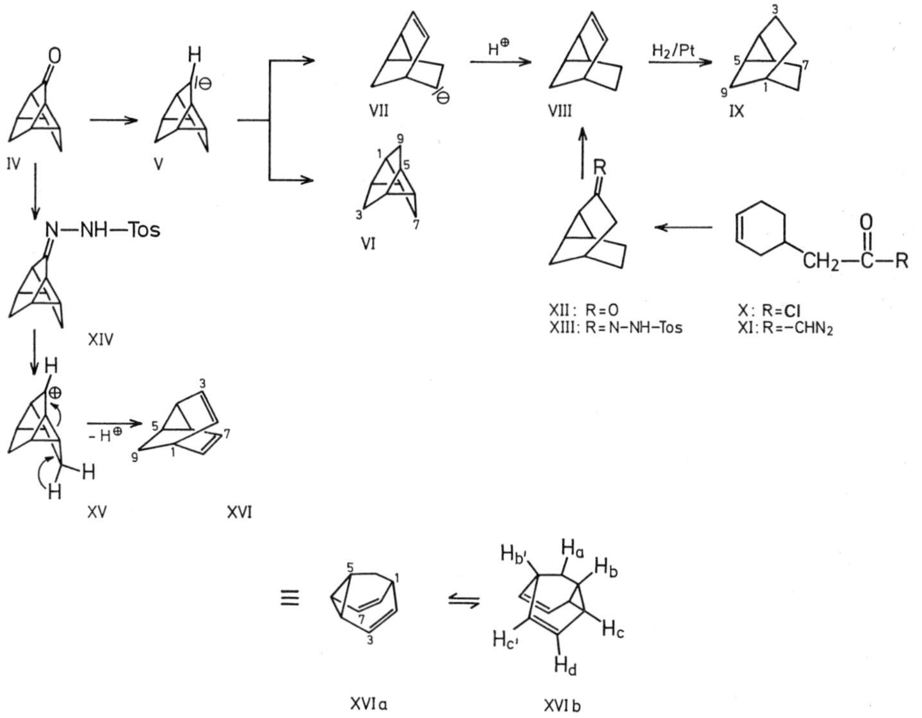
IV
V
VII
VIII
IX
VI
$H^{\oplus}$
H_2/Pt
N—NH—Tos
XIV
XV
XVI
$-H^{\oplus}$
R
O
CH₂—C—R
XII: R=O
XIII: R=N-NH-Tos
X: R=Cl
XI: R=-CHN₂
XVIa
XVIb
Ha
Hb
Hb'
Hc
Hc'
Hd

[1] U. Biethan, H. Klusacek u. H. Musso, Ang. Ch. **79**, 152 (1967).

[2] W. v. E. Doering u. J. H. Hartenstein.
Persönliche Mitteilung an H. Musso s. U. Biethan, H. Klusacek u. H. Musso, Ang. Ch. **79**, 152 (1967).
Persönliche Mitteilung an G. Schröder, Ang. Ch. **79**, 458 (1967).
s.a. W. v. E. Doering et al., Tetrahedron **23**, 3943 (1967).

[3] H. Tsuruta, K. Kurabayashi u. T. Mukai, Tetrahedron Letters **1967**, 3775.

[4] Vgl. a. H. Musso u. U. Biethan, B. **100**, 119 (1966).

ten, in dem VIII neben sechs unbekannten Verbindungen zu 85% enthalten ist und aus dem es sich mit 6% Ausbeute isolieren läßt (farblose flüchtige Kristalle; F: 68–70°). Bei der Wolff-Kishner-Reduktion von XII (S. 563) gewinnt man 63% IX als farblose wohlriechende Kristalle (F: 128–129°).

Nach dem Mechanismus der Bamford-Stevens-Reaktion[1] sollte aus dem Tosylhydrazon XIV zunächst das Kation XV zugänglich sein, das sich unter Abspaltung eines Protons zu XVI stabilisieren kann. Zersetzt man das Tosylhydrazon XIV (F: 202–204°; 79% d. Th.) in analoger Weise wie XIII, so bildet sich *Tricyclo[3.3.1.0^{4,6}] nonadien-(2,7)* (XVI, S. 563)[2]. Das sublimierte Produkt (F: 37–44°; 57% d. Th.) besteht zu 97% aus XVI (S. 563), das gaschromatographisch gereinigte Produkt bildet lichtempfindliche, unangenehm riechende, farblose Kristalle (F: 46°; 43% d. Th.).

Das Kernresonanzspektrum in Tetrachlormethan/Trichlor-deuteromethan bei Raumtemp. beweist die Konstitution XVI und zeigt den raschen Wechsel zwischen den energiegleichen Strukturen XVIa und XVIb (S. 563), denn es enthält nur vier Signale im Intensitiätsverhältnis $2:2:4:2$; H_a: 8,94 τ (Triplett, $J = 2,5$ Hz), H_b: 7,67 τ (Multiplett), H_c: 6,03 τ (Triplett, $J = 7,5$ Hz) und H_d: 4,37 τ (Triplett, $J = 7,5$ Hz)[2].

Tricyclo[3.3.1.0^{4,6}]nonadien-(2,7) entsteht auch bei der Wolff-Kishner-Reduktion von 9-Oxo-tricyclo[3.3.1.0^{4,6}]nonadien-(2,7) (s. S. 537) in einem Gemisch mit anderen Substanzen zu $\sim 30\%$ und konnte aus diesem durch Gaschromatographie abgetrennt werden[3].

Die Pyrolyse des Tosylhydrazons [F: 130° (Zers.)] von Tropylacetaldehyd[4] in 1,4-Dioxan bei 90–95° führt nach Reinigung[5] in $\sim 20\%$ Ausbeute zu einem öligen Produkt, das nach gaschromatographischer Untersuchung eine trennbare Mischung von zwei Kohlenwasserstoffen im Verhältnis $2:9$ darstellt[6]. Der in geringerer Menge anfallende Kohlenwasserstoff konnte aufgrund seines NMR-Spektrums als *Tricyclo[3.3.1.0^{4,6}]nonadien-(2,7)* (XVI, S. 563) charakterisiert werden[6]. Das Hauptprodukt der Pyrolyse ist das bereits bekannte Bicyclo[4.2.1]nonatrien-(2,4,7)[7].

In analoger Weise konnte inzwischen auch *Phenyl-tricyclo[3.3.1.0^{4,6}]nonadien-(2,7)* erhalten werden (3% d. Th.)[8].

3. Das Azabullvalen-System

Cyclooctatetraen und Chlorsulfonylisocyanat[9] reagieren ohne Lösungsmittel bei Raumtemperatur im Molverhältnis $1:1$ zu dem kristallinen 1,4-Cycloaddukt I (S. 565),

[1] L. Friedman u. H. Shechter, Am. Soc. **81**, 5512 (1959).
[2] U. Biethan, H. Klusacek u. H. Musso, Ang. Ch. **79**, 152 (1967).
[3] W. v. E. Doering u. J. H. Hartenstein.
   Persönliche Mitteilung an H. Musso s. U. Biethan, H. Klusacek u. H. Musso, Ang. Ch. **79**, 152 (1967).
   Persönliche Mitteilung an G. Schröder, Ang. Ch. **79**, 458 (1967).
   s. a. W. v. E. Doering et al., Tetrahedron **23**, 3943 (1967).
[4] M. E. Volpin, I. S. Akhrem u. D. N. Kursanov, Ž. obšč. Chim. **30**, 159 (1960); C. A. **54**, 22536 (1960).
[5] Reinigung durch Extraktion mit wässriger Silbernitrat-Lösung und anschließender Chromatographie an Aluminiumoxid.
[6] H. Tsuruta, K. Kurabayashi u. T. Mukai, Tetrahedron Letters **1967**, 3775.
[7] L. G. Cannell, Tetrahedron Letters **1966**, 5967.
[8] H. Tsuruta, K. Kurabayash u. T. Mukai, Am. Soc. **90**, 7167 (1968).
[9] R. Graf, B. **89**, 1071 (1956).

das durch Hydrolyse in II überführt werden kann[1]. Bei der Belichtung von II in Methanol[2] wird in 40%iger Ausbeute ein kristallines, unschmelzbares Hauptprodukt III (*4-Amino-bicyclo[5.1.0]octadien-(2,5)-8-carbonsäure-lactam*) neben einer öligen Mischung mehrerer anderer Komponenten erhalten[1]. III ist mit II isomer, zeigt im IR-Spektrum Banden bei 6,03 μ und 6,10 μ und läßt im Ultraviolett-Spektrum eine Schulter bei 275 mμ ($\varepsilon = 22$) erkennen. Die katalytische Hydrierung ergibt unter Aufnahme von 3 Molen Wasserstoff ein Amid (F: 153°)[3]. Weder II noch III sind sauer oder basisch hydrolysierbar.

Das in Trifluoressigsäure aufgenommene Kernresonanzspektrum zeigt für III vier Gruppen von Protonen mit $\tau = 1{,}3$ (Intensität 1), $\tau = 3{,}4$–4,6 (Intensität 4), $\tau = 6{,}2$–6,7 (Intensität 1) und $\tau = 7{,}3$–7,6 (Intensität 3), die der NH-Gruppe, den olefinischen Protonen, dem Proton am tertiären C-Atom und den Cyclopropanprotonen zugeordnet wurden[1].
Diese Strukturelemente sind in Einklang mit Formel III .

Aus III läßt sich mittels Triäthyloxoniumtetrafluoroborat in Dichlormethan *4-Amino-bicyclo[5.1.0]octadien-(2,5)-8-carbonsäureäthylester-lactim(3-Äthoxy-2-aza-bull-valen*; IV) gewinnen (67% d.Th.; F: 58°):

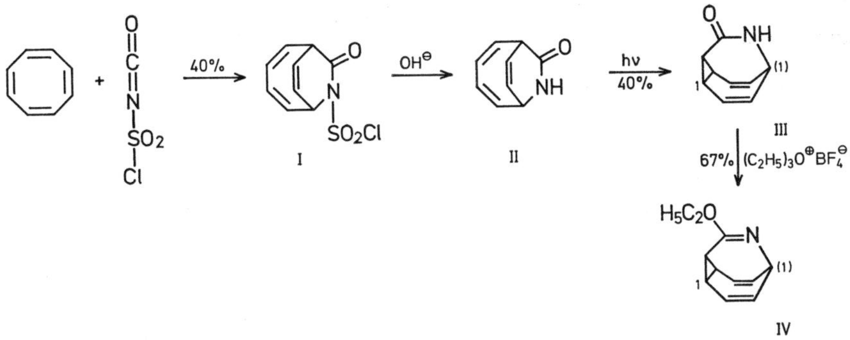

Das Hochtemperaturspektrum von IV in der Schmelze zeigt mit steigender Temp. eine Signalverbreiterung und Konversion sämtlicher Ringprotonen. Bei $\sim +180°$ sind die einzelnen Signale zu einer breiten Kurve verschmolzen. Offensichtlich liegt auch hier — d.h. beim Azabullvalen-System — eine Fluktuation des Homotropiliden-Systems vor, wobei die Position der Lactimäther-Gruppe unberührt bleibt[1]. Kürzlich konnte nachgewiesen werden, daß die Änderung der Linienform im NMR-Spektrum von IV im Temperaturbereich zwischen $+60°$ und $-70°$ auf eine Cope-Umlagerung vom Homotropiliden-Typ zurückgeht, an der die C=N-Doppelbindung nicht beteiligt ist[4].

In einem ganz ähnlichen Synthesegang wurde auch das *3-Methoxy-2-azabullvalen* hergestellt[5]. Wiederum ausgehend vom Cyclooctatetraen wurde mit Chlorsulfonylisocyanat bei Abwesenheit eines Lösungsmittels bei 50° das Addukt I in $\sim$ 73%iger Ausbeute erhalten, das gleichfalls in II überführt wurde. Die Umsetzung von II mit Trimethyloxoniumtetrafluorborat[6] führte in 81%iger Ausbeute zu dem Iminoäther V,

[1] P. WEGENER, Tetrahedron Letters **1967**, 4985.
[2] Hg-Hochdruckbrenner Q 81 ,Quarzlampengesellschaft Hanau.
[3] Der Dreiring wird hydrierend gespalten; vgl. hierzu die Hydrierung von Bullvalen: G. SCHRÖDER, Ang. Ch. **77**, 782 (1965).
[4] H. KLOSE u. H. GÜNTHER, B. **102**, 2230 (1969).
    s.a. H. GÜNTHER, H. KLOSE u. D. WENDISCH, Tetrahedron **25**, 1531 (1969).
[5] L. A. PAQUETTE u. T. J. BARTON, Am. Soc. **89**, 5480 (1967).
[6] Vgl. L. A. PAQUETTE, Am. Soc. **86**, 4096 (1964).

der seinerseits photochemisch in *3-Methoxy-2-aza-bullvalen* (54% d.Th.; VII) umgewandelt werden konnte[1]. Zum anderen gelang es auch, die Synthese über II und VI durchzuführen[1]:

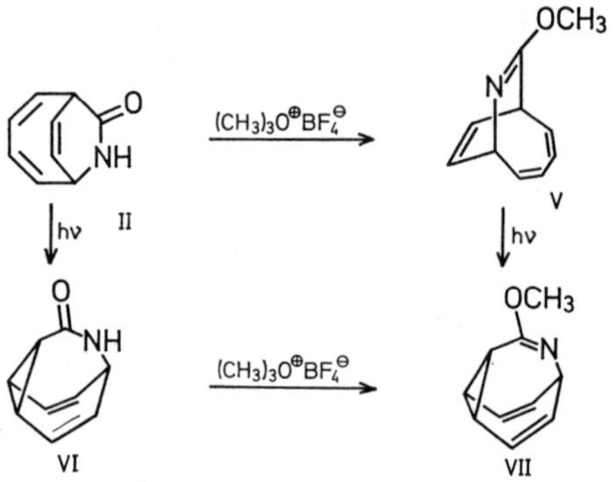

Das Kernresonanzspektrum von VII ist sehr eingehend studiert worden[2]. Aus dem Gang der Temperaturabhängigkeit der Spektren von VII in Tetrachloräthylen wurde auf die Kombination von zwei Cope-Umlagerungen im Sinne des nachfolgenden Schemas geschlossen[2]:

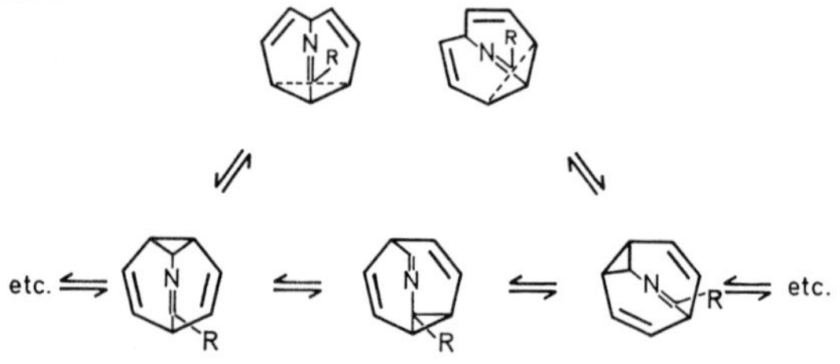

R = OCH₃

Das *3-Methoxy-2-aza-bullvalen* wurde zum anderen auch auf sein photochemisches Verhalten hin untersucht[3]. Durch 15 stdg. UV-Bestrahlung von VII in Methanol werden die Verbindungen VIII bis XII erhalten, in Tetrahydrofuran entstehen dagegen nur die Verbindungen VIII bis XI. Analog gibt die 3 stdg. Bestrahlung von XII in Methanol die Verbindungen VII bis IX und XI. In Aceton entsteht aus XII nur VII.

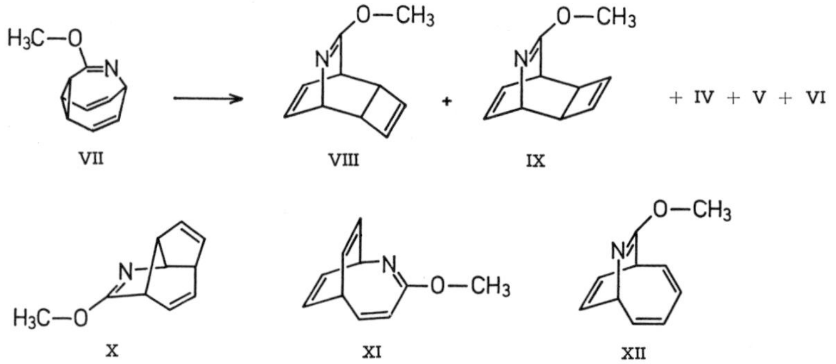

[1] L. A. PAQUETTE u. T. J. BARTON, Am. Soc. **89**, 5480 (1967).
[2] L. A. PAQUETTE, T. J. BARTON u. E. B. WHIPPLE, Am. Soc. **89**, 5481 (1967).
[3] L. A. PAQUETTE u. G. R. KROW, Am. Soc. **90**, 7149 (1968).

d) Andere Verbindungen mit Homotropiliden-Systemen

Tricyclo[3.3.2.0^{4,6}]decadien-(2,7) (I; *Dihydrobullvalen*)[1] und die hier zu besprechenden Derivate (symmetrische Substitutionen in 9- und 10-Stellung) besitzen eine durch eine Brücke aus zwei Kohlenstoffatomen in der *cisoiden* Konformation fixierte Homotropiliden-Struktur (s. S. 530) und unterliegen einer schnellen und reversiblen Valenzisomerisierung (II $\rightleftharpoons$ II')[2]. Die beiden Strukturen II und II' sind identisch; sie stehen zueinander im Verhältnis von Bild zu Spiegelbild. Individualisiert man jedoch die Atome, so behalten nur die Protonen der Sorte A denselben chemischen (olefinischen) Charakter bei, während alle anderen Wasserstoffe paarweise ihre Umgebung vertauschen und demzufolge auch ihre chemische Verschiebung im Kernresonanzspektrum verändern[2].

Alle Tricyclo[3.3.2.0^{4,6}]decadien-(2,7)-Derivate zeigen als entscheidendes Merkmal in ihren NMR-Spektren bei Raumtemperatur ein Absorptionssignal[2] zwischen 6 und 6,5 τ, das durch Vermischen der cyclopropylischen und olefinischen Zustände der vier B-Protonen entsteht.

In den Tieftemperatur-NMR-Spektren erscheinen zwei Signale gleicher Intensität: für die olefinische Position B' bei $\tau = 4,2$–$4,5$ und für die Cyclopropylstellung B'' bei $\tau = 8,4$–$8,5$. Bei $\sim -60°$ findet die Koaleszenz statt[2]. Die beiden Protonen der Sorte D liefern bei Tieftemperaturmessungen Resonanzsignale um $\tau = 7,4$–$7,7$ (Brückenkopfposition D'), bzw. bei $\tau = 8,4$–$8,5$ (Cyclopropylposition D''). Entsprechend der kleineren Energiedifferenz zwischen der D'- und D''-Position liegt die Koaleszenztemp. dieser Signale etwas tiefer als bei den B-Protonen ($\sim -70°$). Der Mischungsprozeß führt die Protonen der Sorte D bei Raumtemp. zu einer Bande bei rund 8,0 τ. Grundsätzlich dasselbe Phänomen gilt sowohl für die C-Protonen als auch für die Protonen der Substituenten in 9,10-Stellung. Nur die Protonen der Sorte A behalten stets dieselbe chemische Umgebung, ihre chemische Verschiebung (4,1–4,5) ist daher temperaturunabhängig[2].

In Zusammenhang mit Untersuchungen über das Verhalten von Cyclooctatetraen (COT) in basischem Medium[3] wurden zwei dimere Cyclooctatetraene $C_{16}H_{16}$ isoliert (F: 53° u. 76°), die schon früher beschrieben worden sind[4]. Gemäß den früheren Untersuchungen[4] sollten die Dimeren, die beide durch Erhitzen von COT auf $\sim$ 100° entstehen, die Strukturen III und IV besitzen[5] (S. 568).

[1] G. Schröder, B. **97**, 3140 (1964).

[2] R. Merényi, J. F. M. Oth u. G. Schröder, B. **97**, 3150 (1964).

[3] G. Schröder, Ang. Ch. **75**, 91 (1963).

[4] W. O. Jones, Chem. & Ind. **1955**, 16.

s. ds. Handb., Bd. V/1 d, Kap. Cyclooctatetraene.

[5] Auch nach neueren Untersuchungen[6,7] glaubte man zunächst, dem niedrig schmelzenden COT-Dimeren die Struktur III zuschreiben zu müssen. Das Ultraviolettspektrum zeigt Absorptionsmaxima bei 262 ($\varepsilon = 3200$) und 217 mμ ($\varepsilon = 22400$)[6], wobei man das längerwellige Maximum unzweifelhaft einem Cyclooctatrien-(1,3,5)-System zuordnen kann[8]. Bei der katalytischen

(Fortsetzung s. S. 568)

III   IV   IIIa

In Gegenwart protonenhaltiger Solventien und unter dem katalytischen Einfluß von Basen vermag ein Molekül des niedrig schmelzenden COT-Dimeren Cyclooctatetraen zum Cycloocta-trien-(1,3,5) zu reduzieren[1]. Der reaktionsmechanistische Vorschlag für den Ablauf dieser Reaktion[2], bei der u.a. die intermediäre Bildung des bekannten Cyclooctatetraenyl-Dianion[3] vermutet wird, bedarf aufgrund der neuen Struktur dieses COT-Dimeren I a einer Überprüfung[4].

Das dimere Cyclooctatraen vom F: 76° entsteht beim Erhitzen von monomerem Cyclooctatetraen auf 100° während 65 Stdn. in ~ 40% iger Ausbeute (bez. auf umgesetztes Cyclooctatetraen; s.S. 573). Nach neueren Untersuchungen[2,5] ist die früher vorgeschlagene Struktur IV falsch und muß durch die Struktur VI ersetzt werden[6]. Das Molekül besteht damit aus einer Bicyclo[4.2.0]octadien-(2,4)-Einheit (rechte Hälfte) und einer Homotropilideneinheit (linke, stark ausgezogene Hälfte). Das UV-Spektrum von VI zeigt ein Maximum bei 282 mμ ($\varepsilon = 2300$) und eine Schulter bei 232 mμ ($\varepsilon = 4600$)[2]. Das Maximum kann den konjugierten Doppelbindungen des Bicyclo[4.2.0]octadien-(2,4)-Systems[7] zugeordnet werden. Die Schulter und deren hoher ε-Wert können ganz offensichtlich als Charakteristikum für ein durch eine Kette von zwei C-Atomen in 4,8-Stellung überbrücktes Homotropiliden gewertet werden, da sie in den UV-Spektren aller bisher untersuchten Molekeln mit einer solchen Struktureinheit auftauchen[2].

VI; F: 76°; *Pentacyclo[9.3.2.0^{2,9}.0^{3,8}.0^{10,12}]hexadecatetraen-(4,6,13,15)*

[1] G. Schröder, Ang. Ch. **75**, 91 (1963).
[2] G. Schröder, B. **97**, 3131 (1964).
[3] T. J. Katz, Am. Soc. **82**, 3784 (1960).
[4] G. Schröder u. J. F. M. Oth, Ang. Ch. **79**, 458 (1967).
[5] R. Merényi, J. F. M. Oth u. G. Schröder, B. **97**, 3150 (1964).
[6] W. O. Jones, Chem. & Ind. **1955**, 16.
[7] *Bicyclo[4.2.0]octadien-(2,4)*: λ_{max} 274 mμ ($\varepsilon = 3340$), s. A. C. Cope et al., Am. Soc. **74**, 4867 (1952).

(Fortsetzung v. S. 567)

Hydrierung werden 6 Mole Wasserstoff verbraucht; es entsteht ein Kohlenwasserstoff $C_{16}H_{28}$ (F: 177–118°)[9]. In der Literatur sind zwei zu $C_{16}H_{28}$ isomere tricylische Kohlenwasserstoffe mit der Struktur V beschrieben. Für das eine Isomere (F: 68,5°) wurde die *cis-anti-cis*-Konfiguration von V vermutet[10]. Andere Autoren beschrieben das Stereoisomere mit wahrscheinlicher *cis-syn-cis*-Konfiguration und „low melting point"[11]. Das Kernresonanzspektrum zeigt 12 olefinische Protonen bei 4,16 und 4,33 τ und vier weitere Protonen bei $\tau = 6,75$[6]. Der Kohlenwasserstoff reagiert mit Dienophilen relativ träge[6]. Nach neuester Auffassung sind diese genannten Daten eher mit einer Struktur IIIa als mit III in Einklang zu bringen[12].

V

[6] G. Schröder, B. **97**, 3131 (1964).
[7] G. Schröder in „*Cyclooctatetraen*", Verlag Chemie, Weinheim/Bergstr., 1965.
[8] Cyclooctatrien-(1,3,5): λ_{max} 265 mμ ($\varepsilon = 3600$), A. C. Cope et al., Am. Soc. **74**, 4867 (1952).
[9] W. O. Jones, Chem. & Ind. **1955**, 16.
[10] K. Ziegler et al. A. **589**, 122 (1954).
[11] W. J. Ball u. S. R. Landor, Soc. **1962**, 2298.
[12] G. Schröder u. J. F. M. Oth, Ang. Ch. **79**, 458 (1967).

Das NMR-Spektrum von VI ist temperaturabhängig[1,2]. Sowohl die Intensitäten als auch die chemischen Verschiebungen der Protonenresonanzsignale verändern sich sehr wesentlich mit der Temperatur. Ein solches Verhalten verweist VI sofort in die Gruppe der Molekeln, die einer schnellen und reversiblen Valenzisomerisierung unterliegen. Das IR-Spektrum[1] hingegen ist temperaturunabhängig im untersuchten Bereich von —65 bis +20°. Die miteinander im Gleichgewicht stehenden Valenzisomeren (VIa ⇌ VIb) sind offenbar strukturgleich:

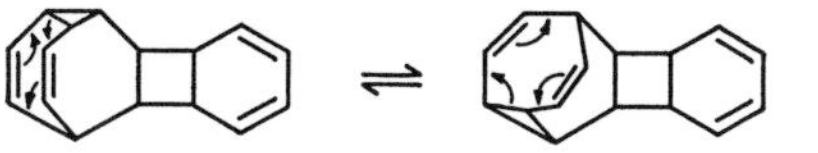

VI   ⇌   VI

Bei der katalytischen Hydrierung[1] über Palladium nimmt IV 5 Mole Wasserstoff[3] auf und bildet $C_{16}H_{26}$.

Wie bereits erwähnt (s. S. 534), führt die photolytische Spaltung von VI zu *Bullvalen* und Benzol. Dieses Verhalten erinnert an die UV-Bestrahlung von Cyclooctatetraen[4], bei der sich aus dem zu Cyclooctatetraen valenzisomeren Bicyclo-[4.2.0]octatrien-(2,4,7) Benzol und Acetylen bilden.

VI reagiert in Analogie zum Bicyclo[4.2.0]octadien-(2,4)[5] extrem leicht mit Dienophilen. So bilden sich die entsprechenden Diels-Alder-Addukte mit Maleinsäure-anhydrid, Fumarsäure-diäthylester und Acetylen-dicarbonsäure-diester bereits nach kurzer Zeit bei Raumtemperatur[1]. Diese leichte Reaktion von VI mit Dienophilen kann u. a. dazu benutzt werden, III (S. 568) vom gleichzeitig im Gemisch vorliegenden VI abzutrennen und rein herzustellen (s. d. Arbeitsvorschrift auf S. 573).

Die untersuchten Diels-Alder-Addukte zeigen im UV-Spektrum lediglich eine Schulter bei 232 mμ ($\varepsilon = 3000$–6000), die dem Homotropiliden-System zugeschrieben werden kann[1]. Damit unterliegen diese Addukte gleichfalls wie VI einer schnellen und reversiblen Valenzisomerisierung.

Das Vorliegen eines Homotropiliden-Systems in dem Cyclooctatetraen-Dimeren VI galt zunächst als überraschend, da a priori nicht einzusehen war, warum bei den relativ milden Bedingungen der Cyclooctatetraen-Dimerisation eine Ringverengung vom Acht- zum Siebenring unter gleichzeitiger Ausbildung eines alicyclischen Dreiringes eintreten sollte. Der eindeutige Beweis für das Vorliegen des Homotropiliden-Systems konnte auf dem Umweg über das *Bullvalen* erbracht werden, dessen Struktur auf chemischem Wege und durch das eine Protonenresonanzsignal im NMR-Spektrum bei 100° (s. S. 532) sichergestellt werden konnte. Bei der Beweisführung wurde von einer Voraussetzung ausgegangen[2]:

Die Addition von Dichlor-carben an eine Doppelbindung des Bullvalens verläuft normal, d. h. ohne tiefgreifende Änderungen im Molekülgerüst. Vergleicht man die Kernresonanzspektren des Dichlorcarben-Addukts $C_{11}H_{10}Cl_2$ mit dem von VI, so springt sofort die große Ähnlichkeit des Multipletts bei 6,3 τ ins Auge. Die Analogie der Raumtemperaturspektren und die ähnliche Temperaturabhängigkeit der Spektren sprechen dann für das Vorliegen der Homotropiliden-Struktur in VI. Die Feinstruktur der NMR-Spektren läßt sich gleichfalls nur mit dem Homotropiliden-System in Einklang bringen.

Beim Erhitzen von 13,14-Dimethoxycarbonyl-hexacyclo[10.2.2.2^{4,8}. 0.^{2,11}.0^{3,10}.0^{7,9}]octatetraen-(5,13,15,17) (VII, S. 570), dem Diels-Alder-Addukt

[1] G. Schröder, B. **97**, 3131 (1964).

[2] R. Merényi, J. F. M. Oth u. G. Schröder, B. **97**, 3150 (1964).

[3] Unter den von W. O. Jones[6] gewählten Bedingungen absorbierte $C_{16}H_{16}$ nur 4 Mole Wasserstoff; W. O. Jones, Chem. & Ind. **1955**, 16.

[4] G. J. Fonken, Chem. and Ind. **1963**, 1625.

[5] A. C. Cope et al., Am. Soc. **74**, 4867 (1952).

von VI und Acetylendicarbonsäure-dimethylester, auf $\sim 160°$ entstehen in guter Ausbeute Phthalsäure-dimethylester sowie *Tetracyclo[5.3.2.0^{2,5}.0^{6,8}]dodecatrien-(3,9,11)* (VIII; F: 22°)[1]:

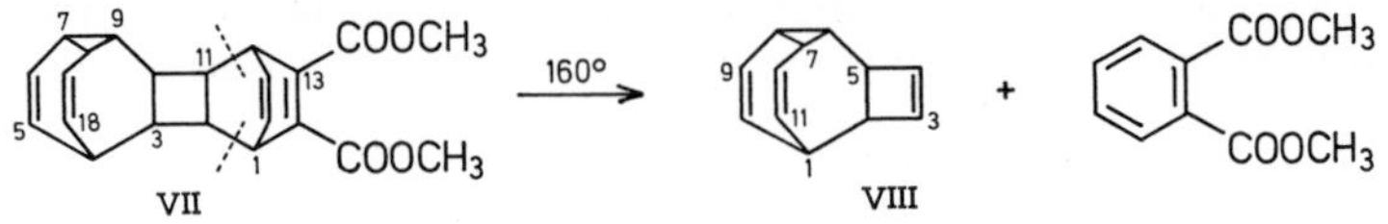

Entsprechend dem Homotropiliden-System erwartet und erkennt man auch im UV-Spektrum von VI eine Schulter bei 232 mμ ($\varepsilon = 2300$). Das NMR-Spektrum ist wiederum temperaturabhängig, so daß auch dieser Kohlenwasserstoff eine Molekel mit schneller und reversibler Valenzisomerisierung ist und durch das nachfolgende dynamische Gleichgewicht adäquat beschrieben werden kann:

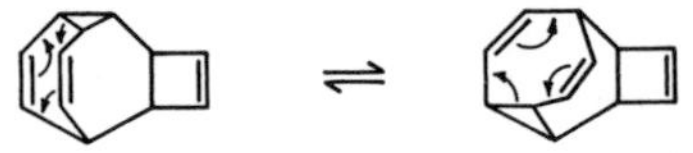

VI

Das Vorliegen eines Cyclobutenringes in VI macht sich im temperaturunabhängigen IR-Spektrum durch eine Absorptionsbande bei 3110 cm^{-1} bemerkbar, die den C—H-Valenzschwingungen der olefinischen Wasserstoffe des Vierringes zuzuordnen ist[2].

Die katalytische Hydrierung von VI über Palladium verläuft unter glatter Aufnahme von 4 Molen Wasserstoff zu einem C$_{12}$H$_{20}$-Kohlenwasserstoff[1].

Für VI ist auch ein anderer synthetischer Zugang versucht worden. Ersetzt man im Bicyclo [4.2.2]decatetraen-(2,4,7,9) eine isolierte Doppelbindung durch einen Cyclobuten-Ring, so gelangt man zu einem Kohlenwasserstoff[3] der Struktur VII. Von VII hätte man in Analogie zum Bicyclo [4.2.2]decatetraen-(2,4,7,9)[4] erwarten können, daß durch UV-Bestrahlung Isomerisierung zu VI eintritt. Man beobachtet jedoch Ringkontraktion, und es entstehen in etwa gleichen Mengen die beiden Isomeren[5] VIIIa und VIIIb. Diese Reaktion ist offensichtlich ein Analogon zur Photolyse des Bicyclo[4.2.1]nonatriens-(2,4,7) (IX), bei der u.a. die *exo-* und *endo-*Tricyclononadiene Xa und Xb anfallen[6]:

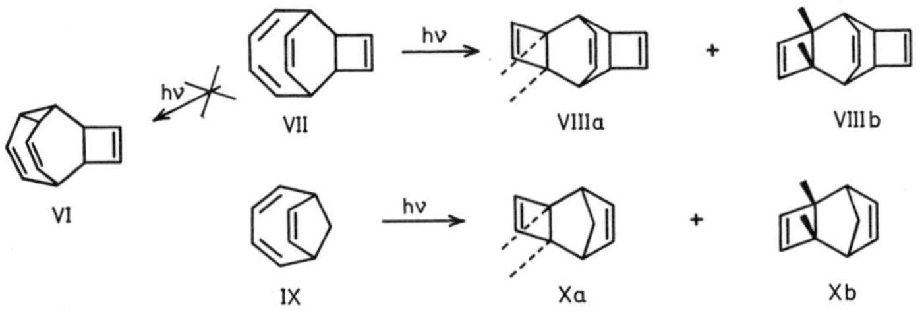

Bei der Bromierung von Tetracyclo[5.3.2.0^{2,5}.0^{6,8}]dodecatrien-(3,9,11) (I, S. 571) in Dichlormethan bei $-75°$ entsteht gemäß den temperaturunabhängigen NMR-Spek-

[1] G. Schröder, B. **97**, 3131 (1964).
[2] Vgl. R. C. Lord u. M. V. Evans, Am. Soc. **79**, 2401 (1957).
[3] G. Schröder u. W. Martin, Ang. Ch. **78**, 117 (1966).
[4] M. Jones u. L. T. Scott, Am. Soc. **89**, 150 (1967).
[5] G. Schröder u. W. Martin, s. Übersichtsreferat von G. Schröder u. J. F. M. Oth, Ang. Ch. **79**, 458 (1967).
[6] L. G. Cannell, Tetrahedron Letters **1966**, 5967.

tren ein mit großer Wahrscheinlichkeit[1,2] einheitliches Dibromid-Derivat II. Bei dessen Behandlung mit Kalium-tert.-butanolat in siedendem tert.-Butanol bildet sich unter Bromwasserstoff-Eliminierung in 50%iger Ausbeute *Brom-tetracyclo-[5.3.2.0²,⁵.0⁶,⁸]dodecatrien-(3,9,11)* (III)[2]. Im Kernresonanzspektrum erscheinen 5 olefinische und 6 aliphatische Protonen. Der Brom-Substituent hält also – wie in III wiedergegeben – eine olefinische Position besetzt. Aus der Temperaturunabhängigkeit des Spektrums von III folgt nicht notwendigerweise, daß die Valenzisomerisierung III ⇌ IV nicht abläuft, sondern lediglich, daß das betreffende Gleichgewicht fast ausschließlich von III beherrscht wird[3]:

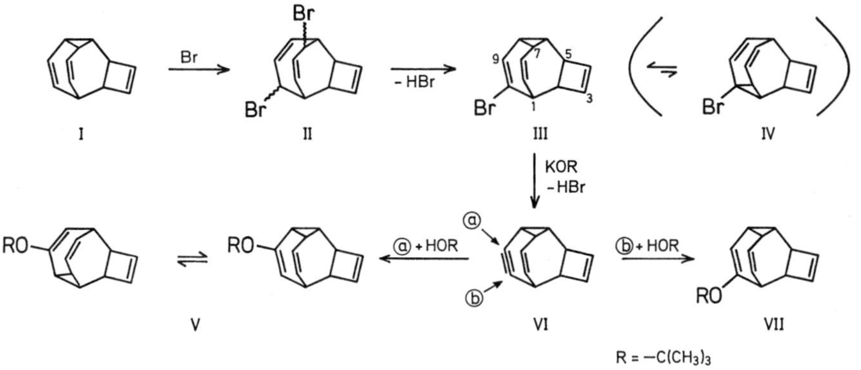

R = –C(CH₃)₃

Die Reaktion von III mit einer Lösung oder Aufschlämmung von alkoholfreiem Kalium-tert.-butanolat in Dimethylsulfoxid führt zu *tert.-Butyloxy-tetracyclo [5.3.2.0²,⁵.0⁶,⁸]dodecatrien-(3,9,11)* (33% d. Th.)[2]. Der III strukturell entsprechende Äther VII sollte aus dem gleichen Grunde wie bei III und in Analogie zum kernresonanzspektroskopischen Verhalten des tert.-Butyloxy-bullvalens (OR hält hier eine olefinische Position besetzt[4]) ein temperaturunabhängiges NMR-Spektrum geben. Das relativ komplexe, jedoch deutlich temperaturabhängige NMR-Spektrum kann mit dem Vorliegen eines Gemisches der Äther V und VII erklärt werden. Der temperaturabhängige Teil des Spektrums muß dabei ausschließlich auf den Äther V zurückgehen: Das Auftreten eines Signals zentriert um $\tau = 6,6$ im Spektrum bei + 40°, das bei –60° nicht beobachtet werden kann, muß auf eine Mittelwertsbildung der chemischen Verschiebungen der Cyclopropyl- und Olefinprotonen im Homotropiliden-System zurückgeführt werden. Nur eine schnelle und reversible Valenzisomerisierung in V (die beiden Valenzisomeren sind hier strukturgleich) vermag diesen Befund zu erklären[2]. Die Entstehung der beiden Äther V und VII läßt sich zwanglos über das intermediäre Auftreten der Dehydroform VI – ein Dehydro-homotropiliden-Derivat – deuten. Nucleophile Addition von Alkyloxy-

---

[1] Die Brom-Addition an I erfolgt ganz analog wie beim Bullvalen in 1,4-Stellung an das Vinylcyclopropan-System. Prinzipiell können dabei 4 stereoisomere Dibromide entstehen. Es verdient hervorgehoben zu werden, daß unter den Bromierungsbedingungen der Cyclobuten-Ring unversehrt bleibt.

[2] G. SCHRÖDER et al., B. **100**, 3527 (1967).

[3] Dieser experimentelle Befund erscheint nach der Untersuchung der dynamischen Gleichgewichtsverhältnisse am Brom-bullvalen [s. J. F. M. OTH et al., B. **98**, 3385 (1965)] als durchaus nicht überraschend.

[4] s. G. SCHRÖDER et al., B. **98**, 3385 (1965).

Anionen nach Weg ⓐ führt zu V, nach Weg ⓑ zu VII. Ganz offenbar sind die Äther V und VII über einen Eliminierungs-Additions-Mechanismus gebildet worden (S. 571).

Die Bromwasserstoff-Abspaltung aus Brom-bullvalen und auch aus III ist eine β-Eliminierung. Reaktionsort dieser β-Eliminierung kann nur die Doppelbindung sein. Da das tricyclische System des Bullvalens eindeutig in den Gültigkeitsbereich der Bredtschen Regel[1] fällt, kann die Bromwasserstoff-Abspaltung nicht unter Einbeziehung eines Brückenkopfprotons verlaufen. Dabei müßten intermediär Allene der Strukturen VIII oder IX anfallen, die jedoch aus Spannungsgründen sofort zu verwerfen sind. Desgleichen ist auch eine denkbare Struktur X, die z.B. durch eine Valenzisomerisierung aus 3,4-Dehydro-bullvalen entstehen könnte, auszuschließen[2]. VIII läßt sich nicht nur durch diese theoretischen Überlegungen, sondern auch durch das Experiment ausschließen:

Führt man die Bromwasserstoff-Abspaltung aus III in Gegenwart von 1,3-Diphenyl-⟨benzo-[c]-furan⟩ durch, so läßt sich zu ∼ 25% ein Addukt isolieren, dem aufgrund seines kernresonanzspektroskopischen Verhaltens die Struktur XIIIb zugeordnet wurde[2]. Verliefe die Bromwasserstoff-Abspaltung aus III unter Einbeziehung des Brückenkopfprotons, so sollte XI (das zu VIII analoge Allen) und daraus schließlich das Addukt XII entstehen. Eine Struktur im Sinne von XII war jedoch nicht mit dem NMR-Spektrum des Addukts in Einklang zu bringen[2].

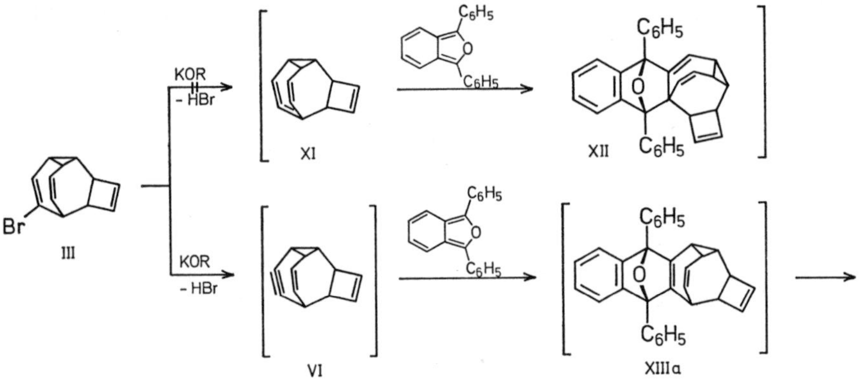

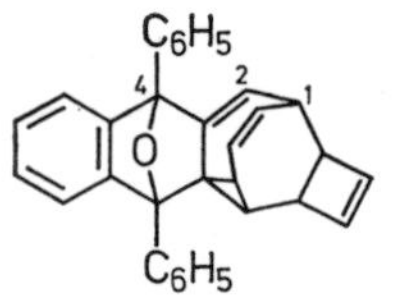

XIIIb; *4,9-Diphenyl-⟨5,6-benzo-17-oxa-hexacyclo[7.5.2.1⁴,⁷.0³,⁸.0⁸,¹⁰.0¹¹,¹⁴]* *heptadecatetraen-(2,5,12,15)*

Das intermediäre Auftreten von Dehydrobullvalen bei der Überführung von Brombullvalen in die Alkoxy-bullvalene sowie das von VI bei der analogen Reaktion von III dürfte damit zweifelsfrei sein (s.a.S. 571).

[1] J. BREDT, A. **437**, 1 (1924).
[2] G. SCHRÖDER et al., B. **100**, 3527 (1967).

Tricyclo[3.3.2.0^{4,6}]decadien-(2,7)(Dihydrobullvalen; I, S. 567)[1]: Zu einer Lösung von 1,05 g Bullvalen in 100 *ml* Methanol gibt man 20 *ml* Wasser, 30 mg Kupfer(II)-acetat und 12 *ml* Hydrazin. Unter Wasserkühlung (als Reaktionsgefäß kann eine 300-*ml*-Waschflasche mit Fritte und Magnetrührer dienen) und Rühren läßt man innerhalb 1,5 Stdn. 1,2—1,3 *l* Sauerstoff durch die Lösung perlen, die sich dabei langsam gelb bis gelbbraun färbt. Danach fügt man 100 *ml* Wasser zu und extrahiert die nunmehr milchig getrübte Mischung 4 mal mit je 30 *ml* Pentan. Die durch Filtration vom Kupfer(II)-hydroxid befreite Pentan-Lösung wird 4 mal mit je 30 *ml* Wasser gewaschen, über Natriumsulfat getrocknet und schließlich im Rotationsverdampfer eingeengt. Der kristalline Rückstand wird 2 mal sublimiert (F: 50—62°). Aus diesem Kristallgemisch kann man dann das Dihydrobullvalen durch präparative Gaschromatographie rein isolieren; F: 62—63°.

Pentacyclo[9.3.2.0^{2,9}.0^{3,8}.0^{10,12}]hexadecatetraen-(4,6,13,15) (ein Dimeres des Cyclooctatetraens, VI, S. 568)[2]: 217 g frisch destilliertes Cyclooctatetraen (COT) werden in Ampullen 68 Stdn. auf 100° erhitzt. Nicht umgesetztes COT destilliert man anschließend im Ölpumpenvak. (~ 1 Torr) ab und läßt dabei gegen Destillationsende die Ölbadtemp. bis auf ~ 60° ansteigen (dann 0,1 Torr). Im Kolben verbleiben 62 g eines ölig-viskosen und gelb gefärbten Rückstandes, der in 25 *ml* Äther gelöst und auf —10° abgekühlt wird. Durch gelegentliches Reiben mit einem Glasstab wird die Kristallisation gefördert. Sind die ersten Kristalle sichtbar, so läßt man das dimere COT im Kühlschrank während 24 Stdn. auskristallisieren und kann schließlich 19 g Rohprodukt isolieren. Aus Äther (1mal) und Äthanol (2 mal) können 15 g farbloses Produkt (F: 75—76°) erhalten werden. Die gesammelten Mutterlaugen werden destilliert. Man erhält 29 g Destillat; Kp$_{0,1}$ 105—115°.

Als Rückstand verbleiben hierbei 8 g eines hochviskosen Öles, das in warmem Benzol gelöst wird. Die Lösung wird mit Aceton versetzt. Beim Abkühlen scheiden sich Kristalle des tetrameren Cyclooctatetraens ab; F: 168—178°.

Bei der oben beschriebenen Destillation kondensieren in der Kühlfalle ~ 3 g COT. Das an dem anderen COT-Dimeren angereicherte destillierte Dimerengemisch versetzt man mit 10 *ml* frisch destilliertem Acetylen-dicarbonsäuredimethylester, wobei die Temp. des sich erwärmenden Reaktionsgemisches nicht über 50° ansteigen darf. Man läßt ausreagieren, fügt 25 *ml* Äther zu, impft die auf 0° gekühlte Lösung an oder erzeugt die ersten Kristalle durch Reiben mit einem Glasstab, stellt danach für ~ 24 Stdn. in den Kühlschrank und isoliert schließlich 18,5 g des entsprechenden Diels-Alder-Adduktes (entspr. 10,8 g des dimeren COT); Gesamtausbeute: 10,8 + 15,0 = 25,8 g (40% d. Th., bez. auf umgesetztes COT).

e) Reversible und irreversible thermische Umlagerungen in Molekülen mit Homotropiliden-Struktur

Wie erwähnt, sind die mit relativ niedrigen Aktivierungsenergien (s. Tab. 84, S. 574) ablaufenden thermischen Umlagerungen in Molekülen mit einem Homotropiliden-System durch den Begriff der fluktuierenden Bindungen charakterisiert worden. Mit abnehmendem Abstand zwischen den Kohlenstoffatomen 1 und 5 in I nehmen die korrespondierenden Aktivierungsenergien für diese Bindungsverschiebungen ab.

Bei höheren Temperaturen – je nach Art der Molekelstruktur zwischen 100 und 400° – werden jedoch die beschriebenen reversiblen Reaktionen in I durch irreversible überspielt. Pars pro toto seien an dieser Stelle einige Verbindungen mit ihren definierten Folgeprodukten summarisch zusammengestellt:

---

[1] G. Schröder, B. **97**, 3140 (1964).
[2] G. Schröder, B. **97**, 3131 (1964).

Homotropiliden {Bicyclo[5.1.0]nonadien-(2,5); II} erleidet bei ∼ 305° eine irre-versible Vinyl-cyclopropan/Cyclopenten-Umlagerung zum *Bicyclo[3.3.0]octadien-(2,6)* (III)[1].

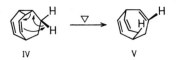

II   III

Tab. 84. Kinetische Daten der Valenzisomerisierungen in überbrückten Homo-tropilidenen[2]

Die Werte für $\log_{10}$ A und E_a wurden nach der Methode der kleinsten Quadrate berechnet, wobei die Fehler den mittleren Abweichungsquadraten entsprechen. A ≙ Häufigkeitsfaktor.

Verbindung	k (sec⁻¹) [°C]		$\log_{10}A$	E_a (kcal/Mol)	$\Delta H^{\pm}$ (kcal/Mol)	$\Delta S^{\pm}$ (cal/Grad · Mol)	Litera-tur
	−40°	0°					
Bullvalen	20	790	12,11 ± 0,08	11,5±0,1	10,9±0,1	− 4,8 ± 0,4	3−5
Dihydrobullvalen {*Tricyclo[3.3.2.0⁴,⁶] decadien-(2,7)*}	6150	332 500	15,0±0,4	12,6±0,4	12,0±0,4	+11,0 ± 0,4	6
Homosemibullvalen {*Tricyclo[3.3.1.0⁴,⁶] nonadien-(2,7)*}	990 000	26 000 000	15,7±0,3	10,4±0,3	9,8±0,3	+11,5 ± 0,3	7
Semibullvalen {*Tricyclo[3.3.0.0⁴,⁶] octadien-(2,7)*}	schneller als Homosemibull-valen		—	—	—	—	—

Im Tricyclo[3.3.2.0⁴,⁶]decadien-(2,7)(Dihydrobullvalen; IV) dagegen gewinnt die 1,5-Homodienyl-Wasserstoff-Verschiebung, wobei *Bicyclo[3.3.2]decatrien-(2,7,9)* (V) entsteht[8].

IV   V

Die Pyrolyse von Tetracyclo[5.3.2.0²,⁵.0⁶,⁸]dodecatrien-(3,9,11)(VI, S. 575), einem durch einen Cyclobuten-Ring überbrückten Homotropiliden, führt in recht glatter Reaktion zum isomeren Kohlenwasserstoff VIII {*Tricyclo[5.3.2.0⁴,⁸]dodecatetraen-(2,5,9,11)*} dessen Entstehung man sich folgendermaßen denken kann: Eine Valenzisomerisierung im Sinne der ein-

[1] W. v. E. DOERING u. W. R. ROTH, Ang. Ch. **75**, 27 (1963); Tetrahedron **19**, 715 (1963).
   W. v. E. DOERING, J. chem. Allunions-Mendelejew-Ges. (UdSSR) **7**, 308 (1962).
[2] G. SCHRÖDER u. J. F. M. OTH, Ang. Ch. **79**, 458 (1967).
[3] J. M. GILLES u. J. F. M. OTH, Communication No. 389 at the 8th European Congress on Molecular Spectroscopy, August 14—20, 1965, Kopenhagen, Dänemark.
[4] M. SAUNDERS, Tetrahedron Letters **1963**, 1699.
[5] A. ALLERHAND u. H. S. GUTOWSKY, Am. Soc. **87**, 4092 (1965).
[6] J. F. M. OTH u. J. M. GILLES, s. Zitat 2.
[7] Modifizierte Werte von J. H. HARTENSTEIN an G. SCHRÖDER, s. G. SCHRÖDER u. J. F. M. OTH, Ang. Ch. **79**, 458 (1967).
   Der Beitrag der Spin-Spin-Kopplungskonstanten zur Linienbreite der gemischten Absorptionssignale der Olefin- und Cyclopropylwasserstoffe wurde hierbei berücksichtigt, s. hierzu: J. F. M. OTH u. J. M. GILLES, unveröffentlicht, s. Zitat 2.
[8] J. MEINWALD et al., Am. Soc. **89**, 612 (1967).

gezeichneten Pfeile unter Einbeziehung des ungesättigten Vierringes führt zu einem Vinylogen des Bullvalens (VII), das durch Vinyl-cyclopropan-Umlagerung letztlich zu VIII isomerisiert[1].

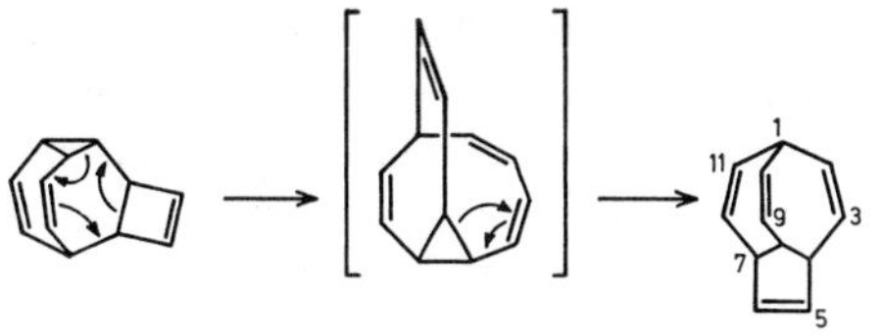

VI	VII	VIII

Das dimere Cyclooctatetraen {Pentacyclo[$9.3.2.0^{2,9}.0^{3,8}.0^{10,12}$]hexatetraen-(4,6,13,15); IX} reagiert leicht mit Dienophilen[2]. Dieser Befund wurde mit einer *anti*-Konfiguration am Cyclobutan-Ring in Einklang gebracht[3]; bei einer *syn*-Konfiguration müßten sich andererseits die Diels-Alder-Addukte — wie aus Molekülmodellen ersichtlich wird — aufgrund sterischer Wechselwirkungen durch eine extrem hohe Spannung auszeichnen, was ihre Bildungstendenz erheblich senken sollte. Bei Temp. zwischen 110 und 130° lagert sich IX in das bekannte[4] dimere Cyclooctatetraen XI {*Heptacyclo[$8.5.1.0^{2,5}.0^{3,16}.0^{4,9}.0^{6,16}.0^{11,13}$]hexadecadien-(7,14)*} um[5]. Durch eine einfache Valenzisomerisierung entsteht aus IX zunächst IXa, das zumindest prinzipiell mit IX und X im Gleichgewicht steht. Jedoch nur in X sind die sterischen Bedingungen für eine intramolekulare Diels-Alder-Reaktion zu XI erfüllt:

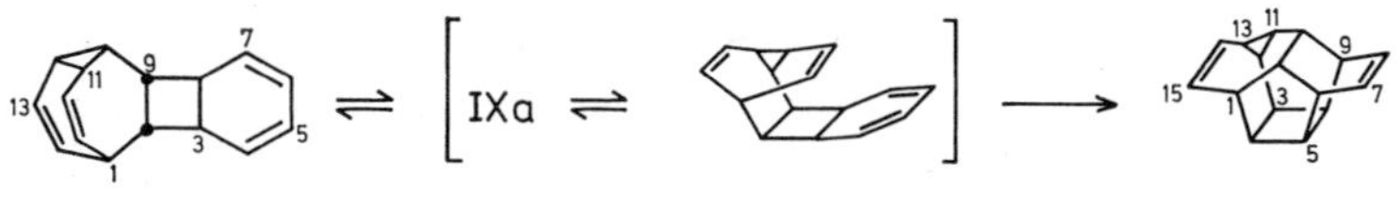

IX	X	XI

Wie schon beschrieben (s. S. 545), erleidet Bullvalen (XII) bei ∼ 350° eine thermisch irreversible Umlagerung zum *cis-9,10-Dihydro-naphthalin* (XIII)[6]. Hierfür werden derzeit unterschiedliche Mechanismen diskutiert[6].

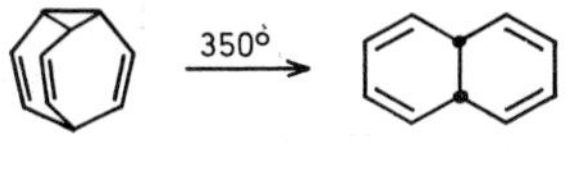

XII	XIII

B. Umwandlung

Reaktivität der Cyclopropan-Verbindungen

a) von Cyclopropanen

Der recht ähnliche Verlauf einer Vielzahl von Reaktionen der Cyclopropane und der Olefine[7,8] legt nahe, daß zwischen der olefinischen Doppelbindung und den Bindungen des alicyclischen Dreiringes eine gewisse Ähnlichkeit existiert (s. a. die Bemerkungen zur Struktur des Cyclopropans auf S. 17 ff.).

[1] J. Meinwald et al., Am. Soc. **89**, 612 (1967).
[2] G. Schröder, B. **97**, 3131 (1964).
[3] G. Schröder u. J. F. M. Oth, Ang. Ch. **79**, 458 (1967).
[4] H. W. Moore, Am. Soc. **86**, 3398 (1964).
[5] H. W. Moore, persönliche Mitteilung an G. Schröder, s. G. Schröder u. J. F. M. Oth, Ang. C. **79**, 458 (1967).
[6] W. v. E. Doering u. J. W. Rosenthal, Am. Soc. **88**, 2078 (1966).
[7] Vgl. die Literaturzusammenstellung bei:
M. Y. Lukina, Uspechi Chim. **31**, 901 (1962); C. A. **58**, 2375^{d} (1963).
[8] Vgl. „Olefiic Properties of Cyclopropanes" in J. Zabicky, „*The Chemistry of Alkens*", Vol. 2, S. 512–598, Interscience Publ., London 1970.

So reagiert Cyclopropan als quasi kationoides Reagens in den Reaktionen mit Brom, Jod, Halogenwasserstoffen und stark aciden Agentien im allgemeinen unter Bildung von Ringöffnungsprodukten. In substituierten Verbindungen erfolgt die Ringspaltung bevorzugt zwischen den Kohlenstoffen, die die größte und kleinste Anzahl von Alkylsubstituenten tragen[1]. Ein Kation wird stets an das am stärksten substituierte Kohlenstoffatom addiert, d.h. es wird bei der Addition die Markownikoff-Regel befolgt[2]. Brom und Jod wandeln Cyclopropane in die entsprechenden 1,3-Dihalogen-alkane um[3]. Die thermische Chlorierung führt zu einer Mischung aus verschiedenen Chlorsubstitutionsprodukten und Allylchlorid, während die photochemisch durchgeführte Chlorierung als normale Substitution und ohne jede Isomerisierung erfolgt. Das primär gebildete *Cyclopropylchlorid* erleidet dann weitere Substitution[4-6].

Es konnte außerdem chemisch[7] gezeigt werden, daß sich der Cyclopropanring mit ungesättigten Gruppen in Konjugation setzen kann. So unterscheidet sich z.B. ein System aus alicyclischem Dreiring und benachbarter Carbonyl-Gruppe nicht grundsätzlich von einer α,β-ungesättigten Carbonyl-Verbindung[2]. Es kann gleichfalls für α,β-ungesättigte Cyclopropan-Derivate die für konjugierte Diene charakteristische 1,4-Addition beobachtet werden. Die katalytische Hydrierung von Vinyl-cyclopropan führt unter Reaktionsbedingungen, wo die gebildeten Äthyl-cyclopropane gegenüber weiterer Hydrierung stabil sind, auch zu geringen Mengen an *Pentan*[8]. Ganz ähnlich wird bei der Hydrierung von *2*-Vinyl-cyclopropan-1,1-dicarbonsäure-diäthylester als einziges Produkt der *Butyl-malonsäure-diäthylester* erhalten[9].

Auf der anderen Seite lassen sich deutliche Unterschiede im Reaktionsverhalten zwischen den Cyclopropan-Derivaten und den Olefinen finden. Gegenüber dem Permanganat-Ion sind die Cyclopropane im Gegensatz zu den Olefinen inaktiv. Auch Ozon hat nur einen geringen Effekt auf den alicyclischen Dreiring. Gegenüber Radikalen zeigt sich ebenfalls ein unterschiedliches Verhalten. Während Olefine durch Radikale leicht polymerisiert werden, sind die Cyclopropane gegenüber Radikalen meist inaktiv[10].

1,1-Dimethyl- und auch Phenyl-cyclopropan zeigen eine wesentlich geringere Polymerisationsreaktivität als die entsprechenden Vinyl-Verbindungen[11]. Beim Versuch der kationischen Polymerisation dieser beiden Cyclopropan-Derivate unter Variation von Temperatur, Solvens und Katalysator wurden Oligomere erhalten. 1,1-Dimethyl-cyclopropan bildet mit Styrol in Gegenwart von Aluminiumtribromid Pfropf- bzw. Copolymere. Die Koordinationspolymerisation beider Cyclo-

[1] Das erste Beispiel einer Anti-Markownikoff-Spaltung eines Cyclopropanringes wurde bei den säurekatalysierten Reaktionen eines Bicyclo[2.2.2]octan-Adduktes (aus Cycloheptatrien und Maleinsäureanhydrid) beobachtet, vgl. J. B. HENDRICKSON u. R. K. BOECKMAN, Am. Soc. **91**, 3269 (1969).
[2] E. P. KOHLER u. J. B. CONANT, Am. Soc. **39**, 1404 (1917).
[3] R. A. OGG u. W. J. PRIEST, Am. Soc. **60**, 217 (1938); J. chem. Physics **7**, 736 (1939).
[4] G. GUSTAVSON, J. pr. **42**, 495 (1890); **43**, 396 (1891).
[5] J. D. ROBERTS u. P. H. DIRSTINE, Am. Soc. **67**, 1281 (1945).
[6] P. G. STEVENS, Am. Soc. **68**, 620 (1946).
[7] Vgl. auch die physikalisch-chemischen bzw. spektroskopischen Befunde auf S. 22 bzw. 24.
[8] C. E. BOORD et al., Am. Soc. **71**, 3595 (1949).
[9] R. W. KIERSTEAD, R. P. LINSTEAD u. B. C. L. WEEDON, Soc. **1952**, 3610.
[10] G. S. HAMMOND u. R. W. TODD, Am. Soc. **76**, 4081 (1954).
[11] S. AOKI, Y. HARITA, T. OTSU u. M. IMOTO, Bl. chem. Soc. Japan **39**, 889 (1966).

propane mit Äthyl-aluminiumdichlorid und Titan(IV)-chlorid führt zu Polymeren mit Molekulargewichten[1] von über 1200.

Die Photochlorierung von Cyclopropan[2] ist eine brauchbare Methode zur Herstellung von Chlor-cyclopropanen, da der Ersatz eines cyclopropylischen Wasserstoffes gegen Chlor unter Bildung von Chlorwasserstoff und eines Cyclo-propyl-Radikals (Weg a) erfolgreich gegen die Bildung eines 3-Chlor-propyl-Radikals (Weg b) konkurriert:

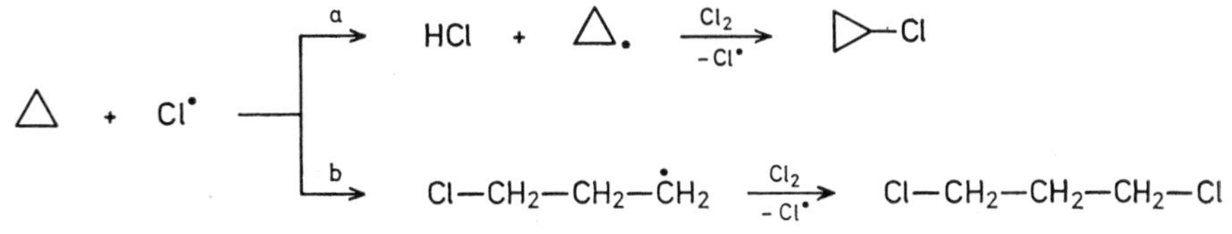

Im Gegensatz dazu ist die Photochlorierung von Methylen-cyclopropan bezüglich der Produktbildung komplexerer Natur[3]. Infolge der höheren Ringspannungsenergie von Methylen-cyclopropan[4] (I, S. 578), die bei der Ringöffnung frei wird, sollte ein Reaktionsweg b hier eher als beim Cyclopropan begünstigt sein. Zum anderen war zu erwarten, daß die exocyclische Doppelbindung von I eine quasi-allylische Resonanzstabilisierung des Übergangszustandes der Substitutionsreaktion fördert[5], während eine solche Stabilisierung des Übergangszustandes der Ringöffnungsreaktion aus Gründen der Orthogonalität nicht erlaubt wäre. Insgesamt war also zu erwarten, daß beide Reaktionen (a und b) mit I (S. 578) schneller als mit Cyclopropan verlaufen würden. Neben der Aufklärung des Reaktionsmechanismus war die Photochlorierung auch in Hinblick auf eine brauchbare Synthese von *2-Chlor-1-methylen-cyclopropan* (II) von Interesse[3].

II wurde jedoch nicht unter den Produkten der Photochlorierung von I gefunden[3]; vielmehr wurde *3-Chlor-2-chlormethyl-propen-(1)* (III, S. 578) als Hauptprodukt erhalten. Tab. 85 enthält die Gesamtzusammensetzung des Gemisches[3].

Tab. 85. Zusammensetzung des Produktgemisches der Photochlorierung von Methylen-cyclopropan (s. Formelschema S. 578)[3]

Verbindung	Gehalt [Mol-%]*
3-Chlor-2-chlormethyl-propen-(1) (III)	42
1-Chlor-1-chlormethyl-cyclopropan (IV)	18
2,4-Dichlor-buten-(1) (V)	27
1,3-Dichlor-2-chlormethyl-propen-(1) (VI)	2
1,2,3-Trichlor-2-chlormethyl-propan (VII)	11

* Gesamtausbeute: 34% d.Th. (unkorr. für nicht reagiertes Ausgangsmaterial).

[1] S. Aoki, Y. Harita, T. Otsu u. M. Imoto, Bl. chem. Soc. Japan **39**, 889 (1966).
[2] J. D. Roberts u. P. H. Dirstine, Am. Soc. **67**, 1281 (1945).
[3] A. J. Davidson u. A. T. Bottini, J. Org. Chem. **34**, 3642 (1969).
[4] Die Ringspannungsenergie von Methylen-cyclopropan beträgt 41,0 Kcal/Mol; für Cyclopropan wurden nur etwa 27,5 Kcal/Mol ermittelt; vgl. hierzu:
K. B. Wiberg u. R. A. Fenoglio, Am. Soc. **90**, 3395 (1968).
R. B. Turner et al., Am. Soc. **90**, 4315 (1968).
[5] In Deuteriumoxid bei 152° erleidet 2-Methylen-cyclopropancarboxylat einen 10^5mal schnelleren deuterioxid-katalysierten Austausch seines α-Wasserstoffes als Cyclopropancarboxylat[6].

 (Fortsetzung s. S. 578)

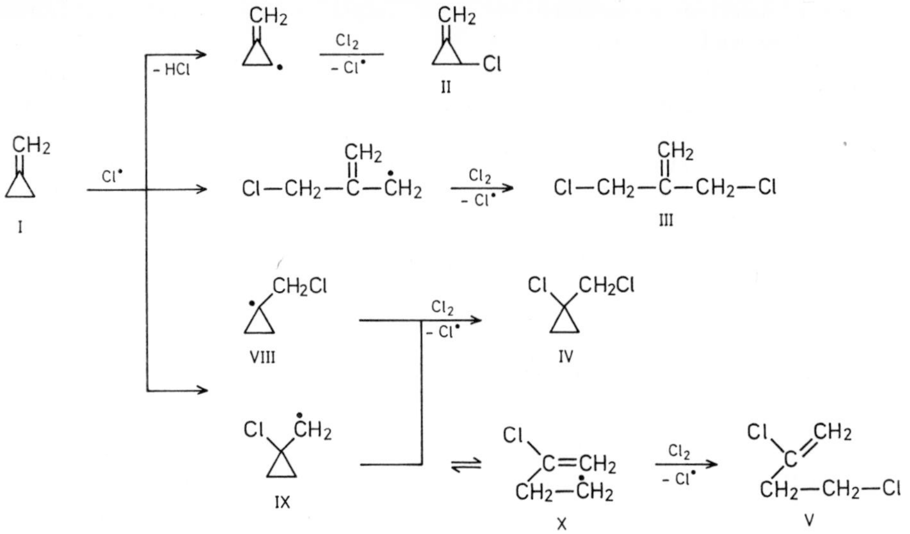

Die Bildung von *2,4-Dichlor-buten-(1)* (V) und *1-Chlor-1-chlormethyl-cyclopropan* (IV) kann so erklärt werden, daß zunächst das Chlor an der Doppelbindung von I angreift und die Radikale VIII und IX bildet. Die Photochlorierung von Methyl-cyclopropan[1] liefert auch beträchtliche Mengen an *4-Chlor-buten-(1)* neben *Chlormethyl-cyclopropan* und anderen Produkten. Höchstwahrscheinlich werden die beiden ersteren Produkte über ein Cyclopropylmethyl-Radikal gebildet, das sich jedoch ehe es mit Chlor weiterreagiert in ein Buten-(3)-yl-(1)-Radikal umlagert[2]. Ganz ähnlich liefert das (1-Chlor-cyclopropyl)-methyl-Radikal IX das 2-Chlor-buten-(3)-yl-(1)-Radikal X, das mit Chlor unter Bildung von V weiterreagiert. Verbindung IV kann durch Reaktion von Chlor mit VIII oder auch IX entstehen. Die radikalische Addition von Äthylmercaptan an I führt mit 43%iger Ausbeute zum *Äthylmercaptomethyl-cyclopropan*[3]. Das deutet darauf hin, daß auch gewisse Mengen von IV in der Tat aus VIII gebildet werden müssen (s. Schema oben)[4].

XI, die Vorstufe für das *1,3-Dichlor-2-chlormethyl-propen-(1)* (VI), könnte einerseits durch Angriff von Chlor auf II entstehen, andererseits — sehr viel wahrscheinlicher — könnte XI durch Abstraktion eines allylischen Wasserstoffes aus III gebildet werden[4].

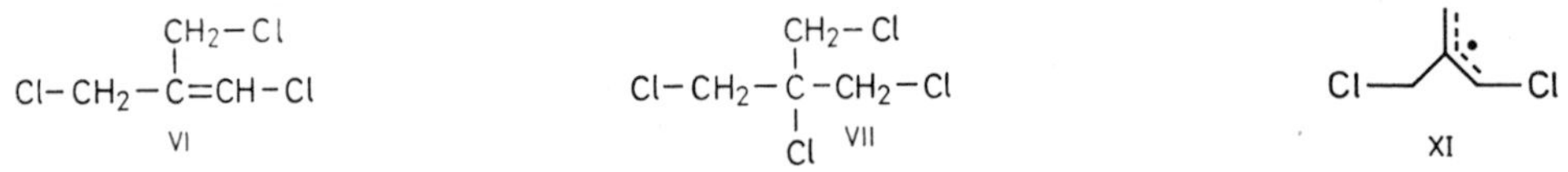

Die Tatsache, daß II kein Reaktionsprodukt der Photochlorierung von I ist, zeigt, daß die *exo*-cyclische Doppelbindung keine ausreichende quasi-allylische Stabilisierung des Übergangszustandes für die Substitution hervorruft, um eine wirksame Konkurrenz dieser Reaktionsart mit der Ringöffnungsreaktion gewährleisten zu können.

---

[1] J. D. Roberts et al., Am. Soc. **83**, 1987 (1961).
[2] Die wechselseitige Umwandlung von Cyclopropylmethyl- und Buten-(3)-yl-(1)-Radikalen ist gut bekannt; vgl. hierzu:
    L. K. Montgomery et al., Am. Soc. **89**, 923, 934, 3050, 6556 (1967).
    J. D. Roberts et al., Am. Soc. **89**, 3051 (1967).
[3] B. C. Anderson, J. Org. Chem. **27**, 2720 (1962).
[4] A. J. Davidson u. A. T. Bottini, J. Org. Chem. **34**, 3642 (1969).

(Fortsetzung v. S. 577)
    N. C. Baird u. M. J. S. Dewar, Am. Soc. **89**, 3966 (1967).
    H. A. Skinner u. G. Pilcher, Quart. Rev. **20**, 264 (1966).
    S. a. S. 23.
[6] A. T. Bottini u. A. J. Davidson, J. Org. Chem. **30**, 3302 (1965).

Diesem kurzen Überblick über die allgemeinen chemischen Eigenschaften folgt ein mehr umfassenderer über die physikalischen Eigenschaften der Cyclopropane.

Die detaillierten chemischen Eigenschaften bzw. Umlagerungsreaktionen des carbocyclischen Dreiringes werden danach, gegliedert nach ganz bestimmten Reaktionstypen, beschrieben. Einige Verbindungstypen, z. B. die Cyclopropanone, werden jedoch separat und als Ganzes abgehandelt.

Die sich in den chemischen Eigenschaften wiederspiegelnde Ähnlichkeit zwischen dem carbocyclischen Dreiring und der olefinischen Doppelbindung wird auch in den **physikalischen Eigenschaften** gefunden. In Zusammenhang mit der Beschreibung der Cyclopropan-Struktur- bzw. -Bindungsmodelle sind bereits einige physikalische Eigenschaften beschrieben worden[1]. Ebenso enthält der Abschnitt über die spektroskopischen Indentifizierungsmöglichkeiten carbocyclischer Dreiring-Verbindungen einige Hinweise[2]. Im folgenden soll versucht werden, eine Übersicht über die allgemeinen physikalischen Eigenschaften von Cyclopropanen zu geben und die oben erwähnte Ähnlichkeit dieser mit den Olefinen kritisch zu untersuchen.

Das **UV-Absorptionsmaximum** des Äthylens bei ~ 180 mμ wird im Butadien-(1,3) nach 217 mμ verschoben. Verbindungen, die ein **Cyclopropyl-äthylen**-System als Strukturelement besitzen, absorbieren bei ~ 210 mμ; damit ergibt sich ein hoher Grad an π-Elektronendelokalisierung im angeregten Zustand[3]. Auch die Absorptionsmaxima von *Phenyl-cyclopropan*[4], *2-Cyclopropyl-pyridin*[5] und des 2,4-Dinitro-phenylhydrazons von *Acetyl-cyclopropan*[6,7] liegen deutlich zwischen denen der gesättigten und α,β-ungesättigten Derivate. Die **bathochrome** Verschiebung in diesen Verbindungen kann auf die **Hyperkonjugation** zurückgeführt werden. Das UV-Absorptionsmaximum von *2-Phenyl-bi-cyclopropyl* (λ_{max}: 222 mμ) entspricht weitgehend dem des *Phenyl-cyclopropans*. Offensichtlich bewirkt der zweite Dreiring keine zusätzliche **Konjugation** mehr[8]. Die auxochromen Eigenschaften der Cyclopropane ließen sich an einer Vielzahl von UV-Spektren von **Aryl-cyclopropanen** dokumentieren[9-12]. Verschiedene Autoren[8,10] nehmen an, daß der Cyclopropanring wohl eine Konjugationskette erweitern kann, aber daß er nicht die Konjugation von unmittelbar benachbarten ungesättigten Gruppen weiterleiten kann. Auf der anderen Seite gibt es Beweise dafür, daß in einigen **2-Phenyl-1-aroyl-cyclopropanen** der alicyclische Dreiring den Effekt der Phenyl-Gruppe auf den Aroylchromophor transmittieren kann[13]. UV-Daten zeigen auch, daß eine Wechselwirkung zwischen einem Cyclopropanring und einer benachbarten Carbonyl-Gruppe am effektivsten ist, wenn die Ebenen des Ringes und des π-Orbitals der Carbonyl-Gruppen **parallel** angeordnet sind[14]. Zum anderen ergibt sich, daß eine Torsionsbewegung

---

[1] Vgl. S. 17–27.

[2] Vgl. S. 28–32.

[3] I. M. KLOTZ, Am. Soc. **66**, 88 (1944).

[4] M. T. ROGERS, Am. Soc. **69**, 2544 (1947).

[5] R. P. MARIELLA et al., Am. Soc. **70**, 1494 (1948).

[6] J. D. ROBERTS u. C. GREEN, Am. Soc. **68**, 214 (1946).

[7] M. F. HAWTHORNE, J. Org. Chem. **21**, 1523 (1956).

[8] L. I. SMITH u. E. R. ROGIER, Am. Soc. **73**, 3840 (1951).

[9] L. A. STRAIT, R. KETCHAM, D. JAMBOTKAR u. V. P. SHAH, Am. Soc. **86**, 4628 (1964).

[10] R. H. EASTMAN, Am. Soc. **76**, 4115 (1954).

[11] A. L. GOODMAN u. R. H. EASTMAN, Am. Soc. **86**, 908 (1964).

[12] Vgl. auch: R. C. HAHN et al., Am. Soc. **91**, 3558 (1969).

[13] R. J. MOHRBACHER u. N. H. CROMWELL, Am. Soc. **79**, 401 (1957).

[14] E. M. KOSOWER u. M. ITO, Pr. chem. Soc. **1962**, 25.

die hyperkonjugative Resonanz der Cyclopropyl-Gruppe aufheben kann[1]. An dieser Stelle seien zunächst noch weitere UV-Untersuchungen an Alkenyl-cyclopropanen[2] und an diversen Cyclopropylketonen[3–6] zitiert, die ebenfalls die auxochromen Eigenschaften des carbocyclischen Dreiringes nahelegen. Dem speziell interessierten Leser sei außerdem eine Literaturzusammenstellung[7] empfohlen, aus der einige wichtige UV-Daten in den Tab. 90–91 (S. 584–585) zusammengetragen sind.

Wie bereits oben angedeutet, nimmt man an, daß eine ganz spezielle räumliche Wechselwirkung zwischen den Orbitalen des carbocyclischen Dreiringes und dem π-Elektronensystem – die sogenannte ,,parallele Wechselwirkung'' – vorhanden sein muß, um ein Maximum an konjugativen Eigenschaften sowohl im angeregten Zustand[3–10] als auch im Grundzustand[11,12] von Cyclopropan-Derivaten zu erhalten. Im Fall von starren Cyclopropylketonen sind die UV-Spektren auch in solcher Weise interpretiert worden[6–8]. Auf der anderen Seite scheinen für Arylcyclopropane[3] und Vinyl-cyclopropane[2] derartige geometrische Faktoren keine so große Rolle zu spielen. Die Untersuchung der UV-Absorptionsspektren von 17 verschiedenen Cyclopropyl-acrylsäureestern[13] im Vergleich zu entsprechenden Modellsubstanzen gestattete eine semiquantitative Ermittlung der verschiedenen Faktoren, die die Wirksamkeit der Cyclopropyl-Konjugation im angeregten Zustand beeinflussen. Der Einfluß der Substituenten auf die Spektren reichte hier von einem bathochromen Effekt von 29 mμ bis zu einem hypsochromen Effekt von 3 mμ und konnte im Hinblick auf strukturelle Charakteristika und auf die Population möglicher Konformerer interpretiert werden. Das Verschwinden eines bathochromen Effektes beim *3-(1-Methyl-cyclopropyl)-cis-buten-(2)-säureäthylester* (I) wurde als Beweis dafür gewertet, daß es für die konjugative Orbital-Über-

I

lappung der Cyclopropyl-Gruppe limitierende geometrische Verhältnisse gibt[13]. Unterstützt wird diese Interpretation durch die beobachteten NMR-Abschirmungseffekte auf die β-ständigen Substituenten. Außerdem war aus den ermittelten vicinalen Spin-Spin-Kopplungskonstanten zu ersehen, daß die Cyclopropyl-acrylsäureester viel stärker als entsprechende Vinyl-cyclopropane bisektische Konformationen besetzen[13].

[1] H. H. Jaffé u. J. L. Roberts, Am. Soc. **79**, 391 (1957).

[2] C. H. Heathcock u. S. R. Poulter, Am. Soc. **90**, 3766 (1968).

[3] R. H. Eastman u. S. K. Freeman, Am. Soc. **77**, 6642 (1955).

[4] S. Julia et al., Bl. **1964**, 3207.

[5] S. Julia et al., Bl. **1964**, 3218.

[6] W. G. Dauben u. G. H. Berezin, Am. Soc. **89**, 3449 (1967).

[7] J. Pete, ,,Conjugaison des cyclopropanes; Relation empirique entre le maximum d'absorption en ultraviolet et la structure des cyclopropanes conjugués'', Bl. **1967**, 357.

[8] L. I. Smith u. E. R. Rogier, Am. Soc. **73**, 3840 (1951).

[9] N. H. Cromwell u. G. V. Hudson, Am. Soc. **75**, 872 (1953).

[10] I. F. Music u. F. A. Matsen, Am. Soc. **72**, 5256 (1950).

[11] H. C. Brown u. J. D. Cleveland, Am. Soc. **88**, 2051 (1966).

[12] T. Sharpe u. J. C. Martin, Am. Soc. **88**, 1815 (1966).

[13] M. J. Jorgenson u. T. Leung, Am. Soc. **90**, 3769 (1968).

Auch aus Daten der Infrarot- und Raman-Spektroskopie lassen sich Anhaltspunkte für die hyperkonjugative Befähigung des alicyclischen Dreiringes finden. Ein Vergleich der Carbonyl-Streckfrequenzen von Cyclopropylketonen und aliphatischen Ketonen legt nahe, daß eine Konjugation zwischen Carbonyl- und Cyclopropyl-Gruppe besteht[1,2]. Verschiebungen in den Carbonyl-Streckfrequenzen von Cyclopropylestern und -ketonen wurden auch beobachtet, wenn in 2-Stellung eine Methyl-Gruppe eingeführt wird. Offensichtlich findet hier eine elektronische Wechselwirkung der beiden Substituenten durch den zentralen Ring hindurch statt[1]. Solche Methyl-Gruppen sind jedoch nicht „aktiv" gegenüber einer Alkylierung, Acylierung oder Deuterium-Austauschreaktion[3].

Die konjugativen Eigenschaften von Cyclopropyl-Gruppen werden auch deutlich in den Kernresonanzspektren von Cyclopropylmethyl-Ionen[4,5] (s. a. S. 488, 489) und protonierten Cyclopropylketonen[6].

Die Bestimmung der Hammett-ϱ-Parameter für die Ionisierung einer Serie von meta- und para-substituierten trans-2-Phenyl-cyclopropan-carbonsäuren legt nahe, daß der Cyclopropanring hier nicht zur Weiterleitung von Konjugationseffekten[7,8] befähigt ist. Auf der anderen Seite zeigen die für die Hydrolyse einer Serie von para-substituierten trans-2-Phenyl-cyclopropan-carbonsäureäthylestern bestimmten Hammett-ϱ-Parameter, daß sich der Cyclopropanring bezüglich einer Konjugationbefähigung in einer Mittelstellung zwischen einer äthylenischen und einer Äthylen-Brücke befindet[9].

Es gibt auch Hinweise dafür, daß der Cyclopropanring mit Protonendonatoren eine intramolekulare Wasserstoffbrücken-Bindung eingeht[10].

Tab. 86. Bathochrome Verschiebung der $\nu_{C=O}$-IR-Frequenz durch den Cyclopropanring[1]

$\nu_{C=O}$ (cm^{-1})		$\nu_{C=O}$ (cm^{-1})	
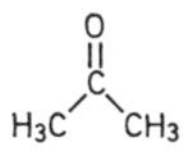	1715	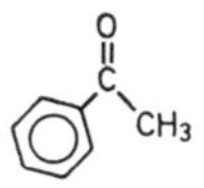	1691
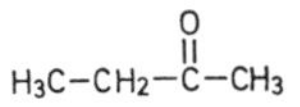	1720	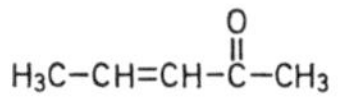	1676
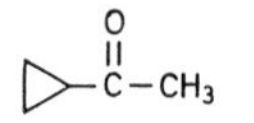	1704	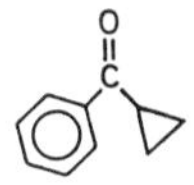	1673

[1] G. W. Cannon, A. A. Santilli u. P. Shenian, Am. Soc. 81, 1660 (1959).
[2] E. V. Sobolev, Ž. strukt. Chim. 2, 147 (1961); C. A. 55, 27127a (1961).
[3] G. W. Cannon, A. A. Santilli u. P. Shenian, Am. Soc. 81, 4264 (1959).
[4] C. U. Pittman u. G. A. Olah, Am. Soc. 87, 2998, 5123 (1965).
[5] N. C. Deno et al., Am. Soc. 87, 3000, 4533 (1965).
[6] C. H. Pittman u. G. A. Olah, Am. Soc. 87, 5123 (1965).
[7] E. N. Trachtenberg u. G. Odian, Chem. & Ind. 1958, 490.
[8] E. N. Trachtenberg u. G. Odian, Am. Soc. 80, 4019 (1958).
[9] R. Fuchs u. J. J. Bloomfield, Am. Soc. 81, 3158 (1959).
Vgl. auch: R. Fuchs, C. A. Kaplan, J. J. Bloomfield u. L. F. Hatch, J. Org. Chem. 27, 733 (1962).
[10] P. v. R. Schleyer, D. S. Trifan u. R. Bacskai, Am. Soc. 80, 6691 (1958).

Tab. 87. Einfluß der Substitution am Cyclopropanring auf die $\nu_{C=O}$-IR-Frequenz in Cyclopropylketonen[1]

$\nu_{C=O}$ (cm^{-1})		$\nu_{C=O}$ (cm^{-1})	
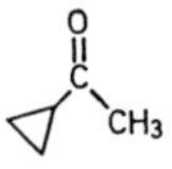	1704	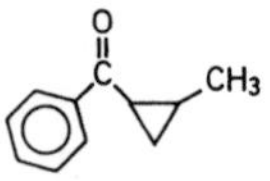	1671
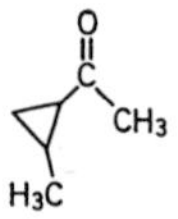	1699	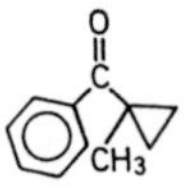	1680
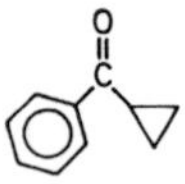	1673	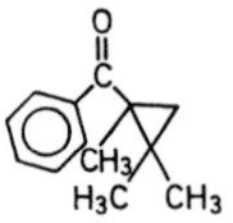	1696

Tab. 88. Übersicht über die $\nu_{C=O}$-IR-Frequenzen von einigen Cyclopropan-Derivaten mit benachbarter Carbonylgruppe (Solvens: CCl$_4$)*

	$\nu_{C=O}$ (cm^{-1})	Literatur		$\nu_{C=O}$ (cm^{-1})	Literatur
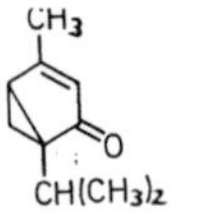	1721	2	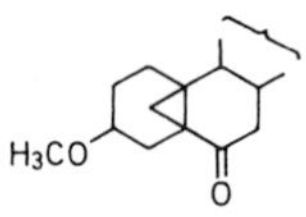	1672	7
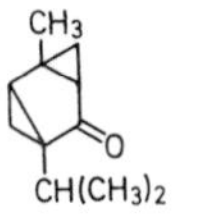	1709	2	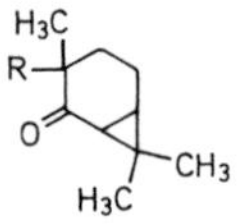	1692	8
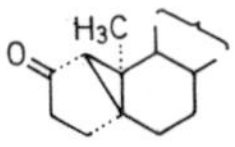	1707	3	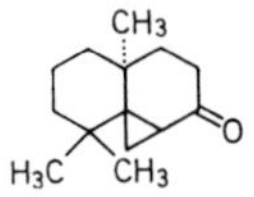	1694	4,9
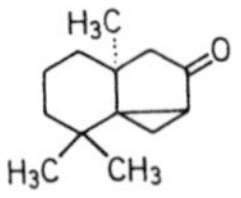	1724	4	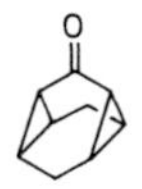	1670	10
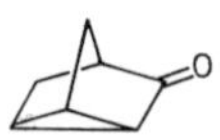	1753	5	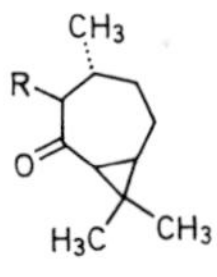	1715⎱ 1700⎰	11
	1746	6	R: (CH$_2$)$_2$COCH$_3$		

* Vergleichswert für Cyclopentanon: 1742 cm^{-1}.

[1] G. W. CANNON, A. A. SANTILLI u. P. SHENIAN, Am. Soc. **81**, 1660 (1959).
[2] R. H. EASTMAN, Am. Soc. **76**, 4115 (1954).
[3] K. WEINBERG, E. C. UTZINGER, D. ARIGONI u. O. JEGER, Helv. **43**, 236 (1960).
[4] T. NOZOE et al., Chem. Pharm. Bull. (Japan) **8**, 936 (1960); C. A. **55**, 22 362 (1961).
[5] J. P. SCHAEFER, Am. Soc. **82**, 4091 (1960).

(Fortsetzung s. S. 583)

Tab. 89: Übersicht über die $\nu_{C=O}$-IR-Frequenzen von einigen Cyclopropan-Derivaten mit benachbarter Carbonyl-Gruppe und Doppelbindung (Solvens: CCl$_4$)

	$\nu_{C=O}$ (cm^{-1})	Literatur		$\nu_{C=O}$ (cm^{-1})	Literatur
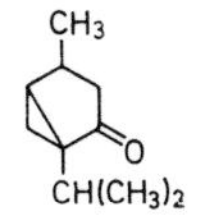	1701	1	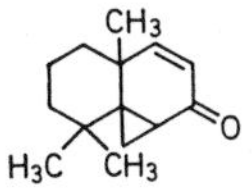	1672	6
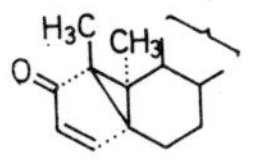	1692	2	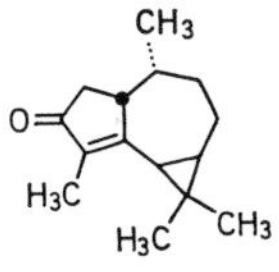	1695	7
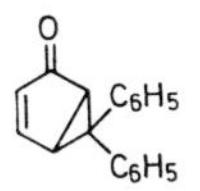	1694	3	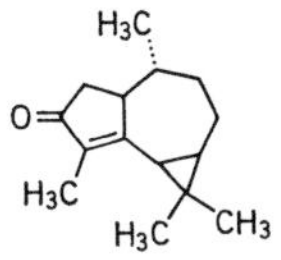	1695	7
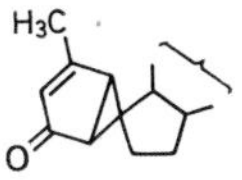	1690	4	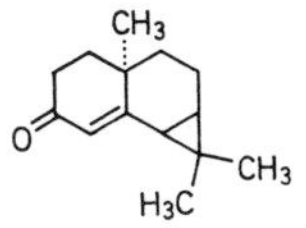	1667	8
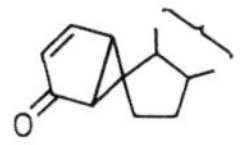	1689	5	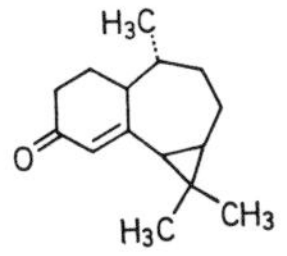	1675	9

Vergleichswert für Cyclopentenon: 1715 cm^{-1}.

[1] R. H. EASTMAN u. J. C. SELOVER, Am. Soc. **76**, 4118 (1954).
[2] K. WEINBERG, E. C. UTZINGER, D. ARIGONI u. O. JEGER, Helv. **43**, 236 (1960).
[3] H. E. ZIMMERMAN u. D. I. SCHUSTER, Am. Soc. **84**, 4527 (1962).
[4] D. H. R. BARTON u. W. C. TAYLOR, Soc. **1958**, 2500.
[5] P. J. KROPP, Am. Soc. **86**, 4053 (1964).
[6] T. NOZOE et al., Chem. Pharm. Bull. (Japan) **8**, 936 (1960); C. A. **55**, 22 362 (1961).
[7] G. BÜCHI u. H. J. E. LOEWENTHAL, Pr. chem. Soc. **1962**, 280.
[8] R. B. BATES et al., Am, Soc. **82**, 2327 (1960).
[9] M. PALMADE u. G. OURISSON, Bl. **1958**, 886.

(Fortsetzung v. S. 582)

[6] P. R. STORY u. S. R. FAHRENHOLTZ, Am. Soc. **86**, 1270 (1964).
[7] J. TADANIER u. W. COLE, Tetrahedron Letters **1964**, 1345.
[8] R. B. BATES et al., Am. Soc. **82**, 2327 (1960).
[9] W. G. DAUBEN u. A. C. ASHCRAFT, Am. Soc. **85**, 3673 (1963).
[10] U. BIETHAN, U. v. GIZYCKI u. H. MUSSO, Tetrahedron Letters **1965**, 1478.
[11] M. PALMADE u. G. OURISSON, Bl. **1958**, 886.

Tab. 90. UV-Absorption von konjugierten Cyclopropylketonen

Struktur	$\lambda_{max}(m\mu)$	ε_{max}	Literatur
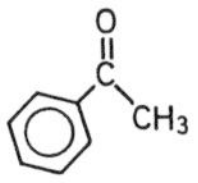	243	12600	1
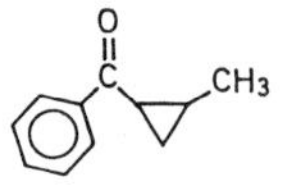	243	7900	1
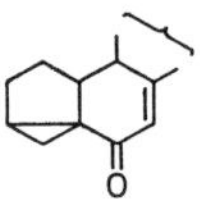	249	12450	2
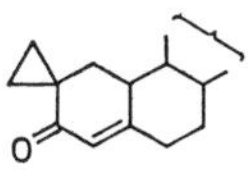	241	16000	3
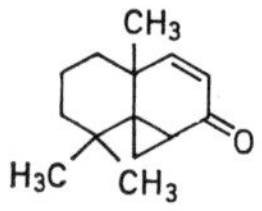	222	—	4
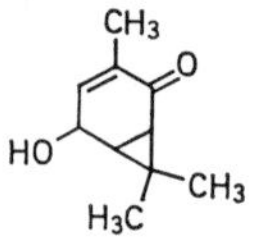	229	11200	5
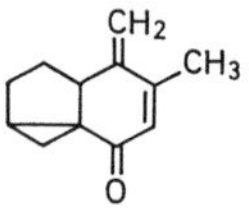	298	13500	6
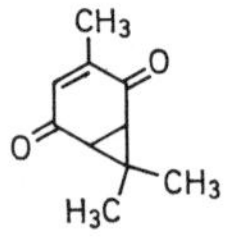	240	8350	5

Zur quantitativen Bestimmung der Fähigkeit des Cyclopropanringes zur Übertragung der Konjugation im elektronischen Grundzustand wurden die ^{19}F-NMR-Abschirmungsparameter einer Reihe von 2-(m- und p-substituierten-Phenyl)-1-(4-fluor-phenyl)-äthanen-, -äthylenen und -cyclopropanen gegen die Taft'schen σ-Kon-

[1] G. W. Cannon, A. A. Santilli u. P. Shenian, Am. Soc. **81**, 1660 (1959).
[2] W. Harvey u. K. Bloch, Chem. & Ind. **1961**, 595.
[3] H. G. Lehmann, H. Müller u. R. Wiechert, B. **98**, 1470 (1965).
[4] T. Nozoe et al , Chem. Pharm. Bull. (Japan) **8**, 936 (1960); C. A. **55**, 22362 (1961).
[5] E. J. Corey u. H. J. Burke, Am. Soc. **76**, 5259 (1954).
[6] D. W. Turner, „*Far and Vacuum Ultraviolet Spectroscopy*" in F. C. Nachod u. W. D. Phillips, S. 339–400, „*Determination of Organic Structure by Physical Methods*", Academic Press, New York 1962.

Tab. 91: n-π*-Übergänge in Cyclopropylketonen und Vergleichssubstanzen

Struktur	Solvens	$\lambda_{max}(m\mu)$	ε_{max}	Literatur
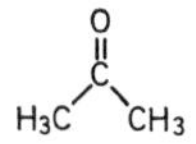	Cyclohexan	279	13	1
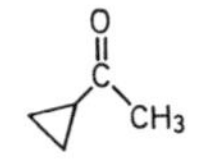	Cyclohexan	277	20	2
	Hexan	299	20	1
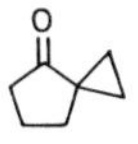	Äthanol / Isooctan	280 / 292	21 / 26	3 / 3
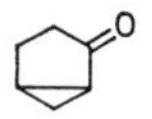	Äthanol / Isooctan	272 / 288	— / —	3 / 3
	Cyclohexan / Äthanol	297 / 296	40 / 66	4 / 4
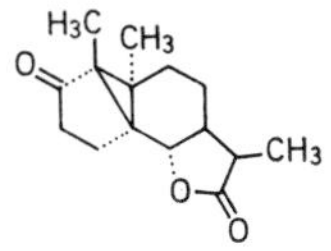	Äthanol	288	56	1
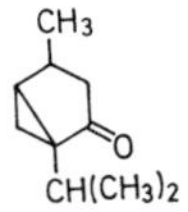	Äthanol	280	35	5
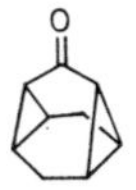	Äthanol	258	40	6

stanten aufgetragen[7]. Daraus ist dann zu entnehmen, daß der Cyclopropanring nur $\sim 27\%$ der Wirksamkeit einer Äthylen-Gruppierung bei der Übertragung der Konjugation aufweist[7].

Die Kernresonanzspektroskopie lieferte auch interessante Ergebnisse in Hinblick auf die Konformation von Cyclopropylketonen[8,9]. Bei diesen

---

[1] A. L. Scott, „Interpretation of the Ultraviolet Spectra of Natural Products", S. 15 bzw. 88, Pergamon Press, London 1964.

[2] H. Weitkamp, U. Hasserodt u. F. Korte, B. **95**, 2280 (1962).

[3] E. M. Kosower u. M. Ito, Pr. chem. Soc. **1962**, 25.

[4] P. R. Story u. S. R. Fahrenholtz, Am. Soc. **86**, 1270 (1964).

[5] R. H. Eastman, Am. Soc. **76**, 4115 (1954).

[6] U. Biethan, U. v. Gizycki u. H. Musso Tetrahedron Letters **1965**, 1478.

[7] R. G. Pews u. N. D. Ojha, Am. Soc. **91**, 5769 (1969).

[8] Vgl. z. B.: J. L. Pierre, Ann. Chim. **1**, 383 (1966).

[9] Vgl. z. B.: C. Agami u. J. L. Pierre, Bl. **1969**, 1963, sowie dort weitere zitierte Literatur.

Untersuchungen wurden die Ergebnisse vergleichend zu anderen Ketonen und Epoxiketonen diskutiert. Auf die Konformationsverhältnisse bei den Vinyl-cyclopropanen wird auf S. 593 ff. speziell eingegangen, da sie dort im Rahmen von thermischen Umlagerungen besonders von Interesse sind.

Die elektronischen Zustände von *Cyclopropan* (im Vergleich zu Äthylenoxid, Äthylenimin und Diaziridin) wurden unter Benutzung der Vakuum-UV-Spektroskopie (in der Gasphase und in der kondensierten Phase), der Photoelektron-Spektroskopie und von GOSCF-Berechnungen[1] untersucht[2]. Die Korrelation der optischen Spektren des Cyclopropans in gasförmiger und flüssiger Phase mit der ersten Bande des Photoelektronen-Spektrums des Cyclopropans ergab dabei, daß Rydberg-Übergänge im optischen Spektrum vorhanden sind, die die Anregung eines Elektrons aus dem $3e'$-Sigma-Niveau beinhalten. Das Valenzschalen-Spektrum des Cyclopropans ist zwar komplex, es dominieren jedoch zwei sehr starke $^1A_{1'} \rightarrow {}^1E'$, $\sigma \rightarrow \sigma^*$-Anregungen (das Valenzschalen-Spektrum des Äthylenoxids ist sehr ähnlich). Ähnliche Untersuchungen wurden auch für das *Cyclopropen* und das *3,3-Dimethyl-cyclopropen* durchgeführt[3] (u. a. im Vergleich zum Difluor-diaziridin[4]).

b) Reaktivität des Bicyclo[1.1.0]butans

Auf der Basis von Infrarot- und Raman-Daten wurde für das *Bicyclo[1.1.0] butan* die folgende räumliche Struktur ermittelt[5]: C_{2v}-Symmetrie; zwei gleichseitige Dreiecke mit einer gemeinsamen Kante; $126 \pm 3°$ für den interplanaren Winkel und $163 \pm 3°$ für den Brückenkopf-Winkel

$$\text{H}\diagdown_{C-C}$$

Ausgehend von diesen strukturellen Gegebenheiten wurden zwei Bindungsmodelle zur Erklärung der elektronischen Struktur konstruiert (S. 587)[6]. Modell I wurde in der folgenden Weise abgeleitet: die σ-MOs werden durch eine Dreizentren-Überlappung von Kohlenstoff-sp^2-Hybridorbitalen im Zentrum der Ebene eines jeden dreigliedrigen Ringes gebildet; die Brückenkopf-Kohlenstoffe stellen hierbei je zwei derartige Orbitale bereit (eines für jede Ebene), während die methylenischen Kohlenstoffe je ein Orbital liefern. (Modell Ia). In Analogie zum Walsh-Cyclopropan-Modell[7] (s. S. 17 ff.) liegen die Bereiche der maximalen σ-Elektronendichte jeweils in den Zentren der Dreiringe. In ganz ähnlicher Weise lassen sich aus den unhybridisierten Kohlenstoff-$2p$-Orbitalen vier Orbitale mit relativ großem π-Charakter konstruieren (Modell Ib).

Ein zweites Modell (II) kann ebenfalls formuliert werden, das der Brückenkopf-C—C-Bindung ausgeprägteren π-Charakter verleiht[6]. In diesem Fall wird ein Satz von σ-Orbitalen aus einer Vierzentren-Überlappung eines sp^2-Orbitals eines jeden methylenischen Kohlenstoffes und eines sp-Orbitals von jedem Brückenkopf-Kohlen-

[1] GOSCF = GAUSSIAN orbital self-consistent.

[2] H. BASCH, M. B. ROBIN, N. A. KUEBELER, C. BAKER u. D. W. TURNER, J. chem. Physics **51**, 52 (1969).

[3] M. B. ROBIN, H. BASCH, N. A. KUEBELER, K. B. WIBERG u. G. B. ELLISON, J. chem. Physics **51**, 45 (1969).

[4] J. R. LOMBARDI, W. KLEMPERER, M. B. ROBIN, H. BASCH u. N. A. KUEBELER, J. chem. Physics **51**, 33 (1969).

[5] I. HALLER u. R. SRINIVASAN, J. chem. Physics **41**, 2745 (1964).

[6] M. POMERANTZ u. E. W. ABRAHAMSON, Am. Soc. **88**, 3970 (1966).

[7] A. D. WALSH, Trans. Faraday Soc. **45**, 179 (1949).

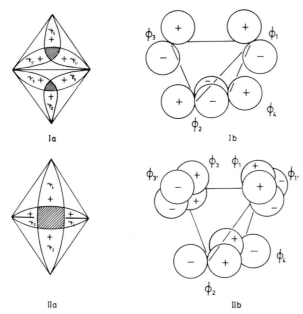

Ia   Ib

IIa   IIb

stoffatom (Modell IIa) konstruiert. Der Bereich der maximalen Überlappung liegt hier zwischen den beiden Ebenen der dreigliedrigen Ringe. Analog können π-Orbitale aus den einfachen 2p-Orbitalen an den methylenischen Kohlenstoffen und aus dem Paar von 2p-Orbitalen an jedem Brückenkopf-Kohlenstoff gebildet werden (Modell IIb).

Das Unterscheidungsmerkmal für die beiden Modelle in Vergleich zur „bent-bond"-Beschreibung (s. a. S. 18, 25 ff.) liegt im π-Charakter, der sich – obgleich delokalisiert – besonders in der Brückenkopf-Bindung manifestiert. Diese Bindung läßt sich mit Modell I im wesentlichen als „äthylenisch" und mit Modell II als „acetylenisch" beschreiben[1]. In beiden Beschreibungen taucht allerdings auch ein gewisser anti-bindender Charakter auf. Ganz deutlich jedoch führen beide Modelle zu der Voraussage, daß die Brückenkopf-Bindung stärker als die peripheren Kohlenstoff-Bindungen ist[1].

Im Lichte dieser Vorstellungen wurden dann die physikalischen und chemischen Eigenschaften des *Bicyclo[1.1.0]butans* betrachtet[1].

① Durch das UV-Spektrum des *3-Methyl-bicyclo[1.1.0]butan-1-carbonsäure-methylesters*, das starke Ähnlichkeit mit dem eines α,β-ungesättigten Esters hat, wird deutlich der π-Charakter der Brückenkopf-Bindung angezeigt[2]. Außerdem legen die am Brückenkopf substituierten Diphenyl-Derivate eine konjugative Wechselwirkung zwischen den beiden Phenyl-Gruppen nahe[3-5].

② Die thermische Umlagerung des Bicyclo[1.1.0]butans in *Butadien-(1,3)* (s. a. S. 590) ist zum anderen ein recht zwingendes Argument für die zumindest prinzipielle Richtigkeit der Modelle I und/oder II. Diese Umlagerung erfolgt mit einer Aktivierungsenergie[6] von 40,6 Kcal/Mol. Auf der Basis einer „bent-bond"-Beschreibung würde man erwarten, daß die Brückenkopf-Bindung die thermisch labilste sein sollte. Die aus den Modellen I und II

[1] M. Pomerantz u. E. W. Abrahamson, Am. Soc. **88**, 3970 (1966).
[2] K. B. Wiberg et al., Tetrahedron **21**, 2749 (1965).
[3] S. Masamune, Tetrahedron Letters **1965**, 945.
[4] S. Masamune, Am. Soc. **86**, 735 (1964).
[5] A. M. Small, Am. Soc. **86**, 2091 (1964).
[6] H. M. Frey u. I. D. R. Stevens, Trans. Faraday Soc. **61**, 90 (1965).

abgeleitete thermische Labilität der peripheren Bindungen steht in Einklang mit der Bildung von Butadien-(1,3) aus Bicyclo[1.1.0]butan. Eine ganze Zahl anderer Beispiele für diesen Umlagerungstyp ist außerdem bekannt geworden[1-6].

③ Carbene addieren sich an die Brückenkopf-Bindung der Bicyclo[1.1.0]butane. In den bislang untersuchten Fällen scheinen sich die Hauptprodukte von Diradikal-Zwischenstufen abzuleiten[1,7]. So liefert Bicyclo[1.1.0]butan bei der Addition von Methylen eine beträchtliche Menge an *Pentadien-(1,4)* und eine kleine Menge an *Bicyclo[1.1.1]pentan*. Bei der Reaktion von *1,3-Dimethyl-bicyclo[1.1.0]butan* mit Methylen wird kein Bicyclo[1.1.1] pentan durchlaufen. Die Umsetzung mit Dideuteromethylen führte zu einem *2,4-Dimethyl-pentadien-(1,4)* mit dem gesamten Deuterium an den Positionen 1 und 5.

$$\square\text{-Rhombus} \quad \xrightarrow{\;:CH_2\;} \quad \cdot CH_2-\square\cdot$$

$$\xrightarrow{\hspace{2cm}} \quad H_2C=CH-CH_2-CH=CH_2 \quad + \quad \square$$

④ Die schnelle, unkatalysierte Addition von Halogenen ist wohl für die C—C-Mehrfachbindungen aber nicht in der Chemie der gesättigten Verbindungen bekannt. Bicyclo[1.1.0] butan und viele der Derivate addieren jedoch Halogene, wobei die Addition an einem Brückenkopf-Kohlenstoffatom startet. In den meisten Fällen wird eine 1,3-Addition beobachtet[1,5-8]. Es gibt jedoch auch ein Beispiel für eine 1,2-Addition. Mit Jod und Brom werden *1,3-Dibrom-* bzw. *1,3-Dijod-cyclobutan* erhalten, während mit Chlor das *2-Chlor-1-chlor-methyl-cyclopropan* entsteht[7].

$$H_3C-\square-CN \quad \xrightarrow[CCl_4]{J_2} \quad \left(H_3C,\ R,R,\ CN,\ J,J\right) \quad + \quad \left(R,R,\ J,\ CN,\ H_3C,\ J\right)$$

$$R = H\ :\ 82\%\ (81:19)$$
$$R = CH_3:\ 75\%\ (86:16)$$

⑤ Bicyclo[1.1.0]butan und Derivate reagieren mit verschiedenen Säuren entweder im Sinne einer 1.3-Addition unter Bildung von Cyclobutyl-Derivaten oder einer 1,2-Addition zu Cyclopropylmethyl-Verbindungen (in einem Fall wurde auch ein Buten-(3)-yl-Derivat erhalten). In allen Fällen wird zuerst ein Proton an das Brückenkopf-Kohlenstoffatom addiert[1,6,7].

⑥ Bicyclo[1.1.0]butane lassen sich schon unter sehr milden Bedingungen hydrieren. Die erhaltenen Produkte sind das Ergebnis der Spaltung von einer oder zwei Bindungen[1,3,7-12].

$$H_3C-\square-CH_3 \quad \xrightarrow{H_2\ /\ Pt} \quad H_3C-CH_2-CH_2-\underset{\underset{CH_3}{|}}{CH}-CH_3$$

⑦ 3-Methyl-1-cyan-bicyclo[1.1.0]butan verhält sich ähnlich wie α,β-ungesättigte Carbonyl-Verbindungen und Nitrile und addiert Nucleophile wie Hydroxid, Methoxid,

[1] W. v. E. Doering u. J. F. Coburn, Tetrahedron Letters 1965, 991.
[2] J. P. Chesick, J. Phys. Chem. 68, 2033 (1964).
[3] W. v. E. Doering u. M. Pomerantz, Tetrahedron Letters 1964, 961.
[4] A. M. Small, Am. Soc. 86, 2091 (1964).
[5] W. Mahler, Am. Soc. 84, 4600 (1962).
[6] E. P. Blanchard u. A. Cairncross, Am. Soc. 88, 487 (1966).
[7] K. B. Wiberg et al., Tetrahedron 21, 2749 (1965).
[8] S. Masamune, Am. Soc. 86, 735 (1964).
[9] K. B. Wiberg u. R. P. Ciula, Am. Soc. 81, 5261 (1959).
[10] D. M. Lemal u. K. S. Shim, Tetrahedron Letters 1964, 3231.
[11] J. Meinwald, C. Swithenbank u. A. Lewis, Am. Soc. 85, 1880 (1963).
[12] A. F. Vellturo u. G. W. Griffin, Am. Soc. 87, 3021 (1965).

Ammoniak und Wasser über der zentralen Bindung, wobei jeweils das entsprechende 3-substituierte 3-Methyl-1-cyan-cyclobutan erhalten wird[1], z.B.: *3-Methoxy-* bzw. *3-Hydroxy-3-methyl-1-cyan-cyclobutan.*

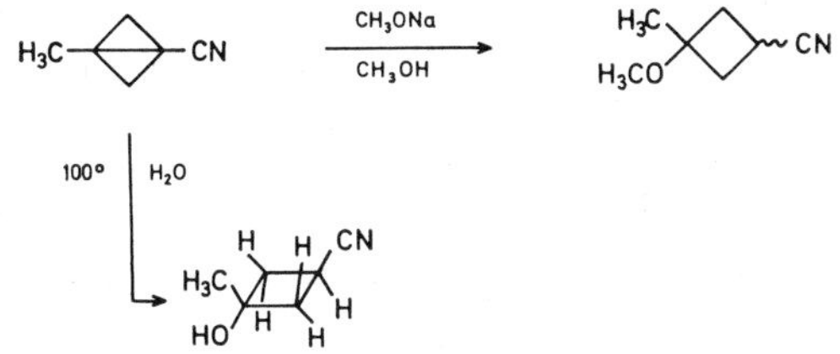

⑧ Die Decarboxylierung des Bicyclo[1.1.0]butan-Derivates III verläuft im Vergleich zu der relativ stabilen Verbindung IV sehr rasch und glatt[2]. Die Modelle I und II (S. 587) beinhalten das Vorhandensein eines p-Orbitals an C-1 in einer geeigneten Orientierung, um ein Proton aus der *endo*-ständigen Carboxy-Gruppe entfernen zu können. Diese Art der Wechselwirkung ist für eine *exo*-Carboxy-Gruppe ausgeschlossen.

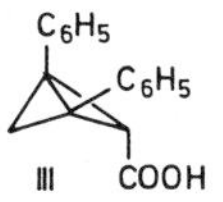

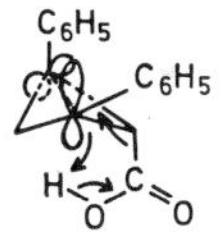

⑨ Obgleich beide Bindungsmodelle (S. 587) für die zentrale Bindung einen „olefinischen" Charakter voraussagen, gibt es keine Beispiele dafür, daß ein Bicyclo[1.1.0]butan mit einem Dien eine Diels-Alder-Reaktion eingeht. 3-Methyl-1-cyan-bicyclo[1.1.0]butan geht vielmehr mit Butadien und einer Anzahl anderer Olefine „Cycloadditions"-Reaktionen ein. Offensichtlich laufen diese Reaktionen nach einem Zweistufenprozeß und nicht in konzertierter Weise ab, da man sowohl mit Fumarsäure- als auch mit Maleinsäuredinitril Bicyclo[2.1.1]hexan-Derivate (*4-Methyl-1,2,3-tricyan-bicyclo[2.1.1]hexan*) erhält, die teilweise ihre stereochemische Integrität verloren haben[3]:

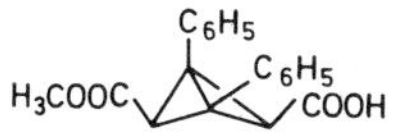

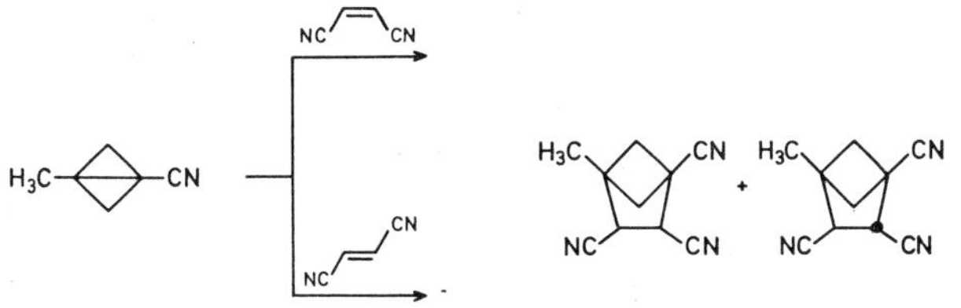

Eines der Produkte der Reaktion von Bicyclo[1.1.0]butan mit Dehydrobenzol scheint das durch Cycloaddition gebildete *Benzo-bicyclo[2.1.1]hexen* zu sein[4]. Hier wird die Ähnlichkeit zu einem normalen olefinischen System durchaus augenfällig[5].

Die Überlappung der p-Orbitale 1 und 3 in beiden Modellen (S. 587) ist für den Grundzustand rein bindend und *anti*-bindend für den ersten angeregten π-Zustand. Auch hierin zeigt sich eine Ähnlichkeit zu einem Olefin. Es ist daher nicht überraschend, daß die [2 + 2]-Cycloadditionen nicht konzertiert ablaufen[6].

⑩ Die Frage, welches Modell — I oder II (S. 587) — besser das Bicyclo[1.1.0]butan beschreibt, läßt sich vielleicht über die ^{13}C-H-Spin-Spin-Kopplungskonstante der Brückenkopf-C—H-Bindung beantworten (s. a. S. 680). 40% s-Charakter für die Kohlenstoff-Hybridorbitale ergeben

[1] E. P. BLANCHARD u. A. CAIRNCROSS, Am. Soc. **88**, 487 (1966).
[2] S. MASAMUNE, Tetrahedron Letters **1965**, 945.
[3] E. P. BLANCHARD u. A. CAIRNCROSS, Am. Soc, **88**, 496 (1966).
[4] Ergebnisse von M. POMERANTZ, s. M. POMERANTZ u. E. W. ABRAHAMSON, Am. Soc. **88**, 3970 (1966).
[5] Vgl. etwa: H. E. SIMMONS, Am. Soc. **83**, 1657 (1961).
   J. A. BERSON u. M. POMERANTZ, Am. Soc. **86**, 3896 (1964).
[6] R. HOFFMANN u. R. B. WOODWARD, Am. Soc. **87**, 2046 (1965).

sich aus dem Wert von 202 Hz und legen damit eine zu Modell I (S. 587) sehr ähnliche elektronische Konfiguration nahe[1].

Auf der anderen Seite wird der durch Modell II (S. 587) zum Ausdruck gebrachte substantielle sp-Hybridcharakter der Brückenkopf-C—H-Bindung durch die acide Natur des Brückenkopf-Wasserstoffs — beobachtet durch die leichte Entfernung mit Methyl-lithium[2,3] — bestätigt.

Bicyclo[1.1.0]butane entstehen bei der Bestrahlung einiger substituierter Butadiene[4] und des Butadiens selbst[5]. In Anbetracht ihrer beträchtlichen Spannungsenergie ($\sim$ 69 Kcal/Mol) sind sie bemerkenswert stabil. Die Aktivierungsenergie für die Isomerisierung zum Butadien-(1,3) (s. S. 587) beträgt 40,6 Kcal/Mol[6,7]. Man ist daher sofort versucht, diese Umlagerung als eine stufenweise über eine Diradikal-Zwischenstufe II verlaufende Reaktion anzusprechen:

Sollte es sich jedoch um eine Synchronreaktion handeln, so müßte sie einen [σ^2s + σ^2a]-Prozeß nach Woodward und Hoffmann[8] mit den im Formelbild IV abgebildeten stereochemischen Konsequenzen darstellen[9].

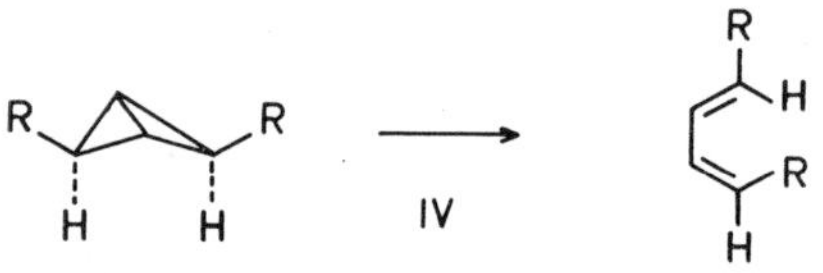

Inzwischen ist jedoch deutlich geworden, daß man es hier in der Tat mit einer Synchronreaktion vom Typ [σ^2s + σ^2a] zu tun hat. Einen ersten, jedoch noch indirekten Hinweis brachte die Beobachtung, daß die Pyrolyse der tricyclischen Verbindung V den Bicyclus VII {*Bicyclo[3.2.0]hepten-(6)*; S. 591} liefert[10]. Die sinnvollste Erklärung hierfür ist die Annahme der Zwischenstufe VI, die schließlich durch conrotatorische Cyclisierung in VII übergeht. Unlängst konnte dann der entscheidende Beweis geliefert werden[11], der mit den Formeln VIII–IX [*Hexadien-(cis-2,trans-4)* bzw. *Hexadien-(trans-2,trans-2)*] dargestellt ist:

[1] Die ^{13}C—H-Kopplungskonstante für die Brückenkopf-Wasserstoffe in verschiedenen Bicyclobutanen besitzt Werte zwischen 200 und 212 Hz ($\triangleq$ 40–42% s-Charakter der Bindung)[3,12,13] (vgl. auch S. 680).

[2] J. Meinwald, C. Swithenbank u. A. Lewis, Am. Soc. **85**, 1880 (1963).

[3] G. L. Closs u. R. B. Larrabee, Tetrahedron Letters **1965**, 287.

[4] W. G. Dauben u. W. T. Wipke, Pure appl. Chem. **9**, 539 (1964), und dort angegebene weitere Zitate.

[5] R. Srinivasan, Am. Soc. **85**, 4045 (1963).

[6] H. M. Frey u. I. D. R. Stevens, Trans. Faraday Soc. **61**, 90 (1965).

[7] R. Srinivasan, A. A. Levi u. I. Haller, J. phys. Chem. **69**, 1775 (1965).

[8] Vgl. R. B. Woodward u. R. Hoffmann, „*Die Erhaltung der Orbitalsymmetrie*", S. 75–78, Verlag Chemie GmbH, Weinheim/Bergstr. 1970.

[9] K. B. Wiberg, Tetrahedron **24**, 1083 (1968), kam aufgrund semiempirischer MO-Berechnungen zu ganz ähnlichen Ergebnissen.

[10] K. B. Wiberg u. G. Szeimies, Tetrahedron Letters **1968**, 1235.

[11] G. L. Closs u. P. E. Pfeffer, Am. Soc. **90**, 2452 (1968).

[12] K. B. Wiberg et al., Tetrahedron **21**, 2749 (1965).

[13] G. L. Closs u. L. E. Closs, Am. Soc. **85**, 2022 (1963).

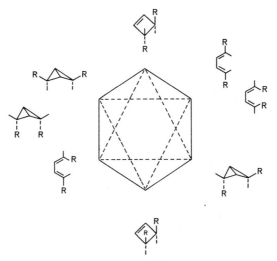

Überraschenderweise gibt es im Prinzip für die Umwandlung des Bicyclo[1.1.0] butans in Butadien noch einen zweiten Weg, der jedoch genau inverse stereochemische Konsequenzen beinhaltet[1]. In der Reaktionsfolge $X \rightarrow XI \rightarrow XII$ tritt ein Cyclobuten als Zwischenstufe auf, aus dem durch **conrotatorische Ringöffnung** Butadien entsteht. Aus thermodynamischer Sicht ist diese Reaktionsfolge durchaus möglich[2]:

Formal läßt sie sich als eine Sequenz symmetrie-erlaubter $[\sigma^2s + \sigma^2a]$- und $[\sigma^2s + \pi^2a]$-Prozesse beschreiben[1]. Nach den Auffassungen von Woodward und Hoffmann besteht die

Abb. 20: Symmetrie-erlaubte Umwandlungen zwischen Bicyclobutanen, Cyclobutenen und Butadienen und ihre Sterochemie[1].
—— Erlaubte Reaktionen im Grundzustand;
- - - erlaubte Reaktionen im angeregten Zustand

[1] Vgl. R. B. Woodward u. R. Hoffmann, „*Die Erhaltung der Orbitalsymmetrie*", S. 75–78, Verlag Chemie GmbH, Weinheim/Bergstr. 1970.
[2] R. B. Turner et al., Tetrahedron Letters **1965**, 997.

Möglichkeit, daß spezielle Substituenten-Muster, eventuell unter Beteiligung einfacher sterischer Effekte, eines Tages diese Reaktionsfolge ans Licht bringen werden.

Abschließend sei noch das von Woodward und Hoffmann entworfene Schema[1] abgebildet, daß die genannten Reaktionen zusammenfaßt und die stereochemischen Verhältnisse aller symmetrie-erlaubten Umwandlungen zwischen Bicyclobutanen, Cyclobutenen und Butadienen wiedergibt (s. Abb. 20, S. 591).

c) Strukturdaten von Cyclopropanonen

Die in Tab. 96 zusammengestellten Daten der IR-, UV- und NMR-Spektroskopie[2,3] sowie die Ergebnisse einer mikrowellenspektroskopischen Analyse[4] lassen keinen Zweifel, daß ein klassisches geschlossenes Dreiring-Keton die Cyclopropanone hinreichend beschreibt.

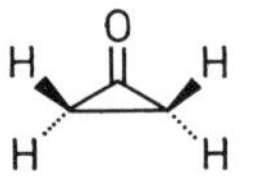

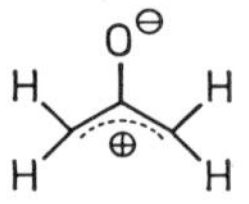

Tab. 95 zeigt eine Aufstellung der Bindungslängen von Cyclopropanon[4] und einigen Vergleichssubstanzen[5]. Bemerkenswert ist, daß I einen ziemlich kurzen C—O-

Tab. 95. Bindungslängen von Cyclopropanon und einigen Vergleichssubstanzen[4,5]

	Bindungslängen (Å)
Cyclopropanon	$r(CO)$: 1,18
	$r(C_1C_2)$: 1,49
	$r(C_2C_3)$: 1,58
Cyclopropan	$r(CC)$: 1,54
Formaldehyd	$r(CO)$: 1,21
Keten	$r(CC)$: 1,33
	$r(CO)$: 1,15
Aceton	$r(CO)$: 1,22

Tab. 96. Spektroskopische Daten von Cyclopropanonen[2] (Solvens: Dichlormethan)

	IR $\nu_{C=O}$ (cm^{-1})	UV λ_{max} (Å)	NMR (ppm)[a]
Cyclopropanon	1813	3100 3300(SCH)	1,65(S)
Oxo-methyl-cyclopropan	1822 1850	3300	1,9(M,1 Proton) 1,0–1,4(M,4 Protonen) 1,5(M,1 Proton)
2-Oxo-1,1-dimethylcyclopropan	1815	3400	1,4(S,6 Protonen) 1,2(S,2 Protonen)
Oxo-tetramethyl-cyclopropan	1843[b] 1823[b]	3400	1,19(S)

[a] bez. auf Tetramethylsilan als externen Standard.
[b] in Pentan kollabiert das Dublett zu einem Singulett bei 1825 cm^{-1}.
[c] Abkürzungen: SCH=Schulter; S=Singulett; M=Multiplett.

---

[1] Vgl. R. B. Woodward u. R. Hoffmann, „*Die Erhaltung der Orbitalsymmetrie*", S. 75–78, Verlag Chemie GmbH, Weinheim/Bergstr. 1970.

[2] N. J. Turro, Accounts of Chem. Research **2**, 25 (1969).

[3] N. J. Turro u. W. B. Hammond, Tetrahedron **24**, 6017 (1968).

[4] J. M. Pochan, J. E. Baldwin u. W. H. Flygare, Am. Soc. **90**, 1072 (1968).

[5] Vgl. Y. Yukawa, „*Handbook of Organic Structural Analysis*", S. 510 ff., W. A. Bemjamin, Inc., New York, N. J. 1965.

und einen langen C_2—C_3-Bindungsabstand besitzt. Damit wird eine reaktive Carbonyl-Funktion (vgl. die Abstände von Formaldehyd und Keten) und eine schwache C_2—C_3-Bindung angezeigt. Eine Umwandlung von I in II (S. 592) sollte daher mit geringer Aktivierungsenergie erfolgen.

Der hohe Wert der CO-Streckschwingungsfrequenz ist konsistent mit dem relativ kurzen C—O-Bindungsabstand. Die große bathochrome Verschiebung des n,π^*-Absorptionsmaximums des Cyclopropanons[1] im Vergleich zum Aceton resultiert wahrscheinlich von einer größeren Stabilisierung des angeregten Zustandes her.

d) Konformationen der Vinyl-cyclopropane

In Hinblick auf die besonderen Eigenschaften von Vinyl-cyclopropanen (s. S. 597 ff.) erlangten auch konformationsanalytische Untersuchungen an dieser Verbindungsklasse ein erhebliches Interesse.

Es gab zunächst widersprüchliche Auffassungen darüber, ob die Rotation des Cyclopropanringes im Sinne eines zwei- oder dreizähligen Potentials zu beschreiben ist[2-9].

Aufschlußreich war schließlich der für die Kopplungskonstante J_{ab} gefundene Wert in den Kernresonanzspektren von einigen Bullvalenen[10]. Diese vicinale Kopplungskonstante im Bullvalen-System I gestattete eine Abschätzung des Wertes, der für die entsprechende Wechselwirkung J_{ab} im hypothetischen s-*cis*-Rotameren des Vinyl-cyclopropans (II) erwartet werden kann. Eine Bevorzugung des s-*trans*-Rotameren III im Rotamerengleichgewicht war bereits kernresonanzspektroskopisch nachgewiesen worden[5,9]:

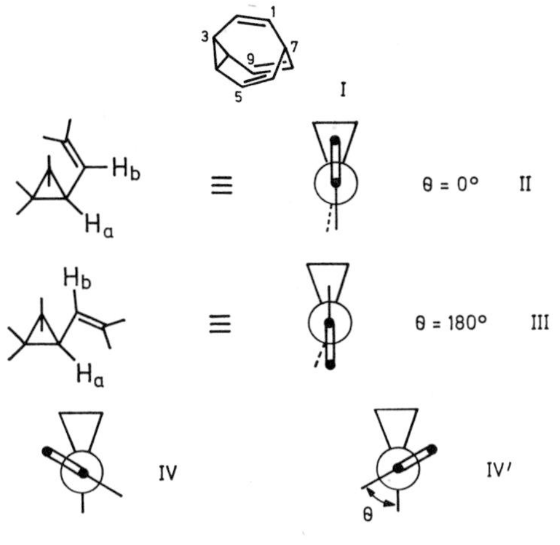

---

[1] N. J. Turro u. W. B. Hammond, Tetrahedron **24**, 6017 (1968).

[2] L. S. Bartell u. J. P. Guillory, Tetrahedron Letters **1964**, 705.

[3] L. S. Bartell u. J. P. Guillory, J. chem. Physics **43**, 647 (1965).

[4] G. J. Karabatsos u. N. Hsi, Am. Soc. **87**, 2864 (1965).

[5] H. Günther u. D. Wendisch, Ang. Ch. **78**, 266 (1966).

[6] W. Lüttke et al., Ang. Ch. **78**, 141 (1966).

[7] O. Bastiansen u. A. de Meijere, Ang. Ch. **78**, 142 (1966).

[8] G. R. DeMare u. J. S. Martin, Am. Soc. **88**, 5033 (1966).

[9] W. Lüttke u. A. de Meijere, Ang. Ch. **78**, 544 (1966).

[10] H. Günther, H. Klose u. D. Wendisch, Tetrahedron **25**, 1531 (1969).

Für das hypothetische s-*cis*-Rotamere des Vinyl-cyclopropans (II, S. 593) kann man für J_{ab} einen Wert im Bereich von 7,7–8,5 Hz. annehmen[1]. Da im entsprechenden s-*trans*-Konformeren die Kopplung J_{ab} mit Sicherheit größer ist — sie dürfte ~ 11–12 Hz betragen[2] — sollte beim Vorliegen eines *cis/trans*-Gleichgewichtes im Gebiet des schnellen Austausches der im Vinyl-cyclopropan für J_{ab} beobachtete Mittelwert stets größer als 7,7–8,5 Hz sein. Bereits bei + 78° beträgt jedoch[3] J_{ab} 7,94 Hz und dürfte bei höherer Temp. noch weiter abnehmen[4]. Für den Fall einer s-*cis*/s-*trans*-Rotamerie wäre aus diesem Ergebnis zu folgern, daß Vinyl-cyclopropan bei 76° nahezu vollkommen in der s-*cis*-Form II vorliegt. Dagegen sprechen jedoch andere Befunde. So konnte einerseits die Gegenwart des s-*cis*-Rotameren überhaupt in Frage gestellt werden[3]. Andererseits ist durch Elektronenbeugungsmessungen der Anteil der s-*trans*-Form am Rotamerengleichgewicht bei 20° zu 75% bestimmt worden[5].

Damit ist die Temperaturabhängigkeit der vicinalen Kopplung J_{ab} im Vinyl-cyclopropan zwanglos nur mit einem s-*trans*/*gauche*-Gleichgewicht (III, IV u. IV′, S. 593), also mit einem dreizähligen Rotationspotential vereinbar. Die elektronische Wechselwirkung zwischen π-Bindung und dem Cyclopropanring[6], die zur Stabilisierung der s-*trans*-Form beiträgt[7], scheint demnach nicht zu genügen, um die sterisch weniger günstigen Verhältnisse in der s-*cis*-Form (ekliptische CH-Bindungen) aufzuwiegen. Das System weicht daher in die *gauche*-Form (bzw. zwei energiegleiche *gauche*-Formen, IV u. IV′) aus, für die nach neueren UV-spektroskopischen Ergebnissen[6] ebenfalls mit einer gewissen elektronischen Stabilisierung durch Konjugation gerechnet werden kann.

I. Umlagerungen von Cyclopropanen

a) Thermische Umlagerungen einfacher Cyclopropane

Bei der Pyrolyse von einfachen Cyclopropan-Verbindungen werden als Reaktionsprodukte gewöhnlich Äthylen-Derivate erhalten[8–10]:

---

[1] H. Günther, H. Klose u. D. Wendisch, Tetrahedron **25**, 1531 (1969).

[2] H. Klose, Diplomarbeit, Universität Köln, 1966.

[3] G. R. DeMare u. J. S. Martin, Am. Soc. **88**, 5033 (1966).

[4] Nach unveröffentlichten Untersuchungen von H. Günther u. D. Wendisch ist die entsprechende Kopplungskonstante im *trans*-1,2-Divinyl-cyclopropan bereits bei Raumtemp. kleiner als 7,5 Hz. Im *trans*- und *cis*-Propenyl-cyclopropan sind Werte von 6,5 und 7,5 Hz gefunden worden; C. H. Heathcock u. S. R. Poulter, unveröffentlicht, zit. bei C. H. Heathcock u. S. R. Poulter, Am. Soc. **90**, 3766 (1968).

[5] A. deMeijere u. W. Lüttke, Tetrahedron **25**, 2047 (1969).

[6] W. G. Dauben u. G. H. Berezin, Am. Soc. **89**, 3449 (1967); dort weitere Lit.
  G. L. Closs u. H. B. Klinger, Am. Soc. **87**, 3265 (1965).
  H. C. Brown u. J. D. Cleveland, Am. Soc. **88**, 2051 (1966).
  M. J. Jorgenson u. T. Leung, Am. Soc. **90**, 3769 (1968).
  C. H. Heathcock u. S. R. Polter, Am. Soc. **90**, 3766 (1968).

[7] S. W. Staley, Am. Soc. **89**, 1532 (1967).

[8] E. S. Corner u. R. N. Pease, Am. Soc. **67**, 2067 (1945).

[9] M. C. Flowers u. H. M. Frey, Soc. **1959**, 3953.

[10] Vgl. auch: S. Tanatar, B. **29**, 1297 (1896).
  S. Z. Roginskii u. F. H. Rathmann, Am. Soc. **55**, 2800 (1933).

Während sich Cyclopropan erst bei Temperaturen zwischen 400 und 500° unter Bildung von *Propen* isomerisiert[1] (Aktivierungsenergie der Gasphasenreaktion = 65 Kcal/Mol), tritt die Umlagerung des erheblich gespannten Bicyclo[2.1.0] pentans (II) in *Cyclopenten* bereits bei 330° ein[2]. Bei diesen Ringöffnungsreaktionen kommt es möglicherweise zur Bildung von Diradikalen als Zwischenstufen[3,4].

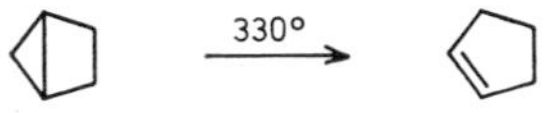

II

Ob Trimethylen in der Tat als Zwischenstufe bei der thermischen Isomerisierung von Cyclopropan auftritt, ist noch umstritten[5-7].

Bei Verwendung von Katalysatoren (vor allem Metalle der VIII. Gruppe) kann die Isomerisierung des Cyclopropans schon bei Temperaturen zwischen 100 und 200° erreicht werden.

Mit den Formeln III bis XV sind weitere Isomerisierungen von einfachen Alkyl- und Halogen-cyclopropanen zu Propenen wiedergegeben[8]:

III; R=CH₃, C₂H₅   IV; *Buten-(1)*   V; *Buten-(2)*   VI; *2-Methyl-propen*
                    Penten-(1)   *Penten-(2)*   *2-Methyl-buten-(1)*

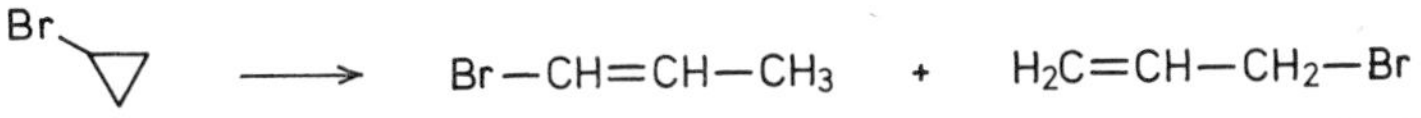

VII   *1-Brom-propen-(1)*; VIII   *3-Brom-propen-(1)*; IX

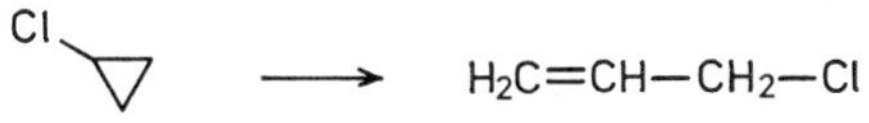

X   *3-Chlor-propen-(1)*; XI

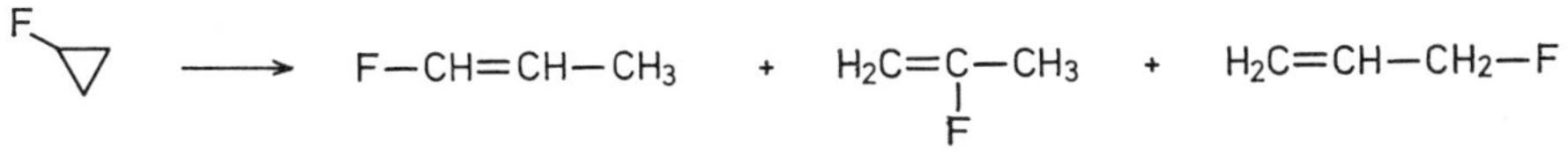

XII   *1-Fluor-propen-(1)*; XIII   *2-Fluor-propen-(1)*; XIV   *3-Fluor-propen-(1)*; XV

Gasförmiges 1,1-Dimethyl-cyclopropan isomerisiert in Gegenwart von Chlorwasserstoff bei Temperaturen zwischen 420 und 476° zu einer Nicht-Gleichgewichtsmischung aus den drei isomeren Methyl-butenen[9]. Die Reaktion ist offensichtlich homogen und verläuft nicht radikalisch. Für p_{DMC} = 2–33 cm und p_{HCl} = 2–24 cm ergibt sich:

$$-d\ [DMC]/dt = k_u\ [DMC] + k_c\ [DMC]\ [HCl]\ .$$

[1] E. S. CORNER u. R. N. PEASE, Am. Soc. **67**, 2067 (1945).
[2] R. CRIEGEE u. A. RIMMELIN, B. **90**, 414 (1957).
[3] T. S. CHAMBERS u. G. B. KISTIAKOWSKY, Am. Soc. **56**, 399 (1934).
[4] N. B. SLATER, Soc. **1961**, 606.
[5] J. R. McNESBY u. A. S. GORDON, J. chem. Physics **25**, 582 (1956).
[6] M. C. FLOWERS u. H. M. FREY, Soc. **1960**, 2758.
[7] B. S. RABINOVITCH, E. W. SCHLAG u. K. B. WIBERG, J. chem. Physics **28**, 504 (1958).
[8] Vgl. die Zusammenstellung bei: R. C. S. GRANT u. E. S. SWINBOURNE, Chem. Commun. **1966**, 620.
[9] J. BULLIVANT, J. S. SHAPIRO u. E. S. SWINBOURNE, Am. Soc. **91**, 7703 (1969).

Diese Ergebnisse sind konsistent mit einem Auftreten von zwei konkurrierenden Prozessen:

① einer monomolekularen Isomerisierung[1]

② einer Chlorwasserstoff-katalysierten Isomerisierung.

Eine nachfolgende Isomerisierung der Methyl-butene in Richtung auf eine Gleichgewichts-mischung wird gleichfalls durch Chlorwasserstoff katalysiert. Die k_u-Werte für einen Prozeß vom Typ ① sind in guter Übereinstimmung mit literaturbekannten Daten[1]. Es wird jedoch angenommen[2], daß Prozeß ② bimolekular und die Bildung von 2-Methyl-buten-(1) über einen Sechszentren-Übergangszustand[3] quasi-heterolytischen Charakters verläuft. Die Änderung von k_c mit der Temperatur läßt sich zu $k_c = 2,3 \times 10^{18} \exp(-53,800/RT) \sec^{-1} Mol^{-1}$ ausdrücken[2]. Es gibt gewisse Hinweise dafür, daß bei 1,1-Dimethyl-cyclopropan-Drucken unter 20 Torr auch eine Isomerisierung in Gegenwart von Chlorwasserstoff über einen Radikalprozeß stattfinden kann[2].

Während das unsubstituierte Bicyclo[2.1.0]pentan sich bereits bei 330° in *Cyclopenten* umlagert (s. S. 595), existiert bei einigen substituierten Bicyclo[2.1.0] pentanen wie XVI und XVII ein thermisches Gleichgewicht[4]. Es wurden die Kinetik und die Lage des Gleichgewichts bestimmt[4]. Substituenten an C-5 beschleunigen die Gleichgewichtsreaktion im Vergleich zum unsubstituierten System.

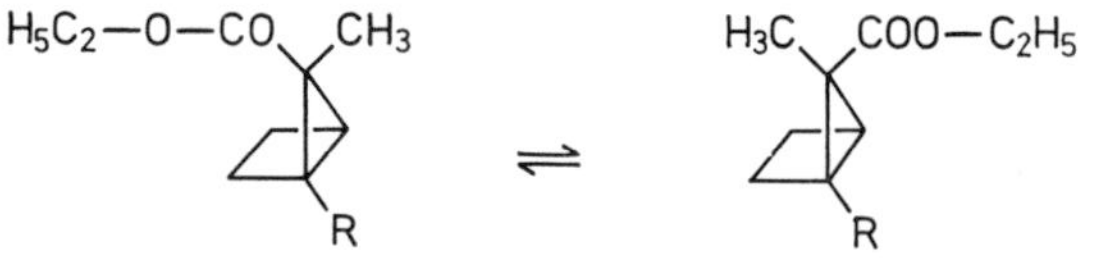

R = H, CH₃

5-Methyl- bzw. *1,5-Dimethyl-bicyclo[2.1.0]pentan-5-carbonsäure-äthylester*

Die Untersuchung der Dampfphasen-Pyrolyse (Argon als Trägergas) von Hexa-chlor-cyclopropan (I) zeigte, daß der carbocyclische Dreiring bis 200° thermisch stabil ist[5]. Bei 300–400° tritt Isomerisierung zum *Hexachlor-propen* (II) ein, während man bei 500° neben II (35%) 30% *Hexachlor-benzol* (III) und 25% *Hexachlor-äthan* (IV) vorfindet:

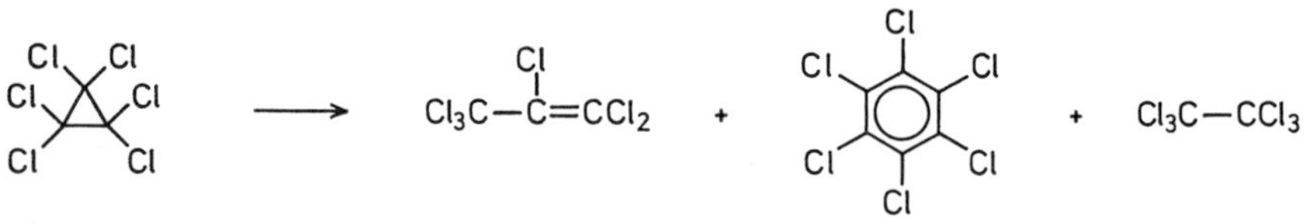

Die Pyrolyse einiger Methylen-cyclopropancarbonsäureester ist gleich-falls interessant, da hier keine Ringöffnungsprodukte erhalten werden. So erfährt der Feist-Ester V (S. 597) eine Isomerisierung, für die zwei verschiedene Mechanismen diskutiert wurden: direkte Isomerisierung[6] bzw. Isomerisierung über eine offenkettige polare Zwischenstufe[7]:

---

[1] M. C. FLOWERS u. H. M. FREY, Soc. 1959, 3953.

[2] J. BULLIVANT, J. S. SHAPIRO u. E. S. SWINBOURNE, Am. Soc. 91, 7703 (1969).

[3] Vgl. J. S. SHAPIRO, E. S. SWINBOURNE et al., Chem. Commun. 1967, 1187.

[4] M. J. JORGENSON, T. J. CLARK u. J. CORN, Am. Soc. 90, 7020 (1968).

[5] W. F. HALE, Canad. J. Chem. 44, 1100 (1966).

[6] E. F. ULLMAN, Am. Soc. 82, 505 (1960).

[7] H. HOUSE u. W. GILMORE, Am. Soc. 83, 3980 (1961).

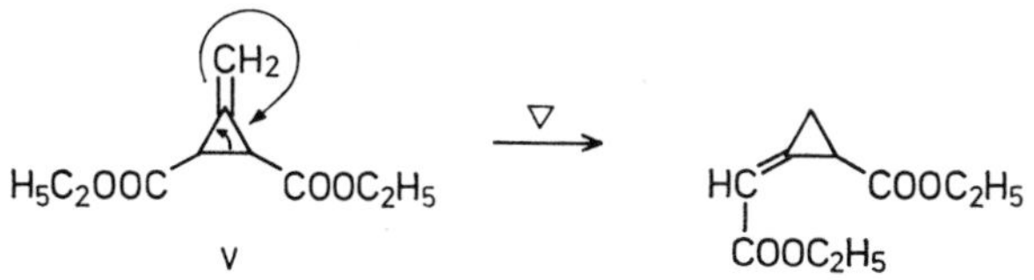

2-*Äthoxycarbonylmethylen-*
1-äthoxycarbonyl-cyclopropan; VI

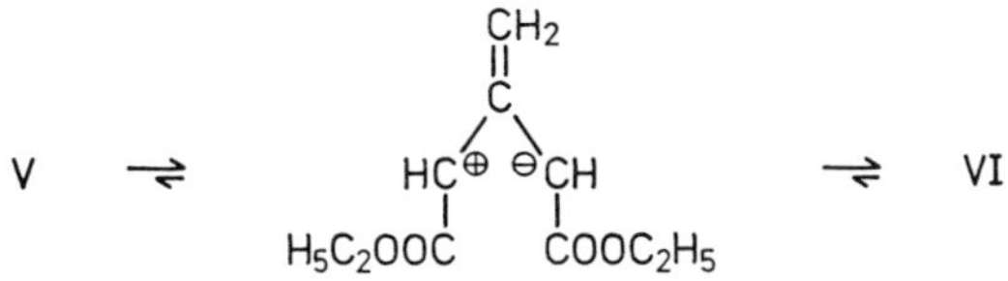

Auch die Ester der (2-Methylen-cyclopropyl)-essigsäureester (VII) erleiden eine ähnliche thermische Umlagerung[1]:

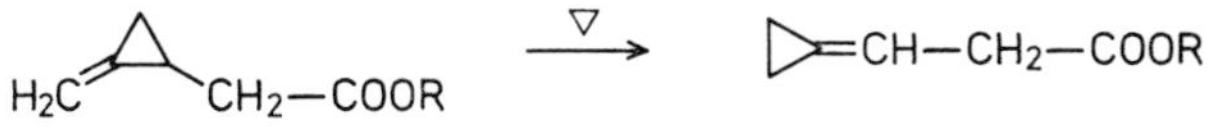

Mit der Reaktion von IX bis XII sei hier noch ein Beispiel einer entarteten thermischen Umlagerung erwähnt. Sowohl das racemische *trans*-Methylen-cyclopropan-Derivat (IX) wie die *cis*-Verbindung XII (-*2,3-Dimethyl-1-methylen-cyclopropan*) bilden bei Temperaturen um 225° die *syn-* und *anti*-Methylen-cyclopropan-Verbindungen X bzw. XI (*2-Methyl-1-äthyliden-cyclopropan*)[2]. Aus der Racemisierung der (—)-*trans*-Verbindung IX bei 170° und der Drehwertänderung der erhaltenen (+)-Gemische X und XI im Verlauf der Reaktion wurden die kinetischen Daten der Pyrolyse der *trans*-Verbindung IX erhalten und aus diesen auf die Struktur von intermediär auftretenden *Trimethylenmethan*-Diradikalen geschlossen[2]:

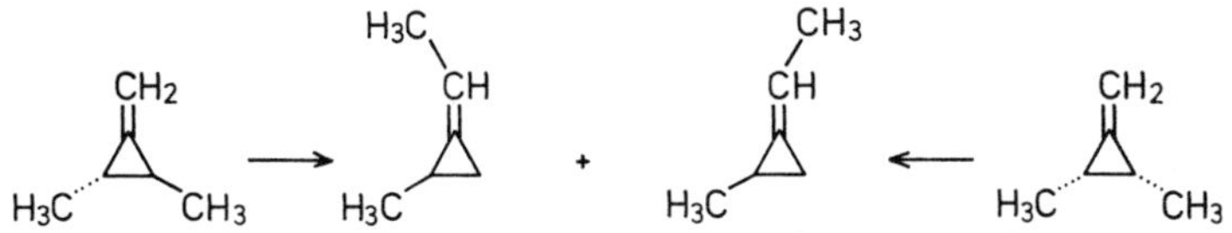

b) Umlagerungen von Vinyl-cyclopropanen

1. Vinyl-cyclopropan/Cyclopenten-Umlagerung

In der Gasphase erleidet Vinyl-cyclopropan (I; S. 598) eine Umlagerung zum *Cyclopenten* (II)[3-7]. Diese Umlagerung, für die eine Aktivierungsenergie von 49,6 Kcal/Mol ermittelt wurde[6,7], ist insofern von Interesse, daß die Einführung einer Vinyl-

[1] E. F. ULLMAN u. W. J. FANSHAWE, Am. Soc. **83**, 2379 (1961).
[2] J. J. GOJEWSKI, Am. Soc. **90**, 7178 (1968).
[3] E. VOGEL, R. PALM u. K.-H. OTT, Ang. Ch. **72**, 21 (1960).
[4] E. VOGEL, Ang. Ch. **74**, 829 (1962).
[5] C. G. OVERBERGER u. A. E. BOSCHERT, Am. Soc. **82**, 4891 (1960).
[6] M. C. FLOWERS u. H. M. FREY, Soc. **1961**, 3547.
[7] C. A. WELLINGTON, J. phys. Chem. **66**, 1671 (1962).

Gruppe am Cyclopropanring somit die notwendige Energie zur homolytischen Spaltung der C—C-Bindung um ~ 15 Kcal/Mol senkt.

Diese verminderte Aktivierungsenergie wurde zunächst auf eine allylische Stabilisierung des primär gebildeten Radikals im Übergangszustand zurückgeführt[1]. Zum anderen wurde auch die Vermutung ausgesprochen, daß man die verminderte Aktivierungsenergie ebenso unter Annahme eines Simultanmechanismus von Dreiring-Spaltung und Fünfring-Bildung erklären könnte[2]. Die Bildung einer echten Zwischenstufe im Zuge der Umlagerung wird gleichfalls diskutiert[3].

Bei der thermischen Umlagerung von I werden außer II in geringem Maße noch offenkettige Olefine gebildet. So führt z. B. die Reaktion von I bei 362,5° zu einem Gemisch aus 96,02% *Cyclopenten*, 1,64% *Pentadien-(1,4)*, 1,16% *cis-Pentadien-(1,3)* und 1,18% *trans-Pentadien-(1,3)*[1].

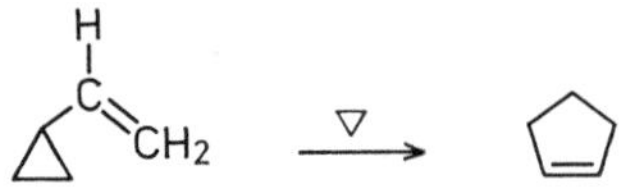

Die Isomerisierung des Vinyl-cyclopropans ist ein **monomolekularer**, nach 1. Ordnung verlaufender homogener Prozeß, wie die kinetischen Untersuchungen im Temperaturbereich zwischen 324,7 und 390,2° gezeigt haben[1]. Es konnte nachgewiesen werden, daß Cyclopenten unter diesen Bedingungen kein Vinyl-cyclopropan bildet und daß die Isomerisierung von I nicht durch ein Gleichgewicht zwischen I und II kompliziert wird, wie es z. B. zwischen Formyl-cyclopropan und 4,5-Dihydro-furan existiert[4]. Die geringe Aktivierungsentropie von 0,28 cal/Grad · Mol bei 390° für die Bildung von II deutet darauf hin, daß die Differenz bezüglich der Starrheit zwischen den normalen und aktivierten Zuständen hier kleiner als bei der Isomerisierung des Cyclopropans ist[1].

Leitet man Vinyl-cyclopropan über Kieselgur bei Temperaturen zwischen 120 und 150°, so wird *Pentadien-(1,3)* erhalten[5].

Die Pyrolyse von 3-Vinyl-4,5-dihydro-3H-pyrazol und 3-Vinyl-5,5-dideutero-4,5-dihydro-3H-pyrazol steht nach neueren Untersuchungen in einem engen Zusammenhang mit der Vinyl-cyclopropan/Cyclopenten-Umlagerung[6]. Bei der Pyrolyse von 3-Vinyl-5,5-dideutero-4,5-dihydro-3H-pyrazol wird *2-Vinyl-1,1-dideutero-cyclopropan* und *4,4-Dideutero-cyclopenten* erhalten. Der sekundäre Isotopeneffekt wurde bestimmt ($k_H/k_D = 1,21 \pm 0,03$) und für den Reaktionsmechanismus das Durchlaufen einer stickstoff-freien Zwischenstufe angenommen[6]:

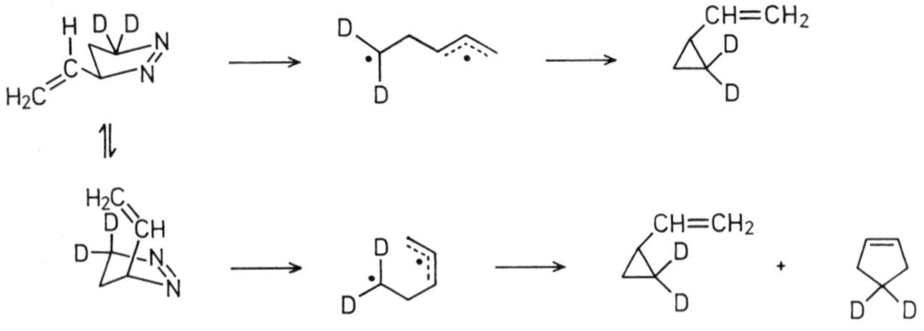

[1] C. A. Wellington, J. phys. Chem. **66**, 1671 (1962).
[2] W. v. E. Doering u. W. R. Roth, Ang. Ch. **75**, 27 (1963).
[3] H. M. Frey u. D. C. Marshall, Soc. **1962**, 3981.
[4] C. L. Wilson, Am. Soc. **69**, 3002 (1947).
[5] B. A. Kazanskii, M. Yu. Lukina u. L. G. Cherkashina, Izv. Akad. SSSR **1959**, 553; C. A. **53**, 2170 1ᵈ (1959).
[6] R. J. Crawford u. D. M. Cameron, Canad. J. Chem. **45**, 691 (1967).

Vergleicht man die kinetischen Parameter von 3-Vinyl-4,5-dihydro-3H-pyrazol[1] ($E_a = 32,2 \pm 0,4$ Kcal/Mol; $\Delta S_{250}^{\pm} = +4,7 \pm 0,5$ e. u.) mit denen des unsubstituierten 4,5-Dihydro-3H-pyrazols[2] ($E_a = 42,4 \pm 0,3$ Kcal/Mol; $\Delta S_{250}^{\pm} = +11,2 \pm 0,6$ e. u.), so erkennt man, daß die Einführung einer Vinyl-Gruppe in 3-Stellung des 4,5-Dihydro-3H-pyrazol-Ringes zu einer Senkung der Aktivierungsenergie um 10,2 Kcal/Mol Anlaß gibt.

Im Bereich zwischen 128 und 160° bleibt die Produktverteilung innerhalb der Fehlergrenze konstant. Oberhalb 160° jedoch tritt ein Wechsel ein[1]. Durch Additivitätsbetrachtungen läßt sich die Bildungswärme von 3-Vinyl-4,5-dihydro-3H-pyrazol zu 68,6 Kcal/Mol abschätzen. Gleichfalls läßt sich auch die Bildungswärme für Vinyl-cyclopropan zu 36,1 Kcal/Mol abschätzend angeben[3]. Zum anderen ist die Bildungswärme von Cyclopenten genau bekannt (8,18 Kcal/Mol)[4]. Benutzt man diese Werte und die ermittelten Daten für die Aktivierungsenergien der entsprechenden Umwandlungen[5,6], so läßt sich die Reaktionskoordinate θ konstruieren (s. Abb. 16).

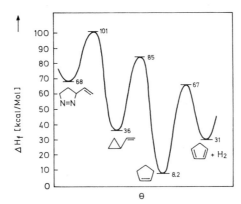

Abb. 16. Darstellung der Reaktionskoordinaten für die Pyrolyse des 3-Vinyl-4,5-dihydro-3H-pyrazols[1].

Die Reaktion oberhalb 160° wird u. a. im Sinne der Bildung eines ,,heißen Vinyl-cyclopropans'' interpretiert[1]. Beispiel für die Produktverteilung: bei 180° erhält man bei der Pyrolyse von 3-Vinyl-5,5-dideutero-4,5-dihydro-3H-pyrazol u. a. ein Cyclopenten-Gemisch, das zu $56 \pm 10\%$ aus *3,3-Dideutero-cyclopenten* und zu $44 \pm 10\%$ aus *4,4-Dideutero-cyclopenten* besteht[1].

Durch NMR-Untersuchungen konnte gezeigt werden, daß bei der Thermolyse von Monodeutero-vinyl-cyclopropan sich die Stereochemie am Ort der Deuterium-Markierung im Cyclopropanring mindestens fünfmal schneller ändert als die Umlagerung zum Cyclopenten erfolgt[7]. Der diskutierte Diradikal-Mechanismus findet damit eine weitere Stütze.

[1] R. J. CRAWFORD u. D. M. CAMERON, Canad. J. Chem. **45**, 691 (1967).
[2] R. J. CRAWFORD u. A. MISHRA, Am. Soc. **88**, 3963 (1966).
[3] Vgl.: G. J. JANZ, in ,,*Estimation of thermodynamic properties of organic compounds*'', Academic Press, Inc., New York 1958.
[4] Vgl.: ,,*Selected values of physical and thermodynamic properties of hydrocarbons and related compounds*'', Am. Petrol. Inst. Res. Proj. 44, Carnegie Press, Pittsburgh, Pennsylvania 1953.
[5] M. C. FLOWERS u. H. M. FREY, Soc. **1961**, 3547.
[6] D. W. VANAS u. W. D. WALTERS, Am. Soc. **70**, 4035 (1948).
[7] W. R. WILCOTT u. V. H. CARGLE, Am. Soc. **89**, 723 (1967).

2. Thermische Umlagerungen von substituierten Vinyl-cyclopropanen vom Typ der Vinyl-cyclopropan/Cyclopenten-Umlagerung

Die bisher bekannt gewordenen Befunde deuten an, daß Substituenten im Vinyl-cyclopropan, und zwar sowohl am alicyclischen Dreiring als auch an der C=C-Doppelbindung, die Reaktionsgeschwindigkeit wesentlich beeinflussen und eine entscheidende Rolle für den Ablauf der thermischen Umlagerung zu Cyclopentenen spielen. Unten sind Beispiele zusammengestellt, die diese Effekte verdeutlichen.

Vergleichende kinetische Studien zeigten, daß z.B. ein Chlor-Atom am C-2 des Vinyl-cyclopropans (I) dessen Isomerisierungsgeschwindigkeit zum Cyclopenten-Derivat II, verglichen mit der der Umlagerung VII → VIII (S. 601) stark erhöht. Die ausschließliche Bildung der Cyclopentene, die den aus I bzw. VII erwarteten Diradikalen entsprechen, deutet darauf hin, daß die Umlagerung nicht über eine synchrone Lösung und Bildung der entsprechenden Bindungen abläuft[1,2].

Die Einführung eines Chlor-Atoms am terminalen Kohlenstoff der Doppelbindung [Verbindungen XI, XII u. XIII, S. 601] vermindert offenbar die Wechselwirkung der π-Elektronen bei der Ringöffnung, so daß andere thermische Ringspaltungsreaktionen zum Zuge kommen, die höhere Aktivierungsenergien erfordern.

Von besonderem Interesse ist der Einfluß von Alkyl-Gruppen am terminalen Kohlenstoffatom der Doppelbindung. Wenn sich eine Methyl- oder Äthyl-Gruppe in cis-Stellung zum Cyclopropanring befindet, z.B. in den Verbindungen XVIII, XIX und XXIII (S. 602), wird die Reaktionsgeschwindigkeit der thermischen Umlagerung ganz beträchtlich herabgesetzt; außerdem entstehen Polymere und/oder Olefine. Steht die Alkyl-Gruppe jedoch in trans-Stellung zum Dreiring [s. die Verbindungen VII (S. 601), XVI u. XXI (S. 602)], so setzt sie die Isomerisierungsgeschwindigkeit nicht herab. Beispiele für den Substituenteneinfluß auf den Ablauf der Vinyl-cyclopropan/Cyclopenten-Umlagerung:

① Substitution am Ring:

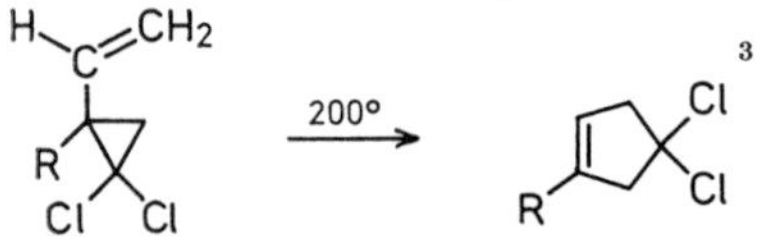

$R = CH_3$; $K_1 \times 10^5 = 6{,}5$ sec^{-1} (200°)
$\Delta E = 50{,}2$ Kcal/Mol (234°)

I

II; *4,4-Dichlor-1-methyl-cyclopenten-(1)*
(R = CH₃)

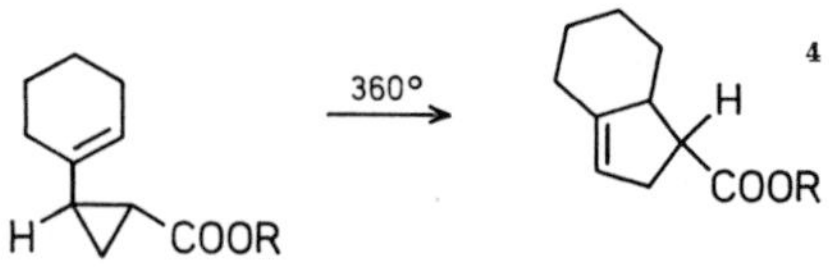

III

IV; R=H; *7-Carboxy-*   ⎫ *bicyclo[4.3.0]*
R=CH₃; *7-Äthoxycarbonyl-* ⎬ *nonen-(1⁹)*

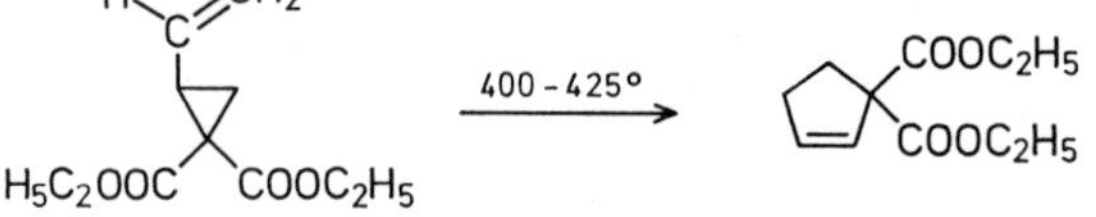

V

VI; *Cyclopenten-(1)-3,3-dicarbonsäure-diäthylester*

---

[1] H. M. Frey u. D. C. Marshall, Soc. 1962, 3981.

(Fortsetzung s. S. 601)

② **Substitution an der Doppelbindung:**

$$K_1 \cdot 10^5 = 5{,}91 \text{ sec}^{-1} \, (332{,}7°)[1]$$
$$\varDelta E = 49{,}98 \text{ Kcal/Mol}$$

VII   VIII; *3-Äthyl-cyclopenten-(1)*

$$K_1 \cdot 10^5 = 3{,}32 \text{ sec}^{-1}$$
$$\varDelta E = 50{,}9 \text{ Kcal/Mol}$$

IX   X; *1-Methyl-cyclopenten-(1)*

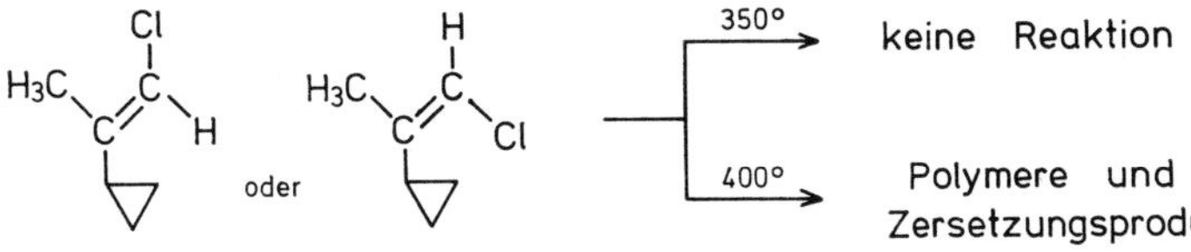

350° → keine Reaktion [3]

400° → Polymere und Zersetzungsprodukte [3]

XI   XII

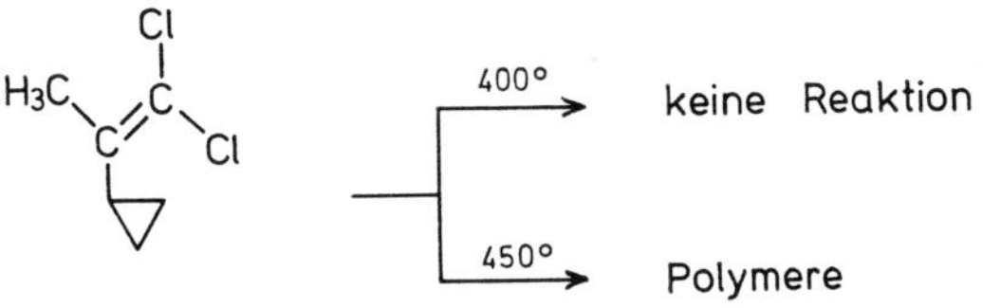

400° → keine Reaktion [3]

450° → Polymere [3]

XIII

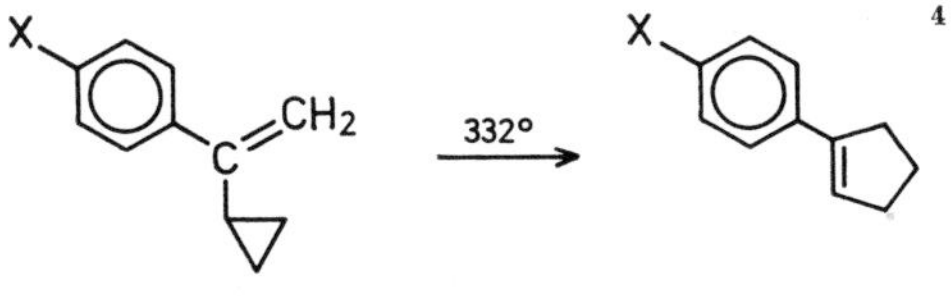

$$K_1 \cdot 10^5 = 10{,}3 \text{ sec}^{-1} \quad [4]$$
$$X = H; \, CH_3; \, iso\text{-}C_3H_7;$$
$$OCH_3;$$
*1-Phenyl-; 1-(4-Methyl-, bzw.
4-Isopropyl-, bzw. 4-Methoxy-
phenyl)-cyclopenten-(1)*
$$K_1 \cdot 10^5 = 5{,}03 \text{ sec}^{-1}$$
$$X = F;$$
1-(4-Fluor-phenyl)-cyclopenten-(1)

XIV   XV

[1] R. J. ELLIS u. H. M. FREY, Soc. **1964**, 4188.

[2] H. M. FREY u. D. C. MARSHALL, Soc. **1962**, 3981.

[3] A. D. KETLEY et al., J. Org. Chem. **31**, 305 (1966).

[4] A. D. KETLEY u. J. L. McCLANAHAN, J. Org. Chem. **30**, 942 (1965).

(Fortsetzung v. S. 600)

[2] B. A. GRZYBOWSKA, J. H. KNOX u. A. F. TROTMAN-DICKENSON, Soc. **1961**, 4402.

H. M. FREY, Trans. Faraday Soc. **58** I, 516 (1962).

R. J. ELLIS u. H. M. FREY, Soc. **1964**, 959.

K. W. EGGER, D. M. GOLDEN u. S. W. BENSON, Am. Soc. **86**, 5420 (1964).

[3] A. D. KETLEY, A. J. BERLIN, E. GORMAN u. L. P. FISHER, J. Org. Chem. **31**, 305 (1966).

[4] G. STORK, Vortrag auf dem 19. National Organic Chemistry Symposium, Amer. chem. Soc., Phoenix, Arizona, 1965.

[5] G. H. SCHMID u. A. W. WOLLKOFF, J. Org. Chem. **32**, 254 (1967).

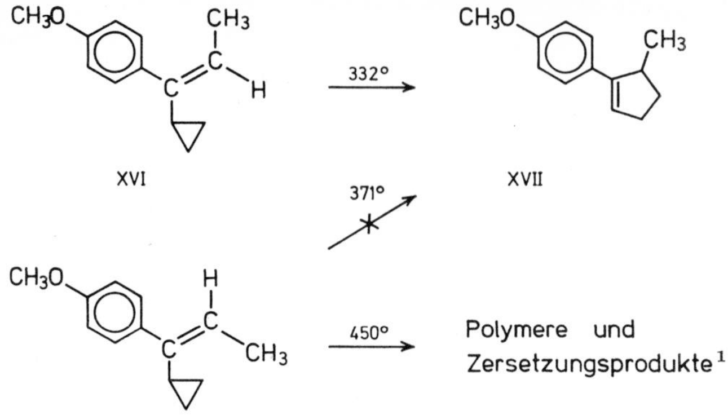

$K_1 \cdot 10^5 = 5,8 \; sec^{-1} \; (332°)^1$
$\varDelta E = 50,4 \; Kcal/Mol$
3-Methyl-2-(4-methoxy-phe-
nyl)-cyclopenten-(1)

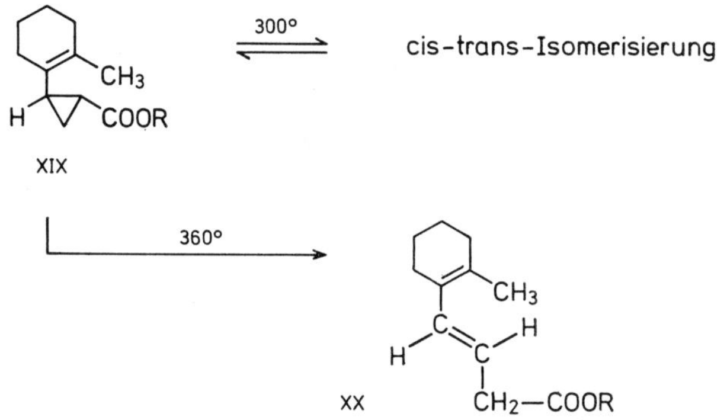

XVI   XVII

371°

CH₃O

XVIII

450°   Polymere und
Zersetzungsprodukte[1]

300°   cis-trans-Isomerisierung [2]

XIX

360°

XX

390°   ·390°

R=CH₃ < C₃H₇ ≪ iso-C₃H₇

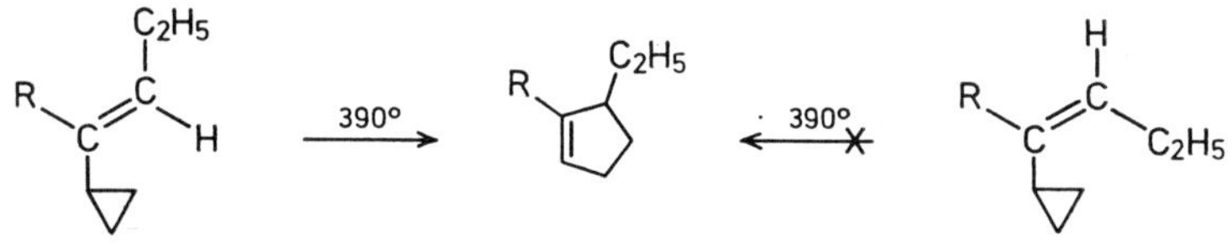

XXI   XXII   XXIII

XXII; *2 Methyl-3-äthyl-*; *3-Äthyl-2-propyl-*; *3-Äthyl-2-isopropyl-cyclopenten-(1)*

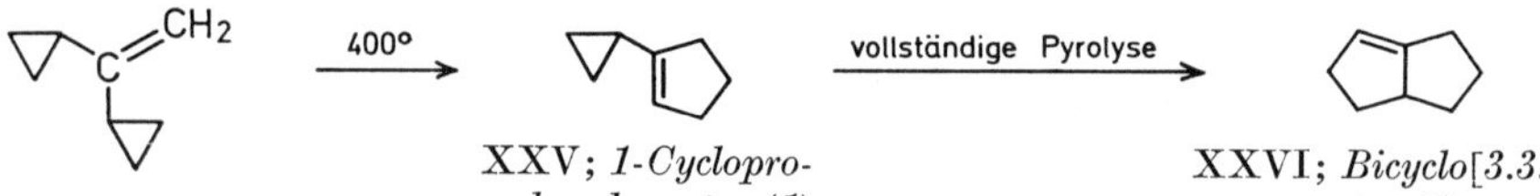

400°   vollständige Pyrolyse [4]

XXIV

XXV; *1-Cyclopro-*
pyl-cyclopenten-(1)

XXVI; *Bicyclo[3.3.0]*
octen-(1)

---

[1] A. J. BERLIN, L. P. FISHER u. A. D. KETLEY, Chem. &. Ind. **1965**, 509.
[2] G. STORK, Vortrag auf dem 19. National Organic Chemistry Symposium, Amer. chem. Soc., Phoenix, Arizona, 1965.
[3] M. SAREL-IMBER, unveröffentlichte Ergebnisse; s. Ang. Ch. **80**, 592 (1968).
[4] A. D. KETLEY u. J. L. McCLANAHAN, J. Org. Chem. **30**, 940 (1965).
Vgl. auch: E. VOGEL u. R. ERB, Ang. Ch. **74**, 76 (1962).

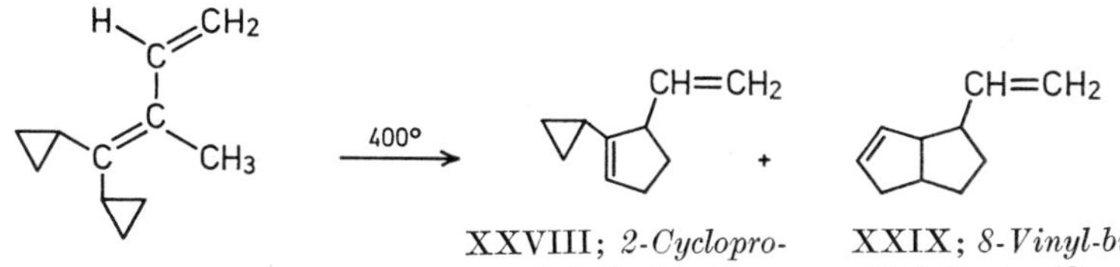

XXVII   400°   XXVIII; *2-Cyclopro-
pyl-3-vinyl-cyclo-
penten-(1)*; 85%

XXIX; *8-Vinyl-bicyclo
[3.3.0]octen-(2)*; 15%[1]

Die terminale Vinyl-Gruppe in der Verbindung **XXVII** scheint nicht mit dem zu ihr *cis*-ständigen Cyclopropanring in Wechselwirkung zu treten und ein Siebenring-isomeres zu bilden. Darüberhinaus behindert sie wahrscheinlich die Umlagerung zum Cyclopenten-Derivat. An der Bildung von **XXVIII** ist möglicherweise der Cyclo-propanring in *trans*-Stellung zur Vinyl-Gruppe beteiligt.

Die kinetischen Daten der Isomerisierung **XIV** → **XV** (S. 601) zeigen, daß die Reaktionsgeschwindigkeit für alle untersuchten Verbindungen mit Ausnahme des Fluor-Derivats gleich sind. Dies ist als Zeichen dafür zu werten, daß die Vinyl-cyclopropan-Umlagerung relativ unempfindlich gegen polare Effekte ist, zu-mindest soweit diese über C-1 weitergeleitet werden.

Daß die thermische Umwandlung von **XXX** schneller abläuft als die von **XXI** (mit R=CH_3 und C_3H_7, S. 602), kann mit Konformationseffekten erklärt werden. Die Umlagerung **XXX** → **XXXII** erfordert offenbar nur recht geringe konformative Änderungen, da die Konformation von **XXX** im Grundzustand annähernd die gleiche wie im Übergangszustand **XXXI** ist[2]:

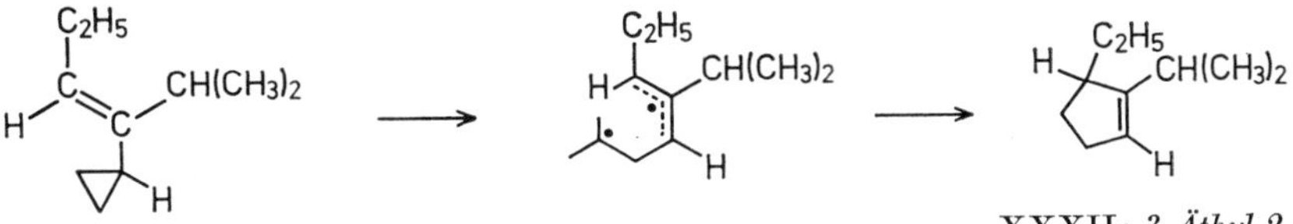

XXX   XXXI   XXXII; *3-Äthyl-2-iso-
propyl-cyclopenten-(1)*

Die thermische Isomerisierung des 1-Methyl-1-isopropenyl-cyclopropans (**XXXIII**) wurde im Bereich zwischen 325 und 368° untersucht[3]. In einem vermut-lich unimolekularen, homogenen Prozeß 1. Ordnung wird *1,2-Dimethyl-cyclopenten* (**XXXIV**) erhalten (Strukturbeweis von **XXXIV** auch durch unabhängige Synthese aus 2-Oxo-1-methyl-cyclopentan)[3]. Die Geschwindigkeitskonstante der Isomerisie-rung erwies sich als druckunabhängig.

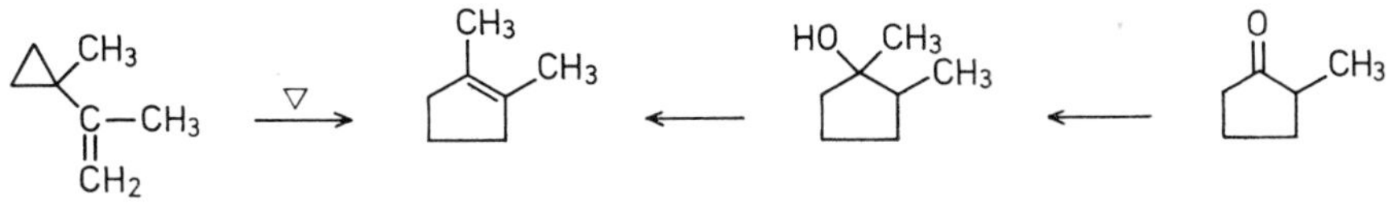

XXXIII   XXXIV

---

[1] A. D. KETLEY, J. L. McCLANAHAN u. L. P. FISHER, J. Org. Chem. **30**, 1659 (1965).
[2] S. SAREL, J. YOVELL u. M. SAREL-IMBER, Ang. Ch. **80**, 592 (1968).
[3] C. S. ELLIOT u. H. M. FREY, Soc. **1965**, 4289.

Bei der Thermolyse von 1-Vinyl-nortricyclen (XXXVa) bei ~ 460° wird ein Diradikal XXXVI gebildet, daß jedoch aufgrund der Bredt-Regel nicht umlagern kann und wieder XXXVa bildet[1]. Die Pyrolyse von XXXVb gibt nach einem noch nicht aufgeklärten Mechanismus über eine Hydrierung das auch unabhängig aus XXXVIII hergestellte *2-Isopropyliden-bicyclo[2.2.1]heptan* (XXXVII)[1]:

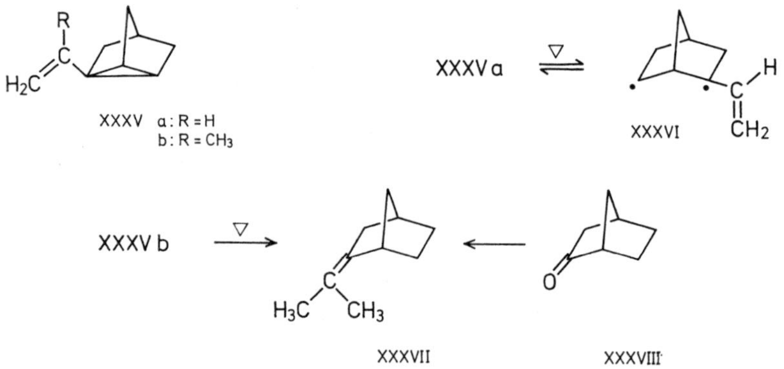

3. Spezielle Umlagerungen von Vinyl-cyclopropan-Derivaten

Es lag die Vermutung nahe, daß es sich bei der Cope-Umlagerung der *cis*-1,2-Divinyl-cycloalkane mit gespannten Ringen (s. S. 613ff.) nur um einen Sonderfall eines allgemeineren Umlagerungsprinzips handeln könnte. Insbesondere sollten Cyclopropan-Verbindungen, die sich vom *cis*-1,2-Divinyl-cyclopropan durch Austausch einer Vinyl-Gruppe gegen eine andere Doppelbindungsfunktion, wie z.B. Isocyanat-, Keten-, Azomethin- oder Carbonyl-Gruppe, ableiten, eine der Cope-Reaktion analoge Umlagerung eingehen können.

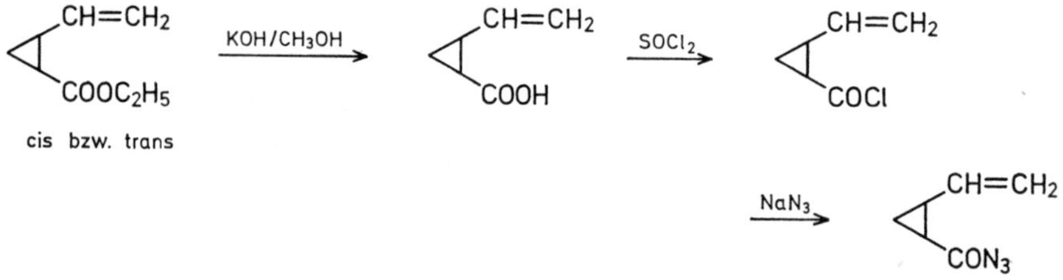

Tatsächlich wurden derartige Isomerisierungen bei 2-Isocyanato-1-alken-(1)-yl-cyclopropanen (z.B. I, S. 605) verwirklicht[2-4].

cis- und *trans*-2-Isocyanato-1-vinyl-cyclopropan (I und IV, S. 605), die ausgehend von dem Addukt aus Butadien und Diazoessigsäure-äthylester nach herkömmlichen Methoden synthetisiert wurden[2], sind auf ihr thermisches Verhalten hin untersucht worden[3]. Hierbei konnte das *cis*-Isomere I bereits im Zuge seiner Herstellung (Temperaturen von ~ 70°) eine Valenzisomerisierung vom Typ der Cope-Umlagerung, gefolgt von einer Prototropie, eingehen, wobei es zur Bildung eines zweifach unge-

[1] J. A. BERSON u. M. R. WILLCOTT, J. Org. Chem. **30**, 3569 (1965).
[2] E. VOGEL u. R. ERB, Ang. Ch. **74**, 76 (1962).
[3] E. VOGEL, R. ERB, G. LENZ u. A. A. BOTHNER-BY, A. **682**, 1 (1965).
[4] W. v. E. DOERING u. M. J. GOLDSTEIN, Tetrahedron **5**, 53 (1959).

sättigten Siebenring-Lactams III (*2-Oxo-2,3-dihydro-azepin*) kam[1]. Die Isomerisierung des *trans*-Derivats IV, die gleichfalls III liefert, erfordert demgegenüber eine Pyrolyse von 350°.

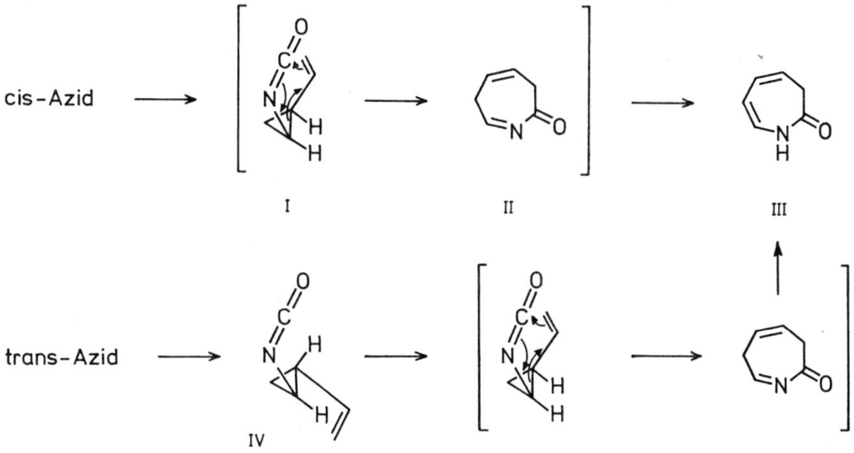

Im Gegensatz dazu zeigt das Isomerenpaar des 2-Vinyl-1-formyl-cyclopropans (V, VI) ein völlig anderes Verhalten[2]. Beide Aldehyde zeichnen sich durch eine überraschend hohe thermische Beständigkeit aus. Um eine Isomerisierung zu erreichen, war es erforderlich, sie bei 400° in der Gasphase zu pyrolysieren. Aus beiden entsteht dabei in guter Ausbeute das gleiche Isomerisierungsprodukt, das sich als *4-Formyl-cyclopenten* (VII) erwies[2]. Die Erwartung, die Ringspannung im *cis*-2-Vinyl-1-formyl-cyclopropan (V) könne als Triebkraft für eine Retro-Claisen-Umlagerung wirken, bestätigte sich damit zunächst nicht. Statt einer Umlagerung zum erwarteten 2,5-Dihydro-oxepin, kam es zu einer Vinyl-cyclopropan/Cyclopenten-Umlagerung (s. S. 597) unter der ausschließlichen Bildung von VII:

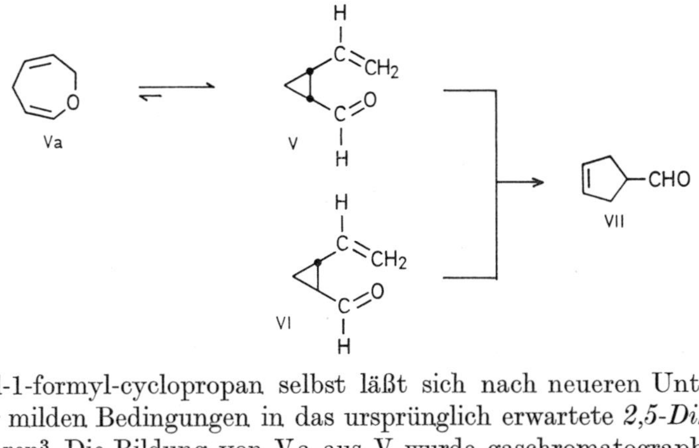

cis-2-Vinyl-1-formyl-cyclopropan selbst läßt sich nach neueren Untersuchungen jedoch unter milden Bedingungen in das ursprünglich erwartete *2,5-Dihydro-oxepin* (Va) überführen[3]. Die Bildung von Va aus V wurde gaschromatographisch bei 50° verfolgt. Bei Zimmertemperatur wandelt sich das Retro-Claisen-Produkt mit einer Halbwertszeit von einem Tag langsam in V zurück; es wird schließlich eine Gleichgewichtsmischung von 95% V und 5% Va erhalten.

[1] E. Vogel, R. Erb, G. Lenz u. A. A. Bothner-By, A. **682**, 1 (1965).
[2] E. Vogel, Ang. Ch. **74**, 829 (1962).
[3] S. J. Rhoads u. R. D. Cockroft, Am. Soc. **91**, 2815 (1969).

Aus Temperaturstudien im Bereich zwischen 50 und 70° wurden für die Umlagerung Va → V (S. 505) die nachfolgenden Parameter ermittelt[1]: $\Delta H^{\neq} = 23$ kcal/Mol und $\Delta S^{\neq} = -6$ e. u. In diesem Zusammenhang sei noch auf eine analoge Umlagerung des Aldehyds VIII in die Verbindung IX hingewiesen[2]:

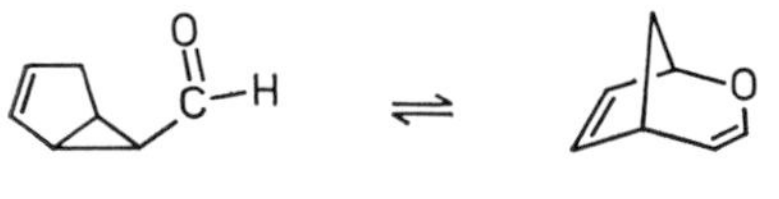

VIII   IX

Unter weniger milden Bedingungen (Temp. um 200–300°) soll das *cis*-2-Vinyl-1-formyl-cyclo-propan mit seinem *trans*-Isomeren und dem Valenzisomeren *5-Vinyl-4,5-dihydro-furan* in Korrespondenz treten und dann schließlich irreversibel in 4-Formyl-cyclopenten(VII, S. 605) umgewandelt werden[1]. Das gesamte Problem bedarf jedoch weiterer klärender Untersuchungen.

Ein weiteres Beispiel für die Valenzisomerisierung eines 2-Isocyanato-1-alken-(1)-yl-cyclopropans ist die Umlagerung des 1-Azidocarbonyl-1a,7b-dihydro-1H-⟨cyclopropa-[a]-naphthalins⟩ (I)[3]. In Gegenwart von Benzylalkohol kommt es nicht wie erwartet zur Bildung eines der vom *exo*- oder *endo*-Isocyanat II bzw. III abgeleiteten Urethane, sondern zum mit diesen isomeren Lactam V {*9-Benzyloxy-7-oxo-⟨benzo-3-aza-bicyclo[3.2.2]nonadien-(6,8)⟩*}:

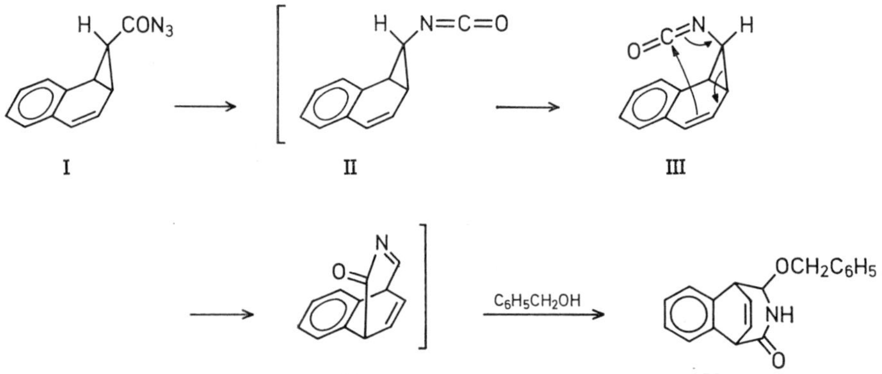

Wie aus dem Formelschema ersichtlich wird, weicht der angenommene Reaktionsweg I–V von der auf S. 605 beschriebenen Umlagerung des *cis*-2-Isocyanato-1-vinyl-cyclopropans lediglich insofern ab, als sich hier das Iminoketon-Zwischenprodukt IV durch Addition von Benzylalkohol stabilisiert; eine Prototropie dürfte bei IV aus sterischen Gründen wenig wahrscheinlich sein.

Die *exo*-Konfiguration von 1-Carboxy- bzw. 1-Azidocarboxy-1a,7b-dihydro-1H-⟨cyclopropa-[a]-naphthalin⟩ gibt allerdings zu der Frage Anlaß, weshalb bislang das *exo*-Isocyanat II nicht isoliert werden konnte[3,4]. Eine säure- oder basenkatalysierte *exo/endo*-Isomerisierung im Zuge der Herstellung des 1-Isocyanato-Derivats erscheint wenig wahrscheinlich. Eine Alternative zu einer solchen trivialen Epimerisierung kann darin bestehen, daß das *exo*-Isocyanat schon bei der Temperatur seiner Bildung durch eine cyclische Doppelbindungsverschiebung mit dem energiereichen o-Chinodimethan-Derivat (VI, S. 607) in eine valenztautomere Beziehung zu treten vermag, wodurch eine Voraussetzung für einen Wechsel der Konfiguration gegeben ist:

[1] S. J. Rhoads u. R. D. Cockroft, Am. Soc. **91**, 2815 (1969).
[2] M. Rey u. A. S. Dreiding, Helv. **48**, 1985 (1965).
[3] W. v. E. Doering u. M. J. Goldstein, Tetrahedron **5**, 53 (1959).
[4] E. Vogel, R. Erb, G. Lenz u. A. A. Bothner-By, A. **682**, 1 (1965).

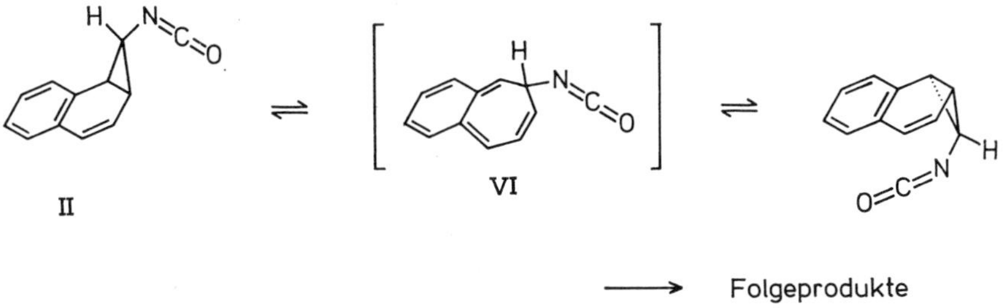

⟶ Folgeprodukte

Als eine derartige Valenzisomerisierung ist auch der Primärschritt der thermischen Umlagerung des 1-Äthoxycarbonyl-1a,7b-dihydro-1H-⟨cyclopropa-[a]-naphthalins⟩ in *6-Äthoxycarbonyl-5H-⟨benzo-cycloheptatrien⟩* (Erhitzen auf 260°) angesprochen worden[1]. Der geschwindigkeitsbestimmende Schritt dieser Isomerisierung beruht möglicherweise nicht auf der Umwandlung des 1-Äthoxycarbonyl-1a,7b,1H-⟨cyclopropa-[a]-naphthalins⟩ in das entsprechende o-Chinodimethan-Derivat, sondern auf einer nachfolgenden Wasserstoff-Verschiebung[2].

Aus dem temperaturabhängigen Kernresonanzspektrum des Benzonorcaradiens VII wurden die Geschwindigkeitskonstanten der Isomerisierung VIIa ⇆ VIIb zwischen 150 und 180° bestimmt. Die Auswertung nach der Arrhenius-Gleichung liefert die Aktivierungsparameter[3] $E_a = 19,4$ Kcal/Mol und $A = 6,2 \cdot 10^{11}$ sec^{-1}. Die Isomerisierung VIIa ⇆ VIIb kann formal als Folge eines Norcaradien/Cycloheptatrien-Gleichgewichts (s. S. 509 ff.) betrachtet werden, das seine Existenz in der Interkonvertierbarkeit der Antipoden VIIa und VIIb offenbart:

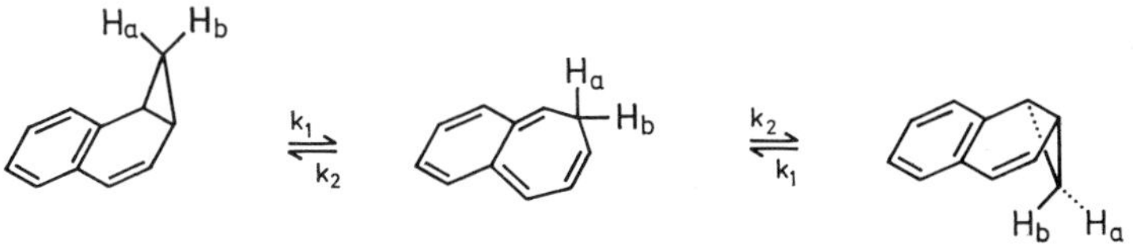

Eine Substitution eines Wasserstoffes der Methylen-Gruppe von VII durch einen Rest R sollte die Geschwindigkeit der Isomerisierung zum entsprechenden VIII nicht wesentlich beeinflussen. Da jedoch bei derart substituierten Benzonorcaradienen die Gleichgewichtslage bzw. die Gleichgewichtskonzentration von VIIa und b (jetzt *exo/endo*-Isomere) im allgemeinen sehr verschieden sein dürfte, läßt sich das „Umklappen des Dreiringes" nicht mehr durch Kernresonanz verfolgen. Daher ist das NMR-Spektrum des 1-Äthoxycarbonyl-1a,7b-dihydro-1H-⟨cyclopropa-[a]-naphthalins⟩ nicht mehr temperaturabhängig.

Unter der begründeten Annahme, daß $k_2 \gg k_1$ (die Konzentration von VIII bleibt unter der durch NMR-Spektroskopie nachweisbaren Menge), beträgt die Energiebarriere für die formale Norcaradien/Cycloheptatrien-Umlagerung VII → VIII 19,4 Kcal/Mol und der Häufigkeitsfaktor[3] $A = 1,2 \cdot 10^{12}$ sec^{-1}.

Untersuchungen an geeignet substituierten Benzonorcaradienen werden weitere Aufschlüsse liefern[4].

cis-2-Methyl-1-vinyl-cyclopropan (I, S. 608) lagert sich bei 180° quantitativ in *cis-Hexadien-(1,4)* (II) um[5]. Die Isomerisierung erfolgt in der Gasphase streng nach

[1] R. HUISGEN u. G. JUPPE, B. **94**, 2332 (1961).

[2] A. P. TER BORG, H. KLOOSTERZIEL u. N. VAN MEURS, Pr. chem. Soc. **1962**, 359.

[3] E. VOGEL, D. WENDISCH u. W. R. ROTH, Ang. Ch. **76**, 432 (1964).

[4] E. VOGEL, persönliche Mitteilung.

[5] W. R. ROTH, Habilitationsschrift, Universität Köln, 1964.

Vgl. auch: J. R. ELLIS u. H. M. FREY, Pr. chem. Soc. **1964**, 221.

1. Ordnung, wird nicht durch die Gefäßwand katalysiert, und ihre Geschwindigkeitskonstante kann im Temperaturbereich von 170–190° durch die Arrhenius-Gleichung

$$k = 9,0 \cdot 10^{10} \exp \left[-(31,1 \pm 0,6) \; \text{Kcal/RT} \right] \; \text{sec}^{-1}$$

ausgedrückt werden[1]:

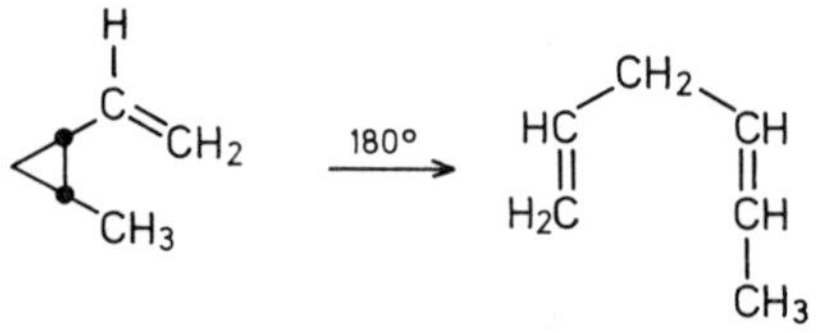

I   180°   II

Die Umlagerung I → II stellt den einfachsten Fall eines mehrfach beobachteten Isomerisierungstyps dar[2]. Zunächst kommen zwei Möglichkeiten für den Ablauf der Reaktion in Betracht:

① eine 1,2-Verschiebung eines sekundären Cyclopropanwasserstoffs oder
② eine 1,5-Verschiebung eines Methylwasserstoffs zum Vinylkohlenstoff C-1.

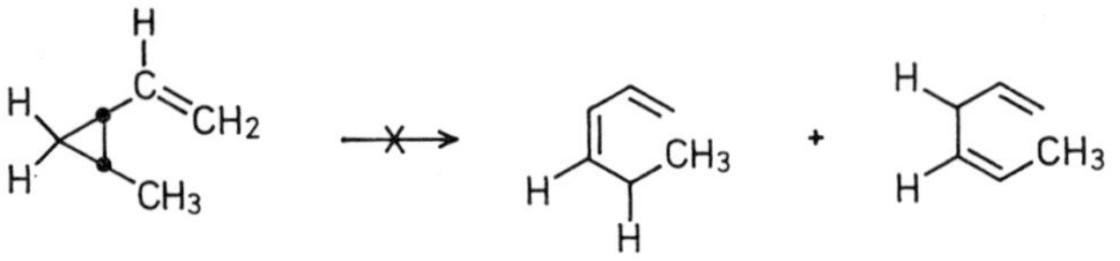

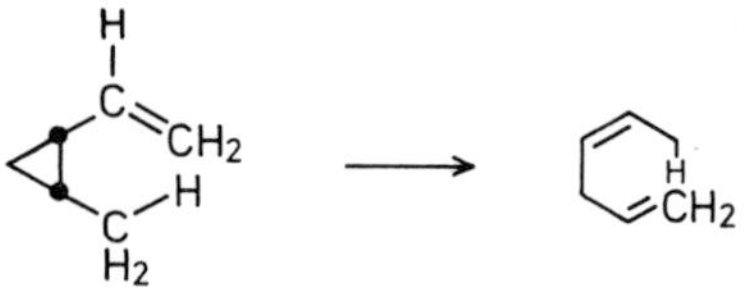

Ein Reaktionsablauf im Sinne von ①, den man z.B. bei der Pyrolyse des Cyclopropans zu Propen beobachtet[3], erscheint wenig wahrscheinlich. Einmal konnte für die zur Reaktion I → II analogen Umlagerungen des Bicyclo[6.1.0]nonens-(2)[4], des Bicyclo[6.1.0]nonadiens-(2,4)[5,6] sowie des Bicyclo[5.1.0]octens-(2)[7] durch Deuteriummarkierung eine Wanderung der sekundären Cyclopropanwasserstoffe ausgeschlossen werden; zum anderen sollte ein solcher Mechanismus vorwiegend zum nicht beobachteten Hexadien-(1,3) führen.

Für den Reaktionsweg im Sinne von ② konnte eine entsprechende Wasserstoffverschiebung durch Deuteriummarkierung nachgewiesen werden[1].

[1] W. R. Roth u. J. König, A. **688**, 28 (1965).
[2] Vgl. etwa:
     G. Ohloff, B. **93**, 2673 (1960).
     W. v. E. Doering u. W. R. Roth, Ang. Ch. **75**, 27 (1963).
     D. S. Glass, J. Zirner u. S. Winstein, Pr. chem. Soc. **1963**, 276.
     W. R. Roth, A. **671**, 10 (1964).
     W. R. Roth u. B. Peltzer, Ang. Ch. **76**, 378 (1964).
[3] T. S. Chambers u. G. B. Kistiakowsky, Am. Soc. **56**, 399 (1934).
[4] W. v. E. Doering u. W. Grimme, unveröffentlicht.
[5] W. R. Roth, A. **671**, 10 (1964).
[6] D. S. Glass, J. Zirner u. S. Winstein, Pr. chem. Soc. **1963**, 276.
[7] W. Grimme, B. **98**, 756 (1965).

Die Umwandlung des *cis*-2-Methyl-1-vinyl-cyclopropans in das *cis-Hexadien-(1,4)* beinhaltet außer einer Wasserstoff-Verschiebung die Öffnung des Cyclopropanringes. Es stellt sich daher sofort die Frage nach dem zeitlichen Ablauf beider Reaktionsschritte. Einmal könnte primär eine Ringöffnung zu einem Diradikal III stattfinden, gefolgt von einer Wasserstoff-Verschiebung; zum anderen könnte es sich um einen

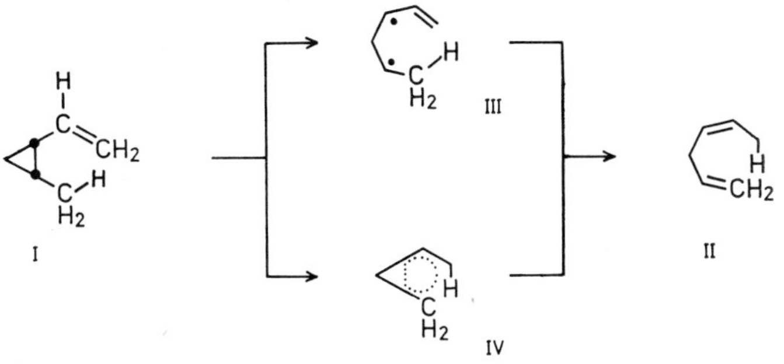

synchronen Umlagerungsprozeß, in dessen Übergangszustand IV für die beteiligten sechs Elektronen eine Delokalisierung möglich ist, deren Ausmaß die Aktivierungsenergie mitbestimmt, handeln.

Die C–C-Dissoziationsenergie im Cyclopropan ist zu 56 Kcal/Mol abgeschätzt worden[1]. Korrigiert man für den Einfluß einer Vinyl-Gruppe[2] um ~ 12 Kcal/Mol und den einer Methyl-Gruppe[3] um ~ 4 Kcal/Mol, so verbleiben für die Dissoziationsenergie der Bindung zwischen C-1 und C-2 im 2-Methyl-1-vinyl-propan ~ 40 Kcal/Mol. Dieser Wert ist wesentlich höher als die gefundene Aktivierungsenergie der Umlagerung von I nach II von 31,1 Kcal/Mol und macht damit eine Diradikal-Zwischenstufe im Sinne von III unwahrscheinlich[4].

Eine experimentelle Bestätigung dieser Abschätzung ergab sich durch die Untersuchung der Thermolyse des *trans*-2-Methyl-1-vinyl-cyclopropans (V)[4]. Bei Temperaturen um 280° lagert sich das *trans*-2-Methyl-1-vinyl-cyclopropan in ein Isomerengemisch von 92% *cis-Hexadien-(1,4)* (II) und 8% *4-Methyl-cyclopenten* (VI) um[4].

In der Gasphase verlaufen diese Reaktionen nach 1. Ordnung und werden nicht durch die Gefäßwand katalysiert. Die Temperaturabhängigkeit der Geschwindigkeitskonstanten läßt sich durch die Arrhenius-Gleichungen

$$k_1 = 4,1 \cdot 10^{13} \exp\left[-(45,7 \pm 0,6)\ \text{Kcal/RT}\right] \text{sec}^{-1}$$
$$k_2 = 3,5 \cdot 10^{12} \exp\left[-(45,7 \pm 0,6)\ \text{Kcal/RT}\right] \text{sec}^{-1}$$

beschreiben.

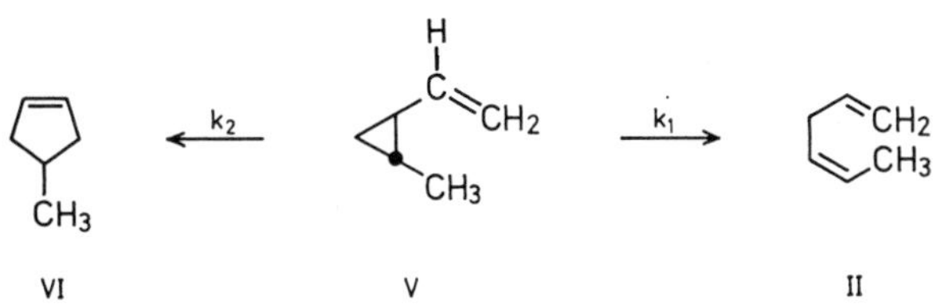

Während also die Isomerisierung des *cis*-2-Methyl-1-vinyl-cyclopropans (I) charakterisiert ist durch die Bildung von nur einem Umlagerungsprodukt II, durch eine niedrige Aktivierungsenthalpie (E_a-RT = $\Delta H^{\ddagger}$ = 30,2 Kcal/Mol) und eine bemerkenswert negative Aktivierungs-

---

[1] S. W. BENSON, J. chem. Physics **34**, 521 (1961).

[2] S. W. BENSON, A. N. BOSE u. P. NANGIA, Am. Soc. **85**, 1388 (1963).

[3] △ Unterschied der C—C-Dissoziationsenergie von Äthan und Propan; vgl.: R. J. KANDEL, J. chem. Physics **22**, 1496 (1954).

[4] W. R. ROTH u. J. KÖNIG, A. **688**, 28 (1965).

entropie $\Delta S^{\ddagger} = -11\,$cal/Grad · Mol), führt die thermolytische Umwandlung von V (S. 609), dem *trans*-Isomeren, zu zwei Produkten und besitzt wesentlich höhere Aktivierungsenthalpien ($\Delta H_1^{\ddagger} = \Delta H_2^{\ddagger} = 44{,}6$ Kcal/Mol) und Aktivierungsentropien nahe Null[1]. Ein verschiedener Reaktionsmechanismus der Thermolyse des *cis*- und *trans*-Isomeren ist damit evident.

Es ist sofort ersichtlich, daß sich V nicht wie I aus Gründen der Molekülgeometrie in einem synchronen Mechanismus umzulagern vermag. Hier wird die primäre Öffnung des alicyclischen Dreiringes erzwungen. Bevorzugt wird dabei das *trans*-Allyl-Diradikal VIIa gebildet, dessen Entstehung verglichen mit dem entsprechenden *cis*-Isomeren VIIb um ~ 1–2 Kcal/Mol begünstigt ist[2]. In Hinblick auf die bekannte sterische Stabilität des Allyl-Radikals[3] kann VIIa außer zum Ausgangsprodukt nur zum *cis*-2-Methyl-1-vinyl-cyclopropan(Ia) weiterreagieren, das sich unter den Reaktionsbedingungen sofort zu II isomerisiert[1]. Dem *cis*-Allyl-Diradikal VIIb ist neben der Bildung von Ib eine Möglichkeit zur Cyclisierung zum Produkt VI gegeben. Die Aktivierungsenergie der Umlagerung V → VI ist zum 3,9 Kcal/Mol geringer als die zu 49,6 Kcal/Mol bestimmte Aktivierungsenergie der Vinyl-cyclopropan/Cyclopenten-Umlagerung (s. S. 597 ff.)[4]. Diese Energiedifferenz ist ausreichend, um das Fehlen von 3-Methyl-cyclopenten unter den Isomerisierungsprodukten von V zu verstehen, und steht zum anderen in gutem Einklang mit dem beobachteten Einfluß des Substitutionsgrades auf die Dissoziationsenergie von Kohlenstoff-Kohlenstoff-Bindungen.

Im Gegensatz zur Isomerisierung der *trans*-Verbindung V ist die oben erwähnte Umlagerung von I zweifelsfrei ein **synchroner** Prozeß. Relativ geringe Veränderungen der Geometrie des Übergangszustandes VIII verursachen einen drastischen Anstieg seines Energieniveaus.

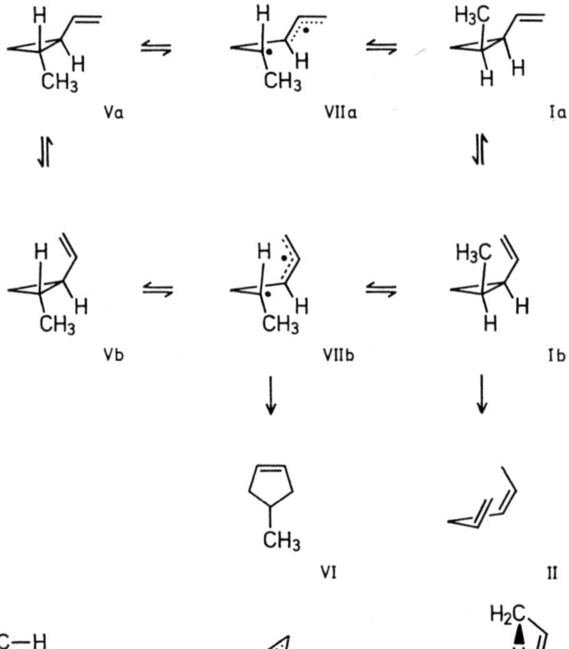

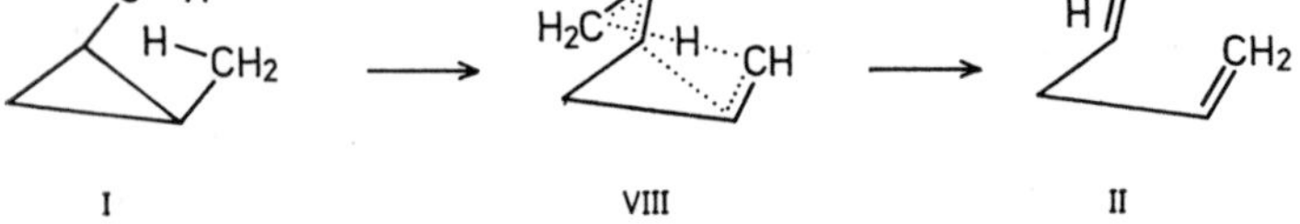

[1] W. R. Roth u. J. König, A. **688**, 28 (1965).
[2] W. v. E. Doering u. W. R. Roth, Tetrahedron **19**, 715 (1963).
[3] C. Walling u. W. Thaler, Am. Soc. **83**, 3877 (1961).
[4] M. C. Flowers u. H. M. Frey, Soc. **1961**, 3547.

So erfolgt beim Bicyclo[3.1.0]hexen-(2) (IX), in dem die Vinyl-Gruppe um nur ~ 30° gegenüber VIII (S. 610) verdreht ist, erst bei Temperaturen um 300° eine unter Wasserstoffverschiebung verlaufende Isomerisierung zum *Cyclohexadien-(1,4)* (X) und *Cyclohexadien-(1,3)* (XI)[1]:

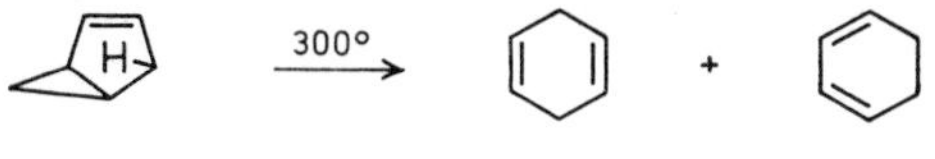

Ein zweiter die Aktivierungsenergie mitbestimmender Faktor ist in der im Übergangszustand VIII (S. 610) freiwerdenden Ringspannung des Cyclopropanringes zu erblicken. So zerfällt Penten-(1), das einer solchen Reaktionshilfe entbehrt, erst bei Temperaturen um 390° in Propen und Äthylen[2].

Aus dem thermischen Verhalten der *cis/trans*-isomeren 2-Methyl-1-vinyl-cyclopropane (I und V, S. 609, 610) ergeben sich wichtige Konsequenzen für die bei 400° in der Gasphase beobachtete Umlagerung des *cis-Hexadiens-(1,4)* (II) in das *4-Methylcyclopenten* (VI)[3]. Das als Zwischenstufe der Isomerisierung postulierte *cis*-2-Methyl-1-vinyl-cyclopropan (I) kann im Reaktionsgemisch nur in sehr geringer Konzentration auftreten und wird sich damit einem direkten Nachweis entziehen. Das Gleichgewicht II ⇌ I liegt ganz auf der Seite des Hexadiens-(1,4). Ein indirekter Nachweis gelang jedoch durch die Pyrolyse von *cis*-6,6,6-Trideutero-hexadien-(1,4) (IIa)[3]. Intermediär gebildetes 2-Methyl-1-vinyl-cyclopropan sollte sich nun im Hexadien durch Deuterium-Einbau am Vinylkohlenstoff C-1 und durch Einbau von Wasserstoff in der zuvor deuterierten Methyl-Gruppe zu erkennen geben. Bei Temperaturen um 350° erfährt IIa in der Tat eine Neuverteilung des Deuteriums[3]. Im Kernresonanzspektrum der sonst unveränderten Substanz beobachtet man eine sich langsam einstellende statistische Verteilung des Deuteriums zwischen den Positionen 1 und 6. Die Umlagerung des *cis*-2-Methyl-1-vinyl-cyclopropans erweist sich damit als reversibel. Bei 350° stehen IIa, Ic und IIb in einem dynamischen Gleichgewicht[3]:

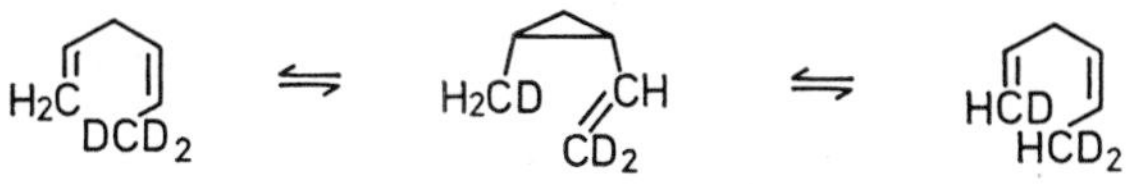

trans-2-Methyl-1-vinyl-cyclopropan tritt bei dieser Temperatur noch nicht auf; seine Entstehung verlangt eine um 14,6 Kcal/Mol (45,7–31,1) höhere Aktivierungsenergie und würde sich durch seine irreversible Isomerisierung zum 4-Methyl-cyclopenten zu erkennen geben. Erst oberhalb 400° wird jedoch dieses Produkt beobachtet[3]. Das *cis*-2-Methyl-1-vinyl-cyclopropan besitzt somit neben der energetisch bevorzugten Umlagerung zum *cis-Hexadien-(1,4)* eine endliche Isomerisierungswahrscheinlichkeit von ~ 1:150 zum *trans*-2-Methyl-1-vinyl-cyclopropan und damit auch zum *4-Methyl-cyclopenten*.

Die Deuterium- bzw. Wasserstoff-Isomerisierung im *cis*-6,6,6-Trideutero-hexadien-(1,4) verläuft ohne Massendisproportionierung, wie durch die massenspektroskopische Analyse von Ausgangs- und Isomerisierungsprodukt sichergestellt wurde[3]. Die Deuterium- bzw. Wasserstoff-Wanderungen sind also intramolekular erfolgt: Im partiell isomerisierten Produkt kann die

---

[1] W. v. E. DOERING u. W. GRIMME, unveröffentlicht.

[2] J. F. NORRIS u. G. THOMSON, Am. Soc. **53**, 3108 (1931).

[3] W. R. ROTH u. J. KÖNIG, A. **688**, 28 (1965).

Umlagerung durch Verschiebung eines Deuteriums sowie eines Wasserstoffs erfolgen, und ein intermolekularer Mechanismus müßte zu Molekülen mit höherem wie mit niedrigerem Deuteriumgehalt führen. Auch ein großer Isotopeneffekt könnte eine solche Massendisproportionierung wegen der großen Zahl sich wiederholender Schritte nicht verhindern.

Bei der Umsetzung von *cis*- und *trans*-Hexatrien-(1,3,5) mit Diazomethan werden verschiedene Cyclopropan-Derivate erhalten, die bei Temperaturen um 300° thermische Umlagerungen vom Typ einer Vinyl-cyclopropan/Cyclopenten-Umlagerung eingehen[1]:

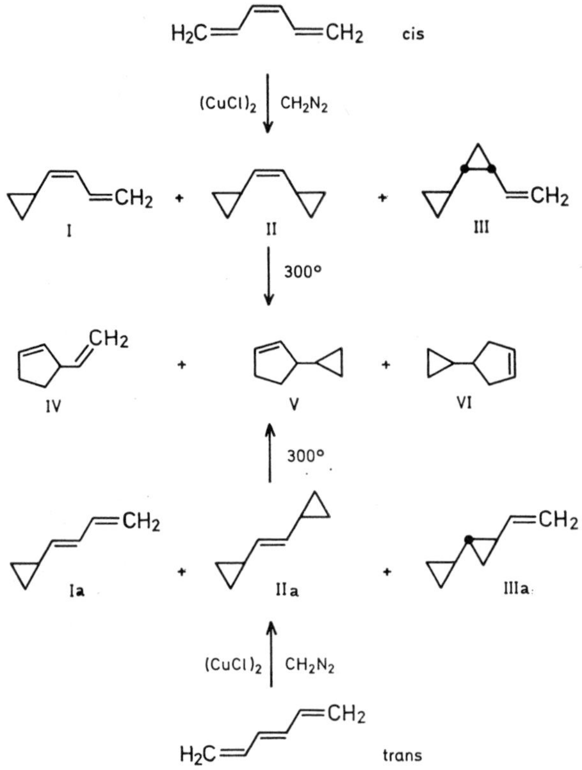

I, Ia;   *1-Cyclopropyl-butadien-(1,3)*
II, IIa; *1,2-Dicyclopropyl-äthylen*
III, IIIa; *2-Vinyl-bi-cyclopropyl*
IV;   *3-Vinyl-cyclopenten-(1)*
V;   *3-Cyclopropyl-cyclopenten-(1)*
VI;   *4-Cyclopropyl-cyclopenten-(1)*

Es sei erwähnt, daß Vinyl-cyclopropan selektiv an der Vinyl-Gruppe zum *Äthyl-cyclopropan* hydriert werden kann, wenn man einen mit Barium dotierten Kupferchromit-Katalysator verwendet[2].

Vinyl-cyclopropan konnte bei Verwendung eines Titan(III)-chlorid/Tris-[2-methyl-propyl]-aluminium-Katalysators zu einem kristallinen isotaktischen Polymeren polymerisiert werden[3].

[1] W. v. E. Doering u. W. R. Roth, unveröffentlichte Ergebnisse.
[2] V. A. Slabey u. P. H. Wise, Am. Soc. **74**, 3887 (1952).
[3] C. G. Overberger, E. Borchert u. A. Katchman, J. Polymer Sci. **44**, 491 (1960).

4. Umlagerungen von 1,2-Divinyl-cyclopropanen

a) Umlagerung von cis-1,2-Divinyl-cyclopropan

Das cis-1,2-Divinyl-cyclopropan (I) sollte formal zu einer Gruppe von Biallyl-Verbindungen gehören, bei denen der für die Cope-Umlagerung[1] postulierte, cyclische Übergangszustand durch die Geometrie der Molekel vorgebildet ist. Es konnte gezeigt werden, daß sich I bereits unter seinen Bildungsbedingungen, dem Hofmann-Abbau der entsprechenden quartären Ammoniumbase, bei 80° zum Cyclo-heptadien-(1,4) (II) umlagert[2]. Später gelang es auch durch katalytische Carben-Addition an cis-Hexatrien-(1,3,5) den Nachweis zu erbringen, daß sich das erwartete cis-1,2-Divinyl-cyclopropan bereits bei −40° in das Siebenringisomere umwandelt[3]:

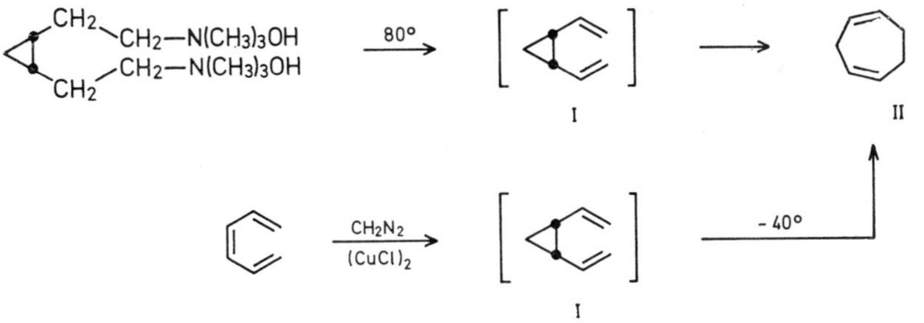

Das homologe cis-1,2-Divinyl-cyclobutan ist ebenfalls thermisch nicht stabil und lagert sich bei ~ 120° fast quantitativ in das cis-Cyclooctadien-(1,5) um[4]. Als Triebkraft dieser Isomerisierung ist die Entspannung der energiereichen Drei- und Vierringe anzusehen, während beim cis-1,2-Divinyl-cyclohexan und auch beim cis-1,2-Divinyl-cyclopentan wegen der in den Umlagerungsprodukten vorhandenen starken nicht-klassischen Spannung die Gegenreaktion begünstigt ist. So konnte beim cis-1,2-Divinyl-cyclopentan bei 220° ein Gleichgewicht zwischen Fünf- und Neunring mit einer Gleichgewichtskonzentration des Cyclononadiens von 5% festgestellt werden[5].

Bei der entsprechenden Sechsringverbindung liegt das Gleichgewicht ganz auf der Seite des nicht gespannten cis-1,2-Divinyl-cyclohexans, in das sich das cis,trans-Cyclodecadien-(1,5) bei ~ 100° umlagert[6].

Die Verbindung III war das erste cis-1,2-Divinyl-cyclopropan-Derivat, das isoliert werden konnte; es läßt sich erwartungsgemäß im Sinne einer 3,3-sigmatropen Umlagerung in Bicyclo[3.2.1]octadien-(2,6) (IV) überführen[7]:

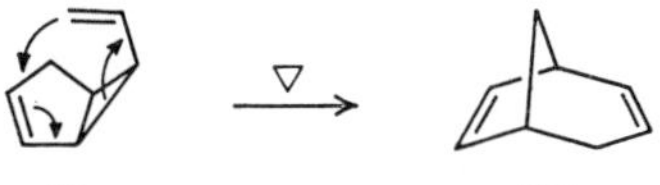

III   IV

[1] A. C. Cope et al., Am. Soc. **62**, 441 (1940); **63**, 1843, 1852 (1941); **65**, 1999 (1943); **66**, 1684 (1944); **69**, 1893 (1947).
[2] E. Vogel, K.-H. Ott u. K. Gajek, A. **644**, 172 (1961).
[3] W. v. E. Doering u. W. R. Roth, Tetrahedron **18**, 67 (1962).
[4] E. Vogel, A. **615**, 1 (1958).
    S. a. ds. Handb., Bd. IV/4, Kap. Isocyclische Vierring-Verbindungen, S. 295, 320, 321, 412, 421.
[5] E. Vogel, W. Grimme u. E. Dinné, Ang. Ch. **75**, 1103 (1963).
[6] P. Heimbach, Ang. Ch. **76**, 859 (1964).
[7] J. M. Brown, Chem. Commun. **1965**, 226.
    S. auch.: P. K. Freeman u. K. G. Kuper, Chem. & Ind. **1965**, 424.

β) Umlagerung von *trans*-1,2-Divinyl-cyclopropan

Während *cis*-1,2-Divinyl-cyclopropan spontan in *Cycloheptadien-(1,4)* übergeht, läßt sich bei der *trans*-Verbindung (I) eine Isomerisierung erst durch zweistündiges Erhitzen auf 190° erzwingen, wobei ebenfalls Cycloheptadien-(1,4), und zwar quantitativ, entsteht[1]. Bei der Gasphasenpyrolyse zwischen 145 und 170° wurde die Umlagerung kinetisch verfolgt. Die Reaktion ist streng 1. Ordnung und kann nicht durch die Gefäßwand katalysiert werden (kinetische Parameter: $E_a = 32,1 \pm 0,7$ Kcal/Mol; $\Delta_{154°}^{S\ddagger} = -3,6$ e. u.)[2]. Im Zuge der Reaktion werden zwei Doppelbindungen verschoben, eine gespannte C—C-Bindung gelöst und eine neue geschlossen.

Nach Modellbetrachtungen kann für die Isomerisierung eine synchrone Cope-Umlagerung nicht in Frage kommen, für die relativ niedrige Aktivierungsenergien und stark negative Aktivierungsentropien zu erwarten sind[3]. Die erhaltenen Parameter sprechen gegen einen solchen Synchronprozeß. Im Falle eines radikalischen Zweistufenmechanismus sollte die zum Bruch benötigte Energie die Höhe der Aktivierungsenergie bestimmen. Die abgeschätzte Aktivierungsenergie von 32 Kcal/Mol stimmt mit dem gefundenen Wert gut überein[4].

Zum anderen fand man für die Isomerisierung des *cis*-1,2-Diphenyl-cyclopropans zum *trans*-Isomeren einen vergleichbaren Wert[5] von 33,5 Kcal/Mol für die Aktivierungsenergie, wenn die Stabilisierung des Allyl-Radikals in der Größenordnung des Benzyl-Radikals läge.

Allerdings sollte bei einem Zweistufenprozeß mit freiem Biradikal als Zwischenstufe[4] aus den Resonanzformen des Biradikals nicht nur eine Bindungsbildung zwischen C_4 und $C_{4'}$ erfolgen können, sondern auch zwischen C_4 und C_2, bzw. C_2 und $C_{4'}$, was sogar statistisch günstiger wäre und zum *4-Vinyl-cyclopenten* führen würde, das im Temperaturbereich von 145—170° nur zu höchstens 0,2% gebildet wird. Erst bei Temperaturen über 200° entsteht 4-Vinyl-cyclopenten in nachweisbarer Menge. Der Mechanismus der Isomerisierung zum *Cycloheptadien-(1,4)* könnte ähnlich wie die Umlagerung des *cis*-1,2-Dideutero-cyclopropans[6] zur *trans*-Verbindung verlaufen, so daß im Übergangszustand der Reaktion die Ringspannung des Dreiringes nicht vollständig aufgehoben und daher die zentrale C_2—$C_{2'}$-Bindung nicht in ein freies Biradikal gespalten, sondern nur soweit gelöst wird, daß die Isomerisierung zum *cis*-1,2-Divinyl-cyclopropan erfolgen kann, das sich dann spontan zum *Cycloheptadien-(1,4)* umlagert.

---

[1] E. Vogel, in: Festschrift zum 10-jährigen Bestehen des Fonds der Chemischen Industrie, Verband der Chemischen Industrie, Düsseldorf 1960, S. 225.
Vgl. auch: K.-H. Ott, Dissertation, Technische Hochschule Karlsruhe, 1959.

[2] R. Sundermann, Dissertation, Universität Köln, 1966.

[3] Vgl.: S. W. Benson, in „*The Foundation of Chemical Kinetics*", McGraw-Hill Book Co., Inc., New York 1960.
A. Frost u. R. G. Pearson, in „*Kinetik und Mechanismen homogener chemischer Reaktionen*", Verlag Chemie GmbH, Weinheim 1964.

[4] W. v. E. Doering u. W. R. Roth, Tetrahedron **19**, 715 (1963).

[5] L. B. Rodewald u. C. H. DePuy, Tetrahedron Letters **1964**, 2951.

[6] B. S. Rabinovitch, E. W. Schlag u. K. B. Wiberg, J. Chem. Physics **28**, 504 (1958).

Dieser Mechanismus stände im Einklang mit der abgeschätzten und gemessenen Aktivierungs-energie und würde der Bildung des 4-Vinyl-cyclopentens bei höheren Temp. gerecht, da das Auftreten freier Biradikale eine höhere Aktivierungsenergie erfordern sollte. Die für 154° errechnete Aktivierungsentropie liegt mit −3,6 e. u.[1] zwischen der eines Synchronmechanismus, für den Werte unter −10 e. u.[2] erwartet werden und der eines freien radikalischen Mechanismus, bei dem der Übergangszustand, verglichen mit dem Grundzustand eines gespannten Ringes, eine größere Beweglichkeit und damit eine schwach positive Aktivierungsentropie aufweisen sollte.

Bei Temperaturen über 200° entsteht das 4-Vinyl-cyclopenten in einer Nebenreaktion aus dem *trans*-1,2-Divinyl-cyclopropan über das Biradikal, während unter den gleichen Bedingungen das *Cycloheptadien-(1,4)* stabil ist. Da bei dieser Temperatur die Isomerisierungsgeschwindigkeit $k_1 \gg k_2$ ist, kann nach dem Boltzmannschen Energieverteilungssatz nur eine geringe Menge des *trans*-1,2-Divinyl-cyclopropans das Energieniveau des Biradikals erreichen (bei 250° ∼ 1,4%). Das *Cycloheptadien-(1,4)* lagert sich erst über 300° in das Fünfringisomere um; somit gilt für gleiche Temperatur: $k_2 > k_3$.

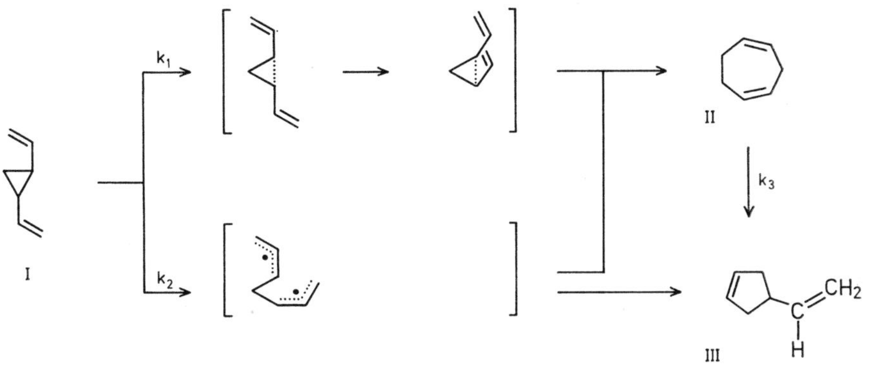

4-Vinyl-cyclopenten ist das thermodynamisch stabilste Produkt in diesem System. Es ist als Zwischenstufe der Isomerisierung des *trans*-1,2-Divinyl-cyclopropans aus-zuschließen, da sich dieser Kohlenwasserstoff selbst bei 300° noch nicht isomerisiert[3].

Abschließend sei an dieser Stelle vermerkt, daß [3 + 2]-Cycloadditionen von Cyclopro-panen an Olefine unter Bildung von Cyclopentan-Derivaten, die zu dem noch relativ seltenen Reaktionstyp der $\sigma^2 + \pi^2$-Cycloadditionen gehören, bisher noch recht wenig untersucht worden sind. Bei der thermischen Addition scheinen die Ausbeuten mäßig zu sein, selbst dann, wenn man von stark gespannten Cyclopropan-Derivaten und elektronenarmen C=C-Bindungen ausgeht[4]. Mit guten Ausbeuten verläuft hingegen die Nickel(O)-katalysierte Addition von Methylen-cyclo-propanen an Olefine[5].

c) Cyclopropyl-Allyl-Umlagerungen

Die Solvolyse von Halogen- und Tosyloxy-cyclopropanen ist nach heu-tiger Kenntnis ein Synchronprozeß, bei dem die energiereiche Zwischenstufe eines Cyclopropyl-Kations umgangen und direkt das entsprechende stabilere Allyl-Kation gebildet wird.

Am Beispiel der Acetolyse von Tosyloxy-cyclopropanen wird im folgenden die gesamte Problematik ausführlich behandelt.

[1] R. Sundermann, Dissertation, Universität Köln, 1966.
[2] Vgl. Lit.[3], S. 614.
[3] B. Peltzer, Diplomarbeit, Universität Köln, 1962.
[4] S. ds. Handb., Bd. V/1b, Umwandlung von Olefinen.
[5] R. Noyori, T. Odagi u. H. Takaya, Am. Soc. **92**, 5780 (1970).

1. Acetolyse von Tosyloxy-cyclopropanen

Nach dem Prinzip von der Erhaltung der Orbitalsymmetrie[1-11] verläuft die elektrocyclische Umlagerung eines Cyclopropyl-Kations in ein Allyl-Kation dis-rotatorisch. Die hierbei möglichen beiden Drehrichtungen – in Schema A durch zwei Pfeilpaare symbolisiert – sind elektronisch gleichberechtigt[12]:

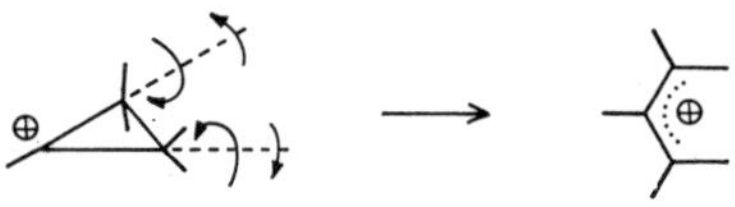

Schema A: Disrotatorische Umwandlung eines Cyclopropyl-kations in ein Allyl-Kation[1].

In diesem Zusammenhang ergab sich eine interessante Frage[5]. Angenommen, der Austritt einer Gruppe X und die elektrocyclische Öffnung eines Cyclopropan-Ringes wäre eine zum Allyl-Kation führende Synchronreaktion, gäbe es dann einen Unterschied zwischen den beiden a priori möglichen disrotatorischen Ringöffnungen relativ zur Stellung des Substituenten X?

Rechnungen nach einer erweiterten Hückel-Methode ergaben die Antwort, daß Substituenten, die auf der gleichen Seite des alicyclischen Dreiringes wie die austretende Gruppe X stehen, aufeinander zugedreht werden (I in Schema B), während Substituenten auf der entgegengesetzten Seite des Ringes voneinander weggedreht werden (II in Schema B)[5]:

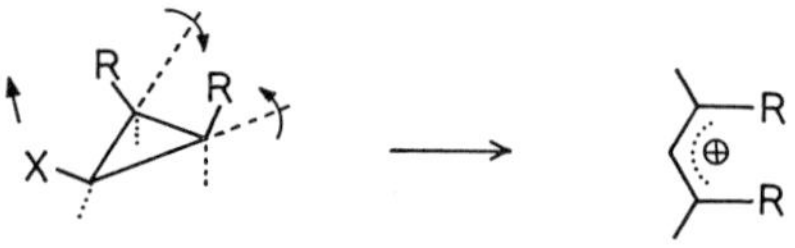

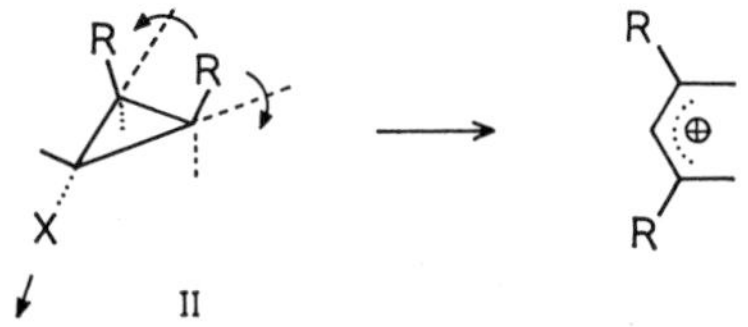

Schema B: Disrotatorische Umwandlungen von Cyclopropyl-Kationen in Allyl-Kationen im Zuge eines Synchronprozesses[5].

[1] R. B. Woodward u. R. Hoffmann, Am. Soc. **87**, 395 (1965).
[2] R. Hoffmann u. R. B. Woodward, Am. Soc. **87**, 2046 (1965).
[3] R. B. Woodward u. R. Hoffmann, Am. Soc. **87**, 2511 (1965).
[4] R. B. Woodward: „Aromatic", Special Publication No. 21, S. 217, The Chemical Society, London 1967.
[5] Vgl. auch: R. B. Woodward u. R. Hoffmann, Ang. Ch. **81**, 797 (1969).
[6] Vgl. auch: H. C. Longuet-Higgins u. W. H. Abrahamson, Am. Soc. **87**, 2045 (1965).
[7] Vgl. auch: K. Fukui, Tetrahedron Letters, **1965**, 2009.
[8] Vgl. auch: H. E. Zimmerman, Am. Soc. **88**, 1564 (1966).
[9] Vgl. auch: M. J. S. Dewar, Tetrahedron, Suppl. **8**, I, 75 (1966).
[10] Vgl. auch: R. Hoffmann u. R. B. Woodward, Accounts Chem. Res. **1**, 17 (1968).
[11] Vgl. auch die Zusammenstellung bei J. J. Vollmer u. K. L. Servis, J. chem. Educ. **45**, 214 (1968).
[12] Vgl. dazu die Ergebnisse der Zersetzung stereoisomerer Cyclopropyl-Diazoniumionen: W. Kirmse u. H. Schütte, Am. Soc. **89**, 1284 (1967); B. **101**, 1674 (1968).

Dieses Ergebnis läßt sich qualitativ verstehen, wenn man bedenkt, daß die Elektronendichte der 2,3-Bindung zunächst mehr oder minder in der Ebene des alicyclischen Dreiringes liegt, sich bei der Öffnung dieser Bindung durch eine disrotatorische Auswärtsdrehung (s. hierzu III) jedoch nach oberhalb der Ringebene verschiebt. Sie steht dann zur Verdrängung der austretenden Gruppe X zur Verfügung. Anders ausgedrückt: die Reaktion ist eine normale S_N2-Substitution der Gruppe X durch die Elektronen einer σ-Bindung des Cyclopropan-Gerüstes[1].

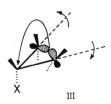

III

Derartige Überlegungen haben einige wichtige Konsequenzen. Sind die Reste R sehr raumbeanspruchend, so ist aus sterischen Gründen zu erwarten, daß die Verbindung I (*cis*-Isomeres) rascher solvolysiert als II (*trans*-Verbindung, S. 616). Bilden die beiden Reste R hingegen zusammen eine kurze, in *cis*-Stellung mit dem Cyclopropanring verknüpfte Methylenkette, so sollte die Ringöffnung in einer Verbindung vom Typ IV mit *anti*-ständiger nucleofuger Abgangsgruppe X stark benachteiligt sein, da die Auswärtsdrehung zu einem *trans,trans*-Allyl-Kation in einem kleinen Ring führen müßte. Eine leichte Öffnung des Ringes ist daher nur bei *syn*-ständiger Abgangsgruppe V zu erwarten[1].

IV V

Im Hinblick auf diese theoretischen Überlegungen bzw. Hypothesen kommen den Untersuchungen der Acetolyse von Tosyloxy-cyclopropanen[2-4] besondere Bedeutung zu. Die Tosylat-Acetolyse schien als Studienobjekt gut geeignet, da Einzelbeobachtungen bereits erkennen ließen, daß sie sich unter Bildung von 3-Acetoxy-propenen nach dem Synchronmechanismus abspielt. Das unsubstituierte Tosyloxy-cyclopropan acetolysiert zwar $\sim 10^5$-mal langsamer als das Tosyloxy-cyclohexan[5], doch noch immer um einige Größenordnungen schneller als es nach der Schleyer-Foote-Beziehung[6,7] solvolysieren sollte, wenn ein Cyclopropyl-Kation durchlaufen würde. *cis*- und *trans*-2-Tosyloxy-1-phenyl-cyclopropan acetolysieren bei 100° $\sim$ 16– bzw. 280-mal schneller als die Stammverbindung[8], was gleichfalls mit

[1] Vgl. auch: R. B. WOODWARD u. R. HOFFMANN, Ang. Ch. **81**, 797 (1969).
[2] P. v. R. SCHLEYER, G. W. VAN DINE, U. SCHÖLLKOPF u. J. PAUST, Am. Soc. **88**, 2668 (1966).
[3] U. SCHÖLLKOPF, K. FELLENBERGER, M. PATSCH, P. v. R. SCHLEYER, G. W. VAN DINE u. T. SU. Tetrahedron Letters **1967**, 3639.
[4] U. SCHÖLLKOPF, Ang. Ch. **80**, 603 (1968).
[5] J. D. ROBERTS u. V. C. CHAMBERS, Am. Soc. **73**, 5034 (1951).
[6] P. v. R. SCHLEYER u. R. D. NICHOLAS, Am. Soc. **83**, 182 (1961).
    P. v. R. SCHLEYER, Am. Soc. **86**, 1856 (1964).
[7] C. S. FOOTE, Am. Soc. **86**, 1853 (1964).
[8] C. D. DePUY, L. G. SCHNACK u. J. W. HAUSER, Am. Soc. **88**, 3343 (1966), s. dort auch frühere Literatur.

dem intermediären Auftreten eines Cyclopropyl-Kations unvereinbar ist. In einem solchen Falle sollte die Phenyl-Gruppe wegen ihres -I-Effektes reaktionsverzögernd wirken. Es wurde zum anderen auch der Gedanke ausgesprochen[1], daß die unterschiedliche Solvolysefreudigkeit der beiden Epimeren mit der Drehrichtung der Phenyl-Gruppe zusammenhängen könnte. Diese Vermutung gab, wie bereits oben erwähnt, Anlaß zu theoretischen Behandlungen des Problems.

α) Acetolyse monocyclischer 2,3-dimethylsubstituierter Tosyloxycyclopropane[2]

Träfe die erwähnte Woodward-Hoffmann-DePuy-Regel zu, so sollten die *endo*-Tosylate (VIa, mit R=CH$_3$) langsamer solvolysieren als die entsprechenden *exo*-Isomeren (VIIa), denn die Disrotation „nach innen" ist mit einer Komprimierung der van-der-Waals-Radien im Übergangszustand VIb verbunden – also mit sterischer Hinderung – während die Disrotation „nach außen", bei der der Übergangszustand VIIb weniger gespannt als der Ausgangszustand ist, eine sterische Begünstigung der Reaktion beinhaltet (vgl. Schema C). Außer an den relativen Solvolysegeschwindigkeiten sollte die Drehrichtung auch an der Konfiguration der Solvolyseprodukte erkennbar sein: Und zwar müßte bei VIa (über VIc) *cis*-konfiguriertes Produkt und bei VIIa (über VIIc) *trans*-konfiguriertes Produkt entstehen.

Allerdings ist mit diesem Produktkriterium bei der Acetolyse nicht – oder zumindest nur unter Vorbehalt – zu arbeiten, weil mit nachfolgenden Isomerisierungen zu rechnen ist.

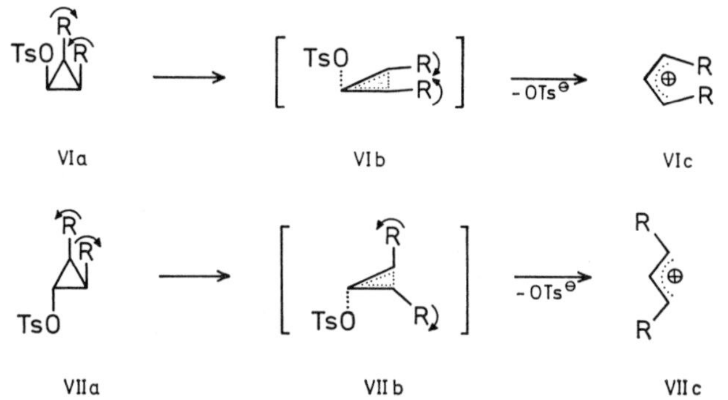

Schema C: Ionisation *endo*- und *exo*-konfigurierter 2,3-disubstituierter Tosyloxy-cyclopropane
a: Ausgangszustand, b: Übergangszustand, c: Zwischenstufe.

Die ermittelten Acetolysekonstanten[2,3] lassen in der Tat deutlich die nach der Woodward-Hoffmann-DePuy-Regel zu erwartende Struktur- und Konfigurationsabhängigkeit erkennen[4] (s. Tab. 92).

---

[1] Von C. H. DePuy, s. Zitat 3.

[2] P. v. R. Schleyer, G. W. van Dine, U. Schöllkopf u. J. Paust, Am. Soc. **88**, 2668 (1966).

[3] U. Schöllkopf, Ang. Ch. **80**, 603 (1968).

[4] Die k$_{rel}$-Werte lassen sich überschlagsmäßig vorausberechnen mit einer Formel, die den zu erwartenden elektronischen und sterischen Beiträgen der CH$_3$-Gruppen zum Energieinhalt von Grund- und Übergangszustand Rechnung trägt. Berechnete und gefundene Werte stimmen zufriedenstellend überein (s. Zitat 2).

Tab. 92. Relative Acetolysekonstanten von methylsubstituierten Tosyloxy-cyclopropanen[1,2].

R¹	R²	R³	R⁴	$k_{rel}(150°)$
H	H	H	H	1*
CH₃	H	H	CH₃	18000
H	CH₃	CH₃	H	4
CH₃	CH₃	CH₃	H	80
CH₃	CH₃	CH₃	CH₃	5500
CH₃	H	CH₃	H	260
CH₃	CH₃	H	H	330

* $k = 6{,}76 \cdot 10^{-6}$ sec⁻¹, s. Lit. [3].

Führt man in das Tosyloxy-cyclopropan zwei *cis*-ständige Methyl-Gruppen ein, so hängt ihre Wirkung entscheidend davon ab, ob sie in *endo*- oder *exo*-Stellung zum nucleofugen Tosyloxy-Rest stehen. Im zweiten Falle ist ihre stabilisierende Wirkung auf den Übergangszustand deutlich sichtbar (s. Faktor 18000). Im ersteren Falle wird ihr elektronischer Beitrag nahezu komplett durch die sterische Hinderung aufgezehrt (s. Faktor 4). Wird im *endo*-2,3-*cis*-Dimethyl-Derivat an den Positionen 2 und 3 sukzessive eine Methyl-Substitution vorgenommen, so steigt die Solvolysetendenz um den Faktor 20 bzw. 1400. Das wird sofort verständlich, weil die hinzukommenden Methyl-Gruppen, die beide „nach außen" rotieren, den Übergangszustand elektronisch stabilisieren, ohne jedoch das Ausmaß der sterischen Hinderung zu erhöhen. Wenn die Einführung der **vierten** Methyl-Gruppe einen relativ stärkeren Beschleunigungseffekt als die der dritten hervorruft, so vermutlich deshalb, weil das Tosyloxy-tetramethyl-cyclopropan eine beträchtliche Torsionsspannung aufweist. Es ist zum anderen nicht überraschend, daß das 2-Tosyloxy-1,1-dimethyl- und das 3-Tosyloxy-*trans*-1,2-dimethyl-cyclopropan fast gleichschnell solvolysieren; in beiden Fällen sind die mit der Ringöffnung verbundenen Spannungsänderungen etwa gleich – eine CH₃-Gruppe dreht jeweils „einwärts", die andere „auswärts – und der Grad der Stabilisierung eines zu einem Allyl-Kation hinführenden Übergangszustandes durch zwei Methyl-Gruppen hängt bekanntlich nur unwesentlich davon ab, ob beide in α, bzw. γ-Stellung stehen oder ob sich die eine in α- und die andere in der γ-Position befindet[2].

Acetoxy-cyclopropan[4]: Eine Lösung von Trifluor-peressigsäure wird aus 67,6 *ml* (0,48 Mol) Trifluor-essigsäureanhydrid, 10,8 *ml* (0,4 Mol) 90%igem Wasserstoffperoxid und 100 *ml* Dichlormethan bereitet. Diese Lösung wird innerhalb 25 Min. zu einer gut gerührten Mischung von 142 g (1 Mol) Dinatriumhydrogenphosphat und 16,8 g (0,2 Mol) Acetyl-cyclopropan in 200 *ml* Dichlormethan gegeben. Nach erfolgter Zugabe wird die Mischung 1 Stde. unter Rückfluß gekocht. Die gemischten Salze werden abfiltriert, mit 100 *ml* Dichlormethan gewaschen, die vereinigten Filtrate mit 150 *ml* 10%iger Natriumcarbonat-Lösung gewaschen und anschließend über Magensiumsulfat getrocknet. Der Hauptanteil an Dichlormethan wird durch Destillation entfernt und die verbleibende Flüssigkeit in einer Mischung von 180 *ml* Methanol und 20 *ml*

[1] P. v. R. Schleyer, G. W. van Dine, U. Schöllkopf u. J. Paust, Am. Soc. **88**, 2668 (1966).
[2] U. Schöllkopf, Ang. Ch. **80**, 603 (1968).
[3] Vgl. J. D. Roberts u. V. C. Chambers, Am. Soc. **73**, 5034 (1951).
[4] W. D. Emmons u. G. B. Lucas, Am. Soc. **77**, 2287 (1955).

Essigsäure, die 37,4 g Girard-Reagens P enthält[1], gelöst. Diese Lösung wird dann 12 Stdn. gekocht und anschließend in 600 *ml* Eiswasser gegossen. Danach wird partiell neutralisiert mit 25,2 g Natriumhydrogencarbonat in 100 *ml* Wasser und mit sechs 50-*ml*-Portionen Dichlormethan extrahiert. Die Extrakte werden mit 50 *ml* 10%iger Hydrogencarbonat-Lösung gewaschen, getrocknet und der Hauptanteil des Solvens durch Destillation bei Atmosphärendruck entfernt, anschließend wird fraktioniert; Ausbeute: 10,5 g (53% d.Th.); Kp_{760}: 109–111°; $n_D^{25} = 1,4060$.

***trans*-2-Acetoxy-1-phenyl-cyclopropan[2]:** Trifluor-peressigsäure[3] [hergestellt aus 460 g (2,2 Mole) Trifluor-essigsäureanhydrid und 57 *ml* 90%igem (2,2 Mole) Wasserstoffperoxid] in 500 *ml* Dichlormethan wird innerhalb 2 Stdn. tropfenweise zu einer Aufschlämmung von 140 g (0,88 Mol) *trans*-2-Phenyl-1-acetyl-cyclopropan, 600 g (4,2 Mole) Dinatriumhydrogenphosphat und 500 *ml* Dichlormethan, die sich in einem 5-*l*-Rundkolben befindet und gut gerührt wird, gegeben. Durch Kühlen mit einem Eisbad wird die Reaktion so geführt, daß die Mischung gerade unter Rückfluß kocht. Nach erfolgter Zugabe wird die Reaktionsmischung noch 2 Stdn. gerührt. Die Feststoffe werden abfiltriert und mit Dichlormethan gewaschen. Die vereinigten Dichlormethan-Lösungen werden mit Wasser gewaschen, mit wäßriger Natriumhydrogencarbonat-Lösung bis zur Säurefreiheit versetzt und schließlich erneut mit Wasser gewaschen. Das Dichlormethan wird durch sorgfältige Destillation entfernt und der Rückstand destilliert; Ausbeute: 109 g (77% d.Th.); $Kp_{0,25}$: 84–85°.

***trans*-2-Hydroxy-1-phenyl-cyclopropan[2]:** 10,0 g (0,057 Mol) *trans*-2-Acetoxy-1-phenyl-cyclopropan wird in 50 *ml* wasserfreiem Äther in einem Dreihalskolben, der mit Magnetrührer, Rückflußkühler und Tropftrichter mit Druckausgleich versehen ist, gelöst. 180 *ml* 0,631 m Methyl-lithium-Lösung werden im Zeitraum von 30 Min. langsam zugegeben. Die Reaktionsmischung wird dann weitere 30 Min. gerührt und in einen Tropftrichter übergeführt. In einem mit Rührer und Rückflußkühler versehenen 0,5-*l*-Kolben werden 200 *ml* Wasser vorgelegt und ein großer Überschuß von Borsäure zugefügt. Unter sehr starkem Rühren wird die Reduktions-Lösung so schnell wie möglich zur Borsäure-Suspension gegeben. Die Lösung wird dann in einen Scheidetrichter mit genügend Wasser übergeführt, um die verbliebene Borsäure zu lösen. Die wäßrige Phase wird 2 mal mit Äther extrahiert. Die ätherischen Lösungen werden mit ges. Salzlösung gewaschen und dann getrocknet. Nach Entfernen des Äthers wird der Rückstand destilliert; Ausbeute: 6 g (79% d.Th.); $Kp_{0,25}$: 73–74°. Nach Umkristallisation aus Äther/Pentan bei tiefer Temp. wird der reine Alkohol erhalten; F: 41,5–42°.

Cyclopropanol[2; s.a. 4–6]: Magnesiumbromid wird durch Addition von 48 g (0,3 Mol) Brom auf 7,2 g (0,3 g-Atom) Magnesium in 200 *ml* wasserfreiem Äther in einem Dreihalskolben, der mit Rückflußkühler, Rührer und Tropftrichter versehen ist, bereitet. 0,3 g (0,0012 Mol) Eisen(III)-chlorid-Hexahydrat werden dann der Mischung zugegeben. Innerhalb von 30 Min. werden danach 28 g (0,3 Mol) Epichlorhydrin in 30 *ml* Äther zu der Mischung getropft. Das Rühren wird noch 1 Stde. fortgesetzt. Äthyl-magnesiumbromid (bereitet aus 98 g Äthylbromid und 21,6 g metallischem Magnesium; in 800 *ml* Äther) wird dann im Zeitraum von 2 Stdn. langsam zugegeben. Die Gasentwicklung ist nach ~ 2 Stdn. abgeschlossen, jedoch wird das Rühren über Nacht zweckmäßigerweise fortgesetzt. Die Reaktionsmischung wird durch Eingießen in eiskalte Ammoniumchlorid-Lösung hydrolysiert. Nach dem Filtrieren wird die ätherische Schicht abgetrennt und mit acht 100-*ml*-Portionen Wasser extrahiert. Die vereinigten wäßrigen Extrakte werden mit Äther 2 Tage kontinuierlich extrahiert. Die Ätherextrakte werden schließlich getrocknet. Der größte Teil des Äthers kann durch vorsichtige Destillation über eine Füllkörperkolonne entfernt werden. Das zurückbleibende Cyclopropanol wird durch präparative Gaschromatographie gereinigt; Ausbeute: 5,9 g (34% d.Th.) reines Cyclopropanol; Kp: 101°.

---

[1] = Pyridiniumacetyl-hydrazidchlorid.
S. hierzu: Fr. P. 767464 (1934), A. GIRARD u. G. SANDULESCO; C. A. **29**, 176 (1935).
A. PETIT u. S. TAILLARD, Rev. chim. ind. (Paris) **48**, 226 (1939).
Vgl. auch das Übersichtsreferat: O. H. WHEELER, Chem. Reviews **1962**, 205.

[2] C. H. DePUY, G. M. DAPPEN, K. L. EILERS u. R. A. KLEIN, J. Org. Chem. **29**, 2813 (1964).

[3] W. D. EMMONS u. G. B. LUCAS, Am. Soc. **77**, 2287 (1955).

[4] J. K. MAGRANE u. D. L. COTTLE, Am. Soc. **64**, 484 (1942).

[5] C. W. STAHL u. D. L. COTTLE, Am. Soc. **65**, 1782 (1943).

[6] J. D. ROBERTS u. V. C. CHAMBERS, Am. Soc. **73**, 3176 (1951).

β) Acetolyse von *endo*- und *exo*-Tosyloxy-bicyclo[n.1.0]alkanen[1]

β₁) *endo-Systeme*

Tab. 93 zeigt die Acetolyse-Konstanten der *endo*-Tosyloxy-bicyclo[n.1.0] alkane (VIII) sowie die isolierten Endprodukte der Solvolyse. Die ermittelten k_{rel}-Werte sind zwanglos im Sinne des Reaktionsverlaufes VIII → IX zu interpretieren[1,2].

In diesen Werten dürfte sich die Stabilität der *cis*-Cycloalkenyl-Kationen widerspiegeln. Nach Dreiding-Modellbetrachtungen ist das Cyclohexenyl-Kation (n = 3 in IX) nahezu völlig spannungsfrei, während das Cycloheptenyl- und das Cyclooctenyl-Kation (n = 4 bzw. 5 in IX) sowohl Torsionsspannung als auch *transannulare* Spannung zeigen. Hierin wird die Ursache gesehen für den steilen Reaktionsgeschwindigkeitsabfall beim Übergang vom Bicyclo[3.1.0]- zum Bicyclo[4.1.0]-System, wenn auch beim ersteren noch das Nachlassen der Pitzer-Spannung als ionisationsfördernder Effekt zu diskutieren ist[2]. Das Cyclononenyl-Kation ist laut Modellbetrachtungen flexibler als sein sieben- und achtgliedriges Homologes. Dies könnte der Grund für die geringfügig erhöhte Solvolysegeschwindigkeit des 9-Tosyloxy-bicyclo[6.1.0]nonans sein. Es muß jedoch weiteren Experimenten vorbehalten sein, ob ab n = 6 die Solvolysefreudigkeit allgemein wieder ansteigt.

Tab. 93. Relative Acetolysekonstanten und Acetolyseprodukte von *endo*-Tosyloxy-bicyclo[n.1.0]alkanen[1,2]:

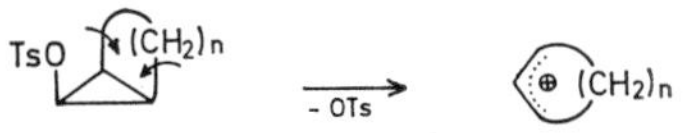

VIII n=	k_{rel} $(100°)^a$	isolierte Produkte
3	25 000	*cis-3-Acetoxy-cyclohexen-(1)*[b]
4	62	*cis-3-Acetoxy-cyclohepten-(1)*
5	3,1	*cis-3-Acetoxy-cycloocten-(1)*[c]
6	3,5	*cis-3-Acetoxy-cyclononen-(1)*

[a] bez. auf Tosyloxy-cyclopropan[3]; k = 3,89 · 10^{-8} sec⁻¹

[b] diese Acetolyse wurde bei 75° durchgeführt

[c] neben Cyclooctadien-(1,3), das offenbar mit dem Acetat im Gleichgewicht steht

Im Einklang mit dem vermuteten Reaktionsverlauf stehen auch die Solvolyseendprodukte (s. Tab. 93). Unter den angewendeten Bedingungen ist zwar mit thermodynamischer Produktkontrolle zu rechnen, doch können *trans*-Acetoxy-cycloalkene als Vorstufen ausgeschlossen werden, weil sie mit Eisessig keineswegs eindeutig in die *cis*-Isomeren übergehen[2].

---

[1] U. SCHÖLLKOPF, K. FELLENBERGER, M. PATSCH, P. v. R. SCHLEYER, G. W. van DINE u. T. SU, Tetrahedron Letters **1967**, 3639.

[2] U. SCHÖLLKOPF, Ang. Ch. **80**, 603 (1968).

[3] J. D. ROBERTS u. V. C. CHAMBERS, Am. Soc. **73**, 5034 (1951).

β_2) exo-Systeme

Die für die Ionisation der exo-Tosyloxy-bicyclo[n.1.0]alkane (X) elektronisch begünstigte Disrotation „auswärts" sollte aus Spannungsgründen – insbesondere bei kleinem n – sehr erschwert sein. Tab. 94 enthält einige diesbezügliche experimentelle Daten[1,2].

Tab. 94. Relative Acetolysegeschwindigkeiten und Acetolyseprodukte der exo-Tosyloxy-bicyclo[n.1.0]alkane[2]

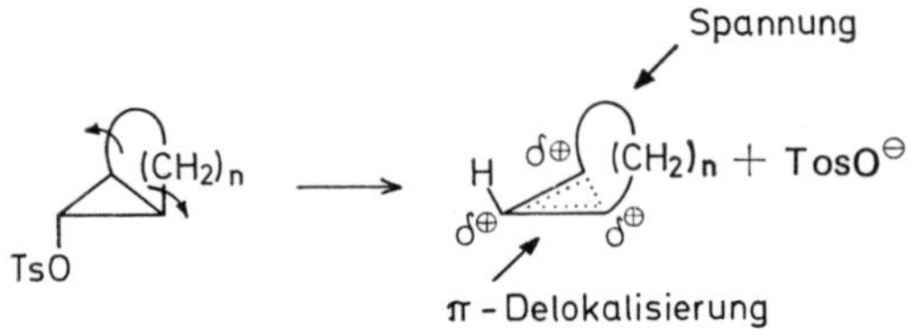

X n=	$k_{rel}(100°)$[a]	$k_{rel}(150°)$[b]	isolierte Produkte
3	$\ll 0{,}01$[c]	—	—
4	1,7	0,9	exo-7-Acetoxy-bicyclo[4.1.0]heptan + cis-1,3-Diacetoxy-cycloheptan ($\sim 1 : 1$)
5	2500	—	trans- und cis-3-Acetoxy-cyclooc-ten-(1) + cis-1,3-Diacetoxy-cyclooctan[d]
6	10000	—	cis-3-Acetoxy-cyclononen-(1)[e]
7-Tosyloxy-1-methyl-bicyclo[4.1.0]heptan	—	3,4	—
7-Tosyl-1,6-dimethyl-bicyclo[4.1.0]heptan	—	10,4	—
7-Tosyloxy-1-phenyl-bicyclo[4.1.0]heptan[f]	—	8,1	—

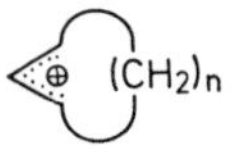

[a] bez. auf Tosyloxy-cyclopropan[3]; $k = 3{,}89 \cdot 10^{-8}$
[b] bez. auf Tosyloxy-cyclopropan[3]; $k = 7{,}76 \cdot 10^{-6}$
[c] Schätzwert bei 175° (Dunkelfärbung); bei 150° keine Solvolyse
[d] die letzten beiden sind Folgeprodukte des ersten
[e] neben geringen Mengen eines Isomeren, vermutlich der trans-Verbindung
[f] hergestellt von C. H. De Puy[4].

---

[1] U. SCHÖLLKOPF, K. FELLENBERGER, M. PATSCH, P. v. R. SCHLEYER, G. W. VAN DINE u. T. SU, Tetrahedron Letters 1967, 3639.
[2] U. SCHÖLLKOPF, Ang. Ch. 80, 603 (1968).
[3] J. D. ROBERTS u. V. C. CHAMBERS, Am. Soc. 73, 5034 (1951).
[4] C. H. DePUY, L. G. SCHNACK u. J. W. HAUSER, Am. Soc. 88, 3343 (1966); s. dort auch frühere Literatur.

Zunächst fällt in der Tab. 94 (S. 622) die extreme Solvolyseträgheit der Bicyclo-[3.1.0]-Verbindung auf. Nach dreimonatigem Erhitzen auf 150° in acetatgepufferter Essigsäure konnte diese Verbindung zu über 90% zurückgewonnen werden[1,2]. Aus diesem Befund ergeben sich sofort zwei wichtige Ergebnisse:

① die Ionisation eines Tosyloxy-cyclopropans erfolgt in der Tat nach einem Synchronmechanismus, wie zuvor schon von verschiedenen Autoren angenommen wurde[3-5];

② Bestätigung der Woodward-Hoffmann-Regel (S. 616ff.).

Ganz offensichtlich ist die Ionisation dann extrem erschwert, wenn aus Spannungsgründen die Disrotation in die „richtige" Richtung nicht erlaubt ist. Solvolyse über ein gewöhnliches Cylcopropyl-Kation oder Ionisation unter Disrotation in die „falsche" Richtung sind energetisch offensichtlich sehr anspruchsvoll. Aus diesem Grunde dürfte es erlaubt sein, bei der weiteren Diskussion der Ergebnisse davon auszugehen, daß die Ionisation mit einer disrotatorischen Bewegung „nach außen" einsetzt. Die mit n ansteigende Solvolysefreudigkeit zeigt dann, daß der Widerstand gegen eine Ringöffnung in dieser Reihe abnimmt oder – mit anderen Worten – daß die intermediären Kationen zunehmend stabiler werden.

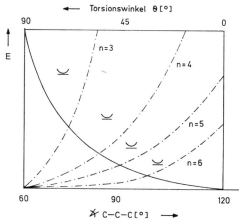

Abb. 18. Schematische Darstellung der Energieänderungen während der „nach außen" gerichteten disrotatorischen Verdrehung eines Bicyclo[n.1.0]alkyl-Kations[2] vom Typ XI (S. 622)
————————: π-Elektronenenergie[6]
—·—·—·—·—·—: Spannungsenergie
kleine Bogen: Gesamtenergie
waagerechte Striche: Energieniveaus von XI (der Torsionswinkel θ ist der Winkel, den die durch die geminalen Liganden und das Cyclopropyl-C-Atom laufende Ebene mit der Cyclopropyl-Ebene einschließt).

Kationen vom Typ XII (S. 622) können im wesentlichen ausgeschlossen werden; diese lassen sich mit Dreiding-Modellen erst ab dem zwölf- bzw. dreizehngliedrigen Ring spannungsfrei aufbauen. Es wird angenommen[2], daß die Zwischenstufen eine Mittelstellung zwischen einem Cyclopropyl- und einem Allyl-Kation einnehmen und sie werden „halbgeöffnet" im Sinne von XI formuliert.

[1] U. Schöllkopf, K. Fellenberger, M. Patsch, P. v. R. Schleyer, G. W. van Dine u. T. Su, Tetrahedron Letters 1967, 3639.

[2] U. Schöllkopf, Ang. Ch. 80, 603 (1968).

[3] P. v. R. Schleyer u. R. D. Nicholas, Am. Soc. 83, 182 (1961).
P. v. R. Schleyer, Am. Soc. 86, 1856 (1964).

[4] C. S. Foote, Am. Soc. 86, 1853 (1964).

[5] C. H. DePuy, L. G. Schnack u. J. W. Hauser, Am. Soc. 88, 3343 (1966); s. dort auch frühere Literatur.

[6] Nach einer erweiterten HMO-Berechnung wird gerade in der Frühphase der Umwandlung besonders viel Delokalisierungsenergie gewonnen; vgl. W. Kutzelnigg, Tetrahedron Letters 1967, 4965.

Abb. 18 (S. 623) soll veranschaulichen, daß diese Spezies in einem Potentialminimum liegen, in dem sich π-Delokalisierungsenergie und Spannungsenergie die Waage halten. Infolge des mit der Disrotation verbundenen Gewinns an Mesomerieenergie[1], kommt es zum Austritt des Tosyloxy-Restes sowie zur Bildung eines Kations quasi „in statu nascendi".

Dieses Kation ist andererseits bestrebt, unter weiterer Verdrillung in das energieärmere Allyl-Kation überzugehen. Dabei steigt dann die Spannung in der Methylenbrücke an. Im Anfang übersteigt noch der Gewinn an Mesomerieenergie die Zunahme der Spannungsenergie, so daß die Gesamtenergie E zunächst abnimmt. An einem bestimmten Punkt der Reaktionskoordinate kommt es zu einer Umkehrung der Verhältnisse; bei weiterer Verdrillung steigt dann die Gesamtenergie des Kations wieder an. Gestalt, Ladungsverteilung und Energieinhalt der betrachteten Zwischenstufe im Energieminimum hängen entscheidend von n ab: je größer n, umso stärker ähnelt die Zwischenstufe dem energiearmen Allyl-Kation. Da man eine ähnliche Abstufung auch für die Energieniveaus der Übergangszustände anzunehmen hat, finden die beobachteten k_{rel}-Werte somit ihre Erklärung[2].

Im Sinne ihrer Mittelstellung sollten die besprochenen Zwischenstufen vom Typ XI (S. 622) an drei Zentren elektrophil reagieren, und zwar sollte mit abnehmender Größe von n ihr Cyclopropyl-Charakter zunehmen, mit ansteigendem n ihr Allyl-Charakter. In dieser Hinsicht waren besonders die Untersuchungen der Solvolyse des 7-Tosyloxy-bicyclo[4.1.0]heptans[2] aufschlußreich. Die Bildung der beiden Solvolyseprodukte [*exo-7-Tosyloxy-bicyclo[4.1.0]heptan*(XIII) und *cis-1,3-Diacetoxy-cycloheptan* (XVI)] läßt sich zwanglos über das Kation XIV erklären, das sowohl an C-7 als auch an C-1(C-6) Essigsäure addiert. Im lezteren Falle kommt es zur Bildung des sehr gespannten *trans-3-Acetoxy-cyclohepten-(1)* (XV)[3], das Essigsäure aufnimmt und in die gesättigte Diacetoxy-Verbindung XVI übergeht.

XIII $R^1 = CH_3CO$, $R^2 = H$ XIV   XV
XVII $R^1 = Ts$ $R^2 = D$

XVI

Besonders erwähnenswert ist die hohe Stereoselektivität, mit der sich XIII bildet. Das unter Acetolyse-Bedingungen beständige *endo*-Isomere ist hier weder gaschromatographisch noch kernresonanzspektroskopisch nachzuweisen[2].

Durch „steric approach control" beim Angriff des Nucleophils auf C-7 von XIV läßt sich dieser Befund kaum erklären, zumal XIV bereits recht „flach" sein dürfte. Es wird heute angenommen, daß das Orbital am pyramidal konfigurierten C-7 kein reines p-Orbital ist, sondern eine gewisse s-Beimischung besitzt, so daß es daher auf der *exo*-Seite besser verfügbar ist[2,4]. Ursprünglich wurde vermutet[2], XIII entstünde über das verbrückte Kation XVIII (S. 625), das

[1] Nach einer erweiterten HMO-Berechnung wird gerade in der Frühphase der Umwandlung besonders viel Delokalisierungsenergie gewonnen; vgl. Zitat 5.

[2] U. SCHÖLLKOPF, Ang. Ch. **80**, 603 (1968).

[3] *trans*-Cyclohepten und *trans*-3-Oxo-cylcohepten konnten in neuerer Zeit nachgewiesen werden; beide Verbindungen zeichnen sich durch eine sehr additionsfreudige Doppelbindung aus; vgl. hierzu:
E. J. COREY et al., Am. Soc. **87**, 935, 2051 (1965).
P. E. EATON u. H. LON, Am. Soc. **87**, 2052 (1965).

[4] Diese Erklärung von U. SCHÖLLKOPF[2] basiert auf einem Vorschlag von W. KUTZELNIGG (s. a. Zitat 5).

[5] W. KUTZELNIGG, Tetrahedron Letters **1967**, 4965.

seinerseits durch Nachbargruppenbeteiligung einer Bindung zwischen C-1 und C-2 (C-5 und C-6) im Zuge der Ionisation gebildet wird. XVIII, bei dem die drei Cyclopropyl-C-Atome gleichwertig sein müßten, kann jedoch ausgeschlossen werden, denn ein Acetolyse-Versuch mit XVII (S. 624) ergab, daß das markierte C-Atom seine Position beibehält[1]:

Ist n größer als 4, so überwiegt bei den Zwischenstufen offensichtlich der Allyl-Charakter. Auf jeden Fall entstehen nunmehr nur noch monocyclische Solvolyse-produkte (s. Tab. 94, S. 622). Primär bilden sich wohl *trans*-3-Acetoxy-cycloalkene-(1); diese erfahren aber unter den Acetolysebedingungen eine *trans* → *cis*-Isomerisierung oder nehmen (in Analogie zu XV, S. 624) an der Doppelbindung Essigsäure auf[1]. In der Tat geht *trans*-3-Acetoxy-cycloocten-(1) (XIX) beim Erhitzen in Eis-essig/Natriumacetat[2] – d.h. unter den Bedingungen einer Tosylat-Solvolyse – in *cis*-3-Acetoxy-cycloocten-(1) (XX) und in *cis*-1,3-Diacetoxy-cyclooctan (XXI) über.

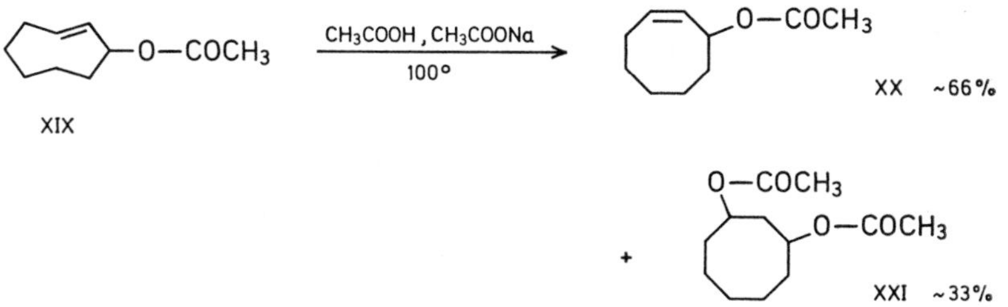

Warum XV (S. 624) und XIX Essigsäure gerade unter Bildung von *cis*-1,3-Diacetoxy-Ver-bindungen aufnehmen, stellt ein interessantes Randproblem dar, das jedoch noch einer theoretischen Deutung bedarf. Die *trans*→*cis*-Isomerisierung (XIX→XX) hingegen läßt sich zwangs-los als eine synchron verlaufende intramolekulare Allyl-Verschiebung verstehen, wie sie bereits für andere Fälle nachgewiesen worden ist[3].

2. Geminale Dihalogen-cyclopropane

Die Umsetzung von geminalen Dibrom-cyclopropanen z.B. vom Typ I bis III (vgl. a. S. 626) mit Silberacetat in Eisessig liefert Allylacetate und/oder Diene[4], wobei der Dien-Anteil am Reaktionsgemisch mit steigender Zahl an Alkyl-Substituenten zunimmt:

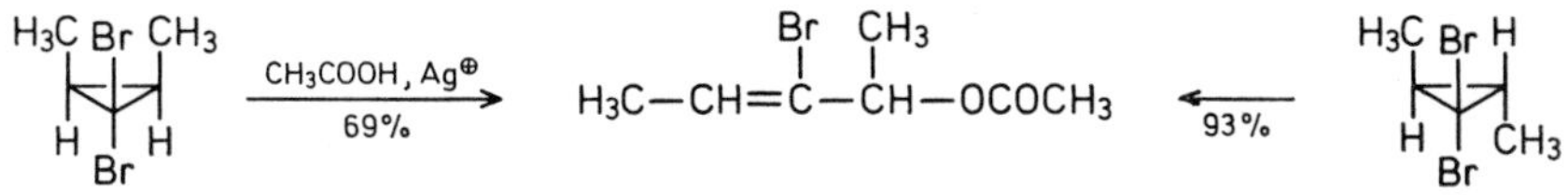

[1] U. SCHÖLLKOPF, Ang. Ch. **80**, 603 (1968).
[2] Persönliche Mitteilung an U. SCHÖLLKOPF[1] von G. H. WHITHAM.
   Zur Bildung von *trans*-3-Hydroxy-cycloocten-(1) bei der Hydrolyse des *exo*-8-Brom-bicyclo [5.1.0]octans vgl. G. H. WHITHAM u. M. WRIGHT, Chem. Commun. **1967**, 294.
[3] H. L. GOERING u. J. D. DOI, Am. Soc. **82**, 5850 (1960).
   H. L. GOERING u. E. F. SILVERSMITH, Am. Soc. **77**, 1129 (1955).
   H. L. GOERING u. W. J. KIMOTO, Am. Soc. **87**, 1748 (1965).
[4] S. R. SANDLER, J. Org. Chem. **32**, 3876 (1967).

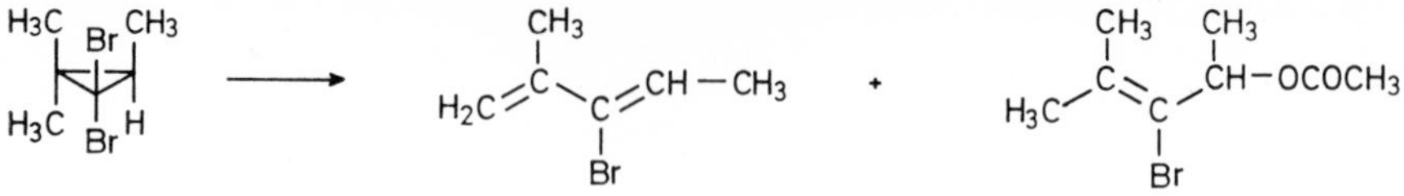

II

3-Brom-2-methyl-penta-
dien-(1,3), 29%

3-Brom-4-acetoxy-2-
methyl-penten-(2), 13%

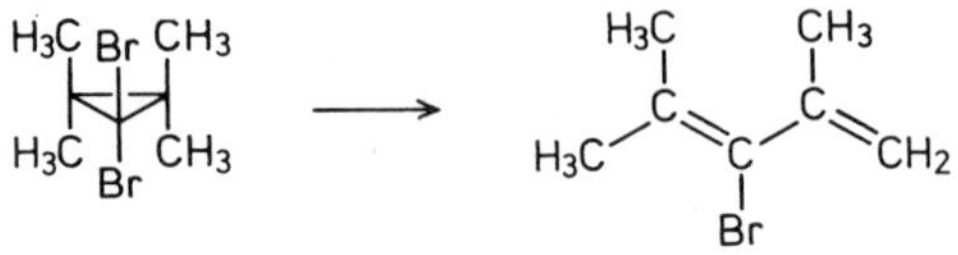

III

3-Brom-2,4-dimethyl-
pentadien-(1,3), 73%

Derartige Umlagerungen erfolgen auch bei der Haloform/Äthylenoxid-Methode zur Synthese von Dihalogen-cyclopropanen (s. spezielle Einzelmethoden, S. 374 ff.), wenn Trialkyl- und Tetraalkyl-äthylene eingesetzt werden[1]. Unter den Reaktionsbedingungen von 150–160° sind hier die entsprechenden Dihalogen-cyclopropane nicht mehr stabil. Da in Anwesenheit von Basen gearbeitet wird, werden als Ringöffnungsprodukte ausschließlich Halogen-1,3-diene erhalten.

Ob auch die Pyrolyse von Dichlor-cyclopropanen bei 500 bis 650° einem polaren Mechanismus folgt, bleibt fraglich. Zumindest formal verläuft sie analog den Umlagerungen in Lösung und liefert Polychlor-propene mit z.T. ausgezeichneten Ausbeuten[2]:

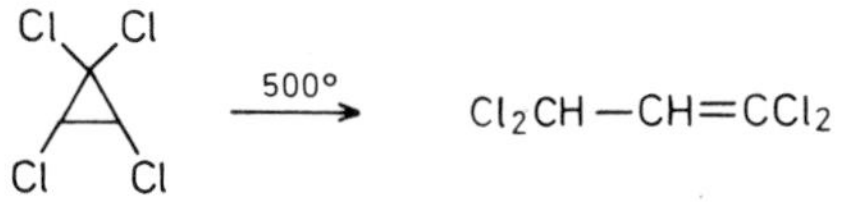

1,1,3,3-Tetrachlor-propen,
92–93% d.Th.

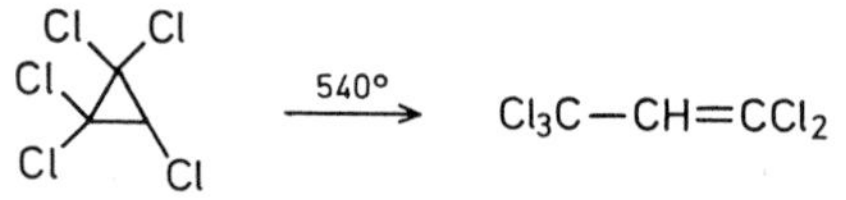

1,1,3,3,3-Pentachlor-
propen, 90% d.Th.

a) Bicyclo[3.1.0]hexane

Halogene am Dreiring des Bicyclo[3.1.0]hexan-Systems erhöhen im allgemeinen die Bereitschaft zur Ringöffnung. Auf derartige Umlagerungstendenzen ist bereits im Herstellungteil bei der Dihalogen-carben-Addition hingewiesen worden.

So lagert sich das Dibrom-carben-Addukt des Cyclopentens schon bei der Destillation in *2,3-Dibrom-cyclohexen* um[3]. In wäßrig-alkoholischer Lösung solvolysieren die 6,6-Dihalogen-bicyclo[3.1.0]hexane zu 2-Halogen-3-hydroxy-cyclohexenen[4]. Auch diese Reaktion verläuft z.T. über die 2,3-Dihalogen-cyclohexene[5].

[1] Vgl. F. NERDEL et al., B. **101**, 1303 (1968).
[2] R. FIELDS, R. N. HASZELDINE u. D. PETER, Chem. Commun. **1967**, 1081.
[3] J. SONNENBERG u. S. WINSTEIN, J. Org. Chem. **27**, 748 (1962).
[4] P. S. SKELL u. S. R. SANDLER, Am. Soc. **80**, 2024 (1958).
[5] P. S. SKELL et al., Tetrahedron **21**, 1315 (1965).

Von den beiden isomeren Chlor-brom-carben-Addukten des Cyclopentens reagiert das eine mit der gleichen Geschwindigkeit wie die entsprechende Dichlor-Verbindung und liefert *2-Brom-3-hydroxy-cyclohexen*; das andere Isomere reagiert mit der Geschwindigkeit des Dibrom-carben-Adduktes zu *2-Chlor-3-hydroxy-cyclohexen*[1]. Diese Befunde werden sofort durch die Woodward-Hoffmann-Regel[2] plausibel: lediglich bei Abspaltung des *cis-* bzw. *endo*-ständigen Halogens ist eine synchrone Ringöffnung unter Disrotation nach „innen" zu einem Cyclohexen-Derivat V möglich:

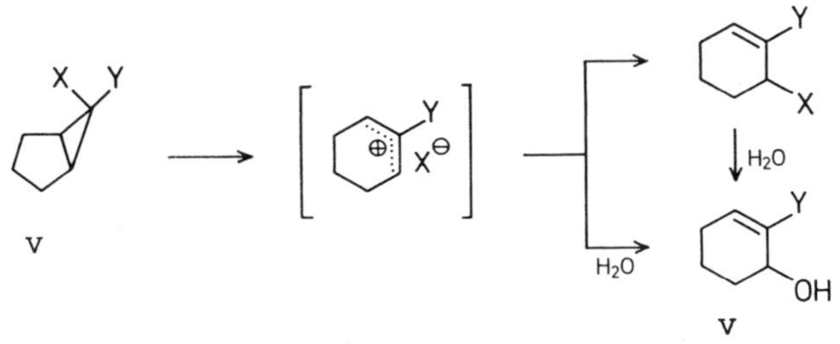

$$X = Cl, \quad Y = Cl$$
$$X = Cl, \quad Y = Br$$ mit gleicher Geschwindigkeit

$$X = Br, \quad Y = Cl$$
$$X = Br, \quad Y = Br$$ mit gleicher Geschwindigkeit

Ganz entsprechend verhalten sich die beiden Chlor-carben-Addukte des Cyclopentens[3]; das *endo*-Isomere lagert sich bei 120° innerhalb ∼ 4 Stdn. in *3-Chlor-cyclohexen* um, während das *exo*-Isomere bis zu 250° stabil ist. Ähnliche Untersuchungen wurden auch mit dem isomeren Fluor-chlor-carben-Addukten des Cyclopentens durchgeführt[4]. Oberhalb 140° wird das durch thermische Isomerisierung bei 120° erhaltene 6,6-Dichlor-bicyclo[3.1.0]hexan schließlich in das *2-Chlor-cyclohexadien-(1,3)* umgewandelt[4].

Im Fall des Indens (I) läßt sich nur mit Dichlor-carben ein labiles Addukt erhalten, das leicht in *2-Chlor-naphthalin* (III) umgewandelt wird[5-7]. Mit Dibrom-carben[6] und Chlor-brom-carben[7] entstehen unmittelbar die entsprechenden Naphthalin-Derivate:

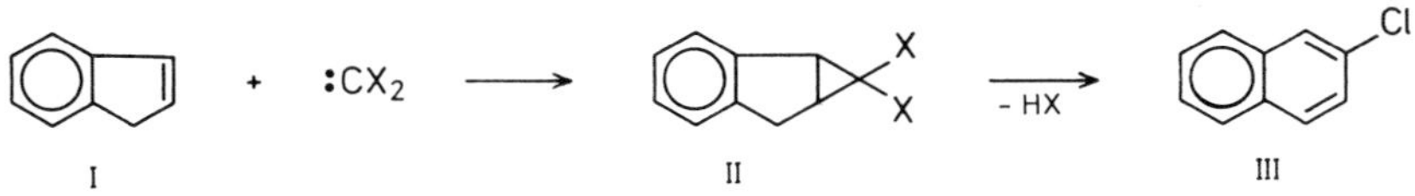

Diese Art der Ringerweiterung konnte inzwischen bei einer eleganten Synthese von Metacyclophanen IV verwendet werden[8]:

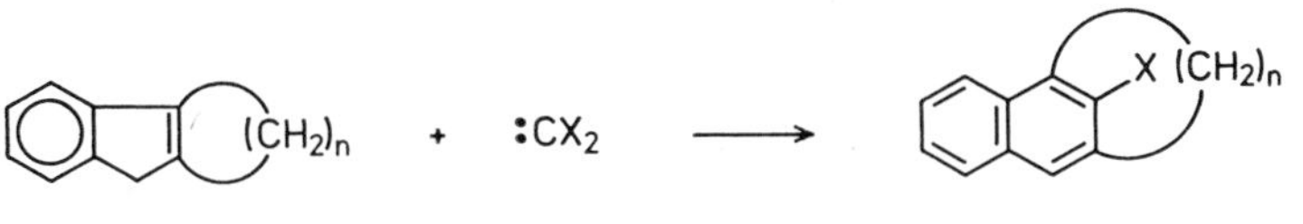

[1] P. S. Skell u. S. R. Sandler, Am. Soc. **80**, 2024 (1958).
[2] R. B. Woodward u. R. Hoffmann, Am. Soc. **87**, 395 (1965).
[3] M. S. Baird u. C. B. Reese, Tetrahedron Letters **1967**, 1379.
[4] T. Ando et al., Bull. chem. Soc. Japan **42**, 2013 (1969).
[5] W. E. Parham u. H. E. Reiff, Am. Soc. **77**, 1177 (1955).
[6] W. E. Parham et al., Am. Soc. **78**, 1437 (1956).
[7] W. E. Parmam u. R. E. Twelves, J. Org. Chem. **22**, 730 (1957).
[8] W. E. Parham u. J. K. Rinehart, Am. Soc. **89**, 5668 (1967).

Auch die Dihalogen-carben-Addukte des Norbornens (Bicyclo[2.2.1]heptens, V) sind ähnlich unbeständig[1-3] und konnten nur unter besonderer Vorsicht isoliert werden[2,3]. Durch Umlagerung entstehen hier die 3,4-Dihalogen-bicyclo[3.2.1] octene-(2)[1-3], wobei in diesen das 4-Halogen die exo-Stellung besetzt[4]. Durch Reduktion und Hydrolyse lassen sich diese Verbindungen weiter abwandeln. Analoge Umlagerungen wurden bei der Addition von Dihalogen-carbenen und von Chlorcarben[5] an Alkyl-bicyclo[4.1.0]heptene[4,5] und Benzo-bicyclo[2.2.1]heptadienen[6] beobachtet.

Aus Bicyclo[2.2.1]hepten und Fluor-chlor-carben wurde ein *endo*-Fluor-*exo*-chlor-Addukt VI, das sich erst bei 150° umlagert, erhalten. Das gleichzeitig gebildete *exo*-Fluor-*endo*-chlor-Addukt isomerisiert hingegen spontan[7] (s. auch die Ausführungen im Herstellungsteil auf S. 195 ff.). Dieses Reaktionsverhalten bestätigt wiederum die Voraussagen der Woodward-Hoffmann-Regel. Verwandte Reaktionen mit Chlor- und Brom-carben wurden gleichfalls beobachtet[8]. Deutlich beständiger ist jedoch das Additionsprodukt von Dichlor-carben an 7-Oxa-bicyclo[2.2.1]hexen (VII; 65% d.Th.); die Ringerweiterung erfolgt hier bei 150° im üblichen Sinne[9].

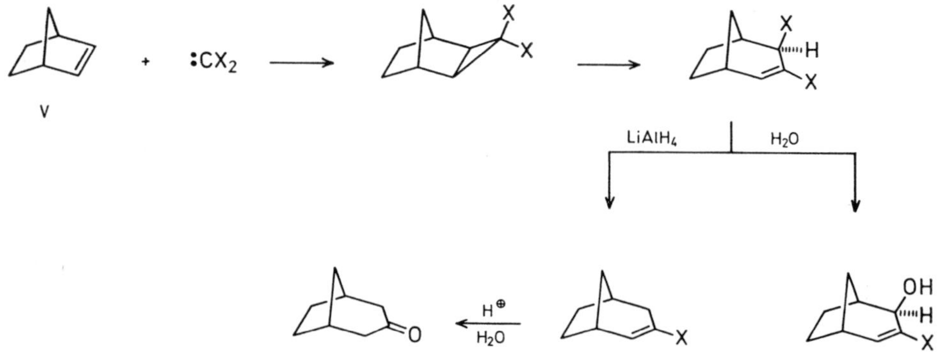

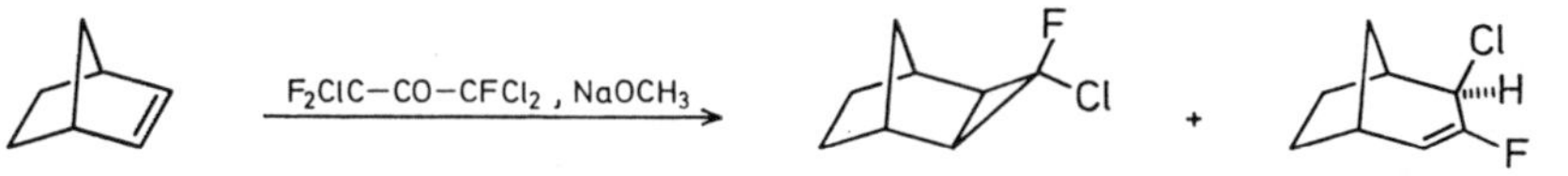

VI; *3-endo-Fluor-3-exo-chlor-tricyclo[3.2.1.0²,⁴]octan*

3-Fluor-4-chlor-bicyclo[3.2.1]octen-(2)

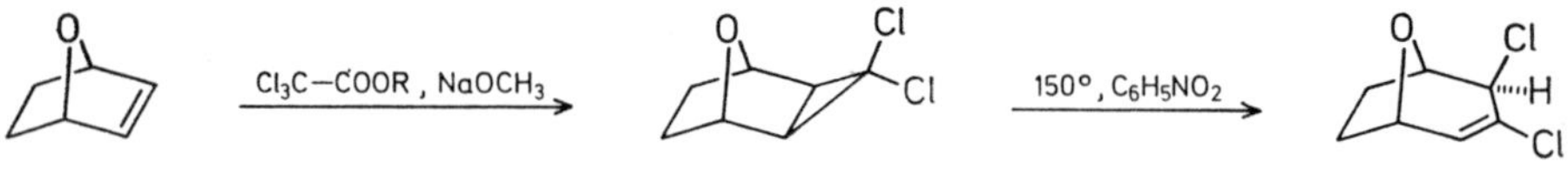

VII

3,4-Dichlor-8-oxa-bicyclo[3.2.1]octen-(2)

[1] C. W. Jefford, Pr. chem. Soc. **1963**, 64.
[2] W. R. Moore et al., J. Org. Chem. **28**, 2200 (1963).
[3] R. C. DeSelms u. C. M. Combs, J. Org. Chem. **28**, 2206 (1963).
[4] C. W. Jefford et al., Am. Soc. **87**, 2183 (1965).
[5] C. W. Jefford et al., Tetrahedron Letters **1968**, 199.
[6] H. Tanida, K. Tori u. K. Kitahonoki, Am. Soc. **89**, 3212 (1967).
[7] L. Ghosez et al., Tetrahedron Letters **1967**, 2773.
[8] C. W. Jefford et al., Tetrahedron Letters **1966**, 6317.
[9] L. Ghosez et al., Tetrahedron Letters **1967**, 2767.

β) Bicyclo[4.1.0]heptane

Bei den 7,7-Dihalogen-bicyclo[4.1.0]heptanen erfolgt die Öffnung des alicyclischen Dreirings wesentlich **schwieriger** als bei den oben erwähnten 6,6-Diha-
logen-bicyclo[3.1.0]hexan-Derivaten. So geht das Dibrom-carben-Addukt I des Cyclohexens erst durch Erhitzen in Chinolin auf 200° in ein 2:1-Gemisch aus *2-* und
1-Brom-cycloheptadien-(1,3) über (38% d.Th.)[1]. Schon bei 220° entsteht dann *Cycloheptatrien* (66% d.Th.)[1]. Mit Silbersulfat in konzentrierter Schwefelsäure wird ein
Gemisch aus *Oxo-cycloheptenen* erhalten (∼ 29% d.Th., davon 20% *3-Oxo-cyclohepten*)[2]:

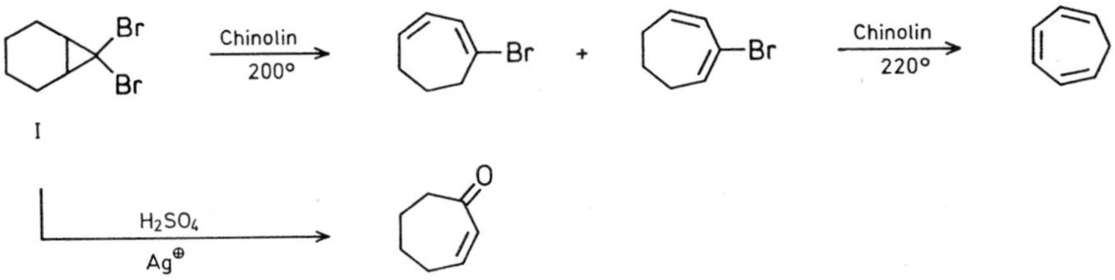

Bei der Pyrolyse von 7,7-Dichlor-bicyclo[4.1.0]heptan (II) werden Gemische
aus *Cycloheptatrien* und *Toluol* erhalten[3,4]. Durch ^{14}C-Markierungsversuche konnte
gezeigt werden, daß das Toluol durch eine sekundäre Isomerisierung aus Cycloheptatrien entsteht[4]. Die Toluol-Bildung kann man entweder durch Pyrolyse im Stickstoffstrom unter vermindertem Druck[3,4] oder durch Pyrolyse über Calciumoxid[5]
bei 440° unterdrücken.

Das Dichlor-carben-Addukt III des 5,6-Dihydro-4H-pyrans läßt sich in ein *3-
Chlor-4,7-dihydro-oxepin* umwandeln[6,7]. Bei der Dichlor-carben-Addition nach dem
Chloroform/Äthylenoxid-Verfahren (s. S. 375ff.) erfolgt diese Ringerweiterung spon-
tan[8]. Auf ganz ähnlichem Wege konnte das *3-Chlor-6-oxo-6,7-dihydro-oxepin* (IV,
S. 630) synthetisiert werden, das nicht zum 3-Chlor-6-hydroxy-oxepin enolisiert[9].

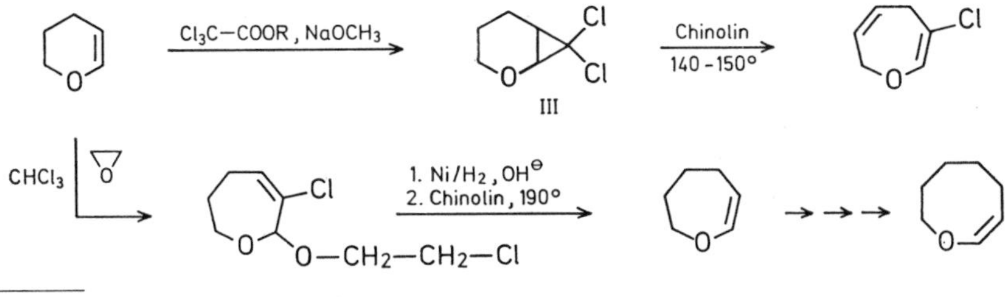

[1] D. G. LINDSAY u. C. B. REESE, Tetrahedron **21**, 1673 (1965).
[2] A. J. BIRCH et al., Soc. **1967** (C), 358.
[3] O. M. NEFEDOV, N. N. NOVITSKAYA u. A. A. IVASHENKO, Izv. Akad. Nauk SSSR **1965**, 395;
   C. A. **62**, 14522 (1965).
[4] O. M. NEFEDOV u. N. N. NOVITSKAYA, A. **707**, 217 (1967).
[5] G. C. ROBINSON, J. Org. Chem. **29**, 3433 (1964).
[6] E. E. SCHWEIZER u. W. E. PARHAM, Am. Soc. **82**, 4085 (1960).
[7] Vgl. auch: T. ANDO et al., Bull. chem. Soc. Japan **42**, 2013 (1969); hier werden auch die Reaktionen der entsprechenden Fluorverbindungen beschrieben.
[8] F. NERDEL et al., Tetrahedron Letters **1966**, 5385.
[9] S. MASAMUNE u. N. T. CASTELLUCCI, Chem. & Ind. **1965**, 184.

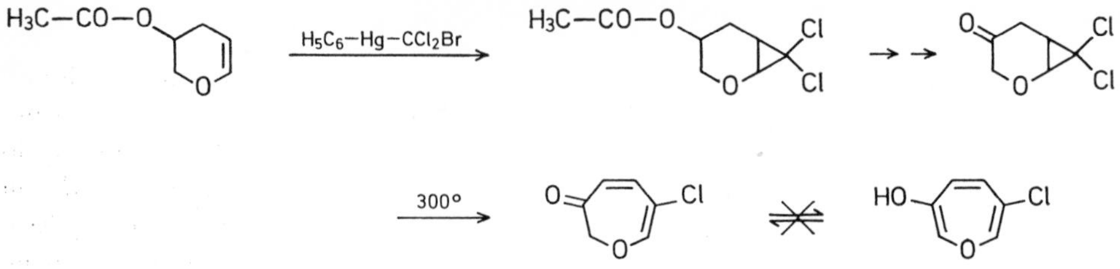

IV

Schon früh ist beobachtet worden, daß die beiden Epimeren V und VI, deren Stereostrukturen damals noch nicht bekannt waren, verschiedene Solvolyseprodukte ergeben [2-*Brom-3-hydroxy-cyclohepten* und *2-Chlor-3-hydroxy-cyclohepten*][1]. Auf der Basis der Woodward-Hoffmann-Regel läßt sich jetzt dieses Phänomen leicht erklären: die Epimeren müssen die in den Formeln gezeigten Strukturen besitzen, denn nur das *endo*-ständige Halogen kann synchron mit der erforderlichen *disrotatorischen* Öffnung des Cyclopropanringes abgespalten werden:

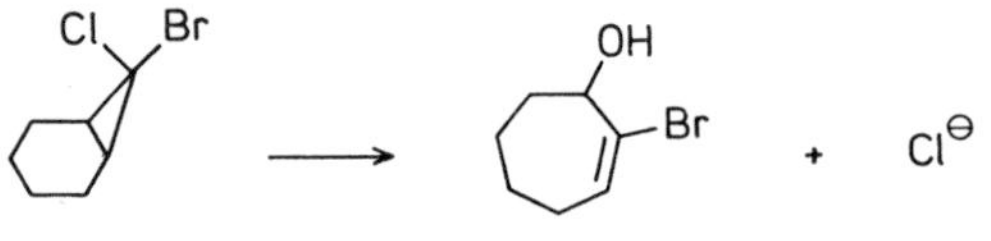

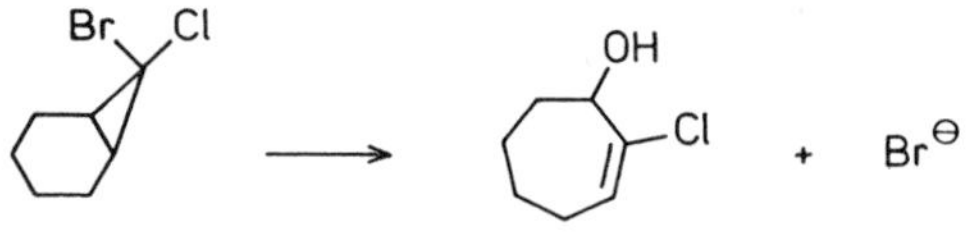

Die Voraussagen der Woodward-Hoffmann-Regel über elektrocyclische Ringöffnungen fanden 1965 ihre ersten eindeutigen Bestätigungen. Während die Verbindung VII bei 125° glatt solvolysiert, bleibt ihr Epimeres VIII auch bei Langzeitbehandlung mit Essigsäure bei 210° unverändert[2].

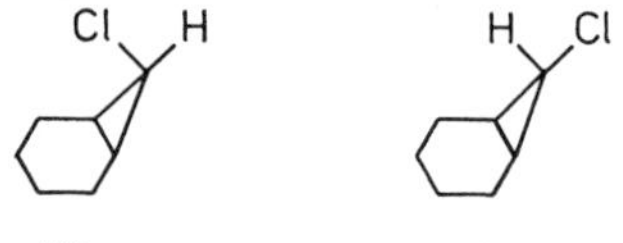

γ) Carben-Addukte von Enoläthern und -estern

Die oben besprochene kationische Cyclopropyl-Allyl-Umlagerung eröffnet einen Syntheseweg zu α,β-ungesättigten Carbonyl-Verbindungen, wenn man Dihalogen-carbene an Enoläther oder auch -ester (s. S. 210f.) addiert. An entsprechende Synthesen des *6-Oxo-cycloheptadiens-(1,3)* (I)[3] und des *Tropons* (II)[4] (S. 631)

---

[1] P. S. Skell u. S. R. Sandler, Am. Soc. **80**, 2024 (1958).
[2] S. J. Cristol, R. M. Segueira u. C. H. DePuy, Am. Soc. **87**, 4007 (1965).
[3] W. E. Parham et al., Am. Soc. **84**, 1755 (1962); **87**, 321 (1965).
[4] A. J. Birch u. J. M. H. Graves, Pr. chem. Soc. **1962**, 282.

sei hier noch einmal beispielsweise erinnert. Auch das in der Natur vorkommende *4-Isopropyl-tropon* (*Nezukon*) wurde analog hergestellt[1].

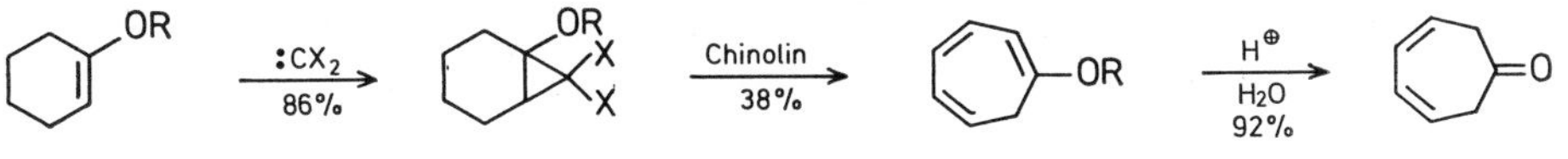

I

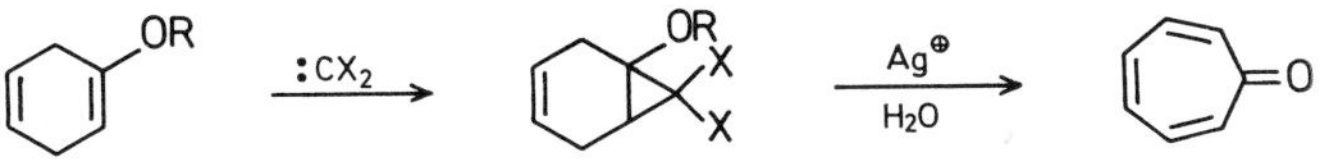

II

Recht intensive Anwendung fand diese Methode u. a. zur

① Erweiterung des A-Ringes in Steroiden[2-5],
② Synthese von Thiochromenen[6-7],
③ Umwandlung von Cyclododecanon in Cyclotridecanon[8]

Im gleichen Sinne reagieren die Äther des 1- und 2-Naphthols sowie des 9-Phenanthrols zu entsprechenden Benzotroponen (III; *7-Oxo-7H-⟨benzo-cyclo-heptatrien⟩*)[9]:

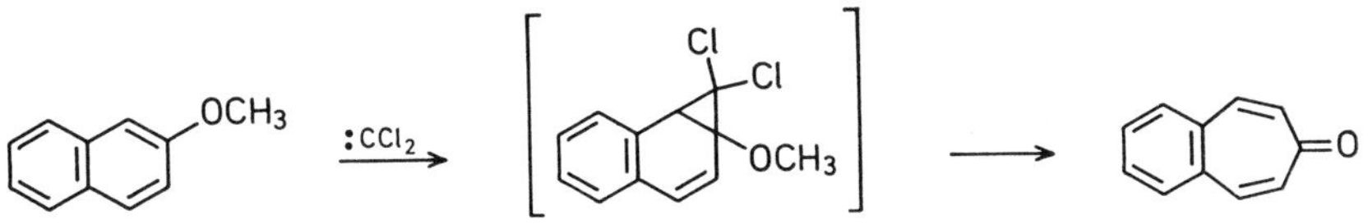

III

Bei den Dihalogen-carben-Addukten des 5,6-Dihydro-4H-pyrans beteiligt sich der Sauerstoff, wie bereits auf S. 629 erwähnt, nicht an der Ringöffnung, jedoch geschieht dies bei analogen Umsetzungen mit 4,5-Dihydro-furan[10] und Furan[11]. Hier entstehen als Endprodukte ungesättigte Aldehyde [z. B. *2-Chlor-pentadien-(2,4)-al*]:

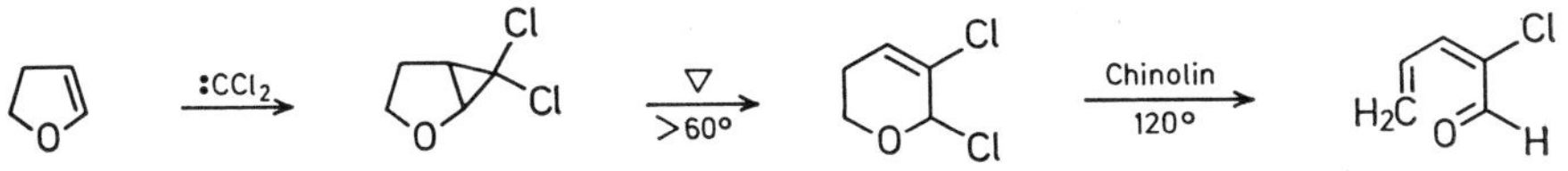

IV

Die analoge Addition von Dihalogen-carbenen an offenkettigen Alkyl-vinyl-äthern V (S. 632) mit anschließender Alkoholyse führt zu 2-Halogen-acro-lein-acetalen[12-14]. Es gelang z. B. auf diesem Wege das sehr reaktionsfreudige

---

[1] A. J. Birch u. R. Keeton, Soc. **1968** (C), 109.
[2] A. J. Birch et al., Soc. **1963**, 4234.
[3] A. Blade-Font, Bl. **1964**, 419.
[4] A. J. Birch u. G. S. R. Subba Rao, Tetrahedron, Suppl. **7**, 391 (1966).
[5] G. Stork et al., Tetrahedron, Suppl. **8**, I, 105 (1966).
[6] W. E. Parham u. M. D. Bhausar, J. Org. Chem. **29**, 1575 (1964).
[7] D. G. Hawthorne u. Q. N. Porter, Australien J. Chem. **19**, 1751 (1966).
[8] W. E. Parham u. R. J. Sperley, J. Org. Chem. **32**, 926 (1967).
[9] W. E. Parham et al., Am. Soc. **83**, 603 (1961).
[10] J. C. Anderson, D. G. Lindsay u. C. B. Reese, Tetrahedron **20**, 2091 (1964).
[11] S. Sarel u. J. Rivlin, Tetrahedron Letters **1965**, 821.
[12] L. Skattebøl, J. Org. Chem. **31**, 1554 (1966).
[13] F. Nerdel et al., Tetrahedron Letters **1966**, 5379.
[14] F. Nerdel et al., A. **710**, 36 (1968).

2-Fluor-acrolein (R'=R=H; X=F) aus Butyl-vinyläther und Fluor-chlor-carben herzustellen[1]:

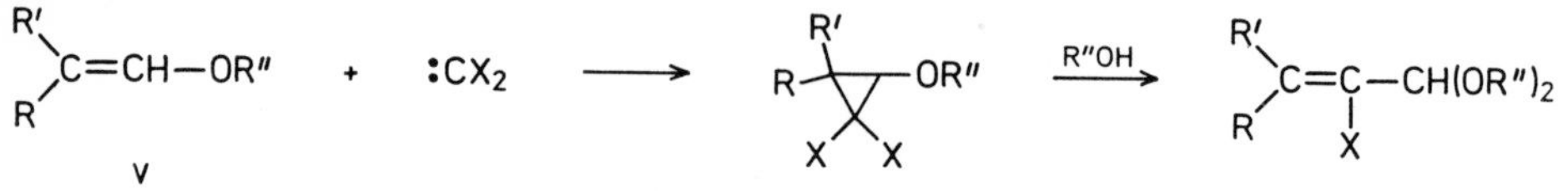

Teilweise bleibt jedoch die genannte Reaktion nicht auf der Stufe der Alken-(2)-al-acetale stehen, sondern läuft weiter bis zu den entsprechenden Alkin-(2)-al-acetalen[2].

δ) Carben-Addukte von Enaminen und Azomethinen

1-Morpholino-cyclopenten[3] und 1-Piperidino-cyclopenten (I)[4] reagieren mit Di-chlor-carben in Analogie zu den Enoläthern zu *2-Chlor-3-oxo-cyclohexen* (s. auch S. 210, bzw. 193f.):

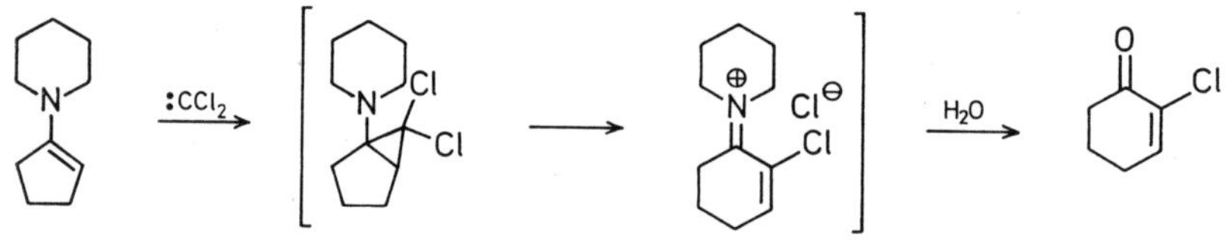

Aus 1-Piperidino-cyclohexen (II) wird hingegen ein Dichlor-carben-Addukt er-halten, das unter thermischen und hydrolytischen Bedingungen keine Ringerweite-rung eingeht, sondern sich zum *2-Oxo-1-chlormethylen-cyclohexan* umsetzt[4]:

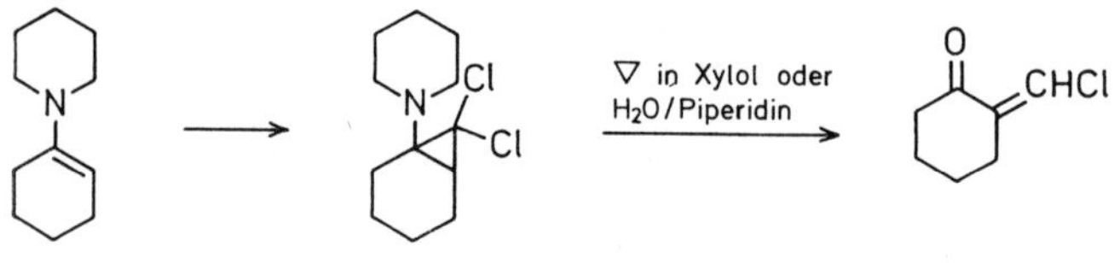

Aus Schiff'schen Basen (Azomethinen) und Dichlor-carben lassen sich 2,2-Dichlor-aziridine herstellen[5,6], deren Hydrolyse weitgehend wahlweise zu α-Chlor- oder α-Hydroxy-carbonsäure-amiden geleitet werden kann[7]. Unter den Reaktions-bedingungen der Dichlor-carben-Addition nach Nerdel (Chloroform-Äthylenoxid-Verfahren, s. S. 374ff.) erfolgt Cyclisierung zu Indolen [III; *2-Oxo-1-(2-chlor-äthyl)-3,3-diphenyl-2,3-dihydro-indol*][8].

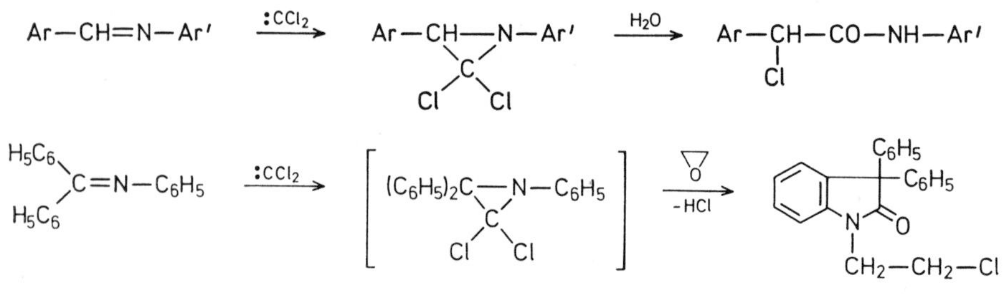

[1] F. Nerdel et al., Tetrahedron Letters **1966**, 5379.
[2] L. Skattebøl, J. Org. Chem. **31**, 1554 (1966).

(Fortsetzung s. S. 633)

d) Cyclopropyliden-Allen-Umlagerung[1]

1. Zersetzung von Diazo-cyclopropanen

Die Einwirkung von Basen auf N-Nitroso-N-(2,2-diphenyl-cyclopropyl)-harnstoff (I) führt unter spontaner Stickstoff-Entwicklung zur Bildung von *1,1-Diphenyl-allen* (III) in Ausbeuten zwischen 90 und 95%[2]. Sehr wahrscheinlich ist *2-Diazo-1,1-diphenyl-cyclopropan* (II) ein Zwischenprodukt dieser Reaktion, da es bei Anwesenheit

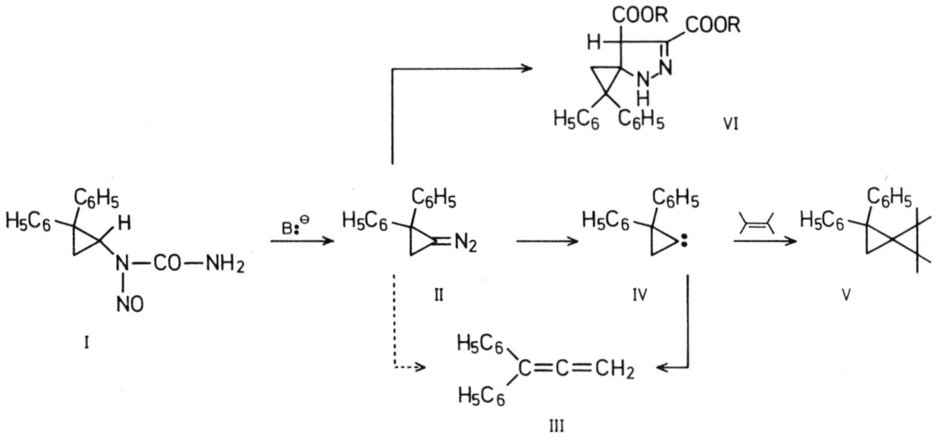

von Fumarsäure-diester als Pyrazolin (VI) abgefangen werden konnte. Wird die Zersetzung in Gegenwart von Olefinen durchgeführt, so entstehen neben 1,1-Diphenyl-allen **spirocyclische Verbindungen** (15–25% d. Th.)[3] [z. B. mit Cyclohexen zu *2,2-Diphenyl-cyclopropan-⟨1-spiro-7⟩-bicyclo[4.1.0]heptan*]. Ob hier das 1,1-Diphenyl-allen aus dem 2,2-Diphenyl-cyclopropyliden (IV) oder auch aus dem 2-Diazo-1,1-diphenyl-cyclopropan (II) gebildet wird, ist nicht völlig klar. Kinetische Untersuchungen mit wechselnder Olefin-Konzentration lassen beide Alternativen möglich erscheinen[4].

Die Umsetzung von optisch aktivem N-Nitroso-N-(*trans*-2,3-diphenyl-cyclopropyl)-harnstoff mit Lithiumäthanolat (möglicherweise über VII) führt zu einem *1,3-Diphe-*

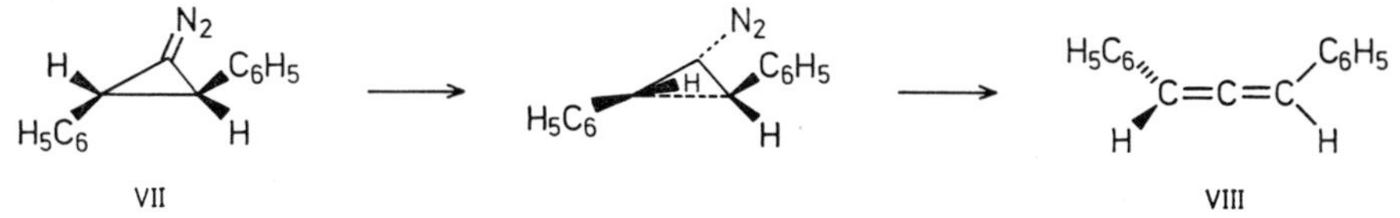

---

[1] s. a. ds. Handb., Bd. V/1 d, Kap. Allene.
[2] W. M. Jones et al., Am. Soc.. **85**, 2754 (1963).
[3] T. K. Tandy u. W. M. Jones, J. Org. Chem. **30**, 4257 (1965).
[4] W. M. Jones et al., Am. Soc. **86**, 912 (1964).

(Fortsetzung v. S. 632)
[3] M. Ohno, Tetrahedron Letters **1963**, 1753.
[4] J. Wolinsky et al., Chem. & Ind. **1965**, 720.
[5] E. K. Fields u. J. M. Sandri, Chem. & Ind. **1959**, 1216.
[6] A. G. Cook u. E. K. Fields, J. Org. Chem. **27**, 3686 (1962).
[7] R. E. Brooks et al., Tetrahedron **22**, 1279 (1966).
[8] F. Nerdel et al., B. **100**, 1870 (1967).

nyl-allen (VIII, S. 633) mit hoher spezifischer Drehung[1]. Die absolute Konfiguration von Ausgangsmaterial und Endprodukt konnte bestimmt werden[2]. Wie daraus hervorgeht, erfolgt die notwendige Rotation derart, daß die beiden Phenyl-Gruppen einander ausweichen.

Aus dem N-Nitroso-urethan I erhält man bei Behandlung mit Methanolat in Gegenwart von Cyclohexadien (II) die beiden Addukte III und IV {*Cyclopropan-⟨spiro-7⟩-bicyclo[4.1.0]hepten-(3)* und *3-Cyclopropyl-cyclohexadien-(1,4)*}, die bei Umsetzung mit Brom in Tetrachlormethan sowie anschließend mit Natriumalkoholat in die Dehydroverbindungen V und VI {*Cyclopropan-⟨spiro-7⟩-bicyclo[4.1.0]heptadien-(2,4)* und *Cyclopropyl-benzol*} umgewandelt werden[3]. Aus V und VI ist dann *Cyclopropyl-⟨spiro-7⟩-cycloheptatrien* (VII) zugänglich, das mit Maleinsäureanhydrid (IX) oder Dicyan-acetylen (X) die Addukte VIII bzw. XI {*Cyclopropan-⟨spiro-4⟩-bicyclo[3.2.2]nonadien-(2,6)-8,9-dicarbonsäure-anhydrid* bzw. *Cyclopropan-⟨spiro-4⟩-6,7-dicyan-bicyclo[3.2.2]nonatrien*} bildet[3].

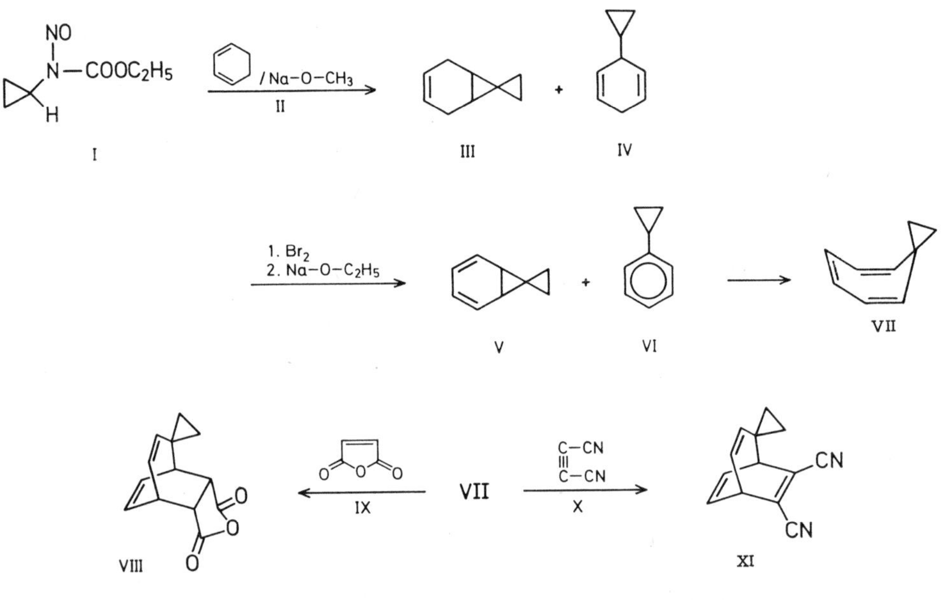

Zum Teil unter Mitverwendung deuterierter Komponenten wurden auch die Zersetzungsreaktionen von Cyclopropyldiazonium-Ionen wie XIIIa und XIIIb untersucht, die aus den N-Nitroso-harnstoffen XIIa bzw. XIIb erhalten wurden (S. 635)[4]. Aus 2-Diazo-1-phenyl-cyclopropan (XIV) wurde in Analogie zu den oben beschriebenen Reaktionen *Phenyl-allen* (XV) gebildet[4]. Bei der Abspaltung des Stickstoffs aus XIII kommt es zur Bildung des Cyclopropyl-Kations (XVII), das bei Anwesenheit von Methanol oder Lithiumbromid entsprechende Cyclopropyl-Derivate ergibt. Eine Isomerisierung von XVII führt zum Allyl-Kation (XVIII), das mit Methanol zur Bildung der isomeren Äther XIX und XX Anlaß gibt[4]:

---

[1] W. M. Jones et al., Am. Soc. **85**, 3309 (1963).

[2] W. M. Jones u. J. W. Wilson, Tetrahedron Letters **1965**, 1587.

[3] C. J. Rostek u. W. M. Jones, Tetrahedron Letters **1969**, 3957.

[4] W. Kirmse u. H. Schütte, Am. Soc. **89**, 1284 (1967).

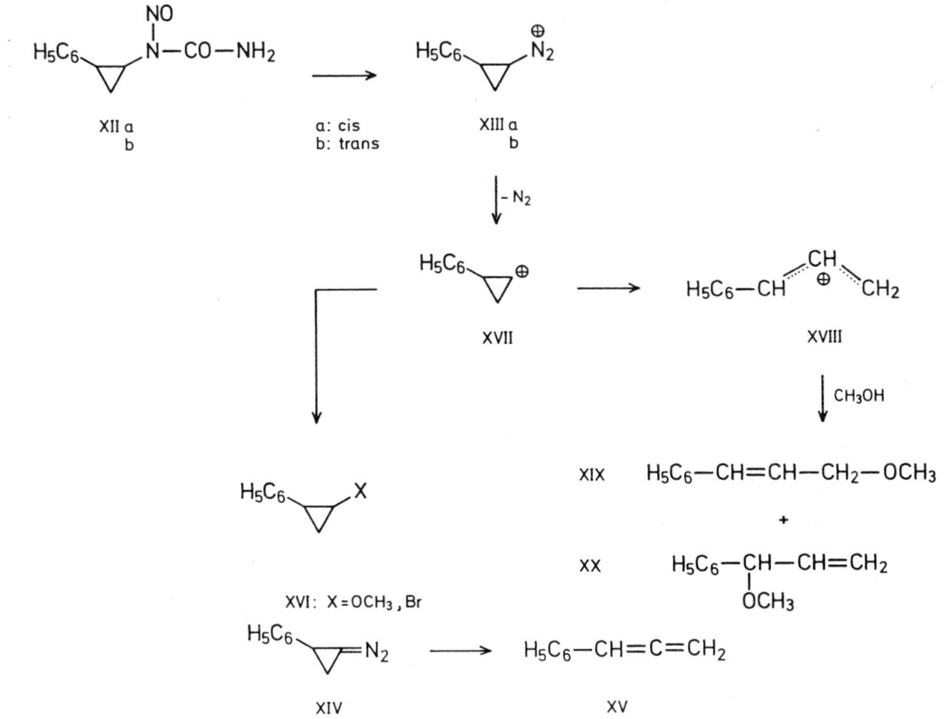

2. Reaktionen von Olefinen mit atomarem Kohlenstoff

Kohlenstoffatome lassen sich in einem Lichtbogen zwischen Kohleelektroden im Hochvakuum erzeugen und auf den tiefgekühlten Gefäßwänden niederschlagen. Bei kontinuierlichem Betrieb des Lichtbogens und gleichzeitiger Beschichtung der Gefäßwand mit Olefinen können Allene in Ausbeuten von 40–50% erhalten werden[1].

Friert man andererseits die atomaren Kohlenstoffe zunächst in einer Paraffin-Matrix ein (bei −196°), läßt sie einige Sekunden „altern" und gibt erst dann ein Olefin zu, so erhält man ausschließlich spirocyclische Verbindungen[1]. Hierbei erfolgt die Addition der ersten Olefin-Molekel stereospezifisch, die der zweiten hingegen nicht-stereospezifisch[1].

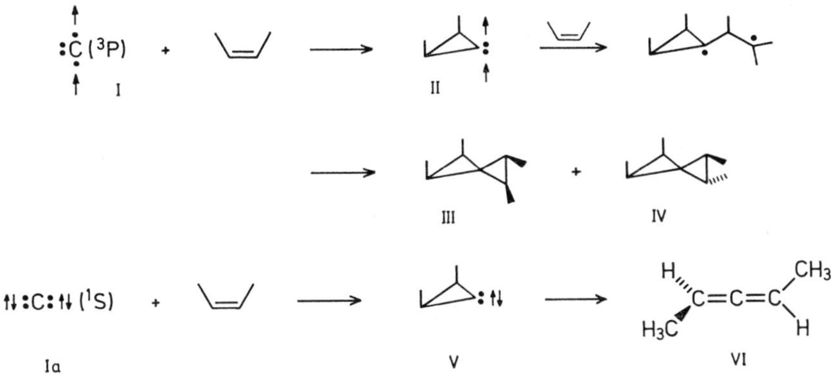

[1] P. S. Skell u. R. R. Engel, Am. Soc. 87, 1135, 2493 (1965); 88, 3749 (1966); 89, 2912 (1967).

Aus den gewählten Versuchsbedingungen folgt, daß man es hier offensichtlich mit Kohlenstoffatomen im Grundzustand (^{3}P)[1] zu tun hat, die sich im Primärschritt als Singulett-Carbene I (S. 635) an die Olefine anlagern. Als Zwischenstufe entsteht ein Triplett-Cyclopropyliden(II), das nicht-stereospezifisch mit einer zweiten Olefin-Molekel reagiert, aber nicht in ein Allen umgewandelt wird, sondern zu den Spirocyclen III und IV führt. Die Allen-Bildung bei kontinuierlichem Lichtbogenbetrieb muß auf Kohlenstoffatome im angeregten Zustand(^{1}S)[1] zurückgeführt werden, die zur Bildung von Singulett-Cyclopropylidenen(V) als Zwischenstufe Anlaß geben. Damit in Einklang stehen auch theoretische Überlegungen, wonach nur das Singulett-, nicht jedoch das Triplett-Cyclopropyliden in Allen übergehen kann[2].

Eine zweite wichtige Quelle für Kohlenstoffatome ist die Kernumwandlung

$$^{12}C(n, 2n)^{11}C .$$

Auf derartige Weise erzeugte ^{11}C-Atome wurden mit einer Vielzahl von organischen Verbindungen umgesetzt, da sich die entstehenden Reaktionsprodukte durch ihre Radioaktivität leicht nachweisen lassen[3]. Die hohe Energie der ^{11}C-Atome sowie der Primärprodukte führt jedoch häufig zu undefinierter Zersetzung, die sich u.a. an der relativ hohen Bildung von Acetylen zu erkennen gibt. Es gelang allerdings, Buten-(2) mit ^{11}C-Atomen in einer festen, tiefgekühlten Xenon-Matrix umzusetzen und dabei die Acetylen-Bildung weitgehend zu unterdrücken. Neben *Pentadien-(1,3)* (20–25% d.Th.) konnten auch kleinere Mengen an spirocyclischen Verbindungen nachgewiesen werden[4].

Auf die Durchführung von Reaktionen von Kohlenstoffatomen mit gesättigten Kohlenwasserstoffen[5] und Chlorkohlenwasserstoffen[6] sei an dieser Stelle nur hingewiesen. Auch hier kommt es zur Bildung von Cyclopropanen bzw. Folgeprodukten. Die Bildung von Carbenen – die sich zu Olefinen und Cyclopropanen stabilisieren – konnte u.a. durch Reaktion von Carbonylverbindungen mit metastabilen Kohlenstoffen im Singulett-Zustand erreicht werden[7].

3. Photolyse von Kohlensuboxid in Gegenwart von Olefinen

Bei der photochemischen Umsetzung von Kohlensuboxid (I, S. 637) mit Äthylen[8] wird als Hauptprodukt *Allen* (80% d.Th.) neben *Propin* und Kohlenmonoxid erhalten. Es gelang durch ^{14}C-Markierung das mittlere Kohlenstoffatom des gebildeten Allens als das mittlere C-Atom des eingesetzten Kohlensuboxids zu identifizieren[9].

Formal hat diese Reaktion große Ähnlichkeit mit der auf S. 635 beschriebenen Reaktion von Olefinen mit atomarem Kohlenstoff. Der Zerfall von Kohlensuboxid in 2 CO + C(^{3}P) erfordert

---

[1] Außer dem Grundzustand (^{3}P) gibt es zwei angeregte Zustände (^{1}D und ^{1}S), die um $\sim$ 30 bzw. 60 Kcal energiereicher sind. Während die Halbwertszeit des ^{1}S-Zustandes (Umwandlung ^{1}S $\rightarrow$ ^{1}D) nur $\sim$ 2 Sek. beträgt, ist für die des ^{1}D-Zustandes (Umwandlung ^{1}D $\rightarrow$ ^{3}P) ein Wert von $\sim$ 2000 Sek. zu veranschlagen. Der ^{3}P-Zustand entspricht einem Triplett-Singulett-Dicarben, die angeregten Zustände einem Singulett-Singulett-Dicarben. Nach der Lichtbogen-Methode entsteht ein Gemisch dieser Zustände; außerdem enthält der Kohlenstoffdampf noch C$_3$(:C=C=C:). C$_3$ reagiert mit Olefinen zu Cyclopropan-Derivaten, d.h. zu *Bis-äthano-allenen* (*Bis-[cyclopropyliden]-methanen*)[10].

[2] W. T. Borden, Tetrahedron Letters **1967**, 447.

[3] C. MacKay u. R. Wolfgang, Science (Washington) **148**, 899 (1965).

[4] J. Nicholas, C. MacKay u. R. Wolfgang, Am. Soc. **88**, 1610 (1966); Tetrahedron **22**, 2967 (1966).

[5] R. R. Engel u. P. S. Skell, Am. Soc. **87**, 4663 (1965).

[6] P. S. Skell u. R. F. Harris, Am. Soc. **87**, 5807 (1965).

[7] P. S. Skell u. J. H. Plonka, Am. Soc. **92**, 836 (1970); s. dort auch weitere Literatur.

[8] K. D. Bayes, Am. Soc. **83**, 3712 (1961); **84**, 4077 (1962); **85**, 1730 (1963).
   Vgl. a. R. T. K. Baker et al., Chem. Commun. **1965**, 358.

[9] R. T. Mullen u. A. P. Wolf, Am. Soc. **84**, 3214 (1962).

[10] P. S. Skell et al., Am. Soc. **85**, 1023 (1963); **87**, 2829 (1965).

jedoch 141,5 Kcal/Mol, während die Photolyse mit Licht von 300 nm (= 95,3 Kcal/Einstein) glatt gelingt. Der photochemische Primärschritt ist daher sehr wahrscheinlich ein Zerfall von Kohlensuboxid in Kohlenmonoxid und die Carbenspezies[1,2]. :C=C=O :C=C=O verhält sich gegenüber Olefinen als elektrophile Spezies und reagiert z. B. mit 2-Methyl-propen ~ 40mal schneller als mit Äthylen[2]. Die Addition an Doppelbindungen führt zu energiereichen Keten-Derivaten, die spontan in Kohlenmonoxid und Allene zerfallen, wobei wahrscheinlich das entsprechende Cyclopropyliden als Zwischenstufe durchlaufen wird. Bei hohen Drucken gelang die Isolierung von Keten-Dimeren[2].

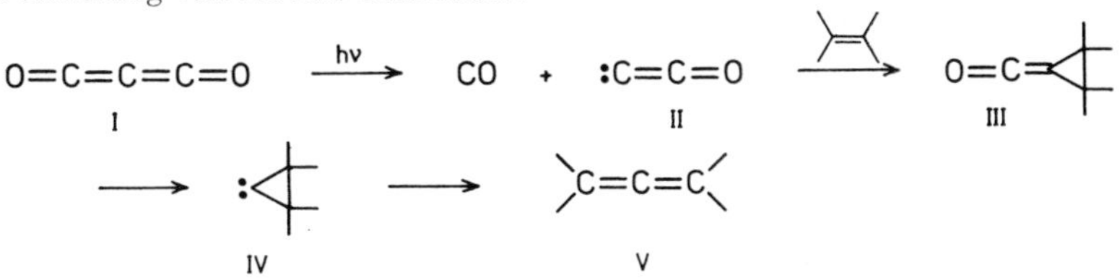

Interessant ist die Ausweichreaktion eines Cyclopropylidens, das durch Kohlensuboxid-Addition an 1,2-Dimethyl-cyclopropen erzeugt wurde[3]:

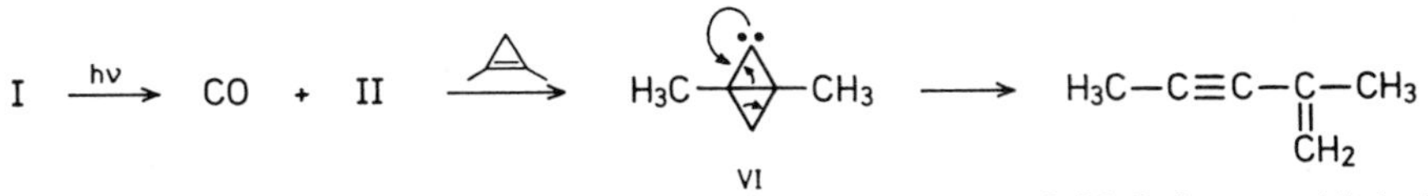

2-Methyl-penten-(1)-in-(3)

Die übliche Cyclopropyliden-Allen-Umlagerung würde hier sonst zu einer extrem gespannten Struktur führen.

Bei der Gasphasen-Photolyse von Kohlensuboxid in Gegenwart von Cyclopropen erhielt man ein Gemisch aus *Acetylen* und *Buten-in*[4]. Die Carben-Spezies II bildet wiederum ein zu VI analoges bicyclisches Carben, das sich entweder zu Buten-in umlagert oder intramolekulare C—H-Insertion unter Bildung von *Tricyclo[1.1.0.0²,⁴]butan* (*Tetrahedran*) eingeht. Daß das Tetrahedran in der Tat die Zwischenstufe für die Acetylen-Bildung darstellt, konnte durch mehrere Experimente bewiesen werden[4].

4. Carbenoide Reaktionen von 1,1-Dihalogen-cyclopropanen

Wie bereits im Herstellungsteil erwähnt (s. S. 192 und S. 207), werden 1,1-Dihalogen-cyclopropane durch Magnesium in Äther[5,6], Natrium auf Aluminiumoxid[4] oder durch Alkyl-lithium-Verbindungen[7,8] in Allene umgewandelt. Da 1,1-Dihalogen-cyclopropane durch Dichlor-carben-Addition an Olefine leicht zugänglich sind, hat diese Methode der Allen-Herstellung durchaus präparatives Interesse. Die Allene entstehen frei von Acetylenen; die Ausbeuten bei der Umsetzung von 1,1-Dibrom-cyclopropanen mit Alkyl-lithium-Verbindungen liegen zwischen 70 und 93% d. Th.[9]:

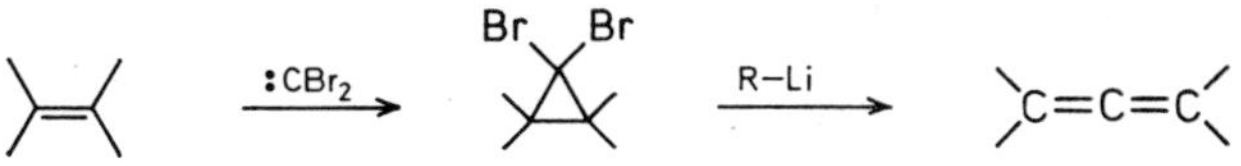

Bei Verwendung von Tetrabrommethan (I, S. 638) und Methyl-lithium (II) konnte eine Einstufen-Umwandlung eines Olefins in ein Allen realisiert werden[8],

[1] K. D. BAYES, Am. Soc. **83**, 3712 (1961); Am. Soc. **84**, 4077 (1962).
[2] C. WILLIS u. K. D. BAYES, Am. Soc. **88**, 3203 (1966).
[3] H. W. CHANG, A. LAUTZENHEISER u. A. P. WOLF, Tetrahedron Letters **1966**, 6295.
[4] P. B. SHEVLIN u. A. P. WOLF, Am. Soc. **92**, 406 (1970).
[5] W. v. E. DOERING u. P. LaFLAMME, Tetrahedron **2**, 75 (1958).
[6] T. J. LOGAN, Tetrahedron Letters **1961**, 173.
[7] W. R. MOORE u. H. R. WARD, J. Org. Chem. **25**, 2073 (1960); **27**, 4179 (1962).
[8] L. SKATTEBØL, Tetrahedron Letters **1961**, 167; Acta chem. scand. **17**, 1683 (1963).
[9] K. G. UNTCH et al., J. Org. Chem. **30**, 3572 (1965).

wobei jedoch unter Optimalbedingungen nur Ausbeuten um 70% erzielt werden konnten:

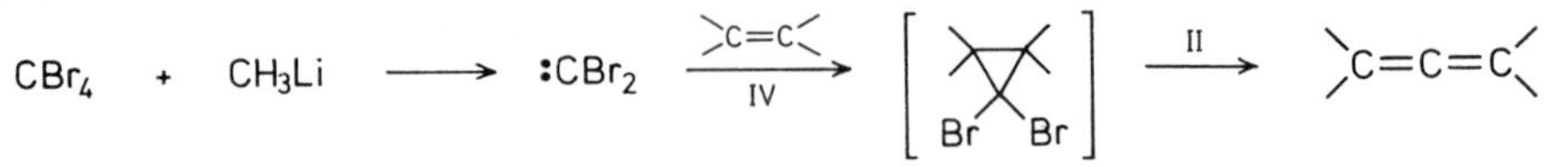

$$CBr_4 \;+\; CH_3Li \longrightarrow \;:CBr_2 \xrightarrow[IV]{\;>C=C<\;} \left[\underset{Br\;\;Br}{\diagup\!\!\!\diagdown\!\!\!\times} \right] \xrightarrow{\;II\;} \;>C=C=C<$$

I   II   III   V   VI

Die Umsetzung von geminalen Dibrom-cyclopropanen mit Methyl-lithium konnte u.a. auch zur Herstellung des optisch aktiven Allens IX herangezogen werden[1]. Ausgehend vom (+) (S)-3-Methyl-penten-(1) (VII) mit der optischen Reinheit von ~ 87% über VIII konnte das (+) (S)-4-Methyl-hexadien-(1,2) (IX) erhalten werden, dessen Hydrierung zu (S)-3-Methyl-hexan (X) führt[2]:

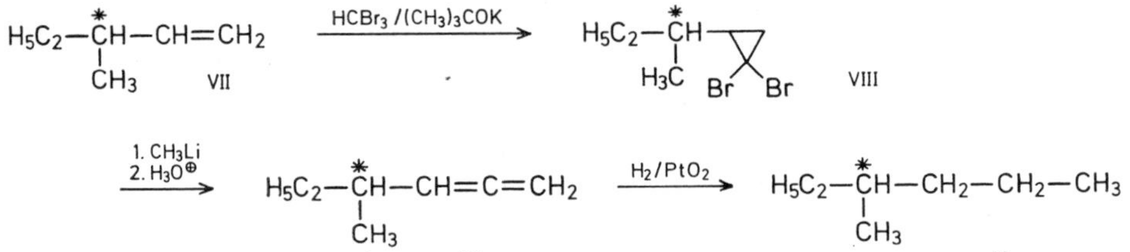

$$H_5C_2-\overset{*}{C}H-CH=CH_2 \xrightarrow{HCBr_3 /(CH_3)_3COK} H_5C_2-\overset{*}{C}H\underset{Br\;\;Br}{\diagup\!\!\!\times}$$
$$\underset{CH_3}{\big|} \qquad\qquad VII \qquad\qquad\qquad \underset{H_3C}{\big|}\qquad\qquad VIII$$

$$\xrightarrow[2.\,H_3O^{\oplus}]{1.\,CH_3Li} H_5C_2-\overset{*}{C}H-CH=C=CH_2 \xrightarrow{H_2/PtO_2} H_5C_2-\overset{*}{C}H-CH_2-CH_2-CH_3$$
$$\qquad\qquad\qquad \underset{CH_3}{\big|}\qquad\qquad\qquad\qquad\qquad \underset{CH_3}{\big|}$$
$$\qquad\qquad\qquad\qquad IX \qquad\qquad\qquad\qquad\qquad\qquad X$$

Auch gespannte cyclische Allene wie Cyclononadien-(1,2) (XI)[3,4] sind zugänglich; ein zweiter, analoger Schritt erlaubt deren Umwandlung in Decatrien-(1,2,3)[5]. 9,9-Dibrom-bicyclo[6.1.0]nonan scheint allerdings der kleinste Ring zu sein, bei dem die Allen-Synthese noch glatt verläuft.

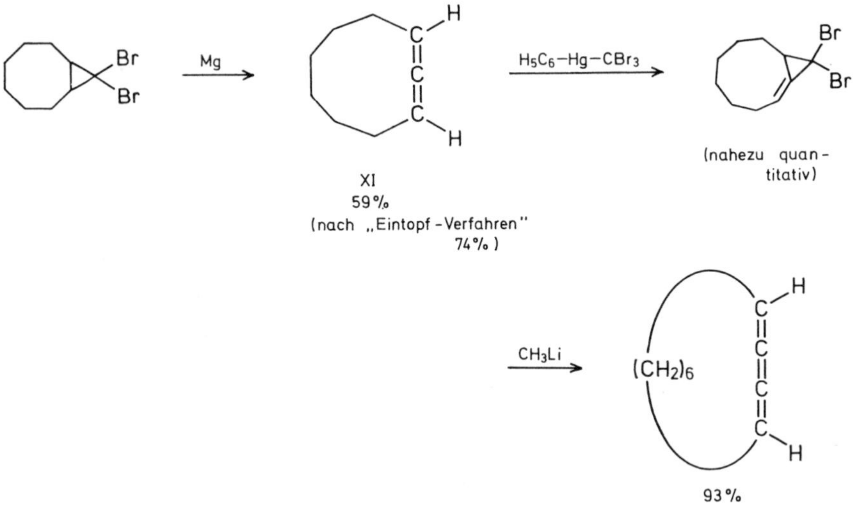

XI
59%
(nach „Eintopf-Verfahren"
74%)

(nahezu quantitativ)

93%

Bei der Umsetzung von 8,8-Dibrom-bicyclo[5.1.0]octan (XII; S. 639) mit Methyl-lithium ließ sich das sehr unbeständige Cyclooctadien-(1,2) nur spektroskopisch

[1] R. Rossi u. P. Pino, Chimica e Ind. **48**, 961 (1966).
[2] Die Herstellung optischer aktiver Allene kann aber auch durch asymmetrische Induktion bei Verwendung von Chrom(II)-(+)tartrat oder Butyl-lithium/(−)-Spartein erreicht werden; vgl.: H. Nozaki et al., Tetrahedron Letters **1968**, 2087.
[3] K. G. Untch et al., J. Org. Chem. **30**, 3572 (1965).
[4] P. D. Gardner u. M. Narayana, J. Org. Chem. **26**, 3518 (1961).
[5] W. R. Moore u. T. M. Ozretich, Tetrahedron Letters **1967**, 3205.

($\sim 8\%$ d. Th.) nachweisen[1]. Mit 32% Ausbeute entstand hingegen ein Dimeres des Cyclooctadiens-(1,2) der Struktur XVI {*Tricyclo[8.6.0.0²,⁹]hexadien-(1¹⁶,2)*}. Daneben haben Ausweichreaktionen, wie intramolekulare Insertion in α-C—H-Bindungen des Diäthyläthers stattgefunden:

XII		XIII	XIV	XV	XVI
		8%	17%	10%	32%

Beim 7,7-Dibrom-bicyclo[4.1.0]heptan ließ sich kein Hinweis auf die Bildung eines Allens finden; die eben genannten Ausweichreaktionen stehen offensichtlich im Vordergrund[2,3]. Sie sind jedoch ein Hinweis für das intermediäre Auftreten carbenoider Zwischenstufen bei den Eliminierungsreaktionen der 1,1-Dihalogen-cyclopropane. Die Addition dieser Zwischenstufen an Olefine zu Spiro-Verbindungen ist ebenfalls realisiert worden[1,4]. 7,7-Dibrom-bicyclo[4.1.0]hepten-(3) (XVII) reagiert bei Behandlung mit Methyl-lithium in Gegenwart von *cis*- und *trans*-Buten-(2) zu den beiden Addukten XVIII und XIX {*cis*- und *trans-2,3-Dimethyl-cyclopropan-⟨1-spiro-7⟩-bicyclo[4.1.0]hepten-(3)*}, aus denen bei Behandlung mit Brom und nachfolgender Dehydrobromierung mit 1,3-Diaza-bicyclo[5.4.0]undecen-(5) unter Ringerweiterung die Spiro-nonatriene XX und XXI (*cis*- und *trans-2,3-Dimethyl-cyclopropan-⟨1-spiro-7⟩-cycloheptatrien*) erhalten wurden[4].

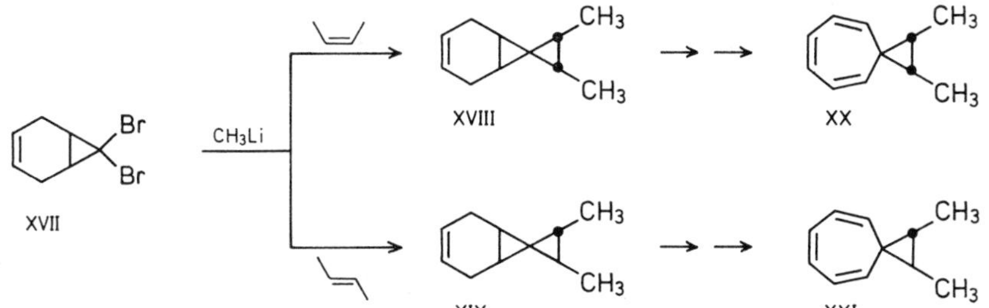

Auch bei der Herstellung von *Cyclanonenen* aus cyclischen Allenen kann man sich mit Vorteil der carbenoiden Reaktionen von 1,1-Dihalogen-cyclopropanen bedienen. Als Beispiel seien hier Synthesen cycloaliphatischer Ketone aus Cyclododecatrien-(1,5,9) (I, S. 640) erwähnt[5]. Durch Umsetzung von I mit Dichlor-carben wurde ein Gemisch der *cis/trans*-isomeren *13,13-Dichlor-bicyclo[10.1.0]tridecadiene-(4,8)* (II) erhalten, das zu einem Gemisch der stereoisomeren *13,13-Dichlor-bicyclo[10.1.0.]tridecane* (III) hydriert wurde. Die carbenoide Dehydrohalogenierung von III mit Butyllithium in Äther führte in hoher Ausbeute zum *Cyclotridecadien-(1,2)* (IV). Als Nebenprodukt wurde Bicyclo[10.1.0]tridecan (2–3% d. Th.) erhalten. Nach Hydratisierung von IV mittels Schwefelsäure in Gegenwart von Hydrochinon konnte *Cyclotridecanon* (VIII) über das Semicarbazon isoliert werden. Die Ausbeute an VIII (bez. auf I) betrug 50% der Theorie. Analog können *Cyclotetradecanon* (IX) und *Cyclopentadecanon*

[1] E. T. Marquis u. P. D. Gardner, Tetrahedron Letters **1966**, 2793.
[2] W. R. Moore et al., Am. Soc. **83**, 2019 (1961).
[3] E. T. Marquis u. P. D. Gardner, Chem. Commun. **1966**, 726.
[4] M. Jones u. E. W. Petrillo, Tetrahedron Letters **1969**, 3953.
[5] M. Mühlstädt u. J. Graefe, Z. Chemie **6**, 69 (1966).

(X) durch Hydratisierung von *Cyclotetradecadien-(1,2)* (VI) bzw. *Cyclopentadecadien-(1,2)* (VII) synthetisiert werden. Für die Synthese von VI und VII ist ein neuer Weg ausgehend von IV beschrieben worden[1]: Dichlor-carben-Addition an IV, Hydrierung des *14,14-Dichlor-bicyclo[11.1.0]tetradecen-(1)* (V) und anschließende Umsetzung mit Butyl-lithium zu VI (62% d. Th., bez. auf IV). Der analoge Weg, ausgehend VI, lieferte VII mit 59%iger Ausbeute.

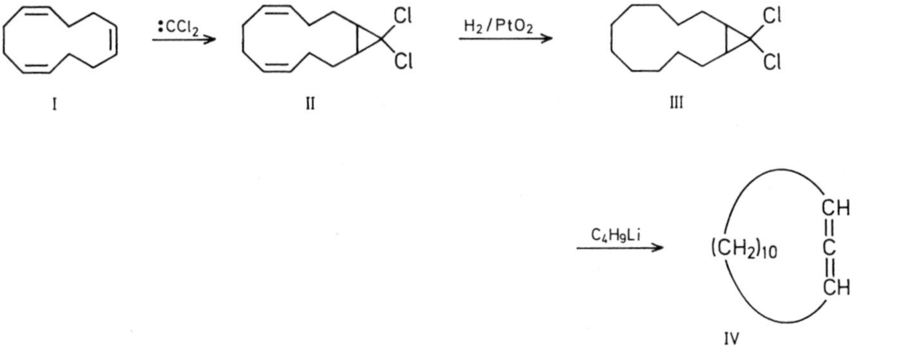

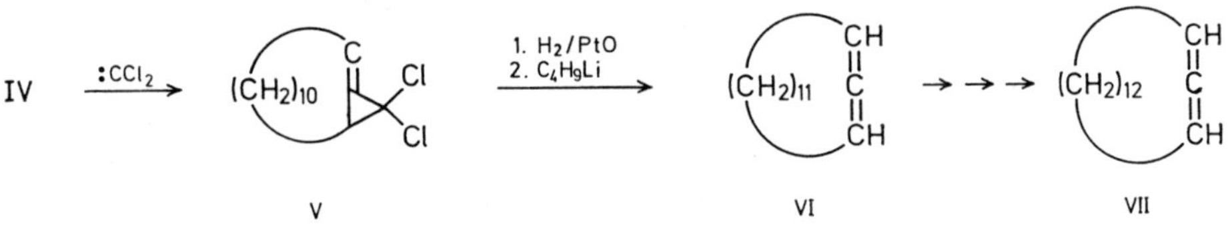

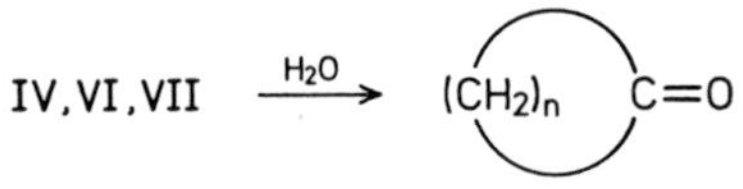

VIII; n = 12; *Cyclotridecanon*
IX; n = 13; *Cyclotetradecanon*
X; n = 14; *Ccyclopentadecanon*

Aus noch unbekannten Gründen versagt die carbenoide Allensynthese beim 1,1-Dibrom-2,2,3,3-tetramethyl-cyclopropan (XI); als einziges Produkt der Umsetzung von XI mit Methyl-lithium entstand *1-Methyl-1-isopropenyl-cyclopropan* (XII)[2]:

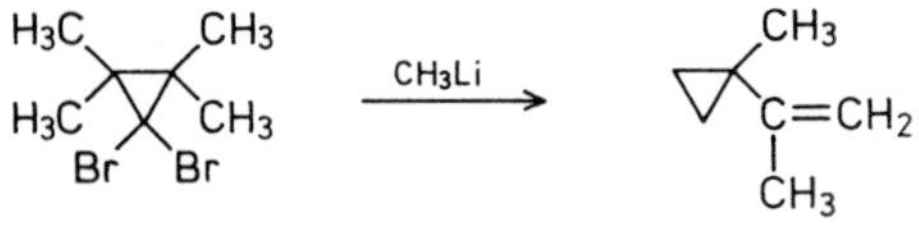

Auch die Dibrom-carben-Addukte von 1,3-Dienen, d.h. die 2,2-Dibrom-1-vinyl-cyclopropane (XIII; S. 641) liefern nur kleine Mengen an 1,2,4-Trienen; als Hauptreaktion wird eine Umlagerung zu Cyclopentadienen (s. S. 644) beobachtet[3]:

[1] M. MÜHLSTÄDT u. J. GRAEFE, Z. Chemie 6, 69 (1966).
[2] L. SKATTEBØL, Tetrahedron Letters 1961, 167; Acta chem. scand. 17, 1683 (1963).
[3] L. SKATTEBØL, Chem. & Ind. 1962, 2146.
   Vgl. auch: L. SKATTEBØL, Tetrahedron 23, 1107 (1967).

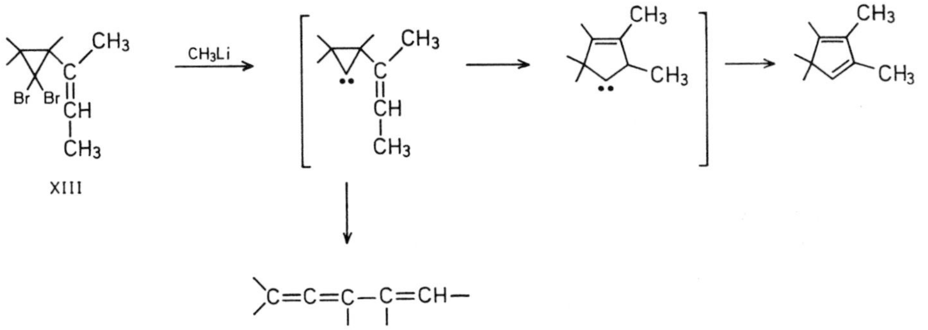

XIII

$$>C=C=\underset{|}{C}-\underset{|}{C}=CH-$$

Interessante Möglichkeiten zeigen sich auch bei der Umsetzung von 9,9-Dibrom-bicyclo[6.1.0]nonen-(2) (I) mit Methyl-lithium[1]. Diese Reaktion führt unter Annahme der Carben-Zwischenstufe II zu den beiden isomeren ungesättigten Kohlenwasserstoffen III und IV {Tricyclo[3.3.1.0²,⁹]nonen-(3) bzw. Tricyclo[3.3.1.0²,⁹]nonen-(7)}. Durch Hydrierung von III/IV erhält man das Tricyclo[3.3.1.0²,⁹]nonan (V), während man durch Erhitzen zum cis-Bicyclo[4.3.0]nonadien-(2,8) (VI) gelangt, das zu VII {Bicyclo[4.3.0]nonadien-(1⁶,3)} und ähnlichen Olefinen isomerisiert und zu VIII (Bicyclo[4.3.0]nonan) hydriert werden kann[1].

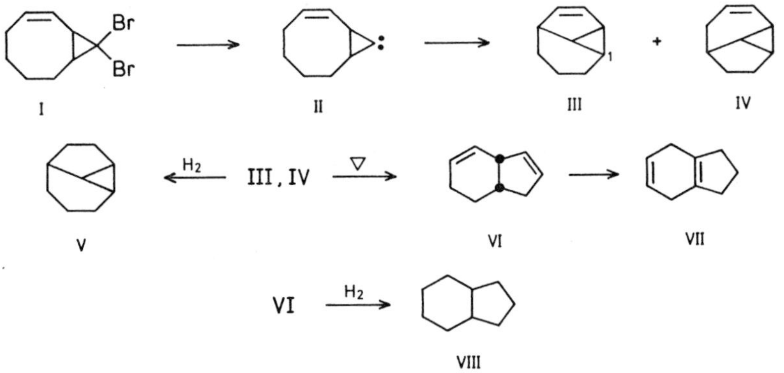

I II III + IV

V $\xleftarrow{H_2}$ III, IV $\xrightarrow{\nabla}$ VI VII

VI $\xrightarrow{H_2}$ VIII

Bei der Behandlung der 2,2-Dibrom-1-alkenyl-cyclopropane IXa–d mit Methyl-lithium bei −78° entstehen die Allen-Olefine Xa–d[2]. Aus IXb erhält man zusätzlich noch zu etwa gleichen Teilen den tricyclischen Kohlenwasserstoff XI (Tricyclo[4.1.0.0¹,³]heptan); der Anteil an XI nimmt bei Erhöhung der Reaktionstemperatur ab. Aus IXc entstehen neben Xc noch ~ 10% von dem Tricyclus XII (Tricyclo[5.1.0.0¹,³]octan)[2]. Bei der analogen Reaktion der Methylverbindung XIII (S. 642) erhält man neben 38% 3,6-Dimethyl-heptatrien-(1,2,6) (XIV) 62% 3,6-Dimethyl-tricyclo[4.1.0.0¹,³]heptan (XV)[2].

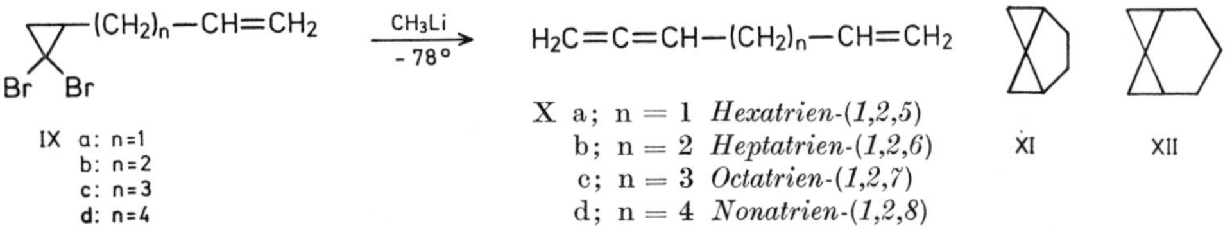

$\underset{Br\ \ Br}{\diagdown}$(CH₂)ₙ—CH=CH₂ $\xrightarrow[-78°]{CH_3Li}$ H₂C=C=CH—(CH₂)ₙ—CH=CH₂

IX a: n=1
b: n=2
c: n=3
d: n=4

X a; n = 1 Hexatrien-(1,2,5)
b; n = 2 Heptatrien-(1,2,6)
c; n = 3 Octatrien-(1,2,7)
d; n = 4 Nonatrien-(1,2,8)

XI XII

---

[1] C. G. Cardenas, B. A. Shoulders u. P. D. Gardner, J. Org. Chem. 32, 1220 (1967).
[2] L. Skattebøl, J. Org. Chem. 31, 2789 (1966).

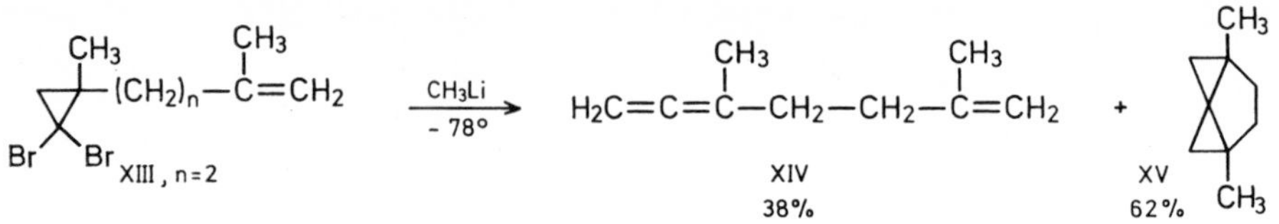

Ganz ähnliche Umsetzungen wurden auch mit den 1,ω-Bis-[2,2-dibrom-cyclo-propyl]-alkanen XVIa–c durchgeführt[1]. Aus XVIa erhält man neben *Octatetraen-(1,2,6,7)* (XVIIa) wiederum eine tricyclische Verbindung (*2-Methylen-tricyclo [4.1.0.0¹,³]heptan*; XVIII), während aus XVIb und XVIc nur die entsprechenden Bis-allene XVIIb und c [*Nonatetraen-(1,2,8,9)* bzw. *Decatetraen-(1,2,8,9)*)] isoliert wurden. Aus der Dimethyl-Verbindung XIX werden jeweils 50% *3,6-Dimethyl-octatetraen-(1,2,6,7)* (XX) und *3,6-Dimethyl-2-methylen-tricyclo[4.1.0.0¹,³]heptan* (XXI) erhalten[1]. Die Bildung von Xb und XI aus IXb (s. unten) wurde über die Zwischen-stufen XXII ggf. XXIII erklärt; analog sollen z.B. XVIIa und XVIII über das Cyclopropyl-allen XXIV entstehen[1].

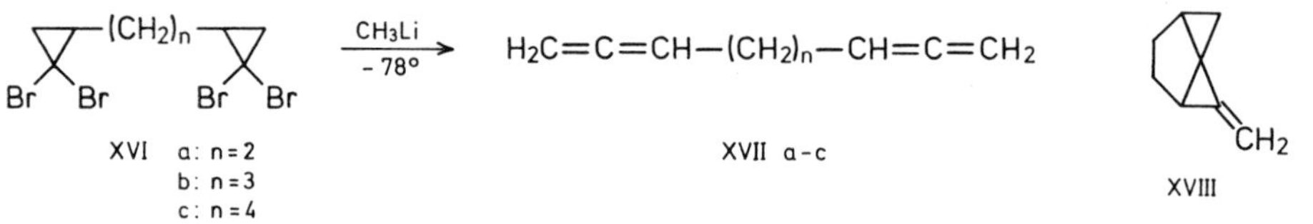

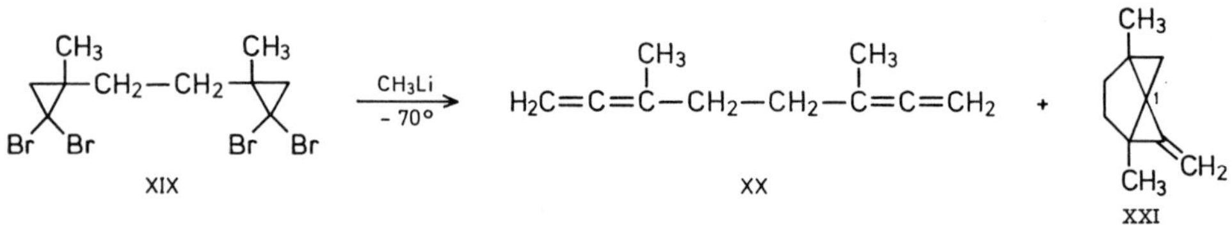

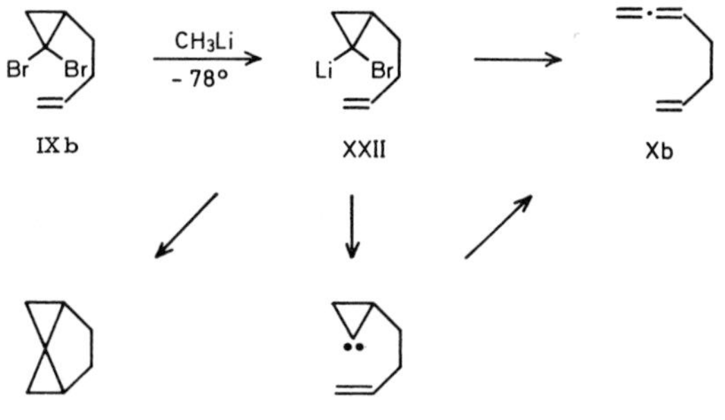

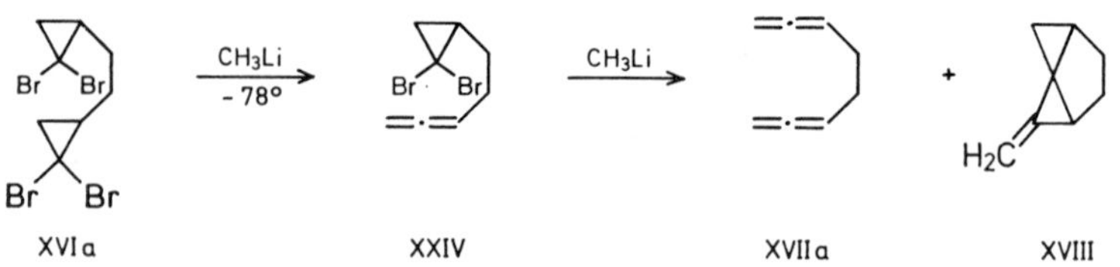

---

[1] L. Skatteböl, J. Org. Chem. **31**, 2789 (1966).

Das mit den Formeln I–XI abgebildete Syntheseschema[1] stellt eine Variante zu dem oben beschriebenen Verfahren der Cyclanon-Herstellung aus Cyclododeca-trien-(1,5,9) dar. *Cyclotridecanon* (VIII) ist danach auf zwei Wegen aus I zugänglich[1]: Die Diimid-Reduktion von I führt selektiv zum *cis*-Cyclododecen (IV), das mit Di-brom-carben in guter Ausbeute V liefert. Die Umsetzung des Dibrom-carben-Adduktes V mit Methyl-lithium führt zum entsprechenden Allen VI, das sich mit Kalium-tert.-butanolat zu dem cyclischen Acetylen VII isomerisieren läßt. Durch Wasseranlage-rung (Behandlung mit verdünnter Schwefelsäure in Gegenwart von Quecksilber-sulfat) an VII entsteht dann das Cyclotridecanon (VIII). Andererseits kann das Iso-merengemisch II/III in analoger Reaktionsfolge in das Cyclotridecadienon (XI) über-führt werden, das sich schließlich über Palladium-Kohle katalytisch zu VIII hy-drieren läßt:

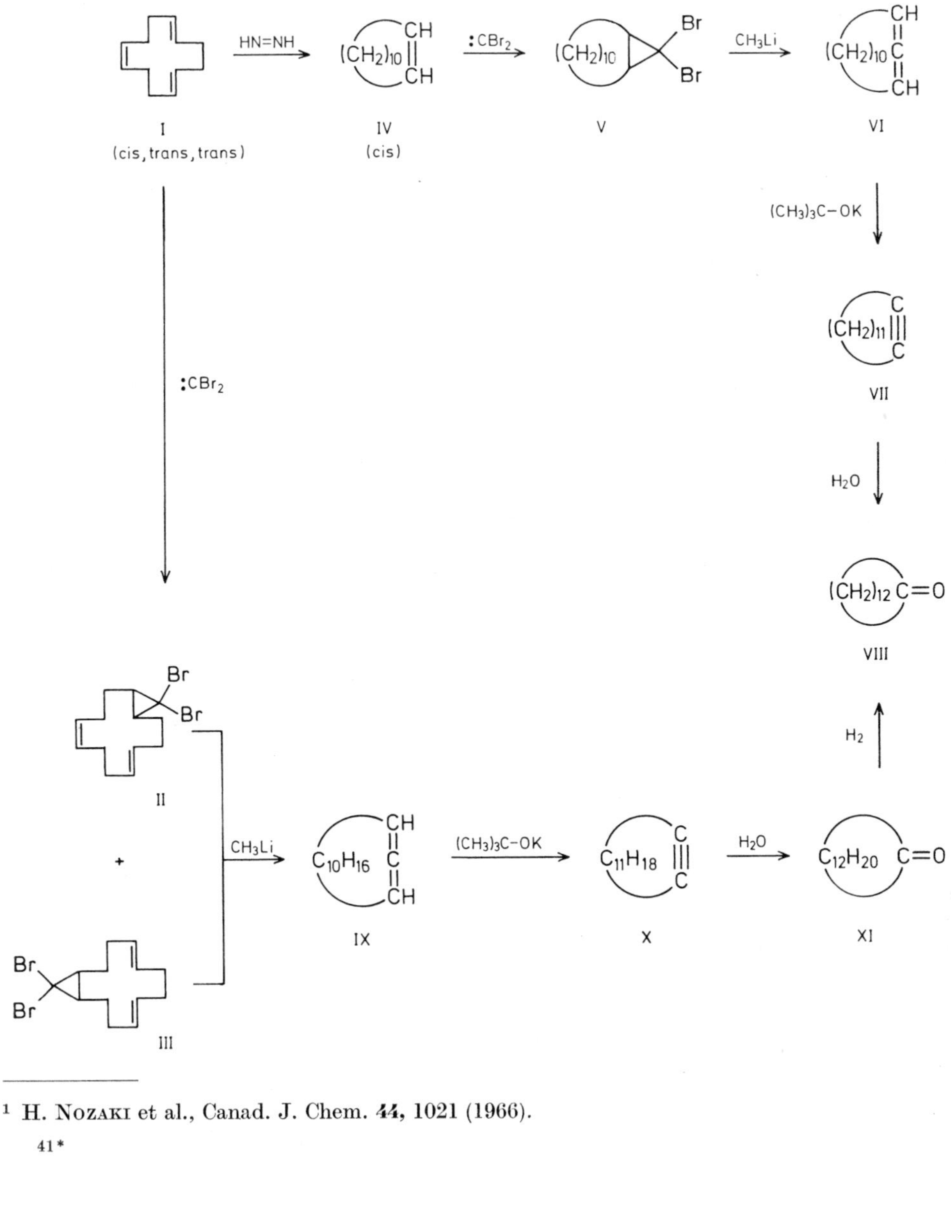

---

[1] H. Nozaki et al., Canad. J. Chem. **44**, 1021 (1966).

41*

Durch Reaktion der Cyclopropan-Derivate I mit Methyl-lithium bei −78° werden – wie bereits auf S. 640 kurz erwähnt – die Cyclopentadiene II in Ausbeuten zwischen 14 und 98% d. Th. erhalten[1]; daneben werden nur geringe Mengen von Alkatrienen [z. B. aus I mit R = H; *Pentatrien-(1,2,4)*; III] gebildet. Ganz analog wurden aus 7,7-Dibrom-bicyclo[4.1.0]hepten-(2) 80% *syn-7-Brom-7-methyl-bicyclo[2.2.1]hepten-(2)* und aus den Dicyclopropyl-Derivaten IV, VI bzw. VIII geringe Mengen der Fulvene V und VII (*1,2-Dimethyl-5-methylen-* bzw. *2-Methyl-5-äthyliden-cyclopentadien*) bzw. 93% des Tetraens IX [*2,7-Dimethyl-octatetraen-(2,3,5,6)*] hergestellt[1].

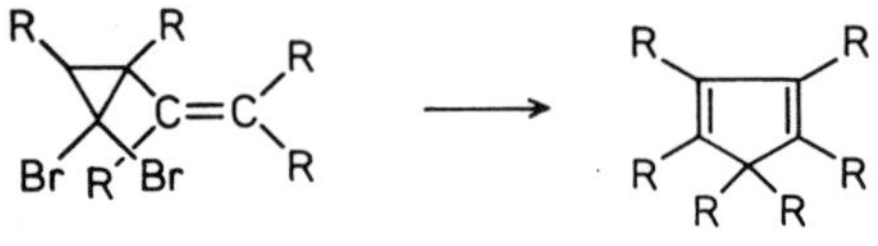

$$H_2C{=}C{=}CH{-}CH{=}CH_2$$

III

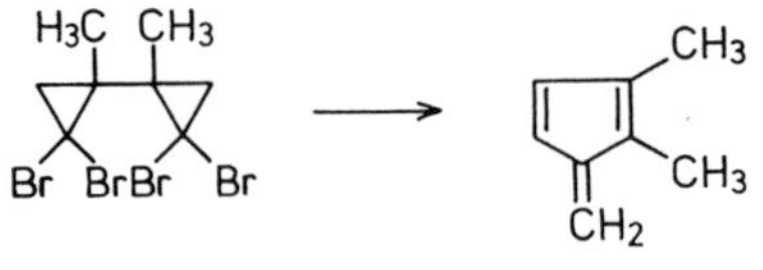

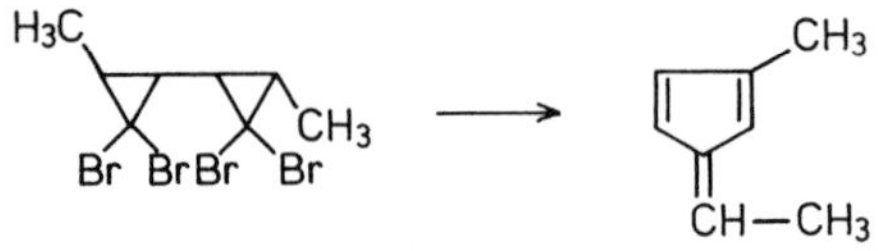

In Analogie zu den Olefinen lassen sich auch Allylakohole über die Stufe der 1,1-Dihalogen-cyclopropane carbenoid in Allenalkohole umwandeln[2]. Die Dibrom-carben-Addukte von Allenen liefern Butatriene-(1,2,3)[3,4] (s. S. 637 ff.), Bis-[dibrom-carben]-Addukte Pentatetraene (I, S. 645); selbst sehr instabile Hexapentaene (II) lassen sich so noch synthetisieren[3]:

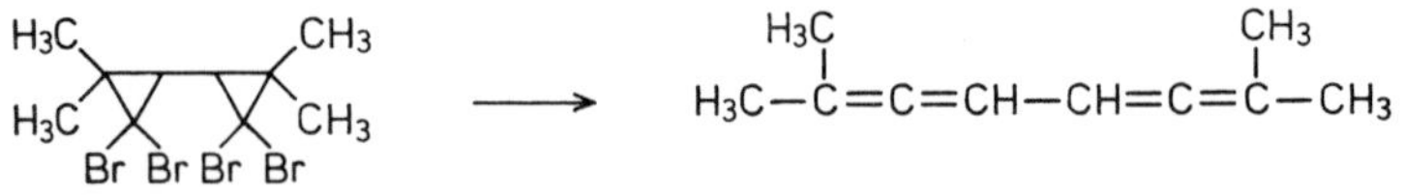

[1] L. SKATTEBØL, Tetrahedron 23, 1107 (1967).
[2] M. BERTRAND u. R. MAURIN, C. r. 260, 6122 (1965).
[3] L. SKATTEBØL, Tetrahedron Letters 1965, 2175.
[4] W. J. BALL et al., Soc. 1967 (C), 194.

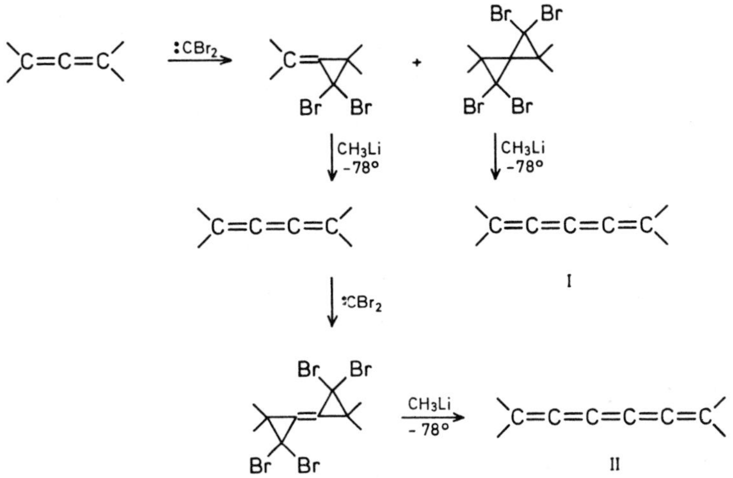

Allenalkohole können in α,β-ungesättigte Ketone III übergeführt werden; damit bietet sich zugleich eine elegante Methode zur Ringerweiterung an, die zumindest im Prinzip beliebig oft wiederholt werden kann[1]:

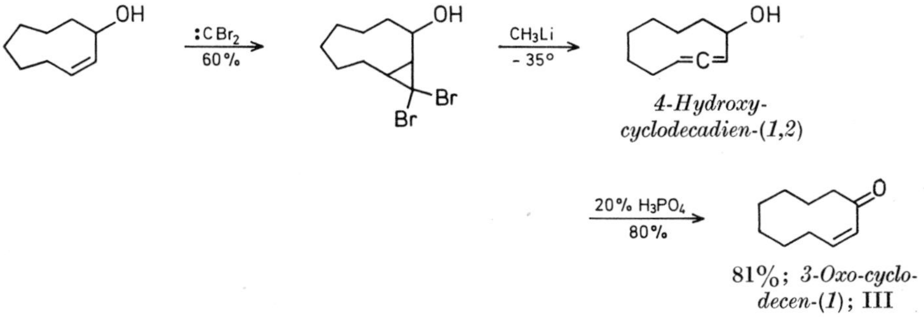

4-Hydroxy-cyclodecadien-(1,2)

81%; 3-Oxo-cyclo-decen-(1); III

Der cyclische Alkohol *5-Hydroxy-cyclononadien-(1,2)* (V) mit Homoallen-Gruppierung konnte bei Einwirkung von Butyl-lithium auf IV mit anschließender Hydrolyse erhalten werden[2]:

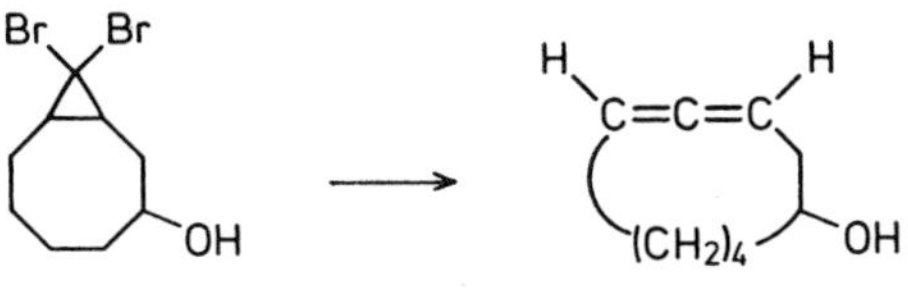

Dichlor-carben-Addukte von Azomethinen (vgl. S. 632) lassen sich schon mit Natriumjodid in Aceton in die entsprechenden Ketenimine überführen[3].

[1] M. BERTRAND et al., Bl. **1967**, 998.
[2] M. BERTRAND et al., C. r. **269**, 252 (1969).
[3] K. ICHIMURA u. M. OHTA, Bull. chem. Soc. Japan **40**, 1933 (1967); C. A. **68**, 68795 (1968).

e) Cyclopropyl-carben/Cyclobuten-Umlagerung[1]

Für Cyclopropylcarben (I) wurden drei konkurrierende Reaktionen beobachtet, deren Anteil stark von den Bedingungen abhängt:

Umlagerung zu *Cyclobuten*
Umlagerung zu *Butadien-(1,3)*
Zerfall in *Acetylen* und *Äthylen*

Hierbei ist noch ungeklärt, wie weit ein „angeregtes" Cyclobuten Vorstufe der übrigen Reaktionsprodukte ist.

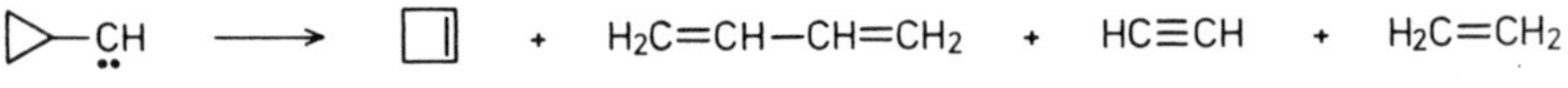

Die alkalisch-thermische Spaltung des Cyclopropan-aldehyd-p-tosylhadrazons liefert unter strikt aprotischen Bedingungen und bei geringem Basenüberschuß vorwiegend *Cyclobuten* (60–85% d. Th.)[2,3]. Mit größerem Basenüberschuß nimmt hingegen der Butadien-Anteil zu; der Zerfall in Acetylen und Äthylen bleibt im allgemeinen immer unter 10%. Das unter den Reaktionsprodukten auch beobachtete *Bicyclo[1.1.0]butan*[4] entsteht nur in protonenhaltigen Solventien oder bei unvollständiger Salzbildung des Tosylhydrazons[5]. Bicyclo[1.1.0]butan entsteht nicht über das Cyclopropyl-carben, sondern geht aus dem Cyclopropylcarbenium-Ion hervor[3]. Bei der Photolyse von Cyclopropyl-diazomethan in der Gasphase[6] wurden wesentlich andere Verhältnisse beobachtet. *Butadien, Acetylen* und *Äthylen* (je ∼ 30%) sind Hauptprodukte, Cyclobuten entsteht nur noch in Spuren. Wahrscheinlich ist die Ursache für dieses Verhalten in der fehlenden oder mangelnden „Abkühlung" energiereicher Zwischenstufen und Reaktionsprodukte zu suchen.

Nach dem Tosylhydrazon-Verfahren wurde eine Reihe von substituierten Cyclobutenen mit guter Ausbeute erhalten, z.B. *1-Phenyl-cyclobuten* (78%)[3], *1,2-Diphenyl-cyclobuten* (76%)[7], *3,3-Dimethyl-cyclobuten* und *1-Cyclopropyl-cyclobuten*[8]. Bei der Umsetzung der Tosylhydrazone substituierter Acetyl-cyclopropane (II) zeigte sich, daß die weniger substituierte Bindung des Dreiringes bevorzugt wandert[8].

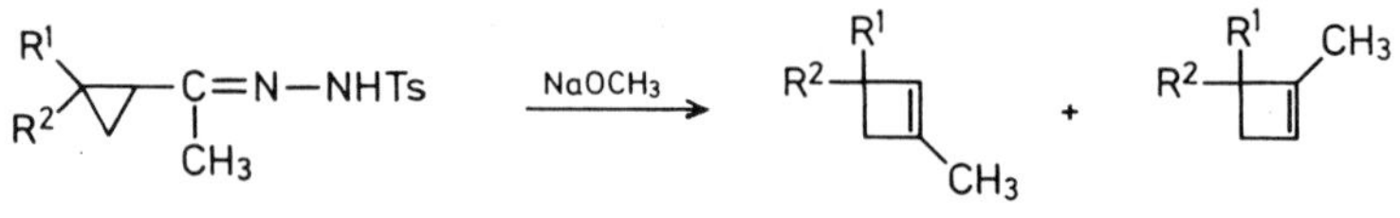

Aus Tosylhydrazonen des Typs III (S. 647) entstehende Bicyclo[n.1.0]alkylcarbene geben zu ∼ 70% Umlagerung zu Bicyclo[n.2.0]alkenen und zu ∼ 30%

---

[1] vgl. ds. Handb., Bd. IV/4, Kap. Isocyclische Vierringsysteme, S. 109–118.
[2] L. FRIEDMAN u. H. SHECHTER, Am. Soc. **82**, 1002 (1960).
[3] L. FRIEDMAN et al., Am. Soc. **87**, 659 (1965).
[4] H. M. FREY u. I. D. R. STEVENS, Pr. chem. Soc. **1964**, 144.
[5] Zum Mechanismus der basenkatalysierten Zersetzung des Cyclopropan-aldehyd-p-tosylhydrazons in protonenhaltigen Lösungsmitteln s. L. FRIEDMAN et al., Am. Soc. **88**, 3870 (1966).
[6] P. B. SHEVLIN u. A. P. WOLF, Am. Soc. **88**, 4735 (1966).
[7] M. A. BATTISTE u. M. E. BURNS, Tetrahedron Letters **1966**, 523.
[8] H. M. FREY et al., Chem. Commun. **1967**, 707.

Zerfall in Acetylen und Cycloalkene[1]. Die Produktverhältnisse sind von der Ringgröße nur wenig abhängig.

III, n = 3 - 5

Die analoge Reaktion der Tosylhydrazone spirocyclischer Ketone (IV) führt zu Bicyclo[n.2.0]alkenen mit zentraler Doppelbindung[2]. Diese Ergebnisse demonstrieren zugleich die hohe Geschwindigkeit der Cyclopropyl-carben/Cyclobuten-Umlagerung, da eine konkurrierende Wasserstoff-Verschiebung nicht festzustellen war:

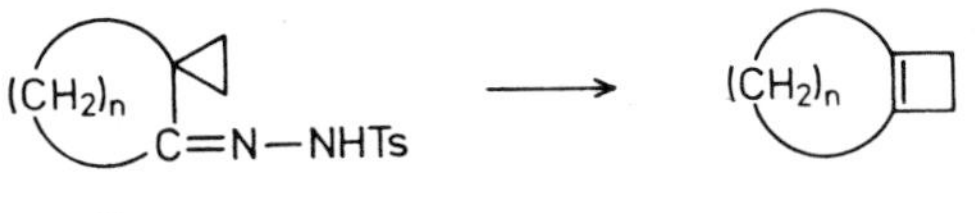

IV

$$n = 3; \; Bicyclo[3.2.0]hepten\text{-}(1^5)$$
$$n = 4; \; Bicyclo[4.2.0]octen\text{-}(1^6)$$

Aus ungesättigten Bicycloalkyl-carbenen, z.B. Bicyclo[5.1.0]octadien-(2,4)-yl-(8)-carben (V)[3], entstehen hingegen wesentlich kompliziertere Produktgemische. Das „reguläre“ Cyclopropyl-carben-Umlagerungsprodukt, das *Bicyclo[5.2.0]nonatrien-(2,4,8)*, geht thermisch in keines der anderen Produkte, sondern in *cis-8,9-Dihydroinden* über. Aus diesem Grunde wurde für die Reaktion von V als Zwischenstufe ein Diradikal diskutiert, das durch Abspaltung von Acetylen und verschiedenen Rekombinationen alle Produkte zu erklären vermag[3].

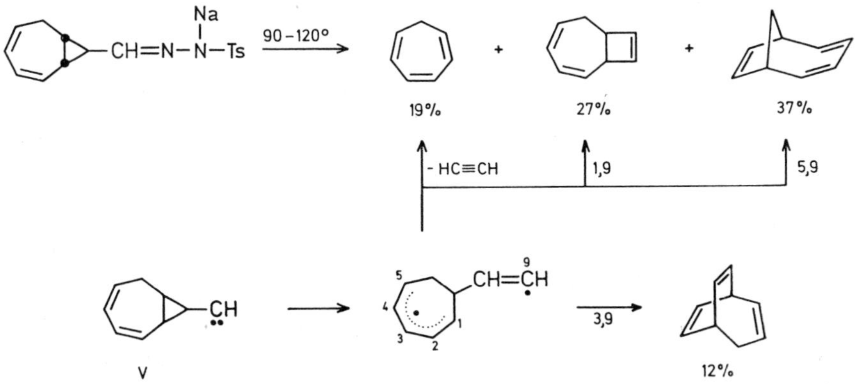

Analog lassen sich dann auch die Umsetzungen des aus VI (S. 648) erhaltenen Bicyclo[6.1.0]nonatrien-(2,4,6)-yl-(9)-carbens verstehen[4,5]. Hier ist das „reguläre“ Umlagerungsprodukt, das *Bicyclo[6.2.0]decatetraen-(2,4,6,9)*, nur bei Temperaturen

[1] W. KIRMSE u. K. H. POOK, B. **98**, 4022 (1965).
[2] W. KIRMSE u. K. H. POOK, Ang. Ch. **78**, 603 (1966).
[3] M. JONES u. S. D. REICH, Am. Soc. **89**, 3935 (1967).
[4] M. JONES u. L. T. SCOTT, Am. Soc. **89**, 150 (1967).
[5] S. MASAMUNE et al., Am. Soc. **89**, 4804 (1967).

unterhalb 0° isolierbar[1]; es lagert sich leicht und vollständig in *trans-9,10-Dihydronaphthalin* um:

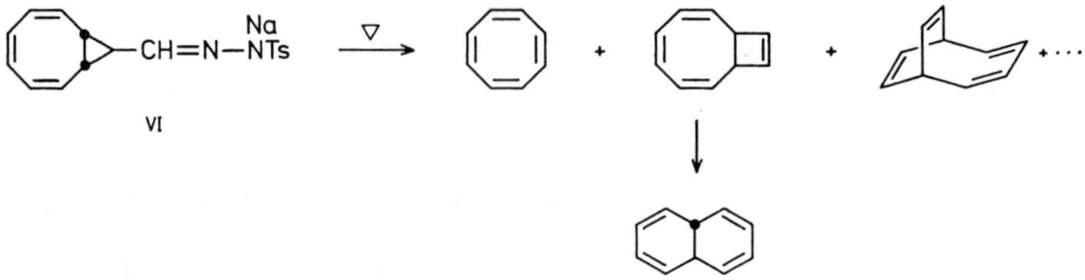

In den Fällen, in denen das entstehende Cyclobuten-Derivat die Bredt'sche Regel verletzen würde, unterbleibt die Cyclopropyl-carben/Cyclobuten-Umlagerung. Als Ausweichreaktion ist dann meist die Zerfallsreaktion in Acetylen und Äthylen bevorzugt. Als typisches Beispiel sei hier die alkalisch-thermische Spaltung des 3-Tosylhydrazono-tricyclo[2.2.1.0^{2,6}]heptans (VII) erwähnt[2]. Unter den alkalischen Reaktionsbedingungen erfolgt zusätzlich eine teilweise Isomerisierung des primär gebildeten *4-Äthinyl-cyclopentens* zu *4-Vinyliden-cyclopenten*:

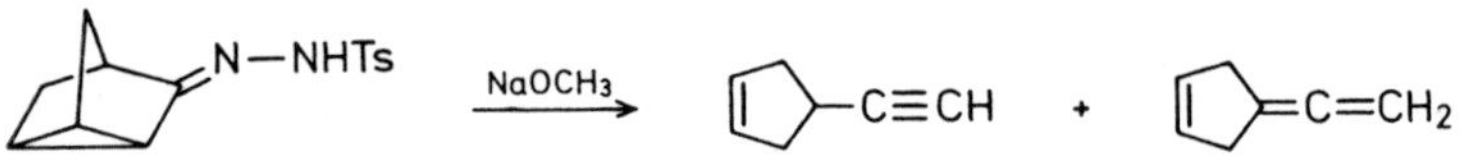

VII

Wie bereits oben erwähnt, kann eine Wasserstoff-Verschiebung mit der Umlagerung bzw. dem Zerfall des Cyclopropyl-carbens konkurrieren. Dies konnte z.B. bei der thermischen Zersetzung des Natriumsalzes des 2-Tosylhydrazono-bicyclo[3.1.0]hexans (VIII) festgestellt werden[3]. Die weiteren Reaktionsprodukte sind wiederum Acetylen- und Allen-Verbindungen:

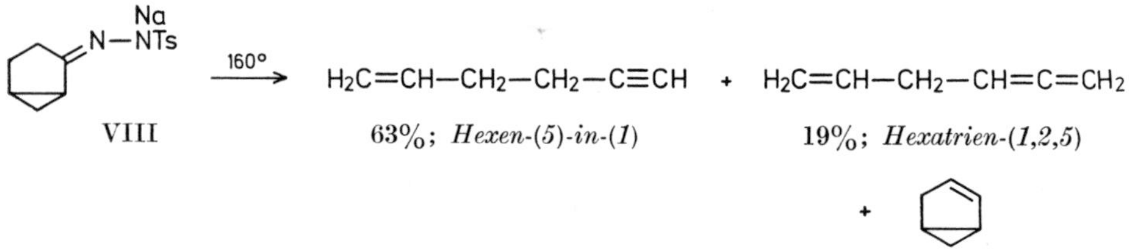

VIII | 63%; *Hexen-(5)-in-(1)* | 19%; *Hexatrien-(1,2,5)* | 17%; *Bicyclo[3.1.0]hexen-(2)*

Die Umwandlung eines tricyclischen Carbens (aus IX) in ein Gemisch isomerer Terphenyle läßt sich gleichfalls auf eine primäre Wasserstoff-Verschiebung, gefolgt von einer raschen Valenzisomerisierung, zurückführen[4] (s. S. 649).

Wie bereits auf S. 646 erwähnt, wird das *Bicyclo[1.1.0]butan* aus dem Cyclopropan-aldehyd-p-tosylhydrazon nicht über das Cyclopropyl-carben gebildet[5–7]. Nach Untersuchungen mit

[1] S. Masamune et al., Am. Soc. **89**, 4804 (1967).
[2] S. J. Cristol u. J. K. Harrington, J. Org. Chem. **28**, 1413 (1963).
[3] P. K. Freeman u. D. G. Kuper, J. Org. Chem. **30**, 1047 (1965).
[4] S. Masamune et al., Tetrahedron Letters **1966**, 193.
[5] L. Friedman et al., Am. Soc. **87**, 659 (1965).
[6] K. B. Wiberg u. J. M. Lavanish, Am. Soc. **88**, 365 (1966).
[7] Vgl. auch: L. Friedman et al., Am. Soc. **88**, 3870 (1966).

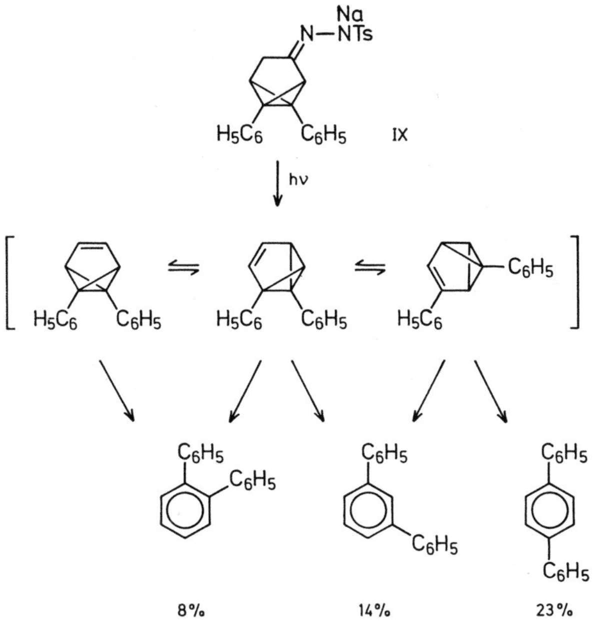

deuteriertem Material scheint der Reaktionsmechanismus nunmehr aufgeklärt zu sein[1]. Durch Erhitzen von deuterium-markiertem Cyclopropan-aldehyd-p-tosylhydrazon (I) in Äthanol in Gegenwart einer bestimmten Menge an Base entsteht ein zu 92% deuteriertes Bicyclobutan (V)[1]. Bei Anwendung eines großen Basenüberschusses wird dagegen infolge H-D-Austausches ein bedeutend weniger deuteriertes Bicyclobutan gebildet. Ein Produkt mit weitgehend ähnlichen Deuterierungsgrad wie das aus I erhaltene fällt an, wenn undeuteriertes Cyclopropan-aldehyd-p-tosylhydrazon mit einem Überschuß an Base in Äthylenglykol-D₂ thermisch behandelt wird; dagegen werden bei geringeren Basenkonzentrationen nur unbedeutende Mengen an V gefunden[1]. Aufgrund dieser Ergebnisse und wegen des sterischen Aufbaues von V (*exo*-ständiges Deuterium) wird angenommen, daß das aus I durch Abspaltung von p-Toluolsulfinsäure entstehende Cyclopropyl-diazomethan (II) leicht einem basen-katalysierten H-D-Austausch unterliegt und in Gegenwart von protonenliefernden Solventien (Alkohol) über die Stufen III und IV zum *2-Deutero-bicyclo[1.1.0]butan* weiterreagiert[1]:

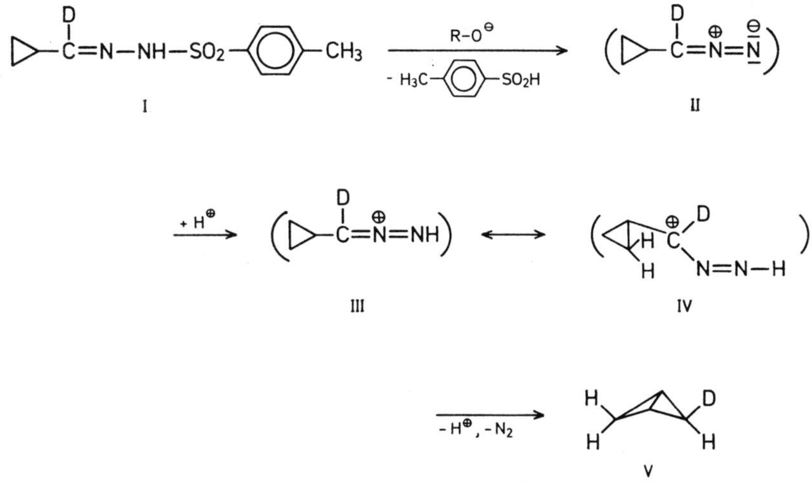

[1] K. B. WIBERG u. J. M. LAVANISH, Am. Soc. **88**, 365 (1966).

II. Ringöffnungsreaktionen ohne weitere Skelett-Umlagerungen

a) ohne Verlust von Kohlenstoff

1. Ringöffnungsreaktionen über Cylcopropylcarbenium-Ionen

Die bekannte Umlagerungsfreudigkeit von Cyclopropylcarbenium-Ionen macht die Reaktionsfolge

Allylalkohol → Cyclopropylcarbinol → Allylcarbinol

zu einem attraktiven Syntheseweg.

Er kann z.B. zur Herstellung von 19-Chlor-steroiden (I) dienen[1]:

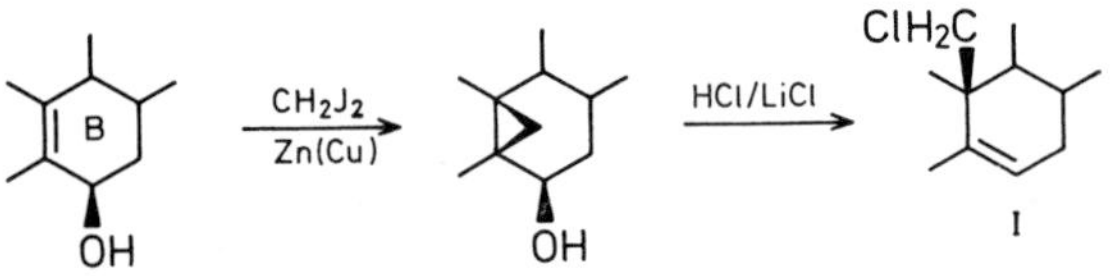

Durch Homoallyl-Umlagerung (s. S. 415 ff.) konnten Ringerweiterungen am 9-Hydroxy-cyclononatrien-(1,3,6) vorgenommen werden, wobei ein stereospezifischer Verlauf nachweisbar war[2]. Auch bei einer *Prostaglandin*-Synthese konnte man sich des gleichen Prinzips erfolgreich bedienen; im entscheidenden Schritt wird aus einem Vinyl-cyclopropan-Derivat II mit Persäure ein 1,2-Dihydroxy-cyclopropan-Derivat gebildet und in ein 1,5-Dihydroxy-penten-(2)-Derivat (III) umgelagert[3,4].

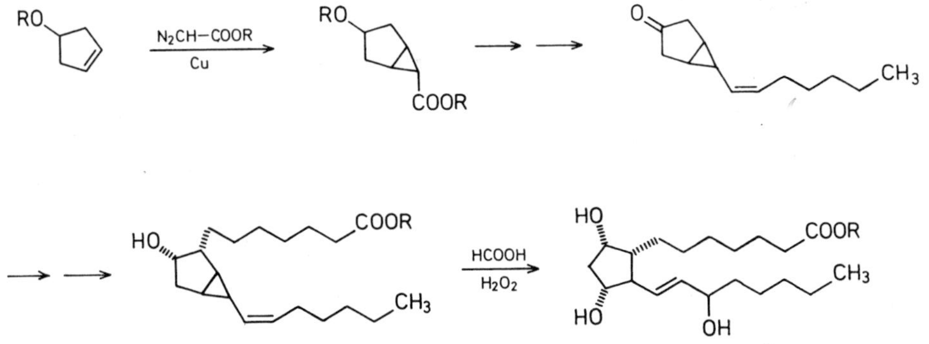

Bei der Synthese des *Tricyclo[3.3.1.0^{4,6}]nonadiens-(2,7)* (IV) („*Barbaralan*", eine Verbindung mit „fluktuierender Struktur", s. S. 527 ff.) erzeugt man das entsprechende Cyclopropylcarbenium-Ion durch eine Desaminierungsreaktion[5]:

[1] R. Ginsing u. A. D. Cross, J. Org. Chem. **31**, 1761 (1966).
[2] S. Winstein et al., Am. Soc. **89**, 6384 (1967).
[3] G. Just u. C. Simonovitch, Tetrahedron Letters **1967**, 2093.
[4] Zur Synthese von *Prostaglandin* E_1 s.auch: U. Axen, F. H. Lincoln u. J. L. Thompson, Chem. Commun. **1969**, 303.
   Zur Synthese der (±)-*Prostaglandine* E_2, $F_{2\alpha}$ und $F_{2\beta}$ vgl. auch: W. P. Schneider, Chem. Commun. **1969**, 304.
[5] U. Biethan, H. Klusacek u. H. Musso, Ang. Ch. **79**, 152 (1967).

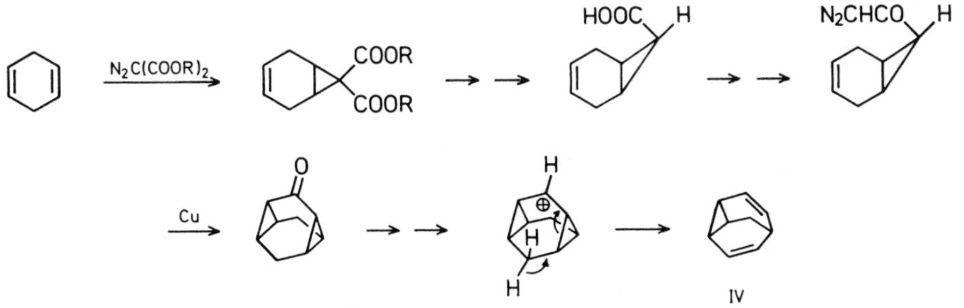

IV

2. Säurekatalysierte Ringöffnungen

Die Protonierung des Cyclopropanringes führt zu Propyl-Kationen und deren Folgeprodukten. Es können sowohl protonenhaltige Säuren[1–3] als auch Lewis-Säuren[4–6] verwendet werden. Die Ringöffnung folgt der Markownikoff-Regel und es bilden sich schließlich die Folgeprodukte der stabilsten Carbenium-Ionen[7–9]:

$$\triangle + HX \longrightarrow H_3C{-}CH_2{-}CH_2{-}X$$

$$\triangle + LiAlH_4 \longrightarrow Al(CH_2{-}CH_2{-}CH_3)_3$$

Tripropyl-aluminium

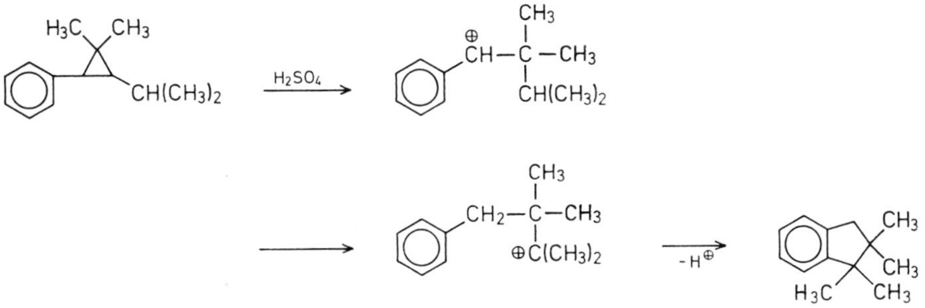

1,1,2,2-Tetramethyl-indan

Derartige Ringspaltungen sind auch im Bereich der Terpene von Interesse gewesen[10]. Mit den Formeln I bis XII sind hier einige Beispiele angeführt:

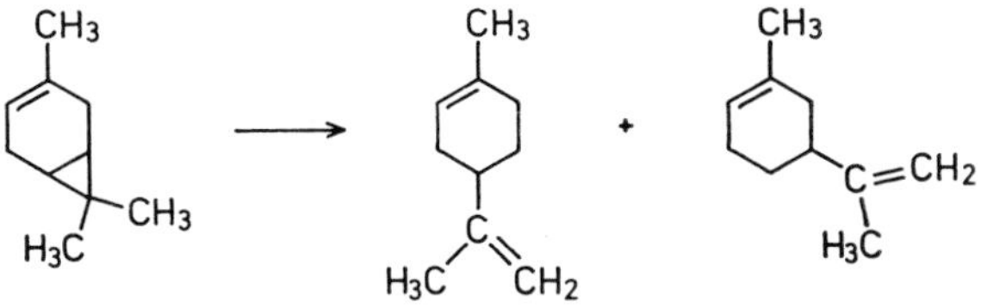

I II III

1-Methyl-4-(bzw. -5)-isopropenyl-cyclohexen-(1)[11]

---

1 C. D. Lawrence u. C. F. H. Tipper, Soc. **1955**, 713.
2 P. S. Skell u. I. Starer, Am. Soc. **82**, 2971 (1960).
3 M. S. Silver, Am. Soc. **82**, 2972 (1960).
4 M. Yanagita, Rika Gaku Kenkynsho (Hokoku) **37**, 349 (1961).
5 C. F. H. Tipper u. D. A. Walker, Chem. & Ind. **1957**, 730.
6 R. Y. Levina, V. N. Kostin u. T. K. Ustynyuk, Ž. obšč. Chim. **30**, 359 (1960); engl.: 383.

(Fortsetzung s. S. 652)

IV
Phyllantol

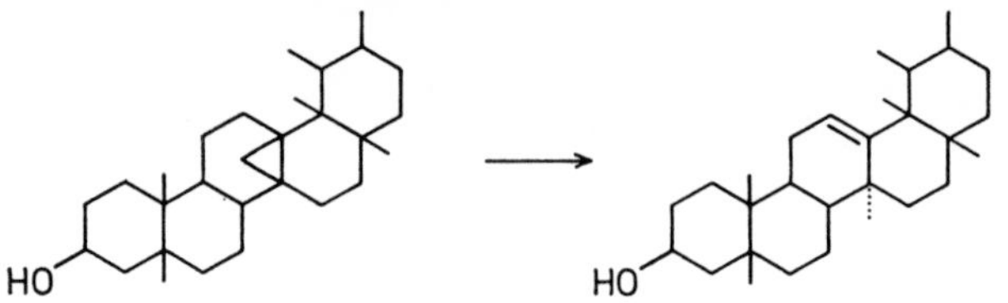

V
α-Amyrin

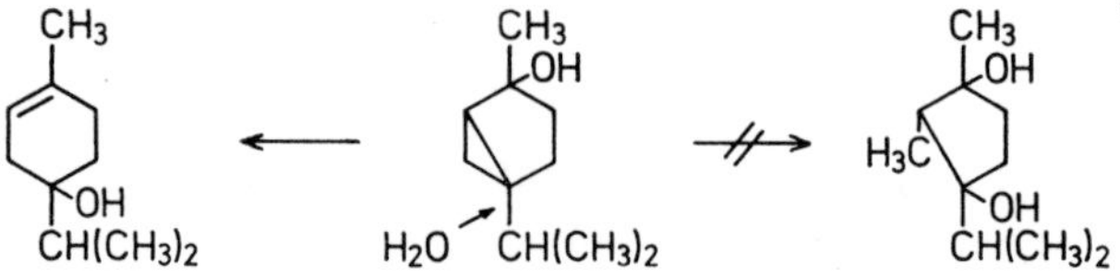

VII; *4-Hydroxy-1-me-
thyl-4-isopropyl-
cyclohexen*

VI

VIII

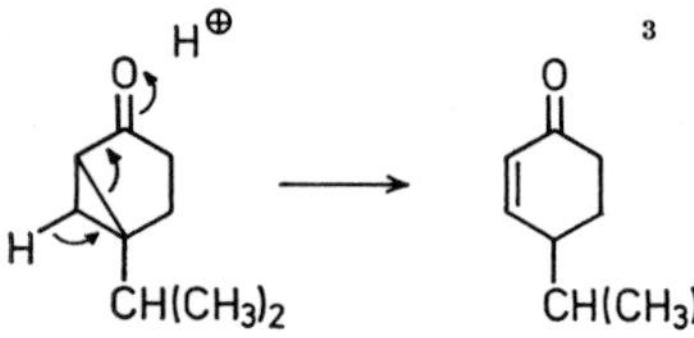

IX

X; *6-Oxo-3-isopropyl-
cyclohexen*

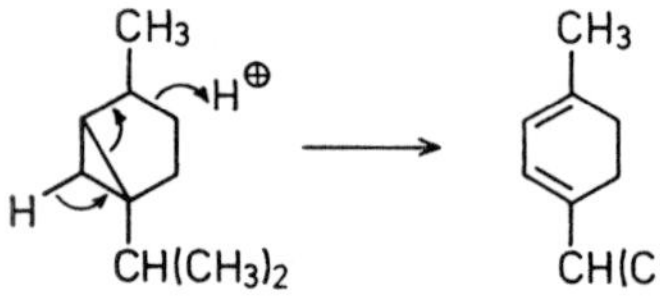

XI

XII; *4-Methyl-1-isopropyl-
cyclohexadien-(1,3)*

Bei der Friedel-Crafts-Reaktion von Cyclopropan mit Benzol in Gegenwart von Aluminiumchlorid wird *Propyl-benzol* erhalten[5]:

$$\triangle \; + \; C_6H_6 \; + \; AlCl_3 \; \longrightarrow \; H_5C_6-CH_2-CH_2-CH_3$$

[1] D. H. R. Barton u. P. de Mayo, Soc. **1953**, 2138.
   D. H. R. Barton et al., Soc. **1954**, 2715.
[2] O. Wallach, A. **360**, 93 (1908).
[3] O. Wallach, A. **359**, 265 (1908).
[4] R. M. Cascoigne, J. Proc. Roy. Soc. N. S. Wales **74**, 359 (1941); C. A. **35**, 2876 (1941).
[5] L. Schmerling, Ind. Eng. Chem. **40**, 2072 (1948).

(Fortsetzung v. S. 651)
[7] D. Davidson u. J. Feldman, Am. Soc. **66**, 488 (1944).
[8] E. P. Kohler u. J. B. Conant, Am. Soc. **39**, 1404, 1699 (1917).
[9] H. Hart u. G. Levitt, J. Org. Chem. **24**, 1261 (1959).
[10] Vgl. R. Breslow in P. de Mayo, „*Molecular Rearrangements*" Vol. II, Interscience Publishers, London 1963.
[11] J. L. Simonsen, Soc. **1920**, 570.

Wird Tricyclo[2.2.1.0²,⁶]heptan (XIII) mit Acetylchlorid in Gegenwart von Aluminiumchlorid umgesetzt, so erhält man *6-Chlor-2-acetyl-bicyclo[2.2.1]heptan* (XIV)[1]:

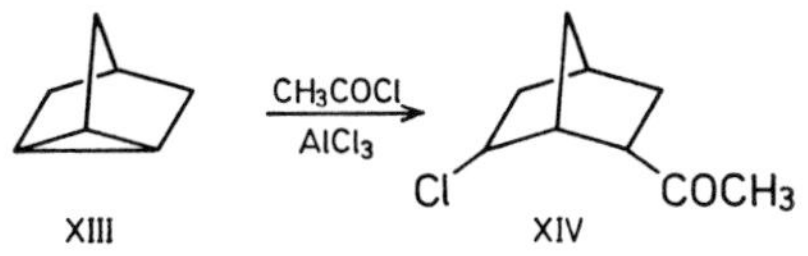

Die Acylierung von Cyclopropan bei Anwesenheit von Aluminiumchlorid führt zu den Isomeren XV und XVI[2,3]:

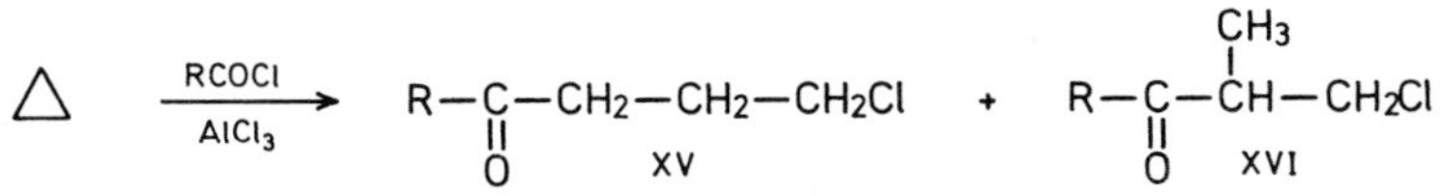

In manchen Reaktionen mit Aluminiumhalogeniden werden jedoch nur polymere Folgeprodukte des Cyclopropans gebildet[4,5].

Ein eingehendes Studium der Stereochemie der säurekatalysierten Spaltung des Tricyclo[2.2.1.0²,⁶]heptans[6] legte die Annahme eines „carbon-bridged"-Bicyclo[2.2.1]heptylcarbenium-Ions als entscheidende Zwischenstufe nahe; „hydrogen-bridged"-Ionen wurden ausgeschlossen.

Es wurden auch die Faktoren untersucht, die die Richtung der säurekatalysierten Spaltung bestimmen, wenn der carbocyclische Dreiring mit größeren Ringen verknüpft ist[7].

Die durch Säuren hervorgerufene Öffnung des Dreiringes kann z.B. zur Einführung angularer Methyl-Gruppen (s. XVII) in Steroide dienen[8,9]:

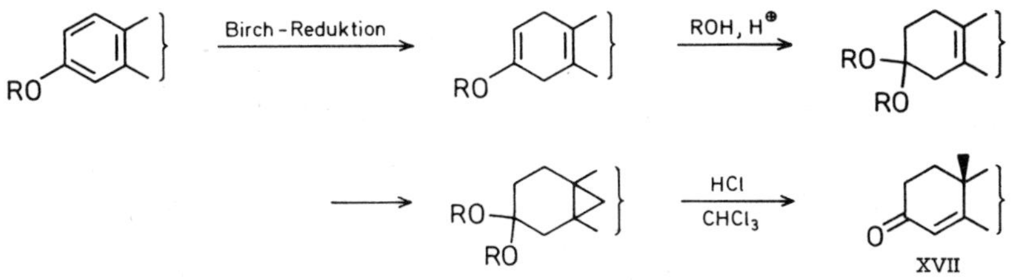

In der Iron-Synthese (XVIII; S. 654)[10] (Gemisch aus 55% *trans-α-Iron*, 30% *cis-α-* und 10% *β-Iron*) schließt sich der durch Phosphorsäure eingeleiteten Öffnung des Cyclopropanringes eine intramolekulare Addition des Carbenium-Ions an:

[1] H. Hart u. R. A. Martin, J. Org. Chem. 24, 1267 (1959).
[2] N. Demjanov, B. 40, 4393, 4961 (1907).
[3] R. Skrabal, M. 70, 420 (1937).
[4] H. Pines et al., Am. Soc. 75, 2315 (1953).
[5] C. F. H. Tipper u. D. A. Walker, Soc. 1959, 1352.
[6] A. Nickon u. J. H. Hammons, Am. Soc. 86, 3322 (1964).
[7] R. T. La Londe u. J. J. Batelka, Tetrahedron Letters 1964, 445.
[8] A. J. Birch et al., Soc. 1964, 3309.
[9] J. J. Sims, J. Org. Chem. 32, 1751 (1967).
[10] A. Eschenmoser et al., Chimia 18, 174 (1964).

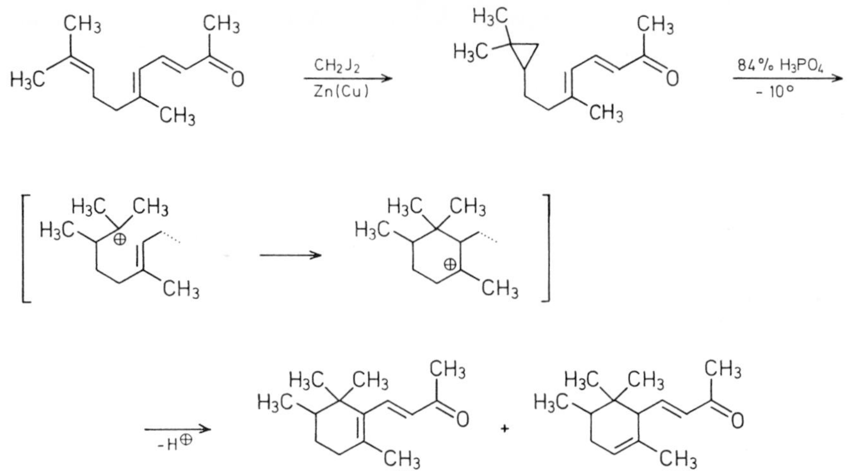

3. Basenkatalysierte Ringöffnungsreaktionen

Bei der Einwirkung von Basen auf Cyclopropan-Verbindungen, die an einem α-ständigen *exo*cyclischen Kohlenstoffatom ein aktiviertes Wasserstoffatom besitzen, können Ringspaltungen nach dem allgemeinen Schema I–IV eintreten. Mit der Möglichkeit derartiger Isomerisierungen ist stets dann zu rechnen, wenn das bei der Ringöffnung entstehende Carbanion resonanzstabilisiert ist:

Eine nach diesem Schema erfolgende basenkatalysierte Spaltung des alicyclischen Dreiringes hat bei der Synthese von 5-Oxo-cycloheptadienen-(1,3) (VI)[1], Oxo-⟨benzo- bzw. -naphtho-cycloheptatrienen⟩[2] sowie 7-Oxo-1,1,5-tri-methyl-cycloheptadien-(1,3)[3] aus 2-Oxo-bicyclo[4.1.0]heptenen-(3)(V) eine präparative Anwendung gefunden. Die Umwandlung der bicyclischen Ketone 2-Oxo-bicyclo[4.1.0]hepten-(3) (V) und 2-Oxo-3,7,7-trimethyl-bicyclo[4.1.0]hepten-(3)[4] in *5-Oxo-cycloheptadien-(1,3)* bzw. *7-Oxo-1,5,5-trimethyl-cycloheptadien-(1,3)* wird bereits durch verdünntes Alkali ausgelöst, während Oxo-⟨benzo- und naphtho-bicyclo [4.1.0]heptene⟩[2] diese Isomerisierung erst beim Behandeln mit Kalium-tert.-butanolat erfahren. Wird *7-Oxo-1,5,5-trimethyl-cycloheptadien-(1,3)* (VII) den Reaktionen unterworfen, die eigentlich zu einer Substitution der Wasserstoffatome der α-stän-digen Methylen-Gruppe führen sollten, dann tritt häufig eine Rückbildung des

---

[1] E. E. van Tamelen u. G. T. Hildahl, Am. Soc. **75**, 5451 (1953); **78**, 4405 (1956).

[2] S. Julia ,Y. Bonnet u. W. Schaeppi, C. r. **243**, 1121 (1956).
S. Julia u. Y. Bonnet, Bl. **1957**, 1340, 1347, 1354.

[3] A. Baeyer, B. **27**, 810 (1894).
O. Wallach, A. **305**, 223, 274 (1899); A. **339**, 94 (1905).

[4] E. E. van Tamelen, J. McNary u. F. A. Lornitzo, Am. Soc. **79**, 1231 (1957).

Bicyclo[4.1.0]hepten-(3)-Systems ein. So erhält man z.B. bei der Oxidation von *7-Oxo-1,5,5-trimethyl-cycloheptadien-(1,3)* mit Selendioxid in Äthanol nicht das zu erwartende 1,2-Diketon, sondern das Hydroxyketon VIII {*5-Hydroxy-2-oxo-3,7,7-trimethyl-bicyclo[4.1.0]hepten-(3)*} sowie das 1,4-Diketon IX {*2,5-Dioxo-3,7,7-trimethyl-bicyclo[4.1.0]hepten-(3)*}[1].

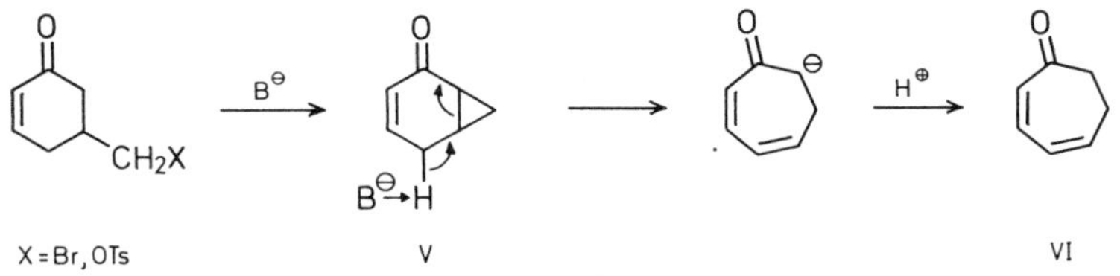

In der älteren Literatur sind zahlreiche weitere Reaktionen beschrieben, die in ihrem Mechanismus der Oxo-bicyclo[4.1.0]hepten/Oxo-cycloheptadien-Isomerisierung entsprechen. Von diesen sei an dieser Stelle nur der Dieckmannsche Ringschluß des 2-(Methoxycarbonyl-methyl)-2-isopropyl-1-methoxycarbonyl-cyclopropans (X) zum *3-Oxo-1-isopropyl-cyclopenten-(1)-2-carbonsäure-methylester* (XI) erwähnt[2]:

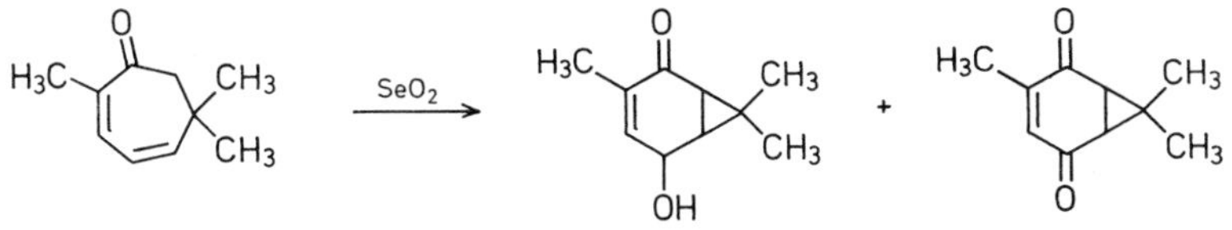

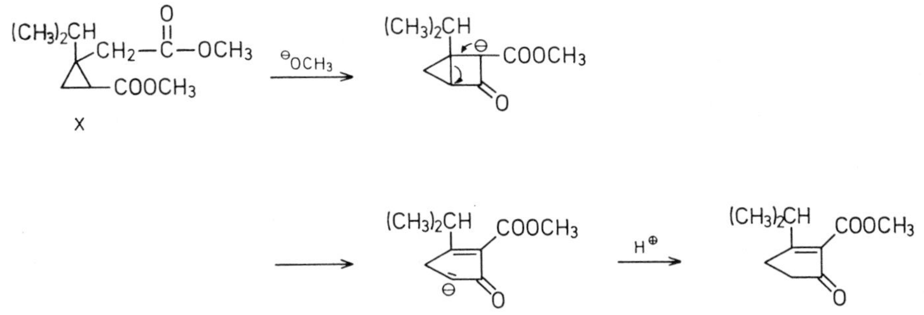

Der Cyclopropanring wird auch durch Metall-Hydride gespalten. Mit den Metall-Hydriden der Elemente der III. Hauptgruppe reagiert Cyclopropan unter Bildung der entsprechenden Tripropyl-Metall-Derivate. Bei der Reaktion mit Lithiumalanat wird *Tripropyl-aluminium* neben Spuren höherer Trialkyl-aluminium-Verbindungen gebildet[3]. *Tripropyl-bor* wird bei der Reaktion mit Diboran bei 95° erhalten[4].

---

[1] E. J. COREY u. H. J. BURKE, Am. Soc. **76**, 5257 (1954).
   J. R. B. CAMPBELL, A. M. ISLAM u. R. A. RAPHAEL, Soc. **1956**, 4096.
   E. J. COREY u. H. J. BURKE, Am. Soc. **78**, 174 (1956).
   E. J. COREY, H. J. BURKE u. W. A. REMERS, Am. Soc. **78**, 180 (1956).
[2] O. WALLACH, A. **388**, 49 (1912).
[3] C. F. H. TIPPER u. D. A. WALKER, Chem. & Ind. **1957**, 730.
[4] W. A. G. GRAHAM u. F. G. A. STONE, Chem. & Ind. **1957**, 1096.

Die Dihalogen-carben-Addukte I von Alkyl-vinyl-äthern geben bei Alkoholyse 2-Halogen-acrolein-acetale (s. S. 631); unter Einwirkung von Alkoholaten entstehen hingegen Acetale des Propargylaldehyds[1]. Analog reagieren Dihalogen-carben-Addukte von Ketenacetalen zu Orthopropiolsäure-triestern[2], wahrscheinlich über Cyclopropen-Zwischenstufen:

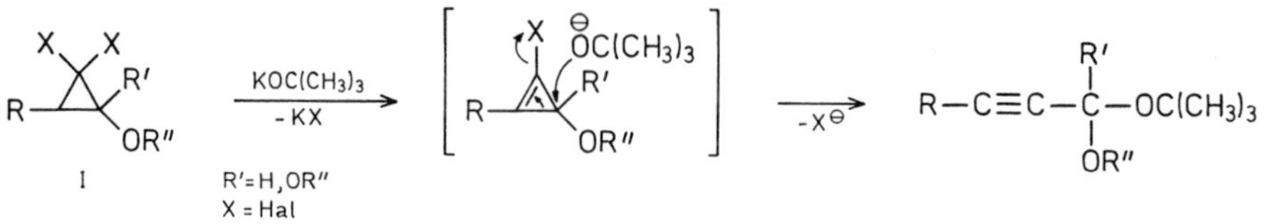

Die Umsetzung von 2,2-Dihalogen-1-acetoxy-cyclopropanen (II) mit Hydrazin zu Pyrazolen[3] verläuft als basische Ringöffnung des Cyclopropanols. Analoges gilt auch für die Reaktion mit Lithiummalanat, bei der 2-Chlor-allyl-alkohole III gebildet werden[4]:

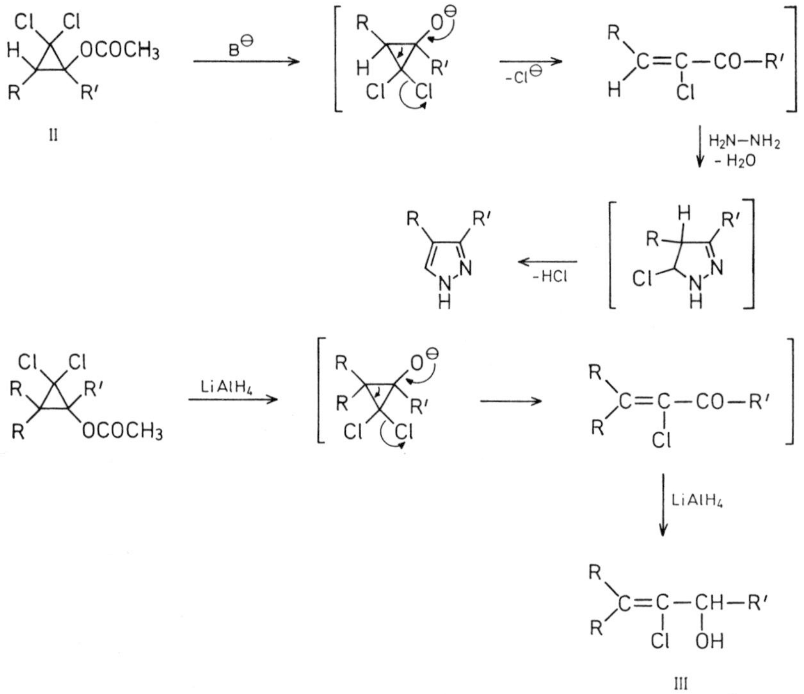

4. Reduktive Ringöffnung von Cyclopropan-Derivaten

Cyclopropan-Verbindungen lassen sich katalytisch – im allgemeinen relativ leicht bei normalen Temperaturen – hydrieren. Es werden die entsprechenden Alkan-Derivate erhalten[5].

[1] A. LEDWITH u. H. J. WOODS, Soc. 1967 (B), 973.
[2] S. M. McELVAIN u. P. L. WEYNA, Am. Soc. 81, 2579 (1959); vgl. a. S. 191.
[3] W. E. PARHAM u. J. F. DOOLEY, Am. Soc. 89, 985 (1967); J. Org. Chem. 33, 1476 (1968).
[4] R. C. DeSELMS, Tetrahedron Letters 1966, 1965.
    R. C. DeSELMS u. T. W. LIN, Tetrahedron 23, 1479 (1967).
[5] S. die Literaturübersicht bei J. NEWHAM, Chem. Reviews 63, 123 (1963).

Bei der Hydrierung unsymmetrisch substituierter Alkyl-cyclopropane wird der Dreiring bevorzugt an der Bindung geöffnet, an deren Kohlenstoffen sich die kleinste Anzahl von Substituenten befindet.

Die katalytische Hydrierung von Phenyl-cyclopropan an Palladium führt zum *Propyl-benzol*[1]. Im Gegensatz dazu erhält man bei der Reduktion mit Metallen in flüssigem Ammoniak aus den Aryl-cyclopropanen die entsprechenden (2,5-Dihydro-aryl)-cyclopropane[2].

Auch bei den halogenierten Cyclopropanen führt die katalytische Hydrierung zur Ringspaltung[3]. Über die reduktive Entfernung der Halogensubstituenten unter Erhalt des alicyclischen Dreiringes wurde bereits auf S. 203 ff. berichtet[4].

Die katalytische Hydrierung von Acetyl-cyclopropan in Gegenwart von Metallen der VIII. Gruppe führt hauptsächlich zu den Produkten der Ringspaltung[5]. Bei Verwendung von Zink- oder Zink/Kupfer-Katalysatoren wird jedoch selektive Reduktion an der Carbonyl-Gruppe beobachtet[6].

Durch katalytische Hydrierung – z.B. mit Platin(IV)-oxid in Eisessig bei 50° – werden Alkyl-cyclopropane bevorzugt an der Bindung geöffnet, die die kleinste Anzahl von Substituenten trägt.

In vielen Fällen konnte man von dieser Eigenschaft für präparative Zwecke Gebrauch machen. So wurden die auf anderem Wege nur sehr schwer zugänglichen *1-* und *2-tert.-Butyl-adamantane* aus den entsprechenden Isopropenyladamantanen(I) durch Cyclopropanierung (nach Simmons-Smith) und anschließender Ringöffnung mit guter Ausbeute synthetisiert[7]:

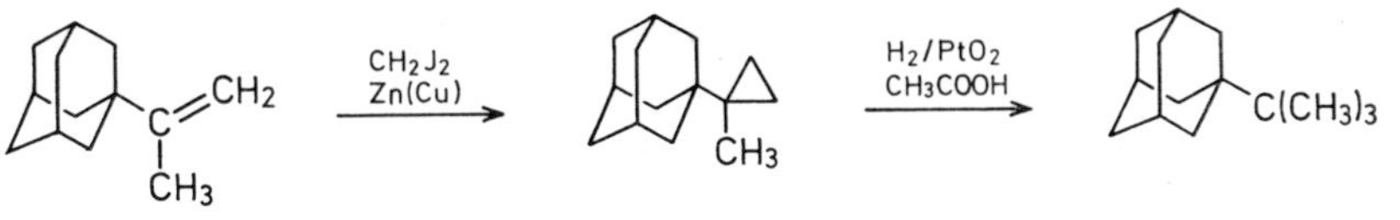

An dieser Stelle sei noch eimnal an das Syntheseprinzip der intramolekularen Addition von Keto-carbenoiden (s. S. 363 ff.) an C=C-Bindungen, gefolgt von einer reduktiven Öffnung des Cyclopropanringes (IV bzw. V, S. 658), erinnert. Hierbei bleibt die Carbonyl-Gruppe erhalten[8,9]:

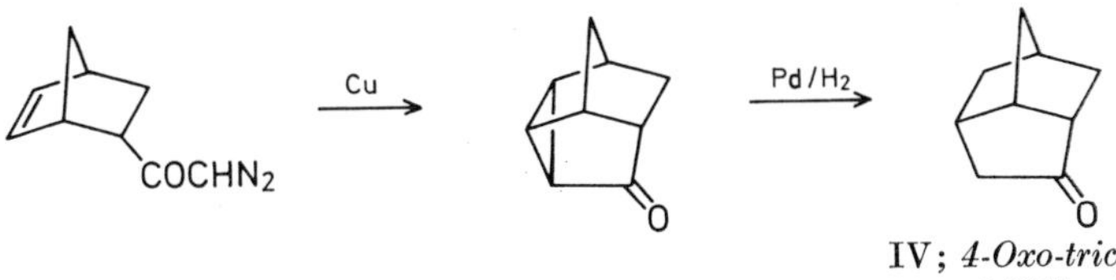

IV; *4-Oxo-tricyclo[4.2.1.0³,⁷]nonan*

[1] B. A. Kazanskii et al., Izv. Akad. Nauk SSSR **1958**, 102; C. A. **52**, 11764^{d} (1958).

[2] R. Y. Levina et al., Ž. obšč. Chim. **30**, 3502 (1960); engl.: 3473; **31**, 829 (1961); engl.: 762; C. A. **55**, 19831^{d}, 25809^{c} (1961).

[3] W. v. E. Doering u. A. K. Hoffmann, Am. Soc. **76**, 6162 (1954).

[4] Vgl. auch zur Reduktion geminaler Halogen-fluor-cyclopropane mit Tributyl-zinnhydrid T. Ando et al., J. Org. Chem. **35**, 33 (1970).

[5] B. A. Kazanskii et al., Izv. Akad. Nauk SSSR **1957**, 1401; C. A. **52**, 7163^{c} (1958).

[6] L. K. Freidlin, Izv. Akad. Nauk SSSR **1959**, 2237; C. A. **54**, 10882^{i} (1960); Doklady Akad. Nauk SSSR **131**, 1109 (1960); C. A. **54**, 20983^{f} (1960).

[7] C. W. Woodworth, V. Buss u. P. v. R. Schleyer, Chem. Commun. **1968**, 569.

[8] A. Nickon et al., Am. Soc. **87**, 1613, 1615 (1965).

[9] J. Altman et al., Tetrahedron Letters **1967**, 757.

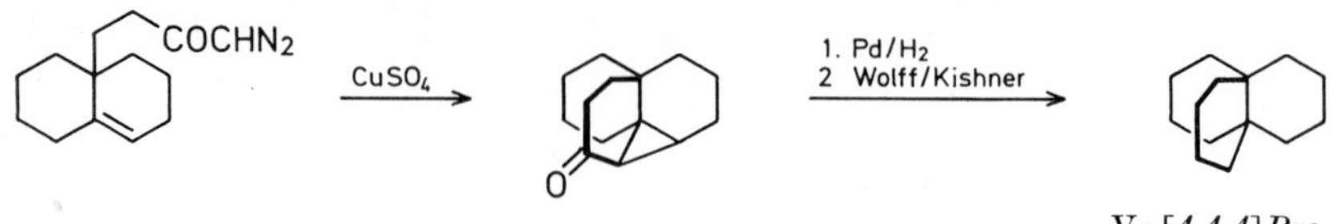

V; [4.4.4]Pro-
pellan

Ähnlich wie bei den tert.-Butyl-adamantanen benutzte man die reduktive Ringöffnung bei einer Synthese des Sesquiterpens β-*Himachalen* zum Aufbau der geminalen Dimethyl-Gruppierung[1].

Bei der Reduktion von Cyclopropancarbonsäureestern (VII) mit metallischem Lithium in tert.-Butanol/fl. Ammoniak tritt außer der Ringöffnung auch
Reduktion zum Alkohol ein. Die mit den Formeln VI bis VIII dargestellte
Reaktionsfolge stellt derzeit wohl die beste Methode zur Einführung von Brücken-
kopf-Substituenten in ein *trans*-verknüpftes Perhydroindan-System dar[2]:

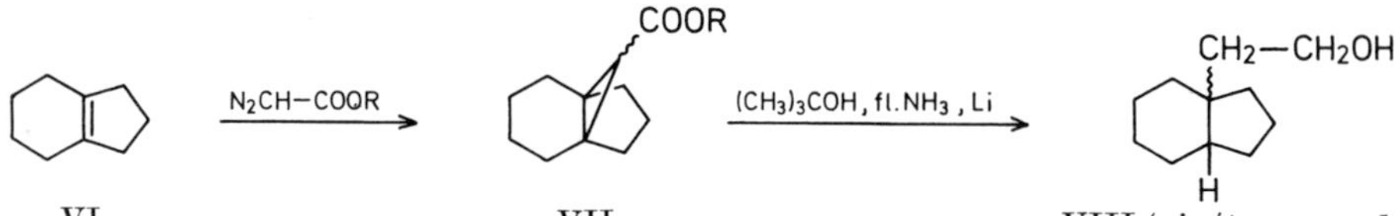

VI   VII   VIII (cis/trans = 1:4)
                                                         1-(2-Hydroxy-äthyl)-bicyclo
                                                         [4.3.0]nonan

Mit Lithium in flüssigem Ammoniak ließen sich beim Dibrom-carben-Addukt des
3-Methoxy-17,17-äthylendioxy-östradien-(2,5^{10})(IX) gleichzeitige En-
halogenierung und reduktive Ringöffnung erreichen[3].

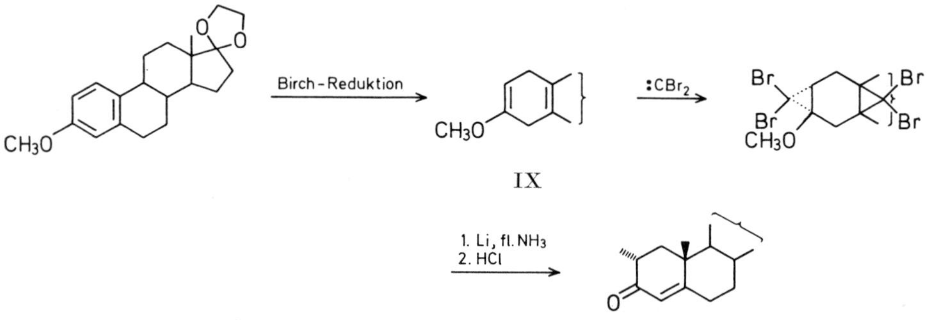

IX

3,17-Dioxo-2α-methyl-
androsten-(4)

Bei der Hydrierung der α-Cyclopropyl-ketone I, III, VII und X (S. 659) an
Palladium-Kohle, bei der eine der Carbonyl-Gruppe benachbarten cyclischen Bindungen gespalten wird, spielen drei Faktoren eine wichtige Rolle[4]. Bei der Hydrierung
der nicht starren Ketone, z.B. I bzw. V zu den Alkylketonen II und den Oxo-alkyl-
cycloalkanen VI (Ausbeuten zwischen 82 und 90% d.Th.) ist die Carbonyl-Gruppe
der bestimmende Faktor; bei den starren Ketonen, wie z.B. III zu den an C-3 sub-

---

[1] P. DE MAYO et al., Chem. Commun. **1967**, 704.

[2] H. O. HOUSE u. C. J. BLANKLEY, J. Org. Chem. **33**, 47 (1968).

[3] A. J. BIRCH et al., Soc. **1964**, 3309.

[4] R. FRAISSE-JULLIEN et al., Bl. **1968**, 4444.

stituierten Ketonen IV (85% d.Th. für n = 2), ist der stereoelektronische Effekt dominierend, und bei der katalytischen Hydrierung des Ketons VII zum 20/80-Gemisch aus dem *8-Oxo-1-methyl-bicyclo[4.3.0]nonan* (VIII) und dem *2-Oxo-dekalin* (IX) ist der Spannungseffekt vorherrschend.

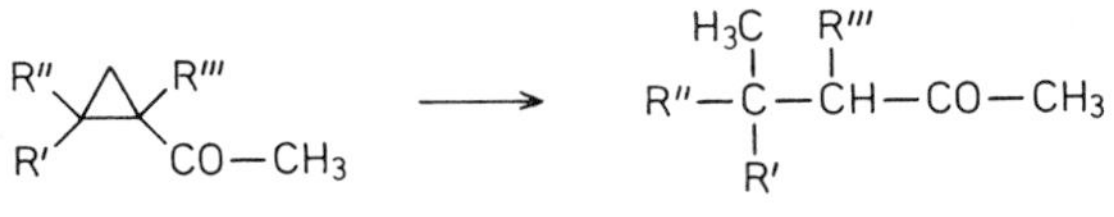

R', R'' = CH₃, H;
R''' = H, C₆H₅

IV; n = 2; *3-Oxo-1-methyl-cyclopentan*
n = 3; *3-Oxo-1-methyl-cyclohexan*

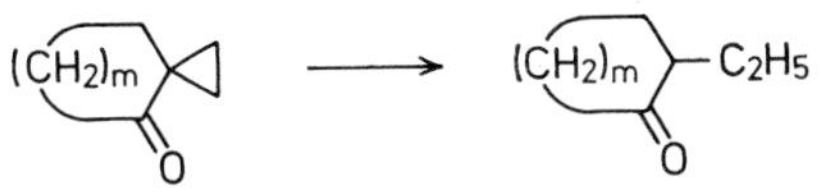

VI; m = 3; *2-Oxo-1-äthyl-cyclohexan*
m = 4; *2-Oxo-1-äthyl-cycloheptan*

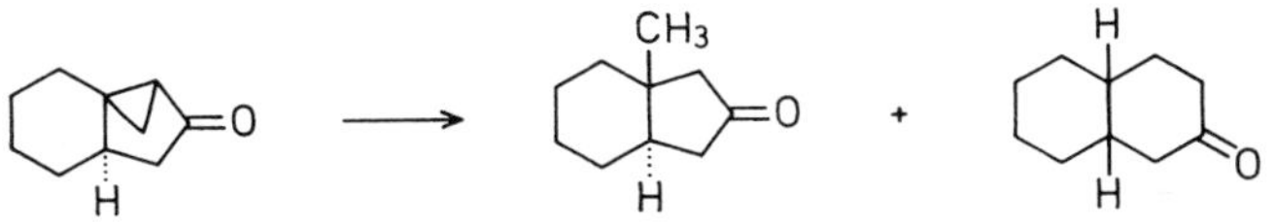

Ketone mit einer benzylischen Carbonyl-Gruppe, z.B. X, lassen sich leichter hydrieren und geben Alkohole (z.B. XI; *2-Hydroxy-1,1a,2,6b-tetrahydro-⟨cyclopropa-[a]-inden⟩*, 85% d.Th.)[1]. Eine diese Argumentationen weitgehend bestätigende Rangordnung der relativen Hydrierungsgeschwindigkeit konnte aufgestellt werden[1].

Die Reduktion von Cyclopropyl-ketonen XII (S. 660) durch Lithium in flüssigem Ammoniak ist an mehreren Beispielen studiert worden[2,3]. Im Gegensatz zur katalytischen Hydrierung (s. oben) ist die Reduktion mit Lithium/flüssigem Ammoniak nicht spezifisch und führt zum 40/60-Gemisch aus den beiden Alkylketonen XIII und XIV (*4-Oxo-2,2-dimethyl-pentan* bzw. *5-Oxo-2-methyl-hexan*; S. 660). Stereospezifisch ist dagegen die Reduktion des Oxo-tricyclodecens XV, die nur zum *4-Oxo-tricyclo[4.4.0.0¹,³]decan* (XVI) und nach weiterer Reduktion mit Lithium

[1] R. Fraisse-Jullien et al., Bl. **1968**, 4444.
[2] R. Fraisse-Jullien u. C. Frejaville, Bl. **1968**, 4449.
[3] Vgl. auch: T. Norin, Acta Chem. Scand. **19**, 1289 (1965); danach wird diejenige Bindung gespalten, die eine maximale Überlappung mit dem π-Orbital der Carbonyl-Gruppe zeigt.

in flüssigem Ammoniak zum *8-Oxo-1-methyl-bicyclo[4.3.0]nonan* (XVII) führt[1]. Im Vergleich zur katalytischen Hydrierung (s. S. 658, 659) zeigt sich bei der Reduktion von XVIII mit Lithium/flüssigem Ammoniak zum *Tetralin* (XIX) und *1-Tetralon* (XX) eine Bevorzugung der Spaltung des Cyclopropanringes. Die Reduktion der Cyclopropyl-ketone, z.B. von XXI, durch Lithium und Deutero-propylamin in Phosphorsäure-tris-[dimethylamid] (Protonierung des intermediären Carbanions durch das Propylamin) ist ein Weg zur Herstellung γ-monodeuterierter Ketone, z.B. *5-Deutero-2-oxo-3-phenyl-pentan* (XXII)[1].

XII XIII XIV

XV XVI XVII

XVIII XIX XX

XXI XXII

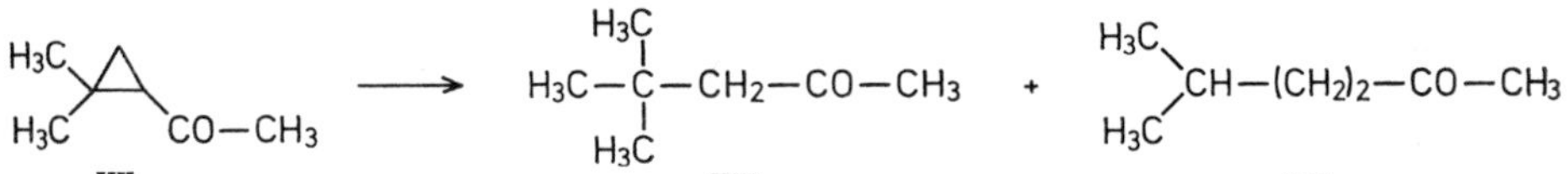

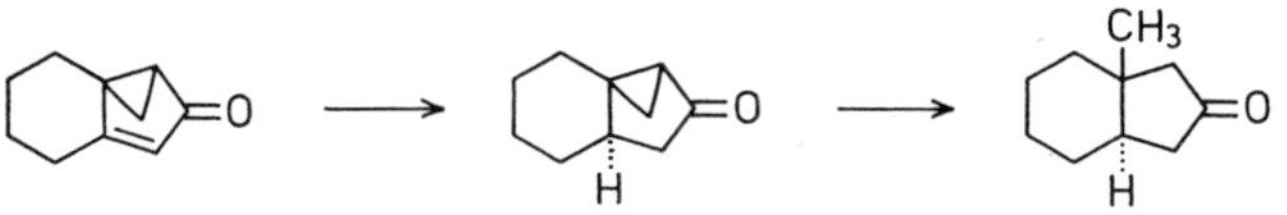

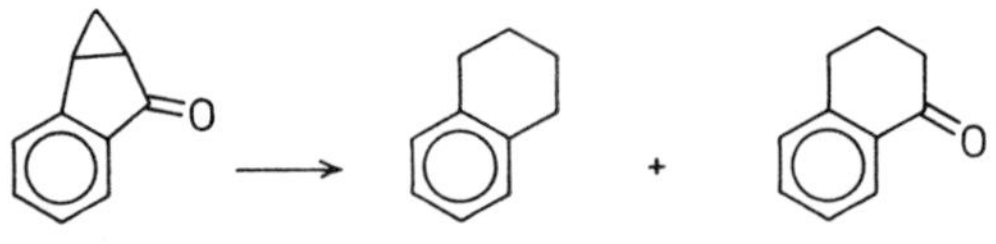

5. Oxidative Ringöffnungen

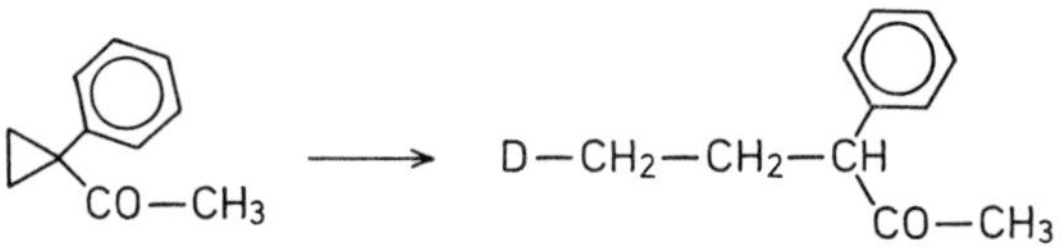

7-Carboxy-bicyclo[4.1.0]heptadiene (z.B.: XXIII) werden durch Blei(IV)-acetat unter Ringöffnung zu Tropon-Derivaten oxidativ decarboxyliert[2]:

XXIII

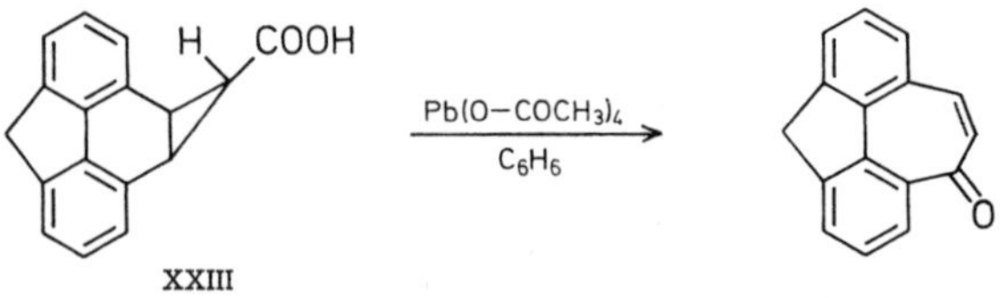

8-Oxo-4,8-dihydro-⟨cyclohepta-[d, e, f]-fluoren⟩; 26% d. Th.

b) Spaltung von Cyclopropanen unter Abspaltung von Carbenen

Eine Cyclopropan-Spaltung in Olefin und Carben – die Umkehrung der Carben-Addition an Olefine – gelingt durch Belichtung unter bestimmten Reaktionsbedingungen. Da Cyclopropane sehr kurzwellig absorbieren, wurden meist Aryl-cyclo-

[1] R. Fraisse-Jullien u. C. Frejaville, Bl. **1968**, 4449.

[2] R. Munday u. I. O. Sutherland, Chem. Commun. **1967**, 569.

propane für die Photolyse verwendet. So liefert die Photolyse von **Phenyl-cyclo-propan** oder **1a,9b-Dihydro-1H-⟨cyclopropa-[l]-phenanthren⟩ (I)** *Methylen*, das die gleiche Reaktivität wie aus Diazomethan erzeugtes aufweist (nahezu statistische Insertion in C—H-Bindungen, konkurrierende Insertion und Addition mit Cyclohexen, Benzol usw.)[1]:

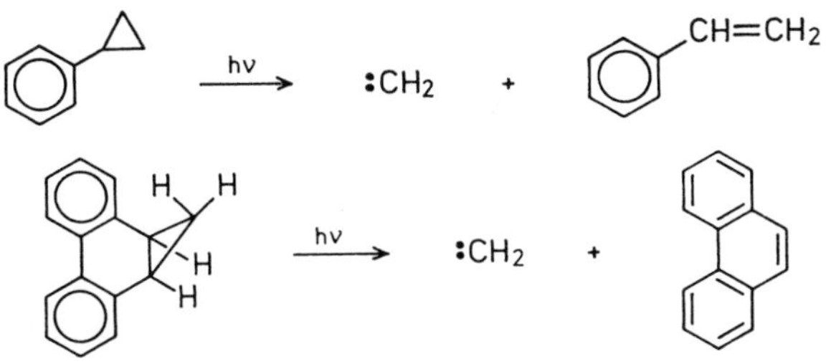

Ganz analog zerfällt **1,1,2,2-Tetraphenyl-cyclopropan (II)** bei Belichtung in *Diphenyl-carben* und *1,1-Diphenyl-äthylen* (50% d.Th.), **1,1,2,3-Tetraphenyl-cyclopropan** in *Diphenyl-carben* **(III)** und *Stilben* (40% d.Th.) und **1,1,2-Triphenyl-cyclopropan** in *Diphenyl-carben* und *Styrol* (Ausbeute zwischen 7 und 10%)[2]. Das entstandene Diphenyl-carben **(III)** wurde jeweils durch seine Wasserstoff-Abstraktion und anschließender Dimerisierung der entstehenden Radikale unter Bildung von **1,1,2,2-Tetraphenyl-äthan** und durch die Reaktion mit Methanol zu Benzhydryläther nachgewiesen (hierauf beziehen sich die obigen Ausbeuteangaben):

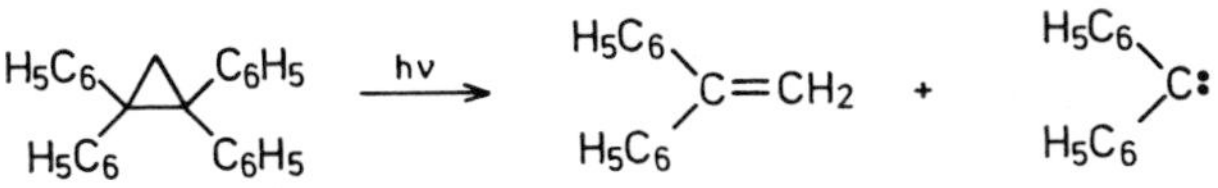

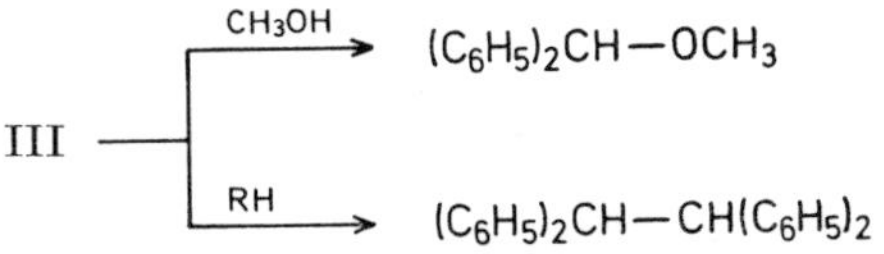

Weniger glatt verläuft hingegen die Photolyse von **1,2-Diphenyl-cyclopropan**: die Bildung von Methyl-benzyl-äther und die Addition von *Phenyl-carben* an 2-Methyl-buten-(1) erfolgen hier nur mit 6% Ausbeute[2].

Die Belichtung von **2,2-Dichlor-1-phenyl-cyclopropan (IV)** in Gegenwart von Olefinen führt zu einer **Dichlor-carben-Übertragung** mit Ausbeuten zwischen 9 und 15%[3]:

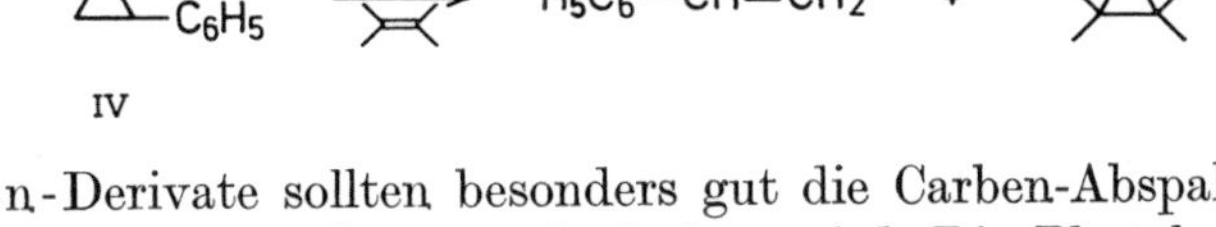

Norcaradien-Derivate sollten besonders gut die Carben-Abspaltung eingehen, da hierbei der aromatische Ring zurückerhalten wird. Die Photolyse von **Tropi-liden** liefert jedoch kein Methylen[1], da keine meßbare Gleichgewichtskonzentration

---

[1] D. B. RICHARDSON et al., Am. Soc. **87**, 2763 (1965).

[2] G. W. GRIFFIN et al., Chem. & Ind. **1966**, 1562.

[3] M. JONES et al., Am. Soc. **88**, 3167 (1966).

an Norcaradien vorliegt (s. S. 509ff.). Bei der Belichtung von 7-Dimethylamino-cyclo-heptatrien wurde eine formale Übertragung von *Dimethylamino-carben* in Ausbeuten zwischen 5 und 8% beobachtet[1].

7,7-Dicyan-bicyclo[4.1.0]heptadien[2] sowie verschiedene 1a,7b-Dihydro-1H-⟨cyclopropa-[a]-naphthaline⟩[2,3] zeigen unter Photolysebedingungen typische Carben-Folgereaktionen; z.B. Insertion von *Dicyan-carben* in die C—H-Bindungen von 2,3-Dimethyl-butan. In manchen Fällen konkurriert eine Photoisomerisierung mit der Carben-Abspaltung[2]:

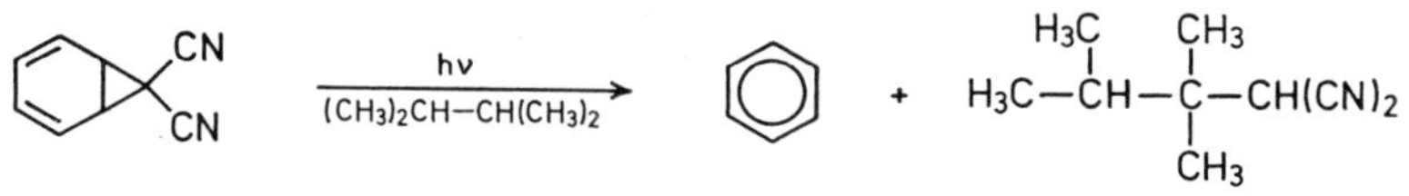

CN
CN
hν
(CH3)2CH—CH(CH3)2
+
H3C CH3
H3C—CH—C—CH(CN)2
CH3

2,3-Dimethyl-butyl-(2)-malonsäure-dinitril; 27%

+
H3C
H3C—CH—CH—CH2—CH(CN)2
CH3

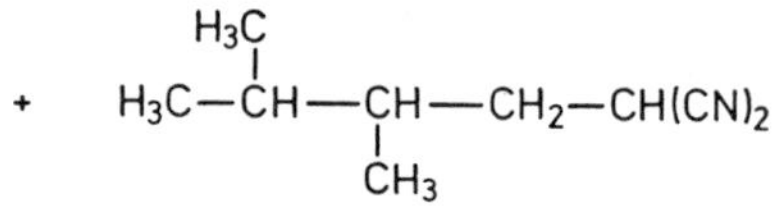

2,3-Dimethyl-butyl-malonsäure-dinitril; 27%

NC
CN
hν
+
CH(CN)2
+
NC CN

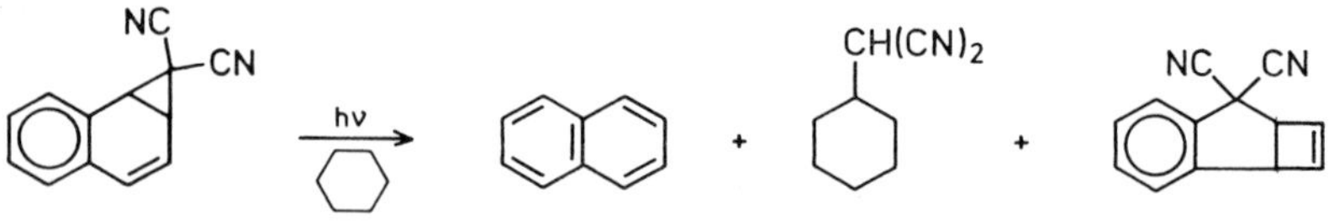

Naphthalin; 22% *Cyclohexyl-malonsäure-dinitril*; 22% *7,7-Dicyan-2a,7a-dihydro-7H-⟨cyclobuta-[a]-inden⟩*; 44%

hν
+

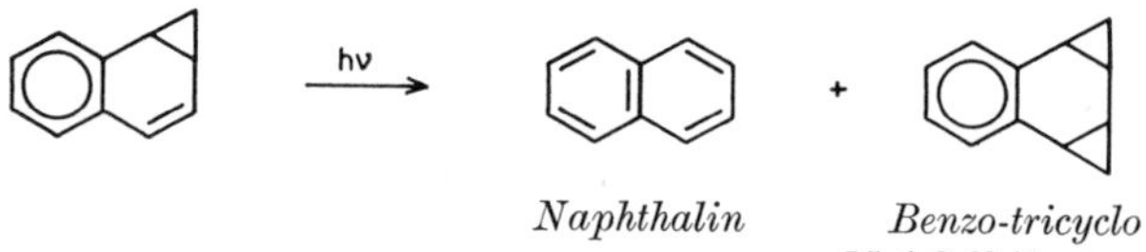

Naphthalin *Benzo-tricyclo [5.1.0.0*[2,4]*]octen-(5)*

Beim Erhitzen auf Temperaturen zwischen 160 und 200° werden Fluor-cyclopropane vom Typ IV in *Difluor-carben* und Olefine gespalten[4]. 1,1,2,2-Tetrafluor-cyclopropan spaltet Difluor-carben erst oberhalb 200° langsam ab:

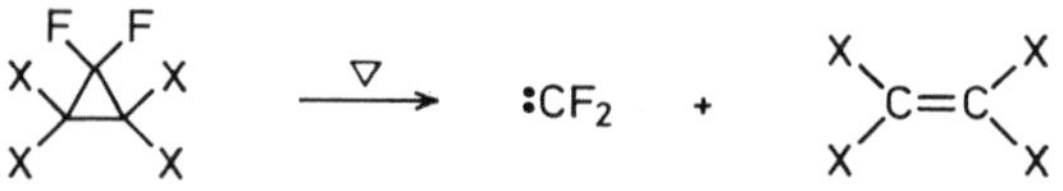

F F
X X
X X
∇
:CF2
+
X X
C=C
X X

IV, X = Cl, F

---

[1] H. Kloosterziel et al., R. **85**, 774 (1966).
[2] E. Ciganek, Am. Soc. **89**, 1458 (1967).
[3] M. Pomerantz u. G. W. Gruber, Am. Soc. **89**, 6798 (1967).
[4] R. N. Haszeldine et al., Chem. Commun. **1967**, 287.

III. Spezielle Reaktionen von Cyclopropanen

a) von 1,1-Dibrom-cyclopropanen in Gegenwart von Aromaten

3,3-Dibrom-1,1,2,2-tetramethyl-cyclopropan (I) liefert bei der Behandlung mit Aluminiumchlorid zunächst die Stufe eines Carbenium-Ions II, das mit Benzol (III) über die Zwischenstufen IV und V zum *1,1,2,3-Tetramethyl-inden* (VI) führt[1]. Diese Reaktion ist allgemeiner Natur. So entsteht mit Toluol (VII) ein Gemisch aus 70% *1,1,2,3,5-* (VIII) und 30% *1,1,2,3,6-Pentamethyl-inden* (IX), während aus o-Xylol (X, S. 664) im wesentlichen *1,1,2,3,5,6-* (XI) und *1,1,2,3,6,7-Hexamethyl-inden* erhalten werden[1]. Auch auf andere Dibrom-cyclopropane läßt sich diese Reaktion übertragen. 2,2-Dibrom-1,1-dimethyl-cyclopropan (XII, S. 664) und Benzol führt zum *2,3-Dimethyl-inden* (XIV), 3,3-Dibrom-1,1,2-trimethyl-cyclopropan (XV) zum *1,2,3-Trimethyl-inden* (XVI) und 2,2-Dibrom-1-phenyl-cyclopropan (XVII) zum *3-Phenyl-inden* (XVIII)[1]:

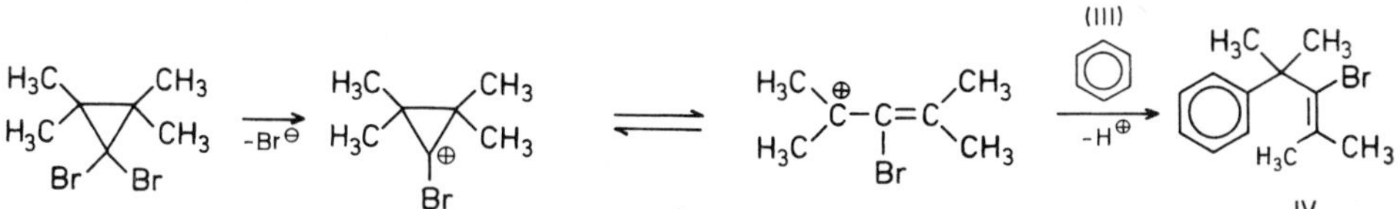

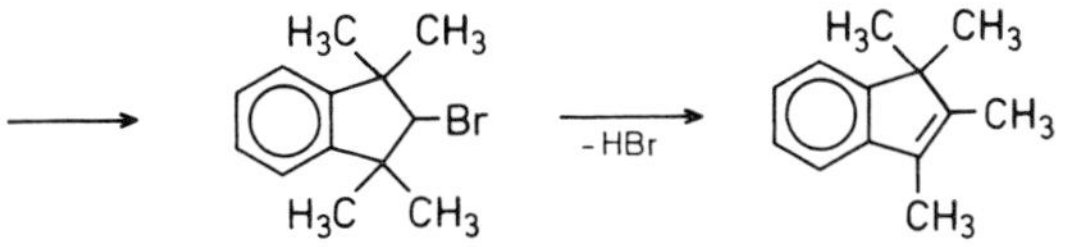

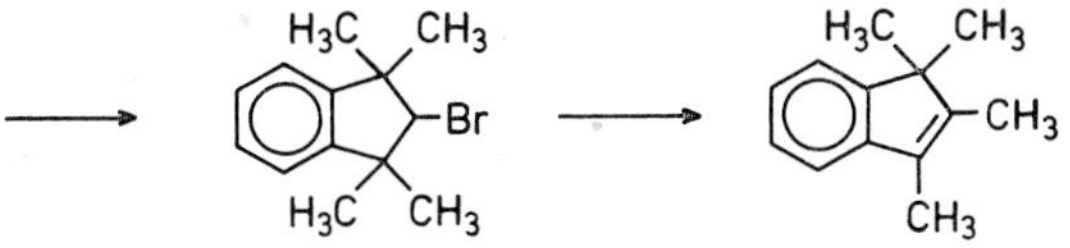

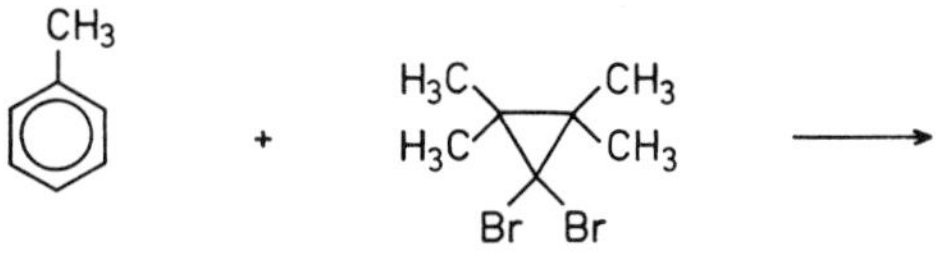

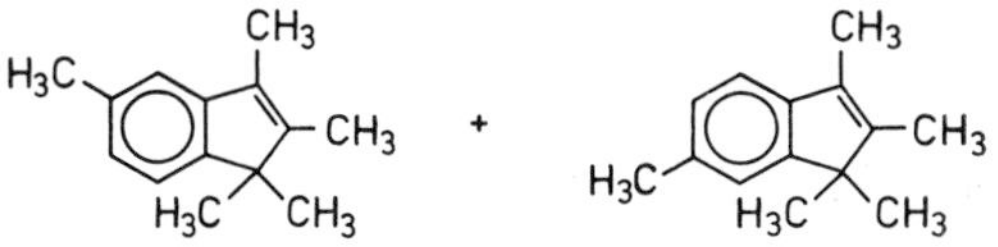

---

[1] L. SKATTEBØL u. B. BOOULETTE, J. Org. Chem. **31**, 81 (1966).

X XI XII

XIII XIV

XV XVI

XVII XVIII

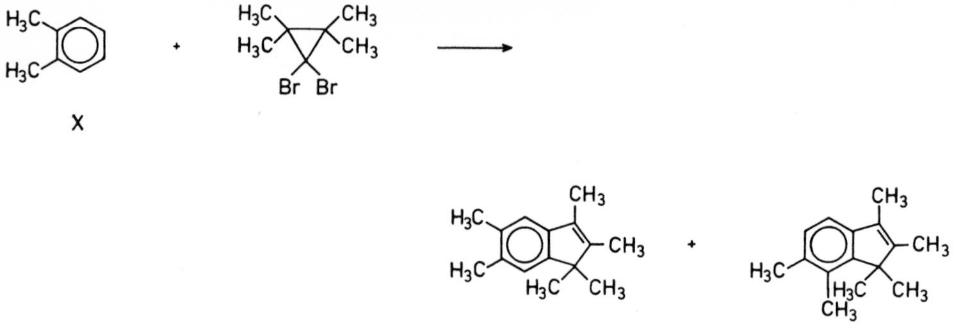

b) Zur Hunsdiecker-Reaktion

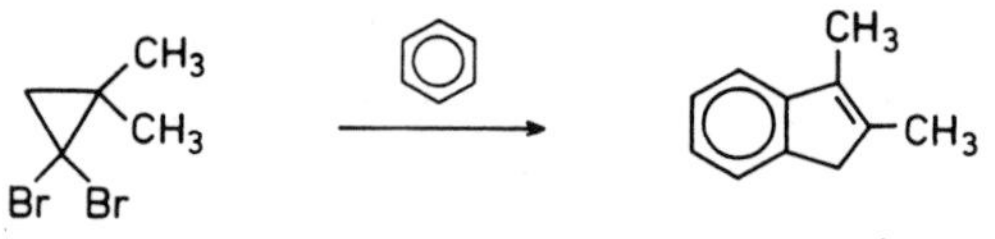

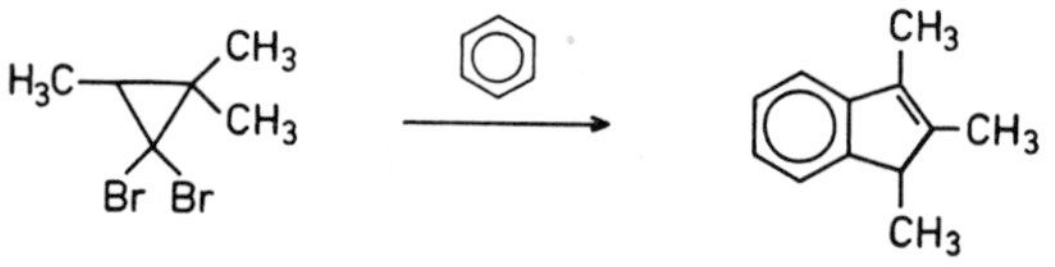

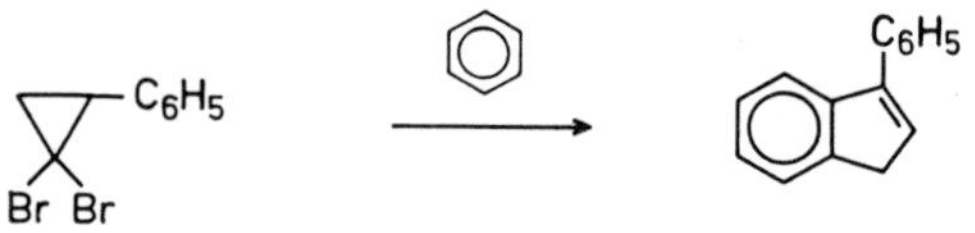

Die Hunsdiecker-Reaktion ist ebenfalls bei entsprechenden Cyclopropan-Derivaten untersucht worden[1]. *Brom-cyclopropan* kann so aus dem Silbersalz der Cyclopropancarbonsäure erhalten werden[1]. Bei Anwendung der Hunsdiecker-Reaktion auf *cis-* und *trans-*2-Methyl-cyclopropancarboxylat ergab sich eine nicht-stereospezifische Reaktion[2].

c) Umlagerungen von Cyclopropanen über freie Radikale

Wie bereits an anderen Stellen erwähnt, spielen auch die Umlagerungen eine wichtige Rolle, für die angenommen werden muß, daß freie Radikale als entscheidende Zwischenstufen durchlaufen werden. So wird die Photochlorierung[3] von Cyclopropan und auch die Dampfphasen-Nitrierung[4] auf einen Radikal-Prozeß zurückgeführt. Auch die oben erwähnte Hunsdiecker-Reaktion[1]

---

1 J. D. Roberts u. V. C. Chambers, Am. Soc. **73**, 3176 (1951).
2 D. E. Applequist u. A. H. Peterson, Am. Soc. **82**, 2372 (1960).
3 J. D. Roberts u. P. H. Dirstine, Am. Soc. **67**, 1281 (1945).
4 H. B. Haas u. H. Shechter, Am. Soc. **75**, 1382 (1953).

und die **Pyrolyse des Anhydrids der Cyclopropan-percarbonsäure**[1] sind als Radikalreaktionen zu betrachten. Bei bestimmten Temperaturen werden dann zusätzliche Umlagerungen des primär gebildeten Radikals beobachtet; es kommt schließlich zur Bildung von **allylischen** Verbindungen[2].

d) Umwandlung von Cyclopropanonen

1. Reaktionen unter Ringspaltung und Cycloadditionen

Im Hinblick auf den Mechanismus der **Faworski-Umlagerung**[3] waren insbesondere die Reaktionen von Cyclopropanonen mit **starken Basen** von Interesse. Für die Umlagerung von α-Halogen-ketonen in Carbonsäureester war seit langem eine symmetrische Zwischenstufe angenommen worden, die als Cyclopropanon[3] oder ein mesomeres Zwitterion[3,4] formuliert wurde.

Als mögliche Zwischenstufe der **Faworski-Umlagerung** ist auch ein Cyclopropanon-Hemiketal bzw. dessen Anion diskutiert worden[5]. Die Problematik der **Faworski-Umlagerung** liegt insbesondere in der Tatsache, daß die Reaktionsbedingungen die Stereochemie und die Natur der gebildeten Produkte weitgehend kontrollieren können[3,5,6]. Es liegen Beweise vor, daß die intermediäre Bildung eines Cyclopropanons und die stereospezifische **Faworski-Umlagerung** in (heterogenen) nichtpolaren Medien wie Äther oder 1,2-Dimethoxy-äthan begünstigt ist[5,6]. Andererseits legen Ergebnisse nahe, daß die Bildung einer zwitterionischen Zwischenstufe und die nichtstereospezifische **Faworski-Umlagerung** in polaren Medien wie etwa Methanol bevorzugt ablaufen sollte[5].

Es scheint, daß die Bildung von α-Alkoxy-ketonen in polaren Lösungsmitteln zu einem wichtigen Reaktionsschritt und in manchen Fällen sogar zum Hauptschritt als Ergebnis der Stabilisierung des postulierten mesomeren Zwitterions wird[5,7].

Starke Basen spalten den alicyclischen Ring des **Oxo-tetramethyl-cyclopropans** (I, S. 666) und des **3-Hydroxy-3-methoxy-tetramethyl-cyclopropans** (II, S. 666)[8]; die Reaktionsprodukte entsprechen denen der **Faworski-Umlagerung** von 2-Brom-3-oxo-2,4-dimethyl-pentan (III):

[1] H. Hart u. D. Wyman, Am. Soc. **81**, 4891 (1959).

[2] L. Friedman u. H. Shechter, Am. Soc. **82**, 1002 (1960).

[3] A. S. Kende, Org. Reactions **11**, 261 (1960).
  R. B. Loftfield, Am. Soc. 72, 632 (1950); **73**, 4707 (1951); **76**, 35 (1954).

[4] W. D. McPhee u. E. Klingberg, Am. Soc. **66**, 1132 (1944).
  J. G. Aston u. J. D. Newkirk, Am. Soc. **73**, 3900 (1951).
  A. W. Fort, Am. Soc. **84**, 2620, 2625, 4979 (1962).
  J. G. Burr u. M. J. S. Dewar, Soc. **1954**, 1201.
  R. C. Cookson u. M. J. Nye, Pr. chem. Soc. **1963**, 123; Soc. **1965**, 2009.

[5] H. O. House u. U. F. Gilmore, Am. Soc. **83**, 3980 (1961).
  H. O. House u. G. A. Frank, J. Org. Chem. **30**, 2948 (1965).
  H. O. House u. H. W. Thompson, J. Org. Chem. **28**, 164 (1963).

[6] G. Stork u. I. J. Borowitz, Am. Soc. **82**, 4307 (1960).

[7] A. W. Fort, Am. Soc. **84**, 2620, 2625, 4979 (1962).

[8] N. J. Turro u. W. B. Hammond, Am. Soc. **87**, 3258 (1965).

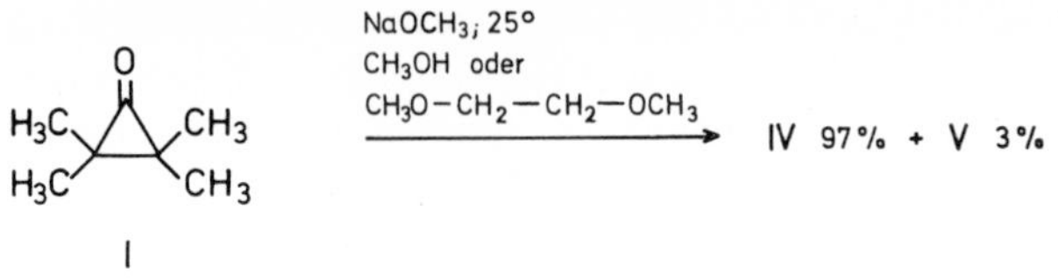

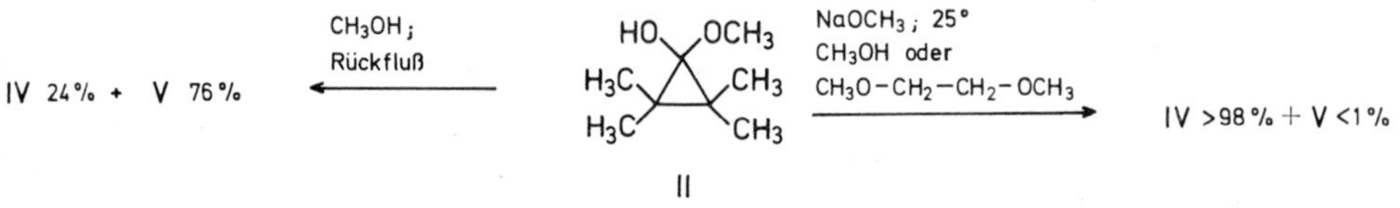

$$\text{I} \xrightarrow[\substack{\text{CH}_3\text{OH oder} \\ \text{CH}_3\text{O}-\text{CH}_2-\text{CH}_2-\text{OCH}_3}]{\text{NaOCH}_3;\ 25°} \text{IV 97\% + V 3\%}$$

$$\text{IV 24\% + V 76\%} \xleftarrow[\text{Rückfluß}]{\text{CH}_3\text{OH;}} \text{II} \xrightarrow[\substack{\text{CH}_3\text{OH oder} \\ \text{CH}_3\text{O}-\text{CH}_2-\text{CH}_2-\text{OCH}_3}]{\text{NaOCH}_3;\ 25°} \text{IV >98\% + V <1\%}$$

Außer der bereits erwähnten Gleichgewichtsbildung zwischen I und II (s. S. 406) deuten die obigen Ergebnisse zunächst darauf hin, daß ein mesomeres dipolares Ion vom Typ VI im Gleichgewicht mit I und II vorhanden sein sollte. Außerdem zeigen die experimentellen Ergebnisse einen ersten direkten Beweis für die lange diskutierte Hypothese, daß Cyclopropanone durch starke Basen vollständig unter Bildung der Faworski-Produkte gespalten werden. Nachfolgendes Schema erläutert die Befunde[1]:

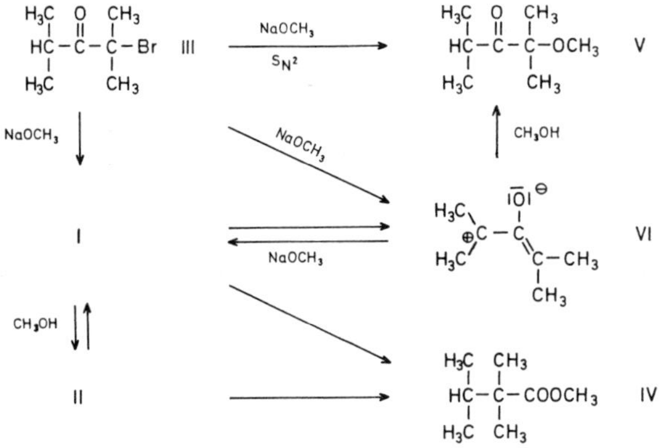

Ein alternativer Reaktionsmechanismus würde in einer direkten Bildung des Zwitterions VI aus III bestehen. Anschließender schneller nucleophiler Angriff würde zu V führen, wobei die Bildung von I als langsamere Konkurrenzreaktion aufzufassen wäre. Die Tatsache aber, daß V in unpolaren Medien als Hauptprodukt gebildet wird, spricht für die Annahme einer Substitutionsreaktion, unähnlich zur normalen Faworski-Umwandlung[1].

2-Oxo-1,1-dimethyl-cyclopropan (VII) liefert in über 70% Ausbeute bei Behandlung mit Natriummethanolat in Methanol *2,2-Dimethyl-propansäure-methyl-ester* (VIII)[2]:

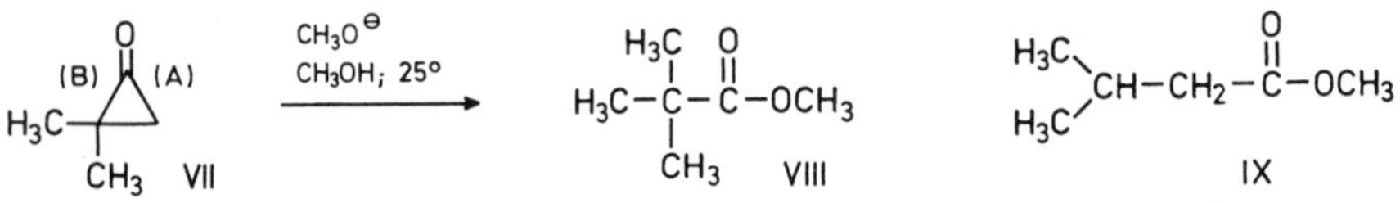

---

[1] N. J. Turro u. W. B. Hammond, Am. Soc. **87**, 3258 (1965).
[2] W. B. Hammond u. N. J. Turro, Am. Soc. **88**, 2880 (1966).

Bei dieser Reaktion kam es nicht zur Bildung von 3-Methyl-butansäure-methylester (IX, S. 666). Dieses Ergebnis ist durchaus konsistent mit der zu erwartenden Bildung des stabilsten Carbanions durch ausschließliche Spaltung der Bindung (A) nach Angriff der Base am Cyclopropanon. Eine derartige Selektivität ist bereits aus den Ergebnissen der Faworski-Umlagerung unsymmetrischer α-Halogen-ketone vorauszusagen[1].

Am 2-Oxo-1,1-dimethyl-cyclopropan (VII) ist auch eine Ringspaltung mit Säuren beobachtet worden[2]. So führt die Einwirkung von trockenem Chlorwasserstoff zu dem unerwarteten Ergebnis, daß die beiden isomeren α-Chlor-ketone X (*2-Chlor-3-oxo-2-methyl-butan*) und XI (*4-Chlor-3-oxo-2-methyl-butan*) im Verhältnis 2:3 (Gesamtausbeute ~ 60% d.Th.) gebildet werden:

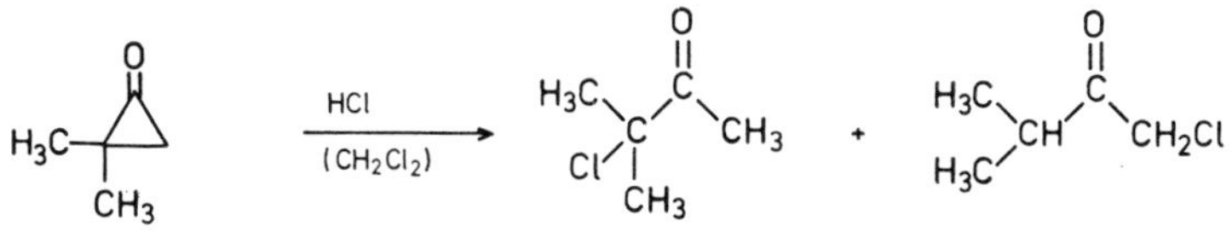

VII X XI

Unter den thermischen Bedingungen einer präparativen Gaschromatographie kommt es zu einer Krackung[2,3]:

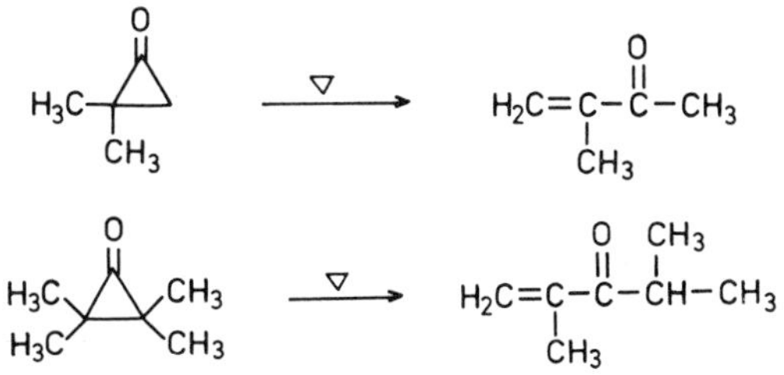

3-Oxo-2-methyl-buten-(1)

3-Oxo-2,4-dimethyl-penten-(1)

Bei der Behandlung einer Pentan-Lösung von Oxo-tetramethyl-cyclopropan mit Sauerstoff werden als Hauptprodukte *Aceton* und *Kohlenmonoxid* erhalten[4-6] (s. a. S. 387 ff.).

Nach theoretischen Voraussagen sollten Cyclopropanone mit 1,3-Dienen in konzertierter Reaktion zu 1.4–1.3-Addukten Anlaß geben[7]. Bei der Reaktion von 2-Oxo-1,1-dimethyl-cyclopropan (I) mit 2-Methyl-furan (II) wird eine Mischung der 1.4–1.3-Addukte III und IV {*3-Oxo-1,4,4-* (bzw. *-1,2,2*)*-trimethyl-8-oxa-bicyclo*[*3.2.1*] *octen-*(*6*)} im Verhältnis 58:42 erhalten[2]:

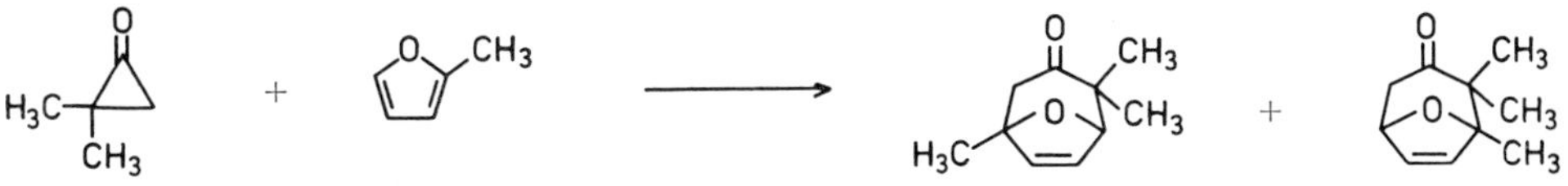

I II III IV

---

[1] Vgl.: A. S. Kende, Org. Reactions **11**, 261 (1960).
[2] W. B. Hammond u. N. J. Turro, Am. Soc. **88**, 2880 (1966).
[3] N. J. Turro, W. B. Hammond u. P. A. Leermakers, Am. Soc. **87**, 2772 (1965).
[4] N. J. Turro et al., Am. Soc. **86**, 955 (1964).
[5] N. J. Turro et al., Am. Soc. **86**, 4213 (1964).
[6] N. J. Turro et al., Am. Soc. **87**, 2613 (1965).
[7] R. Hoffmann u. R. B. Woodward, Am. Soc. **87**, 4388 (1965).

Mit Furan reagiert eine Pentan-Lösung von Oxo-tetramethyl-cyclopropan unter
Bildung von *3-Oxo-2,2,4,4-tetramethyl-8-oxa-bicyclo[3.2.1]octen-(6)* (V)[1-3]:

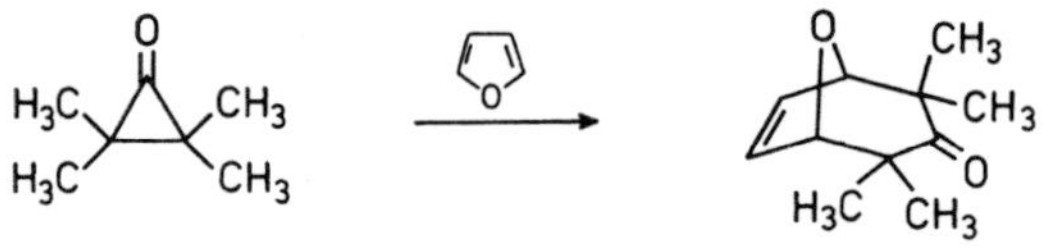

V

Inzwischen sind diese Cycloadditionsreaktionen der Cyclopropanone ausführlicher untersucht worden[4-7], so daß hier eine eingehendere Abhandlung wünschenswert erscheint.

Formal müssen Tautomere vom Typ Ia–c in der Diskussion der Cycloadditionsreaktionen der
Cyclopropanone betrachtet werden. Obgleich die Tautomeren Ib und Ic im Vergleich zu Ia
erwartungsgemäß nicht in noch exakt meßbaren Konzentrationen vorliegen, so hat doch jedes
der Tautomeren genügend Reaktivität, um etwa in Reaktionen mit ganz bestimmten Substraten
eine wichtige Rolle spielen zu können. Im übrigen sind die Energieinhalte von Ib und Ic genügend
vergleichbar mit dem von Ia, um eine schnelle, wechselseitige Umlagerung aller 3 Tautomeren
denkbar erscheinen zu lassen[8]:

Ia    Ib 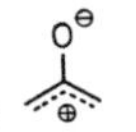   Ic 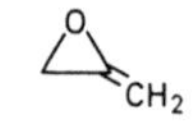 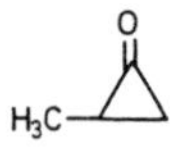   II

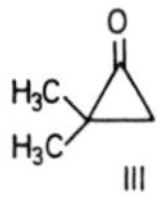

III 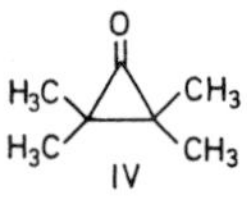   IV

Während für Oxo-methyl-cyclopropan (II), 2-Oxo-1,1-dimethyl-cyclo-
propan (III) und Oxo-tetramethyl-cyclopropan (IV) eine Vielzahl von
[4 + 3 → 7]-Cycloadditionsreaktionen mit cyclischen, konjugierten Dienen beobachtet werden konnten (s. Formelbilder V–VII), waren für die Stammsubstanz analoge
Reaktionen bislang nicht auffindbar[7,9].

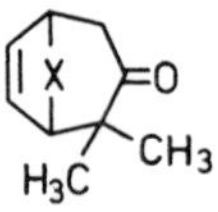

V 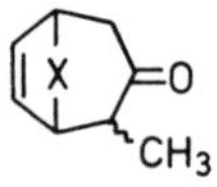   VI 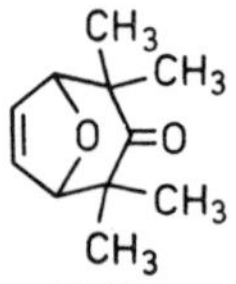   VII ·

V; X = O;   *3-Oxo-2,2-dimethyl-8-oxa-bicyclo[3.2.1]octen-(6)*; 100%
    X = CH₂;   *3-Oxo-2,2-dimethyl-bicyclo[3.2.1]octen-(6)*; 35%
    X = N—CH₃;   *3-Oxo-2,2,8-trimethyl-8-aza-bicyclo[3.2.1]octen-(6)*; 50%

    X = —CH₂—CH₂—; 0%
    X = C=C(CH₃)₂; *3-Oxo-2,2-dimethyl-8-isopropyliden-bicyclo[3.2.1]*
                   octen-(6); 72%

VI; X = O;   *3-Oxo-2-methyl-8-oxa-bicyclo[3.2.1]octen-(6)*
    X = CH₂;   *3-Oxo-2-methyl-bicyclo[3.2.1]octen-(6)*
VII;   *3-Oxo-2,2,4,4-tetramethyl-8-oxa-bicyclo[3.2.1]octen(6)*

[1] N. J. Turro, W. B. Hammond u. P. A. Leermakers, Am. Soc. **87**, 2774 (1965).

(Fortsetzung s. S. 669)

Durch vergleichende Kinetik wurde festgestellt, daß z.B. III ∼ 10mal schneller als II (S. 668) mit Furan reagiert, während III wiederum ∼ 3mal schneller mit Cyclopentadien als mit Furan reagiert[1].

Es wurden außerdem die Reaktionen von III mit 2-Methyl- bzw. 3-Methyl-furan studiert, um den Einfluß der Methyl-Gruppe auf die Orientierung der Addition festzustellen.

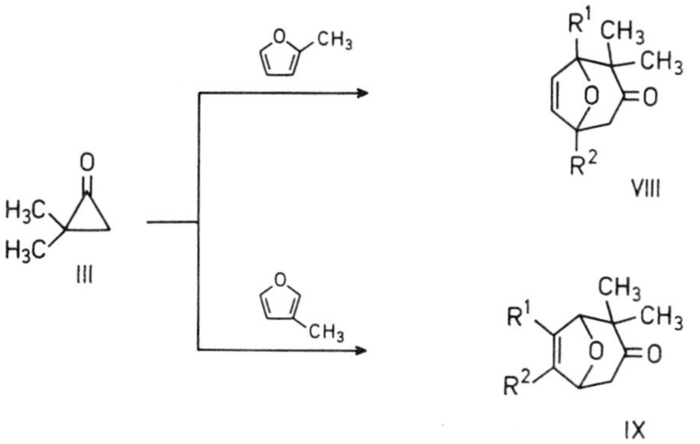

VIIIa: $R^1 = CH_3$; $R^2 = H$;   *3-Oxo-1,2,2-trimethyl-8-oxa-bicyclo[3.2.1]octen-(6)*

   b: $R^1 = H$; $R^2 = CH_3$; *3-Oxo-1,4,4-trimethyl-8-oxa-bicyclo[3.2.1]octen-(6)*

IXa: $R^1 = CH_3$; $R^2 = H$;   *3-Oxo-2,2,7-trimethyl-8-oxa-bicyclo[3.2.1]octen-(6)*

   b: $R^1 = H$; $R^2 = CH_3$; *3-Oxo-2,2,6-trimethyl-8-oxa-bicyclo[3.2.1]octen-(6)*

In beiden Fällen wurde jedoch nur eine geringe Spezifität gefunden[1].

2-Oxo-1,1-dimethyl-cyclopropan (III) geht andererseits noch [3 + 2 → 5]-Cycloadditionen mit Aldehyden, Schwefeldioxid und sich selbst ein (S. 670)[1], während mit Dimethylketen und 1,1-Dimethoxy-äthylen [2 + 2 → 4]-Cyclo-additionen an der Carbonyl-Funktion eintreten (s. S. 410). Die Produkte der [3 + 2 → 5]-Cycloadditionen (dieser Reaktionstyp ähnelt den 1.3-dipolaren Cycloadditionen[2,3]) sind mit den Formeln X–XVII (S. 670) wiedergegeben. Alle Strukturen konnten chemisch und spektroskopisch gesichert werden.

---

[1] N. J. TURRO u. W. B. HAMMOND, Am. Soc. **91**, 2283 (1969).

[2] R. HUISGEN, Ang. Chem. **75**, 604 (1963); J. Org. Chem. **33**, 2291 (1968); Bl. **1965**, 3431.

[3] R. HUISGEN, Ang. Chem. **75**, 742 (1963).

(Fortsetzung v. S. 668)

[2] R. C. COOKSON, M. J. NYE u. G. SUBRAHMANYAN, Pr. chem. Soc. **1964**, 144.

[3] H. G. RICHEY, J. M. RICHEY u. D. C. CLAGETT, Am. Soc. **86**, 3906 (1964).

[4] N. J. TURRO et al., Am. Soc. **90**, 1926 (1968).

[5] N. J. TURRO et al., Am. Soc. **90**, 4499 (1968).

[6] N. J. TURRO u. J. R. WILLIAMS, Tetrahedron Letters **1969**, 321.

[7] N. J. TURRO u. W. B. HAMMOND, Am. Soc. **91**, 2283 (1969).

[8] Theoretische Berechnungen zeigen, daß die Energieinhalte von Ia und Ib durchaus vergleichbar sind[10,11]. Außerdem soll nach den Berechnungen Ic eine geringere Energie als Ia besitzen[11].

[9] N. J. TURRO, Accounts of Chem. Research **2**, 25 (1969).

[10] J. G. BURR u. u. M. J. S. DEWAR, Soc. **1954**, 2101.

[11] R. HOFFMANN, Am. Soc. **90**, 1475 (1968).

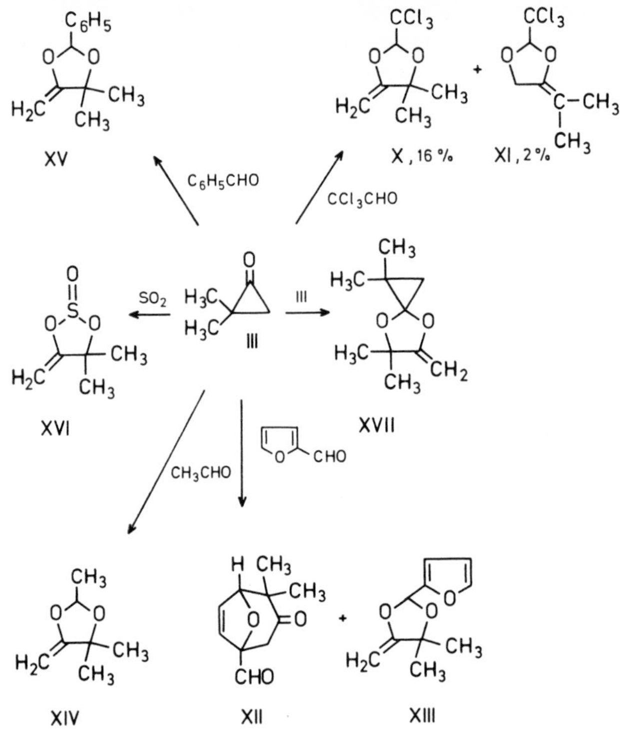

X; *5,5-Dimethyl-2-trichlormethyl-4-methylen-1,3-dioxolan*

XII; *3-Oxo-4,4-dimethyl-1-formyl-8-oxa-bicyclo[3.2.1]octen-(6)*

XIII; *5,5-Dimethyl-4-methylen-2-furyl-(2)-1,3-dioxolan*

XIV; *2,5,5-Trimethyl-4-methylen-1,3-dioxolan*

XV; *5,5-Dimethyl-2-phenyl-4-methylen-1,3-dioxolan*

XVI; *5,5-Dimethyl-4-methylen-1,3,2-dioxathiolan-2,2-dioxid*

XVII; *2,2-Dimethyl-cyclopropan-⟨1-spiro-2⟩-5,5-dimethyl-4-methylen-1,3-dioxolan*

Es ist möglich, die hier beschriebenen [4 + 3 → 7]- und [3 + 2 → 5]-Cycloadditionen der Cyclopropanone auf der Basis einer konzertierten oder einer zweistufigen Reaktion der Formen Ia oder Ib (S. 668) zu erklären[1]. Die Korrelation der Produktstrukturen mit denen der durch die Orbitalsymmetrie vorhergesagten, die beobachtete geringe Orientierungsselektivität in den Reaktionen mit den beiden Methyl-furanen sowie die Tatsache, daß III schneller als II (S. 668) mit Furan reagiert, scheinen die Rolle von Ia für den geschwindigkeitsbestimmenden Schritt abzulehnen. Es ist andererseits wesentlich schwieriger ein schlagkräftiges Argument gegen die Beteiligung von Ic zu finden, das sehr ähnlich zu der getwisteten offenen Form Id ist. Die Bildung von zwei Addukten von III mit Chloral (s. oben) kann man jedoch als Argument gegen die Beteiligung von Strukturen vom Typ Ic heranziehen.

Es bedarf noch eingehender kinetischer und stereochemischer Experimente, um zwischen diesen Alternativen zu unterscheiden.

---

[1] N. J. Turro u. W. B. Hammond, Am. Soc. **91**, 2283 (1969).

Die bemerkenswerte Reaktivität des Oxo-tetramethyl-cyclopropans (II), die sich in den genannten Reaktionen widerspiegelt, war auch in Hinblick auf die Reaktionen von Wichtigkeit, die u.a. bei der photolytischen Herstellung von II aus 2,4-Dioxo-1,1,3,3-tetramethyl-cyclobutan (I) durchlaufen wurden[1] (s. S. 387 ff.).

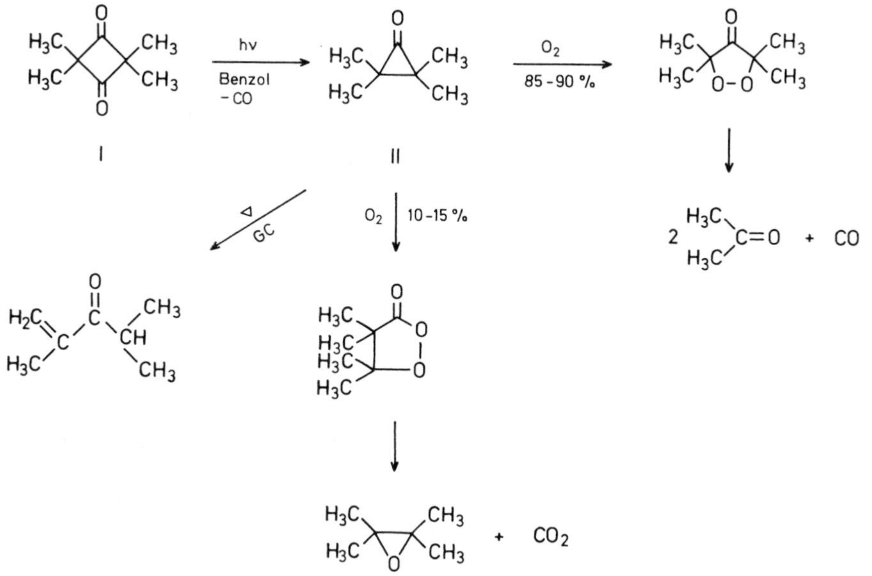

Möglicherweise wird bei diesen Reaktionen (s. Formelschema) eine ähnliche cyclische Zwischenstufe wie beim Tetracyan-äthylenoxid gebildet. Der geschwindigkeitsbestimmende Schritt in den Reaktionen von II sollte dann in der Bildung eines 1,3-Dipols oder eines 1,3-Diradikals bestehen:

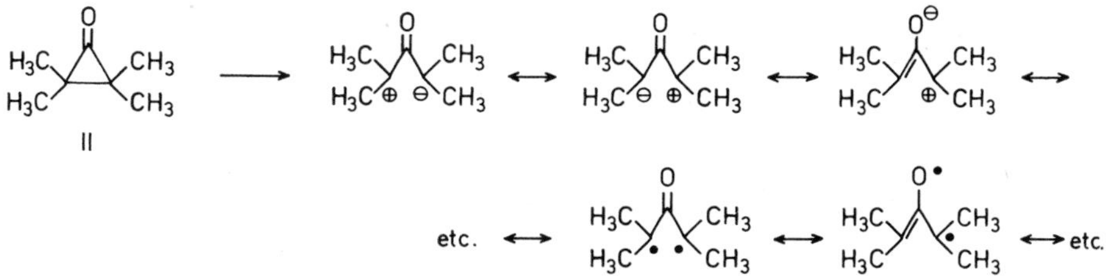

2. Reaktionen unter Ringerweiterung[2]

Bei der Herstellung des Cyclopropanons aus Keten und Diazomethan kommt es stets zur Bildung des Ringerweiterungsproduktes, des *Cyclobutanons*[3,4]. Behandelt man eine Dichlormethan-Lösung von Cyclopropanon bei −78° mit Diazo-methan, so erhält man in 90%iger Ausbeute *Cyclobutanon*[5–7]:

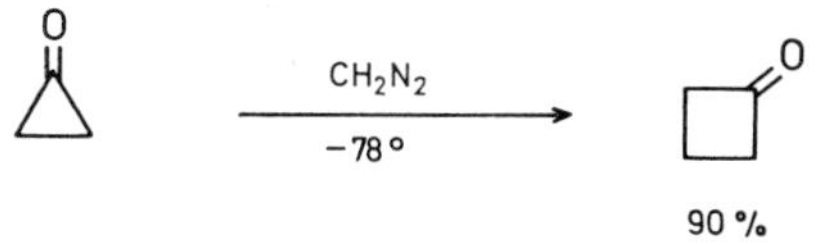

---

[1] N. J. Turro et al., Am. Soc. **87**, 2613 (1965).
[2] s. ds. Handb., Bd. IV/4, Kap. Isocyclische Vierring-Verbindungen, S. 406.
[3] P. Lipp u. R. Köster, B. **64**, 2823 (1931).

(Fortsetzung s. S. 672)

2-Oxo-1,1-dimethyl-cyclopropan reagiert mit überschüssigem Diazomethan unter Bildung von *2-Oxo-* (I) und *3-Oxo-1,1-dimethyl-cyclobutan* (II) im Verhältnis 25:75[1]:

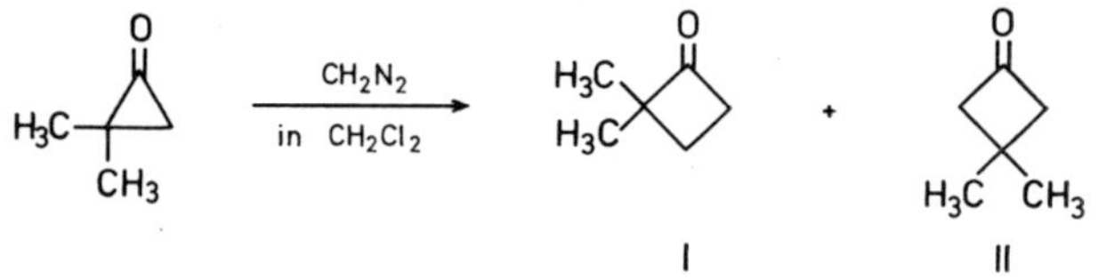

Diese Ergebnisse stehen in Einklang mit früheren Voraussagen, daß die Cyclopropanone in Hinblick auf eine unkatalysierte Ringerweiterung mit Diazomethan wesentlich reaktiver als die Cyclobutanone sein sollten[2-6].

Die Bildung von Gemischen aus isomeren Cyclobutanonen bei Umsetzung des Oxo-methyl-cyclopropans und des 3-Oxo-1,1,2-trimethyl-cyclopropans mit Diazomethan oder -äthan wurde gleichfalls beobachtet[7].

C. Bibliographie

E. VOGEL, *Kleine Kohlenstoff-Ringe*, Ang. Ch. **72**, 4 (1960).

E. VOGEL, *Valenzisomerisierungen von Verbindungen mit gespannten Ringen*, Ang. Ch. **74**, 829 (1962).

W. E. PARHAM u. E. E. SCHWEIZER, *Halocyclopropanes from Halocarbenes*, Org. Reactions **13**, 55 (1963).

W. KIRMSE, *Carbene Chemistry*, Academic Press, New York 1964.

W. v. E. DOERING u. W. R. ROTH, *Thermische Umlagerungsreaktionen*, Ang. Ch. **75**, 27 (1963).

B. JEROSCH-HEROLD u. P. P. GASPAR, *Entwicklung und präparative Möglichkeiten der Carbenchemie*, Fortschr. chem. Forsch. **5**, 89 (1965).

W. KIRMSE, *Zwischenstufen der α-Eliminierung*, Ang. Ch. **77**, 1 (1965); Int. Ed. **4**, 1 (1965).

G. SCHRÖDER, J. F. M. OTH u. R. MERÉNYI, *Moleküle mit schneller und reversibler Valenzisomerisierung (Moleküle mit fluktuierenden Bindungen)*, Ang. Ch. **77**, 774 (1965); Int. Ed. **4**, 752 (1965).

M. HANACK u. H. J. SCHNEIDER, *Umlagerungen von Homoallyl-, von Cyclopropylmethyl- und Cyclobutyl-Verbindungen*, Fortschr. chem. Forsch. **8**, 554 (1967).

G. KÖBRICH et al., *Chemie stabiler Lithium-α-halogen-organyle und Mechanismen carbenoider Reaktionen*, Ang. Ch. **79**, 15 (1967); Int. Ed. **6**, 41 (1967).

M. SMITH in S. COFFEY, *Rodd's Chemistry of Carbon Compounds*, Vol. II, Part A, Chapter 2, S. 19ff., Elsevier Publishing Company, Amsterdam · London · New York 1967.

[1] W. B. HAMMOND u. N. J. TURRO, Am. Soc. **88**, 2880 (1966).

[2] P. LIPP u. R. KÖSTER, B. **64**, 2823 (1931).

[3] D. A. SEMENOW, E. F. COX u. J. D. ROBERTS, Am. Soc. **78**, 3221 (1956).

[4] J.-M. CONIA u. J. SALAUN, Bl. **1964**, 1957.

[5] M. D. OWEN, G. R. RAMAGE u. J. E. SIMONSEN, Soc. **1938**, 1213.

[6] A. S. KENDE, Dissertation, Harvard University, 1956.

[7] N. J. TURRO u. R. B. GAGOSIAN, Am. Soc. **92**, 2036 (1970).

(Fortsetzung v. S. 671)

[4] D. A. SEMENOW, E. F. COX u. J. D. ROBERTS, Am. Soc. **78**, 3221 (1956).

[5] W. B. HAMMOND u. N. J. TURRO, Am. Soc. **88**, 3672 (1966).

[6] J.-M. CONIA u. J. SALAUN, Bl. **1964**, 1957.

[7] Vgl. auch: N. J. TURRO u. W. B. HAMMOND, Tetrahedron **24**, 6017 (1968).

J. M. Conia, *Synthesen von Cyclopropylcarbonylverbindungen*, Ang. Ch. **80**, 578 (1968); Int. Ed. **7**, 570 (1968).

J. Jaz, *Quelques aspects de la chimie des petits cycles*, Belgische Chemische Industrie **33**, 5, 130 (1968).

U. Schöllkopf, *Synthese von Cyclopropyläthern und Cyclopropanolen durch Carben-Übertragung — Acetolyse von Cyclopropyltosylaten*, Ang. Ch. **80**, 603 (1968); Int. Ed. **7**, 588 (1968).

S. Sarel, J. Yovell u. M. Sarel-Imber, *Neuere Untersuchungen zur Stereochemie der Cyclopropanring-Öffnung*, Ang. Ch. **80**, 592 (1968); Int. Ed. **7**, 577 (1968).

W. Kirmse, *Carbene, Carbenoide und Carbenanaloge*, Verlag Chemie, Weinheim/Bergstr. 1969,; Bd. 7 der Chem. Taschenbücher.

R. B. Woodward u. R. Hoffmann, *Die Erhaltung der Orbitalsymmetrie*, Ang. Ch. **81**, 797 (1969); Int. Ed. **8**, 791 (1969).

R. B. Woodward u. R. Hoffmann, *Die Erhaltung der Orbitalsymmetrie*, Verlag Chemie, Weinheim/Bergstr. 1969.

„*Olefinic Properties of Cyclopropans*" in J. Zabicky, *The Chemistry of Alkenes*, Vol. 2, S. 512–598, Interscience Publishers, London 1970.

Cyclopropen-Derivate

Inhalt

Cyclopropen und Cyclopropen-Verbindungen 679

I. Cyclopropene 679

    Struktur 679
    Ringspannung und thermodynamische Eigenschaften 681
    Elektronenspektren 684
    Infrarot- und Ramanspektren 685
    Kernmagnetische Resonanz-Spektren 687

  A. Herstellung 688

    a) aus Cyclopropan-Derivaten durch β-Eliminierung 688
    b) aus Acetylen-Derivaten durch Carben-Addition oder carbenoide Verfahren . . 693
    c) durch Cyclisierung eines dazu erforderlichen 3-C-Systems 696
    d) durch Photolyse von 3 HPyrazolen 699
    e) aus anderen Cyclopropenen unter Erhalt des Cyclopropen-Gerüstes 702

  B. Umwandlung 704

    a) Reaktionen an der C=C-Doppelbindung unter Erhalt des Dreiring-Systems . . 704
      1. Hydrierung 704
      2. Diels-Alder-Reaktion 705
      3. Cycloaddition 707
      4. 1,3-dipolare Addition 709
      5. Carben- und carbenoide Addition 709
      6. Halogenierung 711
      7. Nucleophile Addition 711
      8. Polymerisation 714
    b) Reaktionen unter Ringöffnung bzw. Ringerweiterung 714
      1. Umlagerungen 714
        α) nicht-katalysierte 714
        β) säure-katalysierte 721
        γ) über Cyclopropyl-carbinyl-Kationen 725
      2. Oxidation 729

II. Cyclopropen-Verbindungen mit delokalisierten π-Elektronensystemen 729

    a) Cyclopropenone 731
      Basizität 731
      physikalische Eigenschaften 731

    A. Herstellung 734

    B. Umwandlung 741
      1. Decarbonylierungen 741
      2. Additionen an der Carbonyl-Gruppe 742

α) nucleophile 742
β) elektrophile 745
3. Addition an der C=C-Doppelbindung 745

b) Methylen-cyclopropene 749

A. Herstellung 753

B. Umwandlung 761

c) Cyclopropenylium-Verbindungen 764

Löslichkeit 764
Röntgenstrukturanalyse 764
spektroskopische Befunde 764
Cyclopropenylium-Cyclopropenol-Gleichgewichte 767

A. Herstellung 769

B. Umwandlung 774

1. Reaktionen mit Basen 774
2. Reduktion 775
3. Reaktionen mit Diazo-Verbindungen bzw. Aziden 775
4. Reaktionen mit aromatischen Kohlenwasserstoffen 776

d) Cyclopropenyl-Radikale und -Anionen 779

e) π-Komplexe von Cyclopropenen mit Übergangsmetallen 782

III. Bibliographie 784

Cyclopropen und Cyclopropen-Verbindungen

Das Interesse an Cyclopropenen hatte einen ähnlichen Ursprung wie das an Cyclopropan-Verbindungen. Insbesondere der hohe Grad der Baeyer-Spannung gab immer wieder Impulse für die theoretische Behandlung von Bindungsphänomenen in organischen Verbindungen. Vorstellungen wie Aromatizität, Hybridisierung oder „bent bonds" wurden und werden auch stets im Hinblick auf die Cyclopropene überprüft. Obwohl der Stammkohlenwasserstoff bereits um 1920 synthetisiert wurde, begann die eigentliche Cyclopropen-Chemie erst 30 Jahre später. Stimulierend wirkte sich vor allem die Chemie der Carbene aus. Andererseits erwies sich die zunehmende Anwendung der Molecular-Orbital-Theorie auf Probleme der organischen Chemie als Wegbereiter auch für die Chemie der Cyclopropene; sie fand ihren Höhepunkt mit den Synthesen von Cyclopropenylium-Ionen. Die Entdeckung, daß gewisse Fettsäuren auch Cyclopropen-Ringe enthalten, lenkte gleichfalls das Interesse mancher Naturstoffchemiker auf Cyclopropene (s. ds. Handb., Bd. IV/4, S. 450). Es sollte ebenso nicht unerwähnt bleiben, daß vor allem die modernen Verfahren der Spektroskopie wesentliche Beiträge zur Cyclopropen-Chemie geliefert haben.

Im folgenden werden zunächst die einfachen Cyclopropene beschrieben. Daran wird sich die Abhandlung der Cyclopropene mit delokalisiertem π-Elektronensystem anschließen, da hiermit weitere Gesichtspunkte Bedeutung erlangen als bei den einfachen Cyclopropen-Verbindungen.

I. Herstellung und Umwandlung von Cyclopropenen

Zur Struktur des Cyclopropens

Eine Zusammenstellung der bekannten Strukturparameter des Cyclopropens zeigt Tab. 2 (S. 681). Bei den ermittelten Bindungslängen fallen sofort die kleinen Werte für die C=C-Doppelbindung und die vinylische C—H-Bindung auf. Die Hybridisierung der Kohlenstoffatome unterscheidet sich offenbar stark von der für weniger gespannte Olefine beobachteten.

Verwendet man die empirisch erhaltene lineare Beziehung zwischen C—H-Bindungslänge und s-Charakter des Kohlenstoffatom-Orbitals, das an der Bindungsbildung beteiligt ist[1], würde sich ein Wert von ~ 42% für den s-Charakter der vinylischen C—H-Bindung ergeben[2]. Die Kernresonanzspektroskopie konnte ebenfalls einen Beitrag zu diesem Problem bringen, nachdem Messungen von ^{13}C—^{1}H-Spin-Spin-Kopplungskonstanten (erhältlich über ^{13}C-Kernresonanzmessungen oder über die ^{13}C—^{1}H-Satelliten der Protonenresonanzspektren) ergaben, daß eine enge Beziehung zwischen dieser Kopplung und dem s-Chakter der C—H-Bindung bestehen muß[1]. Tab. 1 (S. 680) zeigt einige derartige Werte. Offenbar gilt danach die Beziehung[1]

$$J_{^{13}C-^1H} = J_0 \cdot a_H ,$$

[1] N. Muller u. D. E. Pritchard, J. Chem. Phys. **31**, 768, 1471 (1959).
[2] Hierbei werden die Beiträge aller anderen Kohlenstoffatomorbitale außer 2 s und 2 p vernachlässigt.

Tab. 1. $J_{^{13}C-^1H}$-Spin-Spin-Kopplungskonstanten und s-Charakter (= a_H^2) der C—H-Bindungen einiger Kohlenwasserstoffe

Kohlenwasserstoff	$J_{^{13}C-^1H}$[Hz]	a^2_H [%]	Literatur
CH_4	125,0	25	1
H_3C—CH_3	125,0	25	2
H_2C=CH_2	156—157	31	3-5
HC≡CH	248,7—249	50	2,3
Cyclopropan	162	32	6
Cyclopropan-⟨spiro⟩-cyclopropan (Spiro-[2.2]-pentan)	160	32	6
Bicyclo[1.1.0]butan	170 (e)	34	7
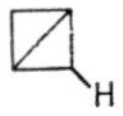	152 (a)	30	7
3,3-Dimethyl-cyclopropen	221	44	8
Benzo-cyclopropen	178 ± 2	39	9
Bicyclo[1.1.0]butan	202	40	7
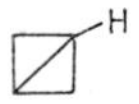			
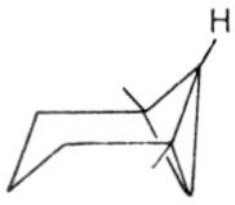	200	40	10
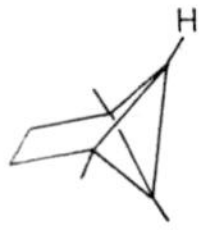	206	41	10
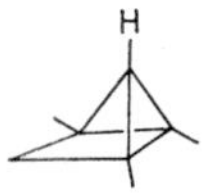	212	42	10

in der a_H^2 den s-Charakter des C—H-Hybridorbitals bedeutet gemäß der Molecular-Orbital-Funktion

$$\Psi_{CH} = a_H \cdot s + b_H \cdot p \, .$$

J_0 ist eine Konstante, die etwa bei Werten zwischen 495 und 500 Hz liegt. Beim *3,3-Dimethyl-cyclopropen*[11] findet man für $J_{^{13}C-^1H}$ einen Wert von 221 Hz, aus dem 44% s-Charakter zu schließen

1 N. Muller u. D. E. Pritchard, J. Chem. Physics, **31**, 768 (1959).
2 D. M. Graham u. C. E. Holloway, Canad. J. Chem. **41**, 2114 (1963).
3 R. M. Lynden-Bell u. N. Sheppard, Pr. roy. Soc. [A] **269**, 385 (1962).
4 C. Juan u. H. S. Gutowsky, J. Chem. Physics **37**, 2198 (1962).
5 K. Tori, R. Muneyuki u. H. Tanida, Canad. J. Chem. **41**, 3142 (1963).
6 D. J. Patel, M. E. H. Howden u. J. D. Roberts, Am. Soc. **85**, 3218 (1963).
7 K. B. Wiberg et al., Tetrahedron **21**, 2749 (1965).
8 G. L. Closs, Pr. chem. Soc., 152 (1962).
9 E. Vogel, W. Grimme u. S. Korte, Tetrahedron Letters **1965**, 3625.
10 G. L. Closs u. R. B. Lampman, Tetrahedron Letters **1965**, 287.
11 G. L. Closs, Pr. chem. Soc. **1962**, 152.

Tab. 2. Strukturparameter des Cyclopropens[1]

Parameterart	Parameterwerte	
	erhalten durch Elektronenbeugung[2]	erhalten aus den Mikrowellenspektren[3]
Bindungsabstände:		
d (C=C)	1,286 Å	1,300 Å
d (C—C)	1,525 Å	1,515 Å
d (C—H), vinylisch	—	1,070 Å
d (C—H), methylenisch	1,087 Å	1,087 Å
Bindungswinkel:		
∢ (C—C—C)	49° 54′	50° 48′
∢ (C=C—H)	152°	149° 55′
∢ (H—C—H)	118°[4]	114° 42′
Dipolmomente: μ	—	0,455 D
Trägheitsmomente:		
I_a	—	$2,792 \cdot 10^{-39}$ g · cm²
I_b	—	$3,846 \cdot 10^{-39}$ g · cm²
I_c	—	$6,085 \cdot 10^{-39}$ g · cm²

ist[5,6]. Zu diesen Abschätzungen muß allerdings gesagt werden, daß nur der Fermi-Kontakt-term[7] der Kopplung als entscheidend berücksichtigt und die Elektron-Orbital- und Elektron-Dipol-Anteile vernachlässigt wurden. Bezüglich des s-Charakters der vinylischen C—H-Bindung ähnelt damit das Cyclopropen viel stärker dem Acetylen als den Olefinen. Der kurze C=C-Abstand weist vermutlich gleichfalls auf ein Ansteigen des s-Charakters der σ-Komponente der Doppelbindung hin. Nimmt man für die C—H-Bindung kein „bond bending"[8] an, und ver-wendet orthogonale Hybridorbitale, die nur aus 2s- und 2p-Atomorbitalen zusammengesetzt sein sollen, kann man für die Ringorbitale am C-Atom 3 einen Interorbitalwinkel von 105° 35′ be-rechnen. Mit Kenntnis von ∢ (C—C—C) = 50° 48′ (s. Tab. 2, S. 681) erhält man für die Winkel-abweichung des Orbitals von der direkten Kernverbindungslinie[9] einen Wert von 27° 24′. Damit ist der „bond bending"-Effekt im Cyclopropen stärker als im Cyclopropan (22°)[10,11].

Ringspannung und thermodynamische Eigenschaften

Im Hinblick auf die zu erwartende hohe Ringspannung sind thermodynamische Eigenschaften von Cyclopropenen von besonderem Interesse. Der erste Versuch zur Abschätzung der Bildungswärme des Cyclopropens ging von der Beobachtung

---

[1] Aus dem Mikrowellenspektrum von *1-Methyl-cyclopropen* sind ebenfalls Strukturparameter er-mittelt worden, sowie Aussagen über die Barriere für die interne Rotation der Methyl-Gruppe bezüglich der Einfachbindung zwischen dieser und dem Cyclopropenring; s. hierzu M. K. KEMP u. W. H. FLYGARE, Am. Soc. **89**, 3925 (1967).

[2] s. hierzu J. D. DUNITE, H. G. FELDMAN u. V. SCHOMAKER, J. Chem. Physics **20**, 1708 (1952).

[3] s. hierzu P. H. KASAI et al., J. Chem. Physics **30**, 512 (1959).

[4] Dieser Wert ist nur abgeschätzt worden.

[5] N. MULLER u. D. E. PRITCHARD, J. Chem. Physics **31**, 768, 1471 (1959).

[6] J. N. SHOOLERY, J. Chem. Physics **31**, 1427 (1959).

[7] E. FERMI, Z. Phys. **60**, 320 (1930).

[8] s. S. 18f.

[9] Vgl. G. L. CLOSS, „*Cyclopropenes*", in H. HART u. G. J. KARABATSOS, *Advances in Alicyclic Chemistry*, Vol. 1, S. 66, Academic Press, New York. · London 1966.

[10] C. A. COULSON u. W. E. MOFFITT, Phil. Mag. **40**, 1 (1949); C. A. **43**, 4059 (1949).

[11] C. A. COULSON u. T. H. GOODWIN, Soc. **1962**, 2851; **1963**, 3161.

der Isomerisierung des *Cyclopropens* zu Propin bei 425° aus. Zwar gelang es nicht die Gleichgewichtskonstante dieser Reaktion zu ermitteln, jedoch wurde mit einem unteren Grenzwert[1] von 47,7 Kcal/Mol die Bildungswärme angegeben. Flammenkalorimetrisch wurde die Verbrennungswärme dann bestimmt und ΔH_f^{298} zu 66,6 ± 0,6 Kcal/Mol ermittelt[2]. Neuere Untersuchungen haben diesen Wert bestätigt[3], so daß man ihn zu einigen Vergleichen heranziehen kann. Da der ΔH_f^{298}-Wert von *Cyclopropan* zu 12,72 Kcal/Mol bestimmt wurde[3], ergeben sich für die Hydrierungswärme von Cyclopropen zu Cyclopropan −53,88 Kcal/Mol. Verwendet man einen Wert von ∼ −27 Kcal/Mol für die Hydrierungswärme einer ungespannten *cis*-Doppelbindung, so erhält man 26,88 Kcal/Mol als zusätzliche Spannungsenergie des Cyclopropens gegenüber dem Cyclopropan. Bei Zugrundelegen des experimentell ermittelten Wertes von 27,15 Kcal/Mol für die Ringspannung des Cyclopropans[4], ermittelt man für die **Ringspannungsenergie** des Cyclopropens 54,03 Kcal/Mol.

Die **Isomerisierungswärme** des Cyclopropens zu Propin kann dann zu −22 Kcal/ Mol berechnet werden. Damit ist diese Reaktion wesentlich stärker exotherm als die entsprechende Isomerisierung des Cyclopropans zu Propen (−7,9 Kcal/Mol)[5].

Die **Temperaturabhängigkeit** der thermodynamischen Funktionen ist aus den bekannten Trägheitsmomenten[6] und aus den Schwingungsfrequenzen[7] des Cyclopropens berechnet worden. Tab. 3 enthält für sechs Temperaturen die entsprechenden Werte.

Tab. 3. Temperaturabhängigkeit der thermodynamischen Funktionen des Cyclopropens[1]

T [°K]	$(F°-H_0°)/T$	$(H°-H_0°)/T$	S°
298,1	—49,15	9,23	58,38
300	—49,21	9,25	58,46
400	—52,03	10,51	62,54
500	—54,52	11,89	66,41
600	—56,82	13,24	70,06
700	—58,95	14,50	73,45

Theoretische Betrachtungen zur **Spannungsenergie** des Cyclopropens sind von mehreren Arbeitsgruppen durchgeführt worden[8-11].

[1] K. B. Wiberg u. W. J. Bartley, Am. Soc. **82**, 6375 (1960).

[2] K. B. Wiberg, W. J. Bartley u. F. P. Lossing, Am. Soc. **84**, 3980 (1962).

[3] H. A. Skinner u. G. Pilcher, Quart. Rev. **20**, 264 (1966).

[4] R. B. Turner et al., Tetrahedron Letters **1965**, 997.

[5] J. W. Knowlton u. F. Rossini, J. Res. Bur. Stand. **43**, 113 (1949); C. A. **44**, 1322 (1950).

[6] P. H. Kasai et al., J. Chem. Physics **30**, 512 (1959).

[7] D. F. Eggers et al., unpublizierte Daten, zitiert bei G. L. Closs, „*Cyclopropenes*" in H. Hart u. G. J. Karabatsos, „*Advances in Alicyclic Chemistry*", Vol. I, S. 68, Academic Press, New York · London 1966.

[8] M. Simonetta, G. Favini u. P. Beltrame, Rend. Ist. lomb., Pt. I **91**, 311 (1957); C. A. **52**, 10666 (1958).

[9] O. Klement, O. Mader u. B. Felder, Helv. **43**, 1766 (1960).

[10] A. D. Walsh, Trans. Faraday Soc. **45**, 179 (1949).

[11] N. C. Baird u. M. J. S. Dewar, Am. Soc. **89**, 3966 (1967).

An dieser Stelle sollen vor allem die Berechnungen erwähnt werden[1], die eine modifizierte POPLE-SCF-MO-Methode[2] zur Grundlage hatten. Schon früher wurde gezeigt[3], daß die Bildungswärmen konjugierter Moleküle mit hoher Genauigkeit ($\pm$ 0,1%) berechnet werden können, wenn man ein Modell lokalisierter Bindungen für die σ-Bindungen annimmt und die π-Bindungsenergie nach der Pople-Methode ermittelt. Zur Ermittlung der Bildungswärmen von Kohlenwasserstoffen und kleinen Alicyclen aus den Atomen in der Gasphase bei einer Standardtemp. von 25° (= H_f^{298}) wurde die POPLE-SCF-MO-Methode erweitert[2], indem man alle Valenzelektronen des Moleküls berücksichtigt. Methodisch lehnt sich dieses Vorgehen an ähnliche Verfahren an[4,5].

Die Atomisierungswärme eines Moleküls wird aus der berechneten Gesamtenergie durch Subtraktion einer Summe von Energien entsprechender Schwerpunkte der im Molekül enthaltenen Atome erhalten. Um nun die Ringspannungsenergien abzuschätzen, müssen zunächst approximative Werte für die Atomisierungswärmen der spannungsfreien Analoga nach der Gruppen-Methode von Franklin[6] ermittelt werden. Tab. 4 zeigt einige der Ergebnisse für Dreiring-Verbindungen.

Tab. 4. Energiewerte [Kcal/Mol] für einige Dreiring-Verbindungen[1]

Verbindung	Atomisierungs-Wärme (ber.)	ΔH_f^{298}		Ringspannungsenergie	
		ber.	exper.	ber.	exper.
Cyclopropan	809,1	+16,2	+12,72[7]	31,0	27,5
1,3-Dimethyl-bicyclo[1.1.0]butan*	1500,2	+46,2	+39,7 [8]	69,3	62,8
Äthyliden-cyclopropan	1228,3	+43,0	+36,1 [8]	42,8	37,2
2-Methyl-1-methylen-cyclopropan	1226,3	+45,0	+39,4 [8]	44,2	—
Cyclopropen	659,6	+61,5	+66,6 [7]	47,5	52,6
1,2-Dimethyl-cyclopropen	1221,7	+49,6	+46,4 [8]	50,2	47,0
Cyclopropan-⟨spiro⟩-cyclopropan* (Spiro-[2.2]-pentan)	1213,3	+58,0	+44,23[9]	75,2	61,4

* bez. auf 2 Cyclopropan-Ringe

Da beide C—H-Bindungstypen im Cyclopropen beträchtlich stärker als in ungespannten Olefinen sind, darf man erwarten, daß die Summe der C—C-Bindungen um mehr als 60 Kcal/Mol signifikant kleiner als in nichtgespannten Systemen ist. Die Strukturparameter weisen die C—C-Einfachbindungen des Cyclopropens als die schwächsten Bindungen aus. Da die Isomerisierung des Cyclopropens zum Propin-(1) höchstwahrscheinlich eine Diradikalspezies durchläuft, dürfte die Aktivierungsenergie dieser Umlagerung einen angenäherten Wert für die Stärke der C—C-Einfachbindung im Cyclopropen repräsentieren; jedoch ist der diesbezügliche Wert derzeit nicht genau bekannt.

Es ist außerdem möglich die Bindungsenergie der C—C-Einfachbindung durch Einführung weiterer geometrischer Einschränkungen zu reduzieren. Es leuchtet

[1] N. C. Baird u. M. J. S. Dewar, Am. Soc. **89**, 3966 (1967).

[2] M. J. S. Dewar u. G. Klopman, Am. Soc. **89**, 3089 (1967).

[3] A. L. H. Chung u. M. J. S. Dewar, J. Chem. Physics **42**, 756 (1965).
M. J. S. Dewar u. G. J. Gleicher, Am. Soc. **87**, 685, 692, 3255 (1965); J. Chem. Physics **44**, 759 (1966); Tetrahedron **21**, 1817, 3423 (1965); Tetrahedron Letters **1965**, 4503.
M. J. S. Dewar et al., Am. Soc. **87**, 4414 (1965); **88**, 1349 (1966).

[4] J. A. Pople, D. P. Santry u. G. A. Segal, J. Chem. Physics **43**, S 129 (1965).
J. A. Pople u. G. A. Segal, J. Chem. Physics **43**, S 136 (1965); **44**, 3289 (1966).

[5] G. Klopman, Am. Soc. **86**, 4550 (1964); **87**, 3300 (1965).

[6] J. L. Franklin, Ind. Eng. Chem. **41**, 1070 (1949).

[7] H. A. Skinner u. G. Pilcher, Quart. Rev. **20**, 264 (1966).

[8] Persönliche Mitteilung von W. v. E. Doering u. R. B. Turner an M. J. S. Dewar[1].

[9] F. M. Fraser u. E. J. Prosen, J. Res. Bur. Stand. **54**, 143 (1955); C. A. **49**, 12103 (1955).

sofort ein, daß im *Bicyclo[4.1.0]hepten-(1⁶)* und *Benzocyclopropen* eine beträchtliche Verminderung des C=C—C-Bindungswinkel eintreten muß.

Man sollte annehmen, daß nur ein Teil dieses Wechsels im Bindungswinkelgeschehen durch einen Hybridisierungswechsel der vinylischen Kohlenstoffatome aufgefangen wird. Der Rest wird ein zusätzliches „bending" der Cyclopropen-Einfachbindungen verursachen und damit auch eine weitere Verminderung der Bindungsenergien. Die beobachtete Instabilität dieser Ringsysteme sowie die Natur einiger Zersetzungsprodukte deuten darauf hin, daß in der Tat leicht homolytische Spaltung der C—C-Einfachbindung stattfindet. So lagert sich z.B. die *1-Methyl-⟨benzocyclopropen⟩-1-carbonsäure-methylester* (I) in einer monomolekularen Reaktion mit einer Aktivierungsenergie von 25 Kcal/Mol in 2-Methoxy-3-methyl-⟨benzo-[b]-furan⟩ (III) um[1]. Da ein „concerted mechanism" unter Einbeziehung der Carboxy-Gruppe a priori mit Sicherheit nicht ausgeschlossen werden kann, kann die ermittelte Aktivierungsenergie nur als unteres Limit für die Einfachbindungsenergie angesprochen werden.

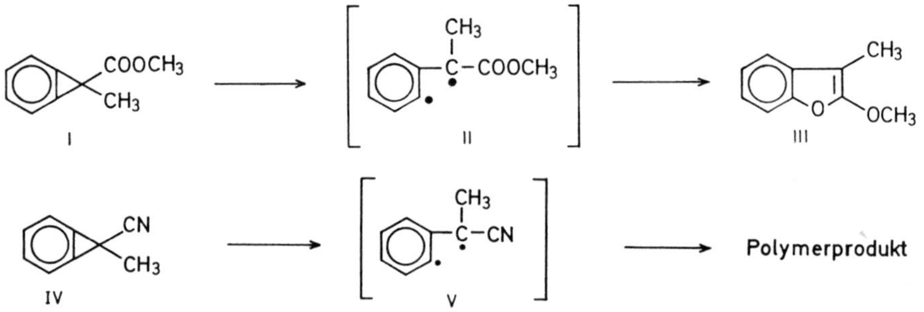

1-Methyl-1-cyan-⟨benzocyclopropen⟩ (IV) erleidet Zersetzung zu einer polymeren Substanz mit einer etwas geringeren Aktivierungsenergie.

Spektrale Charakteristika von Cyclopropenen[2]

Elektronenspektren

Nach dem vorliegenden Untersuchungsmaterial unterscheiden sich die Elektronenspektren der Cyclopropene nicht essentiell von denen weniger gespannter Cycloalkene. Untersuchungen an *Cyclopropen*[3] in der Gasphase wurden bis zum unteren Grenzwert von 185 mμ durchgeführt.

Ein Übergang mittlerer Intensität ($\varepsilon \sim 1000$) wurde zwischen 195 und 225 mμ festgestellt; über dessen Ursprung wurden keine Aussagen gemacht. Ähnliche Übergänge sind in den Spektren von Cyclobuten und Cyclopenten beobachtet worden. Ein zweiter Übergang höherer Intensität hat sein Maximum beträchtlich unterhalb 185 mμ und erscheint damit als Endabsorption des mitgeteilten Spektrums. Dieser Übergang entspricht vermutlich einem π-π*-Typus. Konjugation der Doppelbindung des Cyclopropenringes mit *exo*cyclischen ungesättigten Gruppen führt zu den erwarteten bathochromen Verschiebungen. Die Konjugation einer Carbonyl-

---

[1] V. I. BENDALL u. G. L. CLOSS, zitiert in G. L. CLOSS, „*Cyclopropenes*", in H. HART u. G. J. KARABATSOS, *Advances in Alicyclic Chemistry*, Bd. 1, Academic Press, New York · London 1966.

[2] An dieser Stelle werden nur spektrale Befunde an einfachen Cyclopropenen beschrieben; die spektroskopischen Daten von Cyclopropenen mit delokalisierten π-Elektronensystemen werden gesondert diskutiert, s. S. 731–733; 749–752; 764–767.

[3] K. B. WIBERG u. B. J. NIST, Am. Soc. **83**, 1226 (1961).

Tab. 5. UV-spektroskopische Daten einiger Cyclopropen-Verbindungen

Verbindung	Lösungsmittel	λ_{max} [mμ]	ε	Literatur
1,2-Diphenyl-cyclopropen-3-carbonsäure-methylester	Äthanol	323	26400	1
		306	33900	
		232	19500	
		224	21900	
1,2-Diphenyl-3-cyan-cyclopropen	Äthanol	318	29400	2
		303	38400	
		295	28700	
		287	26800	
		231	20200	
		223	22100	
2,3,3-Trimethyl-cyclopropen-1-carbonsäure-methylester	Hexan	226	7700	3
2,3,3-Trimethyl-1-formyl-cyclopropen	Pentan	240	4500	4
2,3,3-Trimethyl-1-acetyl-cyclopropen	Methanol	320	155	4
		256	6500	
1-Methyl-benzocyclopropen-1-carbonsäure-methylester	Äthanol	274	445	4
		267	560	
		262	490	
1,1-Difluor-benzocyclopropen	Cyclohexan	264	895	5
		258	1230	
		252	955	
		246	565	
		242	310	

Gruppe mit der Cyclopropen-Doppelbindung führt zu Absorptionsspektren, die sich nicht signifikant von denen normaler α,β-ungesättigter Carbonyl-Verbindungen unterscheiden. Das *Benzocyclopropen*-System zeigt ein UV-Spektrum, das dem des o-Xylols sehr ähnlich ist, d.h., daß die elektronischen Übergangsenergien des Benzolchromophors offenbar nicht sehr empfindlich gegenüber Änderungen in der molekularen Geometrie sind[4]. Das UV-Spektrum des unsubstituierten Benzocyclopropens[6] zeigt große Ähnlichkeit zu dem des Benzocyclobutens; das Elektronenspektrum des *1,1-Difluor-benzocyclopropens*[5] besitzt den gleichen Habitus wie das des Benzocyclopropens, ist jedoch um $\sim$ 13 mμ nach kürzeren Wellenlängen verschoben. Tab. 5 zeigt eine Übersicht über einige UV-spektroskopische Daten von Cyclopropen-Verbindungen.

Infrarot- und Raman-Spektren

Eine große Anzahl von IR- und einige Raman-Spektren von Cyclopropen-Verbindungen liegen vor. Hauptsächlich zwei Schwingungstypen sind von Interesse. Den ersten Typus stellen die C—H-Streckschwingungen dar, die sich für die Cyclo-

[1] R. Breslow, R. Winter u. M. Battiste, J. Org. Chem. **24**, 415 (1959).
[2] R. Breslow, J. Lockhart u. H. W. Chang, Am. Soc. **83**, 2375 (1961).
[3] G. L. Closs u. L. E. Closs, Am. Soc. **83**, 1003 (1961).
[4] s. G. L. Closs, „*Cyclopropenes*", in H. Hart u. G. J. Karabatsos, *Advances in Alicyclic Chemistry*, Vol. 1, S. 70, Academic Press, New York · London 1966.
[5] E. Vogel et al., Ang. Ch. **80**, 279 (1968).
[6] E. Vogel, W. Grimme u. S. Korte, Tetrahedron Letters **1965**, 3625.

propene wegen des erhöhten s-Charakters der C—H-Bindungen echt von denen unge-
spannter Olefine unterscheiden sollten. Auch die Ringgerüst-Schwingungen sollten
ungewöhnliche Charakteristika aufweisen.

Die Bande bei 3076 cm^{-1} des *Cyclopropens*[1] wird dem symmetrischen (A$_1$) Typ
der C—H-Streckschwingung der vinylischen Wasserstoffe zugeordnet. Da es unmöglich ist, die Kraftkonstante dieser Schwingung ohne Kenntnis der Frequenz des
antisymmetrischen Typus (B$_1$) zu erhalten, liefert damit das IR-Spektrum des Cyclopropens keine Information über die Natur der C—H-Bindungen.

Untersuchungen an den Infrarot- und Raman-Spektren von *3,3-Dimethyl*- und
1,3,3-Trimethyl-cyclopropen und deren D e u t e r o - Verbindungen gestatten jedoch
einen weiteren Einblick[2]. Die Intensitäten der vinylischen C—H-Streckschwingungen sind in den IR-Spektren extrem gering und die Positionen der diesbezüglichen
Banden können zuverlässiger aus den intensiveren Raman-Spektren entnommen
werden. Tab. 6 zeigt einige Werte für die Streckschwingungen.

Tab. 6. Vinyl-C—H und -C—D-Streckschwingungen einiger Alkyl-cyclopropene

Verbindung	C—H-Frequenz [cm^{-1}]	C—D-Frequenz [cm^{-1}]	Literatur
Cyclopropen	3076 (A$_1$)	—	1
3,3-Dimethyl-cyclopropen	3097 (A$_1$)	—	2
	3132 (B$_1$)	—	2
1-Deutero-3,3-dimethyl-cyclopropen	3116	2365	2
1,3,3-Trimethyl-cyclopropen	3110	—	2
2-Deutero-1,3,3-trimethyl-cyclopropen	—	2360	2

Der Mittelwert für die A$_1$- und B$_1$-Schwingungsfrequenzen des *3,3-Dimethyl-cyclo-
propens* (3115 cm^{-1}) kann in erster Näherung als Frequenz eines u n g e k o p p e l t e n
v i n y l i s c h e n C—H-Typus angesprochen werden. Im Vergleich dazu erhält man
einen Wert von 3045 cm^{-1} für Cyclohexen[1]. Die Differenz von 70 cm^{-1} kann dann
offenbar als Indiz für die erhöhte Bindungsstärke der C—H-Bindungen im Cyclopropen, die aus dem Wechsel der Hybridisierung der vinylischen Kohlenstoffatome
resultiert, gewertet werden.

Tab. 7. Doppelbindungs-Streckschwingungsfrequenzen [cm^{-1}] von einigen me-
thyl- und deuterium-substituierten Cyclopropenen[3; s. a. 1,2]

Cyclopropen 1641	*1-Methyl-cyclopropen* 1780	*1,2-Dimethyl-cyclopropen* 1885
3-Methyl-cyclopropen 1638	*1,3-Dimethyl-cyclopropen* 1773	*1,2,3-Trimethyl-cyclopropen* 1880
3,3-Dimethyl-cyclopropen 1632	*1,3,3-Trimethyl-cyclopropen* 1768	*1,2,3,3-Tetramethyl-cyclopropen* 1877
1-Deutero-3,3-dimethyl-cyclopropen 1578	*1,2-Dideutero-3,3-dimethyl-cyclopropen* 1525	*2-Deutero-1,3,3-trimethyl-cyclopropen* 1718

[1] K. B. Wiberg u. B. J. Nist, Am. Soc. **83**, 1226 (1961).
[2] Vgl. G. L. Closs, „*Cyclopropenes*", in H. Hart u. G. J. Karabatsos, *Advances in Alicyclic
    Chemistry*, Vol. 1, S. 72, Academic Press, New York · London 1966.
[3] Vgl. W. v. E. Doering u. T. Mole, Tetrahedron **10**, 65 (1960).

In Tab. 8 erscheinen Angaben über beobachtete Doppelbindungsstreck-
Schwingungen an einigen alkyl- und deutero-substituierten Cyclopropenen.
Bei Einführung von je einer Methyl-Gruppe an den vinylischen C-Atomen wird eine
Verschiebung um $\sim 100\,\mathrm{cm}^{-1}$ nach höheren Frequenzen beobachtet. Bei Austausch
des Wasserstoffs gegen Deuterium erfolgt eine Verschiebung um ~ 50 Wellen-
zahlen nach niederen Frequenzen.

Tab. 8. Doppelbindungs-Streckschwingungen einiger Cyclopropene

Verbindung	Frequenz [cm⁻¹]	Litera-tur
1,2-Diphenyl-cyclopropen-3-carbonsäure-methylester	1840	1
3,3-Dimethyl-1-phenyl-cyclopropen	1740	2
2,3,3-Trichlor-1-(4-fluor-phenyl)-cyclopropen	1603	3
2,3,3-Trimethyl-cyclopropen-1-carbonsäure-methylester	1840	2
2-Chlor-1,3,3-trimethyl-cyclopropen	1840	2
1,2,3,3-Tetrachlor-cyclopropen	1810	4
1,2,3,3-Tetrabrom-cyclopropen	1757	5
3-Chlor-cyclopropen	1615	6

Außerdem wird aus den Daten von Tab. 8 ersichtlich, daß mit steigender Methyl-
substitution am Kohlenstoffatom C-3 eine deutliche, wenn auch geringe Verschiebung
nach niederen Wellenzahlen erfolgt.

Die Ursache für diese bemerkenswerten Substituenteneffekte ist wenigstens zum Teil in der
ungewöhnlichen Geometrie des Cyclopropenringes zu suchen. Wegen des großen *exo*cyclischen
Winkels (etwa 150°) sollte eine Kopplung der Skelettschwingungen mit den Schwingungen der
Bindungen der Substituenten beim Cyclopropen wesentlich stärker als bei den gewöhnlichen
Olefinen sein[7]. Als Resultat einer starken Kopplung mit den *exo*cyclischen C—C-Einfachbin-
dungsschwingungen sollten die Ringschwingungen bei höheren Frequenzwerten erscheinen[8].
Analog lassen sich die beobachteten Verschiebungen nach tieferen Frequenzen bei den Deu-
tero-Verbindungen erklären.

Kernmagnetische Resonanzspektren

Das Kernresonanzspektrum von *Cyclopropen* in Tetrachlormethan (15 Vol.-%) wurde
beschrieben[9]. Zentriert bei 2,99 τ erscheinen die Signale für die olefinischen Protonen. Gegenüber anderen Cycloolefinen ist die Resonanzstelle damit um mehr als
1 ppm nach tieferem Feld verschoben. Zweifellos ist ein Teil dieses ungewöhnlichen
Shifts auf den erhöhten s-Charakter der C—H-Bindung zurückzuführen. Andererseits
muß auch mit magnetischen Anisotropieerscheinungen der Bindungen des Cyclo-

[1] R. Breslow, R. Winter u. M. Battiste, J. Org. Chem. **24**, 415 (1959).
[2] Vgl. G. L. Closs, ”*Cyclopropenes*“, in H. Hart u. G. J. Karabatsos, *Advances in Alicyclic
Chemistry*, Vol. 1, S. 75, Academic Press, New York · London 1966.
[3] S. W. Tobey u. R. West, Am Soc. **86**, 4215 (1964).
[4] S. W. Tobey u. R. West, Tetrahedron Letters **1963**, 1179.
    S. W. Tobey u. R. West, Am. Soc. **88**, 2481 (1966).
[5] S. W. Tobey u. R. West, Am. Soc. **86**, 1459 (1964).
[6] R. Breslow, J. T. Groves u. G. Ryan, Am. Soc. **89**, 5048 (1967).
[7] C. F. Wilcox u. R. R. Craig, Am. Soc. **83**, 3866 (1961).
[8] R. C. Lord u. F. A. Miller, Applied Spectroscopy **10**, 115 (1956); C. A. **50**, 14364 (1956).
[9] K. B. Wiberg u. B. J. Nist, Am. Soc. **83**, 1226 (1961).

propenringes gerechnet werden. Die Methyl-Protonen hingegen erscheinen bei
9,08 τ, d.h. sie sind charakteristisch stärker abgeschirmt als allylische Protonen
in ungespannten Olefinen. Offenbar liegt auch im Cyclopropen in Analogie zum Cyclopropan (s. S. 28) ein Ringstromeffekt vor. Von den drei möglichen Spin-Spin-
Kopplungskonstanten im Cyclopropen ist nur die 1,3-Kopplung mit $\sim$ 1,8 Hz
bestimmt worden[1]. Mit Hilfe der homonuklearen Doppelresonanz-Technik ist die 1,2-
Kopplung des *3,3-Dimethyl-cyclopropens* aus dem ^{13}C-Satellitenspektrum zu 1,4 Hz
ermittelt worden[2]. Die geringe Größe dieser Kopplung steht in Einklang mit der
allgemeinen Beobachtung, daß *cis*-olefinische ^{1}H—^{1}H-Kopplungen mit fallender
Ringgröße der Cycloalkene stets kleiner werden[2-4]. Weitreichende Kopplungen über
4 und 5 Bindungen von 0,7–1,5 Hz sind ebenfalls an Cyclopropenen festgestellt
worden[5,6].

Auf die Bedeutung von ^{13}C—^{1}H-Kopplungen für die Abschätzung des s-Charakters der vinylischen C—H-Bindungen ist bereits hingewiesen worden (s. S. 680).

A. Herstellung

a) Cyclopropene durch β-Eliminierung aus Cyclopropan-Derivaten

Durch Pyrolyse von Trimethyl-cyclopropyl-ammonium-hydroxid (X)
auf platiniertem Ton bei Temperaturen von 300° erhält man *Cyclopropen*[7-9] in bescheidener Ausbeute neben Cyclopropylamin und Propin. Die Ausbeute an Cyclopropen kann erhöht werden, wenn die Pyrolyse von I bei 320° an Platinasbest durchgeführt wird[10]:

Das Rohprodukt wird mit verdünnter Salzsäure gewaschen, fraktioniert und anschließend gaschromatographisch gereinigt. *Cyclopropen* (Kp $_{44}$: $-36°$) kann bei
Temperaturen des flüssigen Stickstoffs aufbewahrt werden; bereits bei $-80°$ tritt
rasche Polymerisation ein (Cyclopropen reagiert mit Brom *explosions*artig!).

Von rein mechanistischem Interesse ist die Bildung von *Cyclopropen* in $\sim$ 1%iger Ausbeute bei
der Pyrolyse des Addukts XI (S. 689) aus Tropiliden und Acetylendicarbonsäure-diäthylester[11-13].

---

[1] K. B. WIBERG u. B. J. NIST, Am. Soc. **83**, 1226 (1961).

[2] P. LASZLO u. P. v. R. SCHLEYER, Am. Soc. **85**, 2017 (1963).

[3] O. L. CHAPMAN, Am. Soc. **85**, 2014 (1963).

[4] G. V. SMITH u. H. KRILOFF, Am. Soc. **85**, 2016 (1963).

[5] A. S. KENDE, Am. Soc. **85**, 1882 (1963).

[6] s. G. L. CLOSS, „*Cyclopropenes*", in H. HART u. G. J. KARABATSOS, *Advances in Alicyclic Chemistry*, Vol. 1, S. 76, Academic Press, New York · London 1966.

[7] N. J. DEMYANOW u. M. N. DOJARENKO, Izvestija Rossijskoj Akademii Nauk **16**, 297 (1922);
C. A. **20**, 2988 (1926).

[8] N. J. DEMYANOW u. M. N. DOJARENKO, B. **56**, 2200 (1923).

[9] N. J. DEMYANOW u. M. N. DOJARENKO, Izv. Akad. SSSR **1929**, 653; C. A. **24**, 1848 (1930).

[10] M. J. SCHLATTER, Am. Soc. **63**, 1733 (1941).

[11] K. ALDER u. G. JACOBS, B. **86**, 1528 (1953).

[12] K. ALDER, K. KAISER u. M. SCHUMACHER, A. **602**, 80 (1957).

[13] K. B. WIBERG u. W. J. BARTLEY, Am. Soc. **82**, 6375 (1960).

Da bei dieser Reaktion der Phthalsäure-diäthylester in nahezu quantitativer Ausbeute gebildet wird, muß man annehmen, daß unter den Reaktionsbedingungen der größte Anteil des gebildeten Cyclopropens polymerisiert:

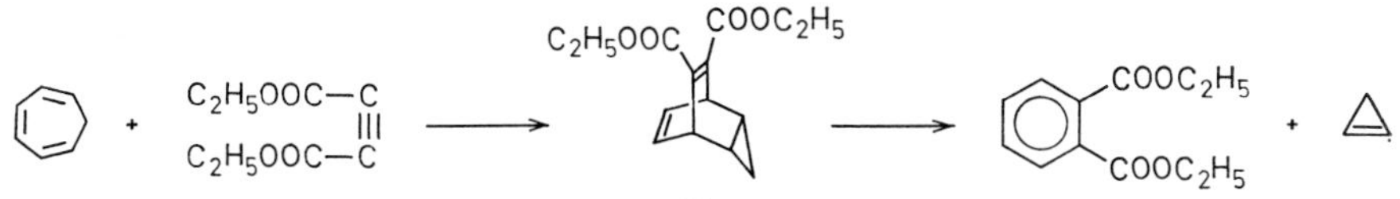

Durch Retro-Diels-Alder-Reaktion von III [dem 1:1-Addukt aus Acetylendicarbonsäure-dimethylester und II] bei 400° unter vermindertem Druck kann das interessante *Benzocyclopropen* (45% d. Th.; IV) erhalten werden[1]:

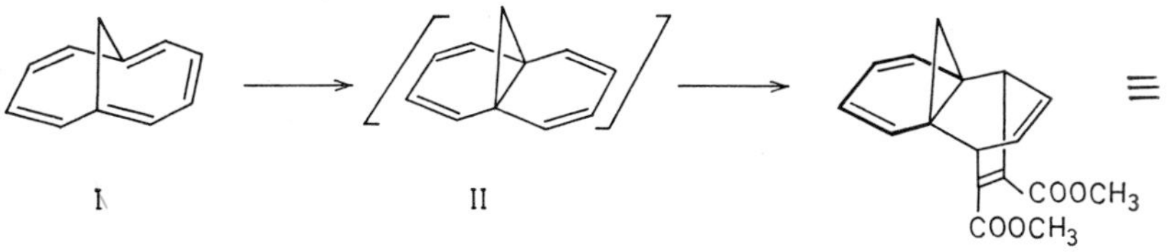

Ausgehend vom 11,11-Difluor-1,6-methano-[10]-annulen (V)[2] wird mit Dicyan-acetylen bei 100–110° ein 1:1-Addukt VI in 37%iger Ausbeute erhalten[3]. Das Addukt VI unterliegt einheitlicher und praktisch vollständiger Alder-Rickert-Spaltung, wenn es im Hochvakuum (∼ 10⁻⁴ Torr) durch ein auf ∼ 380° erhitztes Pyrolyserohr geleitet wird. Als Fragmentierungsprodukt entsteht *1,1-Difluor-benzocyclopropen* (Kp₁₄: 33°; n₂₀ᴅ = 1,4688) neben Phthalsäure-dinitril:

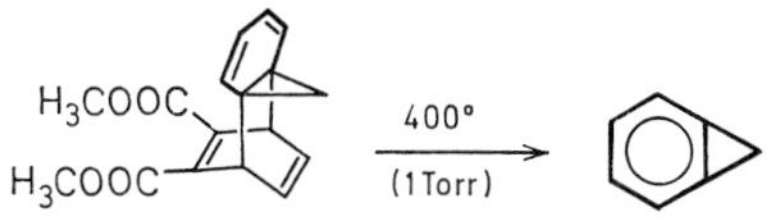

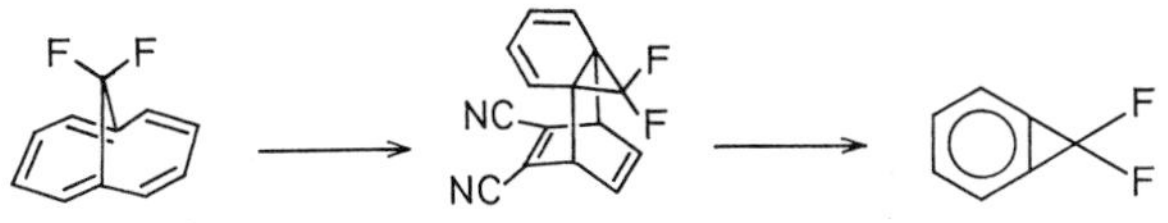

Die Verfügbarkeit einer größeren Anzahl von 1,6-Methano-[10]-annulenen[1,4] mit einem oder zwei Substituenten an der Brücke legte es nahe, weitere Anwendungsmöglichkeiten des geschilderten Verfahrens zu suchen. Von den meisten der anderen bislang geprüften brückensubstituierten 1,6-Methano-[10]-annulene, insbesondere 11-Methyl-, 11-Brom- und 11-Cyan-1,6-methano-[10]-annulen, ließen sich zwar die gewünschten Diels-Alder-Addukte gewinnen, doch führte die Pyrolyse dieser Addukte nicht zu den erwarteten Benzocyclopropen-Derivaten[2].

Einen einfachen Zugang zum beschriebenen 1,1-Difluor- und möglicherweise auch zu anderen 1,1-Dihalogen-benzocyclopropenen versprechen die aus Dienen und Tetrahalogen-cyclopropenen (s.S. 691, 692) relativ leicht zugänglichen 1,6,7,7-Tetra-

---

[1] E. Vogel, W. Grimme u. S. Korte, Tetrahedron Letters **1965**, 3625.

[2] V. Rautenstrauch, H. J. Scholl u. E. Vogel, Ang. Ch. **80**, 278 (1968).

[3] E. Vogel et al., Ang. Ch. **80**, 279 (1968).

[4] Vgl. E. Vogel, *Aromaticity*, Special Publ. Nr. **21**, 113 (1967), Chemical Society, London.

halogen-bicyclo[4.1.0]heptene-(3)[1], z.B. I. So gelingt die Herstellung von *1,1-Difluor-benzocyclopropen*[2] in ~40%iger Ausbeute aus I durch Einwirkung von Kaliumhydroxid in 1,2-Bis-[2-hydroxy-äthoxy]-äthan (Triäthylenglykol) bei 80° und 14 Torr:

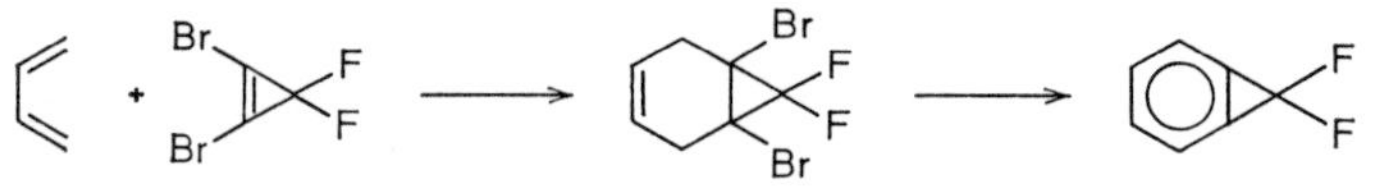

Die Herstellung von anderen Benzocyclopropen-Derivaten nach der Methode der **photolytischen Zersetzung** von **3H-Indazolinen**[3] wird auf S. 701 ausführlich beschrieben.

Benzocyclopropen und seine **Derivate** beanspruchen vor allem theoretisches Interesse, da hier der aromatische Kern möglicherweise beträchtliche Unterschiede in den Bindungslängen aufweisen sollte, was ungewöhnliche chemische und spektroskopische Eigenschaften zur Folge haben muß[4] (s. S. 685).

Auch durch baseninduzierte β-Eliminierung eines **Nitrit-Ions** aus nitro-substituierten Cyclopropan-Derivaten[5] werden Cyclopropene gewonnen. *1,2-Diphenyl-* und *2-Phenyl-1-(4-nitro-phenyl)-cyclopropen-3,3-dicarbonsäure-dimethylester* (II und III) sind nach diesem Verfahren synthetisiert worden[6]. Die Methode scheint jedoch im wesentlichen auf aryl-substituierte Nitro-cyclopropane beschränkt zu sein, da hier die Eliminierung durch die aktivierende Wirkung der aromatischen Substituenten erleichtert wird.

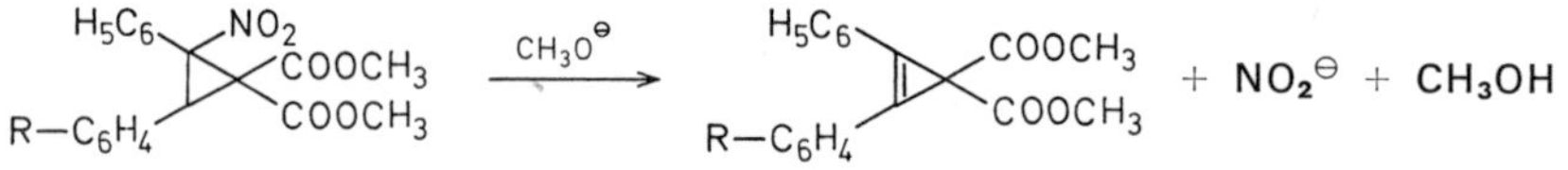

Durch Verwendung von Kalium-tert.-butanolat als Base gelang es **nicht** aus *trans*-2-Brom-cyclopropan-1-carbonsäureester (IV; S. 691) durch β-Eliminierung des Bromids Cyclopropen-carbonsäureester (V) zu gewinnen[7]. Man erhält nur die entsprechenden **tert.-Butyloxy-cyclopropan**-Derivate (VI). Deuterierungs-Versuche haben gezeigt, daß zwar primär der gewünschte Cyclopropen-carbonsäureester (V) gebildet wird, doch daß die schnelle Addition von tert.-Butanol die Isolierung verhindert. Versuche, V durch Pyrolyse eines Acetoxy-cyclopropans herzustellen, scheiterten ebenfalls[8].

[1] Vgl. Vortrag von S. W. Tobey auf dem „Symposium International sur la Chimie des Petits Cycles et ses Applications", Löwen/Belgien, 12.–15. Sept. 1967.

[2] E. Vogel et al., Ang. Ch. **80**, 279 (1968).

[3] Vgl. hierzu:
    R. Anet u. F. A. L. Anet, Am. Soc. **86**, 525 (1964).
    G. L. Closs, L. Riemenschneider-Kaplan u. V. I. Bendall, Am. Soc. **89**, 3376 (1967).

[4] Vgl. hierzu die Diskussionen von E. F. Ullman u. E. Buncel, Am. Soc. **85**, 2106 (1963).

[5] E. P. Kohler u. S. F. Darling, Am. Soc. **52**, 1174 (1930).

[6] S. F. Darling u. E. W. Spanagel, Am. Soc. **53**, 1117 (1931).

[7] K. B. Wiberg, R. K. Barnes u. J. Albin, Am. Soc. **79**, 4994 (1957).

[8] K. B. Wiberg u. R. K. Barnes, J. Org. Chem. **23**, 299 (1958).

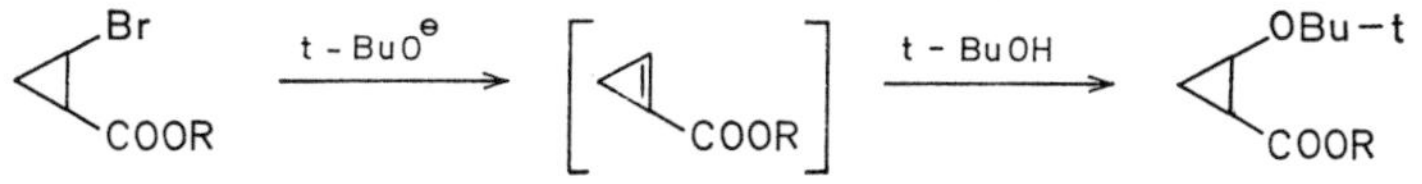

Eine Anzahl von bicyclischen Halogen-cyclopropanen gehen bei Behandlung mit Kalium-tert.-butanolat in Dimethylsulfoxid sehr leicht Eliminierungen ein[1]. In keinem der untersuchten Fälle war es jedoch möglich, entsprechende Cyclopropen-Verbindungen zu isolieren. Die gebildeten Produkte konnten auf eine Wanderung der Doppelbindung zu einer Position größerer Stabilität außerhalb des dreigliedrigen Ringes zurückgeführt werden.

Dagegen gelingt es, *Tetrachlor-cyclopropen* im Sinne einer β-Eliminierung (E2-Mechanismus) aus Pentachlor-cyclopropan[2] durch Behandlung mit konzentrierter Kalilauge zu synthetisieren[3,4]:

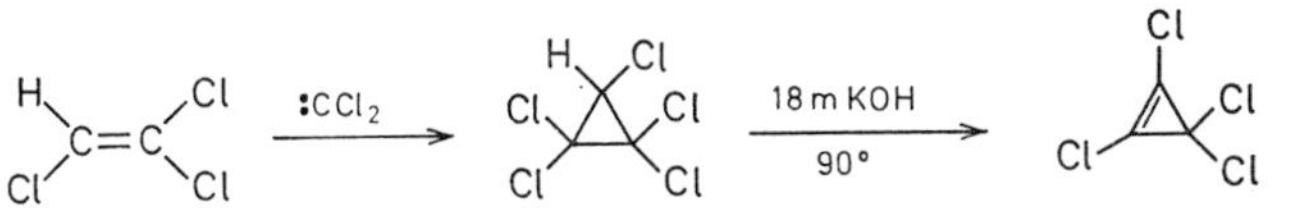

Tetrachlor-cyclopropen[3,4]: 50 g Pentachlor-cyclopropan[2] (95 Mol.-% mit 5% 1,2-Dimethoxy-äthan, 0,22 Mol) werden zu 0,6 Mol Kaliumhydroxid, gelöst in 40 *ml* Wasser, gegeben. Nach ½ stdgm. Rühren, wobei die Reaktionstemp. zwischen 85 und 95° gehalten wird, kühlt man die lockere Emulsion auf 50° ab und fügt 50 *ml* kaltes Wasser zu. Nach Zugabe von 25 *ml* kalter konz. Salzsäure (pH-Wert der Mischung ist dann kleiner als 2) zerfällt die Emulsion. Die 25 *ml* der unteren öligen Schicht werden abgetrennt und kurz über Calciumchlorid getrocknet. Eine einfache Destillation in auf 0° gekühlte Vorlagen (unter Stickstoff) liefert 33 g (85% d. Th.); Kp$_{745}$: 130—131°.

Diese erste Herstellung von Tetrachlor-cyclopropen (I) erwies sich als äußerst fruchtbar für weitere Synthesen.

Aus I kann durch Behandlung mit Bortribromid in hoher Ausbeute *Tetrabrom-cyclopropen* (II) erhalten werden. *3-Fluor-1,2,3-trichlor-cyclopropen* (III) und *3,3-Difluor-1,2-dichlor-cyclopropen* (IV) werden durch Umsetzung von I mit Antimon(III)-fluorid bzw. *3,3-Difluor-1,2-dibrom-cyclopropen* (V) durch Umsetzung von II mit Antimon(III)-fluorid gewonnen[4]:

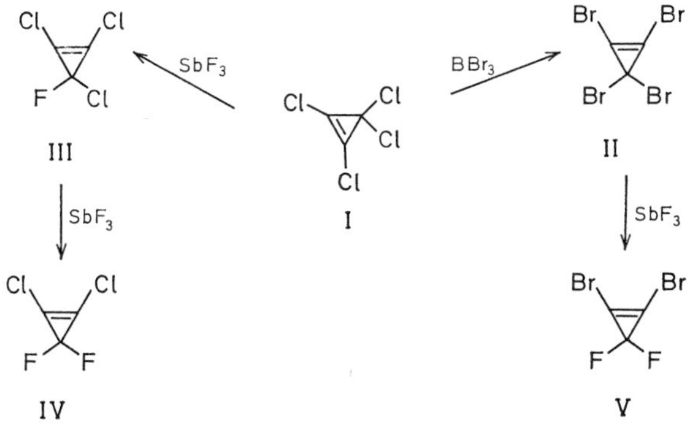

[1] C. L. Osborn et al., Am. Soc. **87**, 3158 (1965).

[2] S. W. Tobey u. R. West, Am. Soc. **88**, 2478 (1966).

[3] S. W. Tobey u. R. West, Tetrahedron Letters **1963**, 1179.

[4] S. W. Tobey u. R. West, Am. Soc. **88**, 2481 (1966).

Zum anderen dient Tetrachlor-cyclopropen zur Herstellung von Trihalogen-cyclopropenylium-Salzen[1] (s. S. 773). Eine Zusammenfassung der Chemie des Tetrachlor-cyclopropens[1] wird im Rahmen der chemischen Reaktionen der Cyclopropen-Verbindungen (s. S. 706–707; 724–725) gegeben.

Tetrabrom-cyclopropen[2]: Bei 25° werden 19,43 g (0,109 Mol) Tetrachlor-cyclopropen in einen 50-*ml*-Kolben, der mit einem Rückflußkühler und einem seitlichen mit Gummi verschlossenen Stutzen versehen ist, gebracht. Bortribromid wird in 2-*ml*-Portionen aus einer mit Kel-F-Schmiermittel gefetteten Spritze injiziert. Die Zugabe jeder Bortribromid-Portion führt zu einer heftigen Reaktion und Entwicklung von Bortrichlorid. Die Reaktionstemp. steigt schnell auf 40° und hält sich während der fortschreitenden Reaktion im Bereich zwischen 40 und 60°. Der Kolbeninhalt hat eine schwach gelbe Färbung. Nach Zugabe von insgesamt 12,8 *ml* (33,9 g; 0,135 Mol) Bortribromid bricht die Reaktion abrupt ab. Nach Entfernen der flüchtigen Produkte bei 5 Torr wird das zurückbleibende Tetrabrom-cyclopropen zwischen 70 und 95° (0,1–0,4 Torr) abdestilliert; Ausbeute: 34,25 g (88% d. Th.).

3,3-Difluor-1,2-dibrom-cyclopropen[2]: 11,84 g (0,0333 Mol) Tetrabrom-cyclopropen und 9,46 g (0,0528 Mol) Antimon(III)-fluorid werden zusammen in einer Claisen-Destillationsapparatur (Pyrex) auf 60° während 5 Min. erhitzt und dann langsam auf 120° gebracht. Bei dieser Temp. wird eine kleine Menge Bromwasserstoff entwickelt und die Destillation des Produktes beginnt. Die Temp. fällt dann auf 108–109°. 5 Min. wird die Destillation bei dieser Temp. fortgesetzt und dann sofort abgebrochen; Ausbeute: 4,02 g (51% d. Th.).

Bei zwei Herstellungsmethoden von Cyclopropenonen (s. S. 734 ff.) beinhalten die Schlüsselstufen höchstwahrscheinlich β-Eliminierungen von intermediär auftretenden Cyclopropan-Derivaten.

Ebenso kann die Dehydrochlorierung von Chlor-cyclopropanen zur Herstellung von *Cyclopropenen* herangezogen werden[3]. So liefert die Umsetzung von 3,3-Dichlor-2,2-dimethyl-1-tert.-butyl-cyclopropan (I) mit Kalium-tert.-butanolat in Dimethylsulfoxid bei 30° ein Gemisch aus 35% *2-Chlor-3,3-dimethyl-1-tert.-butyl-cyclopropen* (II) und 24% 2,5,5-Trimethyl-hexen-(1)-in-(3) (III). Analog bildet sich aus IV eine Mischung aus 33% *3,3-Dimethyl-1-tert.-butyl-cyclopropen* (V) und 66% VI. *2-Chlor-3,3-dimethyl-1-tert.-butyl-cyclopropen* (II) reagiert leicht mit dem Anion des Methylmercaptans unter Bildung von *2-Methylmercapto-3,3-dimethyl-1-tert.-butyl-cyclopropen* (VII).

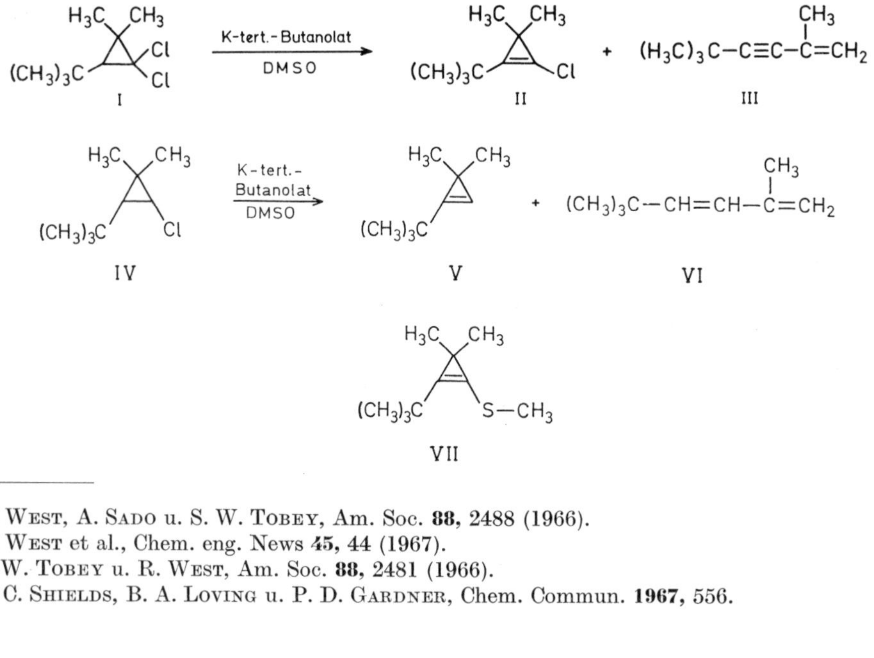

[1] R. West, A. Sado u. S. W. Tobey, Am. Soc. **88**, 2488 (1966).
    R. West et al., Chem. eng. News **45**, 44 (1967).
[2] S. W. Tobey u. R. West, Am. Soc. **88**, 2481 (1966).
[3] T. C. Shields, B. A. Loving u. P. D. Gardner, Chem. Commun. **1967**, 556.

b) Cyclopropene aus Acetylenen durch Carben-Addition oder carbenoide Verfahren

Die Addition von Carbenen an Alkine stellt eine geeignete Methode zur Herstellung von Cyclopropen-Verbindungen dar. In vielen Fällen reagieren hierbei echte freie Carbene mit den Acetylenen, andererseits gibt es eine Anzahl von Methoden, bei denen insbesondere metallorganische Spezies die reaktiven Reagentien darstellen. Letztgenannte Reaktionen sollen hier als „carbenoide" Verfahren bezeichnet werden[1,2].

Wegen der Tendenz vieler Carbene zu sehr schnellen intramolekularen Umlagerungen ergibt sich sofort eine starke Limitierung dieser synthetischen Methode. So kann man wegen der extrem schnellen Umlagerungen der meisten Alkyl-carbene zu Olefinen und Cyclopropanen keine Cyclopropene mit Alkylsubstituenten an C-3 nach diesem Verfahren herstellen.

Versuche, *Cyclopropen* aus Methylen und Acetylen in guten Ausbeuten herzustellen, schlugen fehl[3,4,5]. Ob Methylen aus Diazomethan oder Keten unter verschiedenen Bedingungen erzeugt wurde, stets waren die Hauptprodukte der Reaktion mit Acetylen Allen und Propin. Deuterierungs-Versuche haben jedoch gezeigt, daß eine intermediäre Bildung von Cyclopropen in diesen Reaktionen stattfindet. Wegen der stark exothermen Natur von Methylen-Additionen wird angenommen, daß Cyclopropen in sehr energiereichem Zustand gebildet wird und daß die Umlagerung schneller als die Desaktivierung durch Stöße erfolgt. Bei der Reaktion von Methylen mit Butin-(2) wird *1,2-Dimethyl-cyclopropen* (17% d.Th.) erhalten[6]:

$$H_3C-C\equiv C-CH_3 \ + \ CH_2N_2 \ \xrightarrow{h\nu} \ \underset{H_3C \quad CH_3}{\triangle} \ + \ N_2$$

Hier reduziert vermutlich die größere Anzahl von Schwingungsmöglichkeiten die Überschußenergie pro Bindung.

Insbesondere hat sich die Reaktion von Diazoessigsäureester und Derivaten mit Acetylenen für die Herstellung von Cyclopropenen bewährt. Die Stickstoff-Eliminierung kann nach drei verschiedenen Methoden erfolgen:

thermisch[7-10],   photolytisch[11]   und   katalytisch.

[1] W. Kirmse, *Carbene Chemistry*, Academic Press, New York 1964.

[2] W. Kirmse, Ang. Ch. **77**, 1 (1965).

[3] H. M. Frey, Chem. & Ind. **1960**, 1266.

[4] M. E. Jacox u. D. E. Milligan, Am. Soc. **85**, 278 (1963).

[5] T. Terao, N. Sakai u. S. Shida, Am. Soc. **85**, 3919 (1963).

[6] W. v. E. Doering u. T. Mole, Tetrahedron **10**, 65 (1960).

[7] R. Breslow, Am. Soc. **79**, 5318 (1957).

[8] R. Breslow u. C. Yuan, Am. Soc. **80**, 5991 (1958).

[9] I. A. Dyakonov et al., Ž. obšč. Chim. **29**, 3848 (1959); engl.: 3809.

[10] R. Breslow u. D. Chipman, Chem. & Ind. **1960**, 1105.

[11] G. L. Closs u. V. Dev, unveröffentlichte Daten, 1963, zitiert bei G. L. Closs, „*Cyclopropenes*" in H. Hart u. G. J. Karabatsos „*Advances in Alicyclic Chemistry*" Vol. I. S. 61, Academic Press, New York · London 1966.

Verwendet man bei der katalytischen Methode elektrolytisch erzeugtes Kupferpulver, so werden im allgemeinen befriedigende Ergebnisse in Hinblick auf die Ausbeuten an Cyclopropenen erzielt[1-3].

Kupfer(II)-sulfat hingegen ändert den Reaktionsverlauf und die Produktbildung[4-8]. Die Reaktion von Diazoessigsäure-äthylester mit Diphenylacetylen stellt ein typisches Beispiel für die Wichtigkeit der Reaktionsbedingungen bei erfolgreichen Cyclopropen-Synthesen dar[1,4,7]:

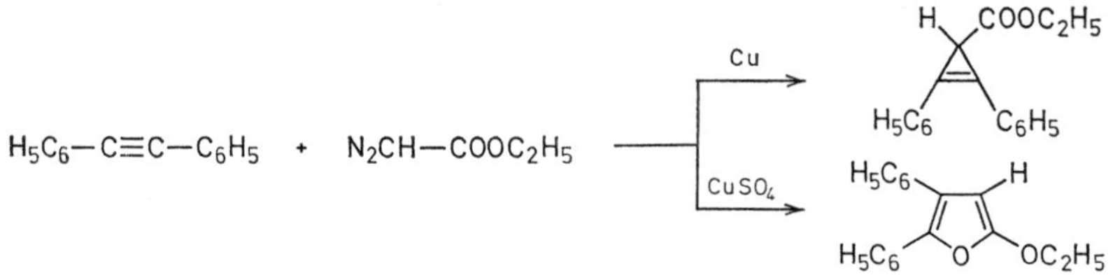

Die Äthoxycarbonyl-carben-Addition bei der Reaktion von Diazoessigsäure-äthylester mit Acetylenen kann natürlich auch zur Syntheses von Bicyclo[1.1.0] butan-Derivaten herangezogen werden. So erhält man z.B. bei der Addition des aus Diazoessigsäure-äthylester (II) erzeugten Äthoxycarbonyl-carbens an Hexin-(3) (I) zunächst *1,2-Diäthyl-cyclopropen-carbonsäure* (IIIa), an deren *Methylester* (IIIb) sich ein zweites Äthoxycarbonyl-carben anlagert unter Bildung von *1,3-Diäthyl- bicyclo[1.1.0]butan-2,4-dicarbonsäure* bzw. deren *-dimethylester* (IVa, b)[9]:

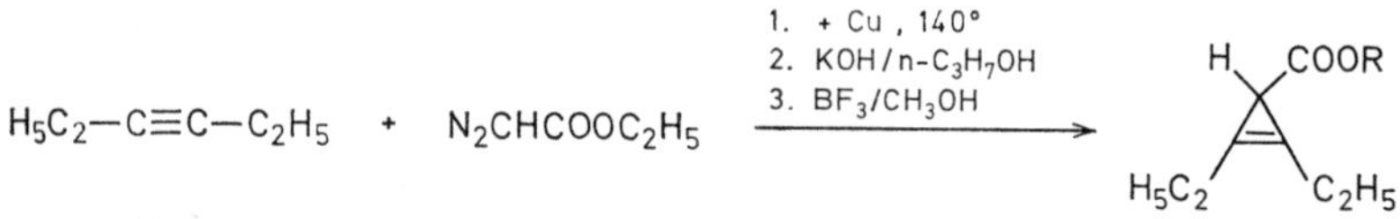

Im allgemeinen verlaufen die Reaktionen von Diazoessigsäureester mit aryl- und alkyl-substituierten Acetylenen gleich gut. Derivate des Diazoessigsäureesters wie

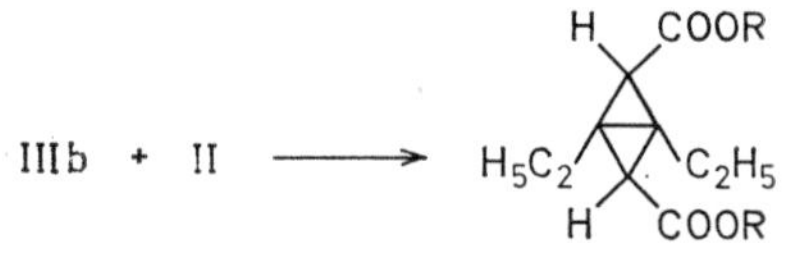

[1] R. Breslow, R. Winter u. M. Battiste, J. Org. Chem. 24, 415 (1959).
[2] R. Breslow u. M. Battiste, Chem. & Ind. 1958, 1143.
[3] R. Breslow, H. Höver u. H. W. Chang, Am. Soc. 84, 3168 (1962).
[4] R. Breslow u. D. Chipman, Chem. & Ind. 1960, 1105.
[5] I. A. Dyakonov u. M. I. Komendantov Vestnik Leningradskogo Universiteta 11, No. 22, Seriya Fiziki i Khimíí No. 4 166 (1956); C. A. 52, 2762 (1958).
[6] I. A. Dyakonov u. M. I. Komendantov, Ž. obšč. Chim. 29, 1749 (1959); engl.: 1726.
[7] I. A. Dyakonov u. M. I. Komendantov, Ž. obšč. Chim. 31, 3483 (1961); engl.: 3246.
[8] I. A. Dyakonov u. M. I. Komendantov, Ž. obšč. Chim. 31, 3881 (1961); engl.: 3618.
[9] T. Shimadate u. Y. Hosoyama, Bl. Chem. Soc. Japan 40, 2971 (1967).

Diazo-phenyl-acetonitril oder Diazomalonsäure-diester können ebenfalls an Acetylene zum Zwecke einer Cyclopropen-Synthese addiert werden[1-3].

Obwohl Diazoketone normalerweise eine schnelle intramolekulare Wolff-Umlagerung eingehen[4], konnten 3-Acyl-cyclopropene in niedrigen Ausbeuten durch kupferkatalysierte Zersetzung von Diazoacetophenon und Diazoaceton in Gegenwart von Diphenylacetylen (*1,2-Diphenyl-3-benzoyl-cyclopropen* bzw. *1,2-Diphenyl-3-acetyl-cyclopropen*) isoliert werden[5]. Auch hier ist wiederum die Wahl des Katalysators und der Reaktionsbedingungen von großer Wichtigkeit, wie z.B. die Umsetzung des Decins-(5) (V) mit Diazoaceton zeigt[6]. In Gegenwart von Kupferbronze wird hierbei *1,2-Dibutyl-3-acetyl-cyclopropen* (VII) erhalten, das sich jedoch in Gegenwart von Kupfer(I)-stearat in das Furan-Derivat VIII umlagert. VIII entsteht auch aus V und VI in Gegenwart von Kupfer(II)-sulfat bzw. -stearat:

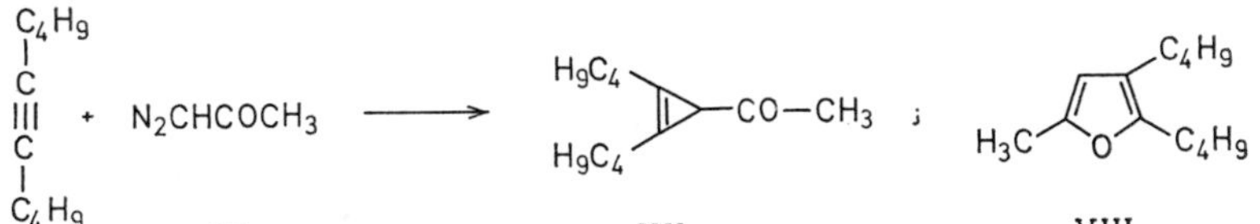

3-Acetyl-cyclopropene kann man in günstigeren Ausbeuten besser aus den entsprechenden Carbonsäuren durch Umsetzung mit Methyl-lithium erhalten. Die durch Addition von Diazoessigsäureester an Dialkylalkine nach anschließender Verseifung zugänglichen 1,2-Dialkyl-cyclopropen-carbonsäuren(IX) lassen sich mit Methyl-lithium in ätherischer Lösung mit Ausbeuten zwischen 50 und 70% zu X umsetzen[7]. Im Gegensatz dazu liefert die Umsetzung von Diazoketonen mit Dialkyl-acetylenen die Verbindungen X nur mit 3-7% Ausbeute.

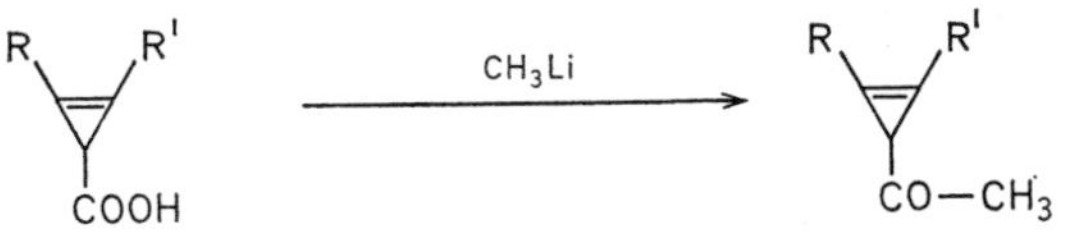

a) *1,2-Dipropyl-*(R = R′ = C₃H₇) ⎫
b) *1,2-Diisopropyl-*(R = R′ = i-C₃H₇) ⎬ *-cyclopropen-3-carbonsäure*
c) *2-Propyl-1-isopropyl-*(= C₃H₇; R′ = i-C₃H₇) ⎭

a) *1,2-Dipropyl-* ⎫
b) *1,2-Diisopropyl-* ⎬ *-3-acetyl-cyclopropen*
c) *2-Propyl-1-isopropyl-* ⎭

Bei der Zersetzung von Tetrachlor-diazo-cyclopentadien (XI; S. 696) bei 80° in Gegenwart der Acetylene XIIa und b und von Kupfer(II)-salzen erhält man die erwarteten Spiro-Verbindungen[8] XIIIa und b:

---

[1] R. Breslow, Am. Soc. **79**, 5318 (1957).
[2] R. Breslow u. C. Yuan, Am. Soc. **80**, 5991 (1958).
[3] R. Breslow, R. Winter u. M. Battiste, J. Org. Chem. **24**, 415 (1959).
[4] Vgl. W. Kirmse, *Carbene Chemistry*, Academic Press, New York 1964.
[5] I. Moritani u. N. Obata, Tetrahedron Letters **1965**, 2817.
[6] M. I. Komendantov, T. S. Smirnova u. I. A. Dyakonov, Ž. org. Chim. 3, 1903 (1967); C. A. **68**, 12145 (1968).
[7] M. Vidal, E. Chollet u. P. Arnaud, Tetrahedron Letters **1967**, 1073.
[8] E. T. McBee, G. W. Calundann u. T. Hodgins, J. Org. Chem. **31**, 4260 (1966).

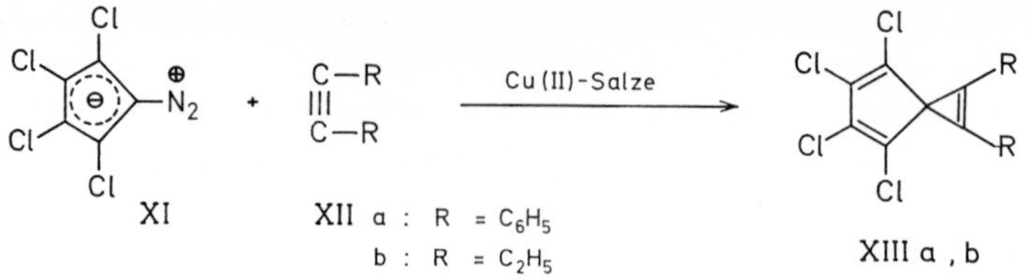

XI　　　　XII a : R = C_6H_5
　　　　　　b : R = C_2H_5
　　　　　　　　　　　　　　　　XIII a , b

1,2-Diphenyl-cyclopropen- bzw.
1,2-Diäthyl-cyclopropen-
⟨spiro⟩-tetrachlor-
cyclopentadien

c) Cyclopropene durch Cyclisierung von geeigneten reaktiven Verbindungen oder Zwischenstufen, die bereits die notwendigen C-Atome enthalten

Eine gewisse Anzahl von Cyclopropen-Synthesen benutzt den Ringschluß von geeigneten nicht-cyclischen Ausgangsverbindungen, die schon die notwendigen Kohlenstoffatome besitzen. Die meisten dieser Reaktionen durchlaufen offensichtlich Alken-(1)-yl-carbene (I) als Zwischenstufen, wobei damit noch nicht in jedem Fall das Vorliegen von freien divalenten Kohlenstoff-Spezies impliziert sein soll:

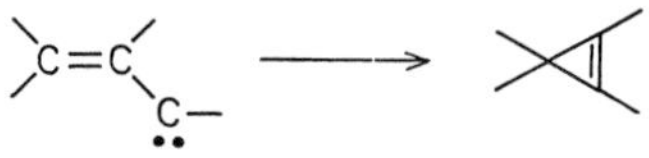

I　　　　　　　II

So reagiert z.B. 1,2-Dimethyl-propenyl-lithium (III) mit Dichlormethan in Tetrahydrofuran unter Bildung von *2-Lithium-1,3,3-trimethyl-cyclopropen* (VI) (gute Ausbeute)[1,2]. Hierbei muß man annehmen, daß zunächst ein primär gebildetes Monochlor-carben an die lithium-organische Verbindung unter Bildung des Alkenyl-carbens IV addiert wird:

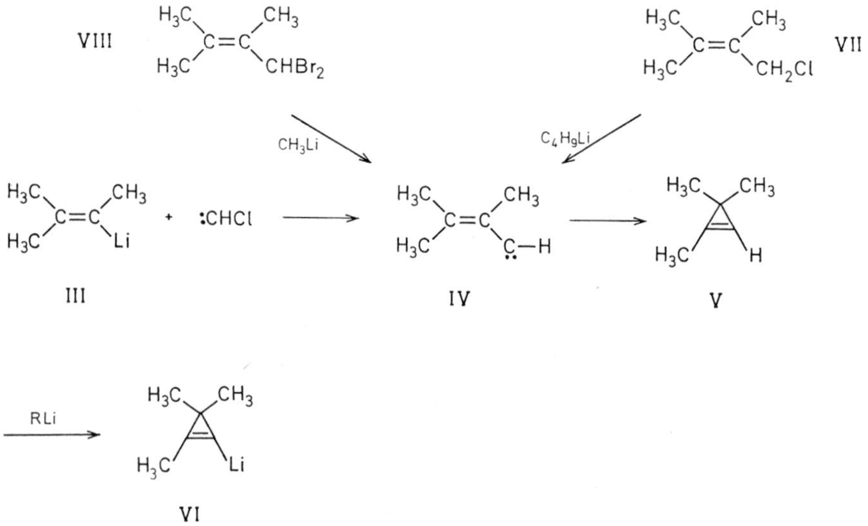

---

[1] G. L. Closs u. L. E. Closs, Am. Soc. **83**, 1003 (1961).
[2] G. L. Closs u. L. E. Closs, Am. Soc. **85**, 99 (1963).

Cyclisierung und Metallierung des Cyclopropens V (S. 696) dürften dann die End-schritte der Reaktion darstellen. In geringer Ausbeute ist VI auch durch Behand-lung von 1-Chlor-2,3-dimethyl-buten-(2) mit Butyl-lithium erhältlich[1,2]. Eine Halogen-Metall-Austauschreaktion mit 1,1-Dibrom-2,3-dimethyl-buten-(2) (VIII) stellt einen weiteren Syntheseweg für VI (S. 696) dar[1].

Die Synthese von *1-Methyl-cyclopropen* (II) aus 3-Chlor-2-methyl-propen (I) durch Behandlung mit Natriumamid in Tetrahydrofuran ist mit den oben genannten Reak-tionen sehr ähnlich[3]. Während 1-Methyl-cyclopropen hier mit ~ 50%iger Ausbeute erhalten wird, gibt die analoge Reaktion von Allylchlorid mit Natriumamid *Cyclo-propen* nur in 10%iger Ausbeute[4].

$$\underset{\text{I}}{\text{H}_2\text{C}=\overset{\overset{\text{CH}_3}{|}}{\text{C}}-\text{CH}_2\text{Cl}} \quad \xrightarrow{\text{NaNH}_2/\text{THF}} \quad \underset{\text{II}}{\overset{}{\text{H}_3\text{C}}\triangle}$$

1-Methyl-cyclopropen[3]: Eine Lösung von 25 *ml* (23,1 g; 0,256 Mol) trockenem 3-Chlor-2-methyl-propen in 50 *ml* wasserfreiem Tetrahydrofuran wird tropfenweise zu einer Aufschläm-mung von 10 g (0,256 Mol) Natriumamid in 50 *ml* wasserfreiem Tetrahydrofuran gegeben. Ein schwacher Stickstoffstrom wird über die Reaktionsmischung und dann durch eine 15 cm lange mit Glaskörpern gefüllte Kolonne, durch eine mit 200 *ml* 1n Schwefelsäure gefüllte Waschflasche, durch eine 15 cm lange Säule mit Calciumsulfat und durch eine Trockeneis-Falle geleitet. Bei Raumtemp. kommt es zu einer sichtbaren Gasentwicklung. Die Reaktionsmischung wird während 6 Stdn. bei gelindem Kochen unter Rückfluß gehalten, wobei 15 *ml* einer farblosen Flüssigkeit in der Kühlfalle gesammelt werden. Dieses Produkt kann durch Destillation unter Benutzung von Trockeneis/Isopropanol-Bädern gereinigt werden.

Das so erhaltene 1-Methyl-cyclopropen zersetzt sich in kondensierter Phase (reine Flüssig-keit oder Tetrachlormethan-Lösungen) bei normaler Temp. In der Gasphase oder in der flüssigen Phase bei Temp. des flüssigen Stickstoffs läßt es sich ~ 4 Tage stabil halten.

Alkyl-cyclopropene lassen sich nach Bamford/Stevens[5] auch aus den Natrium-Salzen der Tosylhydrazone α,β-ungesättigter Carbonyl-Verbindungen durch ther-mische Zersetzung[2,6,7] gewinnen:

$$\underset{\text{III}}{\overset{\text{R}_3}{\underset{\text{R}_4}{}}\text{C}=\text{C}\overset{\text{R}_2}{\underset{\overset{|}{\text{R}_1}}{\underset{\text{C}=\text{N}}{}}}\overset{\overset{\text{Tos}}{|}}{\text{NH}}} \xrightarrow[150°]{\text{NaOCH}_3} \underset{\text{IV}}{\overset{\text{R}_3}{\underset{\text{R}_4}{}}\text{C}=\text{C}\overset{\text{R}_2}{\underset{\overset{|}{\text{R}_1}}{\text{CN}_2}}} \longrightarrow \underset{\text{V}}{\overset{\text{R}_3}{\underset{\text{R}_4}{}}\text{C}=\text{C}\overset{\text{R}_2}{\underset{\overset{|}{\text{R}_1}}{\text{C}:}}} \longrightarrow \underset{\text{VI}}{\overset{\text{R}_3}{\underset{\text{R}_1}{}}\triangle\overset{\text{R}_4}{\underset{\text{R}_2}{}}}$$

R$_1$, R$_2$ = H oder Alkyl
R$_3$, R$_4$ = Alkyl

Bei diesen baseninduzierten Pyrolysen werden offensichtlich wieder die entspre-chenden Alken-(1)-yl-carbene V als Zwischenstufen durchlaufen, deren Erzeugung den

[1] G. L. Closs u. L. E. Closs, Am. Soc. **85**, 99 (1963).
[2] G. L. Closs u. L. E. Closs, Am. Soc. **83**, 2015 (1961).
[3] F. Fisher u. D. E. Applequist, J. Org. Chem. **30**, 2089 (1965).
[4] G. L. Closs u. K. D. Krantz, J. Org. Chem. **31**, 638 (1966).
[5] W. R. Bamford u. T. S. Stevens, Soc. **1952**, 4735.
[6] G. L. Closs, L. E. Closs u. W. A. Böll, Am. Soc. **85**, 3796 (1963).
[7] H. H. Stechl, B. **97**, 2681 (1964).

intermediären Diazoalkenen IV (S. 697) zuzuschreiben wäre. Gute Ausbeuten an Cyclopropen-Verbindungen werden nur von den ungesättigten Carbonyl-Verbindungen erhalten, denen ein Wasserstoff in β-Stellung fehlt. Andernfalls wird die Bildung von 3H-Pyrazolen zur Hauptreaktion. Die beschriebene Methode versagt bei den Tosylhydrazonen aromatisch substituierter Ketone.

Die Photolyse der Alkalimetall-Salze der Tosylhydrazone ergibt hingegen sowohl Alkyl- als auch Aryl-cyclopropene[1]. Tab. 9 zeigt eine Zusammenstellung der bisherigen diesbezüglichen Ergebnisse. Unter den verwendeten Bestrahlungsbedingungen sind die erhaltenen Alkyl- und Aryl-cyclopropene stabil, während sie bei längerer Bestrahlung, insbesondere in Gegenwart von Sensibilisatoren, in Tricyclohexane[2,3] übergehen.

Tab. 9: Cyclopropene durch Photolyse von Tosylhydrazonen ungesättigter Ketone[1]

Tosylhydrazon R^1 R^2 R^3 R^4	Solvens	Photolysebedingungen**	Cyclopropen-Derivat	Ausbeute [% d.Th.]
CH_3 CH_3 H CH_3	Diglyme*	I	*1,3,3-Trimethyl-cyclopropen*	42
CH_3 CH_3 CH_3 CH_3	Diglyme*	II	*Tetramethyl-cyclopropen*	28
C_6H_5 H H C_6H_5	Dioxan	I	*1,3-Diphenyl-cyclopropen*	19
C_6H_5 H C_6H_5 C_6H_5	Dioxan	II	*1,2,3-Triphenyl-cyclopropen*	21

 * Bis-[2-methoxy-äthyl]-äther
** Photolysebedingungen: I. Eine Philips-HPK-125-W-Lampe und eine Hanau-Q-81-Lampe;
   II. Zwei Philips-HPK-125-W-Lampen.

Bei der Synthese von *2-Hydroxy-3-oxo-1-phenyl-cyclopropen* (s. S. 738) aus 1,1,3,3-Tetrachlor-2-phenyl-propen durch Behandlung mit Kalium-tert.-butanolat und anschließendem wäßrigen Aufarbeiten[4] wird möglicherweise ebenfalls ein entsprechendes Alken-(1)-yl-carben intermediär gebildet.

1.2,3,3-Tetramethyl-cyclopropen[1]: 4-Tosylhydrazono-2,3-dimethyl-penten-(2) und Natriummethanolat (Molverhältnis 1:1) werden unter Feuchtigkeitsausschluß in wasserfreiem Bis-[2-methoxy-äthyl]-äther (Diglyme) 18 Stdn. bei Normaldruck, dann 30 Min. im Wasserstrahlpumpenvak. und schließlich 30 Min. im Ölpumpenvak. (Raumtemp.) gerührt und getrocknet. Die Lösung wird dann mit 2 Hochdruckbrennern (Philips-HPK-125-W-Lampen) 6 Stdn. bei 14—16° in einer Apparatur aus Duranglas-50 belichtet[5], wobei ∼ 91% der theoretisch möglichen Menge Stickstoff entwickelt werden. Das Gemisch wird dann mit 50 *ml* Äthanol versetzt und dieses abdestilliert. Die Lösung wird anschließend mit Wasser und Toluol geschüttelt. Das gebildete Tetramethyl-cyclopropen geht dabei in die Toluolphase und kann danach aus dieser isoliert werden; Ausbeute: 28% der Theorie

---

[1] H. Dürr, Ang. Ch. **79**, 1104 (1967).
[2] H. H. Stechl, B. **97**, 2681 (1964).
[3] H. Dürr, Tetrahedron Letters **1967**, 1649.
[4] D. G. Farnum u. P. E. Thurston, Am. Soc. **86**, 4206 (1964).
[5] Vgl. hierzu: W. G. Dauben u. F. G. Willey, Am. Soc. **84**, 1498 (1962).

d) Cyclopropene durch Photolyse von 3H-Pyrazolen

In formaler Analogie zu der Herstellung von Cyclopropanen aus Pyrazolinen (s. S. 42 ff.) ergibt sich die Möglichkeit durch photolytische Zersetzung von 3H-Pyrazolen (Pyrazoleninen) Cyclopropene herzustellen[1-3]. Ausgehend von den Natrium-Salzen der Toluolsulfonylhydrazone α,β-ungesättigter Carbonyl-Verbindungen[4] erhält man[1] beim vorsichtigen Erhitzen unter Ringschluß und Eliminierung von Natrium-toluolsulfinat die entsprechenden 3H-Pyrazole (II). Unter Bedingungen, die sonst zur thermischen Umlagerung phenyl-substituierter 3H-Pyrazole in die entsprechenden 1H-Pyrazol-Derivate führen[5], sind die 3H-Pyrazole (IIa und b) stabil. Dagegen führt die Bestrahlung mit UV-Licht zur Abspaltung von Stickstoff und der Bildung von Cyclopropenen:

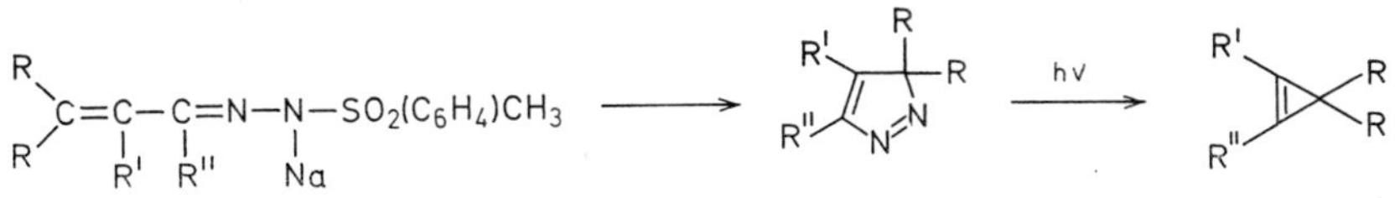

a: R = R'' = CH₃; R' = H

b: R = CH₃; R' = R'' = —(CH₂)₅—

1,3,3-Trimethyl-cyclo-propen (65% d.Th.)
8,8-Dimethyl-bicyclo-[5.1.0]octen-(1⁷)
(∼ 100% d.Th.)

Da man derartige photolytische Reaktionen auch bei sehr tiefen Temperaturen durchführen kann, ist das Verfahren besonders zur Synthese von extrem instabilen Cyclopropenen zu empfehlen. So konnte z. B. das sehr labile *7,7-Dimethyl-bicyclo[4.1.0]hepten-(1⁶)* (V) durch Photolyse von IV synthetisiert werden[3]:

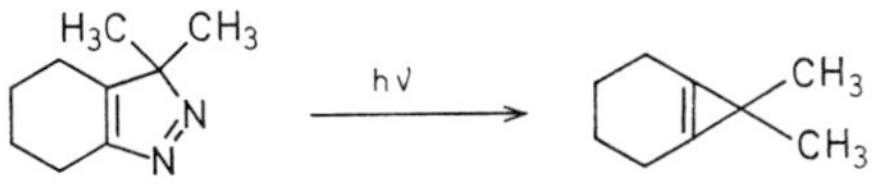

IV   V

Bei Verwendung von gefiltertem Licht geht der Stickstoff-Eliminierung Ringöffnung voraus und die entsprechenden Diazoalkene werden zunächst gebildet. Bei Bestrahlung von drei vollalkylierten 3H-Pyrazolen tritt als Konkurrenzreaktion eine Isomerisierung zu den entsprechenden 1,2-Diaza-bicyclo[2.1.0]pentenen-(2) ein. Diese Photoisomerisierung ist solvens- und temperaturabhängig; in allen untersuchten Fällen war diese Isomerisierung voll reversibel[6]:

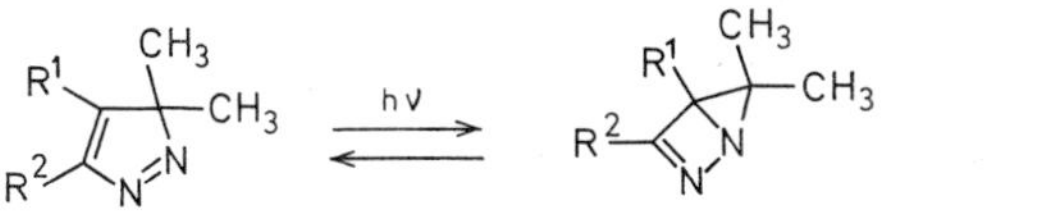

I a : R¹ = R² = CH₃
   b : R¹ = R² = -(CH₂)₅ -
   c : R¹ = R² = -(CH₂)₄ -

[1] G. L. Closs u. W. A. Böll, Ang. Ch. **75**, 640 (1963).
[2] G. Ege, Tetrahedron Letters **1963**, 1665.
[3] G. L. Closs u. W. A. Böll, Am. Soc. **85**, 3904 (1963).
[4] G. L. Closs u. L. E. Closs, Am. Soc. **83**, 2015 (1961).

(Fortsetzung s. S. 670)

Die Beobachtungen bei der Photolyse von 3H-Pyrazolen können durch das nachfolgende Schema zusammenfassend dargestellt werden[1]:

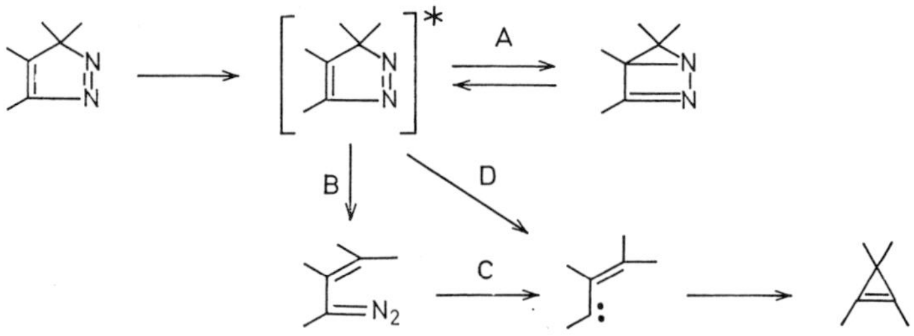

Unter den angewandten Bedingungen[1] werden die 3H-Pyrazole hauptsächlich über Absorption durch die bei tiefer Energie liegende intensitätsschwache Bande bei $\sim 350\,\mathrm{m}\mu$ angeregt. Dieser Vorgang dürfte einem n-π^*-Übergang der nicht-bindenden Elektronen an der Azogruppe entsprechen. Derzeit kann jedoch nicht entschieden werden, ob beide Reaktionsschritte — Isomerisierung (A) und Ringöffnung (B) — vom gleichen angeregten Zustand ausgehen, oder ob dieser Verzweigung zunächst eine Bildung von zwei verschiedenen angeregten Zuständen vorausgeht. Die Abwesenheit von Photosensibilisatoreffekten spricht jedoch für die Annahme nur eines einzelnen angeregten Zustandes bzw. von Zuständen gleicher Multiplizität. Da die Unterschiede in der Polarität zwischen Diazoalkenen und den Photoisomeren relativ groß sind, dürfte man den Wechsel im Produktverhältnis bei Verwendung verschiedener Solventien auf einen konventionellen Lösungsmitteleffekt zurückführen können. Man weiß keine Erklärung für die Tatsache zu geben, daß die beschriebene Photoisomerisierung nur bei vollalkylierten 3H-Pyrazolen beobachtet werden kann. Obwohl gezeigt werden konnte, daß die Stickstoff-Abspaltung in zwei Schritten erfolgen kann, reicht das bislang vorliegende Material nicht aus, um auszuschließen, daß nicht auch ein Teil der Reaktion im Sinne von Schritt D verläuft.

Schließlich dürfte die Photolyse der 3H-Pyrazole vergleichbar sein mit der baseninduzierten Pyrolyse der Tosylhydrazone α,β-ungesättigter Carbonyl-Verbindungen (s. S. 697) und einigen α-Eliminierungen, die unter Bildung von Alkenyl-carbenen letztlich zu Cyclopropenen führen.

1,2,3,3-Tetramethyl-cyclopropen[1]: 0,97 g (7,8 m Mol) 3,3,4,5-Tetramethyl-3H-pyrazol[2] werden bei 40° in Toluol (60 ml) bestrahlt. Die Photolyse wurde mit einer 550-W-Hanau-Hochdruck-quecksilberlampe durchgeführt. Nach 6 Stdn. ist die Stickstoff-Entwicklung weitgehend ($\sim 95\%$) beendet; danach wird fraktioniert; Ausbeute: 0,55 g (74% d. Th.; Reinheit: $\sim 95\%$); Kp: 67—69°.

8,8-Dimethyl-bicyclo[5,1,0]octen-(1[7])[1]: 1,15 g (7 mMol) 3,3-Dimethyl-3,5,6,7,8,9-hexahydro-⟨cyclohepta-[c]-pyrazol⟩[3] werden gelöst in 100 ml Pentan bei 15° bestrahlt. (Die Photolyseapparatur hat folgenden Aufbau: Das Reaktionsgefäß besteht aus konzentrischen Pyrex-Behältern; der innere Teil enthält die Kühlflüssigkeit und der äußere die Reaktionsmischung. Im Zentrum der Apparatur ist eine 550-W-Hanau-Hochdruck-Quecksilberlampe angebracht. Methanol wird als Kühlflüssigkeit verwendet; es wird hierzu durch einen mit Trockeneis/Aceton gekühlten Wärmeaustauscher umgepumpt.) Nach 5 Stdn. ist die Stickstoff-Entwicklung abgeschlossen; danach wird fraktioniert; Ausbeute: 5,9 g (84% d. Th.); Kp_{12}: 55—56°.

[1] G. L. CLOSS et al., Am. Soc. **90**, 173 (1968).

[2] G. L. CLOSS u. H. HEYN, Tetrahedron **22**, 463 (1966).

[3] G. L. CLOSS, L. E. CLOSS u. W. A. BÖLL, Am. Soc. **85**, 3796 (1963).

(Fortsetzung v. S. 669)

[5] J. VAN ALPHEN, R. **62**, 485 (1943).

   R. HÜTTEL et al., B. **93**, 1425 (1960).

[6] G. L. CLOSS et al., Am. Soc. **90**, 173 (1968).

Analog erhält man[1] aus

3,3,5-Trimethyl-3H-pyrazol	→ *1,3,3-Trimethyl-cyclopropen*	65% d. Th.
3,3-Dimethyl-5-phenyl-3H-pyrazol	→ *3,3-Dimethyl-1-phenyl-cyclopropen*	50% d. Th.
3-Methoxy-3,4,5-trimethyl-3H-pyrazol	→ *3-Methoxy-1,2,3-trimethyl-cyclopropen*	65% d. Th.
3,3-Dimethyl-4,5,6,7-tetrahydro-3H-⟨benzo-[c]-pyrazol⟩	→ *7,7-Dimethyl-bicyclo[4.1.0]hepten-(1⁶)*	70% d. Th.

Durch Ausdehnung des Verfahrens auf 3H-Indazole werden eine Anzahl von Benzocyclopropenen zugänglich. So erhält man aus I den *1,1-Dimethyl-benzo-cyclopropen-3-carbonsäure-methylester*[2] (II) bzw. aus III a–c → IV a–c:

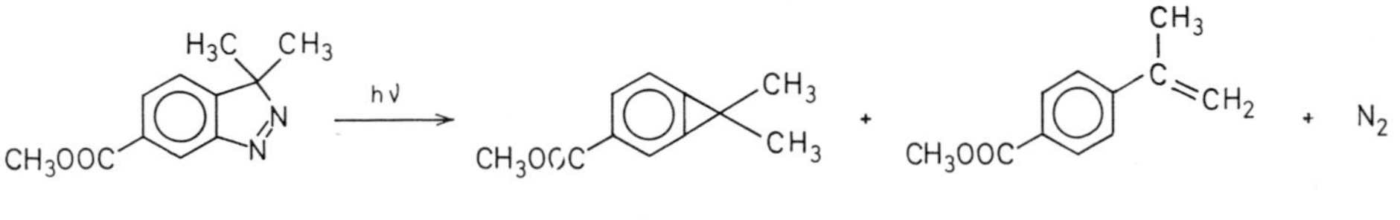

I   II

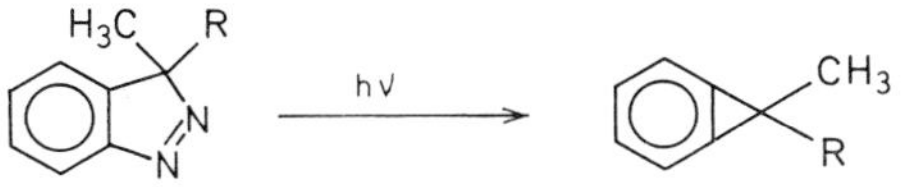

III; a: R=CN   IV; a = *1-Methyl-1-cyan-benzocyclopropen*
     b: R=COOCH₃   b = *1-Methyl-benzocyclopropen-1-carbonsäure-methylester*
     c: R=OCH₃   c = *1-Methoxy-1-methyl-benzocyclopropen*

Nach Elektronenspinresonanz-Untersuchungen und chemischen Befunden muß man annehmen, daß bei der Photolyse der 3H-Indazole Diradikal-Zwischenstufen im Triplett-Zustand durchlaufen werden (Va–c)[3]. Der chemische Beweis ist in der Tatsache zu sehen, daß man bei

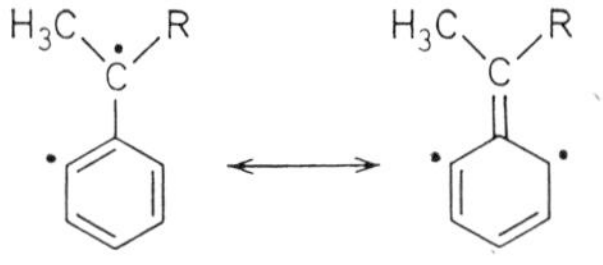

V   a : R = CN
     b : R = COOCH₃
     c : R = OCH₃

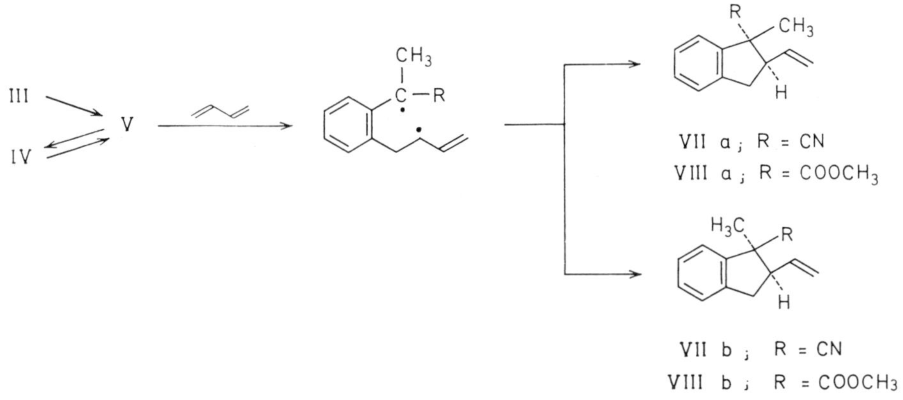

VII a ; R = CN
VIII a ; R = COOCH₃

VII b ; R = CN
VIII b ; R = COOCH₃

[1] G. L. Closs et al., Am. Soc. **90**, 173 (1968).
[2] R. Anet u. F. A. L. Anet, Am. Soc. **86**, 525 (1964).
[3] G. L. Closs, L. Riemenschneider-Kaplan u. V. I. Bendall, Am. Soc. **89**, 3376 (1967).

der Photolyse von IIIa (S. 701) bei –70° in Butadien in 60%iger Ausbeute zwei isomere Produkte (VIIa und b) im Verhältnis 1,5 : 1 beobachtet. Mit einfachen Olefinen wie 2-Methylpropen werden keine Abfangprodukte erhalten. Daraus muß geschlossen werden, daß möglicherweise bei diesen Reaktionen das resonanzstabilisierte Diradikal VI als Zwischenstufe gebildet wird (s. S. 701).

e) Cyclopropene aus anderen Cyclopropenen durch Substitution von Wasserstoff

Ein Teil der Ringspannung in den Cyclopropenen ist durch besondere Hybridisierung der Kohlenstoffatom-Orbitale stark erniedrigt (s. S. 679 ff.). Da das chemische Verhalten der C—H-Bindungen neben anderen Faktoren von der Hybridisierung der Kohlenstoff-Orbitale abhängt, sollten bei den Cyclopropenen die C—H-Reaktivitäten anders als bei normalen Olefinen sein.

Derartige Effekte sollten am besten bei den vinylischen C—H-Bindungen zu studieren sein, da hier in erster Näherung wegen der Orbitalorthogonalität jeglicher Wechsel in der π-Energie des Systems beim Aufbrechen der C—H-Bindung verhindert wird. Andererseits ruft die Entfernung eines Wasserstoffs an C—3, unabhängig davon, ob dieses als Proton, Wasserstoffatom oder Hydrid-Ion entfernt wird, eine Störung der π-Energie des Systems hervor, da sich dann die π-Orbitale nicht mehr über das gesamte System hin ausdehnen. Möglicherweise sind die zuletzt genannten Effekte hauptsächlich für die Reaktivität der Wasserstoffe am Kohlenstoffatom C—3 verantwortlich zu machen.

Aus kernresonanzspektroskopischen Daten und aus den Bindungslängen (s. S. 681) kann für die vinylischen C—H-Bindungen von Cyclopropenen der s-Charakter zu 42–44% abgeschätzt werden. Dieser Wert liegt zwischen denen für olefinische und acetylenische C—H-Bindungen (s. Tab. 1, S. 680).

Daraus ist eine qualitative Ähnlichkeit zwischen Cyclopropenen und Alkinen bezüglich der Reaktivitäten abzuleiten. Diese Folgerung wird gestützt durch die Beobachtung, daß die charakteristische Acidität terminaler Acetylene auch bei einigen Cyclopropenen, wenn auch in abgeschwächter Form, zu finden ist. Einige Experimente, die die gesteigerte Acidität der vinylischen Wasserstoffe deutlich machen, seien hier beschrieben. Bereitet man *Cyclopropen* aus Trimethyl-cyclopropyl-ammonium-hydroxid, das vor der Pyrolyse mit schwerem Wasser äquilibriert wurde, so kann man eine beträchtliche Inkorporierung von Deuterium feststellen[1]; 80% des Deuteriums befindet sich dann an den vinylischen Kohlenstoffatomen[1,2]. Cyclopropen-1-carbonsäureester tauscht in basischer Lösung an C-2 ein Proton aus. Die entsprechende Austauschgeschwindigkeit muß hierbei sehr groß sein, da die konkurrierende Addition des Alkoholat-Ions schnell genug ist, um eine Isolierung dieses ungesättigten Esters zu gestatten[3].

Weiterführende Informationen sind aus einigen Alkyl-cyclopropenen zugänglich. So wurde der Deuterium-Austausch von *2-Deutero-1,3,3-trimethyl-cyclopropen* und *1-Deutero-3,3-dimethyl-cyclopropen* untersucht[4].

Die Geschwindigkeitskonstanten dieser nach Pseudo-1. Ordnung verlaufenden Reaktionen in tert.-Butanol bei 25° mit 0,1 m Kalium-tert.-butanolat als Katalysator liegen in der Größenordnung von 10^{-5} sec^{-1}, wobei das Trimethyl-cyclopropen $\sim$ 3mal langsamer (nach statistischer Korrektur) als die entsprechende Dimethyl-Verbindung reagiert. Ein Ver-

[1] K. B. WIBERG u. W. J. BARTLEY, Am. Soc. **82**, 6375 (1960).

[2] P. H. KASAI et al., J. Chem. Physics **30**, 512 (1959).

[3] K. B. WIBERG u. R. K. BARNES, J. Org. Chem. **23**, 299 (1958).

[4] G. L. CLOSS u. H. BABAD, unveröffentlichte Ergebnisse, 1963;
    s. hierzu: G. L. CLOSS in ,,*Cyclopropenes*'' in H. HART u. G. J. KARABATSOS ,,*Advances in Alicyclic Chemistry*'', Bd. 1, S. 101, Academic Press, New York · London 1966.

gleich der Geschwindigkeit des Deuterium-Austausches von 1,3,3-Trimethyl-cyclopropen und 3,3-Dimethyl-butin wurde durchgeführt; danach verhalten sich die relativen Austausch-geschwindigkeiten[1] von olefinischem Cyclopropenwasserstoff zu Äthinylwasserstoff ungefähr wie 1:5000. Werden stärker basische Reaktionsbedingungen gewählt, entweder durch Steigerung der Temp. im System Kalium-tert.-butanolat/tert.-Butanol oder durch Anwendung eines Lösungsmittels, das besser zur Stabilisierung von Carbanionen geeignet ist, wie etwa Di-methylsulfoxid, beobachtet man eine Umlagerung des 1,3,3-Trimethyl-cyclopropens (I) zum *2,2-Dimethyl-1-methylen-cyclopropan* (II)[2]:

Die Tatsache, daß unter milden Reaktionsbedingungen keine Umlagerung beobachtet wird, deutet an, daß eine Ablösung des Protons aus der Methyl-Gruppe

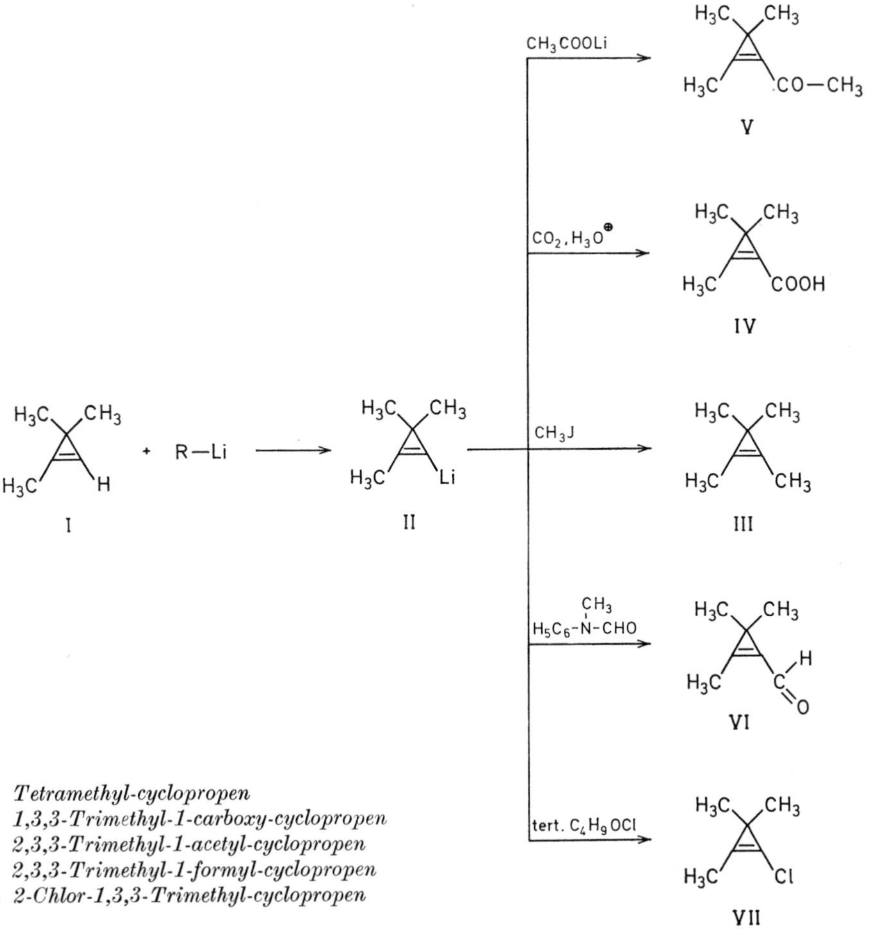

III; *Tetramethyl-cyclopropen*
IV; *1,3,3-Trimethyl-1-carboxy-cyclopropen*
V; *2,3,3-Trimethyl-1-acetyl-cyclopropen*
VI; *2,3,3-Trimethyl-1-formyl-cyclopropen*
VII; *2-Chlor-1,3,3-Trimethyl-cyclopropen*

---

[1] s. Lit. 4, S. 702.
[2] G. Schröder, B. 96, 3178 (1963).

wesentlich **langsamer** verläuft als die Carbanion-Bildung an der Vinyl-Position, obwohl das resultierende Anion resonanzstabilisiert ist. In der Gleichgewichtsmischung kann kein Cyclopropen gefunden werden. Das deutet darauf hin, daß hier die entscheidend geringere Ringspannung des Methylen-cyclopropan-Systems ins Spiel kommt. Bei höhergliedrigen Cycloalkenen ist dieses Gleichgewicht im allgemeinen umgekehrt.

Eine weitere Bestätigung für die erhöhte Acidität der vinylischen Wasserstoffe im Cyclopropen ergibt sich aus der schnellen Reaktion von 1,3,3-Trimethyl-cyclopropen und auch von 3,3-Dimethyl-cyclopropen mit **Alkyl-lithium**- Verbindungen zu *2-Lithium-1,3,3-trimethyl-* bzw. *1-Lithium-2,2-dimethyl-cyclopropen*. Das Lithum kann alsdann erfolgreich durch andere funktionelle Gruppen ersetzt werden[1,2]. Das Schema auf S. 703 zeigt einige Cyclopropen-Derivate, die nach diesem Verfahren hergestellt werden können.

B. Umwandlung

a) Doppelbindungsreaktionen unter Erhalt des carbocyclischen Dreiringes

Wegen der kurzen Bindungslänge sollte die Doppelbindung des Cyclopropens einen sehr **starken** π-Anteil besitzen. Trotzdem verlaufen die Doppelbindungsreaktionen extrem **leicht** und sind gewöhnlich **stark exotherm**. Die Antwort auf diesen scheinbaren Widerspruch ist in dem Bindungswechsel zu suchen, der bei Sättigung der σ-Bindung im π-Bindungsgeschehen eintritt. Gegenüber Cyclopropan hat das Cyclopropen eine um 27 kcal/Mol höhere Ringspannungsenergie[3], die ihre Ursache in der beträchtlich geringeren Überlappung der in der Ebene gelegenen Ringorbitale des Cycloalkens hat. Bei Sättigung der Doppelbindung wird die σ-Bindung vervollständigt, so daß die Reaktion stärker exotherm sein muß als bei einem vergleichbaren Prozeß an einem weniger gespannten Olefin, bei dem Wechsel in den σ-Bindungen von geringerer Wichtigkeit sind.

1. Hydrierungen

In der Literatur sind eine Vielzahl von **katalytischen** Hydrierungen beschrieben worden[3-5]. Bei Verwendung von Palladium, Platin oder Raney-Nickel als Katalysatoren verlaufen die Hydrierungen schon bei 0° relativ schnell, jedoch werden in den meisten Fällen die entsprechenden Cyclopropane nicht quantitativ erhalten. So gibt beispielsweise 1,2-Dimethyl-cyclopropen *cis-1,2-Dimethyl-cyclopropan* neben Pentan und 2-Methyl-butan[3]. Aus 1,3-Dimethyl-cyclopropen werden *cis-1,2-Dimethylcyclopropan, trans-1,2-Dimethyl-cyclopropan* und 2-Methyl-propan im Verhältnis 10 : 1 : 6 erhalten[4]. Die Cyclopropane sind unter diesen Bedingungen stabil, offenbar tritt der Angriff an der Cyclopropen-Einfachbindung mit der Absättigung der

[1] G. L. CLOSS u. L. E. CLOSS, Am. Soc. **83**, 1003 (1961).
[2] G. L. CLOSS u. L. E. CLOSS, Am. Soc. **85**, 99 (1963).
[3] W. v. E. DOERING u. T. MOLE, Tetrahedron **10**, 65 (1960).
[4] G. L. CLOSS, L. E. CLOSS u. A. W. BÖLL, Am. Soc. **85**, 3796 (1963).
[5] E. W. SCHLAG u. B. S. RABINOVITCH, Am. Soc. **82**, 5996 (1960).

Doppelbindung in Konkurrenz. Ähnliche Ergebnisse werden bei der Hydrierung von 1,3,3-Trimethyl-cyclopropen zu *1,2,2-Trimethyl-cyclopropan* unter Verwendung von Palladiumschwarz erhalten[1]:

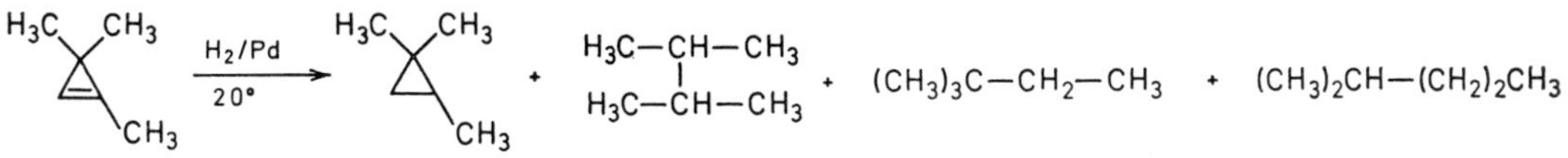

I	II	III	IV	V
	(71,5%)	(13,5%)	(8%)	(7%)

In den Fällen, wo nur ein sperriger Substituent am Kohlenstoffatom C-3 angeordnet ist, findet die Adsorption des Katalysators offensichtlich von der weniger gehinderten Seite der Molekel her statt, so daß die Hydrierung mit hoher Stereospezifität verläuft[2,3]. So wird z.B. bei der katalytischen Hydrierung von 1,2-Dimethyl-cyclopropen-3-carbonsäure-methylester (I) ausschließlich *cis-1,2-Dimethyl-cyclopropan-cis-3-carbonsäure-methylester* (II) erhalten[2]:

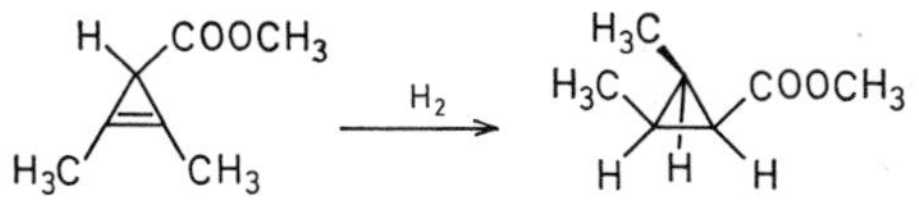

Bei der Reduktion von 1,2,3-Triphenyl-cyclopropen mit aus Kalium-azodicarboxylat/Essigsäure „in situ" erzeugtem Diimid wird *all-cis-1,2,3-Triphenyl-cyclopropan* in hoher Ausbeute und ohne Beimengungen von Ringöffnungsprodukten erhalten[4].

2. DIELS-ALDER-Reaktionen mit Cyclopropenen

Die hohe Reaktivität der Doppelbindung in Cyclopropenen zeigt sich besonders in der Tendenz, mit geeigneten Dienen leicht Diels-Alder-Reaktionen einzugehen. Bereits bei 0° reagiert Cyclopropen mit Cyclopentadien schnell und quantitativ unter Bildung des Addukts I. Diese Reaktion verläuft völlig stereospezifisch, wobei ausschließlich das *endo*-Isomer gebildet wird[5]:

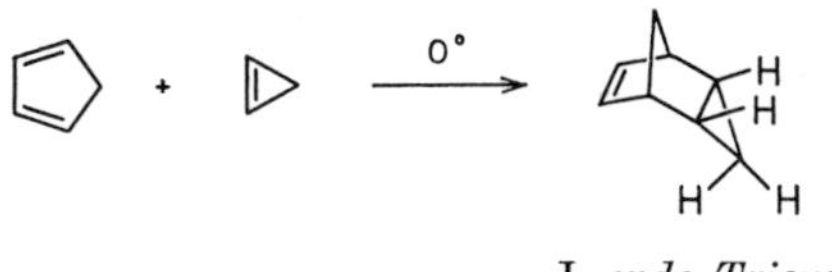

I; *endo-Tricyclo*
[3.2.1.0[2,4]]octen-(6)

[1] M. Y. Lukina, O. A. Nesmeyanova u. T. Y. Rudaševskaja, Doklady Akad. SSSR **174**, 1101 (1967); C. A. **67**, 108102 (1967).

[2] W. v. E. Doering u. T. Mole, Tetrahedron **10**, 65 (1960).

[3] M. E. Vol'pin, Y. D. Koreshkov u. D. N. Kursanov, Izv. Akad. SSSR **1959**, 560; C. A. **53**, 21799 (1959).

[4] M. A. Battiste, Tetrahedron Letters **1964**, 3795.

[5] K. B. Wiberg u. W. J. Bartley, Am. Soc. **82**, 6375 (1960).

Die Energie des Übergangszustandes dieser Reaktion scheint sehr empfindlich durch sterische Faktoren beeinflußbar zu sein. Während 3-Methyl-cyclopropen (II) Cyclopentadien signifikant nur unter Bildung des einen von insgesamt vier möglichen isomeren Addukten III addiert, wird aus 3,3-Dimethyl-cyclopropen mit Cyclopentadien selbst bei Temperaturen von 100° kein Additionsprodukt erhalten[1].

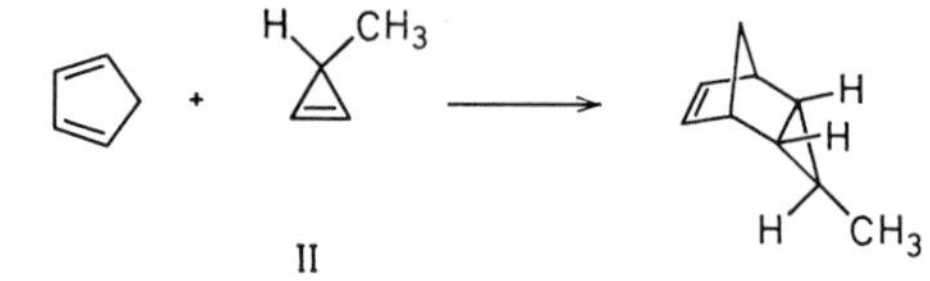

III; *exo-3-Methyl-endo-tricyclo*
[3.2.1.0^{2,4}]octen-(6)

Derivate des 1,2-Diphenyl-cyclopropens sind ebenfalls mit Cyclopentadien und anderen Dienen im Sinne der Diels-Alder-Reaktion umgesetzt worden[2]. So lange wie am Kohlenstoffatom C—3 nur ein Substituent vorhanden ist, verlaufen die Reaktionen nicht heftig und alle gebildeten Addukte zeigen die *endo*-Konfiguration[3]. Bei Einsatz von weniger reaktiven Dienen wie Butadien-(1,3)[4] oder 2,3-Dimethylbutadien-(1,3)[2] sind schon stärkere Reaktionsbedingungen erforderlich und es werden im allgemeinen geringere Ausbeuten erhalten, was z.T. auf die Instabilität der Cyclopropene zurückzuführen ist. So verlieren[5,6] z.B. die Addukte I von 1,2,3-Triphenyl-cyclopropen und Tetraphenyl-cyclopentadienon sowie verschiedenen Derivaten sehr leicht Kohlenmonoxid unter Bildung von Polyaryl-tropilidenen (II):

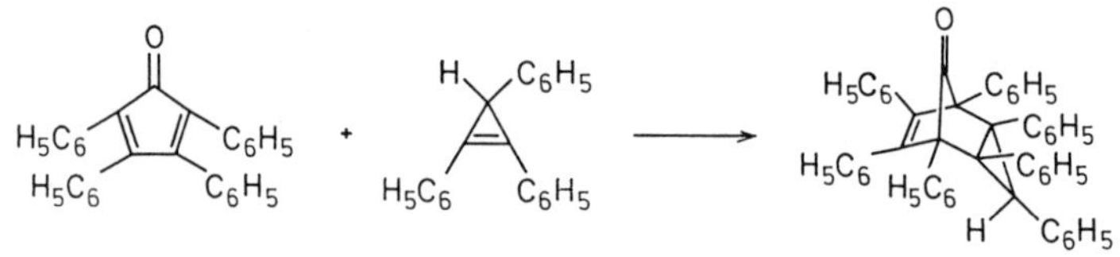

I; *8-Oxo-1,2,3,4,5,6,7-heptaphenyl-*
endo-tricyclo[3.2.1.0^{2,4}]octen-(6)

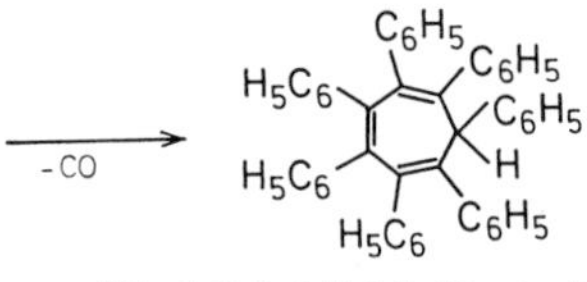

II; *1,2,3,4,5,6,7-Heptaphenyl-*
cycloheptatrien

Ebenso sind Halogen-cyclopropene zu Diels-Alder-Reaktionen eingesetzt worden[7]. Tetrachlor- und Tetrabrom-cyclopropen (III, IV, S. 707) reagieren mit Cyclopentadien zunächst im Sinne einer Diels-Alder-Reaktion. V und VI liefern jedoch

[1] G. L. Closs, L. E. Closs u. W. A. Böll, Am. Soc. **85**, 3796 (1963).

[2] M. A. Battiste, Tetrahedron Letters **1964**, 3795.

[3] Auch bei der Addition von 1,2-Dipropyl-cyclopropen und dessen 3-Äthoxycarbonyl-Derivats an Cyclopentadien werden jeweils nur die *endo*-Addukte erhalten; s. H. Lind u. A. J. Deutschmann, J. Org. Chem. **32**, 326 (1967).

[4] K. B. Wiberg u. W. J. Bartley, Am. Soc. **82**, 6375 (1960).

[5] M. A. Battiste, Chem. & Ind. **1961**, 550.

[6] M. A. Battiste, Am. Soc. **85**, 2175 (1963).

[7] R. West et al., Chem. eng. News **45**, 44 (1967).

nach Durchlaufen von Zwischenstufen wie VII, VIII die entsprechenden Umlagerungsprodukte IX, X:

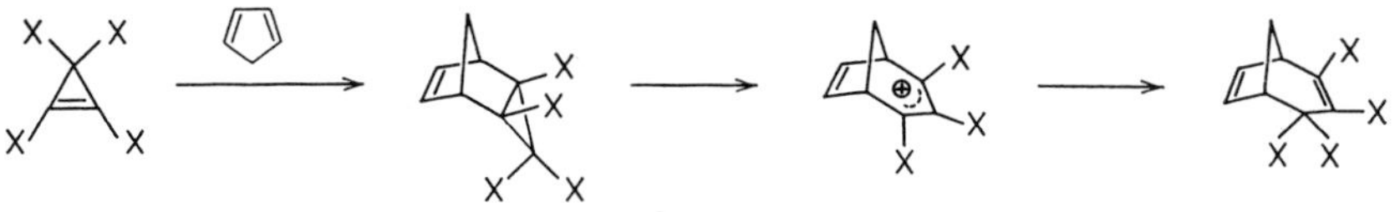

III; X = Cl   V; *2,3,3,4 Tetrachlor-*   VII; VIII   IX; *2,3,4,4-Tetra-*
IV; X = Br   *tricyclo[3.2.1.0²,⁴]*   *chlor-bicyclo[3.2.1]*
            octen-(6)   *octadien-(2,6)*
           VI; *2,3,3,4 Tetrabrom-*   X; *2,3,4,4-Tetrabrom-*
            tricyclo[3.2.1.0²,⁴]   *bicyclo[3.2.1]*
                 octen-(6)   *octadien-(2,6)*

Bei der Umsetzung von 3-Fluor-1,2,3-trichlor-cyclopropen (XI) mit Furan werden
sowohl das Diels-Alder-Addukt *3-Fluor-cis,cis-2,3,4-trichlor-8-oxa-endo-tricyclo[3.2.
1.0²,⁴]octen-(6)* (XII) als auch das Umlagerungsprodukt XIII isoliert:

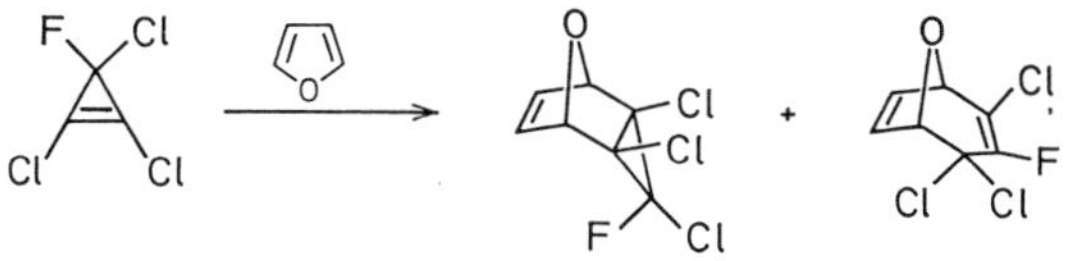

XI   XII   *3-Fluor-2,4,4-trichlor-*
                                     8-oxa-bicyclo[3.2.1]
                                     octadien-(2,6); XIII

Diels-Alder-Reaktionen mit Halogen-cyclopropenen dürften in der Zukunft weitere synthetische Anwendungen erlangen, wie bereits mit der Synthese des *1,1-Difluor-
benzocyclopropens*[1] aus *7,7-Difluor-1,6-dibrom-bicyclo[4.1.0]-hepten-(3)* angedeutet
wurde:

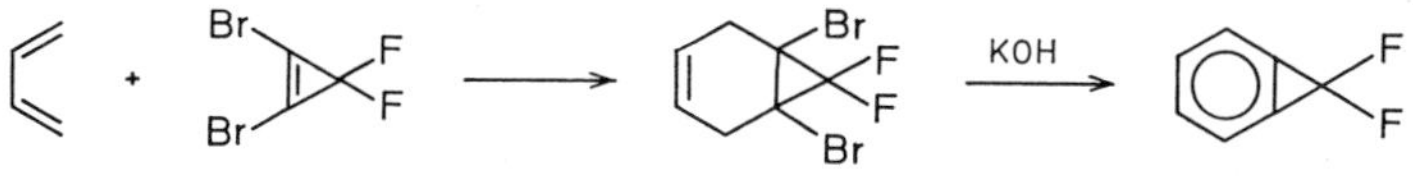

3. Cycloadditionen von Cyclopropenen

Cycloadditionsreaktionen von Cyclopropenen unter Bildung von Vierringen
sind in einigen Fällen bekannt geworden. Meist werden jedoch die primär gebildeten
Cycloaddukte nicht isoliert, da spontan Valenzisomerisierungen stattfinden
können.

Bei UV-Bestrahlung von 1,3,3-Trimethyl-cyclopropen (I) in Aceton unter
Verwendung von Benzophenon als Sensibilisator erhält man die beiden isomeren
tricyclischen Dimeren[2] II und III in ~ 15%iger Ausbeute; das Kopf-Schwanz-Dimere
II wird hier bevorzugt gebildet:

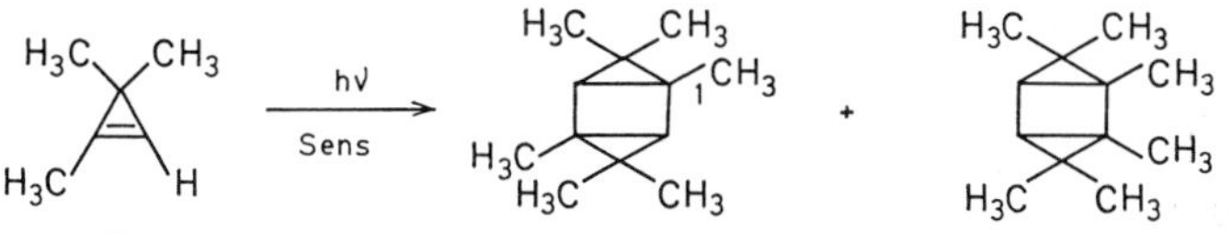

I   *1,3,3,4,6,6-Hexamethyl-*   *1,2,3,3,6,6-Hexamethyl-*
          tricyclo[3.1.0.0²,⁴]   *tricyclo[3.1.0.0²,⁴]*
             hexan; II   *hexan*; III

---

[1] E. VOGEL et al., Ang. Ch. **80**, 279 (1968).
[2] H. H. STECHL, Ang. Ch. **75**, 1176 (1963).

Die Bestrahlung von 1,2,3-Triphenyl-cyclopropen (IV) liefert neben dem Vierringprodukt V noch die Verbindung VI; das Produktverhältnis[1] ist 3 : 2:

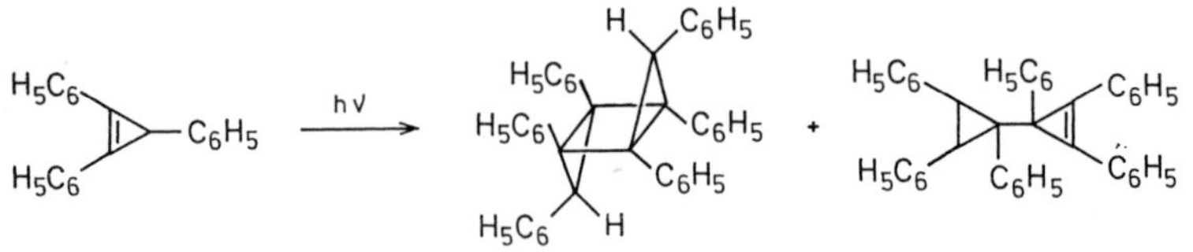

IV →[hν] 1,2,3,4,5,6-Hexaphenyl-tricyclo[3.1.0.0^{2,4}]hexan; V + 3-(1,2,3-Triphenyl-cyclopropyl)-1,2,3-triphenyl-cyclopropen; VI

Dagegen verhalten sich Acyl-cyclopropene bei der photochemischer Behandlung sehr unterschiedlich. So liefert z.B. 1,2-Diphenyl-3-acetyl-cyclopropen (VII) bei Bestrahlung mit einer Hochdruck-Quecksilber-Lampe die Produkte VIII, IX und X, während aus dem entsprechenden Benzoyl-Derivat kein zu VIII analoges Cyclobutan-Derivat erhalten wird[2,3]:

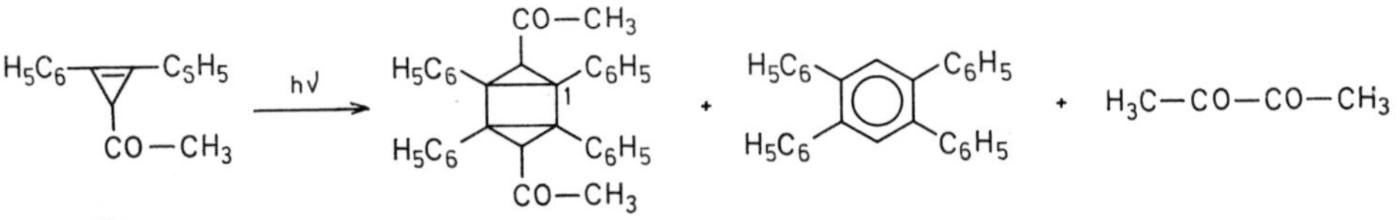

VII →[hν] 1,2,4,5-Tetraphenyl-3,6-diacetyl-tricyclo[3.1.0.0^{2,4}]hexan; VIII + IX + X H$_3$C—CO—CO—CH$_3$

Versuche ein Pseudoinden (Benzo-bicyclo[2.1.0]penten) durch Cycloaddition von Dehydrobenzol mit einem Cyclopropen-Derivat herzustellen scheiterten[4]. Bei der Umsetzung von 1,2,3-Triphenyl-cyclopropen (I) mit Dehydrobenzol, das „in situ" aus einer 1,2-Dichlor-äthan-Suspension von o-Benzoldiazoniumcarboxylat erzeugt wurde, erhielt man lediglich *1,2,3,3-Tetraphenyl-cyclopropen* (II)[4]:

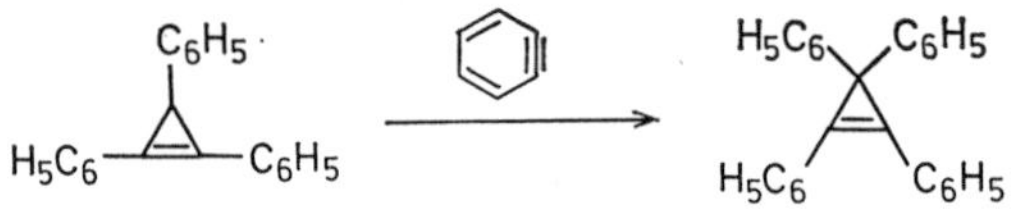

I   II

Bei Verwendung von 3,3-Dimethyl-cyclopropen (III, S. 709) wird hingegen in ~ 5%iger Ausbeute *11,11-Dimethyl-⟨dibenzo-bicyclo[2.2.1]heptadien⟩* (VI), erhalten. Die Bildung von VI kann einfach erklärt werden: Zunächst erfolgt eine Cycloaddition von Dehydrobenzol an 3,3-Dimethyl-cyclopropen (III) unter Bildung von *7,7-Dimethyl-⟨benzo-bicyclo-[2.1.0]-penten⟩* (IV). Dann reagiert ein zweites Mol Dehydrobenzol entweder direkt mit IV oder mit dem möglichen Isomerisierungsprodukt V zum Kohlenwasserstoff VI[4]:

---

[1] C. Deboer u. R. Breslow, Tetrahedron Letters **1967**, 1033.
[2] N. Obata u. I. Moritani, Tetrahedron Letters **1966**, 1503.
[3] N. Obata u. I. Moritani, Bl. Chem. Soc. Japan **39**, 2250 (1966).
[4] J. A. Berson u. M. Pomerantz, Am. Soc. **86**, 3896 (1964).

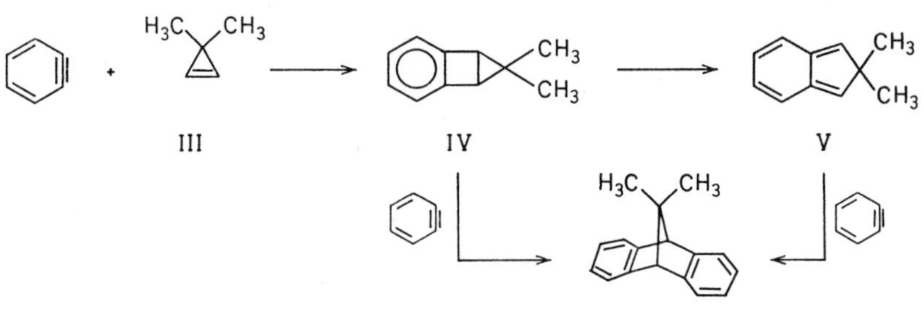

4. 1,3-Dipolare Addition von Cyclopropenen

Wegen der hohen Ringspannungsenergie sollte Cyclopropen als 1,3-dipolarophiles Agens wirken. Verifiziert wird diese Annahme durch die Beobachtung, daß Cyclopropen bereits bei tiefen Temperaturen schnell mit Diazo-Verbindungen reagiert. So erhält man mit Diphenyldiazomethan ein 1 : 1-Adukt, dem die Struktur eines *6,6-Diphenyl-5,6-dihydro-pyrazins* (II) zugeschrieben wurde[1] (eine analoge Reaktion wurde mit Diazoessigsäureester beobachtet). Ob tatsächlich eine bicyclische Zwischenstufe im Sinne von I primär gebildet wird, bedarf einer weiteren Beweisführung.

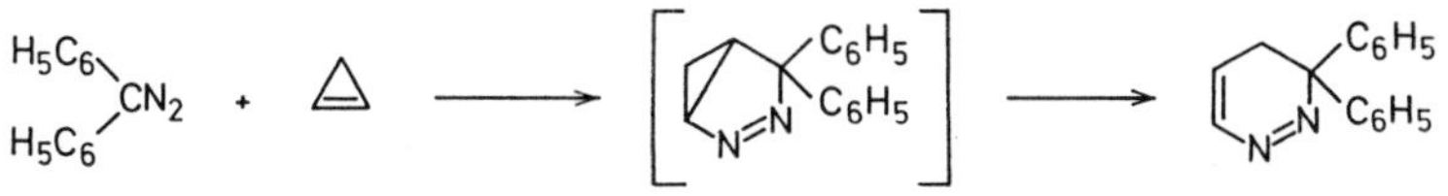

5. Carben- und carbenoide Additionen an Cyclopropenen

Photolytisch erzeugtes Methylen wird nicht an die C=C-Doppelbindung des 1,2-Dimethyl-cyclopropens addiert; es bildet sich vielmehr *1,2,3-Trimethyl-cyclopropen*[2]. Aus 1,2-Dimethyl-cyclopropen kann jedoch durch kupferkatalysierte Zersetzung von Diazomethan bei Zusatz von Tributyl-zinnchlorid *1,3-Dimethyl-bicyclo [1.1.0]butan* erhalten werden[2]:

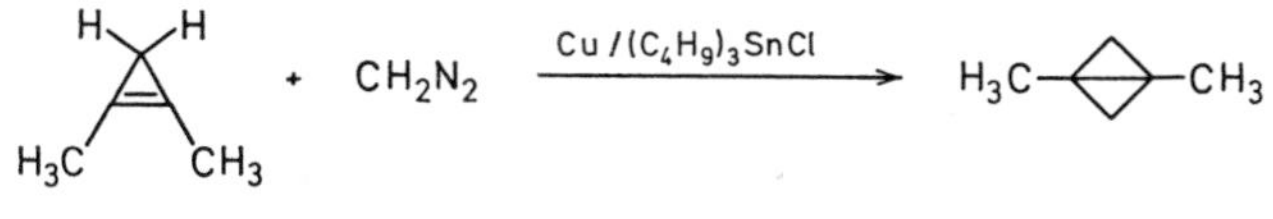

Difluor-carben, erzeugt aus Tris-[trifluormethyl]-phosphin-difluorid [(CF$_3$)$_3$PF$_2$] bei 100°, addiert sich an Difluor-1,2-bis-[trifluormethyl]-cyclopropen unter Bildung von *Tetrafluor-1,3-bis-[trifluormethyl]-bicyclo[1.1.0]butan*[3]:

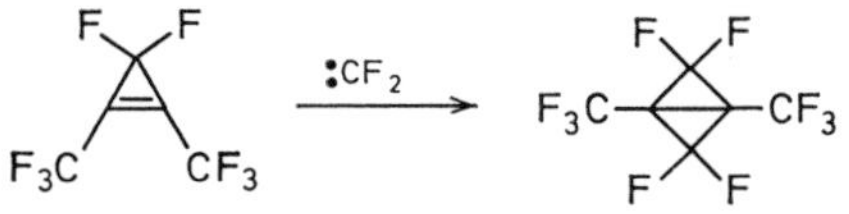

[1] K. B. Wiberg u. W. J. Bartley, Am. Soc. **82**, 6375 (1960).
[2] W. v. E. Doering u. J. F. Coburn, Tetrahedron Letters **1965**, 991.
[3] W. Mahler, Am. Soc. **84**, 4600 (1962).

Die Additionen von Äthoxycarbonyl- und Methoxycarbonyl-carben an Cyclopropen-3-carbonsäure-Derivate wurden näher untersucht[1–3]. Bei Einwirkung von Diazo-essigsäure-äthylester (II) auf 1,2-Dipropyl- oder 1,2-Dibutyl-cyclopropen-3-carbon-säureester (I) bei 115° in Gegenwart von Kupferbronze wird ein Gemisch der *exo-exo-* und *exo-endo-1,3-Dipropyl-*(bzw.*-dibutyl*)*-bicyclo[1.1.0]butan-2,4-dicarbonsäure-di-äthylester* (bzw.*-2-carbonsäure-äthylester-4-carbonsäure-methylester* und *-butylester*) (III, IV) neben dem Cyclopropen-Derivat V erhalten[3]:

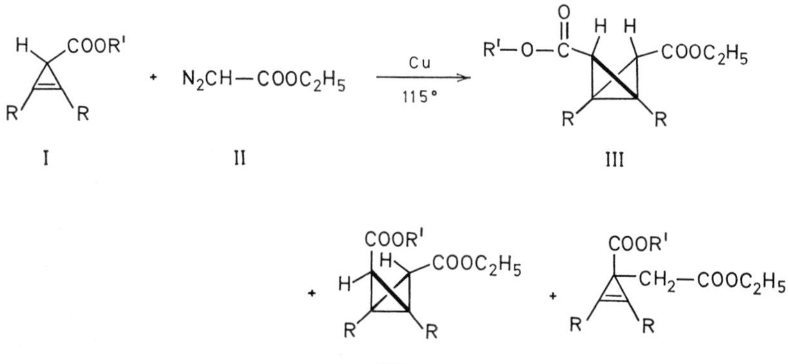

I II III IV V

Eine Anzahl von intramolekularen carbenoiden Additionen an die Doppelbindung von Cyclopropenen führten zu neuen tricyclischen Verbindungen. So entstehen aus den Diazoketonen I, II und III bei Behandlung mit Kupferpulver[4,5] oder durch Photolyse[6] die tricyclischen Ketone IV, V und VI:

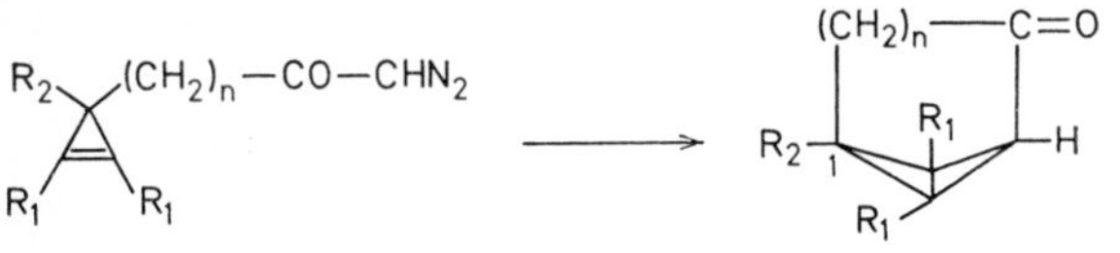

(I)	$R_1 = CH_3$, $R_2 = H$, $n = 0$	(IV)	$R_1 = CH_3$, $R_2 = H$, $n = 0$	*5-Oxo-2,4-dimethyl-tricyclo [1.1.1.0^{2,4}]pentan*
(II)	$R_1 = R_2 = C_6H_5$, $n = 1$	(V)	$R_1 = R_2 = C_6H_5$, $n = 1$	*3-Oxo-1,5,6-triphenyl-tricyclo [2.1.1.0^{5,6}]hexan*
(III)	$R_1 = C_6H_5$, $R_2 = H$, $n = 0$	(VI)	$R_1 = C_6H_5$, $R_2 = H$, $n = 0$	*5-Oxo-2,4-diphenyl-tricyclo [1.1.1.0^{2,4}]pentan*

---

[1] I. A. Dyakonov, M. I. Komendantov u. V. V. Razin, Ž. obšč. chim. **33**, 2420 (1963); engl.: 2360.

[2] I. A. Dyakonov, V. V. Razin u. M. I. Komendantov, Tetrahedron Letters **1966**, 1127; **1966**, 1135.

[3] I. A. Dyakonov, V. V. Razin u. M. I. Komendantov, Doklady Akad. SSSR **177**, 354 (1967); C. A. **68**, 49163 (1968).

[4] W. v. E. Doering u. M. Pomerantz, Tetrahedron Letters **1964**, 961.

[5] A. Small, Am. Soc. **86**, 2091 (1964).

[6] S. Masamune, Am. Soc. **86**, 735 (1964).

6. Halogenierung von Cyclopropenen

Erwartungsgemäß erweist sich die Cyclopropen-Doppelbindung als sehr reaktiv gegenüber Halogenen[1,2]. Mit Brom reagiert Cyclopropen *explosions*artig. Unter sorgfältig kontrollierten Reaktionsbedingungen gelingt es *1,2-Dibrom-* und *1,2-Dijod-cyclopropan* in guten Ausbeuten zu isolieren[2]. Die Addition von Brom erfolgt stereospezifisch *trans*; bei der Reaktion mit Jod treten neben *trans-1,2-Dijod-cyclopropan* auch geringe Mengen an *cis*-Produkt auf. Versuche, aus den 1,2-Dihalogencyclopropanen durch Behandlung mit Jodid-Ionen oder mit Zink, das Cyclopropen zurückerhalten, scheiterten. Dibrom-cyclopropen reagiert mit Magnesium unter Bildung eines recht ungewöhnlichen Bis-Grignard-Reagens, dessen Struktur vorläufig im Sinne von Formel I formuliert wurde[2]. Tetrachlor-cyclopropen kann unter dem Einfluß von UV-Licht Chlor[3] und Brom[4] addieren (*1,2,3,3-Tetrachlor-trans-1,2-dibrom-cyclopropan* und *Hexachlor-cyclopropan*). Desgleichen wird Tetrabrom-cyclopropen mit Brom ausschließlich in *Hexabrom-cyclopropan* übergeführt[4]. 3,3-Difluor-1,2-dichlor-cyclopropen addiert Chlor ebenfalls unter Einfluß von UV-Licht[4] zu *3,3-Difluor-tetrachlor-cyclopropan.*

I

7. Nucleophile Additionen an Cyclopropenen

Stark nucleophile Reaktionspartner addieren sich nur in einigen Fällen an die Cyclopropen-Doppelbindung. Gewöhnlich ist hierzu eine gewisse Aktivierung durch als Elektronen-Acceptoren wirkende Gruppen notwendig, um eine mögliche Carbanion-Zwischenstufe zu stabilisieren.

Theoretische Betrachtungen lassen erwarten, daß im allgemeinen nucleophile Additionen an die C=C-Bindung der Cyclopropene schneller und leichter verlaufen sollten als an weniger gespannte Cycloolefine. Im wesentlichen können hier zwei Faktoren als Argumente angeführt werden:

① Aufhebung des „I-Strain" im Zuge der Absättigung der Doppelbindung.

② Der β-Kohlenstoff sammelt im Übergangszustand einer nucleophilen Additionsreaktion negative Ladung an[5] und die Carbanion-Bildung an einem dreigliedrigen Ring[6] wird durch seine spezielle Hybridisierung begünstigt[7].

So addiert ohne weiteres der Cyclopropen-1-carbonsäureester tert.-Butanolat-Anionen[8] (s. a. S. 690 f.). Auch 1,2,3-Triphenyl-cyclopropen geht glatt nucleophile Addi-

[1] N. Y. DEMYANOV u. M. N. DOYARENKO, B. **56**, 2200 (1923).

[2] K. B. WIBERG u. W. J. BARTLEY, Am. Soc. **82**, 6375 (1960).

[3] S. W. TOBEY u. R. WEST, Am. Soc. **86**, 56 (1964).

[4] S. W. TOBEY u. R. WEST, Am. Soc. **88**, 2481 (1966).

[5] Vgl. etwa J. HINE in *Physical Organic Chemistry*, S. 229 ff., McGraw-Hill, New York 1962.

[6] H. M. WALBORSKY, A. A. YOUSSEF u. J. M. MOTES, Am. Soc. **84**, 2465 (1962).
    Vgl. a. H. M. WALBORSKY u. F. M. HORNYAK, Am. Soc. **77**, 6026 (1955); **78**, 872 (1956).

[7] So stellt zum Beispiel die besondere Stabilität der Vinyl-carbanionen die treibende Kraft bei nucleophilen Additionen an Alkine dar.

[8] K. B. WIBERG, R. K. BARNES u. J. ALBIN, Am. Soc. **79**, 4994 (1957).

tion an der Doppelbindung ein[1]. Bei Behandlung mit Natrium-methanolat in Dimethylsulfoxid wird *Methoxy-1,2,3-triphenyl-cyclopropan* isoliert, während mit Natrium-4-methyl-anilid oder Lithium-propylamid Ringöffnung beobachtet wird. Als Endprodukt letzterer Reaktionen wird nach der Hydrolyse 1-Oxo-1,2,3-triphenyl-propan (V) erhalten. Auch die Lithium- oder Natriumamid-katalysierte Dimerisation von 1,2,3-Triphenyl-cyclopropen soll über ein Amid-Additionsprodukt als Zwischenstufe[1] (VI) verlaufen. Die Zwischenstufe VI soll dann ihrerseits als Nucleophil mit einem zweiten Molekül Triphenyl-cyclopropen reagieren. Eliminierung des Amid-Ions aus VII schließt danach die Bildung des Dimeren VIII [*3-(all-cis-1,2,3-Triphenyl-cyclopropyl)-1,2,3-triphenyl-cyclopropen*] ab. Dieses Reaktionsschema ergibt sich vor allem aus entsprechenden Deuterierungs-Versuchen. Ein Cyclopropenyl-3-carbanion wird nicht als reaktive Zwischenstufe gebildet[1]. Das Dimere VIII wird auch bei der Pyrolyse von 1,2,3-Triphenyl-cyclopropen erhalten:

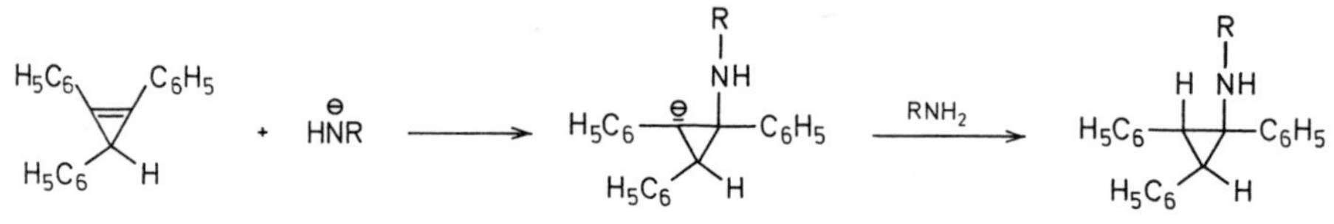

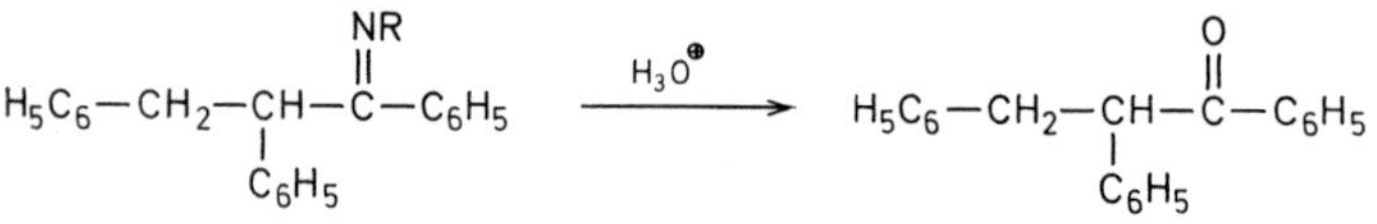

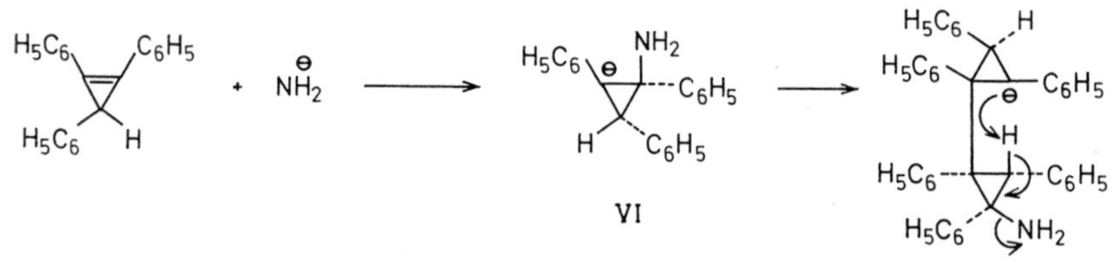

In diesem Fall dürfte jedoch die Annahme einer Vierzentren-Reaktion wahrscheinlicher sein. Bei Behandlung mit Kaliumamid wird das Dimere und auch sein *trans*-Isomeres (zum Vergleich auf anderem Wege hergestellt) quantitativ in *Hexaphenyl-benzol*[1] übergeführt:

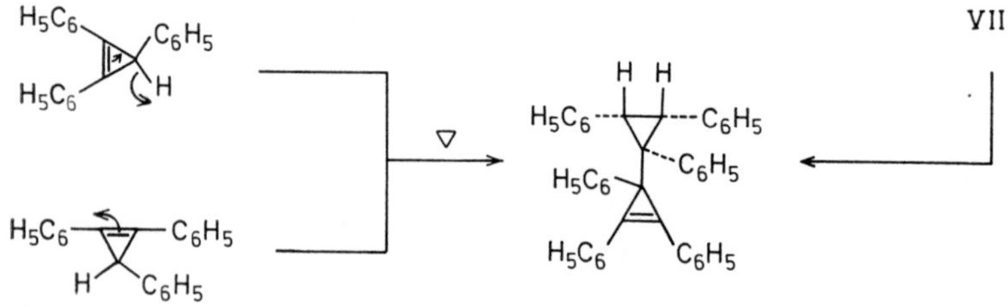

---

[1] R. Breslow u. P. Dowd, Am. Soc. **86**, 2729 (1963).

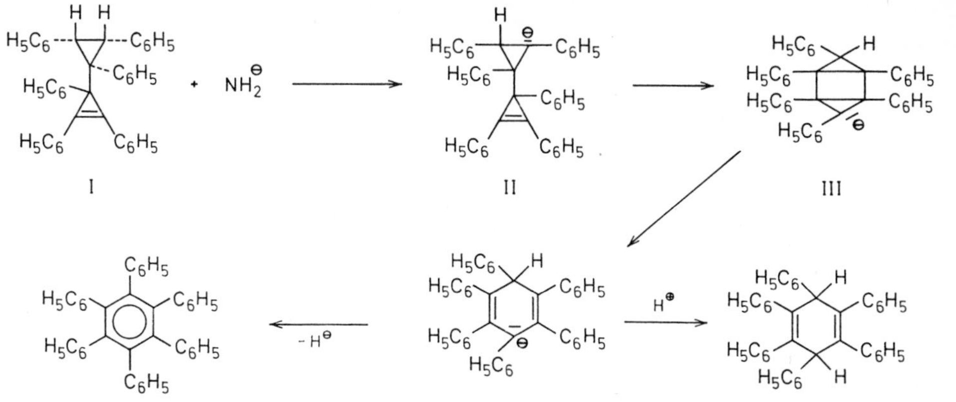

V; *Hexaphenyl-benzol* IV VI; *1,2,3,4,5,6-Hexaphenyl-cyclohexadien-(1,4)*

Ein analoger Mechanismus ist für die amid-ionenkatalysierte Umlagerung der Bi-cyclopropenyle VII in Benzol-Derivate formuliert worden[1,2]:

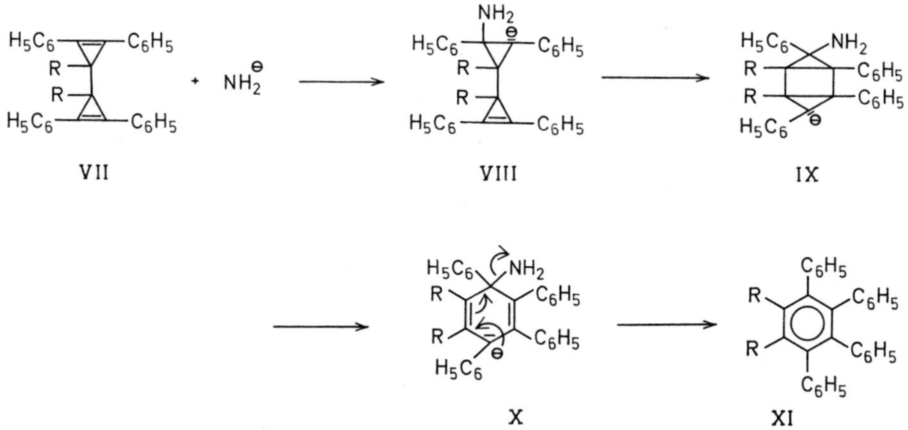

VII; R=H; *1,2,1′,2′-Tetraphenyl-bi-cyclopropenyl-(3,3′)*
R=C_6H_5; *1,2,3,1′,2′,3′-Hexaphenyl-bi-cyclopropenyl-(3,3′)*

Bei den hier angeführten Reaktionen dürfte die Stabilisierungsmöglichkeit der intermediär gebildeten Carbanionen durch Phenyl-Gruppen als entscheidender Faktor zu beurteilen sein. Desgleichen scheinen aber auch noch sterische Faktoren eine Rolle zu spielen. So bleibt 1,2,3-Triphenyl-cyclopropen selbst nach längerer Behandlung mit Kaliumamid unverändert[1]. Einfache Alkyl-cyclopropene sind im allgemeinen völlig resistent gegenüber nucleophilem Angriff durch Alkoholat-Ionen[3].

[1] R. Breslow u. P. Dowd, Am. Soc. **85**, 2729 (1963).
[2] P. Gal, Dissertation, Columbia University, 1963; s. Dissertation Abstr. **23**, 2693 (1963).
[3] s. G. L. Closs, *Cyclopropenes* in H. Hart u. G. J. Karabatsos, *Advances in Alicyclic Chemistry*, Vol. 1, S. 86, Academic Press, New York · London 1966.

8. Polymerisation von Cyclopropenen

Wie bereits erwähnt, ist Cyclopropen extrem instabil in der flüssigen Phase und kann nur im festen Zustand bei Temperaturen des flüssigen Stickstoffs längere Zeit aufbewahrt werden[1,2]. Bereits bei Temperaturen um $-80°$ tritt sehr schnell Polymerisation ein. Im Kernresonanzspektrum zeigen die Produkte nur Resonanzstellen bei sehr hohem Feld (9,7–9,8 τ). Danach ist anzunehmen, daß das gebildete Polycyclopropen nur aus Cyclopropanringen besteht[2]. Möglicherweise handelt es sich bei der Polymerisation um eine Radikalkettenreaktion, die von einem noch unbekannten Initiator gestartet wird. Bei niedrigem Druck ist Cyclopropen jedoch in der Gasphase stabil.

Im Vergleich zum Stammkohlenwasserstoff sind viele der Cyclopropen-Derivate recht stabile Verbindungen. Hier tritt Polymerisation oder monomolekulare Zersetzung erst bei erhöhten Temperaturen ein.

Alkyl-cyclopropene sind dann gewöhnlich stabil, wenn beide Wasserstoffe am Kohlenstoffatom C—3 durch Alkyl-Gruppen substituiert sind. So kann z.B. 3,3-Dimethyl-cyclopropen ohne Lösungsmittel in abgeschmolzenen Glasampullen mehrere Tage unzersetzt auf 100° erhitzt werden[3]. Die Anwesenheit von bereits einem Wasserstoffatom an C—3 wie etwa im 3-Methyl-cyclopropen führt zur Instabiliät bei Raumtemperatur. Alkyl-Substitution an den C-Atomen 1 und 2 wirkt sich schwach stabilisierend aus; 1-Methyl- und 1,2-Dimethyl-cyclopropen polymerisieren jedoch noch[4,5]. Alkoxycarbonyl- und Cyan-Substituenten am Kohlenstoffatom 3 zeigen allgemein einen stabilisierenden Einfluß[5,6]. Auch die 1,2-Diphenyl-cyclopropen-Derivate zersetzen sich im Normalfall nicht bei Zimmertemperatur.

b) Reaktionen von Cyclopropenen unter Ringöffnung oder Ringerweiterung

Viele der Reaktionen von Cyclopropen-Verbindungen führen zur Zerstörung des carbocyclischen Dreiringes. Dabei tritt vor allem die Freisetzung der Ringspannungsenergie als zusätzliche Triebkraft in Erscheinung. Häufig werden völlig unerwartete Produkte erhalten. Im vorhergehenden Abschnitt sind bereits einige Endprodukte beschrieben worden, die letztlich auch eine Ringöffnung voraussetzten, jedoch wurde dort das Hauptaugenmerk auf den primären Angriff der Cyclopropen-Doppelbindung gelegt. Im folgenden Abschnitt sollen alle diejenigen Reaktionen diskutiert werden, bei denen die Freisetzung der Ringspannungsenergie durch Ringspaltung die Struktur der Endprodukte hauptsächlich determiniert.

1. Umlagerungen

a) Nicht-katalysierte

Da die C—C-Bindungen der Cyclopropene wegen der hohen Energie der Ringspannung beträchtlich geschwächt sind, sollten Umlagerungen, die durch bloße Schwingungsanregungen eingeleitet werden, ziemlich häufig vorkommen. In

---

[1] N. Y. Demyanov u. M. N. Doyarenko, Izv. ross. Akad. **16**, 297 (1922); C. A. **20**, 2988 (1926).
[2] K. B. Wiberg u. W. J. Bartley, Am. Soc. **82**, 6375 (1960).
[3] G. L. Closs, L. E. Closs u. W. A. Böll, Am. Soc. **85**, 3796 (1963).
[4] W. v. E. Doering u. T. Mole, Tetrahedron **10**, 65 (1960).
[5] F. Fisher u. D. E. Applequist, J. Org. Chem. **30**, 2089 (1965).
[6] R. Breslow, R. Winter u. M. Battiste, J. Org. Chem. **24**, 415 (1959).

vielen Fällen ist wegen der recht komplexen Natur derartiger molekularer Umorientierungen eine experimentelle Verifizierung angenommener spezieller Reaktionsmechanismen äußerst schwierig. Häufig ist man in solchen Problemstellungen nicht über den Stand von Arbeitshypothesen hinausgelangt.

Zu der genannten Kategorie gehört auch die thermische Umlagerung des Cyclopropens in *Propin*[1]. Diese Umlagerung verläuft bei Temperaturen oberhalb 350° in der Gasphase. Möglicherweise wird hier ein Biradikal I als Zwischenstufe durchlaufen:

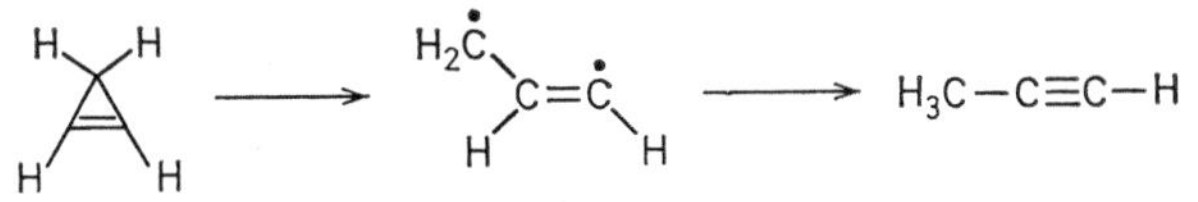

1,2,3-Triphenyl-3-vinyl-cyclopropen erleidet bereits bei Temperaturen von 180° Umlagerung zum *1,2,3-Triphenyl-cyclopentadien*[2]:

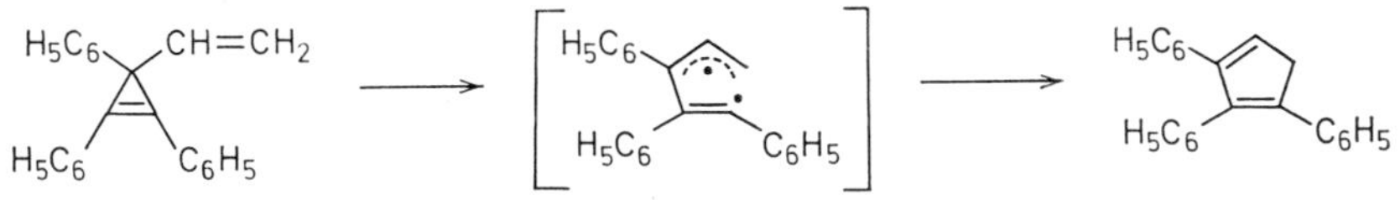

In diesem Fall könnte das resonanzstabilisierte Biradikal I a als Zwischenstufe auftreten, obwohl andererseits a priori ein „concerted reaction mechanism" nicht ausgeschlossen werden kann.

In diesem Zusammenhang sei darauf hingewiesen, daß das durch Spaltung der Cyclopropen-Einfachbindung gebildete Biradikal den Vinyl-carbenen sehr ähnlich sein sollte. Rotation des Methylenkohlenstoffs des primären Spaltprodukts II um 90° ergibt schließlich das Carben III. Derzeit ist nicht zu entscheiden, ob II oder III dem energieärmeren Zustand dieses hypothetischen Moleküls entspricht, zumal gewisse Vinyl-carbene im Grundzustand Triplett-Charakter nach Elektronenspinresonanz-Befunden zeigen[3]. Dieser geschilderte Spaltungsprozeß ist als formale Umkehr der Synthese von Cyclopropen-Verbindungen über Vinyl-carbene (s. S. 696ff.) anzusprechen:

In ähnlicher Weise kann bei der bei 150° stattfindenden thermischen Umlagerung des Acetoxy-Derivats IV (S. 716) zu *3-Acetoxy-2,5-dimethyl-hexadien-(2,4)* (VI) nicht entschieden werden, ob ein Carben (V) oder dessen biradikalisches Analogon als Zwischenstufe durchlaufen wird oder ob ein „concerted reaction mechanism" zu formulieren ist[4]:

[1] K. B. Wiberg u. W. J. Bartley, Am. Soc. **82**, 6375 (1960).
[2] Vgl. R. Breslow in: P. de Mayo, *Molecular Rearrangements*, Bd. 1, S. 236, Interscience Publishers, New York · London 1963.
[3] G. L. Closs u. H. Heyn, unveröffentlichte Daten, 1963, zitiert bei G. L. Closs[5].
[4] G. L. Closs u. L. E. Closs, unveröffentlichte Daten, 1963, zitiert bei G. L. Closs[5].
[5] G. L. Closs, *Cyclopropenes* in H. Hart u. G. J. Karabatsos, *Advances in Alicyclic Chemistry*, Vol. I, S. 87, Academic Press, New York · London 1966.

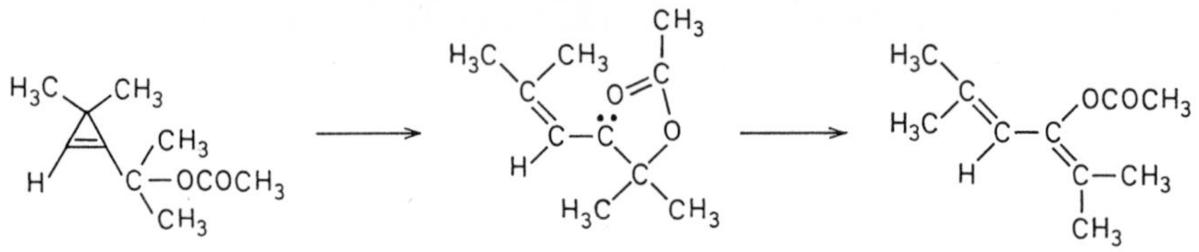

Vermutlich verlaufen die beobachteten Umlagerungen von Cyclopropen-3-carbon-säure-alkylestern sehr ähnlich. Die bereits erwähnten (s. S. 689 u. 701) in 1-Stellung disubstituierten Benzocyclopropene besitzen genügend Ringspannungsenergie, um eine thermische Umlagerung ohne katalytischen Einfluß eingehen zu können. Im Gegensatz dazu muß bei den Umlagerungen von *1,2-Diphenyl-cyclopropen-3-carbon-säure* (VII)[1] und *1,2-Diphenyl-cyclopropen-3,3-dicarbonsäure* (VIII)[1,2] zum *4-Hydroxy-3,4-diphenyl-buten-(2)-säure-lacton* (IX) auch mit Säurekatalyse gerechnet werden:

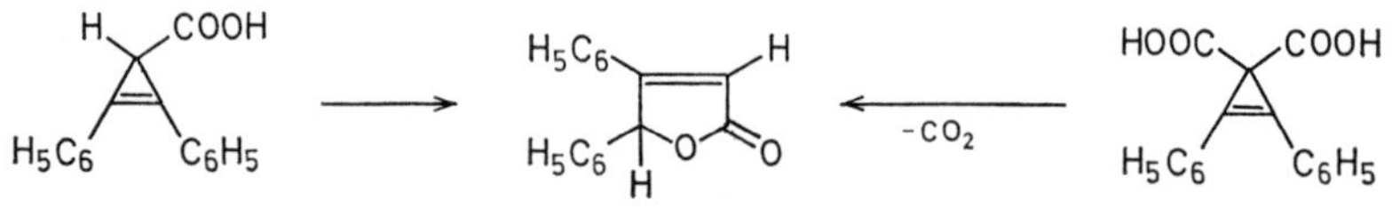

Bei einer Zahl von Umlagerungen muß im Übergangszustand mit einem bestimm-ten Grad von Polarität gerechnet werden; nucleophile Additionen an die Cyclo-propen-Doppelbindung stellen dann die Primärschritte der Reaktion dar. So geht 3-Azido-1,2,3-triphenyl-cyclopropen (IX) unter sehr milden Bedingungen eine thermische Umlagerung zum *4,5,6-Triphenyl-5,6-dihydro-1,2,3-triazin* (X) ein[3]. In ähnlicher Weise lagert sich 1,2-Diphenyl-3-benzoyl-cyclopropen-hydra-zon (XI) bereits unter den Bedingungen seiner Bildung in *3,4,6-Triphenyl-1,2-di-hydro-pyridazin* (XIII) um[4,5]:

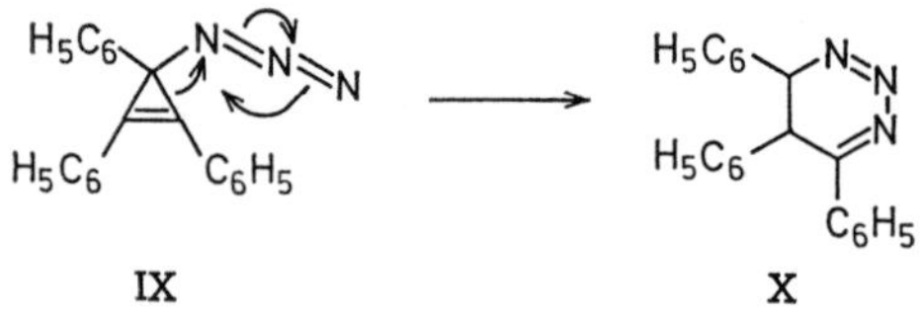

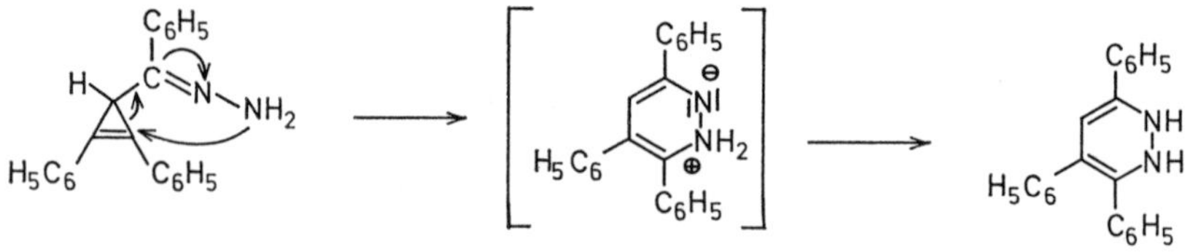

[1] R. Breslow, R. Winter u. M. Battiste, J. Org. Chem. **24**, 415 (1959).
[2] S. F. Darling u. E. W. Spanagel, Am. Soc. **53**, 1117 (1931).
[3] E. A. Chandross u. G. Smolinsky, Tetrahedron Letters **1960**, 19.
[4] R. Breslow, R. Boikess u. M. Battiste, Tetrahedron Letters **1960**, 42.
[5] N. Obata u. I. Moritani, Bl. Chem. Soc. Japan **39**, 2250 (1966); die Autoren berichten, daß XIII bereits durch Luftsauerstoff zum *3,4,6-Triphenyl-pyridazin* oxidiert wird.

Weitgehend ähnliche Umlagerungen treten bei den Umsetzungen von 1,2,3-Triphenyl-3-cyan-cyclopropen (I) mit **Phenyl-lithium** zu III und von 1,2-Diphenyl-cyclopropen-3-carbonsäure-chlorid (IV) mit **Diphenyl-cadmium** bei 60° zu VI ein[1]:

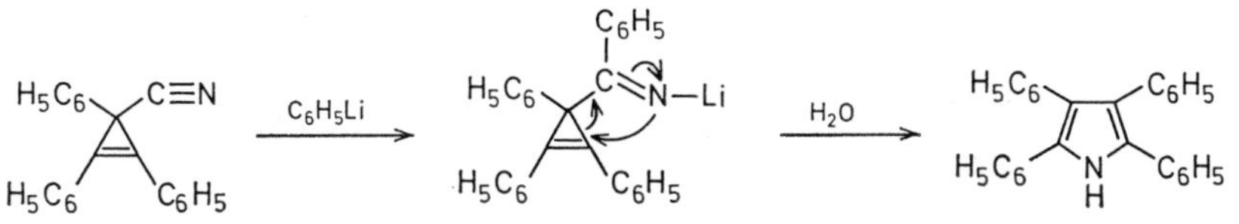

2,3,4,5-Tetraphenyl-pyrrol; III

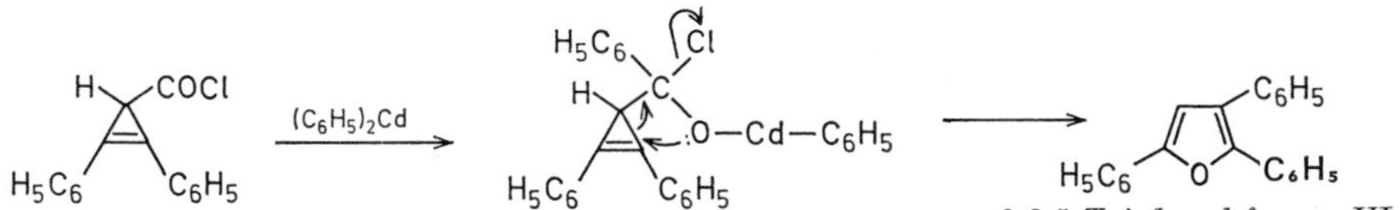

2,3,5-Triphenyl-furan; VI

Interessante thermische Umlagerungen sind bei einigen **dimeren Cyclopropen-**Derivaten festgestellt worden. Das Dimere des 1,2,3-Triphenyl-cyclopropens (VII) erleidet beim Erhitzen auf 280° Fragmentierung unter Bildung von *Triphenyl-azulen* (VIII) und *trans-Stilben*[2]. Auch für das entsprechende *trans*-Isomere von VII wird gleiches Reaktionsverhalten beobachtet. Durch Markierung mit Deuterium am Cyclopropanring von VII konnte gezeigt werden, daß der Cyclopropanring fragmentiert wird, da es zur Bildung von *trans-α,β-Dideutero-stilben* kommt[2] (s. S. 718).

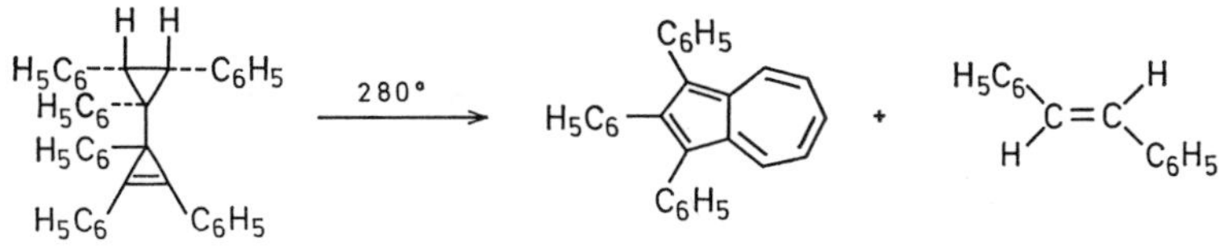

Zur Aufstellung des Reaktionsmechanismus wurden zum **Vergleich** andere Prozesse herangezogen, bei denen die Bildung von Triphenyl-azulen beobachtet worden ist. Hierzu gehören die säurekatalysierte Bildung von Triphenyl-azulen aus einem Cyclopropencarbinol (s. S. 726)[3], die Reaktion des Triphenyl-cyclopropenylium-Kations mit Phenyl-diazomethan unter Bildung von Triphenylazulen (s. S. 726)[4] und möglicherweise auch die Dimerisierung von Diphenyl-acetylen[5]. Die für diese genannten Umlagerungen abgeleiteten Reaktionsmechanismen beinhalten Zwischenstufen, die sehr ähnlich sind zu den Tetraphenyl-cyclobutadien-Spezies[6] sowie den möglichen Intermediärprodukten der Photodimerisierung von Diphenyl-acetylen[7].

[1] R. Breslow, R. Boikess u. M. Battiste, Tetrahedron Letters **1960**, 42.
[2] R. Breslow u. P. Dowd, Am. Soc. **85**, 2729 (1963).
[3] R. Breslow u. M. Battiste, Am. Soc. **82**, 3626 (1960).
[4] R. Breslow u. M. Mitchell in: P. de Mayo, *Molecular Rearrangements*, Bd. 1, S. 276, Interscience Publishers, New York · London 1963.
[5] US P. 2097854 (1937), W. Dilthey; C. A. **32**, 3674 (1938).
[6] H. H. Freedman, J. Org. Chem. **27**, 2298 (1962).
[7] G. Büchi, C. W. Perry u. E. W. Robb, J. Org. Chem. **27**, 4106 (1962).

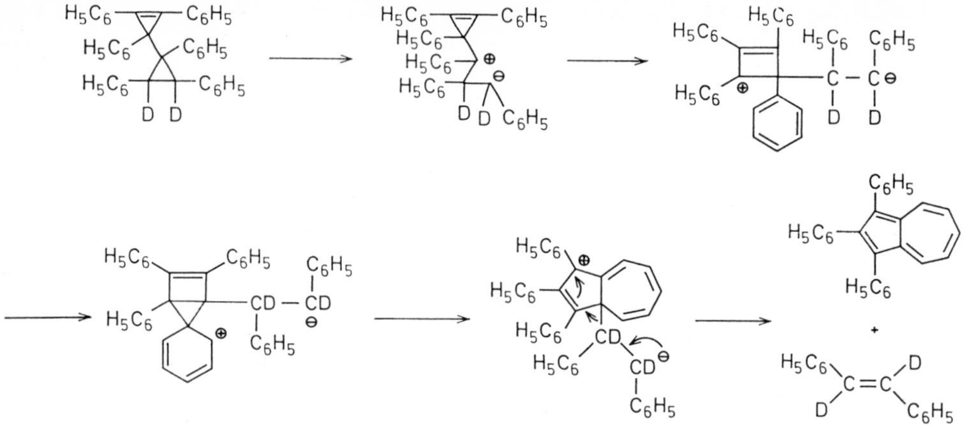

Die Umlagerung von **Bi-cyclopropenylen** in Derivate des **Benzols** ist vor allem wegen des möglichen Auftretens von Prisman-Derivaten als Zwischenstufen von Interesse. Das aus Triphenyl-cyclopropenylium-bromid und Zink erhaltene **Hexaphenyl-bi-cyclopropenyl-(3) (II)**[1] lagert sich beim Erhitzen auf seinen Schmelzpunkt (255°) rekristallisierend sofort in *Hexaphenyl-benzol* (III) um[1,2]. Die gleiche Umlagerung wird nach dreitägigem Kochen in Xylol und bei der UV-Bestrahlung in Lösung beobachtet[1,2]:

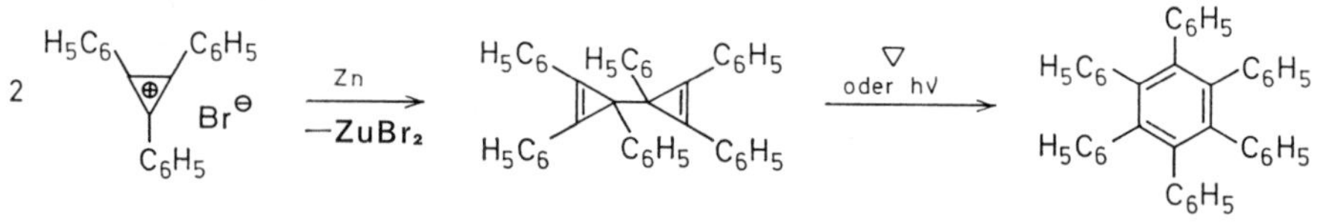

Zunächst können für diese Umlagerung drei Reaktionsmechanismen in Betracht gezogen werden. Weg ① und Weg ② bedeuten einen mehr oder minder direkten Zugang zum Hexaphenyl-benzol. Weg ③ beinhaltet die Bildung eines Derivats des **Ladenburg-Benzols**, des *Hexaphenyl-prismans*, dessen Umlagerung zum Dewar-Benzol und nachfolgende Bildung der Kekulé-Form:

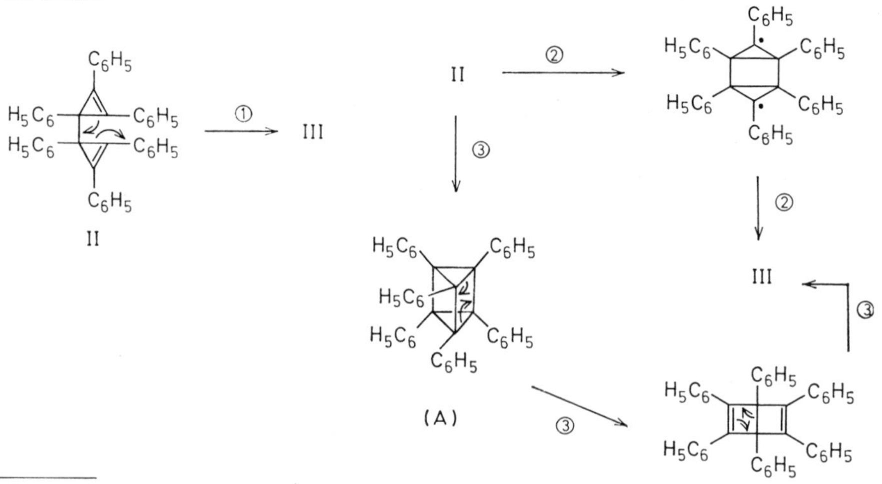

[1] R. Breslow u. P. Gal, Am. Soc. **81**, 4747 (1959).
[2] R. Breslow et al., Am. Soc. **87**, 5139 (1965).

Der Hauptunterschied zwischen Weg ① und ② und Weg ③ besteht darin, daß nach den ersten zwei Mechanismen die ursprüngliche Bindung zwischen den beiden Ringen des Hexaphenyl-bi-cyclopropenyl-(3,3′) erhalten bleiben sollte, während nach dem dritten Mechanismus wegen der Symmetrie des Prismans (A) diese Bindung gebrochen wird. Zur Aufklärung des Reaktionsmechanismus wurden eine Anzahl von Vergleichssubstanzen synthetisiert[1]. So wurde u.a. das gezielt hergestellte Dimere I thermisch umgelagert[2]:

---

[1] R. BRESLOW et al., Am. Soc. **87**, 5139 (1965).
Während bei der Reduktion des Diphenyl-cyclopropenylium-bromids mit Zink und auch anderen Metallen kein entsprechendes Dimeres, sondern nur *1,2,4,5-Tetraphenyl-benzol* erhalten wird, liefert die Reduktion des Äthyl-diphenyl-cyclopropenylium-fluoroborats (I) das Dimere II. Die thermische Umlagerung von II führt zu einer Mischung von *5,6-Di-äthyl-1,2,3,4-tetraphenyl-benzol* (III) und *3,6-Diäthyl-1,2,4,5-tetraphenyl-benzol* (IV). Die Tatsache, daß aus I das Dimere II entsteht, läßt vermuten, daß bei der Reduktion des Diphenyl-cyclopropenylium-Kations nicht das gewünschte Dimere V durchlaufen wird, sondern ein zu II analoges Dimere. Diese Vermutung fand ihre Stützung durch die direkte Synthese von V, das sich als völlig stabil erwies. V konnte mit Triphenylmethyl-perchlorat in ein Cyclopropenylium-Kation VI überführt werden. Reduktion mit Lithiumaliminiumdeuterid lieferte die Monodeutero-Verbindung von V, die mit Triphenylmethyl-perchlorat (VI) mit ∼ 50% eines Deuteriumatoms ergab:

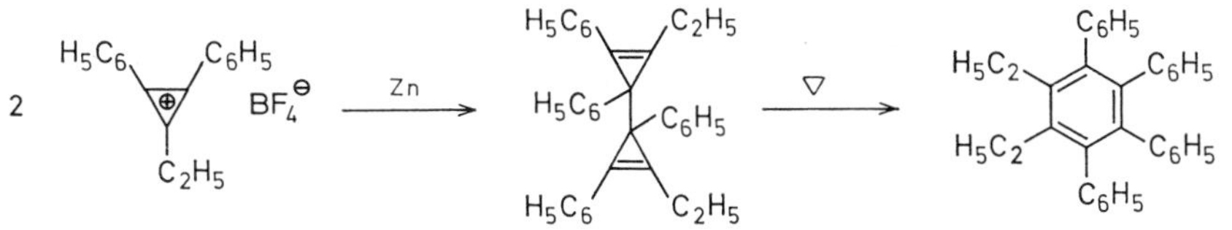

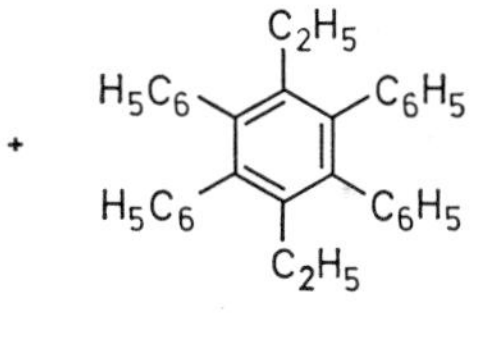

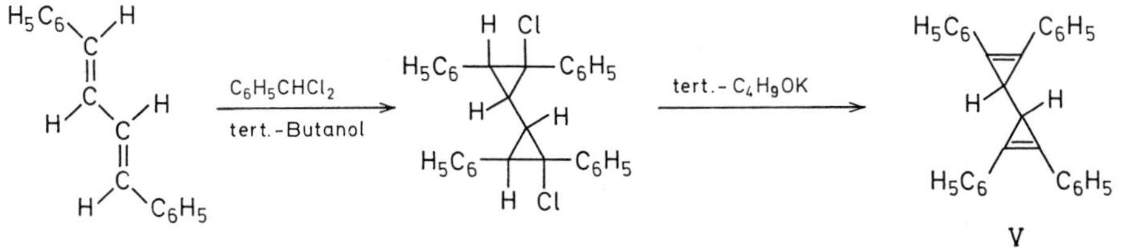

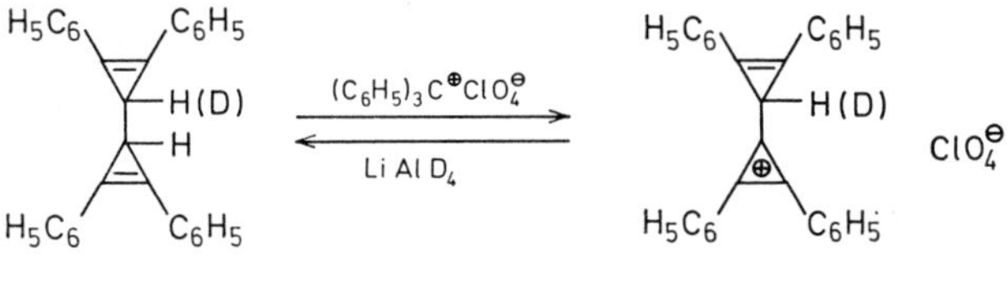

[2] R. BRESLOW et al., Am. Soc. **87**, 5139 (1965).

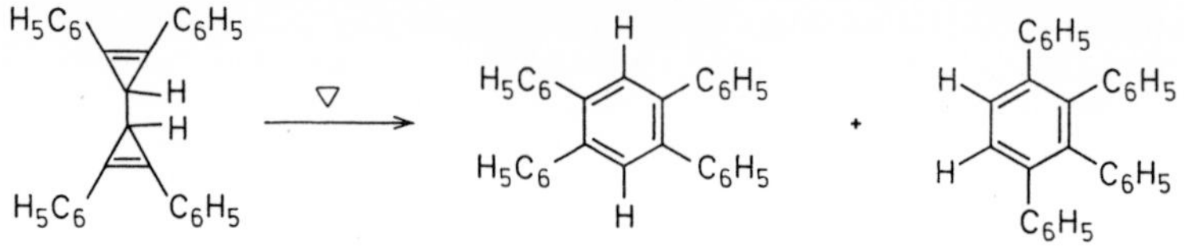

Produktverhältnisse: a) bei 135° = 10 : 1
                     b) bei 300° = 3,5 : 1

Dies Ergebnis spricht für ein *Tetraphenyl-prisman* (A) als Zwischenprodukt wobei in der Folgereaktion II bevorzugt gebildet wird. Die auf S. 718 mit ① und ② dargestellten Reaktionswege werden in ihrer einfachsten Form durch die obigen Resulte widerlegt. Vor allem die bevorzugte Bildung von II, bei dem die zwei wasserstofftragenden C-Atome ursprünglich in I die beiden Cyclopropen-Ringe verknüpften, ist konsistent mit der Bildung von A als Zwischenstufe. A kann dann unter Bildung der zwei verschiedenen Bicyclo[2.2.0]hexadiene B und C geöffnet werden. Die bevorzugte Bildung von II aus A über B ergibt sich aus der Tatsache, daß in A die phenylsubstituierten Dreiring-Bindungen die schwächsten sind und daß zwei Stilben-Systeme formal entstehen, die B damit begünstigen. Aus statistischen Gründen sollte zwar der Weg über C bevorzugt sein.

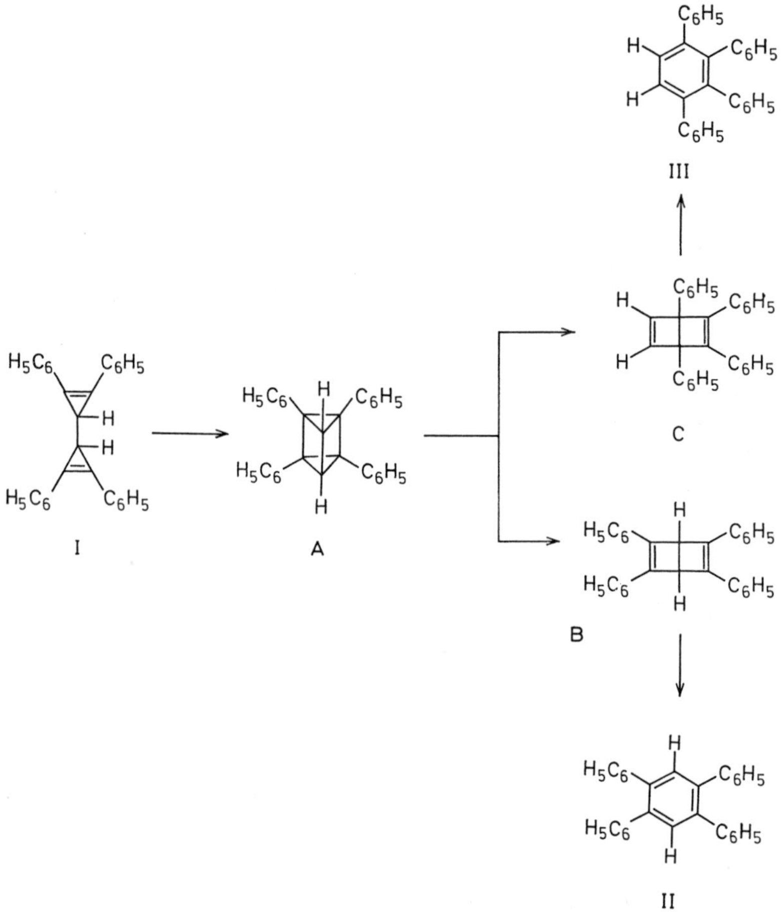

Damit ist zwar der Reaktionsmechanismus[1] noch nicht letztlich bewiesen, denn das Dimere könnte zunächst auch eine Cope-Umlagerung unter Bildung eines entsprechenden Isomeren II eingehen, das dann entweder auf Weg ① oder ② (S. 718) 1,2,4,5-Tetraphenyl-benzol (III) liefert:

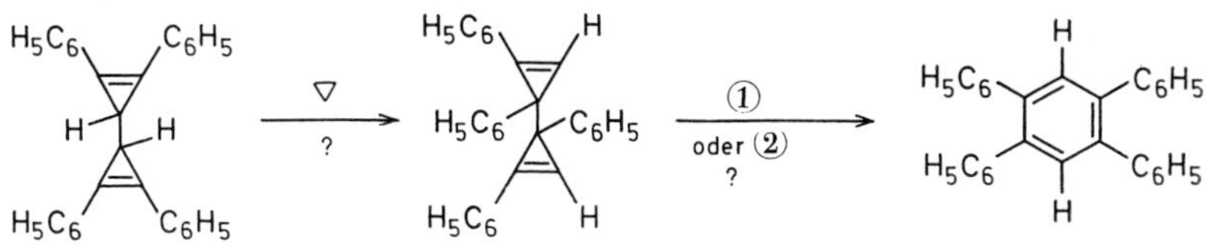

Man darf trotzdem mit großer Wahrscheinlichkeit annehmen, daß bei den hier beschriebenen thermischen Umlagerungen Prisman-Derivate als Zwischenstufen durchlaufen werden.

Die photochemischen Umlagerungen scheinen etwas anders zu verlaufen. Vermutlich wird hier ein „heißes" Prisman-Derivat durchlaufen[2], dessen Öffnung dann nur noch den statistischen Gesetzmäßigkeiten folgt, so daß sich eine bevorzugte Bildung von *1,2,3,4-Tetraphenyl-benzol* ergibt.

Bis-[1,2-diphenyl-cyclopropenyl-(3)]-äther (IV) erleidet eine ähnliche thermische Umlagerung unter Bildung von *1,2,4,5-Tetraphenyl-benzol* und *2,3,4,6-Tetraphenylphenol*[3]:

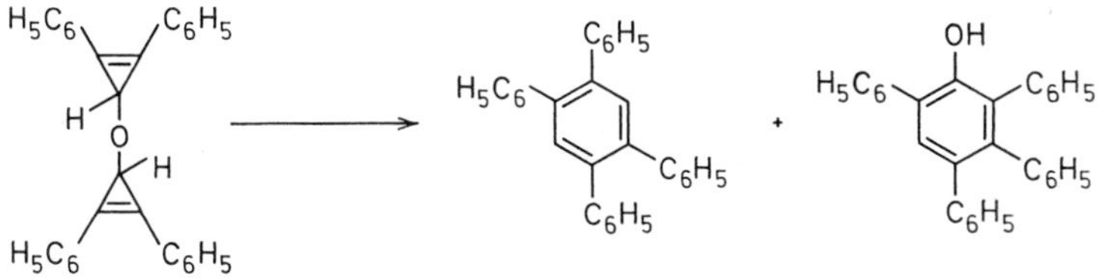

β) Säurekatalysierte Umlagerungen von Cyclopropenen

Mit Ausnahme der Cyclopropenone und der Cyclopropenylium-Verbindungen sind die meisten der Cyclopropen-Derivate sehr empfindlich gegenüber starken Säuren.

Viele der beobachteten säurekatalysierten Reaktionen können als Umlagerung des Cyclopropenringes in ein Allyl-Kation aufgefaßt werden. Einer der möglichen

---

[1] R. Breslow et al., Am. Soc. **87**, 5139 (1965).

Untersuchungen der thermischen Umlagerung von I durch quantitative Verfolgung der Reaktion mittels UV-Messungen lieferten keinerlei Hinweise für II, da stets gute isosbestische Punkt eerhalten wurden. Möglicherweise könnte das zweifelsohne sehr reaktive Isomere II als Zwischenstufe bei der direkten Umwandlung des Diphenyl-cyclopropenylium-Kations mit Zink in *1,2,4,5-Tetraphenyl-benzol* durchlaufen werden (s. S. 775). Die Hauptargumente gegen den geschilderten Alternativmechanismus sind einmal in der Unwahrscheinlichkeit einer schnellen endothermen Cope-Umlagerung von I in II und zum anderen in der Tatsache zu sehen, daß keine vernünftigen Gründe für die bevorzugte Bildung des 1,2,4,5-Tetraphenyl-benzols aus II im Sinne der Wege ① und ② anzuführen sind. Sowohl sterische als auch elektronische Betrachtungen lassen erwarten, daß viel eher 1,2,3,4-Tetraphenyl-benzol aus II als Hauptprodukt entstehen sollte.

[2] R. Breslow et al., Am. Soc. **87**, 5139 (1965).

[3] D. G. Farnum u. M. Burr, Am. Soc. **82**, 2651 (1960).

Reaktionsschritte wäre primär die Protonierung der Doppelbindung des Cyclopropens unter Bildung eines Cyclopropyl-Kations V. Die zwei methylenischen Kohlenstoffe könnten unter Disrotation im Sinne der Woodward-Hoffmann-Regel[1] schließlich zur Entstehung des ebenen Allyl-Kations VI Anlaß geben. Untersuchungen zur Solvolyse von Cyclopropyl-Verbindungen lassen den Schluß zu, daß tatsächlich in den zu den Cyclopropyl-Kationen führenden Übergangszuständen ein beträchtlicher Grad von Bindungslösung der Cyclopropyl-C—C-Bindung vorliegt[2-4].

Der Alternativweg bestünde in einer Protonierung der Einfachbindung des Cyclopropens und Bildung des Ions V, das dann durch Rotation der Methylen-Gruppe zum Allyl-Carbeniumion (VI) kollabieren könnte. Der hohe p-Charakter der Cyclopropen-Einfachbindungen und die beträchtliche Verminderung der Ringspannung in V geben dieser reaktionsmechanistischen Vorstellung einige Chancen. Für eine konjugate Säure des Cyclopropans ist nach den Untersuchungen der Desaminierung von 3,3,3-Trideutero-1-amino-propan[5] eine zu V ähnliche Struktur wahrscheinlich gemacht worden.

Andererseits kann natürlich a priori nicht ausgeschlossen werden, daß die Umlagerung von Cyclopropenen in Allyl-Carbeniumionen auch ohne Bildung von Zwischenstufen wie IV oder V verlaufen könnte. In einem solchen Fall könnten IV oder V jedoch Vorschläge zur möglichen Geometrie der Übergangszustände beinhalten.

Eine der ersten im Detail studierten säurekatalysierten Umlagerungen von Cyclopropen-Verbindungen war die Polymerisation der Sterculinsäure (I)[6-9]. Die Mischung der Polyester enthält alle vier Strukturelemente IV bis VII (S. 723) die aufgrund der zwei isomeren allylischen Carbeniumionen II und III zu erwarten waren. Bei der Acetolyse von I werden die entsprechenden ringgeöffneten Produkte erhalten:

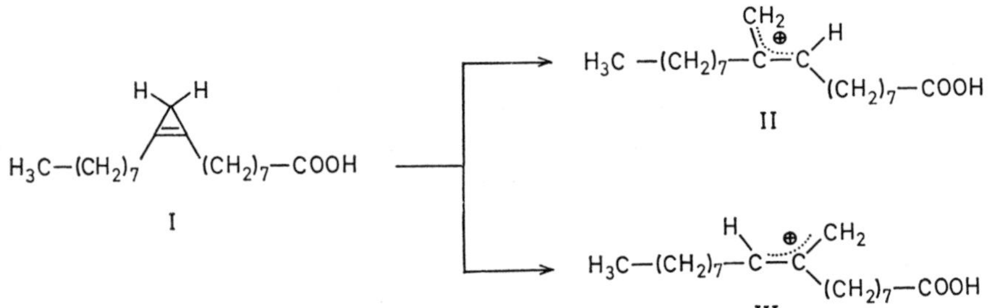

[1] Vgl.: R. B. Woodward u. R. Hoffmann, Am. Soc. 87, 395 (1965).
   Vgl. a.: H. C. Longuet-Higgins u. W. H. Abrahamson, Am. Soc. 87, 2045 (1965).
[2] C. H. DePuy et al., Am. Soc. 87, 4006 (1965).
[3] C. H. DePuy et al., Am. Soc. 87, 4007 (1965).
[4] G. L. Closs, J. J. Coyle u. D. Schober, unveröffentlichte Daten, 1965, zitiert bei G. L. Closs, Cyclopropenes in H. Hart u. G. J. Karabatsos, Advances in Alicyclic Chemistry, Vol. I, S. 91, Academic Press, New York · London 1966.
[5] A. A. Aboderin u. R. L. Baird, Am. Soc. 86, 252, 2300 (1964).
[6] J. R. Nunn, Soc. 1952, 313.
[7] K. L. Rinehart, C. L. Tarimu u. T. P. Culbertson, Am. Soc. 81, 5007 (1959).
[8] K. L. Rinehart et al., Am. Soc. 83, 225 (1961).
[9] H. W. Kircher, J. Org. Chem. 29, 3658 (1964).

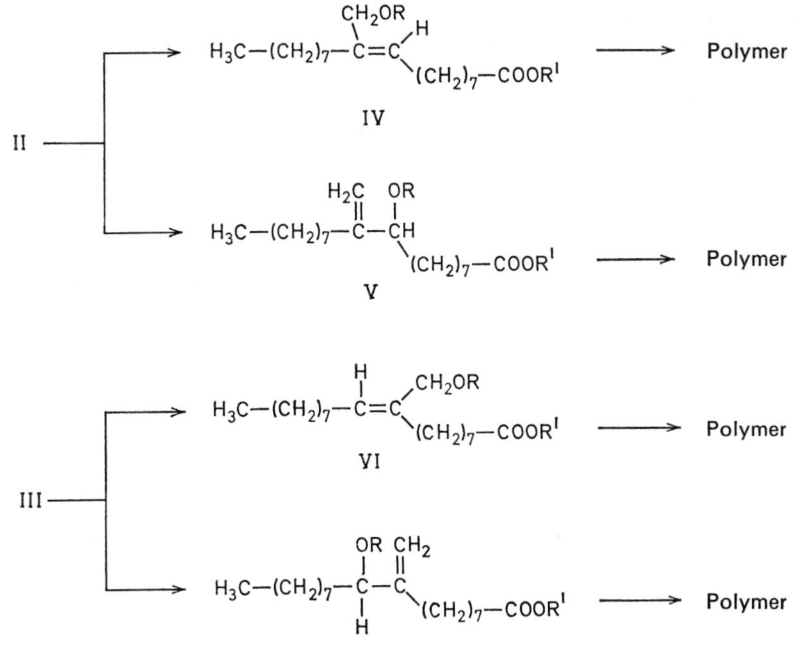

$$H_3C-(CH_2)_7-\underset{\underset{}{\overset{\overset{CH_2OR}{|}}{C}}}{}=\underset{\underset{(CH_2)_7-COOR'}{}}{\overset{H}{C}} \longrightarrow \text{Polymer}$$

IV

II —

$$H_3C-(CH_2)_7-\underset{}{\overset{\overset{H_2C}{\parallel}}{C}}-\underset{\underset{(CH_2)_7-COOR'}{}}{\overset{OR}{\underset{|}{C}H}} \longrightarrow \text{Polymer}$$

V

$$H_3C-(CH_2)_7-\underset{}{\overset{\overset{H}{|}}{C}}=\underset{\underset{(CH_2)_7-COOR'}{}}{\overset{CH_2OR}{C}} \longrightarrow \text{Polymer}$$

VI

III —

$$H_3C-(CH_2)_7-\underset{\underset{H}{|}}{\overset{\overset{OR}{|}}{C}}-\underset{}{\overset{\overset{CH_2}{\parallel}}{C}}{\underset{(CH_2)_7-COOR'}{}} \longrightarrow \text{Polymer}$$

VII

Die Reaktion von 1,3,3-Trimethyl-cyclopropen (VIII) mit wasserfreiem Chlorwasserstoff bei −50° nimmt einen ähnlichen Verlauf. Fast ausschließlich findet hier die Spaltung zwischen C-2 und C-3 statt und IX, nicht X ist das Hauptprodukt[1]:

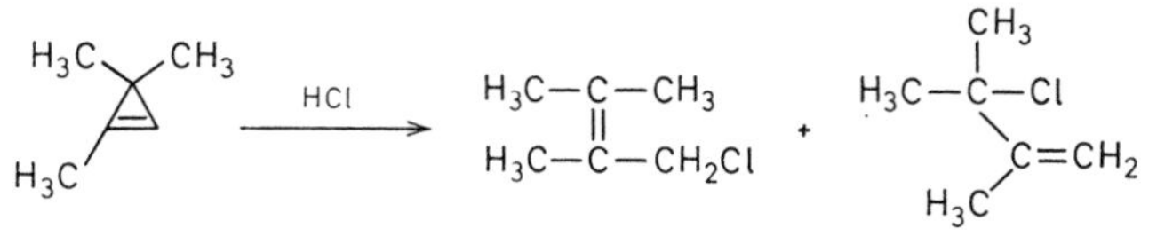

VIII   IX   X

In einigen Fällen wurde beobachtet, daß das intermediär gebildete allylische Carbeniumion cyclisieren kann. So erhält man aus 1,2,3-Triphenyl-cyclopropen mit Säure *1,2-Diphenyl-inden*[2]:

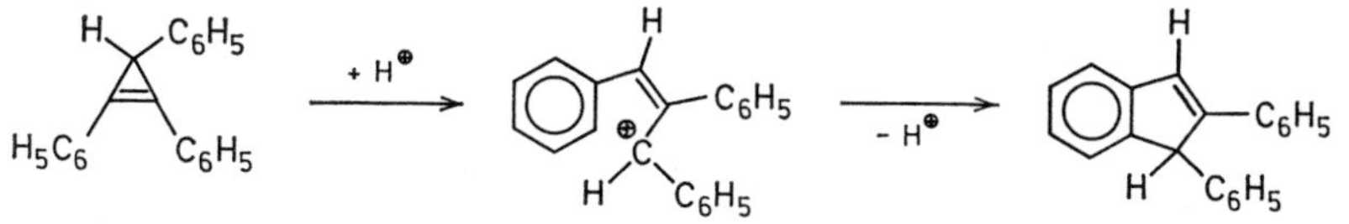

Die säurekatalysierte Umlagerung von 1,2-Diphenyl-cyclopropen-3-carbonsäure in *4-Hydroxy-3,4-diphenyl-buten-(2)-säure-lacton*[3] ist bereits im vorgehenden Abschnitt (s. S. 716) erwähnt worden.

---

[1] G. L. Closs u. W. A. Böll, s. G. L. Closs, *Cyclopropenes* in H. Hart u. G. J. Karabatsos, *Advances in Alicyclic Chemistry*, Bd. 1, S. 93, Academic Press, New York · London 1966.

[2] Vgl. P. Wolf u. R. Breslow in: P. deMayo, *Molecular Rerrangements*, Bd. 1, S. 257, Interscience Publishers, New York · London 1963.

[3] R. Breslow, R. Winter u. M. Battiste, J. Org. Chem. **24**, 415 (1959).

Aktiviertes Aluminiumoxid, das vermutlich hier als Lewis-Säure wirkt, spaltet Alkyl-cyclopropene. So werden z.B. die Diene I, II und III durch Umlagerung von 1,2-Dioctyl-cyclopropen[1] (Sterculen) erhalten:

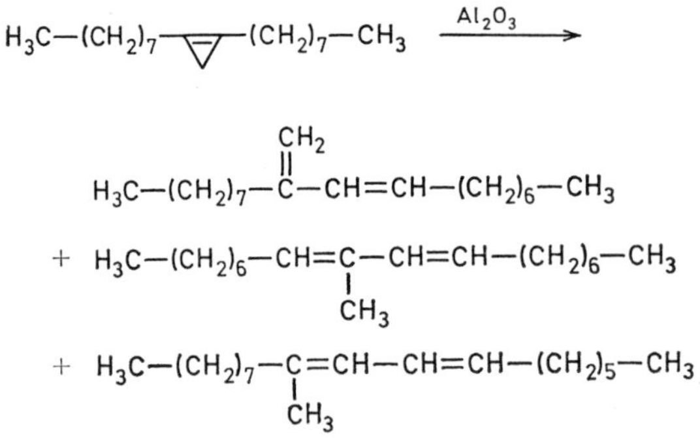

$$H_3C-(CH_2)_7-\triangledown-(CH_2)_7-CH_3 \xrightarrow{Al_2O_3}$$

$$H_3C-(CH_2)_7-\overset{\overset{CH_2}{\|}}{C}-CH=CH-(CH_2)_6-CH_3 \qquad \text{I; } \textit{10-Methylen-octadecen-(8)}$$

$$+ \; H_3C-(CH_2)_6-CH=\overset{\overset{}{C}}{\underset{\underset{CH_3}{|}}{}}-CH=CH-(CH_2)_6-CH_3 \quad \text{II; } \textit{10-Methyl-octadecadien-(8, 10)}$$

$$+ \; H_3C-(CH_2)_7-\overset{}{\underset{\underset{CH_3}{|}}{C}}=CH-CH=CH-(CH_2)_5-CH_3 \quad \text{III: } \textit{10-Methyl-octadecadien-(7, 9)}$$

Tetrachlor-cyclopropen (IV) ist sehr reaktiv und geht eine Reihe von interessanten Ringöffnungsreaktionen ein[2]. Die Hydrolyse von IV in Wasser bei 25° führt zu α,β-*Dichlor-acrylsäure-anhydrid* (V; 90% d.Th.), während bei Umsetzung mit alkoholischem Ammoniumhydroxid bei 50° α,β-*Dichlor-acrylnitril* (30% d.Th.) erhalten wird. Die Reaktionen mit verschiedenen Alkoholen (R = CH_3; C_2H_5; C_4H_9; i-C_3H_7) führen zu meist identischen Ester-Gemischen der Strukturen VI, VII und VIII[2]. Nimmt man die Alkoholyse von Hexachlor-cyclopropan in Gegenwart von Zink vor, so ergeben sich analoge Ester-Gemische, da hier wohl primär Tetrachlor-cyclopropen IV entsteht. Diese Umlagerungen sind den vorgenannten Beispielen nur formal ähnlich, da die Reaktionsgeschwindigkeiten, die Reaktionsprodukte und auch die Produktverhältnisse bei den Alkoholysen von IV nicht wesentlich durch große Zusätze von Schwefelsäure, Zinkchlorid, Kaliumhydroxid oder Pyridin beeinflußt werden[2].

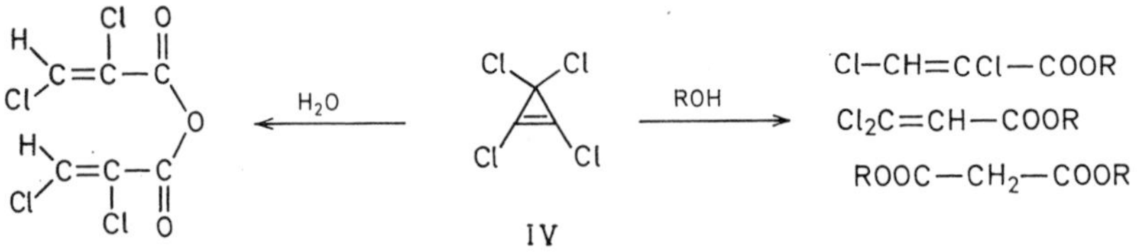

$$\xleftarrow{H_2O} \qquad IV \qquad \xrightarrow{ROH}$$

$Cl-CH=CCl-COOR$	VI
$Cl_2C=CH-COOR$	VII
$ROOC-CH_2-COOR$	VIII

Diese Tatsache ist dahingehend interpretiert worden, daß in der ersten Solvolysestufe ein neutrales Solvensmolekül an die Doppelbindung des Tetrachlor-cyclopropens unter Bildung eines intermediären Cyclopropans addiert wird, das danach unter Ringöffnung zu den beobachteten Produkten führt.

Bei der Behandlung von Pentachlor-cyclopropan (I, S. 725) mit Zink in überschüssigem Methanol wird hingegen nur ein einziges Produkt (*cis-1,2-Dichlor-3,3-dimethoxy-propen*; II; R = CH_3, S. 725) erhalten[3]. Möglicherweise wird hier als Zwischenstufe

[1] T. Shimadate et al., J. Org. Chem. **29**, 485 (1964).
[2] S. W. Tobey u. R. West, Tetrahedron Letters **1963**, 1179.
[3] S. W. Tobey u. R. West, Am. Soc. **88**, 2478 (1966).

1,2,3-Trichlor-cyclopropen gebildet, das dann eine säurekatalysierte Umlagerung erfährt, die letztlich zu II führt:

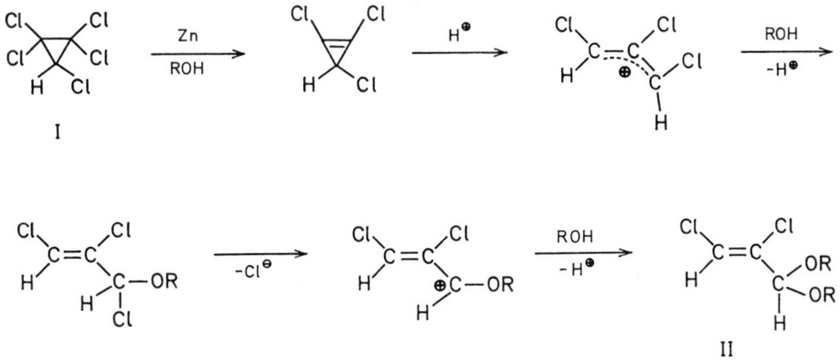

γ) Über Cyclopropenylcarbinyl-Kationen als Zwischenstufen verlaufende Umlagerungen von Cyclopropenen

In Analogie zu den interessanten Eigenschaften der Cyclopropylcarbinyl-Kationen (s. S. 483 ff.), die einen wichtigen Anteil bei der Entwicklung der Theorie „nicht-klassischer" Carbeniumionen hatten[1], fanden auch die entsprechenden Ionen der Cyclopropene vor allem theoretisches Interesse.

Hier können insbesondere zwei Spezies ins Auge gefaßt werden, die sich in der Anordnung des Carbinylkohlenstoffs unterscheiden:

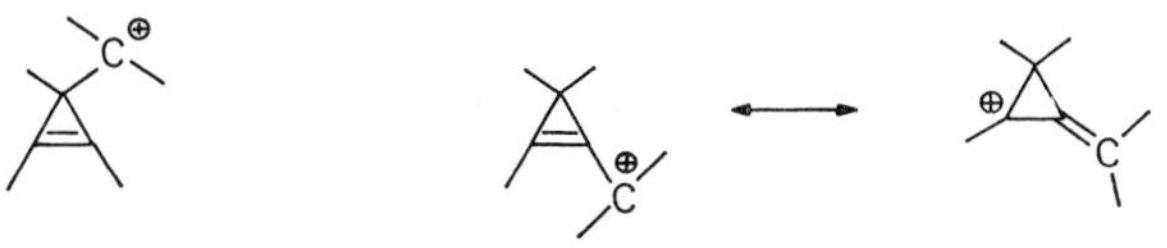

Für beide Spezies I und II sind Reaktionstypen beobachtet worden; z.B. die Bildung eines Tetraphenyl-Derivates[2] von I. Bei der Wasser-Abspaltung von (1,2-Diphenyl-cyclopropenyl)-diphenyl-carbinol werden die zwei isomeren Kohlenwasserstoffe *1,2,4-Triphenyl-naphthalin* (Hauptprodukt) und *1,2,3-Triphenyl-azulen* gebildet (Reaktionsmechanismus s. Formelschema S. 726 mit VII–XIII).

Ein in vielen Stufen sehr ähnlicher Reaktionsverlauf ist für die Umsetzung von Triphenyl-cyclopropenylium-bromid mit Phenyl-diazomethan beobachtet worden[3]. Bei geringer Konzentration der Diazokomponente wird als Endprodukt *1,2,3-Triphenyl-azulen* erhalten, während es mit überschüssigem Phenyldiazomethan zur Bildung von *Pentaphenyl-cyclopentadien* kommt. Auf S. 726 ist der angenommene Reaktionsmechanismus der Bildung des Pentaphenyl-cyclopentadiens mit den Formeln I–VI angedeutet; die Umlagerung des Cyclobutenyl-Ions IV zum Phenonium-Ion Xa führt dann letztlich zum 1,2,3-Triphenyl-azulen:

[1] Vgl. etwa: J. D. ROBERTS et al., Am. Soc. **81**, 4390 (1959).
[2] R. BRESLOW u. M. BATTISTE, Am. Soc. **82**, 3626 (1960).
[3] R. BRESLOW u. M. MITCHELL in: P. DE MAYO, *Molecular Rearrangements*, Bd. 1, S. 276, Interscience Publishers, New York · London 1963.

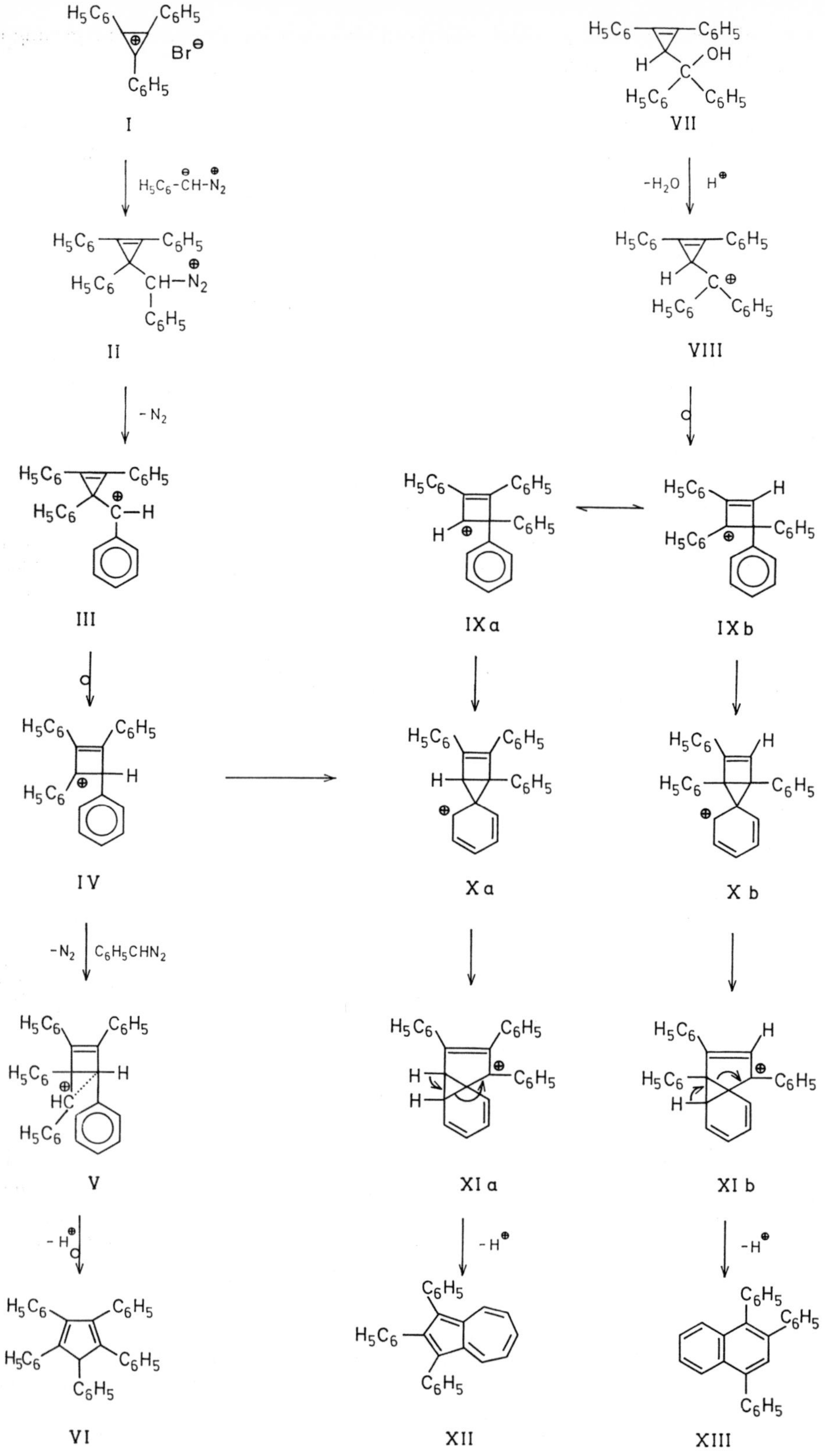
I
II
III
IV
V
VI
VII
VIII
IXa
IXb
Xa
Xb
XIa
XIb
XII
XIII

Aussagen über die im reaktionsmechanistischen Vorschlag (s. S. 726) enthaltenen Carbenium-ionen-Umlagerungen sind den Studien zur Solvolysegeschwindigkeit[1] von 1,2-Diaryl-cyclopropenylcarbinyl-tosylaten zu entnehmen. Bei der Solvolyse des 3-Tosyloxy-methyl-1,2-diphenyl-cyclopropens (I) in wäßrigem Acetonitril ergab schließlich die Produktanalyse, daß außer *3-Hydroxy-1,2-diphenyl-cyclobuten* (III) noch *2,3-Diphenyl-buten-(2)-al* (V) und *1-Oxo-1,2-diphenyl-buten-(2)* (VIII) gebildet worden ist. Das Diphenyl-cyclobutenyl-Kation II dürfte daher als Vorstufe für diese Produkte in Frage kommen, zumal es für derartige Cyclo-buten-Umlagerungen Beispiele gibt[2]:

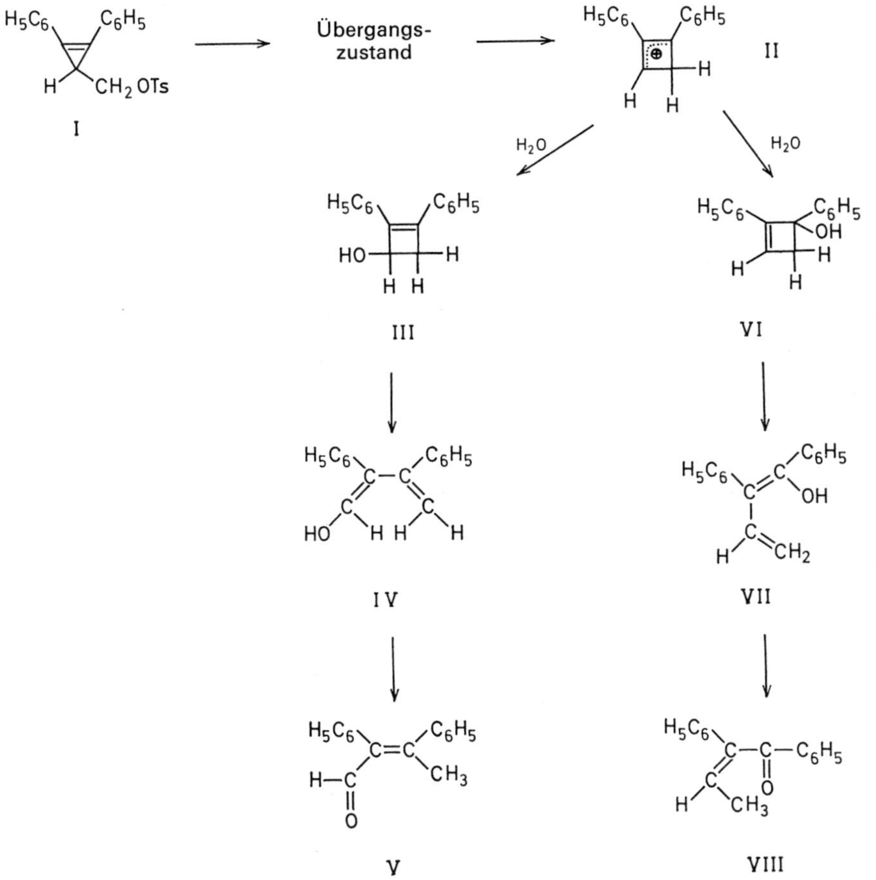

Für die relativen Solvolysegeschwindigkeiten der Tosylate IX, X und XI (S. 728) gemessen in absol. Äthanol, wurde das Verhältnis 3 : 11 : 1 gefunden[1]. Die Größenordnung der beobach-teten Geschwindigkeitskonstanten (10^{-4} sec^{-1} bei 30°) zeigt, daß für alle drei Verbindungen mit einer deutlichen Beschleunigung der Solvolyse durch den dreigliedrigen Ring gerechnet werden darf. Die nahezu identischen Solvolysegeschwindigkeiten für die ungesättigten Verbindungen und die gesättigte Diphenyl-Verbindung lassen vermuten, daß die Doppelbindung hier bezüglich der Stabilisierung des Übergangszustandes keine essentielle Rolle übernimmt. Es kann natürlich nicht a priori ausgeschlossen werden, daß bei den Cyclopropen-Derivaten entgegengesetzte Effekte gerade zur Kompensation gelangen. Die entscheidende Tatsache dürfte jedoch in der Beobachtung liegen, daß die Methoxy-Gruppe nur einen sehr geringen Einfluß auf die Solvolyse-

[1] R. Breslow, J. Lockhart u. A. Small, Am. Soc. **84**, 2793 (1962).
[2] Vgl. etwa: E. Vogel, Ang. Ch. **72**, 4 (1960).
   R. Criegee, Ang. Ch. **80**, 585 (1968).

geschwindigkeit hat. Die Geschwindigkeitserhöhung um nur einen Faktor von 3,6 ist viel zu klein, als daß man annehmen könnte, daß eine Bi-cyclobutoniumionen-Struktur, wie z.B. XII am Übergangszustand der Reaktion merklich beteiligt wäre. Ähnliche Argumente gelten dann auch für das Cyclobutenyl-Kation.

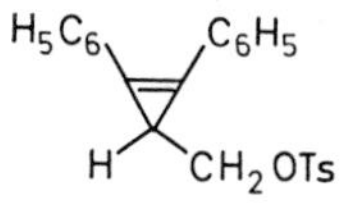

IX 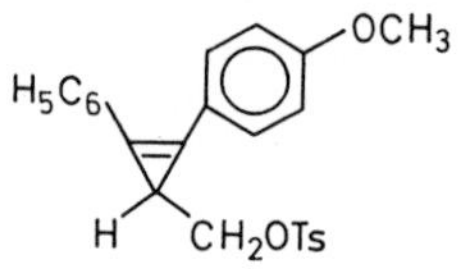   X 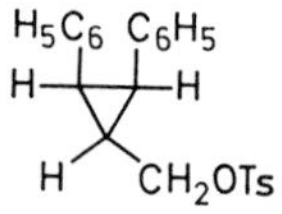   XI

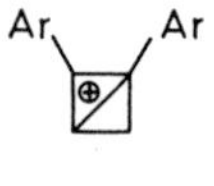

XII    XIII

Daher wird der Übergangszustand der Reaktion am besten durch eine Struktur im Sinne von XIII beschrieben. Hier kann man sich vorstellen, daß partielle Delokalisierung der Einfachbindung und ein gewisser Verlust an Ringspannung für die Erniedrigung der potentiellen Energie verantwortlich zu machen wäre.

Bei Behandlung des Carbinols I (s. S. 729) mit verdünnter Schwefelsäure in Methanol wird in quantitativer Ausbeute *4-Methoxy-3,4-dimethyl-1,1-diphenyl-pentadien-(1,2)* (III) erhalten. Das 4-Nitro-benzoyloxy-Derivat II liefert in gepuffertem Methanol als Solvolyseprodukt ein zu III analoges Allen [*5-Methoxy-2,4,5-trimethyl-hexadien-(2,3);* IV]. IV erleidet unter sauren Bedingungen eine zweite Umlagerung zu dem Enoläther V und in Gegenwart von Wasser zu dem entsprechenden α,β-ungesättigten Keton[1] VI:

---

[1] s. G. L. Closs, *Cyclopropenes* in H. Hart u. G. J. Karabatsos, *Advances in Alicyclic Chemistry* Vol. 1, S. 99–100, Academic Press, New York · London 1966.

Ein bei diesen Reaktionen möglicherweise intermediär gebildetes allylisches Ion vom Typ A würde nahezu den gleichen Anteil an Ringspannung wie die Reaktanten selber besitzen. Als Alternative wäre ein „concerted reaction mechanism" mit einem Übergangszustand der Struktur B. In diesem Fall würde eine kontinuierliche Überlappung der Orbitale während der Umwandlung gewährleistet sein. Im Gegensatz dazu wäre für das allylische Ion A im Zuge der Reaktion mit dem Solvens eine Rotation durch die Bindung zwischen den C-Atomen 1 und 2, die von einem beträchtlichen Überlappungsverlust der Orbitale begleitet wäre, zu erwarten:

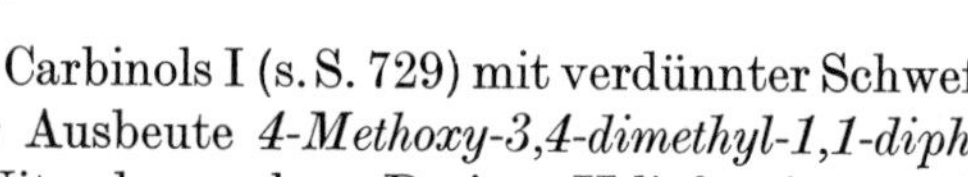

A

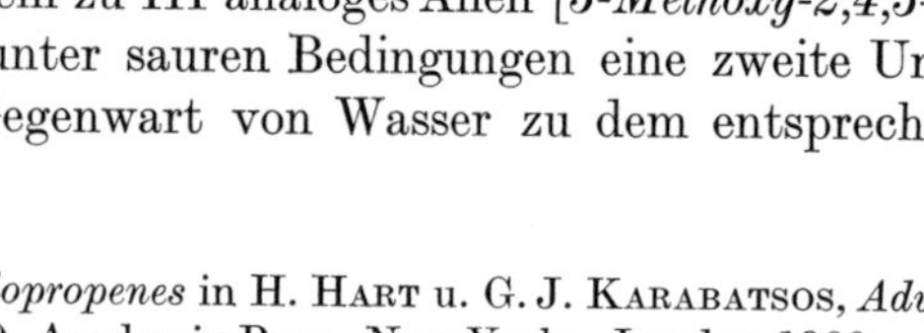

B

s. a. ds. Handb., Bd. V/1d, Kap. Allene.

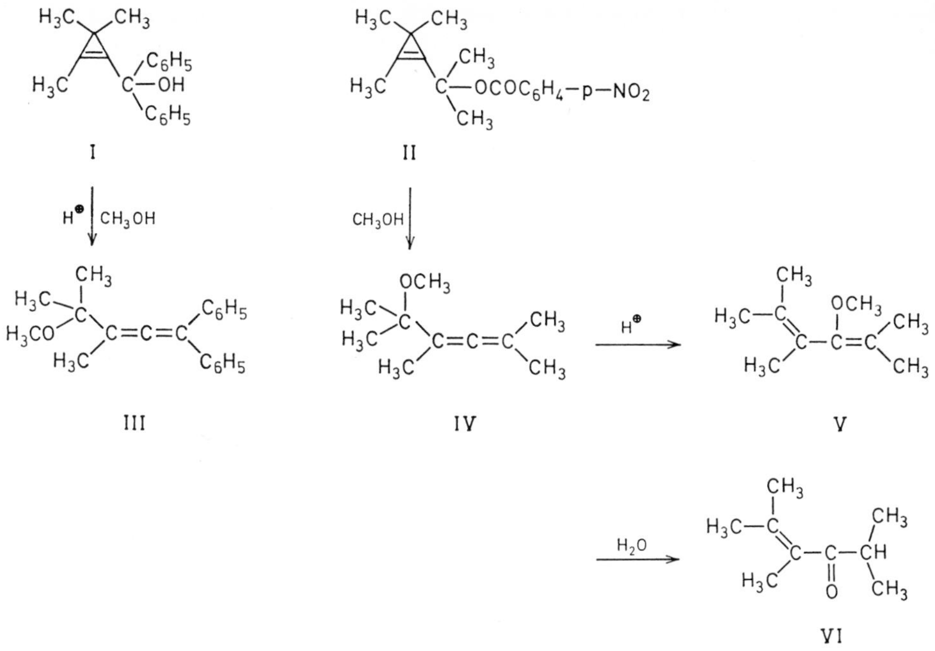

I   II

III   IV   V

VI

2. Oxidationen

Erwartungsgemäß wird die Cyclopropen-Doppelbindung sehr leicht von Oxidationsmitteln angegriffen. Im allgemeinen werden dabei Diacyl-methane als Produkte der Ringöffnung erhalten. Als typische Beispiele sind hier die Oxidationen von 1,2-Diaryl- oder 1,2-Dialkyl-cyclopropen-3,3-dicarbonsäuren mit Kaliumpermanganat zu erwähnen[1-3].

II. Herstellung und Umwandlung von Cyclopropen-Verbindungen mit delokalisierten π-Elektronensystemen

Insbesondere durch die Molecular-Orbital-Theorie[4] ungesättigter Systeme wurde ein neues interessantes Kapitel in der Geschichte der Chemie aromatischer Verbindungen eingeleitet.

Die Hückel-Mo-Theorie beinhaltet das Postulat, daß aromatischer Charakter nicht nur auf Verbindungen mit Sextett-Elektronenanordnung beschränkt ist, sondern allgemein monocyclisch konjugierten Systemen mit $(4n + 2)\pi$-Elektronen zukommen sollte, wenn ein planares oder wenigstens annähernd planares Kohlenstoffgerüst gewährleistet ist.

Danach sollte ein Cyclopropenyl-Kation das einfachste System sein, das der Hückel-Regel gehorcht und daher „aromatisch" ist[5]. Die Vorhersage der speziellen

[1] E. P. KOHLER u. S. F. DARLING, Am. Soc. **52**, 1174 (1930).
[2] R. BRESLOW, R. WINTER u. M. BATTISTE, J. Org. Chem. **24**, 415 (1959).
[3] I. A. DYAKONOV et al., Ž. obšč. Chim. **29**, 3848 (1959); engl.: 3809.
[4] E. HÜCKEL, Z. Phys. **70**, 204 (1931); **76**, 628 (1932).
[5] J. D. ROBERTS, A. STREITWIESER u. C. M. REGAN, Am. Soc. **74**, 4579 (1952).

Eigenschaften des Cyclopropenyl-Kations und einiger seiner Derivate durch die einfache LCAO-MO-Theorie und die bald folgende Verifizierung durch das Experiment stellt zweifelsohne eine weitere glänzende Bestätigung der Hückel-Vorstellungen dar und wirkte sich als fruchtbares Stimulans für weitere synthetische Arbeiten aus.

Unmittelbar nach der ersten Synthese eines Cyclopropenyl-Kations wurden weitere MO-Berechnungen für Derivate des Cyclopropenyl-Systems durchgeführt[1,2], die auch die Cyclopropenone und Methylen-cyclopropene einschlossen. Die Tab. 10 und 11 enthalten einige Zahlenwerte für verschiedene diesbezügliche Systeme, die nach der einfachen Hückel-Theorie berechnet werden können. Für das *Cyclopropenon* (I) und das *Methylen-cyclopropen* (II) wurden Delokalisierungsenergien abgeleitet, die eine einfache Resonanzformulierung im Sinne der folgenden Formeln nahelegten:

I   II

Tab. 10. Nach der Hückel-Theorie berechnete Delokalisierungsenergien (DE) und Zuwachs an Delokalisierungsenergie (ΔDE) bei Phenyl-Substitution für Cyclopropenyl-Derivate

	Kation		Radikal		Anion	
	DE [β]	ΔDE [β]	DE [β]	ΔDE [β]	DE [β]	ΔDE [β]
Cyclopropenyl	2,00	—	1,00	—	0,00*	—
Phenyl-cyclopropenyl	4,39	0,39	3,79	0,79	3,20	1,20
1,2-Diphenyl-cyclopropenyl	6,70	0,70	6,20	1,20	5,69	1,69
1,2,3-Triphenyl-cyclopropenyl	9,19	1,19	8,68	1,68	8,18	2,18
Cycloheptatrienyl[a]	2,99	—	2,54	—	2,10*	—

* Triplett;   [a] als Vergleichswert

Tab. 11. Nach der HÜCKEL-Theorie berechnete Delokalisierungsenergien (DE) und Zuwachs an Delokalisierungsenergie (ΔDE) bei Phenylsubstitution für einige Cyclopropenon- und Methylen-cyclopropen-Derivate

	DE [β]	ΔDE [β]
Cyclopropenon	1,36	—
Phenyl-cyclopropenon	3,75	0,39
Diphenyl-cyclopropenon	6,15	0,79
Methylen-cyclopropen	0,96	—
1-Phenyl-3-methylen-cyclopropen	3,37	0,41
1,2-Diphenyl-3-methylen-cyclopropen	5,79	0,83

[1] S. L. MANATT u. J. D. ROBERTS, J. Org. Chem. **24**, 1336 (1959).

[2] D. A. BOCHVAR, I. V. STANKEVICH u. A. L. CHISTYAKOV, Izv. Akad. SSSR **1958**, 793; Ž. fiž. Chim. **33**, 2712 (1959); **34**, 2543 (1960); C. A. **52**, 19424 (1958); **55**, 15104, 8324 (1961).

a) Herstellung und Umwandlung von Cyclopropenonen

Basizität

Cyclopropenone sind wesentlich stärker basisch als andere α,β-ungesättigte Ketone mit Ausnahme des Tropons[1,2]. *Dipropyl-cyclopropenon* ist basischer als *Diphenyl-cyclopropenon*[3,4]. Offenbar liegt hier ein zu den Cyclopropenylium-Kationen (s. S. 767) analoger Substituenteneinfluß vor. Von der hohen Basizität der Cyclopropenone wird oft bei ihrer Abtrennung und Reinigung Gebrauch gemacht[3-6]. So lassen sich die Salze von Diphenyl-cyclopropenon (II) kristallin gewinnen, die dann wieder thermisch oder mit schwachen Basen zum Diphenyl-cyclopropenon (I) zersetzt werden[6]:

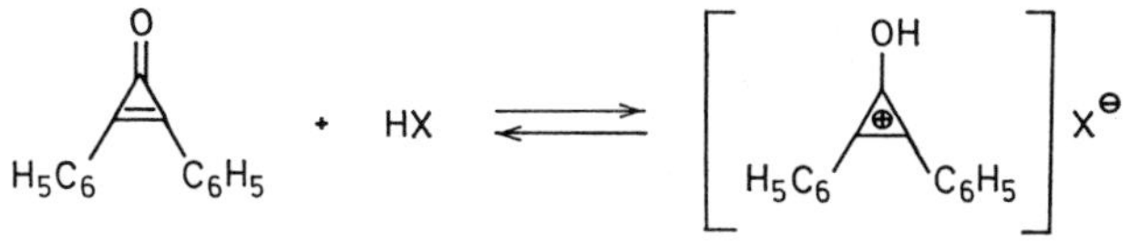

Die Struktur dieser Salze läßt sich aus dem Verschwinden der zwei charakteristischen Cyclopropenon-Banden im IR-Spektrum (s. S. 733) und dem Auftreten einer Hydroxy- und einer Cyclopropenylium-Bande (s. S. 765) folgern. Diese Änderungen des Infrarotspektrums wurden zur quantitativen Bestimmung der Temperaturabhängigkeit des Gleichgewichts I $\rightleftharpoons$ II und damit der thermodynamischen Daten[1,2] benutzt.

Physikalische Eigenschaften

Die UV-Spektren von Dialkyl-cyclopropenonen zeigen starke Endabsorption als Folge eines $\pi \rightarrow \pi^*$-Überganges mit einem Maximum unterhalb 175 mμ[3,7]. In Dichlormethan wurde der n $\rightarrow \pi^*$-Übergang bei 250 mμ gefunden[8]. Diese relativ hohen Übergangsenergien sind durchaus konsistent mit Voraussagen der Molecular-Orbital-Theorie, da danach das anti-bindende Orbital des Cyclopropens eine relativ hohe Energie besitzen sollte[7]. Das UV-Spektrum des Diphenyl-cyclopropenons zeigt Maxima an Stellen, wie sie auch bei einfachen 1,2-diphenyl-substituierten Cyclopropenen gefunden wurden[7,9,10].

Zwei Banden in den Infrarot-Spektren scheinen charakteristisch für das Cyclopropenon-System zu sein (vgl. Tab. 12, S. 733). Stets werden zwischen 1830–1870 cm^{-1} und 1600–1660 cm^{-1} starke Absorptionen gefunden.

[1] Y. G. Borodko u. Y. K. Syrkin, Doklady Akad. SSSR **136**, 1335 (1961); C. A. **55**, 19743 (1961).

[2] B. E. Zaitsev et al., Doklady Akad. SSSR **139**, 1107 (1961); C. A. **56**, 344 (1962).

[3] R. Breslow u. R. Peterson, Am. Soc. **82**, 4426 (1960).

[4] R. A. Peterson, Dissertation, Columbia University, 1962; Dissertation Abstr. **23**, 1517 (1962).

[5] R. Breslow, J. Posner u. A. Krebs, Am. Soc. **85**, 234 (1963).

[6] D. N. Kursanov, M. E. Volpin u. D. Koreshkov, Izv. Akad. SSSR **1959**, 560; C. A. **53**, 21799 (1959); Ž. obšč. Chim. **30**, 2877 (1960); engl.: 2855.

[7] R. Breslow et al., Am. Soc. **87**, 1326 (1965).

[8] A. Krebs, unveröffentlichte Ergebnisse; zitiert bei R. Breslow et al., Am. Soc. **87**, 1326 (1965).

[9] R. Breslow et al., Am. Soc. **81**, 247 (1959).

[10] R. Breslow et al., Am. Soc. **87**, 1320 (1965).

Der Übergang bei niederer Energie wurde der Carbonyl-Streckschwingung wegen der Solvens-abhängigkeit der Banden ursprünglich zugeordnet[1]. ^{18}O-Substitution in einigen Cyclopropenonen beeinflußt jedoch sehr stark den Übergang bei höherer Energie, so daß die Zuordnung vertauscht werden sollte[2]. Vermutlich sind die beiden Typen (Carbonyl- und Olefin-Streckschwingung) so stark gekoppelt, daß die beiden Banden nicht a priori eindeutig zugeordnet werden können. Da die „Doppelbindungs-Streckschwingung" von Cyclopropenen s t a r k durch Substitution beein-flußt wird[3], sollte der Vergleich methylsubstituierter Cyclopropene mit Methyl- und Dimethyl-cyclopropenon zur Zuordnung der „Cyclopropen"-Bande führen[4]:

$$\text{1632 cm}^{-1} \qquad \text{1768 cm}^{-1} \qquad \text{1880 cm}^{-1}$$

$$\text{1838 cm}^{-1} \qquad \text{1848 , 1866 cm}^{-1}$$
$$\text{1605 cm}^{-1} \qquad \text{1657 cm}^{-1}$$

Beide Banden des Cyclopropenons werden bei der Methylierung jedoch verschoben, so daß letztlich keine einfache Zuordnung möglich ist.

Das K e r n r e s o n a n z s p e k t r u m des unsubstituierten *Cyclopropenons* in schwerem Wasser zeigt bei 1,0 τ eine einzige scharfe Linie, die den beiden vinylischen Protonen zugeschrieben werden kann. Die ^{13}C-Satelliten erscheinen erwartungsgemäß als Dublett ($J_{H-H} = 3,0$ Hz); für $J_{{}^{13}C-{}^{1}H}$ wurden 230 Hz ermittelt[5]. Aufschlüsse über den Bindungstyp legen vor allem die d i a l k y l - und m o n o a l k y l - s u b s t i t u i e r t e n Cyclopropenone nahe. Aus den Kernresonanzspektren geht hervor, daß der Cyclo-propenon-Ring stärker entschirmend als der Cyclopropen-Ring, aber schwächer entschirmend als der Ring des Cyclopropenylium-Kations wirkt[4,6]. Mit anderen Worten: die α-ständigen Methylprotonen treten bei niedrigerem Feld in den Dialkyl-cyclopropenonen als in den entsprechenden kovalenten Cyclopropen-Derivaten auf, sind aber nicht so stark verschoben wie in den Cyclopropenylium-Salzen. Analoge Hinweise sind aus den methylsubstituierten Cyclopropenonen über die Lage der chemischen Verschiebung der Methyl-Gruppen zu entnehmen[4]. Diese aufgezeigte Mittelstellung zwischen kovalenten Cyclopropenen und Cyclopropenylium-Ionen im kernresonanzspektroskopischen Verhalten der Cyclopropenone geht außerdem auch aus der Lage des Ringprotons in den monosubstituierten Cyclopropenonen hervor. Im *Monopropyl-* und *Monomethyl-cyclopropenon* absorbiert das Ringproton[4] bei 1,32 bzw. 1,34 τ. Im Gegensatz dazu erscheint das Ringproton des *1,3,3-Trimethyl-cyclopropens*[3] bei 3,34 τ und das des *Dipropyl-cyclopropenylium-Kations*[7] bei −0,42 τ. Die c h e m i s c h e V e r s c h i e b u n g in den Cyclopropenonen scheint zwar einen ge-wissen Anteil von Ladungsdelokalisierung und einen geringen Ringstrom-Effekt[7]

---

[1] A. KREBS, Ang. Ch. **77,** 10 (1965).

[2] A. KREBS, private Mitteilung an R. BRESLOW et al., Am. Soc. **88,** 504 (1966).

[3] G. L. CLOSS u. L. E. CLOSS, Am. Soc. **85,** 99, 3796 (1963).

[4] R. BRESLOW u. L. J. ALTMAN, Am. Soc. **88,** 504 (1966).

[5] R. BRESLOW u. G. RYAN, Am. Soc. **89,** 3073 (1967).

[6] R. BRESLOW et al., Am. Soc. **87,** 1326 (1965).

[7] R. BRESLOW, H. HÖVER u. H. W. CHANG, Am. Soc. **84,** 3168 (1962).

Tab. 12. Hauptabsorptionen in den IR-Spektren von Cyclopropenonen*

Verbindung	Frequenzen [cm^{-1}]	Literatur
Cyclopropenon	1850 (in H$_2$O)	1
	1835 u. 1870 (in CH$_2$Cl$_2$)	1
Methyl-cyclopropenon	1838; 1605	2
Propyl-cyclopropenon	1835; 1600	2
Methoxy-phenyl-cyclopropenon	1869; 1653	3
	1915	
Diäthylamino-phenyl-cyclopropenon	1850; 1630	4
Dimethyl-cyclopropenon	1848; 1657	2
	1866	
Dipropyl-cyclopropenon	1840; 1630	4
Dibutyl-cyclopropenon	1850; 1620	4
Diphenyl-cyclopropenon	1850; 1640	5
Bicyclo[5.1.0]octen-(1^7)-on-(8)	1840; 1640	4
Bicyclo[9.1.0]dodecen-(1^{11})-on-(12)	1830; 1630	4

* wenn nicht anders vermerkt, wurde stets Tetrachlormethan als Solvens benutzt.

nahezulegen, jedoch dürfte die magnetische Anisotropie der Carbonyl-Gruppe hier den ausschlaggebenden Faktor für die chemische Verschiebung der Protonen von Cyclopropenonen darstellen.

Aus diesem Grunde darf man nicht die beobachteten chemischen Verschiebungen im Sinne einer einfachen Interpolation etwa zur Abschätzung des „Cyclopropenylium-Charakters" dieser Ketone heranziehen. Die ermittelten ^{13}C—^{1}H-Kopplungen der Cylcopropenone liegen in der gleichen Größenordnung wie die der Cyclopropene und Cyclopropenylium-Salze und weisen auch hier den hohen s-Charakter des Kohlenstoff-Hybridorbitals nach.

Auch die relativen chemischen Verschiebungen zwischen α- und β-ständigen Methylen-Gruppen der Alkyl-Substituenten, die in vielen Fällen der Elektronegativität der Substituenten proportional sind, liegen bei Cyclopropenonen zwischen den bei Cyclopropenen und Cyclopropenylium-Verbindungen gefundenen Werten.

Daß in den Cyclopropenonen ein beträchtlicher Anteil der zwitterionischen Form von I im Grundzustand vorliegt, geht aus den hohen ermittelten Dipolmomenten hervor[5-10]:

I

		zum Vergleich:	
Bicyclo[5.1.0]octen-(1^7)-on-(8) . .	4,66 D		
Dipropyl-cyclopropenon	4,78 D	Benzophenon	3,00 D
Diphenyl-cyclopropenon	5,08 D	Tropon	4,30 D
	5,14 D	Trimethyl-aminoxid	5,03 D

[1] R. Breslow u. G. Ryan, Am. Soc. 89, 3073 (1967).
[2] R. Breslow u. L. J. Altman, Am. Soc. 88, 504 (1966).
[3] D. G. Farnum, J. Chickos u. P. E. Thurston, Am. Soc. 88, 3075 (1966).
[4] R. Breslow et al., Am. Soc. 87, 1326 (1965.)

(Fortsetzung s. S. 734)

A. Herstellung von Cyclopropenonen

Rein formal kann die Carben-Addition an Ketene und Acetylene zur Herstellung von Cyclopropenonen herangezogen werden. So kann *1,2-Diphenyl-cyclopropenon* (III) (bis 100° stabil) aus Phenyl-chlor-carben und Phenylketenacetal hergestellt werden[1]. Die zur Erzeugung des Phenyl-chlor-carbens notwendigen stark basischen Reaktionsbedingungen lösen bei dem zunächst entstehenden *3-Chlor-2,2-dimethoxy-1,3-diphenyl-cyclopropan* (I) eine nachfolgende β-Eliminierung aus, die zum *3,3-Dimethoxy-1,2-diphenyl-cyclopropen* (II) führt. II hydrolysiert danach selbst in neutralem Milieu unter Bildung des *1,2-Diphenyl-cyclopropenons* (III)[1,2]:

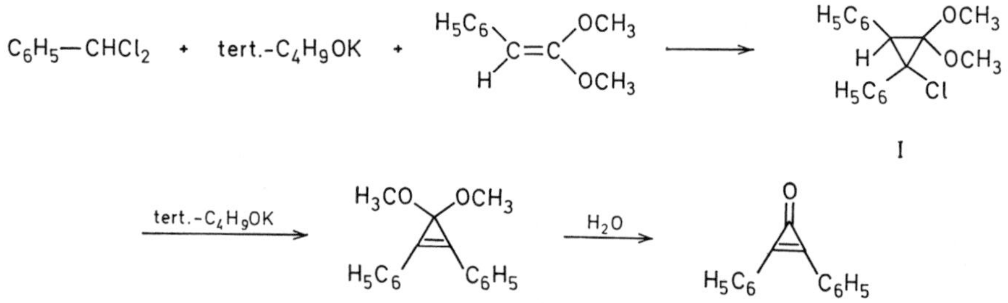

Ebenso kann die Carben-Addition an Diphenyl-acetylen als Syntheseweg für 1,2-Diphenyl-cyclopropenon verwendet werden[3]. Das primär gebildete *3,3-Di-halogen-1,2-diphenyl-cyclopropen* (V) wird nicht isoliert. Unter den sauren Bedingungen der Aufarbeitung wird durch Hydrolyse das gewünschte Cyclopropenon-Derivat III erhalten. Diese Addition ist allgemein gültig[4-7]:

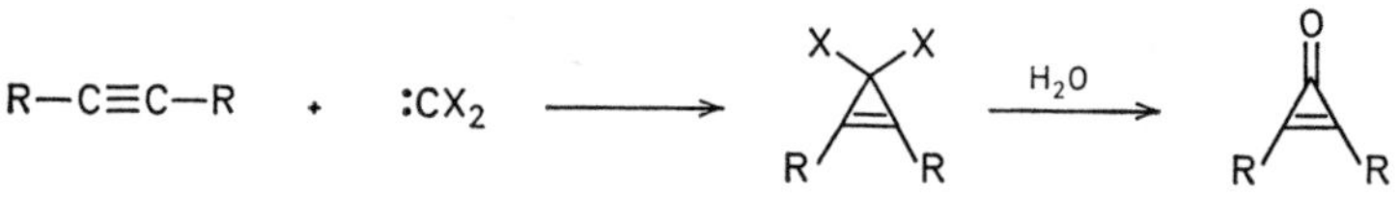

R = Alkyl oder Aryl-   X = Cl oder Br

[1] R. Breslow, R. Haynie u. J. Mirra, Am. Soc. **81**, 247 (1959).
[2] R. Breslow et al., Am. Soc. **87**, 1320 (1965).
[3] M. E. Volpin, Y. D. Koreshkov u. D. N. Kursanov, Izv. Akad. SSSR **1959**, 560; C. A. **53**, 21799 (1959).
[4] R. Breslow et al., Am. Soc. **87**, 1326 (1965).
[5] D. N. Kursanov, M. E. Volpin u. Y. D. Koreshkov, Ž. obšč. Chim. **30**, 2877 (1960); engl.: 2855.
[6] R. Breslow u. R. Peterson, Am. Soc. **82**, 4426 (1960).
[7] E. V. Dehmlow, Tetrahedron Letters **1965**, 2317.

(Fortsetzung v. S. 733)

[5] R. Breslow et al., Am. Soc. **87**, 1320 (1965).
[6] M. E. Volpin, Y. D. Koreshkov u. D. N. Kursanov, Izv. Akad. SSSR **1959**, 560; C. A. **53**, 21799 (1959).
[7] R. Breslow et al., Am. Soc. **87**, 1326 (1965).
[8] Y. G. Borodko u. Y. K. Syrkin, Doklady Akad. SSSR **134**, 1127 (1960); C. A. **55**, 12039 (1961).
[9] B. E. Zaitsev, Y. N. Sheinker u. Y. D. Koreshkov, Doklady Akad. SSSR **136**, 1900 (1961); C. A. **55**, 19480 (1961).
[10] A. N. Shidlovskaja u. Y. K. Syrkin, Doklady Akad. SSSR **139**, 418 (1961).

Wenn auch die Ausbeuten bei dieser Methode nicht sehr hoch sind, so machen doch die methodische Einfachheit und die gute Zugänglichkeit der Reaktionspartner das Verfahren zu einem praktikablen Syntheseweg für alkyl- und aryl-substituierte Cyclopropenone. Analoges gilt auch für die Carben-Addition an geeignete Ketene. Die für das Verfahren notwendigen Dihalogen-carbene können entweder aus den Trihalogen-methanen mit Kalium-tert.-butanolat[1] oder aus Trichlor-essigsäure-methylester mit Natrium-methanolat[2] in einfacher Weise erzeugt werden.

Eine weitere Synthesemöglichkeit für Cyclopropenone, die ebenfalls eine Hydrolyse von 3,3-disubstituierten Cyclopropenen beinhaltet, besteht in einer Alkylierung aromatischer Kohlenwasserstoffe durch Trichlor-cyclopropenylium-Kationen[3], die durch Behandlung von Tetrachlor-cyclopropen mit Aluminiumchlorid hergestellt werden können[4]. Je nach den Reaktionsbedingungen werden ein oder zwei Arylsubstituenten eingeführt.

Substituierte Cyclopropenone können ferner nach einer modifizierten Favorski-Reaktion durch Cyclisierung von α,α'-Dibrom-ketonen hergestellt werden[5-7]:

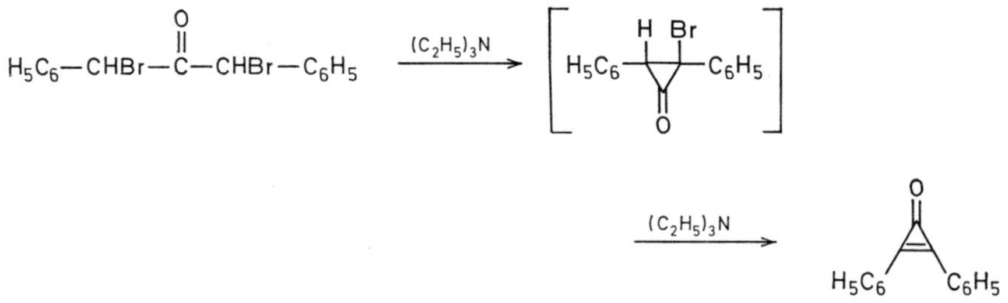

1,2-Diphenyl-cyclopropenon

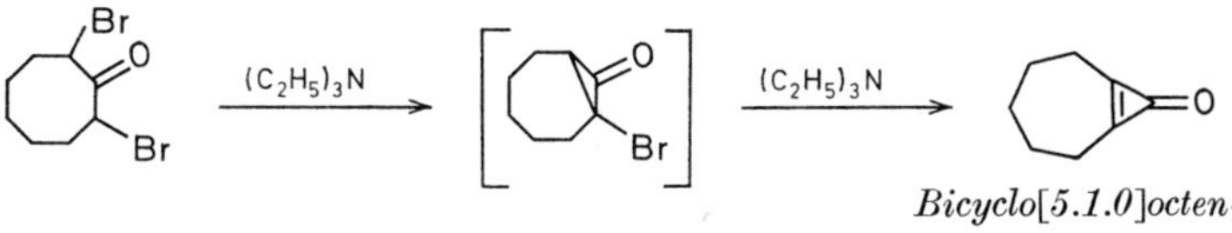

Bicyclo[5.1.0]octen-(1⁷)-on-(8)

Cyclopropenone sind schon 1890 — allerdings ohne sicheren Beweis — als Zwischenstufen diskutiert worden[8], später insbesondere bei der katalytischen Carbonylierung von Alkinen, die in Gegenwart von Wasser oder Alkoholen zu Acrylsäuren bzw. Arylsäureestern führt[9]:

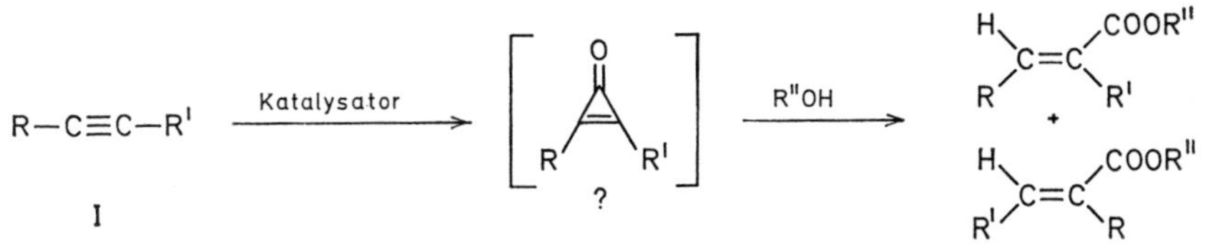

[1] W. v. E. DOERING u. A. K. HOFFMANN, Am. Soc. **76**, 6162 (1954).
[2] W. E. PARHAM u. E.E. SCHWEIZER, J. Org. Chem. **24**, 1733 (1959).
[3] S. W. TOBEY u. R. WEST, Am. Soc. **86**, 4215 (1964).
[4] S. W. TOBEY u. R. WEST, Am. Soc. **86**, 1459 (1964).
[5] R. BRESLOW et al., Am. Soc. **85**, 234 (1963).
[6] R. BRESLOW et al., Am. Soc. **87**, 1320 (1965).
[7] R. BRESLOW et al., Am. Soc. **87**, 1326 (1965).
[8] L. WOLFF, A. **260**, 79 (1890).
[9] W. REPPE, A. **582**, 1 (1953).

Diese Annahme wurde am *1,2-Diphenyl-cyclopropenon* überprüft. Die Ergebnisse sprechen gegen die Bildung eines Cyclopropenon-Zwischenprodukts bei der katalytischen Carbonylierung von Acetylenen[1].

Bei der Reaktion von Diaryl-acetylenen mit (Dichlor-brom-methyl)-phenyl-quecksilber erhält man nach hydrolytischem Aufarbeiten der Reaktionsmischung Diaryl-cyclopropenone in hohen Ausbeuten[2]:

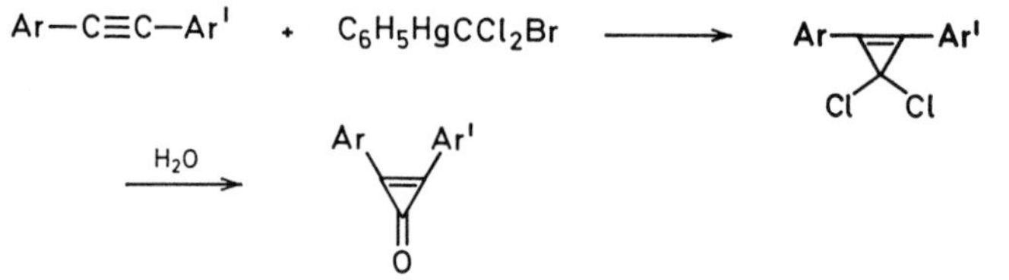

$$Ar-C\equiv C-Ar' \; + \; C_6H_5HgCCl_2Br \; \longrightarrow \; $$

$$\xrightarrow{H_2O}$$

Ar = Ar' = C_6H_5; *1,2-Diphenyl-cyclopropenon* 63% d. Th.
Ar = C_6H_5; Ar' = 4-CH_3—C_6H_4; *Phenyl-(4-methyl-phenyl)-cyclopropenon* 79% d. Th.

Analoge Umsetzungen mit Dialkyl-acetylenen konnten nicht realisiert werden. Dieses quecksilberorganische Verfahren dürfte insbesondere für die Bereitung von unsymmetrischen Diaryl-cyclopropenonen sowie von Diaryl-cyclopropenonen, die basenempfindliche funktionelle Gruppen tragen, nützliche Anwendungen finden.

1,2-Diphenyl-cyclopropenon:

aus Phenylketen-dimethylacetal[3]: 11,05 g einer Mischung von Phenylketen-dimethylacetal und Phenyl-orthoessigsäure-trimethylester (0,042 Mol/0,021 Mol)[4] und 25,2 g Kalium-tert.-butanolat werden zusammen mit 50 *ml* trockenem Benzol in einen Kolben gebracht. Da die Reaktionsmischung sehr viskos ist, werden weitere 200 *ml* Benzol im Verlaufe der Reaktion zugegeben, um den Rührvorgang zu ermöglichen. Die Reaktionsmischung wird unter Stickstoffatmosphäre gebracht und tropfenweise innerhalb 1 Stde. mit 14 g (0,087 Mol) frisch destilliertes Dichlor-phenyl-methan versetzt; während der Zugabe wird mit Eiswasser gekühlt. Die Reaktionsmischung wird dann während 19 Stdn. auf 70–80° erhitzt und aufgearbeitet; Ausbeute: 7 g (80,5% d. Th., bez. auf Ketenacetal); F: 117–120°.

aus Diphenyl-acetylen[5]: 60,2 g (0,338 Mol) Diphenyl-acetylen und 106,4 g (0,950 Mol) Kalium-tert.-butanolat in 500 *ml* Hexan läßt man mit 77,5 g (0,306 Mol) Bromoform bei −11° unter Stickstoffatmosphäre während 3 Stdn. reagieren und arbeitet wie üblich auf; Ausbeute: 17 g (24,3% d. Th., bez. auf Diphenyl-acetylen); F: 119–121°.

aus 1,3-Diphenyl-aceton[3]: Zu einer Lösung von 70 g ($^1/_3$ Mol) 1,3-Diphenyl-aceton in 250 *ml* Eisessig wird eine Lösung von 110 g ($^2/_3$ Mol) Brom in 500 *ml* Essigsäure innerhalb von 15 Min. unter Rühren getropft. Nach erfolgter Zugabe wird die Reaktionsmischung noch weitere 5 Min. gerührt und dann in 1 *l* Wasser gegossen. Festes Natriumsulfit wird in kleinen Portionen zugegeben bis die ursprüngliche gelbe Färbung allmählich verschwindet. Nach Stehenlassen (1 Stde.) bildet sich eine schwach gelbliche kristalline Mischung aus *meso-* und *dl-1,3-Dibrom-2-oxo-1,3-diphenyl-propan*; Umkristallisation aus ~ 1 *l* Ligroin liefert 97 g farblose Nadeln; F: 79–97°; weitere 11 g, F: 79–83°, können aus der Mutterlauge gewonnen werden.

[1] C. W. BIRD u. J. HUDEC, Chem. & Ind. **1959**, 570.
  C. W. BIRD u. E. M. HOLLINS, Chem. & Ind. **1964**, 1362.
[2] D. SEYFERTH u. R. DAMRAUER, J. Org. Chem. **31**, 1660 (1966).
[3] R. BRESLOW et al., Am. Soc. **87**, 1320 (1965).
[4] Vgl. S. M. McELVAIN u. P. L. WEYNA, Am. Soc. **81**, 2579 (1959).
[5] M. E. VOLPIN, Y. D. KORESHKOV u. D. N. KURSANOV, Izv. Akad. SSSR **1959**, 560; C. A. **53**, 21799 (1959).
  D. N. KURSANOV, M. E. VOLPIN u. Y. D. KORESHKOV, Ž. obšč. Chim. **30**, 2877 (1960); engl.: 2855.

Diese 108 g des Isomerengemischs werden in 500 *ml* Dichlormethan gelöst. Hierzu wird eine Lösung von 100 *ml* Triäthylamin in 250 *ml* Dichlormethan innerhalb 1 Stde. unter Rühren tropfenweise zugegeben. Die Mischung wird dann weitere 30 Min. gerührt und mit zwei 150-*ml*-Portionen 3 n Salzsäure extrahiert. Die organische Phase wird in einen Kolben übergeführt, in einem Eisbad gekühlt und langsam eine kalte Lösung von 50 *ml* Schwefelsäure in 25 *ml* Wasser zugegeben. Der schwach rosa gefärbte Niederschlag von *Diphenyl-cyclopropenon-bisulfat* wird auf eine Glasfritte gebracht und langsam mit zwei 100-*ml*-Portionen Dichlor-methan gewaschen. Der gewaschene Niederschlag wird zusammen mit 250 *ml* Dichlor-methan wieder in einen Kolben gegeben. Langsam werden 500 *ml* Wasser und 5 g festes Natriumcarbonat in kleinen Mengen zugefügt. Die organische Phase wird gesammelt und die wäßrige Lösung mit zwei 150-*ml*-Portionen Dichlor-methan extrahiert. Die vereinigten Extrakte werden über Magnesiumsulfat getrocknet und bis zur Trockne eingedampft. Das rohe *Diphenyl-cyclopropenon* wird mehrmals aus siedendem Cyclohexan umkristallisiert, wobei die Lösung jeweils von rötlichen öligen Verunreinigungen dekantiert wird. Nach dem Abkühlen der Lösung werden farblose Kristalle erhalten. Aus den Mutterlaugen können weitere Kristalle gewonnen werden; Gesamtausbeute: 30 g (45% d. Th.; bez. auf 1,3-Diphenyl-aceton); F: 119–120°.

nach der Methode von Seyferth[1]: Eine Lösung von 3,56 g (20 mMol) Diphenyl-acetylen und 8,82 g (20 mMol) (Dichlor-brom-methyl)-phenyl-quecksilber in 50 *ml* trockenem Benzol wird unter Stickstoffatmosphäre und Rühren 1 Stde. zum Kochen unter Rückfluß erhitzt. Danach wird die Reaktionsmischung abgekühlt und zur Entfernung des gebildeten Phenyl-quecksilberbromids (6,3 g = 88% d. Th.) filtriert. Das Filtrat wird hydrolysiert, indem man 25 *ml* 95%iges Äthanol zugibt und die Mischung 5 Min. unter Rückfluß kocht. Nach Entfernen der Lösungsmittel i. Vak. wird ein gelber Festkörper erhalten, der sublimiert und anschließend aus trockenem Cyclohexan umkristallisiert wird; Ausbeute: 2,6 g (63,3% d. Th.); F: 120–122° (korr.).

Eine zum Seyferth-Verfahren[1] sehr ähnliche quecksilber-organische Methode zur Herstellung von Cyclopropenonen ist die Erhitzung von (Tribrommethyl)-phenyl-quecksilber (I) mit Alkinen in inerten Lösungsmitteln[2]. Die zunächst entstehenden Dibrom-cyclopropene (III) hydrolysieren beim Schütteln mit Wasser sofort zu den relativ stabilen Cyclopropenonen:

R = C_6H_5; —C≡C—C_6H_5; *trans*-CH=CH—C_6H_5; —C_2H_5

Das *Diphenyl-cyclopropenon* konnte hierbei jedoch nur in 15%iger Ausbeute erhalten werden.

Aus Gründen einer möglichen Analogie zum Tropon/Tropolon war die Einführung einer Hydroxy-Gruppe in das Cyclopropenon von theoretischem und auch praktischem Interesse.

Der Versuch nach dem in Gl. ① (S. 738) skizzierten Syntheseweg *Hydroxy-phenyl-cyclopropenon* (I) zu erhalten, führte nicht zum Ziel[3]. Nur Folgeprodukte einer Ring-öffnung wurden erhalten:

[1] D. Seyferth u. R. Damrauer, J. Org. Chem. **31**, 1660 (1966).
[2] E. V. Dehmlow, J. Organometal. Chem. **6**, 296 (1966).
[3] S. M. McElvain u. P. L. Weyna, Am. Soc. **81**, 2579 (1959).

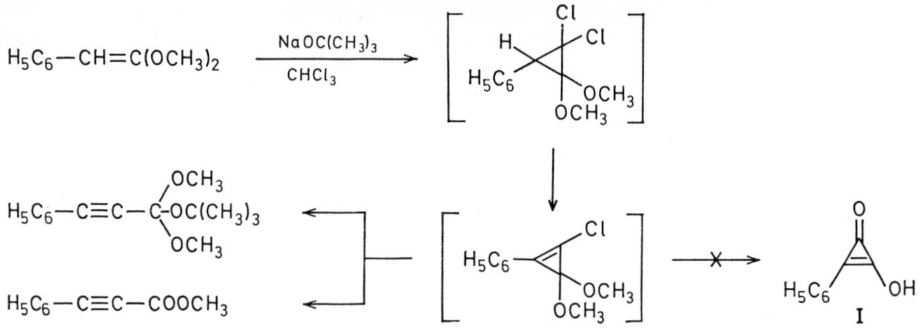

$$H_5C_6-CH=C(OCH_3)_2 \xrightarrow[\text{CHCl}_3]{\text{NaOC(CH}_3)_3} \quad \textcircled{1}$$

$$H_5C_6-C\equiv C-\overset{\text{OCH}_3}{\underset{\text{OCH}_3}{C}}-OC(CH_3)_3$$

$$H_5C_6-C\equiv C-COOCH_3$$

I

Dagegen gelingt es über II das *Hydroxy-phenyl-cyclopropenon* herzustellen[1–3]. II selbst kann auf zwei verschiedenen Wegen gewonnen werden:

ⓐ in formaler Analogie zum Cyclopropen-Ringschluß durch Vinyl-carben-Umlagerung (vgl. Gl. ②)[4] wird vom Tetrachlor-2-phenyl-propen (III)[5] ausgegangen, das mit Kalium-tert.-buta-nolat im Sinne von Gl. ③ umgesetzt wird[2]:

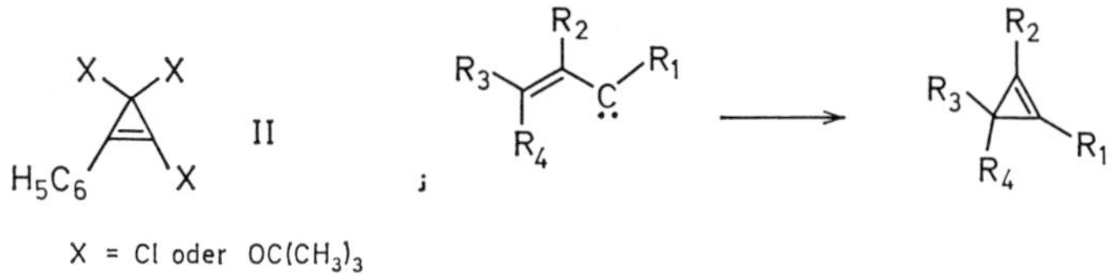

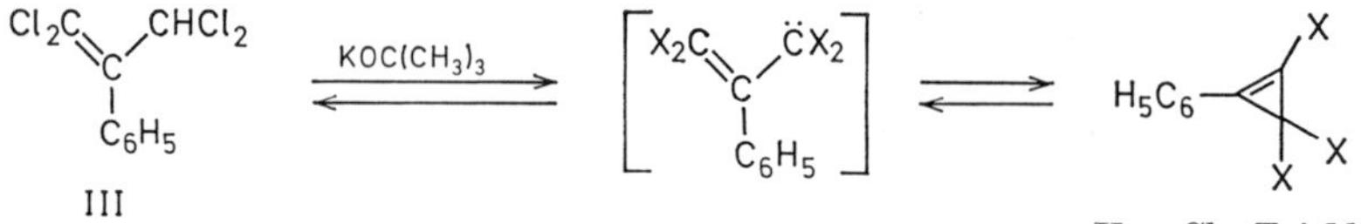

II

$\textcircled{2}$

X = Cl oder OC(CH$_3$)$_3$

$$\textcircled{3}$$

III

X = Cl; *Trichlor-1-phenyl-cyclopropen*

X = OC(CH$_3$)$_3$; *Tri-tert.-butyloxy-1-phenyl-cyclopropen*

ⓑ durch direkte Umsetzung von Trichlor-phenyl-cyclopropen (IV) mit Kalium-tert.-butanolat[3] (IV wird aus Pentachlor-cyclopropan gewonnen)[6]:

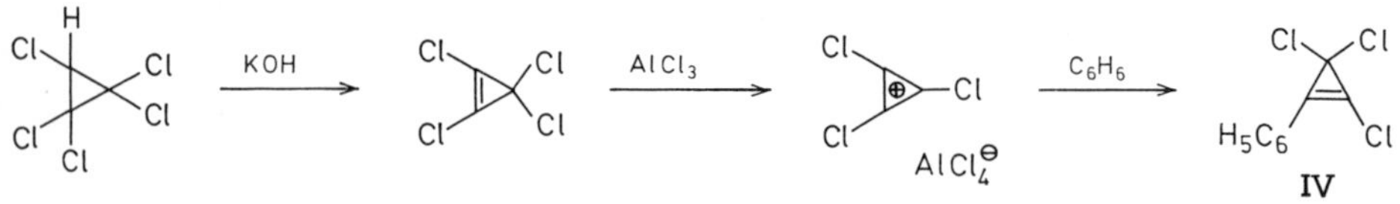

KOH   AlCl$_3$ C$_6$H$_6$

AlCl$_4^\ominus$ IV

---

[1] Das Scheitern des obigen Syntheseweges im Sinne von Gl. ① sowie die bekannte [vgl. R. BRESLOW et al., Am. Soc. **87**, 1320 (1965)] Leichtigkeit der basenkatalysierten Ringöffnung von Cyclopropenonen waren schließlich die Ausgangspunkte für neue Syntheseversuche[2,3].

[2] D. G. FARNUM u. P. E. THURSTON, Am. Soc. **86**, 4206 (1964).

[3] D. G. FARNUM, J. CHICKOS u. P. E. THURSTON, Am. Soc. **88**, 3075 (1966).

[4] G. L. CLOSS, L. E. CLOSS u. W. A. BÖLL, Am. Soc. **85**, 3796 (1963).

[5] C. GRANACHER, E. USTERI u. M. GIEGER, Helv. **32**, 703 (1949).

[6] S. W. TOBEY u. R. WEST, Am. Soc. **86**, 4215, s. a. 1459 (1964); s. a. Tetrahedron Letters **1963**, 1179.

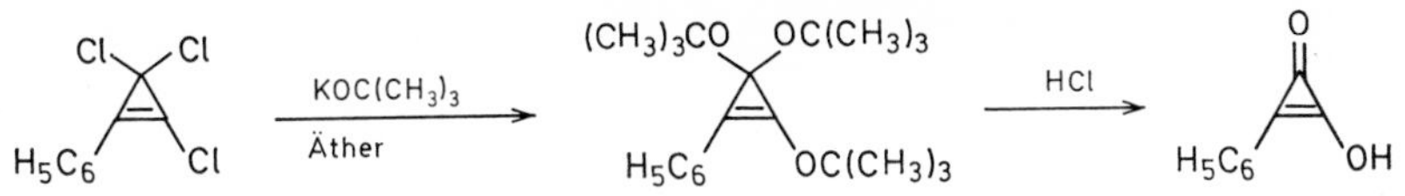

In beiden Fällen wird über das Zwischenprodukt V in mäßiger Ausbeute *Hydroxy-phenyl-cyclopropenon* (VI) erhalten. Die Reaktionen werden jeweils bei tiefen Temperaturen (−10 bis −25°) in Äther durchgeführt. Verdünnte Salzsäure wird zur Behandlung der anfallenden Salzfraktionen verwendet (s. die Arbeitsvorschriften).

In guter Übereinstimmung mit der theoretischen Voraussage[1] erwies sich *Hydroxy-phenyl-cyclopropenon* als starke Säure mit starker Wasserstoffbrückenbindung. Die Ähnlichkeit der UV-Spektren von V und des Anions VII sowie des Methyläthers VIII [hergestellt aus VI mit Diazomethan] lassen keinen Zweifel, daß in wäßriger Lösung ausschließlich das Enol vorliegt. Im Festkörper liegt nach Aussage des Infrarot-Spektrums ebenfalls nur ein stark saures Enol vor:

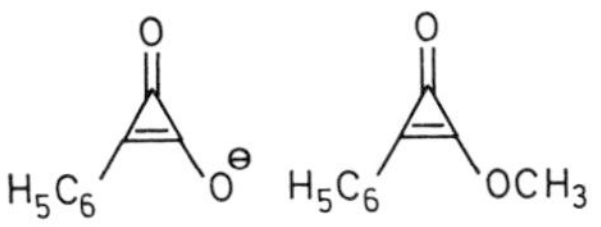

Hydroxy-phenyl-cyclopropenon:

2,3,3-Trichlor-1-phenyl-cyclopropen[2]: Eine Mischung von 7,0 g (0,0394 Mol) Tetrachlor-cyclopropen[3] und 4 g (0,03 Mol) wasserfreiem Aluminiumchlorid wird auf 50° erhitzt. Dabei wird eine exotherme Reaktion beobachtet. Nach dem Abkühlen wird der Überschuß an Tetrachlor-cyclopropen durch Vakuumdestillation entfernt. Der Rückstand ist festes *Trichlor-cyclopropenylium-tetrachloroaluminat*[4]. Zu dem auf 0° abgekühlten Salz werden 10 *ml* (0,11 Mol) wasserfreies Benzol gegeben. Sofort kommt es zu einer kurzen Chlorwasserstoff-Entwicklung. Die tiefrote Reaktionsmischung wird in Eiswasser gegossen und solange gerührt bis ein gelbes Öl erhalten wird. Nach Extraktion mit wasserfreiem Äther und anschließendem 2-maligen Trocknen über Calciumchlorid wird eine klare gelbe ätherische Lösung von Trichlor-phenyl-cyclopropen erhalten.

Hydroxy-phenyl-cyclopropenon[5]: Eine frisch bereitete ätherische Lösung von Trichlorphenyl-cyclopropen[2] (s. oben) wird innerhalb 30 Min. tropfenweise zu einer gut gerührten Suspension von 9,0 g (0,08 Mol) Kalium-tert.-butanolat in 500 *ml* wasserfreiem Äther unter Stickstoffatmosphäre bei Temp. um −25° gegeben. Im allgemeinen wird eine grüne Färbung beobachtet, die nach dem Aufwärmen allmählich verschwindet. Das Rühren wird während 24 Stdn. fortgesetzt. Die danach resultierende braune Suspension wird zentrifugiert. Die Niederschläge werden mit Petroläther (Kp: 30—60°) gewaschen und anschließend mehrere Stdn. getrocknet; danach werden sie in 5%-iger Salzsäure gelöst. Diese Lösung wird mit Äther sofort extrahiert. Diese ätherische Lösung wird mit der primär erhaltenen dunkelbraunen ätherischen Phase vereinigt und i. Vak. solange eingedampft bis das restliche Wasser entfernt ist. Trockener Äther analytischer Qualität (15—20 *ml*) wird danach zu dem klebrigen Material zugefügt und der Niederschlag anschließend filtriert. Eine cremefarbene Festsubstanz (0,81 g = 18,5% d. Th., bez. auf Tetrachlor-cyclopropen) wird erhalten. Nach Waschen mit trockenem Acetonitril analytischer Güte werden schwach gelbe Plättchen gewonnen, die bei ~ 240° schmelzen. Der Schmelzpunkt ist schlecht reproduzierbar.

[1] E. J. SMUTNY, M. C. CASERIO u. J. D. ROBERTS, Am. Soc. **82**, 1793 (1960).
   R. WEST u. D. L. POWELL, Am. Soc. **85**, 2577 (1963).
[2] S. W. TOBEY u. R. WEST, Am. Soc. **86**, 4215 (1964).
[3] S. W. TOBEY u. R. WEST, Tetrahedron Letters **1963**, 1179.
[4] S. W. TOBEY u. R. WEST, Am. Soc. **86**, 1459 (1964).
[5] D. G. FARNUM, J. CHICKOS u. P. E. THURSTON, Am. Soc. **88**, 3075 (1966).

Die Beobachtung[1], daß Trichlormethyl-lithium bei Temperaturen von −115° hergestellt werden kann und bei −100° als Dichlor-carben-Erzeuger wirkt, wurde zum Anlaß genommen, die Synthese von einfachen di- und monosubstituierten Cyclopropenonen aus Acetylenen[2] durch Carben-Addition zu versuchen, da bei diesen Temperaturen alle Acetylene flüssig oder fest sind. Bei der Reaktion mit Octin-(4) bei −95° wird nach anschließendem sauren Aufarbeiten *Dipropyl-cyclopropenon* (19% d.Th.; Ia) erhalten. Ähnliche Reaktionen mit Pentin-(1), Propin und Butin-(2) liefern die monosubstituierten Cyclopropenone *Propyl*-(Ib), *Methyl*-(Ic) und *Dimethyl-cyclopropenon* (Id)[2].

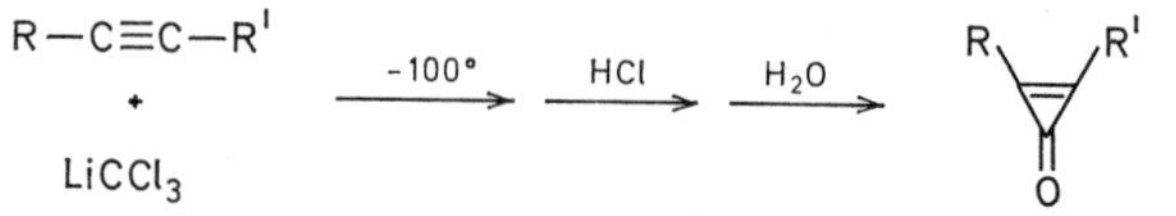

I (a) : R = R′ = C_3H_7
(b) : R = C_3H_7 ; R′ = H
(c) : R = CH_3 ; R′ = H
(d) : R = R′ = CH_3

Versuche zur Herstellung des unsubstituierten Cyclopropenons nach diesem Verfahren schlugen fehl. Ein anderer Syntheseweg geht vom Octin-(1) (II) aus, das durch Behandlung mit unterbromiger Säure zunächst in 1,1-Dibrom-2-oxo-octan (III) übergeht. Die Behandlung von III mit Triäthylamin in Acetonitril bei 55° liefert in Ausbeuten zwischen 10 und 15% reines *Pentyl-cyclopropenon* (IV)[3]. Nach einem analogen Verfahren kann das weitaus labilere *Äthyl-cyclopropenon* erhalten werden.

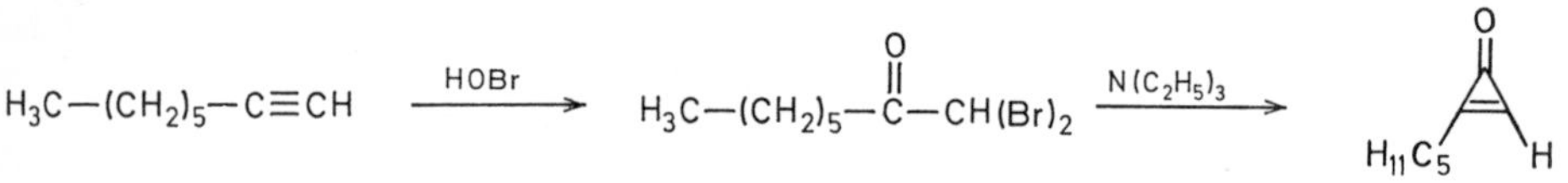

Bei Anwendung der Methode auf symmetrische Dialkyl-acetylene wurden erwartungsgemäß die entsprechenden unsymmetrischen Dialkyl-cyclopropenone erhalten.

Dagegen wird das unsubstituierte *Cyclopropenon* (VII) in wäßriger Lösung in der folgenden Weise erhalten[4]: Bei der Reaktion von Tetrachlor-cyclopropen (V, S. 741)[5] mit zwei Äquivalenten Tributyl-zinnhydrid bei Raumtemperatur in Paraffinöl wird eine flüchtige Mischung von 3,3-Dichlor-cyclopropen (VI), 1,3-Dichlor-cyclopropen und anderen chlorierten Cyclopropenen erhalten. Die destillierte Mischung wird in Tetrachlormethan aufgenommen und vorsichtig mit kaltem Wasser (besser schwerem Wasser) hydrolysiert[6]:

[1] W. T. MILLER u. D. M. WHALEN, Am. Soc. **86**, 2089 (1964).
[2] R. BRESLOW u. L. J. ALTMAN, Am. Soc. **88**, 505 (1966).
[3] N. J. McCORKINDALE et al., Chem. Commun. **1966**, 133.
[4] R. BRESLOW u. G. RYAN, Am. Soc. **89**, 3073 (1967).
[5] S. TOBEY u. R. WEST, Am. Soc. **88**, 2481 (1966).
[6] Die wäßrige Phase zeigt im Kernresonanzspektrum nur ein scharfes Singulett bei $9,0\,\tau$ (der Solvenspeak wurde durch schweres Wasser entfernt), das den beiden Protonen des Cyclopropenons zugeordnet wurde. Der ermittelte chemical shift und die sehr große Kopplung (J_{13C-H} = 230 Hz) der ^{13}C-Satelliten, die erwartungsgemäß als Dubletts (J_{H-H} = 3 Hz) auftreten, beweisen die Struktur. Die wäßrige Lösung von VII (S. 741) zeigt im Infrarotspektrum eine breite Absorption bei 1850 cm^{-1}.

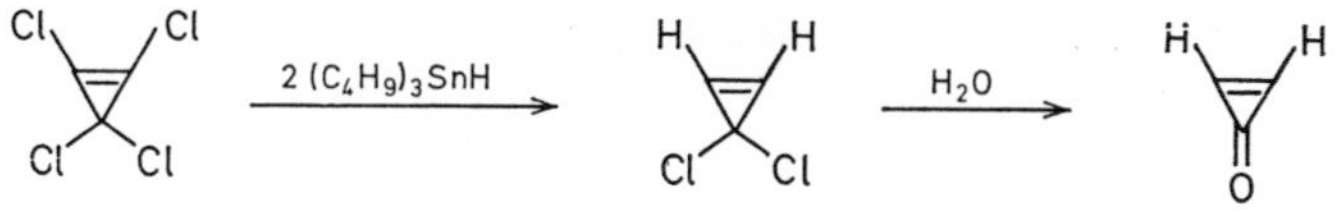

$$V \xrightarrow{2\,(C_4H_9)_3SnH} VI \xrightarrow{H_2O} VII$$

Nach längerem Stehen tritt Hydrolyse von VII unter Bildung von *Acrylsäure* ein. Nach den spektroskopischen Befunden liegt VII auch in der wäßrigen Lösung als **freies Keton** und nicht als geminales Diol vor.

Versuche zur **Isolierung** des Ketons vom Solvens schlugen jedoch fehl. Gegenüber Cyclopropanon[1] zeichnet sich das Cyclopropenon durch **geringere Reaktivität** aus. Besonders das Vorhandensein der nicht-hydratisierten Carbonyl-Gruppe von VII in wäßriger Lösung läßt vermuten, daß das Cyclopropenon-System über eine beträchtliche **konjugative Stabilisierungsmöglichkeit** verfügen muß.

B. Umwandlung von Cyclopropenonen

Die Reaktionen der Cyclopropenone lassen sich im wesentlichen nach **Decarbonylierungen** und **Additionen** klassifizieren. Bei den Additionen erfolgt der Angriff entweder an der Carbonyl-Gruppe oder an der C=C-Doppelbindung. Häufig kann bei der Addition unter Umlagerung der carbocyclische Dreiring geöffnet werden.

1. Decarbonylierungen

Die **thermische** Zersetzung von Cyclopropenonen bei Temperaturen zwischen 130 und 250° führt unter Kohlenmonoxid-Abspaltung zu den entsprechenden **Acetylenen**[2-6]. Hierbei werden die Dialkyl-cyclopropenone erst bei höherer Temperatur als Diphenyl-cyclopropenon decarbonyliert. Auch bei der **Photolyse** von Diphenyl-cyclopropenon werden *Diphenyl-acetylen* und Kohlenmonoxid gebildet[7,8]. Bei der Pyrolyse von 8-Oxo-bicyclo[5.1.0]octen-(1⁷) (I) bei 250° bildet sich *Tris-[cyclohepteno]-benzol* (III)[4]:

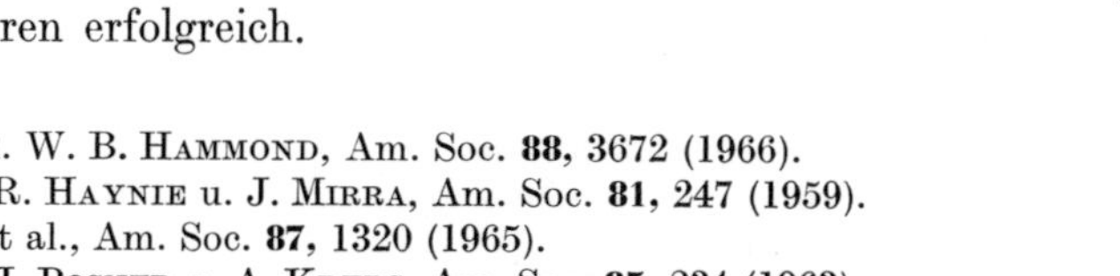

Hierbei wird vermutlich II als Zwischenstufe[9] durchlaufen. Abfangversuche mit Anthracen waren erfolgreich.

---

[1] N. J. TURRO u. W. B. HAMMOND, Am. Soc. **88**, 3672 (1966).
[2] R. BRESLOW, R. HAYNIE u. J. MIRRA, Am. Soc. **81**, 247 (1959).
[3] R. BRESLOW et al., Am. Soc. **87**, 1320 (1965).
[4] R. BRESLOW, J. POSNER u. A. KREBS, Am. Soc. **85**, 234 (1963).
[5] R. BRESLOW et al., Am. Soc. **87**, 1326 (1965).
[6] R. BRESLOW u. R. A. PETERSON, Am. Soc. **82**, 4426 (1960).
[7] C. W. BIRD et al., Chem. & Ind. **1959**, 570; **1964**, 1362.
[8] G. QUINKERT et al., Tetrahedron Letters **1963**, 1836.
[9] Vgl. G. WITTIG et al., B. **94**, 3260, 3276 (1961); Ang. Ch. **74**, 479 (1962).

Wird 8-Oxo-bicyclo[5.1.0]octen-(1⁷) (I, S. 741) in Gegenwart von Tetraphenyl-cyclopentadienon (Tetracyclon) zersetzt, so findet man als Hauptprodukte *1,2,3,4-Tetraphenyl-6,7,8,9-tetrahydro-5H-⟨cyclohepta-benzol⟩* (23% d. Th.; II) und das Lacton III {*Tetraphenyl-cyclopentadien-⟨spiro-8⟩-10-oxo-9-oxa-bicyclo[5.3.0]decen-(1⁷)*}[1]:

II   III

Ob die beiden C—C-Bindungen bei der Decarbonylierung der Cyclopropenone — die sich formal als Umkehrreaktion einer Carben-Addition auffassen ließe — nacheinander oder gleichzeitig gelöst werden, ist noch ungeklärt. Eventuell bildet sich über eine Zwischenstufe aus dem Diphenyl-cyclopropenon das Dimere VI, denn nur bei Temp. oberhalb 160° ist *Diphenyl-acetylen* das Hauptprodukt der thermischen Zersetzung von IV. Bei 145—150° (besonders in Anwesenheit katalytischer Mengen Base) entsteht vornehmlich *Diphenyl-cyclopropen-⟨spiro-2⟩-5-oxo-3,4-diphenyl-2,5-dihydro-furan* (VI)[2], das sich thermisch nicht zu Diphenyl-acetylen zersetzen läßt[1]:

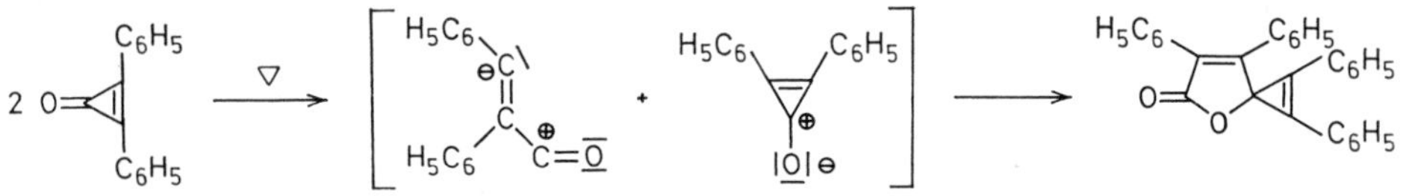

IV   V   VI

Auch Methyl-cyclopropenon (VII) bildet beim Erhitzen auf 100° ein Dimeres (VIII; *Methyl-cyclopropen-⟨spiro-2⟩-5-oxo-4-methyl-dihydrofuran*) mit zu VI ähnlicher Lactonstruktur[3]:

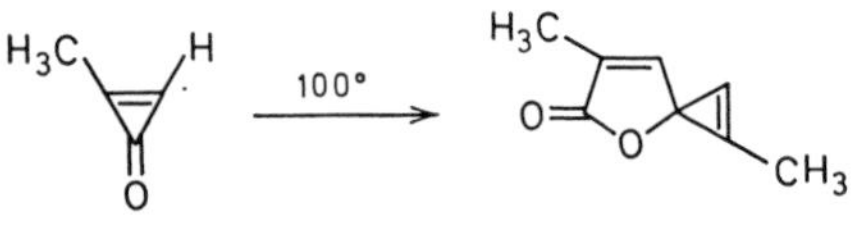

VII   VIII

2. Addition an der Carbonyl-Gruppe

α) Nucleophile Additionen

Die **Hydrolyse** der Cyclopropenone mit **Natronlauge** zu α,β-ungesättigten **Säuren** (I, S. 743)[4–7] beginnt wahrscheinlich mit einer Addition des Hydroxy-Ions

[1] R. Breslow et al., Am. Soc. **87**, 1320 u. 1326 (1965).
[2] J. Ciabattoni u. G. A. Berchtold, J. Org. Chem. **31**, 1336 (1966), erhielten VI auch durch längeres Kochen von (IV) in Toluol.
[3] R. Breslow u. L. J. Altman, Am. Soc. **88**, 504 (1966).
[4] M. E. Volpin et al., Izv. Akad. SSSR **1959**, 560; C. A. **53**, 21799 (1959); Ž. obšč. Chim. **30**, 2877 (1960); engl.: 2855.
[5] R. Breslow u. R. Peterson, Am. Soc. **82**, 4426 (1960).
[6] R. A. Peterson, Dissertation, Columbia University, 1962; Dissertation Abstr. **23**, 1517 (1962).
[7] R. Breslow et al., Am. Soc. **85**, 234 (1963).

an das Kohlenstoffatom der Carbonyl-Gruppe. Sie würde damit analog zur Ringöffnung der Cyclopropanon-Zwischenstufe bei der Faworski-Umlagerung[1] verlaufen:

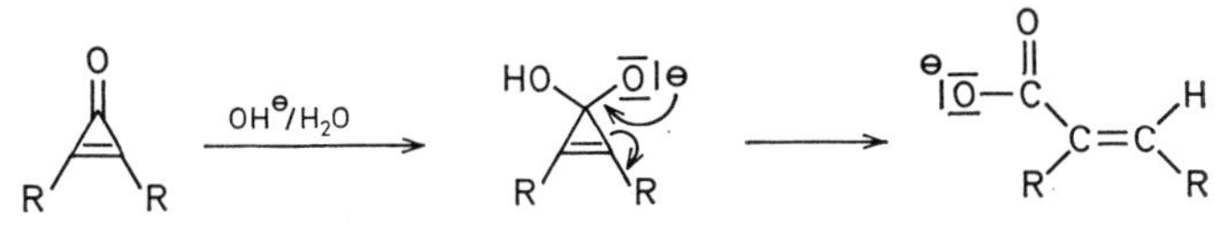

I

Bei der Hydrolyse zeigt sich eine zur Decarbonylierung ähnliche **Reaktivitätsab-stufung** zwischen Dialkyl-cyclopropenonen und Diphenyl-cyclopropenon. Dialkyl-cyclopropenone reagieren viel langsamer bei der Hydrolyse[2,3]. Bei der Hydrolyse von Methyl-cyclopropenon wird ein Gemisch von *Methyl-acrylsäure* und *Crotonsäure* im Verhältnis 3:1 erhalten[4]; offensichtlich muß das entsprechende intermediäre Carbanion, das der Methyl-acrylat-Ionen-Bildung vorgelagert ist, eine höhere Stabilität aufweisen. Nach längerem Stehen bildet sich aus der wäßrigen Lösung des unsub-stituierten Cyclopropenons erwartungsgemäß *Acrylsäure*[5] (s. S. 741).

Dagegen bildet sich mit anderen Basen wie Natrium-methanolat in Methanol aus Dipropyl-cyclopropenon das *2-Propyl-3-propyliden-cyclopropenolat*-Anion (II), wie durch Deuteriumaustausch bewiesen werden konnte[6,7]:

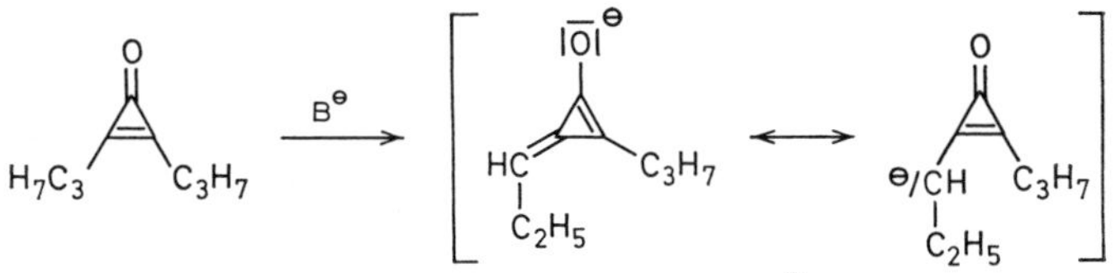

II

Auch **Grignard**-Verbindungen addieren sich in manchen Fällen an die Carbonyl-Gruppe der Cyclopropenone, während bei den Troponen diese Reaktion vergleichs-weise neben der 1,3-Addition nur in geringem Maße eintritt[8]. Für den anderen Verlauf bei der Umsetzung von Diphenyl-cyclopropenon (III, S. 744) mit **Phenyl-magnesium-bromid**[9] sind möglicherweise entweder sterische Faktoren entscheidend, oder die Bildung eines entsprechenden Cyclopropanons ist so erschwert, daß eine 1,3-Addition unterdrückt wird und sich der **Äther IV** bildet. Nach saurem Aufarbeiten mit Perchlorsäure wird schließlich *Triphenyl-cyclopropenylium-perchlorat* (50% d.Th.; V) erhalten (s. S. 744).

Mit aliphatischen Grignard-Reagentien werden im allgemeinen **keine** zufrieden-stellenden Ergebnisse erzielt.

[1] A. KENDE, Org. Reactions **11**, 261 (1960).
[2] R. BRESLOW u. R. PETERSON, Am. Soc. **82**, 4426 (1960).
[3] R. BRESLOW et al., Am. Soc. **87**, 1326 (1965).
[4] R. BRESLOW u. L. J. ALTMAN, Am. Soc. **88**, 504 (1966).
[5] R. BRESLOW u. G. RYAN, Am. Soc. **89**, 3073 (1967).
[6] A. S. KENDE, persönliche Mitteilung an A. KREBS; s. Ang. Ch. **77**, 10 (1965).
[7] P. T. IZZO u. A. S. KENDE, Chem. & Ind. **1964**, 839.
[8] Vgl. etwa: G. L. CLOSS u. L. E. CLOSS, Am. Soc. **83**, 599 (1961).
    T. NOZOE, T. MUKAI u. T. TEZUKA, Bl. Chem. Soc. Japan **34**, 619 (1961).
[9] R. BRESLOW et al., Am. Soc. **87**, 1320 (1965).

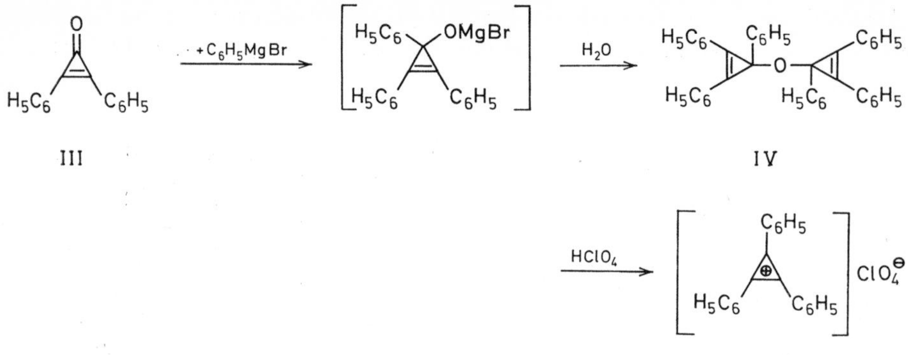

Ob Lithium-alanat tatsächlich die C=O- und die C=C-Doppelbindung von Diphenyl-cyclopropenon unter Bildung von *3-Hydroxy-1,2-diphenyl-cyclopropan*[1] angreift, scheint wegen des unzureichenden Strukturbeweises zweifelhaft.

Auch bei der polarographischen Reduktion von Diphenyl-cyclopropenon ließ sich nicht eindeutig entscheiden, welche der beiden Doppelbindungen zuerst reduziert worden ist[2].

Die Herstellung von (2,4-Dinitro-phenylhydrazono)-diphenyl-cyclopropen[3,4] muß in Zweifel gezogen werden[5], da auch das entsprechende Tosylhydrazon nur über 3,3-Dichlor-1,2-diphenyl-cyclopropen mit Tosylhydrazin erhalten werden kann[6]. Hydrazin[6], Semicarbazid und Hydroxylamin[3] liefern mit Diphenyl-cyclopropenon nicht die üblichen Carbonyl-Derivate (s. S. 747).

Versuche, Diphenyl-cyclopropenon mit Phosphor(V)-sulfid in das entsprechende Thioketon VII zu überführen, scheiterten. Bei dieser Umsetzung wird nur *5-Thiono-3,4-diphenyl-5H-1,2-dithiol* (VIII) erhalten[7]. VII kann jedoch aus 3,3-Dichlor-1,2-diphenyl-cyclopropen (VI) und Thioessigsäure synthetisiert werden[8]:

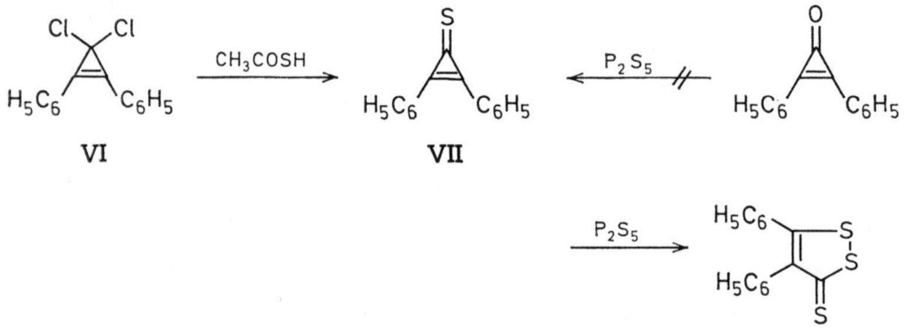

[1] D. N. KURSANOV, M. E. VOLPIN u. Y. D. KORESHKOV, Izv. Akad. SSSR **1959**, 560; C. A. **53**, 21799 (1959).
[2] s. S. I. ZHDANOV u. M. K. POLIEVKTOV, Ž. obšč. Chim **31**, 3870 (1961); engl.: 3607.
[3] M. E. VOIPIN, Y. D. KORESHKOV u. D. N. KURSANOV, Izv. Akad. SSSR **1959**, 560; C.A. **53**, 21799 (1959).
[4] D. N. KURSANOV, M. E. VOLPIN u. Y. D. KORESHKOV, Ž. obšč. chim. **30**, 2877 (1960); engl.: 2855.
[5] R. BRESLOW et al., Am. Soc. **87**, 1320 (1965).
[6] W. M. JONES, persönliche Mitteilung an A. KREBS, s. Ang. Ch. **77**, 10 (1965).
[7] B. FÖHLISCH, persönliche Mitteilung an A. KREBS, s. Ang. Ch. **77**, 10 (1965).
[8] T. EICHER u. G. FRENZEL, Z. Naturf. [b] **20**, 274 (1965).

β) Elektrophile Additionen an der Carbonyl-Gruppe

Zur Gruppe der elektrophilen Additionen an die Carbonyl-Gruppe gehören die bereits behandelten Protonierungen der Cyclopropenone mit starken Säuren (s. S. 731).

Als elektrophile Addition ist ebenso die Alkylierung von Diphenyl-cyclopropenon mit Triäthyloxonium-tetrafluoroborat aufzufassen. Hierbei wird das hydrolyse-empfindliche *Äthoxy-diphenyl-cyclopropenylium-tetrafluoroborat* (II) erhalten[1,2]. Setzt man jedoch II mit Dimethylamin um, so bildet sich das sehr stabile *3-Dimethyl-amino-1,2-diphenyl-cyclopropenylium-tetrafluoroborat* (III), das sogar aus siedendem Wasser unzersetzt umkristallisiert werden kann[1]. Diese Stabilität von III kann durch Mesomerie zwanglos erklärt werden:

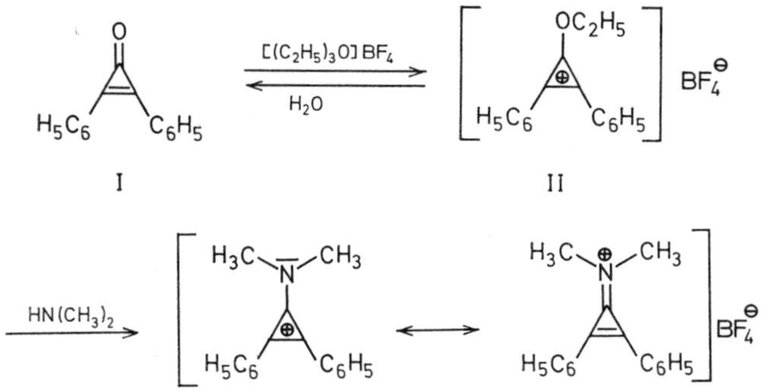

Äthoxy-diphenyl-cyclopropenylium-tetrafluoroborat (II) hat sich inzwischen besonders bei der Synthese von Methylen-cyclopropenen (s. S. 753 ff.) bewährt[2-6].

3. Additionen an der C=C-Doppelbindung von Cyclopropenonen

Diazomethan reagiert mit Dialkyl- und Diaryl-cyclopropenonen (IV) im Sinne einer 1,3-dipolaren Cycloaddition unter primärer Bildung eines Pyrazolins V, das spontan zum entsprechenden 4-Oxo-1,4-dihydro-pyrazin-Derivat VI isomerisiert[1,7]:

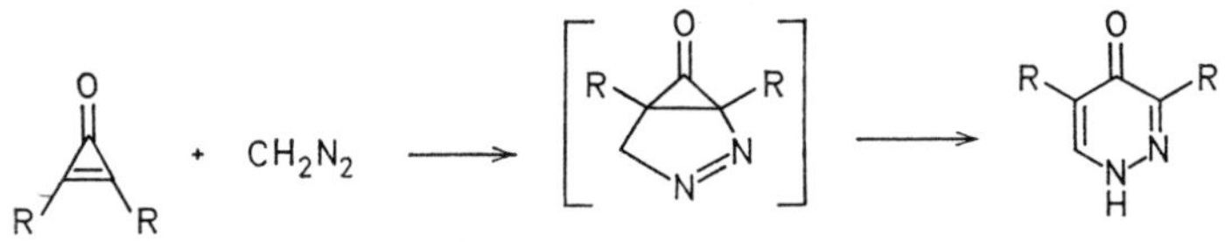

Auch wenn das Cyclopropenon mit einer Lewis-Säure koordiniert wird (z.B. Aluminiumchlorid), verläuft die Addition in gleicher Weise[1]. Cycloadditionsreak-

[1] R. Breslow et al., Am. Soc. **87**, 1320 (1965).
[2] B. Föhlisch u. P. Bürgle, Tetrahedron Letters **1965**, 2661.
[3] R. Gompper, E. Kutter u. H. U. Wagner, Ang. Ch. **78**, 545 (1966).
[4] T. Eicher u. A. Löschner, Z. Naturf. [b] **21**, 295 (1966).
[5] T. Eicher u. A. Löschner, Z. Naturf. [b] **21**, 899 (1966).
[6] T. Eicher u. A. Hansen, Tetrahedron Letters **1967**, 4321.
[7] P. T. Izzo u. A. S. Kende, Chem. & Ind. **1964**, 839.

tionen von Diphenyl-cyclopropenon mit Enaminen können in recht unterschiedlicher Weise ablaufen[1,2]. 1-Diäthylamino-butadien-(1,3) (VII) gibt mit Diphenyl-cyclopropenon unter 1,4-Addition über das intermediäre gebildete Cyclopropanon VIII
2,7-Diphenyl-tropon (68% d.Th.; IX):

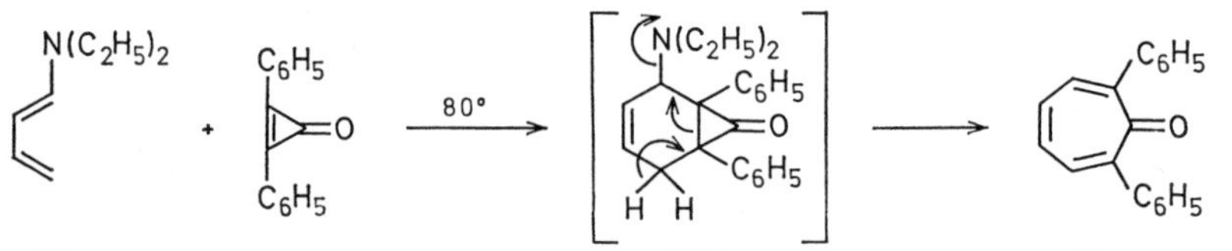

1-Acetoxy-butadien-(1,3) und Cyclopentadien reagieren nicht unter diesen Bedingungen.

Die Reaktion mit dem Enamin I verläuft zunächst unter 1,2-Addition zu II,
das sich zum neungliedrigen Ringsystem {*9-Pyrrolidino-7-oxo-6,8-diphenyl-10,11-
dihydro-7H-⟨cyclonona-benzol⟩*; III} umlagert:

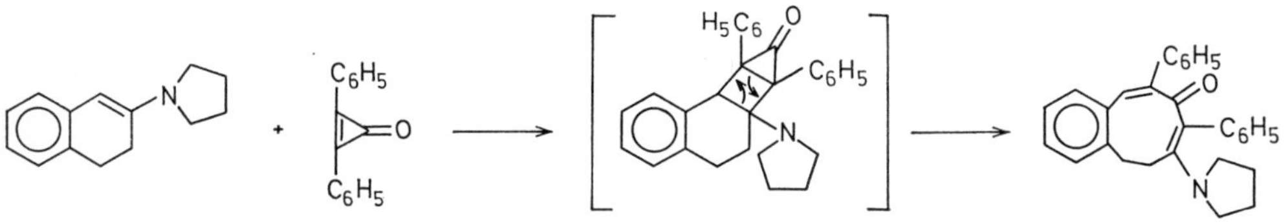

Bei der Reaktion von Diphenyl-cyclopropenon mit N-Cyclohexenyl-pyrrolidin
(IV) wird zunächst wiederum eine Zwischenstufe im Sinne einer 1,2-Addition
gebildet (V), jedoch lagert sich V nicht nur unter Bildung des zu III analogen
Neunringderivat VI um, sondern es wird über eine Zwischenstufe VII ein weiteres
Reaktionsprodukt erhalten {VIII; *8-Oxo-7,9-diphenyl-bicyclo[4.3.0]nonen-(1⁹)*}:

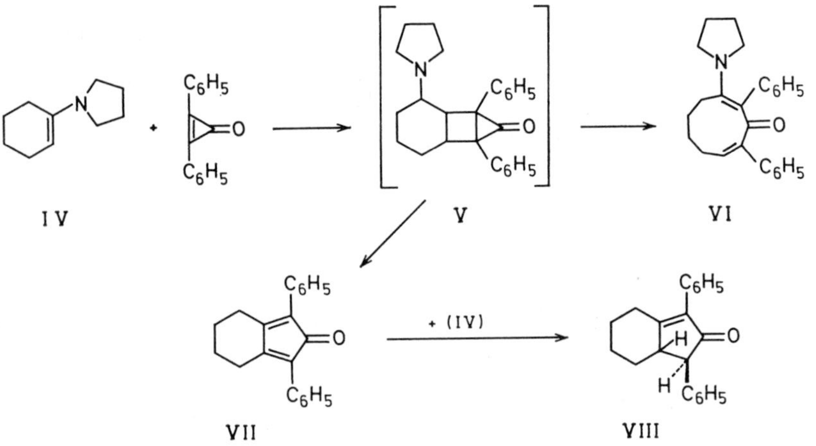

[1] J. CIABATTONI u. G. A. BERCHTOLD, Am. Soc. **87**, 1404 (1965).
[2] J. CIABATTONI u. G. A. BERCHTOLD, J. Org. Chem. **31**, 1336 (1966).

N-Cyclopentenyl-pyrrolidin zeigt ähnliches Reaktionsverhalten. Mit N-Propenyl-pyrrolidin werden jedoch nur ring-geöffnete Produkte erhalten:

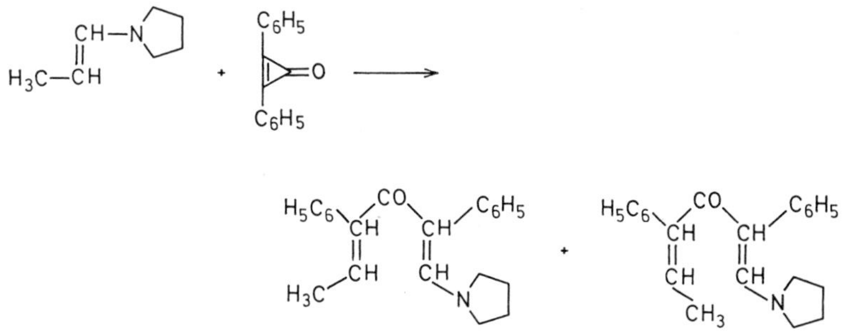

Bei der Umsetzung von Diphenyl-cyclopropenon mit Hydroxylamin werden als Hauptprodukte *5-Oxo-3,4-diphenyl-2,5-dihydro-1,2-oxazol* (I) und *1-Oximino-1,2-diphenyl-äthan* (II) erhalten[1,2]:

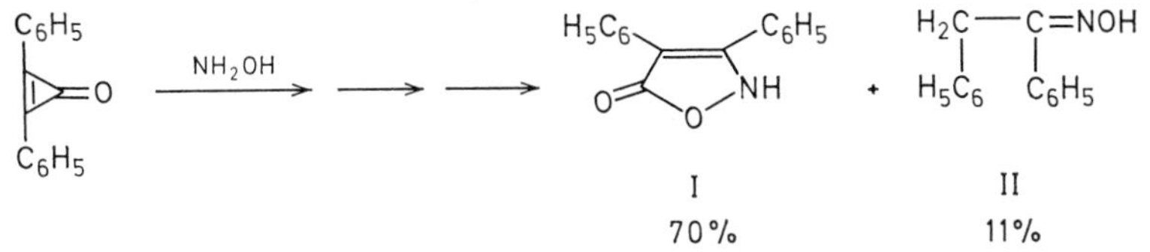

Als erster Schritt wird hier eine 1,4- oder 1,2-Addition des Hydroxylamins angenommen; die Zwischenprodukte könnten dann unter Oxidation, oder Oxidation und Decarboxylierung in I bzw. II übergehen[3].

Bei der katalytischen Hydrierung von Cyclopropenonen werden zwei Mole Wasserstoff verbraucht. Diphenyl- und Dipropyl-cyclopropenon liefern die entsprechenden ring-geöffneten Ketone[2,4]:

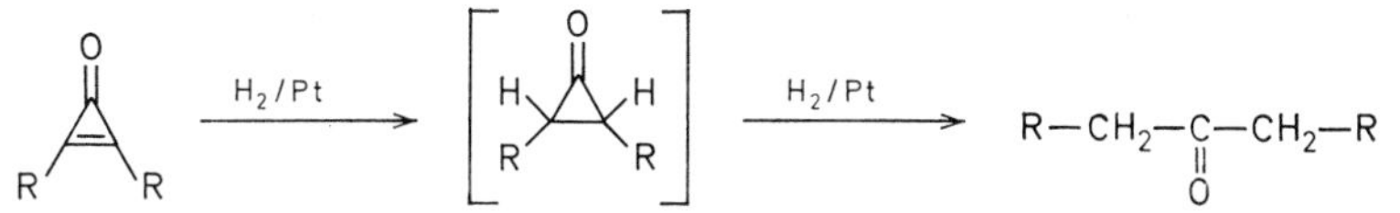

Ob bei der Reduktion von Diphenyl-cyclopropenon mit Lithium-alanat tatsächlich 3-Hydroxy-1,2-diphenyl-cyclopropan gebildet wird[5,6], bleibt nach neueren Untersuchungen[2] zweifelhaft.

[1] R. A. PETERSON, Dissertation, Columbia University, 1962; Dissertation Abstr. **23**, 1517 (1962).

[2] R. BRESLOW et al., Am. Soc. **87**, 1320 (1965).

[3] Pentyl-cyclopropenon liefert hingegen mit Hydroxylamin in guter Ausbeute *2,3-Dioximino-octan*; s. hierzu: N. J. McCORKINDALE, R. A. RAPHAEL, W. T. SCOTT u. B. ZWANENBURG, Chem. Commun. **1966**, 133.

[4] R. BRESLOW et al., Am. Soc. **87**, 1326 (1965).

[5] M. E. VOLPIN. et al., Izv. Akad. SSSR **1959**, 560; C.A. **53**, 21799 (1959).

[6] M. E. VOLPIN et al., Ž. obšč. Chim. **30**, 2877 (1960); engl.: 2855.

Bei der Umsetzung von Diphenyl-cyclopropenon (I) mit alkalischem Wasserstoffperoxid wird *1-Oxo-1,2-diphenyl-äthan* (IV) erhalten[1]. Möglicherweise verläuft die Reaktion über die Zwischenstufen II und III:

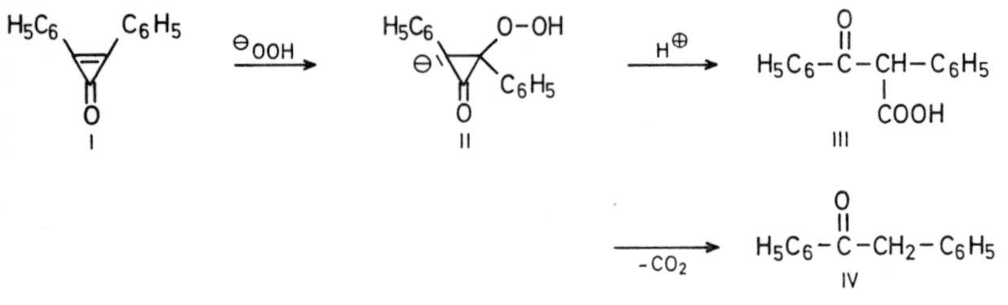

Mit Persäuren und Hypochlorit wurde keine Reaktion beobachtet.

Eine ebenfalls ungewöhnliche Reaktion von Diphenyl-cyclopropenon ist die Umsetzung mit Aziridin[2]. Wird I mit überschüssigem Aziridin 6 Stdn. in absolutem Äther bei Zimmertemperatur gerührt, so wird in 68%iger Ausbeute *β-Amino-cis-diphenyl-acrylsäure-äthylenimid* (V) neben 2% VI und Äthylen erhalten; die Hydrolyse von V führt zu 1-Oxo-1,2-diphenyl-äthan (s. oben).

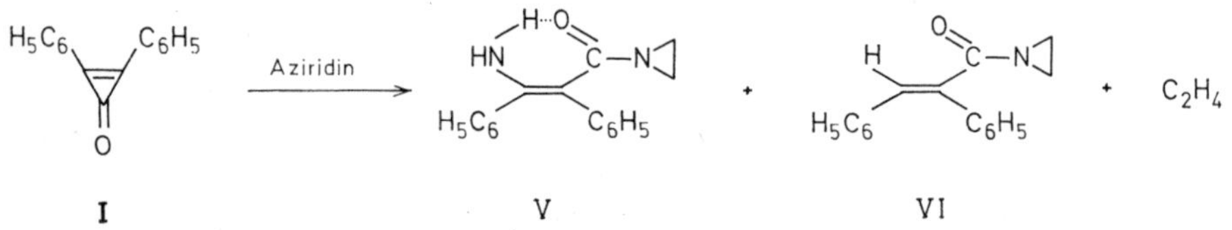

Die Aufnahme des ersten Aziridin-Moleküls unter Äthylen-Abspaltung und Ringerweiterung führt zu VII. Diese Verbindung stabilisiert sich zu VIII, wobei das zweite Molekül Aziridin angelagert wird. Eine anschließende Tautomerisierung liefert V. Diese Hypothese läßt unbeantwortet, in welcher Position der Primärangriff erfolgt und warum Äthylen-Abspaltung gegenüber denkbaren Ringerweiterungs-Reaktionen bevorzugt ist.

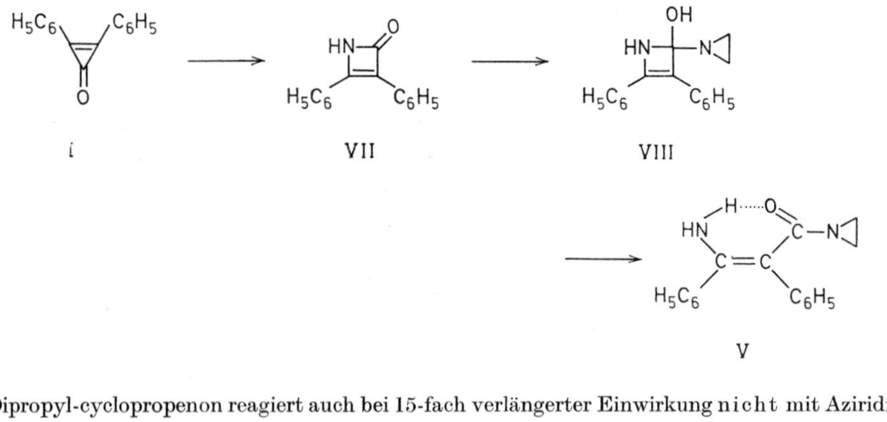

Dipropyl-cyclopropenon reagiert auch bei 15-fach verlängerter Einwirkung nicht mit Aziridin·

[1] S. Marmor u. M. M. Thomas, J. Org. Chem. **32**, 252 (1967).
[2] E. V. Dehmlow, Tetrahedron Letters **1967**, 5177.

b) Methylen-cyclopropene (Triafulvene)

Methylen-cyclopropen (I), das einfachste gekreuzt-konjugierte System, ist als hypothetische Verbindung Gegenstand der verschiedensten Molecular-Orbital-Berechnungen gewesen[1–7]. Die zu erwartende Deolokalisierungsenergie sollte in der Größenordnung von nur 1 β liegen, die sich durch Einführung aromatischer Substituenten sicherlich vergrößert. Die Spannungsverhältnisse sollten mit denen im Cyclopropenon vergleichbar sein. Die Chancen für die Herstellung und Isolierung des Stammkohlenwasserstoffs bleiben jedoch äußerst gering, da mit einer ausgesprochen hohen Polymerisationstendenz der Verbindung gerechnet werden muß. Die Resonanzformulierung der Molekel macht durchaus verständlich, daß eine Polymerisation nur eine sehr geringe Aktivierungsenergie erfordern würde. Der beträchtliche Verlust an Ringspannung würde eine solche Reaktion ebenfalls begünstigen:

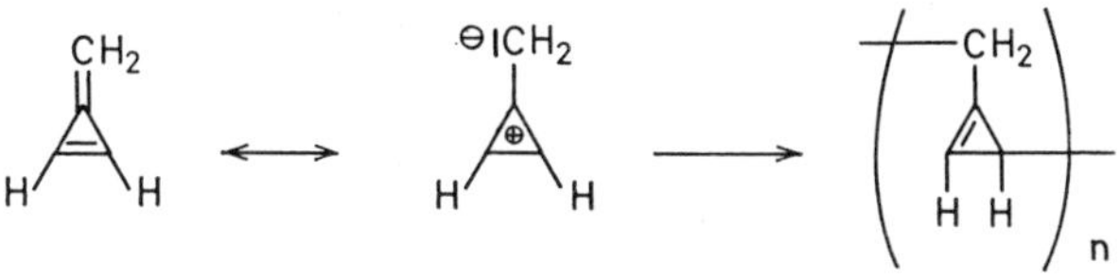

I

II

Durch geeignete Substitution der exocyclischen Methylen-Gruppe und auch der Ringkohlenstoffatome ist es jedoch gelungen, stabile Derivate des Methylen-cyclopropens zu synthetisieren. Vermutlich kommt der stabilisierende Einfluß von Substituenten dadurch zustande, daß die Energie des Monomeren gesenkt wird und zum anderen entstehende Polymere durch sterische Effekte instabil werden können.

Eine weitere Möglichkeit der Stabilisierung besteht in der Einbeziehung der negativen Partialladung der Methylen-Gruppe in einen ungesättigten fünfgliedrigen Ring. Das dann resultierende Cyclopropenyliden-Cyclopentadien-System II sollte nach einfachen Hückel-Molecular-Orbital-Betrachtungen eine Delokalisierungsenergie von 2,94 β besitzen[1]. Inzwischen ist eine Anzahl von Derivaten dieses Systems, für das der Name Calicen[8] benutzt wird, hergestellt worden.

Die UV-Spektren der bislang bekannten Methylen-cyclopropene sind wegen des Vorhandenseins von konjugierten Chromophoren sehr komplex. Verbindung III (S. 750), die dem einfachsten Methylen-cyclopropen-System wohl am nächsten kommt, zeigt ein einfaches Maximum[9] bei 246 mμ. Dieser Wert spiegelt die theoretisch vorausgesagte hohe Energie des $\pi \to \pi^*$-Über-

[1] J. D. Roberts, A. Streitwieser u. C. M. Regan, Am. Soc. **74**, 4579 (1952).
[2] S. L. Manatt u. J. D. Roberts, J. Org. Chem. **24**, 1336 (1959).
[3] Y. Syrkin u. M. Dyatkina, Acta physicoch. URSS **21**, 641 (1946); C.A. **41**, 1648 (1947).
[4] G. Berthier u. B. Pullman, Bl. **16**, D 457 (1949).
[5] A. Julg, J. Chim. physique Physico-Chim. biol. **50**, 652 (1953).
[6] A. Julg u. P. Francois, J. Chim. physique Physico-Chim. biol. **59**, 339 (1962).
[7] O. Chalvet, R. Daudel u. J. J. Kaufman, J. phys. Chem. **68**, 490 (1964).
[8] H. Prinzbach, Ang. Ch. **76**, 235 (1964).
[9] A. S. Kende u. P. T. Izzo, Am. Soc. **86**, 3587 (1964).

ganges wider[1]. Allgemein zeigen die Spektren eine starke Solvensabhängigkeit[2-5]. Die bathochrome Verschiebung, die mit dem Ansteigen der Polarität des Lösungsmittels verbunden ist, kann auf eine höhere Beteiligung der dipolaren Form im Grundzustand als im angeregten Zustand zurückgeführt werden[6]. Tab. 13 zeigt eine Zusammenstellung von UV-Daten einiger Calicen-Derivate.

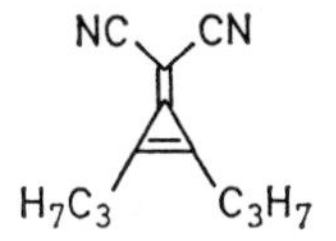

III; *Dipropyl-dicyanmethylen-cyclopropen*

Die Infrarot-Spektren zeigen im wesentlichen zwei Banden, die als charakteristisch für das Methylen-cyclopropen-System angesprochen wurden [2,3,7-9]. Höchstwahrscheinlich ist die

Tab. 13. UV-spektroskopische Daten einiger Calicen-Derivate

Verbindung	Solvens	λ_{max} [mμ]	log ε	Litera-tur
5,6-Dipropyl-calicen-1,2-dicarbonsäure-dimethylester	CH$_3$OH	330 223	4,53 4,24	10
5,6-Dipropyl-calicen-1,3-dicarbonsäure-dimethylester	CH$_3$OH	336 265	4,42 4,54	10
5,6-Dipropyl-calicen-1,4-dicarbonsäure-dimethylester	CH$_3$OH	364 330	4,12 3,83	10
5,6-Dipropyl-calicen-2,3-dicarbonsäure-dimethylester	CH$_3$OH	319 267	4,62 4,39	10
5,6-Diphenyl-calicen-2,3-dicarbonsäure-dimethylester	CH$_3$OH	351 269	4,85 4,68	10
Dimethyl-cyclopropen-⟨spiro-9⟩-fluoren	C$_2$H$_5$OH	356 325 295 271 262,5 247 237 233	4,15 4,34 4,22 4,15 4,31 4,45 4,64 4,66	5
Diphenyl-cyclopropen-⟨spiro-9⟩-fluoren	CH$_3$CN	375 363 296 262 242 238	4,50 4,48 4,03 4,49 4,77 4,74	4

[1] A. JULG, J. Chim. physique Physico-Chim. biol. **50**, 652 (1953).
[2] M. A. BATTISTE, Am. Soc. **86**, 942 (1964).
[3] E. D. BERGMANN u. I. AGRANAT, Am. Soc. **86**, 3587 (1964).
[4] W. M. JONES u. R. S. PYRON, Am. Soc. **87**, 1608 (1965).
[5] H. PRINZBACH u. U. FISCHER, Ang. Ch. **77**, 621 (1965).
[6] Vgl. hierzu: N. S. BAYLISS u. E. G. McRAE, J. phys. Chem. **58**, 1002 (1954). E. M. KOSOWER, Am. Soc. **80**, 3253 (1958).
[7] A. S. KENDE u. P. T. IZZO, Am. Soc. **86**, 3587 (1964).
[8] W. M. JONES u. J. M. DENHAM, Am. Soc. **86**, 944 (1964).
[9] M. UENO, I. MURATA u. Y. KITAHARA, Tetrahedron Letters **1965**, 2967.
[10] A. S. KENDE, P. T. IZZO u. P. T. MACGREGOR, Am. Soc. **88**, 3359 (1966).

Bande zwischen 1830 und 1880 cm^{-1} im wesentlichen auf eine Ringschwingung zurückzuführen, während die zwischen 1520 und 1550 cm^{-1} beobachtete Bande eine starke Komponente der *exo*cyclischen Doppelbindungsschwingung haben sollte. In Analogie zu den Cyclopropenonen (s. S. 732) ist jedoch keine dieser Banden auf isolierte Schwingungstypen zurückzuführen, da eine starke Kopplung der Oszillatoren auftreten sollte. Eine kürzlich durchgeführte Normal-koordinaten-Analyse des Diphenyl-cyclopropenons sowie dessen Raman-Spektrum beweisen diese Aussage[1]; die Ergebnisse sind konsistent mit einer beträchtlichen Separierung der Ladungen und deuten darauf hin, daß wenn keine Mischungen bzw. Kopplungen der Schwingungstypen vorhanden wären, beide Schwingungen um 1750 cm^{-1} zu finden wären.

Tab. 14. Charakteristische Absorptionen der IR-Spektren einiger Methylen-cyclopropene

Verbindung	Frequenz [cm^{-1}]	Literatur
1,2-Dipropyl-3-dicyanmethylen-cyclopropen	1879 1513	[2]
1,2-Diphenyl-3-dicyanmethylen-cyclopropen	1890 1522	[3]
Diphenyl-cyclopropen-⟨spiro-9⟩-fluoren	1845, 1798 1555	[4]
Dimethyl-cyclopropen-⟨spiro-9⟩-fluoren	1859, 1605 1553	[5]
5,6-Dipropyl-calicen-2,3-dicarbonsäure-dimethylester	1858 1527	[6]

In Tab. 14 sind einige infrarotspektroskopische Daten von Methylen-cyclopropenen aufgeführt.

Die kernmagnetischen Resonanzspektren geben bessere Aufschlüsse über die Beteiligung der dipolaren Form an der Struktur der Methylen-cyclopropene. Vergleicht man z.B. die chemische Verschiebung des Vinylprotons von Verbindung I mit der der Modellverbindung II, so zeigt sich, daß das Vinylproton in I eine Verschiebung um 0,9 ppm nach höherem Feld erfährt[7]. Diese Verschiebung ist auf die erhöhte Ladungsdichte am terminalen Methylenkohlenstoff zurückzuführen:

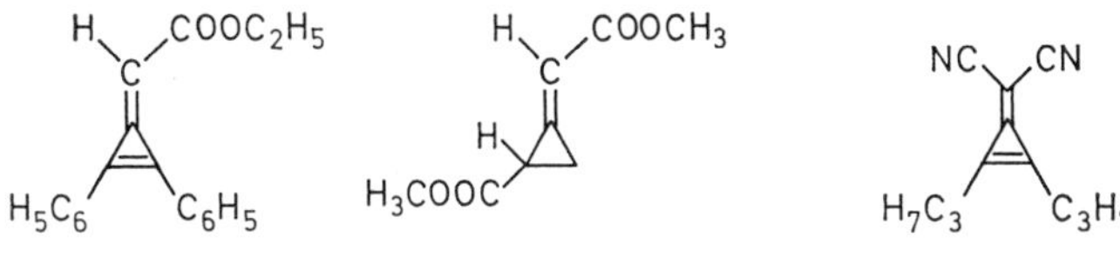

I   II   III

[1] R. C. LORD, persönliche Mitteilung an S. ANDREADES; s. Am. Soc. **87**, 3941 (1965).

[2] A. S. KENDE u. P. T. IZZO, Am. Soc. **86**, 3587 (1964).

[3] E. D. BERGMANN u. I. AGRANAT, Am. Soc. **86**, 3587 (1964).

[4] W. M. JONES u. R. S. PYRON, Am. Soc. **87**, 1608 (1965).

[5] H. PRINZBACH u. U. FISCHER, Ang. Ch. **77**, 621 (1965).

[6] A. S. KENDE, P. T. IZZO u. P. T. MACGREGOR, Am. Soc. **88**, 3359 (1966).

[7] M. A. BATTISTE, Am. Soc. **86**, 942 (1964).

Die chemischen Verschiebungen der Methylenprotonen der Propyl-Seitenketten in III (S. 751) sind benutzt worden zur Abschätzung des Anteiles an formaler Ladung im Ring. Der Vergleich der relativen chemischen Verschiebungen zwischen den α- und β-ständigen Methylenprotonen mit denen, die für das Tripropyl-cyclopropenylium-Kation beobachtet wurden, führt zu dem Ergebnis, daß 15% einer Einheitspositivladung an jedem C-Atom, das eine Propyl-Gruppe trägt, lokalisiert sind. Mit anderen Worten: die dipolare Struktur wäre zu $\sim$ 50% an der Struktur dieses Methylen-cyclopropens beteiligt[1].

Weitere Aufschlüsse über den Elektronenmangel im Ringgerüst der Triafulvene sind insbesondere aus den beobachteten Verschiebungen der ortho-ständigen Protonen einer Reihe von phenyl-substituierten Methylen-cylcopropenen nach tieferem Feld zugänglich geworden[2-4]. An dieser Stelle soll nur ein kleiner Abriß der Problematik gegeben werden.

Das NMR-Spektrum von IV in deuterochloroformischer Lösung[5] zeigt das Multiplett der ortho-Wasserstoffe zentriert bei 1,62 τ und die meta- bzw. para-ständigen Protonen[6] bei 2,36 τ.

IV

Gelingt es einem Phenylring, die koplanare Anordnung zu einem elektronensaugenden Substituenten einzunehmen, dann werden die aromatischen Protonen nicht nur sehr stark entschirmt, sondern es kommt auch zu einer Differenzierung zu den Signalfolgen der typischen AB_2C_2-Spektren mit den ortho-Wasserstoffen unverändert bei tiefstem Feld. Durch Vergleich der chemischen Verschiebung der ortho-Wasserstoffe von IV mit geeigneten Vergleichssubstanzen kann dann auf eine gewisse Delokalisierung der Ladung geschlossen werden[5].

Ähnliche Aufschlüsse konnten auch über den Vergleich der vicinalen Spin-Spin-Kopplungskonstanten des fünfgliedrigen Ringes der Calicene mit denen der normalen Fulvene gewonnen werden[7]. Alle diese Ergebnisse, die letztlich nahelegen, daß insbesondere bei den Pentatriafulvenen mit einem oder mehreren elektronensaugenden Substituenten am Fünfring mit einem nicht geringen Anteil einer Cyclopropenylium-Cyclopentadienyl-Aromatizität zu rechnen ist, stehen eigentlich nicht im Widerspruch zu den gemachten Voraussagen[8], daß das Pentatriafulven selbst eine vernachlässigbar kleine Resonanzstabilisierung haben sollte. Beim Kohlenwasserstoff sollte in wesentlich geringerem Maße eine Elektronenübertragung möglich sein als bei den untersuchten stark polaren Derivaten des Pentatriafulvens.

Dipolmessungen geben ebenfalls Anhaltspunkte für eine Beteiligung der dipolaren Struktur am Grundzustand der Methylen-cyclopropene[3,5]. So beträgt das Dipolmonent des Methylen-cyclopropen-Derivats[5] I 5,90 $\pm$ 0,1 D; das der Verbindung[3] II sogar 7,9 $\pm$ 0,1 D:

I   II

---

[1] A. S. Kende u. P. T. Izzo, Am. Soc. **86**, 3587 (1964).

[2] M. A. Battiste, Am. Soc. **86**, 942 (1964).

[3] E. D. Bergmann u. I. Agranat, Am. Soc. **86**, 3587 (1964).

[4] W. M. Jones u. J. M. Denham, Am. Soc. **86**, 944 (1964).

[5] S. Andreades, Am. Soc. **87**, 3941 (1965).

[6] R. Breslow et al., Am. Soc. **84**, 3168 (1962).

[7] A. S. Kende, P. T. Izzo u. P. T. MacGregor, Am. Soc. **88**, 3359 (1966).

[8] M. J. S. Dewar u. G. J. Gleicher, Tetrahedron **21**, 3423 (1965).

A. Herstellung

Das erste stabile Methylen-cyclopropen-Derivat IV wurde ausgehend von I, durch Pyrolyse des phenolischen Cyclopropenylium-bromids (II), dessen Bromierung mit N-Brom-succinimid zu III und Zusatz eines tertiären Amins hergestellt[1]:

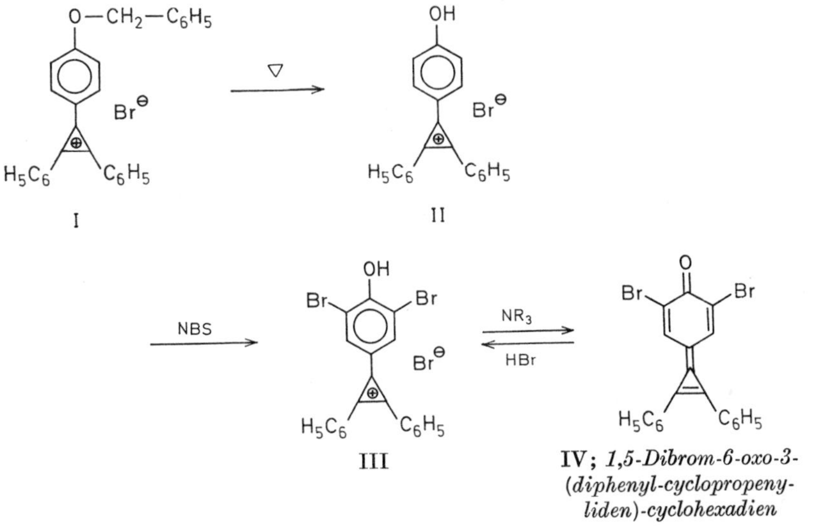

IV; *1,5-Dibrom-6-oxo-3-(diphenyl-cyclopropeny-liden)-cyclohexadien*

Zu III analoge Verbindungen, die in der Folgezeit häufig zu Schlüsselsubstanzen für die Synthese von Methylen-cyclopropenen wurden, konnten auch durch elektro-

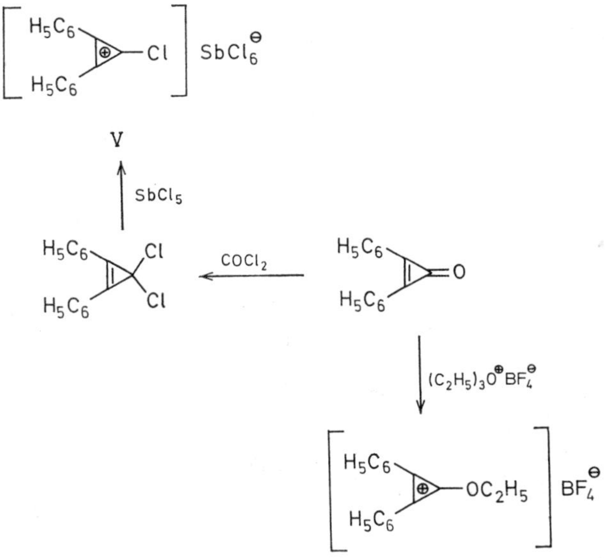

VI

---

[1] A. S. KENDE, Am. Soc. **85**, 1882 (1963).

phile aromatische Substitution mit Chlor-diphenyl-cyclopropenylium-hexa-chloroantimonat (V) oder Äthoxy-diphenyl-cyclopropenylium-tetrafluoroborat (VI) hergestellt werden[1]. Für beide Verbindungen ist Diphenyl-cyclopropenon das Ausgangsprodukt (s. S. 753).

Bei Umsetzung von V mit Anthranol wird das Hydroxyaryl-cyclopropenyliumsalz (VII) erhalten, das als Tetrafluoroborat isoliert werden kann. VII läßt sich mit Triäthylamin zum rotgefärbten kristallinen Methylen-cyclopropen-Derivat [VIII; *Anthrachinon-(9,10)-diphenyl-cyclopropenid*] deprotonieren[1]:

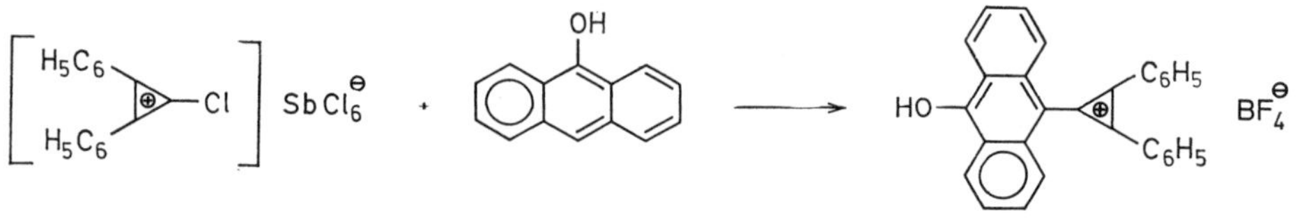

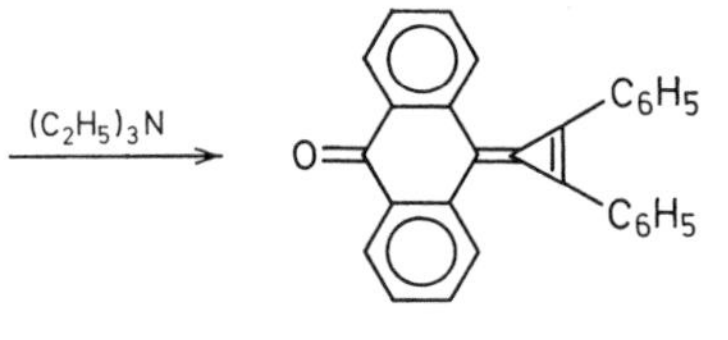

Ferner erhält man aus VI und Phenyl-malonsäure-dinitril *6-Dicyanmethylen-3-(diphenyl-cyclopropenyliden)-cyclohexadien* (IX)[2]:

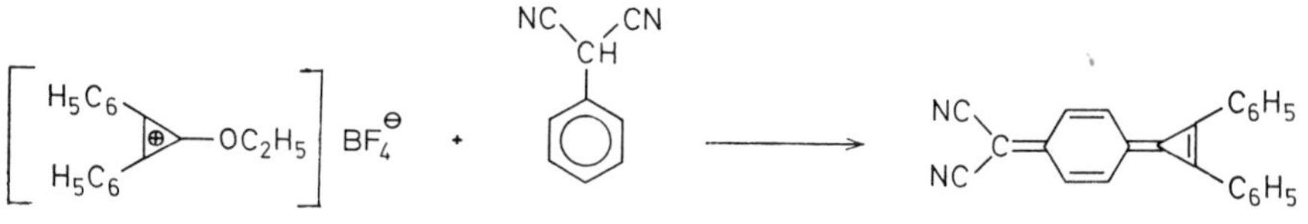

Nach der Methode der elektrophilen aromatischen Substitution mit 1,1-Dichlor-2,3-diphenyl-cyclopropen bzw. mit dem Chlor-diphenyl-cyclopropenylium-Kation sind aus Aromaten zahlreiche Methylen-cyclopropene hergestellt worden[3]. Auch Tetrachlor-cyclopropen (I; S. 755) kann zur Synthese derartiger Methylen-cyclopropene herangezogen werden. So reagiert I unter Friedel-Crafts-Bedingungen über die Zwischenstufe II mit Phenolen III zu entsprechenden Hydroxyaryl-cyclopropenylium-Kationen IV, die zu Verbindungen vom Typ V deprotoniert werden können[4] und nach Oxidation in Va übergehen:

[1] B. Föhlisch u. P. Bürgle, Tetrahedron Letters 1965, 2661.
[2] R. Gompper, E. Kutter u. H. U. Wagner, Ang. Ch. 78, 545 (1966).
[3] B. Föhlisch u. P. Bürgle, A. 701, 67 (1967).
[4] R. West, D. Zecher, S. W. Tobey u. D. C. F. Law, Chem. eng. News 45, 44 (1967).

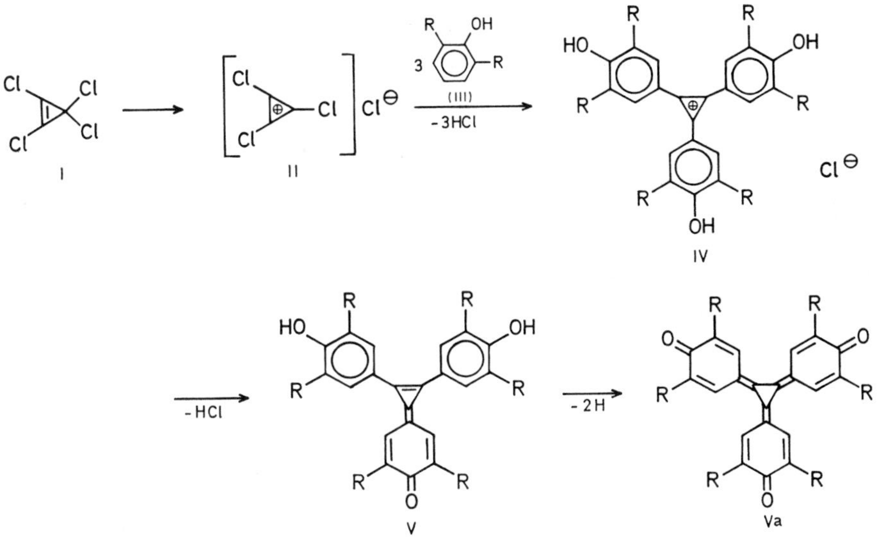

Mit dem Äthoxy-diphenyl-cyclopropenylium-Kation (VI) konnten eine größere Anzahl CH-acider Verbindungen (VII) zu Methylen-cyclopropen-Derivaten umgesetzt werden[1] (VIII), die in starken Säuren unter Bildung entsprechender Cyclopropenylium-Kationen löslich sind:

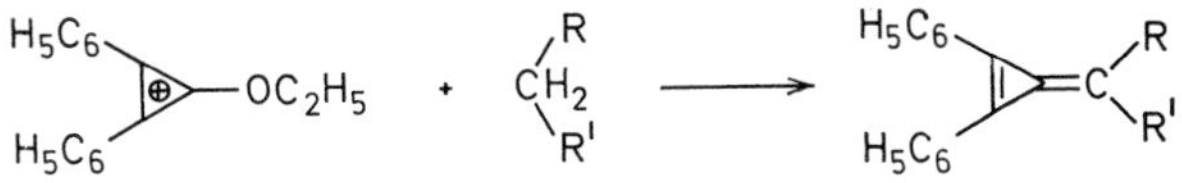

Die Umsetzung des Tetrafluoroborats von IX mit den Kupferchelaten der 1,3-Dicarbonyl-Verbindungen X liefert in Ausbeuten zwischen 60 und 80% die 1,3-Dicarbonyl-2-(diphenyl-cyclopropenyliden)-Derivate XI. Analog werden aus den entsprechenden cyclischen 1,3-Dicarbonyl-Verbindungen mit VI in 22–43%iger Ausbeute die Produkte XII, XIII und XIV (S. 756) erhalten[2]:

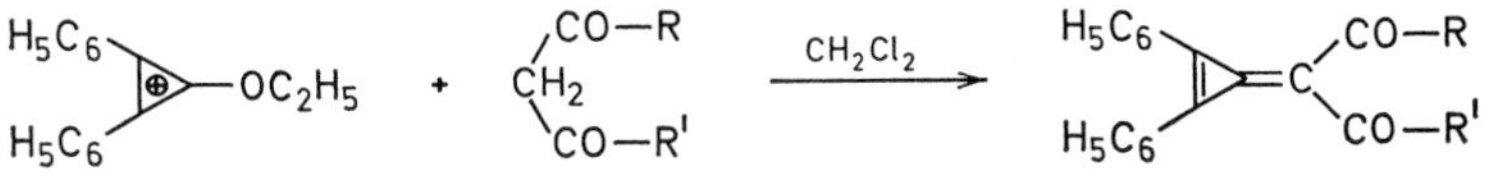

R = CH$_3$, C$_6$H$_5$, OC$_2$H$_5$, H
R' = CH$_3$, C$_6$H$_5$, OC$_2$H$_5$, NHC$_6$H$_5$

[1] T. Eicher u. A. Löschner, Z. Naturf. [b] 21, 295 (1966).
[2] T. Eicher u. A. Löschner, Z. Naturf. [b] 21, 899 (1966).

48*

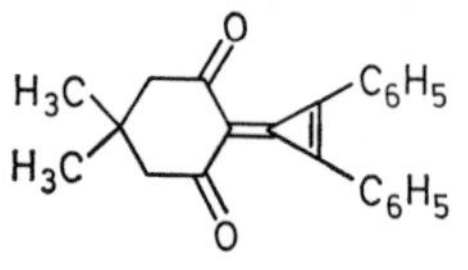

2,6-Dioxo-4,4-dimethyl-
1-(diphenyl-cycloprope-
nyliden)-cyclohexan; XII

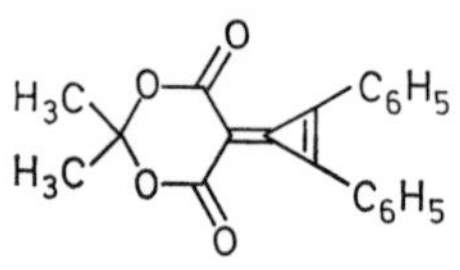

4,6-Dioxo-2,2-dimethyl-
5-(diphenyl-cyclopro-
penyliden)-1,3-dioxan; XIII

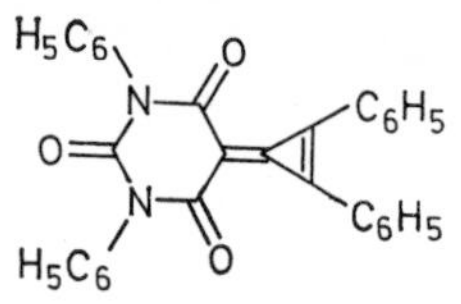

2,4,6-Trioxo-1,3-diphe-
nyl-5-(diphenyl-cyclo-
propenyliden)-hexa-
hydro-pyrimidin; XIV

Enamine I geeigneter Basizität[1] setzen sich glatt mit 3-Äthoxy-1,2-diphenyl-cyclopropenylium-tetrafluoroborat (II) zu entsprechenden **Cyaninen III** um[2,3]:

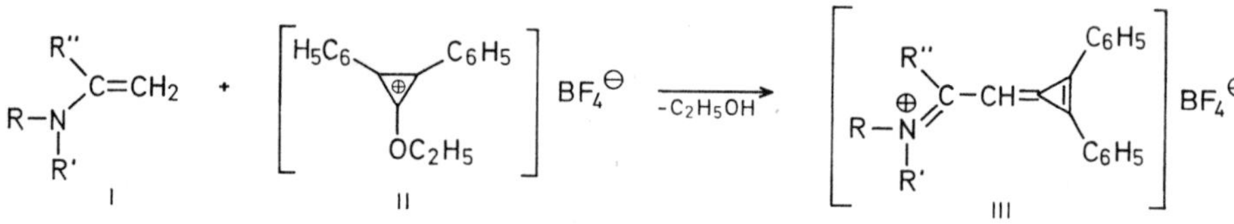

Analog können auch 2- bzw. 4-alkyl-substituierte heterocyclische Quartärsalze (z.B. IV oder V) in Gegenwart einer Hilfsbase, bevorzugt Äthyl-diisopropylamin[4], mit II unter Bildung von Cyanin-Typen VI bzw. VII reagieren[3]:

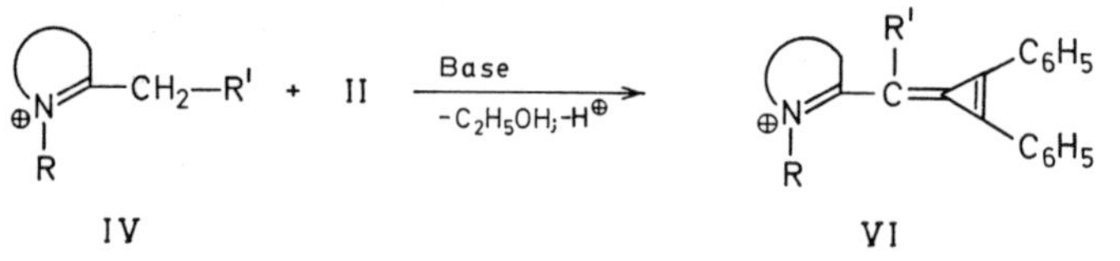

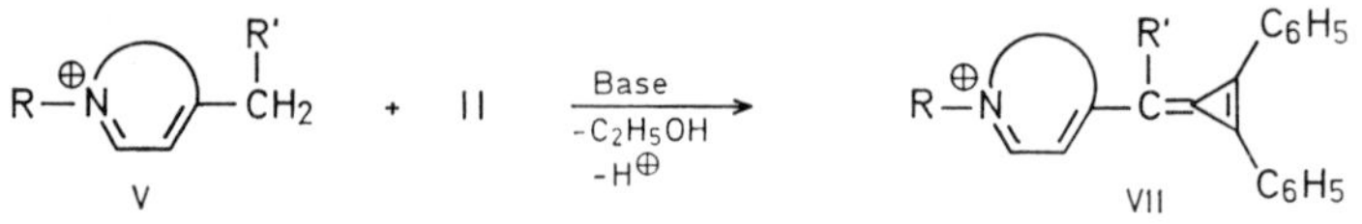

Die **Struktur** der gebildeten Cyanine geht eindeutig aus den Spektren hervor. Im IR-Spektrum findet man die charakteristischen Absorptionen des Methylen-cyclopropen-Systems[5] im Bereich von 1830—1850 cm^{-1}.

Bei der Umsetzung von quartärniertem α-Picolin, γ-Picolin und Lepidin mit 3-Äthoxy-1,2-diphenyl-cyclopropenylium-tetrafluoroborat wurden nicht die erwarteten einfachen Cyanin-Typen erhalten, sondern Verbindungen, denen man nach spektroskopischen Befunden die Konstitution von **Bis-[diphenyl-cyclopropenylium]-monomethin-cyaninen** (VIII) zuschreiben muß[3]:

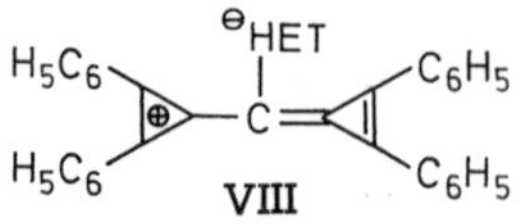

VIII

(HET = Heterocyclus)

---

[1] Umsetzung im Sinne einer „Cyclopropenylierung" ist nur bei den schwächer basischen aryl-substituierten Enamien möglich; alkylsubstituierte Enamine führten zur Entalkylierung von II zu Diphenyl-cyclopropenon.

[2] T. Eicher u. A. Löschner, Z. Naturf. [b] **21**, 295 (1966).

(Fortsetzung s. S. 757)

Auch Cyclopropenylium-Cyanine mit carbocyclischen Endgruppen sind mit Hilfe des Äthoxy-Kations IX zugänglich. So entsteht aus IX und Azulen in 93%iger Ausbeute das ziegelrote Azulenium-Kation[1] X:

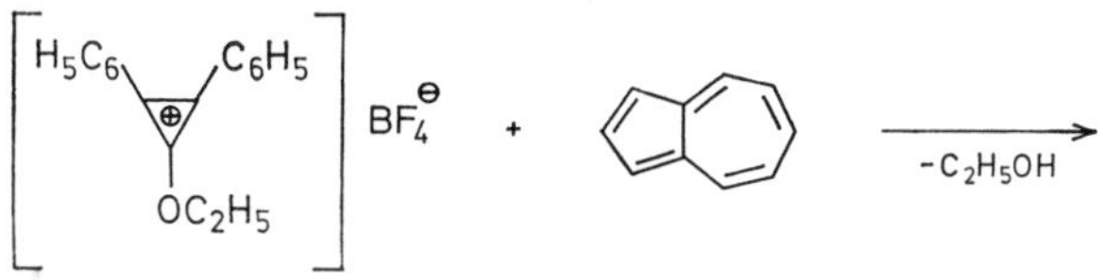

IX

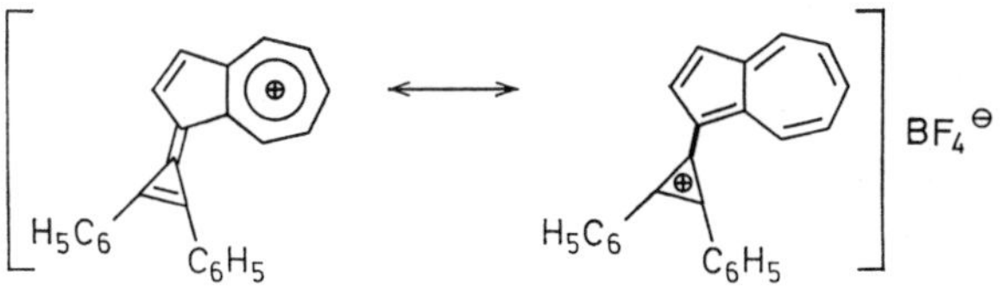

$-C_2H_5OH$

$BF_4^\ominus$

1-(Diphenyl-cyclopropenylium)-azulen-tetrafluoroborat; X

Das zu X analoge Perchlorat aus 4,6,8-Trimethyl-azulen [*4,6,8-Trimethyl-1-(diphenyl-cyclopropenylium)-azulen-perchlorat*] ist ebenfalls bekannt[2,3].

Bei der Wittig-Reaktion von Diphenyl-cyclopropenon mit (Äthoxycarbonylmethylen-triphenyl)-phosphoran (I) in Benzol oder Dichlormethan wird das Methylen-cyclopropen-Derivat II erhalten[4]:

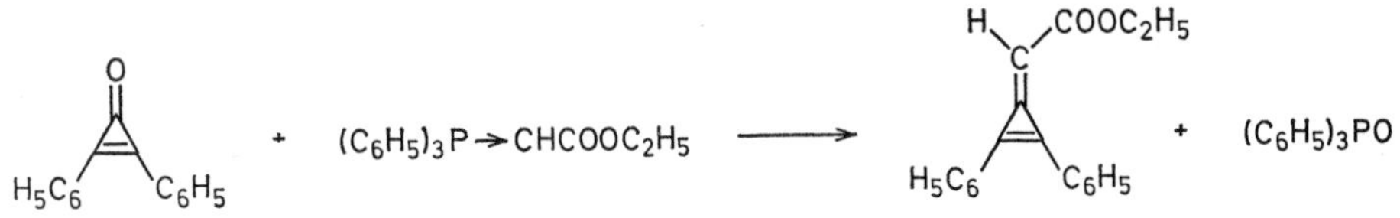

I

II; *Diphenyl-äthoxycarbonylmethylen-cyclopropen*

Die Dicyanmethylen-cyclopropene III und IV (S. 758) können in geringen Ausbeuten durch Kondensation von Diphenyl-cyclopropenon bzw. Dipropyl-cyclopropenon mit Malonsäure-dinitril in unter Rückfluß kochendem Essigsäureanhydrid gewonnen werden[5–8]:

[1] T. EICHER u. A. HANSEN, Tetrahedron Letters **1967**, 4321.
[2] B. FÖHLISCH, P. BÜRGLE u. D. KROCKENBERGER, Ang. Ch. **77**, 1019 (1965).
[3] B. FÖHLISCH u. P. BÜRGLE, A. **705**, 164 (1967).
[4] M. A. BATTISTE, Am. Soc. **86**, 942 (1964).
[5] E. D. BERGMANN u. I. AGRANAT, Am. Soc. **86**, 3587 (1964).
[6] A. S. KENDE u. P. T. IZZO, Am. Soc. **86**, 3587 (1964).
[7] S. ANDREADES, Am. Soc. **87**, 3941 (1965).
[8] Y. KITAHARA u. M. FUNAMIZU, Bl. Chem. Soc. Japan **37**, 1897 (1964).

(Fortsetzung v. S. 756)

[3] T. EICHER u. A. HANSEN, Tetrahedron Letters **1967**, 4321.
    vgl. a. ds. Handb., Bd. V/1d, Kap. Cyanine.
[4] S. HÜNIG u. M. KIESSEL, B. **91**, 380 (1958).
[5] A. W. KREBS, Ang. Ch. **77**, 10 (1965).

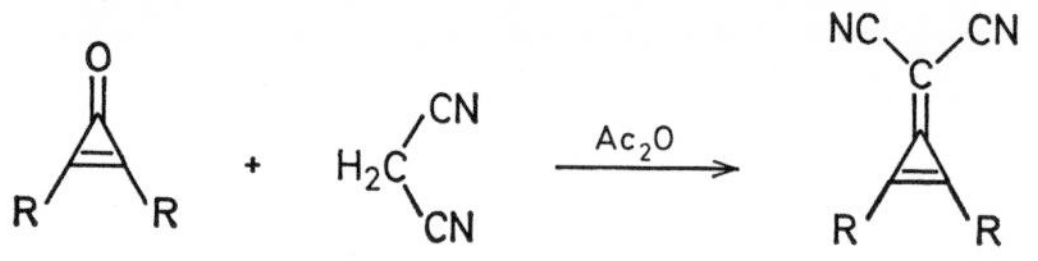

III: R=C$_6$H$_5$ *Diphenyl- bzw. Dipropyl-*
IV: R=C$_3$H$_7$ *dicyanmethylen-cyclopropen*

Bei den Versuchen zur Erzeugung des *2,3-Diphenyl-cyclopropylidens* (V) aus N′-Nitroso-N,N-dimethyl-N′-[1,2-diphenyl-cyclopropen-(1)-yl]-harnstoff (VI) mit Fumarsäure-dimethylester (VII) und Kalium-tert.-butanolat bei 98° erhielt man (*Diphenyl-cyclopropenyliden*)-*bernsteinsäure-dimethylester* (48% d. Th.; VIII)[1]. Ob tatsächlich bei dieser Reaktion ein nucleophiles Carben V durchlaufen wird, ist noch nicht geklärt.

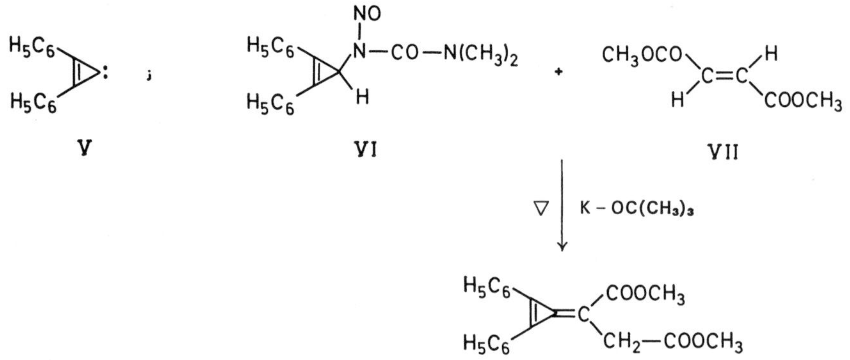

Die oben erwähnte Synthese von cyansubstituierten Triafulvenen aus Dipropyl- oder Diphenyl-cyclopropenon durch Erhitzen mit Malonsäure-dinitril bzw. -esternitril in Gegenwart von Essigsäureanhydrid verläuft wie folgt[2]:

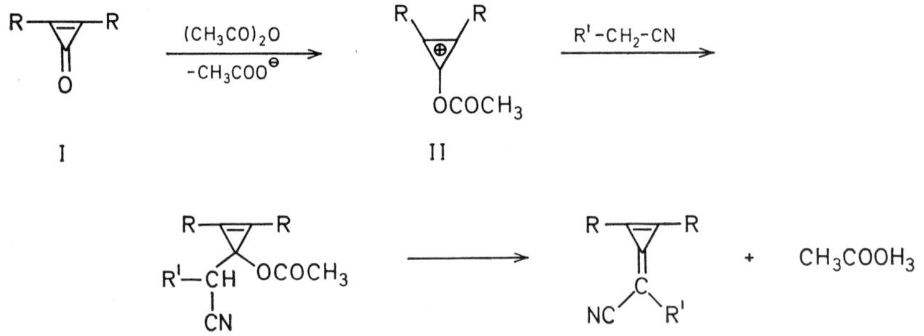

Bei der Synthese von Derivaten des Cyclopropenyliden-Cyclopentadien-Systems (Calicen) können im wesentlichen zwei Wege beschritten werden:

[1] W. M. JONES u. J. M. DENHAM, Am. Soc. **86**, 944 (1964).
[2] A. S. KENDE u. P. T. IZZO, Am. Soc. **87**, 4162 (1965).

ⓐ Umsetzung von Cyclopropenylium-Salzen mit Cyclopentadien-Anionen und anschließender schrittweiser Dehydrierung[1-6]

ⓑ Kondensation von Cyclopropenen mit geeigneten Cyclopentadienen[7-11].

In Methode ⓐ werden meist die **Lithium-Salze** der entsprechenden Cyclopentadiene mit den verschiedenen Cyclopropenylium-Kationen bei tiefen Temperaturen[12] in Äther umgesetzt[1]. Die Hydrid-Abstraktion aus III kann mit Triphenylmethyl-tetrafluoroborat bei 0° durchgeführt werden. Dabei entstehen die nahezu farblosen Salze IVa u. IVb (isoliert in Form der Perchlorate), die in Äther/Dichlormethan bei 0° mit Trimethylamin zu den tiefroten Lösungen der Calicen-Derivate deprotoniert werden können:

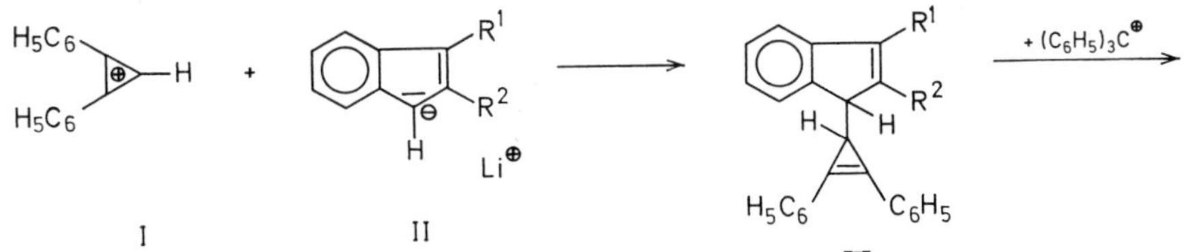

I   II   III

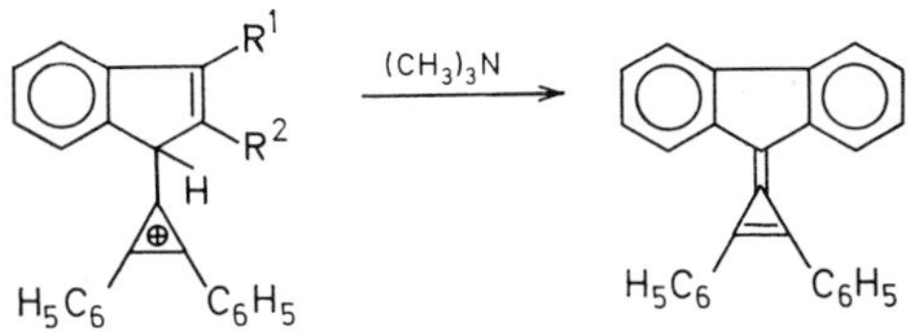

IV

9-(Diphenyl-cyclopropenyliden)-
fluoren; Va, R = —C₄H₄—

(a): R₁; R₂ = —C₄H₄—
(b): R₁ = R₂ = H

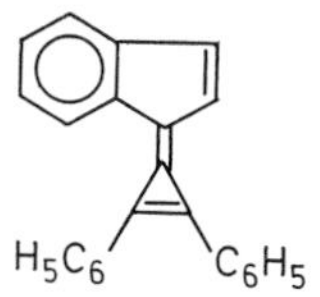

7,8-Diphenyl-⟨benzo-
calicen⟩; Vb, R=H

Auch die **Natrium-Salze** verschiedenartig substituierter Cyclopentadiene können verwendet werden. Neben den genannten Benzo- und Dibenzo-calicen-Derivaten sind nach Methode ⓐ z.B. die folgenden Calicene zugänglich:

[1] W. M. JONES u. R. S. PYRON, Am. Soc. **87**, 1608 (1965).
[2] H. PRINZBACH, D. SEIP u. U. FISCHER, Ang. Ch. **77**, 258 (1965).
Vgl. a. H. PRINZBACH u. D. SEIP, Ang. Ch. **73**, 169 (1961).
[3] H. PRINZBACH u. U. FISCHER, Ang. Ch. **77**, 621 (1965).
[4] A. S. KENDE, P. T. IZZO u. P. T. MACGREGOR, Am. Soc. **88**, 3359 (1966).
[5] H. PRINZBACH u. U. FISCHER, Ang. Ch. **78**, 642 (1966).
[6] E. D. BERGMANN u. I. AGRANAT, Chem. Commun. **1965**, 512.
[7] A. S. KENDE u. P. T. IZZO, Am. Soc. **87**, 1609 (1965).
[8] M. UENO, I. MURATA u. Y. KITAHARA, Tetrahedron Letters **1965**, 2967.
[9] A. S. KENDE u. P. T. IZZO, Am. Soc. **87**, 4162 (1965).
[10] E. D. BERGMANN u. I. AGRANAT, Tetrahedron **22**, 1275 (1966).
[11] J. CIABATTONI u. G. A. BERCHTOLD, J. Org. Chem. **31**, 1336 (1966).
[12] Vgl. R. BRESLOW, H. HÖVER u. H. W. CHANG, Am. Soc. **84**, 3168 (1962).

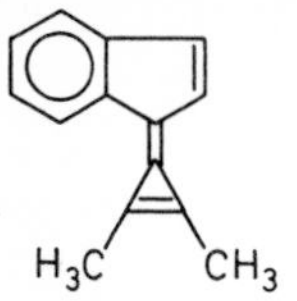

| 7,8-Dimethyl-⟨benzo-cali-cen⟩[1]; I | 9-(Dimethyl-cyclo-propenyliden)-fluoren[2]; II | 5,6-Dimethyl-1,2,3,4-tetraphenyl-calicen[3]; III | IV [4] |

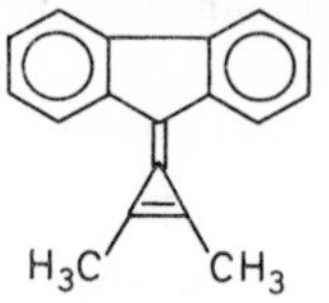

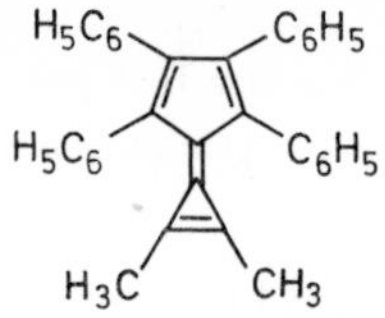

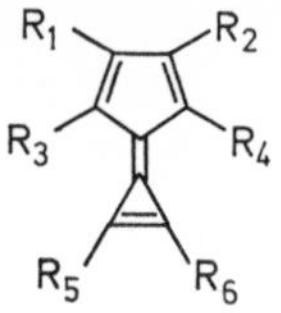

IV

$R_1 = R_2 = COOCH_3$ $R_3 = R_4 = H$ $R_5 = R_6 = C_3H_7$	}	5,6-Dipropyl-calicen-2,3-dicarbonsäure-dimethylester	$R_1 = R_3 = H$ $R_2 = R_4 = COOCH_3$ $R_5 = R_6 = C_3H_7$	}	5,6-Dipropyl-calicen-1,2-di-carbonsäure-di-methylester
$R_1 = R_2 = COOCH_3$ $R_3 = R_4 = H$ $R_5 = R_6 = C_6H_5$	}	5,6-Diphenyl-calicen-2,3-dicarbonsäure-dimethylester	$R_1 = R_3 = H$ $R_2 = R_4 = CO—C_6H_5$ $R_5 = R_6 = C_6H_5$	}	5,6-Diphenyl-1,2-dibenzoyl-calicen
$R_1 = R_2 = CO—C_6H_5$ $R_3 = R_4 = H$ $R_5 = R_6 = C_3H_7$	}	5,6-Dipropyl-2,3-dibenzoyl-calicen	$R_1 = R_2 = R_3 = H$ $R_4 = CHO$ $R_5 = R_6 = C_3H_7$	}	5,6-Dipropyl-1-formyl-calicen
$R_1 = R_2 = R_3 = R_4 = Cl$ $R_5 = R_6 = C_3H_7$	}	Tetrachlor-5,6-dipropyl-calicen			

In Methode ⓑ (S. 759) wird die **Kondensation** des Cyclopropenons mit dem entsprechenden Cyclopentadien häufig in **Essigsäureanhydrid** durchgeführt. Nach diesem Verfahren können u.a. die nachfolgenden Calicen-Derivate hergestellt werden[5,6]:

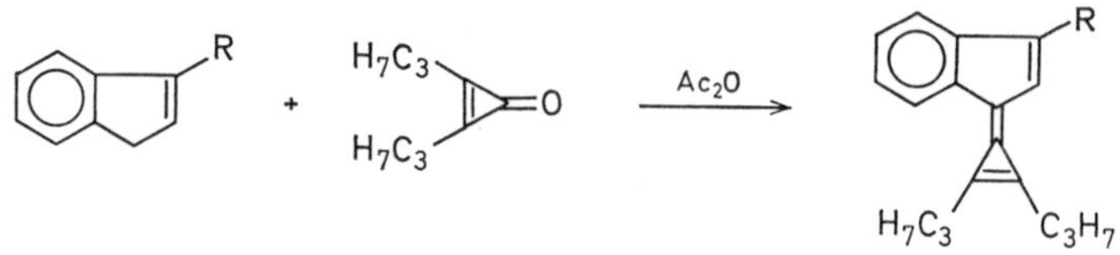

VII a; R = $COOCH_3$;	7,8-Dipropyl-2-methoxycarbonyl-⟨benzocalicen⟩
VII b; R = $COOC_2H_5$;	7,8-Dipropyl-2-äthoxycarbonyl-⟨benzocalicen⟩
VII c; R = CN;	7,8-Dipropyl-2-cyan-⟨benzocalicen⟩

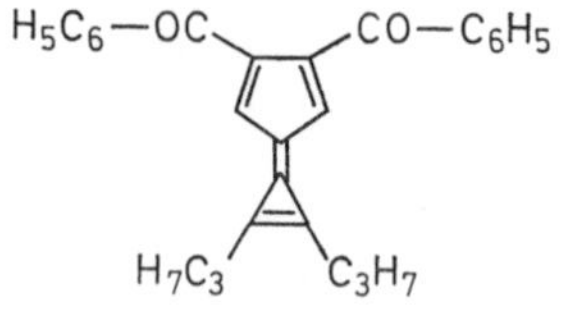

5,6-Dipropyl-2,3-dibenzoyl-calicen; VIII

[1] H. Prinzbach, D. Seip, u. U. Fischer, Ang. Ch. **77**, 258 (1965).

[2] H. Prinzbach u. U. Fischer, Ang. Ch. **77**, 621 (1965).

(Fortsetzung s. S. 761)

7,8-Dipropyl-2-methoxycarbonyl-⟨benzocalicen⟩ (VIIa, S. 760)[1,2]: 8,65 g 1-Methoxycarbonyl-inden werden mit 7,60 g Dipropyl-cyclopropenon in 40 *ml* Essigsäureanhydrid bei 123 ± 3° unter Stickstoff 3 Stdn. gerührt. Danach läßt man bei Zimmertemp. über Nacht stehen, saugt dann den kristallinen Niederschlag ab und wäscht gründlich mit Petroläther (Kp: 30—60°); Ausbeute: 2,27 g (15% d. Th.); F: 156—158° (F: 157—158°, aus Essigsäure-äthylester).

Nach der Kondensationsmethode kann auch *Tetrachlor-5,6-diphenyl-calicen* (IX) aus Tetrachlor-cyclopentadien und Diphenyl-cyclopropenon unter verschiedenen Reaktionsbedingungen gewonnen werden[3-5]:

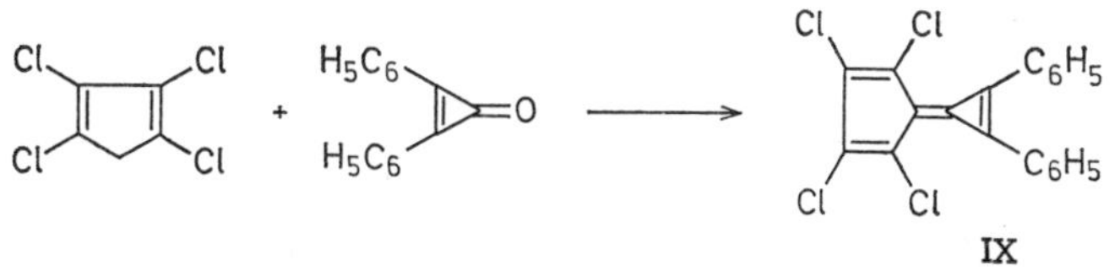

Tetrachlor-5,6-diphenyl-calicen (IX)[3,4]: 8,55 g Diphenyl-cyclopropenon und 3,45 g Tetrachlor-cyclopentadien läßt man in 150 *ml* absol. Methanol bei Zimmertemp. stehen. Nach 3 Tagen beträgt die Menge des ausgefallenen Niederschlages 3,50 g, nach weiteren 7 Tagen nochmals 2,55 g; Gesamtausbeute 6,05 g (37% d. Th.); gelbe, glitzernde Nadeln; F: 197° (Zers.) (aus Butanol oder 1-Methyl-cyclohexanol).

B. Umwandlung

Methylen-cyclopropene sind schwache Basen. Mit Mineralsäuren werden sie daher in die entsprechenden Cyclopropenylium-Kationen durch Anlagerung eines Protons an die terminale Methylen-Gruppe überführt[3,6-8].

Die Methylen-cyclopropen-Derivate I und II (S. 762) reagieren langsam aber quantitativ mit 1 Äquivalent Chlor unter Bildung der Dichlor-Verbindungen III bzw. IV, für die nach spektroskopischen Befunden eine gewisse Landungsdelokali-

---

[1] A. S. KENDE u. P. T. IZZO, Am. Soc. **87**, 1609 (1965).

[2] A. S. KENDE u. P. T. IZZO, Am. Soc. **87**, 4162 (1965).

[3] M. UENO, I. MURATA u. Y. KITAHARA, Tetrahedron Letters **1965**, 2967.

[4] E. D. BERGMANN u. I. AGRANAT, Tetrahedron **22**, 1275 (1966).

[5] J. CIABATTONI u. G. A. BERCHTOLD, J. Org. Chem. **31**, 1336 (1966).

[6] M. A. BATTISTE, Am. Soc. **86**, 942 (1964).

[7] E. D. BERGMANN u. I. AGRANAT, Am. Soc. **86**, 3587 (1964).

[8] W. M. JONES u. J. M. DENHAM, Am. Soc. **86**, 944 (1964).

(Fortsetzung v. S. 760)

[3] H. PRINZBACH u. U. FISCHER, Ang. Ch. **78**, 642 (1966).

[4] A. S. KENDE, P. T. IZZO u. P. T. MACGREGOR, Am. Soc. **88**, 3359 (1966).

[5] A. S. KENDE u. P. T. IZZO. Am. Soc. **87**, 1609 (1965).

[6] A. S. KENDE u. P. T. IZZO, Am. Soc. **87**, 4162 (1965).

sierung in die Phenylringe angenommen werden muß[1]. Mit Zink erfolgt rasche Dechlorierung:

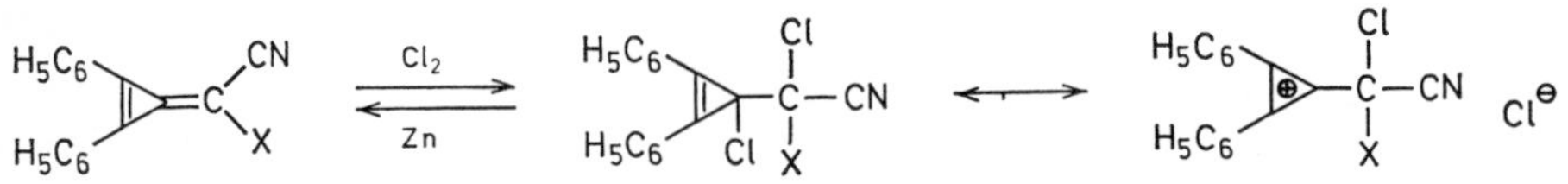

I; X = CN
II; X = COOC$_2$H$_5$

III ; IV

Die Benzocalicen-Derivate Va u. b reagieren unmittelbar mit Brom in kaltem Chloroform oder mit N-Brom-succinimid unter Bildung der monosubstituierten kristallinen Brom-Verbindungen[2] VIa u. b. Diese leichte Substitution des fünfgliedrigen Ringes bei der Bromierung ließ sich hier nicht auf andere Elektrophile übertragen. Dieses Reaktionsverhalten sowie die Auffindung einer „anomalen Vielsmeier-Haack"-Reaktion kennzeichnen die thermodynamische Stabilität des delokalisierten π-Elektronensystems in den Benzocalicenen[2].

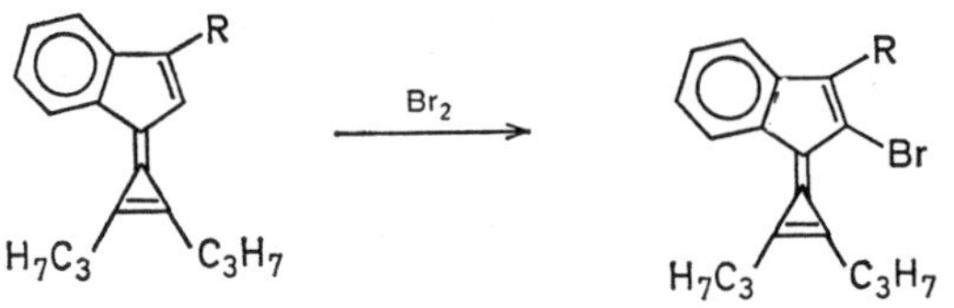

V; a) R = COOCH$_3$
   b) R = COOC$_2$H$_5$

2-Brom-7,8-dipropyl-3-methoxy-carbonyl-(bzw.
-3-äthoxycarbonyl)-⟨benzocalicen⟩; VIa bzw. VIb

Das Methylen-cyclopropen-Derivat VII liefert mit Tetracyan-äthylen ein Cycloadditionsprodukt der Struktur VIII (*Diphenyl-cyclopropen-⟨spiro-1⟩-2, 2,3,3-tetracyan-cyclobutan-4-carbonsäure-äthylester*)[3]. Mit Acetylen-dicarbonsäure-diester konnte keine Reaktion festgestellt werden.

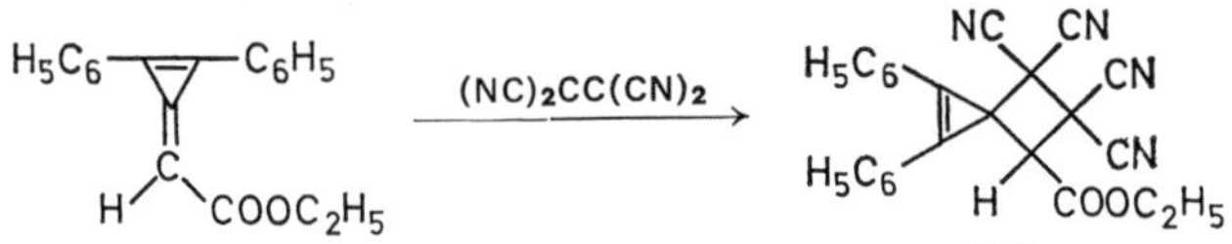

VII

VIII

Im Gegensatz dazu konnte von dem Benzocalicen-Derivat (I, S. 763) mit Acetylen-dicarbonsäure-diester ein Reaktionsgemisch erhalten werden, für dessen Bildung verschiedene Wege diskutiert wurden[2] (s. S. 763).

9-(Dimethyl-cyclopropenyliden)-fluoren sowie 5,6-Dimethyl-1,2,3,4-tetraphenyl-calicen reagieren rasch mit Sauerstoff[4,5], wobei es unter Öffnung des Dreiringes zur Bildung der entsprechenden Ringketone kommt.

[1] S. ANDREADES, Am. Soc. **87**, 3941 (1965).
[2] A. S. KENDE u. P. T. IZZO, Am. Soc. **87**, 4162 (1965).
[3] M. A. BATTISTE, Am. Soc. **86**, 942 (1964).
[4] H. PRINZBACH u. U. FISCHER, Chimia **20**, 156 (1966).
[5] H. PRINZBACH u. U. FISCHER, Ang. Ch. **78**, 642 (1966).

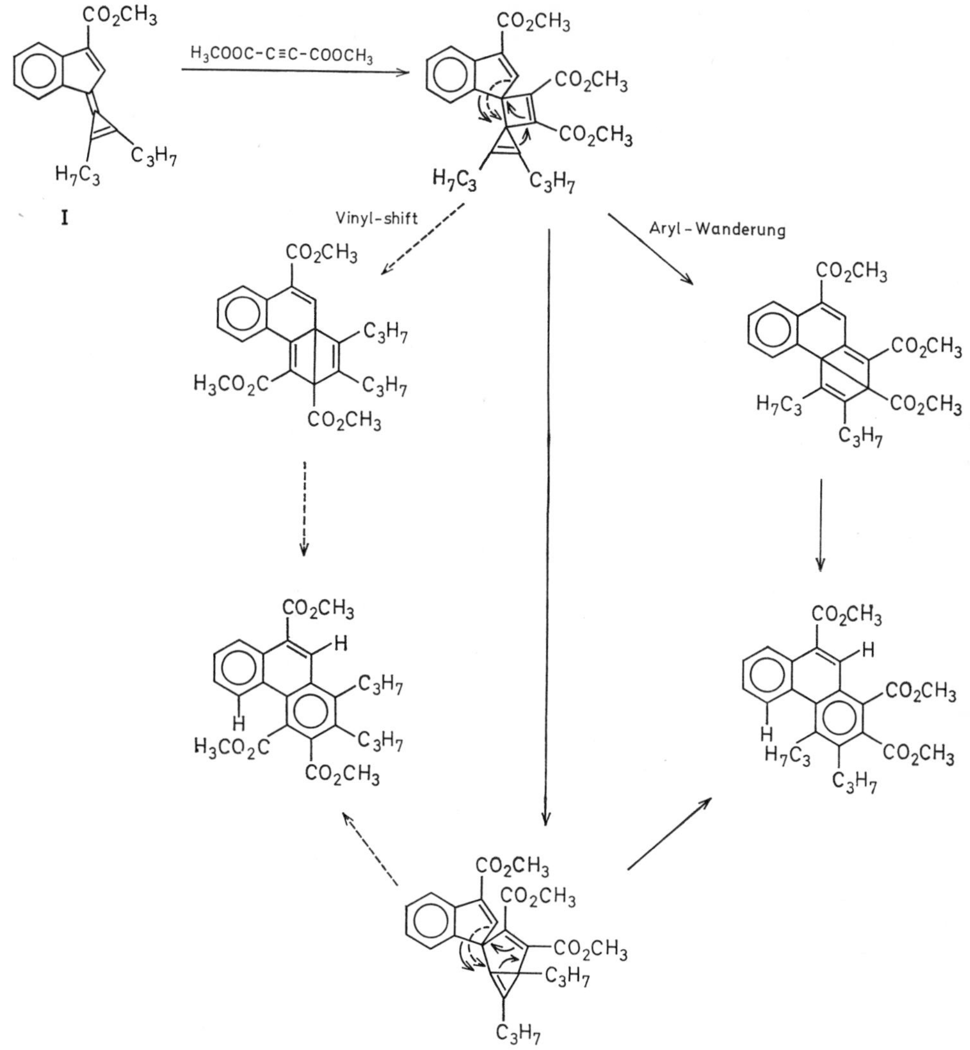

$H_3COOC-C\equiv C-COOCH_3$

CO_2CH_3

C_3H_7

H_7C_3

I

Vinyl-shift

Aryl-Wanderung

CO_2CH_3 CO_2CH_3 C_3H_7 C_3H_7 H_3CO_2C CO_2CH_3

CO_2CH_3 CO_2CH_3 H_7C_3 C_3H_7

CO_2CH_3 H C_3H_7 C_3H_7 H H_3CO_2C CO_2CH_3

CO_2CH_3 H CO_2CH_3 H H_7C_3 C_3H_7 CO_2CH_3

CO_2CH_3 CO_2CH_3 CO_2CH_3 C_3H_7 C_3H_7

Durch Diels-Alder-Reaktion[1] von 1-Diäthylamino-butadien mit 9-(Dimethyl-cyclo-propenyliden)-fluoren II entsteht über das Addukt III das stabile *2,7-Dimethyl-1-fluorenyliden-norcaradien* (IV):

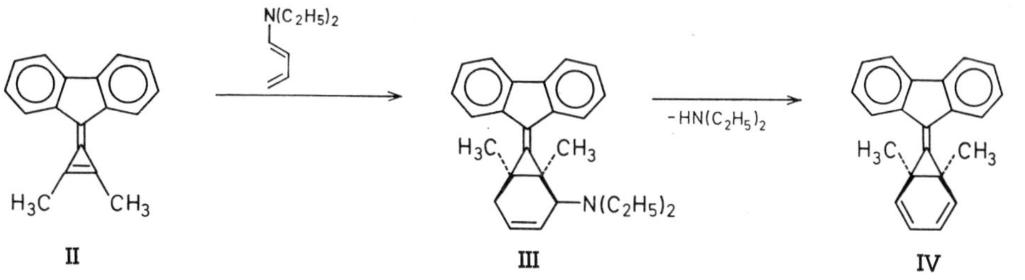

$N(C_2H_5)_2$

H_3C CH_3

II

H_3C CH_3 $N(C_2H_5)_2$

III

$-HN(C_2H_5)_2$

H_3C CH_3

IV

[1] H. Prinzbach et al., Ang. Ch. **78**, 268 (1966).

c) Cyclopropenylium-Verbindungen

Obgleich manche der Herstellungsmethoden, wie etwa die Decarbonylierung der Cyclopropen-carbonsäuren (s. S. 771 f.) und die Hydrid-Abstraktion mit Triphenyl-methyl-perchlorat (s. S. 771 ff.), deutliche Hinweise auf die Stabilität des Cyclopropenylium-Kations geben, erbringen doch erst die physikalischen bzw. physikalisch-chemischen Untersuchungen den definitiven Beweis für das symmetrische Kation.

Löslichkeit

Alle bekannten Cyclopropenylium-Verbindungen, sowohl die aromatisch als auch die aliphatisch substituierten, sind ausschließlich in stark polaren Lösungsmitteln wie Alkoholen, Acetonitril, Dimethylformamid oder wäßrigen Säuren löslich; sie sind unlöslich in Solventien wie Diäthyläther, Chloroform oder Benzol. Im Gegensatz dazu sind die kovalenten Cyclopropen-Derivate, z. B. 1,2,3-Triphenyl-3-cyan-cyclopropen (s. S. 769), löslich in Benzol. Im Falle der Cyclopropenylium-chloride und -bromide wird mit äthanolischer Silbernitrat-Lösung ein Niederschlag erhalten. Das erwähnte Carbonsäure-nitril zeigt keine Silbernitrat-Reaktion[1,2].

Röntgenstrukturanalyse

Die am 1,2,3-Triphenyl-cyclopropenylium-perchlorat durchgeführte Röntgenstrukturanalyse[3] zeigt eindeutig, daß die monoklinen Kristalle (Raumgruppe P2₁/c) der Verbindung aus *Triphenyl-cyclopropenylium*-Kationen und *Perchlorat*-Anionen bestehen. Das Triphenyl-cyclopropenylium-Kation ist nicht planar; die Phenylringe sind aus der Ebene herausgedreht und bilden eine propeller-ähnliche Anordnung mit Winkeln von 7,6, 12,1 und 21,2° zur Ebene des carbocyclischen Dreiringes. Alle C—C-Abstände des Dreiringes sind innerhalb der Fehlergrenze gleich. Mit 1,373 ± 0,005 Å sind damit diese Bindungen bemerkenswert kleiner als im Benzol. Der Mittelwert von 1,436 Å für die exocyclische Einfachbindung ist ebenfalls wesentlich kleiner als der Wert für normale C(sp²)–C(sp²)-Einfachbindungen. Diese Bindungsverkürzung ist etwa vergleichbar mit der zentralen C—C-Bindung im Butadien (1,48 Å)[4] oder Biphenyl (1,48 Å)[5]. Wegen der Nicht-Planarität des Kations dürfte die beschriebene Bindungsverkürzung vermutlich in erster Linie auf eine Änderung der Hybridisierung und erst sekundär auf einen durch Mesomerie hervorgerufenen Mehrfachbindungscharakter zurückzuführen sein[6]. Die Triphenyl-cyclopropenylium- und Perchlorat-Ionen sind zick-zack-artig entlang der b-Achse angeordnet. Die Kationen sind sandwich-artig zwischen den Anionen gelagert; die Anionen sind von Paaren von Kationen umgeben. Die kürzesten intermolekularen Kontakte bestehen zwischen den Sauerstoffatomen der Perchlorat-Ionen und den formal positiven Kohlenstoffatomen des carbocyclischen Dreiringes. Ermittelte Konstanten für die Einheitszelle: a = 9,960 ± 0,001, b = 12,069 ± 0,003, c = 17,285 ± 0,004 und β = 120° 50′ ± 2′ (Cu Kα = 1,5418 Å).

Spektroskopische Befunde

Molecular-Orbital-Berechnungen lassen hohe elektronische Anregungsenergien für Cyclopropenylium-Kationen erwarten. Nach einer einfachen Hückel-Behandlung wäre eine Anregungsenergie von 3β für den π-π*-Übergang notwendig. Obwohl der echte Wert von β noch

[1] R. Breslow, Am. Soc. **79**, 5318 (1957).
[2] R. Breslow u. C. Yuan, Am. Soc. **80**, 5991 (1958).
[3] M. Sundaralingam u. L. H. Jensen, Am. Soc. **88**, 198 (1966); vgl. a.: **85**, 3302 (1963).
[4] A. Almenningen, O. Bestiansen u. T. Munthe-Kaas, Acta chem. scand. **12**, 1221 (1958).
[5] O. Bestiansen u. M. Traetteberg, Tetrahedron **17**, 147 (1962).
[6] Vgl. hierzu: „Epistologue on the Effect of Environment on the Properties of Carbon Bonds"; organisiert durch M. J. S. Dewar, Tetrahedron **17**, 123–266 (1962).

Gegenstand von verschiedenen Diskussionen ist[1], darf man erwarten, daß der π—π*-Übergang des Cyclopropenylium-Kations im Vergleich zum Äthylen bei sehr kurzen Wellenlängen, d.h. unterhalb von 190 mμ auftreten sollte. Komplexere Berechnungsverfahren[2,3] sprechen für Singulett-Anregungsenergien zwischen 8,25 und 10,09 eV, d.h. die Spektrenübergänge würden weit im Vakuum-Ultraviolett liegen. In der Tat zeigen die alkyl-substituierten Cyclopropenylium-Kationen im Gegensatz zu Cyclopropenen[4] keine Absorption im ultravioletten Bereich[5] oberhalb 185 mμ. Die UV-Spektren von einer Vielzahl von aryl-substituierten Cyclopropenylium-Verbindungen sind beschrieben worden[6-11]. Im Fall des *Triphenyl-cyclopropenylium*-Kations ähneln die Absorptionschrakteristika sehr denen des entsprechenden kovalenten Cyclopropens mit Ausnahme einer geringen Verschiebung einiger und einem Intensitätsunterschied. Die Überprüfung der UV-Spektren der *Diphenyl-(4-methoxy-phenyl)-*; *Phenyl-bis-[4-methoxy-phenyl]-* bzw. *Tris-[4-methoxy-phenyl]-cyclopropenylium*-Kationen ergaben, daß beträchtliche Rot-Verschiebungen gegenüber den entsprechenden kovalenten Äthern vorlagen. Das Triphenyl-cyclopropenylium-Kation muß also bezüglich der UV-Absorption als Ausnahme betrachtet werden[8].

Erste infrarot-spektroskopische Daten von einigen Cyclopropenylium-Verbindungen deuteten darauf hin, daß eine Bande zwischen 1400 und 1430 cm^{-1}, deren Lage stark von den Substituenten abhängt, dem Cyclopropenylium-System zuzuordnen ist[12,13]. Die große Ähnlichkeit und die Bandenarmut der IR-Spektren von *Trichlor-cyclopropenylium-tetrachloroaluminat* und *-hexachloroantimonat* wird als Beweis für die hohe Symmetrie des C_3Cl_3-Kations gewertet[14]. Nach neueren Untersuchungen[15], die IR-Spektroskopie, Raman-Spektroskopie und Normalkoordinaten-Analysen einschließen, können die Ergebnisse für Trichlor- bzw. Tribrom-cyclopropenylium-Kationen in Form der Tetrachloro- bzw. Tetrabromo-aluminate als gesichert gelten:

Planariät (Symmetriegruppe : D_{3h})
IR-Charakteristika:
$C_3Cl_3^{\oplus}$: E'-Typen bei 1312 und 735 cm^{-1}
$C_3Br_3^{\oplus}$: E'-Typen bei 1276 und 575 cm^{-1}
K_{C-C} (C—C Streck-Kraftkonstante) = 6,3 mdynes/A

Aufgrund dieser Daten muß die Bande zwischen 1400 und 1430 cm^{-1}, die bei alkyl- und aryl-substituierten Cyclopropenylium-Verbindungen gefunden wurde[12,13], ebenfalls einem charakteristischen E'-Typ zugeordnet werden. Damit konnte auch für das unsubstituierte Cyclopropenylium-Kation das Infrarot-Spektrum[16] charakterisiert werden:

$C_3H_3^{\oplus}$ (Anion : $SbCl_6^{\ominus}$((Nujol; CCl_4)
3105 und 908 cm^{-1} = Frequenzen für Streck- und Deformationsschwingungen
1276 und 738 cm^{-1} = Skelettschwingungsfrequenzen vom E'-Typ

Mehr als die UV- und IR-Spektren gestatten die Kernresonanzspektren informative Einblicke in die Bindungsverhältnisse von Cyclopropenylium-Verbindungen[11,12,16-18], da eine weitgehend lineare Korrespondenz zwischen der chemischen

[1] Vgl. hierzu: A. STREITWIESER, *Molecular Orbital Theory for Organic Chemists*, Wiley, New York 1961.
[2] H. C. LONGUET-HIGGINS u. K. L. McEWEN, J. Chem. Physics 26, 719 (1957).
[3] N. BOUMAN, J. Chem. Physics 35, 1661 (1961).
[4] K. B. WIBERG u. B. J. NIST, Am. Soc. 83, 1226 (1961).
[5] R. BRESLOW et al., Am. Soc. 84, 3168 (1962).
[6] R. BRESLOW, Am. Soc. 79, 5318 (1957).
[7] R. BRESLOW u. C. YUAN, Am. Soc. 80, 5991 (1958).
[8] D. G. FARNUM u. M. BURR, Am. Soc. 82, 2651 (1960).
[9] R. BRESLOW u. H. W. CHANG, Am. Soc. 83, 2367 (1961).
[10] R. BRESLOW et al., Am. Soc. 83, 2375 (1961).
[11] A. S. KENDE, Am. Soc. 85, 1882 (1963).
[12] R. BRESLOW, H. HÖVER u. H. W. CHANG, Am. Soc. 84, 3168 (1962).
[13] J. CHATT u. R. G. GUY, Chem. & Ind. 1963, 212.
[14] S. W. TOBEY u. R. WEST, Am. Soc. 86, 1459 (1964).
[15] R. WEST, A. SADO u. S. W. TOBEY, Am. Soc. 88, 2488 (1966).
[16] R. BRESLOW, J. T. GROVES u. G. RYAN, Am. Soc. 89, 5048 (1967).
[17] R. BRESLOW u. H. HÖVER, Am. Soc. 82, 2651 (1960).
[18] D. G. FARNUM, G. MEHTA u. R. G. SILBERMAN, Am. Soc. 89, 5048 (1967).

Verschiebung aromatischer Protonen und der π-Elektronendichte pro Kohlenstoffatom des jeweiligen aromatischen Systems abgeleitet werden kann[1]; Abb. 1 zeigt eine diesbezügliche graphische Darstellung.

Die für Cyclopropenylium-Ionen ermittelten Daten fügen sich sehr gut in diese Beziehung ein und weisen damit das Cyclopropenylium-Kation im Sinne der Hückel-Regel (4n + 2; n = 0) als aromatisch aus. Diese überraschend gute Übereinstimmung mit den Erwartungen aus der Schaefer-Schneider-Beziehung hat möglicherweise darin ihre Ursache, daß sich die Einflüsse des im Vergleich zum Benzol sicher geringeren Ringstroms und der im carbocyclischen Dreiring veränderten Hybridisierung auf die Lage der Protonenresonanzen gerade kompensieren könnten, so daß allein der Einfluß der π-Elektronendichte pro C-Atom entscheidend ins Gewicht fiele.

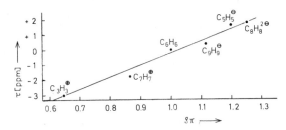

Abb. 1. Chemische Verschiebungen aromatischer Protonen τ in [ppm], relativ zu Benzol, als Funktion der π-Elektronendichte ϱ_π pro Kohlenstoffatom[2].

Von Interesse war vor allem das Kernresonanzspektrum des unsubstituierten-Cyclopropenylium-Kations. Bei der Synthese geht man von 3-Chlor-cyclopropen (I) aus[3]. Bei + 40° zeigt das Kernresonanzspektrum von I in Tetrachlormethan ein Dublett bei 2,43 τ für zwei Protonen und ein Triplett für ein Proton bei 5,77 τ (J = 1,5 Hz). Bei −40° in Schwefeldioxid bewegt sich das Chlor schnell von einem zum anderen Kohlenstoffatom, vermutlich als Folge einer reversiblen Ionisierung zum *Cyclopropenylium*-Kation. Man beobachtet im NMR-Spektrum bei dieser Temp. daher nur eine einzige scharfe Linie bei 3,28 τ, der ungefähren Lage des Gewichtsmittels. In Acetonitril ist die Austauschrate geringer und man kann die Verbreiterungserscheinungen der Signale Cyclopropenylium während der Registrierung des Spektrums verfolgen. ΔH muß für diesen Vorgang einen sehr kleinen Wert haben, da das NMR-Spektrum im Temperaturbereich zwischen −40 und + 40° unaufgelöst bleibt. Das Kernresonanzspektrum von *Cyclopropenylium-hexachlorantimonat* in Acetonitril [mit Antimon(V)-chlorid] zeigt ein Singulett bei −1,1 τ mit Singulett-^{13}C-Satelliten (Halbwertsbreite = 0,75 Hz; $J_{^{13}C-^{1}H}$ = 265 Hz). Der gemessene Wert für die ^{13}C-^{1}H-Kopplung ist größer als die entsprechenden Werte von Cyclopropenen und Cyclopropenonen[4] in Analogie zu anderen Carbonium-Ionen[5]. In Fluorsulfonsäure erscheint das Singulett[6] bei −0,87 τ.

Aber auch die Kernresonanzspektren der Substituenten am Cyclopropenylium-System führten zu interessanten Informationen. Sie ließen so den Schluß zu, daß im *Tripropyl-* und *Dipropyl-cyclopropenylium*-Kation alle Propyl-Gruppen gleich sind, daß offensichtlich alle Cyclopropenylium-Salze, unabhängig von der Art des Substituenten, eine weitgehend ähnliche Ladungsverteilung besitzen und daß selbst bei den phenylsubstituierten Cyclopropenylium-Kationen nicht beträchtlich viel von der positiven Ladung über die Phenylringe ausgebreitet ist[7].

[1] T. Schaefer u. W. G. Schneider, Canad. J. Chem. **41**, 966 (1963).

[2] H. Spiesecke u. W. G. Schneider, Tetrahedron Letters **1961**, 468.

[3] R. Breslow, J. T. Groves u. G. Ryan, Am. Soc. **89**, 5048 (1967).

[4] R. Breslow u. G. Ryan, Am. Soc. **89**, 3073 (1967).

[5] Vgl. etwa: G. Olah et al., Am. Soc. **86**, 1360 (1964).

[6] Vgl. a. D. G. Farnum, G. Mehta u. R. G. Silberman, Am. Soc. **89**, 5048 (1967).

[7] R. Breslow, H. Höver u. H. W. Chang, Am. Soc. **84**, 3168 (1962).

Das Modell für den Ringstrom-Effekt[1] zur Analyse der Kernresonanzspektren des *Diphenyl-* und *Triphenyl-cyclopropenylium*-Kations erbringt weitere Sicherung. Ringstrom-Effekte und Ladungsanteile als Beiträge zur chemischen Verschiebung der ortho-, meta- und para-ständigen Protonen im Diphenyl- und Triphenyl-cyclopropenylium-Ion wurden berechnet. Beim Diphenyl-Ion werden ~ 5–10% mehr an positiver Ladung auf die aromatischen Ringe übertragen als beim Triphenyl-cyclopropenylium-Kation. Diese nur geringe Differenz steht in Einklang mit der Beobachtung, daß Phenyl-Gruppen nur unwesentlich zur thermodynamischen Stabilität des Cyclopropenylium-Ions beitragen[2]. Von Interesse ist in diesem Zusammenhang auch die große Verschiebung der ortho-Protonen nach tieferem Feld und die benachbarte Lage der Resonanzstellen der meta- und para-ständigen Protonen. Eine derartige Anordnung ähnelt eher der des Nitrobenzols[3] als der des stärker delokalisierten Phenyl-dimethyl-carbonium-Ions[4]. Das Erscheinen der para-ständigen Protonen nach Korrektur (korrigierte chemische Verschiebungen bedeuten hier die Differenzen zwischen den beobachteten chemischen Verschiebungen und den Verschiebungen durch Ringstromeffekte) für das Diphenyl- und Triphenyl-cyclopropenylium-Kation bei 1,97 und 2,03 τ, d.h. bei höherem Feld als die des Diphenyl-hydroxy-carbenium-Ions (1,85 τ) und des Phenyl-dihydroxy-carbenium-Ions (1,94 τ)[4], zeigt, daß der π-Elektronenanspruch des Cyclopropenylium-Ions auf die Phenylringe geringer ist als beim entsprechenden Mono- und Dihydroxycarbenium-Ion. Durch dieses Ergebnis wird die Stabilität dieses geschlossenen π-Elektronensystems nachdrücklich betont.

Cyclopropenylium-Cyclopropenol-Gleichgewichte

Aufschlüsse über den Einfluß von Substituenten auf die Stabilität von Cyclopropenylium-Ionen konnten vor allem durch pK-Messungen des Gleichgewichts I ⇌ II erhalten werden:

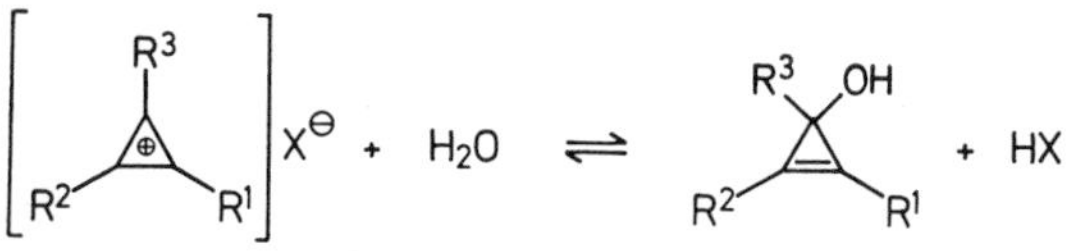

Tabelle 15 (S. 768) zeigt einige diesbezügliche Werte für Cyclopropenylium-Verbindungen. Aus den Daten werden zwei wichtige Einflüsse sichtbar:

① Cyclopropenylium-Kationen werden effektvoller durch Propyl- als durch Phenyl-Gruppen stabilisiert

② die kovalenten Carbinole werden offenbar besser durch Phenyl-Substituenten als durch Propyl-Reste stabilisiert.

Benutzt man pK-Werte zur Abschätzung von Substituenten-Einflüssen bezüglich der Stabilität, so muß man die Substituenten-Effekte sowohl auf das Kation als auch auf das Carbinol studieren, da der pK-Wert von der Differenz der freien Energien von Kation und Carbinol abhängig ist. Die Propyl-Gruppen stabilisieren offenbar das Cyclopropenylium-Ion durch einen induktiven Effekt in Analogie zur Erhöhung des pK-Wertes des Tropylium-Kations durch eine Methyl-Gruppe[5]. Wegen der höheren Ladungsdichte ist beim Cyclopropenylium-Kation dieser Stabilisierungs-Effekt noch wesentlich stärker ausgeprägt als beim Tropylium-Ion. Wichtig ist die Tatsache, daß auch Phenyl-Substituenten das Cyclopropenylium-Kation stabilisieren können, wie sich aus dem Vergleich der pK-Werte des *Diphenyl-* und *Triphenyl-cyclopropenylium*-Kations erkennen läßt.

---

[1] D. G. FARNUM u. C. F. WILCOX, Am. Soc. **89**, 5379 (1967).

[2] R. BRESLOW et al., Am. Soc. **84**, 3168 (1962).

[3] Vgl. etwa: H. SPIESECKE u. W. G. SCNHEIDER, J. Chem. Physics **35**, 731 (1961).

[4] Vgl. etwa: G. A. OLAH, Am. Soc. **86**, 932 (1964).

D. G. FARNUM, Am. Soc. **86**, 934 (1964).

[5] K. CONROW, Am. Soc. **83**, 2343 (1961).

Tab. 15. pK-Werte einiger Cyclopropenylium-Salze[1-4]

Substituenten am Kation	Anion	$pK_{R\oplus}$	Medium	Be-stimmungs-methode
Dipropyl	$ClO_4^\ominus$	2,7	A	a
Tripropyl	$ClO_4^\ominus$	7,2	A	a
Diphenyl	$Br^\ominus$	−0,67	B	b
Triphenyl	$Br^\ominus$	3,1	A	a
	$Br^\ominus$	2,8	B	b
Propyl-diphenyl . . .	$BF_4^\ominus$	3,8	B	b
Diphenyl-(4-methoxy-phenyl)-	$Br^\ominus$	4,0	B	b
Phenyl-bis-[4-methoxy-phenyl]-	$Br^\ominus$	5,2	A	a
	$Br^\ominus$	5,2	B	b
Tris-[4-methoxy-phenyl]	$Br^\ominus$	6,5	A	a
	$Br^\ominus$	6,4	B	b

A = 50%-iges wäßr. Acetonitril   a = potentiometrische Titration
B = 23%-iges wäßr. Äthanol   b = spektrophotometrische Titration.

Hierfür muß im wesentlichen ein mesomerer Effekt verantwortlich gemacht werden, da ein induktiver Effekt, wie er vergleichsweise beim Phenyl[5]- und Heptaphenyl[6]-tropylium-Kation überwiegt, den pK-Wert erniedrigen müßte. Ein Vergleich der Kationen mit den entsprechenden Radikalen[7,8] oder auch Anionen[9,10] zeigt jedoch, daß diese Mesomerie-Stabilisierung nicht ausschließlich für die Stabilisierung der phenyl-substituierten Cyclopropenylium-Kationen verantwortlich gemacht werden kann. Obwohl es sehr schwierig ist, die effektive Größe des Konjugationseffektes in phenyl-substituierten Cyclopropenylium-Kationen abzuschätzen, darf man annehmen, daß kein hoher Ladungsbetrag vom carbocyclischen Dreiring abgezogen wird, wie pK- und NMR-Messungen sowie Vergleiche mit den (4-Methoxy-phenyl)-cyclopropenylium-Kationen gezeigt haben[11].

Bezüglich seiner Stabilität[12] findet man das *Triphenyl-cyclopropenylium*-Kation auf dem zweiten Platz der folgenden Stabilitätsreihe[13]:

Tropylium > Triphenyl-cyclopropenylium > Perinaphthenylium
Tris-[4-methoxy-phenyl]-methylkation > Triphenyl-methylkation

[1] R. Breslow u. H. W. Chang, Am. Soc. 83, 2367 (1961).
[2] R. Breslow, J. Lockhart u. H. W. Chang, Am. Soc. 83, 2375 (1961).
[3] R. Breslow u. H. Höver, Am. Soc. 82, 2644 (1960).
[4] R. Breslow, H. Höver u. H. W. Chang, Am. Soc. 84, 3168 (1962).
[5] C. Jutz u. F. Voithenleitner, B. 97, 29 (1964).
[6] M. A. Battiste, Am. Soc. 83, 4101 (1961).
[7] R. Breslow u. P. Gal, Am. Soc. 81, 4747 (1959).
[8] R. Breslow et al., Am. Soc. 83, 1763 (1961).
[9] R. Breslow u. M. Battiste, Chem. & Ind. 1958, 1143.
[10] R. Breslow u. P. Dowd, Am. Soc. 85, 2729 (1963).
[11] R. Breslow et al., Am. Soc. 84, 3168 (1962).
[12] Die pK-Werte einiger Cyclopropenylium-Verbindungen sind u. a. auch als Prüfstein für die Genauigkeit von MO-Berechnungen verwendet worden. Dabei bestehen große Schwierigkeiten bezüglich der Abschätzung der zusätzlichen Spannungsenergie, die durch die Ionisation eingeführt wird. Im Vergleich zu kovalenten Cyclopropan-Derivaten müssen die Cyclopropenylium-Kationen viel stärker gespannt sein, da der Wechsel in der Geometrie die Verkleinerung von zwei Bindungswinkeln und die Aufweitung nur eines Winkels beinhaltet.

(Fortsetzung s. S. 769)

A. Herstellung

Cyclopropenylium-Salze erhält man allgemein aus 3-X-substituierten Cyclopropenen (X = CN, OR, Hal) mit Bortrifluorid-ätherat. Diphenylacetylen (I) wird mit Phenyl-diazoacetonitril (II) zu 1,2,3-Triphenyl-3-cyan-cyclopropen (III) umgesetzt, das mit feuchtem Bortrifluorid-ätherat behandelt, das gemischte *Tetrafluoroborat/Hydroxyfluoroborat* des *1,2,3-Triphenyl-cyclopropenylium*-Kations (IV) liefert[1,2]:

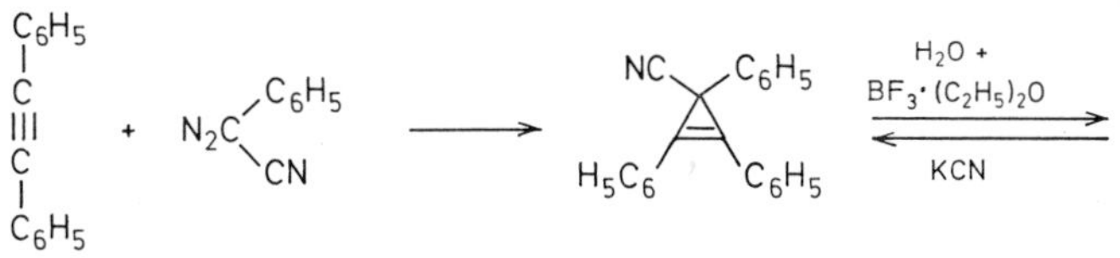

Bei Behandlung von IV mit Methanol entsteht 3-Methoxy-1,2,3-triphenyl-cyclopropen (V), das ein geeignetes Ausgangsmaterial für weitere Cyclopropenylium-Verbindungen darstellt. So kann man aus V mit wasserfreiem Bromwasserstoff das entsprechende *Triphenyl-cyclopropenylium-bromid* erhalten[2].

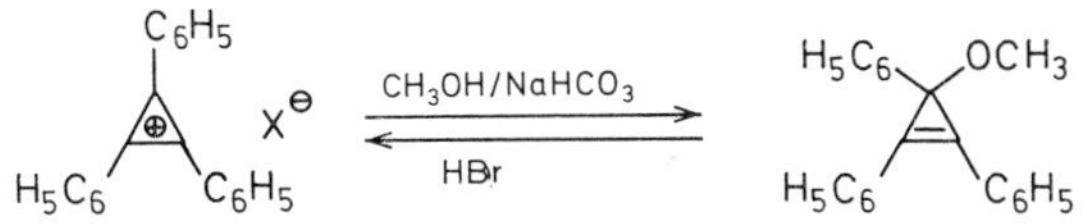

Einige andere triaryl-substituierte Cyclopropenylium-Salze[3,4] und das Diphenyl-cyclopropenylium-Kation[5] werden direkt durch Aryl-chlor-carben-Addition an Diarylalkine oder Phenylacetylen synthetisiert.

Triphenyl-cyclopropenylium-fluoroborat/-hydroxofluoroborat[2]:

α-Phenyl-diazoacetonitril: Eine Mischung von 30 g Kaliumcyanid, 25 g Ammoniumchlorid, 50 g Benzaldehyd und 100 *ml* Methanol in 200 *ml* Wasser wird bei Raumtemp. 7 Stdn. stehen gelassen. Das ölige Produkt wird gesammelt und das Methanol i. Vak. bei Zimmertemp.

---

[1] R. Breslow, Am. Soc. **79**, 5318 (1957).
[2] R. Breslow u. C. Yuan, Am. Soc. **80**, 5991 (1958).
[3] R. Breslow u. H. W. Chang, Am. Soc. **83**, 2367 (1961).
[4] A. S. Kende, Am. Soc. **85**, 1882 (1963).
[5] R. Breslow, J. Lockhart u. H. W. Chang, Am. Soc. **83**, 2375 (1961).

(Fortsetzung v. S. 768)

Bei Verwendung eines vernünftigen, in sich selbst konsistenten Parametersatzes war es möglich, eine befriedigende Übereinstimmung zwischen Theorie und Experiment hinsichtlich der pK-Werte zu erhalten: R. Breslow u. H. W. Chang, Am. Soc. **83**, 2367 (1961).

Für das unsubstituierte Cyclopropenyl-Kation steht die Messung des pK-Wertes noch aus: R. Breslow, J. T. Groves u. G. Ryan, Am. Soc. **89**, 5048 (1967).

[13] H. J. Dauben u. L. M. McDonough, Abstracts 142nd Meeting of the American Chemical Society, S. 55 Q, Atlantic City, September 1962.

entfernt. Der Rückstand wird in Äther aufgenommen und mit gasförmigem Chlorwasserstoff gesättigt. Das gebildete weiße Produkt wird gewaschen und aus Äthanol/Äther umkristallisiert; Ausbeute: 10 g (13% d.Th.) α-Amino-α-phenyl-acetonitril-hydrochlorid[1]; F: 166–172°.

Das Hydrochlorid wird in 250 ml Wasser gelöst und die Lösung mit Äther extrahiert, um alle nichtbasischen Verunreinigungen zu entfernen. Danach wird eine Schicht Äther (~ 100 ml) auf die Lösung gegeben und die Mischung auf 0° abgekühlt. Anschließend wird eine Natrium-nitrit-Lösung (6 g Natriumnitrit) tropfenweise unter kräftigem Rühren eingetragen. Nach ~ 5 Min. wird die Ätherschicht entfernt und rasch mit 10%iger Natriumcarbonat-Lösung gewaschen, während die wäßrige Phase wieder in das Eisbad gestellt und mit frischem Äther versehen wird. Nach weiteren 5 Min. wird diese Ätherschicht wieder abgenommen und gewaschen. Die vereinigten ätherischen Lösungen werden dann über wasserfreiem Natriumsulfat getrocknet.

1,2,3-Triphenyl-3-cyan-cyclopropen: Die bereitete ätherische Lösung von α-Phenyl-diazoacetonitril wird mit 13 g Diphenylacetylen gemischt und auf dem Dampfbad erhitzt. Nach Abdampfen des Äthers beginnt eine stürmische Stickstoff-Entwicklung. Die Reaktion ist bereits nach einigen Min. abgeschlossen. Der Rückstand wird auf eine mit Aluminiumoxid gefüllte Säule gebracht. Das überschüssige Diphenylacetylen wird mit Petroläther (Kp: 30–60°) eluiert und das Cyclopropen-Derivat mit einer 1:1 Benzol/Petroläther-Mischung ausgewaschen. Nach Umkristallisation aus Benzol/Petroläther werden 1,3 g erhalten; F: 145–146°.

Triphenyl-cyclopropenylium-tetrafluoroborat/-hydroxofluoroborat: 0,53 g 1,2,3-Triphenyl-3-cyan-cyclopropen werden 7 Min. in 3 ml Bortrifluorid-Ätherat, das 3 Tropfen Wasser enthält, zum Kochen unter Rückfluß erhitzt. Nach Verdünnung mit 50 ml Äther fällt das Triphe-nyl-cyclopropenylium-tetrafluoroborat/-hydroxofluoroborat als farbloser Niederschlag aus. Der Niederschlag wird mit Äther gewaschen und getrocknet. Nach der Umkristallisation aus Aceton/Äther werden 0,5 g (78% d.Th.) des gemischten Salzes erhalten; F: 300° (Zers.).

3-Propyl-1,2-diphenyl-cyclopropenylium-perchlorat[2]:

3-Propyl-1,2-diphenyl-cyclopropen: Zu einer ätherischen Lösung von Propyl-magne-siumbromid, die aus 1,48 g Propylbromid und 0,264 g Magnesium in 100 ml Äther bereitet wird, werden 1,76 g Bis-[2,3-diphenyl-cyclopropen-(2)-yl]-äther[3] in 50 ml Benzol gegeben. Nach 4 Stdn. wird die Mischung mit wäßrigem Ammoniumchlorid neutralisiert und anschließend mit Äther extrahiert. Nach Trocknen und Entfernen des Lösungsmittels wird 3-Propyl-1,2-diphenyl-cyclo-propen in Form einer gelben öligen Flüssigkeit erhalten. Das Rohprodukt wird nicht extra gereinigt, sondern direkt weiter benutzt.

3-Propyl-1,2-diphenyl-cyclopropenylium-perchlorat: Zu dem erhaltenen Cyclopro-pen-Derivat wird eine Lösung von 1,5 g Triphenyl-methyl-perchlorat in 100 ml trockenem Aceto-nitril unter Schütteln gegeben. Nach einigen Min. erfolgt Zugabe von 500 ml Äther, wobei schließlich 1,03 g (70% d.Th.) 3-Propyl-1,2-diphenyl-cyclopropenylium-perchlorat erhalten werden. Nach Umkristallisation aus Acetonitril/Äther verbleiben 0,9 g; F: 196–197° (Zers.).

Diphenyl-cyclopropenylium-bromid[3]:

Bis-[2,3-diphenyl-cyclopropen-(2)-yl]-äther[3]: 100 g (1,0 Mol) Phenylacetylen und 193 g (1,2 Mole) Benzalchlorid werden in 2 l trockenem Benzol gelöst. Dann werden 278 g (2,5 Mole) trockenes pulverisiertes Kalium-tert.-butanolat langsam unter Rühren eingetragen; die Reaktionsmischung wird dabei auf ~ 5° gehalten. Danach wird die Mischung 30 Min. unter Rückfluß gekocht und anschließend abgekühlt. Die Reaktionsmischung wird dann mit Wasser versetzt und die wäßrige Phase 2 mal mit Äther extrahiert. Die vereinigten benzolischen und ätherischen Lösungen werden getrocknet und anschließend i.Vak. abgedampft. Der Rückstand wird aus Benzol/Hexan umkristallisiert; Ausbeute: 38,85 g (0,097 Mol); F: 169–172°.

Diphenyl-cyclopropenylium-bromid[3]: 0,7 g (1,7 mMol) des dimeren Äthers (s.o.) werden in 30 ml trockenem Benzol gelöst. Die Lösung wird auf dem Eisbad abgekühlt und vor-getrockneter Bromwasserstoff eingeleitet. Nach längerem Stehen wird das ausgefallene Diphenyl-cyclopropenylium-bromid von der Mischung abgetrennt, mit Hexan gewaschen und anschließend i.Vak. getrocknet; Ausbeute: 0.37 g (40% d.Th.); F: 105–106°.

1,2,3-Triphenyl-cyclopropenylium-bromid[4]: Zu einer Mischung von 2,23 g (0,0125 Mol) Tolan und 3,5 g (0,03 Mol) trockenem pulverisiertem Kalium-tert.-butanolat in 50 ml trockenem

[1] N. ZELINSKY u. G. STADNIKOFF, B. **39**, 1722 (1906).
[2] R. BRESLOW, H. HÖVER u. H. W. CHANG, Am. Soc. **84**, 3168 (1962).
[3] R. BRESLOW, J. LOCKHART u. H. W. CHANG, Am. Soc. **83**, 2375 (1961).
[4] R. BRESLOW u. H. W. CHANG, Am. Soc. **83**, 2367 (1961).

Benzol werden unter Stickstoff und gutem Rühren 2,42 g (0,015 Mol) frisch destilliertes Dichlor-phe-nyl-methan getropft. Die Reaktionsmischung wird dann 3 Stdn. unter Rückfluß gekocht. Nach er-folgter Abkühlung wird Wasser zugesetzt, um die anorganischen Salze zu lösen. Die wäßrige Phase wird 2 mal mit Äther extrahiert. Die vereinigten organischen Phasen werden über wasser-freiem Magnesiumsulfat getrocknet und mit trockenem Bromwasserstoff gesättigt; Ausbeute: 2,6 g (0,075 Mol); F: 253–255° [aus Acetonitril: 269–271° (Zers.)].

Analog erhält man *Dipropyl-cyclopropenylium-tetrafluoroborat*[1] (I). Die Umsetzung von I mit Propyl-lithium ergibt *1,2,3-Tripropyl-cyclopropen* (II), das anschließend durch Hydrid-Entzug mit Triphenyl-methyl-perchlorat in *Tripropyl-cyclopropenylium-perchlorat* (III) überführt werden kann[2]:

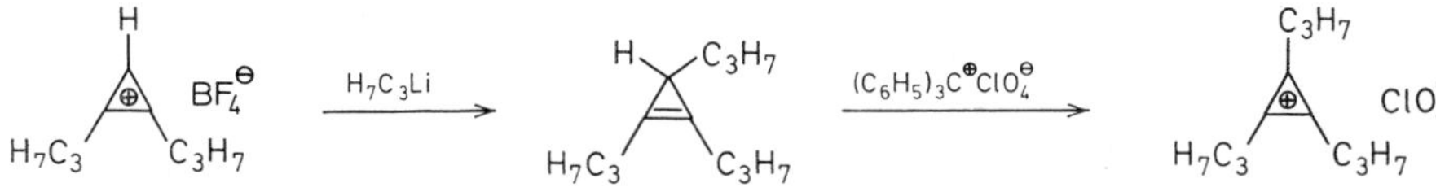

Eine auf Hydrid-Entzug mit 2,3-Dichlor-5,6-dicyan-p-benzochinon in Gegenwart von Säuren basierende Methode ist ebenfalls zur Herstellung einiger Triphenyl-cyclo-propenylium-Verbindungen aus 1,2,3-Triphenyl-cyclopropen erfolgreich benutzt worden[3].

Eine weitere Herstellungsmethode von substituierten Cyclopropenylium-Verbin-dungen besteht in der Decarbonylierung von entsprechenden Cyclopropen-carbonsäureestern. So erhält man *Diphenyl-cyclopropenylium-perchlorat* (VII) durch Decarbonylierung von 1,2-Diphenyl-cyclopropen-3-carbonsäure (VI) mit Perchlor-säure in Essigsäureanhydrid[4]:

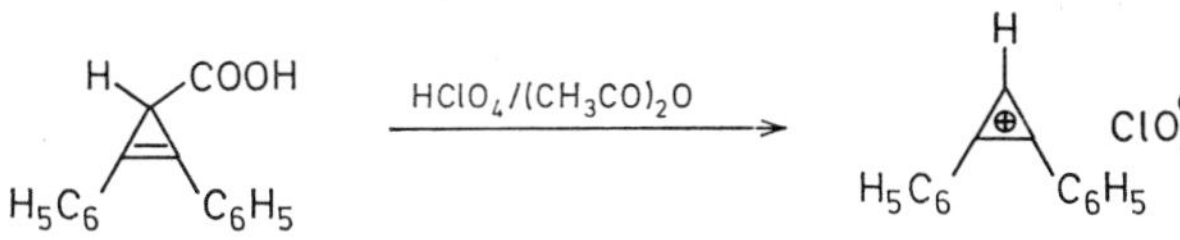

Dipropyl-cyclopropenylium-perchlorat[2]:

1,2-Dipropyl-cyclopropen-3-carbonsäure: Eine Mischung von 60 g trockenem Octin-(4) und 0,5 g Kupferstaub wird unter Rühren und Stickstoffatmosphäre auf 155° erhitzt (Temp. des Ölbades) und 63 g Diazoessigsäure-äthylester tropfenweise (1 Tropfen/15 Sek.) zugegeben. Nach erfolgter Diazoessigsäure-äthylester-Zugabe wird noch weitere 2 Stdn. gerührt. Dann wird die Mischung abgekühlt und 70 g Kaliumhydroxid in 200 ml Propanol zugefügt. Die Reaktionsmischung wird danach 4 Stdn. unter Rückfluß gekocht, abgekühlt, in üblicher Weise aufgearbeitet und die saure Fraktion destilliert; Ausbeute: 48 g (52% d. Th.); Kp$_{0.7}$: 101°.

Dipropyl-cyclopropenylium-perchlorat: 2 g der Carbonsäure werden bei Raumtemp. 5 Min. mit 48 g einer Lösung von Perchlorsäure in Essigsäureanhydrid (10 g 70%ige Perchlor-säure in 280 g Acetanhydrid) behandelt und danach mit 900 ml wasserfreiem und kaltem Äther unter Schütteln versetzt. Der sich bildende Niederschlag wird gesammelt und mit trockenem Äther gewaschen. Das Rohprodukt wird in 150 ml kaltem wasserfreiem Essigsäure-äthylester gelöst. Nach Zugabe von 800 ml kaltem wasserfreiem Äther wird das reine Perchlorat erhalten, das anschließend i. Vak. getrocknet wird; Ausbeute: 1,7 g (65% d. Th.); F: 80° (Zers.).

---

[1] R. Breslow u. H. Höver, Am. Soc. **82**, 2644 (1960).
[2] R. Breslow, H. Höver u. H. W. Chang, Am. Soc. **84**, 3168 (1962).
[3] D. H. Reid et al., Tetrahedron Letters **1961**, 530.
[4] D. G. Farnum u. M. Burr, Am. Soc. **82**, 2651 (1960).

Die Methode der Esterdecarbonylierung ist weitgehend verallgemeinerungsfähig[1]. Wirksamere und trotzdem einfachere Decarbonylierungs-Bedingungen gestatten auch die Bereitung des unsubstituierten *Cyclopropenylium*-Ions[2], seines **Mono-methyl-(Vd)** und **Dimethyl-Derivats (Ve)** außer den bereits bekannten Verbindungen **Va, Vb** aus den korrespondierenden Estern **IVa–e**:

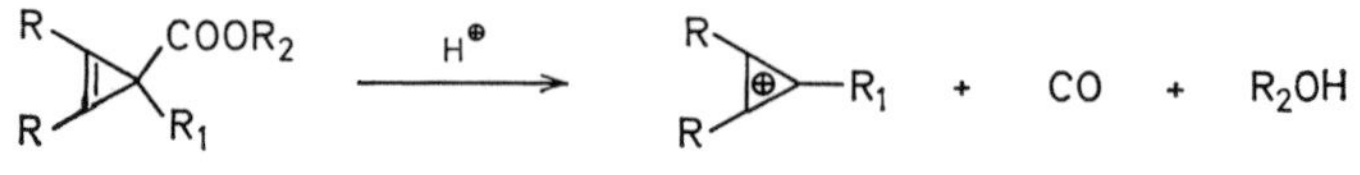

$$IV \qquad\qquad V$$

a: R = C_6H_5; R_1 = H; R_2 = H   *Diphenyl-cyclopropenylium-*
b: R = C_3H_7; R_1 = H; R_2 = H   *Dipropyl-cyclopropenylium-*
c: R = H; $\quad R_1$ = H; R_2 = CH_3 *Cyclopropenylium-*
d: R = H; $\quad R_1$ = CH_3; R_2 = C_2H_5 *Methyl-cyclopropenylium-*
e: R = CH_3; R_1 = H; R_2 = C_2H_5 *Dimethyl-cyclopropenylium-*

So wird aus einer Lösung von 1,2-Dimethyl-cyclopropen-3-carbonsäure-äthylester in Schwefelsäure (mit 25% Schwefeltrioxid) oder einfacher in Chlor- bzw. Fluorsulfonsäure in nahezu quantitativer Ausbeute das **Dimethyl-cyclopropenylium-Ion** in Lösung gebildet. Das Kation kann in geringer Ausbeute aus Chlorsulfonsäure durch Zugabe einer 10%igen Lösung von Antimon(V)-chlorid in Acetylchlorid und anschließender Verdünnung in Äther in Form des *Dimethyl-cyclopropenylium-hexachloroantimonats* ausgefällt werden. Das erhaltene farblose kristalline Salz läßt sich jedoch in 75%iger Ausbeute direkt aus 1,2-Dimethyl-cyclopropen-3-carbonsäure durch Umsetzung mit einer 10%igen Lösung von Antimon(V)-chlorid in Acetylchlorid bei 0° erhalten.

Obgleich der sehr instabile Cyclopropen-3-carbonsäure-methylester noch nicht in reiner Form isoliert worden ist, ist anzunehmen, daß sich dieser bei der Pyrolyse des Diels-Alder-Addukts I bildet[3]:

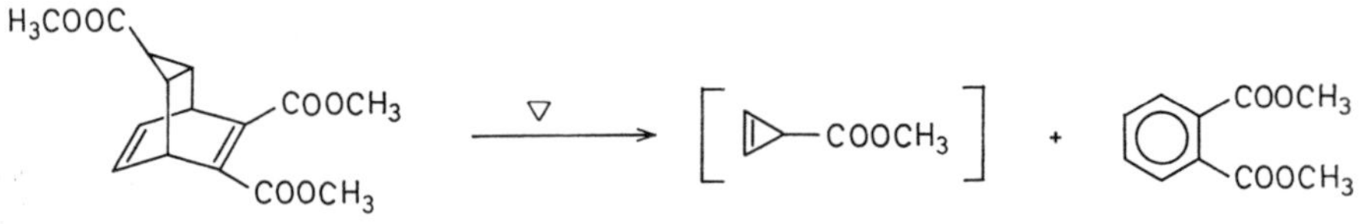

I

Durch Mitführen der Pyrolysegase von I in einem Heliumstrom und anschließendes Einleiten in kalte (−40 bis −70°) Chlor- oder Fluor-sulfonsäure werden klare Lösungen erhalten, die beim Erwärmen Gasentwicklung zeigen. Kernresonanzspektroskopische Argumente beweisen die Anwesenheit von Cyclopropenylium-Kationen in diesen Lösungen[1].

Versuche, das unsubstituierte Cyclopropenylium-Kation durch Hydrid-Entzug mit dem Triphenylmethyl-Kation aus Cyclopropen direkt zu gewinnen, scheiterten[4].

[1] D. G. FARNUM, G. MEHTA u. R. G. SILBERMAN, Am. Soc. **89**, 5048 (1967).
[2] Vgl. a. R. BRESLOW, J. T. GROVES u. G. RYAN, Am. Soc. **89**, 5048 (1967).
[3] W. v. DOERING et al., Am. Soc. **78**, 5448 (1956).
[4] K. B. WIBERG, W. J. BARTLEY u. F. P. LOSSING, Am. Soc. **84**, 3980 (1962).

Die Reduktion von Tetrachlor-cyclopropen mit Tributyl-zinnhydrid liefert eine Mischung von Chlor-, Dichlor- und Trichlor-cyclopropenen[1]. Es gelingt unter geeigneten Reaktionsbedingungen[2] ein Gemisch aus Chlor- und Dichlor-cyclopropenen zu erhalten, aus dem gaschromatographisch 3-Chlor-cyclopropen (I) abgetrennt werden kann. In Schwefeldioxid bei −40° bewegt sich das Chlor bereits sehr schnell von einem Kohlenwasserstoffatom zum anderen, wie spektroskopisch nachgewiesen werden konnte. Dieser Vorgang muß einer reversiblen Ionisation zum Cyclopropenylium-Kation II zugeschrieben werden. Beim Mischen der Dichlormethan-Lösungen von I und Antimon(V)-chlorid wird *Cyclopropenylium-hexachloroantimonat* (II mit X = SbCl$_6^{\ominus}$) in nahezu quantitativer Ausbeute in Form eines farblosen Niederschlages ausgefällt. Die Verbindung ist lange Zeit bei −20° haltbar und kann auch einige Stunden bei Raumtemperatur aufbewahrt werden. Bei Behandlung von 3-Chlor-cyclopropen (I) mit Silber-tetrafluoroborat in Acetonitril oder Schwefeldioxid bei −40° kommt es zur Fällung von Silberchlorid und man kann in den Lösungen spektroskopisch das Vorhandensein von *Cyclopropenylium-tetrafluoroborat* (II mit X = BF$_4^{\ominus}$) nachweisen[2]:

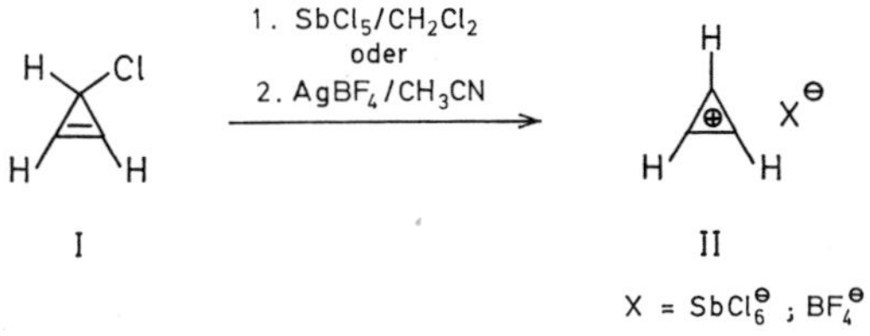

Die Herstellung von Trichlor-cyclopropenylium-Salzen gelingt durch Behandlung von Tetrachlor-cyclopropen mit starken Lewis-Säuren wie Aluminiumchlorid und Antimon(V)-chlorid[3-5]:

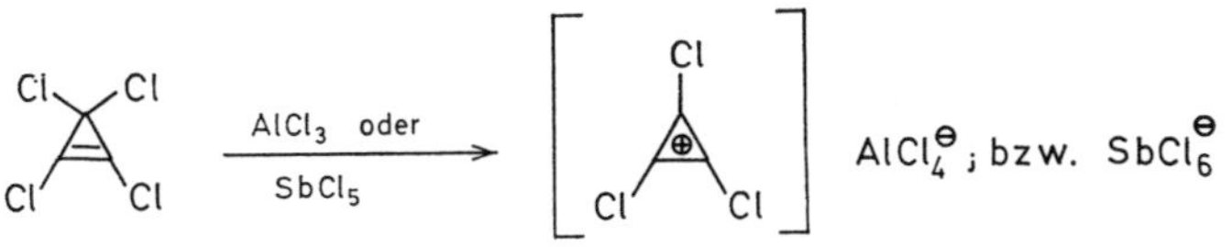

Tetrabrom-cyclopropen[6] reagiert in ähnlicher Weise mit Aluminiumbromid in Schwefelkohlenstoff unter Bildung des *Tribrom-cyclopropenylium-tetrabromoaluminats*[5]. Insbesondere die Synthese dieser Cyclopropenylium-Verbindungen bereicherte die Kenntnis der Bindungsverhältnisse in den Cyclopropenylium-Systemen, wie vor allem aus dem Reaktionsverhalten und den spektroskopischen Befunden (s. S. 764 ff.)[5] ersichtlich wurde.

Auch mit Eisen(III)- bzw. Gallium(III)-chlorid bildet Tetrachlor-cyclopropen 1:1-Addukte, für die die Anwesenheit von Trichlor-cyclopropenylium-Ionen nachgewiesen werden konnte. Mit schwächeren Lewis-Säuren (als Chloridionen-Akzeptoren) wird keine Bildung von Trichlor-cyclopropenylium-Ionen beobachtet. Bei vorsichtiger Hydrolyse werden aus den Trihalogen-cyclopropenylium-Salzen die entsprechenden Tetrahalogen-cyclopropene zurückerhalten.

[1] R. Breslow u. G. Ryan, Am. Soc. **89**, 3073 (1967).
[2] R. Breslow, J. T. Groves u. G. Ryan, Am. Soc. **89**, 5048 (1967).
[3] S. W. Tobey u. R. West, Tetrahedron Letters **1963**, 1179.
[4] S. W. Tobey u. R. West, Am. Soc. **86**, 1459 (1964).
[5] R. West, A. Sado u. S. W. Tobey, Am. Soc. **88**, 2488 (1966).
[6] S. W. Tobey u. R. West, Am. Soc. **88**, 2481 (1966).

B. Umwandlung

Die Cyclopropenylium-Verbindungen gehen leicht Reaktionen mit nucleophilen Partnern ein. Häufig bilden diese Reaktionen nur die erste Stufe zu einer Umlagerung, die entweder zu Äthylenen oder zu weniger gespannten Fünf- und Sechsring-Verbindungen führen kann.

1. Umsetzung von Cyclopropenylium-Kationen mit Basen

Reaktionen mit sauerstoffhaltigen Basen wie Wasser und Alkoholen führen zu den entsprechenden Hydroxy- oder Alkoxy-cyclopropenonen[1-4]. Normalerweise sind derartige Reaktionen reversibel, wobei die Lage des Gleichgewichts vom p_H-Wert abhängt (s. S. 767 f.). Auch die Carbinole verhalten sich noch wie Basen und reagieren mit einem weiteren Cyclopropenylium-Kation zu den entsprechenden Äthern. Daher lassen sich die Carbinole im Gegensatz zu den Äthern kaum isolieren[1-5].

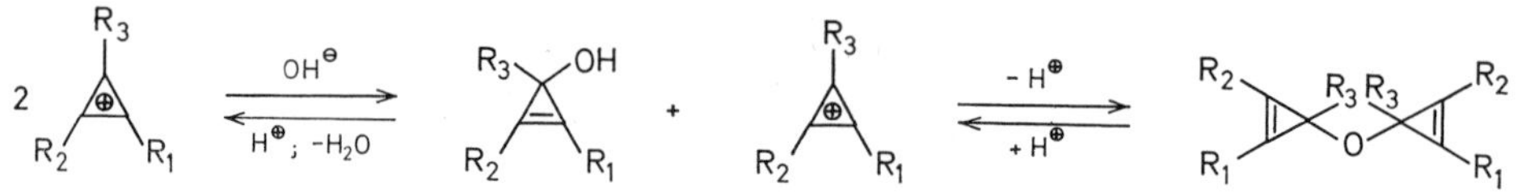

In stark basischer Lösung (10%-ige Natronlauge) wird hingegen der carbocyclische Dreiring irreversibel geöffnet. Triphenyl-cyclopropenylium-bromid (Ia) liefert dabei über die Äther-Zwischenstufe *Oxo-1,2,3-triphenyl-propen*(IIa)[2], das Diphenyl-Derivat Ib analog *2,3-Diphenyl-propen-(2)-al*(IIb)[4, 6]:

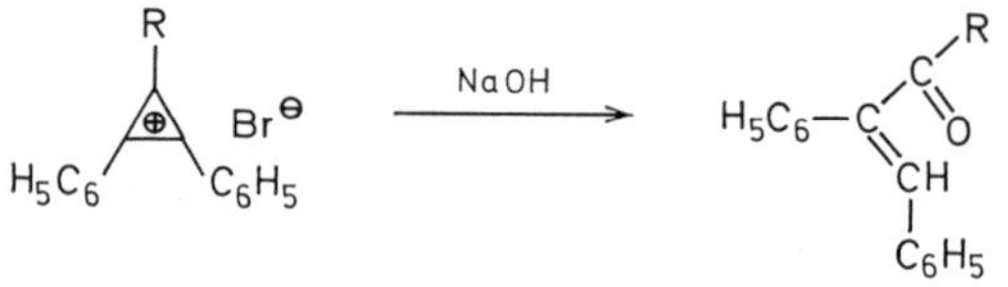

(Ia): R = C_6H_5
(Ib): R = H

(IIa): R = C_6H_5
(IIb): R = H

Die Reaktion von Cyclopropenylium-Kationen mit metallorganischen Verbindungen wie Grignard-Reagentien oder Organo-lithium-Verbindungen ist als präparative Methode zur Einführung von Alkyl-Substituenten am Kohlenstoffatom C–3 benutzt worden[3,7,8]:

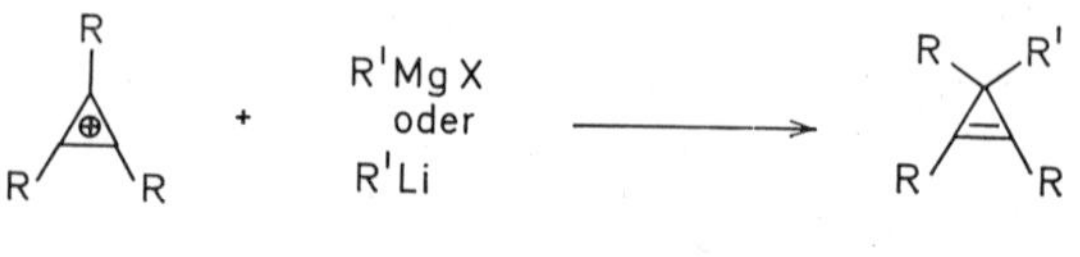

[1] R. BRESLOW, Am. Soc. **79**, 5318 (1957).
[2] R. BRESLOW u. C. YUAN, Am. Soc. **80**, 5991 (1958).
[3] R. BRESLOW et al., Am. Soc. **84**, 3168 (1962).
[4] D. G. FARNUM u. M. BURR, Am. Soc. **82**, 2651 (1960).
[5] R. BRESLOW u. H. W. CHANG, Am. Soc. **83**, 2367 (1961).
[6] R. BRESLOW et al., Am. Soc. **83**, 2375 (1961).
[7] R. BRESLOW u. P. DOWD, Am. Soc. **85**, 2729 (1963).
[8] G. L. CLOSS, L. E. CLOSS u. W. A. BÖLL, Am. Soc. **85**, 3796 (1963).

2. Reduktion von Cyclopropenylium-Kationen

Bei der Reduktion des Triphenyl-cyclopropenylium-Kations mit Lithium-alanat erhält man in hoher Ausbeute *Triphenyl-cyclopropen*[1]. Diese Reaktion ist somit als formale Umkehrung der Herstellung von Cyclopropenylium-Verbindungen durch Hydrid-Entzug (s. S. 771) zu betrachten:

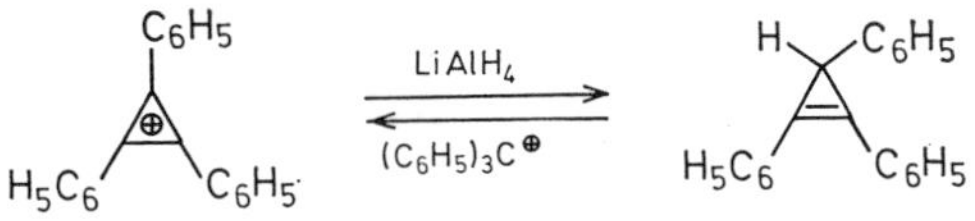

Die Umsetzung von Triphenyl- oder Diphenyl-cyclopropenylium-Salzen mit Zinkstaub liefert wie die polarographische Reduktion die Dimeren III und IV der entsprechenden Radikale. Bei Temperaturen von $\sim 130°$ lagern sich die Dimeren zu Benzol-Derivaten um:

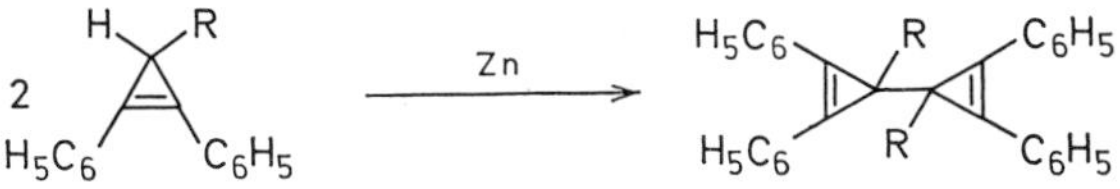

IIIa: R = C$_6$H$_5$

IIIb: R = H

IVa: R = C$_6$H$_5$; *Hexaphenyl-bi-cyclopropen-(2)-yl*

IVb: R = H; *2,3,2′,3′-Tetraphenyl-bi-cyclopropen-(2)-yl*

Als Produkte der thermischen Umlagerung von IVb, die höchstwahrscheinlich über ein Prisman-Derivat als Zwischenstufe verläuft, werden *1,2,4,5-* und *1,2,3,4-Tetraphenyl-benzol* isoliert[2-4].

3. Reaktionen von Cyclopropenylium-Kationen mit Diazo-Verbindungen bzw. Aziden

Bei der Umsetzung von Phenyldiazomethan mit Triphenyl-cyclopropenylium-bromid wird im wesentlichen *1,2,3-Triphenyl-azulen* (V; S. 776) erhalten:

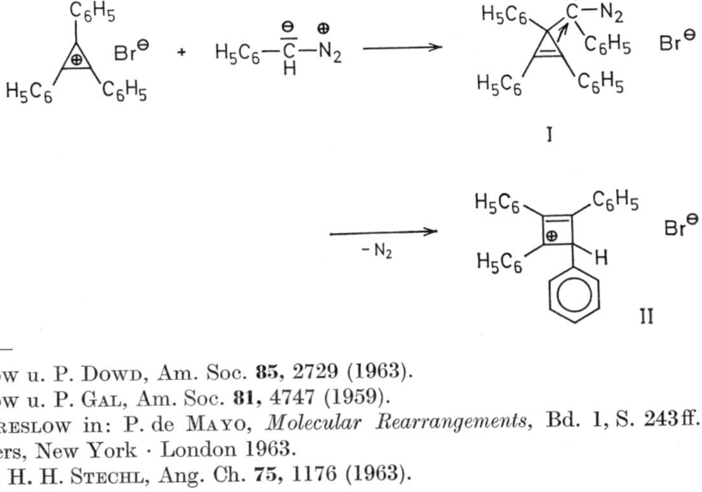

I

II

---

[1] R. Breslow u. P. Dowd, Am. Soc. **85**, 2729 (1963).

[2] R. Breslow u. P. Gal, Am. Soc. **81**, 4747 (1959).

[3] Vgl. R. Breslow in: P. de Mayo, *Molecular Rearrangements*, Bd. 1, S. 243ff., Interscience Publishers, New York · London 1963.

[4] Vgl. etwa: H. H. Stechl, Ang. Ch. **75**, 1176 (1963).

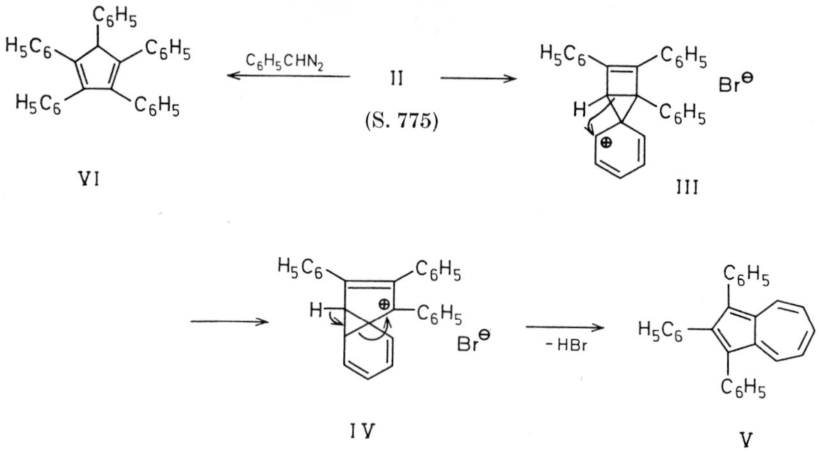

$$\text{VI} \xleftarrow{\quad C_6H_5CHN_2 \quad} \text{II} \xrightarrow{\qquad} \text{III}$$

(S. 775)

$$\xrightarrow{\qquad} \text{IV} \xrightarrow{\quad -HBr \quad} \text{V}$$

Zunächst wird die Bildung der Diazonium-Verbindung I (S. 775) angenommen, die unter Stickstoff-Abspaltung und Ringerweiterung in das Cyclobutenyl-Kation II übergeht. II lagert sich dann in das Phenonium-Ion III um; weitere Umlagerung und Abspaltung von Bromwasserstoff liefert schließlich *1,2,3-Triphenyl-azulen*.

Bei Überschuß von Phenyldiazomethan wird jedoch durch Ringerweiterung von II (S. 775) *Pentaphenyl-cyclopentadien* (VI) als Hauptprodukt erhalten[1].

Triphenyl-cyclopropenylium-Kationen reagieren mit Natriumazid zu *3-Azido-1,2,3-triphenyl-cyclopropen* (VII), das sich bereits bei Zimmertemperatur langsam in *4,5,6-Triphenyl-1,2,3-triazin* (VIII) umlagert[2,3]. Eine derartige Stabilisierung unter Ringerweiterung ist durchaus typisch für viele analoge Cyclopropen-Verbindungen[4].

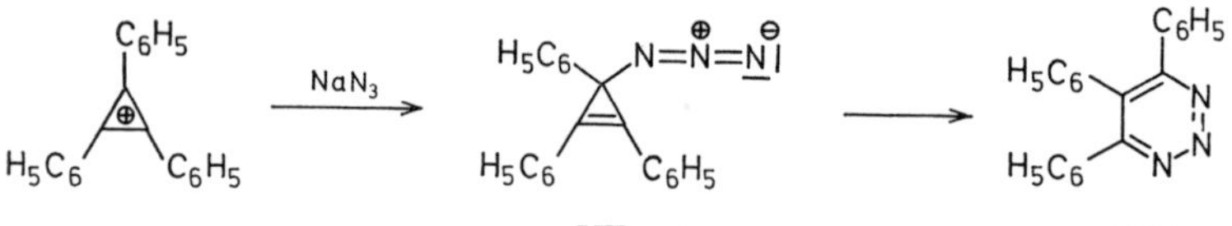

$$\xrightarrow{\quad NaN_3 \quad} \text{VII} \xrightarrow{\qquad} \text{VIII}$$

4. Alkylierung von aromatischen Kohlenwasserstoffen mit Cyclopropenylium-kationen

Das *Trichlor-cyclopropenylium*-Kation alkyliert aromatische Kohlenwasserstoffe[5]. So setzt sich z.B. Trichlor-cyclopropenylium-tetrachloroaluminat (IX, S. 777) bei 0° mit Fluorbenzol zu *2,3,3-Trichlor-1-(4-fluor-phenyl)-cyclopropen* (67% d. Th.; X) um. Führt man die Reaktion bei Temperaturen oberhalb 50° aus, so kann in guter Ausbeute *3,3-Dichlor-1,2-bis-[4-fluor-phenyl]-cyclopropen* (XI) erhalten werden. Wird im letzten Fall mit wäßrigem Äthanol aufgearbeitet, läßt sich *Bis-[4-fluor-phenyl]-cyclopropenon* (48% d. Th.; XII) isolieren:

[1] Vgl. R. Breslow in: P. de Mayo, *Molecular Rearrangements*, Bd. 1, S. 276, Interscience Publishers, New York · London 1963.

[2] R. Breslow, R. Boikess u. M. A. Battiste, Tetrahedron Letters **1960**, 42.

[3] E. Chandross u. E. Smolinsky, Tetrahedron Letters **1960, 19**.

[4] Vgl. R. Breslow in: P. de Mayo, *Molecular Rearrangements*, Bd. 1, S. 240—241, Interscience Publishers, New York · London 1963.

[5] S. W. Tobey u. R. West, Am. Soc. **86**, 4215 (1964).

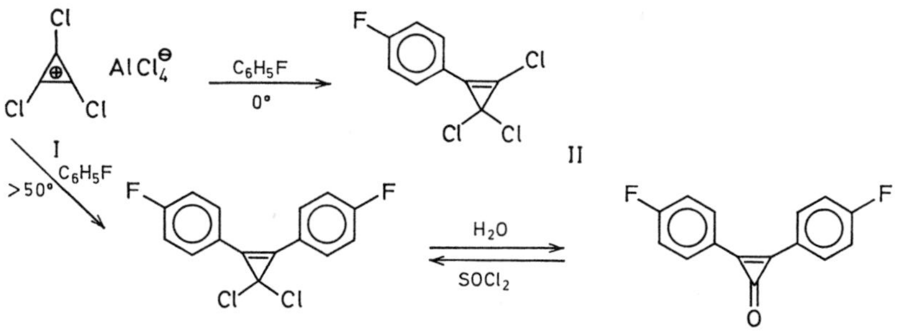

Eine ähnliche Reaktion ist mit dem Diphenyl-cyclopropenylium-Ion und Phenol beobachtet worden[1]. Triphenyl-cyclopropenylium-Salze alkylieren auch aktivierte Aromaten wie N,N-Dimethyl-anilin, 1,3-Dimethoxy-benzol, 2-Hydroxy-1,3-di-tert.-butyl-benzol, 2-Methoxy-naphthalin und Anthron[2]. Diphenyl-cyclopropeny-lium-Salze hingegen reagieren mit Anthron (VI) zum Benzanthron VII (37 bzw. 52% d. Th.)[2]:

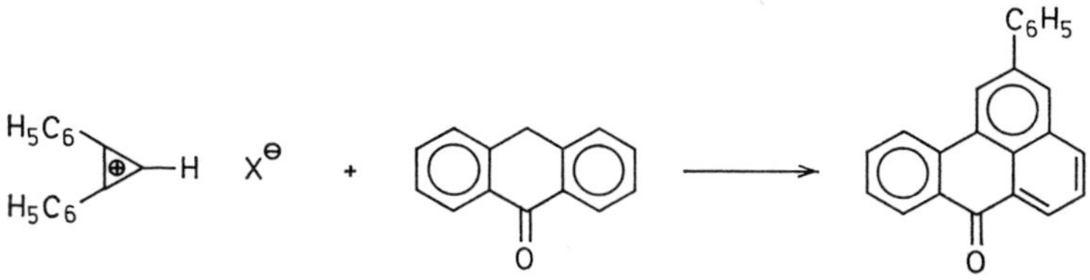

Bei der Reaktion von aktivierten aromatischen Verbindungen mit *Trichlor-cyclo-propenylium*-Salzen können auch Triaryl-cyclopropenylium-Ionen gebildet werden[3]. Trägt einer der aromatischen Ringe in para-Stellung eine Hydroxy-Gruppe, so kann es durch Deprotonierung zur Bildung eines *6-Oxo-3-cyclopropenyliden-cyclohexadiens* kommen[4].

Als Beispiel für die präparative Bedeutung der Alkylierung aktivierter Aromaten durch geeignete Cyclopropenylium-Verbindungen soll hier die Reaktion von Tri-chlor-cyclopropenylium-tetrachloroaluminat (I) mit 2-Hydroxy-1,3-di-tert.-butyl-ben-zol (II) angeführt werden (S. 778)[3], die in Chloroform bei 30° zur Reaktion gebracht werden. Nach Hydrolyse und Behandlung mit Triäthylamin wird zunächst *1,2-Bis-[4-hydroxy-3,5-di-tert.-butyl-phenyl]-3-(4-oxo-3,5-di-tert.-butyl-cyclohexyliden)-cyclopropen* (70% d. Th.; III, S. 778) erhalten. Behandlung von III mit Bromwasserstoff in Äther liefert *Tris-[4-hydroxy-3,5-di-tert.-butyl-phenyl]-cyclopropenylium-bromid* (IV). Mit Tri-äthylamin geht IV wieder in III über. Bei der Oxidation von III mit Blei(IV)-oxid oder wäßrigem Kaliumhexacyanoferrat (III) kann *Tris-[4-oxo-3,5-di-tert.-butyl-cyclo-hexyliden]-cyclopropan* (V; dunkelblau) erhalten werden. Mit Hydrochinon wird V wieder zu III reduziert:

[1] B. Föhlisch u. P. Bürgle, Tetrahedron Letters **1965**, 2661.
[2] B. Föhlisch u. P. Bürgle, A. **701**, 58 (1967).
[3] R. West u. D. C. Zecher, Am. Soc. **89**, 152 (1967).
[4] Vgl. a. die 6-Oxo-3-cyclopropenyliden-cyclohexadien-Synthesen von
A. S. Kende, Am. Soc. **85**, 1822 (1963) und
B. Föhlisch u. P. Bürgle, Tetrahedron Letters **1965**, 2661.

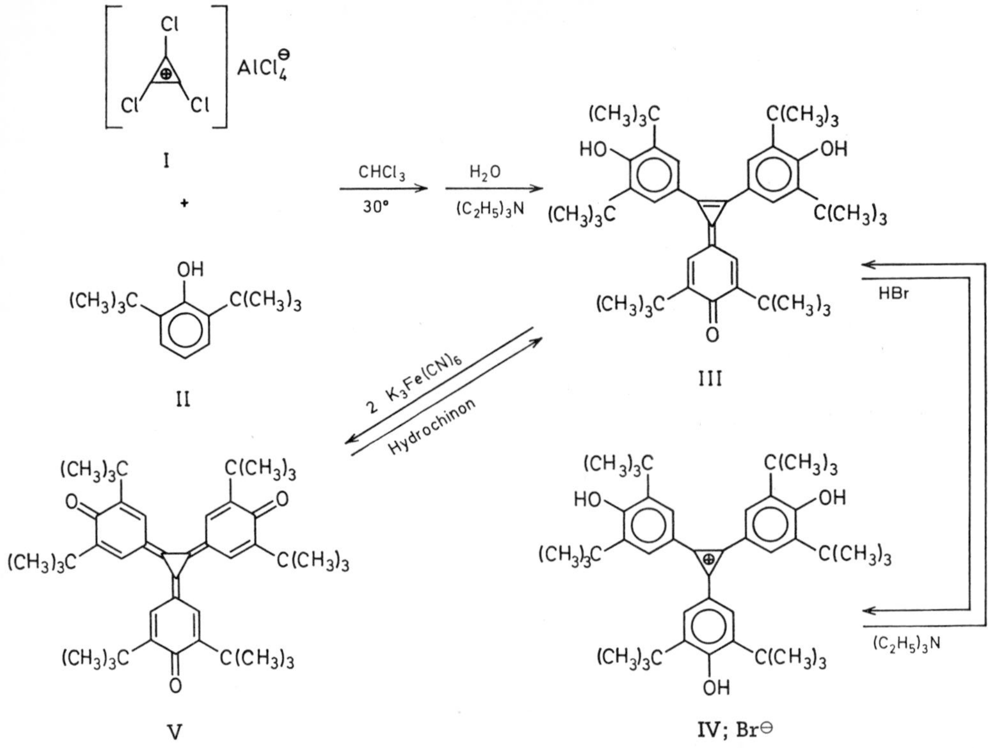

Wird die Reaktion von I und II jedoch bei 0° durchgeführt, so wird nach dem wäßrigen Aufarbeiten *Bis-[4-hydroxy-3,5-di-tert.-butyl-phenyl]-cyclopropenon* (VI) in Form farbloser Kristalle erhalten[1]. VI kann ebenfalls oxidativ in *3-Oxo-1,2-bis-[4-oxo-3,5-di-tert.-butyl-cyclohexadienyliden]-cyclopropan* (VII; S. 779) überführt werden. Behandelt man eine Lösung von VII mit überschüssigem Hydrochinon, so tritt wiederum Reduktion zu VI ein. Bei der Photolyse von VI wird in guten Ausbeuten *Bis-[4-hydroxy-5-di-tert.-butyl-phenyl]-acetylen* (VIII) erhalten[1]. Diese photolytische Umwandlung befindet sich in direkter Analogie zur Photolyse von Diphenyl-cyclopropenon[2] zum Tolan. VIII kann oxidativ in *Bis-[4-oxo-3,5-di-tert.-butyl-cyclohexyliden]-äthylen* (IX) umgewandelt werden, das sich auch spontan durch Decarbonylierung aus dem gespannten VII bildet[3]:

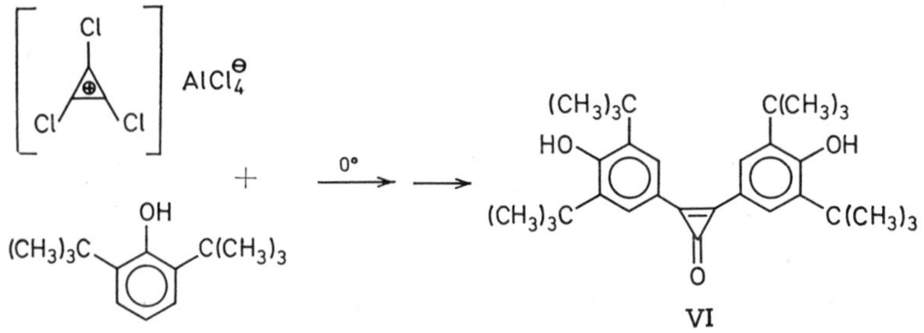

---

[1] D. C. ZECHER u. R. WEST, Am. Soc. **89**, 153 (1967).
[2] G. QUINKERT et al., Tetrahedron Letters **1963**, 1863.
[3] s. a. ds. Handb., Bd. V/1d, Kap. Allene, Kumulene.

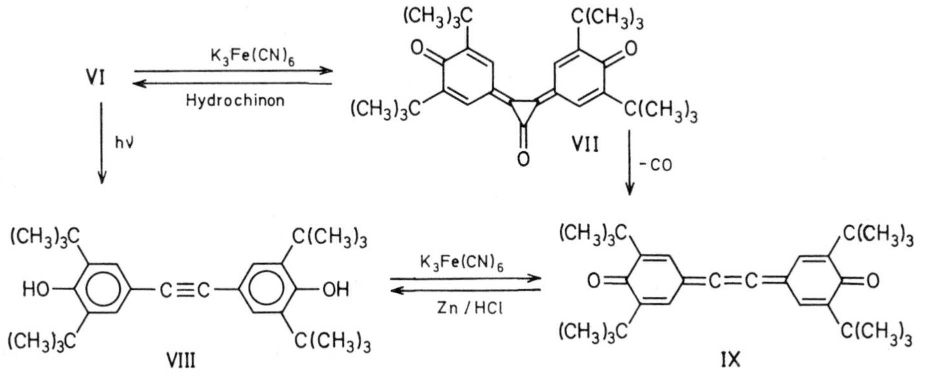

Weitere Eigenschaften von Cyclopropenylium-Verbindungen, die von präparativem Interesse für die Synthese von carbocyclischen Dreiringen sind, wurden beschrieben.

d) Cyclopropenyl-Radikale und -Anionen

Nach einfachen MO-Berechnungen[1-3] sollte das Cyclopropenyl-Radikal eine wesentliche geringere Resonanzstabilisierung als das Cyclopropenylium-Kation zeigen. Für phenylsubstituierte Cyclopropenyl-Radikale wäre eine gewisse zusätzliche Stabilisierung zu erwarten (s. Tab. 16). *Hexaphenyl-bi-[cyclopropenyl-(3)]* (I, S. 780), das in einfacher Weise aus Brom-triphenyl-cyclopropen und Zinkstaub zugänglich ist, zeigt selbst bei Temp. um 120° keine Tendenz zur Dissoziation in die Radikale[4] II, wie aus seiner Widerstandsfähigkeit gegenüber Oxidationen und des Fehlens jeglicher durch Elektronenspinresonanz nachweisbarer freier Radikale qualitativ ersichtlich wurde. Dieser qualitative Befund wurde durch quantitative Untersuchungen untermauert[5]: Die Differenz der freien Energien von Triaryl-cyclopropenylium-Kationen und der korrespondierenden Radikale wurde aus den reversiblen Einelektronen-Reduktionspotentialen durch Verwendung der Methode der „Dreieckwellenpotential-Oszillopolarographie"[6] (die normale Gleichstrompolarographie konnte wegen der schnellen Dimerisation der erzeugten Radikale als Untersuchungsmethode nicht benutzt werden) ermittelt.

Tab. 16. Einelektron-Reduktionspotentiale von Cyclopropenylium-Kationen und des Triphenylmethyl-Kations[5,7]

Kation	E[V]
Triphenyl-cyclopropenylium	—1,132
Diphenyl-(4-methoxy-phenyl)-cyclopropenylium	—1,24
Tris-[4-methoxy-phenyl]-cyclopropenylium	—1,49
Triphenyl-methylium	—0,09

[1] J. D. Roberts, A. Streitwieser u. C. M. Regan, Am. Soc. 74, 4579 (1952).

[2] S. L. Manatt u. J. D. Roberts, J. Org. Chem. 24, 1336 (1959).

[3] D. A. Bochvar, I. V. Stankevich u. A. L. Chistyakov, Izv. Akad. SSSR 1958, 793; Ž. fiz. Chim. 33, 2712 (1959); 34, 2543 (1960); s. C. A. 52, 19424 (1958); 55, 15104, 8324 (1961).

[4] R. Breslow u. P. Gal, Am. Soc. 81, 4747 (1959).

[5] R. Breslow, W. Bahary u. W. Reinmuth, Am. Soc. 83, 1763 (1961).

[6] Vgl. J. Loveland u. P. Elving, Chem. Reviews 51, 67 (1952).

[7] Die Salze wurden in Form der Perchlorate in Acetonitril gemessen.

Die aus Tabelle 16 (S. 779) ersichtliche Differenz von 1,04 eV ($\approx$ 24 kcal/Mol) zwischen dem Triphenyl-cyclopropenylium und dem Triphenyl-methylium steht in guter Übereinstimmung mit dem von der einfachen HMO-Theorie geforderten Ergebnis. Für das Trityl-Kation sollte bei Reduktion kein Wechsel in der Delokalisierungsenergie auftreten, während ΔDE für die Reduktion des Triphenyl-cyclopropenylium-Kations $-0,504\,\beta$ betragen sollte. Nimmt man einen Wert[1] von 2 eV für β an, so ergibt sich für die theoretisch abgeleitete Differenz der Wert von $-1,008$ eV. Damit wird offensichtlich der Resonanzverlust im Cyclopropenyl-Radikal bestätigt.

Das Cyclopropenyl-Anion sollte nach einfachen HMO-Voraussagen[2-5] ähnlich wie das Cyclobutadien keine Resonanzstabilisierung erfahren und im Grundzustand als Triplett vorliegen.

Versuche, aus 1,2,3-Triphenyl-cyclopropen mit Alkalimetallamiden[6] oder aus 3-Äthoxy-1,2,3-triphenyl-cyclopropen mit Kalium[7] das entsprechende 1,2,3-Triphenyl-cyclopropenyl-Anion zu erzeugen, blieben erfolglos, da stets Ausweichreaktionen eintraten.

Bei der Behandlung von 3-Tritium-1,2,3-triphenyl-cyclopropen mit Kalium-tert.-butanolat in siedendem tert.-Butanol konnten keine Anhaltspunkte gefunden werden, die auf einen Austausch des Tritiums gegen Wasserstoff deuteten. Unter analogen Bedingungen verliert das Triphenyl-tritium-methan bereits nach 8 Stdn. 80% der Aktivität[6].

1,2-Diphenyl-cyclopropen-3-carbonsäure-tert.-butylester (III) tauscht[8] mit Kalium-tert.-butanolat in siedendem Deutero-tert.-butanol 5% seines am Dreiring stehenden Wasserstoffes gegen Deuterium aus; jedoch verläuft dieser Austausch wesentlich langsamer als bei einem entsprechenden Cyclopropan-carbonsäureester, obwohl das Enolat des Cyclopropen-Derivats formal eine größere Konjugation besitzen sollte.

Kinetische Untersuchungen des Deuterium-Austausches in Gegenwart von Kalium-äthanolat (zur Basenkatalyse) haben gezeigt, daß 1,2-Diphenyl-3-benzoyl-cyclopropen (IV) $\sim$ 600 mal schneller austauscht als das entsprechende Cyclopropan-Derivat[9] V. Ein in die gleiche Richtung weisender, jedoch wesentlich schwächerer Effekt wird beobachtet beim Vergleich des basenkatalysierten Deuterium-Austauschs von 1,2-Diphenyl-3-phenylsulfon-cyclopropen (VI) mit dem des korrespondierenden Cyclopropans VII.

Diese beobachteten Effekte sind nicht im Lichte einfacher HMO-Betrachtungen erklärbar.

[1] A. Streitwieser, Am. Soc. **82**, 4123 (1960).
[2] J. D. Roberts et al., Am. Soc. **74**, 4579 (1952).
[3] S. L. Manatt u. J. D. Roberts, J. Org. Chem. **24**, 1336 (1959).
[4] D. A. Bochvar, I. V. Stankevich u. A. L. Chistyakov, Izv. Akad. SSSR **1958**, 793; Ž. fiz. Chim. **33**, 2712 (1959); **34**, 2543 (1960); s. C. A. **52**, 19424 (1958); **55**, 15104, 8324 (1961).
[5] A. Streitwieser, Tetrahedron Letters **1960**, 23.
[6] R. Breslow u. P. Dowd, Am. Soc. **85**, 2729 (1963).
[7] P. L. Dowd, Dissertation, Columbia University, 1962; s. Dissertation Abstr. **24**, 509 (1963).
[8] R. Breslow u. M. Battiste, Chem. & Ind. **1958**, 1143.
[9] R. Breslow, J. Brown u. J. J. Gajewski, Am. Soc. **89**, 4383 (1967).

Cyclopropenyl-Anionen werden als antiaromatisch angesprochen. Der Begriff der Aromatizität ist auf verschiedenste Weise definiert worden[1].

Betrachtet man Aromatizität als spezielle Eigenschaft gewisser cyclisch-konjugierter Systeme bezüglich ihrer Stabilität im Vergleich zu den normalen linearen Systemen, so kann die „Antiaromatizität" auch als verminderte Stabilisierung cyclischer gegenüber linearkonjugierter Systeme verstanden werden[2]. Damit wird der absolute Begriff der „Resonanzstabilisierung" abgelöst von einem sich in Relation zur Stabilisierung linearer Systeme stellenden Begriffsinhalt. Nach der einfachen HMO-Berechnung ergibt sich für das Cyclopropenyl-Anion DE = 0. Auf der absoluten Skala wird damit Nicht-Aromatizität vorausgesagt; vergleicht man jedoch den Wert DE = 0 mit dem offenkettigen Allyl-Anion, für das DE sich zu $0,83\,\beta$ ergibt, muß man das Cyclopropenyl-Anion als antiaromatisch bezeichnen, da aus dem Wechsel von linearer zu cyclischer Konjugation eine Verminderung der konjugativen Stabilisierung resultiert.

Die durchgeführten HMO-Berechnungen für I ergaben[3], daß das *Diphenyl-benzoyl-cyclopropenyl-Anion* (I) eine um $0,812\,\beta$ größere Resonanzstabilisierung als seine isolierten Komponenten, das Phenacyl-Anion und Stilben, besitzen sollte. Nach der HMO-Methode wird für I und ähnliche Cyclopropen-Enolate kein antiaromatischer Charakter im Vergleich zu den isolierten Olefinen und den Enolatsystemen vorausgesagt. So hat auch das *Benzoyl-cyclopropenyl-Anion* eine um $0,206\,\beta$ größere Resonanzstabilisierung als das entsprechende 4-Oxo-4-phenyl-butenyl-Anion. Jedoch betont die Hückel-Methode die Ladungsseparierung zu stark. Die Ladungsdichten aus Hückel-Berechnungen für I und ähnlichen Spezies zeigen positiv geladene Cyclopropenylringe und negative Ladungen sowohl an Sauerstoff als auch Kohlenstoff der Carbonyl-Gruppe. Die benutzte PPP-SCF-Methode[4] ergibt für das einfache *Cyclopropenyl-enolat* (II) ein antiaromatisches Verhalten in Hinblick auf das offenkettige Analogon[3]. Weiterhin zeigen die PPP-SCF-Rechnungen, daß die Cyclopropenyl-enolate auch in Hinblick auf die entsprechenden Cyclopropan-Derivate eine hohe konjugative Destabilisierung besitzen[3].

I

II

Tab. 17 (S. 782) zeigt die Zahlenwerte der PPP-SCF-Rechnungen[3].

Konjugative Destabilisierung dürfte daher derzeit die beste Erklärung für die Instabilität von Cyclopropenyl-Anion-Derivaten relativ zu einem Methylen-cyclopropan-Anion (das allylische Analogon) und relativ zum einfachen Cyclopropyl-Anion sein. Damit erscheint das Cyclopropenyl-Anion als „antiaromatisch" im Sinne der beiden genannten Definitionen.

[1] s. hierzu: R. BRESLOW, Chem. eng. News, **1965**, 90.

E. VOGEL, *Aromaticity*, Special Publ. Nr. **21**, 113 (1967), Chemical Society, London.

s. hierzu: M. DEWAR, Advances in Chemical Physics **8**, 121 (1965).

Nach einem neueren thermodynamischen Kriterium spricht man cyclisch konjugierte Systeme als „aromatisch" an, wenn die cyclische Delokalisierung der Elektronen einen beträchtlichen negativen Beitrag zur Bildungswärme liefert. Im Lichte dieser Definition kann man sich sofort auch einen Vorgang vorstellen, bei dem die cyclische Delokalisierung der Elektronen zur Destabilisierung führt. Ein solches Phänomen sollte dann als „Antiaromatizität" bezeichnet werden; s. P. J. GARRATT, *Aromaticity*, McGraw-Hill, London 1971.

[2] R. BRESLOW u. E. MOHACSI, Am. Soc. **85**, 431 (1963).

[3] R. BRESLOW, J. BROWN u. J. J. GAJEWSI, Am. Soc. **89**, 4383 (1967).

R. BRESLOW, Ang. Ch. **80**, 573 (1968).

[4] PARISER-PARR-POPLE-Self-consistent-field-Methode; vgl. R. G. PARR, *The Quantum Theory of Molecular Electronic Structure*, W. A. Benjamin, Inc., New York 1963.

Tab. 17. Ergebnisse der PPP-SCF-Berechnungen[1]

	Singulett-Energie [eV]	Triplett-Energie [eV]
Cyclopropenyl-Anion	−61,448	−62,290
Allyl-Anion	−61,903	−59,164
Cyclopentadienyl-Kation	−123,147	−123,465
Pentadienyl-Kation	−105,014	—

Es können auch andere Beweise für die Instabilität von Cyclopropenyl-Anionen herangezogen werden[2]; z.B. den Vergleich der Stabilitäten des theoretisch aus dem Cyclopropen-carbonsäureester (III) herstellbaren Anions I mit dem Cyclopropan-Anion II. Die Instabilität des Anions I geht aus dem Vergleich der alkalischen Racemisierung der rechts-drehenden Säure-Derivate III und IV hervor, die über das Anion I bzw. II verläuft. Während die Cyclopropen-Verbindung III nicht racemisiert, epimerisiert sich die Cyclopropan-Verbindung IV zu V:

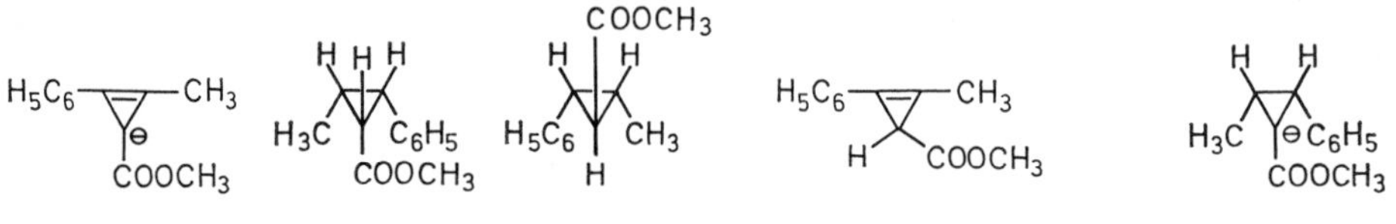

I   IV   V   III   II

e) π-Komplexe von Cyclopropenen mit Übergangsmetallen

Nach theoretischen Betrachtungen[3,4] sind Metall-π-Komplexe von Cyclopropenyl-Verbindungen vorstellbar. Es hat daher nicht an Versuchen gefehlt, solche π-Komplexe aus Cyclopropenen, Cyclopropenylium-Kationen oder Cyclopropenonen zu synthetisieren.

Triphenyl-cyclopropenylium-bromid (VI) reagiert direkt ohne Gasentwicklung mit dem Anion des Kobalt-tetracarbonyl-natriums[5]. Es kam dabei jedoch nicht zur Bildung des ursprünglich angestrebten symmetrischen π-Komplexes des Triphenyl-cyclopropenylium-Kations, sondern zu einem π-Komplex, dem nach infrarotspektroskopischen Befunden die Struktur VII zugeschrieben wurde. Die Oxidation eines anlogen Eisendicarbonylnitroso-Komplexes VIII führte zur Regenerierung des Cyclopropenylium-Kations. Dieses Verhalten wurde als Beweis für die Beibehaltung der Ringstruktur in den Komplexen VII und VIII gewertet[5]. Versuche, durch Umsetzung von I mit Kalium-trichloro-(äthylen)-platinat und thermische Abspaltung des Äthylens aus dem erhaltenen Produkt einen symmetrischen π-Komplex des Triphenyl-cyclopropenylium-Kations herzustellen, scheiterten[6].

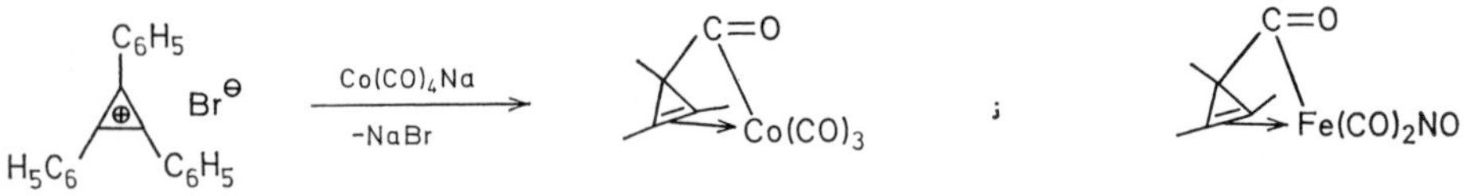

VI   VII   VIII

[1] R. Breslow, J. Brown u. J. J. Gajewsi, Am. Soc. **89**, 4383 (1967).
   R. Breslow, Ang. Ch. **80**, 573 (1968).
[2] I. N. Domnin, I. A. Dyakonov u. M. I. Komendantov, Ž. org. Chim. **3**, 2076 (1967); C. A. **69**, 2538 (1968).
[3] Vgl. L. F. Orgel, *Introduction to Transition Metal Chemistry*, S. 153—155, Methuen, London 1960.
[4] s. a. D. A. Brown, J. Inorg. & Nuclear Chem. **13**, 212 (1960).
[5] C. E. Coffrey, Am. Soc. **84**, 118 (1962).
[6] J. Chatt u. R. G. Guy, Chem. & Ind. **1963**, 212.

Bei der Reaktion von 1,3,3-Trimethyl-cyclopropen mit Trieisendodecacarbonyl wurde nur Ringöffnung beobachtet[1]. Möglicherweise hat das gebildete Produkt eine der beiden Vinyl-keten-Strukturen IX oder X:

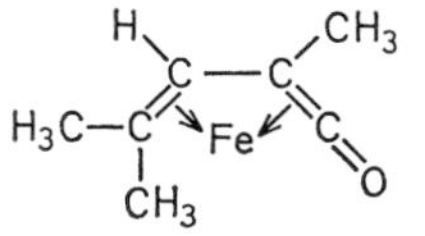

IX

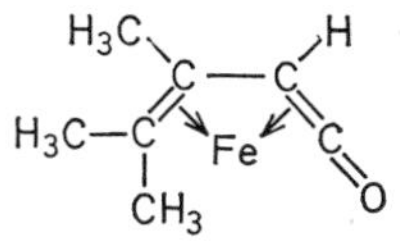

X

Dagegen liefert Triphenyl-cyclopropenylium-bromid mit Nickeltetracarbonyl unter Kohlenmonoxid-Entwicklung eine im festen Zustand stabile Komplex-Verbindung, der folgende Struktur zugeschrieben wurde[2]:

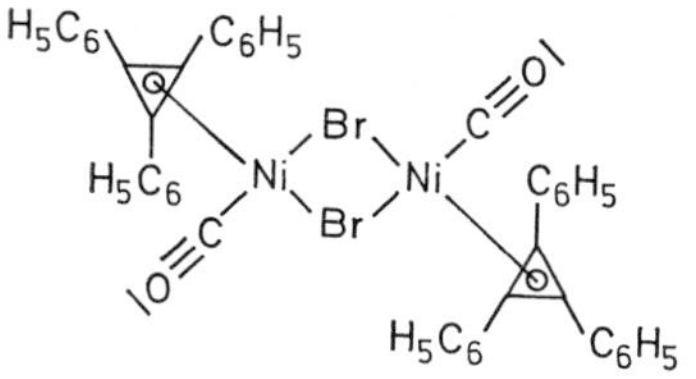

XI

XI ist als Komplex des formal nullwertigen Nickels mit dem Triphenyl-cyclopropenylium-Kation aufzufassen.

In ähnlicher Weise bildet Diphenyl-cyclopropenon mit Nickelcarbonyl einen Komplex mit der stöchiometrischen Zusammensetzung von drei Cyclopropenon-Molekülen und einer Kohlenmonoxid-Molekel pro Nickelatom[3].

Ferrocen (I) kann unter dem Einfluß von Bortrifluorid-Ätherat mit *3,3-Dichlor-1,2-diphenyl-cyclopropen* (II)[4] in Dichlormethan in das rote kristalline Salz des Kations III überführt werden:

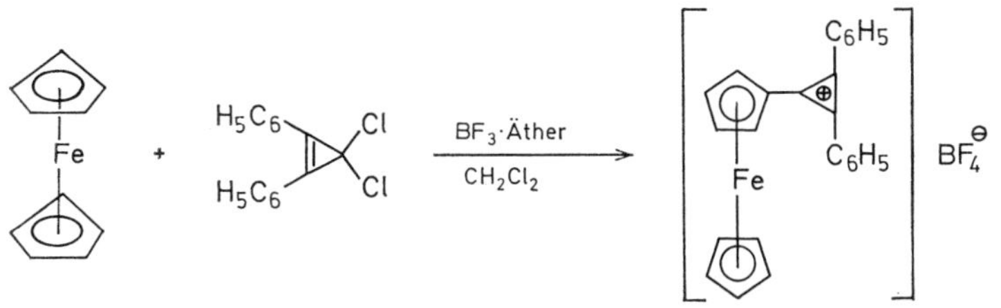

I II III; (*Diphenyl-cyclopropen-ylium*)-*ferrocen-tetrafluoroborat*

III kann als Eisen-π-Komplex des Calicen-Systems aufgefaßt werden. Bei der Reduktion von III mit Natrium-boranat werden Stereoisomere des Ferrocenyl-diphenyl-cyclopropens erhalten.

---

[1] R. B. KING, Inorg. Chem. **2**, 642 (1963).

[2] E. W. GOWLING u. S. F. A. KETTLE, Inorg. Chem. **3**, 604 (1964).

[3] C. W. BIRD u. E. M. HOLLINS, Chem. & Ind. **1964**, 1362.
Vgl. a. C. W. BIRD u. J. HUDEC, Chem. & Ind. **1959**, 570.

[4] M. CAIS u. A. EISENSTADT, Am. Soc. **89**, 5468 (1967).

III. Bibliographie

A. W. Krebs, *Cyclopropenylium-Verbindungen und Cyclopropenone*, Ang. Ch. **77**, 10 (1965); Int. Ed. **4**, 10 (1965).

G. L. Closs, *Cyclopropenes* in H. Hart u. G. J. Karabatsos, *Advances in Alicylic Chemistry*, Vol. I, Academic Press, New York · London 1966.

M. Smith in S. Coffey, *Rodd's Chemistry of Carbon Compounds*, Vol. II, Part A, Chapter 2, S. 19 ff., Elsevier Publishing Company, Amsterdam · London · New York 1967.

R. Breslow, *Kleine antiaromatische Ringe*, Ang. Ch. **80**, 573 (1968); Int. Ed. **7**, 565 (1968).

J. Jaz, *Quelques aspects de la chimie des petits cycles*, Belgische Chemische Industrie **33**, 5, 130 (1968).

Autorenregister

Abend, P. G., vgl. Dull, M. F. 105, 128, 191, 259
Aboderin, A. A., u. Baird, R. L. 722
Abrahamson, E. W., vgl. Pomerantz, M. 586, 587, 589
Abrahamson, W. H., vgl. Longuet-Higgins, H. C. 616, 722
Abramovitch, R. A., u. Roy, J. 305
Adametz, G., et al. 63
—, Swoboda, J., u. Wessely, F. 63
Adams, D. M., Chatt, J., Guy, R. G., u. Sheppard, N. 411
Adams, R., vgl. Winstein, S. 458, 480
Adamson, D. W., u. Kenner, J. 54
Agami, C. 140
—, u. Pierre, J. L. 585
—, Prevost, C., u. Prevost, J. 140
Agranat, I., vgl. Bergmann, E. D. 750, 751, 752, 757, 759, 761
Air Reduction Co. 34
Akhrem, I. S., vgl. Volpin, M. E. 536, 564
Akhtar, M. 399
—, Barton, D. M., u. Sammes, P. G. 91
Akischin, P. A., vgl. Lewina, R. J. 34
Akiyoshi, S., u. Matsuda, T. 273
Al-Azrak, A., vgl. Schöllkpf, U. 244, 245
Albin, J., vgl. Wiberg, K. B. 51, 690, 711
Alder, K., et al 543
—, u. Flock, F. H. 109
—, u. Jacobs, G. 509, 688
—, Kaiser, K., u. Schumacher, M. 510, 688
—, u. Krane, W. 528
—, u. Schmitz, P. 114
Alder, R. W., u. Whiting, M. C. 348
Ali, L. H., vgl. Crawford, R. J. 83
Allen, C. F. H., et al. 30
Allen, T. L., vgl. Bigeleisen, J. 152
Allerhand, A., u. Gutowsky, H. S. 533, 534, 574
Alleston, D. L., vgl. Seyferth, D. 200, 203, 204, 205
Allinger, N. L., et al. 25
Allmendinger, H., vgl. Hanack, M. 430, 447

Almenningen, A., Bestiansen, O., u. Munthe-Kaas, T. 764
Alphen, J. van s. van Alphen, J.
Altman, J., et al. 367, 657
Altman, L. J., vgl. Breslow, R. 732, 733, 740, 742, 743
Amel, R. T., vgl. Johnson, A. W. 147
American Cyanamid Co. 177
Anantakrishnan, S. V., u. Venkataraman, R. 171
Anastassiou, A. G. 302
Anbar, M., Loewenstein, A., u. Meiboom, S. 531
Anderson, B. C. 578
Anderson, C. B., vgl. Yates, P. 91
Anderson, G. J., vgl. Kornblum, N. 475
Anderson, J. A., vgl. Handler, G. S. 20
Anderson, J. C., Lindsay, D. G. u. Reese, C. B. 169, 180, 185, 631
—, u. Reese, C. B. 169, 180
Ando, T., et al. 198, 199, 205, 627, 629, 657
Andreades, S. 751, 752, 757, 762
Andrews, L. 321
Andrews, S. D., u. Smith, J. C. 118
Anet, F. A. L. 510, 525
—, et al. 292
—, vgl. Anet, R. 690, 701
—, Bader, R. F. W., u. Auwera, A. M. v. d. 103
Anet, R., u. Anet, F. A. L. 690, 701
Ann van Dine, H., vgl. Krakower, G. W. 57
Anselme, J. P., vgl. Overberger, C. G. 69, 75, 76, 77, 78, 79, 80, 257, 262
Anthes, E., vgl. Staudinger, H. 53, 98
Aoki, D., vgl. Gilman, H. 225
Aoki, S., Harita, Y., Otsu, T., u. Imoto, M. 576, 577
Applequist, D. A., u. Landgrebe, J. A. 493
Applequist, D. E., Fanta, G. F., u. Henrikson, B. W. 37, 493
—, vgl. Fisher, F. 697, 714
—, vgl. Landgrebe, J. A. 448, 449
—, u. Landgrebe, J. A. 449
—, u. McGreer, D. E. 38
—, u. Peterson, A. H. 664
Arens, J. F., vgl. Fröling, A. 255

Arens, J. F., Fröling, M., u. Fröling, A. 249
—, vgl. Wildshut, G. A. 254
Arigoni, D., vgl. Dutler, H. 392
—, vgl. Weinberg, K. 392, 582, 583
Armstrong, R., vgl. Roberts, J. D. 439, 440, 480
Armstrong, R. K. 282
Arnaud, P., vgl. Vidal, M. 126, 695
Arndt, F. 47, 218
Arnold, Z. 290
Aronoff, M. S., vgl. Walborsky, H. M. 400
Ashcraft, A. C., vgl. Dauben, W. G. 119, 120, 123, 457, 583
Ashe III, A. J., vgl. Wiberg, K. B. 454
Aston, J. G., u. Newkirk, J. D. 665
—, vgl. Sutherland, L. H. 152
Auken, T. V. van s. van Auken, T. V.
Aumann, R. 412, 540
Auwera, A. M. v. d., vgl. Anet, F. A. L. 103
Auwers, K. von, u. Cauer, E. 47
—, u. König, F. 44, 61, 87, 88
Avram, M., Sliam, E., u. Nenitzescu, C. D. 540
Axen, U., Lincoln, F. H., u. Thompson, J. L. 650
Ayscough, P. B., u. Emeleus, H. J. 156

Babad, H., et al. 352
—, vgl. Closs, G. L. 702, 703
Bachman, G. L., vgl. Gutsche, C. D. 337
Bachmann, W. E., u. Struve, W. S. 363
Bacskai, R., vgl. Schleyer, P. v. R. 581
Badea, F., u. Nenitzescu, C. D. 165
Bader, R. F. W., vgl. Anet, F. A. L. 103
—, u. Generosa, J. I. 292
Badger, G. M., et al. 289
Badiger, V. V., vgl. Truce, W. E. 145
Bässler, T., vgl. Hanack, M 475, 476, 477
Baeyer, A. 654
Baeyer, A. von 15
Baganz, H., u. Domaschke, L. 245
Bahary, W., vgl. Breslow, R. 779

Baillarge, M., vgl. Julia, M. 280, 428

Bair, T. I., vgl. Wharton, P. S. 271

Baird, M. S. 202

—, Lindsay, D. G., u. Reese, C. B. 197, 198, 199

—, u. Reese, C. B. 197, 198, 199, 200, 201, 202, 627

Baird, N. C., u. Dewar, M. J. S. 578, 682, 683

Baird, R., vgl. Winstein, S. 18, 22, 91

—, u. Winstein, S. 91

Baird, R. L., vgl. Aboderin, A. A. 722

Baker, C., vgl. Basch, H. 586

Baker, R. T. K., et al. 636

Baker, W., et al. 562

Balaban, A. T. 509

Baldwin, J. E., u. Foglesong, W. D. 366, 476

—, vgl. Pochan, J. M. 592

—, u. Roberts, J. D. 509

—, u. Smith, R. A. 287

Baley, P. S. 510

Ball, W. J., et al. 644

—, u. Landor, S. R. 166, 167, 168, 312, 568

Ballentine, A. R., vgl. Bly, R. S. 474

—, Bly, R. S., u. Koock, S. U. 467

Balls, D. M., vgl. Freeman, P. K. 349

Baltzly, R., et al. 50

Bamford, W. R., u. Stevens, T. S. 697

Bangert, K. F., u. Boekelheide, V. 273

Banitt, E. H., vgl. Lemal, D. M. 254, 255

Barber, H. J., Fuller, R. F., Green, M. B., u. Zwartouw, H. T. 234, 237

Barbour, R. V., vgl. Cristol, S. J. 465, 494

Bargon, J. 413

—, vgl. Fischer, H. 413

—, u. Fischer, H. 413

—, —, u. Johnsen, U. 413

Barnes, R. K., vgl. Wiberg, K. B. 51, 690, 702, 711

Baron, A. L., vgl. Sneen, R. A. 416, 447

Bartell, L. S., Carroll, B. L., u. Guillory, J. P. 486

—, u. Guillory, J. P. 21, 486, 593

—, —. u. Parks, A. T. 21

Bartelson, J. D., Burk, R. E., u. Lankelma, H. P. 33, 34

Bartlett, P. D., Friedman, S., u. Stiles, M. 238

—, u. Giddings, W. P. 444

—, u. Rice, M. C. 429

—, u. Taylor, T. G. 256

Bartley, W. J., vgl. Wiberg, K. B. 400, 682, 688, 702, 705, 706, 709, 711, 714, 715, 772

Barton, D. H. R., et al. 16, 652

—, u. de Mayo, P. 652

—, —, u. Shafiq, M. 390, 391

—, u. Gilham, P. T. 391

—, u. Kende, A. S. 16

—, McGhie, J., u. Rosenberger, R. 390

—, O'Brien, R. E., u. Sternhell, S. 475

—, u. Taylor, W. C. 16, 583

Barton, D. M., vgl. Akhtar, M. 91

Barton, T. J., vgl. Paquette, L. A. 565, 566

Basch, H., vgl. Lombardi, J. R. 586

—, vgl. Robin, M. B. 586

—, Robin, M. B., Kuebeler, N. A., Baker, C., u. Turner, D. W. 586

Bass, A. M., u. Mann, D. E. 327

Bastiansen, O., u. de Meijere, A. 593

Bastús, J. B. 537

Batelka, J. J., vgl. La Londe, R. T. 653

Bates, E. B., Jones, E. R. H., u. Whiting, M. C. 467

Bates, R. B., et al. 583

Battioni-Savignat, P., Voquang, Y., u. Voquang, L. 118

Battiste, M., vgl. Breslow, R. 282, 685, 687, 694, 695, 714, 716, 717, 723, 725, 729, 768, 780

—, vgl. Winstein, S. 434

Battiste, M. A. 511, 705, 706, 750, 751, 752, 757, 761, 762, 768

—, u. Brennan, M. E. 112

—, vgl. Breslow, R. 776

—, u. Burns, M. E. 646

Bauer, W., vgl. Prelog, V. 90

Bauer, W. H., vgl. Wiberley, S. E. 30

Bawn, C. E., u. Hunter, R. 36

Bawn, C. E. H., u. Dunning, W. J. 99

—, u. Ledwith, A. 105

—, —, u. Whittleston, J. 128

—, u. Milsted, J. 99

—, u. Rhodes, T. B. 105

—, u. Tipper, C. F. H. 99

Bayer, R. P., vgl. Hine, J. 254, 255

Bayes, K. D. 636, 637

—, vgl. Willis, C. 637

Bayless, J., et al. 494, 495

Bayliss, N. S., u. McRae, E. G. 750

Beck, A. K., vgl. Seebach, D. 159

Becker, D., u. Loewenthal, H. J. E. 366

Becker, E. J., u. Wallis, E. S. 459

Beech, S. G., Turnbull, J. H., u. Wilson, W. 72

Beeson, J., vgl. Kaiser, C. 139, 140

Begrich, R. 352

Bell, H. M., vgl. Brown, H. C. 429, 442

—, u. Brown, H. C. 500

Bell, R. M., vgl. Ledwith, A. 164, 172

Bell, W. J., u. Landor, S. R. 198

Bellamy, L. J. 30

Bellus, D., Kearns, D. R., u. Schaffner, K. 395

Beltrame, P., vgl. Simonetta, M. 682

Bemont, B., vgl. Julia, M. 90

—, vgl. Julia, S. 428

Bendall, V. I., u. Closs, G. L. 684, 690, 701

Benderly, A. A., vgl. Nelson, E. R. 90

Benjamin, B. M., Schaeffer, H. J., u. Collins, C. J. 423

Benkeser, R. A., et al. 402

Bennett, W., vgl. Roberts, J. D. 439, 440, 441, 480

Ben-Shoshan, R., vgl. Sarel, S. 425, 505

—, u. Sarel, S. 412

Benson, R. E., vgl. LaLancette, E. A. 225

Benson, S. W. 80, 609, 614, 615

—, Bose, A. N., u. Nangia, P. 609

—, vgl. de More, W. B. 80, 292, 293, 332

—, vgl. Egger, K. W. 601

Bentler, H., vgl. Böhme, H. 136

Berchtold, G. A., vgl. Ciabattoni, J. 742, 746, 759, 761

Béress, L., vgl. Gosselck, J. 148, 149, 369

Berezin, G. H., vgl. Dauben, W. G. 119, 123, 124, 430, 499, 580, 594

Berger, J. G., vgl. Friedman, L. 127, 333, 353, 354

Bergman, E. 193

—, vgl. Slaugh, L. H. 249

Bergman, R, G., vgl. Kelsey, D. R. 475

—, vgl. Sherrod, S. A. 475, 476

Bergmann, E., Magat, M., u. Wagenberg, D. 55

Bergmann, E. D., u. Agranat, I. 750, 751, 752, 757, 759, 761

Bergström, C. G., vgl. Siegel. S. 47

Bergstrom, C. C., u. Siegel, S. 478

Berlin, A. J., Fisher, L. P., u. Ketley, A. D. 602
—, vgl. Ketley, A. D. 601
Bernett, W. A. 19, 20, 21, 22, 23, 24
Bernheim, R. A., Kempf, R. J., Gramas, J. V., u. Skell, P. S. 308
—, —, u. Reichenbecher, E. F. 309, 329
Bernstein, H. J., vgl. Pople, J. A. 529
Beroza, M., vgl. Jakobson, M. 49
Berson, J. A. 440
—, et al. 307, 521, 522, 523
—, u. Hand, E. S. 272
—, u. Pomerantz, M. 589, 708
—, u. Willcott, M. R. 522, 604
Berthier, G., u. Pullman, B. 749
Bertin, D., vgl. Nominé, G. 52, 57
Bertrand, M., et al. 645
—, vgl. Bezaguet, A. 313
—, u. Maurin, R. 118, 644
—, vgl. Santelli, M. 468, 469
—, u. Santelli, M. 466, 467, 468, 474
Besinet, P., et al. 272, 273, 498
Bestiansen, O., vgl. Almenningen, A. 764
—, u. Traetteberg, M. 764
Bestmann, H. J., vgl. Weygand, F. 363
Bethell, D., u. Brown, K. C. 265, 266
—, u. Cockerill, A. F. 265
—, u. Whittaker, D. 257
—, —, u. Challister, J. D. 257
Beugelmans, R., u. Compaignons de Marchaville, H. 463
Beumel, O. F., vgl. Kuivila, H. G. 204
Bevan, W. I., Haszeldine, R. N., u. Young, J. 155
—, —, u. Young, J. C. 165
Beynon, J. H., Heilbron, I. M., u. Spring, F. S. 415, 458
Bezaguet, A., u. Bertrand, M. 313
—, u. Delépine, V. 312
Bhacca, N. S., vgl. Williams, D. H. 485
Bhausar, M. D., vgl. Parham, W. E. 631
Bickel, A. F., vgl. ter Borg, A. P. 151, 165, 189, 190
—, vgl. Wagner, W. M. 153
Bielmann, J., u. Ourisson, G. 461, 462
Biethan, U., Gizycki, U. von, u. Musso, H. 583, 585
—, Klusacek, H., u. Musso, H. 563, 564, 650
—, vgl. Musso, H. 272, 563
Bigeleisen, J., u. Allen, T. L. 152

Bigelow, M. J., vgl. King, L. C. 459
Billek, G., et al. 63
—, Saiko, O., u. Wessely, F. 63
Binger, P., u. Köster, R. 405
Birch, A. J. 212
—, et al. 629, 631, 653, 658
—, u. Graves, J. M. H. 211, 630
—, —, u. Siddall, J. B. 211
—, u. Keeton, R. 631
—, u. Nasipuri, D. 212
—, u. Subba Rao, G. S. R. 125, 631
Birchall, J. M., Cross, G. W., u. Haszeldine, R. N. 153, 377
Bird, C. W., et al. 741
—, u. Hollins, E. M. 736, 783
—, u. Hudec, J. 736, 783
Birladeanu, L., vgl. Hanafusa, T. 120
—, Hanafusa, T., Johnson, B., u. Winstein, S. 450, 451, 452
—, —, u. Winstein, S. 121, 450, 451
Birley, J. H., u. Chesick, J. P. 516
Biro, V., Voegtli, W., u. Lauger, P. 77
Biskup, M., vgl. Vogel, E. 514, 523, 527
Blacet, F. E., vgl. Holroyd, R. A. 388, 390
Black, D. K., u. Landor, S. R. 118
Bladé-Font, A. 631
—, vgl. McEwen, W. E. 138
Blanchard, E. P., u. Cairncross, A. 588, 589
—, vgl. Simmons, H. E. 66, 115, 117, 119, 120, 125, 134, 221, 355
—, u. Simmons, H. E. 115, 119, 125, 134, 136, 269, 385
Blanchard, L. 375
Blankley, C. J., vgl. House, H. O. 658
Blatchford, J. K., u. Orchin, M. 271
Bleiholder, R. F., u. Shechter, H. 313, 317, 321
Bloch, K., vgl. Harvey, W. 584
Blomquist, A. T., u. Meinwald, Y. C. 316
Blomstrom, D. C., Herbig, K., u. Simmons, H. E. 292
Bloomfield, J. J., vgl. Fuchs, R. 581
Bly, R. K., vgl. Cristol, S. J. 561
Bly, R. S., vgl. Ballentine, A. R. 467
—, Ballentine, A. R., u. Koock, S. U. 474
—, u. Swindell, R. T. 424

Bocchi, O. 189
Bocher, S., vgl. Hanack, M. 474
Bochvar, D. A., Stankevich, I. V., u. Chistyakov, A. L. 730, 779, 780
Boeckman, R. K., vgl. Hendrickson, J. B. 576
Böhme, H. 249
—, u. Bentler, H. 136
—, u. Dörries, A. 238
—, Fischer, H., u. Frank, R. 250
Boekelheide, V., vgl. Bangert, K. F. 273
—, u. Smith, C. D. 289
Böll, W. A. 514, 523, 527
—, vgl. Closs, G. L. 697, 699, 700, 704, 706, 714, 723, 738, 774
—, vgl. Vogel, E. 513, 514, 523, 524, 526, 527
Boer, T. J. de s. de Boer, T. J.
Böttcher, R. J., et al. 556, 557, 558, 559
Boikess, R., vgl. Breslow, R. 716, 717, 776
Boikess, R. S., u. Winstein, S. 120
Bokranz, A., vgl. Grewe, R. 48
Boldt, P., u. Schulz, L. 307, 369, 373, 374
—, u. Etzemüller, J. 372, 373, 374
Bonavent, G., Cousse, M., Guitard, M., u. Fraisse-Jullien, R. 95, 97
—, vgl. Mousseron, M. 95
Bond, F. T., u. Bradway, D. E. 313
Bond, T. F., u. Scerbo, L. 454
Bonnet, Y., vgl. Julia, S. 654
Boord, C. E., et al. 576
—, vgl. Derfer, J. M. 30
Boonlette, B., vgl. Skattebøl, L. 663
Borchert, E., vgl. Overberger, C. G. 612
Borčič, S., Humski, K., u. Sunko, D. E. 478
—, Nikoletić, M., u. Sunko, D. E. 478
Borden, W. T. 636
Borg, A. P. ter s. ter Borg, A. P.
Borkowski, M., vgl. Brown, H. C. 493
Borodko, Y. G., u. Syrkin, Y. K. 731, 734
Borowitz, I. J., vgl. Stork, G. 665
Bos, H. J. T., vgl. Wildshut, G. A. 254
Boschert, A. E., vgl. Overberger, C. G. 70, 597
Bose, A. N., vgl. Benson, S. W. 609
Boskin, M. J., vgl. Denney, D. B. 138

Bosoms, J. A., vgl. McBee, E. T. 297, 298, 299

Bosshard, M., vgl. Dutler, H. 392

Bothner-By, A. A. 311
—, vgl. Günther, H. 317
—, vgl. Pople, J. A. 29
—, vgl. Vogel, E. 604, 605, 606

Bott, K., vgl. Klages, F. 297, 299

Bottini, A. T., vgl. Davidson, A. J. 577, 578
—, u. Davidson, A. J. 578

Bouman, N. 765

Bovey, F. A., vgl. Johnson, C. E. 28

Boys, S. F., vgl. Foster, J. M. 325

Braatz, J. A., vgl. Ketley, A. D. 411, 412

Brader, W. H., vgl. Hine, J. 99

Bradway, D. E., vgl. Bond, F. T. 313

Brandon, D., vgl. Young, W. G. 122

Brandsma, L., vgl. Wildshut, G. A. 254

Brasseur, L., vgl. Julia, S. 90, 419

Brauer, G. 137

Braxton, H. G., vgl. Parham, W. E. 59

Brecher, C., et al. 30

Bredereck, H., u. Müller, Eu. 28, 29

Bredt, J. 572

Breitbeil, F. W., vgl. De Puy, C. H. 253

Brennan, M. E., vgl. Battiste, M. A. 112

Breslow, R. 483, 652, 693, 695, 715, 764, 765, 769, 774, 775, 776, 781, 782, 784
—, et al. 229, 282, 718, 719, 720, 721, 731, 732, 733, 734, 735, 736, 738, 741, 742, 743, 744, 745, 747, 752, 765, 767, 768, 774
—, u. Altman, L. J. 732, 733, 740, 742, 743
—, Bahary, W., u. Reinmuth, W. 779
—, u. Battiste, M. 282, 694, 717, 725, 768, 780
—, Boikess, R., u. Battiste, M. 716, 717
—, —, u. Battiste, M. A. 776
—, Brown, J., u. Gajewski, J. J. 780, 781, 782
—, u. Chang, H. W. 765, 768, 769, 770, 774
—, u. Chipman, D. 282, 693, 694
—, vgl. Deboer, C. 708
—, u. Dowd, P. 712, 713, 717, 768, 774, 775, 780

Breslow, R., u. Gal, P. 718, 768, 775, 779
—, Groves, J. T., u. Ryan, G. 687, 765, 766, 769, 772, 773
—, Haynie, R., u. Mirra, J. 734, 741
—, u. Höver, H. 765, 768, 771
—, —, u. Chang, H. W. 694, 732, 759, 765, 766, 768, 770, 771
—, Lockhart, J., u. Chang, H. W. 685, 768, 769, 770
—, —, u. Small, A. 431, 432, 727
—, u. Mitchell, M. 717, 725
—, u. Mohacsi, E. 781
—, u. Peterson, R. 731, 734, 741, 742, 743
—, Posner, J., u. Krebs, A. 731, 741
—, u. Ryan, G. 732, 733, 740, 743, 773
—, Winter, R., u. Battiste, M. 685, 687, 694, 695, 714, 716, 723, 729
—, vgl. Wolf, P. 723
—, u. Yuan, C. 693, 695, 764, 765, 769, 774

Bressler, L. S., vgl. Faworskaja, T. A. 425, 426

Breuer, E. 500, 501
—, u. Sarel, S. 501
—, Segall, E., u. Sarel, S. 503

Brewer, J. P. N., u. Heaney, 399

Briegleb, G. 316

Brindell, G. D., vgl. Cristol, S. J. 494

Brini-Fritz, M., vgl. Rambaud, R. 90

Brinton, R. K., u. Volman, D. H. 255

Brisson, H., vgl. Julia, M. 428

Brönstedt, J. N. Kilpatrick, M., u. Kilpatrick, M. 375

Brooke, D. G., u. Smith, J. C. 35

Brookhart, M., vgl. Diaz, A. 442, 443
—, Diaz, A., u. Winstein, S. 442, 443

Brooks, R. E., et al. 633

Brown, D. A. 782

Brown, H. C., vgl. Bell, H. M. 500
—, u. Bell, H. M. 429, 442
—, u. Borkowski, M. 493
—, u. Cleveland, J. D. 580, 594
—, u. Tritle, G. L. 444

Brown, J., vgl. Breslow, R. 780, 781, 782

Brown, J. M. 613

Brown, K. C., vgl. Bethell, D. 265, 266

Browne, W. R., u. Mason, J. P. 53

Bruck, P., Thompson, D., u. Winstein, S. 203

Brückner, K., et al. 57

Bruson, H. A., Niederhauser, W., Riener, T., u. Hester, W. F. 177

Bruylants, P., u. Dewael, A. 415, 419, 424

Buchanan, G. L., u. Sutherland, J K. 90

Buchkremer, J., vgl. Lipp, P. 65, 406

Buchmann, E. R., vgl. Howton, D. R. 470

Buchner, E. 43, 54, 286
—, et al. 54
—, u. Curtius, T. 286
—, u. Dessauer, H. 54
—, u. Hediger, S. 518
—, u. Witter, H. 53, 54

Buckingham, A. D. 526

Buckley, G. D., Cross, L. H., u. Ray, N. H. 105
—, u. Ray, N. H. 105

Buckley, N. C., vgl. Richey, H. G. 452, 453

Buddrus, J., vgl. Nerdel, F. 374
—, vgl. Weyerstahl, P. 374, 375, 376, 380

Büchi, G., u. Loewenthal, H. J. E. 583
—, Perry, C. W., u. Robb, E. W. 717
—, u. Saari, W. S. 91
—, u. White, J. D. 360

Bülow, B. v., vgl. Kirmse, W. 256

Bürgle, P., vgl. Föhlisch, B. 745, 754, 757, 777

Büttner, H., vgl. Köbrich, G. 158

Buhle, E. L., Moore, A. M., u. Wiselogle, F. Y. 74

Bullivant, J., Shapiro, J. S., u. Swinbourne, E. S. 595, 596

Bumgardner, C. L. 493
—, vgl. Freeman, J. P. 493
—, u. Freeman, J. P. 493

Bunce, S. C., vgl. Wiberley, S. E. 30

Buncel, E., vgl. Ullman, E. F. 690

Bunnell, C. A., vgl. Crandall, J. K. 474

Burawoy, A., u. Spinner, E. 323

Burgert, B. E., vgl. Dryden, H. L. 454

Burk, R. E., vgl. Bartelson, J. D. 33, 34

Burke, H. J., vgl. Corey, E. J. 510, 584 655

Burke, J. J., u. Lauterbur, P. C. 18, 28, 29

Burkroth, T. L. 273

Burlitch, J. M., vgl. Seyferth, D. 135, 156, 157, 158, 169, 170, 175, 176, 178, 183, 227

Burns, M. E., vgl. Battiste, M. A. 646

Burr, J. G., u. Dewar, M. J. S. 665, 669

Burr, M., vgl. Farnum, D. G. 721, 765, 771, 774

Burske, N. W., vgl. Hine, J. 99, 151

Buschhoff, M., vgl. Kirmse, W. 339, 340

Buss, V., vgl. Woodworth, C. W. 657

Busse, W., vgl. Micheel, F. 67

Butcher, S. S. 510, 525

Butenandt, A., u. Suranyi, L. A. 459

Butler, J. N., u. Kistiakowsky, G. B. 104

Butler, P. E., vgl. Griesbaum, K. 41

Butlerow, A. M. 98

Butterworth, R., vgl. Hine, J. 99

Buttery, R. G., vgl. Doering, W. v. E. 99

Byers, G. W., vgl. Turro, N. J. 387

Cadiot, P. 324
—, vgl. Vo-Quang, L. 117, 164, 165, 166, 172

Cagnon, E., vgl. Leitch, L. C. 105

Cahn, R. S., Ingold, C., u. Prelog, V. 374

Cairncross, A. 519
—, vgl. Blanchard, E. P. 588, 589

Cais, M., u. Eisenstadt, A. 783

Calundann, G. W., vgl. McBee, E. T. 695

Cambron, E., vgl. Leitch, L. C. 105

Cameron, D. M., vgl. Crawford. R. J. 69, 70, 82, 83, 598, 599

Campbell, J. R. B., Islam, A. M., u. Raphael, R. A. 655

Cannell, L. G. 564, 570

Cannon, G. W., et al. 90
—, Ellis, R. C., u. Leal, J. R. 90
—, Santilli, A. A., u. Shenian, P. 31, 581, 582, 584

Cannon, J. G., vgl. Darko, L. L. 427

Cantor, S. W., u. Osthoff, R. C. 105

Caplin, G. A., Ollis, W. D., u. Sutherland, I. O. 144

Capozzi, G., et al. 474

Capuano, L., u. Zander, M. 347

Caput, M., vgl. Julia, M. 425

Cardenas, C. G., Shoulders, B. A., u. Gardner, P. D. 641

Cargle, V. H., vgl. Wilcott, W. R. 599

Carmichael, G. vgl. McGreer, D. E. 44, 84

Carr, R. W., u. Kistiakowsky, G. B. 104

Carrasco, O., vgl. Plancher, G. 189

Carroll, B. L., vgl. Bartell, L. S. 486

The Carwin Co. 207

Cary, A. S., vgl. Josien, M. L. 31

Casanova, J., vgl. Corey, E. J. 121

Cascoigne, R. M. 652

Caserio, F., vgl. Young, W. G. 122

Caserio, M. C., vgl. Cox, E. F. 416
—, Graham, W. H., u. Roberts, J. D. 425, 477, 478
—, vgl. Silver, M. S. 416
—, vgl. Smutny, E. J. 739

Cassar, L., vgl. Chiusoli, G. P. 146

Cassic, W. B., vgl. Grant, F. W. 154, 165

Castellucci, N. T., u. Griffin, C. E. 118
—, vgl. Masamune, S. 366, 629

Cauer, E., vgl. Auwers, K. von 47

Cauquis, G., u. Reverdy, G. 258, 260, 261

Cava, M. P., u. Moroz, E. 25

Cavestri, R., vgl. Ketcham, R. 203

Chaffaut, J. A. du s. du Chaffaut, J. A.

Chahawi, M. El s. El-Chahawi, M.

Chakravorty, P. N., vgl. Ladenberg, K. 458

Chakravorty, P. W., vgl. Ford, E. G. 458

Challister, J. D., vgl. Bethell, D. 257

Chalvet, O., Daudel, R., u. Kaufman, J. J. 749

Chambers, T. S., u. Kistiakowsky, G. B. 595, 608

Chambers, V. C., vgl. Roberts, J. D. 399, 477, 617, 619, 620, 621, 622, 664

Chandross, E., u. Smolinsky, E. 776

Chandross, E. A., u. Smolinsky, G. 716

Chang, H. W., vgl. Breslow, R. 685, 694, 732, 759, 765, 766, 768, 769, 770, 771, 774
—, Lautzenheiser, A., u. Wolf, A. P. 637

Chao, O., vgl. Mateos, J. L. 25

Chapman, J. R. 358

Chapman, O. L. 391, 688

Chapman, O. L., et al. 390, 391
—, u. Fitton, D. 435, 436
—, Sieja, J. B., u. Welstead, W. J. 395

Chatt, J., vgl. Adams, D. M. 411
—, u. Guy, R. G. 765, 782

Chaudhuri, N., vgl. Doering, W. v. E. 99

Chaykovsky, M., vgl. Corey, E. J. 122, 139, 140, 142, 143, 146

Cherkashina, L. G., vgl. Kazanskii, B. A. 598

Chesick, J. P. 588
—, vgl. Birley, J. H. 516
—, vgl. Klump, K. N. 511, 516

Chickos, J., vgl. Farnum, D. G. 733, 738, 739

Chinoporos, E. 99

Chipman, D., vgl. Breslow, R. 282, 693, 694

Chistyakov, A. L., vgl. Bochvar, D. A. 730, 779, 780

Chiu, N. W. K., vgl. McGreer, D. E. 84

Chiurdoglu, G., Goldenberg, C., u. Geeraerts, J. 453
—, u. Tursch, B. 91

Chiusoli, G. P., u. Cassar, L. 146

Chollet, E., vgl. Vidal, M. 695

Cholod, M. S., vgl. Skell, P. S. 172

Chong, D. P., u. Linnett, J. W. 82

Christiansen, E. G., vgl. Lott, W. A. 34
—, vgl. Ort, J. M. 36
—, u. Ort, J. M. 36

Chung, A. L. H., u. Dewar, M. J. S. 683

Chvalovsky, V., vgl. Cudlin, J. 405

Ciabattoni, J., u. Berchtold, G. A. 742, 746, 759, 761

Ciamician, G. L., u. Dennstedt, M. 189

Ciganek, E. 305, 306, 307, 369, 398, 515, 516, 517, 518, 519, 523, 561, 562, 662

Ciganek, E. E. 516, 517

Cilento, G. 249

Cipriani, R. A., vgl. Hart, H. 494

Ciula, R. P., vgl. Wiberg, K. B. 588

Claff, C. E., u. Morton, A. A. 401, 402

Clagett, D. C., vgl. Richey, H. G. 387, 389, 406, 669
—, vgl. Wasserman, H. H. 406, 410

Clark, H. C., u. Willis, C. J. 156, 184

Clark, L. W. 152

Clark, T. J., vgl. Jorgenson, M. J. 596
Clarke, R. L., u. Hunter, W. T. 91
Cleveland, F. F., Murray, M. J., u. Gallaway, W. S. 38
Cleveland, J. D., vgl. Brown, H. C. 580, 594
Cloke, J. B., vgl. Gotkis, D. 48
—, u. Leary, T. S. 89, 90
—, Stehr, E., Steadman, T. R., u. Westcott, L. C. 89, 90
Close, W. J. 90
Closs, G. L. 100, 266, 333, 335, 353, 680, 681, 682, 684, 685, 686, 687, 688, 693, 702, 703, 713, 715, 722, 723, 728, 784
—, et al. 217, 259, 264, 266, 327, 328, 329, 330, 413, 700, 701
—, u. Babad, H. 702, 703
—, vgl. Bendall, V. I. 684.
—, u. Böll, W. A. 699, 723
—, u. Closs, L. E. 165, 172, 216, 217, 219, 221, 223, 224, 227, 229, 259, 264, 265, 266, 292, 413, 590, 685, 696, 697, 699, 704, 715, 732, 743
—, —, u. Böll, W. A. 697, 700, 704, 706, 714, 738, 774
—, u. Coyle, J. J. 66, 156, 217, 218, 219, 220, 221, 223, 226, 229, 230, 231, 232
—, —, u. Schober, D. 722
—, u. Dev, V. 693
—, u. Heyn, H. 700, 715
—, u. Klinger, H. B. 18, 21, 446, 594
—, u. Krantz, K. D. 697
—, u. Lampman, R. B. 680
—, u. Larrabee, R. B. 360, 590
—, u. Moss, R. A. 77, 100, 221, 226, 229, 234, 257, 261, 264, 266, 267, 268, 357
—, —, u. Coyle, J. J. 224, 229, 252
—, —, u. Goh, S. H. 345
—, u. Pfeffer, P. E. 590
—, Riemenschneider-Kaplan, L., u. Bendall, V. I. 690, 701
—, u. Schwartz, G. M. 172, 219, 220, 223, 225, 269
—, u. Trifunac, A. D. 413
Closs, L. E., vgl. Closs, G. L. 165, 172, 216, 217, 219, 221, 223, 224, 227, 229, 259, 264, 265, 266, 292, 413, 590, 685, 696, 697, 699, 700, 704, 706, 714, 715, 732, 738, 743, 774

Closson, W. D., u. Kwiatkowski, G. T. 437, 450, 455
—, u. Roman, S. A. 473, 474
—, —, Kwiatkowski, G. T., u. Corwin, D. A. 437
Coburn, J. F. 41
—, vgl. Doering, W. v. E. 41, 588, 709
Cochet, B., vgl. Julia, M. 93
Cocker, W., Crowley, K., Edward, J. T., McMurry, T. B. H., u. Stuart, E. R. 391
Cockerill, A. F., vgl. Bethell, D. 265
Cockroft, R. D., vgl. Rhoads, S. J. 605, 606
Coffey, R. S., vgl. Gutsche, C. D. 337
Coffey, S. 16, 672, 784
Coffrey, C. E. 782
Cohen, S. G., Zand, R., u. Steel, C. 80
Colby, T. H., vgl. Wiberg, K. B. 454
Cole, W., vgl. Tadanier, J. 466, 583
Cole, W. J., vgl. Tadanier, J. 29
Collette, J. W. 170
Collins, C. J., vgl. Benjamin, B. M. 423
Combs, C. M., vgl. DeSelms, R. C. 193, 195, 628
Compaignons de Marchaville, H., vgl. Beugelmans, R. 463
Conant, J. B., vgl. Kohler, E. P. 576, 652
Conia, J. M. 672
—, u. Gore, J. 470
—, vgl. Krapcho, A. P. 449
—, vgl. Leriverend, P. 38
—, u. Limasset, J. C. 125
—, vgl. Ripoll, J. L. 470
—, u. Salaun, J. 672
Conin, A. D., vgl. Scott, F. L. 78
Conn, J. B., Kistiakowsky, G. B., u. Smith, E. A. 510
Conrow, K. 511, 536, 767
—, Howden, M. E., u. Davis, D. 510
Conroy, H. 29
Conti, F., vgl. Donati, M. 410
Cook, A. G., u. Fields, E. K. 633
Cook, C. E., u. Wall, M. E. 161
Cook, E. S., u Hill, A. J. 539
Cook, F. B., et al. 495
Cookson, G. H., vgl. Prelog, V. 90
Cookson, R. C., Hamon, D. P. G., u. Hudec, J. 203
—, u. Nye, M. J. 665
—, —, u. Subrahmanyan, G. 387, 389, 669
Coops, J., vgl. Kaarsemaker, S. 47

Cope, A. C., et al. 568, 569, 613
—, u. Gleason, R. W. 436
—, u. Hecht, J. K. 25
—, u. Hoyle, K. E. 368
—, Martin, M. M., u. McKervey, M. A. 431
—, Moon, S., u. Park, C. H. 447, 448
—, —, u. Peterson, P. E. 431, 447
—, Park, C. H., u. Scheiner, P. 431
—, u. Peterson, P. E. 431
Corbin, J. L., vgl. Hart, H. 424
—, Hart, H., u. Wagner, C. R. 424
Corey, E. J., et al. 25, 544, 624
—, u. Burke, H. J. 584, 655
—, —, u. Remers, W. A. 510, 655
—, u. Casanova, J. 121
—, u. Chaykovsky, M. 122, 139, 140, 142, 143, 146
—, u. Dawson, R. L. 119, 430
—, u. Jautelat, M. 145, 146
—, —, u. Oppolzer, W. 145
—, u. Uda, H. 119
Corn, J., vgl. Jorgenson, M. J. 596
Corner, E. S., u. Pease, R. N. 594, 595
Corwin, D. A., vgl. Closson, W. D. 437
Cottle, D. L., vgl. Magrane, J. K. 620
—, vgl. Stahl, C. W. 620
Coulson, C. A., u. Goodwin, T. H. 19, 25, 28, 482, 681
—, u. Moffitt, W. 485
—, u. Moffitt, W. E. 18, 25, 28, 482, 681
Coulter, A. W., vgl. Hassner, A. 25
Cousse, M., vgl. Bonavent, G. 95, 97
Cox, E. F., et al. 479
—, Caserio, M. C., Silver, M. S., u. Roberts, J. D. 416
—, vgl. Semenow, D. A. 672
Cox, O., vgl. Paquette, L. A. 397
Coyle, J. J. 217, 218
—, vgl. Closs, G. L. 66, 156, 217, 218, 219, 220, 221, 223, 224, 226, 229, 230, 231, 232, 252, 722
Craig, R. R., vgl. Wilcox, C. F. 687
Cram, D. J., Kingsbury, C. A., u. Rickborn, B. 85
—, u. McCarty, J. E. 423
Crandall, J. K., Paulson, D. R., u. Bunnell, C. A. 474
Crawford, R. J., u. Ali, L. H. 83
—, u. Cameron, D. M. 69, 70, 82, 83, 598, 599
—, Dummel, R. J., u. Mishra, A. 74, 80

Crawford, R. J., u. Ali, L. H., —, u. Erickson, G. L. 83
—, u. Mishra, A. 83, 599
—, —, u. Dummel, R. J. 74, 75
Cremlyn, R. J. W., Rees, R. W., u. Shoppee, C. W. 464
Criegee, R. 316, 727
—, Marchand, B., u. Wannowius, H. 544
—, u. Rimmelin, A. 80, 595
Cristol, S. J., u. Barbour, R. V. 465, 494
—, u. Bly, R. K. 561
—, Brindell, G. D., u. Reeder, J. A. 494
—, u. Davies, D. I. 494
—, u. Harrington, J. K. 494, 648
—, Morril, T. C., u. Sanchez, R. A. 439, 440
—, Segueira, R. M., u. DePuy, C. H. 193, 630
—, Seifert, W. K., Johnson, D. W., u. Jurale, J. B. 439
—, u. Snell, R. S. 399
Crombie, L., u. Elliot, M. 16
Cromwell, N. H., u. Hudson, G. V. 446, 580
—, vgl. Mohrbacher, R. J. 30, 31, 290, 579
Cross, A. D. 135
—, vgl. Ginsig, R. 124, 125, 650
—, vgl. Knox, L. H. 513, 523, 527
Cross, A. P. 485
Cross, G. W., vgl. Birchall, J. M. 153, 377
Cross, L. H., vgl. Buckley, G. D. 105
Crowe, D. F., vgl. Tanabe, M. 123
Crowley, K., vgl. Cocker, W. 391
Crumbliss, A. L., vgl. Hoeg, D. F. 188, 231, 310
Cruse, R., vgl. Prinzbach, H. 514
Csapilla, J., vgl. Grob, C. A. 475
Cseh, G., vgl. Grob, C. A. 475
Cudlin, J., u. Chvalovsky, V. 405
Culbertson, T. P., vgl. Rinehart, K. L. 722
Curtin, D. Y., et al. 69
—, Flynn, E. W., u. Nystrom, R. F. 311
—, vgl. Shriner, R. L. 475
Curtis, G. G., vgl. Meinwald, J. 25
Curtis, O. E., vgl. Hart, H. 89, 90
Curtius, T., vgl. Buchner, E. 286
—, Darapsky, A., u. Müller, E. 101
Cvetanovic, R. J., vgl. Duncan, F. J. 103, 232

Dahlquist, K., vgl. Torssell, K. 372, 518
Dale, W. J., u. Schwartzentruber, P. E. 168
Dalton, D. R., et al. 258
Dammert, W., vgl. Micheel, F. 67
Damrauer, R., vgl. Seyferth, D. 736, 737
Danilkina, L. P., vgl. Dyakonov, I. A. 283
Dappen, G. M., vgl. De Puy, C. H. 246, 620
Darapsky, A. 94
—, vgl. Curtius, T. 101
Darko, L. L. u. Cannon, J. G. 427
Darling, S. F., vgl. Kohler, E. P. 690, 729
—, u. Spannagel, E. W. 690, 716
Darragh, K. V., vgl. Seyferth, D. 181
Dauben, H. J., et al. 511, 520
—, u. McDonough, L. M. 769
—, u. Rifi, M. R. 401, 511
Dauben, W. G. 26, 27
—, et al. 16
—, u. Ashcraft, A. C. 119, 120, 123, 457, 583
—, u. Berezin, G. H. 119, 123, 430, 499, 580, 594
—, u. Deviny, E. J. 499
—, u. Fonken, G. J. 462
—, u. Friedrich, L. E. 455, 456, 457
—, u. Laug, P. 512
—, —, u. Berezin, G. H. 124
—, u. Ross, J. A. 462, 498
—, u. Willey, F. G. 26, 698
—, u. Wipke, W. T. 26, 27, 590
Daudel, R., vgl. Chalvet, O. 749
Dave, V., vgl. Warnhoff, E. W. 277
Davidson, A. J., vgl. Bottini, A. T. 578
—, u. Bottini, A. T. 577, 578
Davidson, D., u. Feldman, J. 72, 652
Davidson, N., vgl. de More, W. B. 66, 389
Davies, A. G., et al. 105
Davies, A. R., u. Summers, G. H. R. 91
Davies, D. I., vgl. Cristol, S. J. 494
Davies, R. E., u. Tulinsky, A. 510
Davis, C. S., u. Lougheed, G. S. 234, 237
Davis, D., vgl. Conrow, K. 510
Davis, M., Julia, S., u. Summers, H. G. R. 458
Davson, P. L., vgl. Hallam, B. F. 91

Dawson, R. L., vgl. Corey, E. J. 119, 430
Day, A. C., u. Whiting, M. C. 49, 70
Dean, F. M., Jones, P. G., u. Sidesunthorn, P. 58
Deboer, C., u. Breslow, R. 708
de Boer, T. J., vgl. Schaafsma, S. E. 66, 406, 408, 409
—, vgl. van Tilborg, W. J. M. 406, 407, 408, 410
—, u. van Velzen, J. C. 62
Dehmlow, E. V. 172, 174, 175, 734, 737, 748
Delépine, V., vgl. Bezaguet, A. 312
del Re, G., vgl. Veillard, A. 28
DeMare, G. R., u. Martin, J. S. 593, 594
de Mayo, P. 440, 461, 483, 498, 652, 715, 717, 723, 725, 775, 776
—, et al. 25, 658
—, vgl. Barton, D. H. R. 390, 391, 652
de Meijere, A., vgl. Bastiansen, O. 593
—, vgl. Lüttke, W. 593
—, u. Lüttke, W. 594
Demjanov, N. 653
Demjanow, N. J. 415
Demjanow, W. J. 34
DeMore, W. B., et al. 330
—, u. Benson, S. W. 80, 292, 293, 332
—, Pritchard, H. O., u. Davidson, N. 66, 389
Demyanov, N. Y., u. Doyarenko, M. N. 688, 711, 714
Denham, J. M., vgl. Jones, W. M. 750, 752, 758, 761
Denney, D. B., u. Klemchuk, P. P. 258
—, u. Kupchik, E. J. 425
—, Vill, J. J., u. Boskin, M. J. 138
Dennstedt, M., vgl. Ciamician, G. L. 189
Deno, N. C. 483, 486, 487
—, et al. 18, 21, 483, 484, 485, 486, 487, 488, 489, 490, 491, 581
—, Jaruzelski, J. J., u. Schriesheim, A. 487, 489
—, Schriesheim, A., u. Jaruzelski, J. J. 484
DePuy, C. H. 616, 618
—, et al. 197, 722
—, u. Breitbeil, F. W. 253
—, vgl. Cristol, S. J. 193, 630
—, Dappen, G. M., Eilers, K. L., u. Klein, R. A. 246, 620
—, u. King, R. W. 438
—, Ogawa, J. A., u. McDaniel, J. C. 444
—, vgl. Rodewald, L. B. 69, 614

DePuy, C. D., Schnack, L. G., u. Hauser, J. W. 617, 622, 623
Derfer, J. M., Pickett, E. E., u. Boord, C. E. 30
de Ruyter, H., vgl. la Lau, C. 510
Descoins, C., vgl. Julia, M. 425, 428, 500, 502
Descotes, G., vgl. Menet, A. 507
DeSelms, R. C. 656
—, u. Combs, C. M. 193, 195, 628
—, u. Lin, T. W. 656
de Sonay, A. 243
Dessauer, H., vgl. Buchner, E. 54
Dessy, R. E., vgl. Reynolds, G. F. 399
Detilleux, E., vgl. Sixma, F. J. L. 287
Deutschmann, A. J., vgl. Lind, H. 706
Dev, S. 114
—, vgl. Gaitonde, M. 444, 453
Dev, V., vgl. Closs, G. L. 693
Deviny, E. J., vgl. Dauben, W. G. 499
DeVries, L. 435
—, vgl. Winstein, S. 119
Dewael, A., vgl. Bruylants, P. 415, 419, 424
Dewar, M. 781
Dewar, M. J. S. 616, 683, 764
—, et al. 683
—, vgl. Baird, N. C. 578, 682, 683
—, vgl. Burr, J. G. 665, 669
—, vgl. Chung, A. L. H. 683
—, u. Gleicher, G. J. 315, 683, 752
—, u. Klopman, G. 683
—, u. Marchand, A. P. 483
—, u. Pettit, R. 511, 538
Dewar, M. S., u. Marchand, A. P. 482
Diaz, A., vgl. Brookhart, M. 442, 443
—, Brookhart, M., u. Winstein, S. 442, 443
Dietrich, H., vgl. Kirmse, W. 285, 286, 362
Dilling, W. L. 226
—, u. Edamura, F. Y. 226, 227
Dillon, R. L., vgl. Pearson, R. G. 369
Dilthey, W. 717
Dimroth, K. 527
Dine, G. W. van s. van Dine, G. W.
Dinné, E. 526, 613
—, vgl. Vogel, E. 613
Dirlam, J., vgl. Giddings, W. P. 444

Dirstine, P. H., vgl. Roberts, J. D. 576, 577, 664
Dischler, B., u. Englert, G. 526
Disselnkötter, H. 297
DiTullio, V., vgl. Just, G. 26
Djakonow, I. A. 54
Djerassi, C., vgl. Sandoval, A. 46, 57
Dobler, M., u. Dunitz, J. D. 513
Dodson, R. M., u. Riegel, B. 459
Doering, W. v. E. 81, 540, 574
—, et al. 105, 114, 127, 132, 172, 334, 350, 366, 158, 511, 530, 531, 535, 536, 537, 538, 539, 551, 552, 563, 564, 772
—, Buttery, R. G., Laughlin, R. G., u. Chaudhuri, N. 99
—, u. Coburn, J. F. 41, 588, 709
—, Ferrier, B. M., u. Klumpp, G. 539
—, Fossel, E. T., u. Kaye, R. L. 536
—, u. Gaspar, P. P. 511
—, u. Goldstein, M. J. 511, 604, 606
—, u. Grimme, W. 608, 611
—, u. Hartenstein, J. H. 563, 564
—, u. Henderson, W. A. 157, 163, 164, 165, 166, 167, 170, 171, 176, 215, 223, 269, 376, 512
—, u. Hoffmann, A. K. 99, 151, 157, 162, 163, 164, 165, 167, 208, 215, 544, 657, 735
—, u. Jones, M. 292, 540
—, vgl. Kirmse, W. 333, 353
—, u. Klumpp, G. 539
—, u. Knox, L. H. 100, 113, 306, 337, 509, 510, 511
—, u. LaFlamme, P. 100, 166, 170, 192, 203, 207, 637
—, u. La Flamme, P. M. 314, 377
—, u. Mole, T. 686, 693, 704, 705, 714
—, u. Pomerantz, M. 365, 588, 710
—, u. Rosenthal, J. W. 539, 540, 541, 575
—, u. Roth, W. R. 105, 106, 107, 110, 509, 527, 528, 529, 530, 531, 532, 534, 560, 574, 598, 608, 610, 612, 613, 614, 673
—, u. Schreiber, K. C. 148
—, u. Turner, R. B. 683
—, u. Wiley, D. W. 538
Dörries, A., vgl. Böhme, H. 238
Doi, J. D., vgl. Goering, H. L. 625
Dolbier, W. R., vgl. Goldstein, M. J. 310, 353, 357

Domareva-Mandelstam, T. V., u. Dyakonov, I. A. 287
Domaschke, L., vgl. Baganz, H. 245
Do Minh, T., vgl. Strausz, O. P. 404
Domnin, I. N., Dyakonov, I. A., u. Komendantov, M. I. 782
Donati, M., u. Conti, F. 410
Donn, R., vgl. Krapcho, A. P. 347
Donnelly, J. A., Keane, D. D., Marathe, K. G., Meaney, D. C., u. Philbin, E. M. 143
Dooley, J. F., vgl. Parham, W. E. 211, 212, 656
Dorer, F. H., u. Rabinovitch, B. S. 104
Dorko, E. A. 315
Dowd, P. 82
—, vgl. Breslow, R. 712, 713, 717, 768, 774, 775, 780
Dowd, P. L. 780
Dowell, A. M., vgl. Hine, J. 99, 151, 232
Doyarenko, M. N., vgl. Demyanov, N. Y. 688, 711, 714
Dreiding, A. S., u. Pratt, R. J. 45
—, vgl. Rey, M. 606
Driessen, H. E., vgl. Franzen, V. 139
Drischel, W., vgl. Köbrich, G. 188, 221, 310, 311
Dryden, H. L., u. Burgert, B. E. 454
du Chaffaut, J. A., vgl. Julia, M. 421, 425, 427
Duddey, J. E., vgl. Peterson, P. E. 474, 475
Dürr, H. 698
—, u. Scheppers, G. 299, 300, 301
Duffey, D. C., vgl. Hine, J. 153
DuLaurens, B., et al. 324
Dull, M. F., u. Abend, P. G. 105, 128, 191, 259
Dulova, V. G., vgl. Volpin, M. E. 172, 217, 223
Dumas, J. B. 98
Dummel, R. J., vgl. Crawford, R. J. 74, 75, 80
Dumont, C., vgl. Vidal, M. 126
Duncan, F. J., u. Cvetanovic, R. J. 103, 292
Dunite, J. D., Feldman, H. G., u. Schomaker, V. 681
Dunitz, J. D., vgl. Dobler, M. 513
—, u. Pauling, P. 510
Dunning, W. J., vgl. Bawn, C. E. H. 99
Durif, S., vgl. Rambaud, R. 90
Dutler, H., Bosshard, M., u. Jeger, O. 392
—, Ganter, C., Ryf, H., Utzinger, E. C., Weinberg, K., Schaffner, K., Arigoni, D., u. Jeger, O. 392

Duty, R. C., vgl. Wawzonek, S. 155, 164
Dvoretzky, I., vgl. Richardson, D. B. 334
D'Yachenko, A. I., u. Lukina, M. J. 37
D'Yakonov, I. A. 82
Dyakonov, I. A. 260
—, et al. 164, 172, 173, 260, 270, 275, 276, 281, 282, 283, 284, 693, 729
—, u. Danilkina, L. P. 283
—, vgl. Domareva-Mandelstam, T. V. 287
—, vgl. Domnin, I, N. 782
—, Golodnikov, G. V., u. Repinskaya, I. B. 281
—, u. Guseva, O. V. 260
—, vgl. Komendantov, M. I. 695
—, u. Komendantov, M. I. 282, 694
—, —, u. Korshunov, S. P. 282
—, —, u. Razin, V. V. 710
—, u. Kostikov, R. R. 271
—, u. Myznikova, V. F. 275
—, Razin, V. V., u. Komendantov, M. I. 710
—, Repinskaya, I. B., u. Golodnikov, G. V. 260
Dyatkina, M., vgl. Syrkin, Y. 749
Dyson, N. H., Edwards, J. A., u. Fried, J. H. 141

Eastman, R. H. 90, 485, 579, 582, 585
—, u. Freeman, S. K. 580
—, vgl. Goodman, A. C. 22
—, vgl. Goodman, A. L. 446, 579
—, u. Selover, J. C. 583
Eaton, P. E., u. Lon, H. 624
Edamura, F. Y., vgl. Dilling, W. L. 226, 227
Edman, J. R. 398
Edward, J. T., vgl. Cocker, W. 391
Edwards, J. A., vgl. Dyson, N. H. 141
Edwards, J. O., vgl. Kadaba, P. K. 154, 163, 165
Ege, G. 70, 699
Eggensperger, H., vgl. Hanack, M. 31, 416, 417, 420, 421, 423, 425, 426, 427, 439, 441, 495, 496, 497, 498
Egger, K. W., Golden, D. M., u. Benson, S. W. 610
Eggers, D. F., et al. 682
Ehrenson, S. J., vgl. Hine, J. 99, 151
Ehret, A., u. Winstein, S. 459
Erhardt, H., vgl. Hanack, M. 473, 474
Eicher, T., u. Frenzel, G. 744
—, u. Hansen, A. 745, 757

Eicher, T., u. Löschner, A. 745, 755, 756
Eickenscheidt, O., vgl. Micheel, F. 67
Eilers, K. L., vgl. De Puy, C. H. 246, 620
Eimer, J. 212, 214, 215, 216, 513
—, vgl. Vogel, E. 523, 527
Eisenstadt, A., vgl. Cais, M. 783
Eisert, M., vgl. Schöllkopf, U. 259, 264
—, vgl. Seyferth, D. 131
Eistert, B. 43, 47, 363
—, Fink, G., u. El-Chahawi, M. 54, 55
—, u. Langbein, A. 52, 54
—, u. Mennicke, W. 55, 56
Eitel, A. 65
Eizember, R. F., vgl. Paquette, L. A. 397
El-Chahawi, M., vgl. Eistert, B. 54, 55
Elderfields, R. 43, 76
Eliel, E. L. 499
Elleman, D. D., vgl. Manatt, S. L. 524, 526
Elliot, C. S., u. Frey, H. M. 603
Elliot, M., vgl. Crombie, L. 16
Ellis, B., Hall, S. P., Petrow, V., u. Waddington-Feather, S. 465
Ellis, R. C., vgl. Cannon, G. W. 90
Ellis, R. J., u. Frey, H. M. 601, 607
Ellison, G. B., vgl. Robin, M. B. 586
Elving, P., vgl. Loveland, J. 779
Emeleus, H. J., vgl. Ayscough, P. B. 156
—, u. Haszeldine, R. N. 184
Emerson, G. F., Watts, L., u. Pettit, R. 561
Emerson, M. T., vgl. Oliver, J. P. 205
Emmons, W. D., u. Lucas, G. B. 619, 620
—, vgl. Wadsworth, W. S. 138
Emschwiller, G. 127
Emsley, J. W., Feeney, J., u. Sutcliffe, L. 525
Enderer, K., vgl. Roth, W. R. 81
Endle, R., vgl. Staudinger, H. 98
Engel, R. R., vgl. Skell, P. S. 292, 635
—, u. Skell, P. S. 636
Engen, R. J., vgl. Wilcox, C. F. 417
Englert, G., vgl. Dischler, B. 526
Ennis, C. L., vgl. Jones, W. M. 301

Ensslin, H. M,, vgl. Hanack, M. 414, 415
Ephraim, F., u. Pfister, A. 137
Erb, R. 275, 605
—, vgl. Vogel, E. 275, 602, 604, 605, 606
Erickson, G. L., vgl. Crawford, R. J. 83
Erickson, K. L. u. Wolinsky, J. 117
Ernest, I., u. Staněk, J. 289
Ernst, V., vgl. Rembarz, G. 59
Errera, G., u. Perciabosco, F. 94
Eschenmoser, A., et al. 653
Eschenmoser, L. A., et al. 511, 512
Ethyl Corporation 175
Etter, R. M., vgl. Skell, P. S. 270, 271, 272, 305
—, Skovronek, H. S., u. Skell, P. S. 292, 294
Etzemüller, J., vgl. Boldt, P. 372, 373, 374,
Evans, D. D., vgl. Shoppee, C. W. 459
Evans, D. E., vgl. Moersch, G. W. 141
Evans, M. V., vgl. Lord, R. C. 570
—, u. Lord, R. C. 510
Eventowa, M. S., vgl. Zelinsky, N. D. 32

Fahey, R. C., u. Lee, D. J. 474
Fahrenholtz, S. R., vgl. Story, P. R. 453, 583, 585
Fairclough, R. A. 152
Fanshawe, W. J., vgl. Ullman, E. F. 118, 597
Fanta, G. F., vgl. Applequist, D. A. 493
—, vgl. Applequist, D. E. 37
Farah, B., u. Horensky, S. 154, 196, 380
Farbw. Hoechst (Farbwerke Hoechst AG, vormals Meister Lucius & Brüning) 250
Farmer, E. H., u. Warren, F. L. 424
Farnum, D. G. 77, 767
—, u. Burr, M. 721, 765, 771, 774
—, Chickos, J., u. Thurston, P. E. 733, 738, 739
—, Mehta, G., u. Silberman, R. G. 765, 766, 772
—, u. Thurston, P. E. 698, 738
—, u. Wilcox, C. F. 767
Fassnacht, J. H., vgl. Nelson, N. A. 435
Favini, G., vgl. Simonetta, M. 682
Fawcett, R. W., u. Harris, J. O. 200

Faworskaja, T. A. 419
—, u. Bressler, L. S. 425, 426
—, u. Fridman, S. A. 419, 424
—, Guljajewa, T. N., u. Golo-
watschewa, J. S. 425, 426,
427
—, Konopowa, K. A., u. Titow,
M. I. 425, 426
—, u. Schtscherbinskaja, N. W.
425, 426, 427
Fawzi, M. M., u. Gutsche, C. D.
363, 367
Fedorova, A. V., vgl. Petrov,
A. A. 207
Feeney, J., vgl. Emsley, J. W.
525
Felder, B., vgl. Klement, O. 682
Feldman, H. G., vgl. Dunite,
J. D. 681
Feldman, J., vgl. Davidson, D.
72, 652
Fellenberger, K., vgl. Schöll-
kopf, U. 617, 621, 622, 623
Feltzin, J., et al. 105
Fenicial, W., vgl. Radlick, P.
541
Fenoglio, D. F., vgl. Karabatsos,
G. J. 486
Fenoglio, R. A., vgl. Wiberg,
K. B. 454, 577
Fermi, E. 681
Fernholz, E., vgl. Wallis, E. S.
415, 458
Ferrier, B. M., vgl. Doering,
W. v. E. 539
Ferris, A. F. 35
Ficini, J., vgl. Stork, G. 537
Field, H., u. Franklin, J. L.
490
Fields, E. K. 169, 376
—, vgl. Cook, A. G. 633
—, u. Meyerson, S. 160, 176
—, u. Sandri, J. M. 151, 633
Fields, R., Haszeldine, R. N.,
u. Peter, D. 626
Fieser, L. F., vgl. Fieser, M.
460
Fieser, M., Rosen, W. E., u.
Fieser, L. F. 460
Finger, C., vgl. Klamann, D.
205, 207
—, vgl. Weyerstahl, P. 374,
375, 376, 380
Fink, G., vgl. Eistert, B. 54,
55
Fink, K., vgl. Scherer, O. 250
Finkelstein, J., et al. 277, 278,
279
Fischer, H., vgl. Bargon, J. 413
—, u. Bargon, J. 413
—, vgl. Böhme, H. 250
—, vgl. Lehnig, M. 413
Fischer, R. H., vgl. Köbrich,
G. 156, 310, 314
Fischer, U., vgl. Prinzbach, H.
514, 750, 751, 759, 760, 761,
762

Fisher, F., u. Applequist, D. E.
697, 714
Fisher, L. P., vgl. Berlin, A. J.
602
—, vgl. Ketley, A. D. 601, 603
Fitton, D., vgl. Chapman, O. L.
435, 436
Flamme, P. La s. LaFlamme, P.
Fligge, M., vgl. Klamann, D.
374, 380
Flock, F. H., vgl. Alder, K. 109
Flores, H., vgl. Mateos, J. L.
25
Flory, K., vgl. Köbrich, G. 188,
310, 314
Flowers, M. C., u. Frey, H. M.
70, 106, 594, 595, 596, 597,
599, 610
Flügel, B. 535
Flygare, W. H. 20
—, vgl. Kemp, M. K. 681
—, vgl. Pochan, J. M. 592
Flynn, E. W., vgl. Curtin, D. Y.
311
Föhlisch, B. 272, 744
—, u. Bürgle, P. 745, 754, 757,
777
—, —, u. Krockenberger, D. 757
Foerst, W. 363
Foglesong, W. D., vgl. Baldwin,
J. E. 366, 476
Fonken, G. J. 569
—, et al. 199, 200
—, vgl. Dauben, W. G. 462
—, u. Moran, W. 273
Font, J., vgl. Strausz, O. P.
404
Foote, C. S. 617, 623
Ford, E. G., Chakravorty, P. W.,
u. Wallis, E. S. 458
—, u. Wallis, E. S. 458
Forsén, S., u. Norin, T. 29, 485
Fort, A. W. 665
Fossel, E. T., vgl. Doering,
W. v. E. 536
Foster, J. M., u. Boys, S. F.
325
Fraisse R., u. Jacquier, R. 95
—, vgl. Mousseron, M. 95
Fraisse-Jullien, R., et al. 658,
659
—, vgl. Bonavent, G. 95, 97
—, u. Frejaville, C. 659, 660
Franck-Neumann, M. 68, 70
Francois, P., vgl. Julg, A. 749
Frank, G. A., vgl. House, H. O.
665
Frank, R., vgl. Böhme, H. 250
Franklin, J. L. 683
—, vgl. Field, H. 490
Franzen, V. 106, 133, 155,
167, 363
—, et al. 255
—, u. Driessen, H. E. 139
—, u. Joschek, H. I. 258
Franzus, B., vgl. Snyder, E. J.
442

Fraser, F. M., u. Prosen, E. J.
683
Fredricks, P. S., vgl. Walling,
C. 493
Freed, S., u. Sancier, K. M. 20
Freedman, H. H. 717
Freeman, F., vgl. Hart, H. 368,
369
Freeman, J. P. 73
—, vgl. Bumgardner, C. L. 493
—, u. Bumgardner, C. L. 493
Freeman, P. K., et al. 349
—, u. Balls, D. M. 349
—, u. Kuper, D. G. 366, 648
—, u. Kuper, K. G. 613
Freeman, S. K., vgl. Eastman,
R. H. 580
Frei, J., et al. 57
Freidlin, L. K. 657
Freidlina, R. C., Nesmeyanov,
A. N., u. Tokareva, F. A.
127
Frejaville, C., vgl. Fraisse-Jullien, R. 659, 660
Frenzel, G., vgl. Eicher, T. 744
Freund, A. 32
Frey, H. M. 100, 102, 103, 104,
106, 255, 256, 266, 268, 292,
336, 347, 381, 383, 601, 693
—, et al. 103, 646
—, vgl. Elliot, C. S. 603
—, vgl. Ellis, R. J. 601, 607
—, vgl. Flowers, M. C. 70, 106,
594, 595, 596, 597, 599, 610
—, u. Marshall, D. C. 598, 600,
601
—, u. Scaplehorn, A. W. 347
—, u. Stevens, I. D. R. 256,
495, 587, 590, 646
Frey, W. W. 108, 109, 110
Fricke, H., vgl. Müller, Eu. 105,
106, 113, 114, 270
Fridman, S. A., vgl. Faworskaja, T. A. 419, 424
Fried, J. H., vgl. Dyson, N. H.
141
Friedel, R. A., vgl. Greenfield,
H. 543
Friedman, L., et al. 334, 344,
646, 648
—, u. Berger, J. G. 127, 333,
353, 354
—, vgl. Rabideau, P. W. 399
—, u. Shechter, H. 333, 334,
340, 349, 351, 352, 357, 494,
495, 564, 646, 665
Friedman, S., vgl. Bartlett,
P. D. 238
Friedrich, L. E., vgl. Dauben,
W. G. 455, 456, 457
Fritchie, C. J. 20, 525
Fritze, P., vgl. Wittig, G. 556
Fröling, A., vgl. Arens, J. F.
249
—, u. Arens, J. F. 255
Fröling, M., vgl. Arens, J. F.
249

Frost, A., u. Pearson, R. G. 614, 615

Fuchs, R., u. Bloomfield, J. J. 581

—, Kaplan, C. A., Bloomfield, J. J., u. Hatch, L. F. 581

Fukui, K. 616

Fuller, R. F., vgl. Barber, H. J. 234, 237

Funakubo, E., et al. 182, 203, 292

—, Moritani, I., Murahashi, S., u. Tuji, T. 203

Funamizu, M., vgl. Kitahara, Y. 757

Furukawa, J., et al. 381, 382, 383, 384, 385, 386

Fus, M. 562

Fuson, N., vgl. Josien, M. L. 31

—, Josien, M. L., u. Shelton, E. M. 31

Fuson, R. C., vgl. Shriner, R. L. 475

Gagneux, A., u. Grob, C. A. 445

Gagosian, R. B., vgl. Turro, N. J. 672

Gaitonde, M., Vatakencherry, P. A., u. Dev, S. 444, 453

Gajek, K., vgl. Vogel, E. 613

Gajewski, J. J., vgl. Breslow, R. 780, 781, 782

Gal, P. 713

—, vgl. Breslow, R. 718, 768, 775, 779

Gale, D. M., Middleton, W. J., u. Krespan, C. G. 516

Gallaway, W. S., vgl. Cleveland, F. F. 38

Ganter, C., vgl. Dutler, H. 392

Gantner, E., vgl. Vogel, E. 38

Gardner, P. D., vgl. Cardenas, C. G. 641

—, vgl. Kwie, W. W. 390

—, vgl. Marquis, E. T. 226, 639

—, u. Narayana, M. 167, 200, 207, 638

—, vgl. Shields, T. C. 692

Garner, A. Y., vgl. Skell, P. S. 166, 167, 168, 170, 171, 223, 377, 512

Garner, R. L., vgl. Hellerman, L. 334

Garratt, P. J. 781

—, vgl. Katz, T. J. 225, 226, 231, 266, 268, 381, 383

Garry, R., u. Vessiere, R. 474

Gaspar, G. G., vgl. Herold, B. J. 374

Gaspar, P. P. 105, 106, 110

—, vgl. Doering, W. v. E. 511

—, u. Hammond, G. S. 103, 292, 332

—, vgl. Jerosch-Herold, B. 99, 672

Gassman, P. G. 25, 26, 27, 31

—, u. Hymans, W. E. 26

—, vgl. Meinwald, J. 25

Gati, A., vgl. Hopff, H. 316

Gaule, A., vgl. Staudinger, H. 70

Gault, F. G., vgl. Prudhomme, J. C. 34

Geeraerts, J., vgl. Chiurdoglu, G. 453

General Mills, Inc. 96

Generosa, J. I., vgl. Bader, R. F. W. 292

Georgian, V., u. Kundu, N. 57

Gephart, F. T., vgl. Wallis, E. S. 415, 458

Gerrard, W., Lappert, M. F., u. Silver, H. B. 500

Gerson, F., Heilbronner, E., u. Köbrich, G. 315

Gerstl, R., vgl. Moss, R. A. 162, 172, 232, 233

Geuther, A. 150

Ghandour, N. E., Jacquier, R., u. Soulier, J. 53

Ghosez, L., et al. 193, 195, 196, 197, 628

—, u. Laroche, P. 193

Giacin, J. R., vgl. Hamilton, G. A. 256

Gibbons, W. A., vgl. Trozzolo, A. M. 330, 331

—, u. Trozzolo, A. M. 330

Giddings, W. P., vgl. Bartlett, P. D. 444

—, u. Dirlam, J. 444

Gieger, M., vgl. Granacher, C. 738

Gilham, P. T., vgl. Barton, D. H. R. 391

Gilles, J.-M., vgl. Oth, J. F. M. 551, 574

—, u. Oth, J. F. M. 574

Gilman, H., u. Aoki, D. 225

—, vgl. Jones, R. G. 246

—, Zoellner, E. A., u. Selby, W. M. 245

Gilmore, U. F., vgl. House, H. O. 665

Gilmore, W., vgl. House, H. 596

Ginsburg, D., et al. 399

Ginsburg, V. A., vgl. Jakubovich, A. Y. 127, 128

Ginsig, R., u. Cross, A. D. 124, 125, 650

Giovannini, E., u. Wegmüller, H. 215, 512

Girard, A., u. Sandulesco, G. 620

Givens, R. S., vgl. Zimmerman, H. E. 399

Gizycki, U. von, vgl. Biethan, U. 583, 585

Gladstein, B. M., vgl. Lewina, R. J. 34

Glasebrook, A. L., vgl. Rice, F. O. 99, 101, 218, 255

Glass, D. S., Zirner, J., u. Winstein, S. 608

Gleason, R. W., vgl. Cope, A. C. 436

Gleicher, G. J., vgl. Dewar, M. J. S. 315, 683, 752

Gluesenkamp, E. W., vgl. Hass, H. B. 35

Glukhovtsev, V. G., vgl. Meshcheryakov, A. P. 72

Godlewski, J., u. Wagner, G. 35

Goering, H. L., u. Doi, J. D. 625

—, u. Kimoto, W. J. 625

—, u. Silversmith, E. F. 625

—, u. Sloan, M. S. 445

—, u. Towns, D. L. 445

Görler, K., vgl. Hanack, M. 416, 419, 420, 421, 422, 423, 426

Görlitz, M., vgl. Günther, H. 510, 521

Görth, H., vgl. Schöllkopf, U. 235, 237

Goff, E. Le s. LeGoff, E.

Goh, S. H., vgl. Closs, G. L. 345

Gojewski, J. J. 597

Golden, D. M., vgl. Egger, K. W. 601

Goldenberg, C., vgl. Chiurdoglu, G. 453

Goldfarb, T. D., u. Pimentel, G. C. 103, 330

Goldish, E. 18

Goldstein, J., vgl. Staudinger, H. 98, 257

Goldstein, J. H., vgl. Hobgood, R. T. 526

—, vgl. Watts, V. S. 30

Goldstein, M. J., vgl. Doering, W. v. E. 511, 604, 606

—, u. Dolbier, W. R. 310, 353, 357

Golodnikov, G. V., vgl Dyakonov, I. A. 260, 281

Golowatschewa, J. S., vgl. Faworskaja, T. A. 425, 426, 427

Gompper, R., Kutter, E., u. Wagner, H. U. 745, 754

Goodman, A. C., u. Eastman, R. H. 22

Goodman, A. L., u. Eastman, R. H. 446, 579

Goodwin, T. H., vgl. Coulson, C. A. 19, 25, 28, 482, 681

Gordon, A. S., vgl. McNesby, J. R. 595

Gordon, M. E., vgl. Seyferth, D. 135

Gore, J., vgl. Conia, J. M. 470

Gorjajew, M. I., u. Tolstikov, G. A. 273

Gorman, E., vgl. Ketley, A. D. 601
Gorton, B. S. 260
Gosselck, J., et al. 148, 150
—, Béress, L., u. Schenk, H. 148, 149, 369
—, —, Schenk, H., u. Schmidt, G. 148
Gotkis, D., u. Cloke, J. B. 48
Goubeau, J., u. Rohwedder, K. H. 105
Gould, E. S. 134
Gowling, E. W., u. Kettle, S. F. A. 783
Graefe, J., vgl. Mühlstädt, M. 639, 640
Graf, R. 564
Graffin, P., vgl. Julia, S. 428, 507
Gragson, J. T., et al. 38
Graham, D. M., u. Holloway, C. E. 680
Graham, J. D., u. Rogers, M. T. 29
—, u. Santee, E. R. 534
Graham, W. A. G., u. Stone, F. G. A. 655
Graham, W. H., vgl. Caserio, M. C. 425, 477, 478
Gramas, J. V., vgl. Bernheim, R. A. 308
Granacher, C., Usteri, E., u. Gieger, M. 738
Grant, F. W., u. Cassic, W. B. 154, 165
Grant, R. C. S., u. Swinbourne, E. S. 595
Grashey, R., vgl. Huisgen, R. 509
Grassmann, D., vgl. Kirmse, W. 359
Graves, J. M. H., vgl. Birch, A. J. 211, 630
Green, C., vgl. Roberts, J. D. 579
Green, M. B., vgl. Barber, H. J. 234, 237
Greenfield, H., Friedel, R. A., u. Orchin, M. 543
Greenwood, H. H. 82
Grewe, R., u. Bokranz, A. 48
Griesbaum, K. 41
—, et al. 475
—, u. Butler, P. E. 41
—, Naegele, W., u. Wanless, G. G. 41
Griffin, C. E., vgl. Castellucci, N. T. 118
Griffin, G. W., et al. 262, 263, 397, 661
—, vgl. Kristinsson, H. 262, 263, 397
—, vgl. Peterllis, P. C. 263
—, u. Peterson, L. I. 316
—, vgl. Vellturo, A. F. 588
—, vgl. Waitkus, P. A. 315
Grigoreva, V. I., vgl. Slobodin, Y. M. 37, 419

Grimme, W. 608
—, et al. 514, 523, 527
—, vgl. Doering, W. v. E. 608, 611
—, Hoffmann, H., u. Vogel, E. 514, 523, 527
—, vgl. Vogel, E. 514, 523, 526, 541, 542, 613, 680, 685, 689
Grob, C. A., et al. 272
—, Csapilla, J., u. Cseh, G. 475
—, u. Cseh, G. 475
—, vgl. Gagneux, A. 445
—, u. Hostynek, J. 349, 445, 446, 450, 454
Gross, H., et al. 240
—, u. Höft, E. 234, 240
—, Rieche, A., u. Höft, E. 242, 245
Groves, J. T., vgl. Breslow, R. 687, 765, 766, 769, 772, 773
Grubb, H M., Meyerson, S., u. McLafferty, F. W. 490
Gruber, G. W., vgl. Pomerantz, M. 662
Grundmann, C. 289
—, u. Ottmann, G. 538
Grunewald, G. L., vgl. Zimmerman, H. E. 560, 561
Grzybowska, B. A., Knox, J. H., u. Trotman-Dickenson, A. F. 105, 106, 601
Gudzinowics, B. J., vgl. Liebmann, S. A. 30
Guégan, R., vgl. Julia, M. 427, 428
Günther, H. 510, 524, 526
—, u. Bothner-By, A. A. 317
—, u. Görlitz, M. 510, 521
—, —, u. Hinrichs, H. H. 510
—, u. Hinrichs, H. H. 524, 526
—, u. Keller, T. 527
—, vgl. Klose, H. 565
—, Klose, H., u. Wendisch, D. 565, 593, 594
—, vgl. Vogel, E. 524
—, u. Wendisch, D. 593, 594
—, u. Wenzl, R. 510, 525
Guha, P. C., u. Hazra, G. D. 272
Guillory, J. P., vgl. Bartell, L. S. 21, 486, 593
Guitard, M., vgl. Bonavent, G. 95, 97
Guiteras, A. 460
Guljajewa, T. N., vgl. Faworskaja, T. A. 425, 426, 427
Gundermann, K. D., u. Thomas, R. 48
Guseva, O. V., vgl. Dyakonov, I. A. 260
Gustavson, G. 32, 34, 37, 129, 576
Gutowsky, H. S., vgl. Allerhand, A. 533, 534, 574
—, vgl. Juan, C. 680
—, u. Pake, G. E. 534

Gutsche, C. D., et al. 259
—, Bachman, G. L., u. Coffey, R. S. 337
—, vgl. Fawzi, M. M. 363, 367
Guy, R. G., vgl. Adams, D. M. 411
—, vgl. Chatt, J. 765, 782
Gwinn, W. D., vgl. Kim, H. 478, 479

Haas, H. B., u. Shechter, H. 664
Habisch, D., vgl. Schmitz, E. 333
Haddad, Y. M. Y., u. Summers, G. H. R. 461
Häffner, J., vgl. Hanack, M. 416, 420, 421, 422, 423, 426
Häfner, J., vgl. Hanack, M. 466, 467, 470, 471, 473, 474
Hähnle, R., vgl. Hanack, M. 439
Härtl, H.-J., vgl. Schöllkopf, U. 248
Hafez, M. M., Halsey, G., u. Wallis, E. S. 458
Hafner, K. 114, 288
—, et al. 527
Hager, G. B., vgl. Riegel, R. 506
Hager, G. P., u. Smith, C. I. 50, 53
Hager, R. B., vgl. Kirmse, W. 112, 113
Hahn, R. C., et al. 579
Hale, W. F. 596
Hall, G. G., u. Lennard-Jones, J. 19
Hall, J. R., vgl. Overberger, C. G. 76
Hall, S. P., vgl. Ellis, B. 465
Hallam, B. F., u. Davson, P. L. 91
Haller, I., vgl. Srinivasan, R. 590
—, u. Srinivasan, R. 387, 389, 586
Halper, W. M., et al. 516
Halsey, G., vgl. Hafez, M. M. 458
Hamada, M. 77
Hamilton, C. L., vgl. Patel, D. J. 400, 492, 494
Hamilton, G. A., u. Giacin, J. R. 256
Hamilton, J. B., vgl. Rabideau, P. W. 399
Hammer, G. G., vgl. Hine, J. 254, 255
Hammond, G. S. 399
—, et al. 290, 305
—, vgl. Gaspar, P. P. 103, 292, 332
—, vgl. Kopecky, K. R. 103, 132, 292
—, vgl. Sanford, E. C. 399
—, u. Todd, R. W. 576

Hammond, G. S., Turro, N. J., u. Leermakers, P. A. 389
—, vgl. Wagner, P. J. 399
Hammond, W. B., vgl. Turro, N. J. 65, 66, 387, 388, 406, 407, 408, 410, 592, 593, 665, 666, 667, 668, 669, 670, 672, 741
—, u. Turro, N. J. 65, 66, 406, 410, 666, 667, 672
Hammons, J. H., vgl. Nickon, A. 653
Hamon, D. P. G., vgl. Cookson, R. C. 203
Hanack, M. 429
—, et al. 419, 420, 426, 427, 436, 474, 478, 497
—, u. Allmendinger, H. 430, 447
—, u. Bässler, T. 475, 476, 477
—, Bocher, S., Hummel, K., u. Vött, V. 474
—, u. Eggensperger, H. 416, 417, 420, 421, 423, 425, 426, 427, 441, 495, 496, 497, 498
—, —, u. Hähnle, R. 439
—, —, u. Kang, S. 31
—, Ehrhardt, H., u. Vött, V. 473
—, u. Ensslin, H. M. 414, 415
—, u. Görler, K. 419, 420, 421, 423
—, u. Häfner, J. 466, 467, 471, 474
—, —, u. Herterich, I. 470, 473, 474
—, u. Herterich, I. 470, 473, 474
—, —, u. Vött, V. 470, 471, 472, 473, 474
—, u. Hüttinger, R. 432
—, u. Kaiser, W. 439, 440, 470
—, Kang, S., Häffner, J., u. Görler, K. 416, 420, 421, 422, 423, 426
—, u. Keberle, W. 430
—, u. Krause, P. C. 430
—, u. Meyer, H. 416, 417
—, u. Riedlinger, K. 432, 433
—, u. Schneider, H. J. 416, 417, 419, 420, 429, 430, 432, 433, 434, 436, 437, 438, 439, 443, 447, 450, 467, 470, 471, 473, 474, 480, 481, 482, 483, 491, 672
—, —, u. Schneider-Bernlöhr, H. 438, 439
—, Schneider-Bernlöhr, H., u. Schneider, H. J. 450
—, u. Vött, V. 473
—, —, u. Ehrhardt, H. 474
Hanafusa, T., vgl. Birladeanu, L. 121, 450, 451, 452
—, Birladeanu, L., u. Winstein, S. 120
Hancock, K. G., vgl. Zimmerman, H. E. 397

Hand, E. S., vgl. Berson, J. A. 272
Handler, G. S., u. Anderson, J. A. 20
Hanford, W. E., u. Sauer, J. C. 66
Hanna, R., u. Ourisson, G. 462
Hanna, S. B., et al. 265
Hansen, A., vgl. Eicher, T. 745, 757
Hansen, R. L., vgl. Winstein, S. 207
Hantzsch, A., u. Lehmann, M. 101
Hardy, J., vgl. Neckers, D. C. 494
Harita, Y., vgl. Aoki, S. 576, 577
Harries, R. K., u. Müller, O. 72
Harrington, J. K., vgl. Cristol, S. J. 494, 648
Harris, J. O. vgl. Fawcett, R. W. 200
Harris, R. F., vgl. Skell, P. S. 636
Harrison, A. G., vgl. Meyer, F. 490
Harrison, W. F., vgl. Vogel, E. 212
Hart, H., et al. 89
—, u. Cipriani, R. A. 494
—, vgl. Corbin, J. L. 424
—, Corbin, J. L. Wagner, C. R., u. Wu, C. Y. 424
—, u. Curtis, O. E. 89, 90
—, u. Freeman, F. 368, 369
—, u. Karabatsos, G. J. 100, 681, 682, 684, 685, 686, 687, 688, 693, 702, 703, 713, 715, 722, 723, 728, 784
—, vgl. Kim, Y. C. 369
—, u. Kim, Y. C. 368, 370
—, u. Law, P. A. 417, 427, 452, 487, 497
—, u. Levitt, G. 652
—, u. Martin, R. A. 453, 653
—, u. Sandri, J. M. 400, 417, 426, 452, 487, 497
—, u. Wyman, D. 493, 494, 665
Hartenstein, J. H. 574
—, vgl. Doering, W. v. E. 563, 564
Hartzler, H. D. 292, 308, 313, 317, 324, 325, 516
—, vgl. Simmons, H. E. 66
Harvey, W., u. Bloch, K. 584
Hasek, W. R., vgl. Parham, W. E. 258
Hass, H. B., et al. 35
—, u. Hinds, G. E. 35
—, —, u. Gluesenkamp, E. W. 35
Hasserodt, U., vgl. Weitkamp, H. 30, 585
Hassner, A., Coulter, A. W., u. Seese, W. S. 25

Haszeldine, R. N., et al. 167, 662
—, vgl. Bevan, W. I. 155, 165
—, vgl. Birchall, J. M. 153, 377
—, vgl. Emeleus, H. J. 184
—, vgl. Fields, R. 626
Hata, Y., vgl. Tanida, H. 442
Hatch, L. F., vgl. Fuchs, R. 581
Hauptmann, S., u. Hirschberg, K. 60, 61
Hauser, C. R., et al. 152, 165
—, vgl. Kofron, W. G. 154
Hauser, J. W., vgl. DePuy, C. D. 617, 622, 623
Havell, W. C., Ktenas, M., u. MacDonald, J. M. 58
Hawthorne, D. G., u. Porter, Q. N. 631
Hawthorne, M. F. 18, 579
Haynie, R., vgl. Breslow, R. 734, 741
Haywood-Farmer, J., Pinkock, R. E., u. Wells, J. I. 110
Hazra, G. D., vgl. Guha, P. C. 272
Heaney, H., vgl. Brewer, J. P. N. 399
Heathcock, C. H., u. Poulter, S. R. 580, 594
Heaton, L., vgl. Walling, C. 374
Heberling, J., vgl. Parham, W. E. 251
Hecht, J. K., vgl. Cope, A. C. 25
Hediger, S., vgl. Buchner, E. 518
Heeren, J. K., vgl. Seyferth, D. 156, 175, 227
Heilbron, I. M., vgl. Beynon, J. H. 415, 458
Heilbronner, E., et al. 315
—, vgl. Gerson, F. 315
Heimbach, P. 613
Heinemann, H., vgl. Köbrich, G. 313, 314, 315, 316
Heinz, G., vgl. Schlosser, M. 157, 205, 206, 207
Heller, M. S. et al. 463
Hellerman, L., u. Garner, R. L. 334
—, u. Newman, M. D. 127
Hellman, H. M., vgl. Mislow, K. 133
Henderson, W. A., vgl. Doering, W. v. E. 157, 163, 164, 165, 166, 167, 170, 171, 176, 215, 223, 269, 376, 512
Hendrickson, J. B., u. Boeckman, R. K. 576
Hennion, G. F., u. Maloney, D. E. 323
—, u. Nelson, K. W. 323
—, u. Teach, E. G. 323
Henrikson, B. W., vgl. Applequist, D. E. 37, 493

Henry, J. P., vgl. Trecker, D. J. 494

Herbig, K., vgl. Blomstrom, D. C. 292

Herdon, W. C., u. Lowry, L. L. 516

Herold, B. J., u. Gaspar, G. G. 374

Herrick, E. C., vgl. Orchin, M. 133

—, u. Orchin, M. 163, 164

Herschbach, G. B., vgl. Jennings, B. H. 444, 453

Herterich, I., vgl. Hanack, M. 470, 471, 472, 473, 474

Herzberg, G. 326

—, u. Shoosmith, J. 103, 326

Hess, H. J., vgl. Major, R. T. 142

Hester, W. F., vgl. Bruson, H. A. 177

Heuvel, W. G. A. van der s. van der Heuvel, W. G. A.

Hewer, C. L. 33

Heyn, H., vgl. Closs, G. L. 700, 715

Hilbert, P., vgl. Schöllkopf, U. 154

Hildahl, G. T., vgl. van Tamelen, E. E. 654

Hill, A. J., vgl. Cook, E. S. 539

Hill, E. A., vgl. Richey, E. A. 333, 335

Hinds, G. E., vgl. Hass, H. B. 35

Hine, J. 79, 99, 150, 151, 159, 183, 185, 292, 341, 343, 711

—, et al. 151, 152, 375

—, Bayer, R. P., u. Hammer, G. G. 254, 255

—, u. Burske, N. W. 99, 151

—, —, Hine, M., u. Langford, P. B. 99

—, Butterworth, R., u. Langford, P. B. 99

—, u. Dowell, A. M. 99, 151, 232

—, —, u. Singley, J. E. 99

—, u. Duffey, D. C. 153

—, u. Ehrenson, S. J. 99, 151

—, —, u. Brader, W. H. 99

—, u. Ketley, A. D. 99, 151

—, u. Langford, P. B. 99, 151

—, Peek, R. C., u. Oakes, B. D. 99, 157

—, u. Porter, J. J. 99, 151

—, u. Prosser, F. P. 99, 151

—, Thomas, C. H., u. Ehrenson, S. J. 99

Hine, M. vgl. Hine, J. 99

Hinman, R. L. 77

Hinrichs, H. H. 524

—, vgl. Günther, H. 510, 524, 526

Hirose, Y., vgl. Ohta, Y. 506

Hirschberg, K., vgl. Hauptmann, S. 60, 61

Ho, S., Unger, I., u. Noyes, W. A. 294

Hoberg, H. 105, 353

Hobgood, R. T., u. Goldstein, J. H. 526

Hodgins, T., vgl. McBee, E. T. 695

Hodgkins, J. E., et al. 230, 266

—, u. Hughes, M. P. 260

Höft, E., vgl. Gross, H. 234, 240, 242, 245

Hoeg, D., et al. 156, 157, 159

Hoeg, D. F., Lusk, D. I., u. Crumbliss, A. L. 188, 231, 310

Höver, H., vgl. Breslow, R. 694, 732, 759, 765, 766, 768, 770, 771

Hoffer, M., vgl. Kuhn, R. 359

Hoffman, B. R., vgl. Woodward, R. B. 82, 673

Hoffmann, A. K., vgl. Doering, W. v. E. 99, 151, 157, 162, 163, 164, 165, 167, 208, 215, 544, 657, 735

Hoffmann, H., vgl. Grimme, W. 514, 523, 527

Hoffmann, K. et al. 167

Hoffmann, R. 19, 21, 333, 430, 442, 669

—, et al. 325, 326

—, vgl. Woodward, R. B. 196, 197, 199, 238, 391, 392, 393, 394, 396, 520, 521, 590, 591, 592, 616, 617, 627, 673, 722

—, u. Woodward, R. B. 542, 589, 616, 667

Hoffsommer, R. D., Traub, D., u. Wendler, N. L. 428

Hofmann, K., et al. 203, 204

Hofmann, R., vgl. Woodward, R. B. 521

Holck, M., vgl. Michalsky, J. 53

Hollins, E. M., vgl. Bird, C. W. 736, 783

Holloway, C. E., vgl. Graham, D. M. 680

Holroyd, R. A., u. Blacet, F. E. 388, 390

Honjoh, M., vgl. Wolff, M. E. 124

Honjoh, W., vgl. Wolff, M. E. 124

Honwald, V. K., vgl. Sims, J. J. 321

Hopff, H., u. Gati, A. 316

—, u. Wick, A. K. 316

Horák, V., u. Kohout, L. 291

Horensky, S., vgl. Farah, B. 154, 196, 380

Horn, K., vgl. Kirmse, W. 340, 341, 342, 343, 344, 345, 346, 347, 351

Horner, L., vgl. Kirmse, W. 257

—, u. Lingnan, E. 302

Hornke, I., vgl. Köbrich, G. 310, 311

Hornyak, F. M., vgl. Walborsky, H. M. 427, 711

Hosoyama, Y., vgl. Shimadate, T. 694

Hostettler, H. U. 399

Hostynek, J., vgl. Grob, C. A. 349, 445, 446, 450, 454

House, H., u. Gilmore, W. 596

House, H. O., u. Blankley, C. J. 658

—, u. Frank, G. A. 665

—, u. Gilmore, U. F. 665

—, Lord, R. C., u. Rao, H. S. 37, 38

—, u. Thompson, H. W. 665

How, H. M., vgl. Sauers, R. R. 446

Howard, K. L., vgl. Smith, L. I. 52

Howden, M. E., vgl. Conrow, K. 510

Howden, M. E. H., et al. 492

—, vgl. Patel, D. J. 18, 28, 29, 485, 680

—, u. Roberts, J. D. 481, 482, 492, 493

Howton, D. R., u. Buchmann, E. R. 470

Hoyle, K. E., vgl. Cope, A. C. 368

Hruby, V. J., u. Johnson, A. W. 147, 259

Hruska, F., vgl. Schaefer, T. 30

Hsi, N., vgl. Karabatsos, G. J. 486, 593

Huber, J. E., vgl. LeBel, N. A. 445, 446, 453

Hubert, A. J. 544

Hudec, J., vgl. Bird, C. W. 736, 783

—. vgl. Cookson, R. C. 203

Hudson, G. V., vgl. Cromwell, N. H. 446, 580

Hückel, E. 729

Hückel, W., u. Schlee, H. 212

—, u. Vogt, O. 441

—, u. Wörffel, U. 215

Hünig, S., et al. 201, 544

—, u. Kiessel, M. 757

Huestis, L. D., vgl. Parham, W. E. 161

Hüttel, R., et al. 700

Hüttinger, R., vgl. Hanack, M. 432

Hughes, M. P., vgl. Hodgkins, J. E. 260

Huisgen, R. 70, 302, 363, 523, 669

Huisgen, R., et al. 44, 76, 216, 276, 431
—, Grashey, R., u. Sauer, J. 509
—, vgl. Juppe, G. 287
—, u. Juppe, G. 287, 511, 518, 607
Hummel, K., vgl. Hanack, M. 474
Hummel, K. F., vgl. Jones, M. 236
Humski, K., vgl. Borčič, S. 478
Hunter, R., vgl. Bawn, C. E. 36
Hunter, W. T., vgl. Clarke, R. L. 91
Hutchison, C. A. 327, 328, 329, 330
Hutton, H. M., u. Schaefer, T. 29
Huynh, C., vgl. Julia, S. 428
—, vgl. Muller, G. 25
Huyser, E. S. 374
—, u. Munson, L. R. 508
—, u. Taliaferro, J. D. 494
Hymans, W. E., vgl. Gassman, P. G. 26

Ichimura, K., u. Ohta, M. 645
I. G. Farb. (I. G. Farbenindustrie AG) 34, 36
Imoto, M., vgl. Aoki, S. 576, 577
Indelicato, J. M., vgl. Peterson, P. E. 475
Ingold, C., vgl. Cahn, R. S. 374
Ingold, C. K., vgl. Shoppee, C. W. 458
Ingram, L. L. 19
Inouye, Y., vgl. Takei, S. 49
—, Sugita, T., u. Walborsky, H. M. 138
—, Takehana, K., Sawada, S., u. Ohno, H. 126
Irie, T., vgl. Tanida, H. 442
Isaacs, N. E., vgl. Parker, R. E. 375
Ishitobi, H., vgl. Tanida, H. 443, 444
Islam, A. M., vgl. Campbell, J. R. B. 655
Ito, H., vgl. Nozaki, H. 144
Ito, M., vgl. Kosower, E. M. 22, 485, 579, 585
Itoh, K. 330
Ivashenko, A. A., vgl. Nefedov, O. M. 155, 198, 629
Iwamoto, M., vgl. Kiji, J. 145
Izzo, P. T., vgl. Kende, A. S. 749, 750, 751, 752, 753, 757, 758, 759, 761, 762
—, u. Kende, A. S. 743, 745

Jackson, R. W., u. Manske, R. H. 289
Jacobs, G., vgl. Alder, K. 509, 688
Jacobs, T. L. 43, 76

Jacox, M. E., u. Milligan, D. E. 693
Jacquier, R., vgl. Fraisse, R. 95
—, vgl. Ghandour, N. E. 53
—, vgl. Mousseron, M. 95
Jaffé, H. H., u. Orchin, M. 22
—, vgl. Reynolds, G. F. 399
—, u. Roberts, J. L. 580
Jakobs, T. L., u. Johnson, R. N. 474
—, u. Macomber, R. 474
Jakobsen, T. N., u. Jensen, E. V. 458
Jakobson, M., Beroza, M., u. Yamamoto, R. T. 49
Jakubovich, A. Y., u. Ginsburg, V. A. 127, 128
Jambotkar, D., vgl. Ketcham, R. 203
—, vgl. Strait, L. A. 579
James, E. L. 86
Janz, G. Z. 599
Jao, A. N., vgl. Ratts, K. W. 147
Jaruzelski, J. J., vgl. Deno, N. C. 484, 487, 489
Jautelat, M. 137
—, vgl. Corey, E. J. 145, 146
—, vgl. Wittig, G. 134, 135, 136, 137, 381, 382, 383
Jaz, J. 673, 784
Jeanmart, C., vgl. Julia, M. 92
Jefford, C. W. 193, 194, 628
—, et al. 193, 194, 195, 196, 628
—, vgl. Waegell, B. 194, 195
Jeger, O., et al. 16, 390, 391
—, vgl. Dutler, H. 392
—, vgl. Ruzicka, L. 461
—, Schaffner, K., et al. 390, 392, 396, 397
—, vgl. Weinberg, K. 392, 582, 583
Jennings, B. H., u. Herschbach, G. B. 444, 453
Jensen, E. V., vgl. Jakobsen, T. N. 458
Jensen, F. R., u. Smith, L. A. 510, 525
Jensen, L. H., vgl. Sundaralingam, M. 764
Jerosch-Herold, B., u. Gaspar, P. P. 99, 672
Johnson, U., vgl. Bargon, J. 413
Johnson, A. W. 511
—, u. Amel, R. T. 147
—, vgl. Hruby, V. J. 147, 259
Johnson, B., vgl. Birladeanu, L. 450, 451, 452
Johnson, C. E., u. Bovey, F. A. 28
Johnson, D. W., vgl. Cristol, S. J. 439

Johnson, R. N., vgl. Jakobs, T. L. 474
Johnston, G. A. R., vgl. Shoppee, C. W. 462
Jones, E. R. H., vgl. Bates, E. B. 467
Jones, M. 302, 540
—, et al. 285, 540, 661
—, vgl. Doering, W. v. E. 292, 540
—, Kulczycki, A., u. Hummel, K. F. 236
—, u. Petrillo, E. W. 210, 639
—, u. Reich, S. D. 647
—, u. Rettig, K. R. 292, 293, 294, 302
—, u. Scott, L. T. 541, 570, 647
Jones, P. G., vgl. Dean, F. M. 58
Jones, R. G., u. Gilman, H. 246
Jones, R. L., u. Rees, C. W. 190
Jones, W. J., vgl. Kornblum, N. 475
Jones, W. M. 45, 76, 744
—, et al. 269, 292, 301, 302, 320, 321, 322, 633, 634
—, u. Denham, J. M. 750, 752, 758, 761
—, u. Ennis, C. L. 301
—, u. Miller, F. W. 474
—, u. Petrillo, E. W. 302
—, u. Pyron, R. S. 750, 751, 759
—, vgl. Rostek, C. J. 303, 634
—, vgl. Tandy, T. K. 633
—, u. Wilson, J. W. 634
—, u. Wun-Ten Tai 45
Jones, W. O. 567, 568, 569
Jorgenson, M. J. 495
—, Clark, T. J., u. Corn, J. 596
—, u. Leung, T. 580, 594
Joschek, H. I., vgl. Franzen, V. 258
Josien, M. L., vgl. Fuson, N. 31
—, Fuson, N., u. Cary, A. S. 31
Juan, C., u. Gutowsky, H. S. 680
Judd, C. J., vgl. van Tamelen, E. E. 444
Julg, A. 749, 750
—, u. Francois, P. 749
Julia, M. 428
—, et al. 425, 470, 496, 499, 502, 507
—, u. Baillarge, M. 280, 428
—, Caput, M., u. Descoins, C. 425
—, u. Descoins, C. 428
—, —, u. Risse, C. 502
—, Guégan, R., Noël, Y., u. Yu, T. S. 427
—, vgl. Julia, S. 90, 364, 419, 428, 507,

Julia, M., Julia, S., u. Bemont, B. 90
—, —, u. Brisson, H. 428
—, —, u. Cochet, B. 93
—, —, u. du Chaffaut, J. A. 421, 425, 427
—, —, u. Guégan, R. 428
—, —, u. Jeanmart, C. 92
—, —, u. Noël, Y. 428
—, —, u. Stalla-Bourdillon, B., u. Descoins, C. 428
—, —, u. Yu, T. S. 425
—, —, —, u. Neuville, C. 425
—, u. Le Thullier, V. 280
—, Mouzin, G., u. Descoins, C. 500
—, u. Noël, Y. 496
—, u. Tchernoff, G. 428
Julia, S., et al. 363, 365, 507, 580
—, u. Bonnet, Y. 654
—, —, u. Schaeppi, W. 654
—, vgl. Davis, M. 458
—, vgl. Julia, M. 90, 92, 93, 421, 425, 427, 428
—, Julia, M., u. Bemont, B. 428
—, —, u. Brasseur, L. 90, 419
—, —, u. Graffin, P. 428, 507
—, —, u. Huynh, C. 428
—, —, u. Linstrumelle, G. 364
—, —, u. Neuville, C. 428
—, —, Tchen, S. Y., u. Graffin, P. 428
—, vgl. Linstrumelle, G. 364
—, u. Linstrumelle, G. 364
Juppe, G., vgl. Huisgen, R. 287, 511, 518, 607
—, u. Huisgen, R. 287
—, u. Wolf, A. P. 511
Jurale, J. B., vgl. Cristol, S. J. 439
Just, G., u. DiTullio, V. 26
—, vgl. Leznoff, C. C. 26
—, u. Leznoff, C. C. 26
—, u. Simonovitch, C. 650
—, vgl. Winstein, S. 461, 462
Jutz, C., u. Voithenleitner, F. 520, 521, 768

Kaarsemaker, S., u. Coops, J. 47
Kadaba, P. K., u. Edwards, J. O. 154, 163, 165
Kägi, K., vgl. Schmidt, H. 463
Kästner, P., vgl. Rundell, W. 58
Kaesz, H. D., Phillips, J. R., u. Stone, F. G. A. 184, 186
Kaiser, C., Trost, B. M., Beeson, J., u. Weinstock, J. 139, 140
Kaiser, K., vgl. Alder, K. 510, 688
Kaiser, W., vgl. Hanack, M. 439, 440, 470
Kamat, R. J., vgl. Peterson, P. E. 474

Kamp, H. van s. van Kamp, H.
Kandel, R. J. 609
Kang, S., vgl. Hanack, M. 31, 416, 420, 421, 422, 423, 426
Kangars, G., vgl. Newman, M. S. 505
Kaplan, C. A., vgl. Fuchs, R. 581
Kaplan, H. L., vgl. Murry, R. W. 520
Kaplan, L. 36
Kapps, M., vgl. Kirmse, W. 112, 113
Karabatsos, G. J., et al. 344
—, u. Fenoglio, D. F. 486
—, vgl. Hart, H. 100, 681, 682, 684, 685, 686, 687, 688, 693, 702, 703, 713, 715, 722, 723, 728, 784
—, u. Hsi, N. 486, 593
Karplus, M. 29
Kasai, P. H., et al. 681, 682, 702
Kashna, M. 298
Kaspar, E., vgl. Wiechert, R. 52, 57
Katchman, A., vgl. Overberger, C. G. 612
Kato, H., vgl. Nishimura, A. 474
Kato, M., vgl. Masamune, S. 360
Katz, T. J. 568
—, u. Garratt, P. J. 225, 226, 231, 266, 268, 381, 383
Kaufman, J. J., vgl. Chalvet, O. 749
Kaye, R. L., vgl. Doering, W. v. E. 536
Kazanskii, B. A., et al. 69, 657
—, Lukina, M. Yu., u. Cherkashina, L. G. 598
Kazanskij, B., vgl. Nachapetjan, L. A. 117
Keane, D. D., vgl. Donnelly, J. A. 143
Kearns, D. R., vgl. Bellus, D. 395
Keating, I., vgl. Philip, H. 334
Keberle, W., vgl. Hanack, M. 430
Keeton, R., vgl. Birch, A. J. 631
Keller, T., vgl. Günther, H. 527
Kelsey, D. R., u. Bergman, R. G. 475
Kelso, R., et al. 33
Kelso, R., G., et al. 34
Kemp, M. K., u. Flygare, W. H. 681
Kempf, R. J., vgl. Bernheim, R. A. 308, 309, 329
Kende, A. S. 229, 665, 667, 672, 688, 743, 753, 765, 769, 777

Kende, A. S., vgl. Barton, D. H. R. 16
—, vgl. Izzo, P. T. 743, 745
—, u. Izzo, P. T. 749, 750, 751, 752, 757, 758, 759, 761, 762
—, —, u. MacGregor, P. T. 750, 751, 752, 759, 761
—, u. MacGregor, P. T. 287
Kenner, J., vgl. Adamson, D. W. 54
Kent, G. J. u. Wallis, E. S. 464
Kerb, U., vgl. Wiechert, R. 123
Kerk, G. J. M. van der s. van der Kerk, G. J. M.
Kessler, H. 113
—, vgl. Müller, Eu. 105, 106, 110, 113, 114
Ketcham, R., Cavestri, R., u. Jambotkar, D. 203
—, vgl. Strait, L. A. 579
Ketley, A. D., et al. 601
—, vgl. Berlin, A. J. 602
—, Berlin, A. J., Gorman, E., u. Fisher, L. P. 601
—, u. Braatz, J. A. 411, 412
—, vgl. Hine, J. 99, 151
—, u. McClanahan, J. R. 601, 602
—, —, u. Fisher, L. P. 603
Kettle, S. F. A., vgl. Gowling, E. W. 783
Kharasch, M. S., et al. 36, 171
Kharash, S. M., Urry, W. A., u. Kudena, B. M. 92
Khashaturov, A. S., vgl. Nefedov, O. M. 264
Kibby, C. L., u. Kistiakowsky, G. B. 256
Kiedaisch, W., vgl. Müller, Eu. 113
Kiefer, E. F., u. Roberts, J. D. 195, 433, 448
Kiefer, H., vgl. Vogel, E. 191, 212
Kierstead, R. W., vgl. Linstead, R. P. 94
—, Linstead, R. P., u. Weedon, B. C. L. 576
Kiessel, M., vgl. Hünig, S. 757
Kiji, J., u. Iwamoto, M. 145
Killian, H., u. Weese, H. 33
Kilpatrick, J. E., u. Spitzer, R. 22, 23, 481
Kilpatrick, M., vgl. Brönsted, J. N. 375
Kim, C. S. Y., vgl. Miller, W. 154, 155, 164, 165, 167
—, vgl. Miller, W. T. 156
Kim, H., u. Gwinn, W. D. 478, 479
Kim, Y. C., vgl. Hart, H. 368, 370
—, u. Hart, H. 369
Kim, Y. K., vgl. Munk, M. 78

Kimelfeld, J. M., vgl. Sosta-
kovskij, S. M. 126
Kimoto, W., J., vgl. Goering,
H. L. 625
King, L. C., u. Bigelow, M. J.
459
King, R. B. 783
King, R. W., vgl. De Puy, C. H.
438
Kingsbury, C. A., vgl. Cram,
D. J. 85
Kirby, F. B., vgl. Kofron, W.
G. 154
Kircher, H. W. 722
Kirkbridge, F. W., u. Norrish,
R. G. W. 101
Kirmse, W. 99, 100, 101, 103,
104, 105, 106, 171, 221, 224,
232, 234, 256, 266, 286, 292,
332, 336, 341, 343, 352, 353,
363, 672, 693, 695
—, et al. 256, 258, 337, 340
—, u. Bülow, B. v. 256
—, u. Buschhoff, M. 339, 340
—, u. Dietrich, H. 285, 286, 362
—, u. Doering, W. v. E. 333,
353
—, u. Grassmann, D. 359
—, u. Horn, K. 340, 341, 342,
343, 344, 345, 346, 347, 351
—, u. Horner, L. 257
—, Kapps, M., u. Hager, R. B.
112, 113
—, u. Pöhlmann, K. 350, 351
—, u. Pook, K. H. 272, 273,
274, 495, 647
—, u. Schütte, H. 616, 634
—, u. Wächtershäuser, G. 310,
334, 337, 338, 340, 341, 343,
344, 345, 350, 351, 353, 354,
355, 356, 357
—, u. Wedel, B. v. 132, 333,
356
Kishner, N. 73
—, u. Klawikordow, W. 424
Kistiakowsky, G. B., vgl. Butler, J. N. 104
—, vgl. Carr, R. W. 104
—, vgl. Chambers, T. S. 595,
608
—, vgl. Conn, J. B. 510
—, vgl. Kibby, C. L. 256
—, u. Mahan, B. H. 255
Kitahara, Y., u. Funamizu, M.
757
—, vgl. Ueno, M. 750, 759,
761
Kitahonoki, K., vgl. Tanida,
H. 628
—, vgl. Tori, K. 526
Klages, F., u. Bott, K. 297,
299
Klamann, D., u. Finger, C. 205,
207
—, Fligge, M., Weyerstahl, P.,
Ulm, K., u. Nerdel, F. 374,
380

Klamann, D., vgl. Nerdel, F. 374
—, u. Ulm, K. 374
—, vgl. Weyerstahl, P. 374,
375, 376, 380
—, u. Weyerstahl, P. 374
Klawikordow, W., vgl. Kishner,
N. 424
Klebe, J., vgl. Skell, P. S. 308
Klein, R. A., vgl. De Puy, C. H.
246, 620
Klemchuk, P. P., vgl. Denney,
D. B. 258
Klement, O., Mader, O., u.
Felder, B. 682
Klemperer, W., vgl. Lombardi,
J. R. 586
Klever, H. W., vgl. Staudinger,
H. 388
Klingberg, E., vgl. McPhee, W.
D. 665
Klinger, H. B., vgl. Closs, G. L.
18, 21, 446, 594
Kloosterziel, H. 99
—, et al. 157, 161, 162, 163,
164, 165, 662
—, vgl. ter Borg, A. P. 501,
520, 607
—, vgl. Wagner, W. M. 153,
177, 185
Klopman, G. 683
—, vgl. Dewar, M. J. S. 683
Klose, H. 594
—, vgl. Günther, H. 565, 593,
594
—, u. Günther, H. 565
—, u. Wittig, G. 33
Klotz, I. M. 579
Klump, K. N., u. Chesick, J. P.
511, 516
Klumpp, G., vgl. Doering, W.
v. E. 539
Klusacek, H., vgl. Biethan, U.
563, 564, 650
Klyne, W. 461
Knoche, H. 286
Knowlton, J. W., u. Rossini, F.
682
Knox, J. H., vgl. Grzybowska,
B. A., 105, 106, 601
Knox, L. H. 276, 377, 380
—, et al. 161
—, vgl. Doering, W. v. E. 100,
113, 337, 509, 510, 511
—, Velarde, E., u. Cross, A. D.
513, 523, 527
Knox, L. K. 538
Koch, S. D., Kuss, R. M.,
Lopiekes, D. V., u. Wine-
man, R. J. 117, 119
Kochi, J. K. 121
Kocsis, K., et al. 46, 57, 76
Köbrich, G. 100, 234, 311
—, et al. 156, 157, 159, 221,
310, 311, 672
—, Büttner, H., u. Wagner, E.
158
—, u. Drischel, W. 221, 310, 311

Köbrich, G., u. Fischer, R. H. 156
—, u. Flory, K. 310
—, —, u. Drischel, W. 188, 310
—, —, u. Fischer, R. H. 310,
314
—, vgl. Gerson, F. 315
—, u. Heinemann, H. 313, 315
—, u. Zündorf, W. 313, 314,
315, 316
—, u. Merkle, H. R. 310, 311,
315
—, u. Trapp, H. 310
—, —, Flory, K., u. Drischel,
W. 310
—, —, u. Hornke, I. 310, 311
König, F., vgl. Auwers, K. von
44, 61, 87, 88
König, H. 140
—, et al. 140
König, J., vgl. Roth, W. R.
608, 609, 610, 611
Köster, R., vgl. Binger, P. 405
—, vgl. Lipp, P. 65, 671, 672
Kofron, W. G., Kirby, F. B., u.
Hauser, C. R. 154
Kohler, E. P., u. Conant, J. B.
576, 652
—, u. Darling, S. F. 690, 729
Kohn, M., u. Mendelewitsch, A.
35
Kohout, L., vgl. Horák, V. 291
Komendantov, M. I., vgl. Dom-
nin, I. N. 782
—, vgl. Dyakonov, I. A. 282,
694, 710
—, Smirnova, T. S., u. Dya-
konov, I. A. 695
Komppa, G. 32
Koncos, E., vgl. Parham, W. E.
168
Kondo, K., vgl. Nozaki, H. 144,
147
Konopowa, K. A., vgl. Fawors-
kaja, T. A. 425, 426
Koock, S. U., vgl. Ballentine,
A. R. 467
—, vgl. Bly, R. S. 474
Kooyman, E. E., vgl. Scheer,
J. C. 438
Kopecky, K. R., Hammond,
G. S., u. Leermakers, P.
103
—, —, u. Leermakers, P. A.
132, 292
Koreshkov, D., vgl. Kursanov,
D. N. 731
Koreshkov, Y. D., vgl. Kursanov,
D. N. 734, 736, 744
—, vgl. Vol'pin, M. E. 705,
734, 736, 744
—, vgl. Zaitsev, B. E. 734
Kornblum, N., Jones, W. J.,
u. Anderson, G. J. 475
Korobitsyna, I. K., vgl. Rodina,
L. L. 363
Korshunov, S. P., vgl. Dya-
konov, I. A. 282

Korte, F., et al. 272
—, vgl. Weitkamp, H. 30, 31, 585
Korte, S., vgl. Vogel, E. 514, 523, 526, 680, 685, 689
Koser, G. F., u. Pirkle, W. H. 256, 261
Kosower, E. M. 446, 486, 750
—, u. Ito, M. 22, 485, 579, 585
—, vgl. Winstein, S. 433, 450, 451, 452, 459, 480, 498
Kostikov, R. R., vgl. Dyakonov, I. A. 271
Kostin, V. N., vgl. Levina, R. Y. 115, 651
Kotowitz, G., vgl. Schaefer, T. 30
Krakower, G. W., u. Ann van Dine, H. 57
Kramer, K. A. W., u. Wright, A. N. 256
Krane, W. 528
—, vgl. Alder, K. 528
Kranenburg, P., vgl. Sekur, T. J. 486, 487
Krantz, K. D., vgl. Closs, G. L. 697
Krapcho, A. P., u. Donn, R. 347
—, Peters, R. C. H., u. Conia, J. M. 449
—, vgl. Skell, P. S. 353
Kraus, C. A., u. Sessions, W. V. 186
Krause, P. C., vgl. Hanack, M. 430
Krauss, M., vgl. Padgett, A. 325
Krawetz, W., vgl. Zelinsky, N. D. 37
Krebs, A. 731, 732, 743, 744
—, vgl. Breslow, R. 731, 741
Krebs, A. W. 100, 757, 784
Krespan, C. G., vgl. Gale, D. M. 516
Krestinsky, W. 313
Krieger, H. 439
Krikorian, S. E., vgl. Moore, W. R. 176
Kriloff, H., vgl. Smith, G. V. 688
Kristinsson, H. 262
—, u. Griffin, G. W. 262, 263, 397
Krockenberger, D., vgl. Föhlisch, B. 757
Kropp, P. J. 390, 583
Krow, G. R., vgl. Paquette, L. A. 566
Krüerke, U. 554
Krueger, R. A., vgl. McDonald, R. N. 254
Ktenas, M., vgl. Havell, W. C. 58
Kubota, H., vgl. Mukai, T. 519, 520, 521
Kudena, B. M., vgl. Kharash, S. M. 92

Kuebeler, N. A., vgl. Basch, H. 586
—, vgl. Lombardi, J. R. 586
—, vgl. Robin, M. B. 586
Küppers, H., vgl. Schöllkopf, U. 255
Kuhn, R., u. Hoffer, M. 359
—, u. Trischmann, H. 142
Kuivila, H. G., et al. 203, 204
—, u. Beumel, O. F. 204
—, vgl. Rahman, W. 162, 313
—, vgl. Werner, C. R. 494
Kulczycki, A., vgl. Jones, M. 236
Kundu, N., vgl. Georgian, V. 57
Kupchik, E. J., vgl. Denney, D. B. 425
Kuper, D. G., vgl. Freeman, P. K. 366, 648
Kuper, K. G., vgl. Freeman, P. K. 613
Kupfer, O., vgl. Staudinger, H. 98, 101, 257
Kurabayashi, K., vgl. Tsuruta, H. 563, 564
Kursanov, D. N., vgl. Volpin, M. E. 536, 564, 705, 734, 736, 744
—, Volpin, M. E., u. Koreshkov, D. 731
—, —, u. Koreshkov, Y. D. 734, 736, 744
Kursanov, N. D., et al. 166
—, vgl. Volpin, M. E. 172, 217 223
Kuss, R. M., vgl. Koch, S. D. 117, 119
Kutner, A., vgl. Newman, M. S. 321, 322
Kutter, E., vgl. Gompper, R. 745, 754
Kutzelnigg, W. 623, 624
Kuznetsow, N. V., vgl. Nazarow, I. N. 316
Kwart, H., u. Takeshita, T. 269
Kwiatkowski, G. T., vgl. Closson, W. D. 437, 450, 455
Kwie, W. W., Shoulders, B. A., u. Gardner, P. D. 390
Kwok, P. W. N. vgl. Paskovich, D. H. 349
Kyckerhoff, K., vgl. Staudinger, H. 388

Laato, H. 242
—, u. Lehtonen, P. 238
Lacher, J. R., Pollock, J. W., u. Park, J. D. 28, 526
Ladenberg, K., Chakravorty, P. N., u. Wallis, E. S. 458
Ladenburg, A. 509
LaFlamme, P., vgl. Doering, W. v. E. 100, 106, 170, 192, 203, 207, 637

La Flamme, P. M., vgl. Doering, W. v. E. 314, 377
La Lancette, E. A., u. Benson, R. E. 225
la Lau, C., u. de Ruyter, H. 510
La Londe, R. T., u. Batelka, J. J. 653
—, u. Tobias, M. A. 272, 273
Lambert, J. B. 531, 533, 560
—, et al. 516, 524, 525
—, u. Roberts, J. D. 509
Lampe, F. W., vgl. Taft, R. W. 490
Lampman, G. M., vgl. Wiberg, K. B. 41
Lampman, R. B., vgl. Closs, G. L. 680
Lancette, E. A. La s. LaLancette, E. A.
Landgrebe, J. A., vgl. Applequist, D. A. 493
—, vgl. Applequist, D. E. 449
—, u. Applequist, D. E. 448, 449
—, u. Mathis, R. D. 170, 183
—, u. Shoemaker, J. D. 508
Landor, S. R., vgl. Ball, W. J. 166, 167, 168, 312, 568
—, vgl. Bell, W. J. 198
—, vgl. Black, D. K. 118
—, u. Whiter, P. F. 317
Lane, L. A., vgl. Nelson, E. R. 90
Lanford, C. A., vgl. Williamson, K. L. 30
Langbein, A., vgl. Eistert, B. 52, 54
Langer, N. H., vgl. Pearson, R. G. 425
Langer, S. H., vgl. Pearson, R. G. 480, 495
Langford, P. B., vgl. Hine, J. 99, 151
Lankelma, H. P., vgl. Bartelson, J. D. 33, 34
Lanpher, E. J., vgl. Morton, A. A. 401, 402
—, Redman, L. M., u. Morton, A. A. 400
Lansbury, P. T., et al. 400, 491
—, u. Pattison, V. A. 491, 492
Lappert, M. F., vgl. Gerrard, W. 500
LaPrade, J. E., vgl. Moore, W. R. 176, 446
Laroche, P., vgl. Ghosez, L. 193
Larrabee, R. B., vgl. Closs, G. L. 360, 590
Laszlo, P., u. Schleyer, P. v. R. 688
Lau, C. la s. la Lau, C.
Laug, P., vgl. Dauben, W. G. 124, 512
Lauger, P., vgl. Biro, V. 77
Laughlin, R. G., vgl. Doering, W. v. E. 99
Laurens, B. Du s. Du Laurens, B.

Laurent, H., Müller, H., u. Wiechert, R. 498

Lauterbur, P. C., vgl. Burke, J. J. 18, 28, 29

Lautzenheiser, A., vgl. Chang, H. W. 637

Lavanish, J. M., vgl. Wiberg, K. B. 495, 648, 649

Lavoine, F. 33

Law, D. C. F., vgl. West, R. 754

Law, P. A., vgl. Hart, H. 417, 427, 452, 487, 497

Lawler, R. G., vgl. Ward, H. R. 413

Lawrence, C. D., u. Tipper, C. F. H. 651

Leahy, S. M., vgl. Schubert, W. M. 37

Leal, J. R., vgl. Cannon, G. W. 90

Leary, T. S., vgl. Cloke, J. B. 89, 90

Lebedev, O. V., vgl. Levina, R. J. 91

LeBel, N. A., u. Huber, J. E. 445, 446, 453

—, u. Spurlock, L. A. 446

Lebovits, A., vgl. Overberger, C. G. 494

Ledwith, A. 105

—, vgl. Bawn, C. E. H. 105, 128

—, u. Bell, R. M. 164, 172

—, u. Parry, D. 44

—, u. Shih-Lin, Y. 265

—, u. Woods, H. J. 656

Lee, C. C., vgl. Roberts, J. D. 439

Lee, D. J., vgl. Fahey, R. C. 474

Leermakers, P., vgl. Kopecky, K. R. 103

Leermakers, P. A., vgl. Hammond, G. S. 389

—, vgl. Kopecky, K. R. 132, 292

—, vgl. Turro, N. J. 387, 388, 410, 667, 668

—, Vesley, G. F., Turro, N. J., u. Neckers, D. C. 387

LeGoff, E. 116

Lehmann, G. J., vgl. Schöllkopf, U. 248

Lehmann, H. G., Müller, H., u. Wiechert, R. 141, 584

Lehmann, M., vgl. Hantzsch, A. 101

Lehnig, M., u. Fischer, H. 413

Lehtonen, P., vgl. Laato, H. 238

Leitch, L. C., Cagnon, E., u. Cambron, E. 105

Lemal, D. M., et al. 359

—, u. Banitt, E. H. 254, 255

—, u. Shim, K. S. 360, 588

Lemmel, L., vgl. Straus, F. 539

Lennard-Jones, J., vgl. Hall, G. G. 19

Lenz, G., vgl. Vogel, E. 604, 605, 606

Lerch, A., vgl. Schöllkopf, U. 105, 234, 235, 237, 247, 252

Leriverend, P., u. Conia, J. M. 38

Lespieau, R. 34, 35

Le Thullier, G., vgl. Julia, M. 280

Leung, T., vgl. Jorgenson, M. J. 580, 594

Leusen, A. M. von, et al. 305

Levi, A. A., vgl. Srinivasan, R. 590

Levina, R. J., Mezencova, N. N., u. Lebedev, O. V. 91

Levina, R. Y., et al. 657

—, Kostin, V. N., u. Ustynyuk, T. K. 115, 651

Levitt, G., vgl. Hart, H. 652

Lewandowski, K. M., vgl. Sneen, R. A. 418

Lewin, A. H., vgl. Winstein, S. 443

Lewina, R. J., u. Gladstein, B. M. 34

—, —. u. Akischin, P. A. 34

Lewis, A., vgl. Meinwald, J. 588, 590

Lewis, G. S., vgl. Moersch, G. W. 141

Leznoff, C. C., vgl. Just, G. 26

—, u. Just, G. 26

Lide, D. R., vgl. Powell, F. X. 327

Liebmann, S. A., u. Gudzinowics, B. J. 30

Liedhegner, A., vgl. Regitz, M. 299

Limasset, J. C., vgl. Conia, J. M. 125

Lin, T. W., vgl. DeSelms, R. C. 656

Lincoln, F. H., vgl. Axen, U. 650

Lind, H., u. Deutschmann, A. J. 706

Lindsay, D. G. 201

—, vgl. Anderson, J. C. 169, 180, 185, 631

—, vgl. Baird, M. S. 197, 198, 199

—, u. Reese, C. B. 198, 629

Lingnan, E., vgl. Horner, L. 302

Linnett, J. W., vgl. Chong, D. P. 82

Linstead, R. P., et al. 95

—, vgl. Kierstead, R. W. 576

—, Kierstead, R. W., u. Weedon, B. C. L. 94

Linstrumelle, G., vgl. Julia, S. 364

Linstrumelle, G., u. Julia, S. 364

Lipp, P., Buchkremer, J., u. Seeles, H. 65, 406

—, u. Köster, R. 65, 671, 672

Lippincott, E. R. 544

Little, J. C. 509

Liu, J. S. 484

Livingston, S. R., vgl. Trainelis, V. J. 435, 436

Lloyd, D., u. Wasson, F. I. 299

Lockhart, J., vgl. Breslow, R. 431, 432, 685, 727, 768, 769, 770

Löschner, A., vgl. Eicher, T. 745, 755, 756

Loew, F. C., vgl. Parham, W. E. 153, 163

Loewenstein, A., vgl. Anbar, M. 531

Loewenthal, H. J. E., vgl. Becker, D. 366

—, vgl. Büchi, G. 583

Loftfield, R. B. 665

Logan, T. J. 170, 207, 208, 637

Loken, H. Y., vgl. Ward, H. R. 413

Lombardi, J. R., Klemperer, W., Robin, M. B., Basch, H., u. Kuebeler, N. A. 586

Lombardino, J. G., vgl. Overberger, C. G. 76

Lon, H., vgl. Eaton, P. E. 624

Londe, R. T. La s. La Londe, R. T.

Longuet-Higgins, H. C., u. Abrahamson, W. H. 616, 722

—, u. McEwen, K. L. 765

Lopiekes, D. V., vgl. Koch, S. D. 117, 119

Lord, R. C. 751

—, vgl. Evans, M. V. 510

—, u. Evans, M. V. 570

—, vgl. House, H. O. 37, 38

—, u. Miller, F. A. 687

Lornitzo, F. A., van Tamelen, E. E. 654

Lossing, F. P., vgl. Wiberg, K. B. 682, 772

Lott, W. A. 36

—, u. Christiansen, E. G. 34

—, —, u. Shackell, E. 34

Lougheed, G. S., vgl. Davis, C. S. 234, 237

Loveland, J., u. Elving, P. 779

Loving, B. A., vgl. Shields, T. C. 692

Lovtsova, A. N., vgl. Reutov, O. A. 169, 180

Lowry, B. R., vgl. Wiberg, K. B. 454

Lowry, L. L., vgl. Herdon, W. C. 516

Lucas, G. B., vgl. Emmons, W. D. 619, 620

Lüttke, W., et al. 593

—, vgl. de Meijere, A. 594

Lüttke, W., u. de Meijere, A. 593

Luitjen, J. G. A., vgl. van der Kerk, G. J. M. 188

Lukina, M. J., vgl. D'Yachenko, A. I. 37

Lukina, M. Y. 17, 18, 575

—, Nesmeyanova, O. A., u. Rudaševskaja, T. Y. 705

Lukina, M. Yu., vgl. Kazanskii, B. A. 598

Lusk, D. I., vgl. Hoeg, D. F. 188, 231, 310

Lustgarten, R. K., vgl. Richey, R. K. 443

Lutz, E. F., vgl. Scares, S. 35

Luvisi, J. P., vgl. Schmerling, L. 439

L'Vov, A. I., vgl. Sostakovskij, S. M. 126

Lynden-Bell, R. M., u. Sheppard, N. 680

McBee, E. T. 297, 298

—, et al. 301

—, Bosoms, J. A., u. Morton, C. J. 297, 298, 299

—, Calundann, G. W., u. Hodgins, T. 695

McCarty, J. E., vgl. Cram, D. J. 423

McCarty, M., vgl. Robinson, G. W. 103, 330

McClanahan, J. L., vgl. Ketley, A. D. 601, 602, 603

McConnell, H. M. 28, 82, 526

McCorkindale, N. J., et al. 740

—, Raphael, R. A., Scott, W. T., u. Zwanenburg, B. 747

McCoy, L. L. 95, 96, 97

—, u. Nachtigall, G. W. 96

McDaniel, J. C., vgl. de Puy, C. H. 444

McDaniel, R. S., vgl. McGreer, D. E. 84

MacDonald, J. M., vgl. Havell, W. C. 58

McDonald, R. N., u. Krueger, R. A. 254

—, u. Reinecke, C. E. 454

McDonough, L. M., vgl. Dauben, H. J. 769

McElvain, S. M., u. Weyna, P. L. 191, 228, 656, 736, 737

McEwen, K. L., vgl. Longuet-Higgins, H. C. 765

McEwen, W. E., Bladé-Font, A., u. van der Werf, C. A. 138

—, u. Wolf, A. P. 138

McGhie, J.,vgl. Barton, D. H. R. 390

McGreer, D. E. 38, 44

—, et al. 85, 86, 87, 88

—, vgl. Applequist, D. E. 38

—, Chiu, N. W. K., u. Vinje, M. G. 84

—, —, —, u. Wong, K. C. K. 84

McGreer, D. E., McDaniel, R. S., u. Vinje, M. G. 84

—, Morris, P., u. Carmichael, G. 84

—, Wai, W., u. Carmichael, G. 44

—, u. Wu, W. S. 86

MacGregor, P. T., vgl. Kende, A. S. 287, 750, 751, 752, 759, 761

MacKay, C., vgl. Nicholas, J. 636

—, u. Wolfgang, R. 636

McKenzie, J., vgl. Smith, L. I. 424

McKervey, M. A., vgl. Cope, A. C. 431

McLachlan, A. D. 82

McLafferty, F. W., vgl. Grubb, H. M. 490

McMurry, T. B. H., vgl. Cocker, W. 391

McNary, J., vgl. van Tamelen, E. E. 654

McNesby, J. R., u. Gordon, A. S. 595

Macomber, R., vgl. Jakobs, T. L. 474

McPhee, W. D., u. Klingberg, E. 665

McRae, E. G., vgl. Bayliss, N. S. 750

Mader, O., vgl. Klement, O. 682

Maercker, A., u. Roberts, J. D. 401, 402, 403, 404, 492

Maerten, G., vgl. Walter, W. 151

Magat, M., vgl. Bergmann, E. 55

Magid, R. M., u. Welsh, J. G. 359

Magnanini, G. 189

Magrane, J. K., u. Cottle, D. L. 620

Mahan, B. H., vgl. Kistiakowsky, G. B. 255

Mahler, J. E., vgl. Rosenberg, J. L. von 511

Mahler, W. 588, 709

Maienthal, M., vgl. Nelson, E. R. 90

Maier, G. 358, 527

—, u. Strasser, M. 358

Maier, W. 313

—, vgl. Vogel, E. 523, 527

Major, R. T., u. Hess, H. J. 142

Maksič, Z., vgl. Randič, M. 19, 25, 28

Maloney, D. E., vgl. Hennion, G. F. 323

Maloney, M. J., vgl. Washburn, L. W. H. 31

Mamatov, A., vgl. Moss, R. A. 157, 228

Manatt, S. L., u. Elleman, D. D. 524, 526

Manatt, S. L., u. Roberts, J. D. 730, 749, 779, 780

Manjarrez, A., vgl. Medina, F. 364

Mann, C. K., Webb, J. L., u. Walborsky, H. M. 403

Mann, D. E., vgl. Bass, A. M. 327

—, u. Trush, B. A. 327

Mannhardt, H. J. et al. 57

Manske, R. H., vgl. Jackson, R. W. 289

Mansoor, A. M., u. Stevens, I. D. R. 347

Marathe, K. G., vgl. Donnelly, J. A. 143

Marchand, A. P., vgl. Dewar, M. J. S. 483

—, vgl. Dewar, M. S. 482

Marchand, B., vgl. Criegee, R. 544

Mare, G. R. De s. DeMare, G. R.

Mariella, R. P., et al. 579

—, u. Roth, A. J. 90, 369

Marmor, S., u. Thomas, M. M. 748

Marquis, E. T., u. Gardner, P. D. 226, 639

Marrian, S. F. 37

Marshall, D. C., vgl. Frey, H. M. 598, 600, 601

Martin, J. C., vgl. Sharpe, T. 580

Martin, J. S., vgl. DeMare, G. R. 593, 594

Martin, M., vgl. Roth, W. R. 80, 81, 82

Martin, M. M., vgl. Cope. A. C. 431

Martin, R. A., vgl. Hart, H. 453, 653

Martin, R. H. 490

—, vgl. Taft, R. W. 490

Martin, W., vgl. Schröder, G. 535, 570

Martinez, A. G., et al. 475

Masamune, S. 365, 587, 588, 589, 710

—, et al. 366, 540, 647, 648

—. u. Castellucci, N. T. 366, 629

—, u. Kato, M. 360

Mason, J. P., vgl. Browne, W. R. 53

Mateos, J. L., Chao, O., u. Flores, H. 25

Mathieu, J., vgl. Muller, G. 25

Mathis, R. D., vgl. Landgrebe, J. A. 170, 183

Matsen, F. A., vgl. Music, I. F. 580

Matsuda, T., vgl. Akiyoshi, S. 273

Matubara, S., vgl. Nozaki, H. 147

Maurin, R., vgl. Bertrand, M. 118, 644
Mayer, R., u. Schubert, H. J. 89, 90
—, Wenschuh, G., u. Töpelmann, W. 90
Mayer, U., vgl. Wittig, G. 556
Mayo, P. de s. de Mayo, P.
Mazur, R. H., et al. 425, 479
—, vgl. Roberts, J. D. 425, 477, 478, 492, 493
Mazzocchi, P. H., vgl. Meinwald, J. 399
Meaney, D. C., vgl. Donnelly, J. A. 143
Meckel, W., vgl. Vogel, E. 541, 542
Medina, F., u. Manjarrez, A. 364
Meerwein, H. 105, 127, 146
—, et al. 113, 509
—, Rathjen, H., u. Werner, H. 99
Mehta, G., vgl. Farnum, D. G. 765, 766, 772
Meiboom, S., vgl. Anbar, M. 531
Meijere, A. de s. de Meijere, A.
Meinwald, J., et al. 26, 357, 574, 575
—, Curtis, G. G., u. Gassman, P. G. 25
—, u. Mazzocchi, P. H. 399
—, Swithenbank, C., u. Lewis, A. 588, 590
—, u. Wahl, G. H. 366
Meinwald, Y. C., vgl. Blomquist, A. T. 316
Melboom, S., vgl. Snyder, L. C. 30
Meldrum, A. N. 63
Mendelewitsch, A., vgl. Kohn, M. 35
Menet, A., u. Descotes, G. 507
Mennicke, W., vgl. Eistert, B. 55, 56
Merényi, R., Oth, J. F. M., u. Schröder, G. 532, 567, 568, 569
—, vgl. Schröder, G. 539, 542, 546, 551, 557, 673
Merer, A. J., u. Travis, D. N. 327
Merkle, H. R., vgl. Köbrich, G. 310, 311, 315
Meščerjakov, A. P., et al. 274
Meshcheryakov, A. P., Glukhovtsev, V. G. u. Petrov, A. D. 72
Mesirov, M. E., vgl. Wilcox, C. F. 433
Metallgesellschaft, AG, Frankfurt 247
Methews, C. W. 327
Meurs, N. van s. van Meurs, N.
Meyer, F., u. Harrison, A. G. 490

Meyer, H., vgl. Hanack, M. 416, 417
Meyerson, S., vgl. Fields, E. K. 160, 176
—, vgl. Grubb, H. M. 490
Mezencova, N. N., vgl. Levina, R. J. 91
Michalsky, J., Holck, M., u. Podperova, A. 53
Micheel, F., u. Busse, W. 67
—, u. Dammert, W. 67
—, Eickenscheidt, O., u. Zeidler, I. 67
Michlina, S. E., vgl. Zelinsky, N. D. 32
Michtler, H., u. Schlögl, K. 276
Middleton, W. J., vgl. Gale, D. M. 516
Millam, M. J., vgl. Wedegaertner, K. 200
Miller, F. A., vgl. Lord, R. C. 687
Miller, F. W., vgl. Jones, W. M. 474
Miller, W., u. Kim, C. S. Y. 154, 155, 164, 165, 167
Miller, W. T., u. Kim, C. S. Y. 156
—, u. Whalen, D. M. 155, 156, 157, 159, 188, 232, 310, 353, 740
Milligan, D. E., et al. 321
—, vgl. Jacox, M. E. 693
—, u. Pimentel, G. C. 330
Milsted, J., vgl. Bawn, C. E. H. 99
Minh, T. Do s. Do Minh, T.
Mirra, J., vgl. Breslow, R. 734, 741
Mishra, A., vgl. Crawford, R. J. 74, 75, 80, 83, 599
Mislow, K., u. Hellmann, H. M. 133
Mitchell, M., vgl. Breslow, R. 717, 725
Mitsch, R. A. 185, 292, 380
—, u. Robertson, J. E. 186
Modena, G., u. Tonellato, U. 475
Moe, O. A., vgl. Warner, D. T. 96
—, u. Warner, D. T. 96
Moersch, G. W., Evans, D. E., u. Lewis, G. S. 141
Moffitt, W. 82
—, vgl. Coulsen, C. A. 485
Moffitt, W. E., vgl. Coulson, C. A. 18, 25, 28, 482, 681
Mohacsi, E., vgl. Breslow, R. 781
Mohr, E. 15
Mohrbacher, R. J., u. Cromwell, N. H. 30, 31, 290, 579
Mole, T., vgl. Doering, W. v. E. 686, 693, 704, 705, 714
Montavon, M., vgl. Ruzicka, L. 461

Montgomery, L. K., et al. 578
Moon, S., vgl. Cope, A. C. 431, 447, 448
Moore, A. M., vgl. Buhle, E. L. 74
Moore, C. B., u. Pimentel, G. C. 336
Moore, H. W. 575
Moore, W. R., et al. 160,193, 194, 195, 207, 208, 628, 639
—, Krikorian, S. E., u. LaPrade, J. E. 176
—, Moser, W. R., u. LaPrade, J. E. 446
—, u. Ozretich, T. M. 638
—, u. Ward, H. R. 192, 207, 302, 637
Moran, W., vgl. Fonken, G. J. 273
More, W. B. de s. de More, W. B.
More, W. D. de s. de More, W. D.
Moriarty, R. M., vgl. van der Heuvel, W. G. A. 462
—, u. Wallis, E. S. 461, 462
Moritani, I., et al. 261, 265, 303, 304, 305, 330
—, vgl. Funakubo, E. 203
—, vgl. Murahashi, S. 265
—, vgl. Obata, N. 290, 708, 716
—, u. Obata, N. 695
Morney, A. G. 34
Moroz, E., vgl. Cava, M. P. 25
Morreal, C. E., vgl. Wawzonek, S. 96
Morril, T. C., vgl. Cristol, S. J. 439, 440
Morris, P., vgl. McGreer, D. E. 84
Morse, R. L., vgl. Zimmerman, H. E. 397
Mortimer, G. A., vgl. Nelson, N. A. 89, 90
—, vgl. Nelson, W. A. 430
Morton, A. A., vgl. Claff, C. E. 401, 402
—, vgl. Lanpher, E. J. 400
—, u. Lanpher, E. J. 401, 402
Morton, C. J., vgl. McBee, E. T. 297, 298, 299
Moser, W. R., vgl. Moore, W. R. 446
Moss, R. A. 226, 228, 233, 264, 266, 267, 268, 269, 301, 381
—, vgl. Closs, G. L. 77, 100, 221, 224, 226, 229, 234, 252, 257, 261, 264, 266, 267, 268, 345, 357
—, u. Gerstl, R. 162, 172, 232, 233
—, u. Mamantov, A. 157, 228
Motes, J. M., vgl. Walborsky, H. M. 711
Mousseron, M. 399
—, u. Fraisse, R. 95
—, —, Jacquier, R., u. Bonavent, G. 95
Mouzin, G., vgl. Julia, M. 500

Mühlstädt, M., u. Graefe, J. 639, 640
Müller, E., vgl. Curtius, T. 101
—, u. Roser, E. 69
—, u. Roser, O. 275
Müller, Eu., et al. 114
—, vgl. Bredereck, H. 28, 29
—, u. Fricke, H. 113
—, —, u. Kessler, H. 114
—, —, u. Rundel, H. 105, 106, 113, 270
—, u. Kessler, H. 106, 114
—, —, Fricke, H., u. Kiedaisch, W. 113
—, —, u. Suhr, H. 114
—, —, u. Zeeh, B. 105, 106, 110, 113, 114
Müller, H., vgl. Laurent, H. 498
—, vgl. Lehmann, H. G. 141, 584
Müller, O., vgl. Harries, R. K. 72
Mui, J. Y.-P., vgl. Seyferth, D. 178, 186, 188
Mukai, T., et al. 301
—, Kubota, H., u. Toda, T. 519, 520, 521
—, vgl. Nozoe, T. 743
—, vgl. Tsuruta, H. 653, 564
Mullen, R. T., u. Wolf, A. P. 636
Muller, G., Huynh, C., u. Mathieu J. 25
Muller, N., u. Pritchard, D. E. 18, 679, 680, 681
Mulliken, R. S. 19
Munday, R., u. Sutherland, I. O. 660
Muneyuki, R., vgl. Tori, K. 680
Munk, M., u. Kim, Y. K. 78
Munson, L. R., vgl. Huyser, E. S. 508
Munthe-Kaas, T., vgl. Almenningen, A. 764
Murahashi, S., et al. 295
—, vgl. Funakubo, E. 203
—, u. Moritani, I. 265
Murata, I., vgl. Ueno, M. 750, 759, 761
Murray, M. J., vgl. Cleveland, F. F. 38
—, u. Stevenson, E. 33, 37
—, u. Stevenson, E. H. 37
Murray, R. W., vgl. Trozzolo, A. M. 293
—, vgl. Wasserman, E. 328
Murry, R. W., u. Kaplan, H. L. 520
Music, I. F., u. Matsen, F. A. 580
Musso, H. 563, 564
—, vgl. Biethan, U. 563, 564, 583, 585, 650
—, u. Biethan, U. 272, 563

Myznikova, V. F., vgl. Dyakonov, I. A. 275

Nachapetjan, L. A., Safonova, I. L., u. Kazanskij, B. 117
Nachod, F. C., u. Phillips, W. D. 584
Nachtigall, G. W., vgl. McCoy, L. L. 96
Naegele, W., vgl. Griesbaum, K. 41
Nangia, P., vgl. Benson, S. W. 609
Narayana, M., vgl. Gardner, P. D. 167, 200, 207, 638
Nasipuri, D., vgl. Birch, A. J. 212
Naves, Y. R., u. Papazian, G. 72
Nazarow, I. N., u. Kuznetsow, N. V. 316
Nealy, D. L., vgl. Wilcox, C. F. 424
Neckers, D. C. 494
—, vgl. Leermakers, P. A. 387
—, Schaap, A. P., u. Hardy, J. 494
—, vgl. Turro, N. J. 387
Nef, J. U. 98
Nefedov, O. M. et al. 151, 171, 203, 217, 228, 259, 264
—, u. Ivashenko, A. A. 155
—, —, u. Novitskaya, N. N. 198
—, u. Nonitskaja, N. N. 629
—, —, u. Ivashenko, A. A. 629
—, Shiryaer, V. I., u. Khashaturov, A. S. 264
—, —, u. Petrov, A. D. 259, 264
Nelson, E. R., Maienthal, M., Lane, L. A., u. Benderly, A. A. 90
Nelson, F. F. 454
Nelson, K. W., vgl. Hennion, G. F. 323
Nelson, N. A., Fassnacht, J. H., u. Piper, J. U. 435
—, u. Mortimer, G. A. 89, 90
Nelson, W. A., u. Mortimer, G. A. 430
Nenitzescu, C. D., et al. 165, 366, 540
—, vgl. Avram, M. 540
—, vgl. Badea, F. 165
—, u. Solomonica, E. 289
Nerdel, F., et al. 377, 378, 626, 629, 631, 632, 633
—, u. Buddrus, J. 374
—, —, Klamann, D., Weyerstahl, P., u. Ulm, K. 374
—, vgl. Klamann, D. 374, 380
—, vgl. Weyerstahl, P. 374, 375, 376, 380
Nes, W. R. 459, 461

Nes, W. R., u. Shoppee, C. W. 459, 461
—, u. Steele, J. A. 459, 461
Nesmeyanov, A. N., vgl. Freidlina, R. C. 127
Nesmeyanova, O. A., vgl. Lukina, M. Y. 705
Neumann, R. C. 355
Neuville, C., vgl. Julia, M. 425
—, vgl. Julia, S. 428
Newallis, P. E., vgl. Spurlock, L. A. 439
Newham, J. 656
Newkirk, J. D., vgl. Aston, J. G. 665
Newman, M. D., vgl. Hellerman, L. 127
Newman, M. S. 19
—, u. Kangars, G. 505
—, u. Kutner, A. 321, 322
—, u. Okorodudu, A. O. M. 318
—, u. Patrick, T. B. 318, 319, 320, 321, 322
Newton, M. G., u. Paul, I. C. 533
Nicholas, J., MacKay, C., u. Wolfgang, R. 636
Nicholas, R. D., vgl. Schleyer, P. v. R. 617, 623
Nicholson, C. R., vgl. Williamson, K. L. 30
Nickon, A., et al. 366, 657
—, u. Hammons, J. H. 653
Nicodemus, O., vgl. Schmidt, W. 36
Niederhauser, W., vgl. Bruson, H. A. 177
Nikoletić, M., vgl. Borčić, S. 478
Nikolskaja, G. S., u. Troščenko, A. T. 296
Nishimura, A., Kato, H., u. Ohta, M. 474
Nissen, P., vgl. van Kamp, H. 141
Nist, B. J., vgl. Wiberg, K. B. 18, 28, 29, 485, 684, 686, 687, 688, 765
Noël, Y., vgl. Julia, M. 427, 428, 496
Nominé, G., u. Bertin, D. 52, 57
—, —, u. Pierdet, A. 57
Nonitskaja, N. N., vgl. Nefedow, O. M. 629
Norin, T. 659
—, vgl. Forsén, S. 29, 485
Norris, J. F., u. Thomson, G. 611
Norrish, R. G W., vgl. Kirkbridge, F. W. 101
—, u. Porter, G. B. 101
Novák, J., et al. 290, 291
Novitskaya, N. N., vgl. Nefedow, O. M. 198
Noyes, W. A., vgl. Ho, S. 294
Noyori, R., Odagi, T., u. Takaya, H. 615
Nozaki, H., et al. 265, 271, 291, 638, 643

Nozaki, H., Ito, H., Tunemoto, D., u. Kondo, K. 144
—, Kondo, K., u. Takaku, M. 147
—, Takaku, M., u. Kondo, K. 147
—, Tunemoto, D., Matubara, S., u. Kondo, K. 147
Nozoe, T., et al. 582, 583, 584
—, Mukai, T., u. Tezuka, T. 743
Nunn, J. R. 722
Nye, M. J., vgl. Cookson, R . C. 387, 389, 665, 669
Nystrom, R. F., vgl. Curtin, D. Y. 311

Oakes, B. D., vgl. Hine, J. 99, 151
Obata, N., vgl. Moritani, I. 695
—, u. Moritani, I. 290, 708, 716
O'Brien, R. E., vgl. Barton, D. H. R. 475
O'Connor, P. R., vgl. Parham, W. E. 59
O'Connor, R. T. I. 31
Oda, R., vgl. Shono, T. 164
Odagi, T., vgl. Noyori, R. 615
Odian, G., vgl. Trachtenberg, E. N. 581
Ogawa, J. A., vgl. de Puy, C. H. 444
Ogg, R. A., u. Priest, W. J. 36, 576
Ohara, M., u. Okawara, R. 188
Ohloff, G. 608
—, et al. 131
Ohme, R., vgl. Schmitz, E. 257
Ohno, H., vgl. Inouye, Y. 126
Ohno, M. 193, 633
Ohta, M., vgl. Ichimura, K. 645
—, vgl. Nishimura, A. 474
Ohta, Y., Sakai, T., u. Hirose, Y. 506
Ojha, N. D., vgl. Pews, R. G. 585
Okawara, R., vgl. Ohara, M. 188
Okorodudu, A. O. M., vgl. Newman, M. S. 318
Olah, G. A. 767
—, et al. 484, 488, 766
—, vgl. Pittman, C. U. 18, 21, 483, 484, 485, 486, 487, 581
—, vgl. Saunders, M. 491
Oliver, J. P., Rao, U. V., u. Emerson, M. T. 205
Ollis, W. D., vgl. Caplin, G. A. 144
Oppenländer, K., vgl. Tochtermann, W. 555
Oppolzer, W., vgl. Corey, E. J. 145
Orchin, M., vgl. Blatchford, J. K. 271

Orchin, M., vgl. Greenfield, H. 543
—, vgl. Herrick, E. C. 163, 164
—, u. Herrick, E. C. 133
—, vgl. Jaffé, H. H. 22
Ordronneau, C., vgl. Winstein, S. 442
Orgel, L. F. 782
Ort, J. M. 36
—, vgl. Christiansen, E. G. 36
—, u. Christiansen, E. G. 36
Osborn, C. L., et al. 200, 691
—, u. Shields, T. C. 204
Osthoff, R. C., vgl. Cantor, S. W. 105
Oth, J. F. M., et al. 542, 545, 546, 547, 548, 549, 550, 551, 552, 553, 554, 555, 556, 557, 571
—, vgl. Gilles, J. M. 574
—, u. Gilles, J.-M. 551, 574
—, vgl. Merényi, R. 532, 567, 568, 569
—, vgl. Schröder, G. 535, 539, 542, 546, 549, 550, 551, 554, 555, 556, 557, 568, 570, 574, 575, 673
Otsu, T., vgl. Aoki, S. 576, 577
Ott, K.-H. 614
—, vgl. Vogel, E. 597, 613
Ottmann, G., vgl. Grundmann, C. 538
Ourisson, G., vgl. Bielmann, J. 461, 462
—, vgl. Hanna, R. 462
—, vgl. Palmade, M. 583
Overberger, C. G., u. Anselme, J. P. 69, 75, 76, 77, 257, 262
—, —, u. Hall, J. R. 76
—, Borchert, E., u. Katchman, A. 612
—, u. Boschert, A. E. 70, 597
—, u. Lebovits, A. 494
—, u. Lombardino, J. G. 76
—, u. Taslick, I. 76
—, Weinshenker, N., u. Anselme, J. P. 77, 78, 79, 80
Owen, J., u. Simonsen, J. L. 54
Owen, M. D., Ramage, G. R., u. Simonsen, J. E. 672
Ozretich, T. M., vgl. Moore, W. R. 638

Padgett, A., u. Krauss, M. 325
Padwa, A., vgl. Walling, C. 218
Pagni, R. M., vgl. Zimmerman, H. E. 399
Pake, G. E., vgl. Gutowsky, H. S. 534
Palm, R., vgl. Vogel, E. 597
Palmade, M., u. Ourisson, G. 583
Pande, K. C., vgl. Winstein, S. 443
Papazian, G., vgl. Naves, Y. R. 72

Pappas, B., vgl. van Tamelen, E. E. 539
Paquette, L. A. 565
—, u. Barton, T. J. 565, 566
—, Eizember, R. F., u. Cox, O. 397
—, u. Krow, G. R. 566
Parent, R. A., vgl. Sauers, R. R. 446
Parham, W. E., et al. 190, 191, 211, 627, 630, 631
—, u. Bhausar, M. D. 631
—, Braxton, H. G., u. O'Connor, P. R. 59
—, —, u. Serres, C. 59
—, u. Dooley, J. F. 211, 212, 656
—, u. Hasek, W. R. 258
—, u. Heberling, J. 251
—, u. Huestis, L. D. 161
—, u. Koncos, E. 168
—, u. Loew, F. C. 153, 163
—, —, u. Schweizer, E. E. 153
—, u. Potoski, J. R. 180
—, u. Reiff, H. E. 151, 190, 627
—, u. Rinehart, J. K. 627
—, vgl. Schweizer, E. E. 161, 203, 223, 629
—, u. Schweizer, E. E. 99, 153, 162, 163, 164, 208, 672, 735
—, u. Sperley, R. J. 211, 631
—, u. Twelves, R. E. 167, 190, 627
—, u. Wright, C. D. 190
Park, C. H., vgl. Cope, A. C. 431, 447, 448
Park, J. D., vgl. Lacher, J. R. 28, 526
Parker, R. E., u. Isaacs, N. E. 375
Parks, A. T., vgl. Bartell, L. S. 21
Parr, R. G. 781
Parry, D., vgl. Ledwith, A. 44
Paskovich, D. H., u. Kwok, P. W. N. 349
—, vgl. Zimmermann, H. E. 256
Patai, S. 509
Patel, A. R. 140
Patel, D. J., Hamilton, C. L., u. Roberts, J. D. 400, 492, 494
—, Howden, M. E. H., u. Roberts, J. D. 18, 28, 29, 485, 680
Patrick, T. B., vgl. Newman, M. S. 318, 319, 320, 321, 322
Patsch, M., vgl. Schöllkopf, U. 617, 621, 622, 623
Pattison, V. A., vgl. Lansbury, P. T. 491, 492
Paufler, R. M., vgl. Zimmerman, H. E. 560
Paul, I. C., vgl. Newton, M. G. 533
Pauling, L. C. 19
Pauling, P., vgl. Dunitz, J. D. 510

Paulson, D. R., vgl. Crandall J. K. 474

Paust, J. 239

—, vgl. Schleyer, P. v. R. 617, 618, 619

—, vgl. Schöllkopf, U. 222, 226, 234, 235, 237, 239, 240, 241, 242, 243, 244, 245, 247, 252, 253, 254

—, u. Schöllkopf, U. 244, 245, 246

Pearson, R. G., u. Dillon, R. L. 369

—, vgl. Frost, A. 614, 615

—, u. Langer, N. H. 425

—, u. Langer, S. H. 480, 495

Pearson, T. G., Purcell, R. H., u. Saigh, G. S. 99, 101, 102, 218

Pease, R. N., vgl. Corner, E. S. 594, 595

Peek, R. C., vgl. Hine, J. 99, 151

Peham, H., Polansky, O. E., u. Wessely, F. 63, 65

Peltzer, B. 615

—, vgl. Roth, W. R. 398, 608

Pendleton, J. F., vgl. Walborsky, H. M. 427

Perciabosco, F., vgl. Errera, G. 94

Perrot, A. 98

Perry, C. W., vgl. Büchi, G. 717

Pete, J. 580

Peter, D., vgl. Fields, R. 626

Peterllis, P. C., u. Griffin, G. W. 263

Peters, D. 410, 482

Peters, R. C. H., vgl. Krapcho, A. P. 449

Peterson, A. H., vgl. Applequist, D. E. 664

Peterson, L. I., vgl. Griffin, G. W. 316

—, vgl. Waitkus, P. A. 315

Peterson, P. E., vgl. Cope, A. C. 431, 447

—, u. Duddey, J. E. 474, 475

—, u. Indelicato, J. M. 475

—, u. Kamat, R. J. 474

Peterson, Q. R. 465

Peterson, R., vgl. Breslow, R. 731, 734, 741, 742, 743

Peterson, R. A. 731, 742, 747

Petit, A., u. Taillard, S. 620

Petrillo, E. W., vgl. Jones, M. 210, 639

—, vgl. Jones, W. M. 302

Petrov, A. A., et al. 290

—, u. Fedorova, A. V. 207

—, u. Porfireva, Y. I. 174

—, Semenov, G. I., u. Sopov, N. P. 174

Petrov, A. D., vgl. Meshcheryakov A. P. 72

—, vgl. Nefedov, O. M. 259, 264

Petrow, V., vgl. Ellis, B. 465

Pettit, R. 289

—, vgl. Dewar, M. J. S. 511, 538

—, vgl. Emerson, G. F. 561

—, vgl. Rosenberg, J. L. von 511

—, vgl. Sullivan, D. 289

—, vgl. Turnbo, R. G. 289

Pews, R. G., u. Ojha, N. D. 585

Peyerimhoff, S. G., et al. 325

Pfeffer, P. E., vgl. Closs, G. L. 590

Pfenniger, F., vgl. Staudinger, H. 53, 98

Pfister, A., vgl. Ephraim, F. 137

Philbin, E. M., vgl. Donnelly, J. A. 143

Philip, H., u. Keating, I. 334

Phillips, D. D. 273

Phillips, J. R., vgl. Kaesz, H. D. 184, 186

Phillips, W. D., vgl. Nachod, F. C. 584

Piccolini, R. J., u. Winstein, S. 440, 442, 480

Pickett, E. E., vgl. Derfer, J. M. 30

Pierdet, A., vgl. Nominé, G. 57

Pierre, J. L. 585

—, vgl. Agami, C. 585

Pilcher, G., vgl. Skinner, H. A. 578, 682, 683

Pimentel, G. C., vgl. Goldfarb, T. D. 103, 330

—, vgl. Milligan, D. E. 330

—, vgl. Moore, C. B. 336

Pines, H., et al. 653

Pinkock, R. E., vgl. Haywood-Farmer, J. 110

Pino, P., vgl. Rossi, R. 638

Piper, J. U., vgl. Nelson, N. A. 435

Pirkle, W. H., vgl. Koser, G. F. 256, 261

Pitt, C. G., vgl. Walborsky, H. M. 76, 87

Pitteroff, W., vgl. Schöllkopf, U. 238, 239

Pittman, C. U., u. Olah, G. A. 18, 21, 483, 484, 485, 486, 487, 581

Plancher, G., u. Carrasco, O. 189

—, u. Ponti, U. 189

Plate, A. F., u. Sheherbakova, O. A. 225

Platt, J. R. 315

Plonka, J. H., vgl. Skell, P. S. 636

Plonsker, L., vgl. Walborsky, H. M. 427

Pochan, J. M., Baldwin, J. E., u. Flygare, W. H. 592

Pocker, Y. 459

Podperova, A., vgl. Michalsky, J. 53

Pöhlmann, K., vgl. Kirmse, W. 350, 351

Pohl, F. J., vgl. Schmidt, W. 36

Polansky, O. E. 65

—, vgl. Peham, H. 63, 65

—, vgl. Schuster, P. 63

Polievktov, M. K., vgl. Zhdanov, S. I. 744

Pollock, J. W., vgl. Lacher, J. R. 28, 526

Pomerantz, M. 399, 589

—, u. Abrahamson, E. W. 586, 587, 589

—, vgl. Berson, J. A. 589, 708

—, vgl. Doering, W. v. E. 365, 588, 710

—, u. Gruber, G. W. 662

Pommer, H. 288

Ponti, U., vgl. Plancher, G. 189

Pook, K. H., vgl. Kirmse, W. 272, 273, 274, 495, 647

Pople, J. A., u. Bothner-By, A. A. 29

—, u. Santry, D. P. 29

—, —, u. Segal, G. A. 683

—, Schneider, W. G., u. Bernstein, H. J. 529

—, u. Segal, G. A. 683

Popper, A. 57

Porfireva, Y. I., vgl. Petrov, A. A. 174

Porter, G. B., vgl. Norrish, R. G., W. 101

Porter, J. J., vgl. Hine, J. 99, 151

Porter, Q. N., vgl. Hawthorne, D. G. 631

Posner, J., vgl. Breslow, R. 731, 741

Potoski, J. R., vgl. Parham, W. E. 180

Poulter, C. D., u. Winstein, S. 415

Poulter, S. R., vgl. Heathcock, C. G. 580, 594

Powell, D. L., vgl. West, R. 739

Powell, F. X., u. Lide, D. R. 327

Powell, J. W., u. Whiting, M. C. 334, 340

Prade, J. E. La s. La Prade, J. E.

Pratt, R. J., vgl. Dreiding, A. S. 45

Prelog, V., Bauer, W., Cookson, G. H., u. Westöö, G. 90

—, vgl. Cahn, R. S. 374

Prevost, C., vgl. Agami, C. 140

Prevost, J., vgl. Agami, C. 140

Prichard, W. W., vgl. Scribner, R. M. 368

Priest, W. J., vgl. Ogg, R. A. 36, 576

Prilezaeva, E. P., et al. 161

Prinzbach, H. 749

—, et al. 399, 763

—, u. Fischer, U. 750, 751, 759, 760, 761, 762

—, —, u. Cruse, R. 514

Prinzbach, H., u. Seip, D. 759
—, —, u. Fischer, U. 759, 760
Pritchard, D. E., vgl. Muller, N. 18, 679, 680, 681
Pritchard, H. O., vgl. de More, W. B. 66, 389
Prosen, E. J., vgl. Fraser, F. M. 683
Prosser, F. P., vgl. Hine, J. 99, 151
Prudhomme, J. C., u. Gault, F. G. 34
Pullman, B., vgl. Berthier, G. 749
Purcell, R. H., vgl. Pearson, T. G. 99, 101, 102, 218
Purdue Research Found. 35
Puy, C. H. de s. de Puy, C. H.
Pyron, R. S., vgl. Jones, W. M. 750, 751, 759

Quarg, M., vgl. Treibs, W. 291
Quinkert, G., et al. 741, 778
Quintana, J., vgl. Serratosa, F. 291

Rabideau, P. W., Hamilton, J. B., u. Friedman, L. 399
Rabinovitch, B. S. 104
—, vgl. Dorer, F. H. 104
—, vgl. Schlag, E. W. 704
—, Schlag, E. W., u. Wiberg, K. B. 595, 614
—, vgl. Setser, D. W. 80, 86, 117
—, u. Setser, D. W. 101
—, vgl. Simons, J. W. 294
—, Tschuikow-Roux, E., u. Schlag, E. W. 102, 104
Radlick, P., u. Fenical, W. 541
—, u. Rosen, W. 122, 213, 514, 523, 527
—, u. Winstein, S. 119, 120
Rahman, W., u. Kuivila, H. G. 162 313
Ramage, G. R., vgl. Owen, M. D. 672
Rambaud, R., Brini-Fritz, M., u. Durif, S. 90
Ramberg, L., u. Widequist, S. 367, 368, 372
Randič. M. 19
—, u. Maksič, Z. 19, 25, 28
—, vgl. Trinajstič, N. 19
Rao, H. S., vgl. House, H. O. 37, 38
Rao, U. V., vgl. Oliver, J. P. 205
Raphael, R. A. 174
—, vgl. Campbell, J. R. B. 655
—, vgl. McCorkindale, N. J. 747
Rathjen, H., vgl. Meerwein, H. 99
Rathmann, F. H., vgl. Roginskii, S. Z. 594
Ratts, K. W., u. Jao, A. N. 147
—, vgl. Speziale, A. J. 151

Rautenstrauch, V., Scholl, H. J., u. Vogel, E. 689
Ray, N. H., vgl. Buckley, G. D. 105
Razin, V. V., vgl. Dyakonov, I. A. 282, 710
Re, G. del s. de Re, G.
Redman, L. M., vgl. Lanpher, E. J. 400
Reeder, J. A., vgl. Cristol, S. J. 494
Rees, C. W., vgl. Jones, R. L. 190
Rees, P. W., u. Shoppee, C. W. 459, 461
Rees, R., Strike, D. P., u. Smith, H. 125
Rees, R. W., vgl. Cremlyn, R. J. W. 464
Reese, C. B., vgl. Anderson, J. C. 169, 180, 185, 631
—, vgl. Baird, M. S. 197, 198, 199, 200, 201, 202, 627
—, vgl. Lindsay, D. G. 198, 629
Regan, C. M., vgl. Roberts, J. D. 82, 315, 729, 749, 779
Regitz, M., u. Liedhegner, A. 299
Regnault, H. V. 98
Reich, S. D., vgl. Jones, M. 647
Reichenbecher, E. F., vgl. Bernheim, R. A. 309, 329
Reid, D. H., et al. 771
Reiff, H. E., vgl. Parham, W. E. 151, 190, 627
Reimlinger, H. 233, 257, 296
Reinecke, C. E., vgl. McDonald, R. N. 454
Reinmuth, W., vgl. Breslow, R. 779
Rembarz, G., u. Ernst, V. 59
Remers, W. A., vgl. Corey, E. J. 510, 655
Renaud, D. J., vgl. Swenson, J. S. 369
Renk, E., u. Roberts, J. D. 423, 478
Repinskaya, I. B., vgl. Dyakonov, I. A. 260, 281
Reppe, W. 735
Rettig, K. R., vgl. Jones, M. 292, 293, 294, 302
Reutov, O. A., u. Lovtsova, A, N. 169, 180
Reverdy, G., vgl. Cauquis, G. 258, 260, 261
Rey, M., u. Dreiding, A. S. 606
Reynolds, G. F., Dessy, R. E., u. Jaffé, H. H. 399
Rhoads, S. J., u. Cockroft, R. D. 605, 606
Rhodes, T. B., vgl. Bawn, C. E. H. 105
Rice, F. O., u. Glasebrook, A. L. 99, 101, 218, 255
Rice, H. E., vgl. Silver, M. S. 416

Rice, M. C., vgl. Bartlett, P. D. 429
Richardson, D. B., et al. 661
—, Simmons, M. C., u. Dvoretzky, I. 334
Richey, G. H. 486
Richey, H. G., et al. 453
—, u. Buckley, N. C. 452, 453
—, u. Hill, E. A. 333, 335
—, u. Lustgarten, R. K. 443
—, u. Richey, J. M. 480, 495
—, —, u. Clagett, D. C. 387, 389, 406, 669
Richey, J. M., vgl. Richey, H. G. 387, 389, 406, 480, 495, 669
Rickborn, B., vgl. Cram, D. J. 85
Rieber, N., vgl. Schöllkopf, U. 405
Rieche, A., vgl. Gross, H. 242, 245
Riedlinger, H., vgl. Hanack, M. 432, 433
Riegel, B., vgl. Dodson, R. M. 459
Riegel, R., Hager, G. B., u. Zenitz, B. L. 506
Riemenschneider-Kaplan, L., vgl. Closs, G. L. 690, 701
Riener, T., vgl. Bruson, H. A. 177
Rifi, M. R. 41, 42
—, vgl. Dauben, H. J. 401, 511
Rimmelin, A., vgl. Criegee, R. 80, 595
Rinehart, J. K., vgl. Parham, W. E. 627
Rinehart, K. L., et al. 722
—, Tarimu, C. L., u. Culbertson, T. P. 722
—, vgl. van Auken, T. V. 44, 45, 46, 76, 84, 87, 294
—, u. van Auken, T. V. 44, 45, 76
Ripoll, J. L., u. Conia, J. M. 470
Risse, C., vgl. Julia, M. 502
Rivlin, J., vgl. Sarel, S. 631
Robb, E. W., vgl. Büchi, G. 717
Robbins, B. H. 33
Roberts, D. D. 416
—, vgl. Wilt, J. W. 416
Roberts, J D. 82
—, et al. 400, 401, 417, 423, 441, 442, 478, 481, 489, 493, 578, 725, 780
—, vgl. Baldwin, J. E. 509
—, u. Bennett, W. 441
—, —, u. Armstrong, R. 439, 440, 480
—, vgl. Caserio, M. C. 425, 477, 478
—, u. Chambers, V. C. 399, 477, 617, 619, 620, 621, 622, 664
—, vgl. Cox, E. F. 416
—, u. Dirstine P. H. 576, 577, 664

Roberts, J. D., u. Green, C. 579
—, vgl. Howden, M. E. H. 481, 482, 492, 493
—, vgl. Kiefer, E. F. 195, 433, 448
—, vgl. Lambert, J. B. 509
—, Lee, C. C., u. Saunders, W. H. 439
—, vgl. Maercker, A. 401, 402, 403, 404, 492
—, vgl. Manatt, S. L. 730, 749, 779, 780
—, u. Mazur, R. H. 425, 477, 478, 492, 493
—, vgl. Patel, D. J. 18, 28, 29, 400, 485, 492, 494, 680
—, vgl. Renk, E. 423, 478
—, vgl. Rogers, M. T. 17
—, vgl. Semenow, D. A. 672
—, vgl. Servis, K. L. 419, 420, 423, 426, 478, 497
—, u. Sharts, C. M. 535
—, vgl. Silver, M. S. 416
—, vgl. Smutny, E. J. 739
—, Streitwieser, A., u. Regan, C. M. 82, 315, 729, 749, 779
—, vgl. Vogel, M. 479, 480, 495
Roberts, J. L., vgl. Jaffé, H. H. 580
Robertson, J. E., vgl. Mitsch, R. A. 186
Robertson, P. W., et al. 175
Robertson, R. E., vgl. Wee, C. Y. 496
—, vgl. Wu, C. Y. 418, 478
Robin, M. B., vgl. Basch, H. 586
—, Basch, H., Kuebeler, N. A., Wiberg, K. B., u. Ellison, G. B. 586
—, vgl. Lombardi, J. R. 586
Robinson, G. C. 375, 629
Robinson, G. W., u. McCarty, M. 103, 330
Robinson, S. D., u. Shaw, B. L. 410
Rodewald, L. B., u. de Puy, C. H. 69, 614
Rodina, L. L., u. Korobitsyna, I. K. 363
Röttele, H. 549, 550, 554, 556, 571
Rogan, J. B. 419, 424
Rogers, M. T. 579
—, vgl. Graham, J. D. 29
—, u. Roberts, J. D. 17
Rogier, E. R., vgl. Smith, L. I. 579, 580
Rogier, R. E., vgl. Smith, P. I. 72
Roginskii, S. Z., u. Rathmann, F. H. 594
Rohwedder, K. H., vgl. Goubeau, J. 105
Roman, S. A., vgl. Closson, W. D. 437, 473, 474

Rosen, W., vgl. Radlick, P. 122, 213, 514, 523, 527
Rosen, W. E., vgl. Fieser, M. 460
Rosenberg, J. L. von, Mahler, J. E., u. Pettit, R. 511
Rosenberger, R., vgl. Barton, D. H. R. 390
Rosenkranz, G., vgl. Sandoval, A. 46, 57
Rosenthal, J. W., vgl. Doering, W. v. E. 539, 540, 541, 575
Roser, E., vgl. Müller, E. 69
Roser, O., vgl. Müller, E. 275
Ross, J. A., vgl. Dauben, W. G. 462, 498
Rossi, R., u. Pino, P. 638
Rossini, F., vgl. Knowlton, J. W. 682
Rostek, C. J., u. Jones, W. M. 303, 634
Roth, A. J., vgl. Mariella, R. P. 90, 369
Roth, H. D. 212, 213, 214, 216, 511, 513, 514
—, vgl. Vogel, E. 212, 213, 214, 513
Roth, W. R. 510, 607, 608
—, vgl. Doering, W. v E. 105, 106, 107, 110, 509, 527, 528, 529, 530, 531, 532, 534, 560, 574, 598, 608, 610, 612, 613, 614, 673
—, u. Enderer, K. 81
—, u. König, J. 608, 609, 610, 611
—, u. Martin, M. 80, 81, 82
—, u. Peltzer, B. 398, 608
—, vgl. Vogel, E. 511, 607
Rothberg, I., u. Thornton, E. R. 265
Rowland, F. S., vgl. Tang, Y. 221
Roy, J., vgl. Abramovitch, R. A. 305
Ruban, E. 238, 240
Rudaševskaja, T. Y., vgl. Lukina, M. Y. 705
Ruetz, L. 348
Rundel, W., vgl. Müller, Eu. 105, 106, 113, 270
Rundell, W., u. Kästner, P. 58
Ruyter, H. de s. de Ruyter, H.
Ruzicka, L., Montavon, M., u. Jeger, O. 461
—, vgl. Staudinger, H. 388
Ryan, G., vgl. Breslow, R. 687, 732, 733, 740, 743, 765, 766, 769, 772, 773
Rydon, H. N. 53
Ryf, H., vgl. Dutler, H. 392
Rygh, O. 460

Saari, W. S., vgl. Büchi, G. 91
Sabourin, J. 33
Sachse, H. 15
Sado, A., vgl. West, R. 692, 765, 773

Safonova, I. L., vgl. Nachapetjan, L. A. 117
Saigh, G. S., vgl. Pearson, T. G. 99, 101, 102, 218
Saiko, O., vgl. Billek, G. 63
Sakai, N., vgl. Terao, T. 693
Sakai, T., vgl. Ohta, Y. 506
Salaun, J., vgl. Conia, J. M. 672
Sammes, P. G., vgl. Akhtar, M. 91
Sanchez, R. A., vgl. Cristol, S. J. 439, 440
Sancier, K. M., vgl. Freed, S. 20
Sandler, S. R. 625
—, vgl. Skell, P. S. 192, 626, 627, 630
Sandoval, A., Rosenkranz, G., u. Djerassi, C. 46, 57
Sandri, J. M., vgl. Fields, E. K. 151, 633
—, vgl. Hart, H. 400, 417, 426, 452, 487, 497
Sandulesco, G., vgl. Girard, A. 620
Sanford, E. C., u. Hammond, G. S. 399
Santee, E. R., vgl. Graham, J. D. 534
Santelli, M., vgl. Bertrand, M. 466, 467, 468, 474
—, u. Bertrand, M. 468, 469
Santilli, A. A., vgl. Cannon, G. W. 31, 581, 582, 584
Santry, D. P., vgl. Pople, J. A. 29, 683
Sarel, S., et al. 412, 500, 502, 503, 505, 508
—, vgl. Ben-Shoshan, R. 412
—, u. Ben-Shoshan, R. 425, 505
—, vgl. Breuer, E. 501, 503
—, u. Rivlin, J. 631
—, Yovell, J., u. Sarel-Imber, M. 495, 497, 500, 503, 504, 505, 506, 508, 603, 673
—, —, u. Weissman, B. A. 505
Sarel-Imber, M. 502, 503, 508, 602
—, vgl. Sarel, S. 495, 497, 500, 503, 504, 505, 506, 508, 603, 673
Sargeant, P. B., u. Shechter, H. 334
Sauer, J., et al. 302
—, vgl. Huisgen, R. 509
Sauer, J. C., vgl. Hanford, W. E. 66
Sauers, R. R., Parent, R. A., u. How, H. M. 446
—, u. Shurpik, A. 398
—, u. Sonnet, P. E. 29, 195, 272
Saunders, M. 532, 533, 574
—, Schleyer, P. v. R., u. Olah, G. A. 491

Saunders, M., vgl. Story, P. R. 442

Saunders, W. H., vgl. Roberts, J. D. 439

Sausen, G. N., vgl. Scribner, R. M. 368

Sawada, S., vgl. Inouye, Y. 126

Scaplehorn, A. W., vgl. Frey, H. M. 347

Scares, S., u. Lutz, E. F. 35

Scerbo, L., vgl. Bond, T. F. 454

Schaafsma, S. E., et al. 406

—, Steinberg, H., u. de Boer, T. J. 66, 406, 408, 409

—, vgl. van Tilborg, W. J. M. 406, 407, 408, 410

Schaap, A. P., vgl. Neckers, D. C. 494

Schaefer, J. P. 582

Schaefer, T., Hruska, F., u. Kotowitz, G. 30

—, vgl. Hutton, H. M. 29

—, u. Schneider, W. G. 766

Schaeffer, H. J., vgl. Benjamin, B. M. 423

Schaeppi, W., vgl. Julia, S. 654

Schaffner, K. 390

—, vgl. Bellus, D. 395

—, vgl. Dutler, H. 392

—, vgl. Jeger, O. 390, 392, 396, 397

Scheer, J. C., Kooyman, E. E., u. Sixma, F. L. J. 438

Scheiner, P., vgl. Cope, A. C. 431

Schenk, G. O. 538

—, et al. 336

—, u. Steinmetz, R. 289

—, u. Ziegler, H. 287, 538

Schenk, H., vgl. Gosselck, J. 148, 149, 369

Scheppers, G., vgl. Dürr, H. 299, 300, 301

Scherer, O., u. Fink, K. 250

Schering AG 57

Schiess, P. 212

Schlag, E. W., vgl. Rabinovitch, B. S. 102, 104, 595, 614

—, u. Rabinovitch, B. S. 704

Schlatter, M. J. 688

Schlee, H., vgl. Hückel, W. 212

Schlesinger, A. H., vgl. Winstein, S. 459, 480

Schleyer, P. v. R. 349, 452, 475, 617, 623

—, et al. 199, 491

—, vgl. Laszlo, P. 688

—, u. Nicholas, R. D. 617, 623

—, vgl. Saunders, M. 491

—, vgl. Schöllkopf, U. 617, 621, 622, 623

—, Trifan, D. S., u. Bacskai, R. 581

—, u. van Dine, G. W. 418

—, —, Schöllkopf, U., u. Paust, J. 617, 618, 619

—, vgl. Woodworth, C. W. 657

Schlögl, K., vgl. Michtler, H. 276

Schlosser, M., u. Heinz, G. 157, 205, 206, 207

—, vgl. Wittig, G. 216

Schmerling, L. 652

—, Luvisi, J. P., u. Welch, R. W. 439

Schmid, G. H., u. Wollkoff, A. W. 601

Schmid, H. J. 452

Schmidt, G., vgl. Gosselck, J. 148

Schmidt, H., u. Kägi, K. 463

Schmidt, W., Pohl, F. J., u. Nicodemus, O. 36

Schmitz, E., et al. 340

—, Habisch, D., u. Stark, A. 333

—, u. Ohme, R., 257

Schmitz, P., vgl. Alder, K. 114

Schnack, L. G., vgl. De Puy, C. D. 617, 622, 623

Schneider, H. J., vgl. Hanack, M. 416, 417, 419, 420, 429, 430, 432, 433, 434, 436, 437, 438, 439, 443, 447, 450, 467, 470, 471, 473, 474, 480, 481, 482, 483, 491, 672

Schneider, W. G., vgl. Pople, J. A. 529

—, vgl. Schaefer, T. 766

—, vgl. Spiesecke, H. 766, 767

Schneider, W. P. 650

Schneider-Bernlöhr, H., et al. 436

—, vgl. Hanack, M. 438, 439, 450

Schober, D., vgl. Closs, G. L. 722

Schöllkopf, U. 100, 235, 236, 237, 239, 240, 248, 617, 618, 619, 621, 622, 623, 624, 625, 672

—, et al. 163, 165, 197, 199, 200, 235, 245, 246, 247, 248, 249, 250, 251, 252, 253, 284, 625

—, u. Eisert, M. 259, 264

—, Fellenberger, K., Patsch, M., Schleyer, P. v. R., van Dine, G. W., u. Su, T. 617, 621, 622, 623

—, u. Görth, H. 235, 237

—, u. Hilbert, P. 154

—, u. Küppers, H. 255

—, u. Lehmann, G. J. 248

—, —, Paust, J., u. Härtl, H.-J. 248

—, u. Lerch, A. 105, 234

—, —, u. Paust, J. 234, 235, 237, 247, 252

—, vgl. Paust, J. 244, 245, 246

—, u. Paust, J. 222, 226, 239, 240, 241, 242, 243, 245, 253, 254

—, —, Al-Azrak, A., u. Schumacher, H. 244, 245

Schöllkopf, U., u. Pitteroff, W. 238, 239

—, u. Rieber, N. 405

—, vgl. Schleyer, P. v. R. 617, 618, 619

—, u. Wiskott, E. 254, 255

—, Woerner, F.-P., u. Wiskott, E. 252, 253

Scholl, H. J., vgl. Rautenstrauch, V. 689

Schomaker, V., vgl. Dunite, J. D. 681

Schreiber, K., vgl. Winstein, S. 439, 440

Schreiber, K. C., vgl. Doering, W. v. E. 148

Schriesheim, A., vgl. Deno, N. C. 484, 487, 489

Schröck, W., vgl. Vogel, E. 514, 523, 527

Schröder, G. 534, 535, 539, 540, 543, 544, 545, 550, 551, 554, 560, 563, 564, 565, 567, 568, 569, 570, 573, 574, 575, 703

—, et al. 556, 557, 571, 572

—, u. Martin, W. 535, 570

—, vgl. Merényi, R. 532, 567, 568, 569

—, Merényi, R., u. Oth, J. F. M. 546

—, u. Oth, J. F. M. 535, 542, 549, 550, 551, 554, 555, 556, 557, 568, 570, 574, 575

—, —, u. Merényi, R. 539, 542. 551, 557, 673

Schroeter, G. 289, 363

Schtscherbinskaja, N. W., vgl. Faworskaja, T. A. 425, 426, 427

Schubert, H. J., vgl. Mayer, R. 89, 90

Schubert, W. M., u. Leahy, S. M. 37

Schütte, H., vgl. Kirmse, W. 616, 634

Schulz, L., vgl. Boldt, P. 307, 369, 372, 373, 374

Schulze, P. E., vgl. Wiechert, R. 123

Schumacher, H., vgl. Schöllkopf, U. 244, 245

Schumacher, M., vgl. Alder, K. 510, 688

Schuster, D. I. 392

—, vgl. Zimmerman, H. E. 391, 583

—, vgl. Zimmermann, H. E. 393

Schuster, D. T. 494

Schuster, P., Polansky, O. E., u. Wessely, F. 63

—, Wessely, F., u. Stephan, A. 63

Schwartz, G. M., vgl. Closs, G. L. 172, 219, 220, 223, 225, 269

Schwartzentruber, P. E., vgl. Dale, W. J. 168

Schwarz, M., et al. 361

Schwarzenbach, G. 137

Schwarzenbach, K., vgl. Wittig, G. 105, 127, 128, 129, 133, 137, 221
Schweizer, E. E., vgl. Parham, W. E. 99, 153, 162, 163, 164, 208, 672, 735
—, u. Parham, W. E. 161, 203, 223, 629
Scott, A. L. 585
Scott, F. L., u. Conin, A. D. 78
Scott, L. T., vgl. Jones, M. 541, 570, 647
Scott, W. T., vgl. McCorkindale, N. J. 747
Scribner, R. M., Sausen, G. N., u. Prichard, W. W. 368
Seebach, D. 254
—, u. Beck, A. K. 159
Seeles, H., vgl. Lipp, P. 65, 406
Seese, W. S., vgl. Hassner, A. 25
Segal, G. A., vgl. Pople, J. A. 683
Segall, E., vgl. Breuer, E. 503
Segueira, R. M., vgl. Cristol, S. J. 193, 630
Seifert, W. K., vgl. Cristol, S. J. 439
Seip, D., vgl. Prinzbach, H. 759, 760
Sekur, T. J., u. Kranenburg, P. 486, 487
Selby, W. M., vgl. Gilman, H. 245
Selms, R. C. de s. De Selms, R. C.
Selover, J. C., vgl. Eastman, R. H. 583
Seltzer, S. 85
Semenov, G. I., vgl. Petrov, A. A. 174
Semenova, L. O., vgl. Temnikova, T. I. 263
Semenow, D. A., Cox, E. F., u. Roberts, J. D. 672
Serratosa, F., u. Quintana, J. 291
Serres, C., vgl. Parham, W. E. 59
Servis, K. L., u. Roberts, J. D. 419, 420, 423, 426, 478, 497
—, vgl. Vollmer, J. J. 616
Sessions, W. V., vgl. Kraus, C. A. 186
Setser, D. W., vgl. Rabinovitch, B. S. 101
—, u. Rabinovitch, B. S. 80, 86, 117
Seyferth, D. 175, 180, 204
—, et al. 157, 158, 164, 167, 175, 176, 177, 178, 179, 180, 181, 182, 183, 184, 185, 186, 187, 188, 216, 227, 377, 405,
—, u. Burlitch, J. M. 157, 158, 169, 170, 175, 176, 178, 183, 227
—, —, u. Heeren, J. K. 156, 175, 227

Seyferth, D. u. Damrauer, R. 736, 737
—, u. Darragh, K. V. 181
—, u. Eisert, M. 131
—, u. Mui, J. Y.-P. 186, 188
—, —, u. Todd, L. J. 178
—, Simmons, H. D., u. Singh, G. 227
—, u. Washburne, S. S. 185
—, Yamazaki, H., u. Alleston, D. L. 200, 203, 204, 205
—, Yick-Pui Mui, J., u. Burlitch, J. M. 183
—, —, Gordon, M. E., u. Burlitch, J. M. 135
Shackell, E., vgl. Lott, W. A. 34
Shafiq, M., vgl. Barton, D. H. R. 390, 391
Shah, V. P., vgl. Strait, L. A. 579
Shank, R. S., u. Shechter, H. 116, 123
Shantarovitch, P. S. 101
Shapiro, J. S., vgl. Bullivant, J. 595, 596
—, Swinbourne, E. S., et al. 596
Sharpe, T., u. Martin, J. C. 580
Sharts, C. M., vgl. Roberts, J. D. 535
Shatavsky, M., vgl. Winstein, S. 439, 442
Shaw, B. L., vgl. Robinson, S. D. 410
Shaw, C. J. G., et al. 189
Shechter, H., et al. 340, 423
—, vgl. Bleiholder, R. F. 313, 317, 321
—, vgl. Friedman, L. 333, 334, 340, 349, 351, 352, 357, 494, 495, 564, 646, 665
—, vgl. Haas. H. B. 664
—, vgl. Sargeant, P. B. 334
—, vgl. Shank, R. S. 116, 123
Sheherbakova, O. A., vgl. Plate, A. F. 225
Sheinker, Y. N., vgl. Zaitsev, B. E. 734
Shelton, E. M., vgl. Fuson, N. 31
Shenian, P., vgl. Cannon, G. W. 31, 581, 582, 584
Sheppard, N., vgl. Adams, D. M. 411
—, vgl. Lynden-Bell, R. M. 680
Sherman, P. D., vgl. Ward, H. R. 473, 474
Sherrod, S. A., u. Bergman, R. G. 475, 476
Shevlin, P. B., u. Wolf, A. P. 494, 637, 646
Shida, S. vgl. Terao, T. 693
Shidlovskaja, A. N., u. Syrkin, Y. K. 734
Shields, T. C., Loving, B. A., u. Gardner, P. D. 692
—, vgl. Osborn, C. L. 204
Shih-Lin, Y., vgl. Ledwith, A. 265

Shim, K. S., vgl. Lemal, D. M. 360, 588
Shimadate, T., et al. 724
—, u. Hosoyama, Y. 694
Shiner, V. J., et al. 323
—, u. Wilson, J. W. 323
Shiryaev, V. I., vgl. Nefedov, O. M. 259, 264
Shmulyakovskii, Y. E., vgl. Slobodin, Y. M. 37, 419
Shochor, I. N., vgl. Slobodin, Y. M. 476
Shochor, J. N., vgl. Slobodin, J. M. 427
Shoemaker, J. D., vgl. Landgrebe, J. A. 508
Shokhor, I. N., vgl. Slobodin, Y. M. 37, 425, 426, 427, 476
Shono, T., u. Oda, R. 164
Shoolery, J. N. 681
Shoosmith, J., vgl. Herzberg, G. 103, 326
Shoppee, C. W., vgl. Cremlyn, R. J. W. 464
—, u. Evans, D. D. 459
—, u. Ingold, C. K. 458
—, u. Jonston, G. A. R. 462
—, vgl. Nes, W. R. 459, 461
—, vgl. Rees, P. W. 459, 461
—, Summers, G. H. R., u. Williams, R. J. 464
—, u. Williams, D. F. 458
Shortridge, R. W., et al. 33, 34, 35
Shoulders, B. A., vgl. Cardenas, C. G. 641
—, vgl. Kwie, W. W. 390
Showell, J. S., vgl. Smith, L. J. 72
Shriner, R. L., Fuson, R. C., u. Curtin, D. Y. 475
Shurpik, A., vgl. Sauers, R. R. 398
Siddall, J. B., vgl. Birch, A. J. 211
Sidesunthorn, P., vgl. Dean, F. M. 58
Siegel S., vgl. Bergstrom, C. C. 478
—, u. Bergström, C. G. 47
Sieja, J. B., vgl. Chapman, O. L. 395
Siewert, E. 55
Silberman, R. G., vgl. Farnum, D. G. 765, 766, 772
Silberstein, H. 152
Silver, H. B., vgl. Gerrard, W. 500
Silver, M. S. 344, 651
—, et al. 492
—, Caserio, M. C., Rice, H. E., u. Roberts, J. D. 416
—, vgl. Cox, E. F. 416
Silversmith, E. F., vgl. Goering, H. L. 625
Simalty-Siemstycki, M., vgl. Strzelecka, H. 290

Simmons, H. D., vgl. Seyferth, D. 227
Simmons, H. E. 589
—, et al. 119, 269, 381, 382, 383, 384
—, vgl. Blanchard, E. P. 115, 119, 125, 134, 136, 269, 385
—, u. Blanchard, E. P. 221
—, —, u. Hartzler, H. D. 66
—, —, u. Smith, R. D. 115, 117, 119, 120, 125, 134, 355
—, vgl. Blomstrom, D. C. 292
—, vgl. Smith, R. D. 115
—, u. Smith, R. D. 115, 117, 126, 127, 129, 134, 221, 430
Simmons, M. C., vgl. Richardson, D. B. 334
Simonetta, M., Favini, G., u. Beltrame, P. 682
—, vgl. Winstein, S. 480
—, u. Winstein, S. 458, 459
Simonovitch, C., vgl. Just, G. 650
Simons, J. W., u. Rabinovitch, B. S. 294
Simonsen, J. E., vgl. Owen, M. D. 672
Simonsen, J. L. 652
—, vgl. Owen, J. 54
Sims, J. J. 121, 122, 653
—, u. Honwald, V. K. 321
Singh, B. 358
Singh, G., vgl. Seyferth, D. 227
Singley, J. E., vgl. Hine, J. 99
Sirks, J. 32
Sixma, F. J. L., u. Detilleux, E. 287
—, vgl. Scheer, J. C. 438
Skattebøl, L. 166, 167, 168, 193, 201, 207, 208, 209, 210, 313, 361, 631, 632, 637, 640, 641, 642, 644
—, u. Booulette, B. 663
Skell, L. S., et al. 259
Skell, P. S. 309
—, et al. 329, 626, 636
—, vgl. Bernheim, R. A. 308
—, u. Cholod, M. S. 172
—, vgl. Engel, R. R. 636
—, u. Engel, R. R. 292, 635
—, vgl. Etter, R. M. 292, 294
—, u. Etter, R. M. 270, 271, 272, 305
—, u. Garner, A. Y. 166, 167, 168, 170, 171, 223, 377, 512
—, u. Harris, R. F. 636
—, u. Klebe, J. 308
—, u. Krapcho, A. P. 353
—, u. Plonka, J. H. 636
—, u. Sandler, S. R. 192, 626, 627, 630
—, u. Starer, I. 344, 651
—, vgl. Wescott, L. D. 292
—, vgl. Woodworth, R. C. 163, 166
—, u. Woodworth, R. C. 100, 332, 377

Skinner, H. A., u. Pilcher, G. 578, 682, 683
Skovronek, H. S., vgl. Etter, R. M. 292, 294
Skrabal, R. 653
Slabey, V. A. 30, 37, 400
—, u. Wise, P. H. 612
Slater, J. C. 19
Slater, N. B. 595
Slates, H., u. Wendler, N. L. 46
Slaugh, L. H. 494
—, u. Bergman, E. 249
Sliam, E., vgl. Avram, M. 540
Sloan, M. S., vgl. Goering, H. L. 445
Slobodin, J. M., u. Shochor, J. N. 427
Slobodin, Y. M., Grigoreva, V. I., u. Shmulyakovskii, Y. E. 37, 419
—, u. Shochor, I. N. 476
—, u. Shokhor, I. N. 37, 425, 426, 427, 476
Small, A. 366, 710
—, vgl. Breslow, R. 431, 432, 727
Small, A. M. 587, 588
Smirnova, T. S., vgl. Komendantov, M. I. 695
Smith, B. R., vgl. Sneen, R. A. 418
Smith, C. D., vgl. Boekelheide, V. 289
Smith, C. I., vgl. Hager, G. P. 50, 53
Smith, E. A., vgl. Conn, J. B. 510
Smith, G. V., u. Kriloff, H. 688
Smith, H., vgl. Rees, R. 125
Smith, H. B. 390
Smith, H. Q., u. Wallis, E. S. 89, 90
Smith, J. A., et al. 494, 495
Smith, J. C., vgl. Andrews, S. D. 118
—, vgl. Brooke, D. G. 35
Smith, L. A., vgl. Jensen, F. R. 510, 525
Smith, L. I., u. Howard, K. L. 52
—, u. McKenzie, J. 424
—, u. Rogier, E. R. 579, 580
Smith, L. J., u. Showell, J. S. 72
Smith, M. 16, 672, 784
Smith, P. I., u. Rogier, R. E. 72
Smith, R. A., vgl. Baldwin, J. E. 287
Smith, R. D., vgl. Simmons, H. E. 115, 117, 119, 120, 125, 126, 127, 129, 134, 221, 355, 430
—, u. Simmons, H. E. 115
Smolinsky, E., vgl. Chandross, E. 776
Smolinsky, G., vgl. Chandross, E. A. 716

Smutny, E. J., Caserio, M. C., u. Roberts, J. D. 739
Sneen, R. 458
Sneen, R. A., et al. 478, 496
—, u. Baron, A. L. 416, 447
—, Lewandowski, K. M., Taha, I. A. I. u. Smith, B. R. 418
Snell, R. S., vgl. Cristol, S. J. 399
Snyder, E. J., u. Franzus, B. 442
Snyder, H. R. 86
Snyder, L. C., u. Melboom, S. 30
Sobolev, E. V. 581
Solomonica, E., vgl. Nenitzescu, C. D. 289
Snonay, A. de s. de Sonay, A.
Sonnenberg, J., vgl. Winstein, S. 119, 137
—, u. Winstein, S. 151, 167, 192, 626
Sonnet, P. E., vgl. Sauers, R. R. 29, 195, 272
Sopov, N. P., vgl. Petrov, A. A. 174
Šorm, F. 291
Sostakovskij, S. M., L'Vov, A. I., u. Kimelfeld, J. M. 126
Soulier, J., vgl. Ghandour, N. E. 53
Southam, R. M., vgl. Turro, N. J. 399
Spanagel, E. W., vgl. Darling, S. F. 690, 716
Spencer, T. A., vgl. Storm, D. L. 275
Sperley, R. J., vgl. Parham, W. E. 211, 631
Speziale, A. J., u. Ratts, K. W. 151
Spiesecke, H., u. Schneider, W. G. 766, 767
Spinner, E., vgl. Burawoy, A. 323
Spitzer, R., vgl. Kilpatrick, J. E. 22, 23, 481
Spring, F. S., vgl. Beynon, J. H. 415, 458
Spurlock, L. A., vgl. LeBel, N. A. 446
—, u. Newallis, P. E. 439
Squibb, E. R. u. Sons 36
Srinivasan, M., et al. 289
Srinivasan, R. 399, 544, 590
—, vgl. Haller, I. 387, 389, 586
—, Levi, A. A., u. Haller, I. 590
Stadnikoff, G., vgl. Zelinsky, N. 770
Stafford, E. T., vgl. Winstein, S. 441, 442
Stahl, C. W., u. Cottle, D. L. 620
Staley, S. W. 594
Stalla-Bourdillon, B., vgl. Julia, M. 428

Staněk., vgl. Ernest, I. 289
Stankevich, I. V., vgl. Bochvar, D. A. 730, 779, 780
Starer, I., vgl. Skell, P. S. 344, 651
Stark, A., vgl. Schmitz, E. 333
Staudinger, H. et al. 50
—, Anthes, E., u. Pfenniger, F. 53, 98
—, u. Endle, R. 98
—, u. Gaule, A. 70
—, u. Goldstein, J. 98, 257
—, u. Kupfer, O. 98, 101, 257
—, Kyckerhoff, K., Klever, H. W., u. Ruzicka, L. 388
Steadman, T. R., vgl. Cloke, J. B. 89, 90
Stechl, H. H. 697, 698, 707, 775
Steel, C., et al. 86
—, vgl. Cohen, S. G. 80
Steele, J. A., vgl. Nes, W. R. 459, 461
Stehr, E., vgl. Cloke, J. B. 89, 90
Steinberg, H., vgl. Schaafsma, S. E. 66, 406, 408, 409
—, vgl. van Tilborg, W. J. M. 406, 407, 408, 410
Steinmetz, R., vgl. Schenck, G. O. 289
Stepanov, I. P., et al. 263
—, vgl. Temnikova, T. I. 263
Stephan, A., vgl. Schuster, P. 63
Sternhell, S., vgl. Barton, D. H. R. 475
Stevens, I. D. R., vgl. Frey, H. M. 256, 495, 587, 590, 646
—, vgl. Mansoor, A. M. 347
Stevens, P. G. 576
Stevens, T. S., vgl. Bamford, W. R. 697
Stevenson, E., vgl. Murray, M. J. 33, 37
Stevenson, E. H., vgl. Murray, M. J. 37
Stewart, J. M., u. Westberg, H. H. 369
Stiles, M., vgl. Bartlett, P. D. 238
Stoll, W. 415, 458, 460
Stone, F. G. A., vgl. Graham, W. A. G. 655
—, vgl. Kaesz, H. D. 184, 186
Stork, G. 601, 602
—, et al. 631
—, u. Borowitz, I. J. 665
—, u. Ficini, J. 537
Storm, D. L., u. Spencer, T. A. 275
Story, P. R. 442
—, et al. 442
—, u. Fahrenholtz, S. R. 453, 583, 585
—, u. Saunders, M. 442
Strait, L. A., Ketcham, R., Jambotkar, D., u. Shah, V. P. 579

Strasser, M., vgl. Maier, G. 358
Straus, F., u. Lemmel, L. 539
Strausz, O. P., Do Minh, T., u. Font, J. 404
Streitwieser, A. 18, 82, 423, 765, 780
—, vgl. Roberts, J. D. 82, 315, 729, 749, 779
Strike, D. P., vgl. Rees, R. 125
Strunk, R. J., vgl. Werner, C. R. 494
Struve, W. S., vgl. Bachmann, W. E. 363
Strzelecka, H., u. Simalty-Siemstycki, M. 290
Stuart, E. R., vgl. Cocker, W. 391
Su, T., vgl. Schöllkopf, U. 617, 621, 622, 623
Subba Rao G. S. R., vgl. Birch, A. J. 125, 631
Subrahmanyan, G., vgl. Cookson, R. C. 387, 389, 669
Sugita, T., vgl. Inouye, Y. 138
—, vgl. Takei, S. 49
Suhr, H. 28, 29
—, vgl. Müller, Eu. 114
Sullivan, D., u. Pettit, R. 289
Sullivan, D. L. vgl. Turnbo, R. G. 289
Summers, G. H. R. 459, 461, 465
—, vgl. Davies, A. R. 91
—, vgl. Haddad, Y. M. Y. 461
—, vgl. Shoppee, C. W. 464
Summers, H. G R., vgl. Davis, M. 458
Sundaralingam, M., u. Jensen, L. H. 764
Sundermann, R. 532, 614, 615
Sunko, D. E., vgl. Borčič, S. 478
Suranyi, L. A., vgl. Butenandt, A. 459
Sutcliffe, L., vgl. Emsley, J. W. 525
Sutherland, I. O., vgl. Caplin, G. A. 144
—, vgl. Munday, R. 660
Sutherland, J. K., vgl. Buchanan, G. L. 90
Sutherland, L. H., u. Aston, J. G. 152
Swain, C. G., u. Thornton, E. R. 265
Swenson, J. S., u. Renaud, D. J. 369
Swenton, J. S., et al. 399
Swern, D. 171
Swinbourne, E. S., vgl. Bullivant, J. 595, 596
—, vgl. Grant, R. C. S. 595
—, vgl. Shapiro, J. S. 596
Swindell, R. T., vgl. Bly, R. S. 424
Swithenbank, C., vgl. Meinwald, J. 588, 590
—, u. Whiting, M. C. 348

Swoboda, G., et al. 63
Swoboda, J., vgl. Adametz, G. 63
Syntex S. A. 377, 380
Syrkin, Y., u. Dyatkina, M. 749
Syrkin, Y. K., vgl. Borodko, Y. G. 731, 734
—, vgl. Shidlovskaja, A. N. 734
Szeimies, G., vgl. Wiberg, K. B. 590

Tadanier, J. 466
—, u. Cole, W. 466, 583
—, u. Cole, W. J. 29
Taft, R. W., Martin, R. H., u. Lampe, F. W. 490
Taha, I. A. I., vgl. Sneen, R. A. 418
Taillard, S., vgl. Petit, A. 620
Takaku, M., vgl. Nozaki, H. 147
Takaya, H., vgl. Noyori, R. 615
Takehana, K., vgl. Inouye, Y. 126
Takei, S., Sugita, T., u. Inouye, Y. 49
Takeshita, T., vgl. Kwart, H. 269
Taliaferro, J. D., vgl. Huyser, E. S. 494
Tamelen, E. E. van s. van Tamelen, E. E.
Tanabe, M., u. Crowe, D. F. 123
—, u. Walsh, R. A. 317, 319
Tanatar, S. 594
Tandy, T. K., u. Jones, W. M. 633
Tang, Y., u. Rowland, F. S. 221
Tanida, H., u. Hata, Y. 442
—, u. Ishitobi, H. 443, 444
—, vgl. Tori, K. 680
—, Tori, K., u. Kitahonoki, K. 628
—, Tsuji, T., u. Irie, T. 442
—, —, u. Ishitobi, H. 443, 444
Tanner, D. D., vgl. Walling, C. 374
Tarimu, C. L., vgl. Rinehart, K. L. 722
Taslick, I., vgl. Overberger, C. G. 76
Taylor, T. G., vgl. Bartlett, P. D. 256
Taylor, W. C., vgl. Barton, D. H. R. 16, 583
Tchen, S. Y., vgl. Julia, S. 428
Tchernoff, G., vgl. Julia, M. 428
Teach, E. G., vgl. Hennion, G. F. 323
Temnikova, T. I., u. Stepanov, I. P. 263
—, —, u. Semenova, L. O. 263
Terao, T., Sakai, N., u. Shida, S. 693

ter Borg, A. P., u. Bickel, A. F. 151, 165, 189, 190
—, u. Kloosterziel, H. 510, 520
—, —, u. van Meurs, N. 510, 607
Tezuka, T., vgl. Nozoe, T. 743
Thaler, W., vgl. Walling, C. 610
Thesis, M. S., vgl. Weissman, B. A. 505
Thomas, C. H., vgl. Hine, J. 99
Thomas, H., vgl. Turro, N. J. 410
Thomas, M. M., vgl. Marmor, S. 748
Thomas, R., vgl. Gundermann, K. D. 48
Thompson, D., vgl. Bruck, P. 203
Thompson, H. W., vgl. House, H. O. 665
Thompson, J. L., vgl. Axen, U. 650
Thomson, G., vgl. Norris, J. F. 611
Thornton, E. R., vgl. Rothberg, I. 265
—, vgl. Swain, C. G. 265
Thullier, G. Le s. Le Thullier, G.
Thurston, P. E., vgl. Farnum, D. G. 698, 733, 738, 739
Thyagarajan, B. S., vgl. Zimmerman, H. E. 136
—, vgl. Zimmermann, H. E. 92
Tilborg, W. J. M. van s. van Tilborg, W. J. M.
Tipper, C. F. H., vgl. Bawn, C. E. H. 99
—, vgl. Lawrence, C. D. 651
—, u. Walker, D. A. 651, 653, 655
Tishenko, D. 453
Titow, M. I., vgl. Faworskaja, T. A. 425, 426
Tobey, S. W. 690, 737
—, vgl. West, R. 692, 754, 765, 773
—, u. West, R. 160, 176, 183, 687, 691, 692, 711, 724, 735, 738, 739, 740, 765, 773, 776
Tobias, M. A., vgl. La Londe, R. T. 272, 273
Tochtermann, W., Oppenländer, K., u. Walter, U. 555
Toda, T., vgl. Mukai, T. 519, 520, 521
Todd, J. E., Whitehead, M. A., u. Weber, K. E. 17
Todd, L. J., vgl. Seyferth, D. 178
Todd, R. W., vgl. Hammond, G. S. 576
Töpelmann, W., vgl. Mayer, R. 90
Tokareva, F. A., vgl. Freidlina, R. C. 127

Tolstikov, G. A., vgl. Gorjajew, M. I. 273
Tomoskozi, I. 138
Tonellato, U., vgl. Modena, G. 475
Tori, K., u. Kitahonoki, K. 526
—, Muneyuki, R., u. Tanida, H. 680
—, vgl. Tanida, H. 628
Torssell, K., u. Dahlquist, K. 372, 518
Towns, D. L., vgl. Goering, H. L. 445
Trachtenberg, E. N., u. Odian, G. 581
Traetteberg, M. 510
—, vgl. Bestiansen, O. 764
Trainelis, V. J., iu. Livingston, S. R. 435, 436
Trapp, H., vgl. Köbrich, G. 310, 311
Traub, D., vgl. Hoffsommer, R. D. 428
Trautz, N., u. Winkler, K. 34
Travis, D. N., vgl. Merer, A. J. 327
Trecker, D. J., u. Henry, J. P. 494
Treibs, W. 439
—, et al. 114
—, u. Quarg, M. 291
Trifan, D. S., vgl. Schleyer, P. v. R. 581
Trifunac, A. D., vgl. Closs, G. L. 413
Trinajstič, N., u. Randič, M. 19
Trippett, S. 138
Trischmann, H., vgl. Kuhn, R. 142
Tritle, G. L., vgl. Brown, H. C. 444
Troščenko, A. T., vgl. Nikolskaja, G. S. 296
Trost, B. M. 146, 147, 291
—, vgl. Kaiser, C. 139, 140
Trotman-Dickenson, A. F., vgl. Grzybowska, B. A. 105, 106, 601
Trozzolo, A. M., vgl. Gibbons, W. A. 330
—, u. Gibbons, W. A. 330, 331
—, Murray, R. W., u. Wasserman, E. 293
Truce, W. E., u. Badiger, V. V. 145
Trush, B. A., vgl. Mann, D. E. 327
Tschuikow-Roux, E., vgl. Rabinovitch, B. S. 102, 104
Tsuji, T., vgl. Tanida, H. 442, 443, 444
Tsuruta, H., et al. 361
—, Kurabayashi, K., u. Mukai, T. 563, 564
Tuji, T., vgl. Funakubo, E. 203
Tulinsky, A., vgl. Davies, R. E. 510

Tullio, V. Di s. Di Tullio, V.
Tunemoto, D., vgl. Nozaki, H 144, 147
Turnbo, R. G., Sullivan, D. L., u. Pettit, R. 289
Turnbull, J. H., vgl. Beech, S. G. 72
Turner, D. W. 584
—, vgl. Basch, H. 586
Turner, R. B., et al. 23, 349, 577, 591, 682
—, vgl. Doering, W. v. E. 683
Turro, N. J. 592, 669
—, et al. 389, 406, 667, 669, 671
—, Byers, G. W., u. Leermakers, P. A. 387
—, u. Gagosian, R. B. 672
—, vgl. Hammond G. S. 389
—, vgl. Hammond, W. B. 65, 66, 406, 410, 666, 667, 672
—, u. Hammond, W. B. 65, 66, 406, 407, 408, 592, 593, 665, 666, 669, 670, 672, 741
—, —, u. Leermakers, P. A. 387, 388, 410, 667, 668
—, —, —, u. Thomas, H. 410
—, vgl. Leermakers, P. A. 387
—, Leermakers, P. A., Wilson, H. R., Neckers, D. C., Byers, G. W., u. Vesley, G. F. 387
—, u. Southam, R. M. 399
—, u. Williams, J. R. 669
Tursch, B., vgl. Chiurdoglu, G. 91
Twelves, R. E., vgl. Parham, W. E. 167, 190, 627
Tyerman, W. J. R. 327

Uda, H., vgl. Corey, E. J. 119
Udding, A. C., et al. 349
Ueno, M., Murata, I., u. Kitahara, Y. 750, 759, 761
Ujedinow, M. N., vgl. Zelinsky, N. D. 34
Ullman, E. F. 596
—, u. Buncel, E. 690
—, u. Fanshawe, W. J. 118, 597
Ulm, K., vgl. Klamann, D. 374, 380
—, vgl. Nerdel, F. 374
Unger, I., vgl. Ho, S. 294
Untch, K. G., et al. 637, 638
Urry, W. A., vgl. Kharash, S. M. 92
Uschakow, M., vgl. Zelinsky, N. D. 35
Uspensky, A. E., vgl. Zelinsky, N. D. 35
Usteri, E., vgl. Granacher, C. 738
Ustynyuk, T. K., vgl. Levina, R. Y. 115, 651
Utzinger, E. C., vgl. Dutler, H. 392
—, vgl. Weinberg, K. 392, 582, 583

Valange, P., vgl. Viehe, H. G. 152
van Alphen, J. 50, 700
Vanas, D. W., u. Walters, W. D. 599
van Auken, T. V., vgl. Rinehart, K. L. 44, 45, 76
—, u. Rinehart, K. L. 44, 45, 46, 76, 84, 87, 294
van der Heuvel, W. G. A., Moriarty, R. M., u. Wallis, E. S. 462
van der Kerk, G. J. M., et al. 203, 204, 205, 270
—, u. Luitjen, J. G. A. 188
van der Ven, S., vgl. Wagner, W. M. 153, 177, 185
van der Werf, C. A., vgl. Mc Ewen, W. E. 138
van Dine, G. W., vgl. Schleyer, P. v. R. 418, 617, 618, 619
—, vgl. Schöllkopf, U. 617, 621, 622, 623
van Kamp, H., Nissen, P., u. van Vliet, E. 141
van Meurs, N., vgl. ter Borg, A. P. 510, 607
van Tamelen, E. E., et al. 201
—, u. Hildahl, G. T. 654
—, u. Judd, C. J. 444
—, McNary, J., u. Lornitzo, F. A. 654
—, u. Pappas, B. 539
van Tilborg, W. J. M., Schaafsma, S. E., Steinberg, H., u. de Boer, T. J. 406, 407, 408, 410
van Velzen, J. C., vgl. de Boer, T. J. 62
van Vliet, E., vgl. van Kamp, H. 141
Vatakencherry, P. A., vgl. Gaitonde, M. 444, 453
Veillard, A., u. delRe, G. 28
Velarde, E., vgl. Knox, L. H. 513, 523, 527
Vellturo, A. F., u. Griffin, G. W. 588
Velzen, J. C. van s. van Velzen, J. C.
Ven, S. van der s van der Ven, S.
Venkataraman, R., vgl. Anantakrishnan, S. V. 171
Venkateswarlu, P. 327
Verhoek, H. et al. 152
Vesley, G. F., vgl. Leermakers, P. A. 387
—, vgl. Turro, N. J. 387
Vessiere, R., vgl. Garry, R. 474
Vidal, M., et al. 282, 290
—, Chollet, E., u. Arnaud, P. 695
—, Dumont, C., u. Arnaud, P. 126
Viehe, H. G. 561
—, u. Valange, P. 152
Vill, J. J., vgl. Denney, D. B. 138

Vinje, M. G., vgl. McGreer, D. E. 84
Vliet, E. van s. van Vliet, E.
Voegtli, W., vgl. Biro, V. 77
Vött, V. vgl. Hanack, M. 470, 471, 472, 473, 474
Vogel, E. 38, 70, 108, 109, 114, 165, 168, 191, 192, 212, 214, 275, 286, 527, 528, 597, 605, 607, 613, 614, 672, 689, 727, 781
—, et al. 108, 109, 114, 167, 202, 213, 214, 512, 513, 514, 523, 524, 527, 541, 542, 554, 685, 689, 690, 707
—, u. Böll, W. A. 513, 514, 526
—, —, u. Biskup, M. 514, 523, 527
—, —, u. Günther, H. 524
—, u. Erb, R. 275, 602, 604
—, —, Lenz, G., u. Bothner-By, A. A. 604, 605, 606
—, u. Gantner, E. 38
—, vgl. Grimme, W. 514, 523, 527
—, Grimme, W., u. Dinné, E. 613
—, —, u. Korte, S. 514, 523, 526, 680, 685, 689
—, u. Kiefer, H. 191
—, Maier, W., u. Eimer, J. 523, 527
—, Meckel, W., u. Grimme, W. 541, 542
—, Ott, K.-H., u. Gajek, K. 613
—, Palm, R., u. Ott, K.-H. 597
—, vgl. Rautenstrauch, V. 689
—, u. Roth, H. D. 212, 213, 214, 513
—, Schröck, W., u. Böll, W. A. 514, 523, 527
—, Wendisch, D., u. Roth, W. R. 511, 607
—, Wiedemann, W., Kiefer, H., u. Harrison, W. F. 212
Vogel, M., u. Roberts, J. D. 479, 480, 495
Vogt, O., vgl. Hückel, W. 441
Voithenleitner, F., vgl. Jutz, C. 520, 521, 768
Vollmer, J. J., u. Servis, K. L. 616
Volman, D. H., vgl. Brinton, R. K. 255
Volpin, M. E., et al. 163, 742, 747
—, Akhrem, I. S., u. Kursanov, D. N. 536, 564
—, Koreshkov, Y. D., u. Kursanov, D. N. 705, 734, 736, 744
—, vgl. Kursanov, D. N. 731, 734, 736, 744
—, Kursanov, N. D., u. Dulova, V. G. 172, 217, 223
Vo-Quang, L., vgl. Battioni-Savignat, P. 118

Vo-Quang, L., u. Cadiot, P 117, 164, 165, 166, 172
Vo-Quang, Y. et al. 313
—, vgl. Battioni-Savignat, P. 118
Vov, A. I. L.' s. L'Vov, A. I.
Vries, L. De s. De Dries, L.

Waddington-Feather, S , vgl. Ellis, B. 465
Wadsworth, W. S., u. Emmons, W. D. 138
Wächtershäuser, G., vgl. Kirmse, W. 310, 334, 337, 338, 340, 341, 343, 344, 345, 350, 351, 353, 354, 355, 356, 357
Waegell, B., u. Jefford, C. W. 194, 195
Wagenberg, D., vgl. Bergmann, E. 55
Wagner, C. R., vgl. Corbin, J. L. 424
—, vgl. Hart, H. 424
Wagner, E., vgl. Köbrich, G. 158
Wagner, G., vgl. Godlewski, J. 35
Wagner, H. U., vgl. Gompper, R. 745, 754
Wagner, P. J., u. Hammond, G. S. 399
Wagner, W. J., vgl. Wilt, J. W. 347
Wagner, W. M. 153, 165
—, Kloosterziel, H., u. Bickel, A. F. 153
—, —, u. van der Ven, S. 153, 177, 185
Wagner-Jauregg, T., u. Werner, L. 415, 458
Wahl, G. H., vgl. Meinwald, J. 366
Wai, W., vgl. McGreer, D. E. 44
Waitkus, P. A., Peterson, L. I., u. Griffin, G. W. 315
Wakabayashi, N. 317
Walborsky, H. M., et al. 400
—, u. Aronoff, M. S. 400
—, u. Hornyak, F. M. 427, 711
—, vgl. Inouye, Y. 138
—, vgl. Mann, C. K. 403
—, u. Pendleton, J. F. 427
—, u. Pitt, C. G. 76, 87
—, u. Plonsker, L. 427
—, vgl. Winstein, S. 439, 440
—, u. Young, A. E. 400
—, Youssef, A. A., u. Motes, J. M. 711
Walker, D. A., vgl. Tipper, C. F. H. 651, 653, 655
Wall, M. E., vgl. Cook, C. E. 161
Wallach, O. 415, 424, 652, 654, 655
Walling, C. 372
—, u. Fredricks, P. S. 493

Walling, C., Heaton, L., u. Tanner, D. D. 374
—, u. Padwa, A. 218
—, u. Thaler, W. 610
Wallis, E. S., vgl. Becker, E. J. 459
—, Fernholz, E., u. Gephart, F. F. 458
—, —, u. Gephart, F. T. 415
—, vgl. Ford, E. G. 458
—, vgl. Hafez, M. M. 458
—, vgl. Kent, G. J. 464
—, vgl. Ladenberg, K. 458
—, vgl. Moriarty, R. M. 461, 462
—, vgl. Smith, H. Q. 89, 90
—, vgl. van der Heuvel, W. G. A. 462
Walsh, A. D. 17, 28, 482, 586, 682
Walsh, A. S. 485
Walsh, R. A., vgl. Tanabe, M. 317, 319
Walter, U., vgl. Tochtermann, W. 555
Walter, W., u. Maerten, G. 151
Walters, W. D., vgl. Vanas, D. W. 599
Wanless, G. G., vgl. Griesbaum, K. 41
Wannowius, H., vgl. Criegee, R. 544
Ward, H. R., et al. 413
—, Lawler, R. G., u. Loken, H. Y. 413
—, vgl. Moore, W. R. 192, 207, 302, 637
—, u. Sherman, P. D. 473, 474
Warkintin, J., et al. 272
Warner, D. T. 96
—, vgl. Moe, O. A. 96
—, u. Moe, O. A. 96
Warnhoff, E. W., u. Dave, V. 277
Warren, F. L., vgl. Farmer, E. H. 424
Washburn, L. W. H., u. Maloney, M. J. 31
Washburne, S. S., vgl. Seyferth, D. 185
Wasserman, E., et al. 305, 328, 329, 330
—, u. Murray. R. W. 328
—, vgl. Trozzolo, A. M. 293
—, u. Yager, W. A. 328
Wasserman, H. H., u. Clagett, D. C. 406, 410
Wasson, F. I., vgl. Lloyd, D. 299
Watts, L., vgl. Emerson, G. F. 561
Watts, V. S., u. Goldstein, J. H. 30
Wawzonek, S., et al. 359
—, u. Duty, R. C. 155, 164
—, u. Morreal, C. E. 96

Webb, J. L., vgl. Mann, C. K. 403
Weber, K. E., vgl. Todd, J. E. 17
Wedegaertner, K., u. Millam, M. J. 200
Wedel, B. v., vgl. Kirmse, W. 132, 333, 356
Wee, C. Y., u. Robertson, R. E. 496
Weedon, B. C. L., vgl. Kierstead, R. W. 576
—, vgl. Linstead, R. P. 94
Weese, H., vgl. Killian, H. 33
Wegener, P. 565
Wegmüller, H., vgl. Giovannini, E. 215, 512
Weinberg, K., vgl. Dutler, H. 392
—, Utzinger, E. C., Arigoni, D., u. Jeger, O. 392, 582, 583
Weinshenker, N., vgl. Overberger, C. G. 77, 78, 79, 80
Weinstock, J., vgl. Kaiser, C. 139, 140
Weissman, B. A., vgl. Sarel, S. 505
—, u. Thesis, M. S. 505
Weitkamp, H., Hasserodt, U., u. Korte, F. 30, 585
—, u. Korte, F. 31
Welch, R. W., vgl. Schmerling, L. 439
Wellington, C. A. 70, 597, 598
Wells, J. I., vgl. Haywood-Farmer, J. 110
Welsh, J. G., vgl. Magid, R. M. 359
Welstead, W. J., vgl. Chapman, O. L. 395
Wendisch, D. 511, 593, 607
—, vgl. Günther, H. 565, 593, 594
—, vgl. Vogel, E. 511, 607
Wendler, N. L. 461, 498
—, vgl. Hoffsommer, R. D. 428
—, vgl. Slates, H. 46
Wenschuh, G., vgl. Mayer, R. 90
Wenzl, R., vgl. Günther, H. 510, 525
Werf, C. A. van der s. van der Werf, C. A.
Werner, C. R., Strunk, R. J., u. Kuivila, H. G. 494
Werner, H., vgl. Meerwein, H. 99
Werner, L., vgl. Wagner-Jauregg, T. 415, 458
Wessely, F., et al. 537
—, vgl. Adametz, G. 63
—, vgl. Billek, G. 63
—, vgl. Peham, H. 63, 65
—, vgl. Schuster, P. 63
West, R., et al. 692, 706
—, u. Powell, D. L. 739
—, Sado, A., u. Tobey, S. W. 692, 765, 773

West, R., vgl. Tobey, S. W. 160, 176, 183, 687, 691, 692, 711, 724, 735, 738, 739, 740, 765, 773, 776
—, Zecher, D., Tobey, S. W., u. Law, D. C. F. 754
—, vgl. Zecher, D. C. 778
—, u. Zecher, D. C. 777
Westberg, H. H., vgl. Stewart, J. M. 369
Westcott, L. C., vgl. Cloke, J. B. 89, 90
Wescott, L. D., u. Skell, P. S. 292
Westöö, G., vgl. Prelog, V. 90
Wettstein, A. 46, 52, 57
Weyerstahl, P., vgl. Klamann, D. 374, 380
—, Klamann, D., Finger, C., Nerdel, F., u. Buddrus, J. 374, 375, 376, 380
—, vgl. Nerdel, F. 374
Weygand, F., et al. 290
—, u. Bestmann, H. J. 363
Weyna, P. L., vgl. McElvain, S. M. 191, 228, 656, 736, 737
Whalen, D. M., vgl. Miller, W. T. 155, 156, 157, 159, 188, 232, 310, 353, 740
Wharton, P. S., u. Bair, T. I. 271
Wheeler, O. H. 620
White, E. H., et al. 360
White, J. D., vgl. Büchi, G. 360
Whitehead, M. A., vgl. Todd, J. E. 17
Whiter, P. F., vgl. Landor, S. R. 317
Whitham, G. H. 464, 625
—, u. Wright, M. 199, 625
Whiting, M. C., vgl. Alder, R. W. 348
—, vgl. Bates, E. B. 467
—, vgl. Day, A. C. 49, 70
—, vgl. Powell, J. W. 334, 340
—, vgl. Swithenbank, C. 348
Whitmore, F., et al. 34
Whitmore, F. C., et al. 32, 33
Whittaker, D., vgl. Bethell, D. 257
Whittleston, J., vgl. Bawn, C. E. H. 128
Wiberg, K. B. 18, 590
—, et al. 455, 587, 588, 590, 680
—, u. Ashe III, A. J. 454
—, u. Barnes, R. K. 690, 702
—, —, u. Albin, J. 51, 690, 711
—, u. Bartley, W. J. 400, 682, 688, 702, 705, 706, 709, 711, 714, 715
—, —, u. Lossing, F. P. 682, 772
—, u. Ciula, R. P. 588
—, u. Fenoglio, R. A. 454, 577
—, u. Lampman, G. M. 41

Wiberg, K. B., u. Lavanish, J. M. 495, 648, 649
—, Lowry, B. R., u. Colby, T. H. 454
—, u. Nist, B. J. 18, 28, 29, 485, 684, 686, 687, 688, 765
—, vgl. Rabinovitch, B. S. 595, 614
—, vgl. Robin, M. B. 586
—, u. Szeimies, G. 590
Wiberley, S. E., u. Bunce, S. C. 30
—, —, u. Bauer, W. H. 30
Wick, A. K., vgl. Hopff, H. 316
Widequist, S. 367
—, vgl. Ramberg, L. 367, 368, 372
Widman, O. 96
Wiechert, R. 57, 142
—, et al. 123
—, u. Kaspar, E. 52, 57
—, Kerb, U., u. Schulze, P. E. 123
—, vgl. Laurent, H. 498
—, vgl. Lehmann, H. G. 141, 584
Wiedemann, W. 512, 513
—, vgl. Vogel, E. 212
Wilcott, W. R., u. Cargle, V. H. 599
Wilcox, C. F., u. Craig, R. R. 687
—, u. Engen, R. J. 417
—, vgl. Farnum, D. G. 767
—, u. Mesirov, M. E. 433
—, u. Nealy, D. L. 424
Wildshut, G. A., Bos, H. J. T., Brandsma, L., u. Arens, J. F. 254
Wiley, D. W., vgl. Doering, W. v. E. 538
Willcott, M. R., vgl. Berson, J. A. 522, 604
Willey, F. G., vgl. Dauben, W. G. 26, 698
Williams, D. F., vgl. Shoppee, C. W. 458
Williams, D. H., u. Bhacca, N. S. 485
Williams, J. R., vgl. Turro, N. J. 669
—, u. Ziffer, H. 396
Williams, R. J., vgl. Shoppe C. W. 464
Williamson, K. L., Lanford, C. A., u. Nicholson, C. R. 30
Willis, C., u. Bayes, K. D. 637
Willis, C. J., vgl. Clark, H. C. 156, 184
Willstätter, R. 509
Wilson, C. L. 598
Wilson, H. R., vgl. Turro, N. J. 387
Wilson, J. W., vgl. Jones, W. M. 634
Wilson, J.W., vgl. Shiner, V. J. 323
Wilson, W., vgl. Beech, S. G. 72

Wilt, J. W., u. Roberts, D. D. 416
—, u. Wagner, W. J. 347
Winberg, H. E. 151, 165
Wineman, R. J., vgl. Koch, S. D. 117, 119
Wingler, F. 222
—, vgl. Wittig, G. 125, 129, 130, 131, 132, 133, 134, 135, 136, 137
Winkler, K., vgl. Trautz, M. 34
Winstein, S. 439
—, et al. 440, 441, 442, 650
—, u. Adams, R. 458, 480
—, vgl. Baird, R. 91
—, u. Baird, R. 18, 22, 91
—, u. Battiste, M. 434
—, vgl. Birladeanu, L. 121, 450, 451, 452
—, vgl. Boikess, R. S. 120
—, vgl. Brookhart, M. 442, 443
—, vgl. Bruck, P. 203
—, vgl. Diaz, A. 442, 443
—, vgl. Ehret, A. 459
—, vgl. Glass, D. S. 608
—, vgl. Hanafusa, T. 120
—, u. Hansen, R. L. 207
—, u. Just, G. 461, 462
—, u. Kosower, E. M. 433, 450, 451, 452, 459, 480, 498
—, Lewin, A. H., u. Pande, K. C. 443
—, u. Ordronneau, C. 442
—, vgl. Piccolini, R. J. 440, 442, 480
—, vgl. Poulter, C. D. 415
—, vgl. Radlick, P. 119, 120
—, u. Schlesinger, A. H. 459, 480
—, u. Shatavsky, M. 439, 442
—, vgl. Simonetta, M. 458, 459
—, u. Simonetta, M. 480
—, vgl. Sonnenberg, J. 151, 167, 192, 626
—, u. Sonnenberg, J. 119, 137
—, —, u. De Vries, L. 119
—, u. Stafford, E. T. 441, 442
—, Walborsky, H. M., u. Schreiber, K. 439, 440
Winter, R., vgl. Breslow, R. 685, 687, 694, 695, 714, 716, 723, 729
Winthrop Chem. Co. 34
Wipke, W. T., vgl. Dauben, W. G. 26, 27, 590
Wise, P. H., vgl. Slabey, V. A. 612
Wiselogle, F. Y., vgl. Buhle, E. L. 74
Wiskott, E., vgl. Schöllkopf, U. 252, 253, 254, 255
Witter, H., vgl. Buchner, E. 53, 54
Wittig, G. 129, 555
—, et al. 741
—, u. Fritze, P. 556
—, u. Jautelat, M. 134, 135, 136, 137, 381, 382, 383

Wittig, G., vgl. Klose, H. 33
—, u. Mayer, U. 556
—, u. Schlosser, M. 216
—, u. Schwarzenbach, K. 105, 127, 128, 129, 133, 137, 221
—, u. Wingler, F. 125, 129, 130, 131, 132, 133, 134, 135, 136, 137
Wörffel, U., vgl. Hückel, W. 215
Woerner, F. P. 244
—, vgl. Schöllkopf, U. 252, 253
Wolf, A. P., et al. 113
—, vgl. Chang, H. W. 637
—, vgl. Juppe, G. 511
—, vgl. McEwen, W. E. 138
—, vgl. Mullen, R. T. 636
—, vgl. Shevlin, P. B. 494, 637, 646
Wolf, E. 270
Wolf, P., u. Breslow, R. 723
Wolff, L. 289, 363, 735
Wolff, M. E., Honjoh, W., u. Honjoh, M. 124
Wolfgang, R., vgl. MacKay, C. 636
—, vgl. Nicholas, J. 636
Wolinsky, J., et al. 633
—, vgl. Erickson, K. L. 117
Wollkoff, A. W., vgl. Schmid, G. H. 601
Wong, K. C. K., vgl. McGreer, D. E. 84
Woods, H. J., vgl. Ledwith, A. 656
Woods, W. G. 516, 522
Woodward, R. B. 616
—, u. Hoffman, R. 82, 673
—, vgl. Hoffmann, R. 542, 589, 616, 667
—, u. Hoffmann, R. 196, 197, 199, 238, 391, 392, 393, 394, 396, 520, 521, 590, 591, 592, 616, 617, 627, 673, 722
—, u. Hofmann, R. 521
Woodworth, C. W., Buss, V., u. Schleyer, P. v. R. 657
Woodworth, R. C., vgl. Skell, P. S. 100, 332
—, u. Skell, P. S. 163, 166, 377
Wright, A. N., vgl. Kramer, K. A. W. 256
Wright, C. D., vgl. Parham, W. E. 190
Wright, M., vgl. Whitham, G. H. 199, 625
Wu, C. Y., vgl. Hart, H. 424
—, u. Robertson, R. E. 418, 478
Wu, W. S., vgl. McGreer, D. E. 86
Wun-Ten Tai, vgl. Jones, W. M. 45
Wyman, D., vgl. Hart, H. 493, 494, 665

Yachenko, A. I. D' s. D'Yachenko, A. I.

Yager, W. A., vgl. Wasserman,
E. 328
Yamamoto, R. T., vgl. Jakobson,
M. 49
Yamazaki, H., vgl. Seyferth, D.
200, 203, 204, 205
Yanagita, M. 651
Yates, P., u. Anderson, C. B. 91
Yick-Pui Mui, J., vgl. Seyferth,
D. 135, 183
Young, A. E., vgl. Walborsky,
H. M. 400
Young, J., vgl. Bevan, W. I. 155
Young, J. C., vgl. Bevan, W. I.
165
Young, W. G., Caserio, F., u.
Brandon, D. 122
Youssef, A. A., vgl. Walborsky,
H. M. 711
Yovell, J. 502, 504, 505, 602
—, vgl. Sarel, S. 495, 497, 500,
503, 504, 505, 506, 508, 603,
673
Yu, T. S., vgl. Julia, M. 425,
427
Yuan, C., vgl. Breslow, R. 693,
695, 764, 765, 769, 774
Yukawa, Y. 592

Zabicky, J. 575, 673
Zaitsev, B. E., et al. 731
—, Sheinker, Y. N., u. Koresh-
kov, Y. D. 734
Zand, R., vgl. Cohen, S. G. 80
Zander, M., vgl. Capuano, L.
347
Zbiral, E. 138
Zecher, D., vgl. West, R. 754
Zecher, D. C., vgl. West, R. 777
—, u. West, R. 778
Zechmeister, L. 16
Zeeh, B., vgl. Müller, Eu. 105
106, 110, 113, 114
Zeidler, I., vgl. Micheel, F. 67
Zelikow, J., vgl. Zelinsky, N. D.
34
Zelinsky, N., u. Stadnikoff, G.
770
Zelinsky, N. D., u. Krawetz, W.
37
—, Michlina, S. E., u. Even-
towa, M. S. 32
—, u. Ujedinow, M. N. 34
—, u. Uschakow, M. 35
—, u. Uspensky, A. E. 35
—, u. Zelikow, J. 34
Zenitz, B. L., vgl. Riegel, R. 506

Zhdanov, S. I., u. Polievktov,
M. K. 744
Ziegler, H., vgl. Schenk, G. O.
287, 538
Ziegler, K., et al. 568
Ziffer, H., vgl. Williams, J. R. 396
Zimmerman, H. E. 391, 393, 616
—, et al. 391, 399
—, Givens, R. S., u. Pagni,
R. M. 399
—, u. Grunewald, G. L. 560, 561
—, u. Hancock, K. G. 397
—, u. Morse, R. L. 397
—, u. Paskovich, D. H. 256
—, u. Paufler, R. M. 560
—, u. Schuster, D. I. 391, 393,
583
—, u. Thyagarajan, B. S. 92,
136
Zirner, J., vgl. Glass, D. S. 608
Zoellner, E. A., vgl. Gilman, H.
245
Zündorf, W., vgl. Köbrich, G.
313, 314, 315, 316
Zwanenburg, B., vgl. McCorkindale, N. J. 747
Zwartouw, H. T., vgl. Barber,
H. J. 234, 237

Sachregister

Wegen der Kompliziertheit vieler Verbindungen wurde das Sachregister nach Stammkörpern geordnet. Entstehende Verbindungen wurden grundsätzlich aufgenommen, dazu die Ausgangsverbindungen mit Drei- und Vierring-Struktur. Die Substituenten werden in der Reihenfolge nach Beilstein genannt; Dicarbonsäure-anhydride und -imide sind als Substituenten und nicht als zusätzliches Ringsystem registriert worden. Praktisch allen cyclischen Stammsubstanzen sind Strukturformeln vorangestellt. Bei Verbindungen mit Benzo-, Naphtho-Struktur usw. sind zwei Formelreihen angegeben; dabei beziehen sich die Ziffern ohne Klammern auf die Zählweise der bicyclischen- bzw. polycyclischen Stammsubstanz, die Ziffern in Klammern kennzeichnen dagegen die Kranzbezifferung für die Substituenten.

Wegen der nicht immer eindeutigen Zählweise bei den Spiro-Verbindungen wurde eine Nomenklatur in Anlehnung an die Azo-Nomenklatur gewählt.

Bei der Einordnung der Verbindungen innerhalb der Punkte B—E hat der kleinste Ring Vorrang vor den größeren und der weniger kompliziertere vor dem komplizierteren. Somit wird Cyclohexyl-cyclopropan nur beim Cyclopropan registriert. Die offenkettigen Verbindungen stehen am Ende der Prioritätsliste.

Fettgedruckte Seitenzahlen weisen auf Vorschriften hin.

Stoffklassen wurden nicht aufgenommen, sie sind dem Inhaltsverzeichnis auf S. 5, 677 zu entnehmen.

Inhalt

A. Offenkettige Verbindungen 820
B. Cyclische Verbindungen 825
   I. Monocyclische 825
   II. Bicyclische 840
   III. Tricyclische 850
   IV. Tetracyclische 857
   V. Pentacyclische 860
   VI. Polycyclische 863

C. Spiro-Verbindungen 864
   I. Monospiro 864
   II. Di- und Trispiro 870
D. Bi-cycloalkyl-Verbindungen 871
E. Dicyclopropyl-Verbindungen 872
F. Trivialnamen komplizierter Verbindungen 874
G. Arbeitsvorschriften 874
H. Stichwort-Verzeichnis 878

A. Offenkettige Verbindungen

Acetessigsäure
4,4,4-Trifluor-2-cyclohexen-(2)-yl- . . . . -äthylester 290

Aceton 387, 388, 667, 671
1-Chlor- 407

Acetylen 256, 360, 646
Bis-[4-hydroxy-3,5-di-tert.-butyl-phenyl]- 779
Diphenyl- 308, 360, 741, 742

Acrolein
2,3-Diphenyl- 774
2-Fluor- 632

Acrylsäure 741, 743
. . . -äthylester 191
. . . -dichlormethylester 178
β-Amino-α,β-diphenyl- . . . -äthylimid 748
α,β-Dichlor- . . . -anhydrid 724
α,β-Dichlor- . . . -nitril 724
β,β-Dichlor- . . . -ester
α-Methyl- 743
α-Phenylmercapto-β-phenyl- 254

Äthan
1,2-Bis-[dodecylmercapto]- 251
1-Chlor-1,2-bis-[phenylmercapto]- 251
2-Chlor-1-dichlormethoxy- 375
2-Chlor-1-difluormethoxy- 380
2-Chlor-1-hydroxy- 376, 377
1,2-Dimethoxy-1,2-diphenyl- 258
1,2-Diphenoxy- 239
1,2-Diphenyl- 258
Hexachlor- 596
1-Oximino-1,2-diphenyl- 747
1-Oxo-1,2-diphenyl- 748
1,1,2,2-Tetraphenyl- 258, 661

Äthylen 102, 109, 129, 130, 255, 256, 646, 748
Bis-[4-oxo-3,5-di-tert.-butyl-cyclohexadien-(2,5)-yliden]- 778, 779
1,2-Bis-[phenylmercapto]- 251
1,2-Dichlor-1,2-bis-[phenylmercapto]- 253, 254
1,2-Dichlor-1,2-diphenoxy- 238
1,1-Dicyclopropyl- 602, 612
1,2-Dideutero-1,2-diphenyl- 717, 718
1,1-Diphenyl- 661
1,2-Diphenyl- (Stilben) 265, 717

1,2-Diphenylmercapto- 251
Phenyl- (Styrol) 231, 257, 262
Tetrachlor- 179
Tetrafluor- 662
Tetraphenoxy- 254
Tetraphenyl- 265
Trichlor-diäthylamino- 180
Trichlor-(N-methyl-anilino)- 180

Allen 636
1,1-Diphenyl- 633
1,3-Diphenyl- 633, 634
Phenyl- 634, 635

Aluminium
Tripropyl- 655

Azin
Aceton- 257
Benzophenon- 265
5-Oxo-5H-⟨dibenzo-[a;e]-cycloheptatrien⟩- 261
9-Oxo-fluoren- 266
2,7-Dibrom-9-oxo-fluoren- 295
2,2-Dimethyl-propanal- 343
5-Formyl-cyclohepten-(1) 361

Benzoesäure
. . . -methylester 263

Bernsteinsäure
2,3-Dimethoxycarbonyl- . . . -dimethylester 285

Bor
Tripropyl- 655

Butadien-(1,2)-
3-Methyl- 413

Butadien-(1,3)- 359, 394, 587, 588, 590, 646
1-Cyclopropyl- 612
2-Methyl-1,1-dicyclopropyl- 603

Butan
2-Chlor-3-oxo-2-methyl- 667
4-Chlor-3-oxo-2-methyl- 667
2,3-Dimethyl- 705
2,3-Dioxo- 708
2-Methyl- 704

Butansäure
3-Methyl- . . . -methylester 666
4,4,4-Trifluor-3-oxo-2-cycloxen-(2)-yl- . . . - äthylester 290
2,2,3-Trimethyl- . . . -methylester 665, 666

Buten-(1) 494, 595
4-Acetoxy-1-cyclopropyl- 426, 506
4-Acetoxy-1,1-dicyclopropyl- 506
4-Acetoxy-3-methyl-3-brommethyl-1-phenyl- 500
4-Acetoxy-1-phenyl- 500, 501
4-Borooxy-1-cyclopropyl- 500, 501
4-Borooxy-1-phenyl- 500, 501
4-Brom-2-chlor- 112
4-Brom-1-cyclopropyl- 426
4-Brom-1,1-dicyclopropyl- 426
4-Brom-1,1-diphenyl- 404
4-Brommagnesium-3,3-dideutero- 400, 492

4-Brommagnesium-4,4-dideutero- 492
4-Brommagnesium-1,1-diphenyl- 404
4-Brommercuri-1,1-diphenyl- 404
4-Brom-2-methyl- 112
4-Chlor- 477, 578
4-Chlor-[^{13}C$_1$] 493
4-Chlor-1-cyclopropyl- 426, 493
4-Chlor-1,1-dicyclopropyl- 426
3-Chlor-2,3-dimethyl- 723
3-Chlor-1-methyl- 112
3-Chlor-3-methyl- 112, 113
4-Deutero-1-phenyl- 401
2,4-Dichlor- 112, 577, 578
4,4-Dichlor-3-äthoxy- 181
2,3-Dimethyl- 338, 354
1,1-Diphenyl- 404
4-Hydroxy- 477
4-Hydroxy-1,1-dicyclopropyl- 490
4-Hydroxy-3-methyl-3-brommethyl-1-phenyl- 500
4-Lithium- 491
4-Lithium-1,1-diphenyl- 404
1-Methoxy- 340
4-[2-(2-Methoxy-äthoxy)-äthoxy]-1-phenyl- 500, 501
4-Methoxy-1-cyclopropyl- 422
4-Methoxy-1,1-diphenyl- 404
4-Methoxy-1-(4-fluor-phenyl)- 422
2-Methyl- 338, 341, 342, 343, 344, 345, 346, 347, 354, 595, 596
3-Methyl- 594, 596
4-[Naphthalin-2-sulfonyloxy]- 419
4-[Naphthalin-2-sulfonyloxy]-1-cyclopropyl- 419
4-[Naphthalin-2-sulfonyloxy]-1-phenyl- 519
3-Oxo-2-methyl- 667
3-Oxo-1-[2,5,6,6-tetramethyl-cyclohexen-(1)-yl]- (Iron) 653, 654
3-Oxo-1-[2,5,6,6-tetramethyl-cyclohexen-(2)-yl]- 653, 654
1-Phenyl- 71, 109, 110, 402
4-Toluolsulfonyloxy- 419
4-Toluolsulfonyloxy-1-cyclopropyl- 419
4-Toluolsulfonyloxy-1-phenyl- 419

Buten-(2) 255, 595
2-Brom-2-methyl- 317
1-Chlor-2,3-dimethyl- 723
2-Deutero-1-phenyl- 402
3,3-Dimethyl- 387, **388,** 389, 390
1,3-Diphenyl- 257
1-Methoxy- 340
4-Methoxy-1-phenyl- 422
2-Methyl- 341, 342, 343, 344, 345, 346, 347, 594, 596
1-Oxo-1,2-diphenyl- 432, 727

Buten-(2)-al 280
2,3-Diphenyl- 432, 727

Buten-(3)-al
2,2-Dimethyl-4-phenyl- 499

Buten-(3)-in-(1)
3-Methyl- 322

Buten-(2)-säure 743
. . . -dichlormethylester 178

Buten-(3)-säure
4-[2-Methyl-cyclohexen-(1)-yl]- . . . -ester 602

Butin-(1)
3-Äthoxy-3-methyl- 322
3-Brom-4,4,4-trideutero-3-trideuteromethyl- 322
3-Hydroxy-3-methyl- 322

Decapentaen-(3,4,5,6,7)
2,2,9,9-Tetramethyl-3,8-di-tert.-butyl- 324

Decatetraen-(1,2,8,9) 210, 362, 642

Dodecatrien-(1,6,10)
3-Hydroxy-3,7,11-trimethyl- (Nerolidol) 428

Essigsäure
Cyclohexen-(1)-yl- . . . -äthylester 271
Cyclohexyl- . . . -allylester 285
Cyclopropyl-diphenyl- 404
Phenyl- . . . -allylester 286
Phenyl-diazo- . . . -nitril **769, 770**
Phenyl-diazo- . . . -propylester 286

Fumarsäure-
. . . -diäthylester 283
. . . -diallylester 285, 286, 363

Heptadien-(1,2)
6-Hydroxy-3,6-dimethyl- 469

Heptadien-(1,4)
7-Acetoxy-4-methyl- 507
7-Brom-4-methyl- 502

Heptadien-(2,4)
7-Acetoxy-4-methyl- 507
7-Brom-2,4-dimethyl- 502, 507
7-Brom-4-methyl- 502, 507

Heptadien-(2,5)
7-Hydroxy-2-methyl- 507

Heptadien-(1,7) 359

Heptatrien-(1,2,6) 209, 361, 641, 642
3,6-Dimethyl- 209, 361, 461, 462

Hepten-(3)
1-Acetoxy-4-cyclopropyl- 502
1-Brom-4,6-dimethyl- 502
1-Brom-4-methyl- 502
3-Cyclopropyl- 602
1-Jod-4-cyclopropyl- 505
6-Methyl-4-phenyl- 508

Hepten-(2)-disäure
3-Methoxycarbonyl- . . . -dimethylester 61

Hepten-(4)-in-(1)
7-Brom-4-methyl- 502

Hepten-(4)-in-(2)
7-Brom-4-methyl- 502

Hexadien-(1,2)
5-Brom- 469

4-Hydroxy- 469
5-Hydroxy- 468, 469
4-Methyl- 638

Hexadien-(1,3) 608
6-Brom-3-methyl- 502, 507
5-Hydroxy-1-cyclopropyl- 428

Hexadien-(1,4) 608, 609, 610, 611
1-Pyrrolidino-3-oxo-2,4-diphenyl- 747
1,6,6-Trideutero- 611
6,6,6-Trideutero- 611

Hexadien-(1,5) 359

Hexadien-(2,3)
5-Methoxy-2,4,5-trimethyl- 728, 729

Hexadien-(2,4) 591
3-Acetoxy-2,5-dimethyl- 716
4-Methoxy-2,3,5-trimethyl- 729

Hexadien-(2,4)-al
4-Methyl-6-cyclohexen-(1)-yl- 281
4-Methyl-6-cyclohexyliden- 281
4-Methyl-6-[2,6,6-trimethyl-cyclohexen-(1)-yl]- 280, 281
4-Methyl-6-(2,2,6-trimethyl-cyclohexyliden)- 280, 281

Hexadien-(3,5)-al
4-Methyl-6-cyclohexen-(1)-yl- 281
4-Methyl-6-[2,6,6-trimethyl-cyclohexen-(1)-yl]- 280, 281

Hexan
1-Chlor- 218
1-Isopropyloxy- **242**
3-Methyl- 638
5-Oxo-2-methyl- 659, 660

Hexandisäure (Adipinsäure)
. . -dimethylester 406

Hexapentaen
1,1,6,6-Tetraphenyl- 323, 324

Hexatetraen-(1,6,10,14)
3-Hydroxy-3,7,11,15-tetramethyl- (Geranyl-lina-nol) 428

Hexatrien-(1,2,5) 209, 641, 648

Hexatrien-(1,3,5) 167, **110, 111,** 361
2,5-Dimethyl- 358

Hexatrien-(2,3,4)
2,5-Dimethyl- 312, 314, 315
1,6-Diphenyl-2,5-dibenzyl- 311

Hexen-(1)
1-Chlor-1,2-diphenoxy- 238

Hexen-(2) 342, 346
6-Acetoxy-2-methyl-3-cyclopropyl- 508
3-Äthyl- 342, 346, 347
4-Methylen- 118
4-Oxo-2-methyl- 126
4-Oxo-2,3,5-trimethyl- 729

Hexen-(3) 342, 346
6-Acetoxy-3-cyclopropyl- 506
6-Acetoxy-2,2-dimethyl-3-cyclopropyl- 502
6-Acetoxy-2-methyl-3-cyclopropyl- 502, 508
6-Acetoxy-2-methyl-3-phenyl- 503
3-Äthyl- 342, 346, 347, 355, 356, 357
6-Brom-3-methyl- 503
6-Jod-2,2-dimethyl-3-cyclopropyl- 505
6-Jod-2-methyl-3-cyclopropyl- 505
2-Methyl-3-cyclopropyl- 602, 603
5-Oxo-3-methyl- 126
2,2,5,5-Tetramethyl- 343

Hexen-(2)-disäure
3-Methoxycarbonyl- . . . -dimethylester 61

Hexen-(3)-in-(1)
6-Acetoxy-3-cyclopropyl-1-phenyl- 502
6-Brom-3-methyl- 502

Hexen-(5)-in-(1) 648

Keten 101
Dimethyl- 387, 388, 389

Maleinsäure
. . . -diäthylester 283
. . . -diallylester 285, 286, 363

Malonsäure 724
(β-Brom-alkyl)- . . . -dinitril **372**
[3-Brom-2,3-dimethyl-butyl-(2)]- . . . -dinitril
 372
Brom- . . . -dinitril **372**
Butyl- . . . -diäthylester 576
Cyclohexyl- . . . -dinitril 517, 518, 662
Diazo- . . . -dinitril **519**
2,3-Dimethyl-butyl- . . . -dinitril 517, 662
2,3-Dimethyl-butyl-(2)- . . . -dinitril 517, 662
2-Methyl-phenyl- . . . -dinitril 522
3-Methyl-phenyl- . . . -dinitril 522
4-Methyl-phenyl- . . . -dinitril 522
Naphthyl-(1)- . . . -dinitril 517
Phenyl- . . . -dinitril 515, 516, 517

Methan
Diphenyl- 404

Nonadien-(2,6)
9-Brom-2,6-dimethyl- 428

Nonan
5-Methylen- 307
5-Oxo- 747
5-Phenoxy- 238
5-Phenylmercapto- 253

Nonatetraen-(1,2,7,8) 210, 362, 642

Nonatrien-(1,2,8) 209, 361, 641

Nonatrien-(2,4,6)
9-Brom- 428, 507
9-Brom-6-methyl- 507

Nonen-(3)
1-Brom-4-methyl- 502

Nonen-(4) 238

Octadecadien-(7,9)
10-Methyl- 724

Octadecadien-(8,10)
10-Methyl- 724

Octadecen-(8)
10-Methylen- 724

Octadien-(1,7) 359

Octadien-(3,5)
7-Oxo-1-(2,2-dimethyl-cyclopropyl)- 654

Octatetraen-(1,2,6,7) 209, 210, 362, 642
3,6-Dimethyl- 210, 362, 642

Octatetraen-(2,3,5,6)
2,7-Dimethyl- 644

Octatrien-(1,2,7) 641

Octatrien-(1,4,7) 107, 361

Octen-(2)-disäure
3-Methoxycarbonyl- . . . -dimethylester 61

Orthoameisensäure
. . . -tris-[2-chlor-äthylester] 375

Orthopropiolsäure
Phenyl- . . . -dimethylester-tert.-butylester 738

Pentadien-(1,2)
5-Acetoxy- **468**, 476
1-tert.-Butyloxy-4,4-dimethyl-3-tert.-butyl- 325
5-Formyloxy- **468**
5-Hydroxy- **467**
5-Methoxy- **468**
4-Methoxy-3,4-dimethyl-1,1-diphenyl- 728, 729

Pentadien-(1,3) 420, 421, 422, 423, 598
3-Brom-2,4-dimethyl- 626
3-Brom-2-methyl- 626
2-Äthyl- 118

Pentadien-(1,4) 588
2,4-Dimethyl- 588

Pentadien-(2,3) 635, 636

Pentadien-(2,4)-al
2-Chlor- 631

Pentan 576, 704
2-Chlormethyl- 218
3-Chlormethyl- 218
1-Deutero-4-oxo-3-phenyl- 659, 660
1-Lithium-1-phenoxy- 235
2-Methoxy-3-oxo-2,4-dimethyl- 665, 666
2-Methyl- 588, 705
3-Methylen- 338, 342, 346, 347, 354
2-Oxo- 659
4-Oxo-2,2-dimethyl- 659, 660
4-Oxo-2,2-dimethyl-1-phenyl- 659

4-Oxo-3-phenyl- 659
1-Phenoxy- 235, **237**

Pentatrien-(1,2,4) 644

Penten-(1) 342, 346, 595
4-Brom-1-cyclopropyl- 427, 498
4-Brom-5-hydroxy-4-methyl-1-phenyl- 500
4-Chlor- 113
4,5-Diacetoxy-4-methyl-1-phenyl- 500
2,4-Dimethyl- 342, 346, 347
4-Hydroxy- 496
2-Methyl- 338, 342, 346, 347
3-Methylen- 346
2-Methyl-3-methylen- 342, 346, 347
3-Oxo-2,4-dimethyl- 388, 667, 671
5,5,5-Trichlor-1-brom- 508

Penten-(2) 342, 346, 595
5-Acetoxy-2-(4-chlor-phenyl)- 503, 506
5-Acetoxy-2-cyclopropyl- 502
5-Acetoxy-2-(4-methoxy-phenyl)- 503, 506
5-Acetoxy-2-(methyl-phenyl)- 503, 506
5-Acetoxy-1-phenyl- 503, 506
5-Äthoxy-495, 496
5-Brom- 495, 496
3-Brom-4-acetoxy- 625
3-Brom-4-acetoxy-2-methyl- 626
3-Brom-2,4-dimethyl-4-phenyl- 663
5-Brom-2-methyl- 428
2-Cyclopropyl- 602
5-Chlor- 113, 495, 496
2,3-Dimethyl- 342, 346, 347
2,4-Dimethyl- 342, 346, 347, 355, 356, 357
3,4-Dimethyl- 342, 346, 347, 355, 356, 357
5-Hydroxy- 417, 496
5-Jod-2-(4-chlor-phenyl)- 505
5-Jod-2-cyclopropyl- 505
5-Jod-2-(4-methoxy-phenyl)- 505
5-Jod-2-phenyl- 505
5-Methoxy- 422
5-Methoxy-2-methyl- 422
2-Methyl- 342, 346, 347, 355, 356, 357, 494
3-Methyl- 342, 346, 347, 355, 356, 357
4-(Naphthalin-2-sulfonyloxy)- 419
4-(Naphthalin-2-sulfonyloxy)-2-methyl- 419
4-Oxo-2-methyl- 126
4-Toluolsulfonyloxy- 419
4-Toluolsulfonyloxy-2-methyl- 419
1,1,1-Trifluor-5-hydroxy- 416, 417

Penten-(2)-al
4-Methyl- 280

Penten-(2)-disäure
3-Methoxycarbonyl-. . . .-dimethylester 61

Penten-(4)-in-(2)
4-Methyl- 637

Penten-(2)-säure
2,3-Dimethyl-. . . .-methylester 88
2-Methyl-. . . .-methylester-84

Penten-(3)-säure
5,5-Diphenyl- 404
2-Methyl-. . . .-methylester 84

Propan
2-Butyloxy-1,1-dimethyl- 239
1,3-Dibrom-2-oxo-1,3-diphenyl- **726**
1,3-Dichlor- 576
3,3-Dichlor-2,2-dimethyl-1-trimethylsilyl- 185
1,3-Dichlor-2-methyl-2-phenyl- 169, 376
1,2-Dihydroxy-2-methyl- 322
1,1,1,3,3,3-Hexachlor-2-hydroxy- 163
1-Hydroxy-2-methyl-1,1-dicyclopropyl- 508
2-Methoxy-1,1-dimethyl- 239
2-Methyl- 704
2-Oxo-1,3-diphenyl- 747
1-Oxo-1,2,3-triphenyl- 712
1-Phenyl- 652
2-Phenyl- 231
1,1,1-Trichlor-2-acetoxy- 161, 177, 185
1,2,3-Trichlor-2-chlormethyl- 577

Propanal 340

Propansäure
3-Chlor-. . . .-methylester 406
2,2-Dimethyl- 253
2,2-Dimethyl-. . . .-methylester 666
2-Methyl-. . . .-methylester 387, 388
3-Oxo-2,3-diphenyl- 748

Propen 129, 130, 388, 594, 595
1-Brom- 595
3-Brom- 595
3-Chlor- 595
3-Chlor-2-chlormethyl- 577, 578
1-Chlor-2-cyclopropyl- 601
1,3-Dichlor-2-chlormethyl- 577, 578
1,1-Dichlor-2-cyclopropyl- 601
1,2-Dichlor-3,3-dimethoxy- 724, 725
1-Fluor- 595
2-Fluor- 595
3-Fluor- 595
Hexachlor- 596
3-Methoxy-1-phenyl- 634, 635
3-Methoxy-3-phenyl- 634, 635
2-Methyl- 595
2-Methyl-1,1-dicyclopropyl- 508
Oxo-1,2,3-triphenyl- 774
1,1,3,3,3-Pentachlor- 626
3-Phenyl- 359
1,1,3,3-Tetrachlor- 626
Tetrachlor-2-phenyl- 738

Propin 636, 688, 715

Propiolsäure
Phenyl-. . . .-methylester 738
Phenyl-ortho-. . . .-diäthylester-tert.-butylester
    191, 738

Quecksilber
Bis-[cyclohexen-(2)-yl-äthoxycarbonyl-methyl]-
    405

Silan
Äthyl-phenyl- 256

Sulfid
Dimethyl- 145, 148
Diphenyl- 145

Tolan 308, 360, 741, 742

B. Cyclische Verbindungen

I. Monocyclische

Cyclopropan 28, 32, **34, 36,** 42, 74, 80, 103, 104, 115, 129, 130, 400, 489, 575, 576, 577, 592, 594, 651, 652, 653, 655, 682, 704, 722
  Bent-Bond-Modell 18
  Bindungsmodelle 17, 18, 19, 23, 24, 25
  Elektronenspektren 31 ff.
  Kernresonanz 30, 680
  Ringspannung 23, 683
  Ringstrom 28
  Spektren 28 ff., 586
  Walsh-Modell 17
1-Acetoxy- 117, **619, 620**
2-Acetoxy-1-acetyl- 290
2-Acetoxy-1-äthoxycarbonyl- 54
1-(a-Acetoxy-benzyl)- 426
1-[4-Acetoxy-buten-(1)-yl]- 506
1-(1-chlor-cyclopropyloxy)- 407
1-[6-Acetoxy-2,2-dimethyl-hexen-(3)-yl-(3)]- 502
3-Acetoxy-2,2-dimethyl-1-isopropyliden- 358
1-Acetoxy-1,2-diphenyl- 73
1-[1-Acetoxy-hepten-(3)-yl-(4)]- 502
2-Acetoxymethyl-1,1-diphenyl- 260
1-[6-Acetoxy-2-methyl-hexen-(2)-yl-(3)]- 508
1-[6-Acetoxy-2-methyl-hexen-(3)-yl-(3)]- 502, 508
1-[5-Acetoxy-penten-(2)-yl-(2)]- 502
1-[5-Acetoxy-penten-(3)-yl-(3)]- 506
2-Acetoxy-1-phenyl- **620**
1-[6-Acetoxy-1-phenyl-hexen-(3)-in-(1)-yl-(3)]- 502
2-Acetoxy-1,2-trimetyl- 73
1-(1-Acetoxy-vinyl)- 475, 476, 477
1-Acetyl- 125, 428, 467, **468,** 470, 471, 472, 473, 475, 476 477, 493, 579, 581, 582, 585, 619, 657, 659
2-Acetyl-1,1-diäthoxycarbonyl- 96
1-Äthinyl- **476, 477**
2-Äthoxy-1-äthoxycarbonyl- 272, 279
1-Äthoxycarbonyl- 35, 470
1-(2-Äthoxycarbonyl-äthyliden)- 597
2-Äthoxycarbonylamino-1-phenoxy- 277, 278
2-Äthoxycarbonyl-1-tert.-butyloxycarbonyl- 97
2-Äthoxycarbonylmethylen-1-äthoxycarbonyl- 597
2-Äthoxycarbonylmethyl-1-methylen- 597
2-Äthoxy-1-(2,4-dinitro-benzoyloxymethyl)- 418
2-Äthoxy-1,1-diphenyl- 265
2-Äthoxy-1-[1,3-diphenyl-propyliden-(2)]- 311
1-Äthyl- 34, 338, 342, 346, 354, 576, 594, 612
1-Äthyl-1-buten-(2)-yl- 24
3-Äthyl-3-butyl-1,1,2,2-tetracyan- 371
3-Äthyl-2,2-dipropyl-1-äthoxycarbonyl- 274
Äthyliden- 683
1-Äthylmercaptomethyl- 578
2-Äthyl-1-(4-methyl-phenyl)- 265, 266, 267, 268, 269
1-Äthyl-1-(2-oxo-propyl)- 126
3-Äthyl-3-phenyl-1,1,2,2-tetracyan- 372
1-Äthyl-1-propanoyl- 24
2-Äthyl-1-propenyl- 118
1-Alkoxy- **242, 243**
1-Aminocarbonyl-1-cyan- 369

Cyclopropan
2-(2-Amino-2-carboxy-äthyl)-1-methylen (Hypoglycin A) 118
2-Amino-1-cyclohexyloxy- 278, 279
1-Aminomethyl- 477, 479, 495, 496
3-Aminomethyl-2-acyloxymethyl-1,1-diaryl- 50
2-Amino-1-phenoxy- 277, 278
3-Amino-2-phenoxy-1-methyl- 279
1-Ammonia- 489
1-Aryl- **261, 262**
3-Aryl-1,1,2,2-tetracyan- 369
1-Benzoyl- 404, 470, 473, 505, 581, 582
1-Benzyl- 401, 402, 403, 484 (Kation), 500, 501
2-Benzylamino-1-cyclohexyloxy- 279
2-Benzyl-1,1-diäthoxycarbonyl- 149
Bicyclo[4.1.0]heptyl-(3)- 117
1,1-Bis-[1-acetoxy-cyclopropyloxy]- **409, 410**
1,1-Bis-[1-(1-acetoxy-cyclopropyloxy)-cyclopropyloxy]- **409, 410**
1,1-Bis-[aminocarbonyl]- 309
1,2-Bis-[brommagnesium]- 400
1,1-Bis-[brommethyl]- 37
1,1-Bis-[chlormethyl]- 112
1,1-Bis-[4-chlor-phenyl]- 76, 77, 79
1,1-Bis-[dimethylamino]- 408
1,1-Bis-[halogenmethyl]- 37, 112, 400
1,2-Bis-[4-methoxy-phenyl]- 78, 79
1,2-Bis-[2-trimethylammonio-äthyl]- . . . . . -dihydroxid 613
1-(a-Boranoxy-benzyl)- 500, 501
1-[4-Borooxy-buten-(1)-yl]- 500, 501
1-Brom- 399, 595, 664
1-(1-Brom-äthyl)- 495, 496
2-Brom-1-äthyl- 220
2-Brom-1-alkoxycarbonyl- 690, 691
1-[4-Brom-buten-(1)-yl]- 426
2-Brom-1-carboxymethyl- 204
2-Brom-1,1-dimethyl- 205, 220
3-Brom-1,2-dimethyl- 198, 220
1-Brom-2,2-dimethyl-1-phenyl- 232
1-Brom-2,3-dimethyl-1-phenyl- 232
1-Brommagnesium- 399
2-Brommagnesium-1,1-dideutero- 400
2-Brommagnesium-2-methyl-1,1-diphenyl- 400
2-Brom-2-methyl-1,1-diphenyl- 400, 405
1-Brom-2-methyl-1-phenyl- 232
1-Brom-3-oxo-1,2-diphenyl- 735
1-[4-Brom-penten-(1)-yl]- 498
2-Brom-1-phenyl- 205, 635
3-Brom-1,1,2,2-tetramethyl- 205, **218,** 220
1-Brom-2,2,3,3-tetramethyl-1-phenyl- 232
3-Brom-1,1,2-trimethyl- 205, **218**
1-Brom-2,2,3-trimethyl-1-phenyl- 232
2-Brom-1-vinyl- 205
1-Butadienyl- 107, **110, 111,** 420, 421, 612
Buten-(1)-yl- 601
2-Butin-(2)-yl-1-äthoxycarbonyl- 283
1-Butyl- 338
2-Butyl-1-äthoxycarbonyl- 283
2-Butyl-1,1-dicyan- 373
2-tert.-Butyl-1-(3,3-dimethyl-butenyl)- 173

Cyclopropan
2-Butyl-1-[3,3-dimethyl-2-tert.-butyl-buten-(1)-yliden]- 324
2-tert.-Butyl-1-isopropyliden- 319
2-Butyl-(2)-1-(4-methyl-phenyl)- 265
2-tert.-Butyl-1-(4-methyl-phenyl)- 266, **267**, 268, 269
2-tert.-Butyloxy-1-acetyl- 279
2-tert.-Butyloxy-1-äthoxycarbonyl- 279, 280
2-tert.-Butyloxy-1-alkoxycarbonyl- 690, 691
2-tert.-Butyloxy-1-carboxy- 279
2-tert.-Butyloxy-1-[3-hydroxy-1-cyclohexen-(1)-yl-buten-(1)-yl-(3)]- 280
2-tert.-Butyloxy-1-[3-hydroxy-1-cyclohexen-(1)-yl-butin-(1)-yl-(3)]- 280
2-tert.-Butyloxy-1-hydroxymethyl- 279
2-tert.-Butyloxy-1-[2-hydroxy-propyl-(2)]- 279
2-tert.-Butyloxy-1-{3-hydroxy-1-[2,6,6-tri-methyl-cyclohexen-(1)-yl]-buten-(1)-yl-(3)}- 280
2-tert.-Butyloxy-1-{3-hydroxy-1-[2,6,6-tri-methyl-cyclohexen-(1)-yl]-butin-(1)-yl-(3)}- 280
2-tert.-Butyloxy-1-isopropyliden- 320
1-Carboxy- 664
1-(4-Carboxy-butyl)-1-carboxy- 53
3-(4-Carboxy-butyl)-1,2-dicarboxy- 60, 61
1-Carboxymethyl-1,2-dicarboxy- 54
1-(3-Carboxy-propyl)-1-carboxy- 53
1-Chlor- 399, 400, 448, 576, 577, 595
1-Chlor-1-acetoxy- 407
1-Chlor-1-(1-acetoxy-cyclopropyloxy)- 407
2-Chloracetylamino-1-phenoxy- 277, 278
1-(2-Chlor-äthoxy)- **244, 245**
2-(2-Chlor-äthoxy)-1,1-dimethyl- **245**, 246
3-(2-Chlor-äthoxy)-1,2-dimethyl- **245**
2-(2-Chlor-äthoxy)-1-phenyl- 246
3-(2-Chlor-äthoxy)-1,1,2,2-tetramethyl- **246**
3-(2-Chlor-äthoxy)-1,1,2-trimethyl- 246
2-(2-Chlor-äthoxy)-1-vinyl- 246
1-(1-Chlor-äthyl)- 113, 495, 496
2-Chlor-1-äthyl- 220
1-Chlor-2-äthyl-1-phenyl- 229, 230
2-[(4-Chlor-benzolsulfonyl)-ureido]-1-phenoxy- 277, 278
1-(4-Chlor-benzoyl)- 505
1-Chlor-2-brommethyl- 112
1-(4-Chlor-buten-(1)-yl)- 426, 493
2-[1-Chlor-buten-(1)-yl]-1-penten-(1)-yl- 173
1-Chlor-1-chlormethyl- 112, 113, 577, 578
1-Chlor-2,2-diäthoxy-1-phenylmercapto- 254
2-Chlor-3,3-diäthoxy-2-phenylmercapto-1-phenyl- 254
1-Chlor-3,3-dimethoxy-1,2-diphenyl- 734
2-Chlor-1,1-dimethyl- 217, 220, 223, 413
3-Chlor-1,2-dimethyl- 217, 220, 230
1-Chlor-2,2-dimethyl-1-äthyl- 413
3-Chlor-2,2-dimethyl-1-tert.-butyl- 692
1-Chlor-2,2-dimethyl-1-phenyl- 230
1-Chlor-2,3-dimethyl-1-phenyl- 229
1-Chlor-1-hydroxy- 407
1-Chlormethyl- 448, 483, 578
1-Chlormethyl-[^{13}C] 493
2-Chlor-2-methyl-1-äthyl- 228, 230
2-Chlor-1-methyl-2-cyan-1-methoxycarbonyl- 97
2-Chlor-1-methyl- ..... -1,2-dicarbonsäure-an-hydrid 97

Cyclopropan
2-Chlor-1-methyl-1,2-dicarboxy- 97
2-Chlor-1-methyl-1,2-dicyan- 97
2-Chlor-1-methyl-1,2-dimethoxycarbonyl- **97**
2-Chlor-1-methylen- 577, 578
1-Chlor-pentamethyl- 228, 230
3-Chlor-3-phenoxy-1,2-dimethyl- 238
2-(4-Chlor-phenoxy)-1-hydrazinomethyl- 278
3-Chlor-3-phenoxy-1,2,2-trimethyl- 238
1-Chlor-1-phenyl- 229, 231
2-Chlor-1-phenyl- 226
3-(4-Chlor-phenyl)-2-cyan-1,1-diäthoxycarbonyl- 149
3-(4-Chlor-phenyl)-2,2-dicyan-1-äthoxycarbonyl- 149
2-(4-Chlor-phenyl)-1-isopropyliden- 319, 320
1-Chlor-1-phenylmercapto- 252
2-Chlor-2-phenylmercapto-1,1-dimethyl- 244, 253
1-[2-(4-Chlor-phenyl)-vinyl]- 506
1-Chlor-1-propanoyloxy- 407
1-[1-Chlor-propen-(1)-yl-(2)]- 601
2-Chlor-1-propyl- 217, 223
2-Chlor-1,1,2,3-tetramethyl- 230
3-Chlor-1,1,2,2-tetramethyl- 217, **218**, 220, 223, 226, 227
1-Chlor-2,2,3,3-tetramethyl-1-phenyl- **230**
1-Chlor-1,2,3-trimethyl- 228, 230
2-Chlor-1,1,2-trimethyl- 228, 230
3-Chlor-1,1,2-trimethyl- 217, **218**, 220, 223
1-Chlor-2,2,3-trimethyl-1-phenyl- 229, 230
1-(1-Chlor-vinyl)- 476, 477
2-Chlor-1-vinyl 225
1-Cyan 89
1-Cyan-1,2-diäthoxycarbonyl- 149
1-[Cyclohexadien-(2,5)-yl]- 634
1-Cyclohexen-(2)-yl- 303
1-Cyclohexen-(3)-yl- 117
2-Cyclohexen-(1)-yl-1-äthoxycarbonyl- 600
2-Cyclohexen-(1)-yl-1-carboxy- 600
2-Cyclohexen-(1)-yloxy-1,1-dimethyl- 248
2-Cyclohexyloxy-2-äthoxycarbonyl- 279
2-Cyclohexyloxy-2-azidocarbonyl- 279
1-[Cyclopenten-(1)-yl]- 602
1-[Cyclopenten-(2)-yl]- 612
1-[Cyclopenten-(3)-yl]- 612
1-Cyclopropylmercuri- 399
2-Cyclopropyl-1-vinyl- 612
1-(α-Deutero-benzyl)- 401, 403
2-Deuteromethyl-1-(2,2-dideutero-vinyl)- 611
1-Deutero-1-phenyl- 359
2-Deutero-1-phenyl- 359
1-(α-Deutero-α-tosylhydrazono-methyl)- 649
1,1-Diacetoxy- 407, 408, **409**, **410**
1,1-Diäthoxy- 128
1,1-Diäthoxycarbonyl- 92
1,2-Diäthoxycarbonyl- **51**, 95
2,2-Diäthoxy-1-phenoxy- 235, 237
2,2-Diäthoxy-1-phenyl- 259
2,2-Diäthoxy-1-phenylmercapto- 249, 251
1,1-Diäthyl- 34
1,2-Diäthyl- 130
2-(Diäthylamino-acetylamino)-1-phenoxy- 277, 278
3,3-Diäthyl-1,1,2,2-tetracyan- 371
1,2-Dialkoxycarbonyl- 95
2,3-Dialkyl-1,1,2,2-tetracyan- 369

Cyclopropan
1,1-Dianilino- 408
2-Diazo-1,1-diphenyl- 633
3-Diazo-1,2-diphenyl- 633
1-Diazomethyl- 646
2-Diazonium-1-phenyl- 635
2-Diazo-1-phenyl- 635
1,2-Dicarboxy- **51**, 112, 126
1,1-Dibrom- 176, 179
1,2-Dibrom- 400, 711
2,2-Dibrom-1-allyl- 209, 361, 641, 642
3,3-Dibrom-1-benzyl- 168, 171
3,3-Dibrom-1,2-bis-[carboxymethyl]- 204
2,2-Dibrom-1-buten-(2)-yl- 166
2,2-Dibrom-1-buten-(2)-yl-(2)- 641
2,2-Dibrom-1-buten-(3)-yl- 209, 361, 641, 642
2,2-Dibrom-1-butyl- 166, 171
2,2-Dibrom-1,1-dimethyl- 166, 171, 205, 664
3,3-Dibrom-1,2-dimethyl- 166, 170, 179, 625
3,3-Dibrom-2,2-dimethyl-1-äthyliden- 166
3,3-Dibrom-1,2-dimethyl-1-[3-methyl-buten-(2)-
   yl-(2)]- 644
3,3-Dibrom-2,2-dimethyl-1-methylen- 166
2,2-Dibrom-1,1-diphenyl- 171
2,2-Dibrom-1-heptadien-(5,6)-yl- 362
2,2-Dibrom-1-hexadien-(4,5)-yl- 362
2,2-Dibrom-1-hexen-(5)-yl- 209, 362, 641, 642
2,2-Dibrom-1-isopropyl- 638
2,2-Dibrom-1-methyl-1-äthinyl- 166
3,3-Dibrom-2-methyl-2-äthyl-1-methylen- 166
2,2-Dibrom-1-[3-methyl-buten-(3)-yl]- 209, 361
2,2-Dibrom-1-methyl-1-(4-methoxy-phenyl)- 168
2,2-Dibrom-1-methyl-1-[3-methyl-buten-(3)-yl]-
   641, 642
2,2-Dibrom-1-[3-methyl-pentadien-(3,4)-yl]- 362
2,2-Dibrom-1-methyl-1-phenyl- 168
2,2-Dibrom-1-pentadien-(3,4)-yl- 209, 362, 642
2,2-Dibrom-1-penten-(4)-yl- 209, 361, 641, 642
2,2-Dibrom-1-phenyl- 168, 171, 203, 205, 664
2,2-Dibrom-1-propyl- 166, 171
3,3-Dibrom-2-propyl-1-methylen- 166
3,3-Dibrom-1,1,2,2-tetramethyl- 166, 171, 204,
   205, 626, 640, 663, 664
3,3-Dibrom-1,1,2-trimethyl- 166, 171, 205, 626,
   664
2,2-Dibrom-1-vinyl- 166, 171, 204, 205, 644
1,1-Dichlor- 99, 157, 176, 179, 378
2,2-Dichlor-1-acetoxy- 161, 177, 178, 179, 185
2,2-Dichlor-1-äthoxy- 171
2,2-Dichlor-1-äthoxymethyl- 181
1-(1,1-Dichlor-äthyl)- 476, 477
2,2-Dichlor-1-äthyl- 171, 223, 376, 378
2,2-Dichlor-1-äthyl-1-äthinyl- 163
2,2-Dichlor-1-äthyl-1-butyl- 158
2,2-Dichlor-1-äthyl-1-propyl- 158
2,2-Dichlor-1-brommethyl- 179
2,2-Dichlor-1-buten-(2)-yl- 164
2,2-Dichlor-1-butyl- 164, 171, 378
2,2-Dichlor-1-chlormethyl- **161**, 178
2,2-Dichlor-1-cyan- 177, 178, 179
2,2-Dichlor-1-cyclobutyl- 182
2,2-Dichlor-1-cyclohexen-(3)-yl- 182, 183
2,2-Dichlor-1-cyclohexyl- 182
2,2-Dichlor-1-cyclopentyl- 182
3,3-Dichlor-2,2-diäthoxy-1-phenyl- 191
2,2-Dichlor-1,1-diäthyl- 379
2,2-Dichlor-1-(dichlormethoxycarbonyl)- 178

Cyclopropan
2,2-Dichlor-1-(dichlormethoxycarbonylmethyl)-
   178
3,2-Dichlor-2,2-dimethoxy-1-phenyl- 738
2,2-Dichlor-1,1-dimethyl- 153, 163, 378, 413
3,3-Dichlor-1,2-dimethyl- 307, 377, 378
3,3-Dichlor-2,2-dimethyl-1-acetyl- 178
3,3-Dichlor-2,2-dimethyl-1-tert.-butyl- 692
3,3-Dichlor-2,2-dimethyl-1-(diphenylamino-
   methyl)- 180
2,2-Dichlor-1-[6,6-dimethyl-heptin-(4)-yl]- 175
3,3-Dichlor-2,2-dimethyl-1-(N-methyl-N-acetyl-
   aminomethyl)- 180
3,3-Dichlor-2,2-dimethyl-1-phenyläthinyl- 173
2,2-Dichlor-1,1-diphenyl- 377, 379
2,2-Dichlor-1-isocyanatmethyl- 178, 179
2,2-Dichlor-1-methoxycarbonyl- 178
2,2-Dichlor-1-methyl- **376**, 378
2,2-Dichlor-1-methyl-1-äthinyl- 164
3,3-Dichlor-2-methyl-1-äthyl- 158, 163, 171,
   377, 378
3,3-Dichlor-2-methyl-1-äthyl-1-äthinyl- 165
2,2-Dichlor-1-methyl-1-butyl-(2)- 183
2,2-Dichlor-1-methyl-1-chlormethyl- 379
2,2-Dichlor-1-methyl-1-[2-chlor-2-(3-oxo-2-
   phenyl-cyclopropenyl)-vinyl]- 173
3,3-Dichlor-2-methyl-1-(dichlormethoxycarbonyl)- 178
2,2-Dichlor-1-methylen- 182
2,2-Dichlor-1-methyl-1-isopropenyl- 164
2,2-Dichlor-1-methyl-1-phenyl- 307, 376, 379
2,2-Dichlor-1-methyl-1-propin-(1)-yl- 164, 173
3,3-Dichlor-2-methyl-1-trimethylsilyl- 179
2,2-Dichlor-1-methyl-1-vinyl- 164, 600
2,2-Dichlor-1-octyl- 379
2,2-Dichlor-1-pentyl- 159, 183
2-(2,4-Dichlor-phenoxy)-1,1-dimethyl- 235
2,2-Dichlor-1-phenyl- 178, 203, 379, 661
2,2-Dichlor-1-phenyläthinyl- 173
1-[1,1-Dichlor-propen-(1)-yl-(2)]- 601
2,2-Dichlor-1-propyl- 163, 171, 378
3,3-Dichlor-1,1,2,2-tetramethyl- 155, 164, 171, 223
3,3-Dichlor-1,1,2-trimethyl- 158, 163, 171, 223,
   228, 307
2,2-Dichlor-1-trimethylsilyl- 179, 405
2,2-Dichlor-vinyl- 163, 171, **177**, 178, 182, 185
   -Palladium(II)-chlorid-Komplex 412
1,1-Dicyan- 369, **372**
3,3-Dicyclopropyl-1,1,2,2-tetracyan- 371
1,2-Dideutero- 117, 614
1-(α,α-Dideutero-benzyl)- 403
2,2-Dideutero-1-(brommagnesium-methyl)- 492
2,2-Dideutero-1-dideuteromethylen- 83
1-(1,1-Dideutero-2-hydroxy-2-phenyl)- 491
1-Dideuteromethylen- 83
2,2-Dideutero-1-phenyl- 359
2,2-Dideutero-1-vinyl- 598, 599
2,2-Difluor-1-acetoxy- 185, 187
3,2-Difluor-1-äthyl-1-butyl- 187
3,3-Difluor-2-äthyl-1-propyl- 185, 187
2,2-Difluor-1,1-dimethyl- 380
2,2-Difluor-1-(dimethyl-äthyl-silyl)- 187
3,3-Difluor-2,2-dimethyl-1,1-diäthyl- 187
2,2-Difluor-1-[2-methyl-butyl-(2)]- 187
3,3-Difluor-2-methyl-1,1-diäthyl- 187
2,2-Difluor-1-(pentafluor-phenyl)- 185, 187
2,2-Difluor-1-pentyl- 187

Cyclopropan
2,2-Difluor-1-phenyl- 187
3,3-Difluor-tetrachlor- 711
3,3-Difluor-1,1,2,2-tetramethyl- 187
2,2-Difluor-1-triäthylgermanyl- 187
2,2-Difluor-1-triäthylsilyl- 187
2,2-Difluor-1-triäthylstannyl- 187
2,2-Difluor-1-(trimethylsilyl-methyl)- 187
2,2-Difluor-1-(trimethylstannyl-methyl)- 187
1,1-Dihexyl- 34
1,1-Dihydroxy- **65,** 408, 409
1,2-Dijod- 711
2,2-Dimethoxy-1,1-bis-[phenylmercapto]- 255
1,1-Dimethyl- 19, 23, 34, 74, 80, 104, 250, 341,
    342, 343, 344, 345, 346, 347, 381, 493, 576,
    594, 595
1,2-Dimethyl- 34, 74, 80, 83, 103, 104, 106; 170,
    255, 338, 704
2,2-Dimethyl- . . . . . -1,2-dicarbonsäure-phenyl-
    imid 145
1,2-Dimethyl-1-acetyl- 85
2,2-Dimethyl-1-acetyl- 659
2,3-Dimethyl-1-äthinyl- 308
1,2-Dimethyl-1-äthoxycarbonyl- 44
2,2-Dimethyl-1-äthyl- 338, 413
1-Dimethylamino- 688
2-Dimethylamino-1,1-dimethyl- 237
1-(α-Dimethylamino-4-methyl-benzyl)- 493
2-Dimethylamino-1-phenoxy- 277, 278
2-(4-Dimethylamino-phenoxy)-1-hydrazino-
    carbonyl- 277, 278
2,3-Dimethyl-1-benzoyl- 290
1-(2,5-Dimethyl-benzyl)- (Kation) 484
3,3-Dimethyl-1,2-bis-[isopropyliden]- 320, 321
1-[3,3-Dimethyl-butyl-(2)]- (Kation) 484, 485
2,2-Dimethyl-1-carboxy- 126
2,2-Dimethyl-1-carboxymethyl-1-carboxy- 54
3,3-Dimethyl-2-(2-carboxy-propenyl)-1-carboxy-
    49
3,3-Dimethyl-2-(2-chlor-2-methyl-propyl)-1-
    äthoxycarbonyl- 93
1,2-Dimethyl-2-cyan-1-methoxycarbonyl- 97
1,2-Dimethyl-1,2-dicyan- 97
2,2-Dimethyl-1,1-dicyan- 372
2,3-Dimethyl-1,1-dicyan- 306
3,3-Dimethyl-2,2-diisopropyl-1-äthoxycarbonyl-
    274
1,2-Dimethyl-1,2-dimethoxycarbonyl- 44, 97
3,3-Dimethyl-1,2-dimethoxycarbonyl- 145
2,2-Dimethyl-1-(2,4-dinitro-benzoyloxymethyl)-
    418
2,3-Dimethyl-1-(2,4-dinitro-benzoyloxymethyl)-
    418
2,3-Dimethyl-1,1-diphenyl- 259, 264, 265
2,3-Dimethyl-1-hydroxymethyl- 385, 386
2,2-Dimethyl-1-isopropenyl- 357, 358
2,2-Dimethyl-1-isopropyl- 338, 354
2,2-Dimethyl-1-isopropyliden 357, 358
3,3-Dimethyl-2-isopropyliden-1-(2-methyl-
    propenyliden)- 312, **313,** 314, 315
3,3-Dimethyl-2-isopropyl-1-phenyl- 651
1,2-Dimethyl-1-methoxycarbonyl- **45,** 76, 85,
    86, 87, 88
2,2-Dimethyl-1-methoxycarbonyl- 145, 705
2,3-Dimethyl-1-(4-methoxy-phenylsulfon)- 305
1,2-Dimethyl-1-[3-methyl-buten-(2)-oyl]- 125,
    126

Cyclopropan
2,3-Dimethyl-1-methylen- 597
2,2-Dimethyl-1-(4-methyl-phenyl)- 265
2,2-Dimethyl-1-(2-methyl-propenyl)- (*trans*-Chry-
    santhem-säure) 73
3,3-Dimethyl-2-(2-methyl-propenyl)-1-äthoxy-
    carbonyl- (*trans*-Chrysanthemsäure-äthylester)
    93
3,3-Dimethyl-2-(2-methyl-propenyl)-1-carboxy-
    (Chrysanthemsäure) 49, 92, 93, **146**
3,3-Dimethyl-2-(2-methyl-propenyl)-1-methoxy-
    carbonyl- (*trans*-Chrysantemsäure-methyl-
    ester) **146**
3,3-Dimethyl-2-(2-methyl-propyl)-1-carboxy-
    (Dihydro-chrysanthemsäure) 92, 93
3,3-Dimethyl-2-(2-methyl-propyl)-1-cyan- 92,93
2,2-Dimethyl-1-[7-oxo-3-methyl-octadien-(3,5)-
    yl]- 653, 654
2,2-Dimethyl-1-pentyl- 338
2,2-Dimethyl-1-pentyl-(3)- 338
2,2-Dimethyl-1-phenyl- 263, 337
2,3-Dimethyl-1-phenyl- 259, 263
2,2-Dimethyl-1-phenyl-1-acetyl- 659
2,2-Dimethyl-propin-(1)-yl- 308
3,3-Dimethyl-1,1,2,2-tetracyan- 367, **368,** 371
2,2-Dimethyl-1-vinyl- 337
2,3-Dimethyl-1-vinyliden- 308
1-(2,4-Dinitro-benzoyloxymethyl)- 418
1,2-Diphenyl- 69, 72, 75, 76, 79, 139, 397, 614
3,3-Diphenyl- . . . . . -1,2-dicarbonsäure-anhydrid
    50
1,2-Diphenyl-1-äthoxycarbonyl- 140
2,3-Diphenyl-1-äthoxycarbonyl- 271
2,3-Diphenyl-1-benzoyl- 780
1-(Diphenyl-carboxy-methyl)- 404
1,2-Diphenyl-1-cyan- 140, 149
2,3-Diphenyl-1-cyan-1-äthoxycarbonyl- 144
1,2-Diphenyl-1,2-diäthoxycarbonyl- 98
3,3-Diphenyl-1,2-diäthoxycarbonyl- 53
2,3-Diphenyl-1,1-dicyan- 149
3,3-Diphenyl-1,2-dimethoxycarbonyl- 50
1-(Diphenyl-halogenmagnesium-methyl)- 401
1-Diphenylmethyl- 404, 484 (Kation)
2,3-Dipropyl-1-äthoxycarbonyl- 271
1,2-Divinyl- 106, 107, 613, 614, 615
2-Dodecylmercapto-1,1-dimethyl- 251
2-Ferrocenyl-1-äthoxycarbonyl- 276
2-Ferrocenyl-1-carboxy- 276
1-Fluor- 595
2-Fluor-2-chlor-1-cyan- 181
3-Fluor-3-chlor-1,2-diäthyl- 181
2-Fluor-2-chlor-1,1-dimethyl- 205
2-Fluor-2-chlor-1-methoxycarbonyl- 181
2-Fluor-2-chlor-1-methyl- 377, 380
3-Fluor-3-chlor-2-methyl-1-phenyl- 206
2-Fluor-2-chlor-1-pentyl- 206
2-Fluor-2-chlor-1-phenyl- 380
2-Fluor-3-chlor-1,1,2,2-tetramethyl- **162,** 206
2-Fluor-1,1-dimethyl- 205
1-Fluor-2,2-dimethyl-1-phenyl- 233
1-Fluor-2,3-dimethyl-1-phenyl- 233
1-(4-Fluor-α-methoxy-benzyl)- 422
3-Fluor-2-methyl-1-phenyl- 206
2-Fluor-1-pentyl- 206
2-(4-Fluor-phenoxy)-1-hydrazinocarbonyl- 277,
    278
1-[2-(4-Fluor-phenyl)-vinyl]- 601

Cyclopropan
3-Fluor-1,1,2,2-tetramethyl- 206
1-Fluor-2,2,3,3-tetramethyl-1-phenyl- 233
1-Formyl- 493, 598
2-(2-Formylamino-2,2-dimethoxycarbonyl-äthyl)-
  1-methylen- 118
2-Formyl-1,1-diäthoxycarbonyl- 96
1-[2-Formyl-propyl-(2)]- 494
3-Furyl-(2)-1,1,2,2-tetracyan- 367, 368
Hepten-(3)-yl-(4)- 602
Hexabrom- 711
Hexachlor- 160, 176, **177**, 179, 596, 711, 724
Hexafluor- 156, 184
1-Hexyl- **116**
2-Hexyl-1-isopropyliden- 319, 320
2-Hexyloxy-1,1-dimethyl- 241
2-Hexyloxy-1-vinyl- 241
1-(1-Hydrazono-äthyl)- 475
1-Hydroperoxy-3-oxo-1,2-diphenyl- 748
1-Hydroxy- 243, 245, **246, 620**
1-Hydroxy-1-acetoxy- 407
1-(1-Hydroxy-äthyl)- 113, 417, 420, **421, 423,**
  479, 480, 486 (Kation), 495, 496
1-Hydroxy-1-alkoxy- 65
1-Hydroxy-1-anilino- 408
1-(α-Hydroxy-benzyl)- 420, 421, 426, 486 (Kation), 500, 501
1-[4-Hydroxy-buten-(2)-yl-(2)]- 507
1-[2-Hydroxy-buten-(3)-yl-(2)]- 502
1-[2-Hydroxy-butin-(3)-yl-(2)]- 502
1-(2-Hydroxy-butyl-(2)]- 502
1-[1-Hydroxy-1-(4-chlor-phenyl)-äthyl]- 503,
  506
1-Hydroxy-1-cyan- 407
1-(1-Hydroxy-1-cyclopropyl-äthyl)- 421
1-(α-Hydroxy-cyclopropyl-methyl)- 420, 421
1-(α-Hydroxy-dicyclopropyl-methyl)- 421
2-Hydroxy-1,1-dimethyl- **246, 247,** 248
3-Hydroxy-1,2-dimethyl- **247**
1-Hydroxy-1-dimethylamino- 408
3-Hydroxy-1,2-diphenyl- 747
1-[6-Hydroxy-heptadien-(2,4-yl)-(2)]- 507
1-[2-Hydroxy-heptyl-(2)]- 502
1-[5-Hydroxy-hexadien-(1,3)-yl]- 428, 507
2-Hydroxy-2-methoxy-1,1-dimethyl- 406
1-[1-Hydroxy-1-(4-methoxy-phenyl)-äthyl]-
  503, 506
3-Hydroxy-3-methoxy-1,1,2,2-tetramethyl- 387,
  388, 406, 665, 666
1-Hydroxymethyl- 420, 477, 479, 480
2-Hydroxymethyl-1,1-diphenyl- 260
1-[2-Hydroxy-4-methyl-penten-(2)-yl-(2)]- 507
1-[2-Hydroxy-4-methyl-penten-(4)-yl-(2)]- 502
1-[2-Hydroxy-4-methyl-pentyl-(2)]- 502
1-[1-Hydroxy-1-(4-methyl-phenyl)-äthyl]- 503,
  506
1-[1-Hydroxy-2-methyl-1-phenyl-
  propyl]- 503
1-[4-Hydroxy-penten-(2)-yl-(2)]- 507
1-[2-Hydroxy-penten-(3)-yl-(2)]- 502
1-[2-Hydroxy-penten-(4)-yl-(2)]- 502, 507
1-[2-Hydroxy-pentin-(3)-yl-(2)]- 502
1-[2-Hydroxy-pentin-(4)-yl-(2)]- 502
1-[2-Hydroxy-pentyl-(2)]- 502
2-Hydroxy-1-phenyl- 247, **620**
1-(1-Hydroxy-1-phenyl-äthyl)- 414, 503, 506
1-(1-Hydroxy-2-phenyl-äthyl)- 414

Cyclopropan
1-(2-Hydroxy-2-phenyl-äthyl)- 414, 492
1-Hydroxy-1-phenylmercapto- 253
1-(1-Hydroxy-propyl)- 414
1-(2-Hydroxy-propyl)- 414
1-[1-Hydroxy-propyl-(2)]- 414
1-[2-Hydroxy-propyl-(2)]- 414, 420, 421, 428
2-[2-Hydroxy-propyl-(2)]-1-vinyl- 507
3-Hydroxy-1,1,2,2-tetramethyl- 247, 410
3-Hydroxy-1,1,2-trimethyl- 247
2-Isocyanat-1-vinyl- 604
1-Isopropenyl- 117, 414, 494, 601
1-Isopropyl- 338, 454, 484 (Kation), 486 (Kation), 489 (Kation)
3-Isopropyl-2-äthoxycarbonyl- . . . . . -1,1-di-
  carbonsäure-isopropylidenester 63, 64
1-Isopropyl-1,2-diäthoxycarbonyl- 53
2-Isopropyl-1-(4-methyl-phenyl)- 266, 267, 268
3-Isopropyloxy-1,1-dimethyl- 282, 286
1-[2-(4-Isopropyl-phenyl)-vinyl]- 601
1-Jod-2,2-dimethyl-1-äthoxycarbonyl- 284
1-[6-Jod-2,2-dimethyl-hexen-(3)-yl-(3)]- 505
1-[1-Jod-hepten-(3)-yl-(4)]- 505
1-Jodmethyl- 491
1-[6-Jod-2-methyl-hexen-(3)-yl-(3)]- 505
1-[5-Jod-penten-(2)-yl-(2)]- 505
1-(1-Jod-vinyl)- 475
1-(Kalium-diphenyl-methyl)- 404
1-Kaliummethyl- 492
1-Lithium- 400
2-Lithium-2-brom-1-buten-(3)-yl- 209, 642
3-Lithium-3-brom-2,2-dimethyl-1-isopropyliden-
  315
2-Lithium-2-chlor-1,1-dimethyl- 413
1-Lithium-2,2-dimethyl-1-äthyl- 413
1-(Lithium-diphenyl-methyl)- 404
1-Lithiummethyl- 400, 491, 492
2-Lithium-2-methyl-1,1-diphenyl- 400
2-Methoxy-1-äthoxy- 241
1-(1-Methoxy-äthyl)- 422, 495, 496
1-(4-Methoxy-benzoyl)- 502
1-(α-Methoxy-benzyl)- 422
1-[4-Methoxy-buten-(1)-yl]- 422
3-(2-Methoxycarbonyl-äthyl)-1,2-dimethoxy-
  carbonyl- 61
1-(4-Methoxycarbonyl-butyl)-1,2-dimethoxy-
  carbonyl- 61
1-(4-Methoxycarbonyl-butyl)-1-methoxycarbon-
  yl- 53
3-Methoxycarbonylmethyl-1,2-dimethoxycarbon-
  yl- 61
2-Methoxycarbonylmethylen-1-methoxycarbon-
  yl- 751
2-Methoxycarbonylmethyl-2-isopropyl-1-
  methoxycarbonyl- 655
2-Methoxycarbonylmethyl-1-methylen- 118
3-(3-Methoxycarbonyl-propyl)-1,2-dimethoxy-
  carbonyl- 61
1-(3-Methoxycarbonyl-propyl)-1-methoxy-
  carbonyl- 53
2-Methoxy-1,1-dimethyl- 239, **242, 337**
3-Methoxy-1,2-dimethyl- 240, 241
1-(Methoxy-diphenyl-methyl)- 404
1-(Methoxymethoxy)- **243**
2-(Methoxymethoxy)-1,1-dimethyl- 243
2-(4-Methoxy-phenoxy)-1-hydrazinocarbonyl-
  277, 278

Cyclopropan
2-Methoxy-1-phenyl- 635
1-(4-Methoxy-phenyl)- 117
2-(2-Methoxy-phenyl)-1-carboxy- 144
2-(4-Methoxy-phenyl)-1-carboxy- 144
1-[1-(4-Methoxy-phenyl)-propen-(1)-yl]- 602
1-(4-Methoxy-phenylsulfon)- 305
1-[2-(4-Methoxy-phenyl)-vinyl]- 506, 601
1-[2-Methoxy-propyl-(2)]- 421
1-Methoxy-1,2,3-triphenyl- 712
2-Methoxy-1-vinyl- 240, 242
1-Methyl- 19, 34, 74, 80, 104, 381, **385,** 493, 595
1-Methyl-[^{13}C] 493
1-Methyl- 493 (Radikal)
2-Methyl-2-acetoxymethyl-1-(α-hydroxy-benzyl)-
   500
2-Methyl-1-acetyl- 468, 469, 582
1-Methyl-1-adamantyl-(1)- 657
2-Methyl-1-äthinyl- 469
2-[(2-Methyl-3-äthoxycarbonyl-cyclopropenyl)-
   methyl]-1-äthoxycarbonyl- 283
1-Methyl-1-[1-äthoxycarbonyl-propen-(1)-yl-(2)]-
   580
3-(2-Methyl-1-äthoxycarbonyl-propyl)-2-äthoxy-
   carbonyl- .... -1,1-dicarbonsäure-isopropyliden-
   ester 63, 64
1-Methyl-1-äthyl- 346, 347, 354, 355, 356, 357
2-Methyl-1-äthyl- 338, 342, 343, 344, 346, 354
1-Methyl-1-(2-äthyl-butyl)- 338
2-Methyl-2-äthyl-1-[3,3-dimethyl-2-tert.-butyl-
   buten-(1)-yliden]- 324
2-Methyl-1-äthyliden- 597
1-Methyl-2-äthyl-1-methoxycarbonyl- 86
1-Methyl-2-äthyl-1-phenyl- 230
2-Methyl-2-äthyl-1-phenyl- 263
3-Methyl-3-äthyl-1,1,2,2-tetracyan- 368, 370
1-Methyl-1-allyloxycarbonyl- 53
1-Methylamino-1-cyclohexyloxy- 279
1-Methyl-1-aminomethyl- 479
2-Methyl-1-aminomethyl- 496
1-(4-Methyl-anilino)-1,2,3-triphenyl- 712
2-[(4-Methyl-benzolsulfonyl)-ureido]-1-phenoxy-
   277, 278
1-Methyl-1-benzoyl- 582
2-Methyl-1-benzoyl- 582, 584
2-Methyl-1-benzyl- 337
2-(N-Methyl-benzylamino)-1-cyclohexyloxy- 279
3-Methyl-3-benzyl-1,1,2,2-tetracyan- 367, 368
1-Methyl-1-brommethyl- 112
2-Methyl-1-(1-brom-vinyl)- 469
2-Methyl-2-butin-(2)-yl-1-äthoxycarbonyl- 283
1-Methyl-1-butyl- 338
2-Methyl-2-butyl-1-äthoxycarbonyl- 283, 284
2-Methyl-2-tert.-butyl-1-äthoxycarbonyl- 274
1-Methyl-1-carboxy- 53
2-Methyl-1-carboxy- 126, 664
1-Methyl-3-(2-carboxy-äthyl)-1,2-dicarboxy- 61
1-Methyl-3-(4-carboxy-butyl)-1,2-dicarboxy- 61
1-Methyl-3-(3-carboxy-propyl)-1,2-dicarboxy- 61
1-Methyl-1-chlormethyl- 112
3-Methyl-3-(4-chlor-phenyl)-1,1,2,2-tetracyan-
   371
1-Methyl-1-cyan- 48
2-Methyl-1-cyan- 89
1-(3-Methyl-cyclohexenyl)- 488 (Kation)
2-[2-Methyl-cyclohexen-(1)-yl]-1-äthoxycarbonyl-
   602

Cyclopropan
1-(3-Methyl-cyclopentenyl)- (Kation) 484, 485,
   487, 488
2-Methyl-1-deutero- 83
2-Methyl-1,1-diäthyl- 342, 346, 347, 355, 356, 357
1-Methyl-1,2-dimethoxycarbonyl- 44
2-Methyl-1-(dimethylamino-methyl)- 337
1-Methyl-1-(2,4-dinitro-benzoyloxymethyl)- 418
2-Methyl-1-(2,4-dinitro-benzoyloxymethyl)- 418
2-Methyl-1,1-diphenyl- 403, 404, 405
2-Methyl-2,2-diphenyl-1-carboxy- 400
1-Methyl-3,3-diphenyl-1,2-dimethoxycarbonyl-
   45
1-Methylen- 38, 82, 104, 357, 358, 494, 495, 577,
   578
2-Methylen-1-carboxy- 577
3-Methylen-1,2-diäthoxycarbonyl- (Feist-Ester)
   597, 598
2-Methylen-1,1-dideutero- 83
2-Methylen-1-methoxycarbonyl- 53
3-Methylen-1,1,2,2-tetradeutero- 83
2-Methyl-1-formyl- 470
3-Methyl-2-formyl-1,1-diäthoxycarbonyl- 96
2-Methyl-1-furyl-(2)- 73
1-[2-Methyl-hexen-(3)-yl-(3)]- 602, 603
1-Methyl-1-hexyl- 338
3-Methyl-3-hexyl-1,1,2,2-tetracyan- 367, 368
2-Methyl-1-(α-hydroxy-cyclopropyl-methyl)- 421
1-Methyl-1-hydroxymethyl- 479
2-Methyl-1-hydroxymethyl- 113, 384, 386, 417,
   495, 496
2-Methyl-2-hydroxymethyl-1-(α-hydroxy-benzyl)-
   500
1-Methyl-1-isopropenyl- 69, 70, 603, 640
1-Methyl-1-isopropyl- 338, 346, 347, 354, 355,
   356, 357
2-Methyl-1-isopropyl- 73, 342
3-Methyl-2-isopropyl-1,1-dimethoxycarbonyl-
   285
3-Methyl-2-isopropyl-1-isopropyliden- 319, 320
3-Methyl-3-isopropyl-1,1,2,2-tetracyan- 370
2-(Methyl-jodmethyl-amino)-1-phenoxy- 277, 278
1-Methylmercapto-1-methoxycarbonyl- 48
1-Methyl-1-methoxycarbonyl- 35, 47, 53
2-Methyl-1-methoxycarbonyl- 117
2-Methyl-1-methoxymethyl- 337
3-Methyl-3-(4-methoxy-phenyl)-1,1,2,2-tetra-
   cyan- 371
2-Methyl-1-methylen- 683
1-Methyl-1-[4-methyl-penten-(3)-yl]- 73
2-Methyl-1-(4-methyl-phenyl)- 267
3-Methyl-3-(4-methyl-phenyl)-1,1,2,2-tetracyan-
   371
1-Methyl-1-(2-methyl-propyl)- 338, 354
2-Methyl-2-(2-methyl-propyl)-1-äthoxycarbonyl-
   283, 284
3-Methyl-3-naphthyl-(2)-1,1,2,2-tetracyan- 371
1-Methyl-1-(2-oxo-butyl)- 126
2-Methyl-1-[5-oxo-1-phenyl-tetrahydropyrryl-
   (3)]- 140
1-Methyl-1-(2-oxo-propyl)- 126
3-Methyl-3-pentyl-1,1,2,2-tetracyan- 370
2-(2-Methyl-phenoxy)-1-hydrazinocarbonyl- 277,
   278
2-(4-Methyl-phenoxy)-1-hydrazinocarbonyl- 277,
   278
1-Methyl-1-phenyl- 231

Cyclopropan
2-Methyl-1-phenyl- 71, 73, 206, 226
1-[1-(4-Methyl-phenyl)-äthyl]- 486 (Kation)
2-(4-Methyl-phenyl)-1-isopropyliden- 319, 320
3-Methyl-3-phenyl-1,1,2,2-tetracyan- 367, 368, 371
1-[2-(4-Methyl-phenyl)-vinyl]- 506, 601
1-(2-Methyl-propanoyl)- 471, 472
1-Methyl-1-propyl- 338
2-(2-Methyl-propyloxy)-1-methyl- 383, 386
3-Methyl-3-propyl-1,1,2,2-tetracyan- 370
1-Methyl-1-(2-pyridinio-äthoxymethyl)- 479
3-Methyl-1,1,2,2-tetracyan- 367, 368
3-Methyl-3-tetralinyl-(3)-1,1,2,2-tetracyan- 371
3-Methyl-3-thienyl-(2)-1,1,2,2-tetracyan- 371
1-Methyl-1-vinyl- 117
2-Methyl-1-vinyl- 337, 608, 609, 610, 611
2-Methyl-2-vinyl-1-äthoxycarbonyl- 275
1-Methyl-1-vinyloxycarbonyl- 53
1-[4-Naphthalinsulfonyloxy-buten-(1)-yl]- 419
2-Naphthyl-(1)-1-carboxy- 144
2-Naphthyl-(1)-1-cyan- 89
1-Natrium- 400
1-(Natrium-diphenyl-methyl)- 404
3-Nitro-2-äthyl-1,1-diphenyl- 59
1-(4-Nitro-benzoyloxy)- 455
1-[1-(4-Nitro-benzoyloxy)-äthyl]- 447, 450
2-Nitro-1,1-diphenyl- 59
2-Nitro-2,3-diphenyl-1,1-dimethoxycarbonyl- 690
2-Nitro-2-methyl-1,1-diphenyl- 59
3-Nitro-3-phenyl-2-(4-nitro-phenyl)-1,1-dimethoxycarbonyl- 690
1-(N-Nitroso-N-äthoxycarbonyl-amino)- 634
2-(N-Nitroso-ureido)-1,1-diphenyl- 633, 634
2-(N-Nitroso-ureido)-1-phenyl- 635
Oxo- 65, **66**, 406, 407, 408, 409, 592, 593, 668, 671
Oxo- (Poly) 66
3-Oxo-1,2-bis-[4-oxo-3,5-di-tert.-butyl-cyclo-hexadienyliden]- 778, 779
3-Oxo-2-tert.-butyl-1-[1-chlor-hexadien-(1,5)-yl]- 175
3-Oxo-2-[1-chlor-hexadien-(1,5)-yl]-1-phenyl- 175
2-Oxo-1,1-dimethyl- 65, **66**, 406, 410, 592, 666, 667, 668, 669, 670, 672
3-Oxo-1,2-diphenyl- 747
3-Oxo-1,2-dipropyl- 747
2-Oxo-1-methyl- 592, 668, 672
3-Oxo-1,1,2,2-tetramethyl- 65, 387, **388**, 406, 410, 592, 665, 666, 667, 668, 671
3-Oxo-1,1,2-trimethyl- 672
Pentachlor- 160, **176**, 179, 626, 724, 725, 738
1-Pentadien-(1,3)-yl- .... -Eisentricarbonyl-Komplex 412
1-Pentadien-(2,4)-yl-(2)- 507
Pentamethyl- 226, 227
1-Penten-(2)-yl-(2)- 602
1-Pentyl- 206
2-Pentyl-1-äthoxycarbonyl- 281, 282
2-Pentyl-1-carboxy- 282
2-Pentyl-1-chlorcarbonyl- 282
2-Pentyl-1,1-diphenyl- 260
2-Pentyl-1-(4-methyl-phenyl)- 269
(Peroxycarboxy)- 665
2-Phenoxy-1-äthoxycarbonyl- 277, 278, 279, 280
2-Phenoxy-1-aminocarbonyl- 277, 278

Cyclopropan
2-Phenoxy-1-aminomethyl- 277, 278
2-Phenoxy-1-azidocarbonyl- 277, 278
2-Phenoxy-1-(benzylhydrazino-carbonyl)- 277, 278
2-Phenoxy-1-[(2-diäthylamino-äthoxy)-carbonyl]- 277, 278
2-Phenoxy-1-[(2-diäthylamino-äthylamino)-carbonyl]- 277, 278
2-Phenoxy-1,2-dimethyl- 235, 236, **237**, 247, 248
3-Phenoxy-1,2-dimethyl- 235, 236
2-Phenoxy-2,2-dimethyl-1-äthoxycarbonyl- 281
3-Phenoxy-2,2-dimethyl-1-(α-hydroxy-benzyl)- 499
3-Phenoxy-2,2-dimethyl-1-[2-hydroxy-propyl-(2)]- 281
2-Phenoxy-1-hydrazinocarbonyl- 277, 278
2-Phenoxy-1-hydroxymethyl- 277, 278
2-Phenoxy-1-isocyanat- 277, 278
3-Phenoxy-2-methyl-1-äthoxycarbonyl- 279
3-Phenoxy-2-methyl-1-hydazinomethyl- 279
3-Phenoxy-1,1,2,2-tetramethyl- 235, 236, **237**
3-Phenoxy-1,1,2-trimethyl- 235, 236, 237
1-Phenyl- 34, 73, 117, 127, 128, 203, 226, 262, 303, 359, 576, 579, 634, 657, 661
2-Phenyl- .... -1,2-dicarbonsäure-isopropyliden-ester 63
1-Phenyl-1-acetyl- 659, 660
2-Phenyl-1-acetyl- 125, 290, 620
1-(3-Phenyl-acryloyl)- 72
2-Phenyl-1-äthoxycarbonyl- 138, 139, 581
1-(1-Phenyl-äthyl)- 484 (Kation)
2-Phenyl-1-benzoyl- 139, 140, **142, 143**
2-Phenyl-1-carboxy- 126, 144, 271, 581
2-Phenyl-1-cyan- 140, 263
2-Phenyl-1-cyan-1-äthoxycarbonyl- 149
1-Phenyl-1,2-diäthoxycarbonyl- 98, 149
3-Phenyl-1,2-dibenzoyl- 146, 147
3-Phenyl-1,2-dicarboxy- 54
2-Phenyl-1,1-dicyan- 149, 373
3-Phenyl-2,2-dicyan-1-äthoxycarbonyl- 149
1-[5-Phenyl-4,5-dihydro-1H-pyrazolyl-(3)]- **72**
2-Phenyl-1-(dimethylamino-carbonyl)- 140
3-Phenyl-2-diphenylmethylen-1-carboxy- 284
3-Phenyl-2-diphenylmethylen-1-methoxycarbonyl- 284
2-Phenyl-1-(diphenyl-vinyliden)- 323, 324
2-Phenyl-1-formyl- 493
2-Phenyl-1-hexen-(2)-yliden- 317, 318
1-(1-Phenyl-hexyl)- 403
2-Phenyl-1-isopropyliden- 319, 320
1-Phenylmercapto- 248
2-Phenylmercapto-1,1-dimethyl- 249, **250**, 251
3-Phenylmercapto-1,2-dimethyl- 249
2-Phenyl-1-[2-methyl-buten-(1)-yliden]- 317, 318
2-Phenyl-1-(2-methyl-propyliden)- 318
2-Phenyl-1-(4-nitro-phenyl)-1-cyan- 149
3-Phenylseleno-1,2-dimethyl- 255
1-Phenylsulfon- 92, **136**
3-Phenylsulfon-1,2-diphenyl- 780
3-Phenyl-1,1,2,2-tetracyan- 367, 368
1-(1-Phenyl-vinyl)- 412, 414, 506, 508
1-(1-Phenyl-vinyl)- .../-Palladium(II)-chlorid-Komplex 412
1-(2-Phenyl-vinyl)- 414, 506, 601
2-(2-Phenyl-vinyl)-1-phenyl- 173

Cyclopropan
1-Propanoyl- 467, 471, 472
3-Propanoyloxy-2,2-dimethyl-1-isopropyliden-
49, 317, 318, 358
2-Propin-(1)-ylamino-1-phenoxy- 277, 278
1-Propylamino-1,2,3-triphenyl- 712
3-Propyl-2-cyan-1-äthoxycarbonyl- 149
3-Propyl-1,1,2-triäthoxycarbonyl- 149
1-[2-Pyridino-äthoxymethyl]- 479
1-Pyridyl-(2)- 579
Tetrachlor- 626
1,2,3,3-Tetrachlor-1,2-dibrom- 711
2,2,3,3-Tetrachlor-1,1-dibrom- 176
2,2,3,3-Tetrachlor-1-isopropyliden- 320
1,1,2,2-Tetrafluor- 104, 105, 662
3-[Tetrahydropyranyl-(2)-oxy]-2,2-dimethyl-1-
isopropyliden- 358
1,1,2,2-Tetramethyl- 19, 32, 34, 74, 80, 130,
204, 338, 342, 346, 347, 354, 355, 356, 357
2,2,3,3-Tetramethyl-1,1-dicyan- 306, 307, 369,
373
2,2,3,3-Tetramethyl-1-[3,3-dimethyl-2-tert.-
butyl-buten-(1)-yliden]- 324
2,2,3,3-Tetramethyl-1-(2,4-dinitro-benzoyloxy-
methyl)- 418
2,2,3,3-Tetramethyl-1-formyl- 290
2,2,3,3-Tetramethyl-1-isopropyliden- 317, 319,
320
2,2,3,3-Tetramethyl-1-(4-methoxy-phenylsulfon)-
305
2,2,3,3-Tetramethyl-1-(2-methyl-propen-
yliden)- 322
1,2,2,3-Tetramethyl-1-phenyl- 230
2,2,3,3-Tetramethyl-1-phenyl- 263
Tetramethyl-propanoyloxymethylen- 49
1,1,2,2-Tetraphenyl- 260, 661
1-[Thienyl-(2)-methyl]- 486 (Kation)
1-[4-Toluolsulfonyloxy-buten-(1)-yl]- 419
3-Tosylhydrazono-2,2-dimethyl-1-isopropyliden-
358
1-Tosylhydrazonomethyl- 494, 495
1-Tosyloxy- 617, 619
2-Tosyloxy-1,1-dimethyl- 619
3-Tosyloxy-1,2-dimethyl- 619
3-Tosyloxymethyl-1,2-diphenyl- 728
2-Tosyloxy-1-phenyl- 617
1-(2-Tosyloxy-1-phenyl-äthyl)- 414
1-[1-Tosyloxy-propyl-(2)]- 414
3-Tosyloxy-1,1,2,2-tetramethyl- 619
3-Tosyloxy-1,1,2-trimethyl- 619
1-(1-Tosyloxy-vinyl)- 475
1,2,3-Triacetoxy- 544
1,2,3-Triacyl- 291
1,1,2-Triäthoxycarbonyl- 149
1,2,3-Tribenzoyl- 147, 291
1,2,3-Tricarboxy- 53
1,2,3-Tricarboxy-1-methoxycarbonyl- 53
1,2,3-Tricyan-1,2,3-triäthoxycarbonyl- 94
1-[1,1,1-Trideutero-propyl-(2)]- 484 (Kation)
2-[(4-Trifluormethyl-benzolsulfonyl)-ureido]-1-
phenoxy- 277, 278
2-Trifluormethyl-1-hydroxymethyl- 416, 417
1-(2,2,2-Trifluor-1-tosyloxy-äthyl)- 416
2-(3,4,5-Trimethoxy-benzoylamino)-1-phenoxy-
277, 278
1-(2,4,6-Trimethoxycarbonyl-anilino)-1-methoxy-
carbonyl- 67

Cyclopropan
1,1,2-Trimethyl- 19, **33,** 34, 71, 74, 80, 338, 342,
346, 347, 354, 355, 356, 357, 705
2,2,3-Trimethyl-1-acetyl- 54
1,2,3-Trimethyl-1-äthinyl- 308
1-Trimethylammonio- ..... -hydroxid 688, 702
1,2,2-Trimethyl-1-benzoyl- 582
1-(3,5,5-Trimethyl-cyclohexenyl)- 489 (Kation)
2,2,3-Trimethyl-1,1-dicyan- 373
2,2,3-Trimethyl-1-[3,3-dimethyl-2-tert.-butyl-
buten-(1)-yliden]- 324
2,2,3-Trimethyl-1-(2,4-dinitro-benzoyloxyme-
thyl)- 418
1,2,3-Trimethyl-1-methoxycarbonyl- 87
1,2,3-Trimethyl-1-phenyl- 230
2,2,3-Trimethyl-1-phenyl- 259, 263
2-Trimethylsilyl-1-äthoxycarbonyl- 281, 282
2-(2-Trimethylsilyl-äthyl)-1-äthoxycarbonyl-
281, 282
2-(2-Trimethylsilyl-äthyl)-1,1-diphenyl- 260
2-Trimethylsilyl-2,2-dimethyl-1-äthoxycarbonyl-
405
2-(Trimethylsilyl)-1,1-diphenyl- 260
2-(Trimethylsilyl-methyl)-1-äthoxycarbonyl-
281, 282
2-(Trimethylsilyl-methyl)-1,1-diphenyl- 260
1-Trimethylstannyl-2,2-dimethyl-1-äthoxy-
carbonyl- 405
1,1,2-Triphenyl- 260
1,2,3-Triphenyl- 705
2,2,3-Triphenyl-1-äthoxycarbonyl- 50, 53
2,2,3-Tripropyl-1-äthoxycarbonyl- 271
1,2,3-Tris-[isopropyliden]- 312, **313, 314,** 315,
316
1,2,3-Tris-[methylen]- (Radialen) 315
Tris-[4-oxo-3,5-di-tert.-butyl-cyclohexyliden]-
777, 778
1,2,3-Tris-[phenylmercapto]- 249, 251
1-Vinyl- 69, **70,** 104, 106, 130, 133, 145, 410,
411, 412, 508, 576, 594, 595, 597, 598, 599, 612
1-Vinyl-.../-Palladium(II)-chlorid-Komplex
410, 411
2-Vinyl-1-äthoxycarbonyl- 275, 604
2-Vinyl-1-azidocarbonyl- 604, 605
2-Vinyl-1-carboxy- 604
2-Vinyl-1-chlorcarbonyl- 604
1-[5-Vinyl-cyclopenten-(1)-yl]- 603
2-Vinyl-1,1-diäthoxycarbonyl- 94, 576, 600
2-Vinyl-1-formyl- 605, 606
1-Vinyloxy- 245
Xanthyl-(9)- 489 (Kation)

Cyclopropen-(1) 682, 688, 689, 693, 697, 702,
704, 705, 709, 711, 714 (Poly), 715, 722
Delokalisierungs-Energie 730
Ringspannung 681, 682, 683
Spektren 586, 684, 686, 687
Struktur 679, 681
3-Acetoxy-1,2-diphenyl- 695
3-Äthoxy-triphenyl- 780
1-Alkoxycarbonyl- 691, 714 (Poly)
3-Azido-triphenyl- 716, 776
1,2-Bis-[7-carboxy-heptyl]- (Sterculinsäure) 722
1,2-Bis-[4-hydroxy-3,5-di-tert.-butyl-phenyl]-
3-[4-oxo-3,5-di-tert.-butyl-cyclohexadien-(2,5)-
yliden]- 777, 778
3-Brommagnesiumoxy-triphenyl- 744

Cyclopropen
2-(7-Carboxy-heptyl)-1-octyl-(Sterculinsäure) 722
3-Chlor- 687, 766, 773
2-Chlor-3,3-diäthoxy-1-phenyl- 191
2-Chlor-3,3-dimethoxy-1-phenyl- 738
2-Chlor-3,3-dimethyl-1-tert.-butyl- 692
3-Chlor-1,2-diphenyl-3-(chlor-äthoxycarbonyl-
cyan-methylen)- 762
3-Chlor-1,2-diphenyl-3-(chlor-dicyan-methylen)-
762
2-Chlor-1-phenyl-3-(2-methyl-allyliden)- 173
2-Chlor-1,3,3-trimethyl- 687, 703
3-Cyan- 714 (Poly)
3-Cyclopentadienyliden- (Calicen) 749
1-Deutero-3,3-dimethyl- 686, 702
2-Deutero-1,3,3-trimethyl- 686, 702
1,2-Diäthyl-3-äthoxycarbonyl- 694
2-Diäthylamino-3-oxo-1-phenyl- 733
1,2-Diäthyl-3-carboxy- 694
1,2-Dibrom- 711
3,3-Dibrom-2-äthyl-1-phenyl- 737
3,3-Dibrom-1,2-diphenyl- 734, 737
3,3-Dibrom-2-(phenyl-äthinyl)-1-phenyl- 737
3,3-Dibrom-2-(2-phenyl-vinyl)-1-phenyl- 737
1,2-Dibutyl-3-acetyl- 695
1,2-Dibutyl-3-äthoxycarbonyl- 710
1,2-Dibutyl-3-äthoxycarbonylmethyl-3-äthoxy-
carbonyl- 710
1,2-Dibutyl-3-äthoxycarbonylmethyl-3-butyl-
oxycarbonyl- 710
1,2-Dibutyl-3-äthoxycarbonylmethyl-3-meth-
oxycarbonyl- 710
1,2-Dibutyl-3-butyloxycarbonyl- 710
1,2-Dibutyl-3-methoxycarbonyl- 710
1,3-Dichlor- 740, 773
3,3-Dichlor- 740, 741, 773
3,3-Dichlor-1,2-bis-[4-fluor-phenyl]- 776, 777
3,3-Dichlor-1,2-diphenyl- 734, 744, 753, 754,
755, 783
3,3-Dichlor-2-phenyl-1-(4-methyl-phenyl)- 736
3,3-Dicyan- 306
1,2-Dideutero-3,3-dimethyl- 686
3,3-Difluor-1,2-bis-[trifluormethyl]- 709
3,3-Difluor-1,2-dibrom- 690, 691, **692**, 707
3,3-Difluor-1,2-dichlor- 691, 711
1,2-Diisopropyl-3-acetyl- 695
1,2-Diisopropyl-3-carboxy- 695
3,3-Dimethoxy-1,2-diphenyl- 734
1,2-Dimethyl- 637, 683, 686, 693, 704, 714 (Poly)
1,3-Dimethyl- 686, 704
3,3-Dimethyl- 309, 586, 680, 686, 688, 704, 732
3,3-Dimethyl-1-[2-acetoxy-propyl-(2)]- 716
1,2-Dimethyl-3-äthoxycarbonyl- 772
1,2-Dimethyl-3-aminoacetyl- 710
3,3-Dimethyl-1-tert.-butyl- 692
3,3-Dimethyl-1-carboxy- 306
1,2-Dimethyl-3-diazoacetyl- 365, 708, 709
1,2-Dimethyl-3,3-dicyan- 306
1,2-Dimethyl-3-fluorenyliden-(9)- 760, 763
1,2-Dimethyl-3-indenyliden-(1)- 760
1,2-Dimethyl-3-methoxycarbonyl- 705
3,3-Dimethyl-1-phenyl- 687, 701
3-(2,4-Dinitro-phenylhydrazono)-1,2-diphenyl-
744
1,2-Dioctyl 724
1,3-Diphenyl- 698
1,2-Diphenyl-3-acetyl- 708

Cyclopropen
1,2-Diphenyl-3-äthoxycarbonyl- 694
1,2-Diphenyl-3-(äthoxycarbonyl-cyan-methylen)-
752, 762
1,2-Diphenyl-3-äthoxycarbonylmethylen- 751,
757, 762
1,2-Diphenyl-3-aminoacetyl- 710
1,2-Diphenyl-3-benzoyl- 695, 714 (Poly), 780, 781
1,2-Diphenyl-3-tert.-butyloxycarbonyl- 780
1,2-Diphenyl-3-carboxy- 716, 723, 771, 772
1,2-Diphenyl-3-chlorcarbonyl- 717
1,2-Diphenyl-3-cyan- 685
1,2-Diphenyl-3-(diäthoxycarbonylmethylen)-
755
1,2-Diphenyl-3-diazoacetyl- 365
1,2-Diphenyl-3-(3-diazo-2-oxo-propyl)- 365
1,2-Diphenyl-3-[3,5-dibrom-4-oxo-cyclohexadien-
(2,5)-yliden]- 753
1,2-Diphenyl-3,3-dicarboxy- 716
1,2-Diphenyl-3-dicyanmethylen- 751, 752, 758,
762
1,2-Diphenyl-3-[4-dicyanmethylen-cyclohexa-
dien-(2,5)-yliden]- 754
1,2-Diphenyl-3,3-dimethoxycarbonyl- 690
1,2-Diphenyl-3-(1,2-dimethoxycarbonyl-äthyl-
iden)- 758
1,2-Diphenyl-3-(2,6-dioxo-4,4-dimethyl-cyclo-
hexyliden)- 756
1,2-Diphenyl-3-[4,6-dioxo-2,2-dimethyl-1,3-
dioxolanyliden-(5)]- 756
1,2-Diphenyl-3-(1,3-dioxo-1,3-diphenyl-prop-
yliden)- 755
1,2-Diphenyl-3-[2,4-dioxo-pentyliden-(3)]- 755
1,2-Diphenyl-3-ferrocenyl- 783
1,2-Diphenyl-3-fluorenyl-(9)- 759
1,2-Diphenyl-3-fluorenyliden- 759
1,2-Diphenyl-3-(α-hydrazono-benzyl)- 716
1,2-Diphenyl-3-indenyl-(1)- 759
1,2-Diphenyl-3-indenyliden- 759
1,2-Diphenyl-3-methoxycarbonyl- 685, 687
1,2-Diphenyl-3-methylen- 730
2-Diphenylmethyl-1-phenyl-3-methoxycarbonyl-
284
1,2-Diphenyl-3-[10-oxo-9,10-dihydro-anthryl-
iden-(9)]- 754
1,2-Diphenyl-3-phenylsulfon- 780
1,2-Diphenyl-(tetrachlor-cyclopentyliden)- **761**
1,2-Diphenyl-3-tosylhydrazonomethyl- 360
1,2-Diphenyl-3-tosyloxymethyl- 432
1,2-Diphenyl-3-[2,4,6-trioxo-1,3-diphenyl-pyri-
midyliden-(5)]- 756
1,2-Dipropyl-3-acetyl- 695
1,2-Dipropyl-3-äthoxycarbonyl- 710
1,2-Dipropyl-3-(3-äthoxycarbonyl-indenyliden)-
760, 762
1,2-Dipropyl-3-äthoxycarbonyl-3-methoxy-
carbonyl- 710
1,2-Dipropyl-3-äthoxycarbonylmethyl-3-äthoxy-
carbonyl- 710
1,2-Dipropyl-3-äthoxycarbonylmethyl-3-butyl-
oxycarbonyl- 710
1,2-Dipropyl-3-(2-brom-3-äthoxycarbonyl-
indenyliden)- 762
1,2-Dipropyl-3-(2-brom-3-methoxycarbonyl-
indenyliden)- 762
1,2-Dipropyl-3-butyloxycarbonyl- 710
1,2-Dipropyl-3-carboxy- 695, **771, 772**

Cyclopropen
1,2-Dipropyl-3-(3-cyan-indenyliden)- 760
1,2-Dipropyl-3-diazoacetyl- 365
1,2-Dipropyl-3-dicyanmethylen- 750, 751, 758
1,2-Dipropyl-3-methoxycarbonyl- 710
1,2-Dipropyl-3-(3-methoxycarbonyl-indenyliden)-
760, **761**, 762, 763
3-Fluor-trichlor- 691, 707
3-Formyl- 781
3-(α-Hydroxy-diphenyl-methyl)-1,2-diphenyl-
725, 726
2-Hydroxy-3-oxo-1-phenyl- 698, 737, 738,
739
1-Lithium-3,3-dimethyl- 306, 704
1-Lithium-trimethyl- 696, 703, 704
3-Methoxycarbonyl- 772
2-Methoxy-3-oxo-1-phenyl- 733, 739
3-Methoxy-1,2,3-trimethyl- 701
3-Methoxy-1,2,3-triphenyl- 769
1-Methyl- 681, 686, **697**
3-Methyl- 686, 714 (Poly)
1-Methyl-2-äthoxycarbonyl- 772
2-Methyl-1-(2-äthoxycarbonyl-cyclopropyl-
methyl)-3-äthoxycarbonyl- 283
1-Methyl-3,3-dicyan- 306
3-Methylen- 730, 749
2-Methylmercapto-3,3-dimethyl-1-tert.-butyl-
692
2-Methyl-2-(2-methyl-allyl)-1-äthoxycarbonyl-
283
2-Methyl-1-phenyl-3-methoxycarbonyl- 782
1-Methyl-3-(1,3,3-trimethyl-2-methylen-cyclo-
hexylmethyl)- 360
3-(N-Nitroso-N′,N′-dimethyl-ureido)-1,2-di-
phenyl- 758
3-Oxo- 730, 732, 733, 740, 741, 743
3-Oxo-1-äthyl- 740
3-Oxo-2-äthyl-1-phenyl- 737
3-Oxo-1,2-bis-[4-fluor-phenyl]- 776, 777
3-Oxo-1,2-bis-[4-hydroxy-3,5-di-tert.-butyl-
phenyl]- 778
3-Oxo-2-[1-chlor-2-(2,2-dichlor-1-methyl-cyclo-
propyl)-vinyl]- 173
3-[4-Oxo-cyclohexadien-(2,5)-yliden]- 777
3-Oxo-1,2-dibutyl- 733
3-Oxo-1,2-dimethyl- 730, 733, 740, 751
3-Oxo-1,2-diphenyl- 730, 731, 733, 734, 735,
736, 737, 741, 742, 743, 744, 746, 747, 748, 753,
754, 757, 758, 760, 761
3-Oxo-1,2-diphenyl- ... / -Nickelcarbonyl-
Komplex 783
3-Oxo-1,2-dipropyl- 731, 733, 740, 743, 747, 757,
758, 760, 761
3-Oxo-1-methyl- 732, 733, 740, 742, 743
3-Oxo-2-(2-methyl-propenyl)-1-phenyl- 173, 174
3-Oxo-2-pentyl- 740
3-Oxo-1-phenyl- 730
3-Oxo-2-(phenyl-äthinyl)-1-phenyl- 737
3-Oxo-2-phenyl-1-{7,7-dichlor-bicyclo[4.1.0]
heptyl-(1)}- 173
3-Oxo-2-phenyl-1-(4-methyl-phenyl)- 736
3-Oxo-2-(2-phenyl-vinyl)-1-phenyl- 737
3-Oxo-1-propyl- 732, 733, 740
1-Phenyl-3-methylen- 730
2-Phenyl-1-(4-nitro-phenyl)-3,3-dimethoxy-
carbonyl- 690
3-Propyl-1,2-diphenyl- **770**

Cyclopropen
2-Propyl-1-isopropyl-3-acetyl- 695
2-Propyl-1-isopropyl-3-carboxy- 695
Tetrabrom- 687, 691, **692**, 707, 711, 773
Tetrachlor- 687, **691**, 707, 711, 724, 725, 738,
740, 741, 754, 755, 773
Tetramethyl- 686, **698**, **700**, 703, 730
Tetraphenyl- 708
3-Thiono-1,2-diphenyl- 744
3-Tosyloxymethyl-1,2-diphenyl- 727, 728
3-Tosyloxymethyl-2-phenyl-1-(4-methoxy-
phenyl)- 728
2,3,3-Tri-tert.-butyloxy-1-phenyl- 738, 739
Trichlor- 773
2,3,3-Trichlor-1-(4-fluor-phenyl)- 687, 777
2,3,3-Trichlor-1-phenyl- 638, **639**
1,2,3-Trimethyl- 686, 696, 698 709
1,3,3-Trimethyl- 306, 686, 699, 701, 702, 703,
704, 705, 707, 723, 732
2,3,3-Trimethyl-1-acetyl- 685, 703
2,3,3-Trimethyl-1-carboxy- 703
2,3,3-Trimethyl-1-formyl- 685, 703
2,3,3-Trimethyl-1-(α-hydroxy-diphenyl-methyl)-
728, 729
2,3,3-Trimethyl-2-methoxycarbonyl- 685, 687
2,3,3-Trimethyl-1-[α-(4-nitro-benzoyloxy)-di-
phenyl-methyl]- 728, 729
1,2,3-Triphenyl- 698, 705, 706, 708, 711, 713,
717, 723, 771, 775, 780
1,2,3-Triphenyl-3-aminoacetyl- 710
1,2,3-Triphenyl-3-cyan- 717, 764, 769, **770**
1,2,3-Triphenyl-3-(α-diazo-benzyl)- 726
1,2,3-Triphenyl-3-(α-lithiumimino-benzyl)-
717
1,2,3-Triphenyl-3-vinyl- 716
1,2,3-Tripropyl- 771

Cyclopropenyl-Radikal 730, 779
Diphenyl- 730
Phenyl- 730
Triphenyl- 730, 780

Cyclopropenyl-Anion 730, 780, 781, 782
Diphenyl- 730
Diphenyl-benzoyl- 781
Methyl-phenyl-methoxycarbonyl- 782
Phenyl- 730
Triphenyl- 730, 780

Oxiran
Tetramethyl- 387, 388, 671

Cyclobutan 41
2-Acetoxy-1-methylen- 476
1-Amino- 477
1-Amino-1-methyl- 479
2-Amino-1-methyl- 479
Bis-[isopropyliden]- 316

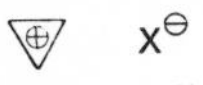

⬡ X⊖

Cyclopropenylium

730, 764, 765, 766, 768, 769, 772

—
—
Acetoxy-diphenyl-
Acetoxy-dipropyl-
Äthoxy-diphenyl-
(Chlor-äthoxycarbonyl-cyan-methyl)-diphenyl-
(Chlor-dicyan-methyl)-diphenyl-
Chlor-diphenyl-
Dimethyl-
Dimethylamino-diphenyl-

Diphenyl-
Diphenyl-azulenyl-

Diphenyl-(4-benzyloxy-phenyl)-
Diphenyl-(3,5-dibrom-4-hydroxy-phenyl)-
Diphenyl-(1,2-diphenyl-cyclopropenyl)-
Diphenyl-ferrocenyl-
Diphenyl-fluorenyl-(9)-
Diphenyl-[10-hydroxy-anthryl-(9)]-
Diphenyl-(4-hydroxy-phenyl)-
Diphenyl-indenyl-(1)-
Diphenyl-(4-methoxy-phenyl)-

Dipropyl-

Hydroxy-diphenyl-
Methoxy-diphenyl-
Methyl-
Phenyl-
Phenyl-bis-[4-methoxy-phenyl]-

Propyl-diphenyl-
Tribrom-
Trichlor-

Triphenyl-

Tripropyl-

Tris-[4-hydroxy-3,5-di-tert.-butyl-phenyl]-
Tris-[4-methoxy-phenyl]-

-tetrafluoroborat   673
-hexachloroantimonat   673
—   758
—   758
-tetrafluoroborat   745, 753, 754, 755, 757
-chlorid   762
-chlorid   762
-hexachloroantimonat   753, 754
-tetrafluoroborat   745
—   721, 730, 759, 767, 769, 772, 775
-bromid   **770, 774, 777**
-perchlorat   768, 771, 777
—   722
-perchlorat   757
-tetrafluoroborat   757
-bromid   753
-bromid   753
-perchlorat   719
-tetrafluoroborat   783
—   759
-tetrafluoroborat   754
-bromid   753
—   759
—   765, 779
-bromid   768
—   732, 766, 772
-perchlorat   768, **771**
-tetrafluoroborat   768, **771**
—   731
-tetrafluoroborat   753
—   772
—   730
—   765
-bromid   768
-tetrafluoroborat   768, **770**
—   765
—   735, 754, 755, 765, 777
-tetrachloroaluminat   738, **739**, 765, 773, 776, 777
-hexachloroantimonat   765, 773
—   764, 765, 767, 768, 775, 776, 777, 779
-bromid   718, 725, 726, 730, 768, 769, **770, 774** 775, 782
-cobalttetracarbonyl   782
-nitrosoeisentricarbonyl   783
-nickelcarbonyl   783
-perchlorat   743, 744, 764
-tetrafluoroborat   **769, 770**
-trifluoro-hydroxy-borat   **769, 770**
—   776
-perchlorat   768, 771
-bromid   777, 778
—   765, 779
-bromid   768

Cyclobutan
2,4-Bis-[tosylhydrazono]-1,1,3,3-tetramethyl- 358
1-Chlor- 448, 477
3-Chlor-1-brom- 42
1-Chlor-1-brommethyl- 112
1-Chlor-1-chlormethyl- 112
2-Chlor-1-chlormethyl- 588
3-Chlor-1-methylen- 448
3-Deutero-2-hydroxy-2-methyl-1-methylen- 469
4-Deutero-2-hydroxy-2-methyl-1-methylen- 469
1,3-Dibrom- 588
1,3-Dibrom-1,3-dimethyl- 41
1-(2,2-Dichlor-cyclopropyl)- 182
1,3-Dijod- 588
1,3-Dijod-3-methyl-1-cyan- 588
1,3-Dijod-2,2,3-trimethyl-1-cyan- 588
2,4-Dioxo-1,1,3,3-tetramethyl- 387, 388
1,2-Divinyl- 613
Epoxi-1-methyl- 470
1-Hydroxy- 420, 477
2-Hydroxy-2,3-dimethyl-1-methylen- 469
2-Hydroxy-2,4-dimethyl-1-methylen- 469
1-Hydroxy-2-methyl- 479, 496
2-Hydroxy-1-methyl- 470, 479
3-Hydroxy-3-methyl-1-cyan- 589
2-Hydroxy-1-methylen- 449
3-Hydroxy-1-methylen- 449
2-Hydroxy-1-trifluormethyl- 416, 417
3-Methoxy-3-methyl-1-cyan- 589
1-Methyl-1-brommethyl- 112
1-Methyl-1-chlormethyl- 112
1-Methylen 37, 349, 470
1-Oxo- 671
2-Oxo-1-äthyl- 470, 471, 472, 473
2-Oxo-1-äthyliden- 470
2-Oxo-1,1-dimethyl- 672
3-Oxo-1,1-dimethyl- 672
2-Oxo-1-isopropyl- 470, 471, 472
2-Oxo-1-methyl- 470, 471, 472, 473
Oxo-x-methyl- 672
Oxo-trimethyl- 672
1-(2-Piperidinio-äthoxy)-1-methyl- 479
2-(2-Piperidinio-äthoxy)-1-methyl- 479
Tetrakis-[3,3-dimethyl-2-tert.-butyl-buten-(1)-yliden]- 325
Tetrakis-[methylen]- ([4]-Radialen) 315, 316
1-Tosylhydrazono- 357, 358, 494
4-Tosylhydrazono-2-acetoxy-1,1,3,3-tetramethyl- 358
4-Tosylhydrazono-2-propanoyloxy-1,1,3,3-tetramethyl- 358
4-Tosylhydrazono-2-tetrahydropyranyl-(2)-oxy-1,1,3,3-tetramethyl- 358
2-Tosylhydrazono-1,1,3,3-tetramethyl- 358
2-Tosyloxy-1-trifluormethyl- 417
2-Trimethylammonio-1-methyl- 470

Cyclobuten-(1) 41, 42, 192, 358, 494, 646
4-Acetoxy-1,2,3,3-tetramethyl- 358
3,4-Bis-[methylen]- 316
3-Chlor- 42
1-(2-Chlor-äthyl)- 493
1-Cyclopropyl- 646
3,3-Dimethyl- 646
1,3-Dimethyl-3-tosylhydrazonomethylen- 360
1,2-Diphenyl- 646

3-Hydroxy-1,2-diphenyl- 432, 727
3-Hydroxy-1,3-diphenyl- 432
4-Hydroxy-1,4-diphenyl- 727
1-Hydroxymethyl- 432
1-Phenyl- 646
4-Propanoyloxy-1,2,3,3-tetramethyl- 358
4-Tetrahydropyranyl-(2)-oxy-1,2,3,3-tetramethyl- 358
3-Tosyloxymethyl- 432

Oxetan
3-Äthyl-3-methyl-2-phenyl- 263
3,3-Dimethyl-2-phenyl- 263
3,4-Dimethyl-2-phenyl- 263
2,2-Diphenyl- 263
4-Oxo-3,3-dimethyl-2-isopropyliden- 388
2-Phenyl- 262
3,3,4,4-Tetramethyl-2-phenyl- 263
3,3,4-Trimethyl-2-phenyl- 263

Azeten-(2)
4-Aziridino-4-hydroxy-2,3-diphenyl- 748
4-Oxo-2,3-diphenyl- 748

Cyclopentan
3-Chlor-1,2-divinyl- 202
1-(2,2-Dichlor-cyclopropyl)- 182
3,5-Dihydroxy-2-(6-äthoxycarbonyl-hexyl)-1-[3-hydroxy-hepten-(1)-yl]- (Prostaglandin) 650
2-Hydroxy-1-(acetoxy-mercurimethyl)- 115
2-Hydroxy-1-methyl- 414
3-Hydroxy-1-methyl- 414
2-Hydroxy-1-phenyl- 414
1-Methylen- 334, 347, 350
3-Methyl-1-isopropyliden-2-carboxy- (Pulegensäure) 131, 132
2-Methyl-1-methylen- 348
3-Oxo-1-methyl- 659
Pentakis-[methylen]- 315

Cyclopenten-(1) 69, 106, 133, 349, 495, 595, 597, 598, 599, 647
4-Acetoxy-1,3,3-trimethyl- 358
4-Äthinyl- 648
3-Äthyl- 601
5-Äthyl-1-isopropyl- 602, 603
5-Äthyl-1-propyl- 603
1-Cyclopropyl- 602
3-Cyclopropyl- 612
4-Cyclopropyl- 612
1-Cyclopropyl-5-vinyl- 603
3,3-Diäthoxycarbonyl- 600
3,3-Dideutero- 599
4,4-Dideutero- 598, 599
4,4-Dichlor-1-methyl- 600
1,2-Dimethyl- 70, 348, 603
4-Formyl- 605
3-Hydroxy- 429, 432
4-Hydroxy- 429, 432
3-Hydroxymethyl- 434
1-Methoxy-1-methyl- 431

3-Methoxy-1-methyl- 431
1-Methyl- 601
4-Methyl- 609, 610, 611
1-Methyl-5-äthyl- 602
3-Methylen- 360
3-Methyl-1-isopropyl- (Pulegen) 131, 132
5-Methyl-1-(4-methoxy-phenyl)- 602
3-Oxo-1-isopropyl-2-methoxycarbonyl- 655
1-Phenyl- 601
4-Propanoyloxy-1,3,3-trimethyl- 358
4-Tetrahydropyranyl-(2)-oxy-1,3,3-trimethyl- 358
3-Vinyl- 612
4-Vinyl- 361, 614, 615
4-Vinyliden- 648

Cyclopentadien 599, 644
5-Cyclohepten-(2)-yl-1,2,3,4-tetraphenyl- 300
5-Cyclohexen-(1)-yl-1,2,3,4-tetraphenyl- 300
5-Cyclopenten-(2)-yl-1,2,3,4-tetraphenyl- 300
5-Cyclopropenyliden- (Calicen) 749
1,3-Dimethyl- 360
1,4-Dimethyl- 360
1,2-Dimethyl-5-methylen- 644
Hexamethyl- 644
5-Hydroxy-5-[2-carboxy-cyclohepten-(1)-yl]-
    tetraphenyl- .... -lacton 742
2-Methyl-5-äthyliden- 644
Pentaphenyl- 725, 726, 776
Tetrachlor-diazo- 298
1,3,4,5-Tetrachlor-2-[3,3-dimethyl-buten-(1)-
    yl-(2)]- 298
2,3,4,5-Tetrachlor-1-[3,3-dimethyl-buten-(1)-
    yl-(2)]- 298
1,2,3,4-Tetrachlor-5-[3-methyl-butyliden-(2)]-
    298
1,2,3-Triphenyl- 715

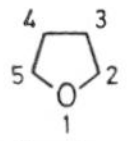

Tetrahydrofuran
2,2-Dicyclopropyl- 427
5-Oxo-3,3-dimethyl-2-(2-methyl-propenyl)- 93

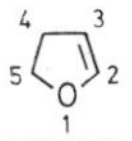

4,5-Dihydro-furan 598
2,3,5-Trimethyl- 85
5-Vinyl- 606

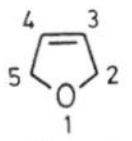

2,5-Dihydro-furan
2-Dichlormethyl- 169, 180, 181, 185
2-(Fluor-chlor-methyl)- 181
5-Oxo-2,3-diphenyl- 716
2-Oxo-4-isopropyl- 68
2-Oxo-3-methyl- 68

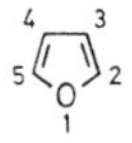

Furan
2,3,5-Triphenyl- 717

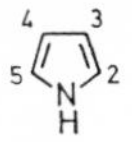

Pyrrol
2-Äthoxycarbonylmethyl- 289
3,5-Dimethyl-2-äthoxycarbonylmethyl- 289
1-Methyl-2-äthoxycarbonylmethyl- 289
2,3,4,5-Tetraphenyl- 717
2,4,5-Trimethyl-3-äthoxycarbonylmethyl- 289

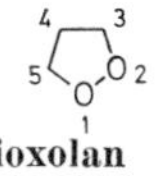

1,2-Dioxolan
3-Oxo-4,4,5,5-tetramethyl- 671
4-Oxo-3,3,5,5-tetramethyl- 671

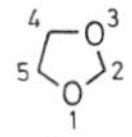

1,3-Dioxolan
5,5-Dimethyl-4-methylen-2-furyl-(2)- 670
5,5-Dimethyl-2-phenyl-4-methylen- 670
5,5-Dimethyl-2-trichlormethyl-4-methylen- 670
2-Trichlormethyl-4-isopropyliden- 670
2,5,5-Trimethyl-4-methylen- 670

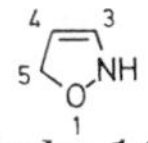

2,5-Dihydro-1,2-oxazol
5-Oxo-3,4-diphenyl- 747

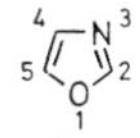

1,3-Oxazol
5-Äthoxy-2-methyl- 276
5-Äthoxy-2-phenyl- 276

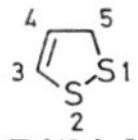

5H-1,2-Dithiol
5-Thiono-3,4-diphenyl- 744

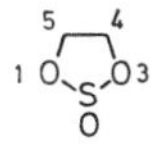

4,5-Dihydro-1,3,2-dioxathiol-2-oxid
5,5-Dimethyl-4-methylen- 670

Cyclohexan
trans-2-Acetoxy-1-(2-phenyl-vinyl)- 498
1-Allyloxycarbonylmethyl- 285, 363
Bis-[isopropyliden]- 316
1,2-Bis-[methylen]- 438
Chlor- 449
1-(2,2-Dichlor-cyclopropyl)- 182
1-(Dicyanmethyl)- 517, 518, 662
1,2-Epoxi- 340
Hexakis-[methylen]- 315
1-Hydroxy- 256
3-Hydroxy-1-methylen- 455
(Isopropyloxymethylen)- 317
Methyl- 342
1-Methylen- 334, 342, 346, 350

1-[3-Methyl-5-formyl-pentadien-(2,4)-yliden]-
281
1-Oxo-   256, 340
2-Oxo-1-äthyl-   659
2-Oxo-1-chlormethylen-   632
3-Oxo-1-methyl-   659
2-Oxo-4-methyl-1-isopropyliden- (Pulegon) 131,
132
1,3,3-Trimethyl-1-[1-methyl-cyclopropen-(1)-yl-
(3)]-2-methylen-   360
1,1,3-Trimethyl-2-[3-methyl-5-formyl-pentadien-
(2,4)-yliden]-   280, 281

Cyclohexen-(1)   347, 495, 647
1-Acetoxy-   621
1-(2-Acetoxy-äthyl)-   438
Äthoxycarbonylmethyl-   271
4-Brom-   447
2-Brom-3-hydroxy-   192, 627
2-Brom-3-methyl-   192
3-Chlor-   197, 627
2-Chlor-3-brom-   627
3-Chlor-2-brom-   627
2-Chlor-3-hydroxy-   192, 627
2-Chlor-3-morpholinyliden- . . . .-chlorid   193
2-Chlor-3-oxo-   193, 632
3-Cyclopropyl-   303
2,3-Dibrom-   192, 627
2,3-Dichlor-   627
4-(2,2-Dichlor-cyclopropyl)-   182, 183
3-Hydroxy-   340, 430
4-Hydroxy-   430, 434
1-(2-Hydroxy-äthyl)-   437, **438**
4-Hydroxy-1-methyl-4-isopropyl-   652
1-Methyl-   105, 342, 346, 348
3-Methyl-   105, 348
4-Methyl-   105
4-Methylen-   352
1-[3-Methyl-5-formyl-pentadien-(1,3)-yl]-   281
1-[3-Methyl-5-formyl-pentadien-(2,4)-yl]-   281
1-Methyl-4-isopropenyl-   651
2-Methyl-4-isopropenyl-   651
6-Oxo-3-isopropyl-   652
3-Oxo-1-methyl-   39
3-Oxo-1-propenyl- . . ./Eisentricarbonyl-
Komplex   412
1,3,3,4-Tetramethyl-2-(3-oxo-butenyl)-   (Iron)
653, 654
2,4,4,5-Tetramethyl-3-(3-oxo-butenyl)-   653, 654
4-Tosyloxy-   447
1-(2-Tosyloxy-äthyl)-   **437**
3-(3,3,3-Trifluor-2-oxo-1-äthoxycarbonyl-propyl)-
290
1,3,3-Trimethyl-2-[3-methyl-5-formyl-pentadien-
(1,3)-yl]-   280, 281
1,3,3-Trimethyl-2-[3-methyl-5-formyl-pentadien-
(2,4)-yl]-   280, 281
1,4,4-Trimethyl-3-oxo-   39
1-Vinyl-   438

Cyclohexadien-(1,3)   360, 611
2-Chlor-   627
1-Methyl-   352
4-Methyl-1-isopropyl-   652
5-Vinyl-   109, 528

Cyclohexadien-(1,4)   611
1,2,3,4,5,6-Hexaphenyl-   713

Benzol   109, 250, 528, 534, 662
1-Äthoxycarbonyl- (Benzoesäure-äthylester)   263
1-Allyl-   359
1-Allyloxycarbonylmethyl-   286
1-Buten-(1)-yl-   71, 109, 110, 402
1-Butyl-   402
1-Chlor-   190
1-Cyclopenten-(1)-yl-   601
1-Cyclopropyl-   303, 601
1-Cyclopropylmethyl-   400, 401, 402, 403
1-[1-Deutero-buten-(2)-yl]-   401, 402
1-[4-Deutero-buten-(1)-yl]-   401, 402
1-(α-Deutero-cyclopropyl-methyl)-   401
3,6-Diäthyl-1,2,4,5-tetraphenyl-   719
5,6-Diäthyl-1,2,3,4-tetraphenyl-   719
2,4-Dichlor-1-(tert.-butyloxy-methyl)-   335
1-Dicyanmethyl- (Phenyl-malonsäure-dinitril)
515, 516, 517
1-(α,α-Dideutero-cyclopropyl-methyl)-   403
1-(Difluormethoxy-carbonyl)-   186
1,2-Dimethoxycarbonyl- (Phthalsäure-dimethylester)   772
1,2-Diphenyl-   649
1,3-Diphenyl-   649
1,4-Diphenyl-   649
4-Fluor-1-cyclopenten-(1)-yl-   601
Hexachlor-   596
Hexaphenyl-   713, 718
4-Hydroxy-1,3-diphenyl-   365
4-Hydroxy-3,4-diphenyl-1,2-dipyridyl-(2)-   54
4-Hydroxy-6-methyl-1,2-diphenyl-1,2-dipyridyl-
(2)-   54
4-Hydroxy-1,2,3,5-tetraphenyl-   721
Isopropyl-   231
4-Isopropyl-1-cyclopenten-(1)-yl-   601
(1-Lithium-pentyloxy)-   235
1-Methoxy- (Anisol)   243, 244
4-Methoxy-1-cyclopenten-(1)-yl-   601
4-Methoxy-1-[5-methyl-cyclopenten-(1)-yl]-   602
Methyl- (Toluol)   522, 629
4-Methyl-1-cyclopenten-(1)-yl-   601
2-Methyl-1-dicyanmethyl-   522
3-Methyl-1-dicyanmethyl-   522
4-Methyl-1-dicyanmethyl-   522
4-Methyl- . . . . -sulfonsäure-buten-(3)-ylester   419
4-Methyl- . . . . -sulfonsäure-4-cyclopropyl-buten-
(3)-ylester   419
4-Methyl- . . . . -sulfonsäure-4-methyl-penten-(3)-
ylester   419
4-Methyl- . . . . -sulfonsäure-penten-(3)-ylester   419
4-Methyl- . . . . -sulfonsäure-4-phenyl-buten-(3)-
ylester   419
1-Nonyloxy-(5)-   238
1-Pentyloxy-   235, **237**
1-(Phenyl-äthinyl)-   308
Propyl-   652, 657
1-Propyloxycarbonylmethyl-   286
1,2,3,4-Tetraphenyl-   720, 721
1,2,4,5-Tetraphenyl-   708, 713, 720, 721
1-Vinyl- (Styrol)   231, 257, 262, 661

5,6-Dihydro-2H-pyran
2,3-Dichlor-   631

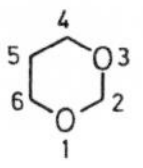

1,3-Dioxan
4,6-Dioxo-2,2-dimethyl-5-[3-methyl-1-äthoxy-
carbonyl-butyliden-(2)]- 63, 64, 65
4,6-Dioxo-2,2-dimethyl-5-[4-methyl-1,3-diät-
hoxycarbonyl-pentyliden-(2)]- 63, 64, 65

Pyridin 225
2-Chlor- 189
3-Chlor- 189
2-Cyclopropyl- 578

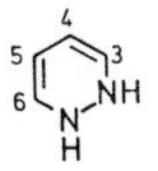

1,2-Dihydro-pyrazin
3,4,6-Triphenyl- 716

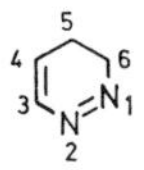

5,6-Dihydro-pyrazin
6,6-Diphenyl- 709

Pyrimidin
5-Chlor- 189
5-Chlor-2,4,6-trimethyl- 189, 190

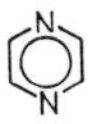

Pyrazin
2-Chlor- 189

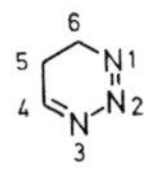

5,6-Dihydro-1,2,3-triazin
4,5,6-Triphenyl- 716

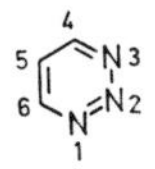

1,2,3-Triazin
4,5,6-Triphenyl- 776

Cycloheptan
1-Allyloxycarbonyl- 286
1,3-Diacetoxy- 622, 624, 625
2-Oxo-1-äthyl- 659

Cyclohepten-(1) 346, 495, 647
3-Acetoxy- 621, 622, 624, 625
2-Brom-3-hydroxy- 630
2-Chlor-3-hydroxy- 630
2-(5-Hydroxy-1,2,3,4-tetraphenyl-cyclopenta-
dienyl)- .... -1-carbonsäure-lacton 742
1-Methyl- 342
3-Oxo- 629

Cycloheptin 741

Cycloheptadien-(1,3) 198
1-Brom- 629
2-Brom- 629
3-Chlor-2-äthoxy- 211
5-Oxo- 655
6-Oxo- 211, 630, 631
6-Oxo-5-methyl- 224

Cycloheptadien-(1,4) 107, 110, 111, 613, 614,
615

Cycloheptatrien-(1,3,5) 113, 198, 509, 510, 522,
523, 629, 647
1-Äthoxy- 211
Alkoxycarbonyl- 287
Allyloxycarbonyl- 286
7-tert.-Butyl- 510
7-Chlorcarbonyl- **538**
7-Deutero- 510
7-Diazoacetyl- **538**
1,4-Dicyan- 516
1,5-Dicyan- 516
3,7-Dicyan- 516
7,7-Dicyan- 306, 515
1,6-Dimethoxy- 435
7,7-Dimethoxycarbonyl- 521
1,6-Dimethyl- 511
1,4-Diphenyl- 520
2,5-Diphenyl- 520
1,2,3,4,5,6,7-Heptafluor- 706
1-Hydroxy-7-methyl- 224
7-Hydroxy-7-methyl- 435
3-Hydroxy-7-oxo- 435
3-Hydroxy-7-oxo-1,6-di-tert.-butyl- 59
7-Isopropyl- 710
7-Methyl- 222, 510
7-Oxo- (Tropon) 211, 224, 630, 631
7-Oxo-2-alkyl- 211
7-Oxo-1,6-di-tert.-butyl- 224
7-Oxo-1,6-diphenyl- 746
7-Oxo-4-isopropyl- (Nezukon) 631
7-Phenyl- 259, 510
7-Trifluormethyl-7-cyan- 307
2,7,7-Trimethyl- 523
3,7,7-Trimethyl- 510, 523
1,3,5-Triphenyl- 520
1,3,6-Triphenyl- 520
2,5,7-Triphenyl- 520

Tropylium
.....-chlorid 222
Methyl- .... -chlorid 224

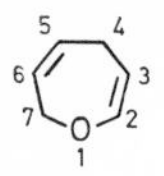

4,7-Dihydro-oxepin 605
3-Chlor- 629

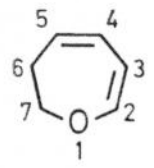

6,7-Dihydro-oxepin
3-Chlor-6-oxo- 630

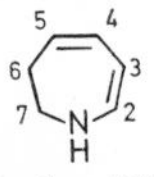

6,7-Dihydro-1H-azepin
7-Oxo- 605

Cyclooctan 108, 528
1,3-Diacetoxy- 622
3-Oxo-1-methylen- 40

Cyclooeten-(1) 352
1-Acetoxy- 621
3-Acetoxy- 622
1-Brom- 198
3-Hydroxy- 431

Cyclooctadien-(1,2) 638, 639

Cyclooctadien-(1,3) 199

Cyclooctadien-(1,4) 108

Cyclooctadien-(1,5) 613

Cyclooctatrien-(1,3,6) 454

Cyclooctatetraen 560, 647, 648

Cyclononan
3-Oxo-1-methylen- 40

Cyclononen-(1) 352
3-Acetoxy- 621, 622
1-Brom- 201
3-Brom- 201
2,3-Dibrom- 200, 201
2,3-Dichlor- 200, 201

Cyclononadien-(1,2) 638
5-Hydroxy- 645

Cyclononadien-(1,3) 200
2-Brom- 200

Cyclononadien-(1,4) 108
6-Chlor- 202

Cyclononadien-(1,5)
1,9-Dibrom- 201
1,9-Dichlor- 201, 202

Cyclononatrien-(1,2,6) 201

Cyclodecen-(1) 352
3-Oxo- 645

Cyclodecadien-(1,2)
4-Hydroxy- 645

Cyclodecadien-(1,4) 108

Cyclodecatrien-(1,2,3) 638

Cyclotridecan
1-Oxo- 212, 640, 643

Cyclotridecin 643

Cyclotridecadien-(1,2) 639, 640, 643

Cyclotridecadien-(1,3)
3-Chlor-2-äthoxy- 212

Cyclotridecadien-(1,5)
10-Oxo- 643

Cyclotridecatetraen-(1,2,6,10) 643

Cyclotridecen-(3)-in-(1)
4-Äthoxy- 212

Cyclotridecadien-(5,9)-in-(1) 643

Cyclotetradecan
1-Oxo- 640

Cyclotetradecadien-(1,2) 640

Cyclopentadecan
1-Oxo- 640

Cyclopentadecadien-(1,2) 640

II. Bicyclische

Bicyclo[1.1.0]butan 41, 42, 359, 495, 587, 588,
    589, 646, 648, 649, 680
2-Deutero- 649
1,3-Diäthyl-2,4-dicarboxy- 694
1,3-Diäthyl-2,4-dimethoxycarbonyl- 694

2,4-Dialkoxycarbonyl- 282
1,3-Dibutyl-4-äthoxycarbonyl-2-methoxycarbon-
    yl- 710
1,3-Dibutyl-2,4-diäthoxycarbonyl- 710
1,3-Dibutyl-2,4-dibutyloxycarbonyl- 710
1,3-Dichlor-2,2,4,4-tetramethyl- 41
1,3-Dimethyl- 41, 588, 637, 683, 709
1,3-Diphenyl-2-carboxy- 589

1,3-Diphenyl-4-carboxy-2-methoxycarbonyl-   589
1,3-Dipropyl-2,4-diäthoxycarbonyl-   710
1,3-Dipropyl-2,4-dibutyloxycarbonyl-   710
1,3-Dipropyl-4-methoxycarbonyl-2-äthoxy-
    carbonyl-   710
1-Hydroxymethyl-   455
3-Methyl-1-cyan-   588, 589
3-Methyl-1-methoxycarbonyl-   587
2,2,4,4-Tetrafluor-1,3-bis-[trifluormethyl]-   709
2,2,4,4-Tetramethyl-1,3-dimethoxycarbonyl-   70,
    145
2,2,3-Trimethyl-1-cyan-   588, 589

Bicyclo[2.1.0]pentan (Hausan)
    25, 74, 80, 81, 130, 349, 429, 595
2-Acetoxy-1,3,3-trimethyl-   358
5,5-Dichlor-   192
2,3-Dideutero-   82
1,5-Dimethyl-5-äthoxycarbonyl-   596
2-Methyl-   82
5-Methyl-5-äthoxycarbonyl-   596
3-Oxo-1-isopropyl-2-methoxycarbonyl-   655
2-Propanoyloxy-1,3,3-trimethyl-   358
2-Tetrahydropyranyl-(2)-oxy-1,3,3-trimethyl-
    358
5-Tosyloxymethyl-   454

Bicyclo[3.1.0]hexan   34, 115, 130, 334, 347, 350,
    359, 430, 431
6-Acetyl-   290
6-Äthoxycarbonyl-   272, 274
6-Chlor-   197, 627
6-(2-Chlor-äthoxy)-   246
6-Chlor-6-brom-   626, 627
6-Diazomethyl-   350, 351
6,6-Dibrom-   166, 192, 626, 627
6,6-Dichlor-   192, 626, 627
6,6-Dichlor-1-äthinyl-   165
6,6-Dichlor-1-morpholino-   193
6,6-Dichlor-1-piperidino-   632
6,6-Dicyan-   373
3,3-Dimethyl-   34
6-Fluor-6-chlor-   627
6-Formyl-   674
6-Hexyloxy-   241
2-Hydroxy-   119, 434, 447
3-Hydroxy-   119, 385
6-Hydroxy-   247
3-Hydroxy-2-(6-äthoxycarbonyl-hexyl)-6-hep-
    ten-(1)-yl-   650
3-Hydroxy-1,5-diphenyl-   119
3-Hydroxy-6-methyl-   385, 386
3-Hydroxy-4-methyl-1-isopropyl-   130, 131
4-Hydroxy-4-methyl-1-isopropyl-   652
6-Isopropyliden-   319, 320
5-Isopropyl-2-methylen-   273
6-Methoxy-   241
1-Methyl-6,6-dicyan-   373
3-Methylen-   350, 351
4-Methyl-1-isopropyl- (Thujan)   131, 132, 652
1-Methyl-6-isopropyliden-   319, 320

1-(4-Nitro-benzoyloxymethyl)-   455
2-Oxo-   22, 89, 90, 364, 430, 585, 659
2-Oxo-6,6-dimethyl-   364, 390
4-Oxo-1,6-diphenyl-   397
3-Oxo-6-hepten-(1)-yl-   650
4-Oxo-1-isopropyl-   652
2-Oxo-4-methyl-1-tert.-butyl-   **583**
2-Oxo-4-methyl-1-isopropyl-   585
3-Oxo-4-methyl-1-isopropyl-   131, 132
2-Oxo-6-phenyl-   364
2-Oxo-3,6,6-trimethyl-   364
2-Oxo-3,6,6-trimethyl-3-äthoxycarbonyl-   364
2-Tosylhydrazono-   648
6-Tosylhydrazonomethyl-   674
6-Tosyloxy-   197, 621, 622, 623
6-Tosyloxymethyl-   454

Bicyclo[3.1.0]hexen-(2)   130, 360, 611, 648
6-Äthoxycarbonyl-   272
6-(2-Chlor-äthoxy)-   246
6-Chlor-6-methoxy-   243, 244
6,6-Diäthoxycarbonyl-   95
6,6-Dichlor-   189
6-Formyl-   606
6-Hexyloxy-   241
6-Methoxy-   241, **242**, 243, 244
2-Methyl-5-isopropyl- (Thujen)   131, 132
4-Oxo-6,6-dimethyl-   390
4-Oxo-6,6-diphenyl-   583
4-Oxo-3,5-diphenyl-1,2-dipyridyl-(2)-   54
4-Oxo-2-methyl-6-tert.-butyl-   582
4-Oxo-6-methyl-3,5-diphenyl-1,2-dipyridyl-(2)-
    54
4-Oxo-1,2,3,5-tetraphenyl-   52
6-Phenylmercapto-   250
1,2,3,5-Tetramethyl-4-methylen-   435
6-Vinyl-   613

2-Oxa-bicyclo[3.1.0]hexan
6-Acetyl-   290
6,6-Dichlor-   631

2-Oxa-bicyclo[3.1.0]hexen-(3)   (1a,4a-Dihydro-
    1H-⟨cyclopropa-[b]-furan⟩)   114
6-Äthoxycarbonyl-   288

3-Oxa-bicyclo[3.1.0]hexan
6,6-Dichlor-   169, 180, 181, 185
6,6-Difluor-   185, 187
2,4-Dioxo-6,6-diaryl-   50
2,4-Dioxo-6,6-diphenyl-   50
2,4-Dioxo-1-methyl-6,6-diaryl-   50
6-Fluor-6-chlor-   181
2-Oxo-   285, 286, 363

2-Oxo-1-äthoxycarbonyl- 363
2-Oxo-6,6-dimethyl- 68
2-Oxo-1-methoxycarbonyl- 363
2-Oxo-4,4,6,6-tetramethyl-1-äthoxycarbonyl-
 363
2-Oxo-4,4,6,6-tetramethyl-1-methoxycarbonyl-
 363
2-Oxo-1,6,6-trimethyl- 68
4-Oxo-1,6,6-trimethyl- 68

2-Thia-bicyclo[3.1.0]hexen-(3) (1a, 4a-Dihydro-1H-⟨cyclopropa-[b]-thiophen⟩) 114
6-Äthoxycarbonyl- 288

1,1a,2,4a-Tetrahydro-⟨cyclopropa-[b]-pyrrol⟩ {2-Aza-bicyclo-[3.1.0]-hexen-(3)}
2-Lithium-1-chlor- 225

3-Aza-bicyclo[3.1.0]hexan
2,4-Dioxo-3-alkyl-6,6-diaryl- 51
2,4-Dioxo-6,6-diaryl- 50, 51
2,4-Dioxo-6,6-dimethyl-3-phenyl- 145

1,4-Diaza-bicyclo[3.1.0]hexen-(2) (5,5a-Dihydro-1H-⟨azirino-[1,2-a]-imidazol⟩)
6,6-Dichlor- 189

2,3-Diaza-bicyclo[3.1.0]hexen-(2) (1,1a,4,4a-Tetrahydro-⟨cyclopropa-[c]-pyrazol⟩)
4,4-Diphenyl- 709

2,4-Diaza-bicyclo[3.1.0]hexen-(2) (1,1a,4,4a-Tetrahydro-⟨cyclopropa-[d]-imidazol⟩)
6,6-Dichlor- 189

Bicyclo[4.1.0]heptan (Norcaran)
 105, 115, 127, 128, 129, 130, 131, 135, 136, **137**,
 206, 226, 253, 334, 342, 346, 347, 348, 350, 359
7-Acetoxy- 622, 624
1-Acetyl- 139
7-Acetyl- 290

7-Äthoxycarbonyl- 271, **272**, 273, 274
7-Allyloxycarbonyl- 285, 286
7-Benzoyl- 147, 290, 305
7-Brom- **204**, 205, **219**, 220, 226, 227, 228
7-Butyloxy- 239
7-Carboxy- **273**
7-Chlor- 198, 204, 205, 217, **218**, 226, 227, 228,
 630
7-(2-Chlor-äthoxy)- 246
7-Chlor-7-brom- 179, 188, 204, 205, 630
7-Chlor-7-phenyl- **230**
7-Chlor-7-phenylmercapto- 253
7-Cyclohexyliden- 317
3-Cyclopropyl- 117
1-Deutero-7-tosyloxy- 624
7-Diazomethyl- 274
7,7-Dibrom- 156, **162**, 167, 171, 179, 204, 205,
 629
7,7-Dichlor- 152, 154, 155, 157, 158, 159, **162**,
 164, 165, 171, 174, 179, 183, 188, 198, 204, 205,
 223, 376, 379, 629
7,7-Dichlor-1-äthoxy- 211
7,7-Dichlor-1-(3-oxo-2-phenyl-cyclopropenyl)-
 173
7,7-Dichlor-1-phenyläthinyl- 173
7,7-Dichlor-1-piperidino- 632
7,7-Dichlor-3-vinyl- 182, 183
7,7-Dicyan- 373
7,7-Difluor- 153, 167, 184, 187, 380
7,7-Dihalogen-1-alkoxy- 211
7-[3,3-Dimethyl-2-tert.-butyl-buten-(1)-yliden]-
 324
7-Fluor- 198, 205, 206
7-Fluor-7-chlor- 167, 181, 198, 205, 206, 377
7-Formyl- 274
7-Hexyloxy- **242**
2-Hydroxy- 431, 447, 449
7-Hydroxy- 247
7-(α-Hydroxy-benzyl)- 497, 498
7-Isopropyliden- 317, 318, 319, 320, **321**
7-Isopropyloxy- 239
7-Jod- 227, 228
7-Methoxy- 237, 241
7-Methyl- 136, 137, 226, 227, 228, 255, 381,
 382, 386
7-[2-Methyl-buten-(2)-yliden]- 318
1-Methyl-7,7-dicyan- 373
7-(2-Methyl-propenyliden)- 318
2-(4-Nitro-benzoyloxy)- 449, 451
2-Oxo- 364, 436, 659
2-Oxo-7,7-dimethyl- 145
2-Oxo-1-methyl-4-isopropenyl- 139
2-Oxo-7-phenyl- 364
2-Oxo-1,7,7-trimethyl- 145
2-Oxo-3,7,7-trimethyl- 364, 582
7-Phenoxy- 235, 236, 237
7-Phenyl- 259, 264
7-Phenylmercapto- 249, 251, 252
7-Phenylseleno- 255
7-Tosylhydrazonomethyl- 274, 647
7-Tosyloxy- 621, 622, 623, 624, 625
7-Tosyloxy-1,6-dimethyl- 622
7-Tosyloxy-1-methyl- 622
7-Tosyloxy-1-phenyl- 622
3,4,5-Triacetoxy-1-methoxycarbonyl- 48
2-Trifluoracetoxy- 447
1-Trifluoracetyl-7-äthoxycarbonyl- 290

3,4,5-Trihydroxy-1-methoxycarbonyl- 48
3,7,7-Trimethyl- (Caran) 71
3,7,7-Trimethyl-1-carboxy- 49
7-Trimethylsilyl- 405
3-Vinyl- 117

Bicyclo[4.1.0]hepten-(1⁶) 684
7,7-Dimethyl- 699, 701

Bicyclo[4.1.0]hepten-(2) 350, 351, 352
7-Äthoxycarbonyl- 272
7,7-Dihalogen-3-alkoxy- 211
7,7-Dimethoxycarbonyl- 521
4-Hydroxy-7,7-dimethoxycarbonyl- 521
5-Oxo-4,4,7,7-tetramethyl- 397
7-Phenylmercapto- 249
7-Phenylseleno- 255

Bicyclo[4.1.0]hepten-(3) 107, 120, 350, 351, 352
7-Äthoxycarbonyl- 272
7-Carboxy- 651
2-Diäthylamino-1,6-dimethyl-7-fluorenyliden-
763
7,7-Dialkoxycarbonyl- 651
7-Diazoacetyl- 651
7,7-Dibrom- 167, 210, 303, 639
7,7-Difluor-1,6-dibrom- 690, 707
7,7-Dihalogen-1-alkoxy- 210, 630, 631
7,7-Dimethoxycarbonyl- 521
2,5-Dioxo-1,3-di-tert.-butyl- 58, 59
2,5-Dioxo-1,3,4,6-tetramethyl- 58
2,5-Dioxo-3,7,7-trimethyl- 584, 654, 655
2-Hydroxy-7,7-dimethoxycarbonyl- 521
5-Hydroxy-2-oxo-3,7,7-trimethyl- 584, 654, 655
2-Oxo- 654, 655
2-Oxo-3,7,7-trimethyl- 654

Bicyclo[4.1.0]heptadien-(2,4) (Norcaradien) 113,
509, 510, 522, 523
7-tert.-Butyl- 510
7-Chlor- 222
7-Chlor-2-oxo- 224
7-Deutero- 510
...-1,6-dicarbonsäure-anhydrid 512
7,7-Dicyan- 307, 515, 516, **518, 519,** 662
1,6-Dijod- 523
7,7-Dimethoxycarbonyl- 521
1,6-Dimethyl- 511, 518
1,4-Dimethyl-7,7-dicyan- 307, 515
2,5-Dimethyl-7,7-dicyan- 20, 307, 515, 525

1,6-Dimethyl-7-fluorenyliden-(9)- 514, 763
Heptaphenyl- 511
7-Isopropyl- 510
7-Methyl- 510
1-Methyl-7,7-dicyan- 522
2-Methyl-7,7-dicyan- 522
3-Methyl-7,7-dicyan- 522
x-Methyl-7,7-dicyan- 307
7-Phenyl- 510
7-Trifluormethyl-7-cyan- 307, 515
2,7,7-Trimethyl- 523
3,7,7-Trimethyl- 510, 523
1,3,5-Trinitro- 62
2,5,7-Triphenyl- 519, 520

Benzo-cyclopropen 680, 684, 689, 690
1,1-Difluor- 685, 689, 707
1,1-Dimethyl-3-methoxycarbonyl- 701
1-Methoxy-1-methyl- 701
1-Methyl-1-cyan- 684, 701
1-Methyl-1-methoxycarbonyl- 684, 685, 701

2-Oxa-bicyclo[4.1.0]heptan
7,7-Dichlor- 629
7,7-Dichlor-4-acetoxy- 630
7,7-Dichlor-4-oxo- 630
7-Hexyloxy- 241
7-Methyl- 382, 386

2,5-Dioxa-bicyclo[4.1.0]heptan
7-Phenoxy- 235, 236

Bicyclo[5.1.0]octan 108, 352, 528
8-(1-Äthoxy-äthyl)- 639
8-Äthoxycarbonyl- 272, 274
8-Brom- 198, 199
1-Brom-8-oxo- 735
8-(2-Chlor-äthoxy)- 246
8-Diazomethyl- 274
8,8-Dibrom- 167, 198, 639
8,8-Dibrom-2-hydroxy- 645
8,8-Dihalogen-1-äthoxy- 211
8-Formyl- 274
2-Hydroxy- 431, 447
8-Hydroxy- 247
8-Isopropyliden- 319, 320
2-Oxo- 364
2-Oxo-8-phenyl- 364
2-Oxo-4,8,8-trimethyl-3-(3-oxo-butyl)- 582
8-Tosylhydrazonomethyl- 274, 647
8-Tosyloxy- 199, 621, 622, 623
2-Trifluoracetoxy- 447

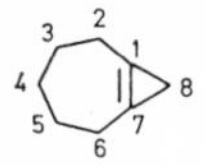

Bicyclo[5.1.0]octen-(1⁷)
8,8-Dimethyl- 699, **700**
8-Oxo- 733, 735, 741

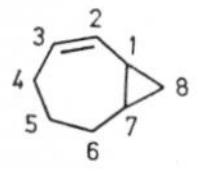

Bicyclo[5.1.0]octen-(2) 108
6-Oxo-4,4,7-trimethyl- 139

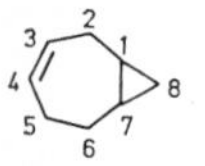

Bicyclo[5.1.0]octen-(3) 107, **110, 111**

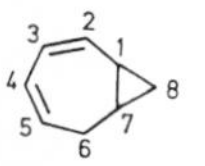

Bicyclo[5.1.0]octadien-(2,4) 108, 528
8-Äthoxycarbonyl- 272
8,8-Dichlor- 165, 190
8-Tosylhydrazonomethyl- 647

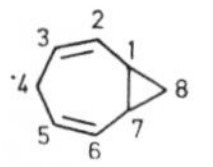

Bicyclo[5.1.0]octadien-(2,5) 108, 398, 527, 528,
  529, 530, 573, 574

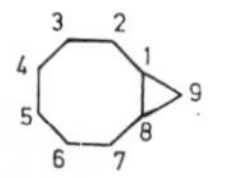

Bicyclo[6.1.0]nonan 25, 130, 205, 207, 352
9-Brom- 199, 205
9-(2-Chlor-äthoxy)- 240, 246
9-Chlor-9-brom- 188
9,9-Dibrom- 167, 200, 201, 205, 638
9,9-Dibrom-3-hydroxy- 645
9,9-Dichlor- 183, 188, 200, 377, 379
9,9-Dihalogen-1-äthoxy- 211
9-Fluor- 205, 207
9-Fluor-9-chlor- 181, 205, 207, 380
9-Hydroxy- 247
9-Isopropyliden- 319, 320
9-Methoxy- 240, 241
9-Tosyloxy- 621, 622, 623

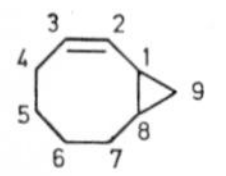

Bicyclo[6.1.0]nonen-(2) 108
9,9-Dibrom- 202, 641

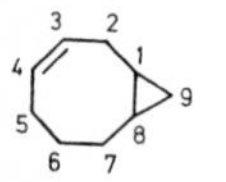

Bicyclo[6.1.0]nonen-(3)
9,9-Dibrom- 202

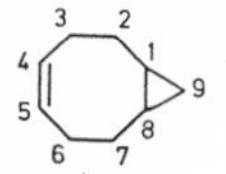

Bicyclo[6.1.0]nonen-(4)
9-Brom- 204
9-Chlor- 202
9,9-Dibrom- 167, 201, 202, 204
9,9-Dichlor- 201, 202

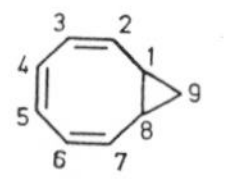

Bicyclo[6.1.0]nonatrien-(2,4,6) 109, **225**
9-Äthoxycarbonyl- 273
9-Chlor- 225, 226
9,9-Dibrom- 168
9,9-Dichlor- 165, 191
9-Methyl- 226, 231, 381
9-Tosylhydrazonomethyl- 647, 648

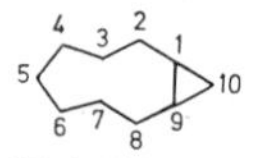

Bicyclo[7.1.0]decan
10,10-Dibrom- 168

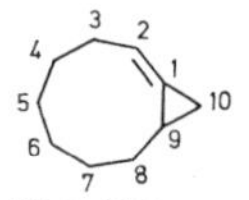

Bicyclo[7.1.0]decen-(1)
10,10-Dibrom- 638

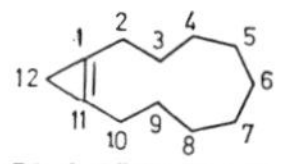

Bicyclo[9.1.0]dodecen-(1¹¹)
12-Oxo- 733

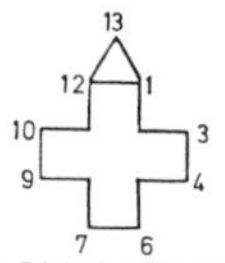

Bicyclo[10.1.0]tridecan
13,13-Dibrom- 643
13,13-Dichlor- 639, 640
13,13-Dichlor-1-äthoxy- 211, 212

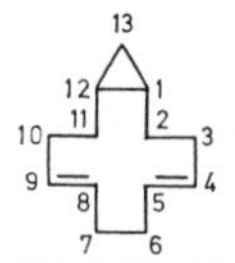

Bicyclo[10.1.0]tridecadien-(4,8)
13,13-Dibrom- 643
13,13-Dichlor- 639, 640

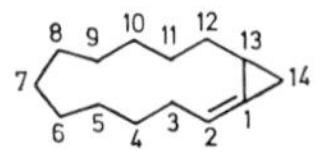

Bicyclo[11.1.0]tetradecen-(1)
14,14-Dichlor- 640

Bicyclo[1.1.1]pentan 588

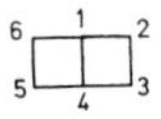

Bicyclo[2.2.0]hexan
2-Tosyloxy- 454

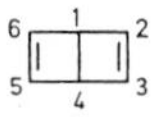

Bicyclo[2.2.0]hexadien-(2,5) (Dewar-benzol)
Hexaphenyl- 718
1,2,3,4-Tetraphenyl- 720
2,3,5,6-Tetraphenyl- 720

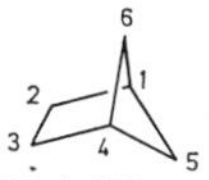

Bicyclo[2.1.1]hexan
4-Methyl-1,2,3-tricyan- 589
5-Tosyloxy- 454

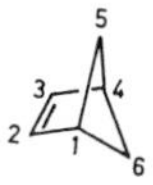

Bicyclo[2.1.1]hexen-(2) 133

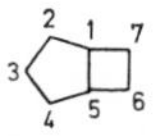

Bicyclo[3.2.0]heptan
1-Hydroxy- 436, 437
6-Tosyloxy- 454

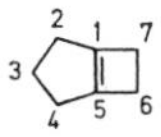

Bicyclo[3.2.0]hepten-(1⁵) 647

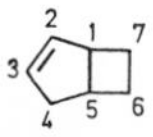

Bicyclo[3.2.0]hepten-(2)
4,4-Dimethyl-3-hydroxymethyl- 443
7-Methansulfonyloxy- 454

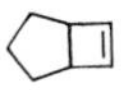

Bicyclo[3.2.0]hepten-(6) 274, 495, 590, 591, 647

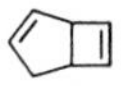

Bicyclo[3.2.0]heptadien-(2,6) 509

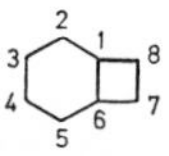

Bicyclo[4.2.0]octan
1-Acetoxy- 438
1-Hydroxy- 436, 437

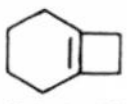

Bicyclo[4.2.0]octen-(1⁶) 495, 647

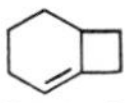

Bicyclo[4.2.0]octen-(1) 438

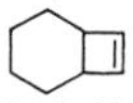

Bicyclo[4.2.0]octen-(7) 199, 274, 495, 647

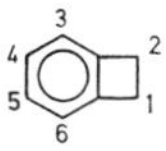

Benzo-cyclobuten
1-Chlor- 190

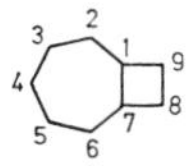

Bicyclo[5.2.0]nonan
1-Hydroxy- 436, 437

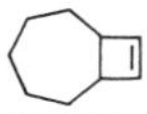

Bicyclo[5.2.0]nonen-(8) 200, 274, 495, 647

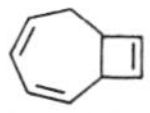

Bicyclo[5.2.0]nonatrien-(2,4,8) 647

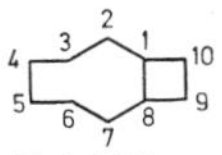

Bicyclo[6.2.0]decan
1-Hydroxy- 437

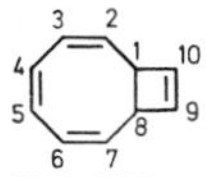

Bicyclo[6.2.0]decatetraen-(2,4,6,9) 648

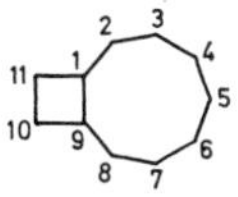

Bicyclo[7.2.0]undecan
1-Hydroxy- 436, 437
4-Hydroxy-4,11,11-trimethyl-5-carboxymethyl-
.... -lacton 277

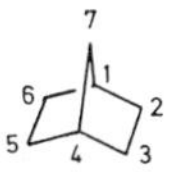

Bicyclo[2.2.1]heptan (Norbornan)
3-Acetoxy-2-isopropyliden- 444
5-Acetoxy-3-methylen- 452, 453
5-Chlor-2,2-dimethyl-3-methylen- 452, 453
7,7-Dichlor-1-morpholino- 193
7-Hydroxy- 111

5-Hydroxy-2,2-dimethyl-3-methylen- 443, 444
2-Isopropyliden- 604
2-Oxo- 604

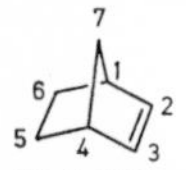

Bicyclo[2.2.1]hepten-(2) (Norbornen) 348
6-Acetoxy-5-isopropyliden- 444
5-Brom- 441
5-Chlor- 440
5-Fluor- 441
5-Tosyloxy-7-isopropyliden- 444

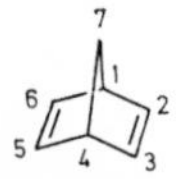

Bicyclo[2.2.1]heptadien-(2,5) (Norbornadien)
452, 453, 509
7-Hydroxy- 452, 453

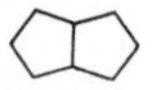

Bicyclo[3.3.0]octan 352

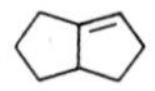

Bicyclo[3.3.0]octen-(1) 348, 602

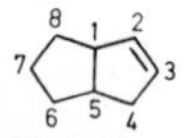

Bicyclo[3.3.0]octen-(2) 348
6-Vinyl- 603

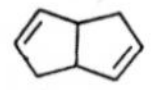

Bicyclo[3.3.0]octadien-(2,6) 108, 528, 574

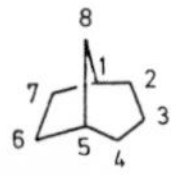

Bicyclo[3.2.1]octan
8-Brom-2-hydroxy- 445
3-Oxo- 194, 628

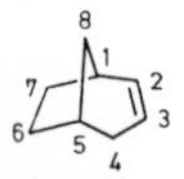

Bicyclo[3.2.1]octen-(2)
3-Brom- 194, 628
3-Brom-4-hydroxy- 628
3-Brom-4-methylen- 195
3-Chlor- 628
3-Chlor-4-hydroxy- 628
3,4-Dibrom- 194, 628
3,4-Dibrom-1-methyl- 194
3,4-Dibrom-5-methyl- 194
3,4-Dichlor- 193, 628
3,4-Dichlor-1-methyl- 194
3,4-Dichlor-5-methyl- 194
3-Fluor-4-chlor- 196, 197, 628
4-Fluor-3-chlor- 196, 197
4-Hydroxy- 445

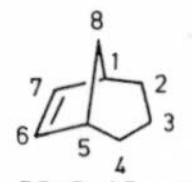

Bicyclo[3.2.1]octen-(6)
2-Hydroxy- 445
3-Oxo-2,2-dimethyl- 668
3-Oxo-2,2-dimethyl-8-isopropyliden- 668
3-Oxo-2-methyl- 668

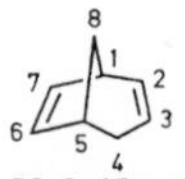

Bicyclo[3.2.1]octadien-(2,6) 613
2,3,4,4-Tetrabrom- 707
2,3,4,4-Tetrachlor- 707

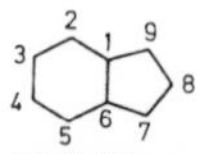

Bicyclo[4.3.0]nonan 352, 641
2,2-Dimethyl- 651
1-(2-Hydroxy-äthyl)- 658
8-Oxo-1-methyl- 659, 660
1,1,2,2-Tetramethyl- 651

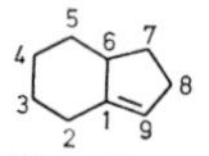

Bicyclo[4.3.0]nonen-(1⁹)
7-Äthoxycarbonyl- 600
7-Carboxy- 600
8-Oxo-7,9-diphenyl- 746

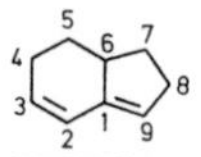

Bicyclo[4.3.0]nonadien-(1⁹,2)
8-Oxo-6-methyl- 122

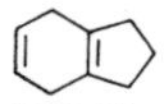

Bicyclo[4.3.0]nonadien-(1⁶,3) 641

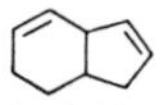

Bicyclo[4.3.0]nonadien-(2,8) 641

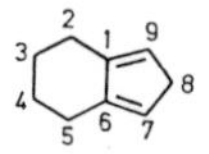

Bicyclo[4.3.0]nonadien-(1⁹,6)
8-Oxo-7,9-diphenyl- 746

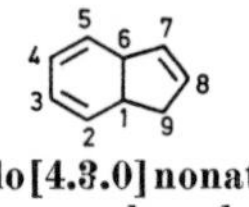

Bicyclo[4.3.0]nonatrien-(2,4,7) 109
9-Äthoxycarbonyl- 273
8,9-Dichlor- 191

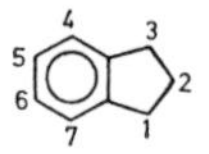

Indan
2-Brom-1,1,3,3-tetramethyl- 663

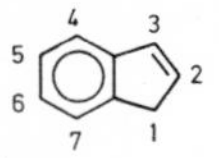

1H-Inden
2,3-Dimethyl- 664
1,2-Diphenyl- 723
1,1,2,3,5,6-Hexamethyl- 664
1,1,2,3,6,7-Hexamethyl- 664
1,1,2,3,5-Pentamethyl- 663
1,1,2,3,6-Pentamethyl- 663
3-Phenyl- 664
1,1,2,3-Tetramethyl- 651, 663
1,2,3-Trimethyl- 664

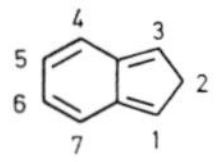

2H-Inden
2,2-Dimethyl- 709

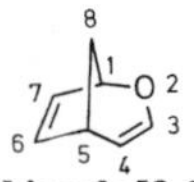

2-Oxa-bicyclo[3.2.1]octadien-(3,6) 606

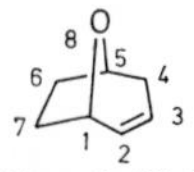

8-Oxa-bicyclo[3.2.1]octen-(2)
3,4-Dichlor- 628

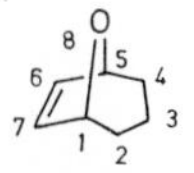

8-Oxa-bicyclo[3.2.1]octen-(6)
3-Oxo-2,2-dimethyl- 668
3-Oxo-4,4-dimethyl-1-formyl- 670
3-Oxo-2-methyl- 668
3-Oxo-2,2,4,4-tetramethyl- 668
3-Oxo-1,2,2-trimethyl- 667, 669
3-Oxo-2,2,5-trimethyl- 667, 669
3-Oxo-2,2,6-trimethyl- 669
3-Oxo-2,2,7-trimethyl- 669

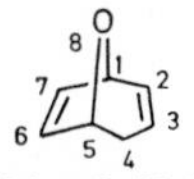

8-Oxa-bicyclo[3.2.1]octadien-(2,6)
3-Fluor-2,4,4-trichlor- 707

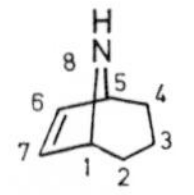

8-Aza-bicyclo[3.2.1]octen-(6)
3-Oxo-2,2,8-trimethyl- 668

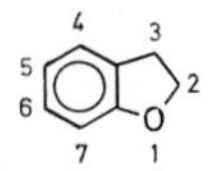

2,3-Dihydro-⟨benzo-[b]-furan⟩

6-Methoxy-3-oxo-2-(2-methoxy-phenyl)-2-vinyl- 144
6-Methoxy-3-oxo-2-phenyl-2-vinyl- 144
2-Vinyl- 362

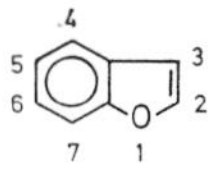

Benzo-[b]-furan
2-Methoxy-3-methyl- 684

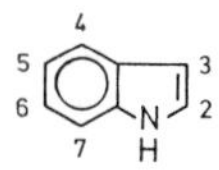

Indol
3-Äthoxycarbonylmethyl- 289
1,3-Bis-[äthoxycarbonylmethyl]- 289

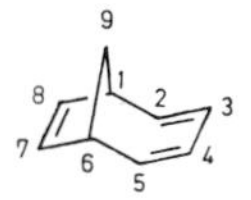

Bicyclo[4.2.1]nonatrien-(2,4,7) 361, 647
9-Phenyl- 361

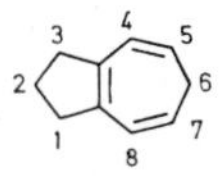

1,2,3,6-Tetrahydro-azulen {Bicyclo[5.3.0]deca-trien-(1⁷,2,5)}
1,3-Dimethyl-2-isopropyl-x-äthoxycarbonyl- 288

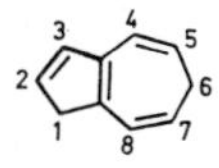

1,6-Dihydro-azulen {Bicyclo[5.3.0]decatetraen-(1⁷,2,5,8)} 114

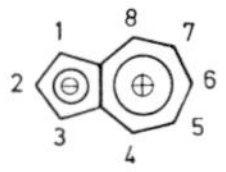

Azulen
x-Acyl- 291
5-Chlor- 190
1,3-Dimethyl-2-isopropyl- 288
1,2,3-Triphenyl- 717, 718, 725, 726, 775, 776

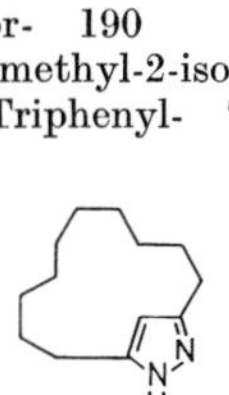

3,5-[10]-Pyrazolophan 212

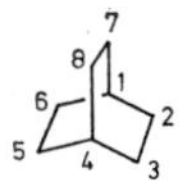

Bicyclo[2.2.2]octan
3,5-Dihydroxy- 453

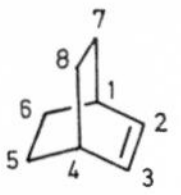

Bicyclo[2.2.2]octen-(2) 348
5,6-Dibrom- 445
5-Hydroxy- 445

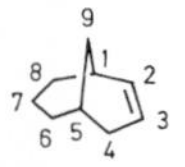

Bicyclo[3.3.1]nonen-(2)
9,9-Dibrom- 202

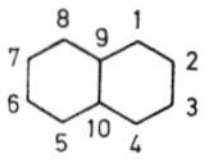

Dekalin (Bicyclo[4.4.0]decan) 352
2-Oxo- 659

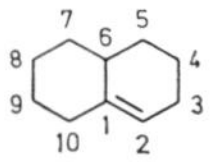

Bicyclo[4.4.0]decen-(1)
3,6,10,10-Tetramethyl-3-chlormethyl- 456, 457
3,6,10,10-Tetramethyl-3-hydroxymethyl- 456, 457
3,6,10,10-Tetramethyl-3-(4-nitro-benzoyloxy-methyl)- 456, 457
3,6,10,10-Tetramethyl-3-tosyloxymethyl- 456, 457

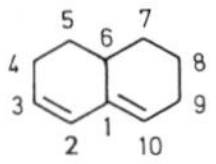

Bicyclo[4.4.0]decadien-(1^{10},2)
4-Oxo-6-methyl- 122
9-Oxo-6-methyl- 122

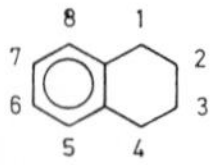

Tetralin 660
1-Oxo- 659, 660

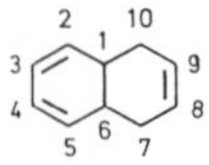

Bicyclo[4.4.0]decatrien-(2,4,8) 109, 540

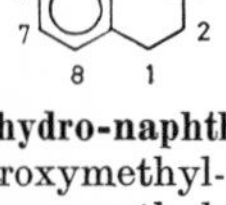

1,2-Dihydro-naphthalin
2-Hydroxymethyl-1-methyl- 499
2-Hydroxymethyl-1-phenyl- 499

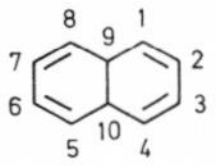

9,10-Dihydro-naphthalin 539, 540, 541, 575, 647, 648
2-Brom- 627
2-Chlor- 627

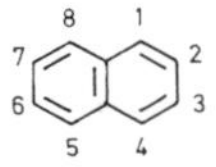

Naphthalin 517, 540, 545, 662
2-Brom- 190
2-Chlor- 190
1-Dicyanmethyl- 517
2,3-Diphenyl- 555
4-Hydroxy-1,3-diphenyl- 55
4-Hydroxy-1,2,3-triphenyl- 56
.... -2-sulfonsäure-buten-(3)-ylester 419
.... -2-sulfonsäure-4-cyclopropyl-buten-(3)-ylester 419
.... -2-sulfonsäure-4-methyl-penten-(3)-ylester 419
.... -2-sulfonsäure-penten-(3)-ylester 419
.... -2-sulfonsäure-4-phenyl-buten-(3)-ylester 419
1,2,4-Triphenyl- 725, 726

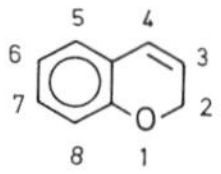

2H-Chromen
2,3-Dichlor- 191

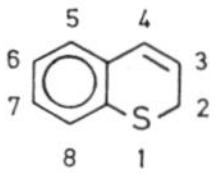

2H-⟨Benzo-[b]-thiapyran⟩
2-Dichlormethyl- 169

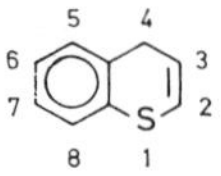

4H-⟨Benzo-[b]-thiapyran⟩
4-Dichlormethyl- 168

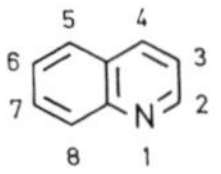

Chinolin 225
3-Chlor- 189

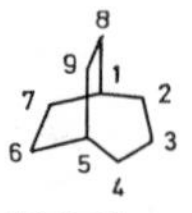

Bicyclo[3.2.2]nonan
3-Oxo- 194, 536

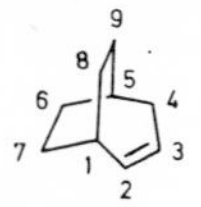

Bicyclo[3.2.2]nonen-(2)
3-Brom- 194
3-Brom-4-hydroxy- 194
3,4-Dibrom- 194

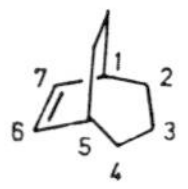

Bicyclo[3.2.2]nonen-(6)
3-Oxo-2,2-dimethyl- 668

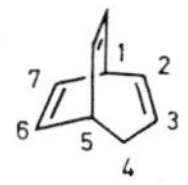

Bicyclo[3.2.2]nonatrien-(2,6,8) 647

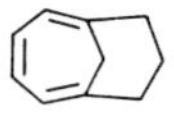

Bicyclo[4.3.1]decatrien-(1,3,5) 512

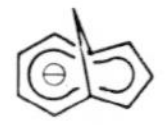

1,5-Methano-cyclononatetraenyl-Anion 122, 213

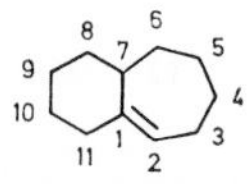

Bicyclo[5.4.0]undecen-(1)
3,3-Dideutero-4-hydroxy-4,7,11,11-tetramethyl-
   455, 456
4-Methoxy-4,7,11,11-tetramethyl- 455, 456, 457
4-(4-Nitro-benzoyloxy)-4,7,11,11-tetramethyl-
   455, 456, 457

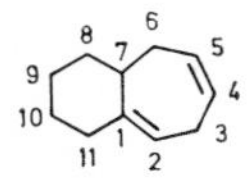

Bicyclo[5.4.0]undecadien-(1,4)
4,7,11,11-Tetramethyl- 456, 457

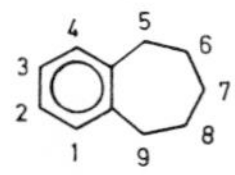

6,7,8,9-Tetrahydro-5H-⟨cyclohepta-benzol⟩
1,2,3,4-Tetraphenyl- 742

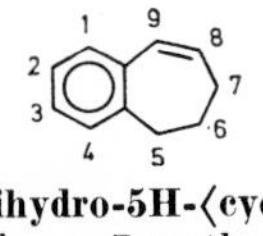

6,7-Dihydro-5H-⟨cyclohepta-benzol⟩
6-Hydroxy-7-methyl- 499

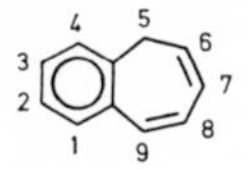

5H-⟨Cyclohepta-benzol⟩
6-Äthoxycarbonyl- 607
5,5-Dicyan- 515, 517, 518
5,9-Dicyan- 517

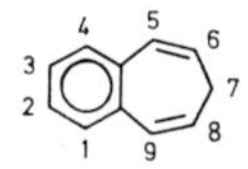

7H-⟨Cyclohepta-benzol⟩
5,9-Dicyan- 517
7,7-Dicyan- 515, 517
7-Oxo- 631

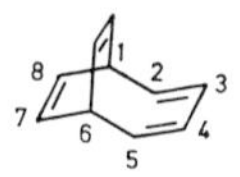

Bicyclo[4.2.2]decatetraen-(2,4,7,9) 647, 648

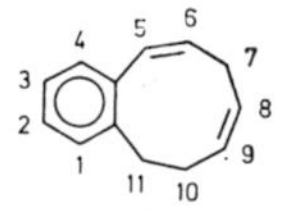

10,11-Dihydro-7H-⟨cyclonona-benzol⟩
9-Pyrrolidino-7-oxo-6,8-diphenyl- 746

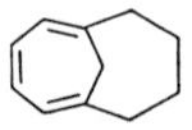

Bicyclo[4.4.1]undecatrien-(1,3,5) 512

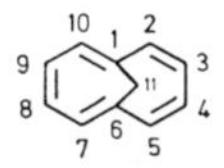

1,6-Methano-[10]-annulen
2-Hydroxy- 514

1,6-Methano-cyclodecapentaen 212, 213, 214

Bicyclo[3.3.2]decan 537, 543

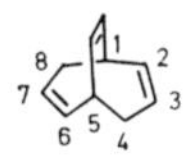

Bicyclo[3.3.2]decatrien-(2,6,9) 543, 574
4,8-Dibrom- 546
4,8-Dichlor- 550
4,8,9-Tribrom- 553

III. Tricyclische Verbindungen

Tricyclo[1.1.0.0²,⁴]butan (Tetrahedran)   637

Tricyclo[1.1.1.0²,⁴]pentan   680
1,3-Dimethyl-   360
5-Oxo-2,4-dimethyl-   365, 710
5-Oxo-2,4-dipropyl-   365

Tricyclo[3.1.0.0²,⁴]hexan
1,2,3,4,5,6-Hexaphenyl-   708
1,2,3,3,6,6-Tetramethyl-   707
1,3,3,4,6,6-Tetramethyl-   707
1,2,4,5-Tetraphenyl-3,6-diacetyl-   708

Tricyclo[2.1.1.0⁵,⁶]hexan   360, 680
3-Oxo-5,6-diphenyl-   365
3-Oxo-1,5,6-triphenyl-   710
2-Tosylhydrazono-5,6-diphenyl-   649

Tricyclo[2.1.1.0⁵,⁶]hexen-(2)
Diphenyl-   649

Tricyclo[4.1.0.0²,⁴]heptan   107, 130, 350, 351
5-Oxo-1-methyl-4-tert.-butyl-   582

Tricyclo[4.1.0.0¹,³]heptan   209, 361, 641, 642
3,6-Dimethyl-   209, 361, 461, 462
3,6-Dimethyl-2-methylen-   210, 362, 642
2-Methylen-   209, 210, 362, 642

5-Oxa-tricyclo[4.1.0.0²,⁴]heptan   114, 130
3,7-Dimethyl-   383, 386

Tricyclo[3.1.1.0⁶,⁷]heptan   680

Tricyclo[5.1.0.0¹,³]octan   209, 361, 641

Tricyclo[5.1.0.0²,⁴]octan   107, 130
3,8-Dicarboxy-   272

Tricyclo[5.1.0.0³,⁵] octan   120
2-Chlor-   449
2,6-Dioxo-1,3,5,7-tetramethyl-   58
2-(4-Nitro-benzoyloxy)-   449, 451
4,4,8,8-Tetrabrom-   167

Tricyclo[6.1.0.0²,⁴]nonan   108

Tricyclo[6.1.0.0²,⁴]nonen-(5)
1,4,6-Trinitro-   62

Tricyclo[6.1.0.0³,⁵]nonan   107, 110, 111

Tricyclo[7.1.0.0²,⁴]decan   108

Tricyclo[7.1.0.0²,⁴]decadien-(5,7)   109

Tricyclo[7.1.0.0³,⁵]decan
7-Hydroxy-   120

Tricyclo[7.1.0.0⁴,⁶]decan
5,5,10,10-Tetrabrom-   167

Tricyclo[7.1.0.0⁴,⁶]decadien-(2,7)   109

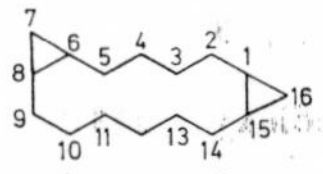

Tricyclo[13.1.0.0^{6,8}]hexadecan
7,7,16,16-Tetrabrom- 168

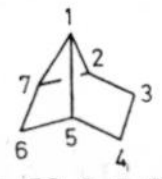

Tricyclo[3.2.0.0^{2,7}]heptan 441, 442
6-Cyan- 442
6-Methoxy- 441, 442

Tricyclo[3.2.0.0^{2,7}]hepten-(3) 441, 442, 452, 453

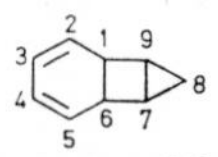

Tricyclo[4.3.0.0^{7,9}]nonadien-(2,4)
8,8-Dichlor- 191

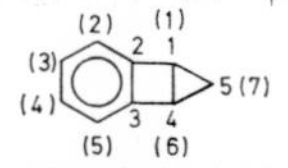

⟨Benzo-bicyclo[2.1.0]penten-(2)⟩
7,7-Dimethyl- 708, 709

Tricyclo[3.2.1.0^{7,8}]octen-(2)
4,4-Dideutero- 398

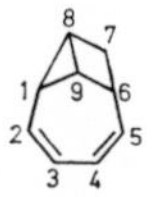

Tricyclo[4.2.1.0^{8,9}]nonadien-(2,4) 361
7-Phenyl- 361

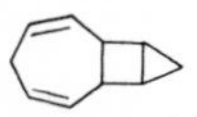

Tricyclo[5.3.0.0^{8,10}]decadien-(2,5) 109

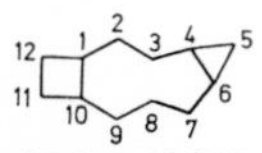

Tricyclo[8.2.0.0^{4,6}]dodecan
4,9,12,12-Tetramethyl-5-carboxy- 277
4,12,12-Trimethyl-9-methylen-5-äthoxycarbonyl-
277
4,12,12-Trimethyl-9-methylen-5-carboxy- 277

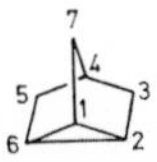

Tricyclo[2.2.1.0^{2,6}]heptan (Nortricyclen)
19, 35, 348, 349, 350, 351, 361, 653

54*

Radikal 494
2-Acetoxy- 452, 453
3-Brom- 441
3-Chlor- 439, 440
7,7-Dimethyl-1-chlormethyl- 452, 453
7,7-Dimethyl-1-hydroxymethyl- 443, 444
3-Fluor- 441
3-Fluor-4,7,7-trimethyl- 439
2-Isopropenyl- 604
3-Oxo- 582
3-Tosylhydrazono- 648
2-Vinyl- 604

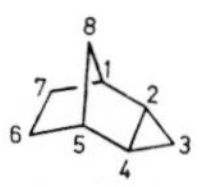

Tricyclo[3.2.1.0^{2,4}]octan 384
3,3-Dichlor- 193, 628
3,3-Dicyan- 373, 628
8,8-Dimethoxy- 111
3-Fluor-3-chlor- 195, 196, 197, 628
8-Hydroxy- 111
3-Methyl- 384, 386
8-Oxo- 111

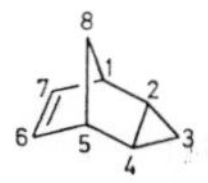

Tricyclo[3.2.1.0^{2,4}]octen-(6) 705
8-Acetoxy- 111
3-Äthoxycarbonyl- 272
8-Hydroxy- 111
3-Methyl- 706
8-Oxo-1,2,3,4,5,6,7-heptaphenyl- 706
2,3,3,4-Tetrabrom- 707
2,3,3,4-Tetrachlor- 707

Tricyclo[3.2.1.0^{2,8}]octan 361, 639

Tricyclo[3.3.0.0^{4,6}]octadien-(2,7) (Semibullvalen)
560, 561, 574

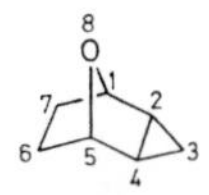

8-Oxa-tricyclo[3.2.1.0^{2,4}]octan
3,3-Dichlor- 628

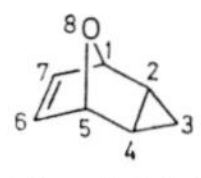

8-Oxa-tricyclo[3.2.1.0^{2,4}]octen-(6)
3-Fluor-2,3,4-trichlor- 707

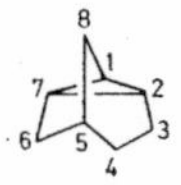

Tricyclo[3.2.1.0^{2,7}]octan
3,6-Dioxo-1-methyl- 365
3-Hydroxy- 446

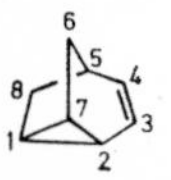

Tricyclo[3.2.1.0^{2,7}]octen-(3)
3,8-Dibrom- 446
6,6-Dideutero- 398

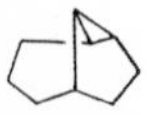

Tricyclo[3.3.1.0^{2,9}]nonan 641

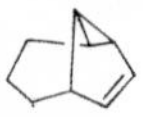

Tricyclo[3.3.1.0^{2,9}]nonen-(3) 641

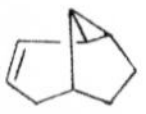

Tricyclo[3.3.1.0^{2,9}]nonen-(7) 641

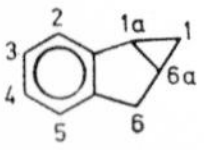

1,1a,6,6a-Tetrahydro-⟨cyclopropa-[a]-inden⟩
{Benzo-bicyclo[3.1.0]hexen-(2)} 22
1-Chlor-1-brom- 627
1,1-Dibrom- 190, 627
1,1-Dichlor- 152, 190, 627
6-Hydroxy- 659
6-Oxo- 367, 659, 660
6-Oxo-1a,6a-diphenyl- 55
6-Oxo-1-methyl-1a,6a-diphenyl- 56

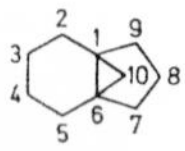

Tricyclo[4.3.1.0^{1,6}]decan 512, 513
10-Alkoxycarbonyl- 658
3,4-Dibrom- 513
7-Oxo- 398

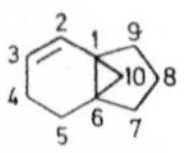

Tricyclo[4.3.1.0^{1,6}]decen-(2)
4-Dimethylamino- 513

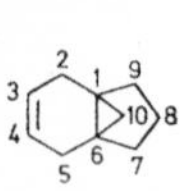

Tricyclo[4.3.1.0^{1,6}]decen-(3) 513
8-Chlor- 122

10,10-Dibrom- 214, 215, 513
10,10-Dichlor- 214, 215
10,10-Dichlor-8,8-äthylendioxy- 213
8-Hydroxy- 122
8-Oxo- 122

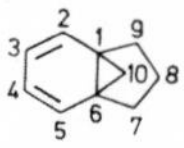

Tricyclo[4.3.1.0^{1,6}]decadien-(2,4) 114, 512, 513,
514, 524, 526
8-Chlor- 122
10,10-Dibrom- 524
10,10-Dichlor- 524

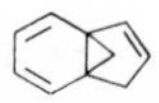

Tricyclo[4.3.1.0^{1,6}]decatrien-(2,4,7) 122

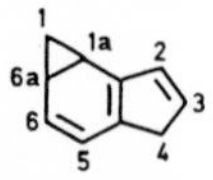

1,1a,4,6a-Tetrahydro-⟨cyclopropa-[e]-inden⟩
1,1-Dichlor- 190

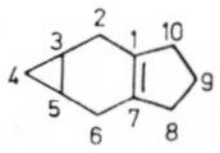

Tricyclo[5.3.0.0^{3,5}]decen-(1^7)
4,4-Dibrom- 215
4,4-Dichlor- 215

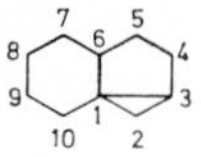

Tricyclo[4.4.0.0^{1,3}]decan
4-Oxo- 659, 660
4-Oxo-6,10,10-trimethyl- 582

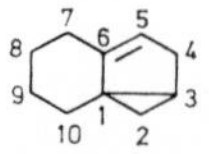

Tricyclo[4.4.0.0^{1,3}]decen-(5)
4-Oxo- 659, 660

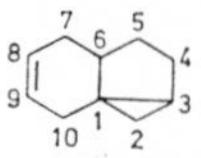

Tricyclo[4.4.0.0^{1,3}]decen-(8)
10-Oxo-8-methyl-7-methylen- 584

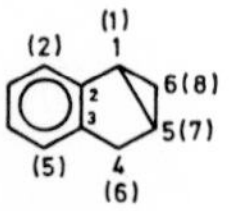

⟨Benzo-bicyclo[3.1.0]hexen-(2)⟩
6-Oxo- 367

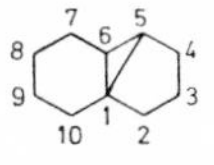

Tricyclo[4.4.0.0¹,⁵] decan
10-Hydroxy-4-oxo-5,6-dimethyl-9-(1-carboxy-
äthyl)- .... -lacton   585
4-Oxo-6-methyl-   367

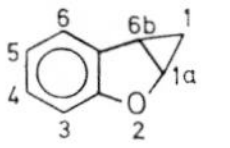

1a,6b-Dihydro-1H-⟨cyclopropa-[d]-benzo-[b]-furan⟩
1-Acetyl-   290
1-Äthoxycarbonyl-   288
1,1-Dichlor-   191

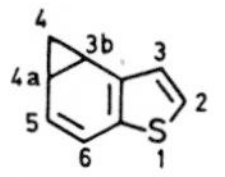

3b,4a-Dihydro-4H-⟨cyclopropa-[e]-thionaphthen⟩
4-Äthoxycarbonyl-   288

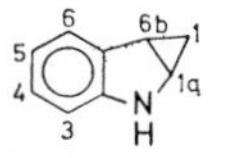

1,1a,2,6b-Tetrahydro-⟨cyclopropa-[b]-indol⟩
2-Lithium-1-chlor-   225

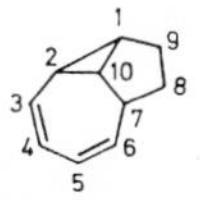

Tricyclo[5.2.1.0²,¹⁰]decadien-(3,5)
9-Oxo-   366

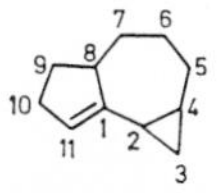

Tricyclo[6.3.0.0²,⁴]undecen-(1¹¹)
10-Oxo-3,3,7,11-tetramethyl-   583

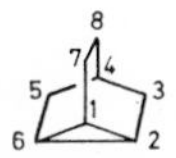

Tricyclo[2.2.2.0²,⁶]octan   348
3-Acetoxy-   453
3,5-Dibrom-   453
5,8-Dibrom-   445
3-Hydroxy-   445
3-(4-Nitro-benzoyloxy)-   453

Tricyclo[2.2.2.0²,⁶]octen-(7)   109, 348, 528

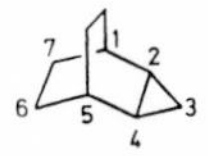

Tricyclo[3.2.2.0²,⁴]nonan
3,3-Dibrom-   194
3,3-Dibrom-2-methyl-   195

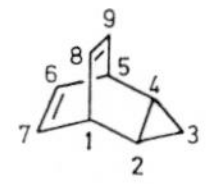

Tricyclo[3.2.2.0²,⁴]nonadien-(6,8)
8,9-Diäthoxycarbonyl-   689
3,3-Dicyan-6,7-dimethoxycarbonyl-   518
3,6,7-Trimethoxycarbonyl-   772

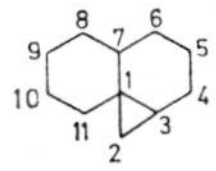

Tricyclo[5.4.0.0¹,³]undecan
2,2-Dideutero-4-hydroxy-4,7,11,11-tetramethyl-
455, 456, 457
4-Oxo-7,11,11-trimethyl-   582

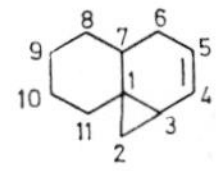

Tricyclo[5.4.0.0¹,³]undecen-(4),   [(+)-Thujopen]
2,2-Dideutero-4,7,11,11-tetramethyl-   455, 465,
457
4,7,11,11-Tetramethyl-   120, 360, 455, 456, 457

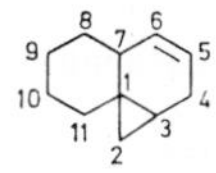

Tricyclo[5.4.0.0¹,³]undecen-(5)
4-Oxo-7,11,11-trimethyl-   583

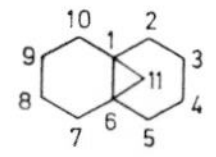

Tricyclo[4.4.1.0¹,⁶]undecan
3,4,8,9-Tetrabrom-   212, 213, 214

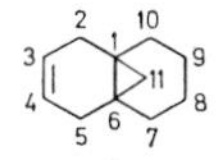

Tricyclo[4.4.1.0¹,⁶]undecen-(3)
11,11-Dibrom-   215
11,11-Dichlor-   215
8-Hydroxy-   122
8-Oxo-   122

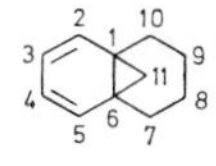

Tricyclo[4.4.1.0¹,⁶]undecadien-(2,5)   512

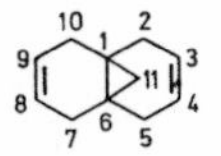

Tricyclo[4.4.1.0¹,⁶]undecadien-(3,8)   212, 213, 214
11,11-Dibrom-   214, 216
11,11-Dichlor-   212, **213**, 214, 216

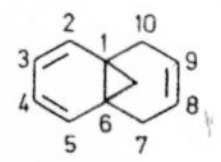

Tricyclo[4.4.1.0¹,⁶]undecatrien-(2,4,8)
7-Oxo-   514

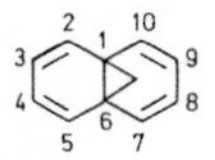

Tricyclo[4.4.1.0¹,⁶]undecatetraen-(2,4,7,9)   514

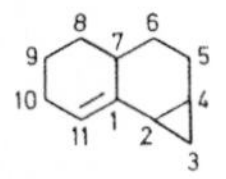

Tricyclo[5.4.0.0²,⁴]undecen-(1¹¹)
10-Oxo-3,3,7-trimethyl-   583

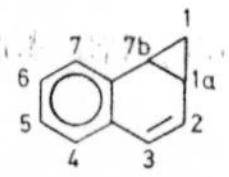

1a,7b-Dihydro-1H-⟨cyclopropa-[a]-naphthalin⟩
   114, 511, 607, 662
1-Äthoxycarbonyl-   287, 518, 607
1-Azidocarbonyl-   606
1-Carboxy-   606
1,1-Dichlor-1a-methoxy-   631
1,1-Dicyan-   515, 517, 662
1a,2-Dimethyl-1-äthoxycarbonyl-   287
2,6-Dimethyl-1-äthoxycarbonyl-   287
1-Isocyanat-   606, 607

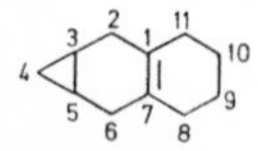

Tricyclo[5.4.0.0³,⁵]undecen-(1⁷)
4,4-Dibrom-   215
4,4-Dichlor-   215

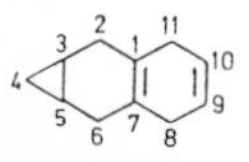

Tricyclo[5.4.0.0³,⁵]undecadien-(1⁷,9)
4,4-Dibrom-   216
4,4-Dichlor-   216
4-Isopropyliden-   321, **322**

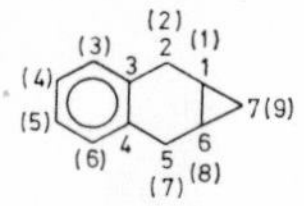

⟨Benzo-bicyclo[4.1.0]hepten-(3)⟩   114
2-Hydroxy-   428
2-Hydroxy-7-methyl-   499, 500

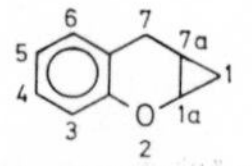

1,1a,7,7a-Tetrahydro-⟨cyclopropa-[b]-chromen⟩
1,1-Dichlor-   161
4-Methoxy-7-oxo-7a-(2-methoxy-phenyl)-   144
4-Methoxy-7-oxo-7a-phenyl-   144

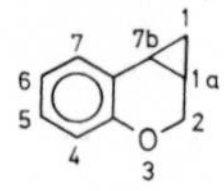

1,1a,2,7b-Tetrahydro-⟨cyclopropa-[c]-chromen⟩
   362
1,1-Dichlor-   161
2-Oxo-1a-acetyl-1-benzoyl-   96

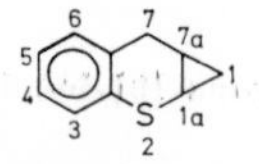

1,1a,7,7a-Tetrahydro-⟨cyclopropa-[e]-benzo-[b]-thiapyran⟩
1,1-Dichlor-   168, 169

Tricyclo[3.3.1.0⁴,⁶]nonan
3-Oxo-   563
9-Oxo-   536, 560
3-Tosylhydrazono-   563

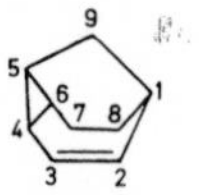

Tricyclo[3.3.1.0⁴,⁶]nonen-(2)   563

Tricyclo[3.3.1.0⁴,⁶]nonadien-(2,7) (Homosemibullvalen; Barbaralan)   361, 537, 538, 563, 564, 574, 651
9,9-Äthylendimercapto-   536, 537
3-Brom-   562
9-Chlor-   536, 537

9-Formyl- 537, **538**
9-Hydroxy- 536, **537**
9-Oxo- (Barbaralon) 366, 530, 531, 536, 537, **538**
9-Phenyl- 361, 564

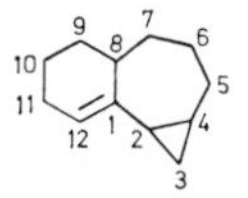

Tricyclo[6.4.0.0^{2,4}]dodecen-(1^{12})
11-Oxo-3,3,7-trimethyl- 583

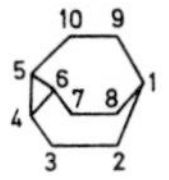

Tricyclo[3.3.2.0^{4,6}]decan 543, 544
10-Oxo- 537

Tricyclo[3.3.2.0^{4,6}]decen-(2) 544

Tricyclo[3.3.2.0^{4,6}]decadien-(2,7) 543, 544, 567, **573**, 574
9-Acetoxy- 537, **539**
9,9-Dideutero-10-oxo- 552
9,10-Dihydroxy- 544
9-Hydroxy- **539**
9-Oxo- 537, **538**, 551
10-Oxo- 356, 551

Bullvalen 531, 532, 533, **534, 535**, 537, **538, 539**, 540, 541, 543, 544, 545, 546, 547, 548, 554, 574, 575, 593
Äthoxy- 546, 547, 548, 554
Brom- 546, 547, 548, 549, 552, 554, 555
Brommagnesium- 549
Bullvalyl- 549, 550, 554
tert.-Butyloxy- 546, 547, 548, 549, 554, 558
Carboxy- 549, 554
Chlor- **550**, 554
9,10-Dehydro- 548, 549, 555, 558, 559, 560
9-Deutero-10-deuteroxy- 552
Dibrom- 552, **553**, 554
Di-tert.-butyloxy- 552, **553**, 554
Dimethoxycarbonyl- 541, 542, 554
Diphenyl- 554
Fluor- 549, **550**, 551, 554
Hydroxy- 551
Isopropyloxy- 546, 547, 548, 554
Jod- 549, **550**, 554
Methoxy- 546, 547, 548, 554
Methoxycarbonyl- 554
Methyl- 549, 552, 554
Phenyl- 551, 552, 554

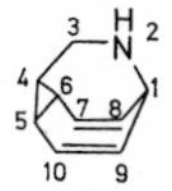

2-Aza-tricyclo[3.3.2.0^{4,6}]decadien-(7,9)
3-Oxo- 565, 566

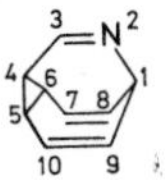

2-Aza-bullvalen
3-Äthoxy- 565
3-Methoxy- 565, 566

Benzo-bicyclo[2.1.1]hexen-(2) 589

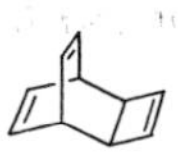

Tricyclo[4.2.2.0^{2,5}]decatrien-(3,7,9) 539, 540

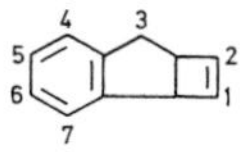

2a,7b-Dihydro-3H-⟨cyclobuta-[a]-inden⟩
3,3-Dicyan- 517, 518, 662

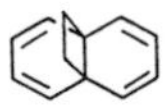

Tricyclo[4.4.2.0^{1,6}]dodecatetraen-(2,4,7,9) 524

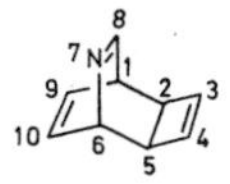

7-Aza-tricyclo[4.2.2.0^{2,5}]decatrien-(3,7,9)
8-Methoxy- 566

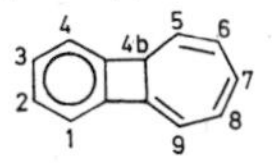

4b H-⟨Cyclohepta-[a]-benzocyclobuten⟩
7-Äthoxycarbonyl- 287, 288

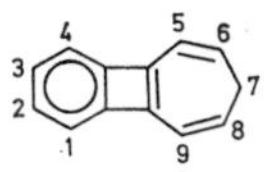

7H-⟨Cyclohepta-[a]-benzocyclobuten⟩
7-Äthoxycarbonyl- 287, 288

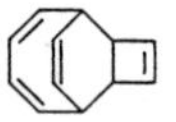

Tricyclo[4.4.2.0^{2,5}]dodecatetraen-(3,7,9,11) 570

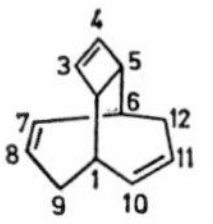

Tricyclo[4.3.3.0²,⁵]dodecatrien-(3,7,10)
9,12-Dibrom- 571

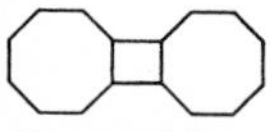

Tricyclo[8.6.0.0²,⁹]hexadecan 568

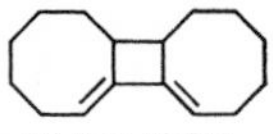

Tricyclo[8.6.0.0²,⁹]hexadecadien-(1¹⁶,2) 639

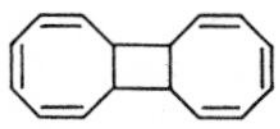

Tricyclo[8.6.0.0²,⁹]hexadecahexaen-(3,5,7,11,13, 15) 535, 567, 568

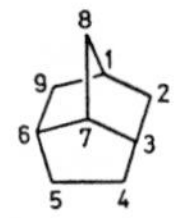

Tricyclo[4.2.1.0³,⁷]nonan
4-Oxo- 657

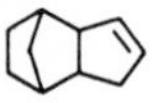

Tricyclo[5.2.1.0²,⁶]decen-(3) 348

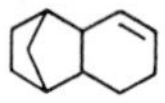

Tricyclo[6.2.1.0²,⁷]undecen-(3) 348

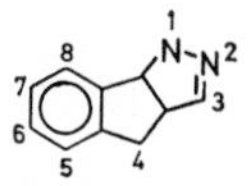

1,3a,4,8b-Tetrahydro-⟨indeno-[1,2-c]-pyrazol⟩
1-Acetyl-4-oxo-3a,8b-diphenyl- 55

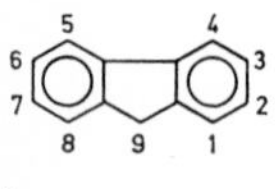

Fluoren
2-Äthoxycarbonyl- 287, 288
9-Cyclohexyl- 258
9-Diphenylmethyl- 258
9-Oxo- 266
9-Pyrazolyl-(3)-methylen- 296

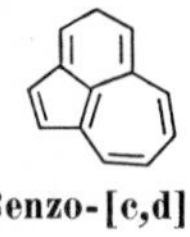

2H-⟨Benzo-[c,d]-azulen⟩ 288

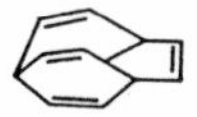

Tricyclo[5.3.2.0⁴,⁸]dodecatetraen-(2,5,9,11) 575, 576

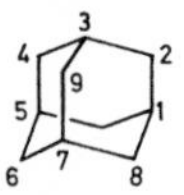

Adamantan
1-tert.-Butyl- 657
2-tert.-Butyl- 657

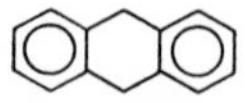

9,10-Dihydro-anthracen
10-Oxo-9-benzyl- 258

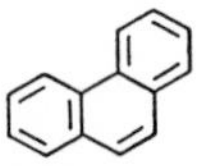

Phenanthren 661
1,2-Dipropyl-3,4,9-trimethoxycarbonyl- 763
3,4-Dipropyl-1,2,9-trimethoxycarbonyl- 763

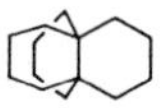

Tricyclo[4.4.4.0¹,⁶]tetradecan ([4.4.4]-Propellan)
658

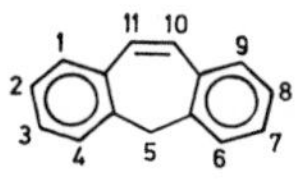

5H-⟨Dibenzo-[a;e]-cycloheptatrien⟩ 114, 261, 304
5-Buten-(2)-yl- 304
5-Buten-(3)-yl-(2)- 260, 304
5-tert.-Butyl- 260
5-Propenyl- 260

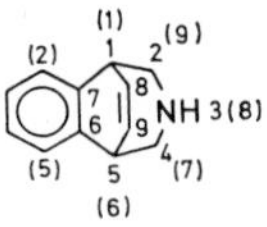

⟨Benzo-3-aza-bicyclo[3.2.2]nonadien-(6,8)⟩
9-Benzyloxy-7-oxo- 606

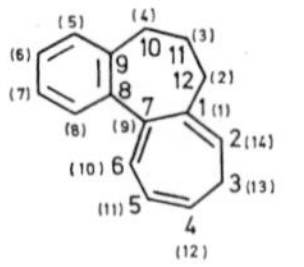

⟨8,9-Benzo-bicyclo[5.5.0]dodecatetraen-(1,4,6,8)⟩
6,7,8-Trimethoxy-2,4-dicarboxy- 512

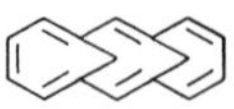

1,6;1,8-Bis-[methano]-[14]-annulen 213

IV. Tetracyclische Verbindungen

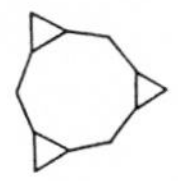

Tetracyclo[9.1.0.0³,⁵.0⁷,⁹]dodecan 120

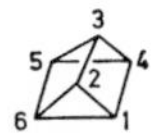

Prisman
Hexaphenyl- 718
1,2,3,4-Tetraphenyl- 720

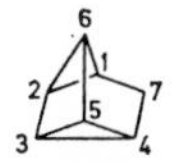

Tetracyclo[2.2.1.0²,⁶.0³,⁵]heptan 452
7-Brosyloxy- 452, 453
7-Hydroxy- 452, 453
7-Oxo- 582, 585

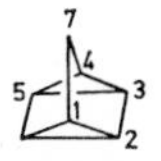

Tetracyclo[2.2.1.0²,⁶.0³,⁵]heptan
7-Oxo- 582, 585

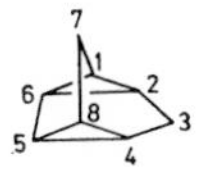

Tetracyclo[2.2.2.0²,⁶.0⁵,⁸]octan
3-Oxo- 366

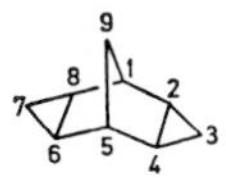

Tetracyclo[3.3.1.0²,⁴.0⁶,⁸]nonan
9-Acetoxy- 111
9-Hydroxy- 111

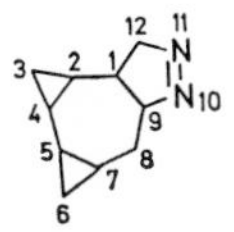

10,11-Diaza-tetracyclo[7.3.0.0²,⁴.0⁵,⁷]dodecen-(10)
2,5,9-Trinitro- 62

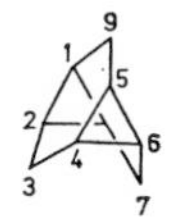

Triasteran (Tetracyclo[3.3.1.0²,⁸.0⁴,⁶]nonan) 563
9-Oxo- 563, 582, 585, 651
9-Tosylhydrazono- 563, 564

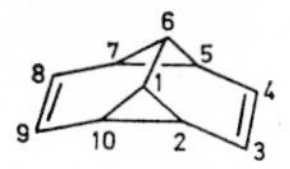

Tetracyclo[4.4.0.0²,¹⁰.0⁵,⁷]decadien-(3,8) 549
....-1,6-dicarbonsäure-anhydrid 542

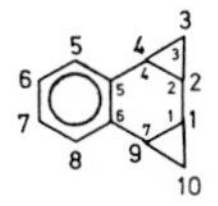

⟨Benzo-tricyclo[5.1.0.0²,⁴]octen-(5)⟩ 114, 662
3,10-Diäthoxycarbonyl- 287

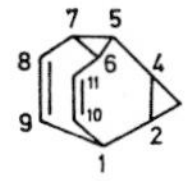

Tetracyclo[4.3.2.0²,⁴.0⁵,⁷]undecadien-(8,10)
3,3-Dichlor- 544

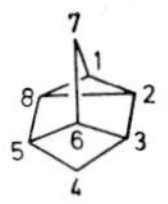

Tetracyclo[3.2.1.0²,⁸.0³,⁶]octan 349

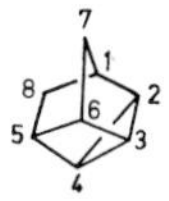

Tetracyclo[3.2.1.0²,⁴.0³,⁶]octan 349

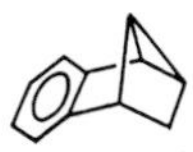

Benzo-tricyclo[2.2.1.0²,⁷]hepten-(5) 398

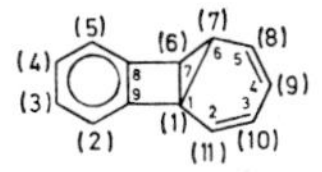

⟨8,9-Benzo-tricyclo[4.3.0.0¹,⁷]nonatrien-(2,4,8)⟩
9-Äthoxycarbonyl- 287, 288

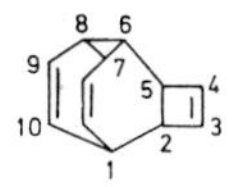

Tetracyclo[5.3.2.0²,⁵.0⁶,⁸]dodecatrien-(3,9,11) 570, 574
10-Brom- 571, 572
9-(bzw. 10)-tert.-Butyloxy- 571
9,10-Dehydro- 571, 572

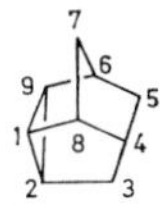

Tetracyclo[4.2.1.0²,⁹.0⁴,⁸]nonan
3-Oxo- 366, 657

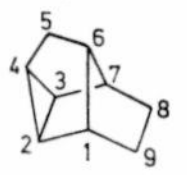

Tetracyclo[4.3.0.0²,⁴.0³,⁷]nonan
9-Tosylhydrazono- 349

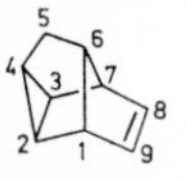

Tetracyclo[4.3.0.0²,⁴.0³,⁷]nonen-(8) 349

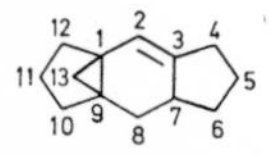

Tetracyclo[7.3.1.0¹,⁹.0³,⁷]tridecen-(2)
7-Methyl- 120, 121

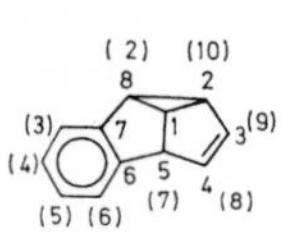

Benzo-semibullvalen ⟨Benzo-tricyclo[3.3.0.0²,⁸]
octadien-(3,6)⟩
2,7-Dideutero- 399

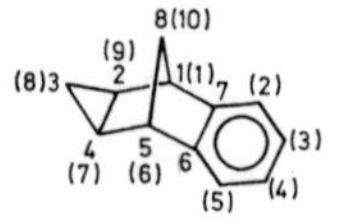

⟨Benzo-tricyclo[3.2.1.0²,⁴]octen-(6)⟩
10-Hydroxy- 112
10-Oxo- 112

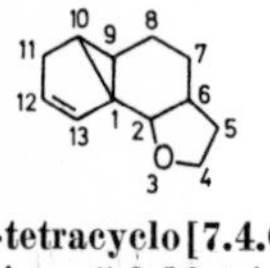

3-Oxa-tetracyclo[7.4.0.0¹,¹⁰.0²,⁶]tridecen-(12)
4,11-Dioxo-5,9,10-trimethyl- (Lumisantonin) 391

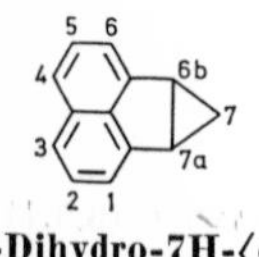

**6b,7a-Dihydro-7H-⟨cyclopropa-[a]-acenaph-
thylen⟩**
7-Phenyl- 259

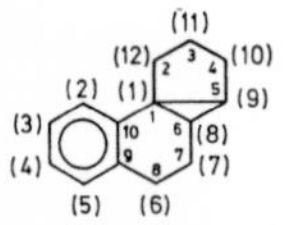

⟨Benzo-tricyclo[4.4.0.0¹,⁵]decen-(9)⟩
10-Oxo- 367

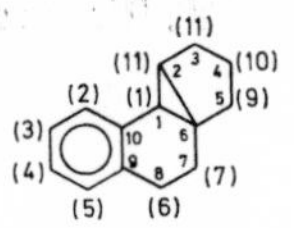

⟨Benzo-tricyclo[4.4.0.0²,⁶]decen-(9)⟩
10-Oxo-6-methyl- 395

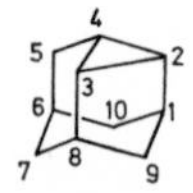

**Tetracyclo[4.3.1.0²,⁴.0³,⁸]decan (2,4-Cyclo-ada-
mantan)** 349
5-Oxo- 366

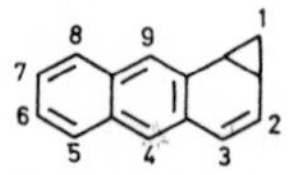

1a, 9b-Dihydro-1H-⟨cyclopropa-[a]-anthracen⟩
114

1a, 9b-Dihydro-1H-⟨cyclopropa-[l]-phenanthren⟩
114, 661

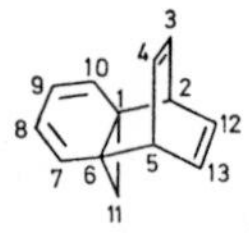

Tetracyclo[4.4.1.2²,⁵.0¹,⁶]tridecatetraen-(3,7,9,12)
11,11-Difluor-3,4-dicyan- 389
3,4-Dimethoxycarbonyl- 514, 689

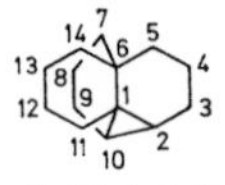

Tetracyclo[4.4.4.0¹,⁶.0²,¹⁰]tetradecan
9-Oxo- 367, 658

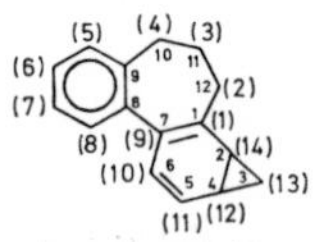

⟨8,9-Benzo-tricyclo[5.5.0.0²,⁴]dodecatrien-
(1⁷,5,8)⟩
6,7,8-Trimethoxy-.....-12,14-dicarbonsäure-
anhydrid (Colchicin) 511, 512

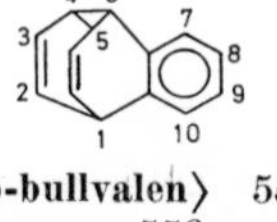

⟨Benzo-bullvalen⟩ 557
7-Hydroxy- 556
7,8,9,10-Tetraphenyl- 555

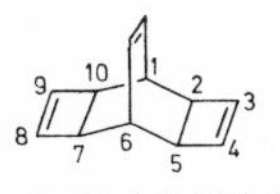

Tetracyclo[4.4.2.0^{2,5}.0^{7,10}]dodecatrien-(3,8,11)
570

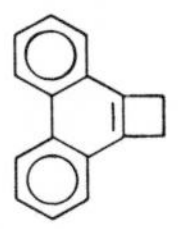

1,2-Dihydro-⟨cyclobuta-[l]-phenanthren⟩ 360

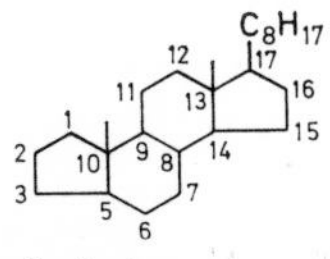

A-Nor-cholestan
3-Hydroxymethyl- 463
3-Methylen- 463

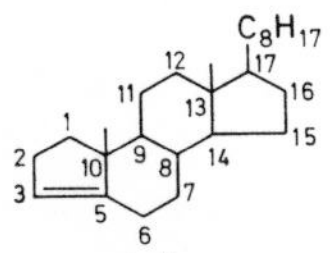

A-Nor-cholesten-(3)
3-Methyl- 463

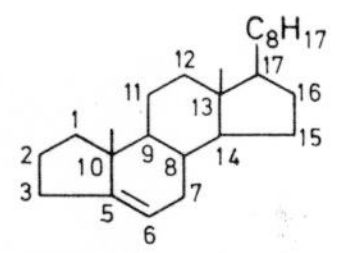

A-Nor-cholesten-(5)
3-Hydromethyl- 462, 463, 498
3-[2-Hydroxy-propyl-(2)]- 461, 462
3-Isopropyliden- 461, 462

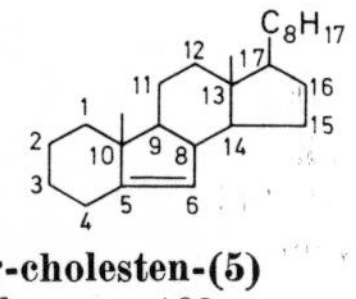

B-Nor-cholesten-(5)
3-Methoxy- 462

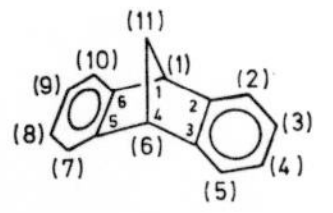

⟨Dibenzo-bicyclo[2.2.1]heptadien⟩
11,11-Dimethyl- 709

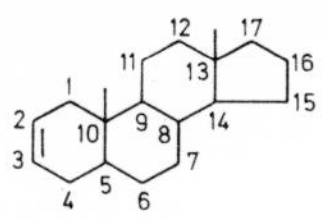

Androsten-(2)
17β-Acetoxy-1α-chlormethyl- 498

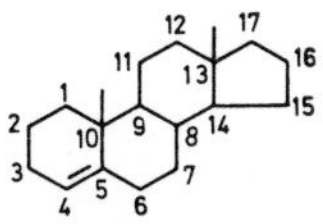

Androsten-(4)
3,17-Dioxo-2α-methyl- 658
16α,17α-Isopropylidendioxy-3-oxo-6-methyl-
17β-acetyl- 465

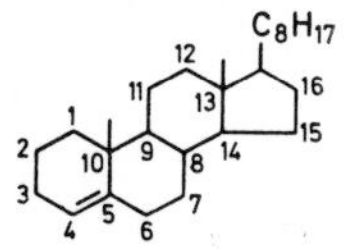

Cholesten-(4)
7-Hydroxy- 465

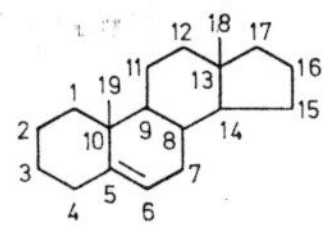

Androsten-(5)
19-Acetoxy-3,3-äthylendioxy-11-oxo-17β-(1,1-
äthylendioxy-äthyl)- 463, 464
3β-Acetoxy-16α,17α-isopropylidendioxy-6-
methyl-17β-acetyl- 465

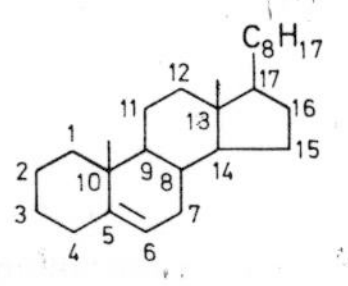

Cholesten-(5) 465
3β-Acetoxy- 506
3β-Brom- 506
3β-Chlor- 480, 481, 482, 506
3β-Hydroxy- 463, 464, 498, 506
3β-Jod- 506
3β-Methoxy- 463, 506

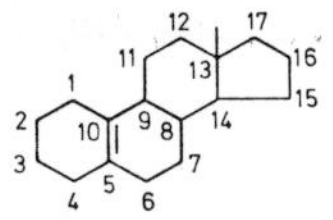

Östren-(5^{10})
3β-Methoxy-6β-chlormethyl-17-oxo-

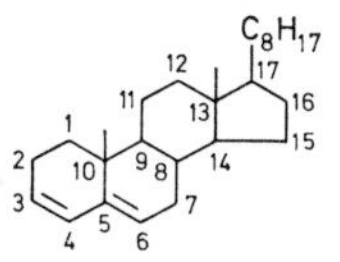

Cholestadien-(3,5)
3,4-Dimethyl- 462

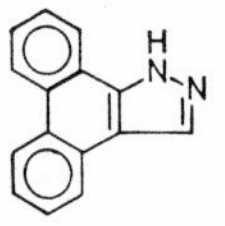

1H-⟨Phenanthro-[9,10-c]-pyrazol⟩ 296

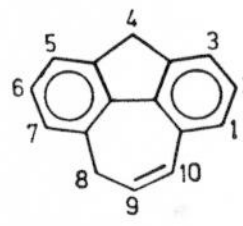

4,8-Dihydro-⟨cyclohepta-[d,e,f]-fluoren⟩
8-Oxo- 660

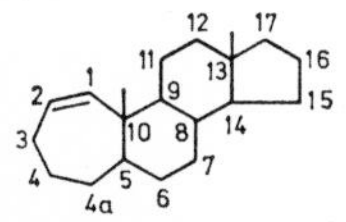

A-Homo-androsten-(1)
4β-Chlor-17β-acetoxy- 497, 498

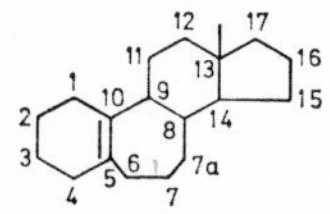

B-Homo-östren-(5¹⁰)
7β-Chlor-3β-methoxy-17-oxo- 466
7β-Hydroxy-3β-methoxy-17-oxo- 466

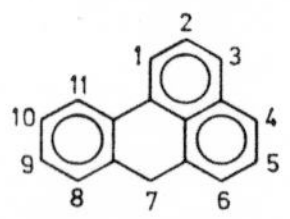

7H-⟨Benzo-[k,l]-anthracen⟩
7-Oxo-2-phenyl- 777

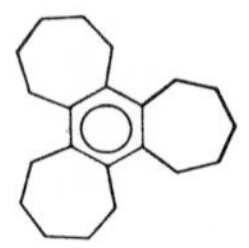

Tris-[cyclohepteno]-benzol 741

V. Pentacyclische Verbindungen

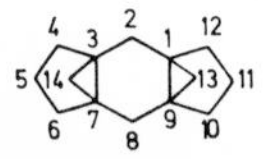

Pentacyclo[7.3.1.1³,⁷.0¹,⁹.0³,⁷]tetradecan 121
2-Acetoxy- 121, 450
2-Carboxy- 120, 121
2-Hydroxy- 451
2-(4-Nitro-benzoyloxy)- 450, 451
13,13,14,14-Tetrabrom- 121

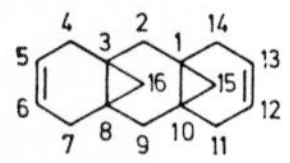

Pentacyclo[8.4.1.1³,⁸.0¹,¹⁰.0³,⁸]hexadecadien-(5,12) 213
15,15,16,16-Tetrachlor- 213

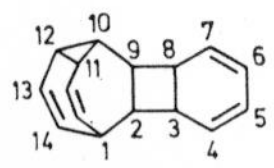

Pentacyclo[9.3.2.0²,⁹.0³,⁸.0¹⁰,¹²]hexadecatetraen-(4,6,13,15) 534, 535, 568, 569, **573**, 575

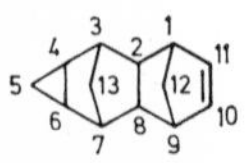

Pentacyclo[7.2.1.1³,⁷.0²,⁸.0⁴,⁶]tridecan
1,5,5,9,10,11,12,12-Octachlor- 379

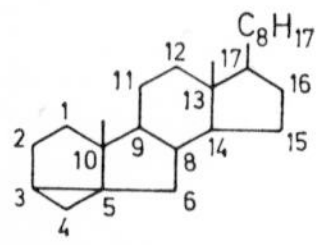

B-Nor-3,5-cyclo-cholestan
6-Methoxy- 462

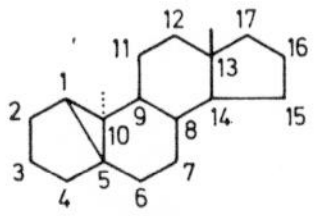

1,5-Cyclo-10α-androstan
4β-Deutero-17β-acetoxy-2-oxo- 395

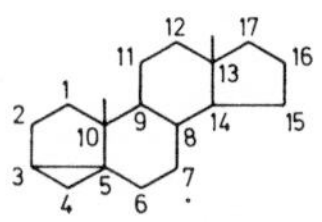

3,5-Cyclo-androstan
6β-Alkoxy- 498
6β-Hydroxy-17β-acetyl- 465
6-Hydroxy-6-methyl-17β-acetyl- 465
6-Oxo-17β-acetyl- 465

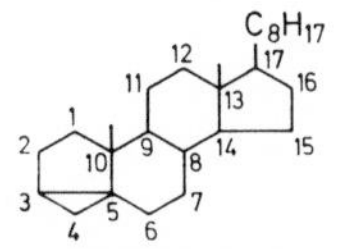

3,5-Cyclo-cholestan 463, 465
6β-Acetoxy- 458, 459, 460
6β-Äthoxy- 458, 459, 462, 463
6β-Chlor- 645, 480, 481, 482
6β-Hydroxy- 463, 464
6β-Methoxy- 458, 459, 463
6β-Perchloryloxy- 460
6β-Tosyloxy- 458

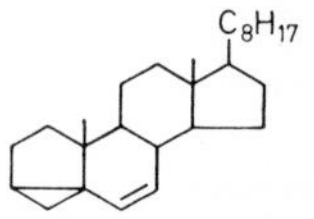

3,5-Cyclo-cholesten-(6) 506

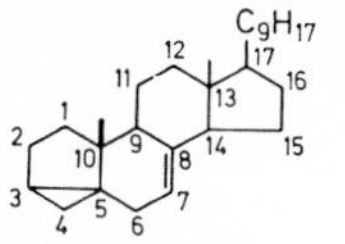

3,5-Cyclo-ergostadien-(7,22)
6-Hydroxy-   460

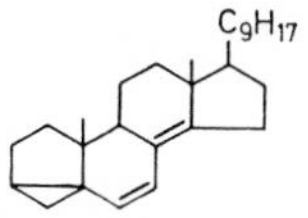

3,5-Cyclo-ergostatrien-(6,8¹⁴,22)   460, 461

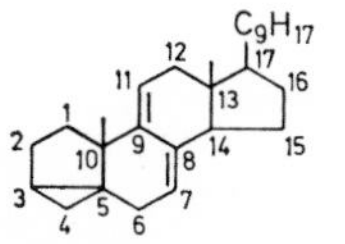

3,5-Cyclo-ergostatrien-(7,9¹¹,22)
6-Hydroxy-   460, 461

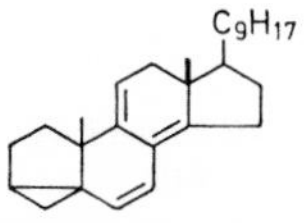

3,5-Cyclo-ergostatetraen-(6,8¹⁴,9¹¹,22)   460, 461

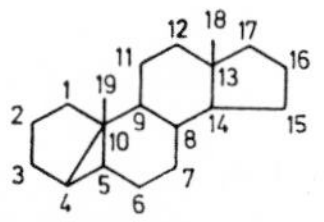

4,10-Cyclo-androstan
17β-Acetoxy-3,19-dioxo-   397

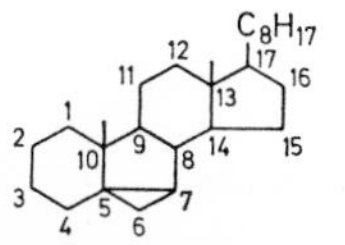

5,7-Cyclo-cholestan
4β-Hydroxy-   464, 465
4-Oxo-   91, 464, 465

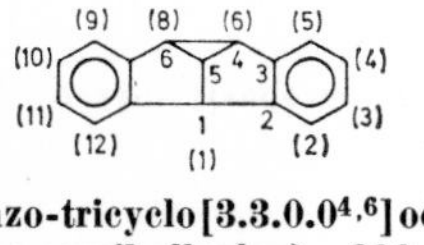

⟨**Dibenzo-tricyclo[3.3.0.0⁴,⁶]octadien-(2,7)**⟩ (Di-
benzo-semibullvalen)   399, 562
6,7-Bis-[trifluormethyl]-   562
6,7-Dicyan-   562
6,7-Dimethoxycarbonyl-   562
1-Methoxycarbonyl-   562
6-Methoxycarbonyl-   562
7-Methoxycarbonyl-   562

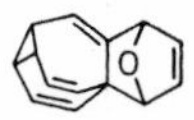

⟨**5,6-Bullvaleno-7-oxa-bicyclo[2.2.1]hepten-(2)**⟩
555, 556, 557, 559

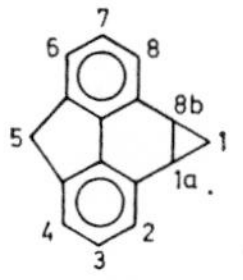

**1,1a,5,8b-Tetrahydro-⟨cyclopropa-[l]-cyclopenta-
[d,e,f]-phenanthren⟩**
1-Carboxy-   660

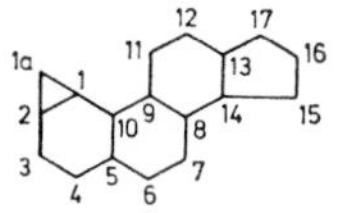

1β,2β-Cyclopropano-18-nor-5β-östran
(**1β,2β-Cyclopropano-18,19-dinor-5β-androstan**)
3β-Hydroxy-17β-acetoxy-   123

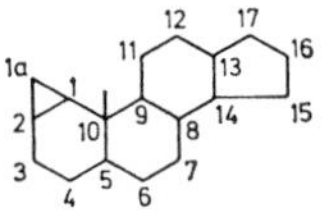

1,2-Cyclopropano-18-nor-5β-androstan
3β-Hydroxy-17β-acetoxy-   123
3β-Hydroxy-17β-acetoxy-1α-methyl-   123
3β-Hydroxy-17-oxo-   123

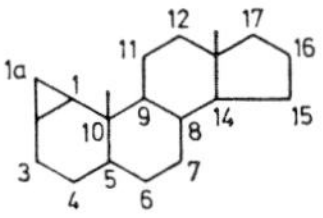

1,2-Cyclopropano-androstan
3β-Hydroxy-17β-acetoxy-   497, 498

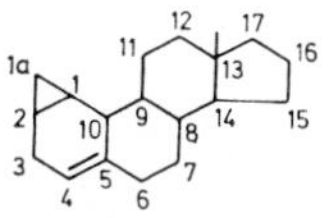

1,2-Cyclopropano-19-nor-androsten-(4) [**1,2-
Cyclopropano-östren-(4)**]
17a-Acetoxy-3-oxo-17β-acetyl-   142

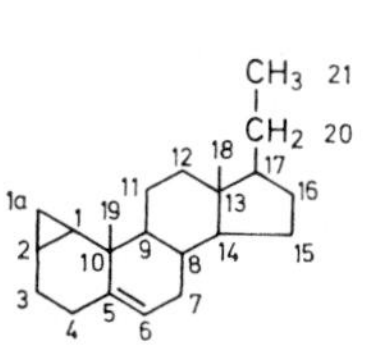

1β,2β-Cyclopropano-pregnen-(5)
3β,11β-Dihydroxy-17,20;20,21-bis-[methylen-
dioxy]-   123

3β-Hydroxy-17,20;20,21-bis-[methylendioxy]- **123**

3β-Hydroxy-17,20;20,21-bis-[methylendioxy]-11-oxo- **123**

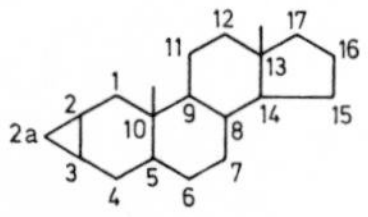

2α,3α-Cyclopropano-androstan
17β-Acetyl- 124
2a-Äthoxycarbonyl- 276
17β-Isopropenyl- 124
17β-(1-Methyl-cyclopropyl)- 124

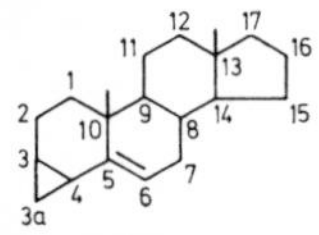

3,4-Cyclopropano-androsten-(5)
3a-Äthoxycarbonyl- 276
3a,3a-Dichlor-17-acetoxy-17-äthinyl- 161

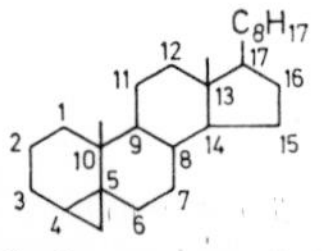

4β,5β-Cyclopropano-cholestan
3β-Hydroxy- 124
3-Oxo- 124

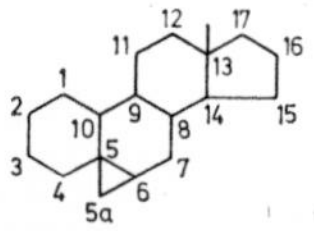

5,6-Cyclopropano-östran
10β-Hydroxy-3β-methoxy-17-oxo- 466

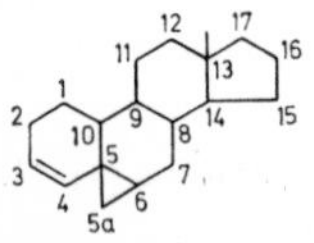

5,6-Cyclopropano-östren-(3)
5a-Äthoxycarbonyl- 276
5a,5a-Dichlor-17-acetoxy-17-äthinyl- 161

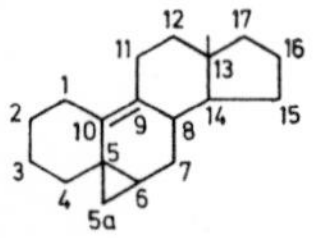

5,6-Cyclopropano-östren-(9)
3β-Methoxy-17-oxo- 466

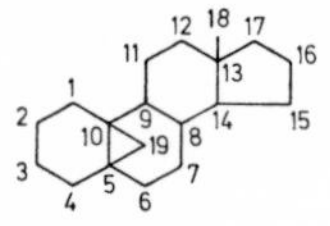

5α,19-Cyclo-androstan
6α-Acetoxy-3,3-äthylendioxy-11-oxo-17β-(1,1-äthylendioxy-äthyl)- 463, 464
3α,17β-Dihydroxy- 125
6β-Hydroxy-3-methoxy-17-oxo- 466
3β-Hydroxy-3-oxo- 125

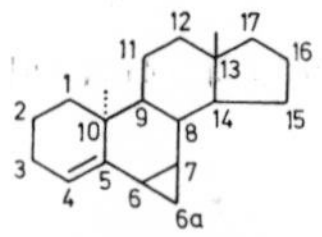

6,7-Cyclopropano-10α-androsten-(4)
6α-Chlor-17β-hydroxy-3-oxo- 142
6α-Chlor-3-oxo-17β-acetyl- 142

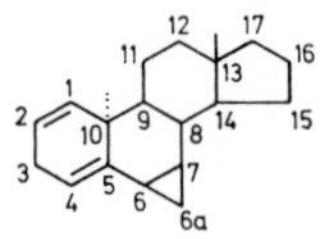

6,7-Cyclopropano-10α-androstadien-(1,4)
6α-Chlor-17β-acetoxy-3-oxo- 142

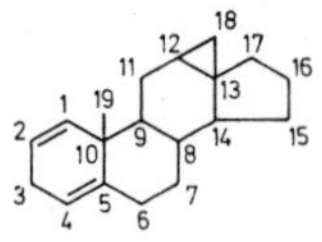

12,18-Cyclo-androstadien-(1,4)
3,11,17-Trioxo- 91

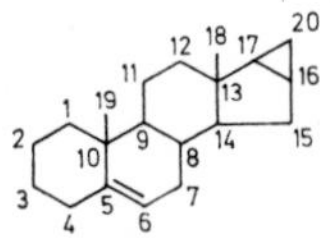

16,17-Cyclopropa-androsten-(5)
3β-Acetoxy-17-acetyl- 46, 52

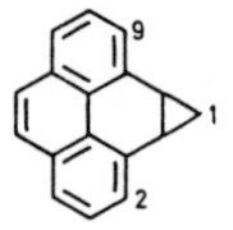

1a,9b-Dihydro-1H-⟨cyclopropa-[e]-pyren⟩ 114

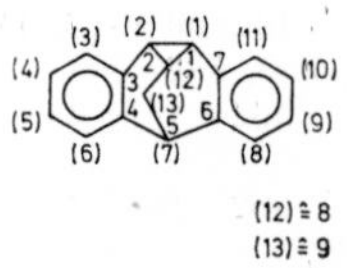

⟨Dibenzo-tricyclo[3.2.2.0^{2,8}]nonadien-(3,6)⟩
13-Oxo- 365

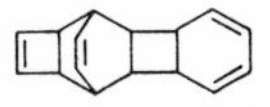

Pentacyclo[8.4.2.0^{2,9}.0^{3,8}.0^{11,14}]hexadecatetraen-
(4,6,12,15) 567, 568

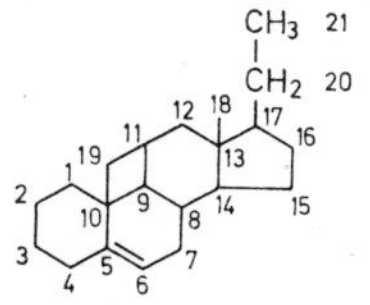

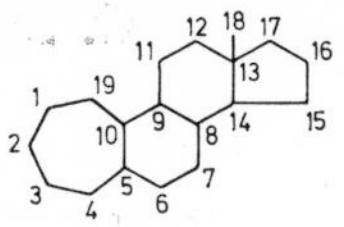

A-Homo-östran
3β,17β-Dihydroxy- 114

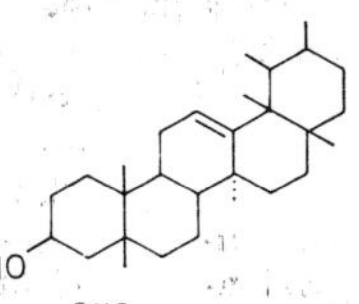

11,19-Cyclo-pregnen-(5)
11-Hydroxy-3,3;20,20-bis-[äthylendioxy]- 463,
464

HO
α-Amyrin 652

VI. Polycyclische Verbindungen

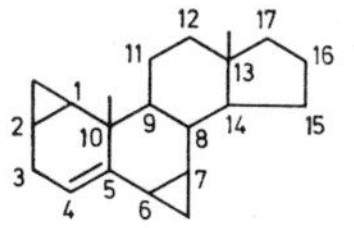

1,2;6,7-Bis-[cyclopropano]-androsten-(4)
4-Chlor-17α-acetoxy-3-oxo-17-acetyl- 57, 58

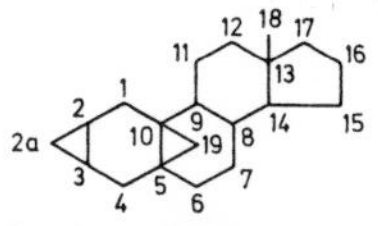

⟨**Benzo-bullvaleno-7-oxa-bicyclo[2.2.1]hepten-
(2)**⟩
1,8-Diphenyl- 555

2,3-Cyclopropa-5,19-cyclo-androstan
2a,2a,19,19-Tetrabrom-3-methoxy-17-oxo- 658

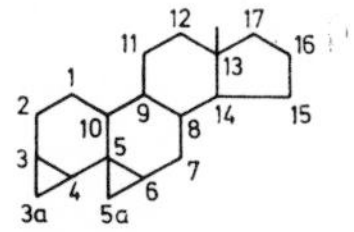

HO
Phyllantol 652

3,4;5,6-Bis-[cyclopropano]-östran
3a,3a,5a,5a-Tetrafluor-17-acetoxy-17-äthinyl- 161

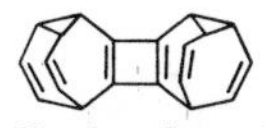

Bis-[bullvaleno]-cyclobutadien 558, 559

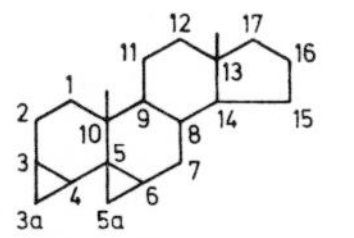

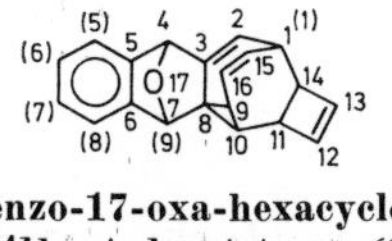

3,4;5,6-Bis-[cyclopropano]-androstan
3a,3a,5a,5a-Tetrafluor-17-acetoxy-17-äthinyl- 161

**5,6-Benzo-17-oxa-hexacyclo[7.5.2.1^{4,7}.0^{3,8}.0^{8,10}.
0^{11,14}]heptadecatetraen-(2,5,12,15)**
4,9-Diphenyl- 572

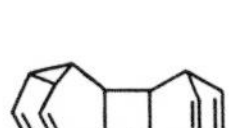

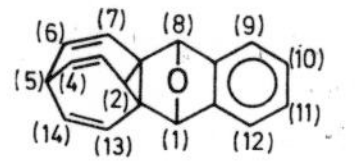

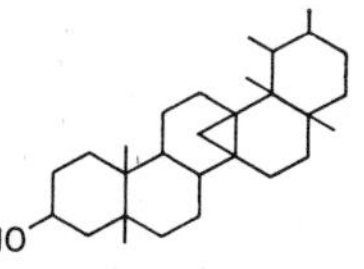

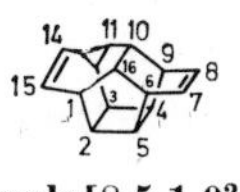

**Hexacyclo[10.2.2.2^{4,8}.0^{2,11}.0^{3,10}.0^{7,9}]octadeca-
tetraen-(5,13,15,17)** 570

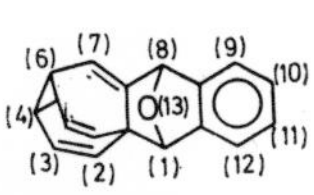

**Heptacyclo[8.5.1.0^{2,5}.0^{3,12}.0^{4,9}.0^{6,16}.0^{11,13}]hexa-
decadien-(7,14)** 575

⟨**Benzo-bullvaleno-7-oxa-bicyclo[2.2.1]hepten-(2)**⟩
1,8-Diphenyl- 555

Tris-[bullvaleno]-benzol 556, 559

C. Spiro-Verbindungen

I. Monospiro

Cyclopropan-⟨1-spiro-1⟩cyclopropan
(Spiro-[2.2]-pentan)
19, 23, 24, 25, **37**, 42,
493 680, 683

2-Chlor-	— 448, 449
2,2-Dichlor-	-2,2-dichlor- 182
3,3-Dimethyl-2-isopropyliden-	-2,3-bis-[isopropyliden]- 312, **313**, 314
3,3-Dimethyl-2-isopropyliden-	-3-lithium-3-brom-2,2-dimethyl- 315
2-Methoxycarbonylmethyl-	— 118
2-Oxo-	— 24
Tetradeutero-	-tetradeutero 39

Cyclopropan-⟨1-spiro-3⟩-cyclopropen (Spiro-[2.2]-penten) 24

3,3-Dichlor-2-[2,2-dichlor-1-methyl-cyclopropyl)-	-2-chlor-1-phenyl- 173

Cyclopropan-⟨1-spiro-1⟩-cyclobutan (Spiro-[3.2]-hexan) 38, 493

—	-2-chlor- 448, 449
—	-3-chlor- 448
2,3-Bis-[isopropyliden]-	-4,4-dimethyl-2,2,3,3-tetracyan- 316
—	-2-oxo- 24

Cyclopropan-⟨1-spiro-3⟩-cyclobuten-(1) {Spiro-[3.2]-hexen-(1)} 24

Cyclopropen-⟨3-spiro-1⟩-cyclobutan {Spiro-[3.2]-hexen-(5)}

Diphenyl-	-3,3,4,4-tetracyan-2-äthoxycarbonyl- 762

Cyclopropan-⟨1-spiro-2⟩-oxetan

2,2-Dimethyl-	-4-oxo-3,3-dimethyl- 400

Cyclopropan-⟨1-spiro-3⟩-oxetan 35

Cyclopropan-⟨1-spiro-1⟩-cyclopentan (Spiro-[4.2]-heptan)

—	-2-chlor- 449
—	-2-hydroxy- 449, 450
—	-2-(4-nitro-benzoyloxy)- 449, 450
—	-2-oxo- 22, 24, 39, 89, 90, 585
—	2-oxo-3,3-bis-[brommethyl]- 40
2,2,3,3-Tetracyan-	— 370

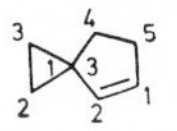

Cyclopropan-⟨1-spiro-3⟩-cyclopenten-(1) {Spiro-[4.2]-hepten-(1)} 24

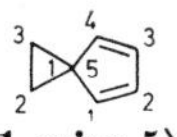

Cyclopropan-⟨1-spiro-5⟩-cyclopentadien-(1,3) {Spiro-[4.2]-heptadien-(1,3)} 91

2-Butyl-	-1,2,3,4-tetrachlor- 297
2,3-Dimethyl-	— 301
2,3-Dimethyl-	-1,2,3,4-tetrachlor- 297, 298, 301
2,3-Dimethyl-	-1,2,3,4-tetraphenyl- 301
3-Methyl-2-äthyl-	-1,2,3,4-tetrachlor- 297
2-Methyl-2-äthyl-	-1,2,3,4-tetraphenyl- 299, **300**
3-Methyl-2-isopropyl-	-1,2,3,4-tetraphenyl- 299
3-Methyl-2-propyl-	-1,2,3,4-tetrachlor- 297
Tetramethyl-	-1,2,3,4-tetrachlor- 297, 298
Trimethyl-	-1,2,3,4-tetrachlor- 297, 298
Trimethyl-	-1,2,3,4-tetraphenyl- 299

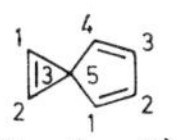

Cyclopropen-⟨3-spiro-5⟩-cyclopentadien-(1,3) (Spiro-[4.2]-heptatrien)

1,2-Diäthyl-	-tetrachlor- 695, 696
1,2-Diphenyl-	-tetrachlor- 695, 696

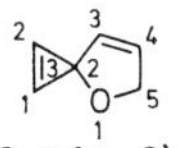

Cyclopropen-⟨3-spiro-2⟩-2,5-dihydro-furan

1,2-Diphenyl-	-5-oxo-3,4-diphenyl- 742
1-Methyl-	-5-oxo-4-methyl- 742

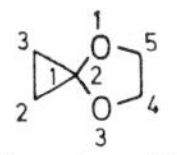

Cyclopropan-⟨1-spiro-2⟩-1,3-dioxolan 38

2,2-Dimethyl-	-5,5-dimethyl-4-methylen- 670

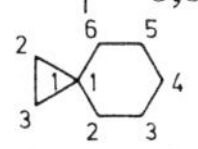

Cyclopropan-⟨1-spiro-1⟩-cyclohexan (Spiro-[5.2]-octan) 35, 203, 450

—	-2-acetoxy- 438
2,2-Dibrom-	— 203
2,2-Dichlor-	— 376, 379
—	-2-hydroxy- 436, **437, 438**, 449
—	-2-methyl- 35
—	-2-(4-nitro-benzoyloxy)- 449, 450
—	-2-oxo- 24, 40
Tetracyan-	— 367, 368, 370
Tetracyan-	-2-methyl- 371
—	-2-tosylhydrazono- 495, 647

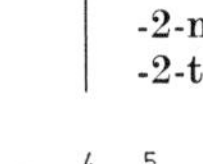

Cyclopropan-⟨1-spiro-3⟩-cyclohexen-(1) {Spiro-[5.2]-octen-(1)} 24, 438

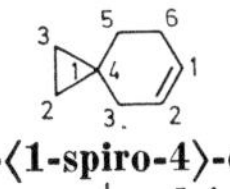

Cyclopropan-⟨1-spiro-4⟩-cyclohexen-(1) {Spiro-[5.2]-octen-(2)}

2-Äthoxycarbonyl-	-1-isopropyl- 273
—	-3-oxo-1-methyl- 39

Cyclopropan-⟨1-spiro-3⟩-cyclohexadien-(1,4) {Spiro-[5.2]-octadien-(1,4)} 261
— | -6-oxo- 22, 91

Cyclopropan-⟨1-spiro-5⟩-1,3-dioxan
3-Isopropyl-2-äthoxycarbonyl- | -4,6-dioxo-2,2-dimethyl- 63, 64
3-(2-Methyl-1-äthoxycarbonyl- | -4,6-dioxo-2,2-dimethyl- 63, 64
äthyl)-2-äthoxycarbonyl-
2-Phenyl- | -4,6-dioxo-2,2-dimethyl- 63

Cyclopropan-⟨1-spiro-1⟩-cycloheptan (Spiro-[6.2]-nonan)
— | -2-hydroxy- 437
— | -2-oxo- 40, 659
— | -2-tosylhydrazono- 647

Cyclopropan-⟨1-spiro-7⟩-cycloheptatrien {Spiro-[6.2]-nonatrien-(1,3,5)} 303, 634
2,3-Dicyan- | — 302
2,3-Dimethoxycarbonyl- | — 301
2,3-Dimethyl- | — 210, 302, 303, 639

Cyclopropan-⟨1-spiro-1⟩-cyclooctan (Spiro-[7.2]-decan)
— | -2-hydroxy- 436, 437
— | -2-oxo- 40, 659

Cyclopropan-⟨1-spiro-1⟩-cyclononan (Spiro-[8.2]-undecan)
— | -2-hydroxy- 436, 437

Cyclopropan-⟨1-spiro-1⟩-cyclodecan (Spiro-[9.2]-dodecan)
Tetracyan- | — 371

Cyclopropan-⟨1-spiro-1⟩-cyclododecan (Spiro-[11.2]-tetradecan)
Tetracyan- | — 371

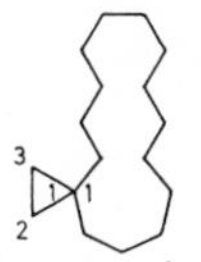

Tetracyan-

Cyclopropan-⟨1-spiro-1⟩-cyclopentadecan (Spiro-[14.2]-heptadecan)
| — 371

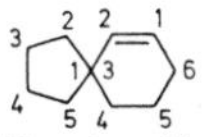

—

Cyclopentan-⟨1-spiro-3⟩-cyclohexen-(1) {Spiro-[5.4]-decen-(1)}
| -6-(4-nitro-benzoyloxy)- 451

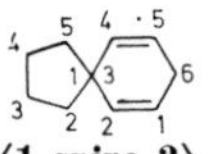

—
—

Cyclopentan-⟨1-spiro-3⟩-cyclohexadien-(1,4) {Spiro-[5.4]-decadien-(1,4)}
| -6-(4-nitro-benzoyloxy)- 451
| -6-oxo- 22

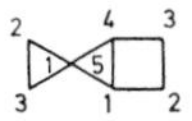

—

Cyclopropan-⟨1-spiro-5⟩-bicyclo[2.1.0]pentan
| -2,3-dideutero- 81, 82

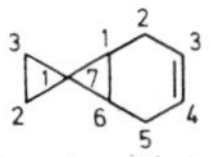

2,3-Dimethyl-

Cyclopropan-⟨1-spiro-7⟩-bicyclo[4.1.0]hepten-(3) 303, 634
| — 210, 303, 639

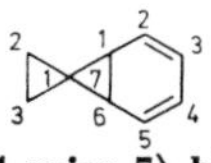

Cyclopropan-⟨1-spiro-7⟩-bicyclo[4.1.0]heptadien-(2,4) 303, 634

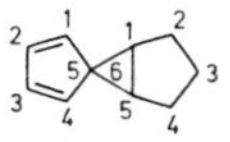

Tetraphenyl-

Cyclopentadien-⟨5-spiro-6⟩-bicyclo[3.1.0]hexan
| — 300

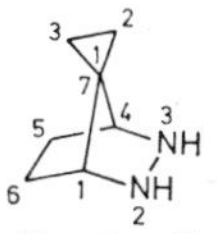

—

Cyclopropan-⟨1-spiro-7⟩-2,3-diaza-bicyclo[2.2.1]heptan
| -2,3-dicarbonsäure-phenylimid 81, 82

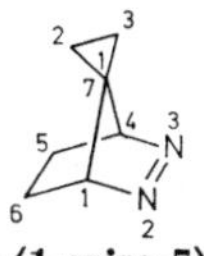

—

Cyclopropan-⟨1-spiro-7⟩-2,3-diaza-bicyclo[2.2.1]hepten-(2)
| -5,6-dideutero- 81, 82

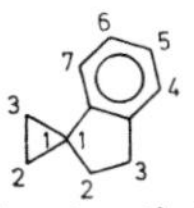

Cyclopropan-⟨1-spiro-1⟩-indan 22

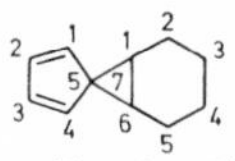

Cyclopentadien-⟨5-spiro-7⟩-bicyclo[4.1.0]heptan

1,2,3,4-Tetrachlor- | — 297, 298, 299
1,2,3,4-Tetraphenyl- | — 300

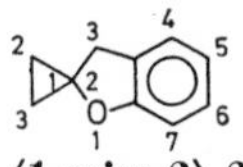

Cyclopropan-⟨1-spiro-2⟩-2,3-dihydro-⟨benzo-[b]furan⟩

2-Phenyl- | -3-oxo- 143

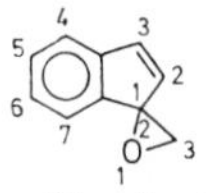

Oxiran-⟨2-spiro-1⟩-inden

— | -2,3-diphenyl- 55

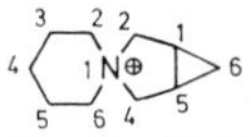

Piperidinio-⟨1-spiro-3⟩-3-azonia-bicyclo[3.1.0]hexan

— | -6,6-diaryl- 51

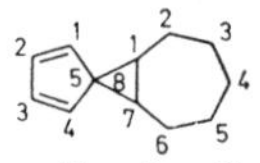

Cyclopentadien-⟨5-spiro-8⟩-bicyclo[5.1.0]octan

Tetraphenyl- | — 300

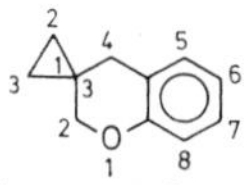

Cyclopropan-⟨1-spiro-3⟩-chroman

2-Phenyl- | -4-oxo- 143
2-Phenyl- | -4-oxo-2-phenyl- 143

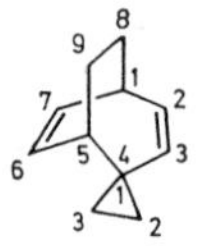

Cyclopropan-⟨1-spiro-4⟩-bicyclo[3.2.2]nonadien-(2,6)

— | -8,9-dicarbonsäure-anhydrid 634

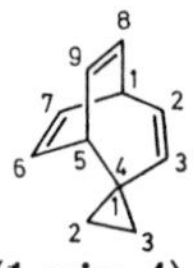

Cyclopropan-⟨1-spiro-4⟩-bicyclo[3.2.2]nonatrien-(2,6,8)

— | -6,7-dicyan- 634

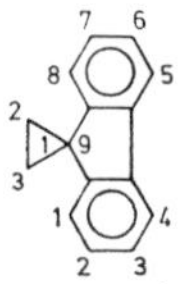

Cyclopropan-⟨1-spiro-9⟩-fluoren

2-Äthinyl- | — 296
2,3-Diäthoxycarbonyl- | — 295

2,3-Diäthoxycarbonyl-	-2,7-dibrom- 295
2,3-Dimethyl-	— 292, 293, 294
2,3-Diphenyl-	— 294
2,3-Diphenylmercapto-	— 296
3-Methyl-2-isopropyl-	— 292, 293, 294
2-Vinyl-	— 294

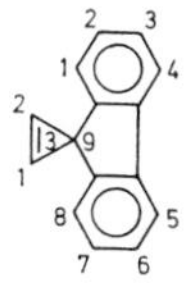

Cyclopropen-⟨3-spiro-9⟩-fluoren

1,2-Dimethyl-	— 750, 751
1,2-Diphenyl-	— 750, 751

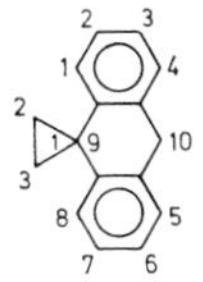

Cyclopropan-⟨1-spiro-9⟩-9,10-dihydro-anthracen

2,2-Diphenyl-	-10-oxo- 260
2-Phenyl-	-10-oxo- 260

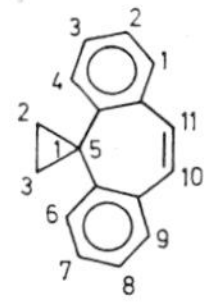

Cyclopropan-⟨1-spiro-5⟩-5H-⟨dibenzo-[a;e]-cycloheptatrien⟩

2,3-Dimethyl-	— 261, 303, 304

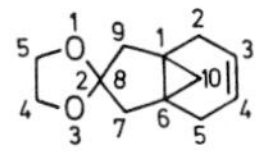

1,3-Dioxolan-⟨2-spiro-8⟩-tricyclo[4.3.0^{1,6}]decen-(3)

—	-10,10-dichlor- 219

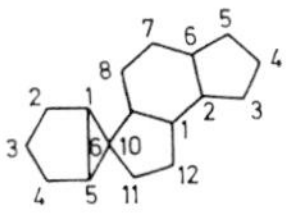

Bicyclo[3.1.0]hexan-⟨6-spiro-10⟩-tricyclo[7.3.0.0^{2,6}]dodecan

3-Oxo-5-methyl-	-5-hydroxy-8-oxo-5-acetoxyacetyl- (Lumiprednison-acetat) 7

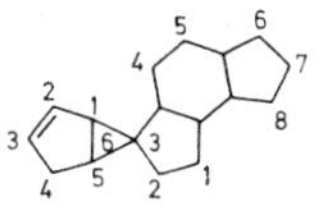

Bicyclo[3.1.0]hexen-(2)-⟨6-spiro-3⟩-perhydro-as-indacen

4-Oxo-1,2-dimethyl-	-6-acetoxy-5α-methyl- 393
4-Oxo-1,5-dimethyl-	-6-acetoxy-5α-methyl- 393
4-Oxo-2,3-dimethyl-	-6-acetoxy-5α-methyl- 393
4-Oxo-1-methyl-	-6-acetoxy-5α-methyl- 393
4-Oxo-2-methyl-	-6-acetoxy-5α-methyl- 393

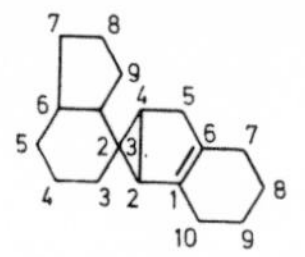

Bicyclo[4.3.0]heptan-⟨2-spiro-3⟩-tricyclo[4.4.0.0²·⁴]decen-(1⁶)
6-Methyl-7-[5,6-dimethyl-   -9-hydroxy- (Suprasterin II) 7
  hepten-(3)-yl-(2)]-

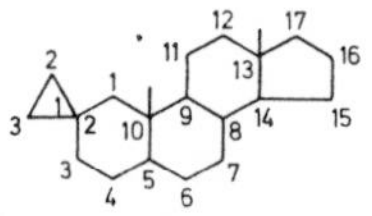

Cyclopropan-⟨1-spiro-2⟩-androstan
— | -17β-hydroxy-3-oxo- 141

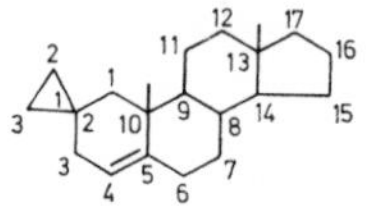

Cyclopropan-⟨1-spiro-2⟩-androsten-(4)
— | -17β-acetoxy-3-oxo- 141
— | -17β-hydroxy-3-oxo- 141

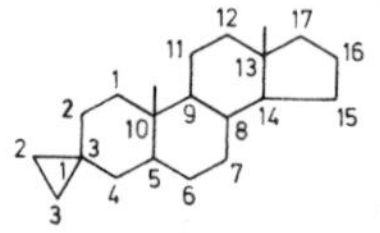

Cyclopropan-⟨1-spiro-3⟩-androstan
— | -17β-(1-methyl-cyclopropyl)- 124

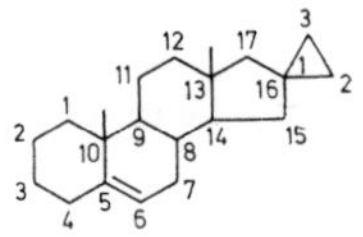

Cyclopropan-⟨1-spiro-16⟩-androsten-(5)
— | -3β-acetoxy-17-oxo- 57

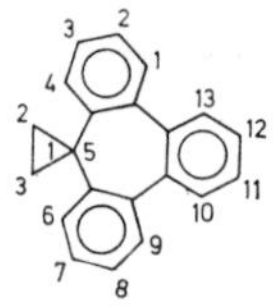

Cyclopropan-⟨1-spiro-5⟩-5H-⟨tribenzo-[a;c;e]-cycloheptatrien⟩
2,3-Dimethyl- | —   304, 305

II. Di- und Trispiro-Verbindungen

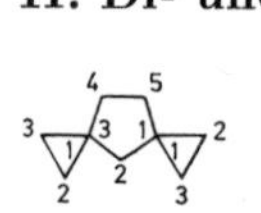

Cyclopropan-⟨1-spiro-3⟩-cyclopentan-⟨1-spiro-1⟩-cyclopropan (Dispiro-[2.1.2.2]-nonan)
—   -2-hydroxy-   —   449
—   -2-(4-nitro-benzoyl-   —   449
         oxy)-
—   2-oxo-   —   39, 40

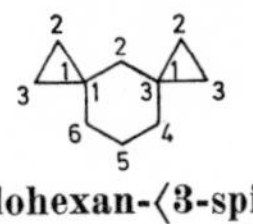

Cyclopropan-⟨1-spiro-1⟩-cyclohexan-⟨3-spiro-1⟩-cyclopropan (Dispiro-[2.1.2.3]-decan)

—	-2-hydroxy-	—	449
—	-2-(4-nitro-benzoyl-oxy)-	—	449

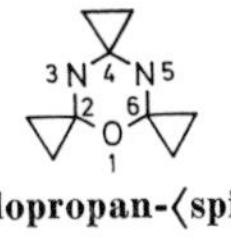

Cyclopropan-⟨spiro-2⟩-[(cyclopropan-⟨spiro-4⟩)-tetrahydro-1,3,5-oxtriazin]-⟨6-spiro⟩-cyclopropan
3,5-Dimethyl- 408

Cyclopropan-⟨spiro-2⟩-[(cyclopropan-⟨spiro-4⟩)-hexahydro-1,3,5-triazin]-⟨6-spiro⟩-cyclopropan
1,3,5-Trimethyl- 408

D. Bi-cycloalkyl-Verbindungen

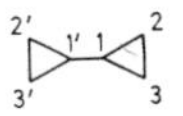

Bi-cyclopropyl 130, 133, 400
2-Cyclopropyl- 107, **110, 111**
1-Cyclopropyl-2,2,3,3-tetracyan- 371
1,1′-Diäthoxycarbonyl- 69
2,2′-Diäthoxycarbonyl- 275
2,2′-Dichlor- 225
2,2′-Dichlor-2,2′,3,3′-tetraphenyl- 719
2,2′-Difluor-2,2-dichlor- 185, 186, 187
2,2′-Dimethoxy- 241
1-Methyl- 117
2′-Methyl-2-anilinocarbonyl- 140
1′-Methyl-2-cyclopropyl- 72
1-Methyl-2,2′-diäthoxycarbonyl- 275
2-Phenyl- **72**, 579
2,2,2,2′-Tetrabrom- 171
2,2,2′,2′-Tetrabrom-1,1′-dimethyl- 644
3,3,3′,3′-Tetrabrom-2,2′-dimethyl- 644
3,3′,3,3′-Tetrabrom-2,2,2′,2′-tetramethyl- 644
2,2,2′,2′-Tetrachlor- 163, **177**, 178, 182
2-Vinyl- 107, **110, 111**, 612

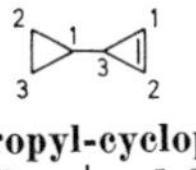

3-Cyclopropyl-cyclopropen

2,3-Dideutero-1,2,3-triphenyl-	-1,2,3-triphenyl-	717, 718
	-1,2,3-triphenyl-	708,
1,2,3-Triphenyl-	712, 713

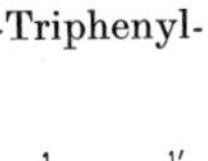

Bi-cyclopropenyl-(3)
3-Deutero-1,1′,2,2′-tetraphenyl- 719

Hexaphenyl- 713, 718, 719, 775, 780
1,1′,2,2′-Tetraphenyl- 713, 719, 720, 721
1,1′,3,3′-Tetraphenyl- 721, 775

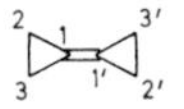

Bi-cyclopropyliden
3,3,3′,3′-Tetramethyl-2,2′-bis-[isopropyliden]- 312, **313**, 314, 315

Cyclopropenyl-(3)   **-cyclopropenylium** $X^{\ominus}$

3-Deutero-1,2-di-phenyl-	-diphenyl-	-per-chlorat 719
1,2-Diphenyl-	-diphenyl-	-per-chlorat 719

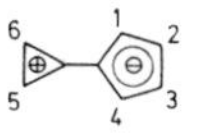

Calicen
(annelliert s. unter Cyclopropen, S. 749 ff.)
5,6-Dimethyl-1,2,3,4-tetraphenyl- 760
5,6-Diphenyl-2,3-dimethoxycarbonyl- 750, 760
5,6-Dipropyl-1,2-dibenzoyl- 760
5,6-Dipropyl-2,3-dibenzoyl- 760
5,6-Dipropyl-1,2-dimethoxycarbonyl- 750, 760
5,6-Dipropyl-1,3-dimethoxycarbonyl- 750
5,6-Dipropyl-1,4-dimethoxycarbonyl- 750
5,6-Dipropyl-2,3-dimethoxycarbonyl- 750, 751, 760
5,6-Dipropyl-1-formyl- 760
1,2,3,4-Tetrachlor-5,6-diphenyl- 761
1,2,3,4-Tetrachlor-5,6-dipropyl- 760

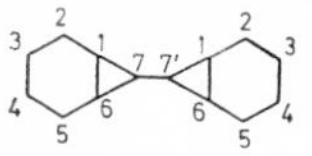

Bi-{bicyclo[4.1.0]heptyl-(7)}
2,2′-Dihydroxy-5,5′-dioxo-3,3,3′,3′,6,6′-hexa-
methyl- 90

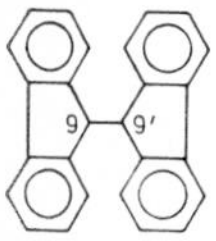

Bi-fluorenyl-(9)   258
9,9′-Dichlor-   295, 296

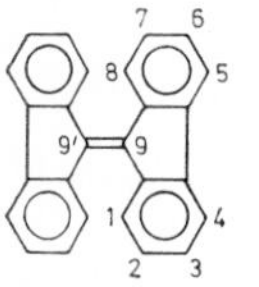

Bi-fluorenyliden   257, 266, 295
2,7,2′,7′-Tetrabrom-   295

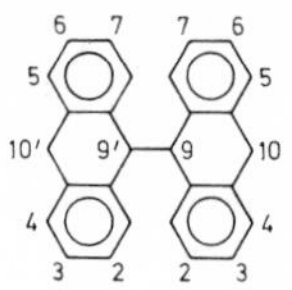

9,9′,10,10′-Tetrahydro-bi-anthryl-(9)
10,10′-Dioxo-   258, 260

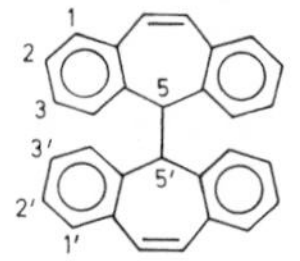

**5H,5′H-Bi-{⟨dibenzo-[a;e]-cycloheptatrien⟩-
yl-(5)}**   304

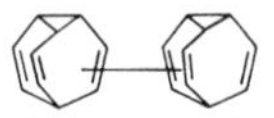

Bi-bullvalenyl   549, 550, 554

E. Dicyclopropyl-Verbindungen

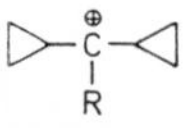

Dicyclopropyl-methyl-Kation
  R = H;   484, 485, 489
  R = CH₃;   486, 489
  R = C₆H₅;   Phenyl-   484, 485
  R = iso-C₃H₇;   486
  R = OH;   486

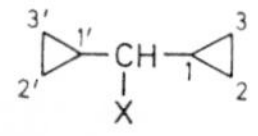

Dicyclopropyl-methan   493
X = OCOCH₃;   Acetoxy-   426
  OH;   Hydroxy-   420, 421, 426, 449
  OCH₃;   Methoxy-   422
  O—CO—C₆H₄—4—NO₂;   4-Nitro-ben-
  zoyloxy-   449
2,2′-Dimethyl- .... -(4-nitro-benzoyloxy)-   451

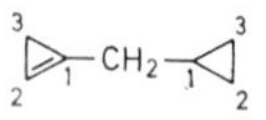

Cyclopropenyl-(1)-cyclopropyl-methan
2-Methyl-3-äthoxy- | -2-äthoxycarbonyl-   283
  carbonyl-

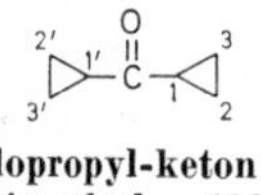

Dicyclopropyl-keton   89, 423, 493, 505
2,2′-Dimethyl-   **423**
2-Methyl-   **423**
2,2,2′,2′-Tetramethyl-   125, 126

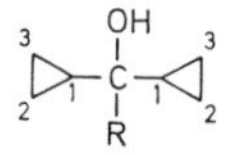

Dicyclopropyl-carbinol
R = H   420, 421, 426
  2-Methyl-   421, 427, 498
R = CH₃   421, 503, 506
  C₂H₅   506
  C₃H₇   503
  iso-C₃H₇   503, 568
  tert.-C₃H₇   503
  H₅C₆—C≡C—   503

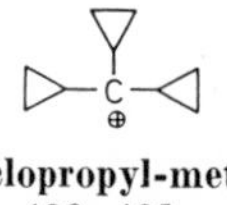

Tricyclopropyl-methyl-Kation   484, 485, 487,
  489, 490, 491
2,2,3,3-Tetramethyl-   489

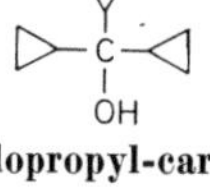

Tricyclopropyl-carbinol   421, 426, 427

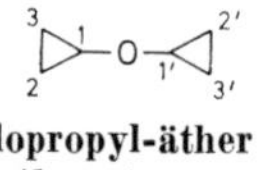

Dicyclopropyl-äther
Bis-[1-(1-acetoxy-cyclopropyloxy)]-   **409, 410**
1′-Chlor-1-acetoxy-   407
1,1′-Diacetoxy-   **409, 410**

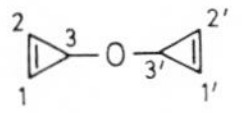

Bis-[cyclopropenyl-(3)]-äther
Hexaphenyl- 744
1,1',2',2'-Tetraphenyl- 721, 770

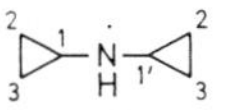

Dicyclopropyl-amin
1,1'-Dihydroxy-N-phenyl- 408

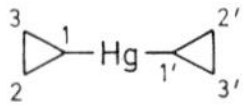

Dicyclopropyl-quecksilber 399
1,1'-Dimethyl-2,2'-diphenyl- 404, 405

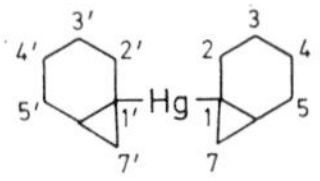

Bis-{bicyclo[4.1.0]heptyl-(1)}-quecksilber
7,7'-Diäthoxycarbonyl- 405

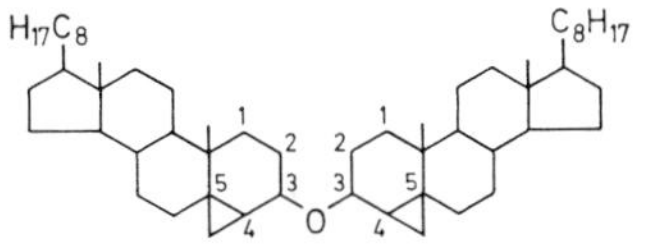

Bis-[4β,5β-cyclopropano-cholestyl-(3β)]-äther
124

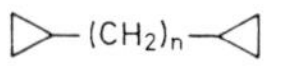

1,ω-Dicyclopropyl-alkan
n = 2; 1,2-Bis-[1-nitro-2-phenyl-cyclo-
      propyl]-äthan   59, 60
      1,2-Bis-[2,2-dibrom-cyclo-
      propyl]-äthan   209,210,
                                             362, 642
      1,2-Bis-[2,2-dibrom-1-methyl- 210, 362,
      cyclopropyl]-äthan   642
n = 3; 1,4-Bis-[2.2-dibrom-cyclo-   210, 362,
      propyl]-propan   642
n = 4; 1,4-Bis-[2,2-dibrom-cyclo-   210, 362,
      propyl]-butan   642

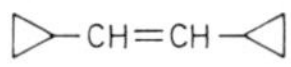

1,2-Dicyclopropyl-äthylen 107, 110, 111, 612

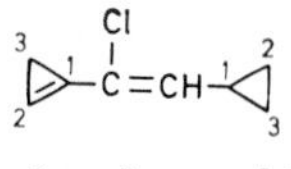

**1-Chlor-2-cyclopropyl-1-cyclopropen-(1)-yl-äthy-
len** 62
3-Oxo-2-phenyl-|-3,3-dichlor-1-methyl- 173

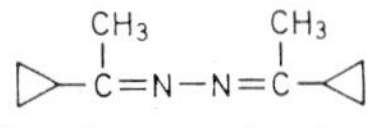

(Acetyl-cyclopropan)-azin 72

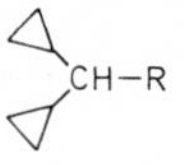

1,1-Dicyclopropyl-alkan
R = CH₃;   2-Tosyloxy-1,1-dicyclopropyl-
           äthan 414
R = C₂H₅; 3-Tosyloxy-1,1-dicyclopropyl-
           propan 414

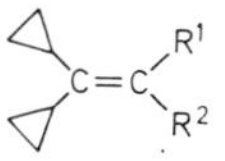

1,1-Dicyclopropyl-alken-(1)
R¹ = R² = H; 1,1-Dicyclopropyl-äthylen 412,
      506
R¹ = H; R² = CH₃; 1,1-Dicyclopropyl-propen-
      (1) 506
R¹ = R² = CH₃; 2-Methyl-1,1-dicyclopropyl-
      propen-(1) 508
R¹ = H; R² = CH₂-CH₂-OCOCH₃; 4-Acetoxy-1,1-
           dicyclopropyl-
           buten-(1) 506
R¹ = H; R² = CH₂-CH₂-Br; 4-Brom-1,1-di-
           cyclopropyl-buten-
           (1) 426
R¹ = H; R² = CH₂-CH₂-Cl; 4-Chlor-1,1-dicyclo-
           propyl-buten-(1)
           426
R¹ = H; R² = CH₂-CH₂-OH; 4-Hydroxy-1,1-
           dicyclopropyl-
           buten-(1) 490

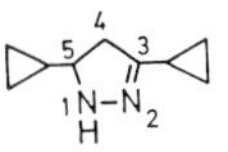

3,5-Dicyclopropyl-4,5-dihydro-1H-pyrazol
5-Methyl- 72

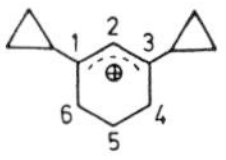

1,3-Dicyclopropyl-cyclohexyl-Kation
5,5-Dimethyl- 484, 485, 488, 489, 490

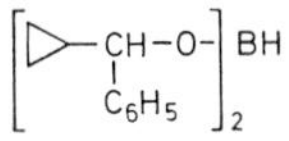

Bis-[cyclopropyl-phenyl-methoxy]-borhydrid
500, 501

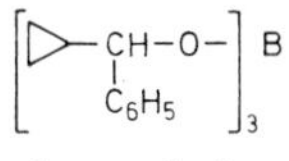

Tris-[cyclopropyl-phenyl-methoxy]-bor 500,
501

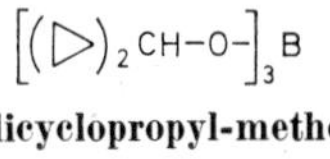

Tris-[dicyclopropyl-methoxy]-bor 501

F. Trivialnamen

α-Amyrin 652
Aza-bullvalen s. Reg. 855
Aza-dihydro-bullvalen s. Reg. 855
Barbaralan s. Reg. 854
Barbaralon 360, 366, 530, 531, 536, 537, **538**
Benzo-bullvalen s. Reg. 858
Benzo-semibullvalen s. Reg. 858
Bullvalen s. Reg. 855
Calicen 749
Chrysanthemsäure 49, 92, 93, **146**
Chrysanthemsäure-äthylester 93
Chrysanthemsäure-methylester **146**
Colchicin 511, 512
2,4-Cyclo-adamantan s. Reg. 858
Dewar-benzol s. Reg. 845
Dibenzosemibullvalen s. Reg. 861
Dihydro-bullvalen s. Reg. 855
Dihydrochrysanthemsäure 92
Feist-Ester 597, 598
Geranyl-linalool 428
Hausan s. Reg. 841
Hexahydrobullvalen s. Reg. 855
Himachalen 658
Homosemibullvalen s. Reg. 854
Hypoglycin A 118
Iron 631, 632
trans-α-Iron 653, 654
β-Iron 653, 654
(+)-Isothujan 131, 132
Lumisantonin 391

Nerolidol 428
Nezukon 631
Norbornadien s. Reg. 846
Norbornan s. Reg. 845, 846
Norbornen s. Reg. 846
Nocaradien s. Reg. 843
Norcaran s. Reg. 842, 843
Nortricyclen s. Reg. 851
Phyllantol 652
Prisman s. S. 850
Propellan 658
Prostaglandin 650
(+)-Pulegen 131, 132
Pulegensäure 131, 132
(+)-Pulegon 131, 132
3,5-[10]-Pyrazolophan 212
Quadricyclan
Radialene s. Formelregister u. S 315, 316
Semibullvalen 560, 561, 574
Sterculen 724
Sterculinsäure 722
Steroide s. im Formelregister
Tetrahedran 637
Tetrahydro-bullvalen s. Reg. 855
Thujan 131, 132, 652
(—)-α-Thujen 130, 131
Triasteran s. Reg. 857
Tropon 211, 224, 630, 631
Vitamin A-Aldehyde 280, 281
Widdrol 455, 456, 457
7,7-Dideutero- 456, 457

G. Arbeitsvorschriften

A

Acetoxy-cyclopropan aus Trifluor-peressigsäure, Dinatrium-hydrogensulfat und Acetyl-cyclopropan **619, 620**
trans-2-Acetoxy-1-phenyl-cyclopropan aus Trifluor-peressigsäure, trans-2-Phenyl-1-acetyl-cyclopropan und Dinatriumhydrogenphosphat **620**
9-Acetoxy-tricyclo[3.3.2.0^{4,6}]decadien-(2,7) aus 9-Hydroxy-tricyclo[3.3.2.0^{4,6}]decadien-(2,7) und Essigsäure-anhydrid **539**
Acetyl-cyclopropan aus Naphthalin-2-sulfonsäure-pentadien-(3,4)-ylester
　durch Hydrolyse **467**
　durch Acetolyse **468**
　durch Formolyse **468**
　durch Methanolyse **468**
endo-(bzw. exo)-7-Äthoxycarbonyl-bicyclo[4.1.0]hepten-(2) aus Cyclohexadien-(1,3), Kupferpulver und Diazoessigsäure-äthylester **272, 273**
Alkoxy-cyclopropane aus Dichlormethyl-alkyläthern, Olefinen und Methyl-lithium; allgemeine Arbeitsvorschrift **242**
Allene aus 1,1-Dihalogen-cyclopropan nur Allyllithium **208**
α-Amino-α-phenyl-acetonitril-hydrochlorid aus Kaliumcyanid/Ammoniumchlorid/Benzaldehyd und Chlorwasserstoff **769, 770**

Aryl-cyclopropane durch Bestrahlung eines Olefins und Aryl-diazomethans; allgemeine Arbeitsvorschrift **261, 262**

B

Benzoyloxymethyl-zinkjodid aus Benzoesäurejodmethylester und Zink-Kupfer-Paar **137**
Bicyclo[4.1.0]heptan aus
　Bis-[jodmethyl]-zink und Cyclohexen **131**
　aus Cyclohexen und Zinkjodid/Bis-[benzoyloxymethyl]-zink bzw. Benzoyloxymethyl-zinkjodid **137**
Bis-[benzoyloxymethyl]-zink aus Zinkbenzoat und Diazomethan **137**
Bis-[bullvaleno]-cyclobutan,-cyclobuten und -cyclobutadien aus Brom-bullvalen und Kalium-tert.-butanolat **559**
Bis-[2,3-diphenyl-cyclopropen-(2)-yl]-äther aus Phenyl-acetylen, Benzalchlorid und Kalium-tert.-butanolat **770**
Bis-[jodmethyl]-zink aus Zinkjodid und Diazomethan **131**
(β-Brom-alkyl)-malonsäure-dinitril aus Brommalonsäure-dinitril und dem entsprechenden Olefin; allgemeine Arbeitsvorschrift **372**
7-Brom-bicyclo[4.1.0]heptan aus 7,7-Dibrom-bicyclo[4.1.0]heptan und Tributyl-zinnhydrid **204**

5-Brom-bicyclo[2.2.1]hepten-(2) aus Bicyclo [2.2.1]heptadien/Bromwasserstoffsäure **441**

Brom-cyclopropane durch Photolyse von Bromdiazomethan in Gegenwart von Olefinen; allgemeine Arbeitsvorschrift **219**

Brom-malonsäure-dinitril aus Malonsäure-dinitril und Brom **372**

3-Brom-tricyclo[2.2.1.0^{2,6}]heptan aus Bicyclo-[2.2.1]heptadien und Bromwasserstoffsäure **441**

Bullvalen
aus 9-Acetoxy-tricyclo[3.3.2.0^{4,6}]decadien-(2,7) durch Pyrolyse **539**
aus Pentacyclo[9.3.2.0^{2,9}.0^{3,8}.0^{10,12}]hexadecatetraen-(4,6,13,15) (dimeres Cyclooctatetraen) durch UV-Bestrahlung **534, 535**

anti-2-tert.-Butyl-1-(4-methyl-phenyl)-cyclopropan aus *syn*- und *anti*-2-tert.-Butyl-1-(4-methyl-phenyl)-cyclopropan und Kalium-tert.-butanolat in Dimethylsulfoxid **267**

syn- und *anti*-2-tert.-Butyl-1-(4-methyl-phenyl)-cyclopropan aus Dichlor-(4-methyl-phenyl)-methan in 3,3-Dimethyl-buten-(1) und Methyllithium **267**

C

Carbonylcyanidhydrazon aus Diphenylmethylen-dicyanmethylen-hydrazin und Benzophenonhydrazon bzw. Dibrom-malonsäure-dinitril und Hydrazin **518, 519**

exo-7-Carboxy-bicyclo[4.1.0]heptan durch Äthoxycarbonyl-carben-Addition an Cyclohexen in Gegenwart von Kupferpulver **273**

(2-Chlor-äthoxy)-cyclopropane aus Dichlormethyl-(2-chlor-äthyl)-äther, Olefinen und Methyl-lithium/Lithiumjodid; allgemeine Arbeitsvorschrift **245**

2-(2-Chlor-äthoxy)-1,1-dimethyl-cyclopropan aus Dichlormethyl-(2-chlor-äthyl)-äther, 2-Methyl-propen und Methyl-lithium **245**

3-(2-Chlor-äthoxy)-1,2-*trans*-dimethyl-cyclopropan aus Dichlormethyl-(2-chlor-äthyl)-äther, *trans*-Buten-(2) und Methyl-lithium **245, 246**

3-(2-Chlor-äthoxy)-1,1,2,2-tetramethyl-cyclopropan aus Dichlormethyl-(2-chlor-äthyl)-äther, 2,3-Dimethyl-buten-(2) und Methyl-lithium **246**

5-Chlor-bicyclo[2.2.1]hepten-(2) aus Bicyclo [2.2.1]heptadien und Chlorwasserstoff bzw. konz. Salzsäure bzw. Lucas-Reagenz **440, 441**

Chlor-bullvalen aus *trans*-Dichlor-bullvalen und Kalium-tert.-butanolat **550**

7-Chlorcarbonyl-cycloheptatrien (Cycloheptatrien-7-carbonsäure-chlorid) aus Cycloheptatrien-7-carbonsäure-äthylester **538**

Chlor-cyclopropane durch Photolyse der Chlordiazomethan-Lösungen in Olefinen; allgemeine Arbeitsvorschrift **218, 219**

Chlor-diazomethan aus Diazomethan, tert.-Butylhypochlorit und Fluor-trichlor-methan **218**

3-Chlor-3-fluor-1,1,2,2-tetramethyl-cyclopropan aus Kalium-tert.-butanolat, 2,3-Dimethyl-buten-(2) und 1,3-Difluor-tetrachlor-aceton **162**

2-Chlor-1-methyl-1,2-dicarboxy-cyclopropan durch Verseifung von 2-Chlor-1-methyl-1,2-dimethoxycarbonyl-cyclopropan **97**

Chlormethyl-dichlormethyl-äther durch Einleiten von Chlor in Methyl-chlormethyl-äther unter Bestrahlung **243**

2-Chlor-1-methyl-1,2-dimethoxycarbonyl-cyclopropan aus α-Methyl-acrylsäure-methylester, Dichlor-essigsäure-methylester und Natriumhydrid **97**

7-Chlor-7-phenyl-bicyclo[4.1.0]heptan aus Cyclohexen, Kalium-tert.-butanolat und Phenyl-dichlor-methan **230**

1-Chlor-1-phenyl-cyclopropane aus Olefinen, Phenyl-dichlor-methan und Kalium-tert.-butanolat bzw. Methyl-lithium als Base; allgemeine Arbeitsvorschriften **229, 230**

1-Chlor-2,2,3,3-tetramethyl-1-phenyl-cyclopropan aus 2,3-Dimethyl-buten-(2), Phenyl-dichlor-methan und Methyl-lithium **230**

3-Chlor-tricyclo[2.2.1.0^{2,6}]heptan aus Bicyclo [2.2.1]heptadien und Chlorwasserstoff bzw. konz. Salzsäure bzw. Lucas-Reagenz **440, 441**

(±)-*trans*-Chrysanthemsäure-methylester aus 2,2-Diphenyl-äthyl-sulfonium-tetrafluoroborat, Dichlormethan, Lithium-diisopropylamid, Methyljodid und 1-Methyl-*trans*-hexadien-(1,3)-5-carbonsäure-methylester **146**

Cycloheptatrien-7-carbonsäure-chlorid aus Cycloheptatrien-7-carbonsäure-äthylester **538**

2-[Cyclohexen-(1)-yl]-äthanol aus Cyclohexen-(1)-yl-essigsäure und Lithiumalanat **437**

Cyclooctatetraen-Dimeres aus Cyclooctatetraen durch Erhitzen **573**

Cyclopropan aus 1,3-Dichlor-propan, Natriumcarbonat, Zinkstaub und Natriumjodid **36**

Cyclopropan-*trans*-1,2-dicarbonsäure aus Cyclopropan-*trans*-1,2-dicarbonsäure-diäthylester **51**

trans-Cyclopropan-1,2-dicarbonsäure-diäthylester aus Acrylsäure-äthylester und Diazoessigsäure-äthylester **51**

Cyclopropane aus Dibrom-alkanen durch Halogen Abspaltung mit Zinkstaub; allgemeine Arbeitsvorschrift **32, 33**

Cyclopropanol aus Epichlorhydrin, Äthyl-magnesiumbromid, Magnesiumbromid und Eisen-(III)-chlorid-Hexahydrat **620**

Cyclopropanole aus (2-Chlor-äthoxy)-cyclopropanen; allgemeine Arbeitsvorschrift **246**

Cyclopropanon aus Diazomethan und Keten in flüssigem Propan **66**

1,2-Cyclopropano-steroide aus 3 β-Hydroxy-Δ^1-steroiden, Diazomethan und Zink-Kupfer-Paar **123**

Cyclopropan-⟨spiro⟩-cyclopropan (Spiro-[2.2]-pentan) aus Dinatriumdihydrogenäthylendiaminotetraacetat, Natrium-hydroxid, Natriumjodid, Zinkstaub und Tetrakis-[brommethyl]-methan **37, 38**

Cyclopropen-⟨spiro-1⟩-2-hydroxy-cyclohexan (1-Hydroxy-spiro-[5.2]-octan) aus 2-p-Toluolsulfonyloxy-2-[cyclohexen-(1)-yl]-äthan und Calciumcarbonat **437, 438**

3-Cyclopropyl-5-phenyl-4,5-dihydro-1H-pyrazol aus Cinnamoyl-cyclopropan und Hydrazinhydrat **72**

Cyclopropyl-phenyl-sulfon aus Vinyl-phenyl-sulfon und Benzoyloxymethyl-zinkjodid **136**

D

a,ω-Diacetoxy-poly-(oxo-cyclopropylidene) aus 1,1-Dihydroxy-cyclopropan und Cyclopropanon **409, 410**

trans-1,2-Diäthoxycarbonyl-cyclopropan aus Acrylsäure-äthylester und Diazoessigsäureäthylester **51**

7-Diazoacetyl-cycloheptatrien aus Diazomethan und Cycloheptatrien-7-carbonsäure-chlorid **538**

Dibrom-bullvalen aus 2,6,9-Tribrom-bicyclo [3.3.2]decatrien-(3,7,9) und Kalium-tert.-butanolat **553**

Di-tert.-butyloxy-bullvalen aus Kalium-tert.-butanolat und 2,6,9-Tribrom-bicyclo[3.3.2] decatrien-(3,7,9) **553**

trans-1,2-Dicarboxy-cyclopropan aus Cyclopropan-*trans*-1,2-dicarbonsäure-diäthylester **51**

3,8-Dicarboxy-tricyclo[5.1.0.0^{2,4}]octan aus Cyclohexadien-(1,3), Kupferpulver und Diazoessigsäure-äthylester **272, 273**

7,7-Dichlor-bicyclo[4.1.0]heptan aus Chloroform, Kalium-tert.-butanolat und Cyclohexen bzw. Trichloressigsäure-äthylester, Natriummethanolat und Cyclohexen bzw. Natrium-trichloracetat, Cyclohexen und 1,2-Dimethoxy-äthan **162**

(Dichlor-brom-methyl)-phenyl-quecksilber aus Phenyl-quecksilber-bromid, Dichlorbrommethan und Kalium-tert.-butanolat in Benzol **176, 177**

trans-Dichlor-bullvalen aus Bullvalen und Sulfurylchlorid **550**

2,2-Dichlor-1-chlormethyl-cyclopropan aus Natrium-trichloracetat, Allylchlorid und 1,2-Dimethoxy-äthan **161**

2,2-Dichlor-1-methyl-cyclopropan aus Propen, Chloroform, Äthylenoxid und Tetraäthylammoniumbromid **376**

7,7-Dichlor-norcaran aus Chloroform, Kaliumtert.-butanolat und Cyclohexen bzw. Trichloressigsäure-äthylester, Natrium-methanolat und Cyclohexen bzw. Natrium-trichloracetat, Cyclohexen und 1,2-Dimethoxy-äthan **162**

11,11-Dichlor-tricyclo[4.4.1.0^{1,6}]undecadien-(3,8) aus 1,4,5,8-Tetrahydro-naphthalin, Kaliumtert.-butanolat und Chloroform **213, 214**

2,2-Dichlor-1-vinyl-cyclopropan aus (Dichlorbrom-methyl)-phenyl-quecksilber und Butadien-(1,3) **177**

7,7-Dicyan-bicyclo[4.1.0]heptadien-(2,4) aus Carbonylcyanidhydrazon und Blei(IV)-acetat in Acetonitril **519** Dicyan-diazomethan in Benzol durch Thermolyse **519**

1,1-Dicyan-cyclopropane aus (β-Brom-alkyl)-malonsäure-dinitrile und Triäthylamin; allgemeine Arbeitsvorschrift **372**

Dicyan-diazomethan aus Carbonylcyanidhydrazon und Blei(IV)-acetat **519**

7,7-Dicyan-norcaradien aus Carbonylcyanidhydrazon und Blei(IV)-acetat in Acetonitril **519** Dicyan-diazomethan in Benzol durch Thermolyse **519**

Didehydro-bullvalen dimeres, aus Brom-bullvalen und Kaliumtert.-butanolat **559** trimeres, aus Brom-bullvalen, Kalium-tert.-butanolat, Furan und Äther **559**

Difluor-cyclopropane, geminale, aus Trimethyl-(trifluormethyl)-zinn, einem Olefin und Natriumjodid; allgemeine Arbeitsvorschrift **186**

3,3-Difluor-1,2-dibrom-cyclopropen aus Tetrabrom-cyclopropen und Antimon(III)-fluorid **692**

Dihydro-bullvalen aus Bullvalen, Kupfer(II)-acetat, Hydrazin und Sauerstoff **573**

4,5-Dihydro-3H-pyrazole durch Oxidation von Tetrahydropyrazolen; allgemeine Arbeitsvorschrift **75**

1,1-Dihydroxy-cyclopropan aus Keten und Diazomethan **65**

8,8-Dimethyl-bicyclo[5.1.0]octen-(1^7) durch Photolyse von 3,3-Dimethyl-3,5,6,7,8,9-hexahydro-⟨cyclohepta-[c]-pyrazol⟩ **700**

1,1-Dimethyl-cyclopropan aus 1,3-Dibrom-2,2-dimethyl-propan und Zinkstaub **33** 2-Phenyl-mercapto-1,1-dimethyl-cyclopropan und Raney-Nickel **250**

trans-1,2-Dimethyl-cyclopropan-1-carbonsäuremethylester aus *trans*-3,4-Dimethyl-4,5-dihydro-3H-pyrazol-3-carbonsäure-methylester und UV-Licht in Pentan **46** in Substanz **46**

trans-3,4-Dimethyl-4,5-dihydro-3 H-pyrazol-3 carbonsäure-methylester aus Diazomethan und Angelicasäure-methylester **45**

($\pm$)-3,3-Dimethyl-*trans*-2-(2-methyl-propenyl)-cyclopropan-1-carbonsäure durch alkalische Verseifung des Methylesters **146**

($\pm$)-3,3-Dimethyl-*trans*-2-(2-methyl-propenyl)-cyclopropan-1-carbonsäure-methylester aus 2,2-Diphenyl-äthyl-sulfonium-fluoroborat und Dichlormethan in 1,2-Dimethoxy-äthan, Lithium-diisopropylamid, Methyljodid und 1-Methyl-*trans*-hexadien-(1,3)-5-carbonsäuremethylester **146**

Dimethyloxosulfonium-methylid aus Trimethyloxosulfonium-jodid oder -chlorid, Natriumhydrid und Dimethylsulfoxid **148**

2,2-Dimethyl-1,1,3,3-tetracyan-cyclopropan aus Monobrom-malonsäure-dinitril und Aceton in Gegenwart von Kaliumjodid **368**

Diphenyl-cyclopropenon aus Diphenyl-acetylen und (Dichlor-brom-methyl)-phenyl-quecksilber und Hydrolyse **737** Phenylketen-dimethylacetal, Phenyl-orthoessigsäure-trimethylester, Kalium-tert.-butanolat und Benzalchlorid bzw. aus Diphenyl-acetylen, Kalium-tert.-butanolat und Bromoform bzw. 1,3-Diphenylaceton und Brom **736**

Diphenyl-cyclopropenylium-bromid aus Bis-[2,3-diphenyl-cyclopropen-(2)-yl]-äther und Bromwasserstoff **770**

1,2-Dipropyl-cyclopropen-3-carbonsäure aus Octin-(4), Kupferstaub und Diazoessigsäureäthylester und Kaliumhydroxid **771**

Dipropyl-cyclopropenylium-perchlorat aus 1,2-Dipropyl-cyclopropen-3-carbonsäure und Perchlorsäure in Essigsäureanhydrid 771

7,8-Dipropyl-2-methoxycarbonyl-⟨benzocalicen⟩ aus Dipropyl-cyclopropenon und 1-Methoxycarbonyl-inden 761

F

5-Fluor-bicyclo[2.2.1]hepten-(2) aus Bicyclo[2.2.1]heptadien und Fluorwasserstoff 441

Fluor-bullvalen aus Brom-bullvalen bzw. Jodbullvalen und Silberfluorid 550

7-Fluor-7-chlor-bicyclo[4.1.0]heptan aus Cyclohexen, Fluor-dichlor-methan, Äthylenoxid und Tetraäthylammoniumbromid 380

3-Fluor-tricyclo[2.2.1.0^{2,6}]heptan aus Bicyclo[2.2.1]heptadien und Fluorwasserstoff 441

H

Hexachlor-cyclopropan aus (Dichlor-brom-methyl)-phenyl-quecksilber in Tetrachlor-äthylen 177

Hexyl-cyclopropan aus Dijodmethan, Jod, Zink/Kupfer und Octen-(1) 116

exo/endo-7-Hexyloxy-bicyclo[4.1.0]heptan aus Dichlormethyl-hexyl-äther, Cyclohexen und ätherische Methyl-lithium-Lösung 242

1-(1-Hydroxy-äthyl)-cyclopropan aus 5-Brom-penten-(2)
mit wäßriger Kaliumcarbonat-Lösung 421
mit Silberoxid/Wasser 423

2-Hydroxy-cyclohexan-⟨1-spiro⟩-cyclopropan aus 2-p-Toluolsulfonyloxy-2-[cyclohexen-(1)-yl]-äthan und Calciumcarbonat 437, 438

Hydroxy-cyclopropan aus Epichlorhydrin, Äthyl-magnesiumbromid, Magnesiumbromid und Eisen(III)-chlorid-hexahydrat 620

Hydroxy-cyclopropane aus (2-Chlor-äthoxy)-cyclopropanen; allgemeine Arbeitsvorschrift 246

2-Hydroxy-1,1-dimethyl-cyclopropan aus 2-(2-Chlor-äthoxy)-1,1-dimethyl-cyclopropan 246, 247

3-Hydroxy-1,2-trans-dimethyl-cyclopropan aus 3-(2-Chlor-äthoxy)-1,2-trans-dimethyl-cyclopropan 247

trans-2-Hydroxy-1-phenyl-cyclopropan aus trans-2-Acetoxy-1-phenyl-cyclopropan und Methyl-lithium 620

Hydroxy-phenyl-cyclopropenon aus Trichlorphenyl-cyclopropen und Kalium-tert.-butanolat 739

9-Hydroxy-tricyclo[3.3.2.0^{4,6}]decadien-(2,7) aus 9-Oxo-tricyclo[3.3.2.0^{4,6}]decadien-(2,7) und Natriumborhydrid 539

I

Isopropyliden-bicyclo[4.1.0]heptan aus 3-Nitroso-2-oxo-5,5-dimethyl-tetrahydro-1,3-oxazol, Cyclohexen und Lithiumäthanolat 321, 322

cis-1-Isopropyliden-1a,2,3,6,7,7a-hexahydro-1H-⟨cyclopropa-[b]-naphthalin⟩ aus 1,4,5,8-Tetrahydro-naphthalin, 3-Nitroso-2-oxo-5,5-dimethyl-tetrahydro-1,3-oxazol und Lithium-äthanolat 322

J

Jod-bullvalen aus Brom-bullvalen, Magnesium und 1,2-Dibrom-äthan 550

M

1,6-Methano-cyclodecapentaen aus 3,4,8,9-Tetrabrom-tricyclo[4.4.1.0^{1,6}]undecan und methanolische Kalilauge 213, 214

endo/exo-6-Methoxy-bicyclo[3.1.0]hexen-(2) aus Methyl-dichlormethyl-äther, Cyclopentadien und Methyl-lithium 242

2-Methoxy-1,1-dimethyl-cyclopropan aus Methyl-dichlormethyl-äther, 2-Methyl-propen und Methyl-lithium 242

(Methoxymethoxy)-cyclopropane aus Chlormethyl-dichlormethyl-äthern, Methyl-lithium und Natriummethanolat in Methanol; allgemeine Arbeitsvorschrift 243

2-(Methoxymethoxy)-1,1-dimethyl-cyclopropan aus Chlormethyl-dichlormethyl-äther, 2-Mehtyl-propen, ätherische Methyl-lithium- und Natrium-methanolat/Methanol-Lösung 243

2-Methyl-2-äthyl-cyclopropan-⟨1-spiro-5⟩-tetraphenyl-cyclopentadien aus 5-Diazo-1,2,3,4-tetraphenyl-cyclopentadien-(1,3), 2-Methyl-buten-(1) durch Photolyse 300

1-Methyl-1-cyan-cyclopropan aus 3-Methyl-3-cyan-4,5-dihydro-3H-pyrazol durch Pyrolyse 48, 49

3-Methyl-3-cyan-4,5-dihydro-3H-pyrazol aus Diazomethan und α-Methyl-acrylnitril 48

1-Methyl-cyclopropan-1-carbonsäure-methylester aus Diazomethan und α-Methyl-acrylsäure-methylester und Pyrolyse 47

Methyl-cyclopropane aus Olefinen, 1,1-Dijod-äthan und Diäthyl-zink; allgemeine Arbeitsvorschrift 385, 386

1-Methyl-cyclopropen aus 3-Chlor-2-methyl-propen und Natriumamid in Tetrahydrofuran 697

2-Methyl-dicyclopropyl-keton aus Natriummethanolat, γ-Butyrolacton und γ-Methyl-butyrolacton 423

Methyl-lithium-Lösungen aus Lithiumdraht und Methylchlorid, -bromid oder -jodid 230

N

Nerdel-Äthylenoxid-Methode 380
Norcaran aus
Benzoyloxymethyl-zinkjodid und Cyclohexen 137
Bis-[benzoyloxymethyl]-zink und Cyclohexen 137
Bis-[jodmethyl]-zink und Cyclohexen 131

O

Oxo-cyclopropan aus Diazomethan und Keten in flüssigem Propan 66

2-Oxo-1,1-dimethyl-cyclopropan aus Dimethyl-keten und Diazomethan 66

3-Oxo-1,1,2,2-tetramethyl-cyclopropan durch Photolyse von 2,4-Dioxo-1,1,3,3-tetramethyl-cyclobutan 388

9-Oxo-tricyclo[3.3.2.0^{4,6}]decadien-(2,7) aus 9-Oxo-tricyclo[3.3.1.0^{4,6}]nonadien und Diazomethan 538

9-Oxo-tricyclo[3.3.1.0⁴,⁶]nonadien-(2,7) aus 7-Di-
azoacetyl-cycloheptatrien und Kupfer(II)-
sulfat **538**

P

Pentachlor-cyclopropan aus Trichlor-äthylen und
Natrium-trichloracetat in 1,2-Dimethoxy-
äthan **160, 161**
Pentacyclo[9.3.2.0²,⁹.0³,⁸ 0¹⁰,¹²]hexadecatetraen-
(4,6,13,15) (ein Dimeres des Cyclooctatetraens)
aus Cyclooctatetraen durch Erhitzen **573**
2-Phenoxy-1,1-dimethyl-cyclopropan aus 2-Meth-
yl-propen, Chlormethyl-phenyl-äther und
Butyl-lithium **237**
3-Phenoxy-1,1,2,2-tetramethyl-cyclopropan aus
2,3-Dimethyl-buten-(2), Chlormethyl-phenyl-
äther und Butyl-lithium **237**
2-Phenyl-1-benzoyl-cyclopropan aus Dimethyloxosulfonium-methylid und Chalcon **142, 143**
2-Phenyl-bi-cyclopropyl aus 3-Cyclopropyl-5-
phenyl-4,5-dihydro-1H-pyrazol, Kaliumhydroxid und Platinasbest **72**
α-Phenyl-diazoacetonitril aus α-Amino-α-phenyl-
acetonitril-hydrochlorid und Natriumnitrit
770
2-Phenylmercapto-1,1-dimethyl-cyclopropan aus
Chlormethyl-phenyl-sulfid, Butyl-lithium und
2-Methyl-propen bzw. mit Kalium-tert.-
butanolat **250**
Phenylsulfon-cyclopropan aus Vinyl-phenyl-sulfon und Benzoyl-oxymethyl-zinkjodid **136**
Poly-cyclopropanon durch thermische Polymerisation von Cyclopropanon **66**
3-Propyl-1,2-diphenyl-cyclopropenylium-perchlo-
rat aus Propyl-magnesiumbromid, Bis-[2,3-
diphenyl-cyclopropen-(1)-yl]-äther und Triphenyl-methyl-perchlorat **770**

S

Spiro-[2.2]-pentan (Cyclopropan-⟨1-spiro-1⟩-
cyclopropan) aus Dinatrium-dihydrogenäthylendiaminotetraacetat, Natriumhydroxid, -jodid, Zink und Tetrakis-[bromme-
thyl]-methan **37, 38**

T

Tetrabrom-cyclopropen aus Tetrachlor-cyclopropen und Bor-tribromid **692**
3,4,8,9-Tetrabrom-tricyclo[4.4.1.0¹,⁶]undecan aus
Tricyclo[4.4.1.0¹,⁶]undecadien-(3,8) und Brom
in Dichlormethan **214**
2,2,2′,2′-Tetrachlor-bi-cyclopropyl **177**
Tetrachlor-cyclopentadien-⟨5-spiro-7⟩-bicyclo
[4.1.0]heptan aus Tetrachlor-diazocyclopentadien in Cyclohexen durch Photolyse **299**
Tetrachlor-cyclopropen aus Pentachlor-cyclopropan und konz. Kalilauge **691**
Tetrachlor-diazocyclopentadien aus 1,2,3,4-Tetra-

chlor-5-hydrazono-cyclopentadien und Silberoxid **298**
2,3,4,5-Tetrachlor-6,7-diphenyl-calicen aus
Diphenyl-cyclopropenon und Tetrachlor-
cyclopentadien **761**
1,2,3,3-Tetramethyl-cyclopropen aus
3,3,4,5-Tetramethyl-3H-pyrazol durch Photolyse **700**
4-Tosylhydrazono-2,3-dimethyl-penten-(2)
und Natrium-methanolat in Bis-[2-meth-
oxy-äthyl]-äther und Belichtung **698**
2-p-Toluolsulfonyloxy-2-[cyclohexen-(1)-yl]-
äthan aus 2-[Cyclohexen-(1)-yl]-äthanol, p-
Toluolsulfonsäure-chlorid in Pyridin **437**
2,6,9-Tribrom-bicyclo[3.3.2]decatrien-(3,7,9) aus
Brom-bullvalen und Brom **553**
2,3,3-Trichlor-1-phenyl-cyclopropan aus Tetrachlor-cyclopropen, Aluminiumchlorid und
Benzol **739**
Tricyclo[3.3.2.0⁴,⁶]decadien-(2,7) aus Bullvalen,
Kupfer(II)-acetat, Hydrazin und Sauerstoff
573
Tricyclo[4.4.1.0¹,⁶]undecadien-(3,8) aus 11,11-Di-
chlor-tricyclo[4.4.1.0¹,⁶]undecadien-(3,8)
durch Reduktion in flüssigem Ammoniak **214**
1,1,2-Trimethyl-cyclopropan aus 2,4-Dibrom-2-
methyl-pentan und Zinkstaub **33**
Trimethyloxosulfonium-chlorid aus Trimethyloxosulfonium-jodid und Chlor **142**
Trimethyloxosulfonium-jodid aus Dimethylsulfoxid und Methyljodid **142**
1,2,3-Triphenyl-3-cyan-cyclopropen aus α-Phenyl-
diazoacetonitril und Diphenylacetylen und
Erhitzen **770**
1,2,3-Triphenyl-cyclopropenylium-bromid aus
Tolan, Kalium-tert.-butanolat, Benzalchlorid
und Bromwasserstoff **770, 771**
Triphenyl-cyclopropenylium-tetrafluoroborat/hy-
droxo-fluoroborat aus 1,2,3-Triphenyl-3-cyan-
cyclopropen und Bortrifluorid-Diäthylätherat
769, 770
Tris-[bullvaleno]-benzol aus Brom-bullvalen, Kalium-tert.-butanolat, Furan und Äther **559**

V

Vinyl-cyclopropan aus Diazomethan und Butadien und thermische Zersetzung des entstandenen 3-Vinyl-4,5-dihydro-3H-pyrazols
70

Z

Zink/Kupfer
granuliert; aus Kupfer(II)-acetat-Monohydrat
und granuliertem Zink **116**
Staub; aus Zinkstaub und Kupfer(II)-acetat-
Monohydrat **117**
Zink/Kupfer-Paar aus Zink-Staub, Salzsäure,
und wäßriger Kupfer(II)-sulfat-Lösung **116**

H. Stichwort-Verzeichnis

Alder-Rickert-Spaltung **689**
Arndt-Eistert-Synthese **530**
Bamford-Stevens-Reaktion **564, 697**
Bastus-Methode **537**

„bent-bond"-Beschreibung **587**
„Bent-Bond"-„Pseudo"-Konjugation **20**
Birch-Reduktion **120**
„bond-bending", Effekt **24**

Bredt-Regel 572
Cope-Umlagerung 106, 529 f., 566
Diels-Alder-Reaktion 569, 705 ff., 763
Faworski-Umlagerung 665 f., 735, 743
Feist-Ester 596, 597
Fritsch-Buttenberg-Wiechell-Umlagerung 311
GOSCF-Berechnungen 586
Hammett-g-Parameter 581
Homoallyl-Umlagerung
    über isomere Carbonium-Ionen 483
    Energieschema 481
Hückel-Regel 729 f., 766
Hunsdiecker-Reaktion 664
,,inward rotation'' 197
Kilpatrik/Spitzer-Kriterien 22
Markownikoff-Regel 651
Matrixtransformation 19
Methylene s. Inhaltsverzeichnis S. 7f., 677
    Singulett 104
    Spinzustand 103
    Triplett 104, 329
,,methylene-transfer''-Reaktion 115
Michael-Reaktion 147
Nerdel-Verfahren 374, 375, 380, 632
,,outward rotation'' 197
POPLE-SCF-MO-Methode 683

PPP-SCF-Methode 781, 782
Retro-Claisen-Umlagerung 605
Rydberg-Übergänge 586
Schaefer-Schneider-Beziehung 766
Schleyer-Foote-Beziehung 617
Seyferth-Verfahren 176, 737
Simmons-Smith-Reagens 116, 124
Simmons-Smith-Reaktion 114 f., 120, 122, 123,
    125, 657
,,symmetrically bent'' Bindungen 25, 26
Taft-δ-Konstanten 584
,,twist bent''-Bindungen 25, 26
Valence-Bond-Betrachtungen 18
Vielsmeyer-Haack-Reaktion, anormale 796
Vinyl-cyclopropan/Cyclopenten-Umlagerung
    Substituenteneinfluß am Ring 600
    Substituenteneinfluß an der Doppelbindung
      601, 602, 603
Wagner-Meerwein-Allyl-Umlagerung 445
Wagner-Meerwein-Umlagerung 357, 431, 442, 444
Widequist-Reaktion 367, 368
Wolf-Kishner-Reduktion 71, 563, 564
Woodward-Hoffmann-Regel 391, 393 f., 590,
    627, 628, 722
Woodward-Hoffmann-De Puy-Regel 616ff.,
    623

Das Wesen der Biochemie

Von Prof. E. BALDWIN, Sc.D., F. I. Biol. London

Übersetzt von Dipl.-Psych. Dr. Dr. J. DAHMER, Hannover

1968. 1. Nachdruck, 1970. VIII, 119 Seiten, 18 Abbildungen, 2 Tabellen
flexibles Taschenbuch DM 7,80

ISBN 3 13 **436**301 1

Spektroskopische Methoden in der organischen Chemie

mit 67 Übungsaufgaben

Von D H. WILLIAMS, M.A., Ph.D. Cambridge/England, und I. FLEMING, M.A., Ph.D. Cambridge/England
Übersetzt und neu bearbeitet von Dr. B. ZEEH, Ludwigshafen/Rh.

2., wesentlich erweiterte deutsche Auflage, 1971. X, 346 Seiten, 145 Abbildungen, 42 Tabellen
flexibles Taschenbuch DM 12,80
ISBN 3 13 **437**202 9

Die Struktur biologisch wichtiger Moleküle

Eine Einführung für Naturwissenschaftler und Mediziner

Von J. M. BARRY und E. M. BARRY, Oxford

Übersetzt von Dr. H. SCHNEIDER, Tübingen

1971. VI, 197 Seiten, 17 Abbildungen
flexibles Taschenbuch DM 8,80

ISBN 3 13 **475**501 7

Die Acidität der CH-Säuren

Von Priv.-Doz. Dr. H. F. EBEL, Heidelberg

1969. VIII, 99 Seiten, 8 Tabellen, Format 15,5 × 23 cm, kartoniert DM 25,—

ISBN 3 13 **447**501 4

**Georg Thieme Verlag
Stuttgart**

DATE DUE
